令和３年７月改訂

詳解

# 小規模宅地等の課税特例の実務

## 重要項目の整理と理解

上

税理士 笹岡 宏保［著］

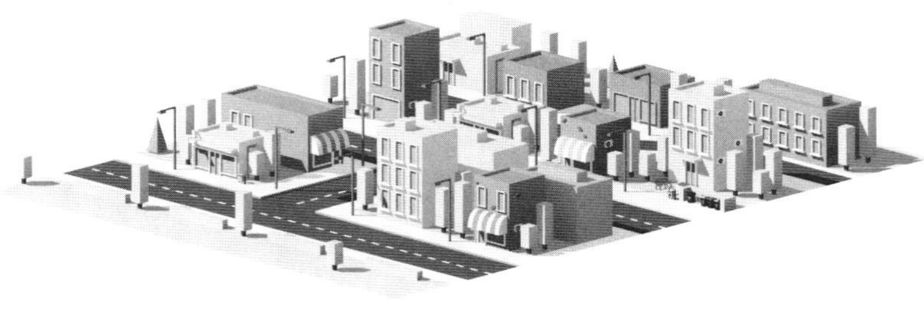

清文社

# は　し　が　き

日々の報道によりご高承のとおり、長期化する不況、度重なる大災害等により、財務的に多大なダメージを受けているわが国においては、増税による財政改革路線を歩むことは不可避のことと考えられます。そのなかでも、資産家を課税対象とする相続税の改革（課税強化）が今後想定されることは言を待たないものと思います。

一方、相続税実務を担当する専門家（税理士等）においては、依頼者（相続人等）の立場から、租税法律主義の許容する範囲内において最大限の努力を図ることが課せられた重要な使命であると考えられ、その意味で、租税特別措置法第69条の４に規定する『小規模宅地等についての相続税の課税価格の計算の特例』（以下『小規模宅地等の課税特例』といいます。）の制度をどのように活用するかで、納付すべき相続税額が相当異なる（事例によっては、億単位）ことも想定され、その適用に当たっては相当の慎重さが要求されるものと考えられます。

また、この小規模宅地等の課税特例の規定は、昭和50年に個別通達（事業又は居住の用に供されていた宅地の評価について）により制定されて以来、昭和58年度における措置法化をはじめ、数次の改正を経ていますが、平成22年度の税法改正では、その取扱いが抜本的に改められ、制度が一新したと解釈しても過言ではないような見直しが加えられました（改正前の取扱いを熟知している方ほど、新制度への切替えに時間が必要なようです）。

そこで、このように実務における重要性が認められ、かつ、抜本的な改正が行われた小規模宅地等の課税特例について、その概要の確認から実務上において求められる応用レベルまでの理解を容易にする目的として、執筆したのが本書です。

本書では、小規模宅地等の課税特例の規定について、その理解の基礎となる条文や通達等の解説から始め、更に応用として、次のような観点から日々の実務において発生する悩ましい事案についてその解決を目指すべく編纂することとしました。

① 第１章から順番に読みすすめることにより、基本的項目から応用的項目まで、順次ステップアップが図れるように各章の構成（下記記載のとおりです。）建てをしたこと。

第１章 …… 小規模宅地等の課税特例の概要
第２章 …… 『措置法通達』・『情報』による確認
第３章 …… 抜本的に取扱いが変更された平成22年度の改正項目
第４章 …… 質疑応答による確認
第５章 …… 制度の創設と改正経緯
第６章 …… 裁判例（判例）・裁決事例の確認
附録資料…… 参考法令通達集

② 事例形式を採用することにより、実務上における話題（問題）事項について、適用さ

れるべき税法条文等と考え方について、その解決に至るプロセスを示しながらその両者を有機的に結合させることに主眼をおいたこと。

③　過去に、納税者と課税庁との間において実際に係争が発生した事案のうち、実務上における重要性が高いと考えられる事例について、国税不服審判所又は裁判所により示された判断について、(1)『事案の概要・基礎事実』、(2)『事案のポイント・争点』、(3)『争点に対する双方の主張』、(4)『国税不服審判所（裁判所）の判断』、(5)『裁決事例（判例）から確認する実務における留意点』に区分して、その収録を試みたこと（第6章を参照）。

本書を利用されることにより、読者である税理士、公認会計士及び会計事務所職員等の実務家の方々が、小規模宅地等の課税特例の取扱いに対して万全の対処を図るための糸口として活用していただければと考える次第です。

筆者の浅学非才の点から推敲を重ねながらも十分に意を尽くすことができなかったことをお詫びし、また、紙面の都合もあり収録問題数にも限りがあって読者各位のご期待に添えなかった点があるのではないかと危惧する次第ですが、これらの点については、今後の改訂版発刊時の課題にしたいと考えています。本書を小規模宅地等の課税特例の規定を理解するための基本書として利用していただければ、筆者として望外の喜びとするところであります。

なお、文中意見にわたる部分は、筆者の全くの個人的な見解によるものであり、資産税実務のご担当者又は読者諸兄の見解と相違があるかもしれないことを念のために申し添えます。

最後になりましたが、今回、本書刊行の機会を与えていただきました清文社小泉定裕社長をはじめ、執筆に当たり何かとお世話、ご助言をいただきました編集担当の前田美加氏、さらには編集部の皆様に心よりの御礼を申し上げます。

平成23年10月

税理士　笹岡　宏保

# 改訂（４訂版）のことば

平成27年１月１日から適用開始とされた相続税法の改正によって、相続税の課税対象者は大幅に増加し、改正前の約２倍になったとされており、その相続税負担は今後も増加することが想定されます。

このような状況にある相続税申告において、租税特別措置法第69条の４に規定する小規模宅地等についての相続税の課税価格の計算の特例（以下「小規模宅地等の課税特例」といいます。）をいかに活用するかによって、算出される相続税額に相当の差異が生じる事例も珍しくはなく、資産税実務担当者は十分に留意をする必要があります。

この小規模宅地等の課税特例について、平成31年度及び令和２年度から施行された税法改正によって次に掲げる項目の見直しが行われることになりました。

⑴　特定事業用宅地等の範囲の見直し（厳格化）

⑵　個人の事業用資産についての相続税・贈与税の納税猶予制度の新設に伴って、同制度の適用を受けた場合における小規模宅地等の課税特例の適用関係に対する取扱いの新設

⑶　民法改正によって創設された『配偶者居住権に基づく敷地利用権』が、小規模宅地等の課税特例の対象とされることについての解釈の明確化

⑷　上記⑶に伴って、小規模宅地等の課税特例の適用対象が『配偶者居住権に基づく敷地利用権』又は『居住建物の敷地の用に供される宅地等』の全部又は一部である場合における当該特例対象宅地等の面積の算出方法を規定

本書は、この小規模宅地等の課税特例の理解及び運用の一助にでもなればとの思いで平成23年11月に初版を発刊し、平成26年11月及び平成31年３月にそれぞれ当時の税法改正内容を補足した２訂版・３訂版として発刊した『詳解　小規模宅地等の課税特例の実務　重要項目の整理と理解』に、上記に掲げる平成31年度及び令和２年度に施行された改正項目を追加して、その他必要な実務関連項目についても大幅な加筆（配偶者居住権部分について詳述するとともに、判例及び裁決事例等も新たに収録しました。）等を加えた改訂版（４訂版）です。

この改訂版（４訂版）を利用していただき、今回の改正見直し後における適正な相続税申告に資するための実務書として利用していただければ、筆者として望外の喜びとするところであります。

また、文中意見にわたる部分は、筆者の全くの個人的な見解によるものであり、相続税申告実務のご担当者又は読者諸兄の見解と相違があるかもしれないことを念のために申し添えます。

最後になりましたが、今回の改訂版発行の機会を与えていただきました清文社代表取締役社長小泉定裕氏をはじめ、担当をいただきました前田美加氏、何かとお世話及び有益な御助言をいただきました編集部の皆様に心より御礼を申し上げます。

令和３年５月

税理士　笹岡　宏保

上巻・目　次

# 第1章 小規模宅地等の課税特例の概要

## 第３章　抜本的に取扱いが変更された平成22年度・平成25年度の改正項目

## 第3節　平成25年度の主要改正項目 …… 327

# 第４章　質疑応答による確認

（以上〈上巻〉目次／第４章〔５〕以下は〈下巻〉に収録）

下巻・目次



## 凡　例

| | |
|---|---|
| 相　　法……相続税法 | 措　　規……租税特別措置法施行規則 |
| 措　　法……租税特別措置法 | 措　　通……租税特別措置法関係通達 |
| 措　　令……租税特別措置法施行令 | 評価通達……財産評価基本通達 |

（注）本書は、令和３年６月１日現在において公表されている法令・通達によっています。

# 第１章
# 小規模宅地等の課税特例の概要

## 第１節　この章のポイント

相続税は、他の租税と異なり財産課税であるため、その相続等により承継した財産に対する課税においても処分に制約があると認められるような居住用、事業用の一定の宅地等については所要のしんしゃく配慮が必要であると考えられています。

上記に掲げる趣旨から設けられた規定が租税特別措置法（以下「措置法」又は「措法」と呼称する場合もあります。）第69条の４に規定する『小規模宅地等についての相続税の課税価格の計算の特例』（以下「小規模宅地等の課税特例」又は「課税特例」と呼称する場合もあります。）です。

第１章では、この課税特例について下記に掲げる事項を確認してください。

**⑴　規定創設の趣旨**

**⑵　規定の概要**

**⑶　適用対象者、適用対象地及び限度面積要件**

**⑷　小規模宅地等の区分と減額割合**

①　小規模宅地等が『特定事業用宅地等』である場合（減額割合：80％、適用上限面積400㎡）

②　小規模宅地等が『特定居住用宅地等』である場合（減額割合：80％、適用上限面積330㎡）

③　小規模宅地等が『特定同族会社事業用宅地等』である場合（減額割合：80％、適用上限面積400㎡）

④　小規模宅地等が『貸付事業用宅地等』である場合（減額割合：50％、適用上限面積200㎡）

⑤　参考：小規模宅地等が『(旧）国営事業用宅地等』である場合（減額割合：80％、適用上限面積400㎡）（郵政民営化法の取扱い）

**⑸　手続き等の要件**

①　分割要件

②　課税特例の適用を受けるための手続要件

### ⑹　特定計画山林についての相続税の課税価格の計算の特例との適用関係

①　原則的な取扱い（重複適用の原則的禁止）

②　特例的な取扱い（一定要件下における重複適用の容認）

㈠　重複適用が認められる場合

㈡　課税特例の規定を重複適用する場合の具体的な計算方法及び計算設例による確認

㈢　課税特例の規定を重複適用する場合の具体的な計算例

# 第２節　小規模宅地等の課税特例の概要

## 〔1〕　規定創設の趣旨

被相続人からの相続又は遺贈により取得した財産（宅地等）の中には、当該財産を承継した相続人等の生活基盤となるべきものでその処分に相当の制約や困難が伴うものが存することが想定されます。

一方、宅地等の評価額がいわゆる地価公示価格の80％水準相当額で評価（平成４年以降）されることから、このような宅地等については、当該評価水準による相続税評価額に基づいて相続税額を算出することは納税資金の欠如等相当の問題を生じさせる原因にもなりかねません。

そこで、被相続人の相続財産である一定の宅地等については、その処分の制約性に鑑みて、一定のしんしゃく配慮（減額措置の適用）を行った後にこれを相続税の課税価格に算入するという規定（措法69の４）が設けられています。

この規定は、当初、昭和50年に個別通達（「事業又は居住の用に供されていた宅地の評価について」（昭50.６.20直資５－17通達、昭58.３.31直評４、直資２－95通達により廃止））により設けられた評価上のしんしゃく配慮に関する定めが、昭和58年に租税特別措置法の規定に昇格し、その後、数次の改正を経て今日に至っています。

（注）　当初は、措置法第69条の３として規定されていましたが、平成12年度の税法改正により条文番号が変更となり、現在では措置法第69条の４とされています。

## 〔2〕　規定の概要

個人が相続又は遺贈により取得した財産のうちに、当該相続の開始の直前において、当該相続若しくは遺贈に係る被相続人又は当該被相続人と生計を一にしていた当該被相続人の親族（以下「被相続人等」といいます。）の事業（事業に準ずるものとして相当の対価を得て継続的に行う不動産（土地等又は建物等）の貸付けを含みます。）の用又は居住の用（居住の用に供することができない一定の事由により相続開始の直前において当該被相続人の居住の用に供されていなかった場合（一定の用途に供されている場合を除きます。）における当該事由により居住の用に供されなくなる直前の当該被相続人の居住の用を含みます。）に供されていた宅地等（土地又は土地の上に存する権利をいいます。）で一定の建物又は構築物の敷地の用に供されているもので一定のもの（特定事業用宅地等、特定居住用宅地等、特定同族会社事業用宅地等及び貸付事業用宅地等に限ります。以下「特例対象宅地等」といいます。）がある場合には、当該相続又は遺贈により財産を取得した者に係る全ての特例対象宅地等のうち、当該個人が取得した特例対象宅地等又はその一部でこの特例の規定の適用を受けるものとして選択したもの（以下「選択特例対象宅地等」といいます。）については、限度面積要件を満たす場合の当該選択特例対象宅地等（以下「小規模宅地等」といいます。）に限り、相続税の課税価格に算入すべき価額は、当該小規模宅地等の価額に次に掲げる小規模宅地等の区分に応じて、それぞれに定める割合を乗じて計算した金額とされています。（措法69の４①）

| 番 | 小規模宅地等の区分 | 課税価格算入割合 | 参考 限度面積（最大） |
|---|---|---|---|
| ① | 特定事業用宅地等である小規模宅地等 | 20% | 400㎡ |
| ② | 特定居住用宅地等である小規模宅地等 | 20% | 330㎡ |
| ③ | 特定同族会社事業用宅地等である小規模宅地等 | 20% | 400㎡ |
| ④ | 貸付事業用宅地等である小規模宅地等 | 50% | 200㎡ |

## 〔３〕　適用対象者及び適用対象地

### (1)　適用対象者

小規模宅地等の課税特例の適用対象者は、相続又は遺贈により取得した財産のうちに一定の要件を満たす特例の対象となる宅地等を取得した者（個人）に限られます。（措法69の４①）（なお、小規模宅地等の課税特例の適用の有無の判定についてその者（個人）が被相続人の親族であることは要件とされていますが、法定相続人又は相続人であるか否かは問われません。）

小規模宅地等の課税特例の適用の有無を対象者別に整理すると次のとおりです。

| | |
|---|---|
| 小規模宅地等の課税特例の適用がある場合 | ①　相続により特例対象宅地等を取得した個人<br>②　遺贈により特例対象宅地等を取得した個人（当該個人が被相続人の親族であることは要件とされても、法定相続人又は相続人であるか否かは問われません。） |
| 小規模宅地等の課税特例の適用がない場合 | ①　遺贈により特例対象宅地等を取得した個人で、当該個人が被相続人の親族に該当しない場合<br>②　遺贈により特例対象宅地等を取得した個人以外の者<br>③　贈与により特例対象宅地等を取得した個人及び個人以外の者<br>（当該贈与により取得した特例対象宅地等が相続税法第19条《相続開始前３年以内に贈与があった場合の相続税額》の規定により相続税の課税価格に加算される場合又は相続税法第21条の９《相続時精算課税の選択》の規定（措置法第70条の３《特定の贈与者から住宅取得等資金の贈与を受けた場合の相続時精算課税の特例》第１項において準用する場合を含みます。）により相続税の課税価格に加算される場合においても、特例対象宅地等を贈与により取得したことには何ら変わりはありませんので本特例の適用対象とはなりません。）<br>④　相続又は遺贈により財産を取得した者（当該相続等に係る被相続人からの相続時精 |

| | |
|---|---|
| | 算課税の適用を受ける財産を贈与により取得した者を含みます。）が、下記に掲げる規定の適用を受け又は受けている場合における当該者（個人）<br>(イ)　旧措置法第70条の３の３《特定の贈与者から特定同族株式等の贈与を受けた場合の相続時精算課税の特例》第１項<br>(ロ)　旧措置法第70条の３の４《特定同族株式等の贈与を受けた場合の相続時精算課税に係る贈与税の特別控除の特例》第１項<br>（注）　上記④の規定は、平成21年度の税法改正によって、一定の経過措置を設けたうえで廃止されました。 |

### (2)　特例対象宅地等

特例対象宅地等とは、個人が相続又は遺贈により取得した宅地等のうちに、当該相続の開始の直前において、次の①又は②に示されている被相続人等の事業用宅地等又は居住用宅地等の区分に応じて、それぞれに掲げる宅地等をいいます。（措法69の４①、措令40の２、措規23の２）

①　被相続人等の事業用宅地等

被相続人等の事業〔事業に準ずるものとして、事業と称するに至らない不動産の貸付けその他これに類する行為で相当の対価を得て継続的に行うもの（以下「準事業」といいます。）を含みます。〕の用に供されていた宅地等で一定の建物又は構築物の敷地の用に供されていたもので一定の要件に該当するもの

②　被相続人等の居住用宅地等

次に掲げる(イ)又は(ロ)の宅地等で、一定の建物又は構築物の敷地の用に供されていたもので一定の要件に該当するもの

(イ)　被相続人等の居住の用に供されていた宅地等

(ロ)　居住の用に供することができない一定の事由により相続の開始の直前において当該被相続人の居住の用に供されていなかった場合（一定の用途に供されている場合を除きます。）における当該事由により居住の用に供されなくなる直前の当該被相続人の居住の用に供されていた宅地等

上記のそれぞれに掲げる①及び②について、一定の要件をまとめますと次表のとおりです。（次表の○は該当欄に特例適用のために充足すべき要件が存していることを示しています。）

| 小規模宅地等の適用要件／特例対象宅地等の区分 | 小規模宅地上の建築物に関する要件<br>一定の建物又は構築物の敷地の用 | 棚卸資産等に対する適用除外要件 | 適用要件を充足していない部分の取扱い | 適用対象地の面積要件（限度面積要件） |
|---|---|---|---|---|
| ①　被相続人等の事業用宅地等 | ○（注１） | ○（注２） | ○（注３） | ○（注４） |
| ②　被相続人等の居住用宅地等 | ○（注１） | ○（注２） | ○（注３） | ○（注４） |

（注１）　一定の建物又は構築物の敷地の用

被相続人等の事業用宅地等又は居住用宅地等が、特例対象宅地等に該当するためには、一定の建物又は構築物の敷地の用に供されていたものであることが要件とされています。

この『一定の建物又は構築物の敷地』とは、次に掲げる建物又は構築物の敷地以外の建物又は構築物の敷地をいうものとされています。

⑴　温室その他の建物で、その敷地が耕作（農地法第43条（参考資料を参照）第１項の規定により耕作に該当するものとみなされる農作物の栽培を含みます。次の⑵において同じです。）の用に供されるもの

**参考資料**　**農地法第43条《農作物栽培高度化施設に関する特例》第１項**

> 農林水産省令で定めるところにより農業委員会に届け出て農作物栽培高度化施設の底面とするために農地をコンクリートその他これに類するもので覆う場合における農作物栽培高度化施設の用に供される当該農地については、当該農作物栽培高度化施設において行われる農作物の栽培を耕作に該当するものとみなして、この法律の規定を適用する。この場合において、必要な読替えその他当該農地に対するこの法律の規定の適用に関し必要な事項は、政令で定める。

⑵　暗渠その他の構築物で、その敷地が耕作の用又は耕作若しくは養畜のための採草若しくは家畜の放牧の用に供されるもの

なお、『一定の建物又は構築物』は被相続人の所有に限定されていません。例えば、被相続人が宅地を第三者に貸し付けて、第三者がその敷地上に建物等を建築して地代を支払っている場合なども該当します。

**（注２）**　棚卸資産等に該当するものの適用除外

**（注１）**に該当する土地等であっても、当該土地等が所得税法第２条《定義》第１項第16号に規定する『棚卸資産（これに準ずるものとされる雑所得の基因となる資産〔土地等〕を含みます。）』に該当する場合には本特例の適用対象となる特例対象宅地等には該当しないこととなります。

したがって、個人である不動産販売業者に相続の開始があった場合における小規模宅地等の課税特例の適用判定については慎重な配慮が必要です。

**参考**

⑴　所得税法第２条《定義》第１項第16号（棚卸資産）

事業所得を生ずべき事業に係る商品、製品、半製品、仕掛品、原材料その他の資産（有価証券、第48条の２第１項に規定する暗号資産及び山林を除く。）で棚卸をすべきものとして政令で定めるものをいう。

⑵　所得税法施行令第３条《棚卸資産の範囲》

法第２条《定義》第１項第16号に規定する政令で定める資産は、次に掲げる資産とする。

一　商品又は製品（副産物及び作業くずを含む。）

二　半製品

三　仕掛品（半成工事を含む。）

四　主要原材料

五　補助原材料

六　消耗品で貯蔵中のもの

七　前各号に掲げる資産に準ずるもの

**（注３）**　適用要件を充足していない部分の取扱い

**（注１）**に該当して、被相続人等の事業の用又は居住の用（注）に供されていた部分に限り本特例の適用対象となります。

注　(1)　居住の用には、居住の用に供することができない一定の事由により、相続の開始の直前において当該被相続人の居住の用に供されていなかった場合（一定の用途に供されている場合を除きます。）における当該事由により居住の用に供されなくなる直前の当該被相続人の居住の用を含むものとされています。

(2)　居住の用には、居住の用に供されていた部分が被相続人の居住の用に供されていた一棟の建物（建物の区分所有等に関する法律第１条《建物の区分所有》の規定に該当する建物を除きます。）に係るものである場合には、当該一棟の建物の敷地の用に供されていた宅地等のうち、当該被相続人の親族の居住の用に供されていた部分を含むものとされています。

したがって、宅地等のうちこれらのいずれの用にも供されていなかった部分については、小規模宅地等の課税特例の適用対象とはなりません。

（注４）　適用対象地の面積要件（限度面積要件基準）

被相続人から相続又は遺贈によって財産を取得したすべての個人の取得した上記①又は②に該当する宅地等のうち、限度面積要件を満たす部分（特例対象宅地等の個々について限度面積に達するまで適用するのではなく、被相続人ベースで限度面積に達するまでの部分）として一定の方法により選択した宅地等であることが必要とされています。

**参考資料**　**廃止された『国営事業用宅地等』の取扱いについて**

平成19年の税法改正によって、平成19年10月１日以後に相続又は遺贈により取得した小規模宅地等については、『国営事業用宅地等』（国の事業の用に供されて宅地等で、一定の建物の敷地の用に供されているもので一定の要件に該当するもの）が適用対象地から除外され、小規模宅地等の課税特例の対象に該当しないことになりました。

なお、この取扱いについては一定の経過措置が設けられていますので、詳細については、**第３節**で確認してください。

### (3)　限度面積要件

#### ①　基本的な考え方及びその取扱い

前記〔2〕に規定する限度面積要件は、選択特例対象宅地等につき、次に掲げる場合の区分に応じ、それぞれ下記に規定するとおりとされています。（措法69の４②）

(イ)　当該相続又は遺贈により財産を取得した者に係る選択特例対象宅地等のすべてが『特定事業用宅地等』又は『特定同族会社事業用宅地等』（以下『特定事業用等宅地等』といいます。）のみである場合

当該選択特例対象宅地等の面積の合計が400㎡以下であること

(ロ)　当該相続又は遺贈により財産を取得した者に係る選択特例対象宅地等のすべてが『特定居住用宅地等』のみである場合

当該選択特例対象宅地等の面積の合計が330㎡以下であること

(ハ)　当該相続又は遺贈により財産を取得した者に係る選択特例対象宅地等のすべてが『貸付事業用宅地等』のみである場合

当該選択特例対象宅地等の面積の合計が200㎡以下であること

(ニ)　当該相続又は遺贈により財産を取得した者に係る選択特例対象宅地等のすべてが(イ)に掲げる『特定事業用等宅地等』又は(ロ)に掲げる『特定居住用宅地等』よりなる場合（(イ)又は(ロ)に掲げる場合を除きます。）

当該選択特例対象宅地等の面積が、次の㋑及び㋺から構成されていること

㋑　上記(イ)に掲げる選択特例対象宅地等の面積の合計（400㎡を限度とします。）

㋺　上記(ロ)に掲げる選択特例対象宅地等の面積の合計（330㎡を限度とします。）

(ホ)　当該相続又は遺贈により財産を取得した者に係る選択特例対象宅地等のすべてが(イ)に掲げる『特定事業用等宅地等』、(ロ)に掲げる『特定居住用宅地等』又は(ハ)に掲げる『貸付事業用宅地等』よりなる場合（(イ)、(ロ)又は(ハ)に掲げる場合を除きます。）

下記の算式により計算した面積の合計が200㎡以下であること

算式　選択特例対象宅地等である特定事業用等宅地等の面積の合計 × 200㎡/400㎡ ＋ 選択特例対象宅地等である特定居住用宅地等の面積の合計 × 200㎡/330㎡ ＋ 選択特例対象宅地等である貸付事業用宅地等の面積の合計 ≦200㎡

（注）　上記の 算式 は、選択特例対象宅地等が貸付事業用宅地等のみからなっている場合の限度面積（200㎡）を基礎として、実際の選択特例対象宅地等である特定事業用等宅地等又は特定居住用宅地等が、仮に貸付事業用宅地等に該当したならば当該貸付事業用宅地等として適用された限度面積に換算して、選択特例対象宅地等の全ての換算後の適用面積の合計が200㎡以下であることが必要である旨を示しています。

上記(イ)、(ロ)、(ハ)、(ニ)及び(ホ)に掲げる限度面積要件を算式等により表示しますと下記のとおりになります。

| 選択特例対象宅地等の区分 | 特例の適用を受けることができる面積 |
|---|---|
| (1)『特定事業用等宅地等』（上記(イ)）のみ存する場合 | 400㎡に達するまでの部分の面積 |
| (2)『特定居住用宅地等』（上記(ロ)）のみ存する場合 | 330㎡に達するまでの部分の面積 |
| (3)『貸付事業用宅地等』（上記(ハ)）のみ存する場合 | 200㎡に達するまでの部分の面積 |
| (4)『特定事業用等宅地等』（上記(イ)）と『特定居住用宅地等』（上記(ロ)）との双方が存する場合 | ①　選択特例対象宅地等のうち特定事業用等宅地等の合計面積（400㎡を限度とします。）<br>②　選択特例対象宅地等のうち特定居住用宅地等の合計面積（330㎡を限度とします。）<br>③　①＋② |
| (5)『特定事業用等宅地等』（上記(イ)）と『貸付事業用宅地等』（上記(ハ)）との双方が存する場合 | ①　特定事業用等宅地等から限度面積要件を判定する場合<br>（選択特例対象宅地等のうち特定事業用等宅地等の合計面積）× 200/400 ＋（選択特例対象宅地等のうち貸付事業用宅地等の合計面積）≦200㎡ |
| | ②　貸付事業用宅地等から限度面積要件を判定する場合<br>（選択特例対象宅地等のうち貸付事業用宅地等の合計面積）× 400/200 ＋（選択特例対象宅地等のうち特定事業用等宅地等の合計面積）≦400㎡ |

| | |
|---|---|
| (6)『特定居住用宅地等』（上記(ロ)）と『貸付事業用宅地等』（上記(ハ)）との双方が存する場合 | ①　特定居住用宅地等から限度面積要件を判定する場合<br>（選択特例対象宅地等のうち特定居住用宅地等の合計面積）× $\frac{200}{330}$ ＋（選択特例対象宅地等のうち貸付事業用宅地等の合計面積）≦200㎡<br>②　貸付事業用宅地等から限度面積要件を判定する場合<br>（選択特例対象宅地等のうち貸付事業用宅地等の合計面積）× $\frac{330}{200}$ ＋（選択特例対象宅地等のうち特定居住用宅地等の合計面積）≦330㎡ |
| (7)『特定事業用等宅地等』（上記(イ)）、『特定居住用宅地等』（上記(ロ)）及び『貸付事業用宅地等』（上記(ハ)）の３区分が存する場合 | ①　特定事業用等宅地等（Ⓐ）から限度面積要件を判定する場合<br>(イ)　Ⓐの次に、特定居住用宅地等⇨貸付事業用宅地等の順で適用する場合<br>（選択特例対象宅地等のうち特定事業用等宅地等の合計面積）× $\frac{200}{400}$ ＋（選択特例対象宅地等のうち特定居住用宅地等の合計面積）× $\frac{200}{330}$ ＋（選択特例対象宅地等のうち貸付事業用宅地等の合計面積）≦200㎡<br>(ロ)　Ⓐの次に、貸付事業用宅地等⇨特定居住用宅地等の順で適用する場合<br>（選択特例対象宅地等のうち特定事業用等宅地等の合計面積）× $\frac{330}{400}$ ＋（選択特例対象宅地等のうち貸付事業用宅地等の合計面積）× $\frac{330}{200}$ ＋（選択特例対象宅地等のうち特定居住用宅地等の合計面積）≦330㎡<br>②　特定居住用宅地等（Ⓑ）から限度面積要件を判定する場合<br>(イ)　Ⓑの次に、特定事業用等宅地等⇨貸付事業用宅地等の順で適用する場合<br>（選択特例対象宅地等のうち特定居住用宅地等の合計面積）× $\frac{200}{330}$ ＋（選択特例対象宅地等のうち特定事業用等宅地等の合計面積）× $\frac{200}{400}$ ＋（選択特例対象宅地等のうち貸付事業用宅地等の合計面積）≦200㎡<br>(ロ)　Ⓑの次に、貸付事業用宅地等⇨特定事業用等宅地等の順で適用する場合<br>（選択特例対象宅地等のうち特定居住用宅地等の合計面積）× $\frac{400}{330}$ ＋（選択特例対象宅地等のうち貸付事業用宅地等の合計面積）× $\frac{400}{200}$ ＋（選択特例対象宅地等のうち特定事業用等宅地等の合計面積）≦400㎡<br>③　貸付事業用宅地等（Ⓒ）から限度面積要件を判定する場合<br>(イ)　Ⓒの次に、特定事業用等宅地等⇨特定居住用宅地等の順で適用する場合<br>（選択特例対象宅地等のうち貸付事業用宅地等の合計面積）× $\frac{330}{200}$ ＋（選択特例対象宅地等のうち特定事業用等宅地等の合計面積）× $\frac{330}{400}$ ＋（選択特例対象宅地等のうち特定居住用宅地等の合計面積）≦330㎡ |

| | | |
|---|---|---|
| | | (ロ)　Ⓒの次に、特定居住用宅地等⇨特定事業用等宅地等の順で適用する場合<br>(選択特例対象宅地等のうち貸付事業用宅地等の合計面積) × $\frac{400}{200}$ + (選択特例対象宅地等のうち特定居住用宅地等の合計面積) × $\frac{400}{330}$ + (選択特例対象宅地等のうち特定事業用等宅地等の合計面積) ≦400㎡ |

② 限度面積を求める計算式

上記①に掲げる表の(4)（『特定事業用等宅地等』と『特定居住用宅地等』との双方が存する場合)、(5)（『特定事業用等宅地等』と『貸付事業用宅地等』との双方が存する場合)、(6)（『特定居住用宅地等』と『貸付事業用宅地等』との双方が存する場合）又は(7)（『特定事業用等宅地等』、『特定居住用宅地等』及び『貸付事業用宅地等』の３区分が存する場合）における選択特例対象宅地等に係る小規模宅地等の課税特例の適用を受けることができる面積は、当該各区分に応じて下記の計算式により調整計算を行うことになります。

(イ) 『特定事業用等宅地等』と『特定居住用宅地等』との双方が存する場合（上記①の表(4)に該当する場合）

| | |
|---|---|
| (1)特定事業用等宅地等に係る適用面積 | 次に掲げるもののうち、いずれか少ない方の面積<br>①選択特例対象宅地等のうち特定事業用等宅地等の合計面積<br>②400㎡ |
| (2)特定居住用宅地等に係る適用面積 | 次に掲げるもののうち、いずれか少ない方の面積<br>①選択特例対象宅地等のうち特定居住用宅地等の合計面積<br>②330㎡ |

ポイント　課税時期が平成27年１月１日以降に到来した場合には、『特定事業用等宅地等』と『特定居住用宅地等』の双方のみを選択する場合には、それぞれの適用限度面積（上限）の範囲内において完全併用適用が可能とされます。

したがって、『特定事業用等宅地等』に該当する選択特例対象宅地等から優先して適用する場合や『特定居住用宅地等』に該当する選択特例対象宅地等から優先して適用する場合という概念は生じないことに留意する必要があります。

(ロ) 『特定事業用等宅地等』と『貸付事業用宅地等』との双方が存する場合（上記①の表(5)に該当する場合）

㋑ 『特定事業用等宅地等』に該当する選択特例対象宅地等から優先して適用する場合

| | |
|---|---|
| (1)特定事業用等宅地等に係る適用面積 | 次に掲げるもののうち、いずれか少ない方の面積<br>①選択特例対象宅地等のうち特定事業用等宅地等の合計面積<br>②400㎡ |

| | |
|---|---|
| ⑵貸付事業用宅地等に係る適用面積 | 次に掲げるもののうち、いずれか少ない方の面積<br>①選択特例対象宅地等のうち貸付事業用宅地等の合計面積<br>②200㎡－（上記㋑⑴により、特定事業用等宅地等に係る適用面積として計算した面積）× $\frac{200}{400}$ |

㋺　『貸付事業用宅地等』に該当する選択特例対象宅地等から優先して適用する場合

| | |
|---|---|
| ⑴貸付事業用宅地等に係る適用面積 | 次に掲げるもののうち、いずれか少ない方の面積<br>①選択特例対象宅地等のうち貸付事業用宅地等の合計面積<br>②200㎡ |
| ⑵特定事業用等宅地等に係る適用面積 | 次に掲げるもののうち、いずれか少ない方の面積<br>①選択特例対象宅地等のうち特定事業用等宅地等の合計面積<br>②400㎡－（上記㋺⑴により、貸付事業用宅地等に係る適用面積として計算した面積）× $\frac{400}{200}$ |

㈣　『特定居住用宅地等』と『貸付事業用宅地等』との双方が存する場合（上記①の表⑹に該当する場合）

㋑　『特定居住用宅地等』に該当する選択特例対象宅地等から優先して適用する場合

| | |
|---|---|
| ⑴特定居住用宅地等に係る適用面積 | 次に掲げるもののうち、いずれか少ない方の面積<br>①選択特例対象宅地等のうち特定居住用宅地等の合計面積<br>②330㎡ |
| ⑵貸付事業用宅地等に係る適用面積 | 次に掲げるもののうち、いずれか少ない方の面積<br>①選択特例対象宅地等のうち貸付事業用宅地等の合計面積<br>②200㎡－（上記㋑⑴により、特定居住用宅地等に係る適用面積として計算した面積）× $\frac{200}{330}$ |

㋺　『貸付事業用宅地等』に該当する選択特例対象宅地等から優先して適用する場合

| | |
|---|---|
| ⑴貸付事業用宅地等に係る適用面積 | 次に掲げるもののうち、いずれか少ない方の面積<br>①選択特例対象宅地等のうち貸付事業用宅地等の合計面積<br>②200㎡ |
| ⑵特定居住用宅地等に係る適用面積 | 次に掲げるもののうち、いずれか少ない方の面積<br>①選択特例対象宅地等のうち特定居住用宅地等の合計面積<br>②330㎡－（上記㋺⑴により、貸付事業用宅地等に係る適用面積として計算した面積）× $\frac{330}{200}$ |

㈡　『特定事業用等宅地等』、『特定居住用宅地等』及び『貸付事業用宅地等』の３区分が存する場合（上記①の表(7)に該当する場合）

㋑　『特定事業用等宅地等』（Ⓧ）に該当する選択特例対象宅地等から優先して適用する場合

(A)　Ⓧの次に、『特定居住用宅地等』⇨『貸付事業用宅地等』の順に適用する場合

| | |
|---|---|
| (1)特定事業用等宅地等に係る適用面積 | 次に掲げるもののうち、いずれか少ない方の面積<br>①選択特例対象宅地等のうち特定事業用等宅地等の合計面積<br>②400㎡ |
| (2)特定居住用宅地等に係る適用面積 | 次に掲げるもののうち、いずれか少ない方の面積<br>①選択特例対象宅地等のうち特定居住用宅地等の合計面積<br>②330㎡－（上記(A)(1)により、特定事業用等宅地等に係る適用面積として計算した面積）× $\frac{330}{400}$ |
| (3)貸付事業用宅地等に係る適用面積 | 次に掲げるもののうち、いずれか少ない方の面積<br>①選択特例対象宅地等のうち貸付事業用宅地等の合計面積<br>②200㎡－（上記(A)(1)により、特定事業用等宅地等に係る適用面積として計算した面積）× $\frac{200}{400}$ －（上記(A)(2)により、特定居住用宅地等に係る適用面積として計算した面積）× $\frac{200}{330}$ |

(B)　Ⓧの次に、『貸付事業用宅地等』⇨『特定居住用宅地等』の順に適用する場合

| | |
|---|---|
| (1)特定事業用等宅地等に係る適用面積 | 次に掲げるもののうち、いずれか少ない方の面積<br>①選択特例対象宅地等のうち特定事業用等宅地等の合計面積<br>②400㎡ |
| (2)貸付事業用宅地等に係る適用面積 | 次に掲げるもののうち、いずれか少ない方の面積<br>①選択特例対象宅地等のうち貸付事業用宅地等の合計面積<br>②200㎡－（上記(B)(1)により、特定事業用等宅地等に係る適用面積として計算した面積）× $\frac{200}{400}$ |
| (3)特定居住用宅地等に係る適用面積 | 次に掲げるもののうち、いずれか少ない方の面積<br>①選択特例対象宅地等のうち特定居住用宅地等の合計面積<br>②330㎡－（上記(B)(1)により、特定事業用等宅地等に係る適用面積として計算した面積）× $\frac{330}{400}$ －（上記(B)(2)により、貸付事業用宅地等に係る適用面積として計算した面積）× $\frac{330}{200}$ |

㋺　『特定居住用宅地等』（Ⓨ）に該当する選択特例対象宅地等から優先して適用する場合

(A)　Ⓨの次に、『特定事業用等宅地等』⇨『貸付事業用宅地等』の順に適用する場合

| | |
|---|---|
| (1)特定居住用宅地等に係る適用面積 | 次に掲げるもののうち、いずれか少ない方の面積<br>①選択特例対象宅地等のうち特定居住用宅地等の合計面積<br>②330㎡ |
| (2)特定事業用等宅地等に係る適用面積 | 次に掲げるもののうち、いずれか少ない方の面積<br>①選択特例対象宅地等のうち特定事業用等宅地等の合計面積<br>②400㎡－（上記(A)(1)により、特定居住用宅地等に係る適用面積として計算した面積）$\times \frac{400}{330}$ |
| (3)貸付事業用宅地等に係る適用面積 | 次に掲げるもののうち、いずれか少ない方の面積<br>①選択特例対象宅地等のうち貸付事業用宅地等の合計面積<br>②200㎡－（上記(A)(1)により、特定居住用宅地等に係る適用面積として計算した面積）$\times \frac{200}{330}$－（上記(A)(2)により、特定事業用等宅地等に係る適用面積として計算した面積）$\times \frac{200}{400}$ |

(B)　Ⓨの次に、『貸付事業用宅地等』⇨『特定事業用等宅地等』の順に適用する場合

| | |
|---|---|
| (1)特定居住用宅地等に係る適用面積 | 次に掲げるもののうち、いずれか少ない方の面積<br>①選択特例対象宅地等のうち特定居住用宅地等の合計面積<br>②330㎡ |
| (2)貸付事業用宅地等に係る適用面積 | 次に掲げるもののうち、いずれか少ない方の面積<br>①選択特例対象宅地等のうち貸付事業用宅地等の合計面積<br>②200㎡－（上記(B)(1)により、特定居住用宅地等に係る適用面積として計算した面積）$\times \frac{200}{330}$ |
| (3)特定事業用等宅地等に係る適用面積 | 次に掲げるもののうち、いずれか少ない方の面積<br>①選択特例対象宅地等のうち特定事業用等宅地等の合計面積<br>②400㎡－（上記(B)(1)により、特定居住用宅地等に係る適用面積として計算した面積）$\times \frac{400}{330}$－（上記(B)(2)により、貸付事業用宅地等に係る適用面積として計算した面積）$\times \frac{400}{200}$ |

㈠『貸付事業用宅地等』（Ⓩ）に該当する選択特例対象宅地等から優先して適用する場合

(A)　Ⓩの次に、『特定事業用等宅地等』⇨『特定居住用宅地等』の順に適用する場合

| | |
|---|---|
| (1)貸付事業用宅地等に係る適用面積 | 次に掲げるもののうち、いずれか少ない方の面積<br>①選択特例対象宅地等のうち貸付事業用宅地等の合計面積<br>②200㎡ |
| (2)特定事業用等宅地等に係る適用面積 | 次に掲げるもののうち、いずれか少ない方の面積<br>①選択特例対象宅地等のうち特定事業用等宅地等の合計面積<br>②400㎡－（上記(A)(1)により、貸付事業用宅地等に係る適用面積として計算した面積）× $\frac{400}{200}$ |
| (3)特定居住用宅地等に係る適用面積 | 次に掲げるもののうち、いずれか少ない方の面積<br>①選択特例対象宅地等のうち特定居住用宅地等の合計面積<br>②330㎡－（上記(A)(1)により、貸付事業用宅地等に係る適用面積として計算した面積）× $\frac{330}{200}$ －（上記(A)(2)により、特定事業用等宅地等に係る適用面積として計算した面積）× $\frac{330}{400}$ |

(B)　Ⓩの次に、『特定居住用宅地等』⇨『特定事業用等宅地等』の順に適用する場合

| | |
|---|---|
| (1)貸付事業用宅地等に係る適用面積 | 次に掲げるもののうち、いずれか少ない方の面積<br>①選択特例対象宅地等のうち貸付事業用宅地等の合計面積<br>②200㎡ |
| (2)特定居住用宅地等に係る適用面積 | 次に掲げるもののうち、いずれか少ない方の面積<br>①選択特例対象宅地等のうち特定居住用宅地等の合計面積<br>②330㎡－（上記(B)(1)により、貸付事業用宅地等に係る適用面積として計算した面積）× $\frac{330}{200}$ |
| (3)特定事業用等宅地等に係る適用面積 | 次に掲げるもののうち、いずれか少ない方の面積<br>①選択特例対象宅地等のうち特定事業用等宅地等の合計面積<br>②400㎡－（上記(B)(1)により、貸付事業用宅地等に係る適用面積として計算した面積）× $\frac{400}{200}$ －（上記(B)(2)により、特定居住用宅地等に係る適用面積として計算した面積）× $\frac{400}{330}$ |

## 参考資料

選択特例対象宅地等は、その性質態様（相続税の課税価格算入割合、適用限度面積）に応じて、『特定事業用等宅地等』、『特定居住用宅地等』又は『貸付事業用宅地等』の３区分のいずれかに分類されることになります。

そこで、この選択特例対象宅地等がこれらの３区分のうち２区分から構成されている場合の適用面積の組み合わせ（概算）を示しますと下表のとおりになります。

**(1)　選択特例対象宅地等が『特定事業用等宅地等』と『特定居住用宅地等』から構成されている場合**

| 特定事業用等宅地等に係る適用面積 | 特定居住用宅地等に係る適用面積 |
|---|---|
| 次に掲げるもののうち、いずれか少ない方の面積<br>①　選択特例対象宅地等のうち特定事業用等宅地等の合計面積<br>②　400㎡ | 次に掲げるもののうち、いずれか少ない方の面積<br>①　選択特例対象宅地等のうち特定居住用宅地等の合計面積<br>②　330㎡ |

**ポイント**　課税時期が平成27年１月１日以降に到来した場合には、『特定事業用等宅地等』と『特定居住用宅地等』の双方のみを選択する場合には、それぞれの適用限度面積（上限）の範囲内において完全併用適用が可能とされます。

したがって、選択特例対象宅地等が『特定事業用等宅地等』と『特定居住用宅地等』から構成されている場合には、適用面積の組み合わせという概念は生じないことに留意する必要があります。

**(2)　選択特例対象宅地等が『特定事業用等宅地等』と『貸付事業用宅地等』から構成されている場合**

①　『特定事業用等宅地等』から優先して適用する場合

| 特定事業用等宅地等の面積 | 貸付事業用宅地等の面積 |
|---|---|
| 400㎡ | 0㎡ |
| 390 | 5 |
| 380 | 10 |
| 370 | 15 |
| 360 | 20 |
| 350 | 25 |
| 340 | 30 |
| 330 | 35 |
| 320 | 40 |
| 310 | 45 |
| 300 | 50 |
| 290 | 55 |
| 280 | 60 |
| 270 | 65 |
| 260 | 70 |
| 250 | 75 |
| 240 | 80 |
| 230 | 85 |
| 220 | 90 |
| 210 | 95 |
| 200 | 100 |
| 190 | 105 |
| 180 | 110 |
| 170 | 115 |
| 160 | 120 |
| 150 | 125 |
| 140 | 130 |
| 130 | 135 |
| 120 | 140 |
| 110 | 145 |
| 100 | 150 |
| 90 | 155 |
| 80 | 160 |
| 70 | 165 |
| 60 | 170 |
| 50 | 175 |
| 40 | 180 |
| 30 | 185 |
| 20 | 190 |
| 10 | 195 |
| 0 | 200 |

②　『貸付事業用宅地等』から優先して適用する場合

| 貸付事業用宅地等の面積 | 特定事業用等宅地等の面積 | 140 | 120 | 60 | 280 |
|---|---|---|---|---|---|
| | | 130 | 140 | 50 | 300 |
| 200㎡ | 0㎡ | 120 | 160 | 40 | 320 |
| 190 | 20 | 110 | 180 | 30 | 340 |
| 180 | 40 | 100 | 200 | 20 | 360 |
| 170 | 60 | 90 | 220 | 10 | 380 |
| 160 | 80 | 80 | 240 | 0 | 400 |
| 150 | 100 | 70 | 260 | | |

(3)　**選択特例対象宅地等が『特定居住用宅地等』と『貸付事業用宅地等』から構成されている場合**

①　『特定居住用宅地等』から優先して適用する場合

| 特定居住用宅地等の面積 | 貸付事業用宅地等の面積 | 230 | 60.60 | 110 | 133.33 |
|---|---|---|---|---|---|
| | | 220 | 66.66 | 100 | 139.39 |
| 330㎡ | 0㎡ | 210 | 72.72 | 90 | 145.45 |
| 320 | 6.06 | 200 | 78.78 | 80 | 151.51 |
| 310 | 12.12 | 190 | 84.84 | 70 | 157.57 |
| 300 | 18.18 | 180 | 90.90 | 60 | 163.63 |
| 290 | 24.24 | 170 | 96.96 | 50 | 169.69 |
| 280 | 30.30 | 160 | 103.03 | 40 | 175.75 |
| 270 | 36.36 | 150 | 109.09 | 30 | 181.81 |
| 260 | 42.42 | 140 | 115.15 | 20 | 187.87 |
| 250 | 48.48 | 130 | 121.21 | 10 | 193.93 |
| 240 | 54.54 | 120 | 127.27 | 0 | 200 |

②　『貸付事業用宅地等』から優先して適用する場合

| 貸付事業用宅地等の面積 | 特定居住用宅地等の面積 | 140 | 99 | 60 | 231 |
|---|---|---|---|---|---|
| | | 130 | 115.5 | 50 | 247.5 |
| 200㎡ | 0㎡ | 120 | 132 | 40 | 264 |
| 190 | 16.5 | 110 | 148.5 | 30 | 280.5 |
| 180 | 33 | 100 | 165 | 20 | 297 |
| 170 | 49.5 | 90 | 181.5 | 10 | 313.5 |
| 160 | 66 | 80 | 198 | 0 | 330 |
| 150 | 82.5 | 70 | 214.5 | | |

### ③　限度面積の具体的な計算例

**設例１**　特定事業用等宅地等の面積　……　280㎡

特定居住用宅地等の面積　……　180㎡

特定事業用等宅地等

①　280㎡（特定事業用等宅地等の面積）

②　400㎡（特定事業用等宅地等に係る適用上限面積）

③　①≦②　∴①（280㎡）

特定居住用宅地等　① 180㎡（特定居住用宅地等の面積）
② 330㎡（特定居住用宅地等に係る適用上限面積）
③ ①≦②　∴①（180㎡）

（ポイント）課税時期が平成27年１月１日以降に到来した場合には、『特定事業用等宅地等』と『特定居住用宅地等』の双方のみを選択する場合には、それぞれの適用限度面積（上限）の範囲内において完全併用適用が可能とされます。

したがって、『特定事業用等宅地等』に該当する選択特例対象宅地等から優先して適用する場合や『特定居住用宅地等』に該当する選択特例対象宅地等から優先して適用する場合という概念は生じないことに留意する必要があります。

**設例２**　特定事業用等宅地等の面積　……　440㎡
貸付事業用宅地等の面積　………　160㎡

(1) 特定事業用等宅地等から優先して適用する場合

特定事業用等宅地等　① 440㎡（特定事業用等宅地等の面積）
② 400㎡（特定事業用等宅地等に係る適用上限面積）
③ ①＞②　∴②（400㎡）

貸付事業用宅地等　① 160㎡（貸付事業用宅地等の面積）
② $200㎡-400㎡\times\frac{200㎡}{400㎡}=0㎡$（貸付事業用宅地等に係る適用上限面積）
③ ①＞②　∴②（０㎡）

(2) 貸付事業用宅地等から優先して適用する場合

貸付事業用宅地等　① 160㎡（貸付事業用宅地等の面積）
② 200㎡（貸付事業用宅地等に係る適用上限面積）
③ ①≦②　∴①（160㎡）

特定事業用等宅地等　① 440㎡（特定事業用等宅地等の面積）
② $400㎡-160㎡\times\frac{400㎡}{200㎡}=80㎡$（特定事業用等宅地等に係る適用上限面積）
③ ①＞②　∴②（80㎡）

**設例３**　特定事業用等宅地等の面積　……　160㎡
特定居住用宅地等の面積　……　120㎡
貸付事業用宅地等の面積　……　96㎡

(1) 特定事業用等宅地等から優先して適用する場合

①　特定事業用等宅地等 ⇨ 特定居住用宅地等 ⇨ 貸付事業用宅地等 の順に適用する場合

特定事業用等宅地等　① 160㎡（特定事業用等宅地等の面積）
② 400㎡（特定事業用等宅地等に係る適用上限面積）
③ ①≦②　∴①（160㎡）

特定居住用宅地等
① 120㎡（特定居住用宅地等の面積）
② $330㎡-160㎡\times\frac{330㎡}{400㎡}=198㎡$（特定居住用宅地等に係る適用上限面積）
③ ①≦②　∴①（120㎡）

貸付事業用宅地等
① 96㎡（貸付事業用宅地等の面積）
② $200㎡-160㎡\times\frac{200㎡}{400㎡}-120㎡\times\frac{200㎡}{330㎡}=47.27㎡$（貸付事業用宅地等に係る適用上限面積）
③ ①＞②　∴②（47.27㎡）

② 特定事業用等宅地等 ⇨ 貸付事業用宅地等 ⇨ 特定居住用宅地等 の順に適用する場合

特定事業用等宅地等
① 160㎡（特定事業用等宅地等の面積）
② 400㎡（特定事業用等宅地等に係る適用上限面積）
③ ①≦②　∴①（160㎡）

貸付事業用宅地等
① 96㎡（貸付事業用宅地等の面積）
② $200㎡-160㎡\times\frac{200㎡}{400㎡}=120㎡$（貸付事業用宅地等に係る適用上限面積）
③ ①≦②　∴①（96㎡）

特定居住用宅地等
① 120㎡（特定居住用宅地等の面積）
② $330㎡-160㎡\times\frac{330㎡}{400㎡}-96㎡\times\frac{330㎡}{200㎡}=39.6㎡$（特定居住用宅地等に係る適用上限面積）
③ ①＞②　∴②（39.6㎡）

(2)　特定居住用宅地等から優先して適用する場合

① 特定居住用宅地等 ⇨ 特定事業用等宅地等 ⇨ 貸付事業用宅地等 の順に適用する場合

特定居住用宅地等
① 120㎡（特定居住用宅地等の面積）
② 330㎡（特定居住用宅地等に係る適用上限面積）
③ ①≦②　∴①（120㎡）

特定事業用等宅地等
① 160㎡（特定事業用等宅地等の面積）
② $400㎡-120㎡\times\frac{400㎡}{330㎡}=254.54㎡$（特定事業用等宅地等に係る適用上限面積）
③ ①≦②　∴①（160㎡）

貸付事業用宅地等
① 96㎡（貸付事業用宅地等の面積）
② $200㎡-120㎡\times\frac{200㎡}{330㎡}-160㎡\times\frac{200㎡}{400㎡}=47.27㎡$（貸付事業用宅地等に係る適用上限面積）
③ ①＞②　∴②（47.27㎡）

② 特定居住用宅地等 ⇨ 貸付事業用宅地等 ⇨ 特定事業用等宅地等 の順に適用する場合

特定居住用宅地等
① 120㎡（特定居住用宅地等の面積）
② 330㎡（特定居住用宅地等に係る適用上限面積）
③ ①≦②　∴①（120㎡）

貸付事業用宅地等
① 96㎡（貸付事業用宅地等の面積）
② $200㎡-120㎡\times\frac{200㎡}{330㎡}=127.27㎡$ （貸付事業用宅地等に係る適用上限面積）
③ ①≦②　∴①（96㎡）

特定事業用等宅地等
① 160㎡（特定事業用等宅地等の面積）
② $400㎡-120㎡\times\frac{400㎡}{330㎡}-96㎡\times\frac{400㎡}{200㎡}=62.54㎡$ （特定事業用等宅地等に係る適用上限面積）
③ ①＞②　∴②（62.54㎡）

(3) 貸付事業用宅地等から優先して適用する場合

① 貸付事業用宅地等 ⇨ 特定事業用等宅地等 ⇨ 特定居住用宅地等 ⇨の順に適用する場合

貸付事業用宅地等
① 96㎡（貸付事業用宅地等の面積）
② 200㎡（貸付事業用宅地等に係る適用上限面積）
③ ①≦②　∴①（96㎡）

特定事業用等宅地等
① 160㎡（特定事業用等宅地等の面積）
② $400㎡-96㎡\times\frac{400㎡}{200㎡}=208㎡$ （特定事業用等宅地等に係る適用上限面積）
③ ①≦②　∴①（160㎡）

特定居住用宅地等
① 120㎡（特定居住用宅地等の面積）
② $330㎡-96㎡\times\frac{330㎡}{200㎡}-160㎡\times\frac{330㎡}{400㎡}=39.6㎡$ （特定居住用宅地等に係る適用上限面積）
③ ①＞②　∴②（39.6㎡）

② 貸付事業用宅地等 ⇨ 特定居住用宅地等 ⇨ 特定事業用等宅地等 の順に適用する場合

貸付事業用宅地等
① 96㎡（貸付事業用宅地等の面積）
② 200㎡（貸付事業用宅地等に係る適用上限面積）
③ ①≦②　∴①（96㎡）

特定居住用宅地等
① 120㎡（特定居住用宅地等の面積）
② $330㎡-96㎡\times\frac{330㎡}{200㎡}=171.6㎡$ （特定居住用宅地等に係る適用上限面積）
③ ①≦②　∴①（120㎡）

特定事業用等宅地等
① 160㎡（特定事業用等宅地等の面積）
② $400㎡-96㎡\times\frac{400㎡}{200㎡}-120㎡\times\frac{400㎡}{330㎡}=62.54㎡$ （特定事業用等宅地等に係る適用上限面積）
③ ①＞②　∴②（62.54㎡）

**④ 個人の事業用資産について相続税の納税猶予及び免除等の適用を受ける場合（小規模宅地等の課税特例に係る限度面積の特例）**

小規模宅地等の課税特例の規定は、次に掲げる特定事業用宅地等については適用しないものとされています。

(イ) 措置法第70条の６の８《個人の事業用資産についての贈与税の納税猶予及び免除》の規定の適用を受けた特例事業受贈者に係る贈与者から相続又は遺贈により取得（注）をした特定事業用宅地等

（注）『取得』には、措置法第70条の６の９《個人の事業用資産の贈与者が死亡した場合の相続税の課税の特例》第１項（同条第２項の規定により読み替えて適用する場合を含みます。）の規定により、相続又は遺贈により取得したものとみなされる場合における当該取得を含むものとされています。

(ロ)　措置法第70条の６の10《個人の事業用資産についての相続税の納税猶予及び免除》の規定の適用を受ける特例事業相続人等に係る被相続人から相続又は遺贈により取得した特定事業用宅地等

また、個人の事業用資産について相続税の納税猶予及び免除の適用対象とされる特定事業用資産のうち相続税の申告書にその適用を受ける旨の記載があるもの（特例事業用資産）が宅地等である場合においては、小規模宅地等の課税特例の対象となる宅地等（特例対象宅地等）で特定事業用宅地等に該当しないものを選択特例対象宅地等とすることは可能とされています。

ただし、この場合には、特定居住用宅地等を選択特例対象宅地等とした場合を除いて、小規模宅地等の課税特例に係る限度面積については一定の見直し（縮減）が必要となります。

これらの取扱いをまとめると、次のとおりとなります。

**図解　相続税の納税猶予を受ける特例事業用資産である宅地等が存する場合における小規模宅地等の課税特例に係る限度面積**

| 小規模宅地等の区分（選択特例対象宅地等） | | 小規模宅地等の課税特例に係る限度面積 |
|---|---|---|
| (イ) | 『特定事業用宅地等』を選択した場合 | 0㎡（相続税の納税猶予の規定の適用を受ける場合には、『特定事業用宅地等』を選択特例対象宅地等とすることは認められていません。） |
| (ロ) | 『特定居住用宅地等』のみを選択した場合 | 330㎡（『特定居住用宅地等』のみを選択した場合には、特例事業用資産である宅地等との間での適用面積に関する調整は不要とされています。） |
| (ハ) | 『特定同族会社事業用宅地等』のみを選択した場合 | 次の算式により計算した面積が『特定同族会社事業用宅地等』に係る限度面積となります。<br>算式　400㎡－特例事業用資産である宅地等の面積 |
| (ニ) | 『貸付事業用宅地等』のみを選択した場合 | 次の算式により計算した面積が『貸付事業用宅地等』に係る限度面積となります。<br>算式　（400㎡－特例事業用資産である宅地等の面積）× $\frac{200}{400}$ |
| (ホ) | 『特定居住用宅地等』と『特定同族会社事業用宅地等』を選択した場合 | (A)　次の算式により、小規模宅地等の課税特例に係る限度面積（全体）を算定します。<br>算式　400㎡－特例事業用資産である宅地等の面積＝ X ㎡<br>(B)　次の算式が成立する左の(ホ)に係る選択特例対象宅地等に係る組合せを選択します。<br>算式　『特定居住用宅地等』の面積 × $\frac{400}{330}$ ＋ 『特定同族会社事業用宅地等』の面積 ≦ X ㎡ |

| | | |
|---|---|---|
| (ヘ) | 『特定居住用宅地等』と『貸付事業用宅地等』を選択した場合 | (A)　次の算式により、小規模宅地等の課税特例に係る限度面積（全体）を算定します。<br>算式　400㎡－特例事業用資産である宅地等の面積＝ X ㎡<br>(B)　次の算式が成立する左の(ヘ)に係る選択特例対象宅地等に係る組合せを選択します。<br>算式　$\text{『特定居住用宅地等』の面積} \times \frac{400}{330} + \text{『貸付事業用宅地等』の面積} \times \frac{400}{200} \leqq X$ ㎡ |
| (ト) | 『特定同族会社事業用宅地等』と『貸付事業用宅地等』を選択した場合 | (A)　次の算式により、小規模宅地等の課税特例に係る限度面積（全体）を算定します。<br>算式　400㎡－特例事業用資産である宅地等の面積＝ X ㎡<br>(B)　次の算式が成立する左の(ト)に係る選択特例対象宅地等に係る組合せを選択します。<br>算式　$\text{『特定同族会社事業用宅地等』の面積} + \text{『貸付事業用宅地等』の面積} \times \frac{400}{200} \leqq X$ ㎡ |
| (チ) | 『特定居住用宅地等』、『特定同族会社事業用宅地等』及び『貸付事業用宅地等』を選択した場合 | (A)　次の算式により、小規模宅地等の課税特例に係る限度面積（全体）を算定します。<br>算式　400㎡－特例事業用資産である宅地等の面積＝ X ㎡<br>(B)　次の算式が成立する左の(チ)に係る選択特例対象宅地等に係る組合せを選択<br>算式　$\text{『特定居住用宅地等』の面積} \times \frac{400}{330} + \text{『特定同族会社事業用宅地等』の面積} + \text{『貸付事業用宅地等』の面積} \times \frac{400}{200} \leqq X$ ㎡ |

（注１）　個人の事業用資産について相続税の納税猶予及び免除の適用を受ける場合において、小規模宅地等の課税特例の適用を受けるときに、選択特例対象宅地等を『特定居住用宅地等』のみとした場合（上記 図解 の(ロ)の場合）には、相続税の納税猶予の対象とされる特例事業用資産である宅地等に対する適用面積にかかわらず、当該『特定居住用宅地等』の面積（最大330㎡）まで小規模宅地等の課税特例を受けることが認められます。

一方、選択特例対象宅地等を『特定居住用宅地等』と他の特例対象宅地等（『特定同族会社事業用宅地等』又は『貸付事業用宅地等』に限られます。）とした場合（上記 図解 の(ホ)、(ヘ)及び(チ)の場合）には、特例事業用資産である宅地等に対する適用面積との関係で、小規模宅地等の課税特例の適用を受ける限度面積の調整（縮減計算）が必要とされます。

（注２）　小規模宅地等の課税特例（選択特例対象宅地等が特定居住用宅地等のみである場合を除きます。）と個人の事業用資産について相続税の納税猶予及び免除の特例の両規定の適用を受けるためには、選択特例対象宅地等及び特例事業用資産（特定事業用資産のうち、相続税の申告書に相続税の納税猶予の適用を受けようとする旨の記載があるものをいいます。）について、下記の算式を充足する必要があります。

算式　$A \times \frac{400㎡}{330㎡} + B + C \times \frac{400㎡}{200㎡} + D \leqq 400㎡$

Ａ：特定居住用宅地等である選択特例対象宅地等の面積
Ｂ：特定同族会社事業用宅地等である選択特例対象宅地等の面積
Ｃ：貸付事業用宅地等である選択特例対象宅地等の面積
Ｄ：特例事業用資産である宅地等の面積

## 参考資料　個人の事業用資産についての贈与税・相続税の納税猶予・免除（個人版事業承継税制）のあらまし

○　令和元年度税制改正により創設された個人版事業承継税制は、青色申告（正規の簿記の原則によるものに限ります。）に係る事業（不動産貸付業等を除きます。）を行っていた事業者の後継者※1として円滑化法の認定を受けた者が、平成31年１月１日から令和10年12月31日まで※2の贈与又は相続等により、特定事業用資産を取得した場合は、

①　その青色申告に係る事業の継続等、一定の要件のもと、その特定事業用資産に係る贈与税・相続税の全額の納税が猶予され、

②　後継者の死亡等、一定の事由により、納税が猶予されている贈与税・相続税の納税が免除されるものです。

※１　平成31年4月1日から令和６年3月31日までに「個人事業承継計画」を都道府県知事に提出し、確認を受けた者に限ります。

※２　先代事業者の生計一親族からの特定事業用資産の贈与・相続等については、上記の期間内で、先代事業者からの贈与・相続等の日から１年を経過する日までにされたものに限ります。

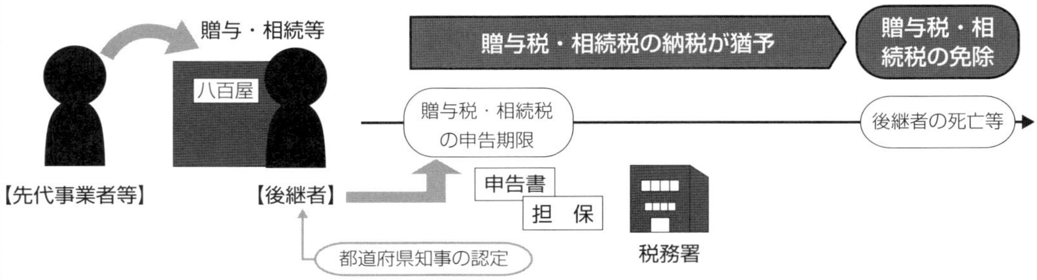


この制度の対象となる「特定事業用資産」とは、先代事業者（贈与者・被相続人）の事業の用に供されていた次の資産で、贈与又は相続等の日の属する年の前年分の事業所得に係る青色申告書の貸借対照表に計上されていたものをいいます。

①　宅地等（400㎡まで）

②　建物（床面積800㎡まで）

③　②以外の減価償却資産で次のもの

・　固定資産税の課税対象とされているもの

・　自動車税・軽自動車税の営業用の標準税率が適用されるもの（注）

> 注　令和３年度の税法改正によって、個人事業者の事業用資産に係る相続税・贈与税の納税猶予制度について、適用対象となる特定事業用資産の範囲に、被相続人又は贈与者の事業の用に供されていた乗用自動車で青色申告書に添付されている貸借対照表に計上されているもの（取得価額500万円以下の部分に対応する部分に限られます。）が加えられることになりました。

・　その他一定のもの（貨物運送用など一定の自動車、乳牛・果樹等の生物、特許権等の無形固定資産）

（注）１　先代事業者が、配偶者の所有する土地の上に建物を建て、事業を行っている場合における土地など、先代事業者と生計を一にする親族が所有する上記①から③までの資産も、特定事業用資産に該当します。

２　後継者が複数人の場合には、上記①及び②の面積は各後継者が取得した面積の合計で判定します。

| |
|---|
| ３　先代事業者等からの相続等により取得した宅地等につき小規模宅地等の特例の適用を受ける者がいる場合には、一定の制限があります。 |

（出典：国税庁HPより（一部筆者加筆））

## 〔４〕小規模宅地等の区分と減額割合

### ⑴　小規模宅地等が『特定事業用宅地等』である場合（減額割合：80%、適用上限面積：400㎡）

留意点　『特定事業用宅地等』に対する小規模宅地等の課税特例の適用に対する改正点は、次のとおりとなっています。

・平成30年度の税法改正による異同はありません。
・令和元年度（平成31年度）の税法改正によって、異同が生じています。
・令和２年度及び令和３年度の税法改正による異同はありません。

留意点　下記に掲げる解説は、課税時期が平成31年４月１日以後に到来した場合の取扱いです。

なお、課税時期が平成31年３月31日までに到来した場合の取扱いについては、35ページの参考資料を参照してください。

#### ①　『特定事業用宅地等』の意義

**(X)　原則的な取扱い（下記(Y)に該当する場合以外の取扱い）**

被相続人等の事業（不動産貸付業、駐車場業、自転車駐車場業及び準事業《事業と称するに至らない不動産の貸付けその他これらに類する行為で相当の対価を得て継続的に行うものをいいます。》（以下、これらを⑴において「貸付事業」といいます。）を除きます。）の用に供されていた宅地等で、次に掲げる(イ)又は(ロ)の要件のいずれかを満たす当該被相続人の親族が相続又は遺贈により取得したもの（注）をいいます。（措法69の４③一：ただし、平成31年４月１日以後に課税時期が到来した場合）

（注）　当該宅地等を複数で共同相続（遺贈）により取得した場合には、下記(イ)又は(ロ)の要件に該当する被相続人の親族が相続又は遺贈により取得した持分の割合に応ずる部分に限られています。

#### (イ)　被相続人の事業を相続開始後に事業承継する場合

| 番 | 要　件 | 内　容 |
|---|---|---|
| ⑴ | 事業承継の要件 | 被相続人の親族（当該親族から相続又は遺贈により当該宅地等を取得した当該親族の相続人を含みます。）が相続開始時から相続税の申告書の提出期限（注）までの間に当該宅地等の上で営まれていた被相続人の事業を承継すること<br>（注）　下記に掲げる相続税法の規定による申告書の提出期限（以下〔４〕において「相続税の申告期限」といいます。）をいいます。<br>①　相続税法第27条《相続税の申告書》<br>②　相続税法第29条《相続財産法人に係る財産を与えられた者等に係る相続税の申告書》 |

| | | |
|---|---|---|
| | | ③　相続税法第31条《修正申告の特則》第２項 |
| (2) | 所有継続の要件 | 上記の事業を承継した親族が相続開始時から相続税の申告期限まで引き続き当該宅地等を所有していること |
| (3) | 事業継続の要件 | 上記の事業を承継した親族が事業承継後、相続税の申告期限まで引き続き当該事業を営んでいること |

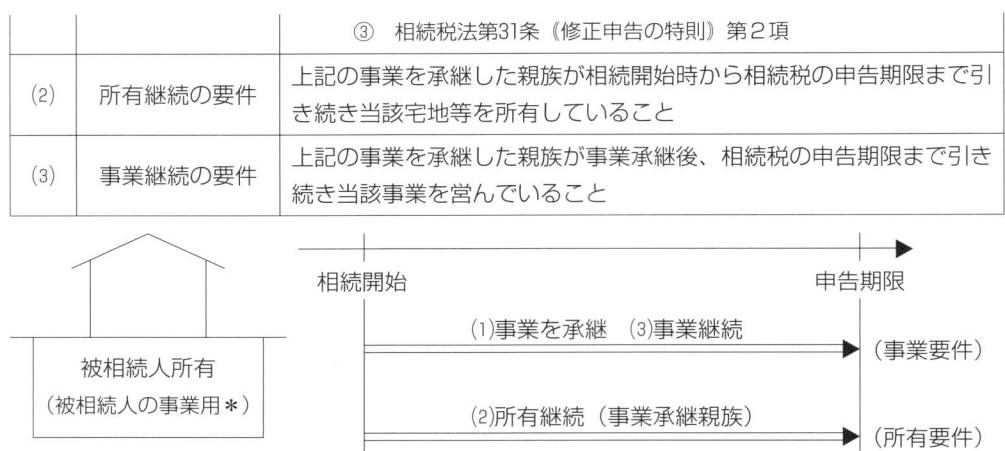

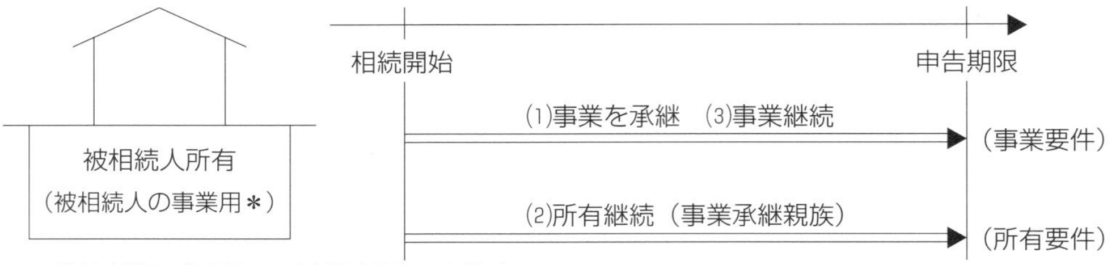


＊貸付事業及び下記(Y)に該当するものを除く

### (ロ)　被相続人と生計を一にする親族の事業の用に供されていた場合

| 番 | 要　件 | 内　　　　　容 |
|---|---|---|
| (1) | 生計一親族の要件 | 被相続人からの相続又は遺贈により財産を取得した親族が当該被相続人と生計を一にしていた者であること |
| (2) | 所有継続の要件 | 相続開始時から相続税の申告期限（当該親族が相続税の申告期限前に死亡した場合には、その死亡の日。(3)において同じ。）まで引き続き当該宅地等を所有していること |
| (3) | 事業継続の要件 | 相続開始前から相続税の申告期限まで引き続き当該宅地等を自己の事業の用に供していること |

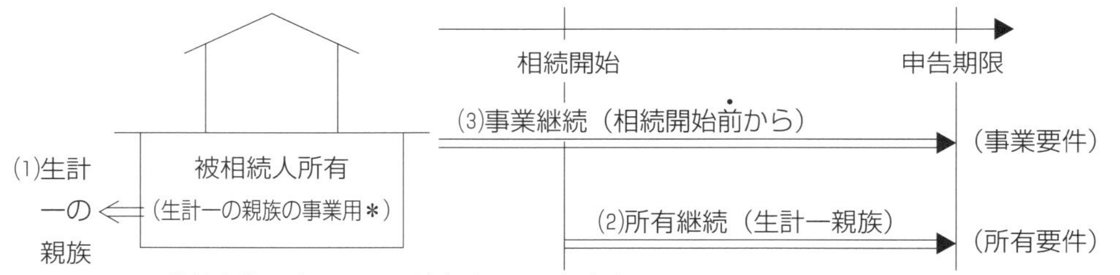


＊貸付事業及び下記(Y)に該当するものを除く

## (Y)　特例的な取扱い（相続開始前３年以内に新たに事業の用に供された宅地等である場合の取扱い）

上記(X)に掲げる要件に該当する宅地であっても、『相続開始前３年以内に新たに事業の用に供された宅地等』については、特定事業用宅地等に該当するか否かの取扱いが下記に掲げる区分のとおりに異なるものとされています。

### 〔Ⓧ　下記Ⓨに該当しない場合（課税時期が経過的な取扱いの適用期間以外にある場合）〕

(イ)　特定事業用宅地等に該当しない宅地等

相続開始前３年以内に新たに事業の用に供された宅地等（ただし、下記(ロ)に該当するものを除きます。)

(ロ)　特定事業用宅地等に該当する宅地等

相続開始前３年以内に新たに事業の用に供された宅地等で、一定の規模以上の事業(注)を行っていた被相続人等の当該事業の用に供されていたもの

(注)　一定の規模以上の事業とは、次に掲げる算式を満たす場合における当該事業（以下「特定事業」といいます。）をいいます。

(算式)

$$\frac{\text{事業の用に供されていた減価償却資産のうち被相続人等が有していたものの相続の開始の時における価額（相続税評価額）の合計額}}{\text{新たに事業の用に供された宅地等（以下「特定宅地等」といいます。）の相続の開始の時における価額（相続税評価額）}} \geqq \frac{15}{100}$$

なお、上記Ⓧに掲げる取扱いは、平成31年４月１日以後に開始した相続又は遺贈により取得する特定事業用宅地等について適用するものとされています。(ただし、経過的な取扱いとして、下記Ⓨを参照してください。)

**〔Ⓨ　課税時期が経過的な取扱い（平成31年改正法附則による特定事業用宅地等に係る経過措置について）の適用期間中にある場合〕**

上記Ⓧに掲げるとおり、平成31年４月１日以後に開始した相続又は遺贈については、『相続開始前３年以内に新たに事業の用に供された宅地等（ただし、当該宅地等の上で特定事業を行っていた被相続人等の事業の用に供されたものを除きます。)』を特定事業用宅地等として取り扱わないものとすることが、原則的な取扱いとされています。

しかしながら、上記の原則的な取扱いに対して、次に掲げる経過的な取扱いが設けられていますので留意する必要があります。

**経過的な取扱い**

平成31年４月１日から令和４年３月31日までの間に相続又は遺贈により取得する宅地に係る特定事業用宅地等の規定の適用については、『平成31年４月１日以後に新たに事業の用に供された宅地等（ただし、特定事業の用に供されたものを除きます。)』を特定事業用宅地等として取り扱わないものとしています。

換言すれば、平成31年４月１日から令和４年３月31日までの間に相続又は遺贈により取得する宅地等が特定事業用宅地等に該当するか否かの判定に当たっては、平成31年３月31日までに被相続人等の新たな事業の用に供されているのであれば、当該事業の供用日から課税時期までの期間が３年以下である場合においても、当該事業の規模（特定事業に該当するのか、又は特定事業に該当しないのか。）にかかわらず、当該宅地等は特定事業用宅地等に該当する可能性を有するものとされます。

上記の **経過的な取扱い** を図示すると、次のとおりとなります。

**図解**　**相続開始前３年以内に新たに事業の用に供された宅地等に係る経過的な取扱い**

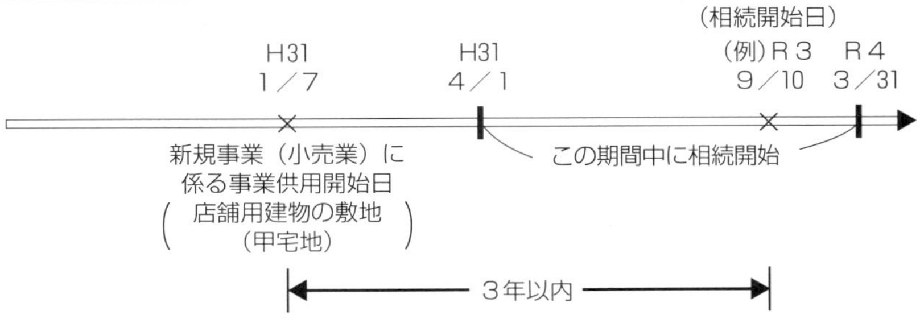

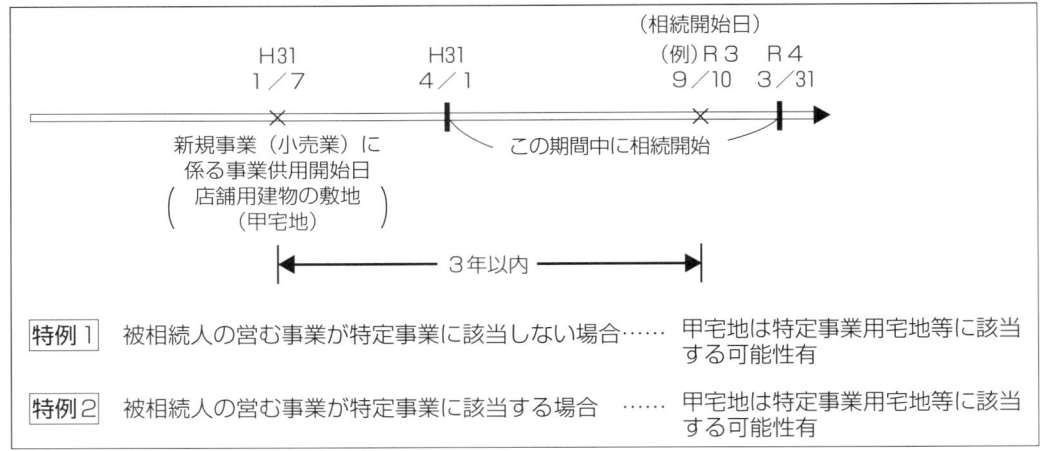

**特例１**　被相続人の営む事業が特定事業に該当しない場合……　甲宅地は特定事業用宅地等に該当する可能性有

**特例２**　被相続人の営む事業が特定事業に該当する場合　……　甲宅地は特定事業用宅地等に該当する可能性有

**参考通達**　**措置法通達69の４－20の５《平成31年改正法附則による特定事業用宅地等に係る経過措置について》**

> 所得税法等の一部を改正する法律（平成31年法律第６号）附則第79条第２項の規定により、平成31年４月１日から令和４年３月31日までの間に相続又は遺贈により取得をした宅地等については、平成31年４月１日以後新たに事業の用に供されたもの（措置法令第40条の２第８項に定める規模以上の事業を行っていた被相続人等の事業の用に供されたものを除く。）が、措置法第69条の４第３項第１号に規定する特定事業用宅地等の対象となる宅地等から除かれることに留意する。

② **特定事業用宅地等の判定及びその取扱い上の留意点**

(イ)　上記①(イ)（被相続人の事業を相続開始後に事業承継する場合）の場合には、事業承継の時期は被相続人に係る相続開始後でも差し支えなく、また、当該事業を承継する親族は当該相続に係る被相続人と生計が一であるという要件は必要とされていません。

(ロ)　上記①(ロ)（被相続人と生計を一にする親族の事業の用に供されていた場合）の場合には、生計を一にする親族が当該宅地上で営む事業は当該相続に係る被相続人の相続開始前から営まれていることが要件とされています。

③ **『相続開始前３年以内に新たに事業の用に供された宅地等』の意義及びその留意点**

(イ)　原則的な取扱い（下記(ロ)以外の場合）

上記ⓎⓍに掲げるとおり、平成31年４月１日以後に開始した相続又は遺贈については、『相続開始前３年以内に新たに事業の用に供された宅地等（ただし、一定規模以上の事業（特定事業）を行っていた被相続人等の当該事業の用に供されたものを除きます。）』を特定事業用宅地等として取り扱わないものとすることが、原則的な取扱いとされています。

上記の＿＿部分の『新たに事業の用に供された宅地等』に該当するか否かの判定に当たっ

ては、措置法通達69の４－20の２《新たに事業の用に供されたか否かの判定》の定めが設けられており、これをまとめると、下記のとおりとなります。

㋑　新たに事業の用に供された宅地等に該当する場合

(A)　事業（貸付事業（『貸付事業用宅地等』に規定する貸付事業をいいます。）を除きます。）の用以外の用に供されていた宅地等が事業の用に供された場合

留意点　上記より、例えば、居住の用又は貸付事業の用に供されていた宅地等が事業の用に供された場合の当該事業の用に供された部分については、『新たに事業の用に供された宅地等』に該当することに留意する必要があります。

(B)　宅地等又はその上のある建物等につき『何らの利用がされていない場合』の宅地等が事業の用に供された場合

留意点　次に掲げる場合のように、事業に係る建物等が一時的に事業の用に供されていなかったと認められるときには、当該建物等に係る宅地等は、上記＿＿部分の『何らの利用がされていない場合』に該当しないことに留意する必要があります。

Ⓐ　継続的に事業の用に供されていた建物等につき建替えが行われた場合において、建物等の建替え後速やかに事業の用に供していたとき（当該建替え後の建物等を事業の用以外の用に供していないときに限られます。）

Ⓑ　継続的に事業の用に供されていた建物等が災害により損害を受けたため、当該建物等に係る事業を休業した場合において、事業の再開のための当該建物等の修繕その他の準備が行われ、事業が再開されていたとき（休業中に当該建物等を事業の用以外の用に供していないときに限られます。）

（注）(X)　建替えのための建物等の建築中に相続が開始した場合には措置法通達69の４－５《事業用建物等が建築中等に相続が開始した場合》の取扱いが、また、災害による損害のための休業中に相続が開始した場合には措置法通達69の４－17《災害のため事業が休止された場合》の取扱いが、それぞれあることに留意する必要があります。

(Y)　上記Ⓐ又はⒷに該当する場合には、当該宅地等に係る『新たに事業の用に供された』時は、Ⓐの建替え前又はⒷの休業前の事業に係る事業の用に供された時となることに留意する必要があります。

(Z)　上記Ⓐに該当する場合において、建替え後の建物等の敷地の用に供された宅地等のうちに、建替え前の建物等の敷地の用に供されていなかった宅地等が含まれるときは、当該供されていなかった宅地等については、新たに事業の用に供された宅地等に該当することに留意する必要があります。

㋺　新たに事業の用に供された宅地等に該当しない場合

事業の用に供されていた宅地等が他の事業の用に供された場合の当該他の事業の用に供された部分

(ロ)　今回の被相続人（第１次相続人）が今回の相続開始前３年以内に相続等により特定事業用宅地等を承継していた場合の特例

措置法施行令第40条の２（小規模宅地等についての相続税の課税価格の計算の特例）第９項において、要旨、今回の被相続人（以下、(ロ)において「第１次相続人」といいます。）が第１次相続人の死亡に係る相続開始前３年以内に開始した相続又はその相続に係る遺贈により、上記(1)①に規定する事業（注）の用に供されていた宅地等を取得し、かつ、その取得の日以後当該宅地等を引き続き当該事業の用に供していた場合における当該宅地等は、『相続開始前３年以内に新たに事業の用に供された宅地等』には該当しないものと規定されています。

（注）　事業とは、被相続人等の事業（貸付事業を除きます。）をいいます。

上記の取扱いを図で示すと、次のとおりとなります。

**図解**　第１次相続人が相続開始前３年以内に相続等により特定事業用宅地等を承継していた場合の取扱い

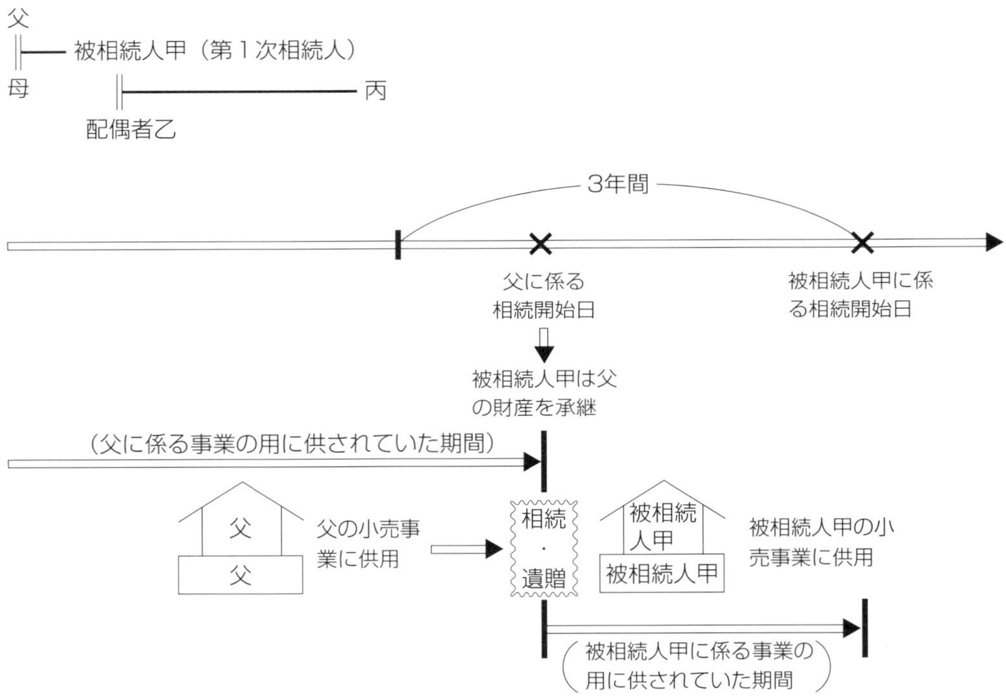


（結論）

一見すると、被相続人甲は同人に係る相続開始前３年以内に新たに事業の用に供された宅地等（取得理由：相続）を有しており、当該宅地等が特定事業用宅地等に該当するためには当該事業が特定事業であることが要件とされると考えられるかも知れませんが、図解の事例は、第１次相続人による新たな事業開始は同人に係る被相続人（父）よりの相続又は遺贈による取得であるため、当該宅地等は被相続人甲にとって『相続開始前３年以内に新たに事業の用に供された宅地等』には該当しないものとされます。

### ④　『特定事業』の定義及びその留意点

#### (イ)　特定事業の該当性（規模）

措置法施行令第40条の２《小規模宅地等についての相続税の課税価格の計算の特例》第８項の規定では、特定事業の定義について、次に掲げる算式を満たす場合における当該事業をいうものとされています。

（算式）

$$\frac{\text{事業の用に供されていた減価償却資産 注1 のうち被相続人等が有していたもの 注2 の相続の開始の時における価額（相続税評価額）の合計額}}{\text{新たに事業の用に供された宅地等（以下「特定宅地等」といいます。）注3 の相続の開始の時における価額（相続税評価額）}} \geqq \frac{15}{100}$$

注１　『減価償却資産』とは、特定宅地等に係る被相続人等の事業の用に供されていた次に掲げる資産をいいます。

Ⓐ　特定宅地等の上に存する建物（その附属設備を含みます。）又は構築物

Ⓑ　所得税法第２条《定義》第１項第19号に規定する減価償却資産で特定宅地等の上で行われる当該事業に係る業務の用に供されていたもの（上記Ⓐに掲げるものを除きます。）

上記の減価償却資産の取扱いについては、次に掲げる点にも留意する必要があります。

(α)　上記Ⓐ又はⒷに掲げる資産のうちに、特定宅地等に係る被相続人等の事業の用以外の用に供されていた部分がある場合には、当該事業の用に供されていた部分に限られています。

(β)　特定宅地等に係る被相続人等の事業が当該特定宅地等を含む一の宅地等の上で行われていた場合には、次に掲げる部分は、上記Ⓐ又はⒷに掲げる資産にそれぞれ含まれるものとされています。

ⓐ　当該特定宅地等を含む一の宅地等の上に存する建物（その附属設備を含みます。）又は構築物のうち当該事業の用に供されていた部分

ⓑ　上記Ⓑの減価償却資産のうち、当該特定宅地等を含む一の宅地等の上で行われる当該事業に係る業務の用に供されていた部分（当該建物及び当該構築物を除きます。）

図解

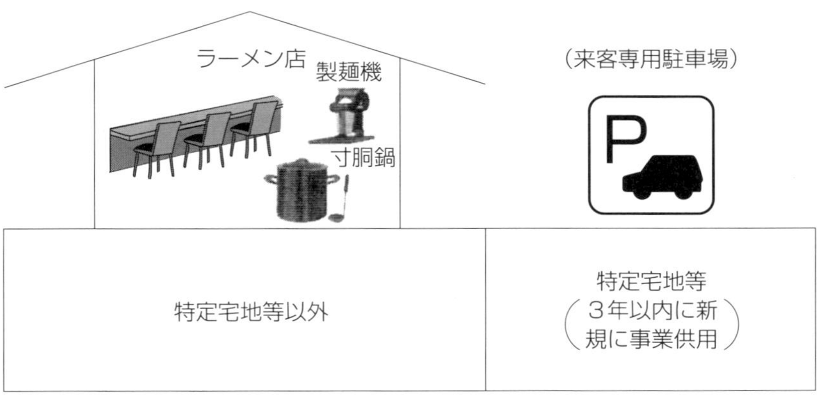


上記の 図解 の場合では、建物は上記ⓐ、テーブル・イス、厨房設備及び製麺機は上記ⓑに該当することになります。

(γ)　上記Ⓑに掲げる資産が、共通して特定宅地等を含む一の宅地等の上で行われる当該事業に係る業務及び当該業務以外の業務の用に供されていた場合であっても、当該資産の全部が上記Ⓑに掲げる資産に該当するものとされています。

ポイント　この取扱いは、上記Ⓑに掲げる資産が、特定宅地等の上で行われる事業に加え、他の事

業所での業務でも使用している場合など、共通してその業務の用に供されていた場合には、当該特定宅地等の上で行われる事業に係る業務の用に供されていた部分に限ることなく、当該業務以外の業務の用に供されていた部分も含め、その資産の全部が上記Ⓑに掲げる資産に該当するという法令解釈等を示しているもので、実務上留意しておきたい事項となります。

図解

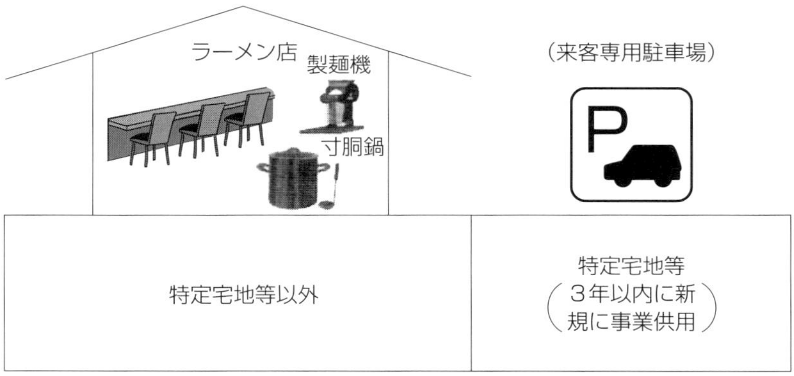


・ラーメン店の製麺機で製造した麺は、他のラーメン店を営む事業者や小売店にも出荷している。

上記の 図解 の場合でも、製麺機は上記Ⓑに該当する（ラーメン店で消費する部分とラーメンを製造して卸売販売を営む部分に区別する必要はありません。）ことになります。

(δ)『事業の用に供されていた減価償却資産』に該当するか否かの判定は、特定宅地等を新たに事業の用に供したときではなく、相続開始の直前における現況によって行うものとされています。

ポイント

(α) 特定宅地等を新たに事業の用に供した後に、被相続人等が取得した相続開始の直前まで事業の用に供されていた上記Ⓑに掲げる資産については、上記算式に掲げる分子に含まれることになります。

(β) 特定宅地等を新たに事業の用に供した時において、既に事業の用に供されていた上記Ⓑに掲げる資産が、その後、廃棄等により相続開始直前に事業の用に供されていなかった場合における当該資産などについては、その分子に含まれないことになります。

注２『被相続人等が有していたもの』とは、事業を行っていた被相続人又は事業を行っていた生計一親族（被相続人と生計を一にしていたその被相続人の親族をいいます。）が、自己の事業の用に供し、所有していた減価償却資産であるものをいいます。

したがって、例えば、被相続人が保有していた減価償却資産について、被相続人の事業の用に供されていたものはこれに該当しますが、生計一の親族の事業の用に供されていたものはこれに該当しないことになります。

注３『特定宅地等』とは、相続開始の直前において被相続人が所有していた宅地等であり、当該宅地等が数人の共有に属していた場合には、当該被相続人の有していた持分の割合に応ずる部分とされています。

また、被相続人に係る相続開始前３年以内に新たに被相続人等の事業の用に供された宅地等が、特定事業を行っていた被相続人等の当該事業の用に供されていたものに該当するか否かの判定に当たっては、下記に掲げる事項にも併せて留意する必要があります。

㋑　判定時期

特定事業に該当するか否かの判定は、上記算式の分母及び分子部分の記述のとおり『相続開始の時における価額』を用いて割合を算定するものとされています。すなわち、当該割合についてこれを15％以上必要としているのは被相続人に係る相続開始時点であり、被相続人に係る相続開始前３年以内に新たに被相続人等の事業の用に供されて以来、当該被相続人に係る相続開始時まで継続して求めているものではないことに留意する必要があります。

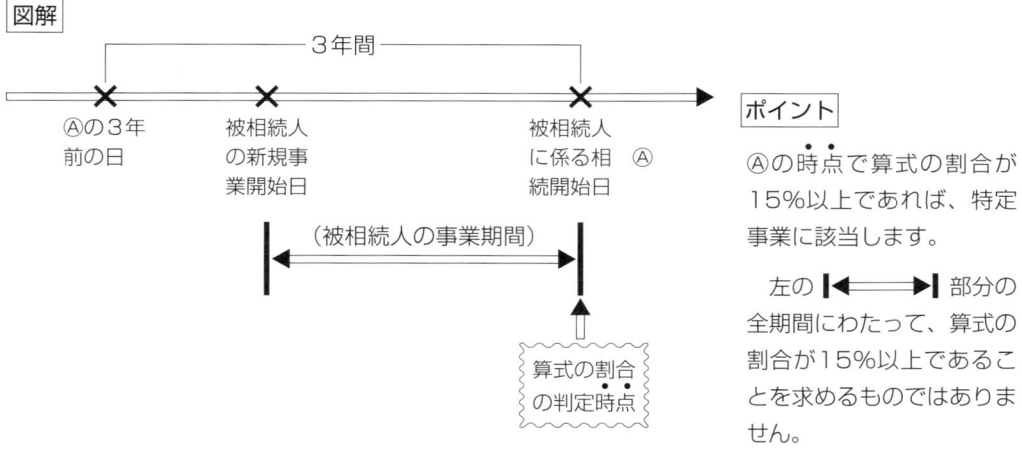

図解

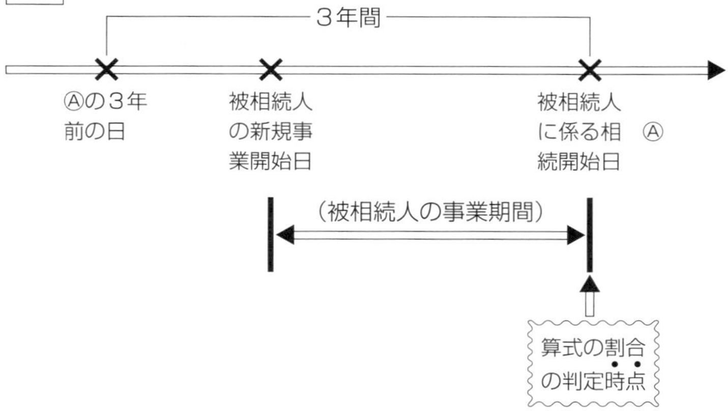


**ポイント**

Ⓐの時点で算式の割合が15%以上であれば、特定事業に該当します。

左の |◀━━▶| 部分の全期間にわたって、算式の割合が15%以上であることを求めるものではありません。

㋺　判定単位（特定宅地等が複数ある場合等の取扱い）

特定事業に該当するか否かの判定は、特定宅地等（新たに事業の用に供された宅地等）ごとに行うものとされています。

そうすると、特定宅地等が複数がある場合又は相続開始前３年を超えて既に事業の用に供している他の宅地等がある場合にあっても、上記の特定事業に該当するか否かの判定は、それぞれの特定宅地等ごとに上記に掲げる算式を満たすか否かで判定するものとされています。

図解

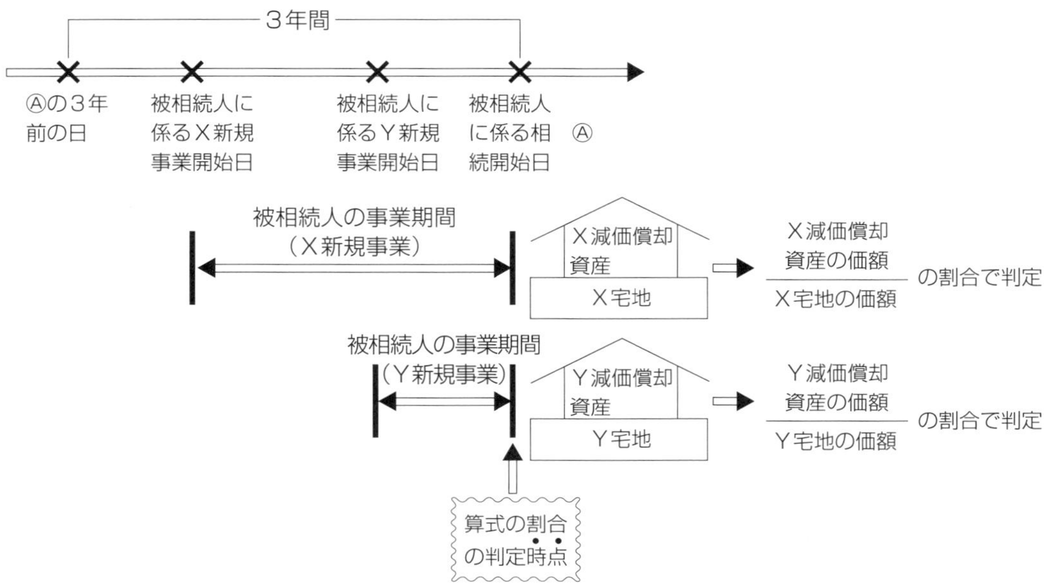

ポイント

特定宅地等（新たに事業の用に供された宅地等）がＸ宅地とＹ宅地の複数ある場合には、Ｘ宅地とＹ宅地のそれぞれで上記に掲げる算式を満たすか否かを判定します。

そして、当該算式を満たさないときのその算式の分母に係る宅地等については、特定事業用宅地等の範囲から除かれることとなり、当該算式を満たすときのその算式の分母に係る宅地等については、特定事業用宅地等の範囲から除かれないことになります。

(ロ)　相続開始前３年を超えて引き続き事業の用に供されていた宅地等の取扱い

相続開始前３年を超えて引き続き被相続人等の事業の用に供されていた宅地等については、『課税時期において、土地等の価額（相続税評価額）のうちに占める減価償却資産の価額（相続税評価額）の割合が15％以上であるという要件を充足する事業を行っていた被相続人等の事業』以外の事業に係るものであっても、上記①(イ)（被相続人の事業を相続開始後に事業承継する場合）又は(ロ)（被相続人と生計を一にする親族の事業の用に供されていた場合）に掲げる要件を満たす当該被相続人の親族が取得した場合には、小規模宅地等の課税特例に規定する特定事業用宅地等に該当するものとされています。（措置法通達69の４－20の４《相続開始前３年を超えて引き続き事業の用に供されていた宅地等の取扱い》）

上記の取扱いを図で示すと、次のとおりとなります。

図解

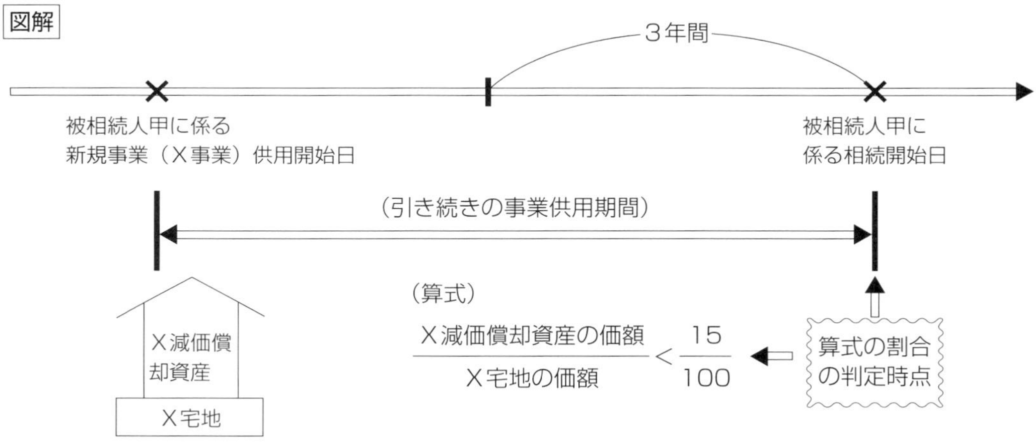


（結論）

事業用不動産の新規事業（Ｘ事業）供用開始日から被相続人甲に係る相続開始日までの期間が３年を超えているので、上記算式の割合の判定時点（被相続人甲に係る相続開始日）における当該割合が15％未満となる場合であっても、Ｘ宅地（Ｘ事業の用に供されている宅地等）を特定事業用宅地等として取り扱うことが、他の要件を充足する限り認められます。

なお、被相続人等の事業の用に供されていた宅地等が、上記③(イ)㋑(Ｂ)に掲げる留意点Ⓐ（継続的に事業の用に供されていた建物等につき建替えが行われた場合）又はⒷ（継続的に事業の用に供されていた建物等が災害により損害を受けたため当該建物等に係る事業を休業した場合）の取扱いに該当する場合には、当該宅地等は引き続き事業の用に供された宅地等に該当するものとされています。

⑤　個人の事業用資産についての相続税の納税猶予及び免除の適用を受ける場合における特定事業用宅地等に対する小規模宅地等の課税特例の適用除外について

小規模宅地等の課税特例の規定は、次に掲げる特定事業用宅地等については適用しないものとされています。

(イ)　措置法第70条の６の８《個人の事業用資産についての贈与税の納税猶予及び免除》の規定の適用を受けた特例事業受贈者に係る贈与者から相続又は遺贈により取得（注）をした特定事業用宅地等

（注）『取得』には、措置法第70条の６の９《個人の事業用資産の贈与者が死亡した場合の相続税の課税の特例》第１項（同条第２項の規定により読み替えて適用する場合を含みます。）の規定により相続又は遺贈により取得したものとみなされる場合における当該取得を含むものとされています。

(ロ)　措置法第70条の６の10《個人の事業用資産についての相続税の納税猶予及び免除》の規定の適用を受ける特例事業相続人等に係る被相続人から相続又は遺贈により取得した特定事業用宅地等

**留意点**　上記に掲げる取扱い（個人の事業用資産についての贈与税・相続税の納税猶予及び免除の適用がある場合における特定事業用宅地等に対する小規模宅地等の課税特例の適用除外）の適用を受けた場合であっても、当該被相続人から相続又は遺贈により取得した次に掲げる特例対象宅地等に対する小規模宅地等の課税特例の適用については、影響を与えない（換言すれば、個人の事業用資産についての贈与税・相続税の納税猶予及び免除の規定との併用適用は可能とされている）ことに留意する必要があります。

㋑　特定居住用宅地等

㋺　特定同族会社事業用宅地等

㋩　貸付事業用宅地等

ただし、相続税の課税対象とされる財産に、小規模宅地等の課税特例の対象となる宅地等（特例対象宅地等）と個人の事業用資産について相続税の納税猶予及び免除の特例対象となる特定事業用資産である宅地等がある場合において、上記㋑ないし㋩に掲げる特例対象宅地等につき小規模宅地等の課税特例の適用を受けたときは、相続税の納税猶予を受ける特定事業用資産である宅地等に係る適用限度面積（400㎡）について所定の方法による見直し（縮減）が必要となります。

これらの取扱いをまとめると、次のとおりとなります。

**図解**　小規模宅地等の課税特例と相続税の納税猶予に係る特定事業用資産である宅地等の限度面積

| 小規模宅地等の区分（選択特例対象宅地等） | 相続税の納税猶予の対象とされる宅地等の限度面積 |
|---|---|
| (A)　『特定事業用宅地等』を選択した場合 | ０㎡（特定事業用資産である宅地等に該当するものはありません。） |
| (B)　『特定居住用宅地等』のみを選択した場合 | 400㎡（特定事業用資産である宅地等に対する両規定の併用制限はありません。） |
| (C)　『特定同族会社事業用宅地等』のみを選択した場合 | 次の算式により計算した面積<br>算式　400㎡－『特定同族会社事業用宅地等の面積』 |
| (D)　『貸付事業用宅地等』のみを選択した場合 | 次の算式により計算した面<br>算式　$400㎡-『貸付事業用宅地等の面積』\times\frac{400}{200}$ |
| (E)　『特定居住用宅地等』と『特定同族会社事業用宅地等』を選択した場合 | 次の算式により計算した面積<br>算式　$400㎡-\left(『特定居住用宅地等』の面積\times\frac{400}{330}+『特定同族会社事業用宅地等』の面積\right)$ |
| (F)　『特定居住用宅地等』と『貸付事業用宅地等』を選択した場合 | 次の算式により計算した面積<br>算式　$400㎡-\left(『特定居住用宅地等』の面積\times\frac{400}{330}+『貸付事業用宅地等』の面積\times\frac{400}{200}\right)$ |
| (G)　『特定同族会社事業用宅地等』と『貸付事業用宅地等』を選択した場合 | 次の算式により計算した面積<br>算式　$400㎡-\left(『特定同族会社事業用宅地等』の面積+『貸付事業用宅地等』の面積\times\frac{400}{200}\right)$ |
| (H)　『特定居住用宅地等』、『特定同族会社事業用宅地等』及び『貸付事業用宅地等』を選択した場合 | 次の算式により計算した面積<br>算式　$400㎡-\left(『特定居住用宅地等』の面積\times\frac{400}{330}+『特定同族会社事業用宅地等』の面積+『貸付事業用宅地等』の面積\times\frac{400}{200}\right)$ |

（注１）　小規模宅地等の課税特例を受けるものとして選択特例対象宅地等を『特定居住用宅地等』のみとした場合（上記**図解**の(B)の場合）には、相続税の納税猶予の対象とされる特定事業用資産である宅地等の限度面積に対する調整（縮減計算）は不要とされますが、選択特例対象宅地等を『特定居住用宅地等』と他の特例対象宅地等（『特定同族会社事業用宅地等』又は『貸付事業用宅地等』に限られます。）とした場合（上記**図解**の(E)、(F)及び(H)の場合）には、特定事業用資産である宅地等の限度面積に対する調整（縮減計算）が必要とされます。

（注２）　小規模宅地等の課税特例（選択特例対象宅地等が特定居住用宅地等のみである場合を除きます。）と個人の事業用資産についての相続税の納税猶予及び免除の特例の両規定の適用を受けるためには、選択特例対象宅地等及び特例事業用資産（特定事業用資産のうち、相続税の申告書に相続税の納税猶予の適用を受けようとする旨の記載があるものをいいます。）について、下記の

算式を充足する必要があります。

算式　$A \times \frac{400}{330} + B + C \times \frac{400}{200} + D \leqq 400㎡$

Ａ：特定居住用宅地等である選択特例対象宅地等の面積

Ｂ：特定同族会社事業用宅地等である選択特例対象宅地等の面積

Ｃ：貸付事業用宅地等である選択特例対象宅地等の面積

Ｄ：特例事業用資産である宅地等の面積

（注３）　個人の事業用資産についての相続税の納税猶予及び免除の特例の規定は、原則として、平成31年１月１日から令和10年12月31日までの間の取得で、最初にこの規定の適用に係る相続又は遺贈による取得について適用するものとされています。

## 参考資料　課税時期が平成31年３月31日以前である場合の特定事業用宅地等の取扱い

### ⑴　『特定事業用宅地等』の意義（減額割合80％、適用上限面積400㎡）

被相続人等の事業（不動産貸付業、駐車場業、自転車駐車場業及び準事業《事業と称するに至らない不動産の貸付けその他これらに類する行為で相当の対価を得て継続的に行うものをいいます。》（以下、これらを⑴において「貸付事業」といいます。）を除きます。）の用に供されていた宅地等で、次に掲げる①又は②の要件のいずれかを満たす当該被相続人の親族が相続又は遺贈により取得したもの（注）をいいます。（措法69の４③一）

（注）　当該宅地等を複数で共同相続（遺贈）により取得した場合には、下記①又は②の要件に該当する被相続人の親族が相続又は遺贈により取得した持分の割合に応ずる部分に限られています。

#### ①　被相続人の事業を相続開始後に事業承継する場合

| 番 | 要件 | 内　容 |
|---|---|---|
| ⑴ | 事業承継の要件 | 被相続人の親族（当該親族から相続又は遺贈により当該宅地等を取得した当該親族の相続人を含みます。）が相続開始時から相続税の申告書の提出期限（注）までの間に当該宅地等の上で営まれていた被相続人の事業を承継すること<br>（注）　下記に掲げる相続税法の規定による申告書の提出期限（以下「相続税の申告期限」といいます。）をいいます。<br>①　相続税法第27条《相続税の申告書》<br>②　相続税法第29条《相続財産法人に係る財産を与えられた者に係る相続税の申告書》<br>③　相続税法第31条《修正申告の特則》第２項 |
| ⑵ | 所有継続の要件 | 上記の事業を承継した親族が相続開始時から相続税の申告期限まで引き続き当該宅地等を所有していること |
| ⑶ | 事業継続の要件 | 上記の事業を承継した親族が事業承継後、相続税の申告期限まで引き続き当該事業を営んでいること |

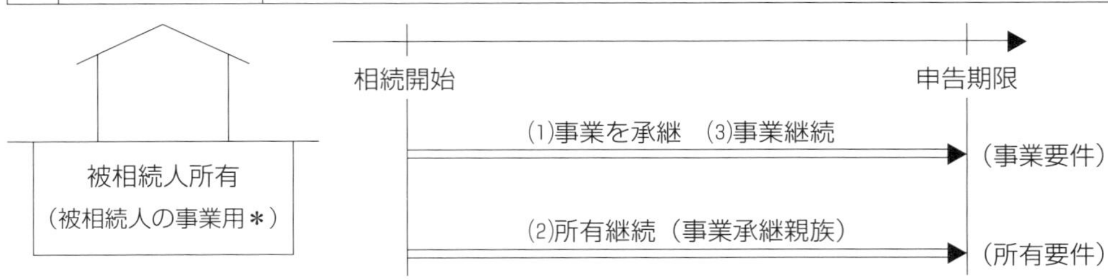


＊貸付事業を除く

② 被相続人と生計を一にする親族の事業の用に供されていた場合

| 番 | 要件 | 内　　　　　　容 |
|---|---|---|
| (1) | 生計一親族の要件 | 被相続人からの相続又は遺贈により財産を取得した親族が当該被相続人と生計を一にしていた者であること |
| (2) | 所有継続の要件 | 相続開始時から相続税の申告期限（当該親族が相続税の申告期限前に死亡した場合には、その死亡の日。(3)において同じ。）まで引き続き当該宅地等を所有していること |
| (3) | 事業継続の要件 | 相続開始前から相続税の申告期限まで引き続き当該宅地等を自己の事業の用に供していること |

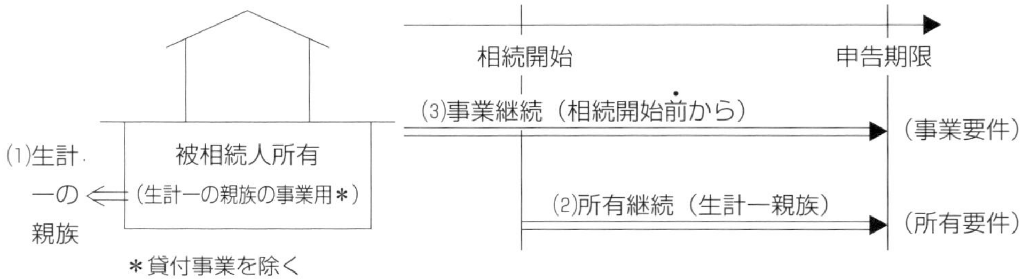


(2) 特定事業用宅地等の判定及びその取扱い上の留意点

① 上記(1)①（被相続人の事業を相続開始後に事業承継する場合）の場合には、事業承継の時期は被相続人に係る相続開始後でも差し支えなく、また、当該事業を承継する親族は当該相続に係る被相続人と生計が一であるという要件は必要とされていません。

② 上記(1)②（被相続人と生計を一にする親族の事業の用に供されていた場合）の場合には、生計を一にする親族が当該宅地上で営む事業は当該相続に係る被相続人の相続開始前から営まれていることが要件とされています。

### (2) 小規模宅地等が『特定居住用宅地等』である場合（減額割合：80％、適用上限面積：330㎡）

留意点　『特定居住用宅地等』に対する小規模宅地等の課税特例の適用に対する改正点は、次のとおりとなっています。

・平成30年度の税法改正によって、異同が生じています。

・令和元年度（平成31年度）の税法改正によって、配偶者居住権に対する取扱いが新設（適用開始日：令和２年４月１日）されています。

・令和２年度及び令和３年度の税法改正による異同はありません。

留意点　下記に掲げる解説は、課税時期が平成30年４月１日以降（ただし、配偶者居住権に対する小規模宅地等の課税特例の適用に関する部分については、課税時期が令和２年４月１日以降）に到来した場合の取扱いです。

なお、課税時期が平成30年３月31日までに到来した場合の取扱いについては、62ページの参考資料を参照してください。

#### ① 『特定居住用宅地等』の意義

被相続人等の居住の用（注１）に供されていた宅地等（当該宅地等が２以上ある場合には、一定の方法で定めた主としてその居住の用に供していた一の宅地等に限るものとされています。（この取扱いに関しては、下記⑤を参照））で、当該被相続人の配偶者又は下記㈺の㋑から㋩に掲げる要件のいずれかを満たす当該被相続人の親族（当該被相続人の配偶者を除きます。以下①において同じです。）が相続又は遺贈により取得したもの（注２）をいいます。（措法69の４③二：ただし、平成30年４月１日以後に課税時期が到来した場合（注３））

（注１）　一定の事由により、相続開始の直前において当該被相続人の居住の用に供されていなかった場合の取扱いに関しては、下記③を参照してください。

（注２）　当該宅地等を複数で共同相続（遺贈）により取得した場合には、当該被相続人の配偶者が相続又は遺贈により取得した持分の割合に応ずる部分又は下記㈺の㋑から㋩に掲げる要件のいずれかを満たす当該被相続人の親族が相続又は遺贈により取得した持分の割合に応ずる部分に限られています。

（注３）　配偶者居住権に対する小規模宅地等の課税特例の適用に関する部分については、令和２年４月１日以後に課税時期が到来した場合に適用されます。

##### ㈠ 当該被相続人の配偶者が取得した場合

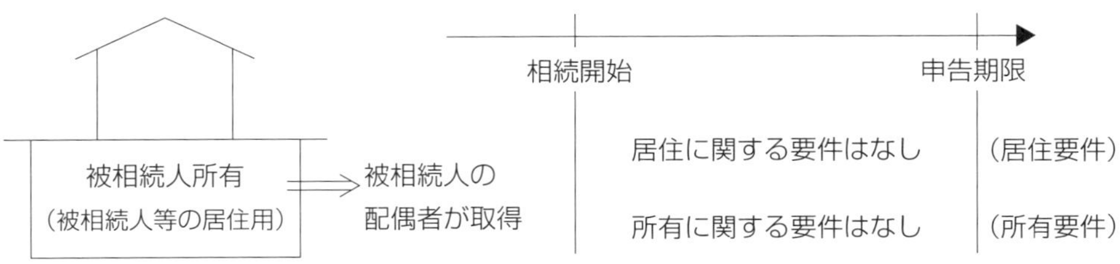


（注）　被相続人等の居住用宅地等を当該被相続人の配偶者が取得した場合には、他の要件を問われることなく、当該配偶者が取得した部分は、特定居住用宅地等に該当することになります。

(ロ) 次に掲げる要件のいずれかを満たす当該被相続人の親族（ポイント 当該被相続人の配偶者を除きます。）が取得した場合

㋑ 被相続人と同居の親族が取得した場合

| 番 | 要　件 | 内　容 |
|---|---|---|
| (1) | 同居親族の要件 | 当該親族が相続開始の直前において当該宅地等の上に存する当該被相続人の居住の用（注１）に供されていた一棟の建物（当該被相続人、当該被相続人の配偶者又は当該親族の居住の用に供されていた部分として定める一定の部分（注２）に限られます。）に居住していた者であること<br>（注１） 居住の用に供することができない一定の事由により、相続開始の直前において当該被相続人の居住の用に供されていなかった場合（一定の用途に供されている場合を除きます。）における当該事由により居住の用に供されなくなる直前の当該被相続人の居住の用を含みます。<br>（注２） 一定の部分とは、下記に掲げる場合の区分に応じてそれぞれ下記に定める部分とされています。<br>① 被相続人の居住の用に供されていた一棟の建物が建物の区分所有等に関する法律第１条《建物の区分所有》の規定に該当する建物（㊟区分所有建物である旨の登記がされている建物をいいます。）である場合<br>当該被相続人の居住の用に供されていた部分<br>② 上記①に掲げる場合以外の場合<br>被相続人又は当該被相続人の親族の居住の用に供されていた部分 |
| (2) | 所有継続の要件 | 相続開始時から相続税の申告期限（当該親族が相続税の申告期限前に死亡した場合には、その死亡の日。(3)において同じ。）まで引き続き当該宅地等を所有していること |
| (3) | 居住継続の要件 | 相続税の申告期限まで当該建物に居住していること |

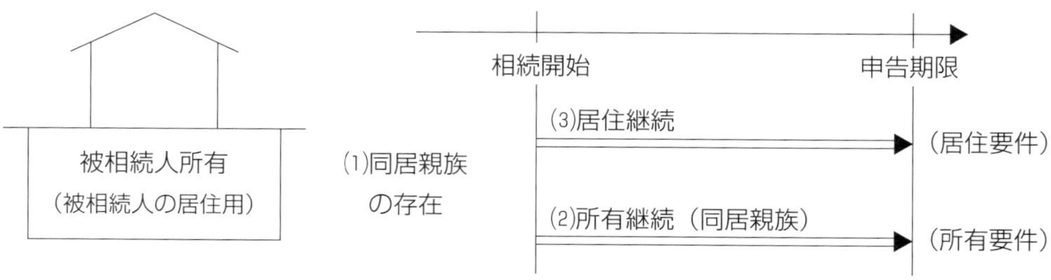

## ㋺　配偶者及び一定の同居親族が存せず非同居親族が取得した場合

### Ⓐ　原則的な取扱い（下記Ⓑに掲げる経過的な取扱いの適用を受けない場合）

| 番 | 要　件 | 内　容 |
|---|---|---|
| (1) | 配偶者及び一定の同居親族不存在の要件 | 当該被相続人の配偶者又は相続開始の直前において当該被相続人の居住の用（注１）に供されていた家屋に居住していた親族（当該被相続人の法定相続人〔相続の放棄があった場合には、その放棄がなかったものとした場合における相続人〕をいいます。）がいないこと（注２）<br>（注１）　居住の用に供することができない一定の事由により、相続開始の直前において当該被相続人の居住の用に供されていなかった場合（一定の用途に供されている場合を除きます。）における当該事由により居住の用に供されなくなる直前の当該被相続人の居住の用を含みます。<br>（注２）　法定相続権を有していた被相続人の親族が当該被相続人と同居していた場合に限り、他の親族が取得した宅地等について特定居住用宅地等に該当しないことになります。<br>　したがって、法定相続権を有しない被相続人の親族が当該被相続人と同居していた場合であっても、他の要件を充足する限り特定居住用宅地等に該当することになります。 |
| (2) | 自己等の所有する家屋に居住したことがない要件 | ①　当該親族（注１）が相続開始前３年以内に相続税法の施行地内にある当該親族、当該親族の配偶者、当該親族の３親等内の親族又は当該親族と特別の関係がある法人（注２）が所有する家屋（当該相続開始の直前において当該被相続人の居住の用（注３）に供されていた家屋を除きます。）に居住したことがないこと<br>（注１）　当該被相続人の居住の用に供されていた宅地等を取得した者であって、下記に掲げる者に限られます。<br>㈠　相続税法第１条の３《相続税の納税義務者》第１項第１号の規定に該当する者（いわゆる『居住無制限納税義務者』）<br>㈡　相続税法第１条の３《相続税の納税義務者》第１項第２号の規定に該当する者（いわゆる『非居住無制限納税義務者』）<br>㈢　相続税法第１条の３《相続税の納税義務者》第１項第４号の規定に該当する者（いわゆる『非居住制限納税義務者』）のうち日本国籍を有する者<br>注　相続税法第１条の３《相続税の納税義務者》については、45ページの参考資料を参照してください。<br>（注２）　特別の関係がある法人は、次に掲げる法人とされています。<br>㈠　措置法第69条の４第３項第２号ロに規定する親族（筆者注　上記（注１）に掲げる者をいいます。）及び次に掲げる者（以下、（注２）において「親族等」といいます。）が法人の発行済株式又は出資（当該法人が有する自己の株式又は出資を除きます。）の総数又は総額（以下、（注２）において「発行済株式総数等」といいます。）の10分の５を超える数又は金額の株式又は出資を有する場合における当該法人 |

| | | |
|---|---|---|
| | | ㋑　当該親族の配偶者<br>㋺　当該親族の３親等内の親族<br>㋩　当該親族と婚姻の届出をしていないが事実上婚姻関係と同様の事情にある者<br>㋥　当該親族の使用人<br>㋭　上記㋑から㋥までに掲げる者以外の者で当該親族から受けた金銭その他の資産によって生計を維持しているもの<br>㋬　上記㋩から㋭までに掲げる者と生計を一にするこれらの者の配偶者又は３親等内の親族<br>㈺　親族等及びこれと上記㈠の関係がある法人が他の法人の発行済株式総数等の10分の５を超える数又は金額の株式又は出資を有する場合における当該他の法人<br>㈧　親族等及びこれと上記㈠又は㈺の関係がある法人が他の法人の発行済株式総数等の10分の５を超える数又は金額の株式又は出資を有する場合における当該他の法人<br>㈡　親族等が理事、監事、評議員その他これらの者に準ずるものとなっている持分の定めのない法人<br>（注３）　居住の用に供することができない一定の事由により、相続開始の直前において当該被相続人の居住の用に供されていなかった場合（一定の用途に供されている場合を除きます。）における当該事由により居住の用に供されなくなる直前の当該被相続人の居住の用を含みます。<br>②　当該被相続人の相続開始時に当該親族が居住している家屋を相続開始前のいずれの時においても所有していたことがないこと |
| ⑶ | 所有継続の要件 | 相続開始時から相続税の申告期限（当該親族が相続税の申告期限前に死亡した場合には、その死亡の日）まで引き続き当該宅地等を所有していること |

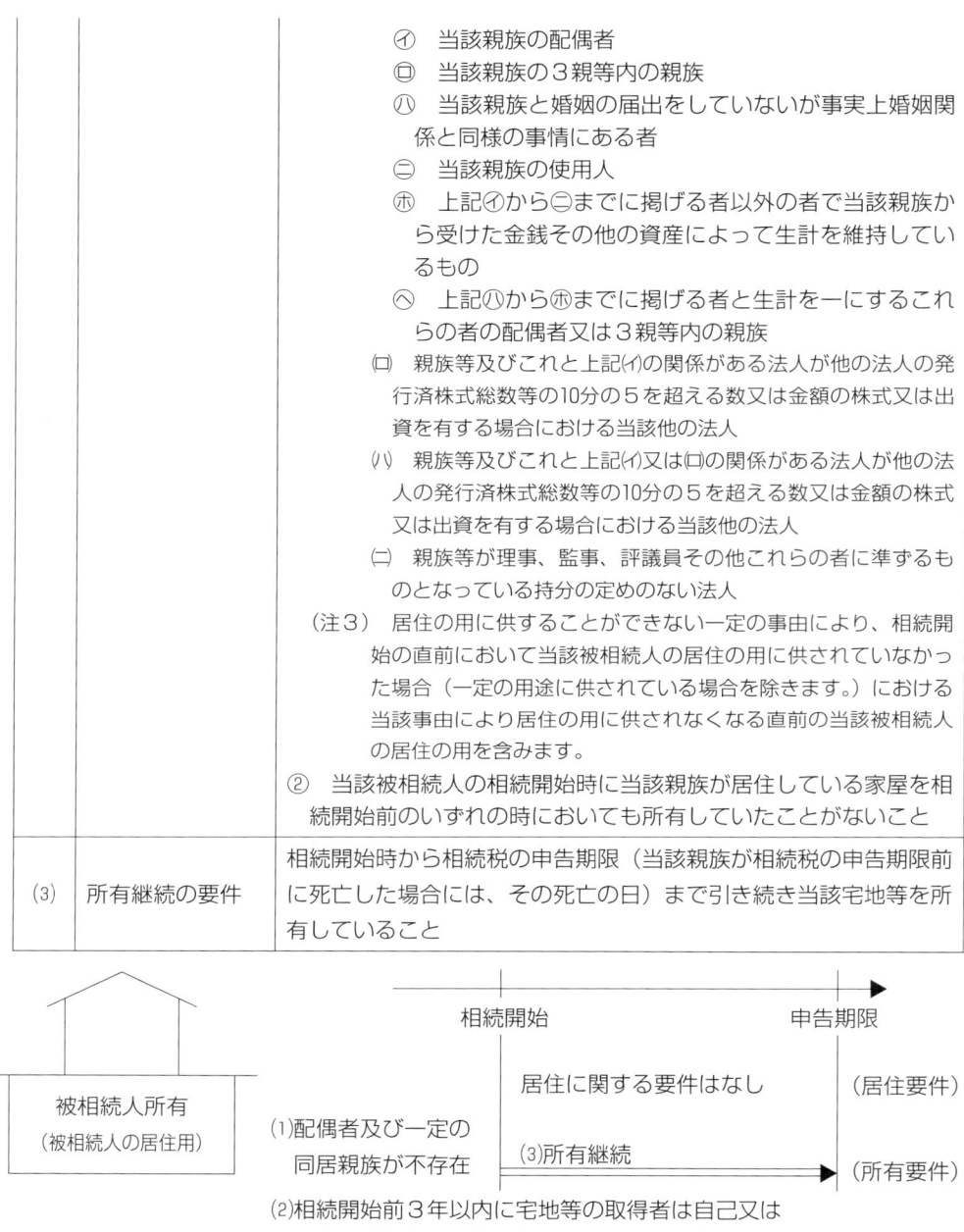

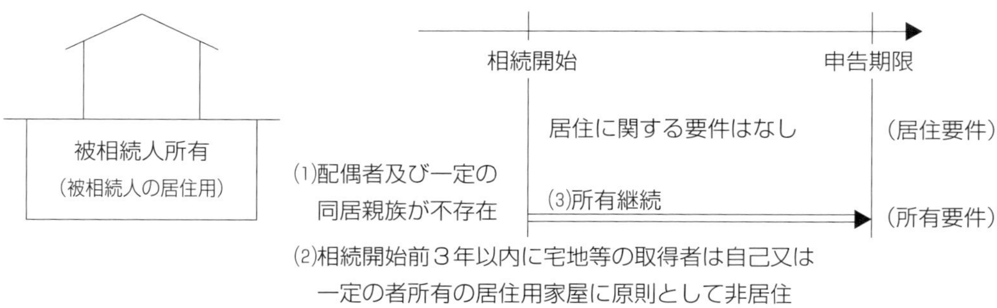

## 参考資料　３親等内の親族

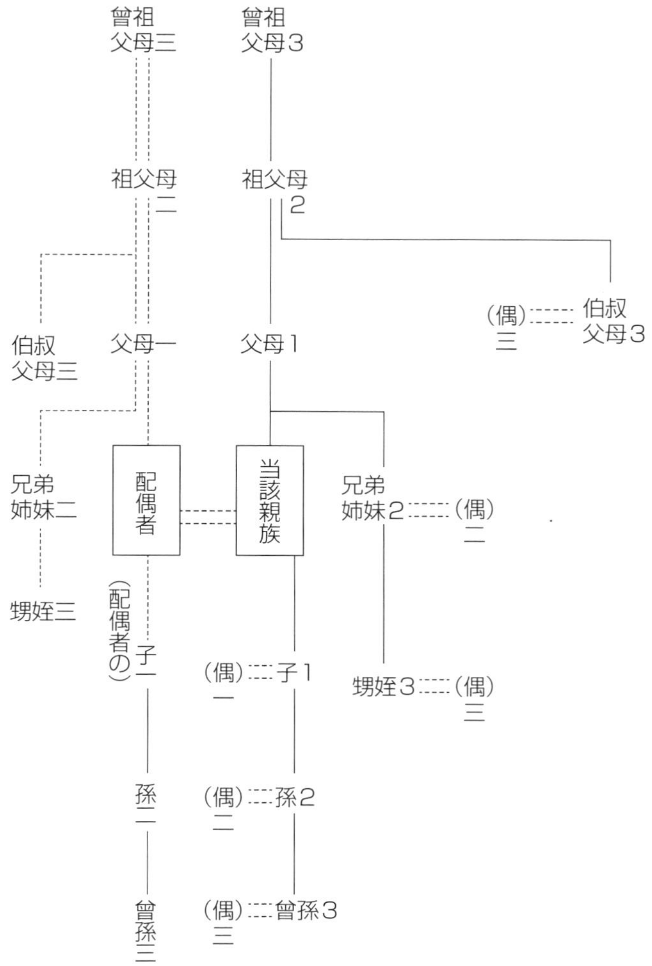


1．肩書数字は親等を、うちアラビア数字は血族、漢数字は姻族を、（偶）は配偶者を示しています。
2．養親族関係…養子と養親及びその血族との間においては、養子縁組の日から血族間におけると同一の親族関係が生じます。

## Ⓑ 経過的な取扱い（平成30年改正法附則による特定居住用宅地等（配偶者及び一定の同居親族が存せず非同居親族が取得した場合）に係る経過措置の適用を受ける場合）

上記Ⓐに掲げるとおり、平成30年４月１日以後に開始した相続又は遺贈については、小規模宅地等の課税特例の対象とされる特定居住用宅地等のうち配偶者及び一定の同居親族が存せず非同居親族が取得した場合（以下、Ⓑにおいて『家なき子型』という場合があります。）には、当該被相続人の居住の用に供されていた宅地等を取得した親族に対して、当該親族等の所有する家屋に居住したことがないとされる次に掲げる一定の要件を充足していることが求められるものとされています。

・　当該親族が被相続人に係る相続開始前３年以内に相続税法の施行地にある当該親族、当該親族の配偶者、当該親族の３親等内の親族又は当該親族と特別の関係がある法人が所有する家屋（当該相続の開始の直前において当該被相続人の居住の用に供されていた家屋を除きます。）に居住したことがないこと

・　当該被相続人の相続開始時に当該親族が居住している家屋を相続開始前のいずれの時においても所有していたことがないこと

しかしながら、上記の原則的な取扱いに対して、次に掲げる経過的な取扱いが設けられていますので留意する必要があります。この経過的な取扱いの要件を充足すれば、当該宅地等は特定居住用宅地等に該当することになります。

**〔経過的な取扱い〕**

**⑴　適用対象地**

経過的な取扱いの適用対象とされるのは、平成30年３月31日に相続又は遺贈があったものとした場合に、平成30年改正法による改正前の措置法第69条の４第１項に規定する特例対象宅地等（同条第３項第２号に規定する特定居住用宅地等のうち同号ロ（家なき子型）に掲げる要件（64ページの参考資料の⑴②㋺を参照）を満たすものに限られます。）に該当することとなる宅地等（以下「経過措置対象宅地等」といいます。）とされます。

**⑵　内容**

**①　経過措置対象宅地等を個人が平成30年４月１日から令和２年３月31日までの間に相続又は遺贈により取得した場合**

親族要件　措置法第69条の４第３項第２号《特定居住用宅地等》に規定する親族要件は、下記㈡ないし㈡に掲げる４つの要件のうちいずれかとされます。

㈠　措置法第69条の４第３項第２号イに規定する要件（被相続人と同居の親族が取得した場合）（38ページの①㋺㋑を参照）

㈡　措置法第69条の４第３項第２号ロに規定する要件（配偶者及び一定の同居親族が存せず非同居親族が取得した場合）（39ページの①㋺㋺を参照）

㈢　措置法第69条の４第３項第２号ハに規定する要件（被相続人と生計を

一にする親族の居住の用に供されていた場合）(44ページの①(ロ)(ハ)を参照)

(ニ)　平成30年改正法による改正前の措置法第69条の４第３項第２号ロに規定する要件（配偶者及び一定の同居親族が存せず非同居親族が取得した場合）（64ページの参考資料の(1)②(ロ)を参照）

注　上記①の経過的な取扱いは、現行ではその適用期間が徒過しています。

**②　経過措置対象宅地等を個人が令和２年４月１日以後に相続又は遺贈により取得した場合**

居住要件　次に掲げる(イ)ないし(ハ)に掲げる要件を充足している場合には、当該経過措置対象宅地等は、相続開始の直前において、当該相続又は遺贈に係る被相続人の居住の用に供されていたものとみなされます。

(イ)　令和２年３月31日において、当該経過措置対象宅地等の上に存する建物の新築又は増築の工事が行われていること

(ロ)　上記(イ)に係る工事の完了（注）前に当該被相続人に係る相続又は遺贈があったこと

（注）『工事の完了』とは、新築又は増築その他の工事に係る請負人から新築された建物の引渡しを受けたこと又は増築その他の工事に係る部分につき引渡しを受けたことをいいます。

(ハ)　当該相続又は遺贈に係る相続税の申告期限までに当該財産を取得した個人が当該建物を自己の居住の用に供したとき

親族要件　親族要件は、平成30年改正法による改正前の措置法第69条の４第３項第２号ロに規定する要件とされ、当該親族要件及び上記に掲げる居住要件を充足した場合には、当該相続又は遺贈により経過措置対象宅地等を取得した個人は、措置法第69条の４第３項第２号イに規定する要件（被相続人と同居の親族が取得した場合）（38ページの①(ロ)(イ)を参照）を満たす親族とみなすものとされています。

**ワンポイント：経過的な取扱いに対する実務上の留意点**

上記に掲げる〔**経過的な取扱い**〕のなかでも注目されていたのが、(2)①に掲げる経過措置対象宅地等を個人が平成30年４月１日から令和２年３月31日までの間に相続又は遺贈により取得した場合でした。

すなわち、この期間中に課税時期が到来した家なき子型の特定居住用宅地等に係る適用可否の判定に当たっては、平成30年改正法の施行期日（平成30年４月１日）の前日である平成30年３月31日に相続又は遺贈があったものとして、平成30年改正法の施行前の家なき子型の要件（64ページの参考資料の(1)②(ロ)を参照）を充足していればそれで事足りるとされており、要件が相当緩和されており、事実上では平成30年改正法の施行開始が２年間猶予されたと同様の状況にあったといえましょう。

したがって、下記のような事例については、上記の〔**経過的な取扱い**〕を適用することによって、被相続人甲の相続開始日が平成30年４月１日以後ではあるものの、同人の相続

財産であるＸ宅地を相続により取得した長男Ａは当該取得したＸ宅地を特定居住用宅地等として取り扱って相続税の申告書を提出することが、令和２年３月31日までに発生した被相続人甲に係る相続に限って認められていました。

（事例）

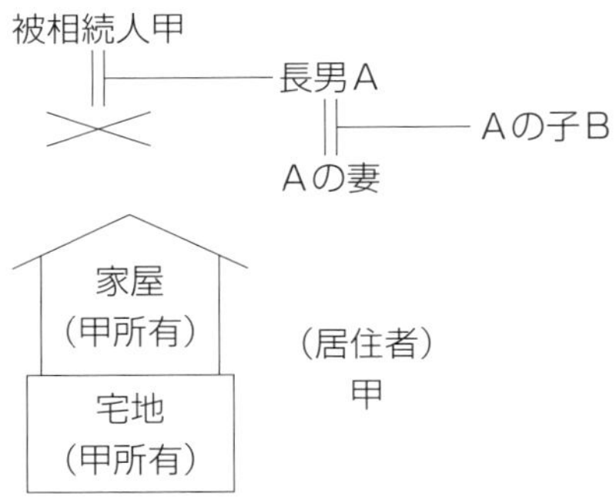


(1)　被相続人甲は、同人所有の不動産（宅地及び家屋）に単身で居住していましたが、令和２年１月10日に相続開始がありました。すべての財産は、長男Ａが相続により取得しました。

(2)　長男Ａは、旧来より自己の居住の用に供していた家屋を平成26年８月にＡの子Ｂに贈与しました。（長男Ａは、引き続き当該家屋に居住しています。）

## (ハ)　被相続人と生計を一にする親族の居住の用に供されていた場合

| 番 | 要　　件 | 内　　　容 |
|---|---|---|
| (1) | 生計一親族の要件 | 被相続人からの相続又は遺贈により財産を取得した親族が当該被相続人と生計を一にしていた者であること |
| (2) | 所有継続の要件 | 相続開始時から相続税の申告期限（当該親族が相続税の申告期限前に死亡した場合には、その死亡の日。(3)において同じ。）まで引き続き当該宅地等を所有していること |
| (3) | 居住継続の要件 | 相続開始前から相続税の申告期限まで引き続き当該宅地等を自己の居住の用に供していること |

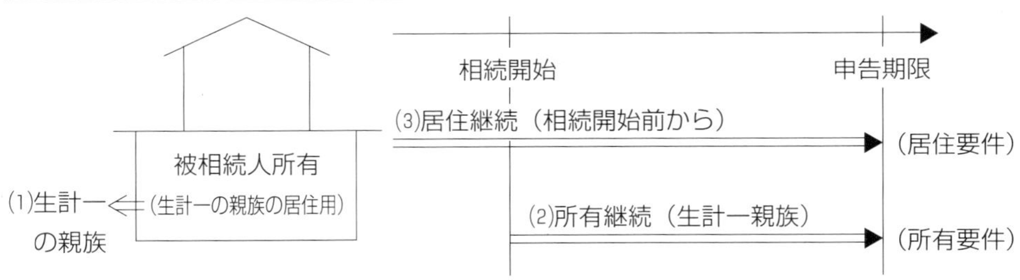

## 参考資料　相続税の納税義務者の区分（令和３年４月１日以後に課税時期が到来したものに適用）

### (1)　居住無制限納税義務者（相続税法第１条の３第１項第１号）の意義

居住無制限納税義務者とは、相続又は遺贈（死因贈与（注１）を含みます。以下同じ。）により財産を取得した次に掲げる者であって、当該財産を取得した時においてこの法律の施行地（注２）に住所を有するものをいいます。

①　一時居住者（注３）でない個人

②　一時居住者（注３）である個人（当該相続又は遺贈に係る被相続人（遺贈をした者を含みます。以下同じ。）が外国人被相続人（注４）又は非居住被相続人（注５）である場合を除きます。）

（注１）　死因贈与とは、贈与をした者の死亡により効力を生ずる贈与をいいます。

（注２）　相続税法の施行地という概念は、正確には異なりますが、日本国内と理解して通常は差し支えないと思われます。

（注３）　一時居住者とは、次に掲げる要件の全てを充足する者をいいます。

(イ)　相続開始の時において在留資格（出入国管理及び難民認定法（昭和26年政令319号）別表第１（在留資格）の上欄の在留資格をいいます。次の(2)において同じ。）を有すること

(ロ)　当該相続の開始前15年以内において、この法律の施行地に住所を有していた期間の合計が10年以下であること

（注４）　外国人被相続人とは、次に掲げる要件の全てを充足する者をいいます。

(イ)　相続開始の時において、在留資格を有していること

(ロ)　この法律の施行地に住所を有していた当該相続に係る被相続人であること

（注５）　非居住被相続人とは、次に掲げる要件の全てを充足する者をいいます。

(イ)　相続開始の時において、この法律の施行地に住所を有していなかった当該相続に係る被相続人であること

(ロ)　次に掲げる要件のいずれかに該当するものであること

㋑　当該相続の開始前10年以内のいずれかの時において、この法律の施行地に住所を有していたことがあるもののうち、そのいずれの時においても日本国籍を有していなかったもの

㋺　当該相続の開始前10年以内のいずれの時においても、この法律の施行地に住所を有していたことがないこと

### (2)　非居住無制限納税義務者（相続税法第１条の３第１項第２号）の意義

非居住無制限納税義務者とは、次に掲げる区分に従って、それぞれに掲げる要件の全てを充足するものをいいます。

①　日本国籍を有する場合

(イ)　相続又は遺贈により財産を取得した日本国籍を有する個人であること

(ロ)　当該相続又は遺贈により財産を取得した時において、この法律の施行地に住所を有しないこと

(ハ)　次に掲げる要件のいずれかに該当するものであること

㋑　当該相続又は遺贈に係る相続の開始前10年以内のいずれかの時において、この法律の施行地に住所を有していたことがあること

㋺　当該相続又は遺贈に係る相続の開始前10年以内のいずれの時においても、この法律の施行地に住所を有していたことがないこと（当該相続又は遺贈に係る被相続人が外国人被相続人（上記(1)（注４）を参照）又は非居住被相続人（上記(1)（注５）を参照）である場合を除きます。）

（注）　上記(ハ)㋺の要件（相続の開始前10年以内における相続税法の施行地内における住所要件）は、財産取得者である相続人等又は被相続人の双方に一定要件の確認を求めるものであり、当該要件のいずれか一方でも充足すれば該当することに留意する必要があります。

②　日本国籍を有しない場合

(イ)　相続又は遺贈により財産を取得した日本国籍を有しない個人であること

(ロ)　当該相続又は遺贈により財産を取得した時において、この法律の施行地に住所を有しないこと

(ハ)　当該相続又は遺贈に係る被相続人が、外国人被相続人（上記(1)（注４）を参照）又は非居住被相続人（上記(1)（注５）を参照）に該当しないこと

（注）　上記(ハ)の要件（被相続人が外国人被相続人又は非居住被相続人のいずれにも該当しない要件）は、被相続人のみに関する要件であることに留意する必要があります。

### (3)　居住制限納税義務者（相続税法第１条の３第１項第３号）の意義

居住制限納税義務者とは、相続又は遺贈によりこの法律の施行地にある財産を取得した個人で、当該財産を取得した時においてこの法律の施行地に住所を有するものをいいます。

ただし、この要件に該当する者であっても、上記(1)に掲げる居住無制限納税義務者に該当する者を除きます。

### (4)　非居住制限納税義務者（相続税法第１条の３第１項第４号）の意義

非居住制限納税義務者とは、相続又は遺贈によりこの法律の施行地にある財産を取得した個人で、当該財産を取得した時においてこの法律の施行地に住所を有しないものをいいます。

ただし、この要件に該当する者であっても、上記(2)に掲げる非居住無制限納税義務者に該当する者を除きます。

### (5)　特定納税義務者（相続税法第１条の３第１項第５号）の意義

特定納税義務者とは、贈与（死因贈与を除きます。以下同じ。）により相続税法第21条の９《相続時精算課税の選択》第３項の規定の適用を受ける財産を取得した個人をいいます。

ただし、この要件に該当する者であっても、上記(1)に掲げる居住無制限納税義務者、(2)に掲げる非居住無制限納税義務者、(3)に掲げる居住制限納税義務者又は(4)に掲げる非居住制限納税義務者に該当する者を除きます。

換言すれば、特定納税義務者とは、被相続人から相続又は遺贈により財産を取得しなかった者のうち、相続税法第21条の16《相続時精算課税に係る相続税額》第１項の規定により相続時精算課税の適用を受ける財産を当該相続人から相続又は遺贈により取得したものとみなされる者をいうものと理解できます。

### (6)　まとめ

相続税の納税義務者の区分について、上記(1)から(4)までに掲げる取扱い（特定納税義務者を除く相続税の納税義務者の取扱い）をまとめると、次の表のとおりとなります。

**（相続税の納税義務者の区分）**

| 被相続人又は遺贈者に係る要件 ＼ 相続人又は受遺者に係る要件 | | | 相続開始時に日本国内に住所あり | | 相続開始時に日本国内に住所なし | | |
|---|---|---|---|---|---|---|---|
| | | | (A) 右記(B)に該当しない場合 | (B) 相続開始時に在留資格を有し相続開始前15年以内の日本国内の住所保有期間合計が10年以下 | 日本国籍あり | | 日本国籍なし |
| | | | | | 相続開始前10年以内に日本国内に住所あり | 相続開始前10年以内に日本国内に住所なし | |
| 相続開始時に日本国内に住所あり | (イ) 下記(ロ)に該当しない場合 | | [1] | [1] | [2](1) | [2](1) | [2](2) |
| | (ロ) 相続開始時に在留資格あり | | [1] | [3] | [2](1) | [4] | [4] |
| 相続開始時に日本国内に住所なし | 相続開始前10年以内に日本国内に住所あり | (ハ) 下記(ニ)に該当しない場合 | [1] | [1] | [2](1) | [2](1) | [2](2) |
| | | (ニ) 相続開始前10年以内のいずれの時においても日本国籍なし | [1] | [3] | [2](1) | [4] | [4] |
| | 相続開始前10年以内に日本国内に住所なし | | [1] | [3] | [2](1) | [4] | [4] |

（記号の意味）　相続税の納税義務者の区分
- [1]　……居住無制限納税義務者
- [2](1)　……非居住無制限納税義務者（日本国籍保有者）
- [2](2)　……非居住無制限納税義務者（日本国籍未保有者）
- [3]　……居住制限納税義務者
- [4]　……非居住制限納税義務者

### ②　特定居住用宅地等の判定及びその取扱い上の留意点

(イ)　前記①(イ)（当該被相続人の配偶者が取得した場合）の場合には、特定居住用宅地等の該当要件として当該配偶者が取得する要件以外に特段の要件（㋑相続税の申告期限までの所有継続要件、居住継続要件等）は必要とされていません。

(ロ)　前記①(ロ)(イ)（被相続人と同居の親族が取得した場合）の場合には、当該財産を取得した親族が相続開始の直前において当該被相続人と同居していたことが要件として、原則的に必要とされています。

**（注）**　上記の取扱いは、前記(1)①(イ)に掲げる『特定事業用宅地等』の被相続人の事業を相続開始

後に事業承継する場合の形態と大きく異なる（この場合は、相続開始後における事業承継で適用可能）ことに留意する必要があります。

(ハ)　前記①(ロ)㋺（配偶者及び一定の同居親族が存せず非同居親族が取得した場合）の場合には、財産を取得した当該親族（非同居親族）が相続税の申告期限までの所有継続要件は付されていても、当該宅地等を自己の居住の用に供するということは特定居住用宅地等の適用要件として必要とされていません。

(ニ)　前記①(ロ)㋩（被相続人と生計を一にする親族の居住の用に供されていた場合）の場合には、生計を一にする親族が当該宅地等を当該相続に係る被相続人の相続開始前から居住の用に供していることが要件とされています。

③　一定の事由により相続開始の直前において被相続人の居住の用に供されていなかった場合の取扱い

小規模宅地等の課税特例の適用要件の１つとして、個人が相続又は遺贈により取得した財産のうちに、当該相続の開始の直前において、被相続人等の事業の用又は居住の用に供されていた宅地等であることが挙げられています。

上記に掲げる『居住の用』（上記＿＿部分）については、居住の用に供することができない事由として下記(イ)に掲げる事由により相続の開始の直前において当該被相続人の居住の用に供されていなかった場合（下記(ロ)に掲げる用途に供されている場合を除きます。）における当該事由により居住の用に供されなくなる直前の当該被相続人の居住の用を含むものとされています。

(イ)　被相続人の居住の用に供することができない事由（限定列挙）

㋑　被相続人が要介護認定等を受けていた場合

次の(A)に掲げる被相続人が、(B)に掲げる住居又は施設に入居又は入所していたこと

(A)　被相続人の要件

Ⓐ　介護保険法第19条第１項に規定する要介護認定を受けていた被相続人

Ⓑ　介護保険法第19条第２項に規定する要支援認定を受けていた被相続人

Ⓒ　相続開始の直前において、介護保険法施行規則第140条の62の４第２号に該当していた被相続人

（注）　介護保険法施行規則第140条の62の４第２号に該当する者とは、厚生労働大臣が定める基準に該当する第１号被保険者（２回以上にわたり当該基準の該当の有無を判断した場合においては、直近の当該基準の該当の有無の判断の際に当該基準に該当した第１号被保険者）（要介護認定を受けた第１号被保険者においては、当該要介護認定による介護給付に係る居宅サービス、地域密着型サービス及び施設サービス並びにこれらに相当するサービスを受けた日から当該要介護認定の有効期間の満了の日までの期間を除きます。）をいう（通称：チェックリスト該当者）ものとされています。

(B)　入居住居又は入所施設の要件

Ⓐ　老人福祉法第５条の２第６項に規定する認知症対応型老人共同生活援助事業が行われる住居

Ⓑ　老人福祉法第20条の４に規定する養護老人ホーム

Ⓒ　老人福祉法第20条の５に規定する特別養護老人ホーム

Ⓓ　老人福祉法第20条の６に規定する軽費老人ホーム

Ⓔ　老人福祉法第29条第１項に規定する有料老人ホーム

Ⓕ　介護保険法第８条第28項に規定する介護老人保健施設

Ⓖ　介護保険法第８条第29項に規定する介護医療院（注）

Ⓗ　高齢者の居住の安定確保に関する法律第５条第１項に規定するサービス付き高齢者向け住宅（上記Ⓔに規定する有料老人ホームを除きます。）

（注）　介護医療院とは、要介護者であって、主として長期にわたり療養が必要である者に対し、施設サービス計画に基づいて、療養上の管理、看護、医学的管理の下における介護及び機能訓練その他必要な医療並びに日常生活上の世話を行うことを目的とする施設をいいます。

平成30年４月１日以後に開始した相続又は遺贈により取得する財産に係る相続税については、上記の介護医療院に入所したことにより被相続人の居住の用に供されなくなった家屋の敷地の用に供されていた宅地等につき、これを当該相続の開始の直前において被相続人の居住の用に供されていたものとして、小規模宅地等の課税特例の適用対象とされることになりました。

㋺　被相続人が障害支援区分の認定を受けていた場合

次の(A)に掲げる被相続人が、(B)に掲げる施設又は住居に入所又は入居していたこと

(A)　被相続人の要件

障害者の日常生活及び社会生活を総合的に支援するための法律第21条第１項に規定する障害支援区分の認定を受けていた被相続人

(B)　入所施設又は入居住居の要件

Ⓐ　障害者の日常生活及び社会生活を総合的に支援するための法律第５条第11項に規定する障害者支援施設（同条第10項に規定する施設入所支援が行われるものに限られます。）

Ⓑ　障害者の日常生活及び社会生活を総合的に支援するための法律第５条第17項に規定する共同生活援助を行う住居

（注）　要介護認定等の判定時期

措置法通達69の４－７の３《要介護認定等の判定時期》の定めでは、被相続人が、上記(イ)㋑(A)に規定する要介護認定若しくは要支援認定又は上記(イ)㋺(A)に規定する障害支援区分の認定を受けていたかどうかは、当該被相続人が、当該被相続人の相続の開始の直前において当該認定を受けていたかにより判定するものとされています。

**(ロ)　適用除外（被相続人の居住の用とは認められなくなる）用途転用〔限定列挙〕**

㋑　事業（事業と称するに至らない不動産の貸付けその他これに類する行為で相当の対価を得て継続的に行うもの（準事業）を含みます。）の用

㋺　被相続人等（被相続人と上記(イ)㋑又は㋺の入居又は入所の直前において生計を一にし、かつ、居住の用に供することができない事由として上記(イ)㋑又は㋺に掲げる

事由により相続開始の直前において当該被相続人の居住の用に供されていなかった建物に引き続き居住している当該被相続人の親族を含みます。）以外の者の居住の用

### ④　１棟の２世帯住宅で構造上区分のあるものに対する特定居住用宅地等の取扱い

小規模宅地等の課税特例の適用要件の１つとして、個人が相続又は遺贈により取得した財産のうちに、当該相続の開始の直前において、(A)被相続人等の事業の用又は居住の用に供されていた宅地等であることが挙げられています。

上記に掲げる『被相続人等の居住の用に供されていた宅地等』（上記(A)＿部分）については、当該宅地等のうちに当該被相続人等の居住の用以外の用に供されていた部分があるときは、当該被相続人等の(B)居住の用に供されていた部分に限るものとされています。

そして、この『居住の用に供されていた部分』（上記(B)＿部分）が(C)被相続人の居住の用に供されていた１棟の建物（注１）に係るものである場合には、当該１棟の建物の敷地の用に供されていた宅地等のうち、当該被相続人の親族（㊟当該被相続人の配偶者も含まれています。）（注２）の居住の用に供されていた部分を含むものとされています。

（注１）『１棟の建物』の範囲から、(D)建物の区分所有に関する法律第１条《建物の区分所有》の規定に該当する建物を除くものとされています。

（注２）当該被相続人の親族は、当該被相続人と生計を一にするか、又は生計を別にするかは問われていません。

また、上記の『被相続人の居住の用に供されていた１棟の建物』（上記(C)＿部分）は、当該被相続人又は当該被相続人の親族（上記（注２）に留意してください。）の居住の用に供されていた部分として、次に掲げる場合の区分に応じて、それぞれに定める部分とされています。

(イ)　被相続人の居住の用に供されていた１棟の建物が(D)建物の区分所有等に関する法律第１条《建物の区分所有》（下記参考資料１を参照）の規定に該当する建物である場合

当該被相続人の居住の用に供されていた部分

(ロ)　上記(イ)に掲げる場合以外の場合

当該被相続人又は当該被相続人の親族（上記（注２）に留意してください。）の居住の用に供されていた部分

**参考資料１**　**建物の区分所有等に関する法律第１条《建物の区分所有》**

| |
|---|
| １棟の建物に構造上区分された数個の部分で独立して住居、店舗、事務所又は倉庫その他建物としての用途に供することができるものがあるときは、その各部分は、この法律の定めるところにより、それぞれ所有権の目的とすることができる。 |

なお、上記に掲げる『建物の区分所有に関する法律第１条《建物の区分所有》の規定に該当する建物』（上記(D)＿部分）とは、建物の区分所有等に関する法律の規定により実際に区分所有建物である旨の登記が行われている建物をいうものとされています。

このような解釈を行うに当たって、課税実務における執行の統一性を図る必要から、平

成25年11月29日付けで、国税庁から措置法通達69の４－７の４《建物の区分所有等に関する法律第１条の規定に該当する建物》（下記参考資料２を参照）が新規に制定され、公開されています。

**参考資料２　措置法通達69の４－７の４《建物の区分所有等に関する法律第１条の規定に該当する建物》**

> 措置法令第40条の２第４項及び第13項に規定する「建物の区分所有等に関する法律第１条の規定に該当する建物」とは、区分所有建物である旨の登記がされている建物をいうことに留意する。
> (注)　上記の区分所有建物とは、被災区分所有建物の再建等に関する特別措置法（平成７年３月24日法律第43号）第２条（筆者注 欄外の参考１を参照）に規定する区分所有建物をいうことに留意する。

参考１　被災区分所有建物の再建等に関する特別措置法第２条《敷地共有者等集会等》において、区分所有建物とは、大規模な火災、震災その他の災害で政令で定めるものにより建物の区分所有等に関する法律第２条第３項（下記参考２を参照）に規定する専有部分が属する１棟の建物をいうものと規定されています。

参考２　建物の区分所有等に関する法律第２条《定義》第３項において、専有部分とは、区分所有権の目的たる建物の部分をいうものと規定されています。

※区分所有登記された建物の登記簿は、参考資料３を参照してください。

**参考資料３　区分所有登記された建物の登記簿**

登記簿１

| 専有部分の家屋番号 | 28－２－１　28－２－２ | | |
|---|---|---|---|
| 表　題　部　（一棟の建物の表示） | 調製　余　白 | 所在図番号　余　白 | |
| 所在 | Ａ市Ｂ町28番地2、110番地 | | 余　白 |
| ①　構　　造 | ②　床　　面　　積　　㎡ | | 原因及びその日付〔登記の日付〕 |
| 鉄骨・木造陸屋根瓦葺３階建 | １階　125：24<br>２階　89：25<br>３階　212：79 | | 〔平成14年３月28日〕 |

| 表　題　部　（専有部分の建物の表示） | | | 不動産番号　[redacted] |
|---|---|---|---|
| 家屋番号 | Ｂ町28番２の１ | | 余　白 |
| ①　種類 | ②　構　　造 | ③　床　　面　　積　　㎡ | 原因及びその日付〔登記の日付〕 |
| 居宅 | 鉄骨造１階建 | １階部分　114：73<br>： | 28番２から区分<br>〔平成14年３月28日〕 |

| 権　利　部（甲区）（所有権に関する事項） | | | |
|---|---|---|---|
| 順位番号 | 登記の目的 | 受付年月日・受付番号 | 権利者その他の事項 |
| 1 | 所有権保存 | 平成12年２月29日<br>第[redacted]号 | 所有者　Ａ市Ｂ町14番16号<br>大　阪　太　郎<br>順位１番の登記を移記<br>平成14年３月26日受付<br>第[redacted]号 |
| 2 | 所有権移転 | 平成14年４月30日<br>第[redacted]号 | 原因　平成12年９月18日相続<br>所有者　Ａ市Ｂ町14番16号<br>大　阪　花　子 |

＊　下線のあるものは抹消事項であることを示す。

登記簿2

| | | |
|---|---|---|
| 専有部分の家屋番号 | 28－2－1　28－2－2 | |
| 表　題　部　（一棟の建物の表示） | 調製　余　白 | 所在図番号　余　白 |
| 所在 | A市B町28番地2、110番地 | 余　白 |
| ①　構　造 | ②　床　面　積　㎡ | 原因及びその日付〔登記の日付〕 |
| 鉄骨・木造陸屋根瓦葺3階建 | 1階　125：24<br>2階　89：25<br>3階　212：79 | 〔平成14年3月28日〕 |

| | | | |
|---|---|---|---|
| 表　題　部　（専有部分の建物の表示） | | | 不動産番号　[redacted] |
| 家屋番号 | B町28番2の2 | | 余　白 |
| ①　種類 | ②　構　造 | ③　床　面　積　㎡ | 原因及びその日付〔登記の日付〕 |
| 居宅 | 鉄骨・木造陸屋根・瓦葺3階建 | 1階部分　7：60<br>2階部分　87：36<br>3階部分　208：20 | 28番2から区分<br>〔平成14年3月28日〕 |

| 権　利　部（甲区）（所有権に関する事項） | | | |
|---|---|---|---|
| 順位番号 | 登記の目的 | 受付年月日・受付番号 | 権利者その他の事項 |
| 1 | 所有権保存 | 平成12年2月29日<br>第[redacted]号 | 所有者　A市B町14番16号<br>大　阪　太　郎<br>順位1番の登記を移記<br>平成14年3月26日受付<br>第[redacted]号 |
| 2 | 所有権移転 | 平成14年4月30日<br>第[redacted]号 | 原因　平成12年9月18日相続<br>所有者　A市B町14番37号<br>大　阪　一　郎 |

＊　下線のあるものは抹消事項であることを示す。

上記の建物は、平成12年2月29日に一棟の建物（鉄骨・木造陸屋根瓦葺3階建）として大阪太郎氏名義で所有権保存登記がされた（その当時は区分所有登記は未実施）ものであるが、同年9月18日に開始した同氏の相続によりその相続人である大阪花子氏（太郎氏の配偶者）及び一郎氏（太郎氏の長男）が取得することとなり、その際に建物が構造上区分することが可能であったことから当該建物を分割して区分所有登記を行うこととなり、下記のとおりとなっています。

登記簿1　大阪花子（配偶者）が取得した相続財産である当該建物のうち1階部分（2階及び3階へ通じる階段部分を除く）

登記簿2　大阪一郎（長男）が取得した相続財産である当該建物のうち1階（大阪花子が取得した部分を除く）、2階及び3階部分

## ⑤　被相続人等の居住用宅地等が2以上ある場合の取扱い

### (イ)　概要（取扱いの明確化）

被相続人等の居住の用に供されていた宅地等で、当該被相続人の配偶者又は当該被相続人に係る一定の親族が相続又は遺贈により取得したものを『特定居住用宅地等』と呼称して、小規模宅地等の課税特例の対象とするものとされています。

被相続人等の居住の用に供されていた宅地等が2以上ある場合の小規模宅地等の課税特例の適用上における取扱い（適用限度面積の範囲内であれば被相続人等の居住用宅地等が複数存在することが容認される（これを『住所複数主義』といいます。）のか、又は相続税法に規定する『住所』の定義から『生活の本拠』という解釈を通じて1か所に限定される（これを『住所単一主義』といいます。）のか。）については、従来は、条文上において

明記されていませんでした。

そこで、平成22年度の税法改正において、被相続人等の居住の用に供されていた宅地等が２以上ある場合には、被相続人等が主として居住の用に供していた一の宅地等に限られるものと新たに規定され、上記の点に関して取扱いの明確化が図られることになりました。

(ロ)　具体的な内容

平成22年度の税法改正後は、被相続人等の居住の用に供されていた宅地等が２以上ある場合の小規模宅地等の取扱い（当該小規模宅地等の対象とされるのは、被相続人が主として居住の用に供していた一の宅地等に限定）の具体的な運用は、２以上の居住用宅地等上に所在する家屋に居住する者が被相続人であるのか、被相続人と生計を一にする親族であるのか、又はその双方であるのか、更に、当該被相続人と生計を一にする者が複数存在する場合の別に、下記に掲げるとおりになります。

㋑　被相続人の居住の用に供されていた宅地等が２以上ある場合（下記㋩に該当する場合を除きます。）

当該被相続人が主としてその居住の用に供していた一の宅地等が小規模宅地等の課税特例の対象とされます。なお、上記の取扱いの適用事例を示すと、下記[図解]のとおりとなります。

**[図解]　被相続人の居住用宅地等が２以上ある場合の取扱い**

| 番号 | 被相続人の居住の用に供されていた宅地等 | 被相続人と生計を一にしていた当該被相続人の親族（長男）の居住の用に供されていた宅地等 | 被相続人と生計を一にしていた当該被相続人の親族（二男）の居住の用に供されていた宅地等 | 『特定居住用宅地等』に該当する可能性のある宅地等 |
|---|---|---|---|---|
| 1 | 甲宅地　乙宅地 | なし | なし | ・『甲宅地』又は『乙宅地』のいずれか一の宅地（主として居住の用に供している一の宅地等） |
| 2 | 甲宅地　乙宅地 | A宅地 | なし | ・『甲宅地』又は『乙宅地』のいずれか一の宅地（主として居住の用に供している一の宅地等）<br>・『A宅地』 |
| 3 | 甲宅地　乙宅地 | A宅地 | α宅地 | ・『甲宅地』又は『乙宅地』のいずれか一の宅地（主として居住の用に供している一の宅地等）<br>・『A宅地』<br>・『α宅地』 |

㋺　被相続人と生計を一にしていた当該被相続人の親族の居住の用に供されていた宅地等が２以上ある場合（下記㋩に該当する場合を除きます。）

当該親族が主としてその居住の用に供していた一の宅地等（注）が小規模宅地等の課税特例の対象とされます。

（注）　被相続人と生計を一にしていた当該被相続人の親族が２以上ある場合には、当該親族ごとにそれぞれ主としてその居住の用に供していた一の宅地等が小規模宅地等の課税特例の対象（生計一の親族ごとの個々の判定となります。）とされます。

なお、上記の取扱いの適用事例を示すと、下記 図解 のとおりとなります。

**図解　被相続人と生計を一にする当該被相続人の親族の居住用宅地等が２以上ある場合の取扱い**

| 番号 | 被相続人の居住の用に供されていた宅地等 | 被相続人と生計を一にしていた当該被相続人の親族（長男）の居住の用に供されていた宅地等 | 被相続人と生計を一にしていた当該被相続人の親族（二男）の居住の用に供されていた宅地等 | 『特定居住用宅地等』に該当する可能性のある宅地等 | 備考 |
|---|---|---|---|---|---|
| 1 | なし | A宅地　B宅地 | なし | ・『A宅地』又は『B宅地』のいずれか一の宅地（主として居住の用に供している一の宅地等） | |
| 2 | 甲宅地 | A宅地　B宅地 | なし | ・『甲宅地』<br>・『A宅地』又は『B宅地』のいずれか一の宅地（主として居住の用に供している一の宅地等） | |
| 3 | 甲宅地 | A宅地　B宅地 | α宅地 | ・『甲宅地』<br>・『A宅地』又は『B宅地』のいずれか一の宅地（主として居住の用に供している一の宅地等）<br>・『α宅地』 | 生計一の親族が複数存在する場合 |
| 4 | なし | A宅地　B宅地 | α宅地　β宅地 | ・『A宅地』又は『B宅地』のいずれか一の宅地（主として居住の用に供している一の宅地等）<br>・『α宅地』又は『β宅地』のいずれか一の宅地（主として居住の用に供している一の宅地等） | 生計一の親族が複数存在する場合 |

| | | | | | |
|---|---|---|---|---|---|
| 5 | 甲宅地 | A宅地　B宅地 | α宅地　β宅地 | ・『甲宅地』<br>・『A宅地』又は『B宅地』のいずれか一の宅地（主として居住の用に供している一の宅地等）<br>・『α宅地』又は『β宅地』のいずれか一の宅地（主として居住の用に供している一の宅地等） | 生計一の親族が複数存在する場合 |

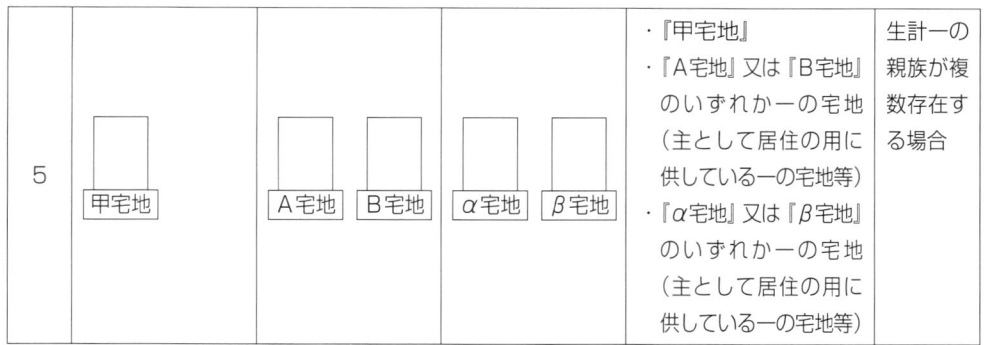

㋩　被相続人及び当該被相続人と生計を一にしていた当該被相続人の親族の居住の用に供されていた宅地等が２以上ある場合

下記に掲げる(A)又は(B)の場合の区分に応じて、それぞれに定める宅地等が小規模宅地等の課税特例の対象とされます。

(A)　当該被相続人が主としてその居住の用に供していた一の宅地等と当該親族が主としてその居住の用に供していた一の宅地等とが同一である場合
……当該一の宅地等

なお、上記の取扱いの適用事例を示すと、下記図解のとおりとなります。

**図解　被相続人及び当該被相続人と生計一親族の居住用宅地等がそれぞれ２以上あり、かつ、主たる居住用宅地等が同一の場合**

| 被相続人の居住の用に供されていた宅地等 | 被相続人と生計を一にしていた当該被相続人の親族（長男）の居住の用に供されていた宅地等 | 被相続人と生計を一にしていた当該被相続人の親族（二男）の居住の用に供されていた宅地等 | 『特定居住用宅地等』に該当する可能性のある宅地等 |
|---|---|---|---|
| （注）<br>２階<br>１階<br>甲宅地　乙宅地<br>（主たる居住） | （注）<br>２階<br>１階<br>甲宅地　A宅地<br>（主たる居住） | なし | ・『甲宅地』 |

（注）　上記図解において、被相続人所有の家屋の課税時期における利用状況は下記に掲げるとおりです。
１階　……　被相続人とその配偶者の居住供用部分
２階　……　被相続人と生計を一にする親族（長男）の居住供用部分

(B)　当該被相続人が主としてその居住の用に供していた一の宅地等及び当該親族が主としてその居住の用に供していた一の宅地等とが異なる場合
……当該被相続人が主としてその居住の用に供していた一の宅地等及び当該親族（注）が主としてその居住の用に供していた一の宅地等

（注）　当該親族が２人以上ある場合には、当該親族ごとにそれぞれ主としてその居住の用に供していた一の宅地等が小規模宅地等の課税特例の対象（生計一の親族ごとの個々の判定となります。）とされます。

なお、上記の取扱いの適用事例を示すと、下記図解のとおりとなります。

**図解　被相続人及び当該被相続人と生計一親族の居住用宅地等がそれぞれ２以上あるものの、主たる居住用宅地等は同一ではない場合**

| 番号 | 被相続人の居住の用に供されていた宅地等 | 被相続人と生計を一にしていた当該被相続人の親族（長男）の居住の用に供されていた宅地等 | 被相続人と生計を一にしていた当該被相続人の親族（二男）の居住の用に供されていた宅地等 | 『特定居住用宅地等』に該当する可能性のある宅地等 | 備考 |
|---|---|---|---|---|---|
| 1 | 甲宅地　乙宅地 | A宅地　B宅地 | なし | ・『甲宅地』又は『乙宅地』のいずれか一の宅地（主として居住の用に供している一の宅地等）<br>・『A宅地』又は『B宅地』のいずれか一の宅地（主として居住の用に供している一の宅地等） | |
| 2 | 甲宅地　乙宅地 | A宅地　B宅地 | α宅地　β宅地 | ・『甲宅地』又は『乙宅地』のいずれか一の宅地（主として居住の用に供している一の宅地等）<br>・『A宅地』又は『B宅地』のいずれか一の宅地（主として居住の用に供している一の宅地等）<br>・『α宅地』又は『β宅地』のいずれか一の宅地（主として居住の用に供している一の宅地等） | 生計一の親族が複数存在する場合 |

参考

事例によっては、下表に掲げるような複雑な事案も想定されます。

| 被相続人の居住の用に供されていた宅地等 | 被相続人と生計を一にしていた当該被相続人の親族（長男）の居住の用に供されていた宅地等 | 被相続人と生計を一にしていた当該被相続人の親族（二男）の居住の用に供されていた宅地等 | 『特定居住用宅地等』に該当する可能性のある宅地等 | 備考 |
|---|---|---|---|---|
| （注） 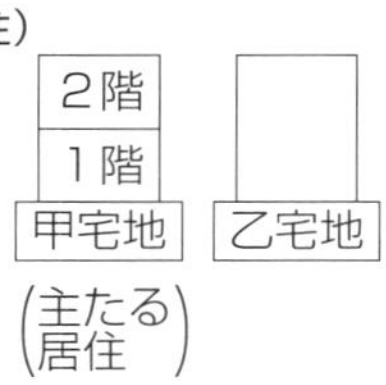  | （注） 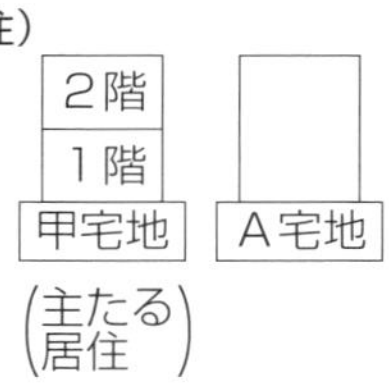  | 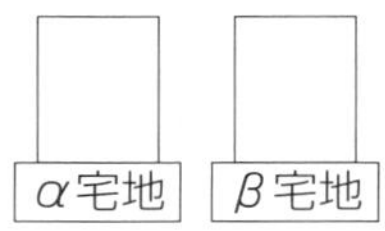  | ・『甲宅地』<br>・『α宅地』又は『β宅地』のいずれか一の宅地（主として居住の用に供している一の宅地等） | A<br>B<br>C |

（注）　上記 参考 において、被相続人所有の家屋の課税時期における利用状況は下記に掲げるとおりです。
　１階　……　被相続人とその配偶者の居住供用部分
　２階　……　被相続人と生計を一にする親族（長男）の居住供用部分

（備考Ａ）　上記 参考 に掲げる事案は、被相続人の居住の用に供されていた宅地等と生計一親族（長男）の居住用宅地等がそれぞれ２以上あり、かつ、主たる居住用宅地等が同一の場合に該当します。

（備考Ｂ）　上記 参考 に掲げる事案は、被相続人の居住の用に供されていた宅地等と生計一親族（二男）の居住用宅地等がそれぞれ２以上あるものの、主たる居住用宅地等は同一ではない場合に該当します。

（備考Ｃ）　上記 参考 に掲げる事案は、生計一の親族が複数（長男及び二男）存在し、当該親族ごとにそれぞれ主として居住の用に供していた一の宅地等を判定する場合に該当します。

## ⑥　配偶者居住権等に対する小規模宅地等の課税特例の適用関係

### (イ)　配偶者居住権の概要（民法上の取扱い）

平成30年７月の民法改正（施行日：令和２年４月１日）によって、『配偶者居住権』の規定が新設されました。当該規定の概要は、次に掲げるとおりです。（民法第1028条《配偶者居住権》）

㋑　被相続人の配偶者（以下「配偶者」といいます。）は、被相続人の財産に属した建物に相続開始の時に居住していた場合において、次の(A)又は(B)のいずれかに該当するときは、その居住していた建物（以下「居住建物」といいます。）の全部について無償で使用及び収益する権利（以下「配偶者居住権」といいます。）を取得するものとされています。

(A)　遺産の分割によって配偶者居住権を取得するものとされたとき

(B)　配偶者居住権が遺贈の目的とされたとき

また、家庭裁判所は、一定の場合には、審判によって配偶者に配偶者居住権を取得させることができるものとされています。

㋺　上記㋑の規定にかかわらず、被相続人が相続開始の時に居住建物を配偶者以外の者と共有していた場合にあっては、配偶者は、配偶者居住権を取得することができないものとされています。

この配偶者居住権の成立による利益は、その存続期間（原則として、配偶者の終身の間（ただし、遺産分割協議、遺言又は家庭裁判所による遺産分割の審判において別段の期間を定めた場合には、当該別段の期間））が、一般的に被相続人に係る相続開始後の相当長期間に及ぶことが想定されることから民法上の財産として評価する必要があるものとされており、当該成立による利益は、原則として特別受益に該当するものとして取り扱う旨が規定されています。

（注）『配偶者短期居住権』は、民法上の財産として評価する必要はないものとされており、このように価値認識の希薄な財産については、配偶者居住権とは異なり、相続税法上においても、強いて相続税の課税対象財産に含める必要はないものとされています。

⑵　相続税等における財産評価の必要性（配偶者居住権に係る４つの評価区分）

配偶者居住権は、上記⑴より民法上の財産として評価する必要があるものと規定されています。そうすると、このような態様にある財産については、相続税法上においても相続税の課税対象財産に含める必要があるものと考えられることから、令和元年度の税法改正において相続税法第23条の２《配偶者居住権等の評価》の規定が新設（施行日：令和２年４月１日）されました。

同条では、この配偶者居住権の評価は、当該配偶者居住権を次に掲げる図解のとおり４つの区分に分けて（この４つを併せて「配偶者居住権等」といいます。）、その評価方法を規定しています。

図解　配偶者居住権に係る４つの区分（配偶者居住権等）

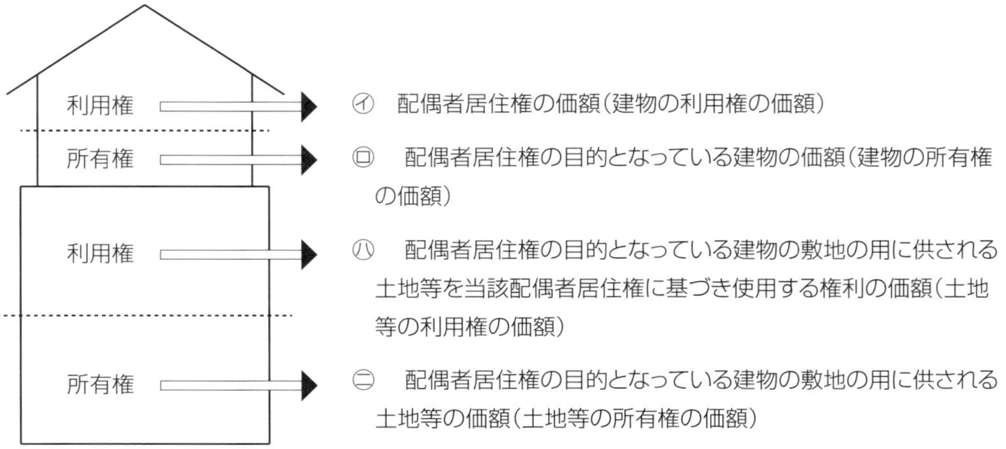

(ハ)　小規模宅地等の課税特例の適用可否

租税特別措置法第69条の４（小規模宅地等についての相続税の課税価格の計算の特例）に規定する小規模宅地等の課税特例の適用を受ける場合には、その適用要件の一つとして、『個人が相続又は遺贈により取得した財産のうちに、当該相続の開始の直前において、当該相続若しくは遺贈に係る被相続人又は当該被相続人と生計を一にしていた当該被相続人の親族（以下「被相続人等」といいます。）の事業の用又は居住の用に供されていた宅地等（土地又は土地の上に存する権利をいいます。）であること』が挙げられています。

そうすると、上記(ロ)の図解の㊁（配偶者居住権の目的となっている建物の敷地の用に供される土地等の価額（土地等の所有権の価額））は、財産評価の区分上、土地等に該当することは明確ですが、同㊇（配偶者居住権の目的となっている建物の敷地の用に供される土地等を当該配偶者居住権に基づき使用する権利の価額（土地等の利用権の価額））は、厳密にいえば、借家権類似の建物についての利用権に附随する土地利用権（敷地利用権）にすぎず、財産評価基本通達31《借家人の有する宅地等に対する権利の評価》にも該当しないことから、財産評価の区分上、土地の上に存する権利には該当しないとの考え方が成立します。

しかしながら、次の(A)ないし(C)に掲げる事項からすると、配偶者居住権に基づく敷地利用権については、小規模宅地等の課税特例の適用要件を判定するに当たっての『土地の上に存する権利』に該当するものと解するのが相当とされています。

(A)　当該敷地利用権が建物でなく土地を利用する権利であること

(B)　配偶者居住権が被相続人の配偶者の従前の居住環境での生活の継続を趣旨としていること

(C)　小規模宅地等の課税特例が事業又は居住の継続等への配慮を趣旨とするものであること

以上から、上記(ロ)の図解の㊇（配偶者居住権の目的となっている建物の敷地の用に供される土地等を当該配偶者居住権に基づき使用する権利の価額（土地等の利用権の価額））及び㊁（配偶者居住権の目的となっている建物の敷地の用に供される土地等の価額（土地等の所有権の価額））については、一定の要件を充足すれば、小規模宅地等の課税特例の適用が可能とされます。

（注）　上記(ロ)の図解の㋑（配偶者居住権の価額（建物の利用権の価額））及び㋺（配偶者居住権の目的となっている建物の価額（建物の所有権の価額））は、いずれも建物に係る利用権及び所有権であり、宅地等（土地及び土地の上に存する権利をいいます。）には該当しないことから、これらについては、小規模宅地等の課税特例の適用はないことに留意する必要があります。

(ニ)　小規模宅地等の適用面積

小規模宅地等の課税特例の適用を受けるものとしてその全部又は一部の選択をしようとする特例対象宅地等が配偶者居住権の目的となっている建物の敷地の用に供される宅地等（上記(ロ)の図解の㊁に該当）又は当該宅地等を配偶者居住権に基づき使用する権

利（上記(ロ)の**図解**の㋩に該当）の全部又は一部である場合には、当該特例対象宅地等の面積（適用面積）は、当該面積に、それぞれ当該敷地の用に供される宅地等の価額又は当該権利の価額がこれらの価額の合計額のうちに占める割合を乗じて得た面積であるものとみなされます。この取扱いを算式で示すと、次のとおりになります。

（算式）

上記(ロ)の**図解**の㋩（土地（宅地）等の利用権の価額）に係るものとして適用を受ける宅地の面積 ＝ 上記(ロ)の**図解**の㋩（土地（宅地）等の利用権の価額）及び㋥（土地（宅地）等の所有権の価額）に係る宅地の面積 × 〔上記(ロ)の**図解**の㋩（土地（宅地）等の利用権の価額）〕／〔上記(ロ)の**図解**の㋩（土地（宅地）等の利用権の価額）＋ 上記(ロ)の**図解**の㋥（土地（宅地）等の所用権の価額）〕

上記(ロ)の**図解**の㋥（土地（宅地）等の所有権の価額）に係るものとして適用を受ける宅地の面積 ＝ 上記(ロ)の**図解**の㋩（土地（宅地）等の利用権の価額）及び㋥（土地（宅地）等の所有権の価額）に係る宅地の面積 × 〔上記(ロ)の**図解**の㋥（土地（宅地）等の所有権の価額）〕／〔上記(ロ)の**図解**の㋩（土地（宅地）等の利有権の価額）＋ 上記(ロ)の**図解**の㋥（土地（宅地）等の所有権の価額）〕

(ホ)　**設例**による事例検討

**設例**　被相続人甲に相続開始があり、同人に係る相続開始日まで配偶者乙及び長男Ａと共に居住の用に供していた建物及びその敷地である宅地（面積360㎡）（いずれも、被相続人甲の所有です。以下「本件不動産」といいます。）がありました。

被相続人甲の遺言によって、配偶者乙は当該居住建物に係る配偶者居住権を遺贈により取得し、また、本件不動産の所有権は、長男Ａが相続するものとされていました。

なお、相続税の申告期限までに、その所有状況及び居住状況に異動はありませんでした。

本件不動産について、相続税法第23条の２《配偶者居住権等の評価》の規定に基づく各態様別にその価額を算定すると、下記のとおりとなりました。

図

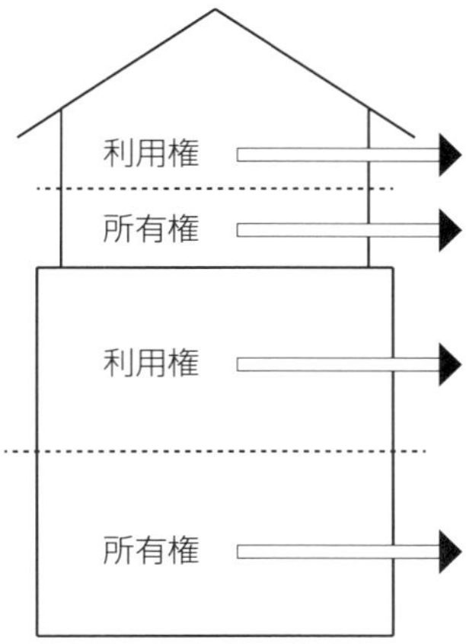

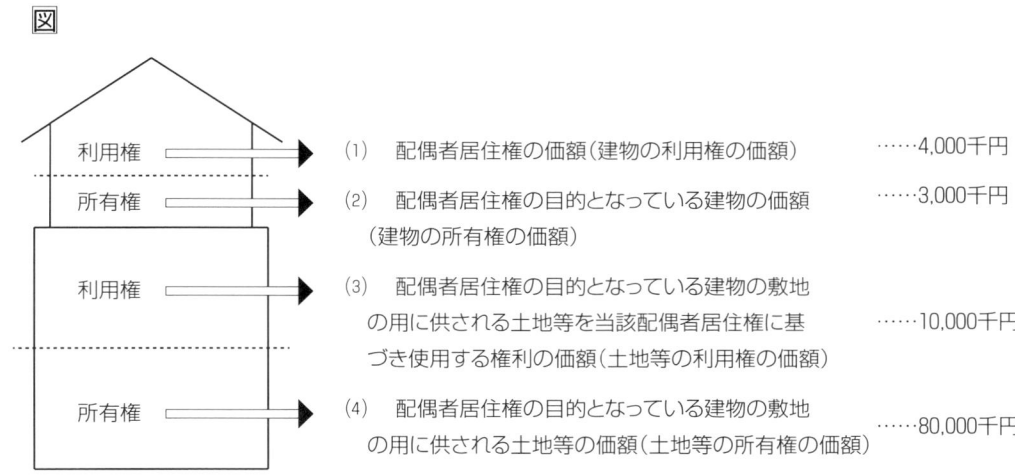

(1)　配偶者居住権の価額(建物の利用権の価額)　……4,000千円

(2)　配偶者居住権の目的となっている建物の価額(建物の所有権の価額)　……3,000千円

(3)　配偶者居住権の目的となっている建物の敷地の用に供される土地等を当該配偶者居住権に基づき使用する権利の価額(土地等の利用権の価額)　……10,000千円

(4)　配偶者居住権の目的となっている建物の敷地の用に供される土地等の価額(土地等の所有権の価額)　……80,000千円

この場合における小規模宅地等の課税特例の適用はどのようになりますか。もし仮に、選択肢が複数ある場合には、相続税の課税価格算入額が最も少なくなる方法を選択するものとします。

回答　①　小規模宅地等の適用面積

(イ)　宅地等の利用権の価額に係る適用面積（上記設例の図の(3)部分）

$$\underset{\text{（全体の面積）}}{360\text{㎡}} \times \frac{10{,}000\text{千円（利用権の価額）}}{10{,}000\text{千円（利用権の価額）}+80{,}000\text{千円（所有権の価額）}} = 40\text{㎡}$$

(ロ)　宅地等の所有権の価額に係る適用面積（上記設例の図の(4)部分）

$$\underset{\text{（全体の面積）}}{360\text{㎡}} \times \frac{80{,}000\text{千円（利用権の価額）}}{10{,}000\text{千円（利用権の価額）}+80{,}000\text{千円（所有権の価額）}} = 320\text{㎡}$$

(ハ)　適用面積の配分

㋑　優先順位の決定

10,000千円（利用権の価額）＜80,000千円（所有権の価額）　∴所有権（長男Ａが取得）の価額から優先的に適用した方が有利と仮定して計算

㋺　適用面積

（所有権の価額対応部分）　320㎡≦330㎡　∴320㎡（いずれか少ない方）

（利用権の価額対応部分）　40㎡≧330㎡－320㎡＝10㎡　∴10㎡（いずれか少ない方）

②　小規模宅地等の課税特例の適用後の価額（相続税の課税価格算入額）

(イ)　宅地等の利用権の価額（配偶者乙の相続税の課税価格算入額）

$$\underset{\text{（適用前の価額）}}{10{,}000\text{千円}} - \underset{\text{（小規模宅地等の課税特例の適用による減額金額）}}{\left(10{,}000\text{千円}\times\frac{10\text{㎡}}{40\text{㎡}}\times 80\%\right)} = 8{,}000\text{千円}$$

(ロ)　宅地等の所有権の価額（長男Ａの相続税の課税価格算入額）

80,000千円（適用前の価額） － $\left(80{,}000\text{千円}\times\frac{320㎡}{320㎡}\times80\%\right)$（小規模宅地等の課税特例の適用による減額金額） ＝16,000千円

(ハ)　合計

8,000千円（上記（イ）） ＋16,000千円（上記（ロ）） ＝ **24,000千円**

**参考** **設例** の事例において宅地等の利用権（配偶者乙が取得）の価額から優先的に小規模宅地等の課税特例を適用した場合

①　小規模宅地等の適用面積

（利用権の価額対応部分）　40㎡≦330㎡　∴40㎡（いずれか少ない方）

（所有権の価額対応部分）　320㎡≧330㎡－40㎡＝290㎡　∴290㎡（いずれか少ない方）

②　小規模宅地等の課税特例の適用後の価額（相続税の課税価格算入額）

(イ)　宅地等の利用権の価額（配偶者乙の相続税の課税価格算入額）

10,000千円（適用前の価額） － $\left(10{,}000\text{千円}\times\frac{40㎡}{40㎡}\times80\%\right)$（小規模宅地等の課税特例の適用による減額金額） ＝2,000千円

(ロ)　宅地等の所有権の価額（長男Ａの相続税の課税価格算入額）

80,000千円（適用前の価額） － $\left(80{,}000\text{千円}\times\frac{290㎡}{320㎡}\times80\%\right)$（小規模宅地等の課税特例の適用による減額金額） ＝22,000千円

(ハ)　合計

2,000千円（上記（イ）） ＋22,000千円（上記（ロ）） ＝ **24,000千円**

**ポイント**　上記 **設例** の場合には、小規模宅地等の課税特例を長男Ａが取得した所有権の価額から優先的に適用した場合と配偶者乙が取得した利用権の価額から優先的に適用した場合を比較すると、いずれもその相続税の課税価格算入額は、24,000千円であり、同額となることが確認されます。

## 参考資料　課税時期が平成30年３月31日以前である場合の特定居住用宅地等の取扱い

(1)　『特定居住用宅地等』の意義（減額割合80%、適用上限面積330㎡）

被相続人等の居住の用（注１）に供されていた宅地等（当該宅地等が２以上ある場合には、一定の方法で定めた主としてその居住の用に供していた一の宅地等に限るものとされています。）で、当該被相続人の配偶者又は下記②の(イ)から(ハ)に掲げる要件のいずれかを満たす当該被相続人の親族（当該被相続人の配偶者を除きます。以下この項において同じです。）が相続又は遺贈により取得したもの（注２）をいいます。

（注１）　一定の事由により、相続開始の直前において当該被相続人の居住の用に供されていなかった場合（事業の用に供されている場合等、一定の用途に供されている場合を除きます。）における当該事由

により居住の用に供されなくなる直前の当該被相続人の居住の用を含むものとされています。

(注２)　当該宅地等を複数で共同相続（遺贈）により取得した場合には、当該被相続人の配偶者が相続又は遺贈により取得した持分の割合に応ずる部分又は下記②の(ｲ)から(ﾊ)に掲げる要件のいずれかを満たす当該被相続人の親族が相続又は遺贈により取得した持分の割合に応ずる部分に限られています。

### ①　当該被相続人の配偶者が取得した場合

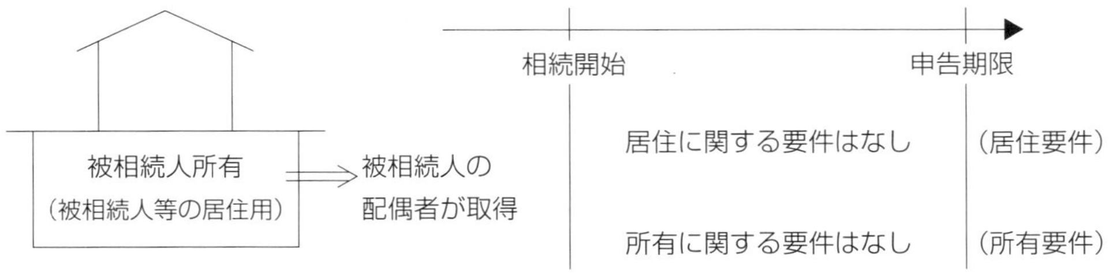


### ②　次に掲げる要件のいずれかを満たす当該被相続人の親族（ポイント 当該被相続人の配偶者を除きます。）が取得した場合

#### (ｲ)　被相続人と同居の親族が取得した場合

| 番 | 要　件 | 内　容 |
|---|---|---|
| ㋑ | 同居親族の要件 | 当該親族が相続開始の直前において当該宅地等の上に存する当該被相続人の居住の用（注１）に供されていた一棟の建物（当該被相続人、当該被相続人の配偶者又は当該親族の居住の用に供されていた部分として定める一定の部分（注２）に限られます。）に居住していた者であること<br>（注１）　居住の用に供することができない一定の事由により、相続開始の直前において当該被相続人の居住の用に供されていなかった場合（一定の用途に供されている場合を除きます。）における当該事由により居住の用に供されなくなる直前の当該被相続人の居住の用を含みます。<br>（注２）　一定の部分とは、下記に掲げる場合の区分に応じてそれぞれ下記に定める部分とされています。<br>(A)　被相続人の居住の用に供されていた一棟の建物が建物の区分所有等に関する法律第１条《建物の区分所有》の規定に該当する建物（㊟区分所有建物である旨の登記がされている建物をいいます。）である場合<br>当該被相続人の居住の用に供されていた部分<br>(B)　上記(A)に掲げる場合以外の場合<br>被相続人又は当該被相続人の親族の居住の用に供されていた部分 |
| ㋺ | 所有継続の要件 | 相続開始時から相続税の申告期限（当該親族が相続税の申告期限前に死亡した場合には、その死亡の日。㋩において同じ。）まで引き続き当該宅地等を所有していること |
| ㋩ | 居住継続の要件 | 相続税の申告期限まで当該建物に居住していること |

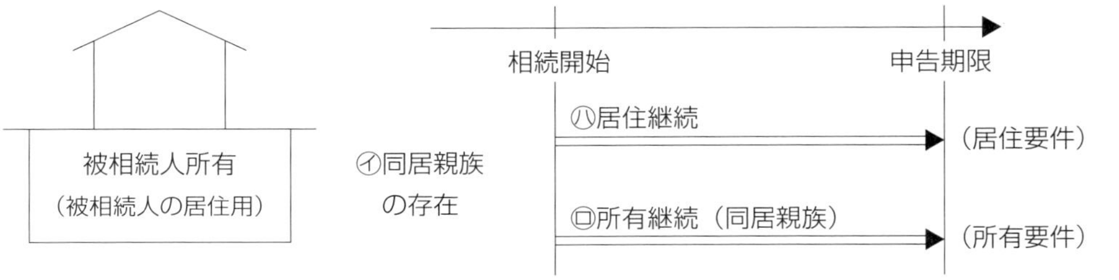


### ㈺　配偶者及び一定の同居親族が存せず非同居親族が取得した場合

| 番 | 要　　件 | 内　　　　　　　　　　　　容 |
|---|---|---|
| ㋑ | 配偶者及び一定の同居親族不存在の要件 | 当該被相続人の配偶者又は相続開始の直前において当該被相続人の居住の用（注１）に供されていた家屋に居住していた親族（当該被相続人の法定相続人〔相続の放棄があった場合には、その放棄がなかったものとした場合における相続人〕をいいます。）がいないこと（注２）<br>（注１）　居住の用に供することができない一定の事由により、相続開始の直前において当該被相続人の居住の用に供されていなかった場合（一定の用途に供されている場合を除きます。）における当該事由により居住の用に供されなくなる直前の当該被相続人の居住の用を含みます。<br>（注２）　法定相続権を有していた被相続人の親族が当該被相続人と同居していた場合に限り、他の親族が取得した宅地等について特定居住用宅地等に該当しないことになります。<br>　したがって、法定相続権を有しない被相続人の親族が当該被相続人と同居していた場合であっても、他の要件を充足する限り特定居住用宅地等に該当することになります。 |
| ㋺ | 自己等の所有する家屋に居住したことがない要件 | 当該親族（注１）が相続開始前３年以内に相続税法の施行地内にあるその者又はその者の配偶者の所有する家屋（当該相続開始の直前において当該被相続人の居住の用（注２）に供されていた家屋を除きます。）に居住したことがない者（注３）であること<br>（注１）　当該被相続人の居住の用に供されていた宅地等を取得した者に限られます。<br>（注２）　居住の用に供することができない一定の事由により、相続開始の直前において当該被相続人の居住の用に供されていなかった場合（一定の用途に供されている場合を除きます。）における当該事由により居住の用に供されなくなる直前の当該被相続人の居住の用を含みます。<br>（注３）　上記に該当する者であっても、相続税法第１条の３《相続税の納税義務者》第３号に規定する者（相続又は遺贈によりこの法律の施行地にある財産を取得した個人で当該財産を取得した時においてこの法律の施行地に住所を有しないもの）のうち日本国籍を有しない者は除かれます。 |

| | | |
|---|---|---|
| ㋩ | 所有継続の要件 | 相続開始時から相続税の申告期限（当該親族が相続税の申告期限前に死亡した場合には、その死亡の日）まで引き続き当該宅地等を所有していること |

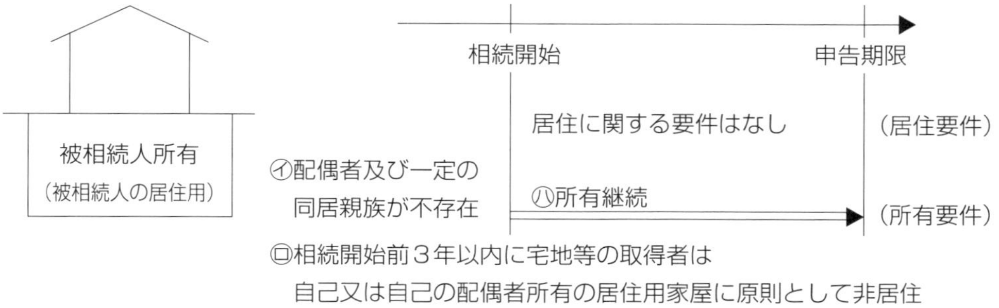

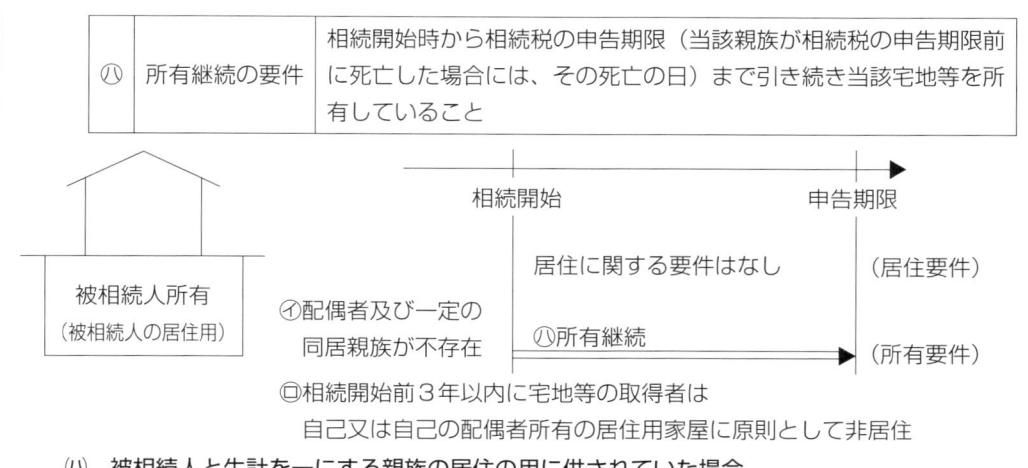

(ハ)　被相続人と生計を一にする親族の居住の用に供されていた場合

| 番 | 要　件 | 内　容 |
|---|---|---|
| ㋑ | 生計一親族の要件 | 被相続人からの相続又は遺贈により財産を取得した親族が当該被相続人と生計を一にしていた者であること |
| ㋺ | 所有継続の要件 | 相続開始時から相続税の申告期限（当該親族が相続税の申告期限前に死亡した場合には、その死亡の日。㋩において同じ。）まで引き続き当該宅地等を所有していること |
| ㋩ | 居住継続の要件 | 相続開始前から相続税の申告期限まで引き続き当該宅地等を自己の居住の用に供していること |

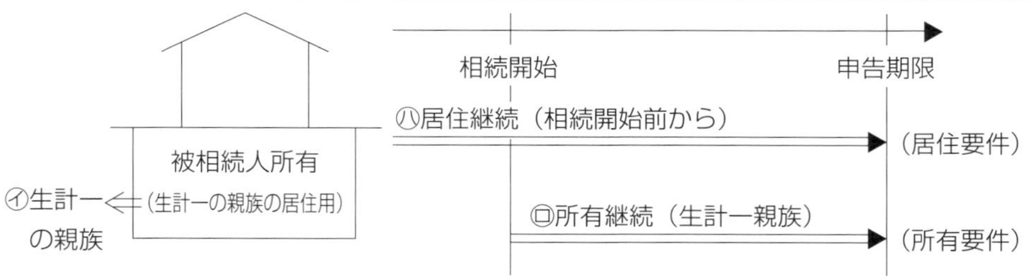


(2)　特定居住用宅地等の判定及びその取扱い上の留意点

①　上記(1)①（当該被相続人の配偶者が取得した場合）の場合には、特定居住用宅地等の該当要件として当該配偶者が取得する要件以外に特段の要件（㋱相続税の申告期限までの所有継続要件、居住継続要件等）は必要とされていません。

②　上記(1)②(イ)（被相続人と同居の親族が取得した場合）の場合には、当該財産を取得した親族が相続開始の直前において当該被相続人と同居していたことが要件として、原則的に必要とされています。

⑶　**小規模宅地等が『特定同族会社事業用宅地等』である場合**（減額割合80％、適用上限面積400㎡）

留意点　『特定同族会社事業用宅地等』に対する小規模宅地等の課税特例の適用については、平成30年度から令和３年度までの改正税法による異同はありません。

相続開始の直前に被相続人及び当該被相続人の親族（注１）その他当該被相続人と一定の特別の関係がある者（注２）が有する株式の総数又は出資の総額が当該株式又は出資に係る法人（注３）の発行済株式の総数又は出資の総額（注４）の10分の５を超える法人の事業（不動産貸付業、駐車場業、自転車駐車場業及び準事業《事業と称するに至らない不動産の貸付けその他これらに類する行為で相当の対価を得て継続的に行うものをいいます。》（以下、これらを⑶において「貸付事業」といいます。）を除きます。）の用に供されていた宅地等で、当該宅地等を相続又は遺贈により取得した当該被相続人の親族（注５）が相続開始時から相続税の申告期限まで引き続き有し、かつ、相続税の申告期限まで引き続き当該法人の事業の用に供されているもの（注６）をいいます。（措法69の４③三）

上記の取扱いを図表で示すと、下記のとおりとなります。

| 番 | 要　　件 | 内　　　　　　　　容 |
|---|---|---|
| ① | 被相続人の親族の要件 | 相続税の申告期限（当該親族が相続税の申告期限前に死亡した場合にはその死亡の日。②及び③において同じ。）において、上記の法人の法人税法第２条《定義》第15号に規定する役員（清算人を除きます。）であること |
| ② | 所有継続の要件 | 当該宅地等を取得した当該親族が相続開始時から相続税の申告期限まで引き続き当該宅地等を所有していること |
| ③ | 事業供用の要件 | 当該宅地等を相続税の申告期限まで引き続き当該法人の事業の用に供していること |

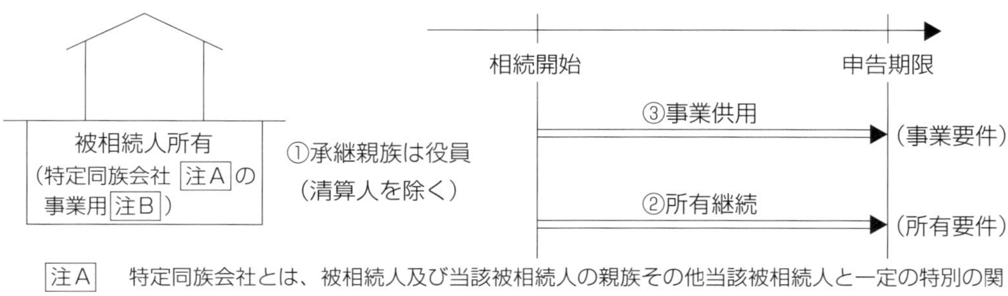


注A　特定同族会社とは、被相続人及び当該被相続人の親族その他当該被相続人と一定の特別の関係がある者が発行済株式の総数等の50％超を所有し、かつ、相続税の申告期限において清算中の法人に該当しないもの（上記＿＿部分）をいいます。

注B　貸付事業の用に供されているものは除かれます。

（注１）『親族』の意義

『親族』は借用概念として民法第725条《親族の範囲》に規定する親族をいうものと解されています。

参考　民法第725条《親族の範囲》

次に掲げる者は、親族とする。

一　６親等内の血族
二　配偶者
三　３親等内の姻族

（注２）『当該被相続人と一定の特別の関係がある者』の意義

『当該被相続人と一定の特別の関係がある者』とは、次に掲げる者とされています。

一　被相続人と婚姻の届出をしていないが事実上婚姻関係と同様の事情にある者
二　被相続人の使用人
三　被相続人の親族及び前二号に掲げる者以外の者で被相続人から受けた金銭その他の資産によって生計を維持しているもの
四　前三号に掲げる者と㊟生計を一にするこれらの者の親族
五　次に掲げる法人
イ　被相続人（当該被相続人の親族及び当該被相続人に係る前各号に掲げる者を含む。以下この号において同じ。）が法人の発行済株式又は出資（当該法人が有する自己の株式又は出資を除く。）の総数又は総額（以下この号において「発行済株式総数等」という。）の10分の５を超える数又は金額の株式又は出資を有する場合における当該法人
ロ　被相続人及びこれとイの関係がある法人が他の法人の発行済株式総数等の10分の５を超える数又は金額の株式又は出資を有する場合における当該他の法人
ハ　被相続人及びこれとイ又はロの関係がある法人が他の法人の発行済株式総数等の10分の５を超える数又は金額の株式又は出資を有する場合における当該他の法人

㊟『生計を一にする』の意義

参考　所得税基本通達２－47《生計を一にするの意義》

法に規定する「生計を一にする」とは、必ずしも同一の家屋に起居していることをいうものではないから、次のような場合には、それぞれ次による。

⑴　勤務、修学、療養等の都合上他の親族と日常の起居を共にしていない親族がある場合であっても、次に掲げる場合に該当するときは、これらの親族は生計を一にするものとする。
イ　当該他の親族と日常の起居を共にしていない親族が、勤務、修学等の余暇には当該他の親族のもとで起居を共にすることを常例としている場合
ロ　これらの親族間において、常に生活費、学資金、療養費等の送金が行われている場合

⑵　親族が同一の家屋に起居している場合には、明らかに互いに独立した生活を営んでいると認められる場合を除き、これらの親族は生計を一にするものとする。

（注３）除外される法人

相続税の申告期限（注）において清算中の法人は除くものとされています。（措令40の２⑱）

注　『相続税の申告期限』とは、下記に掲げる相続税法の規定による申告書の提出期限をいいます。

①　相続税法第27条《相続税の申告書》
②　相続税法第29条《相続財産法人に係る財産を与えられた者等に係る相続税の申告書》
③　相続税法第31条《修正申告の特則》第２項

（注４）『当該株式又は出資に係る法人の発行済株式の総数又は出資の総額』の意義

『当該株式又は出資に係る法人の発行済株式の総数又は出資の総額』については、議決権に制限のある株式又は出資として相続開始の時において下記に該当するものは、含まれないものとされています。（措令40の２⑰）

①　株式（発行済株式）
(イ)　会社法第108条《異なる種類の株式》第１項第３号に掲げる事項（株主総会において議決権を行使することができる事項）の全部について制限のある株式
(ロ)　会社法第105条《株主の権利》第１項第３号に掲げる議決権（株主総会における議決権）の全部について制限のある株主が有する株式

㈧　会社法第308条《議決権の数》第１項又は第２項の規定により議決権を有しないものとされる者（第１項⇒単元未満株式の所有者、第２項⇒自己株式の所有者）が有する株式

㈡　㈠から㈧以外に掲げる株式以外の株式で議決権のない株式

②　出資（出資金額）

上記①に掲げる株式に準ずる出資

**参考資料**

**会社法第105条《株主の権利》**

株主は、その有する株式につき次に掲げる権利その他この法律の規定により認められた権利を有する。

一　剰余金の配当を受ける権利

二　残余財産の分配を受ける権利

三　株主総会における議決権

②　株主に前項第一号及び第二号に掲げる権利の全部を与えない旨の定款の定めは、その効力を有しない。

**会社法第108条《異なる種類の株式》**

株式会社は、次に掲げる事項について異なる定めをした内容の異なる二以上の種類の株式を発行することができる。ただし、指名委員会等設置会社及び公開会社は、第九号に掲げる事項についての定めがある種類の株式を発行することができない。

一　剰余金の配当

二　残余財産の分配

三　株主総会において議決権を行使することができる事項

四　譲渡による当該種類の株式の取得について当該株式会社の承認を要すること。

五　当該種類の株式について、株主が当該株式会社に対してその取得を請求することができること。

六　当該種類の株式について、当該株式会社が一定の事由が生じたことを条件としてこれを取得することができること。

七　当該種類の株式について、当該株式会社が株主総会の決議によってその全部を取得すること。

八　株主総会（取締役会設置会社にあっては株主総会又は取締役会、清算人会設置会社（第478条第８項に規定する清算人会設置会社をいう。以下この条において同じ。）にあっては株主総会又は清算人会）において決議すべき事項のうち、当該決議のほか、当該種類の株式の種類株主を構成員とする種類株主総会の決議があることを必要とするもの

九　当該種類の株式の種類株主を構成員とする種類株主総会において取締役（監査等委員会設置会社にあっては、監査等委員である取締役又はそれ以外の取締役。次項第九号及び第112条第１項において同じ。）又は監査役を選任すること。

②　株式会社は、次の各号に掲げる事項について内容の異なる二以上の種類の株式を発行する場合には、当該各号に定める事項及び発行可能種類株式総数を定款で定めなければならない。

一　剰余金の配当　当該種類の株主に交付する配当財産の価額の決定の方法、剰余金の配当をする条件その他剰余金の配当に関する取扱いの内容

二　残余財産の分配　当該種類の株主に交付する残余財産の価額の決定の方法、当該残余財産の種類その他残余財産の分配に関する取扱いの内容

三　株主総会において議決権を行使することができる事項　次に掲げる事項

イ　株主総会において議決権を行使することができる事項
ロ　当該種類の株式につき議決権の行使の条件を定めるときは、その条件
四　譲渡による当該種類の株式の取得について当該株式会社の承認を要すること　当該種類の株式についての前条第２項第一号に定める事項
五　当該種類の株式について、株主が当該株式会社に対してその取得を請求することができること　次に掲げる事項
イ　当該種類の株式についての前条第２項第二号に定める事項
ロ　当該種類の株式一株を取得するのと引換えに当該株主に対して当該株式会社の他の株式を交付するときは、当該他の株式の種類及び種類ごとの数又はその算定方法
六　当該種類の株式について、当該株式会社が一定の事由が生じたことを条件としてこれを取得することができること　次に掲げる事項
イ　当該種類の株式についての前条第２項第三号に定める事項
ロ　当該種類の株式一株を取得するのと引換えに当該株主に対して当該株式会社の他の株式を交付するときは、当該他の株式の種類及び種類ごとの数又はその算定方法
七　当該種類の株式について、当該株式会社が株主総会の決議によってその全部を取得すること　次に掲げる事項
イ　第171条第１項第一号に規定する取得対価の価額の決定の方法
ロ　当該株主総会の決議をすることができるか否かについての条件を定めるときは、その条件
八　株主総会（取締役会設置会社にあっては株主総会又は取締役会、清算人会設置会社にあっては株主総会又は清算人会）において決議すべき事項のうち、当該決議のほか、当該種類の株式の種類株主を構成員とする種類株主総会の決議があることを必要とするもの　次に掲げる事項
イ　当該種類株主総会の決議があることを必要とする事項
ロ　当該種類株主総会の決議を必要とする条件を定めるときは、その条件
九　当該種類の株式の種類株主を構成員とする種類株主総会において取締役又は監査役を選任すること　次に掲げる事項
イ　当該種類株主を構成員とする種類株主総会において取締役又は監査役を選任すること及び選任する取締役又は監査役の数
ロ　イの定めにより選任することができる取締役又は監査役の全部又は一部を他の種類株主と共同して選任することとするときは、当該他の種類株主の有する株式の種類及び共同して選任する取締役又は監査役の数
ハ　イ又はロに掲げる事項を変更する条件があるときは、その条件及びその条件が成就した場合における変更後のイ又はロに掲げる事項
ニ　イからハまでに掲げるもののほか、法務省令で定める事項

③　前項の規定にかかわらず、同項各号に定める事項（剰余金の配当について内容の異なる種類の種類株主が配当を受けることができる額その他法務省令で定める事項に限る。）の全部又は一部については、当該種類の株式を初めて発行する時までに、株主総会（取締役会設置会社にあっては株主総会又は取締役会、清算人会設置会社にあっては株主総会又は清算人会）の決議によって定める旨を定款で定めることができる。この場合においては、その内容の要綱を定款で定めなければならない。

**会社法第308条《議決権の数》**

株主（株式会社がその総株主の議決権の四分の一以上を有することその他の事由を通じて株式会

社がその経営を実質的に支配することが可能な関係にあるものとして法務省令で定める株主を除く。）は、株主総会において、その有する株式一株につき一個の議決権を有する。ただし、単元株式数を定款で定めている場合には、一単元の株式につき一個の議決権を有する。
② 前項の規定にかかわらず、株式会社は、自己株式については、議決権を有しない。

（注５）『当該被相続人の親族』の要件（措規23の２⑤）

当該親族は、相続税の申告期限（注）において当該法人（特定同族会社）の法人税法第２条《定義》第15号に規定する役員（清算人を除きます。）である者とされています。

注 『相続税の申告期限』とは、下記に掲げる相続税法の規定による申告書の提出期限をいいます。

① 相続税法第27条《相続税の申告書》
② 相続税法第29条《相続財産法人に係る財産を与えられた者等に係る相続税の申告書》
③ 相続税法第31条《修正申告の特則》第２項

ただし、当該親族が当該相続税の申告期限前に死亡した場合には、その死亡の日をいいます。

**参考資料**

『法人税法第２条《定義》第15号に規定する役員』の範囲

① 取締役、執行役、会計参与、監査役、理事、監事及び清算人
② 法人の使用人（職制上使用人としての地位のみを有するものに限る。）以外の者でその法人の経営に従事しているもの
③ 同族会社の使用人（職制上使用人としての地位のみを有するものに限る。）のうち次のイからハまでの要件のすべてを満たしている者で、その会社の経営に従事しているもの

イ 当該会社の株主グループにつきその所有割合が最も大きいものから順次その順位を付し、その第１順位の株主グループ（同順位の株主グループが２以上ある場合には、そのすべての株主グループ。以下イにおいて同じ。）の所有割合を算定し、又はこれに順次第２順位及び第３順位の株主グループの所有割合を加算した場合において、当該使用人が次に掲げる株主グループのいずれかに属していること。

⑴ 第１順位の株主グループの所有割合が100分の50を超える場合における当該株主グループ
⑵ 第１順位及び第２順位の株主グループの所有割合を合計した場合にその所有割合がはじめて100分の50を超えるときにおけるこれらの株主グループ
⑶ 第１順位から第３順位までの株主グループの所有割合を合計した場合にその所有割合がはじめて100分の50を超えるときにおけるこれらの株主グループ

ロ 当該使用人の属する株主グループの当該会社に係る所有割合が100分の10を超えていること。

ハ 当該使用人（その配偶者及びこれらの者の所有割合が100分の50を超える場合における他の会社を含む。）の当該会社に係る所有割合が100分の５を超えていること。

（注６） 当該宅地等を複数で取得した場合

当該宅地等を複数で共同相続（遺贈）により取得した場合には、上記に掲げる要件に該当する被相続人の親族が相続又は遺贈により取得した持分の割合に応ずる部分に限られています。

**理解ポイント**　『特定同族会社事業用宅地等』（用語の理解）

上記の『特定同族会社事業用宅地等』を理解するためには、この用語を下記に掲げる過程に分解して整理することが重要となります。

**その１**　『特定同族会社』に該当するか否かの確認

まず、判定対象である宅地等（①貸地としての貸付、②貸家の敷地としての貸付）の貸付先（事業供用の相手方）たる法人が『特定同族会社』（被相続人及び当該被相続人の親族その他当該被相続人と一定の特別の関係がある者が発行済株式の総数等の50％超を所有し、かつ、相続税の申告期限（注１）において清算中の法人に該当しないもの）に該当するか否かを確認します。

**その２**　『特定同族会社事業用宅地等』に該当するか否かの確認

上記 その１ より、該当法人が特定同族会社に該当した場合には、当該宅地等の承継者である親族について更に下記に掲げる要件（３要件）を充足しているか否かを確認します。

⑴　相続税の申告期限（注２）までに当該法人の役員に就任していること（役員就任要件）
⑵　相続税の申告期限（注２）まで当該宅地等を引き続き所有していること（継続所有要件）
⑶　相続税の申告期限（注２）まで当該宅地等を引き続き法人の事業に供用していること（事業供用要件）

その結果、上記３要件を充足していると認められるときに、当該宅地等は『特定同族会社事業用宅地等』に該当することになります。

すなわち、「『特定同族会社』の要件＋『上記３要件（①役員就任要件、②継続所有要件、③事業供用要件）』」を充足している場合の当該宅地等を『特定同族会社事業用宅地等』と呼称することに留意する必要があります。

（注１）　この場合の『相続税の申告期限』とは、下記に掲げる相続税法の規定による申告書の提出期限　をいいます。
　㈠　相続税法第27条《相続税の申告書》
　㈡　相続税法第29条《相続財産法人に係る財産を与えられた者等に係る相続税の申告書》
　㈢　相続税法第31条《修正申告の特則》第２項

（注２）　この場合の『相続税の申告期限』とは、原則として上記（注１）に掲げるものをいいますが、当該宅地等の承継者である親族が上記（注１）に掲げる相続税の申告期限前に死亡した場合には、その死亡の日をいいます。

## ⑷　小規模宅地等が『貸付事業用宅地等』である場合（減額割合50%、適用上限面積200㎡）

留意点　『貸付事業用宅地等』に対する小規模宅地等の課税特例の適用に対する改正点は、次のとおりとなっています。

・平成30年度及び平成31年度（令和元年度）の税法改正によって、異同が生じています。

・令和２年度及び令和３年度の税法改正による異同はありません。

留意点　下記に掲げる解説は、課税時期が平成30年４月１日以後に到来した場合の取扱いです。

なお、課税時期が平成31年４月１日以後に到来したものから適用するとして新設された規定は、下記③㈺（77ページ）です。

また、課税時期が平成30年３月31日までに到来した場合の取扱いについては、84ページの参考資料を参照してください。

### ①　『貸付事業用宅地等』の意義

#### ⒳　原則的な取扱い（下記⒴に該当する場合以外の取扱い）

被相続人等の事業（不動産貸付業、駐車場業、自転車駐車場業及び準事業《事業と称するに至らない不動産の貸付けその他これらに類する行為で相当の対価を得て継続的に行うものをいいます。》（以下これらを⑷において「貸付事業」といいます。）に限られます。）の用に供されていた宅地等で、次に掲げる㈹又は㈺の要件のいずれかを満たす当該被相続人の親族が相続又は遺贈により取得したもの（注）をいいます。（措法69の４③四：ただし、平成30年４月１日以降により課税時期が到来した場合）

（注）１．特定同族会社事業用宅地等（上記⑶を参照）に該当するものを除きます。

２．当該宅地等を複数で共同相続（遺贈）により取得した場合には、下記㈹又は㈺の要件に該当する被相続人の親族が相続又は遺贈により取得した持分の割合に応ずる部分に限られています。

#### ㈹　被相続人の貸付事業を相続開始後に事業承継する場合

| 番 | 要　件 | 内　容 |
|---|---|---|
| ⑴ | 貸付事業承継の要件 | 被相続人の親族（当該親族から相続又は遺贈により当該宅地等を取得した当該親族の相続人を含みます。以下、⑵及び⑶において同じ。）が、相続開始時から相続税の申告期限までの間に当該宅地等に係る被相続人の貸付事業を承継すること |
| ⑵ | 所有継続の要件 | 上記の貸付事業を承継した親族が、相続開始時から相続税の申告期限まで引き続き当該宅地等を所有していること |
| ⑶ | 貸付事業継続の要件 | 上記の貸付事業を承継した親族が、貸付事業承継後、相続税の申告期限まで引き続き当該貸付事業の用に供していること |

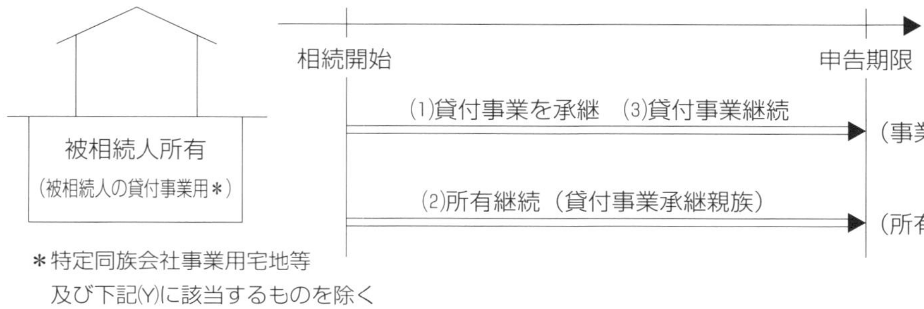


### ㈺　被相続人と生計を一にする親族の貸付事業の用に供されていた場合

| 番 | 要　件 | 内　容 |
|---|---|---|
| ⑴ | 生計一親族の要件 | 被相続人からの相続又は遺贈により財産を取得した親族が、当該被相続人と生計を一にしていた者であること |
| ⑵ | 所有継続の要件 | 相続開始時から相続税の申告期限（当該親族が相続税の申告期限前に死亡した場合には、その死亡の日。以下⑶において同じ。）まで引き続き当該宅地等を所有していること |
| ⑶ | 貸付事業継続の要件 | 相続開始前から相続税の申告期限まで引き続き当該宅地等を自己の貸付事業に用に供していること |

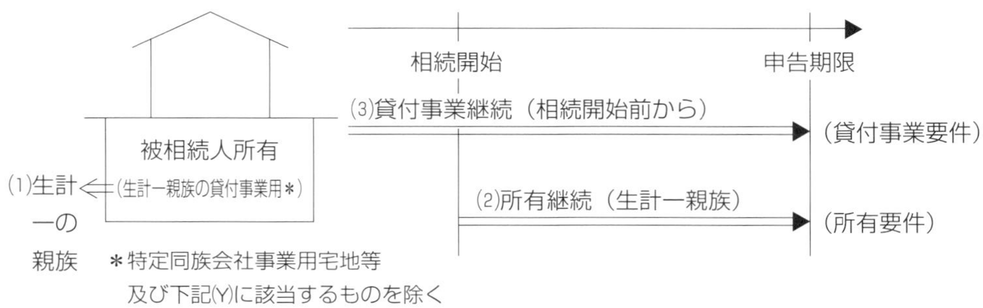


## (Y)　特例的な取扱い（相続開始前３年以内に新たに貸付事業の用に供された宅地等である場合の取扱い）

上記(X)に掲げる要件に該当する宅地等であっても、『相続開始前３年以内に新たに貸付事業の用に供された宅地等』については、貸付事業用宅地等に該当するか否かの取扱いが下記に掲げる区分のとおりに異なるものとされています。

〔Ⓧ　下記Ⓨに該当しない場合（課税時期が経過的な取扱いの適用期間以外にある場合）〕

⑴　貸付事業用宅地等に該当しない宅地等

㋑　特定同族会社事業用宅地等（上記⑶（66ページ）を参照）

㋺　相続開始前３年以内に新たに貸付事業の用に供された宅地等（ただし、下記㈺に該当するものを除きます。）

(ロ)　貸付事業用宅地等に該当する宅地等

相続開始前３年以内に新たに貸付事業の用に供された宅地等で、相続開始の日まで３年を超えて引き続き、『特定貸付事業』（注）を行っていた被相続人等の当該貸付事業の用に供されたもの

（注）『特定貸付事業』とは、貸付事業〔注１〕のうち準事業〔注２〕以外のものをいうものとされています。

〔注１〕『貸付事業』とは、不動産貸付業、駐車場業、自転車駐車場業及び準事業をいうものとされています。

〔注２〕『準事業』とは、事業と称するに至らない不動産の貸付けその他これに類する行為で相当の対価を得て継続的に行うものをいうものとされています。

上記Ⓧにおける(イ)㋺及び(ロ)の取扱いを図示すると、次の 参考 のとおりとなります。なお、この取扱いは、下記Ⓨに掲げる経過的な取扱いの適用を受ける場合を除き、平成30年４月１日以後に開始した相続又は遺贈により取得した財産について適用するものとされています。

**参考**　**相続開始前３年以内に新たに貸付事業の用に供された宅地等に対する貸付事業用宅地等の該当性**

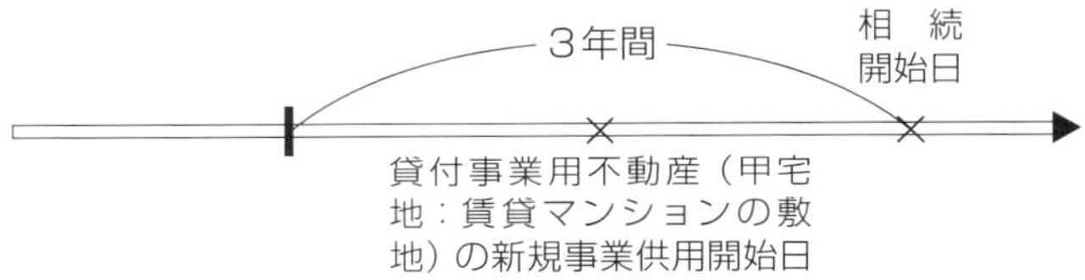


設例１　被相続人等の営む貸付事業の規模が準事業である場合
……甲宅地は貸付事業用宅地等に非該当

設例２　被相続人等の営む貸付事業の規模が特定貸付事業である場合
……甲宅地は貸付事業用宅地等に該当する可能性有

（注）特定貸付事業、貸付事業、準事業の関係（大小関係）をまとめると、次のとおりとなります。

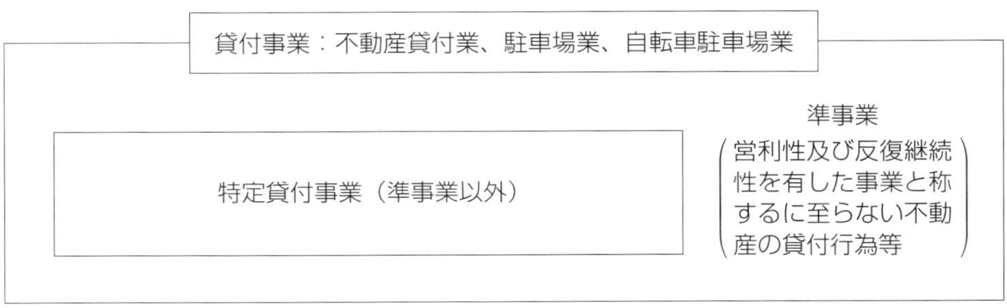

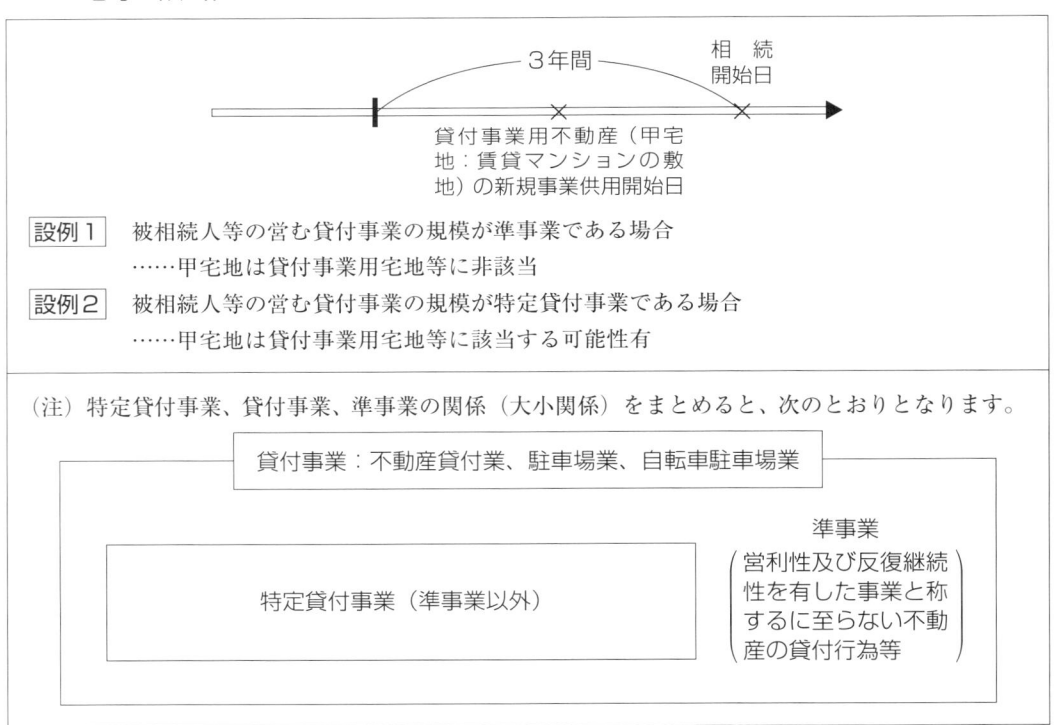

**〔Ⓨ　課税時期が経過的な取扱い（平成30年改正法附則による貸付事業用宅地等に係る経過措置について）の適用期間中にある場合〕**

上記Ⓧに掲げるとおり、平成30年４月１日以後に開始した相続又は遺贈については、『相続開始前３年以内に新たに貸付事業の用に供された宅地等（ただし、特定貸付事業の用に

供されたものを除きます。)』を貸付事業用宅地等として取り扱わないものとすることが、原則的な取扱いとされています。

しかしながら、上記の原則的な取扱いに対して、次に掲げる経過的な取扱いが設けられていますので留意する必要があります。

**経過的な取扱い**

平成30年４月１日から令和３年３月31日までの間に相続又は遺贈により取得する宅地等に係る貸付事業用宅地等の規定の適用については、『平成30年４月１日以後に新たに貸付事業の用に供された宅地等（ただし、特定貸付事業の用に供されたものを除きます。)』を貸付事業用宅地等として取り扱わないものとしています。

換言すれば、平成30年４月１日から令和３年３月31日までの間に相続又は遺贈により取得する宅地等が貸付事業用宅地等に該当するか否かの判定に当たっては、平成30年３月31日までに被相続人等の新たな貸付事業の用に供されているのであれば、当該貸付事業の供用日から課税時期までの期間が３年以下である場合においても、当該貸付事業の規模（特定貸付事業に該当するのか、又は、準事業の範囲に留まるのか。）にかかわらず、当該宅地等は貸付事業用宅地等に該当する可能性を有するものとされています。

上記の**経過的な取扱い**を図示すると、次の**図解**とおりとなります。

**図解**　相続開始前３年以内に新たに貸付事業の用に供された宅地等に係る経過的な取扱い

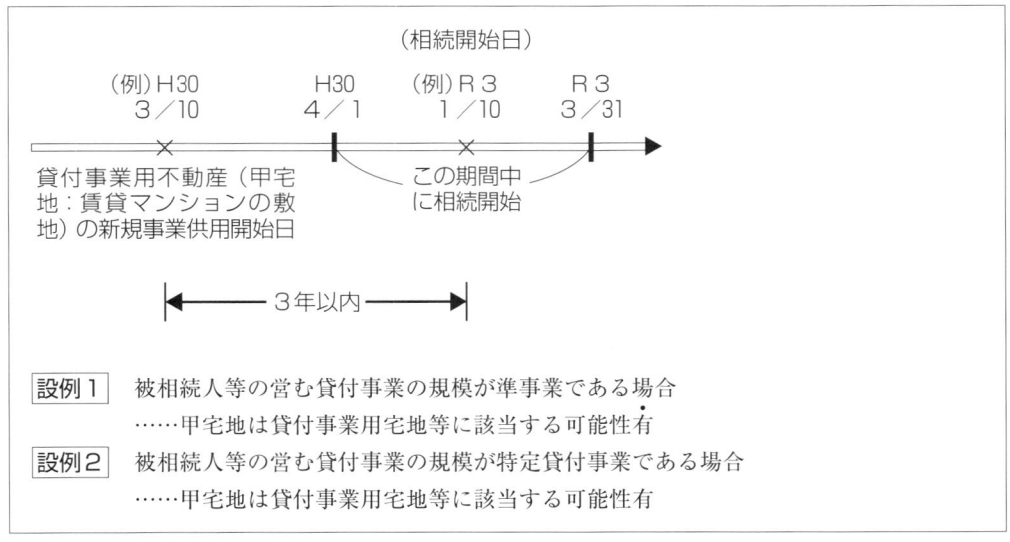

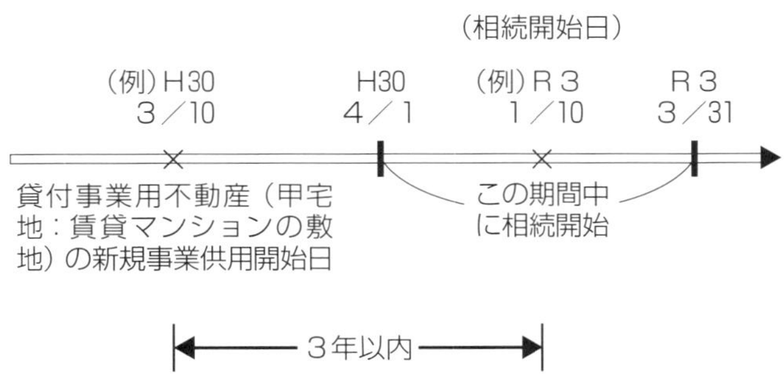


**設例１**　被相続人等の営む貸付事業の規模が準事業である場合
……甲宅地は貸付事業用宅地等に該当する可能性有

**設例２**　被相続人等の営む貸付事業の規模が特定貸付事業である場合
……甲宅地は貸付事業用宅地等に該当する可能性有

**参考通達**　措置法通達69の４－24の８《平成30年改正法附則による貸付事業用宅地等に係る経過措置について》

> 平成30年改正法附則118条第４項の規定により、平成30年４月１日から令和３年３月31日までの間に相続又は遺贈により取得した宅地等については、平成30年４月１日以後に新たに貸付事業の用に供されたもの（相続開始の日までに３年を超えて引き続き特定貸付事業を行っていた被相続人等の当該特定貸付事業の用に供されたものを除く。）が、措置法第69条の４第３項第４号に規定する貸付事業用宅地等の対象となる宅地等から除かれることに留意する。

② **貸付事業用宅地等の判定及びその取扱い上の留意点**

(イ)　上記①(イ)（被相続人の貸付事業を相続開始後に事業承継する場合）の場合には、貸付事業承継の時期は被相続人に係る相続開始後でも差し支えなく、また、当該貸付事業を承継する親族は当該相続に係る被相続人と生計が一であるという要件は必要とされていません。

(ロ)　上記①(ロ)（被相続人と生計を一にする親族の貸付事業の用に供されていた場合）の場合には、生計を一にする親族が当該宅地上で営む自己の貸付事業は、当該相続に係る被相続人の相続開始前から供用されていることが要件とされています。

③ **『相続開始前３年以内に新たな貸付事業の用に供された宅地等』の意義及びその留意点**

(イ)　原則的な取扱い（下記(ロ)以外の場合）

上記(Y)Ⓧに掲げるとおり、平成30年４月１日以後に開始した相続又は遺贈については、『相続開始前３年以内に新たに貸付事業の用に供された宅地等（ただし、特定貸付事業の用に供されたものを除きます。）』を貸付事業用宅地等として取り扱わないものとすることが、原則的な取扱いとされています。

上記＿＿部分の『新たに貸付事業の用に供された宅地等』に該当するか否かの判定に当たっては、措置法通達69の４－24の３《新たに貸付事業の用に供されたか否かの判定》の定めが設けられており、これをまとめると、下記のとおりとなります。

㋑　新たに貸付事業の用に供された宅地等に該当する場合

(A)　貸付事業の用以外の用に供されていた宅地等が貸付事業の用に供された場合

(B)　宅地等又はその上にある建物等につき『何らの利用がされていない場合』の当該宅地等が貸付事業の用に供された場合

**留意点**　次に掲げる場合のように、貸付事業に係る建物等が一時的に賃貸されていなかったと認められるときには、当該建物等に係る宅地等は、上記＿＿部分の『何らの利用がされていない場合』に該当しないことに留意する必要があります。

Ⓐ　継続的に賃貸されていた建物等につき賃借人が退去をした場合において、その退去後速やかに新たな賃借人の募集が行われ、賃貸されていたとき（新たな賃借人が入居するまでの間、当該建物等を貸付事業の用以外の用に供していないときに限られます。）

Ⓑ　継続的に賃貸されていた建物等につき建替えが行われた場合において、建物等の建替え後速やかに新たな賃借人の募集が行われ、賃貸されていたとき（当該建替え後の建物等を貸付事業の用以外の用に供していないときに限られます。）

Ⓒ　継続的に賃貸されていた建物等が災害により損害を受けたため、当該建物等に係る貸付事業を休業した場合において、当該貸付事業の再開のための当該建物等の修繕その他の準備が行われ、当該貸付事業が再開されていたとき（休業中に当該建物等を貸付事業の用以外の用に供していないときに限られます。）

（注）１　建替えのための建物等の建築中に相続が開始した場合には措置法通達69の４－５《事業用建物等が建築中等に相続が開始した場合》の取扱いが、また、災害による損害のための休業中に相続が開始した場合には措置法通達69の４－17《災害のため事業が休止された場合》の取扱いが、それぞれあることに留意する必要があります。

２　上記Ⓐ、Ⓑ又はⒸに該当する場合には、当該宅地等に係る『新たに貸付事業の用に供された』時は、Ⓐの退去前、Ⓑの建替え前又はⒸの休業前の賃貸に係る貸付事業の用に供された時となることに留意する必要があります。

３　上記Ⓑに該当する場合において、建替え後の建物等の敷地の用に供された宅地等のうちに、建替え前の建物等の敷地の用に供されていなかった宅地等が含まれるときは、当該供されていなかった宅地等については、新たに貸付事業の用に供された宅地等に該当することに留意する必要があります。

㋺　新たに貸付事業の用に供された宅地等に該当しない場合

賃貸借契約等につき更新された場合

(ロ)　今回の被相続人（第１次相続人）が今回の相続開始前３年以内に相続等により貸付事業用宅地等を承継していた場合の特例

留意点　この特例の取扱いは、平成31年４月１日以後に開始した相続又は遺贈により取得した財産について適用するものとされています。

措置法施行令第40条の２《小規模宅地等についての相続税の課税価格の計算の特例》第９項及び第20項を通じて、要旨、今回の被相続人（以下、(ロ)において「第１次相続人」といいます。）が第１次相続人の死亡に係る相続開始前３年以内に開始した相続又はその相続に係る遺贈により、上記(4)①に規定する貸付事業（注）の用に供されていた宅地等を取得し、かつ、その取得の日以後当該宅地等を引き続き当該貸付事業の用に供していた場合における当該宅地等は、『相続開始前３年以内に新たに貸付事業の用に供された宅地等』には該当しないものと規定されています。

（注）　貸付事業とは、不動産貸付業、駐車場業、自転車駐車場業及び準事業（事業と称するに至らない不動産の貸付けその他これらに類する行為で相当の対価を得て継続的に行うものをいいます。）をいいます。

この取扱いを図で示すと、次のとおりとなります。

図解 第１次相続人が相続開始前３年以内に相続等により貸付事業用宅地等を承継していた場合の取扱い

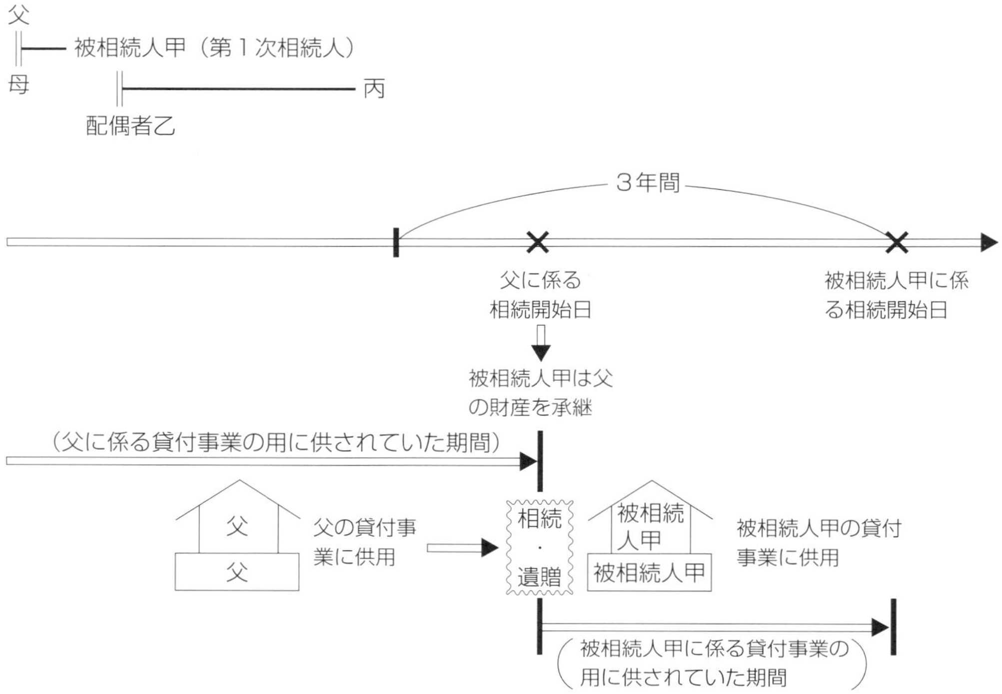


（結論）

一見すると、被相続人甲は同人に係る相続開始前３年以内に新たに貸付事業の用に供された宅地等（取得理由：相続）を有しており、当該宅地等が貸付事業用宅地等に該当するためには被相続人甲に係る貸付事業が特定貸付事業であることが要件とされると考えられるかも知れませんが、図解の事例は、第１次相続人（被相続人甲）による新たな貸付事業開始は同人に係る被相続人（父）よりの相続又は遺贈による取得であるため、当該宅地等は被相続人甲にとって『相続開始前３年以内に新たに貸付事業の用に供された宅地等』には該当しないものとされます。

## ④　『特定貸付事業』の定義及びその留意点

### (イ)　特定貸付事業の該当性（規模）

措置法施行令第40条の２《小規模宅地等についての相続税の課税価格の計算の特例》第19項の規定では、特定貸付事業の定義について、貸付事業（注１）のうち準事業（注２）以外のものをいうものとされています。

（注１）『貸付事業』とは、不動産貸付業、駐車場業、自転車駐車場業及び準事業をいうものとされています。

（注２）『準事業』とは、事業と称するに至らない不動産の貸付けその他これに類する行為で相当の対価を得て継続的に行うものとされています。

上記の『特定貸付事業』に該当するか否かの具体的な判定基準について、措置法通達69の４－24の４《特定貸付事業の意義》において、次のとおりの定めが設けられています。

㋑　実質基準

被相続人等の貸付事業が準事業以外の貸付事業に当たるかどうかについては、社会通念上事業と称するに至る程度の規模で当該貸付事業が行われていたかどうかにより判定することになります。

㋺　形式基準

(A)　被相続人等が行う貸付事業が不動産の貸付けである場合

| | 区　　　分 | 貸付事業の分類 | 備　考 |
|---|---|---|---|
| Ⓐ | 当該不動産の貸付けが所得税法第26条《不動産所得》第１項に規定する不動産所得を生ずべき事業として行われているとき | 特定貸付事業 | （注） |
| Ⓑ | 当該不動産の貸付けが上記Ⓐに規定する不動産所得を生ずべき事業以外のものとして行われているとき | 準事業 | |

(B)　被相続人等が行う貸付事業の対象が駐車場又は自転車駐車場であって自己の責任において他人の物を保管するものである場合

| | 区　　　分 | 貸付事業の分類 | 備　考 |
|---|---|---|---|
| Ⓐ | 当該貸付事業が所得税法第27条《事業所得》第１項に規定する事業所得を生ずべきものとして行われているとき | 特定貸付事業 | （注） |
| Ⓑ | 当該貸付事業が所得税法第35条《雑所得》第１項に規定する雑所得を生ずべきものとして行われているとき | 準事業 | |

（注）　上記(A)又は(B)の判定を行う場合においては、所得税法基本通達26－９《建物の貸付けが事業として行われているかどうかの判定》（下記 参考資料１ を参照）及び同通達27－２《有料駐車場等の所得》（下記 参考資料２ を参照）の取扱いがあることに留意する必要があります。

参考資料１　所得税基本通達26－９《建物の貸付けが事業として行われているかどうかの判定》

建物の貸付けが不動産所得を生ずべき事業として行われているかどうかは、社会通念上事業と称するに至る程度の規模で建物の貸付けを行っているかどうかにより判定すべきであるが、次に掲げる事実のいずれか一に該当する場合又は賃貸料の収入の状況、貸付資産の管理の状況等からみてこれらの場合に準ずる事情があると認められる場合には、特に反証がない限り、事業として行われているものとする。
(1)　貸間、アパート等については、貸与することができる独立した室数がおおむね10以上であること。
(2)　独立家屋の貸付けについては、おおむね５棟以上であること。

参考資料２　所得税基本通達27－２《有料駐車場等の所得》

いわゆる有料駐車場、有料自転車置場等の所得については、自己の責任において他人の物を保管する場合の所得は事業所得又は雑所得に該当し、そうでない場合の所得は不動産所得に該当する。

(ロ)　相続開始前３年以内に特定貸付事業が引き続き行われていない場合

被相続人に係る相続開始前３年以内に宅地等が新たに被相続人等が行う特定貸付事業の用に供された場合において、その供された時から相続開始の日までの間に当該被相続人等が行う貸付事業が特定貸付事業に該当しないこととなったときは、当該宅地等は、相続開始の日まで３年を超えて引き続き特定貸付事業を行っていた被相続人等の貸付事業の用に供されたものに該当せず、小規模宅地等の課税特例に規定する貸付事業用宅地等の対象となる宅地等から除かれるものとされています。

なお、被相続人等が行っていた特定貸付事業が上記③(イ)㋑(B)の留意点に掲げる場合に該当する場合には、当該特定貸付事業は、引き続き行われているものに該当するものとされています。（参考措置法通達69の４－24の５《特定貸付事業が引き続き行われていない場合》）

上記の取扱いを図で示すと、次のとおりとなります。

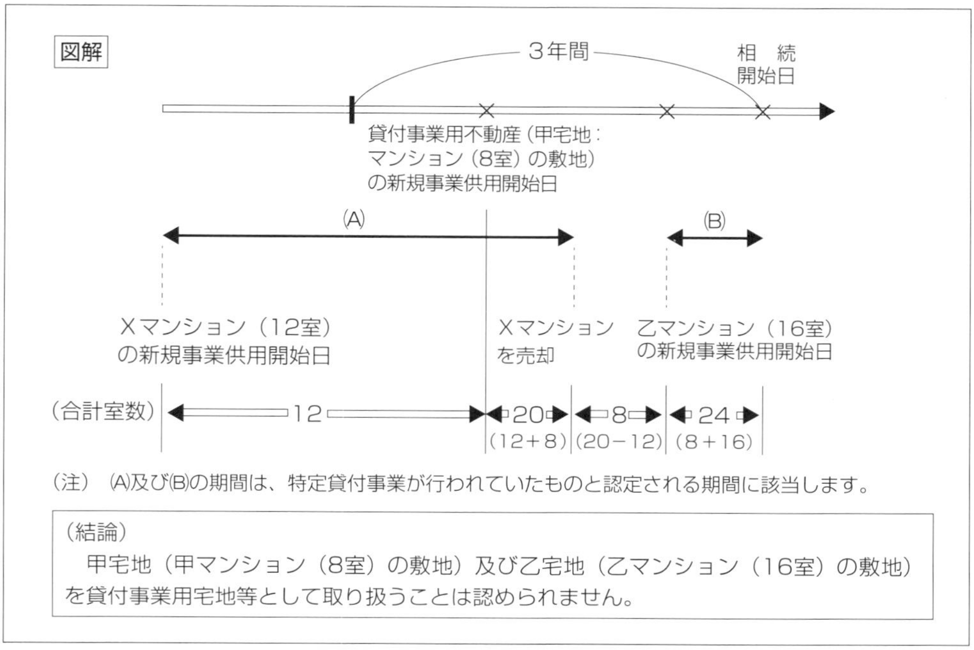


(ハ)　被相続人等が行っていた特定貸付事業の意義

小規模宅地等の課税特例に規定する特定貸付事業を行っていた『被相続人等の当該貸付事業の用に供された』とは、特定貸付事業を行う被相続人等が、宅地等をその自己が行う特定貸付事業の用に供した場合をいうものと解されています。

すなわち、人格（被相続人甲であるならば当該被相続人甲、被相続人甲と生計を一にする親族Ａであるならば当該親族Ａ）ごとに判定することから、次に掲げる場合には、それぞれに掲げる貸付事業は特定貸付事業には該当しないものとして取り扱われることに留意する必要があります。（措置法通達69の４－24の６《特定貸付事業を行っていた『被相続人等の当該貸付事業の用に供された』の意義》）

㋑　被相続人が特定貸付事業を行っていた場合に、被相続人と生計を一にする親族が宅地等を自己の貸付事業の用に供したとき（下記図解１を参照）

㋺　被相続人と生計を一にする親族が特定貸付事業を行っていた場合に、被相続人又は当該親族以外の被相続人と生計を一にする親族が宅地等を自己の貸付事業の用に供したとき（下記図解２を参照）

### 図解１　『被相続人の特定貸付事業』に留まる場合における被相続人と生計を一にする親族の貸付事業の取扱い

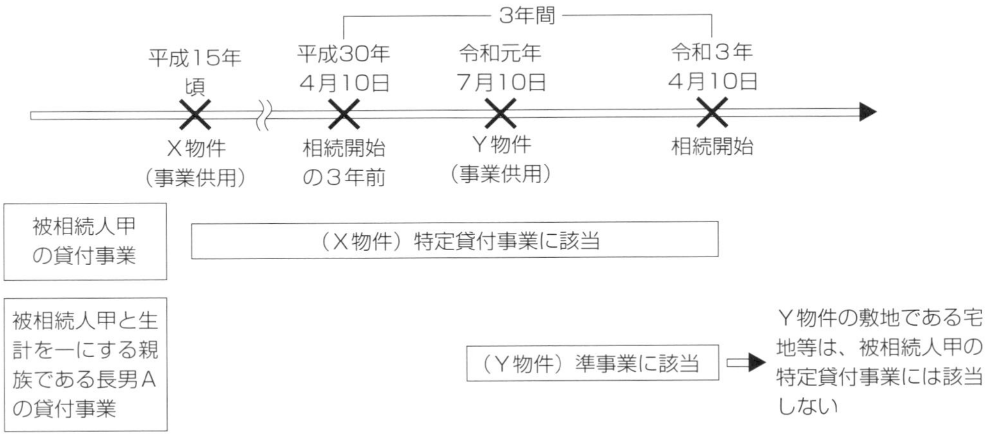


### 図解２　『被相続人と生計を一にする親族の特定貸付事業』に留まる場合における被相続人又は当該親族以外の被相続人と生計を一にする親族の貸付事業の取扱い

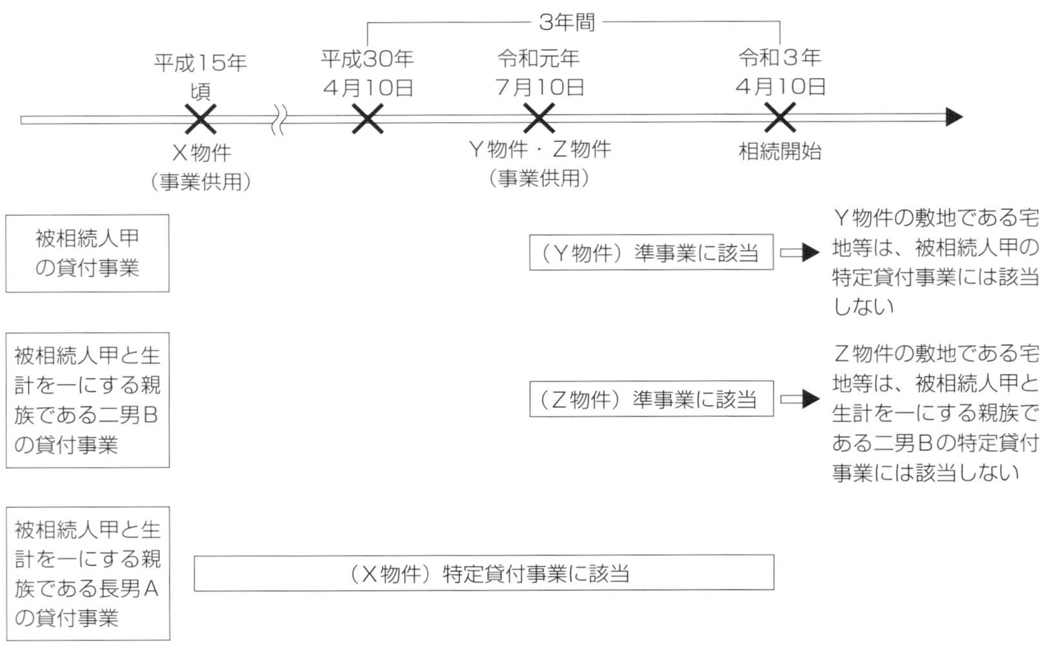

㈡　今回の被相続人（第１次相続人）が特定貸付事業を行っていたものとみなされる期間

特定貸付事業を行っていた被相続人（以下、㈡において「第１次相続人」といいます。）が、当該第１次相続人の死亡に係る相続開始前３年以内に相続又は遺贈（以下、㈡において「第１次相続」といいます。）により当該第１次相続に係る被相続人の特定貸付事業の用に供されていた宅地等を取得していた場合には、当該第１次相続人の特定貸付事業の用に供されていた宅地等に係る小規模宅地等の課税特例に規定する貸付事業用宅地等の適用については、当該第１次相続に係る被相続人が当該第１次相続があった日まで引き続き特定貸付事業を行っていた期間は、当該第１次相続人が特定貸付事業を行っていた期間に該当するものとみなされます。（措令40条の２㉑）

すなわち、相続開始の日まで３年を超えて引き続き特定貸付事業（貸付事業のうち、準事業以外のものをいいます。）を行っていた被相続人に該当するか否かの判定に当たっては、当該相続（第１次相続）に係る被相続人（下記図解における『父X』）が特定貸付事業を行っていた期間と当該第１次相続に係る相続人（下記図解における『被相続人甲』）が特定貸付事業を行っていた期間とを合算して行う取扱いとされていることに留意する必要があります。

上記の取扱いを図で示すと、次のとおりとなります。

図解　第１次相続に係る被相続人が特定貸付事業を行っていた期間がある場合の取扱い

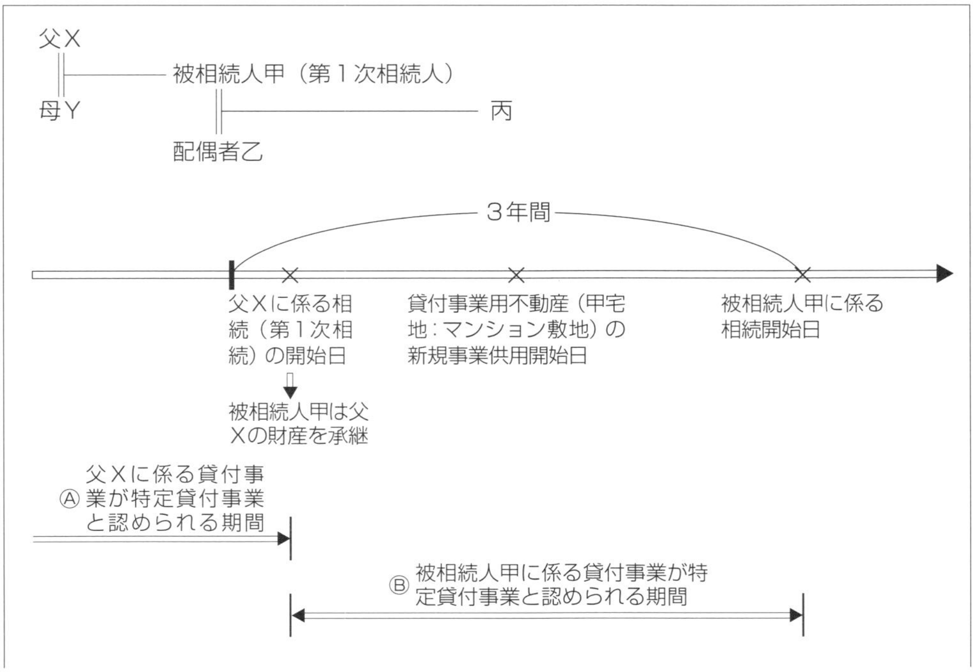

（結論）
Ⓐ及びⒷの期間を合算して判定すると、被相続人甲は相続開始の日まで３年を超えて引き続き特定貸付事業を行っていたとされるので、他の要件を充足する限り、甲宅地（マンション敷地）を貸付事業用宅地等として取り扱うことが認められます。

㈭　相続開始前３年を超えて引き続き準事業の用に供されていた宅地等

相続開始前３年を超えて引き続き被相続人等の貸付事業の用に供されていた宅地等については、『特定貸付事業以外の貸付事業に係るもの』（具体的には、『準事業』をいいます。）であっても、上記①㈠（72ページ）又は①㈡（73ページ）に掲げる要件を満たす当該被相続人の親族が取得した場合には、小規模宅地等の課税特例に規定する貸付事業用宅地等に該当するものとされています。（措置法通達69の４－24の７《相続開始前３年を超えて引き続き貸付事業の用に供されていた宅地等の取扱い》）

上記の取扱いを図で示すと、次のとおりとなります。

**図解**　**相続開始前３年を超えて引き続き貸付事業の用に供されていた宅地等**

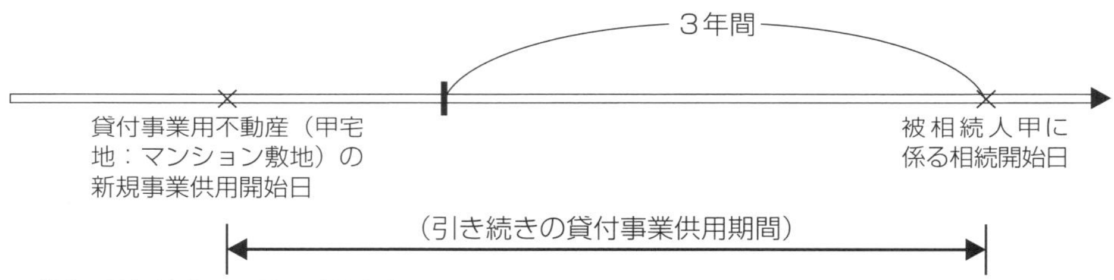

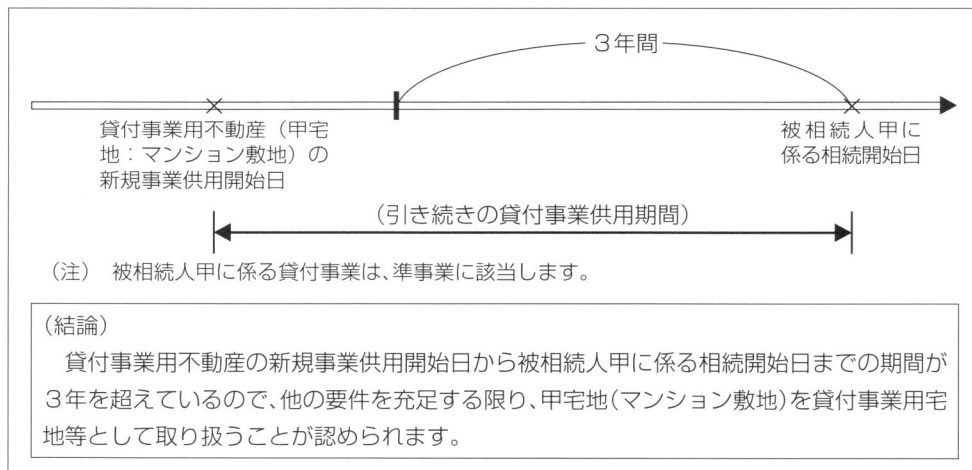

（注）　被相続人甲に係る貸付事業は、準事業に該当します。

（結論）
貸付事業用不動産の新規事業供用開始日から被相続人甲に係る相続開始日までの期間が３年を超えているので、他の要件を充足する限り、甲宅地（マンション敷地）を貸付事業用宅地等として取り扱うことが認められます。

**参考資料**　**課税時期が平成30年３月31日以前である場合の貸付事業用宅地等の取扱い**

⑴　**『貸付事業用宅地等』の意義**（減額割合50％、適用上限面積200㎡）

被相続人等の事業（不動産貸付業、駐車場業、自転車駐車場業及び準事業《事業と称するに至らない不動産の貸付けその他これらに類する行為で相当の対価を得て継続的に行うものをいいます。》（以下これらを「貸付事業」といいます。）に限られます。）の用に供されていた宅地等で、次に掲げる①又は②の要件のいずれかを満たす当該被相続人の親族が相続又は遺贈により取得したもの（**注**）をいいます。

**（注）**　㈠　特定同族会社事業用宅地等に該当するものを除きます。

㈡　当該宅地等を複数で共同相続（遺贈）により取得した場合には、下記①又は②の要件に該当する被相続人の親族が相続又は遺贈により取得した持分の割合に応ずる部分に限られています。

① 被相続人の貸付事業を相続開始後に事業承継する場合

| 番 | 要　件 | 内　　　　容 |
|---|---|---|
| (イ) | 貸付事業承継の要件 | 被相続人の親族（当該親族から相続又は遺贈により当該宅地等を取得した当該親族の相続人を含みます。）が、相続開始時から相続税の申告期限までの間に当該宅地等に係る被相続人の貸付事業を承継すること |
| (ロ) | 所有継続の要件 | 上記の貸付事業を承継した親族が、相続開始時から相続税の申告期限まで引き続き当該宅地等を所有していること |
| (ハ) | 貸付事業継続の要件 | 上記の貸付事業を承継した親族が、貸付事業承継後、相続税の申告期限まで引き続き当該貸付事業の用に供していること |

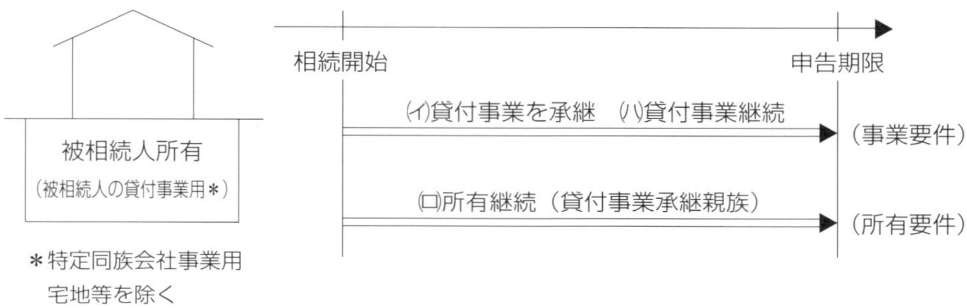


② 被相続人と生計を一にする親族の貸付事業の用に供されていた場合

| 番 | 要　件 | 内　　　　容 |
|---|---|---|
| (イ) | 生計一親族の要件 | 被相続人からの相続又は遺贈により財産を取得した親族が、当該被相続人と生計を一にしていた者であること |
| (ロ) | 所有継続の要件 | 相続開始時から相続税の申告期限（当該親族が相続税の申告期限前に死亡した場合には、その死亡の日。(ハ)において同じ）まで引き続き当該宅地等を所有していること |
| (ハ) | 貸付事業継続の要件 | 相続開始前から相続税の申告期限まで引き続き当該宅地等を自己の貸付事業に用に供していること |

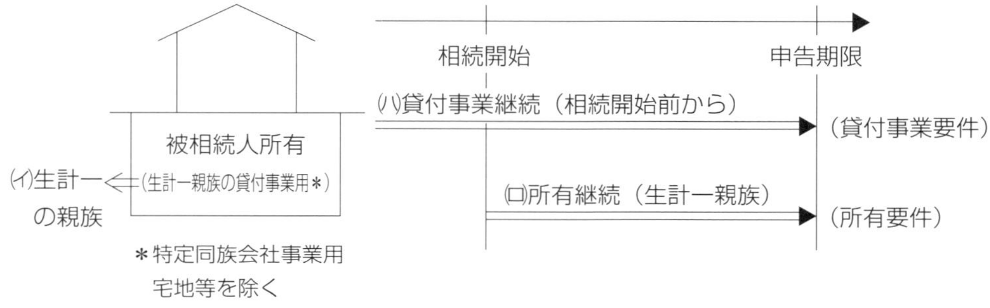


(2) 貸付事業用宅地等の判定及びその取扱い上の留意点

① 上記(1)①（被相続人の貸付事業を相続開始後に事業承継する場合）の場合には、貸付事業承継の時期は被相続人に係る相続開始後でも差し支えなく、また、当該貸付事業を承継する親族は当該相続に係る被相続人と生計が一であるという要件は必要とされていません。

②　上記(1)②（被相続人と生計を一にする親族の貸付事業の用に供されていた場合）の場合には、生計を一にする親族が当該宅地上で営む自己の貸付事業は当該相続に係る被相続人の相続開始前から供用されていることが要件とされています。

### (5)　まとめ

現行（令和２年度の税法改正後の取扱いで、令和２年４月１日以後に開始した相続又は遺贈により取得した財産について適用）における課税特例の適用関係をまとめると、下記に掲げる参考資料のとおりになります。

### 参考資料　現行における小規模宅地等の区分と相続税の課税価格計算上の減額割合及び適用上限面積

<table>
<tr><th colspan="5">小規模宅地等の区分要件</th><th>適用区分</th><th>減額割合</th><th>適用上限面積</th></tr>
<tr><td rowspan="7">事業用</td><td rowspan="2">自己の事業用</td><td colspan="3">(1)『特定事業用宅地等』の要件を充足する場合</td><td>特定事業用宅地等</td><td>▲80%</td><td>400㎡</td></tr>
<tr><td colspan="3">(2)『特定事業用宅地等』の要件を充足しない場合</td><td>小規模宅地等に非該当</td><td>－</td><td>－</td></tr>
<tr><td rowspan="5">貸付用<br>(例)<br>1．貸家敷地<br>2．貸宅地</td><td rowspan="3">貸付先が『特定同族会社』である場合</td><td colspan="2">(3)『特定同族会社事業用宅地等』の要件を充足する場合</td><td>特定同族会社事業用宅地等</td><td>▲80%</td><td>400㎡</td></tr>
<tr><td rowspan="2">(4)『特定同族会社事業用宅地等』の要件を充足しない場合</td><td>①『貸付事業用宅地等』の要件を充足しない場合</td><td>小規模宅地等に非該当</td><td>－</td><td>－</td></tr>
<tr><td>②『貸付事業用宅地等』の要件を充足する場合</td><td>貸付事業用宅地等</td><td>▲50%</td><td>200㎡</td></tr>
<tr><td rowspan="2">貸付先が上記に該当しない場合</td><td colspan="2">(5)『貸付事業用宅地等』の要件を充足する場合</td><td>貸付事業用宅地等</td><td>▲50%</td><td>200㎡</td></tr>
<tr><td colspan="2">(6)『貸付事業用宅地等』の要件を充足しない場合</td><td>小規模宅地等に非該当</td><td>－</td><td>－</td></tr>
<tr><td rowspan="2">居住用</td><td colspan="4">(7)『特定居住用宅地等』の要件を充足する場合</td><td>特定居住用宅地等</td><td>▲80%</td><td>330㎡</td></tr>
<tr><td colspan="4">(8)『特定居住用宅地等』の要件を充足しない場合</td><td>小規模宅地等に非該当</td><td>－</td><td>－</td></tr>
</table>

### (6) 小規模宅地等が『(旧) 国営事業用宅地等』である場合（経過措置に基づく減額割合：80％、適用上限面積：400㎡）〔郵政民営化法の取扱い〕

この項目の取扱いに関しては、第３節（107ページ）を参照してください。

## 〔５〕 具体的な評価計算例

**設例** 被相続人甲が居住の用に供していた宅地を同人の相続開始により、その配偶者乙が承継することとなりましたが、配偶者乙はその承継した居住用宅地を相続税の申告書の提出期限までに譲渡しました。

この場合に当該宅地の相続税の課税価格に算入すべき金額はいくらになりますか。

① 当該宅地の地積　150㎡

② 路線価方式により計算した当該宅地の自用地価額　30,000千円
（小規模宅地等の課税特例の適用前の価額）

**解答** $30{,}000\text{千円} \times \dfrac{150\text{㎡}}{150\text{㎡}} \times 20\% = 6{,}000\text{千円}$

（注） 被相続人の居住の用に供していた宅地をその配偶者が取得した場合には、当該宅地は『特定居住用宅地等』に該当し、(相続税の申告書の提出期限までに譲渡したことは、判断に影響しません。) 相続税の課税価格に算入すべき金額は、通常の評価額の20％相当額（適用上限面積：330㎡）となります。

## 〔６〕 手続き等の要件

### (1) 分割要件

#### ① 原則的な取扱い

小規模宅地等の課税特例の規定は、当該相続又は遺贈に係る相続税の申告書の提出期限（以下「相続税の申告期限」といいます。）までに共同相続人又は包括受遺者によって分割されていない特例対象宅地等については、その適用がないものとされています。(措法69の４④前段)

なお、相続税の申告期限までに共同相続人又は包括受遺者によって分割された特例対象宅地等であっても、当該相続又は遺贈により財産を取得した者が措置法第69条の５《特定計画山林についての相続税の課税価格の計算の特例》の規定の適用を受けている場合には、原則として、小規模宅地等の課税特例の適用を受けることができません（原則として、いずれかの規定を選択適用（注））ので注意する必要があります。

（注） 措置法第69条の５《特定計画山林についての相続税の課税価格の計算の特例》との重複適用について

(イ) 条文（措法69の５④）上の表現では、措置法第69条の４に規定する小規模宅地等の課税特例と措置法第69条の５に規定する特定計画山林の課税特例との重複適用を認めていない形態となっています。

しかしながら、これは、特定計画山林の課税特例について、その適用限度額（㊐特定森林施

業計画対象山林を選択特定計画山林として選択するときは、当該特定森林施業計画対象山林の価額）の上限に達するまでの価額を適用対象とした場合には、もう一方の課税特例である小規模宅地等の課税特例の適用が認められない主旨で規定されていることに留意する必要があります。

(ロ)　これらの両者の課税特例の重複適用関係についての具体的な取扱いに関しては、〔7〕を参照してください。

### ②　特例的な取扱い（その１：相続税の申告期限において未分割であった特例対象宅地等について、相続税の申告期限後一定期間内に分割がなされた場合）

当該相続又は遺贈に係る相続税の申告期限までに共同相続人又は包括受遺者によって分割されていない特例対象宅地等が、次のいずれかに該当することとなった場合には、その分割された当該特例対象宅地等については、本特例を適用することができるものとされています。（措法69の４④ただし書き）

(イ)　相続税の申告期限から３年以内に分割された場合

(ロ)　相続税の申告期限から３年以内に分割されなかったことにつき、当該相続又は遺贈に関し訴えの提起がされたこと等のやむを得ない事情がある場合において、納税地の所轄税務署長の承認を受けたときは、当該宅地等の分割ができることとなった日として定められた日の翌日から４か月以内に分割された場合

なお、相続税の申告書の提出期限までに小規模宅地等の課税特例の対象となる宅地等の全部又は一部が共同相続人又は包括受遺者によってまだ分割されていない場合において、当該申告書の提出後に分割される当該宅地等について小規模宅地等の課税特例の規定の適用を受けようとするときは、その旨並びに分割されていない事情及び分割の見込みの詳細を記載した書類（この書類を『申告期限後３年以内の分割見込書』といいます。参考資料Ａを参照）を相続税の申告書に添付して提出することが必要とされます。

また、『分割されていない宅地等』とは次に掲げる宅地等以外の宅地等をいいます。

イ　分割により取得した宅地等

ロ　相続人がその者のみで、包括受遺者がいない場合におけるその者が相続により取得した宅地等

ハ　包括受遺者がその者のみで、他に相続人がいない場合におけるその者が包括遺贈により取得した宅地等

ニ　特定遺贈により取得した宅地等

ホ　相続税法第４条《遺贈により取得したものとみなす場合》の規定により、相続財産法人からの財産分与により遺贈により取得したものとみなされた宅地等

## 参考資料Ａ　『申告期限後３年以内の分割見込書』について

| 通信日付印の年月日 | （確　認） | | 番　号 |
|---|---|---|---|
| 年　月　日 | | | |

被相続人の氏名 ______________________

### 申告期限後３年以内の分割見込書

相続税の申告書「第11表（相続税がかかる財産の明細書）」に記載されている財産のうち、まだ分割されていない財産については、申告書の提出期限後３年以内に分割する見込みです。

なお、分割されていない理由及び分割の見込みの詳細は、次のとおりです。

1　分割されていない理由

______________________
......................................
......................................
......................................
......................................

2　分割の見込みの詳細

......................................
......................................
......................................
......................................
......................................

3　適用を受けようとする特例等

⑴　配偶者に対する相続税額の軽減（相続税法第19条の２第１項）

⑵　小規模宅地等についての相続税の課税価格の計算の特例（租税特別措置法第69条の４第１項）

⑶　特定計画山林についての相続税の課税価格の計算の特例（租税特別措置法第69条の５第１項）

⑷　特定事業用資産についての相続税の課税価格の計算の特例（所得税法等の一部を改正する法律(平成21年法律第13号)による改正前の租税特別措置法第69条の５第１項）

（資４－21－Ａ４統一）

（裏）

**記載方法等**

この書類は、相続税の申告書の提出期限までに相続又は遺贈により取得した財産の全部又は一部が分割されていない場合において、その分割されていない財産を申告書の提出期限から３年以内に分割し、①相続税法第19条の２の規定による配偶者の相続税の軽減、②租税特別措置法第69条の４の規定による小規模宅地等についての相続税の課税価格の計算の特例又は③租税特別措置法第69条の５の規定による特定事業用資産についての相続税の課税価格の計算の特例の適用を受けようとする場合に使用してください。

1　この書類は、相続税の申告書に添付してください。
2　「１　分割されていない理由」欄及び「２　分割の見込みの詳細」欄には、相続税の申告期限までに財産が分割されていない理由及び分割の見込みの詳細を記載してください。
3　「３　適用を受けようとする特例等」欄は、該当する番号にすべて○を付してください。
4　遺産が分割された結果、納め過ぎの税金が生じた場合には、分割の日の翌日から４か月以内に更正の請求をして、納め過ぎの税金の還付を受けることができます。また、納付した税金に不足が生じた場合には、修正申告書を提出することができます。
5　申告書の提出期限から３年以内に遺産が分割できない場合には、「遺産が未分割であることについてやむを得ない事由がある旨の承認申請書」をその提出期限後３年を経過する日の翌日から２か月以内に相続税の申告書を提出した税務署長に対して提出する必要があります。

　この承認申請書の提出が期間内になかった場合には、相続税法第19条の２の規定による配偶者の相続税の軽減、租税特別措置法第69条の４の規定による小規模宅地等についての相続税の課税価格の計算の特例及び租税特別措置法第69条の５の規定による特定事業用資産についての相続税の課税価格の計算の特例の適用を受けることはできません。

なお、上記に掲げる『申告期限後３年以内の分割見込書』の記載方法等の要領５に示されているとおり、この『申告期限後３年以内の分割見込書』を提出した場合であっても、相続税の申告書の提出期限から３年以内に遺産が分割できない場合には、別途、『遺産が未分割であることについてやむを得ない事由がある旨の承認申請書』（参考資料Ｂを参照）をその提出期限後３年を経過する日の翌日から２か月以内に相続税の申告書を提出した納税地（原則として、相続開始時における被相続人の住所地）の所轄税務署長に対して提出する必要があるものとされています。

## 参考資料Ｂ　『遺産が未分割であることについてやむを得ない事由がある旨の承認申請書』について

### 遺産が未分割であることについてやむを得ない事由がある旨の承認申請書

税務署受付印

※欄は記入しないでください。

＿＿年＿＿月＿＿日提出

〒
住　所
（居所）＿＿＿＿＿＿＿＿＿＿＿＿＿＿＿＿

＿＿＿＿＿＿＿＿税務署長

申請者　　氏　名＿＿＿＿＿＿＿＿＿＿＿＿＿＿＿＿

（電話番号　　　－　　　－　　　）

遺産の分割後、
- ・配偶者に対する相続税額の軽減（相続税法第19条の２第１項）
- ・小規模宅地等についての相続税の課税価格の計算の特例（租税特別措置法第69条の４第１項）
- ・特定計画山林についての相続税の課税価格の計算の特例（租税特別措置法第69条の５第１項）
- ・特定事業用資産についての相続税の課税価格の計算の特例（所得税法等の一部を改正する法律（平成21年法律第13号）による改正前の租税特別措置法第69条の５第１項）

の適用を受けたいので、

遺産が未分割であることについて、
- ・相続税法施行令第４条の２第２項
- ・租税特別措置法施行令第40条の２第23項又は第25項
- ・租税特別措置法施行令第40条の２の２第８項又は第11項
- ・租税特別措置法施行令等の一部を改正する政令（平成21年政令第108号）による改正前の租税特別措置法施行令第40条の２の２第19項又は第22項

に規定する

やむを得ない事由がある旨の承認申請をいたします。

1　被相続人の住所・氏名

住　所＿＿＿＿＿＿＿＿＿＿＿＿＿＿＿＿　氏　名＿＿＿＿＿＿＿＿＿＿＿＿

2　被相続人の相続開始の日　　平成・令和＿＿年＿＿月＿＿日

3　相続税の申告書を提出した日　　平成・令和＿＿年＿＿月＿＿日

4　遺産が未分割であることについてのやむを得ない理由

（　　　　　　　　　　　　　　　　　　　　　　　　　　）

（注）やむを得ない事由に応じてこの申請書に添付すべき書類
① 相続又は遺贈に関し訴えの提起がなされていることを証する書類
② 相続又は遺贈に関し和解、調停又は審判の申立てがされていることを証する書類
③ 相続又は遺贈に関し遺産分割の禁止、相続の承認若しくは放棄の期間が伸長されていることを証する書類
④ ①から③までの書類以外の書類で財産の分割がされなかった場合におけるその事情の明細を記載した書類

○　**相続人等申請者の住所・氏名等**

| 住　所　（　居　所　） | 氏　　名 | 続　柄 |
|---|---|---|
| | | |
| | | |
| | | |
| | | |

○　**相続人等の代表者の指定**　　　代表者の氏名＿＿＿＿＿＿＿＿＿＿＿＿

| 関与税理士 | | 電話番号 | |
|---|---|---|---|

| ※ | 通信日付印の年月日 | （確認） | 名簿番号 |
|---|---|---|---|
| | 年　月　日 | | |

（資４－22－１－Ａ４統一）　（令3.3）

（裏）

記載方法等

この承認申請書は、相続税の申告書の提出期限後３年を経過する日までに、相続又は遺贈により取得した財産の全部又は一部が相続又は遺贈に関する訴えの提起などのやむを得ない事由により分割されていない場合において、その遺産の分割後に①相続税法第19条の２の規定による配偶者に対する相続税額の軽減、②租税特別措置法第69条の４の規定による小規模宅地等についての相続税の課税価格の計算の特例、③租税特別措置法第69条の５の規定による特定計画山林についての相続税の課税価格の計算の特例又は④所得税法等の一部を改正する法律（平成21年法律第13号）による改正前の租税特別措置法第69条の５の規定による特定事業用資産についての相続税の課税価格の計算の特例の適用を受けるために税務署長の承認を受けようとするとき、次により使用してください。

なお、小規模宅地等についての相続税の課税価格の計算の特例、特定計画山林についての相続税の課税価格の計算の特例又は特定事業用資産についての相続税の課税価格の計算の特例の適用を受けるためにこの申請書を提出する場合において、その特例の適用を受ける相続人等が２人以上のときは各相続人等が「○相続人等申請者の住所・氏名等」欄に連署し申請してください。ただし、他の相続人等と共同して提出することができない場合は、各相続人等が別々に申請書を提出することもできます。

1　この承認申請書は、遺産分割後に配偶者に対する相続税額の軽減、小規模宅地等についての相続税の課税価格の計算の特例、特定計画山林についての相続税の課税価格の計算の特例又は特定事業用資産についての相続税の課税価格の計算の特例の適用を受けようとする人が納税地（被相続人の相続開始時の住所地）を所轄する税務署長に対して、申告期限後３年を経過する日の翌日から２か月を経過する日までに提出してください。

このため、提出先の「＿＿＿＿税務署長」の空欄には、申請者の住所地（居所）地を所轄する税務署名ではなく、被相続人の相続開始時の住所地を所轄する税務署名を記載してください。

なお、この承認申請書は、適用を受けようとする特例の種類（配偶者に対する相続税額の軽減・小規模宅地等についての相続税の課税価格の計算の特例・特定計画山林についての相続税の課税価格の計算の特例・特定事業用資産についての相続税の課税価格の計算の特例）ごとに提出してください。このとき｛　｝内の該当しない特例の文言及び条項を二重線で抹消してください。

2　「4　遺産が未分割であることについてのやむを得ない理由」欄には、遺産が分割できないやむを得ない理由を具体的に記載してください。

3　「（注）やむを得ない事由に応じてこの申請書に添付すべき書類」欄は、遺産が分割できないやむを得ない事由に応じて該当する番号を○で囲んで表示するとともに、その書類の写し等を添付してください。

なお、上記に掲げる『遺産が未分割であることについてやむを得ない事由がある旨の承認申請書』の提出があった場合において、当該申請書の提出があった日の翌日から２月を経過する日までにその申請につき承認又は却下の処分がなかったときは、その日においてその承認があったものとみなすもの（みなし承認制度）とされています。

なお、上記(イ)又は(ロ)に該当する場合であっても、当該相続又は遺贈により財産を取得した者が措置法第69条の５《特定計画山林についての相続税の課税価格の計算の特例》の規定の適用を受けている場合には、原則として、小規模宅地等の課税特例の適用を受けることが認められていません（原則として、いずれかの規定の選択適用（注））ので注意する必要があります。

（注）　措置法第69条の５《特定計画山林についての相続税の課税価格の計算の特例》との重複適用について前記①に掲げる（注）を参照

### ③　特例的な取扱い（その２：相続税の申告期限までに特例対象宅地等は分割、特例対象山林は未分割であった場合で、相続税の申告期限後一定期間内に特例対象山林について分割がなされた場合）

相続税の申告期限までに共同相続人又は包括受遺者によって分割された特例対象宅地等（以下③において、「既に分割された特例対象宅地等」といいます。）について、当該相続又は遺贈に係る相続税の申告期限までに特例対象山林（注１）の全部又は一部が分割されなかったことにより、既に分割された特例対象宅地等についてその選択がされないために選択特例対象宅地等が確定せず、小規模宅地等の課税特例の規定の適用を受けなかった場合において、次のいずれかに該当することとなったことにより当該選択がなされるときには、当該選択特例対象宅地等については、当該特例（小規模宅地等の課税特例）を適用することができるものとされています。（措法69の４⑤）（措令40の２㉔）

(イ)　相続税の申告期限から３年以内に当該特例対象山林の全部又は一部が分割された場合

(ロ)　相続税の申告期限から３年以内に分割されなかったことにつき、当該相続又は遺贈に関し訴えの提起がされたこと等のやむを得ない事情がある場合において、納税地の所轄税務署長の承認を受けたとき（注２）は、当該特例対象山林の分割ができることとなった日の翌日から４か月以内に当該特例対象山林の全部又は一部が分割された場合

（注１）　特例対象山林（特定計画山林）

被相続人が当該被相続人に係る相続開始の前に受けていた市町村長等の認定（特定森林経営計画対象山林㊟に係るもののうち申告期限を経過する時において森林法の規定により効力を有するものとされるものに限られます。）に係る森林経営計画等が定められている区域内に存する特定森林経営計画対象山林㊟（森林の保健機能の増進に関する特別措置法に規定する森林保健施設の整備に係る地区内に存するものを除き、一体として効率的に森林施業を行うこととされているものとして定めるものに限られます。）をいいます。

㊟　措置法第69条の５《特定計画山林についての相続税の課税価格の計算の特例》第２項第１号に規定する『特定森林経営計画対象山林』をいいます。

（注２）　納税地の所轄税務署長の承認手続きについては、前記②に掲げる 参考資料Ｂ を参照

なお、上記(イ)又は(ロ)に該当する場合であっても、当該相続又は遺贈により財産を取得した個人が措置法第69条の４《小規模宅地等についての相続税の課税価格の計算の特例》又は措置法第69条の５《特定計画山林についての相続税の課税価格の計算の特例》の規定の

適用を受けている場合には、原則として、小規模宅地等の課税特例の適用を受けることができませんので注意する必要があります。

### ⑵　課税特例の適用を受けるための手続き

#### ①　申告要件

小規模宅地等の課税特例の規定は、その特例の規定の適用を受けようとする者の相続税の期限内申告書（その申告書に係る期限後申告書及びこれらの申告書に係る修正申告書を含みます。以下②において「相続税の申告書」といいます。）にこの規定の適用を受けようとする旨を記載し、小規模宅地等の計算に関する明細書、その他財務省令で定める一定の書類（具体的には、戸籍謄本、遺言書の写し、遺産分割協議書等）の添付がある場合に限り、適用があるものとされています。（措法69の４⑦）

#### ②　ゆう恕規定

税務署長は、相続税の申告書の提出がなかった場合又は上記①の記載若しくは添付がない相続税の申告書の提出があった場合においても、その提出又は記載若しくは添付がなかったことについてやむを得ない事情があると認めるときは、当該記載をした書類並びに上記①に掲げる明細書及び財務省令で定める一定の書類の提出があった場合に限り、小規模宅地等の課税特例の規定を適用することができるものとされています。（措法69の４⑧）

## 〔７〕　特定計画山林についての相続税の課税価格の計算の特例との重複適用関係

### ⑴　原則的な取扱い（重複適用の原則的禁止）

小規模宅地等の課税特例の規定は、当該相続に係る被相続人から相続又は遺贈により財産を取得した者が措置法第69条の５《特定計画山林についての相続税の課税価格の計算の特例》（以下「特定計画山林の課税特例」と呼称する場合もあります。）の規定の適用を受けている場合には、原則として、その適用が受けられないものとされています。（措法69の５④）

すなわち、小規模宅地等の課税特例と特定計画山林の課税特例の両規定は、原則として、その併用適用が認められず、被相続人ベースでいずれか１つの規定を選択して適用することになります。

なお、上記に掲げる２つの課税特例はともに、当該特例の対象とする財産（特例対象宅地等又は特定計画山林）が分割されていることが要件とされていることから、被相続人の相続財産のうちに特例対象宅地等及び特定計画山林の双方が存する場合においては、次に掲げる実務上の対応パターンとその留意点について十分に留意する必要があります。

対応のパターン

⑴　相続税の申告期限までに、特例対象宅地等及び特定計画山林の双方ともに分割が確定している場合

⑵　相続税の申告期限までに、特例対象宅地等又は特定計画山林のいずれか一方について分割が確定し、もう一方は未分割である場合

⑶　相続税の申告期限までに、特例対象宅地等及び特定計画山林の双方ともに未分割である場合

留意点　(イ)　相続税の申告期限において未分割であった特例対象宅地等又は特定計画山林が、相続税の申告期限から３年以内（一定の場合には、分割ができることとなった日として定める日の翌日から４月以内）に分割された場合には、当該各課税特例の適用が受けられることとなり、当該分割があったことを知った日の翌日から４月以内に限り、納税地の所轄税務署長に対し、相続税の更正の請求ができること（措法69の４④、措法69の５③、相法32①）

(ロ)　上記に掲げる 対応のパターン ⑵に該当する場合で、特例対象宅地等又は特定計画山林のいずれか一方のみについて分割が確定し、もう一方である特定計画山林又は特例対象宅地等については未分割であるため、既に分割された特例対象宅地等又は特定計画山林について、当該課税の特例の適用を受けなかった場合（注：最終的にどちらの課税特例を適用するのか未定の場合には、片方のみの分割確定では課税特例の選択適用判断ができないことになります。）において、当該未分割であった特定計画山林又は特例対象宅地等が相続税の申告期限から３年以内（一定の場合には、分割できることとなった日として定める日の翌日から４月以内）に分割された場合には、相続税の申告期限において分割が確定していたものの当該各課税特例の適用を留保していた特例対象宅地等又は特定計画山林について当該各課税特例の適用が受けられることとなり、当該分割があったことを知った日の翌日から４月以内に限り、納税地の所轄税務署長に対し、相続税の更正の請求ができること（措法69の４⑤、措令40の２㉔、措法69の５⑥、措令40の２の２⑩、相法32①）

上記に掲げる実務上の 対応のパターン とその 留意点 について、例示しますと下記 参考資料 の表のとおりになります。

前提
- 小規模宅地等の課税特例の対象となる特例対象宅地等を 宅地Ｘ とします。
- 特定計画山林の課税特例の対象となる特例対象山林を 山林Ｙ とします。
- 相続税の申告期限までに、いずれかの課税特例の適用を受けられない（又は受けない）場合には、相続税の申告書の提出時に『申告期限後３年以内の分割見込書』を添付するものとします。
- 特例対象宅地等である 宅地Ｘ（特定事業用宅地等、地積400㎡）の相続税評価額を125,000千円とし、特例対象山林である 山林Ｙ（特定計画山林）の相続税評価額を2,000,000千円とします。

| 小規模宅地等の減額金額 | $125{,}000\text{千円}\times\dfrac{400\text{㎡}}{400\text{㎡}}\times(1-20\%)=100{,}000\text{千円}$ |
|---|---|
| 特定計画山林の減額金額 | $2{,}000{,}000\text{千円}\times(1-95\%)=100{,}000\text{千円}$ |

●次の(2)に掲げる特例的な取扱いの適用は受けず、原則的な取扱い（重複適用をしない）によって処理するものとします。

●次表において、○は課税特例の適用があることを示し、×は課税特例の適用がないことを示しています。

**参考資料**　**小規模宅地等の課税特例と特定計画山林の課税特例との重複適用関係**

<table>
<tr><td colspan="3" rowspan="2">課税特例の適用状況<br>相続税の申告期限における遺産の分割状況</td><td colspan="2">相続税の期限内申告時</td><td colspan="2" rowspan="2">課税特例の適用状況<br>申告期限後における遺産の分割状況</td><td colspan="2">申告期限後３年以内の状況</td></tr>
<tr><td>宅地Xに対する小規模宅地等の課税特例</td><td>山林Yに対する特定計画山林の課税特例</td><td>宅地Xに対する小規模宅地等の課税特例</td><td>山林Yに対する特定計画山林の課税特例</td></tr>
<tr><td colspan="2" rowspan="2">(1) 宅地X及び山林Y共に分割済</td><td>(イ)宅地Xに特例適用</td><td>○</td><td>×</td><td colspan="2"></td><td></td><td></td></tr>
<tr><td>(ロ)山林Yに特例適用</td><td>×</td><td>○</td><td colspan="2"></td><td></td><td></td></tr>
<tr><td rowspan="8">(2) 宅地X又は山林Yの一方が分割済</td><td rowspan="4">① 宅地Xのみが分割済</td><td>(イ)宅地Xに特例適用</td><td>○</td><td>×</td><td colspan="2"></td><td></td><td></td></tr>
<tr><td rowspan="3">(ロ)宅地Xに対する特例の適用を留保</td><td rowspan="3">×</td><td rowspan="3">×</td><td rowspan="2">(イ)山林Yについて分割が確定</td><td>(A)宅地Xに特例適用</td><td>○(注1)</td><td>×</td></tr>
<tr><td>(B)山林Yに特例適用</td><td>×</td><td>○(注1)</td></tr>
<tr><td colspan="2">(ロ)山林Yについて分割が未確定のまま</td><td>×(注2)</td><td>×(注2)</td></tr>
<tr><td rowspan="4">② 山林Yのみが分割済</td><td>(イ)山林Yに特例適用</td><td>×</td><td>○</td><td colspan="2"></td><td></td><td></td></tr>
<tr><td rowspan="3">(ロ)山林Yに対する特例の適用を留保</td><td rowspan="3">×</td><td rowspan="3">×</td><td rowspan="2">(イ)宅地Xについて分割が確定</td><td>(A)宅地Xに特例適用</td><td>○(注3)</td><td>×</td></tr>
<tr><td>(B)山林Yに特例適用</td><td>×</td><td>○(注3)</td></tr>
<tr><td colspan="2">(ロ)宅地Xについて分割が未確定のまま</td><td>×(注4)</td><td>×(注4)</td></tr>
</table>

<table>
<tr><td rowspan="6">(3)　宅地X及び山林Y共に未分割</td><td rowspan="6">×</td><td rowspan="6">×</td><td rowspan="2">㋑宅地X及び山林Y分割が同時に確定</td><td>Ⓐ宅地Xに特例適用</td><td>○(注5)</td><td>×</td></tr>
<tr><td>Ⓑ山林Yに特例適用</td><td>×</td><td>○(注5)</td></tr>
<tr><td rowspan="2">㋺宅地X又は山林Y一方の分割が確定</td><td>Ⓐ宅地Xの分割が確定</td><td>○(注6)</td><td>×</td></tr>
<tr><td>Ⓑ山林Yの分割が確定</td><td>×</td><td>○(注7)</td></tr>
<tr><td colspan="2">㋩宅地X及び山林Yともに分割が未確定のまま</td><td>×(注8)</td><td>×(注8)</td></tr>
</table>

（注１）　この場合には、山林Yの分割があったことを知った日の翌日から４月以内に納税地の所轄税務署長に対して相続税の更正の請求の手続が必要となります。

（注２）　この場合には、山林Yについて、『遺産（山林Y）が未分割であることについてやむを得ない事由がある旨の承認申請書』（一定の書類を添付）を提出する方法を検討することが考えられます。

（注３）　この場合には、宅地Xの分割があったことを知った日の翌日から４月以内に納税地の所轄税務署長に対して相続税の更正の請求の手続が必要となります。

（注４）　この場合には、宅地Xについて、『遺産（宅地X）が未分割であることについてやむを得ない事由がある旨の承認申請書』（一定の書類を添付）を提出する方法を検討することが考えられます。

（注５）　この場合には、宅地X及び山林Yの分割（同時分割）があったことを知った日の翌日から４月以内に納税地の所轄税務署長に対して相続税の更正の請求の手続が必要となります。

（注６）　この場合には、宅地Xの分割があったことを知った日の翌日から４月以内に納税地の所轄税務署長に対して相続税の更正の請求の手続が必要となります。

（注７）　この場合には、山林Yの分割があったことを知った日の翌日から４月以内に納税地の所轄税務署長に対して相続税の更正の請求の手続が必要となります。

（注８）　この場合には、宅地X及び山林Yについて、『遺産（宅地X及び山林Y）が未分割であることについてやむを得ない事由がある旨の承認申請書』（一定の書類を添付）を提出する方法を検討することが考えられます。

### (2)　特例的な取扱い（一定要件下における重複適用の容認）

#### ①　重複適用が認められる場合

措置法第69条の５《特定計画山林についての相続税の課税価格の計算の特例》第５項の規定では、措置法第69条の４《小規模宅地等についての相続税の課税価格の計算の特例》に規定する小規模宅地等として選択された宅地等の面積で『特定事業用等宅地等』、『特定居住用宅地等』、『貸付事業用宅地等』に掲げるものの合計（(算式１）を参照）が200㎡未満である場合には、選択特定計画山林として選択された特定森林経営計画対象山林の価額に200㎡から当該面積の合計を控除したものの200㎡に占める割合を乗じて得た価額（(算式２）を参照）に達するまでの部分について、特定計画山林についての相続税の課税価格の計算の特例の規定の適用を受けることができるものとされています。（措法69の５⑤）

（算式１）

$$\text{特定事業用等宅地等の地積}^{(注1)(注2)}\times\frac{200㎡}{400㎡}+\text{特定居住用宅地等の地積}\times\frac{200㎡}{330㎡}+\text{貸付事業用宅地等の地積}=x㎡$$

（注１）　特定事業用等宅地等とは、特定事業用宅地等又は特定同族会社事業用宅地等をいいます。

（注２）『個人の事業用資産の納税猶予』の適用を受ける者が存する場合には、特定事業用宅地等（上記（注１）を参照）である小規模宅地等として選択したものとみなされる猶予対象宅地等の面積を含みます。

（算式２）　併用適用が認められる特定計画山林についての相続税の課税価格の計算の特例の適用対象となる選択特定計画山林の価額

$$\text{特定計画山林でこの課税特例の適用を受けるものとして選択（選択特定計画山林）をした特定森林経営計画対象山林の価額} \times \frac{200\text{㎡} - \text{（上記（算式１）により計算した面積（}x\text{㎡））}}{200\text{㎡}}$$

なお、上記に掲げる措置法第69条の５第５項の規定では、小規模宅地等の課税特例に係る選択特例対象宅地等につき一定の方法により計算した面積が200㎡未満であることを要件として、特定計画山林の課税特例の規定の適用を認める形式での条文構成となっています。（参考資料１を参照）

しかしながら、実質的には、小規模宅地等に係る選択特例対象宅地等の選択方法を調整することによって、希望する選択方法を実現させることが可能（参考資料２を参照）となりますので、実務上の重要事項として確認しておく必要があるものと考えられます。

参考資料１

**措置法第69条の５《特定計画山林についての相続税の課税価格の計算の特例》第５項**

選択宅地等面積（前条（筆者注 措置法第69条の４《小規模宅地等についての相続税の課税価格の計算の特例》）の規定により同条第１項に規定する小規模宅地等として選択がされた宅地等の面積につき同条第２項第３号イからハまでの規定により計算した面積の合計をいう。第２号において同じ。）が200㎡未満である場合において、第１項の相続又は遺贈により財産を取得した者が特定森林経営計画対象山林（特定受贈森林経営計画対象山林を含む。第１号において同じ。）を同項に規定する選択特定計画山林として選択をするときは、前項（筆者注（注））の規定にかかわらず、同号に掲げる金額に第２号に掲げる割合を乗じて得た価額に達するまでの部分について、第１項（筆者注：特定計画山林についての相続税の課税価格の計算の特例）の規定の適用を受けることができる。

一　当該特定森林経営計画対象山林の価額

二　200㎡から選択宅地等面積を控除したものの200㎡に占める割合

(注)　前項（措置法第69条の５第４項）の規定

第１項（筆者注 特定計画山林についての相続税の課税価格の計算の特例）の規定は、同項の相続に係る被相続人から同項の相続又は遺贈により財産を取得した者が前条第１項（筆者注 小規模宅地等の課税特例）の規定の適用を受け、又は受けている場合には、適用しない。

参考資料２

**課税の特例規定に係る重複適用の具体的な計算の組合せ**

| 小規模宅地等についての相続税の課税価格の計算の特例 | ➡ | （対象資産）特例対象宅地等------------------▶(A) |
|---|---|---|
| 併用適用の可否 | （原則）不可 | |
| | （特則）一定要件下で一定範囲内で容認 | |
| 特定計画山林についての相続税の課税価格の計算の特例 | ➡ | （対象資産）特定（受贈）森林経営計画対象山林--------▶(B) |

具体的な計算の組合せ

●(A)（限度面積未満で選択した場合）⇒(B)……次の②(イ)の**解　答**(A)を参照

●(B)　……次の②(イ)の**解　答**(B)を参照

## ②　具体的な計算設例と相続税の申告書への記載

### (イ)　計算設例

**設　例**

・課税時期……令和３年５月３日

| 財産の区分 | 相続税評価額 |
|---|---|
| (1)　貸付事業用宅地等 | 30,000千円（200千円／㎡×150㎡） |
| (2)　特定森林経営計画山林 | 200,000千円 |

**解　答**　課税特例の重複適用（組合せ）についての有利判定（減額総額の計算）

(A)　『小規模宅地等（(1)貸付事業用宅地等）→特定計画山林（(2)特定森林経営計画対象山林）』の順番に課税特例を適用した場合

(1)　『小規模宅地等（貸付事業用宅地等）』の減額金額

$$30{,}000\text{千円}\times\frac{150\text{㎡}}{150\text{㎡}}\times\underset{\text{（減額割合）}}{50\%}=\underset{\text{（減額金額）}}{15{,}000\text{千円}}$$

(2)　『特定計画山林（特定森林経営計画対象山林）』の減額金額

①　$$0\text{㎡}\times\frac{200\text{㎡}}{400\text{㎡}}+0\text{㎡}\times\frac{200\text{㎡}}{330\text{㎡}}+150\text{㎡}=150\text{㎡}$$

②　$$200{,}000\text{千円}\times\frac{200\text{㎡}-150\text{㎡}\ \text{（上記①）}}{200\text{㎡}}\times\underset{\text{（減額割合）}}{5\%}=2{,}500\text{千円}$$

(3)　減額合計額

(1)＋(2)＝ 17,500千円

(B)　『特定計画山林（(2)特定森林経営計画対象山林）→小規模宅地等（(1)貸付事業用宅地等）』の順番に課税特例を適用した場合

(1)　『特定計画山林（特定森林経営計画対象山林）』の減額金額

200,000千円×　５％（減額割合）＝10,000千円

(2)　『小規模宅地等（貸付事業用宅地等）』の減額金額

０円（注）

（注）　上記(1)において、特定計画山林（特定森林経営計画対象山林）に係る課税特例の規定が適用されています。この特定計画山林には、適用上限の概念がないことから、上記(1)の計算段階において適用限度一杯となり、特例適用残面積は生じないことになります。（換言すれば、『小規模宅地等（貸付事業用宅地等）』の減額金額を適用する余地はないことになります。）

(3)　減額合計額

(1)＋(2)＝ 10,000千円

(C)　結果の確認

(A)　『小規模宅地等→特定計画山林』の場合　▲17,500千円

(B)　『特定計画山林→小規模宅地等』の場合　▲10,000千円

∴　(A)の組合せが減額総額が最大になります。

(ロ)　『相続税申告書　第11・11の２表の付表２（令和２年４月分以降用）』への記載

上記(イ)に掲げる課税特例の重複適用関係（**解　答**の(A)及び(B)）について、これを『相続税申告書　第11・11の２表の付表２（令和２年４月分以降用）（小規模宅地等の特例、特定計画山林の特例又は個人の事業用資産の納税猶予の適用にあたっての同意及び特定計画山林についての課税価格の計算明細書）』に記載すると、次ページ以下のとおりになります。

**解　答**(A)を選択する場合⇒ 参考資料１ （101ページ）を参照

**解　答**(B)を選択する場合⇒ 参考資料２ （102ページ）を参照

## 参考資料１　解答(A)の場合の記載例

**小規模宅地等の特例、特定計画山林の特例又は個人の事業用資産の納税猶予の適用にあたっての同意及び特定計画山林についての課税価格の計算明細書**

| 被相続人 | |
|---|---|

第11・11の２表の付表２（令和２年４月分以降用）

### 1　特例の適用にあたっての同意

この表は、被相続人から相続、遺贈又は相続時精算課税に係る贈与により取得した財産のうちに、①「小規模宅地等の特例」の対象となり得る宅地等及び「個人の事業用資産の納税猶予」の対象となり得る宅地等その他一定の財産がある場合、又は②「特定計画山林の特例」の対象となり得る山林がある場合に記入します。

なお、「特定事業用資産の特例」の対象となり得る財産がある場合（「個人の事業用資産の納税猶予」の対象となり得る宅地等その他一定の財産がある場合を除きます。）には、第11・11の２表の付表２の２を作成します（この場合には、この表の記入を要しません。）。

#### (1)　特例の適用にあたっての同意

（注）「小規模宅地等の特例」若しくは「特定計画山林の特例」の対象となり得る財産又は「個人の事業用資産の納税猶予」の対象となり得る宅地等その他一定の財産を取得した全ての人の同意が必要です。

| 私（私たち）は下記の「(2) 特例の適用を受ける財産の明細」の①から③までの明細において選択した財産の全てが、租税特別措置法第69条の４第１項に規定する小規模宅地等、同法第69条の５第１項に規定する選択特定計画山林又は同法第70条の６の10第１項に規定する特例事業用資産のうち同条第２項第１号イに掲げるものに該当することを確認の上、その財産の取得者が租税特別措置法第69条の４第１項、第69条の５第１項又は第70条の６の10第１項に規定する特例の適用を受けることに同意します。 | 特例の対象となり得る財産を取得した全ての人の氏名 | |
|---|---|---|
| | | |
| | | |
| | | |

#### (2)　特例の適用を受ける財産の明細

（注）特例の適用を受ける財産の明細の番号を○で囲んでください。

①　小規模宅地等の明細
　第11・11の２表の付表１の「２　小規模宅地等の明細」のとおり。
②　特定（受贈）森林経営計画対象山林である選択特定計画山林の明細
　第11・11の２表の付表４の「１　特定森林経営計画対象山林である選択特定計画山林の明細」又は「２　特定受贈森林経営計画対象山林である選択特定計画山林の明細」のとおり。
③　特例事業用資産のうち租税特別措置法第70条の６の10第２項第１号イに掲げるものの明細
　第８の６表の付表３の「２　この特例の適用を受ける宅地等に係る限度面積の判定」の(2)及び(3)のとおり。

### 2　特定計画山林の特例の対象となる特定計画山林等の調整限度額の計算

この表は、「特定計画山林の特例」を適用し、かつ、「小規模宅地等の特例」又は「個人の事業用資産の納税猶予」を適用する場合に記入します。

なお、「特定事業用資産の特例」の適用を受ける場合の「特定計画山林の対象となる特定（受贈）森林経営計画対象山林の調整限度額等の計算」については、第11・11の２表の付表２の２で計算します。

#### (1) 小規模宅地等の特例及び個人の事業用資産の納税猶予の適用を受ける面積

| ① 限度面積 | ② 小規模宅地等の特例等の適用を受ける面積（裏面２参照） | ③ 特例適用残面積（①－②） |
|---|---|---|
| 200㎡ | 150 ㎡ | 50 ㎡ |

#### (2) 特定計画山林の特例の対象となる特定（受贈）森林経営計画対象山林の調整限度額等の計算

| ④ 特定計画山林の特例の対象として選択することのできる特定（受贈）森林経営計画対象山林である立木又は土地等の価額の合計額 | ⑤ 特例の対象となる特定（受贈）森林経営計画対象山林の調整限度額（④×$\frac{③}{①}$） | ⑥ ⑤のうち特例の適用を受ける価額（第11・11の２表の付表４の「３　特定（受贈）森林経営計画対象山林である選択特定計画山林の価額の合計額」の「Ａ＋Ｂ」欄の金額） | |
|---|---|---|---|
| 200,000,000 円 | 50,000,000 円 | 50,000,000 円 | |

（注）③欄が0となる場合には、特定（受贈）森林経営計画対象山林について特定計画山林の特例の適用を受けることはできません。

第11・11の２表の付表２（令2.7）　　（資４－20－12－３－６－Ａ４統一）

（注）この表における「小規模宅地等の特例」とは、租税特別措置法第69条の４第１項に規定する小規模宅地等の特例を、「特定計画山林の特例」とは、同法第69条の５第１項に規定する特定計画山林の特例をいいます。

## 参考資料２　解答(B)の場合の記載例

### 小規模宅地等の特例、特定計画山林の特例又は個人の事業用資産の納税猶予の適用にあたっての同意及び特定計画山林についての課税価格の計算明細書

| 被相続人 | |
|---|---|

第11・11の２表の付表２（令和２年４月分以降用）

**1　特例の適用にあたっての同意**

この表は、被相続人から相続、遺贈又は相続時精算課税に係る贈与により取得した財産のうちに、①「小規模宅地等の特例」の対象となり得る宅地等及び「個人の事業用資産の納税猶予」の対象となり得る宅地等その他一定の財産がある場合、又は②「特定計画山林の特例」の対象となり得る山林がある場合に記入します。

なお、「特定事業用資産の特例」の対象となり得る財産がある場合（「個人の事業用資産の納税猶予」の対象となり得る宅地等その他一定の財産がある場合を除きます。）には、第11・11の２表の付表２の２を作成します（この場合には、この表の記入を要しません。）。

**(1)　特例の適用にあたっての同意**

（注）「小規模宅地等の特例」若しくは「特定計画山林の特例」の対象となり得る財産又は「個人の事業用資産の納税猶予」の対象となり得る宅地等その他一定の財産を取得した全ての人の同意が必要です。

| 私（私たち）は下記の「(2) 特例の適用を受ける財産の明細」の①から③までの明細において選択した財産の全てが、租税特別措置法第69条の４第１項に規定する小規模宅地等、同法第69条の５第１項に規定する選択特定計画山林又は同法第70条の６の10第１項に規定する特例事業用資産のうち同条第２項第１号イに掲げるものに該当することを確認の上、その財産の取得者が租税特別措置法第69条の４第１項、第69条の５第１項又は第70条の６の10第１項に規定する特例の適用を受けることに同意します。 | 特例の対象となり得る財産を取得した全ての人の氏名 | |
|---|---|---|
| | | |
| | | |
| | | |

**(2)　特例の適用を受ける財産の明細**

（注）特例の適用を受ける財産の明細の番号を○で囲んでください。

①　小規模宅地等の明細
　第11・11の２表の付表１の「２ 小規模宅地等の明細」のとおり。
②　特定（受贈）森林経営計画対象山林である選択特定計画山林の明細
　第11・11の２表の付表４の「１ 特定森林経営計画対象山林である選択特定計画山林の明細」又は「２ 特定受贈森林経営計画対象山林である選択特定計画山林の明細」のとおり。
③　特例事業用資産のうち租税特別措置法第70条の６の10第２項第１号イに掲げるものの明細
　第８の６表の付表３の「２　この特例の適用を受ける宅地等に係る限度面積の判定」の(2)及び(3)のとおり。

**2　特定計画山林の特例の対象となる特定計画山林等の調整限度額の計算**

この表は、「特定計画山林の特例」を適用し、かつ、「小規模宅地等の特例」又は「個人の事業用資産の納税猶予」を適用する場合に記入します。

なお、「特定事業用資産の特例」の適用を受ける場合の「特定計画山林の対象となる特定（受贈）森林経営計画対象山林の調整限度額等の計算」については、第11・11の２表の付表２の２で計算します。

**(1)　小規模宅地等の特例及び個人の事業用資産の納税猶予の適用を受ける面積**

| ① 限度面積 | ② 小規模宅地等の特例等の適用を受ける面積（裏面２参照） | ③ 特例適用残面積（①－②） |
|---|---|---|
| 200㎡ | 0 ㎡ | 200 ㎡ |

**(2)　特定計画山林の特例の対象となる特定（受贈）森林経営計画対象山林の調整限度額等の計算**

| ④ 特定計画山林の特例の対象として選択することのできる特定（受贈）森林経営計画対象山林である立木又は土地等の価額の合計額 | ⑤ 特例の対象となる特定（受贈）森林経営計画対象山林の調整限度額（④×③/①） | ⑥ ⑤のうち特例の適用を受ける価額（第11・11の２表の付表４の「３　特定（受贈）森林経営計画対象山林である選択特定計画山林の価額の合計額」の「Ａ＋Ｂ」欄の金額） | |
|---|---|---|---|
| 200,000,000 円 | 200,000,000 円 | 200,000,000 円 | |

（注）③欄が0となる場合には、特定（受贈）森林経営計画対象山林について特定計画山林の特例の適用を受けることはできません。

第11･11の２表の付表２（令2.7）　　（資4－20－12－3－6－Ａ4統一）

（注）この表における「小規模宅地等の特例」とは、租税特別措置法第69条の４第１項に規定する小規模宅地等の特例を、「特定計画山林の特例」とは、同法第69条の５第１項に規定する特定計画山林の特例をいいます。

## 〔8〕 個人の事業用資産について相続税の納税猶予及び免除等との重複適用関係

### ⑴ 原則的な取扱い（特定事業用宅地等に対する重複適用の禁止）

小規模宅地等の課税特例の規定は、次に掲げる特定事業用宅地等については適用しないものとされています。

① **措置法第70条の６の８《個人の事業用資産についての贈与税の納税猶予及び免除》の規定の適用を受けた特例事業受贈者に係る贈与者から相続又は遺贈により取得（注）をした特定事業用宅地等**

（注）『取得』には、措置法第70条の６の９《個人の事業用資産の贈与者が死亡した場合の相続税の課税の特例》第１項（同条第２項の規定により読み替えて適用する場合を含みます。）の規定により、相続又は遺贈により取得したものとみなされる場合における当該取得を含むものとされています。

② **措置法第70条の６の10《個人の事業用資産についての相続税の納税猶予及び免除》の規定の適用を受ける特例事業相続人等に係る被相続人から相続又は遺贈により取得した特定事業用宅地等**

すなわち、上記①又は②に掲げる個人の事業用資産について相続税の納税猶予及び免除等の規定の適用を受ける場合には、特例対象宅地等の区分を特定事業用宅地等とする小規模宅地等の課税特例の規定は、その適用がないものとされています。

### ⑵ 特例的な取扱い（特定事業用宅地等以外の特例対象宅地等に対する重複適用）

個人の事業用資産について相続税の納税猶予及び免除の適用対象とされる特定事業用資産のうち相続税の申告書にその適用を受ける旨の記載があるもの（特例事業用資産）が宅地等である場合においては、小規模宅地等の課税特例の対象となる宅地等（特例対象宅地等）で特定事業用宅地等に該当しないものを選択特例対象宅地等とすることは可能とされています。

ただし、この場合には、次に掲げる選択特例対象宅地等の区分に応じて、小規模宅地等の課税特例の係る限度面積についての取扱いが異なるものとされています。

① **選択特例対象宅地等を『特定居住用宅地等』のみとした場合**

当該『特定居住用宅地等』の面積（最大330㎡）まで、小規模宅地等の課税特例の適用が可能

② **選択特例対象宅地等が上記①以外である場合**（注）

（注）具体的には、次に掲げる選択特例対象宅地等の組み合わせが考えられます。
- ㈠ 特定同族会社事業用宅地等のみである場合
- ㈡ 貸付事業用宅地等のみである場合
- ㈢ 特定同族会社事業用宅地等と貸付事業用宅地等である場合
- ㈣ 特定居住用宅地等と特定同族会社事業用宅地等である場合
- ㈤ 特定居住用宅地等と貸付事業用宅地等である場合
- ㈥ 特定居住用宅地等、特定同族会社事業用宅地等と貸付事業用宅地等である場合

選択特例対象宅地等及び特例事業用資産について、下記の算式を充足する必要があります。

（算式）　$A\times\frac{400m^2}{330m^2}+B+C\times\frac{400m^2}{200m^2}+D\leqq 400m^2$

Ａ：特定居住用宅地等である選択特例対象宅地等の面積
Ｂ：特定同族会社事業用宅地等である選択特例対象宅地等の面積
Ｃ：貸付事業用宅地等である選択特例対象宅地等の面積
Ｄ：特例事業用資産である宅地等の面積

## 〔９〕 小規模宅地等の課税特例、特定計画山林の課税特例又は個人の事業用資産についての納税猶予及び免除の各規定の重複適用関係

小規模宅地等の課税特例と特定計画山林の課税特例との重複適用関係については、上記〔７〕に掲げるとおりとなっています。また、小規模宅地等の課税特例と個人の事業用資産についての相続税の納税猶予及び免除等との重複適用関係については、上記〔８〕に掲げるとおりとなっています。

そして、これらの小規模宅地等、特定計画山林又は猶予対象宅地等（猶予対象受贈宅地等を含みます。以下〔９〕において同じです。）について、小規模宅地等の課税特例、特定計画山林の課税特例又は個人の事業用資産について相続税の納税猶予及び免除の規定の適用を重複して受ける場合において、措置法第69条の４《小規模宅地等についての相続税の課税価格の計算の特例》第１項の規定の適用を受けようとする措置法第69条の５《特定計画山林についての相続税の課税価格の計算の特例》第５項に規定する選択宅地等面積（以下〔９〕において「選択等宅地面積」といいます。）が200㎡に満たないときにおける適用関係を算式で示すと、次のとおりとなります。

（算式）　$B+(200m^2\times\frac{C}{A})\leqq 200m^2$

Ａ：特定計画山林相続人等に係る全ての特定（受贈）森林経営計画対象山林である特定計画山林の価額の合計額
Ｂ：選択宅地等面積（注）
Ｃ：選択山林の価額の合計額

**（注）** 選択宅地等面積（Ｂ）の計算に当たって、猶予対象宅地等について措置法第70条の６の10《個人の事業用資産についての相続人の納税猶予及び免除》第１項の適用を受ける者がいる場合には、次に掲げる資産の区分に応じて、それぞれに定める面積に相当する面積の土地を特定事業用宅地等である小規模宅地等として選択したものとみなして計算するものとされています。

㈠　猶予対象宅地等
当該猶予対象宅地等のうち措置法第70条の６の10《個人の事業用資産についての相続税の納税猶予及び免除》第１項の規定の適用を受ける部分の面積

㈡　猶予対象受贈宅地等のうち措置法令第40条の２《小規模宅地等についての相続税の課税価格の計算の特例》第５項に規定する受贈宅地等
当該猶予対象受贈宅地等のうち措置法第70条の６の10《個人の事業用資産についての相続税の納税猶予及び免除》の規定の適用を受ける部分の面積

## 〔10〕小規模宅地等の課税特例と特定物納制度との関係

### (1) 特定物納制度の概要（相法48の２）

① 税務署長は、延納の許可を受けた者について、当該延納税額からその納期限が到来している分納税額を控除した残額（以下「特定物納対象税額」といいます。）を相続税法第39条《延納手続》第30項の規定に基づく延納手続きの規定により変更された条件による延納(注)によっても金銭で納付することを困難とする事由が生じた場合においては、その者の申請により、特定物納対象税額のうちその納付を困難とする金額として一定の方法で算定した金額を限度として、物納を許可することができるものとされています。

(注) 延納の許可を受けた者が、その後の資力の状況の変化等により延納の条件について変更を求めようとする場合においては、その変更を求めようとする条件その他一定の事項を記載した申請書を当該延納の許可をした税務署長に提出することができるものとされています。

② 上記①の規定による物納（以下〔10〕において「特定物納」といいます。）の許可を受けようとする者は、当該特定物納に係る相続税の申告期限の翌日から起算して10年を経過する日までに、特定物納対象税額、金銭で納付することを困難とする金額及びその困難とする事由、特定物納の許可を求めようとする税額その他の一定の事項を記載した申請書に物納手続関係書類を添付し、これを納税地の所轄税務署長に提出しなければならないものとされています。

③ 特定物納に係る財産の収納価額は、当該特定物納に係る申請の時(注１)の価額(注２)によります。ただし、税務署長は、収納の時までに当該財産の状況に著しい変化が生じたときは、収納の時の現況により当該財産の収納価額を定めることができるものとされています。

(注１) 特定物納財産の収納価額の評価時点は、当該特定物納の申請時であり、当該相続に係る相続開始時とはならないことに留意する必要があります。

(注２) 財産評価基本通達の定めを適用して評価した金額をいいます。（これに関連して、下記(2)を参照）

### (2) 特定物納財産に該当しない財産

措置法第69条の４《小規模宅地等についての相続税の課税価格の計算の特例》第９項の規定では、上記(1)に掲げる特定物納制度を適用しようとする場合においても、当該特定物納の対象とする財産が同条の規定の適用を受けた小規模宅地等であるときには、当該財産（小規模宅地等である宅地等）は特定物納の対象とされる財産には該当しないものとされています。

この取扱いは、上記(1)③に掲げるとおり、一般的な物納物産の収納価額が相続税の課税価格計算の基礎に算入された財産の価額（相続税の課税価格）とされているのに対し、特定物納の場合には、当該特定物納に係る申請時の当該財産そのものの価額となっていることに対する均衡を図る趣旨(注)であると考えられます。

(注) 通常は、物納対象財産には小規模宅地等の課税特例を適用することは想定されておらず、当該状況に基づいて当初申告を行った事案に対して、その後の状況変化により特定物納をするとしても、当該

財産（宅地）について当初適用した小規模宅地等の課税特例の適用関係に異動を求めることは相当ではないと考えられるため、このような取扱いになっているものと考えられます。

# 第３節　小規模宅地等が『(旧) 国営事業用宅地等』である場合（平成19年10月改正による経過措置）の取扱い

## 〔１〕はじめに

『郵政民営化法』（平成17年法律第97号）が平成19年10月１日より施行されることとなり、従来においては法形式上、公社形態を採用していた郵便業務は、株式会社組織の民間法人に承継されることになりました。

同法の施行に伴って、措置法第69条の４《小規模宅地等についての相続税の課税価格の計算の特例》に規定する『国営事業用宅地等』である小規模宅地等の取扱いについても、大幅な見直しが加えられています。

本節では、措置法改正前（課税時期が平成19年９月30日以前である場合）と措置法改正後（課税時期が平成19年10月１日以後である場合）とに区別して、この課税特例の取扱いについて確認をすることにします。

## 〔２〕　措置法改正前（課税時期が平成19年９月30日以前である場合）における『国営事業用宅地等』に対する課税特例の取扱い

### ⑴　『国営事業用宅地等』の意義

『国営事業用宅地等』とは、国の事業（いわゆる『特定郵便局』の事業に限ります。）の用に供されている宅地等㊟で、当該相続又は遺贈により当該宅地等を取得した個人のうちに当該被相続人の親族がおり、当該親族から相続開始後５年以上当該宅地等を国の事業の用に供するために借り受ける見込みであることにつき日本郵政公社の証明がなされているものをいいます。（旧措法69の４③三）

㊟　国の事業の用に供されている宅地等の要件（一定の建物の敷地の用）

国の事業の用に供されていた宅地等が、特例対象宅地等に該当するためには、一定の建物の敷地の用に供されていたものであることが要件とされています。

この『一定の建物の敷地』とは、日本郵政公社法第20条第１項に規定する郵便局（日本郵政公社が設置する郵便局以外の郵便局に限ります。）の用に供されている建物の敷地をいいます。

参考　郵便局の呼称に関する件（昭和25年２月１日付公通11号）

| 呼　称 | 郵便局の区分 |
|---|---|
| 特定郵便局 | 特定郵便局長を長とする郵便局 |
| 普通郵便局 | 特定郵便局長を長とする郵便局以外の郵便局 |
| 統括郵便局 | 都道府県内郵便局の連絡統括事務を取り扱う郵便局 |
| 指定郵便局 | 郵便局組織規定別表第２の２に掲げる郵便局 |

### ⑵　国営事業用宅地等に対する課税特例の取扱い

上記⑴に掲げる国営事業用宅地等である小規模宅地等について、相続税の課税価格に算入すべき金額は、当該小規模宅地等の価額の20％の割合（課税価格算入割合）を乗じて計算した金額とされています。（国営事業用宅地等を選択特例対象宅地等とした場合の限度面積は、400㎡とされています。）

なお、この取扱いは、平成19年９月30日以前に相続又は遺贈により取得した財産について適用するものとされていました。

## 〔３〕　措置法改正後（課税時期が平成19年10月１日以後である場合）における『（旧）国営事業用宅地等』に対する課税特例の取扱い

### ⑴　原則的な取扱い（規定の廃止）

#### ①　措置法改正の趣旨

平成19年10月１日に郵政民営化法（平成17年法律第97号）が施行され、従来、日本郵政公社が実施していた郵便業務が『郵便局株式会社』（法形態は、株式会社組織の民間法人）に承継されることになりました。

この郵政民営化法では、郵政民営化の基本理念の一つとして、民営化後の郵便局株式会社の業務（郵便業務）と同種の業務を営む事業者（㊀メール便配達業者）との対等な競争条件の確保が挙げられています。この観点から検討すると、上記①に掲げる改正前の国営事業用宅地等に対する課税特例の取扱いを郵政民営化後において郵便局株式会社に貸し付けている宅地にそのまま適用することは、下記 参考資料 のとおり不合理（単なる賃貸不動産（貸付先が宅地所有者と特殊関係を有しない第三者である法人）の貸付けにかかわらず、課税特例として最大限のしんしゃく配慮（課税価格算入割合20％、限度面積400㎡）の適用がなされること）であり、この点に対する是正が求められたものと考えられます。

参考資料　郵便局株式会社に貸し付けた場合と同種業務の事業者に貸し付けた場合

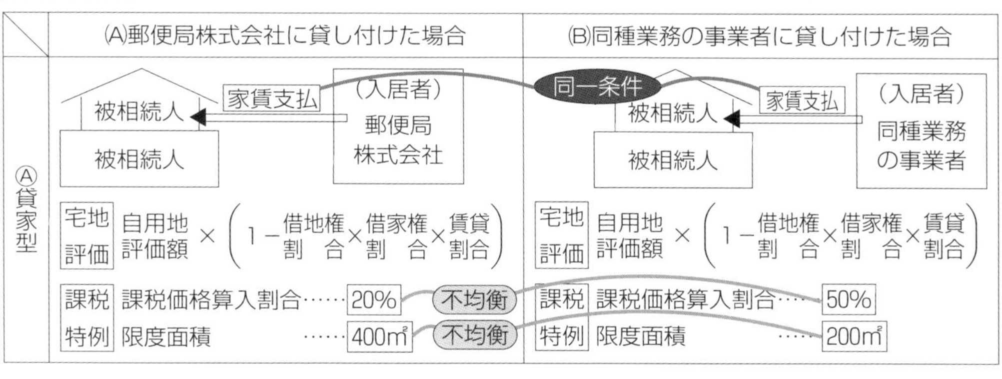

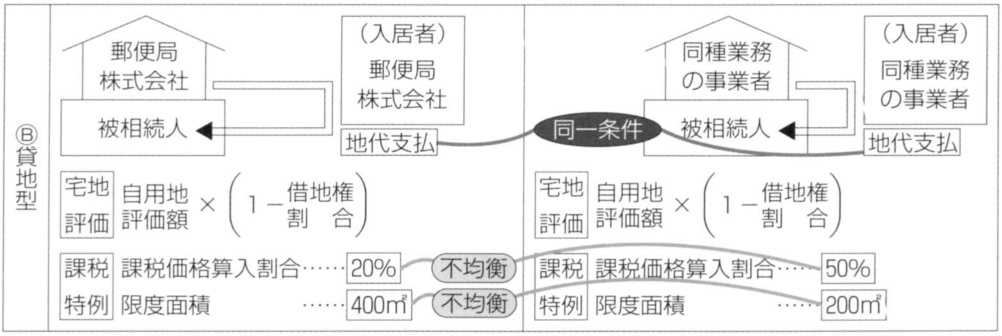


（注）㈠　一般的な事例としてはⒶであり、Ⓑの事例は実務上ではあまり見受けることはないと考えられます。
　　　㈡　小規模宅地等の課税特例の規定の適用を受けるための他の要件は充足しているものとします。

**②　郵便局株式会社に貸し付けられている場合の改正後の課税特例の取扱い（原則的な取扱い）**

上記①に掲げる趣旨から平成19年10月１日（郵政民営化法の施行日）以後においては、上記〔２〕⑵に掲げる国営事業用宅地等に対する課税特例の取扱い（減額割合：80%、適用上限面積：400㎡）を存続させることは相当ではなく、原則として廃止されることになりました。（平成19年10月１日以後に相続又は遺贈により取得した財産から、原則としてその適用は認められず廃止となりました。）

したがって、現行（課税時期が令和２年４月１日以後である場合）においては（注１）、日本郵便株式会社（注２）に賃貸借契約によって貸し付けられている宅地（上記①に掲げる参考資料の⒜Ⓐ又は⒜Ⓑに該当する場合）に対する小規模宅地等の課税特例の取扱いについては、原則として『貸付事業用宅地等』（第２節〔４〕⑷①Ⓧを参照：72ページ）の要件を充足する場合に限り、相続税の課税価格に算入すべき金額は、当該小規模宅地等の価額に50%の割合（課税価格算入割合）を乗じて計算（この場合の限度面積は200㎡）した金額とされます。

（注１）　課税時期が平成19年10月１日から平成22年３月31日までの間にある場合（換言すれば、『貸付事業用宅地等』に対する取扱いの規定が用けられる以前である場合）には、郵便局株式会社に賃貸借契約によって貸し付けられている宅地に対する課税特例の取扱いについては、原則として『特定特例対象宅地等』に該当し、相続税の課税価格に算入すべき金額は、当該小規模宅地等の価額に50%の割合（課税価格算入割合）を乗じて計算（この場合の限度面積は200㎡）した金額とされていました。

（注２）　平成19年10月１日から平成24年９月30日までは『郵便局株式会社』とされていましたが、平成24年10月１日以後は『日本郵便株式会社』に変更されています。

なお、上記＿＿部分に掲げる『原則として』とあるとおり、上記の取扱いについては特例的な取扱いとしての経過措置が後記⑵のとおりに定められています。

**⑵　特例的な取扱い（経過措置の適用による規定の適用）**

**①　趣旨**

郵政民営化法の施行（平成19年10月１日）に伴って、郵便局の敷地の用に供されている宅地について、賃借人が従来の日本郵政公社から郵便局株式会社（平成24年10月１日以後は、日本郵便株式会社）に移行（日本郵政公社時代の契約内容が基本的に維持されていることが前提条件として必要）することの円滑化の観点から、上記⑴②に掲げる原則的な取扱いに対する特例的な経過措置として、下記②のとおり、措置法改正後においても改正前の取扱いと数値的には同等（課税価格算入割合20%、限度面積400㎡）の課税特例の適用を認める取扱いが設けられています。

② **具体的な内容**

郵政民営化法第180条《相続税に係る課税の特例》の規定（注１）では、個人が相続又は遺贈（死因贈与を含む。以下同じ。）により取得した財産のうちに、次に掲げる(イ)から(ホ)までの要件のすべてを満たす土地又は土地の上に存する権利で一定のもの（注２）（以下「特定宅地等」といいます。）がある場合には、当該特定宅地等を措置法第69条の４第３項第１号に規定する特定事業用宅地等（注３）に該当する同条第１項に規定する特例対象宅地等とみなして、措置法第69条の４《小規模宅地等についての相続税の課税価格の計算の特例》及び同法第69条の５《特定計画山林についての相続税の課税価格の計算の特例》（注４）の規定を適用するものとされています。

(イ) 郵政民営化法の施行日（平成19年10月１日）前に当該相続若しくは遺贈に係る被相続人又は当該被相続人の相続人と旧公社（注：日本郵政公社）との間の賃貸借契約に基づき旧公社法第20条第１項に規定する郵便局の用に供するため旧公社（注：日本郵政公社）に対し貸し付けられていた建物で一定のもの㊟の敷地の用に供されていた土地又は土地の上に存する権利であること

㊟ 『建物で一定のもの』とは、旧公社との賃貸借契約の当事者である被相続人又は当該被相続人の相続人が有していた建物とされています。

(ロ) 施行日から当該被相続人に係る相続の開始の直前までの間において当該賃貸借契約（施行日の直前に効力を有するものに限るものとされています。）の契約事項に一定の事項㊟以外の事項の変更がない賃貸借契約が存すること

㊟ 『一定の事項』とは、次に掲げる事項とされています。

㋑ 当該賃貸借契約に係る郵便局株式会社（平成24年10月１日以後は、日本郵便株式会社）の営業所、事務所その他の施設（以下㋑において「支社等」といいます。）の名称若しくは所在地又は支社等の長

㋺ 当該賃貸借契約に係る被相続人又は当該被相続人の氏名又は住所

㋩ 当該賃貸借契約において定められた契約の期間

㋥ 当該賃貸借契約に係る特定宅地等及び下記(ハ)に規定する郵便局舎の所在地の行政区画、郡、区、市町村内の町若しくは字若しくはこれらの名称又は地番

(ハ) 上記(ロ)に掲げる契約に基づき、引き続き郵便局株式会社法第２条《定義》第２項（平成24年10月１日以後は、日本郵便株式会社法第２条《定義》第４項）に規定する郵便局の用に供するため郵便局株式会社（平成24年10月１日以後は、日本郵便株式会社）に貸し付けられていた建物で一定のもの（これを「郵便局舎」といいます。以下(ニ)に

おいて同じ。）の敷地の用に供されていたもの（以下㈡及び㈭において「宅地等」といいます。）であること

㊟『建物で一定のもの』とは、郵便局株式会社（平成24年10月１日以後は、日本郵便株式会社）との賃貸借契約の当事者である被相続人又は当該被相続人の相続人が有していた建物とされています。

㈡　当該相続又は遺贈により当該宅地等の取得をした相続人から当該相続の開始の日以後５年以上当該郵便局舎を郵便局株式会社（平成24年10月１日以後は、日本郵便株式会社）が引き続き借り受けることにより、当該宅地等を同日以後５年以上当該郵便局舎の敷地の用に供する見込みであることにつき、一定の証明㊟がされたものであること

㊟『一定の証明』は、総務大臣の下記に掲げる事項を証する書類を相続税法第27条又は第29条の規定による申告書（これらの申告書に係る国税通則法第18条第２項に規定する期限後申告書及びこれらの申告書に係る同法第19条第３項に規定する修正申告書を含みます。）に添付して行うものとされています。

㋑　当該土地又は土地の上に存する権利が郵政民営化法第180条第１項第１号に規定する宅地等に該当する旨

㋺　郵政民営化法第180条第１項第２号に規定する相続人から相続の開始の日以後５年以上同項第１号に規定する郵便局舎を郵便局株式会社（平成24年10月１日以後は、日本郵便株式会社）が引き続き借り受けることにより、当該土地又は土地の上に存する権利を同日以後５年以上当該郵便局舎の敷地の用に供する見込みである旨

この総務大臣の証明に関する具体的な手続に関しては、平成20年３月13日付けで国税庁より『郵政民営化に関する法人税及び相続税に係る課税の特例に関する省令（平成19年財務省令第54号）第２条第１項及び租税特別措置法施行規則等の一部を改正する省令（平成19年財務省令第55号）附則第３条の規定により読み替えられる改正前の租税特別措置法施行規則第23条の２第９項に規定する総務大臣の証明に関する手続について（情報）』（資産課税課情報第４号）が公開されています。（当該情報の全文については、参考資料１（114ページ）を参照）

㈭　当該宅地等について、既にこの特例の規定（郵政民営化に伴う課税特例の経過措置）の適用を受けたことがないものであること

（注１）措置法改正後における郵便局舎の敷地の用に供されている宅地に対する課税特例の経過措置の取扱いは、郵政民営化法（総務省管轄）に規定されており、租税特別措置法（財務省管轄）の規定ではないことに留意する必要があります。

（注２）『土地又は土地の上に存する権利で一定のもの』とは、次に掲げる㋑及び㋺の要件の全てを満たすものとされています。

㋑　法施行日前から郵政民営化法第180条第１項の相続又は遺贈（注：郵政民営化後の相続等）に係る被相続人に係る相続の開始の直前まで引き続き当該被相続人が有していたものであること

㋺　所得税法第２条《定義》第１項第16号に規定する棚卸資産（これに準ずる資産を含みます。）に該当しないものであること

なお、上記の要件を充足する場合であっても、平成24年改正法第３条の規定による改正前の郵便局株式会社法（平17年法律第100号）第４条《業務の範囲》第１項に規定する業務 注１（同条第２項に規定する業務 注２ を併せ行っている場合の当該業務を含みます。）の用に供されていた部分以外の部分があるときは、当該業務の用に供されていた部分に限るものとされています。

注１　郵便局株式会社法第４条《業務の範囲》第１項に規定する業務

(A)　郵便事業株式会社の委託を受けて行う郵便窓口業務

(B)　郵便事業株式会社の委託を受けて行う印紙の売りさばき

(C)　上記(A)及び(B)に掲げる業務に附帯する業務

注２　郵便局株式会社法第４条《業務の範囲》第２項に規定する業務

(A)　地方公共団体の特定の事務の郵便局の取扱いに関する法律（平成13年法律第120号）第３条第５項に規定する事務取扱郵便局において行う同条第１項第１号に規定する郵便局取扱事務に係る業務

(B)　上記(A)に掲げるもののほか、銀行業及び生命保険業の代理業務その他の郵便局を活用して行う地域住民の利便の増進に資する業務

(C)　上記(A)及び(B)に掲げる業務に附帯する業務

（注３）　相続等により取得した財産（一定の要件を充足した郵便局舎の敷地の用に供されている宅地）が特定宅地等に該当した場合における課税特例の適用に当たっては、当該宅地は、『特定事業用宅地等に該当する特例対象宅地等（課税価格算入割合20％、限度面積400㎡）』に該当するものとみなされます。したがって、『国営事業用宅地等』の呼称が継続して適用されるものではありませんので留意する必要があります。

（注４）　措置法第69条の５の規定は、平成21年度の税法改正によって大幅に改正されており郵政民営化法の施行後の変遷を示すと下記のとおりになります。

㋑　課税時期が平成19年10月１日から平成21年３月31日までの間である場合
特定事業用資産についての相続税の課税価格の計算の特例

㋺　課税時期が平成21年４月１日以後である場合
特定計画山林についての相続税の課税価格の計算の特例

### ③　留意点

(イ)　経過措置は一代限りであることについて

上記②に掲げる措置法改正後における特例的な取扱い（経過措置）は、郵政民営化の円滑な実施を目的とした制度であることからその適用については下記に掲げる点に留意する必要があります。

㋑　郵政民営化法施行日（平成19年10月１日）前に、日本郵政公社（当時）と被相続人との間において締結されていた賃貸借契約（契約内容が基本的に変更されていないことが前提）が存在すること

㋺　上記㋑に掲げる賃借人である被相続人（㊭父）から当該被相続人の相続人（㊭子）への承継には経過措置の適用があるが、当該相続人（㊭子）が郵政民営化施行日以後に相続開始を迎えた場合には、当該相続人（㊭子）の相続人（㊭孫）については、この経過措置の適用は認められないこと（すなわち、経過措置は一代限りとされていること）

(ロ)　郵便局舎の敷地の用に供されている宅地に対する課税特例の適用について

上記②に掲げる特例的な取扱い（経過措置）の適用対象外とされる郵便局舎の敷地の用に供されている宅地㊟に対する小規模宅地等の課税特例の適用については、現行（課税時期が令和２年４月１日以後である場合）では(注)、当該宅地が『貸付事業用宅地等』（第２節〔４〕(4)①Ⓧを参照：72ページ）に該当（課税価格算入割合50％、限度面積200㎡）するか否かの検討が必要とされることに留意する必要があります。

㊟　この事例に該当する宅地として、次のようなケースが考えられます。

㋑　郵政民営化法施行日（平成19年10月１日）以後に新たに郵便局株式会社との間に締結された賃

貸借契約に基づく場合

㋺　郵政民営化法施行日前に日本郵政公社（当時）との間に締結された賃貸借契約ではあるものの、上記②に掲げる経過措置の要件を充足していない場合

(注)　課税時期が平成19年10月１日から平成22年３月31日までの間にある場合（換言すれば、『貸付事業用宅地等』に対する取扱いの規定が用けられる以前である場合）の特例的な取扱い（経過措置）の適用対象外とされる郵便局舎の敷地の用に供されている宅地に対する課税特例の適用については、当該宅地が『特定特例対象宅地等』に該当（課税価格算入割合50％、限度面積200㎡）するか否かの検討が必要とされていました。

**参考資料１**　『郵政民営化に関する法人税及び相続税に係る課税の特例に関する省令（平成19年財務省令第54号）第２条第１項及び租税特別措置法施行規則等の一部を改正する省令（平成19年財務省令第55号）附則第３条の規定により読み替えられる改正前の租税特別措置法施行規則第23条の２第９項に規定する総務大臣の証明に関する手続について（情報）』（資産課税課情報第４号、平成20年３月13日）

小規模宅地等についての相続税の課税価格の計算の特例に係る郵政民営化に関する法人税及び相続税に係る課税の特例に関する省令（平成19年財務省令第54号）第２条第１項及び租税特別措置法施行規則等の一部を改正する省令（平成19年財務省令第55号）附則第３条の規定により読み替えられる改正前の租税特別措置法施行規則第23条の２第９項に規定する総務大臣の証明に関する手続きが、総務省告示により別紙のとおり定められているので、執務の参考として送付する。

---

○総務省告示第五百四十七号

郵政民営化に関する法人税及び相続税に係る課税の特例に関する省令（平成十九年財務省令第五十四号）第二条第一項及び租税特別措置法施行規則等の一部を改正する省令（平成十九年財務省令第五十五号）附則第三条の規定により読み替えられる改正前の租税特別措置法施行規則第二十三条の二第九項に規定する総務大臣の証明に関する手続を次のように定め、平成十九年十月一日から施行する。

平成十九年九月二十八日

総務大臣　増田　寛也

（証明申請書の提出）

第一条　郵政民営化に関する法人税及び相続税に係る課税の特例に関する省令（平成十九年財務省令第五十四号）第二条第一項各号に規定する書類について総務大臣の証明を受けようとする者は、別記様式第一による証明申請書一通を総務大臣に提出しなければならない。

２　租税特別措置法施行規則等の一部を改正する省令（平成十九年財務省令第五十五号）附則第三条の規定により読み替えられる改正前の租税特別措置法施行規則第二十三条の二第九項に規定する総務大臣の証明を受けようとする者は、別記様式第二による証明申請書一通を総務大臣に提出しなければならない。

３　前二項の証明申請書には、次に掲げる書類を添付しなければならない。

一　郵政民営化法（平成十七年法律第九十七号）第百八十条第一項第一号に規定する郵便局舎の平成十九年九月三十日において有効である賃貸借契約書の写し（第一項の場合に限る。）及び当該相続の開始の日において有効である賃貸借契約書の写し

二　当該郵便局舎及び当該郵便局舎の用に供されていた土地又は土地の上に存する権利に係る遺産分割協議書の写し若しくは遺言書の写し、登記簿謄本（所有権移転登記が完了しているものに限る。）又はその他当該権利を証する書類

三　当該相続の開始の日以後五年以上当該郵便局舎を郵便局株式会社（以下「会社」という。）が引き続き借り受けることについて、会社がその旨を証明した書類

四　その他参考となる書類

（証明書の交付）

第二条　総務大臣は、前条第一項及び第二項の証明申請書の提出があった場合において、証明書を交付することが適当と認めるときは、当該証明申請書にその旨を記入し、証明書として当該者に交付するものとする。

別記様式第一（第一条関係）

租税特別措置法第六十九条の四第一項第一号の郵便局の
用に供されている宅地等であることの証明申請書

総　務　大　臣　殿

申請年月日　　　年　　月　　日

住　　　所

氏　　　名　　　　　　　　　印

下記の宅地等が租税特別措置法第六十九条の四第一項第一号の郵便局の用に供されている宅地等であることにつき、郵政民営化に関する法人税及び相続税に係る課税の特例に関する省令第二条第一項の規定による証明を受けたいので、申請します。

記

1　局　　名
2　所在地番
3　郵便局舎の床面積
4　郵便局舎の敷地の面積
5　郵便局舎の所有者（全員）の住所・氏名
6　郵便局舎の敷地の所有者（全員）の住所・氏名
7　郵便局舎の敷地として使用される期間
8　平成19年10月１日から相続の開始の直前までの間における、郵政民営化法施行令第三項に掲げる事項以外の当該賃貸借契約の契約事項に関する変更の有無
9　当該宅地等について、過去における郵政民営化法第百八十条第一項の規定の適用の有無

（注）「４　郵便局舎の敷地の面積」欄には、建物の一部が郵便局舎として使用されていない場合は、その建物の敷地のうち郵便局舎として使用している部分に対応する面積（床面積あん分により計算します。）を記載します。

---

上記の申請は、郵政民営化に関する法人税及び相続税に係る課税の特例に関する省令第二条第一項各号に該当することを証明します。

証明番号　　　第　　　号
証明年月日　　年　　月　　日

総　務　大　臣　　　　印

（備考）用紙の大きさは、日本工業規格Ａ４とすること。

別記様式第二

租税特別措置法第六十九条の四第一項一号の郵便局の
用に供されている宅地等であることの証明申請書

総　務　大　臣　殿

申請年月日　　　年　　月　　日

住　　　所

氏　　　名　　　　　　　　印

下記の宅地等が租税特別措置法第六十九条の四第一項第一号の郵便局の用に供されている宅地等であることにつき、租税特別措置法施行規則等の一部を改正する省令附則第三条の規定により読み替えられる改正前の租税特別措置法施行規則第二十三条の二第九項の規定による証明を受けたいので、申請します。

記

１　局　　名
２　所在地番
３　郵便局舎の床面積
４　郵便局舎の敷地の面積
５　郵便局舎の所有者（全員）の住所・氏名
６　郵便局舎の敷地の所有者（全員）の住所・氏名
７　郵便局舎の敷地として使用される期間

(注)「４　郵便局舎の敷地の面積」欄には、建物の一部が郵便局舎として使用されていない場合は、その建物の敷地のうち郵便局舎として使用している部分に対応する面積（床面積あん分により計算します。）を記載します。

---

上記の申請は、租税特別措置法施行規則等の一部を改正する省令附則第三条の規定により読み替えられる改正前の租税特別措置法施行規則第二十三条の二第九項に該当することを証明します。

証明番号　　　第　　　号
証明年月日　　年　　月　　日

総　務　大　臣　　　　印

（備考）用紙の大きさは、日本工業規格A4とすること。

## 参考資料２　関係法令等

**●郵政民営化法第180条《相続税に係る課税の特例》**

個人が相続又は遺贈（贈与をした者の死亡により効力を生ずる贈与を含む。以下この項において同じ。）により取得をした財産のうちに、次に掲げる要件のすべてを満たす土地又は土地の上に存する権利で政令で定めるもの（以下この項において「特定宅地等」という。）がある場合には、当該特定宅地等を租税特別措置法第69条の４第３項第１号に規定する特定事業用宅地等に該当する同条第１項に規定する特例対象宅地等とみなして、同条及び同法第69条の５の規定を適用する。

一　施行日前に当該相続若しくは遺贈に係る被相続人又は当該被相続人の相続人と旧公社との間の賃貸借契約に基づき旧公社法第20条第１項に規定する郵便局の用に供するため旧公社に対し貸し付けられていた建物で政令で定めるものの敷地の用に供されていた土地又は土地の上に存する権利のうち、施行日から当該被相続人に係る相続の開始の直前までの間において当該賃貸借契約（施行日の直前に効力を有するものに限る。）の契約事項に政令で定める事項以外の事項の変更がない賃貸借契約に基づき引き続き郵便局株式会社法第２条第２項に規定する郵便局の用に供するため郵便局株式会社に対し貸し付けられていた建物で政令で定めるもの（次号において「郵便局舎」という。）の敷地の用に供されていたもの（以下この項において「宅地等」という。）であること。

二　当該相続又は遺贈により当該宅地等の取得をした相続人から当該相続の開始の日以後５年以上当該郵便局舎を郵便局株式会社が引き続き借り受けることにより、当該宅地等を同日以後５年以上当該郵便局舎の敷地の用に供する見込みであることにつき、財務省令で定めるところにより証明がされたものであること。

三　当該宅地等について、既にこの項の規定の適用を受けたことがないものであること。

２　前項の規定の適用に関し必要な事項は、政令で定める。

**●郵政民営化法施行令第20条《相続税に係る課税の特例》**

法第180条第１項に規定する土地又は土地の上に存する権利で政令で定めるものは、次に掲げる要件を満たすもの（郵便局株式会社法（平成17年法律第100号）第４条第１項に規定する業務（同条第２項に規定する業務を併せて行っている場合の当該業務を含む。）の用に供されていた部分以外の部分があるときは、当該業務の用に供されていた部分に限る。）とする。

一　法の施行の日（以下「施行日」という。）前から法第180条第１項の相続又は遺贈に係る被相続人（以下この条において「被相続人」という。）に係る相続の開始の直前まで引き続き当該被相続人が有していたものであること。

二　所得税法（昭和40年法律第33号）第２条第１項第16号に規定する棚卸資産（これに準ずるものとして財務省令で定めるものを含む。）に該当しないものであること。

２　法第180条第１項第１号に規定する旧公社に対し貸し付けられていた建物で政令で定めるものは、同号の旧公社との賃貸借契約の当事者である被相続人又は当該被相続人の相続人が有していた建物とする。

３　法第180条第１項第１号に規定する政令で定める事項は、次に掲げる事項とする。

一　当該賃貸借契約に係る郵便局株式会社の営業所、事務所その他の施設（以下この号において「支社等」という。）の名称若しくは所在地又は支社等の長

二　当該賃貸借契約に係る被相続人又は当該被相続人の相続人の氏名又は住所

三　当該賃貸借契約において定められた契約の期間
四　当該賃貸借契約に係る法第180条第１項に規定する特定宅地等及び同項第１号に規定する郵便局舎の所在地の行政区画、郡、区、市町村内の町若しくは字若しくはこれらの名称又は地番
４　法第180条第１項第１号に規定する郵便局株式会社に対し貸し付けられていた建物で政令で定めるものは、同号の郵便局株式会社との賃貸借契約の当事者である被相続人又は当該被相続人の相続人が有していた建物とする。

**●郵政民営化に関する法人税及び相続税に係る課税の特例に関する省令第２条《相続税に係る課税の特例》**

法第180条第１項第２号に規定する財務省令で定める証明は、総務大臣の次に掲げる事項を証する書類を相続税法（昭和25年法律第73号）第27条又は第29条の規定による申告書（これらの申告書に係る国税通則法（昭和37年法律第66号）第18条第２項に規定する期限後申告書及びこれらの申告書に係る同法第19条第３項に規定する修正申告書を含む。）に添付することにより行うものとする。
一　当該土地又は土地の上に存する権利が法第180条第１項第１号に規定する宅地等に該当する旨
二　法第180条第１項第２号に規定する相続人から相続の開始の日以後５年以上同項第１号に規定する郵便局舎を郵便局株式会社が引き続き借り受けることにより、当該土地又は土地の上に存する権利を同日以後５年以上当該郵便局舎の敷地の用に供する見込みである旨
２　令第20条第１項第２号に規定する財務省令で定めるものは、所得税法（昭和40年法律第33号）第35条第１項に規定する雑所得の基因となる土地又は土地の上に存する権利とする。

**●郵便局株式会社法（平成17年法律第100号）**

第１条《会社の目的》
郵便局株式会社（以下「会社」という。）は、郵便窓口業務及び郵便局を活用して行う地域住民の利便の増進に資する業務を営むことを目的とする株式会社とする。

第２条《定義》
この法律において「郵便窓口業務」とは、郵便窓口業務の委託等に関する法律（昭和24年法律第213号）第２条に規定する郵便窓口業務をいう。
２　この法律において「郵便局」とは、会社の営業所であって、郵便窓口業務を行うものをいう。

第４条《業務の範囲》
会社は、その目的を達成するため、次に掲げる業務を営むものとする。
一　郵便事業株式会社の委託を受けて行う郵便窓口業務
二　郵便事業株式会社の委託を受けて行う印紙の売りさばき
三　前２号に掲げる業務に附帯する業務
２　会社は、前項に規定する業務を営むほか、その目的を達成するため、次に掲げる業務を営むことができる。
一　地方公共団体の特定の事務の郵便局における取扱いに関する法律（平成13年法律第120号）第３条第５項に規定する事務取扱郵便局において行う同条第１項第１号に規定する郵便局取扱

事務に係る業務
二　前号に掲げるもののほか、銀行業及び生命保険業の代理業務その他の郵便局を活用して行う地域住民の利便の増進に資する業務
三　前２号に掲げる業務に附帯する業務
３　会社は、前２項に規定する業務のほか、前２項に規定する業務の遂行に支障のない範囲内で、前２項に規定する業務以外の業務を営むことができる。
４　会社は、第２項第２号に掲げる業務及びこれに附帯する業務並びに前項に規定する業務を営もうとするときは、あらかじめ、総務省令で定める事項を総務大臣に届け出なければならない。

**●日本郵便株式会社法（平成17年法律第100号）**

第１条　《会社の目的》

日本郵便株式会社（以下「会社」という。）は、郵便の業務、銀行窓口業務及び保険窓口業務並びに郵便局を活用して行う地域住民の利便の増進に資する業務を営むことを目的とする株式会社とする。

第２条　《定義》

この法律において「郵便窓口乗務」とは、簡易郵便局法（昭和24年法律第213号）第２条に規定する郵便窓口業務をいう。

２　この法律において「銀行窓口業務」とは、会社と次に掲げる事項を含む契約（以下「銀行窓口業務契約」という。）を締結する銀行法（昭和56年法律第59号）第２条第１項に規定する銀行（以下「関連銀行」という。）を所属銀行（同条第16項に規定する所属銀行をいう。）として営む銀行代理業（同条第14項第１号及び第３号に掲げる行為に係るものであって、会社が第５条の責務を果たすために営むべきものとして総務省令で定めるものに限る。以下この項において同じ。）をいう。

一　会社が第５条の責務を果たすために銀行代理業を営むこと

二　会社が営む銀行代理業の具体的な内容及び方法

三　会社の営業所であって、銀行代理業を行うものの名称及び所在地

四　その他総務省令で定める事項

３　この法律において「保険窓口業務」とは、会社と次に掲げる事項を含む契約（以下「保険窓口業務契約」という。）を締結する保険業法（平成７年法律第105号）第２条第３項に規定する生命保険会社（株式会社に限る。以下「関連保険会社」という。）を所属保険会社等として営む保険募集及び関連保険会社の事務の代行（同法第３条第４項第１号）に掲げる保険（第５条において「生命保険」という。）に係るものであって、会社が第５条の責務を果たすために営むべきものとして総務省令で定めるものに限る。以下この項において同じ。）をいう。

一　会社が第５条の責務を果たすために保険募集及び関連保険会社の事務の代行を営むこと。

二　会社が営む保険募集及び関連保険会社の事務の代行の具体的な内容及び方法

三　会社の営業所であって、保険募集及び関連保険会社の事務の代行を行うものの名称及び所在地

四　その他総務省令で定める事項

４　この法律において「郵便局」とは、会社の営業所であって、郵便窓口業務、銀行窓口業務及び保険窓口業務を行うものをいう。

５　この法律において「銀行代理業」とは、銀行法第２条第14項に規定する銀行代理業をいう。

６　この法律において「所属保険会社等」又は「保険募集」とは、それぞれ保険業法第２条第24項又は第26項に規定する所属保険会社等又は保険募集をいう。

第４条　《業務の範囲》

会社は、その目的を達成するため、次に掲げる業務を営むものとする。

一　郵便法（昭和22年法律第156号）の規定により行う郵便の業務

二　銀行窓口業務

三　前号に掲げる業務の健全、適切かつ安定的な運営を維持するために行う、銀行窓口業務契約の締結及び当該銀行窓口業務契約に基づいて行う関連銀行に対する権利の行使

四　保険窓口業務
五　前号に掲げる業務の健全、適切かつ安定的な運営を維持するために行う、保険窓口業務契約の締結及び当該保険窓口業務契約に基づいて行う関連保険会社に対する権利の行使
六　国の委託を受けて行う印紙の売りさばき
七　前各号に掲げる業務に附帯する業務
２　会社は、前項に規定する業務を営むほか、その目的を達成するため、次に掲げる業務を営むことができる。
一　お年玉付郵便葉書等に関する法律（昭和24年法律第224号）第１条第１項に規定するお年玉付郵便葉書等及び同法第５条第１項に規定する寄附金付郵便葉書等の発行
二　地方公共団体の特定の事務の郵便局における取扱いに関する法律（平成13年法律第120号）第３条第５項に規定する事務取扱郵便局において行う同条第１項第１号に規定する郵便局取扱事務に係る業務
三　前号に掲げるもののほか、郵便局を活用して行う地域住民を利便の増進に資する業務
四　前三号に掲げる業務に附帯する業務
３　会社は、前二項に規定する業務のほか、前二項に規定する業務の遂行に支障のない範囲内で、前二項に規定する業務以外の業務を営むことができる。
４　会社は、第２項第３号に掲げる業務及びこれに附帯する業務並びに前項に規定する業務を営もうとするときは、あらかじめ、総務省令で定める事項を総務大臣に届けなければならない。
５　第１項の規定は、同項第２号の規定により会社が営む銀行窓口業務以外の銀行代理業又は同項第４号の規定により会社が営む保険窓口業務以外の保険募集若しくは所属保険会社等の事務の代行を第２項又は第３項の規定により会社が営むことを妨げるものではない。

# 第２章

# 『措置法通達』・『情報』による確認

## 第１節　この章のポイント

小規模宅地等の課税特例について、措置法法令だけでは解釈できない又は解釈することが難しい実務上の留意点を租税特別措置法関係通達（以下「措置法通達」といいます。）（措置法通達69の４－１《相続開始前３年以内贈与財産及び相続時精算課税の適用を受ける財産》から措置法通達69の４－39《平成21年改正前措置法第70条の３の３又は第70条の３の４の規定の適用を受けた特定同族株式等について措置法第70条の７の２第１項の規定の適用を受けた場合の小規模宅地等の特例の不適用》までの全通達）とこれに関連する情報（資産課税課情報：国税庁資産課税課）を通じて整理してみることにします。（措置法の法令及び措置法通達の原文は、巻末の附録資料を参照してください。）

# 第２節 『措置法通達』・『情報』による確認

## 〔１〕 措置法通達69の４－１《相続開始前３年以内の贈与財産及び相続時精算課税の適用を受ける財産》

### ⑴ 対象とならない財産

被相続人からの生前贈与により取得した宅地等については、小規模宅地等の課税特例の対象にはならないものとされています。

したがって、下記に掲げるものについては、たとえ、相続税の課税価格に加算されて相続税の課税対象とされるものであっても、小規模宅地等の課税特例の適用対象にならないことに留意する必要があります。

① 相続税法第19条《相続開始前３年以内に贈与があった場合の相続税額》の規定の適用を受ける財産

② 相続税法第21条の９《相続時精算課税の選択》第３項の規定〔措置法第70条の２の６《相続時精算課税適用者の特例》第１項、措置法第70条の２の７《相続時精算課税適用者の特例》第１項（措置法第70条の２の８《相続時精算課税適用者の特例》において準用する場合を含みます。）又は措置法第70条の３《特定の贈与者から住宅取得等資金の贈与を受けた場合の相続時精算課税の特例》第１項において準用する場合を含みます。〕の適用を受ける財産

### ⑵ 留意点

平成15年度の税制改正において贈与税と相続税の課税制度を一体化した新制度として、『相続時精算課税制度』が創設されました。現行の取扱いでは、この相続時精算課税制度の適用を受けるものとして、特定贈与者が相続時精算課税適用者に行った一定の要件を充足する山林（特定受贈森林経営計画対象山林）についても、当該特定贈与者に相続開始があった場合には、当該山林については、措置法第69条の５《特定計画山林についての相続税の課税課格の計算の特例》の適用対象とされるものとなっています。

すなわち、特定受贈森林経営計画対象山林（一定の要件を充足した立木又は土地等）については、その取得原因が贈与（相続時精算課税制度の適用対象とされる贈与）であっても、当該特定贈与者に係る相続開始時には相続税の課税特例（５％減額）の対象とされることになっています。

しかしながら、小規模宅地等の課税特例の規定は、特定計画山林の課税特例の規定とは異なり、上記⑴に掲げるとおり、取得原因が贈与である場合にはその適用が一切認められないことに留意する必要があります。

## 〔2〕措置法通達69の４－１の２《配偶者居住権等》

### ⑴　民法に規定する配偶者居住権

平成30年７月の民法改正によって『配偶者居住権』の制度が新設（施行日：令和２年４月１日）されました。被相続人の配偶者は、被相続人の財産に属した建物に相続開始の時に居住していた場合において、次のいずれかに該当するときは、その居住していた建物（以下〔2〕において「居住建物」といいます。）の全部について無償で使用及び収益をする権利を取得するものとする旨が規定され、当該権利を『配偶者居住権』と呼称しています。

①　遺産の分割によって配偶者居住権を取得するものとされたとき

②　配偶者居住権が遺贈の目的とされたとき

（注）　上記①又は②以外に、家庭裁判所は、一定の場合には、審判によって配偶者に配偶者居住権を取得させることができるものとされています。

この配偶者居住権は、法律上の財産区分としては『借家権類似の建物に係る使用収益権』と解され、また、居住建物につき配偶者居住権に基づく使用及び収益に必要な範囲内で当該居住建物の敷地の用に供されている土地を利用する権利（当該利用権を「敷地利用権」といいます。）を有しているものと解されています。

### ⑵　相続税等の財産評価に定める配偶者居住権等

上記⑴に掲げる民法に規定する配偶者居住権の経済的価値を考慮すると、相続税等の財産評価においても課税対象財産に含める必要があるものと考えられることから、令和元年度の税法改正で相続税法第23条の２《配偶者居住権等の評価》の規定が新設（施行日：令和２年４月１日）されています。

同条では、この配偶者居住権の評価につき、当該配偶者居住権を次に掲げる 図 のとおり４つの区分に分けて（この４つを併せて「配偶者居住権等」といいます。）、規定しています。

図　配偶者居住権に係る４つの区分（配偶者居住権等）

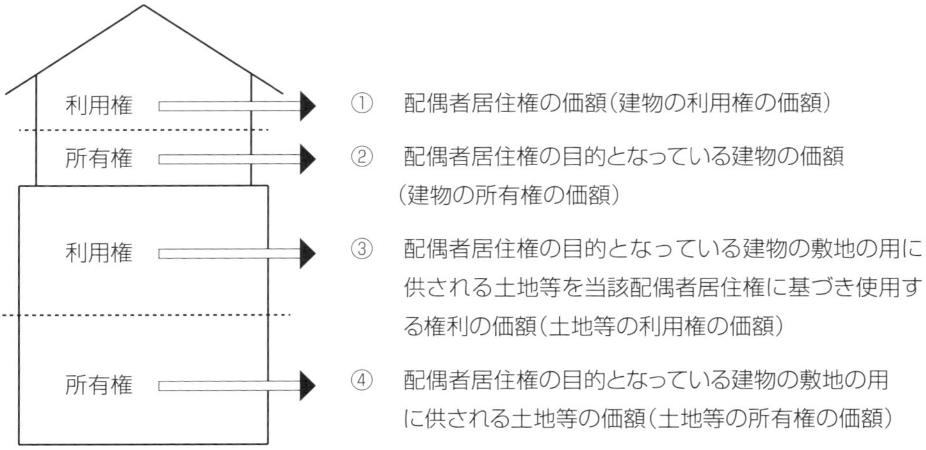

### ⑶　上記⑵と小規模宅地等の課税特例の適用関係

上記⑵に掲げるとおり、相続税法第23条の２《配偶者居住権等の評価》の規定では、配偶者居住権の目的となっている建物及びその敷地の用に供される土地等を次に掲げる４つに区分して、それぞれの価額を求めるものとされています。

| 区　分 | 財　産　評　価　の　区　分 | 上記⑵の図 |
|---|---|---|
| 建　物 | ①　配偶者居住権の価額（建物の利用権の価額） | ①部分 |
| | ②　配偶者居住権の目的となっている建物の価額（建物の所有権の価額） | ②部分 |
| 土地等 | ③　配偶者居住権の目的となっている建物の敷地の用に供される土地等を当該配偶者居住権に基づき使用する権利の価額（土地等の利用権の価額） | ③部分 |
| | ④　配偶者居住権の目的となっている建物の敷地の用に供される土地等の価額（土地等の所有権の価額） | ④部分 |

一方、措置法第69条の４《小規模宅地等についての相続税の課税価格の計算の特例》に規定する小規模宅地等の課税特例の適用を受ける場合には、その適用要件の一つとして、「個人が相続又は遺贈により取得した財産のうちに、当該相続の開始の直前において、当該相続若しくは遺贈に係る被相続人又は当該被相続人と生計を一にしていた当該被相続人の親族（以下『被相続人等』といいます。）の事業の用又は居住の用に供されていた宅地等（土地又は土地の上に存する権利をいいます。）であること」が挙げられています。

そうすると、上表の④に掲げる財産評価の区分は土地に該当することは明確なものですが、③については厳密にいえば、借家権類似の建物についての利用権に附随する土地利用権（敷地利用権）にすぎず、財産評価基本通達31《借家人の有する宅地等に対する権利の評価》にも該当しないことから、財産評価の区分として土地の上に存する権利には該当しないとの考え方も成立します。

しかしながら、次の⑴ないし⑶に掲げる事項からすると、配偶者居住権に基づく敷地利用権については、小規模宅地等の課税特例の適用要件を判定するに当たっての『土地の上に存する権利』に該当するものと解することが相当とされています。

(イ)　当該敷地利用権が建物でなく土地を利用する権利であること

(ロ)　配偶者居住権が被相続人の配偶者の従前の居住環境での生活の継続を趣旨としていること

(ハ)　小規模宅地等の課税特例が事業又は居住の継続等への配慮を趣旨とするものであること

以上から、上表の③及び④に掲げる財産評価の区分は、小規模宅地等の課税特例の適用に当たっては、土地又は土地の上に存する権利に該当し適用要件を充足していることとなり、他の適用要件も充足するのであれば、原則として被相続人等の居住の用に供されていた宅地等として特定居住用宅地等（適用限度面積330㎡、課税価格算入割合20％）に該当するものとされます。

なお、上記の取扱いにつき、『令和元年度税制改正の解説』（財務省）では、次のとおりの説明をしています。

参考 令和元年度税制改正の解説（財務省）

この配偶者居住権は、借家権類似の建物についての権利とされていることから、配偶者居住権自体が小規模宅地特例の対象となることはありません。他方、配偶者居住権に付随するその目的となっている建物の敷地を利用する権利（敷地利用権）については、「土地の上に存する権利」に該当するので、小規模宅地特例の対象となります。

ワンポイント 配偶者居住権及びその敷地利用権の譲渡に係る所得税の課税区分

上記に掲げるとおり、配偶者居住権に係る敷地利用権は小規模宅地等の課税特例の適用に当たっては、「土地の上に存する権利」に該当するものとされています。

しかしながら、配偶者居住権及びその敷地利用権の譲渡に係る所得税の課税に当たっては、分離課税の対象とされる『土地若しくは土地の上に存する権利』又は『建物及びその附属設備若しくは構築物』には該当しないことから、総合課税の対象とされていることに留意する必要があります。この点を確認するものとして、措置法通達31・32共－１《分離課税とされる譲渡所得の基因となる資産の範囲》の定めがあります。

参考 措置法通達31・32共－１《分離課税とされる譲渡所得の基因となる資産の範囲》

措置法第31条第１項又は第32条第１項（同条第２項において準用する場合を含む。）の規定により分離課税とされる譲渡所得の基因となる資産は、次に掲げる資産に限られるから、鉱業権（租鉱権及び採石権その他土石を採掘し又は採取する権利を含む。）、温泉を利用する権利、配偶者居住権（当該配偶者居住権の目的となっている建物の敷地の用に供される土地（土地の上に存する権利を含む。）を当該配偶者居住権に基づき使用する権利を含む。）、借家権、土石（砂）などはこれに含まれないことに留意する。

(1) 土地若しくは土地の上に存する権利又は建物及びその付属設備若しくは構築物（以下「土地建物等」という。）

(2) 事業又はその用に供する資産の譲渡に類するものとして措置法令第21条第４項第２号に掲げる株式等（措置法第32条第２項に規定する株式等をいう。）のうち措置法令第21条第３項各号に掲げるもの

筆者注 上記＿＿部分は、筆者が付線したものです。

### (4) 小規模宅地等の適用面積（その１：基本的な取扱い）

小規模宅地等の課税特例の適用を受けるものとしてその全部又は一部の選択をしようとする特例対象宅地等が配偶者居住権に基づく敷地利用権（上記(2)の図③に該当）又は当該敷地の用に供される宅地等（上記(2)の図④に該当）の全部又は一部である場合の当該特例対象宅地等の面積（適用面積）は、当該特例対象宅地等の面積に、それぞれ当該敷地利用権の価額又は当該敷地の用に供される宅地等の価額がこれらの価額の合計額のうちに占める割合を乗じて得た面積であるものとみなされる旨が規定されています。この取扱いを算式で示すと、次のとおりとなります。

（算式）

① 配偶者居住権に基づく敷地利用権の面積

$$\text{特例対象宅地等の面積} \times \frac{\text{配偶者居住権に基づく敷地利用権（上記(2)の図③に該当）の価額}}{\text{配偶者居住権に基づく敷地利用権（上記(2)の図③に該当）の価額} + \text{配偶者居住権の目的となっている建物の敷地の用に供される宅地等の所有権（上記(2)の図④に該当）の価額}}$$

② 配偶者居住権の目的となっている建物の敷地の用に供される宅地等の面積

$$\text{特例対象宅地等の面積} \times \frac{\text{配偶者居住権の目的となっている建物の敷地の用に供される宅地等の所有権（上記(2)の図④に該当）の価額}}{\text{配偶者居住権に基づく敷地利用権（上記(2)の図③に該当）の価額} + \text{配偶者居住権の目的となっている建物の敷地の用に供される宅地等の所有権（上記(2)の図④に該当）の価額}}$$

**設例**

特定居住用宅地等の適用要件を充足した土地（地積600㎡）が、下記に掲げる状況にある配偶者居住権の目的となっている建物の敷地の用に供される宅地等である場合における小規模宅地等の適用面積の取扱いはどのようになりますか。

・ 配偶者居住権に基づく敷地利用権の価額（土地等の利用権の価額）……90,000千円
・ 配偶者居住権の目的となっている建物の敷地の用に供される長男が取得した宅地等の価額（土地等の所有権の価額）……30,000千円

**回答**

① 配偶者居住権に基づく敷地利用権の面積（配偶者が取得した面積）

$$600㎡ \times \frac{90{,}000\text{千円}}{90{,}000\text{千円} + 30{,}000\text{千円}} = 450㎡$$

② 配偶者居住権の目的となっている建物の敷地の用に供される宅地等の面積（長男が取得した面積）

$$600㎡ \times \frac{30{,}000\text{千円}}{90{,}000\text{千円} + 30{,}000\text{千円}} = 150㎡$$

### (5) 小規模宅地等の適用面積（その２：被相続人の配偶者が配偶者居住権及び配偶者居住権の目的となっている建物の敷地の用に供される宅地等のいずれをも取得した場合）

被相続人の配偶者が配偶者居住権及び配偶者居住権の目的となっている建物の敷地の用に供される宅地等のいずれをも取得した場合には、次に掲げる被相続人の配偶者の当該宅地等に係る取得の状況に応じて、それぞれに掲げるとおりとなります。

① 被相続人の配偶者が当該宅地等を相続又は遺贈により単独で取得した場合

配偶者居住権の設定に係る相続又は遺贈（以下、(5)において「第一次相続」といいます。）に係る被相続人の配偶者が、配偶者居住権及び居住建物の敷地の用に供される宅地等のいずれも取得（宅地等については、当該配偶者が単独で取得していることが前提となります。）していることから、当該宅地等についてはこれを敷地利用権と所有権に区分する必要がなく（図解１を参照）、上記(4)の算式に掲げる小規模宅地等の適用面

積の調整計算を行う必要はないものとされます。

図解１　被相続人の配偶者が居住建物の敷地の用に供される宅地等を単独で取得した場合

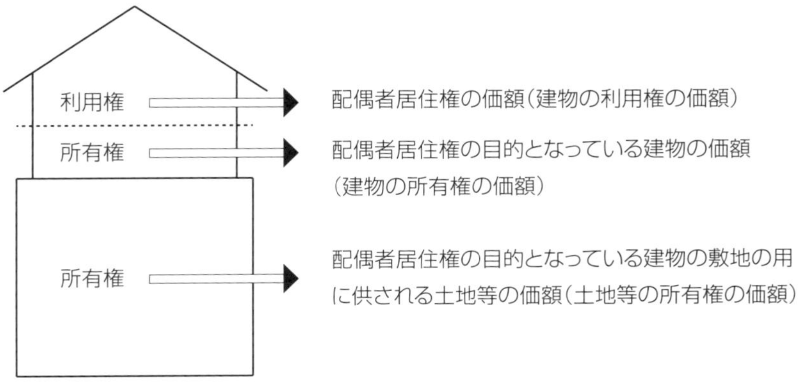


②　被相続人の配偶者及び当該被相続人の配偶者以外の者が当該宅地等を相続又は遺贈により共有で取得した場合

第一次相続に係る被相続人の配偶者が、配偶者居住権及び居住建物の敷地の用に供される宅地等のいずれも取得した場合であっても、当該宅地等につき当該配偶者以外の他の者との共有となっている場合には、これを敷地利用権と所有権に区分する必要があり（さらに、所有権については、共有者ごとの共有持分に応じて区分する必要があります。図解２ を参照）、上記(4)の算式に掲げる小規模宅地等の適用面積の調整計算を行う必要があります。

図解２　被相続人の配偶者が居住建物の敷地の用に供される宅地等を共有で取得した場合

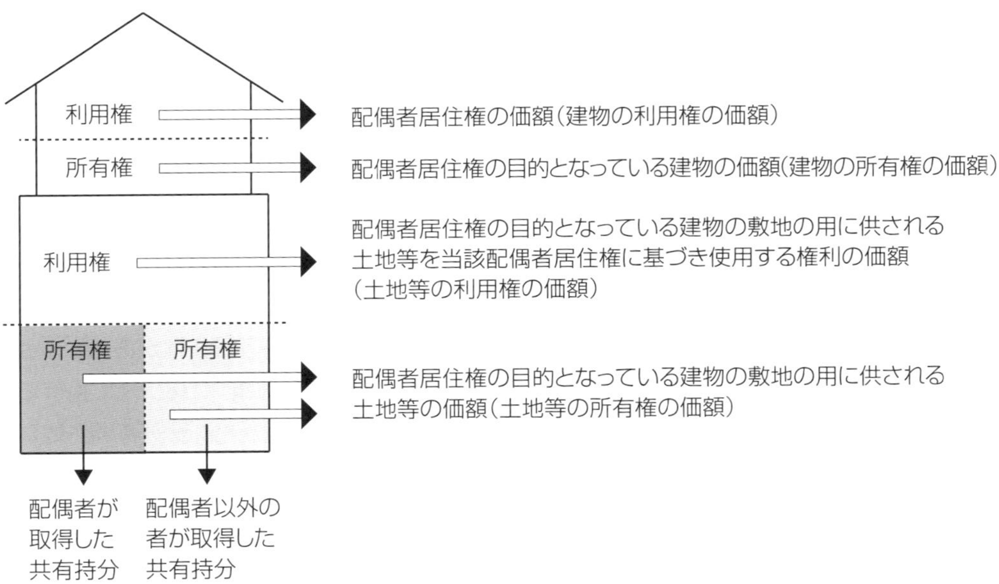

**設例**

特定居住用宅地等の適用要件を充足した土地（地積600㎡）が、下記に掲げる状況にある配偶者居住権の目的となっている建物の敷地の用に供される宅地等である場合における小規模宅地等の適用面積の取扱いはどのようになりますか。

・配偶者居住権に基づく敷地利用権の価額（土地等の利用権の価額）……90,000千円

・配偶者居住権の目的となっている建物の敷地の用に供される宅地等（取得者 共有持分：配偶者60％、長男40％）の価額……30,000千円

**回答**

①　配偶者居住権に基づく敷地利用権の面積（配偶者が取得した面積）

$$600㎡\times\frac{90{,}000千円}{90{,}000千円+30{,}000千円}=450㎡$$

②　配偶者居住権の目的となっている建物の敷地の用に供される宅地等の面積

(イ)　配偶者が取得した面積

$$600㎡\times\frac{30{,}000千円}{90{,}000千円+30{,}000千円}\times60\%（配偶者の共有持分）=90㎡$$

(ロ)　長男が取得した面積

$$600㎡\times\frac{30{,}000千円}{90{,}000千円+30{,}000千円}\times40\%（長男の共有持分）=60㎡$$

### (6)　配偶者居住権者に相続開始があった場合の取扱い

配偶者居住権の消滅事由に関して、民法第1036条《使用貸借及び賃貸借の規定の準用》において、民法第597条《期間満了等による使用貸借の終了》第３項の規定が準用されるものとされています。同条同項は、「使用貸借は、借主の死亡によって終了する。」と規定されています。

そうすると、配偶者居住権についても当該規定が準用されることから、配偶者居住権は、当該配偶者居住権を有する配偶者（以下、(6)において「配偶者居住権者」といいます。）の死亡によって終了（配偶者居住権の消滅事由に該当）することになります。

上述のとおり、配偶者居住権者に相続開始があった場合には配偶者居住権が消滅するため、上記(2)の 図 ①に掲げる『配偶者居住権の価額（建物の利用権の価額）』及び③に掲げる『配偶者居住権の目的となっている建物の敷地の用に供される土地等を当該配偶者居住権に基づき使用する権利の価額（土地等の利用権の価額）』は、被相続人である配偶者居住権者に係る相続財産を構成しないこととなります。

したがって、配偶者居住権者に相続開始があった場合には、同人が有していた上記(2)の 図 ③に掲げる『配偶者居住権の目的となっている建物の敷地の用に供される土地等を当該配偶者居住権に基づき使用する権利の価額（土地等の利用権の価額）』に対して、小規模宅

地等の課税特例が適用されることはあり得ないものとされます。

### ⑺　適用開始時期

この〔２〕に掲げる取扱いは、民法に規定する配偶者居住権の創設に伴って令和２年度の税法改正によって定められたものであり、令和２年４月１日以後に開始した相続又は遺贈により取得した財産について適用するものとされています。

## 〔３〕　措置法通達69の４－２《信託に関する権利》

### ⑴　対象となる宅地

小規模宅地等の課税特例の対象となる宅地（特例対象宅地等）には、個人が相続等により取得した下記に掲げる一定要件を充足した信託に関する権利が含まれるものとされています。

①　個人が相続又は遺贈により取得した信託に関する権利であること

ただし、下記に掲げる規定により当該信託の受託者が、これらの規定により遺贈により取得したものとみなされる信託に関する権利は除かれます。

(イ)　相続税法第９条の２《贈与又は遺贈により取得したものとみなす信託に関する権利》第６項ただし書（注）

（注）　具体的には、次に掲げるものが記載されています。
法人税法第２条《定義》第29号に規定する『集団投資信託』、同条第29号の２に規定する『法人課税信託』又は同法第12条《信託財産に属する資産及び負債並びに信託財産に帰せられる収益及び費用の帰属》第４項第１号に規定する『退職年金等信託』の信託財産に属する資産及び負債

(ロ)　相続税法第９条の４《受益者等が存しない信託等の特例》第１項又は第２項（参考資料を参照）

参考資料

**相続税法第９条の４《受益者等が存しない信託等の特例》第１項・第２項**

受益者等が存しない信託の効力が生ずる場合において、当該信託の受益者等となる者が当該信託の委託者の親族として政令で定める者（以下この条及び次条において「親族」という。）であるとき（当該信託の受益者等となる者が明らかでない場合にあっては、当該信託が終了した場合に当該委託者の親族が当該信託の残余財産の給付を受けることとなるとき）は、当該信託の効力が生ずる時において、当該信託の受託者は、当該委託者から当該信託に関する権利を贈与（当該委託者の死亡に基因して当該信託の効力が生ずる場合にあっては、遺贈）により取得したものとみなす。

２　受益者等の存する信託について、当該信託の受益者等が存しないこととなった場合（以下この項において「受益者等が不存在となった場合」という。）において、当該受益者等の次に受益者等となる者が当該信託の効力が生じた時の委託者又は当該次に受益者等となる者の前の受益者等の親族であるとき（当該次に受益者等となる者が明らかでない場合にあっては、当該信託が終了した場合に当該委託者又は当該次に受益者等となる者の前の受益者等の親族が当該信託の残余財産の給付を受けることとなるとき）は、当該受益者等が不存在となった場合

に該当することとなった時において、当該信託の受託者は、当該次に受益者等となる者の前の受益者等から当該信託に関する権利を贈与（当該次に受益者等となる者の前の受益者等の死亡に基因して当該次に受益者等となる者の前の受益者等が存しないこととなった場合にあっては、遺贈）により取得したものとみなす。

② 上記①の信託の目的となっている信託財産に属する宅地等（土地又は土地の上に存する権利をいいます。）が建物又は構築物の敷地の用に供されているものであること

③ 上記②に掲げる宅地等が、当該相続の開始の直前において当該相続又は遺贈に係る被相続人等（当該相続又は遺贈に係る被相続人又は被相続人と生計を一にしていたその被相続人の親族）の事業の用又は居住の用に供されていたものであること

### ⑵ 留意点

平成19年度の税法改正によって『信託法制』が整備され、相続税法第９条の２《贈与又は遺贈により取得したものとみなす信託に関する権利》の規定により、贈与又は遺贈により取得したものとみなされる信託に関する権利又は利益を取得した者は、当該信託の信託財産に属する資産及び負債を取得し、又は承継したものとみなされることになりました。

この法律整備に伴って、一定要件を充足した宅地等が含まれる信託財産に係る権利（信託受益権）を相続等によって取得した場合には、当該宅地等について、小規模宅地等の課税特例の適用対象とされることが明確化（法制化）されました。

上記の改正にともなって、従前（平成19年度の税法改正前）における解釈（信託財産中に宅地等が含まれる信託受益権については、当該宅地等を小規模宅地等の課税特例の適用対象とする。）の基因とされていた『土地信託に係る所得税、法人税並びに相続税及び贈与税の取扱いについて』（昭和61年７月９日付直審５－６他）の個別通達は、上記取扱いの法制化によって廃止されています。

## 〔4〕 措置法通達69の４－３《公共事業の施行により従前地及び仮換地について使用収益が禁止されている場合》

### ⑴ 対象となる宅地

公共事業の施行により従前地及び仮換地について使用収益が禁止されている場合であっても、下記の要件を充足している場合には、当該従前地（事業の用又は居住の用に供されていた従前地（居住用等従前地））は小規模宅地等の課税特例の対象とされます。

① 個人が被相続人から相続又は遺贈により取得した被相続人等の居住用等（事業（準事業（注）を含みます。）の用又は居住の用をいいます。）に供されていた宅地等（従前地）であること

（注） 『準事業』とは、事業と称するに至らない不動産の貸付けその他これに類する行為で相当の対価を得て継続的に行うものをいいます。

② 公共事業の施行による土地区画整理法に規定する仮換地の指定を受けていること

③　上記②にともなって、当該相続の開始の直前において従前地及び仮換地の使用収益が共に禁止されていること

④　当該相続の開始の時から相続税の申告書の提出期限（申告期限）までの間に、当該被相続人等が仮換地を居住用等に供する予定がなかったと認めるに足りる特段の事情㊟がなかったこと

㊟『特段の事情』とは、例示として、次に掲げるような事情がある場合をいうものとされています。
㈠　従前地について、売買契約を締結していた場合
㈡　被相続人等の居住用等に供されていた宅地等に代わる宅地等を取得（売買契約中のものを含みます。）していた場合
㈢　従前地又は仮換地について、相続税法に規定する物納の申請をし又は物納の許可を受けていた場合

⑵　**留意点**

①　この措置法通達の取扱いの対象とされる宅地（従前地）は、被相続人等の居住の用に供されていた宅地等のみならず、被相続人等の事業の用に供されていた宅地等についても含まれることになります。

②　この措置法通達の取扱いは、平成19年分の措置法通達の改正によって新設されたものです。当該通達の制定趣旨、制定に至る経緯その他参考事項等については、第４章〔３〕の㊺及び㊻（641～644ページ）の質疑応答を参照してください。

## 〔５〕　措置法通達69の４－４《被相続人等の事業の用に供されていた宅地等の範囲》

被相続人等の事業の用に供されていた宅地等とは、次に掲げる宅地等（相続の開始の直前において配偶者居住権に基づき使用又は収益されていた建物等の敷地の用に供されていたものを除きます。(注)）をいいます。

(注)　相続の開始の直前において配偶者居住権に基づき使用又は収益されていた建物等の敷地の用に供されていた宅地等である場合における当該宅地等に係る被相続人等の事業の用されていた宅地等の範囲については、措置法通達69の４－４の２（次の〔６〕で解説）を参照してください。

⑴　**共通要件**

建物又は構築物の敷地の用に供されていたものをいいます。

⑵　**事業用宅地等の要件**（次の①又は②の要件を充足）

①　他に貸し付けられていた宅地等（当該貸付けが事業に該当する場合に限られます。）

図１

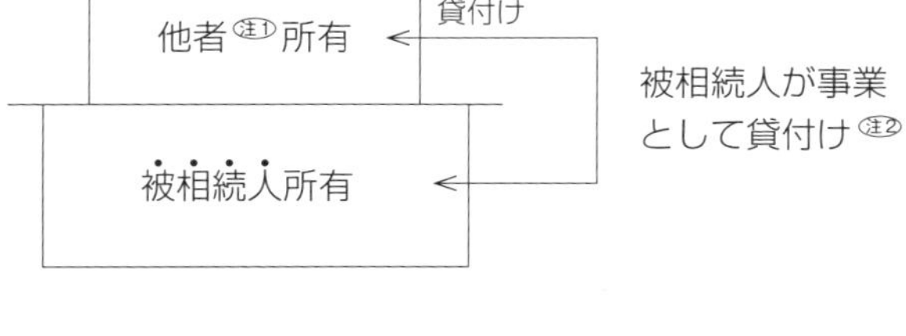

㊟1 他者とは、被相続人以外の者をいいます。
㊟2 (イ) 事業には『事業に準ずるもの』が含まれます。
(ロ) 貸付けとは、相当の対価を得て継続的に貸し付けていることをいいます。
したがって当該貸借の条件が無償である場合や、固定資産税その他の必要経費を回収する程度の相当の対価を得ていないものについては、借主の如何（第三者、生計一の親族、同族会社等）を問わず、本通達に定める『貸付け』の要件には該当しません。

② ①以外の宅地等

(イ) 被相続人等㊟の事業の用に供されていた建物等で被相続人等が所有していたものの敷地の用に供されていたもの

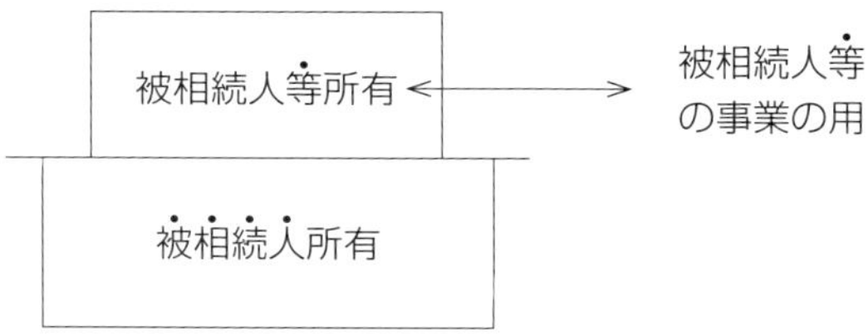


㊟ **被相続人等**とは、
被相続人
被相続人と生計を一にする親族（以下**「生計一親族」**といいます。）
} をいいます。

上図は、次の４つに区分されます。

| 区分 | | 建物の所有者 | |
|---|---|---|---|
| | | 被相続人所有 | 生計一親族所有 |
| 建物の利用者 | 被相続人の利用 | 図２Ⓐ 所有者……被相続人<br>利用者……被相続人<br>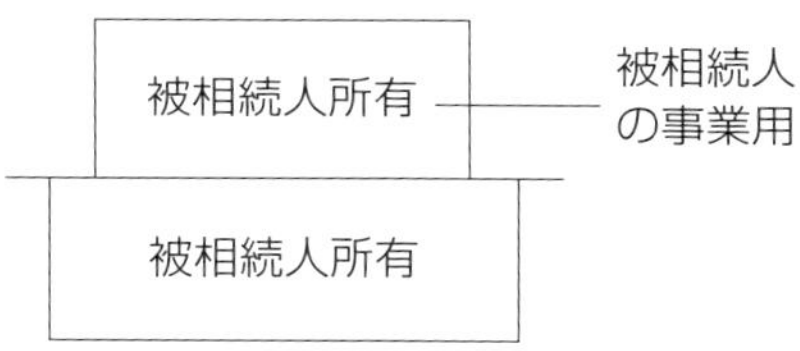 | 図３Ⓐ 所有者……生計一親族<br>利用者……被相続人<br>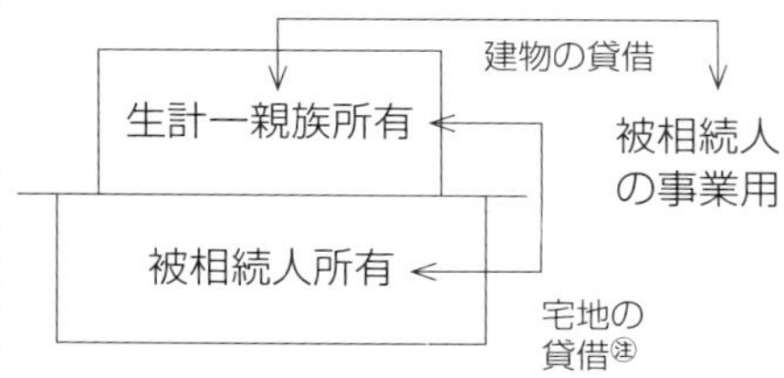 |
| 建物の利用者 | 生計一親族の利用 | 図２Ⓑ 所有者……被相続人<br>利用者……生計一親族<br>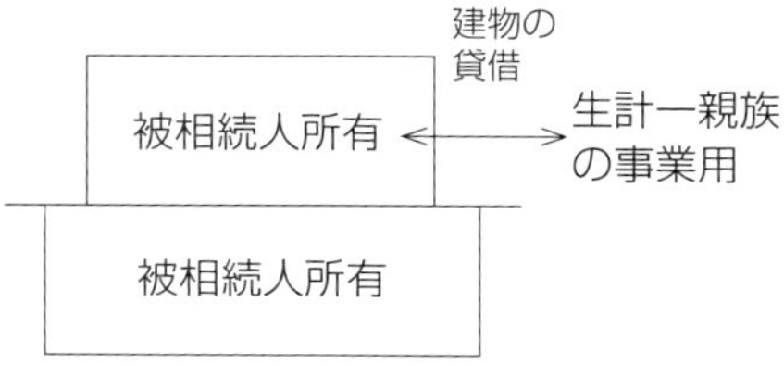 | 図３Ⓑ 所有者……生計一親族A<br>利用者……生計一親族A（建物所有者と同一の者）<br>生計一親族B（建物所有者と異なる者）<br>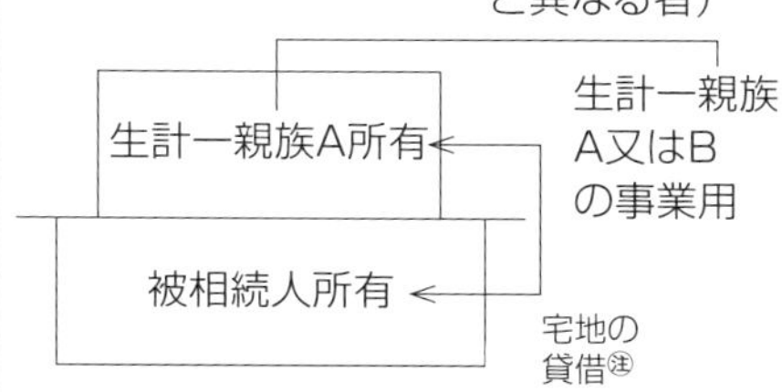 |

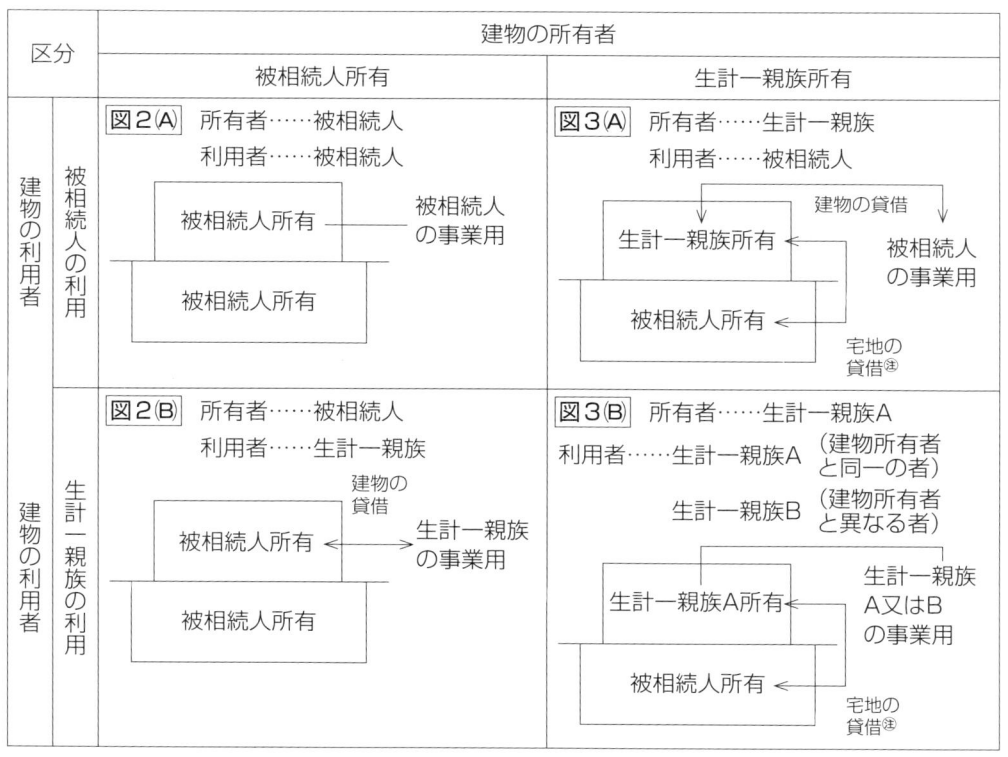

㊟ 宅地の所有者（被相続人）と建物の所有者（生計一親族）との貸借関係が有償契約である場合には、前記①（他に貸し付けられていた宅地等）に該当することとなります。（したがって、ここでは、この両者間の貸借関係は無償契約であることが前提です。）

(ロ)　被相続人等の事業の用に供されていた建物等で**被相続人の親族**（被相続人と生計を一にする親族を除きます。以下「**生計別の親族**」といいます。）が所有していたものの敷地の用に供されていたもの（被相続人等が当該建物を当該親族（生計別の親族）から無償㊟で借り受けている場合に限ります。）

㊟　無償には、相当の対価の授受に至らない程度（代表的な事例として、固定資産税及び都市計画税の合計額を徴収する場合が想定されます。）の対価の授受を含みます。

〈被相続人とその親族の定義〉

| 被相続人及びその親族の区分 | | 通達における定義用語 |
|---|---|---|
| 被相続人（自身） | | 被相続人等 |
| 被相続人の親族 | 被相続人と生計一の親族 | 被相続人等 |
| 被相続人の親族 | 被相続人と生計別の親族 | 被相続人の親族 |

図４

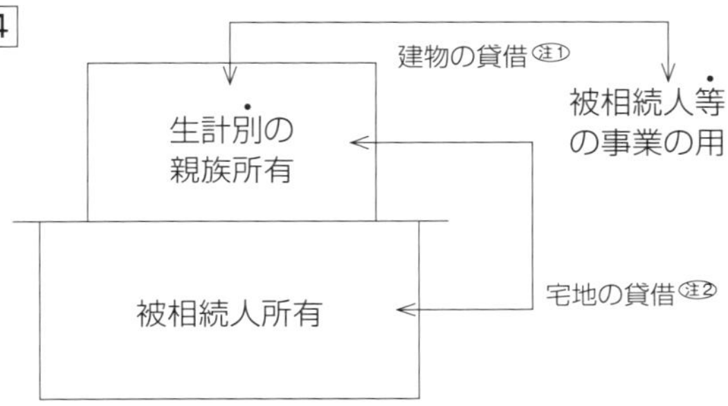


㊟1　上記の態様においては、被相続人等が生計別の親族から当該建物を無償で借り受けていることが要件です。

㊟2　宅地の所有者（被相続人）と建物の所有者（生計別の親族）との貸借関係が有償契約である場合には、前記①（他に貸し付けられていた宅地等）に該当することとなります。（したがって、ここでは、この両者間の貸借関係は無償契約であることが前提です。）

③　まとめ

被相続人等の事業の用に供されている宅地等について特定事業用宅地等に該当（課税価格算入割合20％）する可能性を有するか又は貸付事業用宅地等に該当（課税価格算入割合50％）する可能性を有するか若しくは小規模宅地等に一切該当しないかについて区分すると、次のとおりとなります。

• ①（他に貸し付けられていた宅地等）の取扱い

| 土地所有者 | 建物所有者 | 地代 | 小規模宅地 | 参考図 | 備考 |
|---|---|---|---|---|---|
| 被相続人 | 被相続人以外の第三者 | 有償 | 50％ | 図１ | |
| 被相続人 | 被相続人以外の第三者 | 無償 | ０％ | 図１ | |

・②（①以外の宅地等）の取扱い

| 土地所有者 | 建物所有者 | 地代 | 建物所有者 | 建物利用者 | 家賃 | 小規模宅地 | 参考図 | 備考 |
|---|---|---|---|---|---|---|---|---|
| 被相続人 | 被相続人 | — | 被相続人 | 被相続人 | — | 80% | 図２Ⓐ | |
| 被相続人 | 被相続人 | — | 被相続人 | 生計一親族 | 有償 | 50% | 図２Ⓑ | |
| 被相続人 | 被相続人 | — | 被相続人 | 生計一親族 | 無償 | 80% | | |
| 被相続人 | 生計一親族 | 有償 | 生計一親族 | 被相続人 | 有償 | 50% | 図３Ⓐ | ①の取扱い |
| 被相続人 | 生計一親族 | 有償 | 生計一親族 | 被相続人 | 無償 | 50% | | ①の取扱い |
| 被相続人 | 生計一親族 | 無償 | 生計一親族 | 被相続人 | 有償 | 50% | | |
| 被相続人 | 生計一親族 | 無償 | 生計一親族 | 被相続人 | 無償 | 80% | | |
| 被相続人 | 生計一親族A | 有償 | 生計一親族A | 生計一親族A | — | 50% | 図３Ⓑ | ①の取扱い |
| 被相続人 | 生計一親族A | 無償 | 生計一親族A | 生計一親族A | — | 80% | | |
| 被相続人 | 生計一親族A | 有償 | 生計一親族A | 生計一親族B | 有償 | 50% | | ①の取扱い |
| 被相続人 | 生計一親族A | 有償 | 生計一親族A | 生計一親族B | 無償 | 50% | | ①の取扱い |
| 被相続人 | 生計一親族A | 無償 | 生計一親族A | 生計一親族B | 有償 | 50% | | |
| 被相続人 | 生計一親族A | 無償 | 生計一親族A | 生計一親族B | 無償 | 80% | | |
| 被相続人 | 生計別親族 | 無償 | 生計別親族 | 被相続人 | 有償 | ０% | 図４ | |
| 被相続人 | 生計別親族 | 無償 | 生計別親族 | 生計一親族 | 有償 | ０% | | |
| 被相続人 | 生計別親族 | 無償 | 生計別親族 | 被相続人 | 無償 | 80% | | |
| 被相続人 | 生計別親族 | 無償 | 生計別親族 | 生計一親族 | 無償 | 80% | | |
| 被相続人 | 生計別親族 | 有償 | 生計別親族 | 被相続人 | 有償 | 50% | | ①の取扱い |
| 被相続人 | 生計別親族 | 有償 | 生計別親族 | 生計一親族 | 有償 | 50% | | ①の取扱い |
| 被相続人 | 生計別親族 | 有償 | 生計別親族 | 被相続人 | 無償 | 50% | | ①の取扱い |
| 被相続人 | 生計別親族 | 有償 | 生計別親族 | 生計一親族 | 無償 | 50% | | ①の取扱い |

（注）80%⇨特定事業用宅地等として小規模宅地等の課税特例の適用の可能性がある場合
50%⇨貸付事業用宅地等として小規模宅地等の課税特例の適用の可能性がある場合
０%⇨小規模宅地等の課税特例の適用対象とならない場合

## 〔６〕 措置法通達69の４－４の２《宅地等が配偶者居住権の目的となっている建物等の敷地である場合の被相続人等の事業の用に供されていた宅地等の範囲》

### ⑴ 本通達と措置法通達69の４－４《被相続人等の事業の用に供されていた宅地等の範囲》との差異

措置法通達69の４－４《被相続人等の事業の用に供されていた宅地等の範囲》の定めは、被相続人に係る相続開始時（課税時期）において、小規模宅地等の課税特例の対象とされる特例対象宅地等につき、配偶者居住権が設定されていないことが前提となっています。

すなわち、措置法通達69の４－４の定めは、今回の被相続人に係る相続が配偶者居住権の設定に係る相続（以下、〔６〕においてこの相続を「第一次相続」といいます。）である場合においては、小規模宅地等の課税特例の適用要件である『被相続人等の事業の用に供されていた宅地等』の判定が『相続開始の直前』（配偶者居住権の取得前）の現況により行われるべきものとされていることとの均衡を図った取扱いであると考えられます。

一方、民法第1032条《配偶者による使用及び収益》第３項において、「配偶者は、居住建物の所有者の承諾を得なければ、居住建物の改築若しくは増築をし、又は第三者に居住建物の使用若しくは収益をさせることができない。」と規定されているところ、換言すれば、当該条項は、配偶者居住権についてはその設定後に居住建物の所有者の承諾を得たならば、第三者に当該居住建物を賃貸することも認められるということになります。

そうすると、第一次相続により配偶者居住権が設定された場合において、その後、配偶者居住権の目的となっている建物等の敷地である宅地等の所有者に相続開始があった（以下、〔６〕においてこの相続を「第二次相続」といいます。）ときにおける当該第二次相続に係る被相続人等の事業の用に供されていた宅地等の範囲を明確にする必要性が生じてきます。本通達は、この場合における取扱いを定めたものです。

### ⑵ 共通要件

相続又は遺贈（第二次相続を指しています。）により取得した宅地等が、当該相続の開始の直前において配偶者居住権に基づき使用又は収益されていた建物等（注）の敷地の用に供されていたものである場合をいいます。

（注） 建物等とは、建物又は構築物をいいます。

### ⑶ 事業用宅地等の要件（次の①又は②の要件を充足）

#### ① 他に貸し付けられていた宅地等（当該貸付けが事業に該当する場合に限られます。）

被相続人が有する宅地等が、当該被相続人以外の者に相当の対価により継続的に貸し付けられていた場合には、当該被相続人に係る相続の開始の直前において配偶者居住権に基づき使用又は収益されていた建物等の敷地の用に供されていたものであっても、上記〔５〕に掲げる措置法通達69の４－４《被相続人等の事業の用に供されていた宅地等の範囲》の定めが適用され、その貸付規模等を問わず、当該宅地等は『被相続人の不動産貸付に係る

事業の用』に供されていたものとなります。（概念図として、図１を参照）

図１

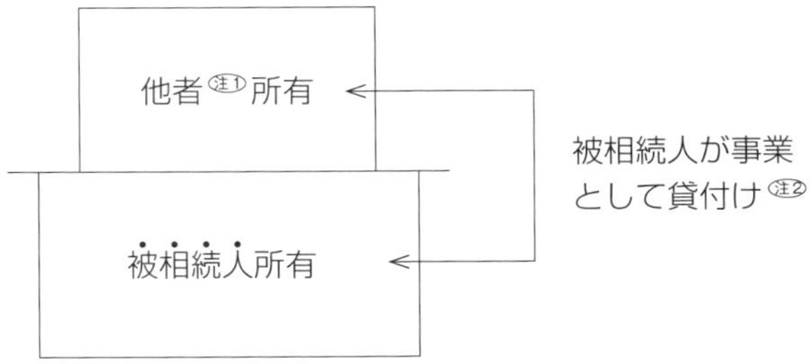


注1　他者とは、被相続人以外の者をいいます。

注2　(イ)　事業には『事業に準ずるもの』が含まれます。

(ロ)　貸付けとは、相当の対価を得て継続的に貸し付けていることをいいます。

したがって当該貸借の条件が無償である場合や固定資産税その他の必要経費を回収する程度の相当の対価を得ていないものについては、借主の如何（第三者、生計一の親族、同族会社等）を問わず、本通達に定める『貸付け』の要件には該当しません。

この①に該当する事例を掲げると、次の図２のとおりになります。

## 図２　貸付けが事業に該当する場合の他に貸し付けられていた宅地等の事例

（親族図）

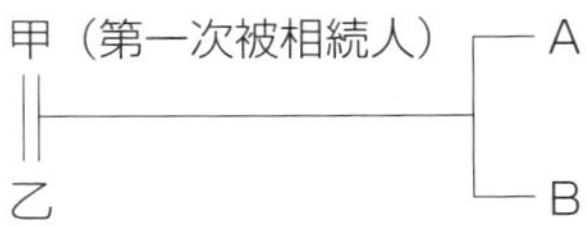


### (イ)　配偶者居住権者が第二次相続に係る被相続人である場合

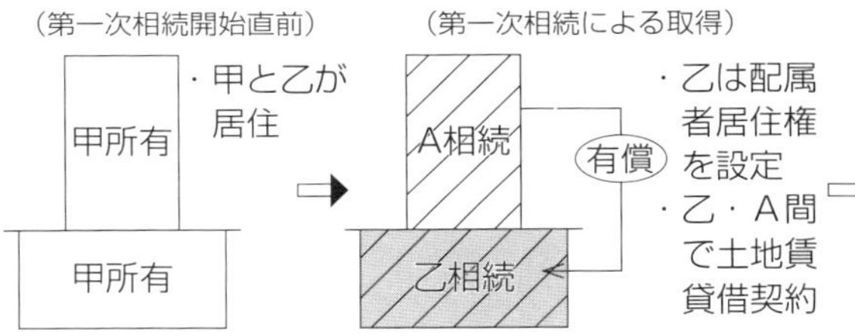


（第二次相続の開始及びその取扱い）

左図の状況で、配偶者居住権者である乙に相続開始があった場合には、同人の有する宅地（▨部分）は、被相続人乙の貸付事業の用に供されていた宅地等に該当することになります。

（注１）　配偶者居住権者とは、配偶者居住権を有する者をいいます。（以下、〔6〕において同じです。）

（注２）　▨又は▨は、配偶者居住権又は配偶者居住権に基づく敷地利用権が設定されていることを概念的に示しています。（以下、〔6〕において同じです。）

### (ロ)　配偶者居住権者以外の者が第二次相続に係る被相続人である場合

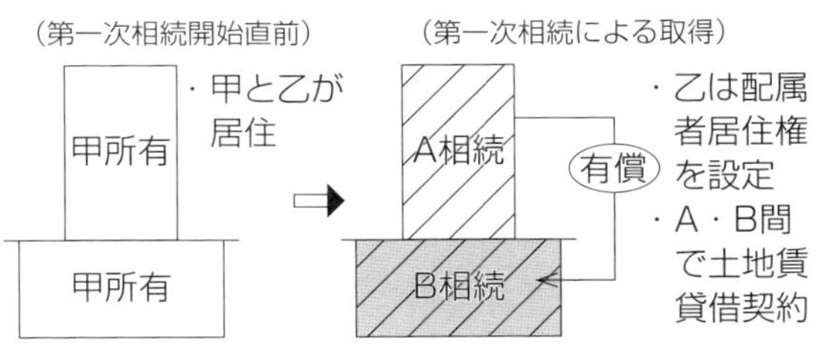


（第二次相続の開始及びその取扱い）

左図の状況で、配偶者居住権者に該当しないBに相続開始があった場合には、同人の有する宅地（▨部分）は、被相続人Bの不動産貸付に係る事業の用に供されていた宅地等に該当することになります。

### ②　①以外の宅地等

本通達では、上記①以外の宅地等に該当するものとして、次の(イ)及び(ロ)の２つの区分を掲げています。

(イ)　被相続人等（注1）の事業（注2）の用に供されていた建物等（注3）で、被相続人等が配偶者居住権者であるものの敷地の用に供されていた宅地等

（注１）　被相続人等とは、被相続人又はその被相続人と生計を一にしていたその被相続人の親族をいいます。（以下、〔6〕において同じです。）

（注２）　事業は、自己の事業の用と貸付事業の用に区分されます。

（注３）　建物等とは、被相続人等又はその他親族（㊟）が所有していた建物等をいいます。（以下、〔6〕において同じです。）

㊟　その他親族とは、被相続人の親族のうち、被相続人と生計を一にしていたものを除いた者をいいます。（以下、〔6〕において同じです。）

上記(イ)の区分は、次に掲げる考え方に起因して定められたものと思われます。

㋑　このような宅地等については、「被相続人等又はその他親族」の所有する建物等が配偶者居住権の目的となっていた場合には、配偶者居住権者が当該建物等の全部について無償で使用・収益する権利を有していることになります。

㋺　上記㋑に加え、上記〔5〕に掲げる措置法通達69の４－４《被相続人等の事業の用に供されていた宅地等の範囲》の定めも考慮すると、当該建物等は、配偶者居住権者の利用の用に供されていたものと考えることが相当であることから、当該配偶者居住権者が当該建物等をどのように利用していたかにより判定することになります。

なお、上記(イ)の区分はこれを細分すると、次の(A)及び(B)のとおりになります。

(A)　配偶者居住権者である「被相続人等」が、その建物等（被相続人等又はその他親族が建物所有者である場合の当該建物等をいいます。）を自己の事業の用に供していた場合

当該宅地は、当該配偶者居住権者である「被相続人等」の事業の用に供されていた宅地等となります。

(B)　配偶者居住権者である「被相続人等」が、その建物等（被相続人等又はその他親族が建物所有者である場合の当該建物等をいいます。）を当該建物等の所有者の承諾を得て他の者に相当の対価により継続的に貸し付けていた場合

当該宅地等は、当該配偶者居住権者である「被相続人等」の不動産貸付に係る事業の用に供されていた宅地等となります。

上記(A)及び(B)の取扱いを図示すると、図３のとおりとなります。

## 図３　被相続人等の事業の用に供されていた建物等で、被相続人等が配偶者居住権者であるものの敷地の用に供されていた宅地等の範囲（配偶者居住権者による自己使用又は配偶者居住権者による有償貸付の場合）

（親族図）甲（第一次被相続人）＝乙
　子：A（甲及び乙と生計一）
　子：B（甲及び乙と生計別）

（注）　AとBは、生計別です。

（備考）　▨又は▨部分は、配偶者居住権者（乙）による配偶者居住権又は配偶者居住権に基づく敷地利用権の対象とされている部分を示しています。

| 区分 | | | 建物所有者：配偶者居住権者（乙）(イ) | 建物所有者：配偶者居住権者（乙）と生計を一にする親族（A）(ロ) | 建物所有者：配偶者居住権者（乙）と生計を別にする親族（B）(ハ) |
|---|---|---|---|---|---|
| 建物の利用方法 | 配偶者居住権者による自己使用 | ①配偶者居住権者が被相続人 | ①－(イ) | ①－(ロ) | ①－(ハ) |
| | | ②配偶者居住権者が被相続人と生計を一にする親族 | ②－(イ) | ②－(ロ) | ②－(ハ) |
| | | ③配偶者居住権者が被相続人と生計を別にする親族 | ③－(イ) | ③－(ロ) | ③－(ハ) |
| | 配偶者居住権者による有償貸付 | ④配偶者居住権者が被相続人 | ④－(イ) | ④－(ロ) | ④－(ハ) |
| | | ⑤配偶者居住権者が被相続人と生計を一にする親族 | ⑤－(イ) | ⑤－(ロ) | ⑤－(ハ) |
| | | ⑥配偶者居住権者が被相続人と生計を別にする親族 | ⑥－(イ) | ⑥－(ロ) | ⑥－(ハ) |

①－(イ)

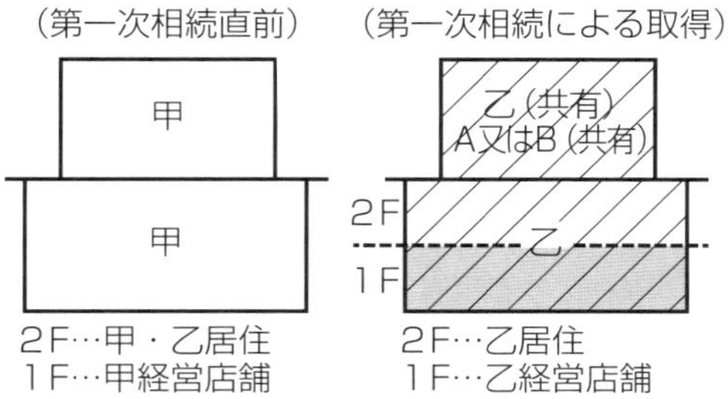


（第二次相続における取扱い）

部分が、配偶者居住権の目的となっている建物等の敷地のうち被相続人乙の特定事業用宅地等に該当

解説　被相続人乙の事業の用に供されていた建物等（被相続人乙所有（共有者））で、被相続人乙が配偶者居住権者であるものの敷地の用に供されていたものに該当

①－(ロ)

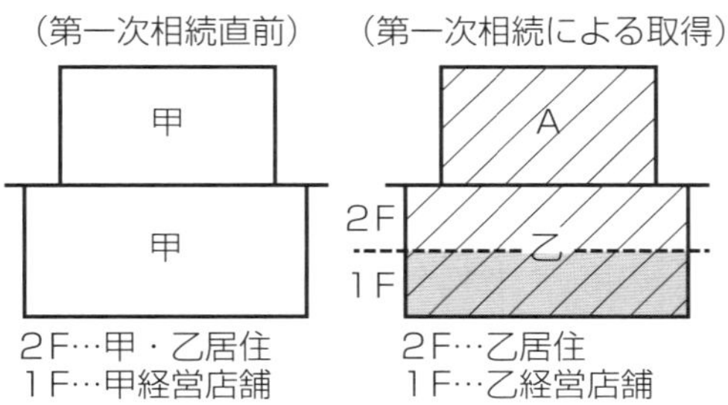


（第二次相続における取扱い）

部分が、配偶者居住権の目的となっている建物等の敷地のうち被相続人乙の特定事業用宅地等に該当

解説　被相続人乙の事業の用に供されていた建物等（被相続人乙と生計を一にする親族A所有）で、被相続人乙が配偶者居住権者であるものの敷地の用に供されていたものに該当

①－(ハ)

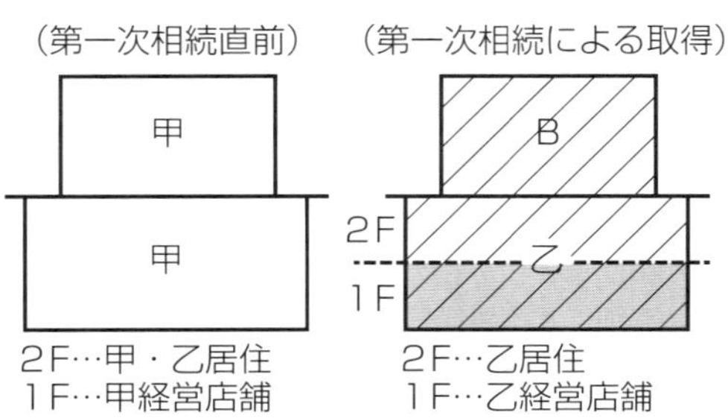


（第二次相続における取扱い）

部分が、配偶者居住権の目的となっている建物等の敷地のうち被相続人乙の特定事業用宅地等に該当

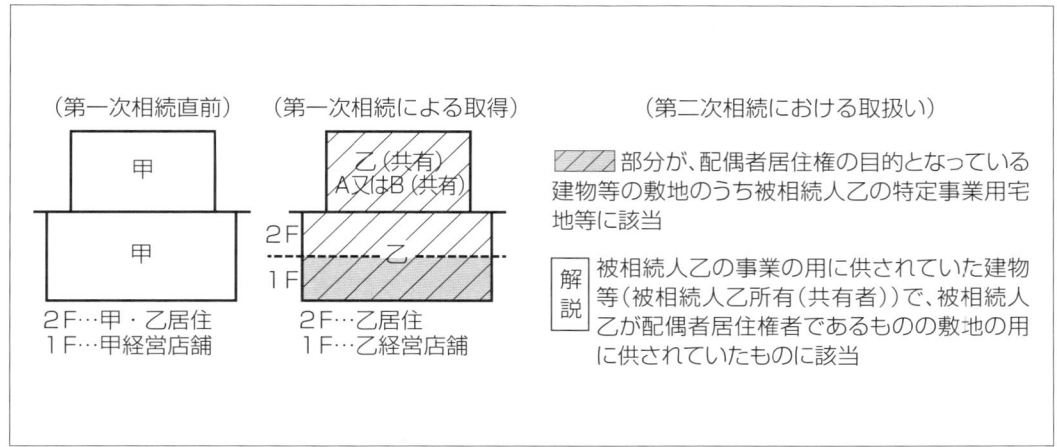

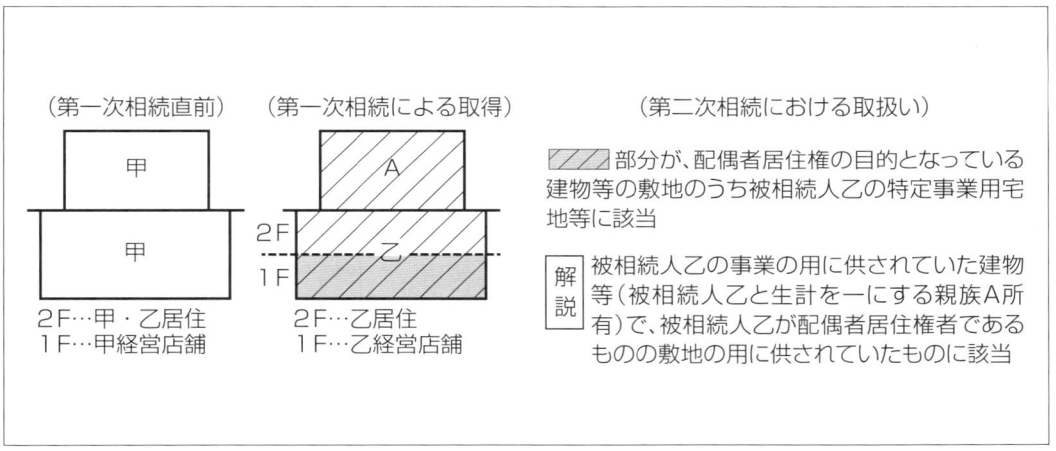

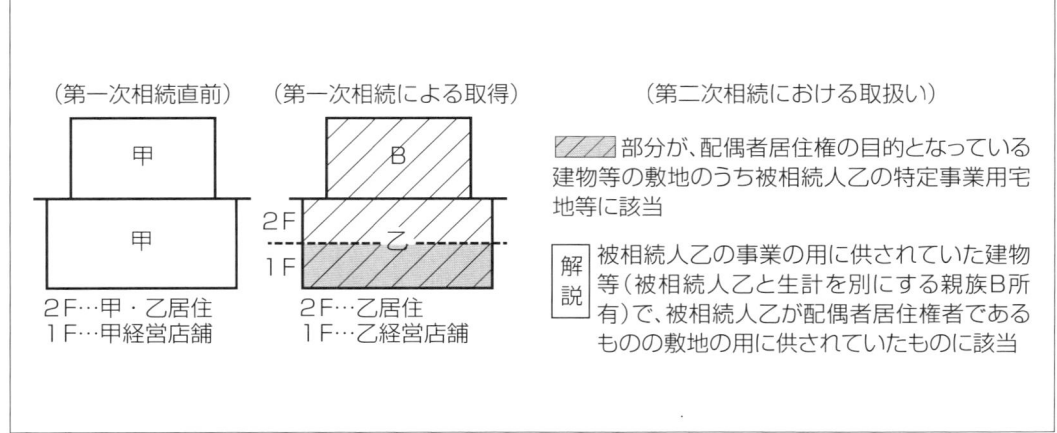

解説　被相続人乙の事業の用に供されていた建物等（被相続人乙と生計を別にする親族B所有）で、被相続人乙が配偶者居住権者であるものの敷地の用に供されていたものに該当

②―(イ)

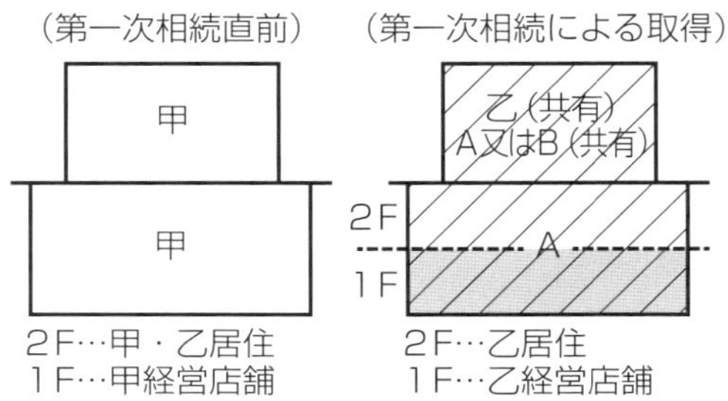


（第二次相続における取扱い）

部分が、配偶者居住権の目的となっている建物等の敷地のうち被相続人Aと生計を一にする親族乙の特定事業用宅地等に該当

解説 被相続人Aと生計を一にする親族乙の事業の用に供されていた建物等（被相続人Aと生計を一にする親族乙所有（共有者））で、被相続人Aと生計を一にする親族乙が配偶者居住権者であるものの敷地の用に供されていたものに該当

②―(ロ)

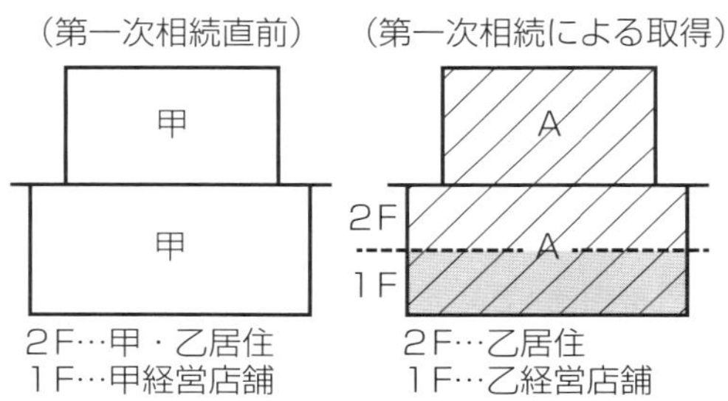


（第二次相続における取扱い）

部分が、配偶者居住権の目的となっている建物等の敷地のうち被相続人Aと生計を一にする親族乙の特定事業用宅地等に該当

解説 被相続人Aと生計を一にする親族乙の事業の用に供されていた建物等（被相続人A所有）で、被相続人Aと生計を一にする親族乙が配偶者居住権者であるものの敷地の用に供されていたものに該当

②―(ハ)

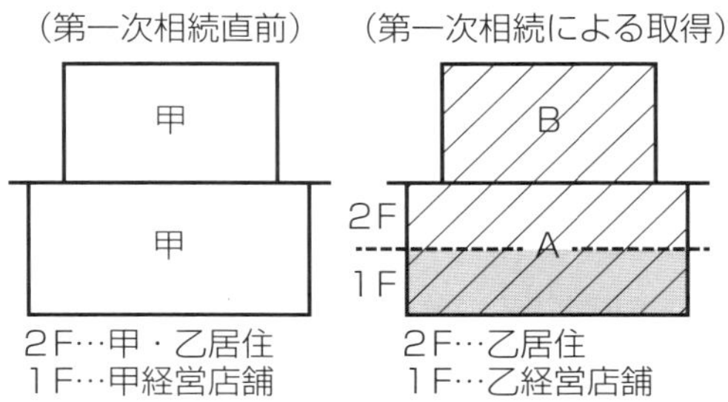


（第二次相続における取扱い）

部分が、配偶者居住権の目的となっている建物等の敷地のうち被相続人Aと生計を一にする親族乙の特定事業用宅地等に該当

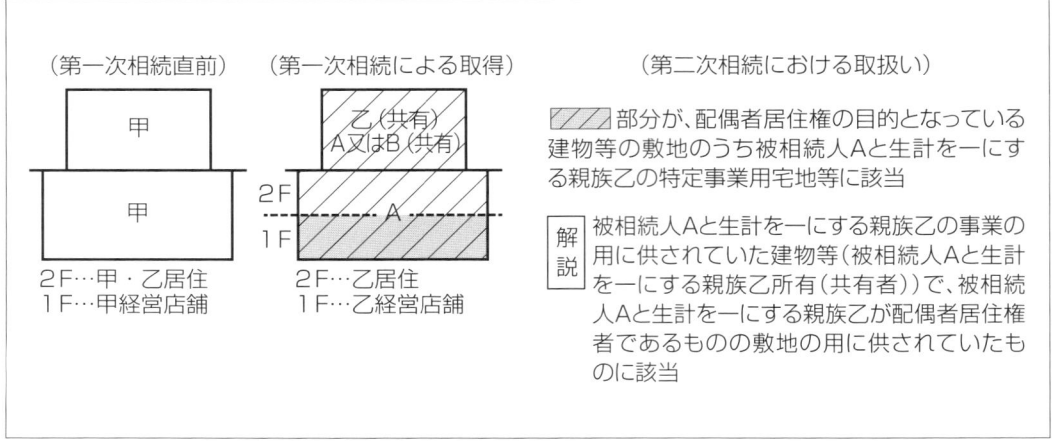

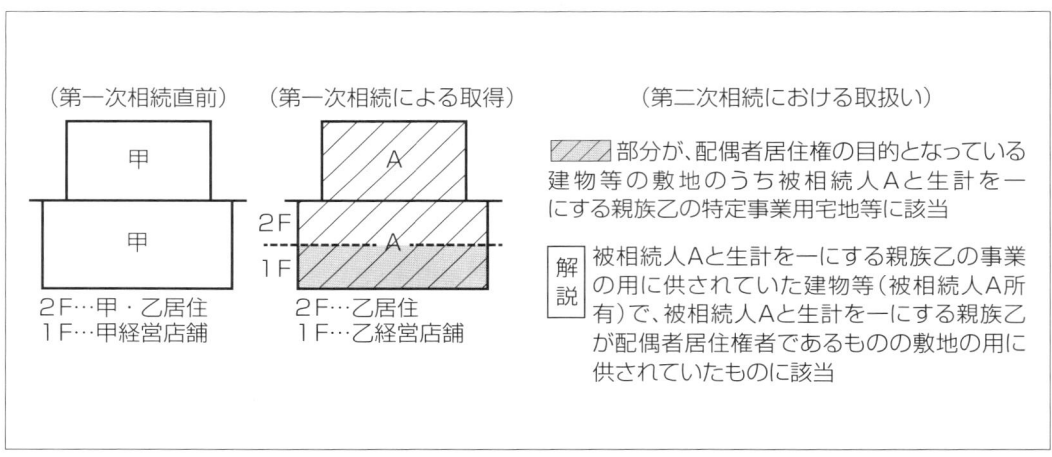

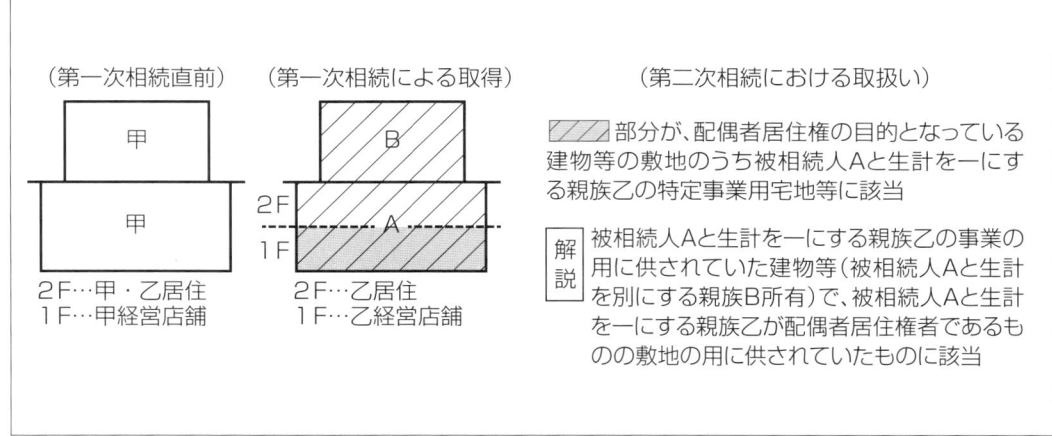

解説 被相続人Aと生計を一にする親族乙の事業の用に供されていた建物等（被相続人Aと生計を別にする親族B所有）で、被相続人Aと生計を一にする親族乙が配偶者居住権者であるものの敷地の用に供されていたものに該当

③－(イ)

（第一次相続直前）　（第一次相続による取得）　（第二次相続における取扱い）

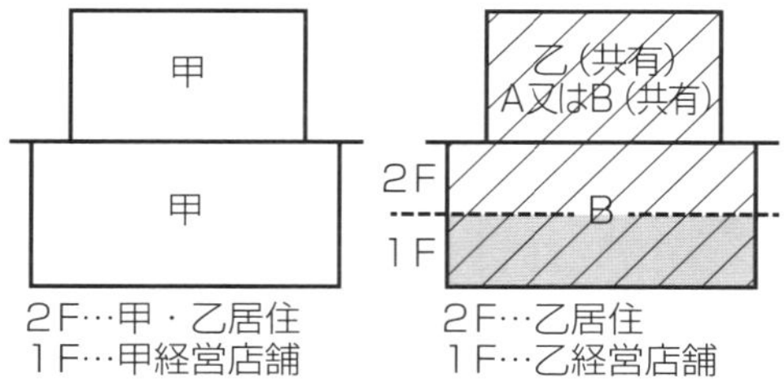


部分は、配偶者居住権の目的となっている建物等の敷地のうち被相続人Bと生計を別にする親族乙の事業用宅地等に該当し、特定事業用宅地等に非該当

解説　被相続人Bと生計を別にする親族乙の事業の用に供されていた建物等（被相続人Bと生計を別にする親族乙所有（共有者））で、被相続人Bと生計を別にする親族乙が配偶者居住権者であるものの敷地の用に供されていたものに該当

（注）　生計別親族の事業用宅地等は、小規模宅地等の課税特例の適用対象外

③－(ロ)

（第一次相続直前）　（第一次相続による取得）　（第二次相続における取扱い）

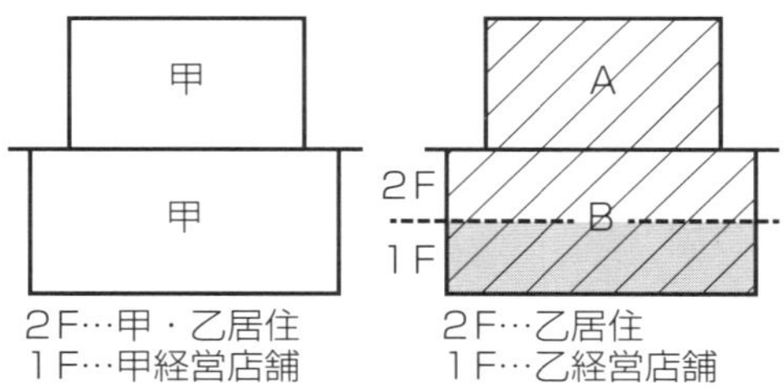


部分は、配偶者居住権の目的となっている建物等の敷地のうち被相続人Bと生計を別にする親族乙の事業用宅地等に該当し、特定事業用宅地等に非該当

解説　被相続人Bと生計を別にする親族乙の事業の用に供されていた建物等（被相続人Bと生計を別にする親族A所有）で、被相続人Bと生計を別にする親族乙が配偶者居住権者であるものの敷地の用に供されていたものに該当

（注）　生計別親族の事業用宅地等は、小規模宅地等の課税特例の適用対象外

③－(ハ)

（第一次相続直前）　（第一次相続による取得）　（第二次相続における取扱い）

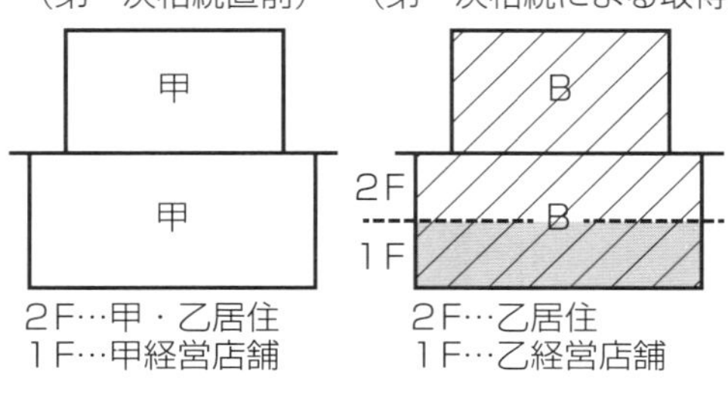


部分は、配偶者居住権の目的となっている建物等の敷地のうち被相続人Bと生計を別にする親族乙の事業用宅地等に該当し、特定事業用宅地等に非該当

解説　被相続人Bと生計を別にする親族乙の事業の用に供されていた建物等（被相続人B所有）で、被相続人Bと生計を別にする親族乙が配偶者居住権者であるものの敷地の用に供されていたものに該当

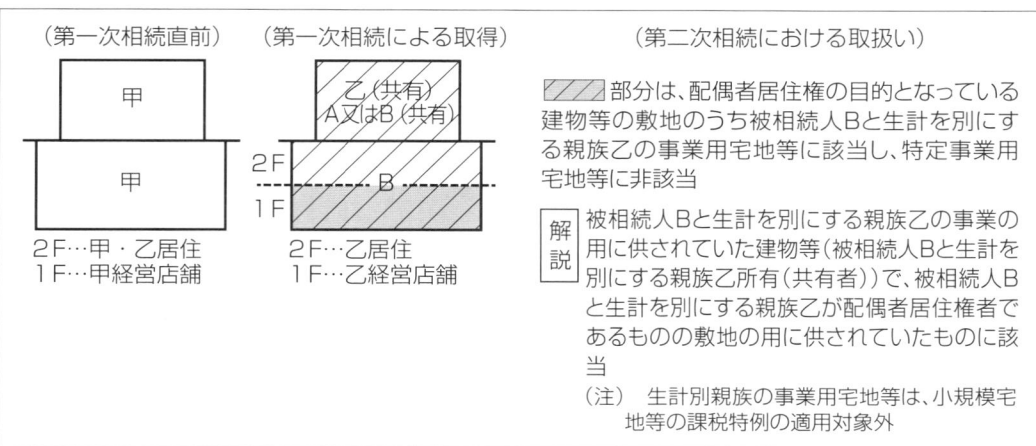

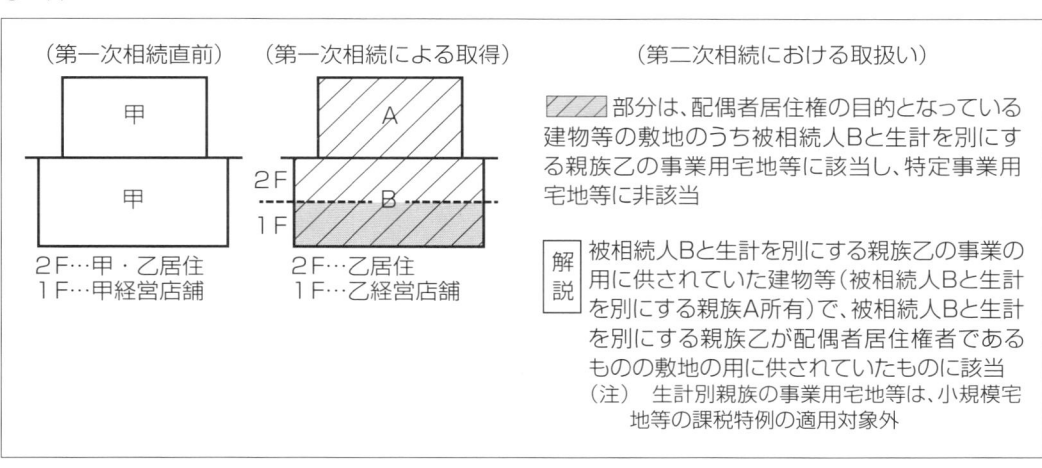

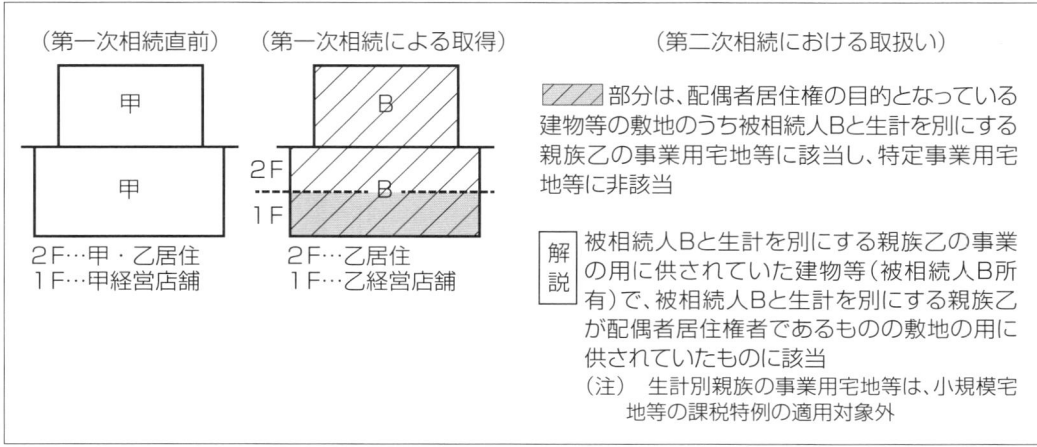

（注）　生計別親族の事業用宅地等は、小規模宅地等の課税特例の適用対象外

④－(イ)

(第二次相続における取扱い)

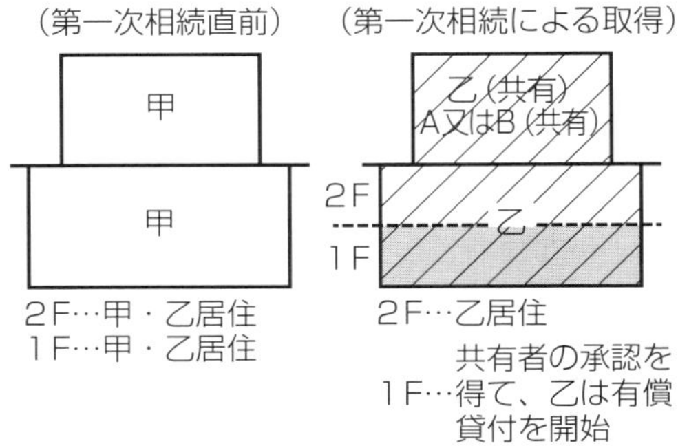


部分が、配偶者居住権の目的となっている建物等の敷地のうち被相続人乙の貸付事業用宅地等に該当

解説　被相続人乙の貸付事業の用に供されていた建物等（被相続人乙所有（共有者））で、被相続人乙が配偶者居住権者であるものの敷地の用に供されていたものに該当

④－(ロ)

(第二次相続における取扱い)

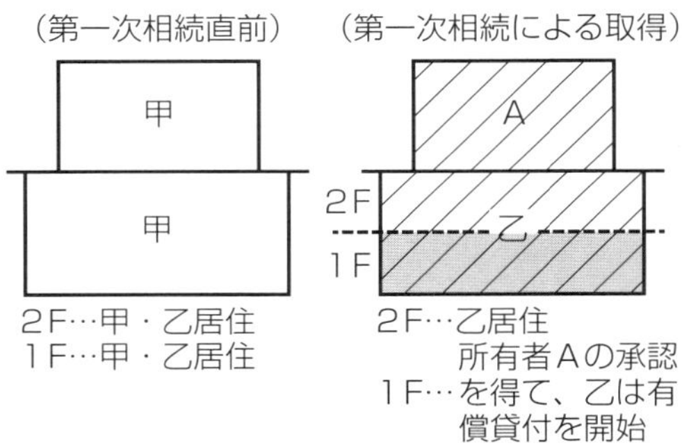


部分が、配偶者居住権の目的となっている建物等の敷地のうち被相続人乙の貸付事業用宅地等に該当

解説　被相続人乙の貸付事業の用に供されていた建物等（被相続人乙と生計を一にする親族A所有）で、被相続人乙が配偶者居住権者であるものの敷地の用に供されていたものに該当

④－(ハ)

(第二次相続における取扱い)

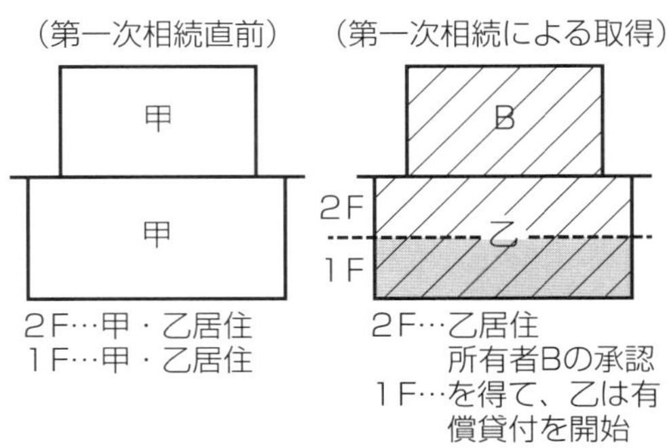


部分が、配偶者居住権の目的となっている建物等の敷地のうち被相続人乙の貸付事業用宅地等に該当

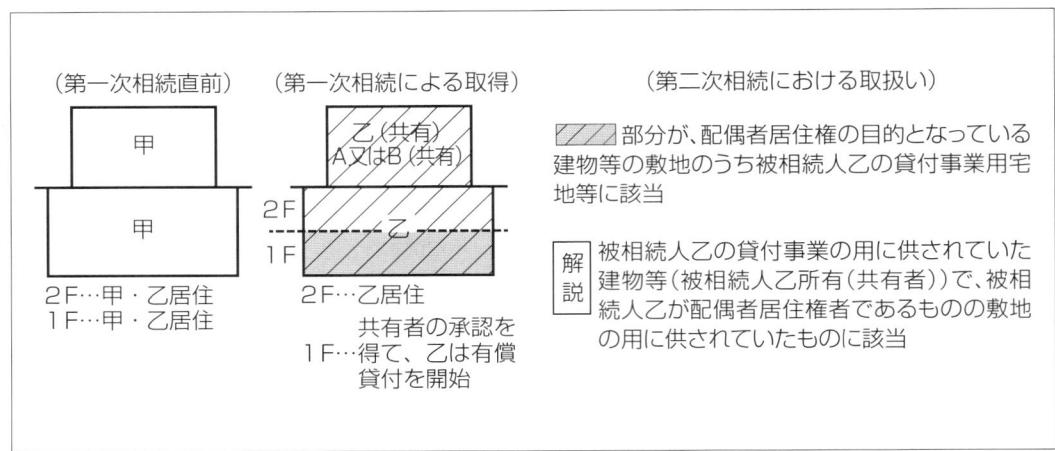

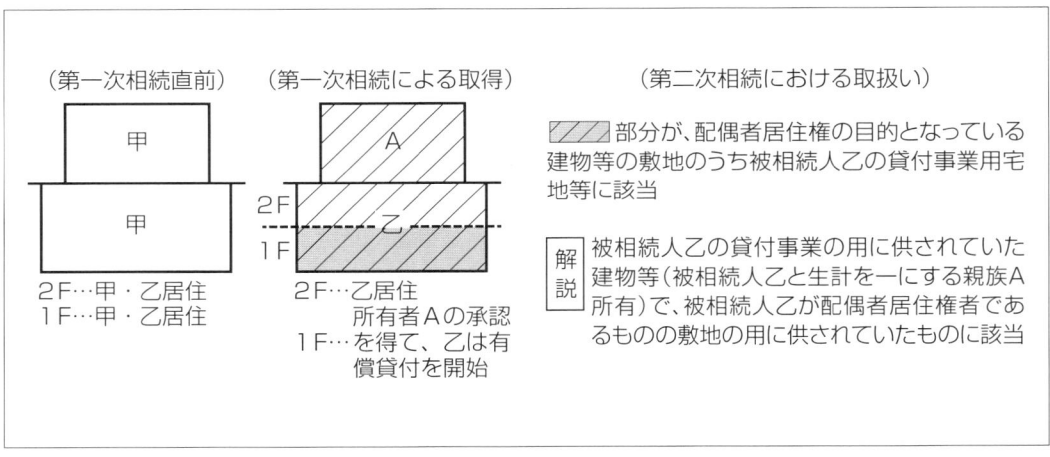

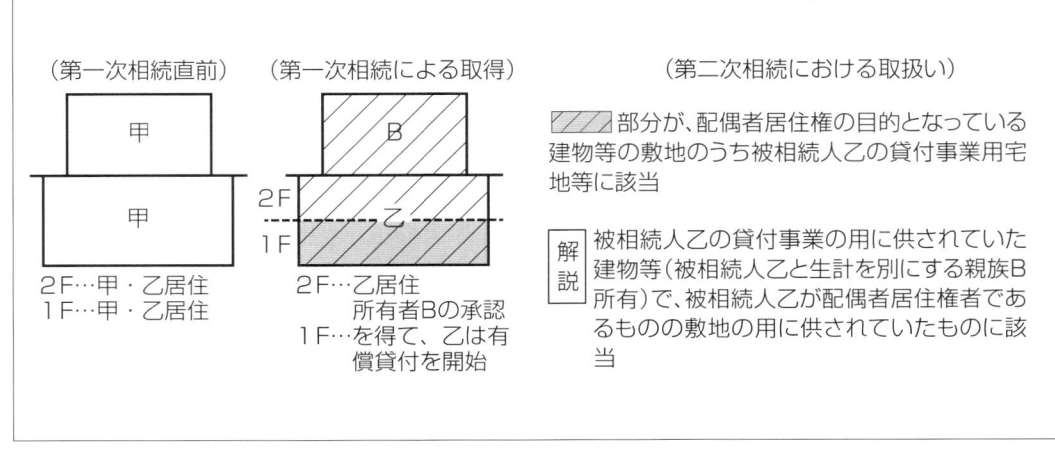

解説　被相続人乙の貸付事業の用に供されていた建物等（被相続人乙と生計を別にする親族B所有）で、被相続人乙が配偶者居住権者であるものの敷地の用に供されていたものに該当

⑤－(イ)

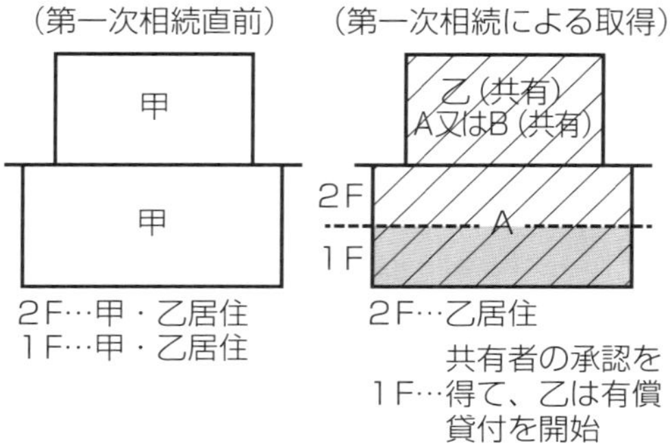


（第二次相続における取扱い）

部分が、配偶者居住権の目的となっている建物等の敷地のうち被相続人Aと生計を一にする親族乙の貸付事業用宅地等に該当

解説　被相続人Aと生計を一にする親族乙の貸付事業の用に供されていた建物等（被相続人Aと生計を一にする親族乙所有（共有者））で、被相続人Aと生計を一にする親族乙が配偶者居住権者であるものの敷地の用に供されていたものに該当

⑤－(ロ)

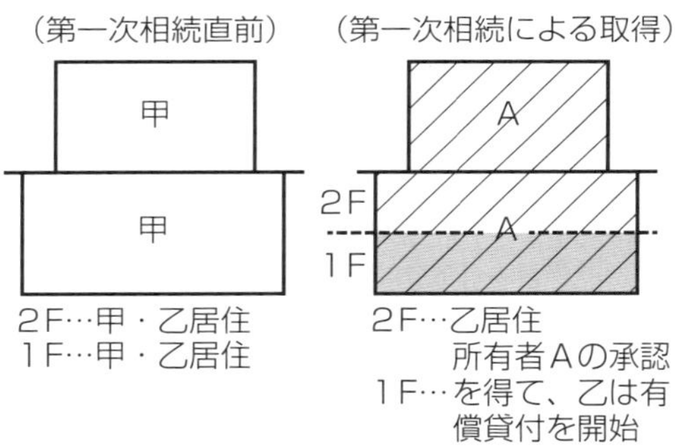


（第二次相続における取扱い）

部分が、配偶者居住権の目的となっている建物等の敷地のうち被相続人Aと生計を一にする親族乙の貸付事業用宅地等に該当

解説　被相続人Aと生計を一にする親族乙の貸付事業の用に供されていた建物等（被相続人A所有）で、被相続人Aと生計を一にする親族乙が配偶者居住権者であるものの敷地の用に供されていたものに該当

⑤－(ハ)

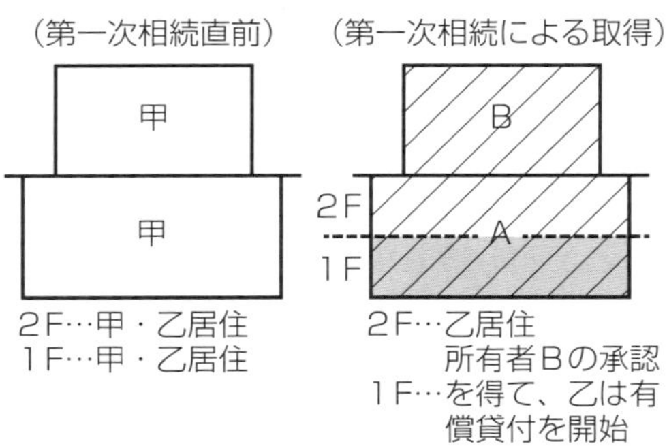


（第二次相続における取扱い）

部分が、配偶者居住権の目的となっている建物等の敷地のうち被相続人乙の貸付事業用宅地等に該当

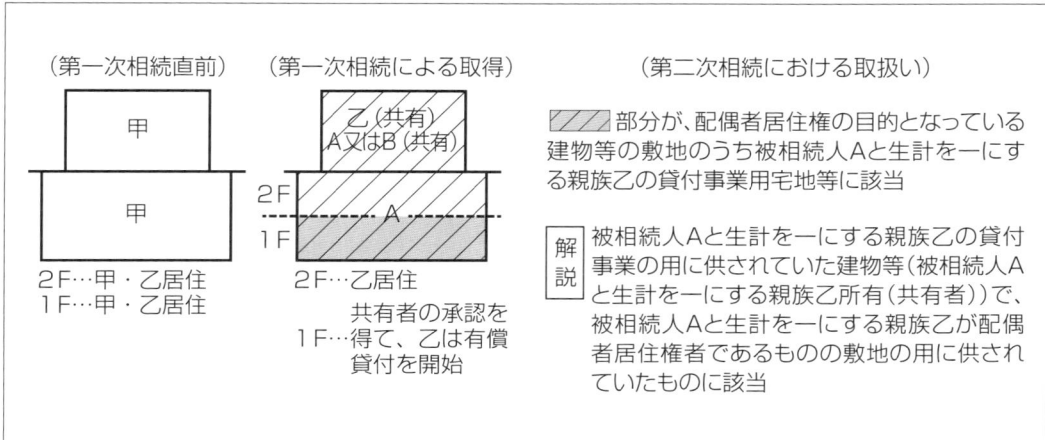

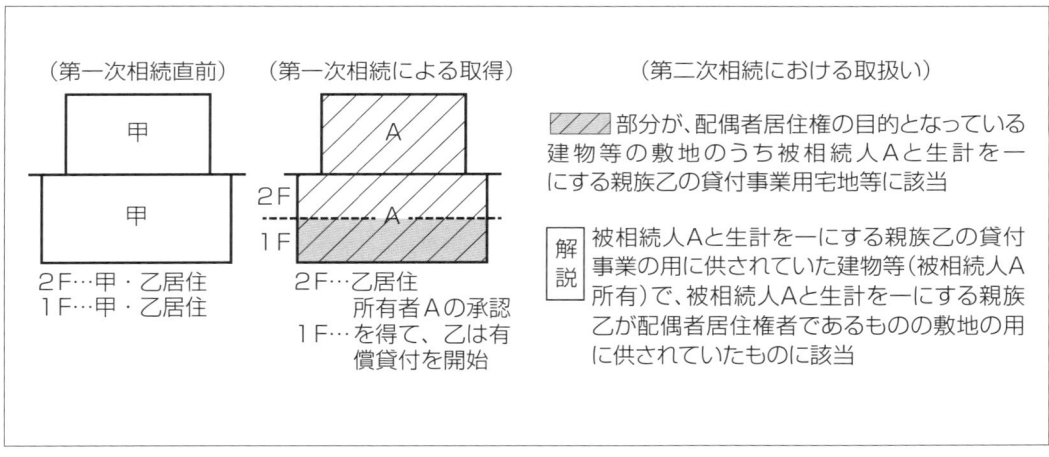

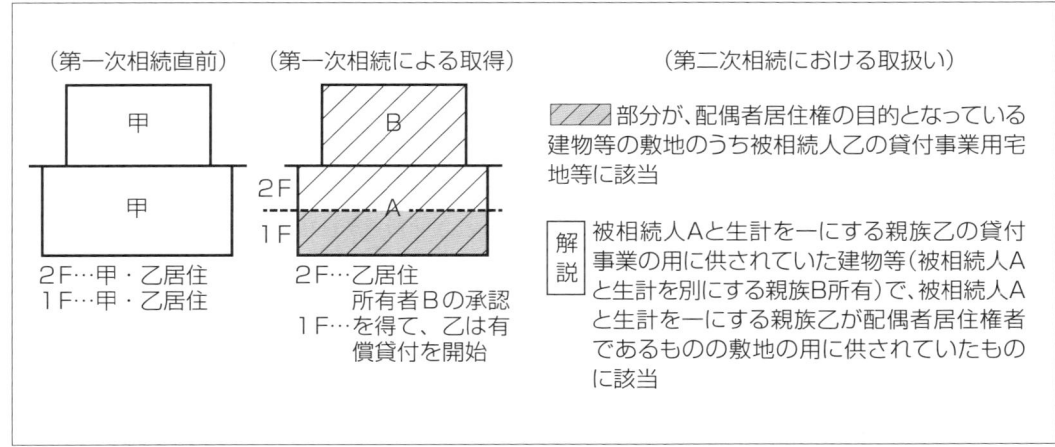

解説　被相続人Aと生計を一にする親族乙の貸付事業の用に供されていた建物等（被相続人Aと生計を別にする親族B所有）で、被相続人Aと生計を一にする親族乙が配偶者居住権者であるものの敷地の用に供されていたものに該当

⑥－(イ)

（第一次相続直前）　（第一次相続による取得）

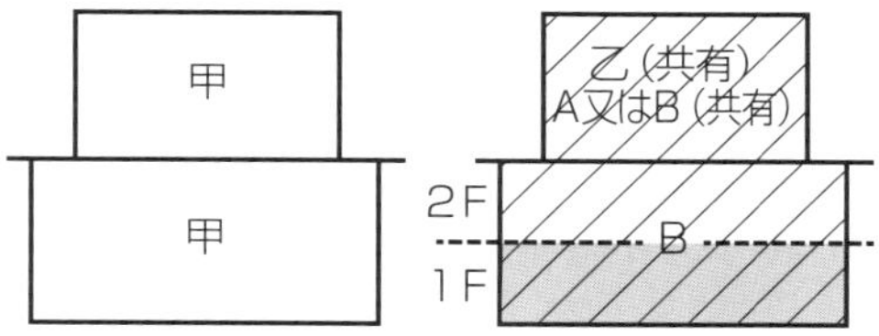


2F…甲・乙居住
1F…甲・乙居住

2F…乙居住
1F…共有者の承認を得て、乙は有償貸付を開始

（第二次相続における取扱い）

部分は、配偶者居住権の目的となっている建物等の敷地のうち被相続人Bと生計を別にする親族乙の貸付事業用宅地等に該当し、貸付事業用宅地等に非該当

解説　被相続人Bと生計を別にする親族乙の貸付事業の用に供されていた建物等（被相続人Bと生計を別にする親族乙所有（共有者））で、被相続人Bと生計を別にする親族乙が配偶者居住権者であるものの敷地の用に供されていたものに該当

（注）　生計別親族の貸付事業用宅地等は、小規模宅地等の課税特例の適用対象外

⑥－(ロ)

（第一次相続直前）　（第一次相続による取得）

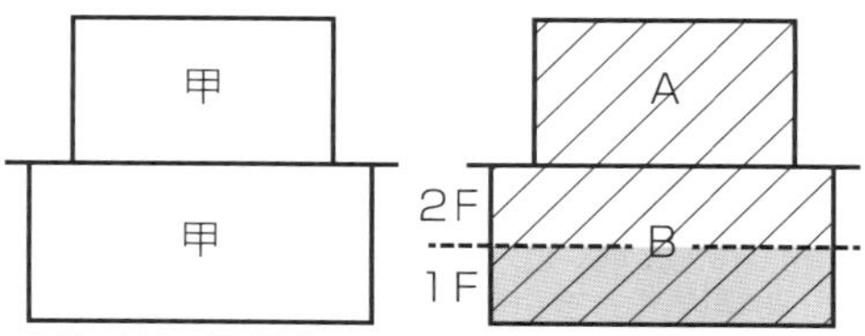


2F…甲・乙居住
1F…甲・乙居住

2F…乙居住
1F…所有者Aの承認を得て、乙は有償貸付を開始

（第二次相続における取扱い）

部分は、配偶者居住権の目的となっている建物等の敷地のうち被相続人Bと生計を別にする親族乙の貸付事業用宅地等に該当し、貸付事業用宅地等に非該当

解説　被相続人Bと生計を別にする親族乙の貸付事業の用に供されていた建物等（被相続人Bと生計を別にする親族A所有）で、被相続人Bと生計を別にする親族乙が配偶者居住権者であるものの敷地の用に供されていたものに該当

（注）　生計別親族の貸付事業用宅地等は、小規模宅地等の課税特例の適用対象外

⑥－(ハ)

（第一次相続直前）　（第一次相続による取得）

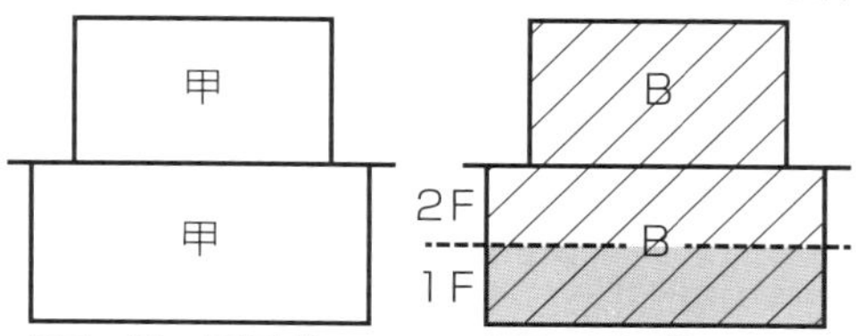


2F…甲・乙居住
1F…甲・乙居住

2F…乙居住
1F…所有者Bの承認を得て、乙は有償貸付を開始

（第二次相続における取扱い）

部分は、配偶者居住権の目的となっている建物等の敷地のうち被相続人Bと生計を別にする親族乙の貸付事業用宅地等に該当し、貸付事業用宅地等に非該当

解説　被相続人Bと生計を別にする親族乙の貸付事業の用に供されていた建物等（被相続人B所有）で、被相続人Bと生計を別にする親族乙が配偶者居住権者であるものの敷地の用に供されていたものに該当

（注）　生計別親族の貸付事業用宅地等は、小規模宅地等の課税特例の適用対象外

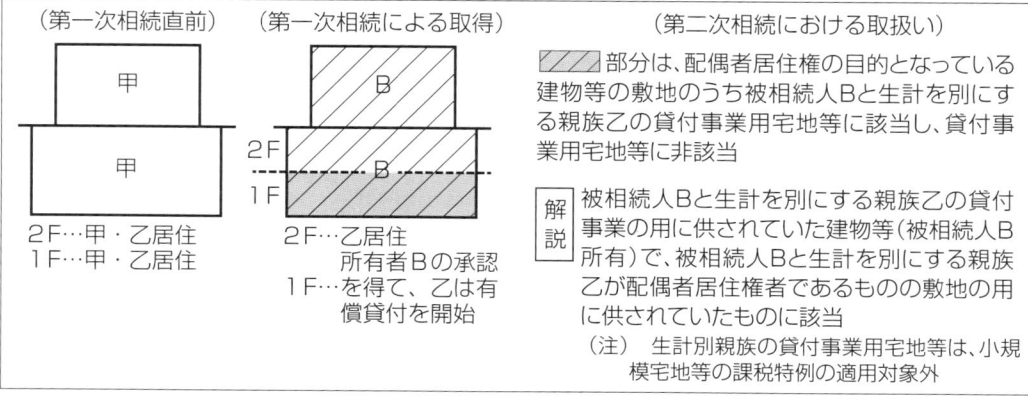

（注１）　図３ において、土地所有者と建物所有者が異なる場合には、これらの両者間における地代は無償（固定資産税その他の必要経費を回収する程度の相当の対価を得ていない貸付けを含みます。）であることが前提とされています。

（注２）　図３ において、特定事業用宅地等又は貸付事業用宅地等に関する他の適用要件（(A)承継要件、(B)所有要件、(C)事業（貸付事業）供用要件）は、充足しているものとします。

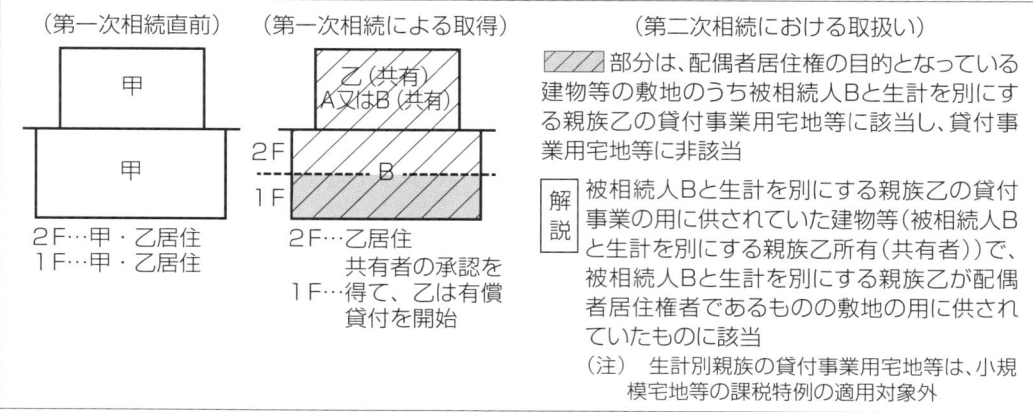

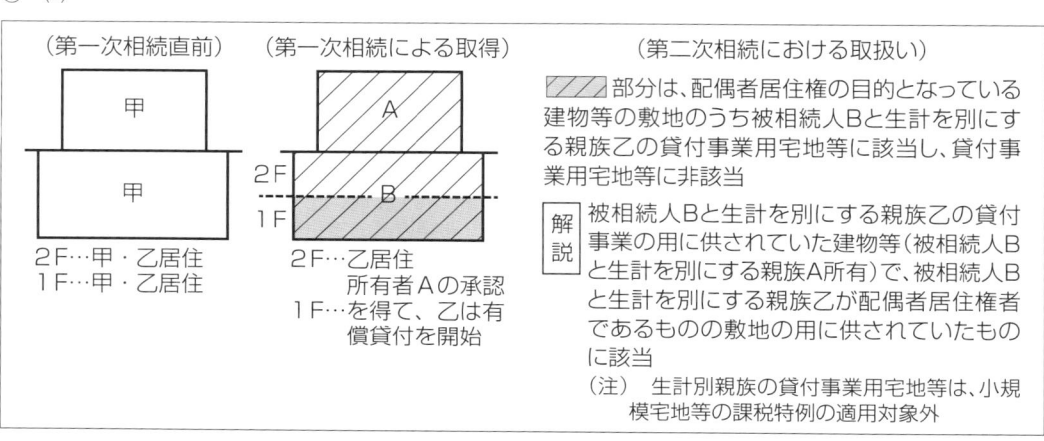

(ロ)　被相続人等の事業の用に供されていた建物等で、その他親族が配偶者居住権者であるもの（被相続人等が当該建物等を配偶者居住権者であるその他親族から無償で借り受けた場合における当該建物等に限られます。）の敷地の用に供されていた宅地等

上記(ロ)の区分は、次に掲げる考え方に起因して定められたものと思われます。

㋑　事例によっては、配偶者居住権者（配偶者居住権を有する被相続人等又はその他親族をいいます。）が無償で当該建物等を貸し付けて、「被相続人等」がその事業の用に供することも想定されます。

㋺　上記㋑の場合、上記〔5〕に掲げる措置法通達69の４－４《被相続人等の事業の用に供されていた宅地等の範囲》の定めも考慮すると、上記㋑の事業の用に供しているその「被相続人等」の建物等の利用状況に基づき、「被相続人等の事業の用に供されていた宅地等」に該当するかどうかを判定することになります。

なお、上記(ロ)の区分はこれを細分すると、次の(A)及び(B)のとおりになります。

(A)　配偶者居住権者である「被相続人等又はその他親族」がその建物等を無償で貸し付けていた場合において、配偶者居住権者以外の「被相続人等」が当該建物等を無償で借り受けて当該建物等を自己の事業の用に供していた場合

当該宅地等は、当該配偶者居住権者以外の「被相続人等」の事業の用に供されていた宅地等となります。

(B)　配偶者居住権者である「被相続人等又はその他親族」がその建物等を無償で貸し付けていた場合において、配偶者居住権者以外の「被相続人等」が当該建物等を無償で借り受けて当該建物等を他の者に相当の対価により継続的に貸し付けていた場合

当該宅地等は、当該配偶者居住権者以外の「被相続人等」の不動産貸付に係る事業の用に供されていた宅地等となります。

(注)　ただし、上記(B)は本通達の定めから理論上、想定区分されるものですが、その実態はいわゆる「転貸し」であり、他の課税問題が生じる可能性もあることから、課税実務上においてはその実現性には疑問が生じるものであることに留意する必要があります。

上記(A)及び(B)の取扱いを図示すると、図４のとおりとなります。

## 図４ 被相続人等の事業の用に供されていた建物等で、その他親族が配偶者居住権者であるものの敷地の用に供されていた宅地等の範囲（配偶者居住権者による無償貸付の場合）

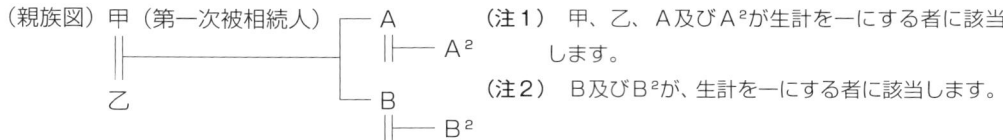

（親族図）

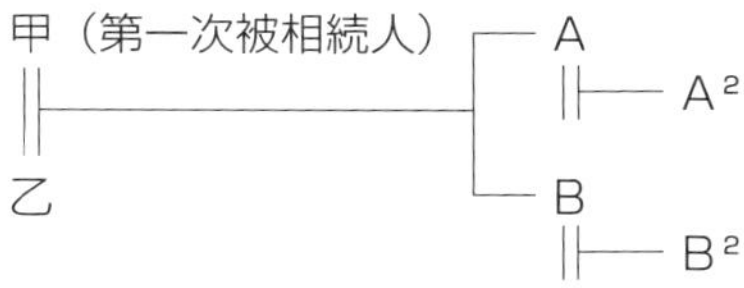


（注１） 甲、乙、Ａ及びＡ²が生計を一にする者に該当します。

（注２） Ｂ及びＢ²が、生計を一にする者に該当します。

（備考） ▨又は▩部分は、配偶者居住権者（乙）による配偶者居住権又は配偶者居住権に基づく敷地利用権の対象とされている部分を示しています。

<table>
<tr><th colspan="4" rowspan="2">区分</th><th colspan="3">建物所有者</th></tr>
<tr><th>配偶者居住権者（乙）<br>(イ)</th><th>配偶者居住権者（乙）と生計を一にする親族（Ａ）<br>(ロ)</th><th>配偶者居住権者（乙）と生計を別にする親族（Ｂ）<br>(ハ)</th></tr>
<tr><td rowspan="6">建物の利用方法</td><td rowspan="6">配偶者居住権者による無償貸付</td><td rowspan="3">無償借受人が無償借受部分を自己の事業の用に供した場合</td><td>⑦配偶者居住権者が被相続人</td><td>⑦－(イ)</td><td>⑦－(ロ)</td><td>⑦－(ハ)</td></tr>
<tr><td>⑧配偶者居住権者が被相続人と生計を一にする親族</td><td>⑧－(イ)</td><td>⑧－(ロ)</td><td>⑧－(ハ)</td></tr>
<tr><td>⑨配偶者居住権者が被相続人と生計を別にする親族</td><td>⑨－(イ)</td><td>⑨－(ロ)</td><td>⑨－(ハ)</td></tr>
<tr><td rowspan="3">無償借受人が無償借受部分を貸付事業の用に供した場合</td><td>⑩配偶者居住権者が被相続人</td><td>⑩－(イ)</td><td>⑩－(ロ)</td><td>⑩－(ハ)</td></tr>
<tr><td>⑪配偶者居住権者が被相続人と生計を一にする親族</td><td>⑪－(イ)</td><td>⑪－(ロ)</td><td>⑪－(ハ)</td></tr>
<tr><td>⑫配偶者居住権者が被相続人と生計を別にする親族</td><td>⑫－(イ)</td><td>⑫－(ロ)</td><td>⑫－(ハ)</td></tr>
</table>

⑦ー(イ)

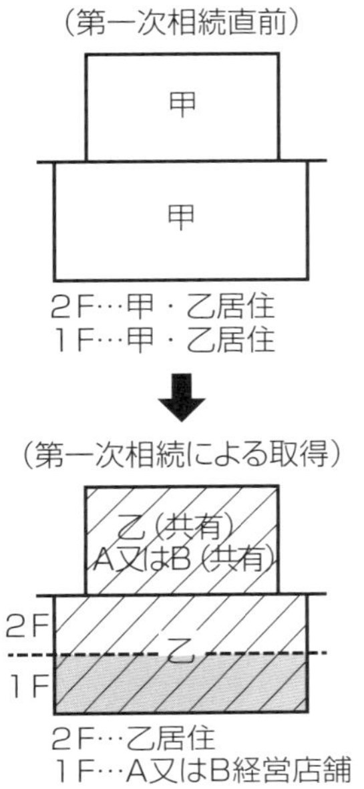


（第二次相続における取扱い）

(1)　無償借受人がA（被相続人乙と生計一親族）である場合
部分が、A（被相続人乙と生計一親族）の特定事業用宅地等に該当

(2)　無償借受人がB（被相続人乙と生計別親族）である場合
部分は、小規模宅地等の課税特例の適用対象外

解説　配偶者居住権者である『被相続人乙』がその建物等を配偶者居住権者以外の『被相続人乙と生計を一にする親族A』に無償で貸し付けていた場合（上記(1)の場合）において、当該借受人Aが当該建物等を自己の事業の用に供していたときは、当該宅地等（ 部分）は、『被相続人乙と生計を一にする親族A』の自己の事業の用に供されていた宅地等に該当

⑦ー(ロ)

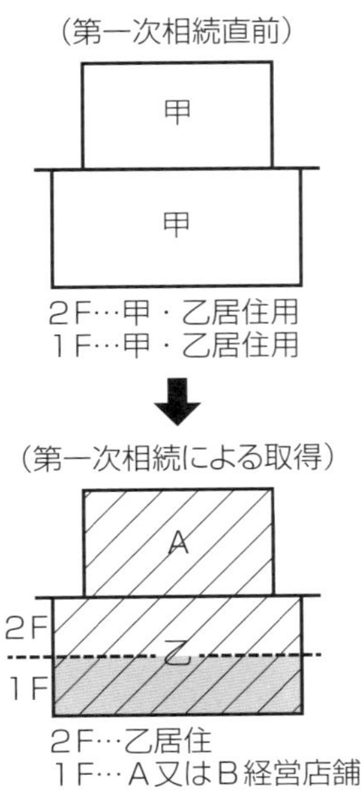


（第二次相続における取扱い）

(1)　無償借受人がA（被相続人乙と生計一親族）である場合
部分が、A（被相続人乙と生計一親族）の特定事業用宅地等に該当

(2)　無償借受人がB（被相続人乙と生計別親族）である場合
部分は、小規模宅地等の課税特例の適用対象外

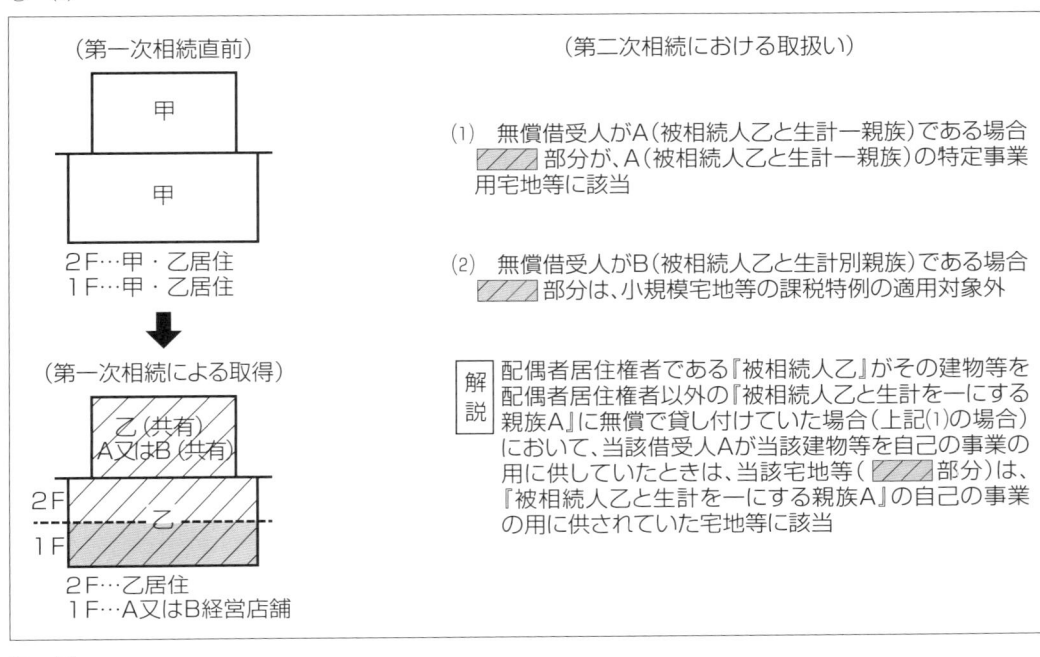

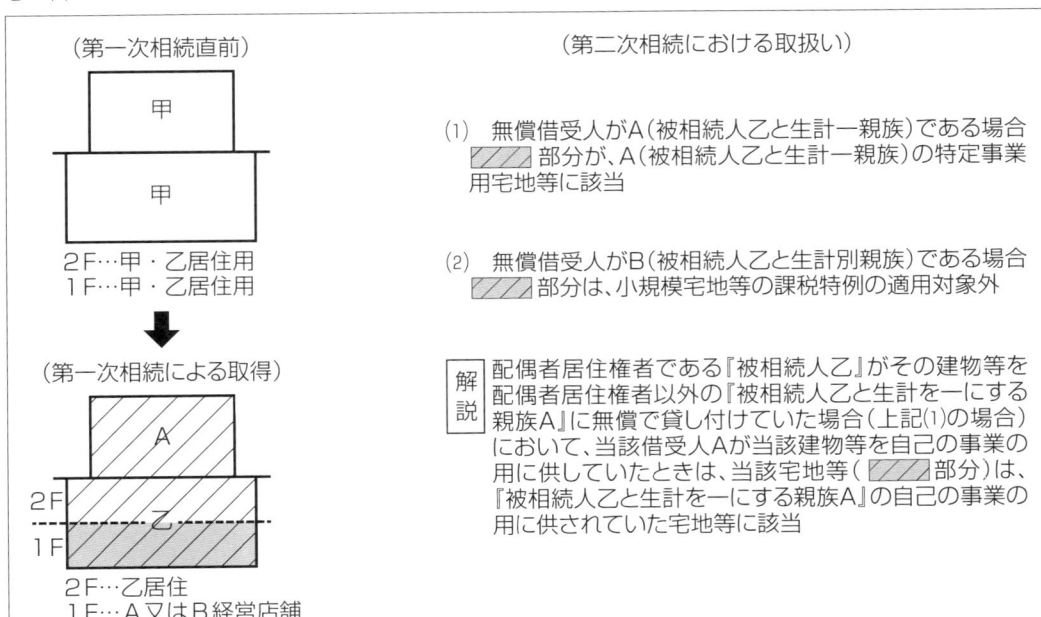

解説　配偶者居住権者である『被相続人乙』がその建物等を配偶者居住権者以外の『被相続人乙と生計を一にする親族A』に無償で貸し付けていた場合（上記(1)の場合）において、当該借受人Aが当該建物等を自己の事業の用に供していたときは、当該宅地等（ 部分）は、『被相続人乙と生計を一にする親族A』の自己の事業の用に供されていた宅地等に該当

⑦－(ハ)

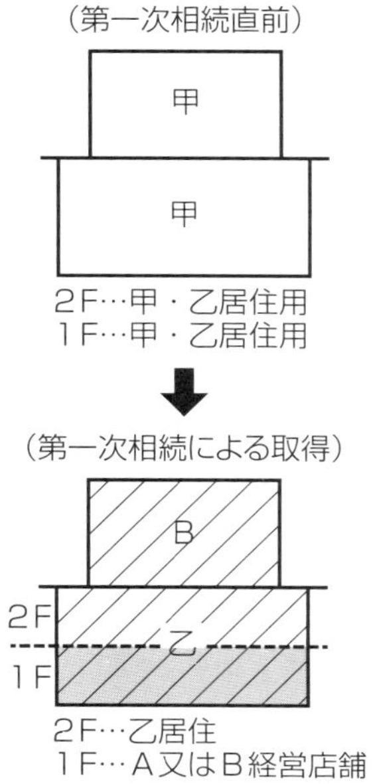


（第二次相続における取扱い）

(1)　無償借受人がA（被相続人乙と生計一親族）である場合
部分が、A（被相続人乙と生計一親族）の特定事業用宅地等に該当

(2)　無償借受人がB（被相続人乙と生計別親族）である場合
部分は、小規模宅地等の課税特例の適用対象外

解説　配偶者居住権者である『被相続人乙』がその建物等を配偶者居住権者以外の『被相続人乙と生計を一にする親族A』に無償で貸し付けていた場合（上記(1)の場合）において、当該借受人Aが当該建物等を自己の事業の用に供していたときは、当該宅地等（　部分）は、『被相続人乙と生計を一にする親族A』の自己の事業の用に供されていた宅地等に該当

⑧－(イ)

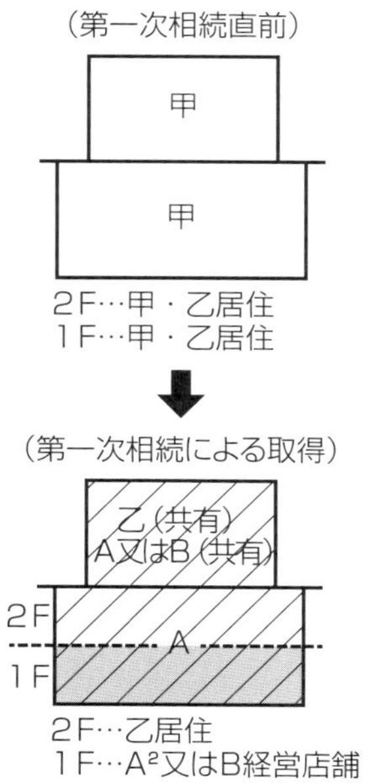


（第二次相続における取扱い）

(1)　無償借受人がA²（被相続人Aと生計一親族）である場合
部分が、A²（被相続人Aと生計一親族）の特定事業用宅地等に該当

(2)　無償借受人がB（被相続人Aと生計別親族）である場合
部分は、小規模宅地等の課税特例の適用対象外

解説　配偶者居住権者である『被相続人Aと生計を一にする親族乙』がその建物等を配偶者居住権者以外の『被相続人Aと生計を一にする親族A²』に無償で貸し付けていた場合（上記(1)の場合）において、当該借受人A²が当該建物等を自己の事業の用に供していたときは、当該宅地等（　部分）は、『被相続人Aと生計を一にする親族A²』の自己の事業の用に供されていた宅地等に該当

⑧－(ロ)

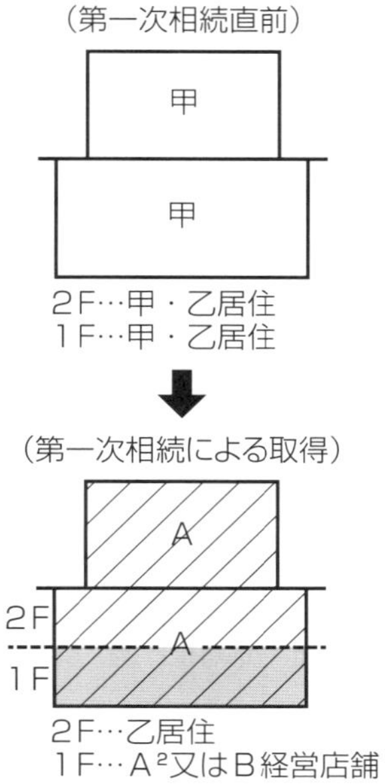


（第二次相続における取扱い）

(1)　無償借受人が$A^2$（被相続人Aと生計一親族）である場合
[斜線] 部分が、$A^2$（被相続人Aと生計一親族）の特定事業用宅地等に該当

(2)　無償借受人がB（被相続人Aと生計別親族）である場合
[斜線] 部分は、小規模宅地等の課税特例の適用対象外

解説　配偶者居住権者である『被相続人Aと生計を一にする親族乙』がその建物等を配偶者居住権者以外の『被相続人Aと生計を一にする親族$A^2$』に無償で貸し付けていた場合（上記(1)の場合）において、当該借受人$A^2$が当該建物等を自己の事業の用に供していたときは、当該宅地等（[斜線] 部分）は、『被相続人Aと生計を一にする親族$A^2$』の自己の事業の用に供されていた宅地等に該当

⑧－(ハ)

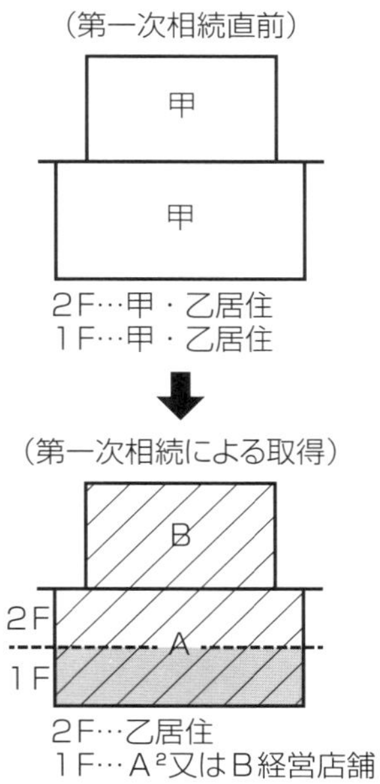


（第二次相続における取扱い）

(1)　無償借受人が$A^2$（被相続人Aと生計一親族）である場合
[斜線] 部分が、$A^2$（被相続人Aと生計一親族）の特定事業用宅地等に該当

(2)　無償借受人がB（被相続人Aと生計別親族）である場合
[斜線] 部分は、小規模宅地等の課税特例の適用対象外

解説　配偶者居住権者である『被相続人Aと生計を一にする親族乙』がその建物等を配偶者居住権者以外の『被相続人Aと生計を一にする親族$A^2$』に無償で貸し付けていた場合（上記(1)の場合）において、当該借受人$A^2$が当該建物等を自己の事業の用に供していたときは、当該宅地等（[斜線] 部分）は、『被相続人Aと生計を一にする親族$A^2$』の自己の事業の用に供されていた宅地等に該当

⑨－(イ)

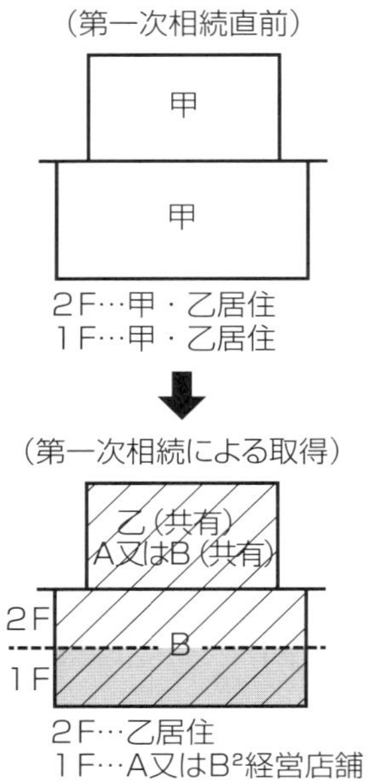


（第二次相続における取扱い）

(1)　無償借受人がA（被相続人Bと生計別親族）である場合
　部分は、小規模宅地等の課税特例の適用対象外

(2)　無償借受人がB²（被相続人Bと生計一親族）である場合
　部分が、B²（被相続人Bと生計一親族）の特定事業用宅地等に該当

解説　配偶者居住権者である『被相続人Bと生計を別にする親族乙』がその建物等を配偶者居住権者以外の『被相続人Bと生計を一にする親族B²』に無償で貸し付けていた場合（上記(2)の場合）において、当該借受人B²が当該建物等を自己の事業の用に供していたときは、当該宅地等（　部分）は、『被相続人Bと生計を一にする親族B²』の自己の事業の用に供されていた宅地等に該当

⑨－(ロ)

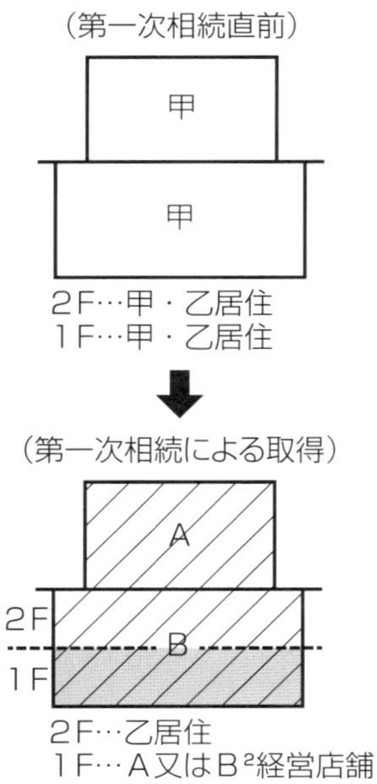


（第二次相続における取扱い）

(1)　無償借受人がA（被相続人Bと生計別親族）である場合
　部分は、小規模宅地等の課税特例の適用対象外

(2)　無償借受人がB²（被相続人Bと生計一親族）である場合
　部分が、B²（被相続人Bと生計一親族）の特定事業用宅地等に該当

解説　配偶者居住権者である『被相続人Bと生計を別にする親族乙』がその建物等を配偶者居住権者以外の『被相続人Bと生計を一にする親族B²』に無償で貸し付けていた場合（上記(2)の場合）において、当該借受人B²が当該建物等を自己の事業の用に供していたときは、当該宅地等（　部分）は、『被相続人Bと生計を一にする親族B²』の自己の事業の用に供されていた宅地等に該当

⑨―(ハ)

（第一次相続直前）

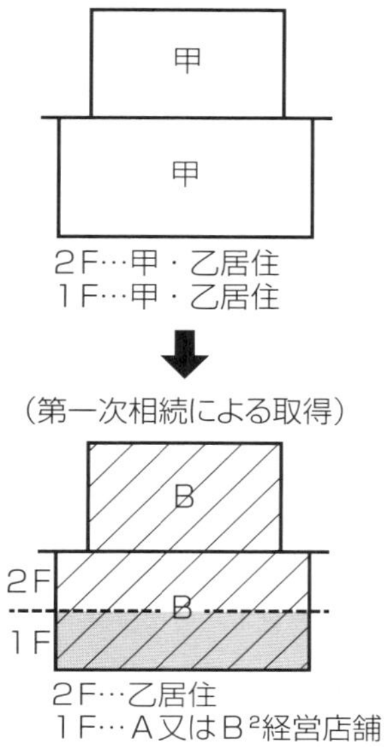


（第二次相続における取扱い）

(1)　無償借受人がA（被相続人Bと生計別親族）である場合
　部分は、小規模宅地等の課税特例の適用対象外

(2)　無償借受人がB²（被相続人Bと生計一親族）である場合
　部分が、B²（被相続人Bと生計一親族）の特定事業用宅地等に該当

解説　配偶者居住権者である『被相続人Bと生計を別にする親族乙』がその建物等を配偶者居住権者以外の『被相続人Bと生計を一にする親族B²』に無償で貸し付けていた場合（上記(2)の場合）において、当該借受人B²が当該建物等を自己の事業の用に供していたときは、当該宅地等（　部分）は、『被相続人Bと生計を一にする親族B²』の自己の事業の用に供されていた宅地等に該当

⑩―(イ)

（第一次相続直前）

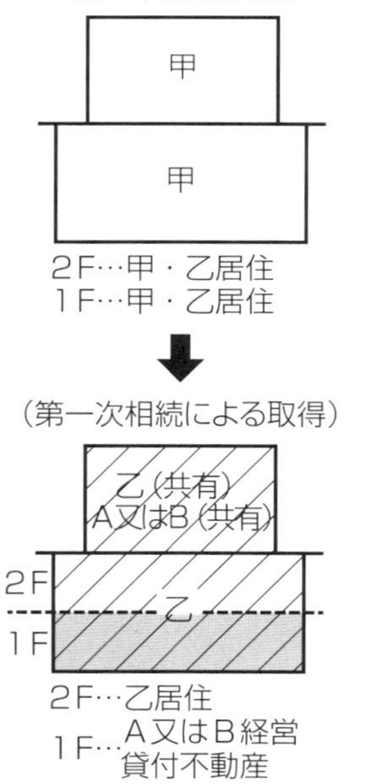


（第二次相続における取扱い）

(1)　無償借受人がA（被相続人乙と生計一親族）である場合
　部分が、A（被相続人乙と生計一親族）の貸付事業用宅地等に該当

(2)　無償借受人がB（被相続人乙と生計別親族）である場合
　部分は、小規模宅地等の課税特例の適用対象外

解説　配偶者居住権者である『被相続人乙』がその建物等を配偶者居住権者以外の『被相続人乙と生計を一にする親族A』に無償で貸し付けていた場合（上記(1)の場合）において、当該借受人Aが当該建物等をさらに、他の者に相当の対価により継続的に貸し付けていたときは、当該宅地等（　部分）は、『被相続人乙と生計を一にする親族A』の貸付事業の用に供されていた宅地等に該当

⑩ー(ロ)

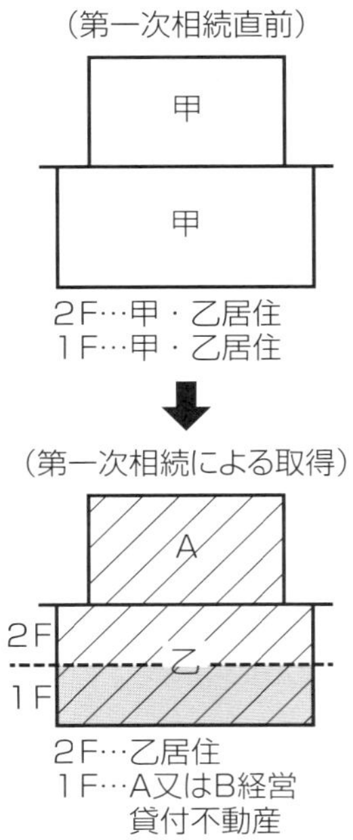


(第二次相続における取扱い)

(1)　無償借受人がA(被相続人乙と生計一親族)である場合
部分が、A(被相続人乙と生計一親族)の貸付事業用宅地等に該当

(2)　無償借受人がB(被相続人乙と生計別親族)である場合
部分は、小規模宅地等の課税特例の適用対象外

解説　配偶者居住権者である『被相続人乙』がその建物等を配偶者居住権者以外の『被相続人乙と生計を一にする親族A』に無償で貸し付けていた場合(上記(1)の場合)において、当該借受人Aが当該建物等をさらに、他の者に相当の対価により継続的に貸し付けていたときは、当該宅地等(　部分)は、『被相続人乙と生計を一にする親族A』の貸付事業の用に供されていた宅地等に該当

⑩ー(ハ)

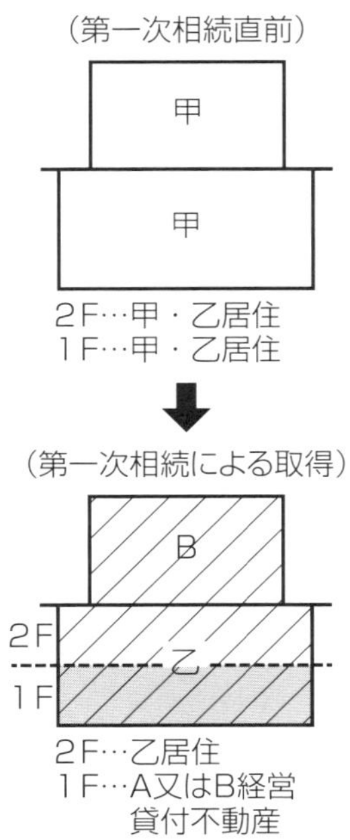


(第二次相続における取扱い)

(1)　無償借受人がA(被相続人乙と生計一親族)である場合
部分が、A(被相続人乙と生計一親族)の貸付事業用宅地等に該当

(2)　無償借受人がB(被相続人乙と生計別親族)である場合
部分は、小規模宅地等の課税特例の適用対象外

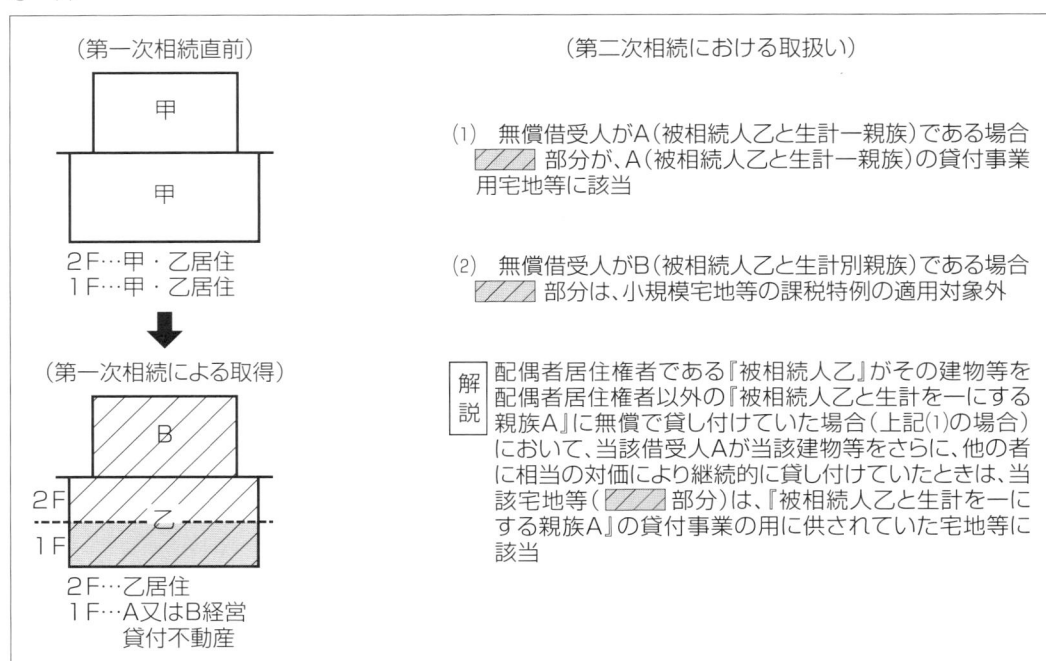

解説　配偶者居住権者である『被相続人乙』がその建物等を配偶者居住権者以外の『被相続人乙と生計を一にする親族A』に無償で貸し付けていた場合(上記(1)の場合)において、当該借受人Aが当該建物等をさらに、他の者に相当の対価により継続的に貸し付けていたときは、当該宅地等(　部分)は、『被相続人乙と生計を一にする親族A』の貸付事業の用に供されていた宅地等に該当

⑪－(イ)

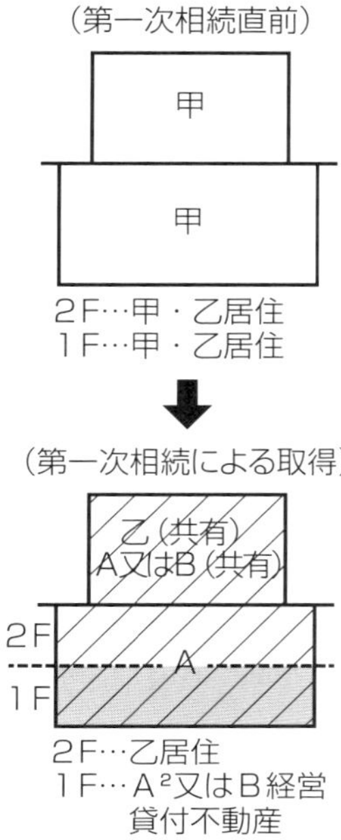


（第二次相続における取扱い）

(1) 無償借受人がA²（被相続人Aと生計一親族）である場合
部分が、A²（被相続人Aと生計一親族）の貸付事業用宅地等に該当

(2) 無償借受人がB（被相続人Aと生計別親族）である場合
部分は、小規模宅地等の課税特例の適用対象外

解説 配偶者居住権者である『被相続人Aと生計を一にする親族乙』がその建物等を配偶者居住権者以外の『被相続人Aと生計を一にする親族A²』に無償で貸し付けていた場合（上記(1)の場合）において、当該借受人A²が当該建物等をさらに、他の者に相当の対価により継続的に貸し付けていたときは、当該宅地等（　部分）は、『被相続人Aと生計を一にする親族A²』の貸付事業の用に供されていた宅地等に該当

⑪－(ロ)

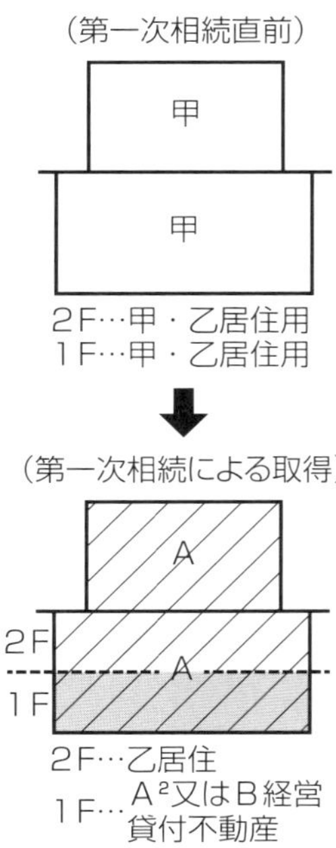


（第二次相続における取扱い）

(1) 無償借受人がA²（被相続人と生計一親族）である場合
部分が、A²（被相続人と生計一親族）の貸付事業用宅地等に該当

(2) 無償借受人がB（被相続人と生計別親族）である場合
部分は、小規模宅地等の課税特例の適用対象外

解説 配偶者居住権者である『被相続人Aと生計を一にする親族乙』がその建物等を配偶者居住権者以外の『被相続人Aと生計を一にする親族A²』に無償で貸し付けていた場合（上記(1)の場合）において、当該借受人A²が当該建物等をさらに、他の者に相当の対価により継続的に貸し付けていたときは、当該宅地等（　部分）は、『被相続人Aと生計を一にする親族A²』の貸付事業の用に供されていた宅地等に該当

⑪－(ハ)

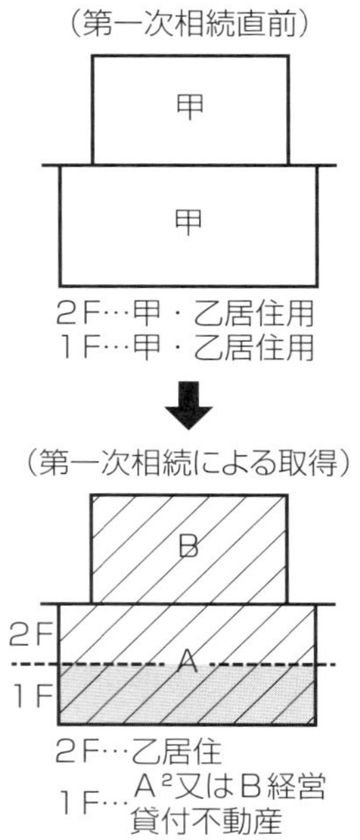


（第二次相続における取扱い）

(1)　無償借受人が$A^2$（被相続人と生計一親族）である場合
　部分が、$A^2$（被相続人と生計一親族）の貸付事業用宅地等に該当

(2)　無償借受人がB（被相続人と生計別親族）である場合
　部分は、小規模宅地等の課税特例の適用対象外

解説　配偶者居住権者である『被相続人Aと生計を一にする親族乙』がその建物等を配偶者居住権者以外の『被相続人Aと生計を一にする親族$A^2$』に無償で貸し付けていた場合（上記(1)の場合）において、当該借受人$A^2$が当該建物等をさらに、他の者に相当の対価により継続的に貸し付けていたときは、当該宅地等（　部分）は、『被相続人Aと生計を一にする親族$A^2$』の貸付事業の用に供されていた宅地等に該当

⑫－(イ)

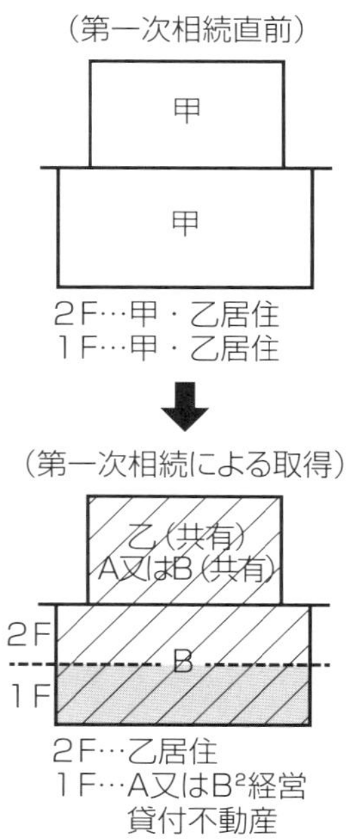


（第二次相続における取扱い）

(1)　無償借受人がA（被相続人Bと生計別親族）である場合
　部分は、小規模宅地等の課税特例の適用対象外

(2)　無償借受人が$B^2$（被相続人Bと生計一親族）である場合
　部分が、$B^2$（被相続人Bと生計一親族）の貸付事業用宅地等に該当

解説　配偶者居住権者である『被相続人Bと生計を別にする親族乙』がその建物等を配偶者居住権者以外の『被相続人Bと生計を一にする親族$B^2$』に無償で貸し付けていた場合（上記(2)の場合）において、当該借受人$B^2$が当該建物等をさらに、他の者に相当の対価により継続的に貸し付けていたときは、当該宅地等（　部分）は、『被相続人Bと生計を一にする親族$B^2$』の貸付事業の用に供されていた宅地等に該当

⑫－(ロ)

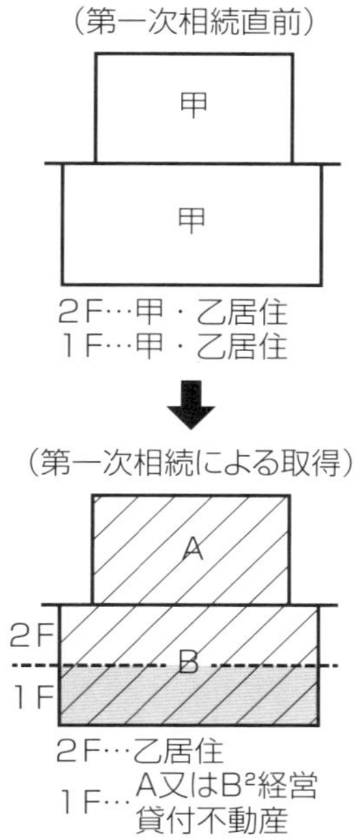


（第二次相続における取扱い）

(1)　無償借受人がA（被相続人Bと生計別親族）である場合
部分は、小規模宅地等の課税特例の適用対象外

(2)　無償借受人がB²（被相続人Bと生計一親族）である場合
部分が、B²（被相続人Bと生計一親族）の貸付事業用宅地等に該当

解説　配偶者居住権者である『被相続人Bと生計を別にする親族乙』がその建物等を配偶者居住権者以外の『被相続人Bと生計を一にする親族B²』に無償で貸し付けていた場合（上記(2)の場合）において、当該借受人B²が当該建物等をさらに、他の者に相当の対価により継続的に貸し付けていたときは、当該宅地等（部分）は、『被相続人Bと生計を一にする親族B²』の貸付事業の用に供されていた宅地等に該当

⑫－(ハ)

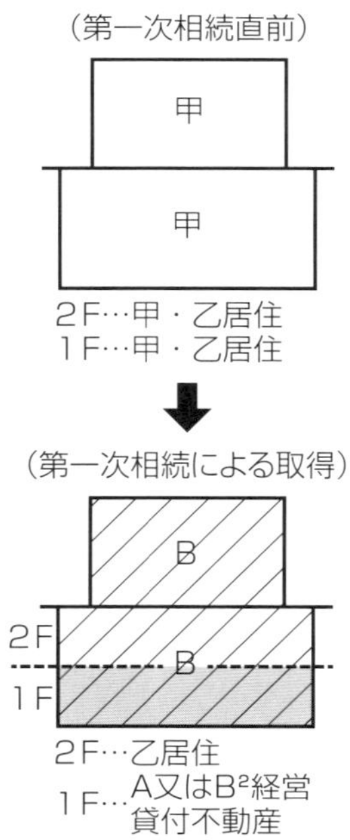


（第二次相続における取扱い）

(1)　無償借受人がA（被相続人Bと生計別親族）である場合
部分は、小規模宅地等の課税特例の適用対象外

(2)　無償借受人がB²（被相続人Bと生計一親族）である場合
部分が、B²（被相続人Bと生計一親族）の貸付事業用宅地等に該当

解説　配偶者居住権者である『被相続人Bと生計を別にする親族乙』がその建物等を配偶者居住権者以外の『被相続人Bと生計を一にする親族B²』に無償で貸し付けていた場合（上記(2)の場合）において、当該借受人B²が当該建物等をさらに、他の者に相当の対価により継続的に貸し付けていたときは、当該宅地等（部分）は、『被相続人Bと生計を一にする親族B²』の貸付事業の用に供されていた宅地等に該当

（注１）［図４］において、土地所有者と建物所有者が異なる場合には、これらの両者間における地代は無償（固定資産税その他の必要経費を回収する程度の相当の対価を得ていない貸付けを含みます。）であることが前提とされています。

（注２）配偶者居住権者である「その他親族（被相続人と生計を別にする親族）」が、相当の対価により継続的に被相続人等に当該建物等を貸し付けていた場合には、当該宅地等は「その他親族（被相続人と生計を別にする親族）」の貸付事業の用に供されていた宅地等に該当するので、小規模宅地等の課税特例の適用対象外となります。

（注３）民法第1032条《配偶者による使用及び収益》第３項の規定では、配偶者は、居住建物の所有者の承諾を得なければ、第三者に居住建物の使用又は収益をさせることができないものと規定されています。

（注４）［図４］において、特定事業用宅地等又は貸付事業用宅地等に関する他の適用要件（(A)承継要件、(B)所有要件、(C)事業（貸付事業）供用要件）は、充足しているものとします。

### ⑷　留意点

この〔６〕に掲げる取扱いは、民法に規定する配偶者居住権の創設に伴って令和２年度の税法改正によって定められたものであり、令和２年４月１日以後に開始した相続又は遺贈により取得した財産について適用するものとされています。

## 〔７〕　措置法通達69の４－５《事業用建物等の建築中等に相続が開始した場合》

### ⑴　原因→被相続人等の事業の用に供されている建物等の移転又は建替えのため

本件通達の適用要件が建物等の『移転』（場所の変更を前提としています。）又は『建替え』（従前と同一の場所を前提としています。）のためとされているため、新規事業開始や支店増設等はこの通達の適用対象外となります。

### ⑵　建築中の建物の所有権予定者

被相続人<br>被相続人の親族 ｝の所有に係るもの

### ⑶　事業用建物等が建築中等である場合等における被相続人等の事業の用に供されていた宅地等の取扱い

事業用建物等の建築中等に被相続人に係る相続が開始した場合には、当該建築中等の建物等の敷地の用に供されている宅地等が、被相続人等の事業の用に供されていた宅地等に該当するか否かの判定は、次に掲げる基準（形式基準又は実質基準）のいずれかを充足するか否かにより判定されます。

①　形式基準（被相続人に代わって事業供用する場合）

(イ)　事業供用期限

〔原則〕相続税の申告書の提出期限までに事業の用に供しているときには、事業用宅地等に該当するものとして取り扱われます。

〔特則〕相続税の申告期限までに当該建物等を事業の用に供していない場合の特則

建物等の規模等から判定して建築に相当の期間を要するため建物が完成していない場合や、法令の規制等により建築工事が遅延している場合等には、当該建物の完成後速やかに事業の用に供することが確実であると認められるときに限り事業用宅地等に該当するものとして取り扱われます。

(ロ)　事業供用者

㋑　当該被相続人と生計を一にしていたその被相続人の親族

㋺　当該建物等若しくは当該建物等の敷地の用に供されていた宅地等を相続若しくは遺贈により取得した当該被相続人の親族（生計別の親族は当該建物等又は宅地等の取得が要件とされます。）

②　実質基準（相続開始直前における事業継続性を基に判断する場合）

相続開始直前において当該被相続人等の当該建物等に係る事業の準備行為の状況からみて当該建物等を速やかにその事業の用に供することが確実であったと認められるときは、当該建物等の敷地の用に供されていた宅地等は、事業用宅地等に該当するものとして取り扱われます。

（注）　この実質基準による取扱いでは、相続開始直前における被相続人等に係る事業継続の意思が確実であったことが確認できれば事業用宅地等として取り扱われ、その後における状況（例えば、相続開始後における相続人等の事情により又は不可抗力により事業が再開されなかった場合等）は、この判断に影響を与えないものとなりますので留意する必要があります。

なお、この実質基準に基づいて判定する場合には、単に被相続人等の事業継続の内心の意思の有無だけでは事業継続の意思が確実であったことの確認要素としては認められず、例えば次に掲げるような具体的な事実が確認できる等、被相続人等の事業継続に対する準備行為の状況を客観的に確認可能であることが必要となります。

(イ)　建築中の工場の操業を前提として受注又は原材料の仕入を行っている事実

(ロ)　建築中の建物等の新規入居者と賃貸借契約を締結している事実

(ハ)　不動産仲介業者に入居者の募集を依頼している事実

### (4)　上記の場合の留意項目

①　建築中又は取得に係る建物等のうちに被相続人等の事業の用に供されると認められる部分以外の部分があるときの特例の適用

上記(3)に掲げる取扱いについては、当該建築中又は取得に係る建物等のうち被相続人等の事業の用に供されると認められる部分以外の部分があるときは、事業用宅地等の部分は、当該建物等の敷地のうち被相続人等の事業の用に供されると認められる当該建物等の部分に対応する部分に限られることになります。

②　『建築中等の建物等』の解釈

建築中等の建物等は、当該通達中に「これらの建物等（筆者注 被相続人等の事業の用に供されている建物等をいいます。）に代わるべき建物等……で、当該相続開始直前において当該被相続人等の当該建物等に係る事業の準備行為の状況からみて当該建物等を速やかにその事業の用に供することが確実であったと認められるとき」とされているところから、従前の建物等が被相続人の事業用のものであれば、建築中等の建物等も被相続人の事業用と認められるものであることが必要とされます。

また、従前の建物等が生計を一にしていた親族の事業用のものであれば、建築中等の建物等も生計を一にしていた親族の事業用と認められるものであることが必要とされます。

上記の取扱いをまとめると、下記のとおりになります。

『建築中等の建物等』に該当する場合

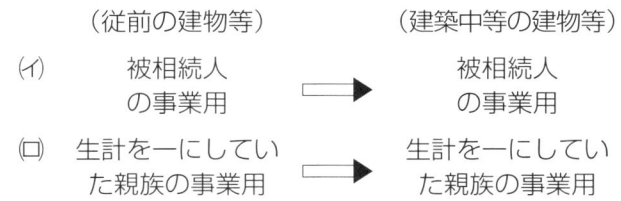

| | （従前の建物等） | | （建築中等の建物等） |
|---|---|---|---|
| (イ) | 被相続人の事業用 | ⇒ | 被相続人の事業用 |
| (ロ) | 生計を一にしていた親族の事業用 | ⇒ | 生計を一にしていた親族の事業用 |

## 〔８〕　措置法通達69の４－６《使用人の寄宿舎等の敷地》

### (1)　被相続人等の親族のみが使用している場合

寄宿舎を被相続人等の親族のみが使用している場合には、たとえ当該親族が被相続人等の営む事業に従事しているものであっても、被相続人等の居住用宅地等に該当するか否かで判定するものとされています。

### (2)　『被相続人等の当該事業に係る事業用宅地等に当たるものとする』の意味

被相続人等の営む事業に従事する使用人の寄宿舎等の敷地は、形式的には不動産の貸付け（ただし、借地借家法の適用は認められていません。）に該当すると考えることもできますが、その実質を考慮した場合には被相続人等の営む事業の付随設備と考えることが合理的であるため、被相続人等の営む事業に係る寄宿舎等について直ちにこれを貸付事業として取り扱うのではなく、被相続人等の営む事業そのものの用に供されていたと取り扱うこととされています。

したがって、被相続人等の営む事業が不動産貸付業、駐車場業、自転車駐車場業及び準事業（貸付事業）に該当する場合には、当該使用人の寄宿舎等の敷地についても、上記の貸付事業の用に供されていた宅地等（減額割合50％、適用上限面積200㎡）として取り扱われます。

## 〔９〕　措置法通達69の４－７《被相続人等の居住の用に供されていた宅地等の範囲》

被相続人等の居住の用に供されていた宅地等とは、次に掲げる宅地等（相続の開始の直前において配偶者居住権に基づき使用又は収益されていた建物等の敷地の用に供されていたものを除きます。(注)）をいいます。

(注)　相続の開始の直前において配偶者居住権に基づき使用又は収益されていた建物等の敷地の用に供されていた宅地等である場合における当該宅地等に係る被相続人等の居住の用に供されていた宅地等の範囲については、措置法通達69の４－７の２（次の〔10〕で解説）を参照してください。

**Ⓐ　相続の開始の直前において被相続人等の居住の用に供されていた家屋の敷地の用に供されていた宅地等である場合**

(1)　**居住用宅地等の要件**（①、②又は③の要件を充足）

①　**被相続人の居住の用に供されていた家屋で被相続人が所有していたものの敷地の用に供されていた宅地等**

図１

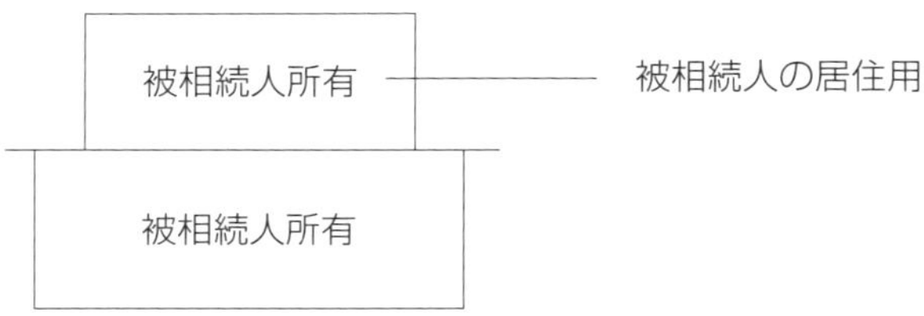


②　**被相続人と生計一の親族の居住の用に供されていた家屋で被相続人が所有していたものの敷地の用に供されていた宅地等**

（この場合、被相続人と生計一の親族間の家賃は『無償』であることを要件とします。）

図２

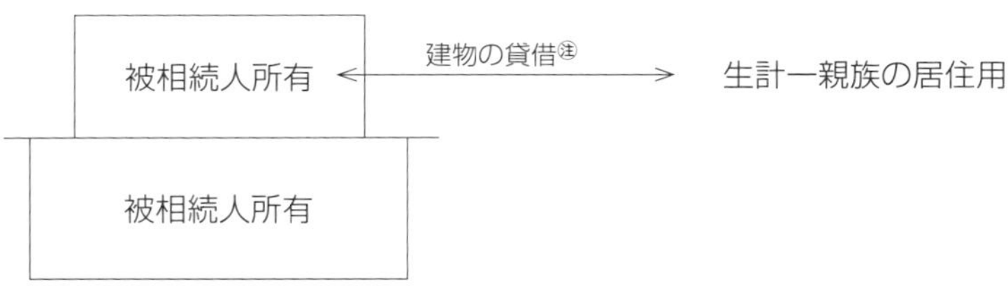


㊟　建物所有者（被相続人）と建物利用者（生計一親族）間における家賃は無償契約であることが必要となります。

③　**被相続人等の居住の用に供された家屋で被相続人の親族が所有していたものの敷地の用に供されていた宅地等**

この場合、土地所有者と家屋所有者及び家屋所有者と当該家屋の利用者との貸借関係として下記の要件を充足することが必要です。

(イ)　家屋の所有者（被相続人の親族）は、当該家屋の敷地を宅地の所有者（被相続人）から『無償』で借り受けていること

(ロ)　当該家屋の所有者（被相続人の親族）は、当該家屋の利用者（被相続人等）に当該

家屋を『無償』で利用させていること

〈用語〉『被相続人の親族』は、本項では当該親族と被相続人との生計が一であるか別であるかを問わず、すべてが含まれます。（以下、〔9〕において同じです。）

図３Ａ〈家屋の所有者が被相続人と生計一の親族である場合〉

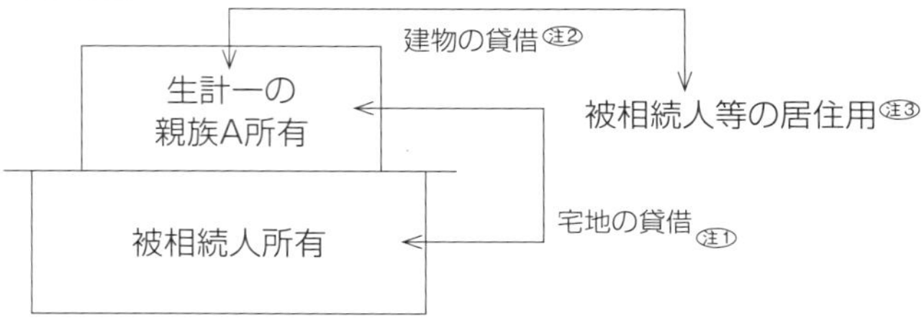


(注1)　宅地の所有者（被相続人）と建物の所有者（生計一親族）との貸借関係が有償契約である場合には、上記〔5〕(2)①（他に貸し付けられていた宅地等）に該当することとなります。（したがって、本項で判定する場合には、この両者間の貸借関係は無償契約であることが前提です。）

(注2)　建物の所有者（生計一親族）と建物の利用者（被相続人等）との貸借関係が有償契約である場合には、当該生計一親族の当該家屋の貸付けが貸付事業に該当することとなるので、当該宅地等は被相続人等の事業用宅地等に該当することとなります。（したがって、本項で判定する場合には、この両者間の貸借関係は無償契約であることが前提です。）

(注3)　『被相続人等の居住用』は、次に掲げる３区分に分類することができます。

　㋑　被相続人の居住用
　㋺　建物所有者であり、かつ、被相続人と生計を一にする親族（親族Ａ）の居住用
　㋩　建物所有者ではないものの、被相続人と生計を一にする親族（親族Ｂ）の居住用

図３Ｂ〈家屋の所有者が被相続人と生計別の親族である場合〉

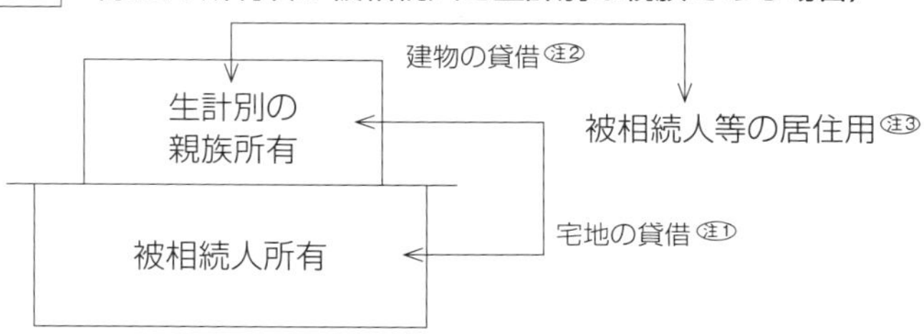


(注1)　宅地の所有者（被相続人）と建物の所有者（生計別親族）との貸借関係が有償契約である場合には、上記〔5〕(2)①（他に貸し付けられていた宅地等）に該当することとなります。（したがって、本項で判定する場合には、この両者間の貸借関係は無償契約であることが前提です。）

(注2)　建物の所有者（生計別親族）と建物の利用者（被相続人等）との貸借関係が有償契約である場合には、建物所有者が生計別親族であるため当該宅地等は、被相続人等の事業用宅地等及び居住用宅地等のいずれにも該当しなくなるため、小規模宅地等の課税特例規定は一切適用されなくなります。（したがって、本項で判定する場合には、この両者間の貸借関係は無償契約であることが前提です。）

(注3)　『被相続人等の居住用』は、次に掲げる２区分に分類することができます。

　㋑　被相続人の居住用
　㋺　被相続人と生計を一にする親族の居住用

## (2)　まとめ

上記(1)の①から③の態様において被相続人等の居住の用に供されている宅地等について特定居住用宅地等に該当（課税価格算入割合20％）する可能性を有するか、又は貸付事業用宅地等に該当（課税価格算入割合50％）する可能性を有するか若しくは小規模宅地等に一切該

当しないかについて区分すると、次のとおりとなります。

| 土地所有者 | 建物所有者 | 地代 | 建物所有者 | 建物利用者 | 家賃 | 小規模宅地 | 参考図 | 備考 |
|---|---|---|---|---|---|---|---|---|
| 被相続人 | 被相続人 | — | 被相続人 | 被相続人 | — | 80% | 図１ | |
| 被相続人 | 被相続人 | — | 被相続人 | 生計一親族 | 有償 | 50% | 図２ | 措通69の４－４⑵ |
| 被相続人 | 被相続人 | — | 被相続人 | 生計一親族 | 無償 | 80% | | |
| 被相続人 | 生計一親族A | 有償 | 生計一親族A | 被相続人 | 有償 | 50% | 図３Ａ | 措通69の４－４⑴ |
| 被相続人 | 生計一親族A | 有償 | 生計一親族A | 被相続人 | 無償 | 50% | | 措通69の４－４⑴ |
| 被相続人 | 生計一親族A | 無償 | 生計一親族A | 被相続人 | 有償 | 50% | | 措通69の４－４⑵ |
| 被相続人 | 生計一親族A | 無償 | 生計一親族A | 被相続人 | 無償 | 80% | | |
| 被相続人 | 生計一親族A | 有償 | 生計一親族A | 生計一親族A | — | 50% | | 措通69の４－４⑴ |
| 被相続人 | 生計一親族A | 無償 | 生計一親族A | 生計一親族A | — | 80% | | |
| 被相続人 | 生計一親族A | 有償 | 生計一親族A | 生計一親族B | 有償 | 50% | | 措通69の４－４⑴ |
| 被相続人 | 生計一親族A | 有償 | 生計一親族A | 生計一親族B | 無償 | 50% | | 措通69の４－４⑴ |
| 被相続人 | 生計一親族A | 無償 | 生計一親族A | 生計一親族B | 有償 | 50% | | 措通69の４－４⑵ |
| 被相続人 | 生計一親族A | 無償 | 生計一親族A | 生計一親族B | 無償 | 80% | | |
| 被相続人 | 生計別親族 | 有償 | 生計別親族 | 被相続人 | 有償 | 50% | 図３Ｂ | 措通69の４－４⑴ |
| 被相続人 | 生計別親族 | 有償 | 生計別親族 | 被相続人 | 無償 | 50% | | 措通69の４－４⑴ |
| 被相続人 | 生計別親族 | 無償 | 生計別親族 | 被相続人 | 有償 | ０% | | |
| 被相続人 | 生計別親族 | 無償 | 生計別親族 | 被相続人 | 無償 | 80% | | |
| 被相続人 | 生計別親族 | 有償 | 生計別親族 | 生計一親族 | 有償 | 50% | | 措通69の４－４⑴ |
| 被相続人 | 生計別親族 | 有償 | 生計別親族 | 生計一親族 | 無償 | 50% | | 措通69の４－４⑴ |
| 被相続人 | 生計別親族 | 無償 | 生計別親族 | 生計一親族 | 有償 | ０% | | |
| 被相続人 | 生計別親族 | 無償 | 生計別親族 | 生計一親族 | 無償 | 80% | | |

（注）　80%⇨特定居住用宅地等として小規模宅地等の課税特例の適用の可能性がある場合
50%⇨貸付事業用宅地等として小規模宅地等の課税特例の適用の可能性がある場合
０%⇨小規模宅地等の課税特例の適用対象とならない場合
措通69の４－４⑴⇨上記〔５〕⑵①（他に貸し付けられていた宅地等）に該当するもの
措通69の４－４⑵⇨上記〔５〕⑵②（他に貸し付けられていた宅地等以外の宅地等）に該当するもの

## Ⓑ 居住の用に供することができない一定の事由により被相続人の居住の用に供されなくなる直前まで被相続人の居住の用に供されていた家屋の敷地の用に供されていた宅地等である場合

⑴ **居住用宅地等の要件**（①又は②の要件を充足）

① 居住の用に供することができない一定の事由により被相続人の居住の用に供されなくなる直前まで被相続人の居住の用に供されていた家屋で被相続人が所有していたものの敷地の用に供されていた宅地等（被相続人の居住の用に供されなくなった後、事業の用又は新たに被相続人等以外の者の居住の用に供された宅地等を除きます。）

図１

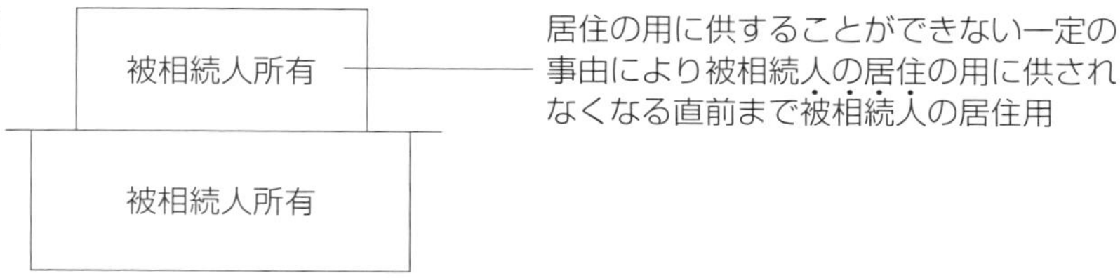


② 居住の用に供することができない一定の事由により被相続人の居住の用に供されなくなる直前まで被相続人の居住の用に供されていた家屋で被相続人の親族が所有していたものの敷地の用に供されていた宅地等（被相続人の居住の用に供されなくなった後、事業の用又は新たに被相続人等以外の者の居住の用に供された宅地等を除きます。）

この場合、土地所有者と家屋所有者及び家屋所有者と当該家屋の利用者との貸借関係として下記の要件を充足することが必要です。

㈠ 家屋の所有者（被相続人の親族）は、当該家屋の敷地を宅地の所有者（被相続人）から『無償』で借り受けていること

㈡ 当該家屋の所有者（被相続人の親族）は、当該家屋の利用者（被相続人）に当該家屋を『無償』で使用させていること

〈用語〉『被相続人の親族』（上記＿＿部分）は、本項では当該親族と被相続人との生計が一であるか別であるかを問わずすべてが含まれます。

図２Ａ 〈家屋の所有者が被相続人と生計一の親族である場合〉

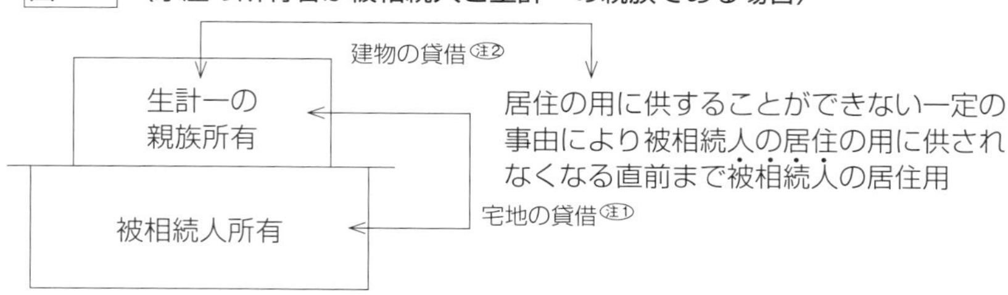


(注1) 宅地の所有者（被相続人）と建物の所有者（生計一親族）との貸借関係が有償契約である場合には、上記〔5〕⑵①（他に貸し付けられていた宅地等）に該当することとなります。（したがって、本項で判定する場合には、この両者間の貸借関係は無償契約であることが前提です。）

(注2) 建物の所有者（生計一親族）と建物の利用者（被相続人）との貸借関係が有償契約である場合には、当該生計一親族の当該家屋の貸付けが貸付事業に該当することとなるので、当該宅地等は被相続人等の事業用宅地等に該当することとなります。（したがって、本項で判定する場合には、この両者間の

貸借関係は無償契約であることが前提です。）

図２Ｂ 〈家屋の所有者が被相続人と生計別の親族である場合〉

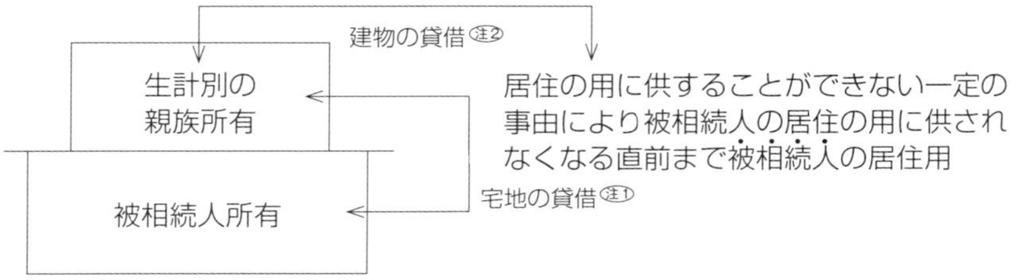


㊟1　宅地の所有者（被相続人）と建物の所有者（生計別親族）との貸借関係が有償契約である場合には、上記〔５〕⑵①（他に貸し付けられていた宅地等）に該当することとなります。（したがって、本項で判定する場合には、この両者間の貸借関係は無償契約であることが前提です。）

㊟2　建物の所有者（生計別親族）と建物の利用者（被相続人）との貸借関係が有償契約である場合には、建物所有者が生計別親族であるため当該宅地等は、被相続人等の事業用宅地等及び居住用宅地等のいずれにも該当しなくなるため、小規模宅地等の課税特例規定は一切適用されなくなります。（したがって、本項で判定する場合には、この両者間の貸借関係は無償契約であることが前提です。）

### ⑵ まとめ

上記⑴の①及び②の態様において被相続人の居住の用に供されている宅地等について特定居住用宅地等に該当（課税価格算入割合20%）する可能性を有するか、又は貸付事業用宅地等に該当（課税価格算入割合50%）する可能性を有するか若しくは小規模宅地等に一切該当しないかについて区分すると、次のとおりとなります。

| 土地所有者 | 建物所有者 | 地代 | 建物所有者 | 建物利用者 | 家賃 | 小規模宅地 | 参考図 | 備考 |
|---|---|---|---|---|---|---|---|---|
| 被相続人 | 被相続人 | — | 被相続人 | (直前)被相続人 | — | 80% | 図１ | |
| 被相続人 | 生計一親族 | 有償 | 生計一親族 | (直前)被相続人 | 有償 | 50% | 図２Ａ | 措通69の４−４⑴ |
| 被相続人 | 生計一親族 | 有償 | 生計一親族 | (直前)被相続人 | 無償 | 50% | | 措通69の４−４⑴ |
| 被相続人 | 生計一親族 | 無償 | 生計一親族 | (直前)被相続人 | 有償 | 50% | | 措通69の４−４⑵ |
| 被相続人 | 生計一親族 | 無償 | 生計一親族 | (直前)被相続人 | 無償 | 80% | | |
| 被相続人 | 生計別親族 | 有償 | 生計別親族 | (直前)被相続人 | 有償 | 50% | 図２Ｂ | 措通69の４−４⑴ |
| 被相続人 | 生計別親族 | 有償 | 生計別親族 | (直前)被相続人 | 無償 | 50% | | 措通69の４−４(i) |
| 被相続人 | 生計別親族 | 無償 | 生計別親族 | (直前)被相続人 | 有償 | ０% | | |
| 被相続人 | 生計別親族 | 無償 | 生計別親族 | (直前)被相続人 | 無償 | 80% | | |

（注１）『(直前) 被相続人』とは、居住の用に供することができない一定の事由により被相続人の居住の用に供されなくなる直前まで被相続人の居住の用に供されていたものであることを示しています。

なお、この『(直前) 被相続人』の例として、建物の利用者が老人福祉法第29条第１項に規定する有料老人ホームに入所していたために相続の開始の直前において当該被相続人の居住の用に供することができなかった者であった場合があげられます。

（注２）80%⇨特定居住用宅地等として小規模宅地等の課税特例の適用の可能性がある場合
50%⇨貸付事業用宅地等として小規模宅地等の課税特例の適用の可能性がある場合
０%⇨小規模宅地等の課税特例の適用対象とならない場合

措通69の４－４⑴⇨上記〔５〕⑵①（他に貸し付けられていた宅地等）に該当するもの
措通69の４－４⑵⇨上記〔５〕⑵②（他に貸し付けられていた宅地等以外の宅地等）に該当するもの

## ⑶　留意点

### ①　被相続人の居住供用停止後の利用状況

措置法通達69の４－７《被相続人等の居住の用に供されていた宅地等の範囲》の⑵において、「措置法令第40条の２第２項に定める事由により被相続人の居住の用に供されなくなる直前まで、被相続人の居住の用に供されていた家屋で、被相続人が所有していたもの又は被相続人の親族が所有していたもの（当該家屋を所有していた被相続人の親族が当該家屋の敷地を被相続人から無償で借り受けており、かつ、被相続人が当該家屋を当該親族から借り受けていた場合には、無償で借り受けているときにおける当該家屋に限る。）の敷地の用に供されていた宅地等（被相続人の居住の用に供されなくなった後、措置法第69条の４第１項に規定する事業の用又は新たに被相続人等以外の者の居住の用に供された宅地等を除く。）」が被相続人の居住用宅地等に該当するものと定められています。

この定めの中で宅地等に係る（　）書の取扱いの対象に係る判断事例を示して、被相続人の居住用宅地等に該当するか否かを示すと、次のとおりになります。

| 被相続人の居住用宅地等に該当しない場合<br>（特定居住用宅地等の可能性無） | 被相続人の居住用宅地等に該当する場合<br>（特定居住用宅地等の可能性有） |
|---|---|
| 被相続人の居住の用に供されなくなった後、当該居住の用に供されていた宅地等が、次に掲げる用に供された場合<br>(イ)　事業の用<br>(ロ)　準事業の用（事業と称するに至らない不動産の貸付けその他これに類する行為で相当の対価を得て継続的に行うものをいいます。）<br>(ハ)　被相続人と生計を一にしていなかった親族の居住の用<br>(ニ)　被相続人の親族に該当しない者の居住の用 | 被相続人の居住の用に供されなくなった後、当該居住の用に供されていた宅地等が、次に掲げる用に供された（又は状況にある）場合<br>(イ)　被相続人と生計を一にしていた親族の居住の用<br>(ロ)　未利用<br>（注）　上記の措置法通達69の４－７の⑵の＿＿部分において『新たに』という用語の記載があることから、例えば、被相続人の居住の用に供されなくなる以前から同居の親族が継続して居住している場合には、たとえ、被相続人の居住の用に供されなくなった後に当該親族が被相続人と生計を一にしていないときであっても、これ（『新たに』という用語）には該当せず、当該通達の適用対象とされることに留意する必要があります。 |

### ②　適用開始時期

このⒷに掲げる取扱いは、平成25年度の税法改正に伴って定められたものであり、平成26年１月１日以後に開始した相続又は遺贈により取得した財産について適用するものとされています。

## Ⓒ　被相続人等の居住の用に供されていた部分が、被相続人の居住の用に供されていた１棟の建物（区分所有建物を除く）に係るものである場合（特例的取扱い）

### (1)　概要

上記Ⓐ（相続開始の直前において、被相続人等の居住の用に供されていた家屋の敷地の用に供されていた宅地等である場合）及びⒷ（居住の用に供することができない一定の事由により被相続人の居住の用に供されなくなる直前まで、被相続人の居住の用に供されていた家屋の敷地の用に供されていた宅地等である場合）の宅地等のうちに、被相続人等の居住の用以外の用に供されていた部分があるときは、当該被相続人等の居住の用に供されていた部分に限られます。

ただし、この取扱いには例外（特例的な取扱い）があり、当該居住の用に供されていた部分が、被相続人の居住の用に供されていた１棟の建物（建物の区分所有等に関する法律第１条《建物の区分所有》の規定に該当する建物を除きます。(注１)）に係るものである場合には、当該１棟の建物の敷地の用に供されていた宅地等のうち当該被相続人の親族（注2）の居住の用に供されていた部分が含まれるものとされています。

（注１）『建物の区分所有等に関する法律第１条《建物の区分所有》の規定に該当する建物』とは、区分所有建物である旨の登記がされている建物をいうものとされています。
　したがって、同法同条の適用要件を充足して区分所有建物である旨の登記が可能な建物であっても当該登記がされていない建物については、『建物の区分所有等に関する法律第１条《建物の区分所有》の規定に該当する建物』には該当しないことになります。(後記〔12〕の措置法通達69の４－７の４《建物の区分所有等に関する法律第１条の規定に該当する建物》を併せて参照してください。)

（注２）この『親族』については、当該被相続人と生計を一にするか、又は生計を別にするかは問われていないことに留意する必要があります。

以上の取扱いを上記Ⓐ及びⒷの区分の別にまとめると、次のとおりになります。

#### ①　上記Ⓐ（相続開始の直前において、被相続人等の居住の用に供されていた家屋の敷地の用に供されていた宅地等である場合）の事例

| 居住用宅地等の要件（(イ)又は(ロ)の要件を充足） |
| --- |

(イ)　被相続人及び被相続人の親族の居住の用に供されていた家屋（１棟の建物で区分所有登記がされていないものに限られます。）で被相続人が所有していたものの敷地の用に供されていた宅地等

（この場合、当該家屋の所有者である被相続人と当該家屋の利用者である親族間（生計一・生計別）の家賃は『無償』であることを要件とします。）

図１

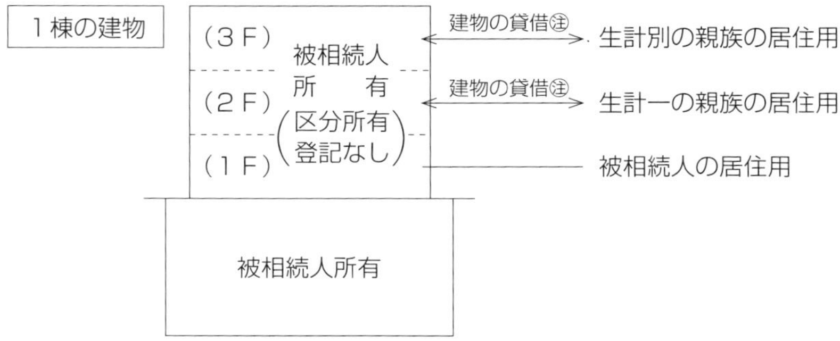


㊟　建物所有者（被相続人）と建物利用者（生計一親族・生計別親族）間における家賃は無償契約であることが必要となります。

(ロ)　被相続人及び被相続人の親族の居住の用に供されていた家屋（１棟の建物で区分所有登記がされていないものに限られます。）で被相続人の親族が所有していたものの敷地の用に供されていた宅地等

この場合、土地所有者と家屋所有者及び家屋所有者と当該家屋の利用者との貸借関係として下記の要件を充足することが必要です。

㋑　家屋の所有者（被相続人の親族）は、当該家屋の敷地を宅地の所有者（被相続人）から『無償』で借り受けていること

㋺　当該家屋の所有者（被相続人の親族）は、当該家屋の利用者（被相続人及び被相続人の親族）に当該家屋を『無償』で使用させていること

〈用語〉『被相続人の親族』（上記＝＝部分）は、本項では当該親族と被相続人との生計が一であるか別であるかを問わずすべてが含まれます。

図２Ａ〈家屋の所有者が被相続人と生計一の親族である場合〉

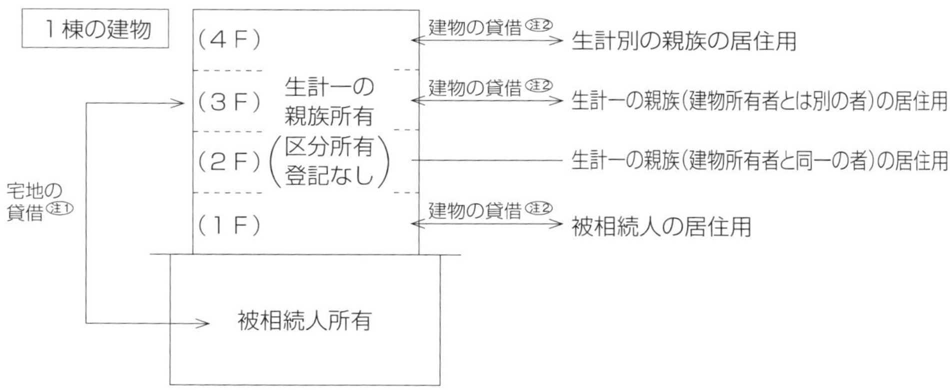


注1　宅地の所有者（被相続人）と建物の所有者（生計一親族）との貸借関係が有償契約である場合には、上記〔5〕(2)①（他に貸し付けられていた宅地等）に該当することとなります。（したがって、本項で判定する場合には、この両者間の貸借関係は無償契約であることが前提です。）

注2　建物の所有者（生計一親族）と建物の利用者（被相続人及び被相続人の親族）との貸借関係が有償契約である場合には、当該生計一親族の当該家屋の貸付けが貸付事業に該当することとなるので、当該宅地等は被相続人等の事業用宅地等に該当することとなります。（したがって、本項で判定する場合には、この両者間の貸借関係は無償契約であることが前提です。）

図２Ｂ 〈家屋の所有者が被相続人と生計別の親族である場合〉

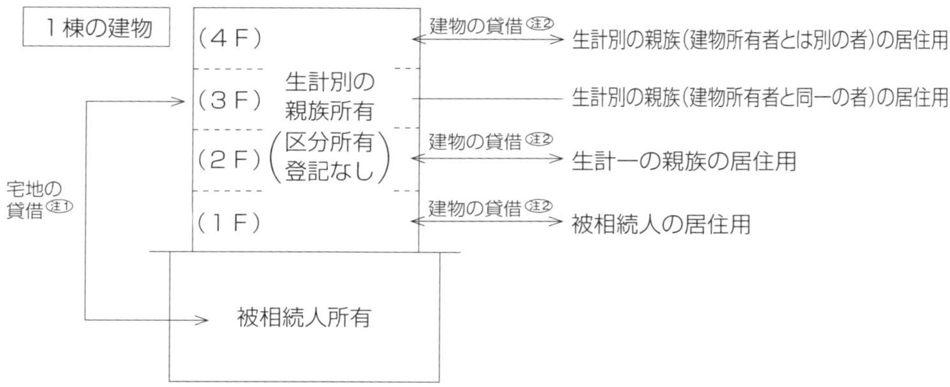


㊟1　宅地の所有者（被相続人）と建物の所有者（生計別親族）との貸借関係が有償契約である場合には、上記〔5〕⑵①（他に貸し付けられていた宅地等）に該当することとなります。（したがって、本項で判定する場合には、この両者間の貸借関係は無償契約であることが前提です。）

㊟2　建物の所有者（生計別親族）と建物の利用者（被相続人及び被相続人の親族）との貸借関係が有償契約である場合には、建物所有者が生計別親族であるため当該宅地等は、被相続人等の事業用宅地等及び居住用宅地等のいずれにも該当しなくなるため、小規模宅地等の課税特例規定は一切適用されなくなります。（したがって、本項で判定する場合には、この両者間の貸借関係は無償契約であることが前提です。）

② 上記Ⓑ（居住の用に供することができない一定の事由により被相続人の居住の用に供されなくなる直前まで、被相続人の居住の用に供されていた家屋の敷地の用に供されていた宅地等である場合）の事例

| 居住用宅地等の要件（(イ)又は(ロ)の要件を充足） |
|---|

(イ) 居住の用に供することができない一定の事由により被相続人の居住の用に供されなくなる直前まで被相続人及び被相続人の親族の居住の用に供されていた家屋（１棟の建物で区分所有登記がされていないものに限られます。）で被相続人が所有していたものの敷地の用に供されていた宅地等（被相続人の居住の用に供されなくなった後、事業の用又は新たに被相続人等以外の者の居住の用に供された宅地等を除きます。）

図３

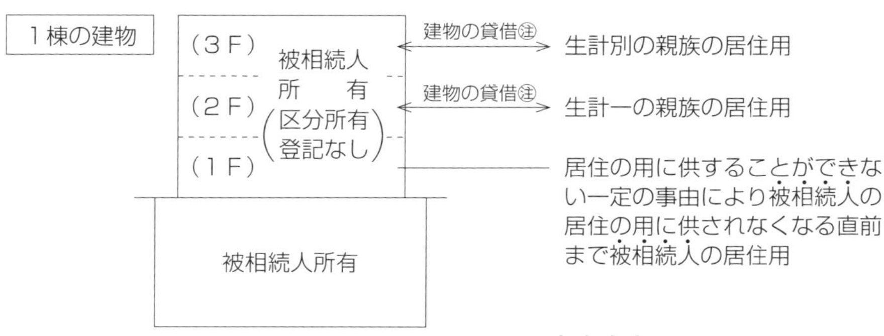


(ロ) 居住の用に供することができない一定の事由により被相続人の居住の用に供され

なくなる直前まで被相続人及び被相続人の親族の居住の用に供されていた家屋（1棟の建物で区分所有登記がされていないものに限られます。）で被相続人の親族が所有していたものの敷地の用に供されていた宅地等（被相続人の居住の用に供されなくなった後、事業の用又は新たに被相続人等以外の者の居住の用に供された宅地等を除きます。）

この場合、土地所有者と家屋所有者及び当該家屋の利用者との貸借関係として下記の要件を充足することが必要です。

㋑　家屋の所有者（被相続人の親族）は、当該家屋の敷地を宅地の所有者（被相続人）から『無償』で借り受けていること

㋺　当該家屋の所有者（被相続人の親族）は、当該家屋の利用者（被相続人及び被相続人の親族）に当該家屋を『無償』で使用させていること

〈用語〉『被相続人の親族』（上記＿＿部分）は、本項では当該親族と被相続人との生計が一であるか別であるかを問わずすべてが含まれます。

図４Ａ〈家屋の所有者が被相続人と生計一の親族である場合〉

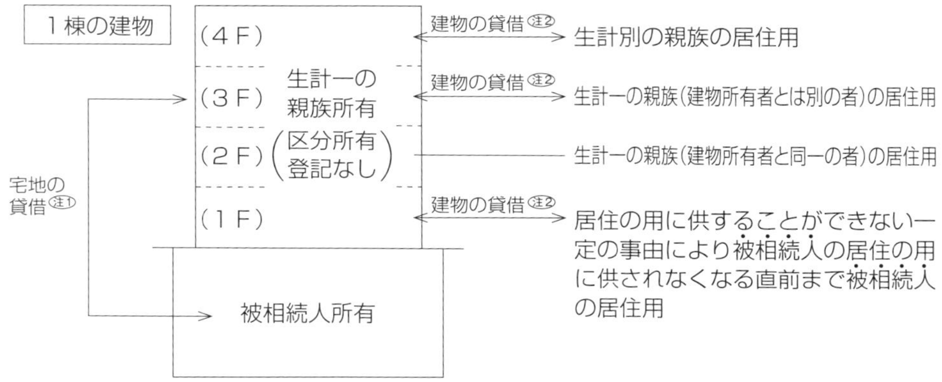


注1　宅地の所有者（被相続人）と建物の所有者（生計一親族）との貸借関係が有償契約である場合には、上記〔5〕⑵①（他に貸し付けられていた宅地等）に該当することとなります。（したがって、本項で判定する場合には、この両者間の貸借関係は無償契約であることが前提です。）

注2　建物の所有者（生計一親族）と建物の利用者（被相続人及び被相続人の親族）との貸借関係が有償契約である場合には、当該生計一親族の当該家屋の貸付けが貸付事業に該当することとなるので、当該宅地等は被相続人等の事業用宅地等に該当することとなります。（したがって、本項で判定する場合には、この両者間の貸借関係は無償契約であることが前提です。）

図４Ｂ　〈家屋の所有者が被相続人と生計別の親族である場合〉

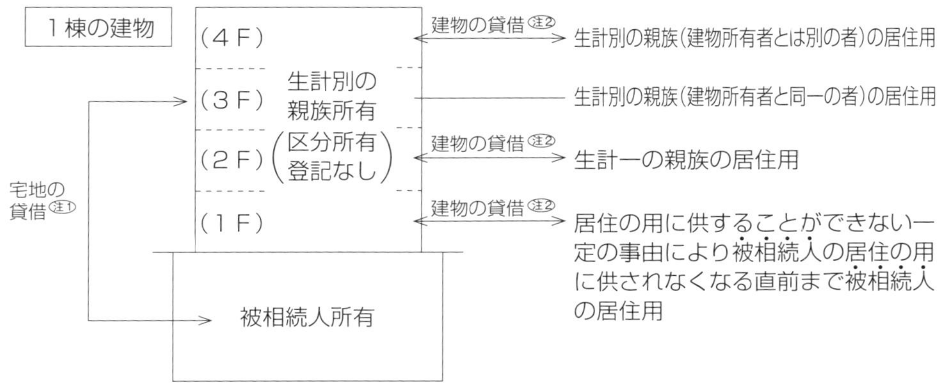


㊟1　宅地の所有者（被相続人）と建物の所有者（生計別親族）との貸借関係が有償契約である場合には、上記〔5〕⑵①（他に貸し付けられていた宅地等）に該当することとなります。（したがって、本項で判定する場合には、この両者間の貸借関係は無償契約であることが前提です。）

㊟2　建物の所有者（生計別親族）と建物の利用者（被相続人及び被相続人の親族）との貸借関係が有償契約である場合には、建物所有者が生計別親族であるため当該宅地等は、被相続人等の事業用宅地等及び居住用宅地等のいずれにも該当しなくなるため、小規模宅地等の課税特例規定は一切適用されなくなります。（したがって、本項で判定する場合には、この両者間の貸借関係は無償契約であることが前提です。）

### ⑵　まとめ

上記⑴の①及び②の態様において被相続人等の居住の用に供されている宅地等について特定居住用宅地等に該当（課税価格算入割合20％）する可能性を有するか、又は貸付事業用宅地等に該当（課税価格算入割合50％）する可能性を有するか若しくは小規模宅地等に一切該当しないかについて区分すると、次のとおりとなります。

| ① | 相続開始の直前において被相続人等の居住の用に供されていた家屋の敷地の用に供されていた宅地等である場合 |
|---|---|

| 土地所有者 | 建物所有者 | 地代 | 建物所有者 | 建物利用者 | 家賃 | 建物の区分所有登記 | 小規模宅地 | 参考図 | 備考 |
|---|---|---|---|---|---|---|---|---|---|
| 被相続人 | 被相続人 | ― | 被相続人 | 被相続人<br>生計一親族<br>生計別親族 | ―<br>無償<br>無償 | なし | 80％<br>80％<br>80％ | 図１ | |
| 被相続人 | 被相続人 | ― | 被相続人 | 被相続人<br>生計一親族<br>生計別親族 | ―<br>無償<br>無償 | あり | 80％<br>80％<br>０％ | 図１ | |
| 被相続人 | 被相続人 | ― | 被相続人 | 被相続人<br>生計一親族<br>生計別親族 | ―<br>有償<br>有償 | なし | 80％<br>50％<br>50％ | 図１ | 措通69の４―４⑵<br>措通69の４―４⑵ |
| 被相続人 | 被相続人 | ― | 被相続人 | 被相続人<br>生計一親族<br>生計別親族 | ―<br>有償<br>有償 | あり | 80％<br>50％<br>50％ | 図１ | 措通69の４―４⑵<br>措通69の４―４⑵ |

| | | | | | | | | | |
|---|---|---|---|---|---|---|---|---|---|
| 被相続人 | 生計一親族 | 無償 | 生計一親族 | 被相続人 | 無償 | なし | 80% | 図２Ａ | |
| | | | | 生計一親族（建物所有者と同一の者） | — | | 80% | | |
| | | | | 生計一親族（建物所有者と別の者） | 無償 | | 80% | | |
| | | | | 生計別親族 | 無償 | | 80% | | |
| 被相続人 | 生計一親族 | 無償 | 生計一親族 | 被相続人 | 無償 | あり | 80% | 図２Ａ | |
| | | | | 生計一親族（建物所有者と同一の者） | — | | 80% | | |
| | | | | 生計一親族（建物所有者と別の者） | 無償 | | 80% | | |
| | | | | 生計別親族 | 無償 | | ０% | | |
| 被相続人 | 生計一親族 | 無償 | 生計一親族 | 被相続人 | 有償 | なし | 50% | 図２Ａ | 措通69の４－４(2) |
| | | | | 生計一親族（建物所有者と同一の者） | — | | 80% | | |
| | | | | 生計一親族（建物所有者と別の者） | 有償 | | 50% | | 措通69の４－４(2) |
| | | | | 生計別親族 | 有償 | | 50% | | 措通69の４－４(2) |
| 被相続人 | 生計一親族 | 無償 | 生計一親族 | 被相続人 | 有償 | あり | 50% | 図２Ａ | 措通69の４－４(2) |
| | | | | 生計一親族（建物所有者と同一の者） | — | | 80% | | |
| | | | | 生計一親族（建物所有者と別の者） | 有償 | | 50% | | 措通69の４－４(2) |
| | | | | 生計別親族 | 有償 | | 50% | | 措通69の４－４(2) |
| 被相続人 | 生計一親族 | 有償 | 生計一親族 | 被相続人 | 無償 | なし | 50% | 図２Ａ | 措通69の４－４(1) |
| | | | | 生計一親族（建物所有者と同一の者） | — | | 50% | | 措通69の４－４(1) |
| | | | | 生計一親族（建物所有者と別の者） | 無償 | | 50% | | 措通69の４－４(1) |
| | | | | 生計別親族 | 無償 | | 50% | | 措通69の４－４(1) |
| 被相続人 | 生計一親族 | 有償 | 生計一親族 | 被相続人 | 無償 | あり | 50% | 図２Ａ | 措通69の４－４(1) |
| | | | | 生計一親族（建物所有者と同一の者） | — | | 50% | | 措通69の４－４(1) |
| | | | | 生計一親族（建物所有者と別の者） | 無償 | | 50% | | 措通69の４－４(1) |
| | | | | 生計別親族 | 無償 | | 50% | | 措通69の４－４(1) |
| 被相続人 | 生計一親族 | 有償 | 生計一親族 | 被相続人 | 有償 | なし | 50% | 図２Ａ | 措通69の４－４(1) |
| | | | | 生計一親族（建物所有者と同一の者） | — | | 50% | | 措通69の４－４(1) |
| | | | | 生計一親族（建物所有者と別の者） | 有償 | | 50% | | 措通69の４－４(1) |
| | | | | 生計別親族 | 有償 | | 50% | | 措通69の４－４(1) |
| 被相続人 | 生計一親族 | 有償 | 生計一親族 | 被相続人 | 有償 | あり | 50% | 図２Ａ | 措通69の４－４(1) |
| | | | | 生計一親族（建物所有者と同一の者） | — | | 50% | | 措通69の４－４(1) |
| | | | | 生計一親族（建物所有者と別の者） | 有償 | | 50% | | 措通69の４－４(1) |
| | | | | 生計別親族 | 有償 | | 50% | | 措通69の４－４(1) |

| | | | | | | | | | |
|---|---|---|---|---|---|---|---|---|---|
| 被相続人 | 生計別親族 | 無償 | 生計別親族 | 被相続人 | 無償 | なし | 80% | 図２Ｂ | |
| | | | | 生計一親族 | 無償 | | 80% | | |
| | | | | 生計別親族（建物所有者と同一の者） | — | | 80% | | |
| | | | | 生計別親族（建物所有者と別の者） | 無償 | | 80% | | |
| 被相続人 | 生計別親族 | 無償 | 生計別親族 | 被相続人 | 無償 | あり | 80% | 図２Ｂ | |
| | | | | 生計一親族 | 無償 | | 80% | | |
| | | | | 生計別親族（建物所有者と同一の者） | — | | ０% | | |
| | | | | 生計別親族（建物所有者と別の者） | 無償 | | ０% | | |
| 被相続人 | 生計別親族 | 無償 | 生計別親族 | 被相続人 | 有償 | なし | ０% | 図２Ｂ | |
| | | | | 生計一親族 | 有償 | | ０% | | |
| | | | | 生計別親族（建物所有者と同一の者） | — | | ０% | | |
| | | | | 生計別親族（建物所有者と別の者） | 有償 | | ０% | | |
| 被相続人 | 生計別親族 | 無償 | 生計別親族 | 被相続人 | 有償 | あり | ０% | 図２Ｂ | |
| | | | | 生計一親族 | 有償 | | ０% | | |
| | | | | 生計別親族（建物所有者と同一の者） | — | | ０% | | |
| | | | | 生計別親族（建物所有者と別の者） | 有償 | | ０% | | |
| 被相続人 | 生計別親族 | 有償 | 生計別親族 | 被相続人 | 無償 | なし | 50% | 図２Ｂ | 措通69の４−４(1) |
| | | | | 生計一親族 | 無償 | | 50% | | 措通69の４−４(1) |
| | | | | 生計別親族（建物所有者と同一の者） | — | | 50% | | 措通69の４−４(1) |
| | | | | 生計別親族（建物所有者と別の者） | 無償 | | 50% | | 措通69の４−４(1) |
| 被相続人 | 生計別親族 | 有償 | 生計別親族 | 被相続人 | 無償 | あり | 50% | 図２Ｂ | 措通69の４−４(1) |
| | | | | 生計一親族 | 無償 | | 50% | | 措通69の４−４(1) |
| | | | | 生計別親族（建物所有者と同一の者） | — | | 50% | | 措通69の４−４(1) |
| | | | | 生計別親族（建物所有者と別の者） | 無償 | | 50% | | 措通69の４−４(1) |
| 被相続人 | 生計別親族 | 有償 | 生計別親族 | 被相続人 | 有償 | なし | 50% | 図２Ｂ | 措通69の４−４(1) |
| | | | | 生計一親族 | 有償 | | 50% | | 措通69の４−４(1) |
| | | | | 生計別親族（建物所有者と同一の者） | — | | 50% | | 措通69の４−４(1) |
| | | | | 生計別親族（建物所有者と別の者） | 有償 | | 50% | | 措通69の４−４(1) |
| 被相続人 | 生計別親族 | 有償 | 生計別親族 | 被相続人 | 有償 | あり | 50% | 図２Ｂ | 措通69の４−４(1) |
| | | | | 生計一親族 | 有償 | | 50% | | 措通69の４−４(1) |
| | | | | 生計別親族（建物所有者と同一の者） | — | | 50% | | 措通69の４−４(1) |
| | | | | 生計別親族（建物所有者と別の者） | 有償 | | 50% | | 措通69の４−４(1) |

（注）80%⇨特定居住用宅地等として小規模宅地等の課税特例の適用の可能性がある場合
50%⇨貸付事業用宅地等として小規模宅地等の課税特例の適用の可能性がある場合
０%⇨小規模宅地等の課税特例の適用対象とならない場合
措通69の４－４⑴⇨上記〔5〕⑵①（他に貸し付けられていた宅地等）に該当するもの
措通69の４－４⑵⇨上記〔5〕⑵②（他に貸し付けられていた宅地等以外の宅地等）に該当するもの

| ② | 居住の用に供することができない一定の事由により被相続人の居住の用に供されなくなる直前まで被相続人の居住の用に供されていた家屋の敷地の用に供されていた宅地等である場合 |
|---|---|

| 土地所有者 | 建物所有者 | 地代 | 建物所有者 | 建物利用者 | 家賃 | 建物の区分所有登記 | 小規模宅地 | 参考図 | 備考 |
|---|---|---|---|---|---|---|---|---|---|
| 被相続人 | 被相続人 | — | 被相続人 | (直前)被相続人<br>生計一親族<br>生計別親族 | —<br>無償<br>無償 | なし | 80%<br>80%<br>80% | 図３ | |
| 被相続人 | 被相続人 | — | 被相続人 | (直前)被相続人<br>生計一親族<br>生計別親族 | —<br>無償<br>無償 | あり | 80%<br>80%<br>０% | 図３ | |
| 被相続人 | 被相続人 | — | 被相続人 | (直前)被相続人<br>生計一親族<br>生計別親族 | —<br>有償<br>有償 | なし | 80%<br>50%<br>50% | 図３ | <br>措通69の4—4⑵<br>措通69の4—4⑵ |
| 被相続人 | 被相続人 | — | 被相続人 | (直前)被相続人<br>生計一親族<br>生計別親族 | —<br>有償<br>有償 | あり | 80%<br>50%<br>50% | 図３ | <br>措通69の4—4⑵<br>措通69の4—4⑵ |
| 被相続人 | 生計一親族 | 無償 | 生計一親族 | (直前)被相続人<br>生計一親族（建物所有者と同一の者）<br>生計一親族（建物所有者と別の者）<br>生計別親族 | 無償<br>—<br>無償<br>無償 | なし | 80%<br>80%<br>80%<br>80% | 図４Ａ | |
| 被相続人 | 生計一親族 | 無償 | 生計一親族 | (直前)被相続人<br>生計一親族（建物所有者と同一の者）<br>生計一親族（建物所有者と別の者）<br>生計別親族 | 無償<br>—<br>無償<br>無償 | あり | 80%<br>80%<br>80%<br>０% | 図４Ａ | |
| 被相続人 | 生計一親族 | 無償 | 生計一親族 | (直前)被相続人<br>生計一親族（建物所有者と同一の者）<br>生計一親族（建物所有者と別の者）<br>生計別親族 | 有償<br>—<br>有償<br>有償 | なし | 50%<br>80%<br>50%<br>50% | 図４Ａ | 措通69の4—4⑵<br><br>措通69の4—4⑵<br>措通69の4—4⑵ |

| | | | | | | | | | |
|---|---|---|---|---|---|---|---|---|---|
| 被相続人 | 生計一親族 | 無償 | 生計一親族 | (直前)被相続人 | 有償 | あり | 50% | 図４Ａ | 措通69の4—4(2) |
| | | | | 生計一親族(建物所有者と同一の者) | — | | 80% | | |
| | | | | 生計一親族(建物所有者と別の者) | 有償 | | 50% | | 措通69の4—4(2) |
| | | | | 生計別親族 | 有償 | | 50% | | 措通69の4—4(2) |
| 被相続人 | 生計一親族 | 有償 | 生計一親族 | (直前)被相続人 | 無償 | なし | 50% | 図４Ａ | 措通69の4—4(1) |
| | | | | 生計一親族(建物所有者と同一の者) | — | | 50% | | 措通69の4—4(1) |
| | | | | 生計一親族(建物所有者と別の者) | 無償 | | 50% | | 措通69の4—4(1) |
| | | | | 生計別親族 | 無償 | | 50% | | 措通69の4—4(1) |
| 被相続人 | 生計一親族 | 有償 | 生計一親族 | (直前)被相続人 | 無償 | あり | 50% | 図４Ａ | 措通69の4—4(1) |
| | | | | 生計一親族(建物所有者と同一の者) | — | | 50% | | 措通69の4—4(1) |
| | | | | 生計一親族(建物所有者と別の者) | 無償 | | 50% | | 措通69の4—4(1) |
| | | | | 生計別親族 | 無償 | | 50% | | 措通69の4—4(1) |
| 被相続人 | 生計一親族 | 有償 | 生計一親族 | (直前)被相続人 | 有償 | なし | 50% | 図４Ａ | 措通69の4—4(1) |
| | | | | 生計一親族(建物所有者と同一の者) | — | | 50% | | 措通69の4—4(1) |
| | | | | 生計一親族(建物所有者と別の者) | 有償 | | 50% | | 措通69の4—4(1) |
| | | | | 生計別親族 | 有償 | | 50% | | 措通69の4—4(1) |
| 被相続人 | 生計一親族 | 有償 | 生計一親族 | (直前)被相続人 | 有償 | あり | 50% | 図４Ａ | 措通69の4—4(1) |
| | | | | 生計一親族(建物所有者と同一の者) | — | | 50% | | 措通69の4—4(1) |
| | | | | 生計一親族(建物所有者と別の者) | 有償 | | 50% | | 措通69の4—4(1) |
| | | | | 生計別親族 | 有償 | | 50% | | 措通69の4—4(1) |
| 被相続人 | 生計別親族 | 無償 | 生計別親族 | (直前)被相続人 | 無償 | なし | 80% | 図４Ｂ | |
| | | | | 生計一親族 | 無償 | | 80% | | |
| | | | | 生計別親族(建物所有者と同一の者) | — | | 80% | | |
| | | | | 生計別親族(建物所有者と別の者) | 無償 | | 80% | | |
| 被相続人 | 生計別親族 | 無償 | 生計別親族 | (直前)被相続人 | 無償 | あり | 80% | 図４Ｂ | |
| | | | | 生計一親族 | 無償 | | 80% | | |
| | | | | 生計別親族(建物所有者と同一の者) | — | | 0% | | |
| | | | | 生計別親族(建物所有者と別の者) | 無償 | | 0% | | |
| 被相続人 | 生計別親族 | 無償 | 生計別親族 | (直前)被相続人 | 有償 | なし | 0% | 図４Ｂ | |
| | | | | 生計一親族 | 有償 | | 0% | | |
| | | | | 生計別親族(建物所有者と同一の者) | — | | 0% | | |
| | | | | 生計別親族(建物所有者と別の者) | 有償 | | 0% | | |

| | | | | | | | | | |
|---|---|---|---|---|---|---|---|---|---|
| 被相続人 | 生計別親族 | 無償 | 生計別親族 | (直前)被相続人 | 有償 | あり | ０% | 図４Ｂ | |
| | | | | 生計一親族 | 有償 | | ０% | | |
| | | | | 生計別親族(建物所有者と同一の者) | — | | ０% | | |
| | | | | 生計別親族(建物所有者と別の者) | 有償 | | ０% | | |
| 被相続人 | 生計別親族 | 有償 | 生計別親族 | (直前)被相続人 | 無償 | なし | 50% | 図４Ｂ | 措通69の４−４(1) |
| | | | | 生計一親族 | 無償 | | 50% | | 措通69の４−４(1) |
| | | | | 生計別親族(建物所有者と同一の者) | — | | 50% | | 措通69の４−４(1) |
| | | | | 生計別親族(建物所有者と別の者) | 無償 | | 50% | | 措通69の４−４(1) |
| 被相続人 | 生計別親族 | 有償 | 生計別親族 | (直前)被相続人 | 無償 | あり | 50% | 図４Ｂ | 措通69の４−４(1) |
| | | | | 生計一親族 | 無償 | | 50% | | 措通69の４−４(1) |
| | | | | 生計別親族(建物所有者と同一の者) | — | | 50% | | 措通69の４−４(1) |
| | | | | 生計別親族(建物所有者と別の者) | 無償 | | 50% | | 措通69の４−４(1) |
| 被相続人 | 生計別親族 | 有償 | 生計別親族 | (直前)被相続人 | 有償 | なし | 50% | 図４Ｂ | 措通69の４−４(1) |
| | | | | 生計一親族 | 有償 | | 50% | | 措通69の４−４(1) |
| | | | | 生計別親族(建物所有者と同一の者) | — | | 50% | | 措通69の４−４(1) |
| | | | | 生計別親族(建物所有者と別の者) | 有償 | | 50% | | 措通69の４−４(1) |
| 被相続人 | 生計別親族 | 有償 | 生計別親族 | (直前)被相続人 | 有償 | あり | 50% | 図４Ｂ | 措通69の４−４(1) |
| | | | | 生計一親族 | 有償 | | 50% | | 措通69の４−４(1) |
| | | | | 生計別親族(建物所有者と同一の者) | — | | 50% | | 措通69の４−４(1) |
| | | | | 生計別親族(建物所有者と別の者) | 有償 | | 50% | | 措通69の４−４(1) |

（注１）『(直前) 被相続人』とは、居住の用に供することができない一定の事由により被相続人の居住の用に供されなくなる直前まで被相続人の居住の用に供されていたものであることを示しています。

なお、この『(直前) 被相続人』の例として、建物の利用者が老人福祉法第29条第１項に規定する有料老人ホームに入所していたために相続の開始の直前において当該被相続人の居住の用に供することができなかった者であった場合があげられます。

（注２）80%⇨特定居住用宅地等として小規模宅地等の課税特例の適用の可能性がある場合
50%⇨貸付事業用宅地等として小規模宅地等の課税特例の適用の可能性がある場合
０%⇨小規模宅地等の課税特例の適用対象とならない場合
措通69の４−４(1)⇨上記〔５〕(2)①（他に貸し付けられていた宅地等）に該当するもの
措通69の４−４(2)⇨上記〔５〕(2)②（他に貸し付けられていた宅地等以外の宅地等）に該当するもの

### (3)　留意点（適用開始時期）

このⒸに掲げる取扱いは、平成25年度の税法改正に伴って定められたものであり、平成26年１月１日以後に開始した相続又は遺贈により取得した財産について適用するものとされています。

## 〔10〕 措置法通達69の４－７の２《宅地等が配偶者居住権の目的となっている家屋の敷地である場合の被相続人等の居住の用に供されていた宅地等の範囲》

### ⑴ 本通達と措置法通達69の４－７《被相続人等の居住の用に供されていた宅地等の範囲》との差異

措置法通達69の４－７《被相続人等の居住の用に供されていた宅地等の範囲》の定めは、被相続人に係る相続開始時（課税時期）において、小規模宅地等の課税特例の対象とされる特例対象宅地等につき、配偶者居住権が設定されていないことが前提となっています。

すなわち、措置法通達69の４－７の定めは、今回の被相続人に係る相続が配偶者居住権の設定に係る相続（以下、〔10〕においてこの相続を「第一次相続」といいます。）である場合においては、小規模宅地等の課税特例の適用要件である『被相続人等の居住の用に供されていた宅地等』の判定が『相続開始の直前』（配偶者居住権の取得前）の現況により行われるべきものとされていることとの均衡を図った取扱いであると考えられます。

そうすると、第一次相続において配偶者居住権者（注）による配偶者居住権が設定された場合において、その後、配偶者居住権の目的となっている家屋の敷地である宅地等の所有者に相続開始があった（以下、〔10〕においてこの相続を「第二次相続」といいます。）ときにおける当該第二次相続に係る被相続人等の居住の用に供されていた宅地等の範囲を明確にする必要が生じてきます。本通達は、この場合における取扱いを定めたものです。

（注）配偶者居住権者とは、配偶者居住権を有する者をいいます。（以下〔10〕において同じです。）

### ⑵ 共通要件

相続又は遺贈（第二次相続を指しています。）により取得した宅地等が、当該相続の開始の直前において配偶者居住権に基づき使用又は収益されていた家屋の敷地の用に供されていたものである場合をいいます。

### ⑶ 居住用宅地等の要件（次の①又は②の要件を充足）

① 相続の開始の直前において被相続人等の居住の用に供されていた家屋の敷地の用に供されていた宅地等である場合

(イ) 被相続人等（注１）の居住の用に供されていた家屋（注２）で被相続人が所有していたもの（当該被相続人等が当該家屋を当該配偶者居住権者から借り受けていた場合には、無償で借り受けていたときにおける当該家屋に限られます。）の敷地の用に供されていた宅地等

（注１） 被相続人等とは、被相続人又はその被相続人と生計を一にしていたその被相続人の親族をいいます。（以下、〔10〕において同じです。）

（注２） 家屋とは、被相続人又は被相続人の親族（㊟）が配偶者居住権者である場合のその配偶者居住権の目的となっている家屋をいいます。（以下、〔10〕⑶①に関する部分において同じです。）

㊟ 被相続人の親族は、本項では当該親族と被相続人との生計が一であるか別であるかを問わず、すべてが含まれます。

(ロ) 被相続人等の居住の用に供されていた家屋で被相続人の親族が所有していたもの（当該家屋を所有していた被相続人の親族が当該家屋の敷地を被相続人から無償で借り受

けており、かつ、当該被相続人が当該家屋を当該配偶者居住権者から借り受けていた場合には、無償で借り受けていたときにおける当該家屋に限られます。）の敷地の用に供されていた宅地等

上記(イ)及び(ロ)の取扱いを図示すると、図１のとおりとなります。

**図１　宅地等が配偶者居住権の目的となっている家屋の敷地である場合に相続の開始の直前において被相続人等の居住の用に供されていた宅地等の範囲**

（親族図）甲（第一次被相続人）─ A（甲及び乙と生計一）　（注）AとBは、生計別です。
‖
乙　　　　　　　　　　　　　　　─ B（甲及び乙と生計別）

（参考）　部分又は　部分は、配偶者居住権者（乙）による配偶者居住権又は配偶者居住権に基づく敷地利用権の対象とされている部分を示しています。

| 区分 | | 建物所有者 | | |
|---|---|---|---|---|
| | | 配偶者居住権者（乙）<br>(イ) | 配偶者居住権者（乙）と生計を一にする親族（A）<br>(ロ) | 配偶者居住権者（乙）と生計を別にする親族（B）<br>(ハ) |
| 配偶者居住権者である者 | ①被相続人 | ①－(イ) | ①－(ロ) | ①－(ハ) |
| | ②被相続人と生計を一にする者 | ②－(イ) | ②－(ロ) | ②－(ハ) |
| | ③被相続人と生計を別にする者 | ③－(イ) | ③－(ロ) | ③－(ハ) |

①－(イ)

（第一次相続直前）

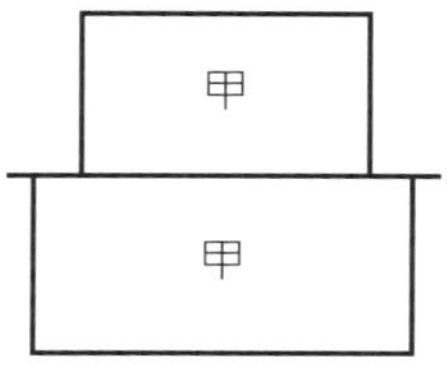


利用 甲・乙居住

⬇

（第一次相続による取得）

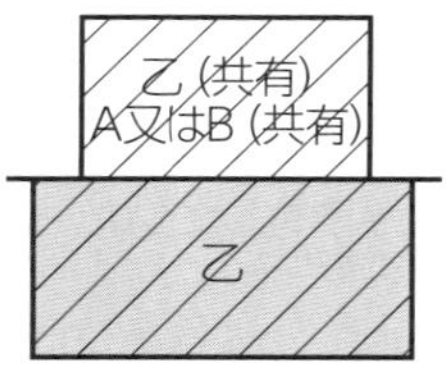


利用 （例１）乙居住
（例２）A居住（無償借受）
（例３）B居住（無償借受）

**第二次相続における取扱い**

（例１）　乙（被相続人）の居住の用に供されていた場合
　　▨部分が、乙（被相続人）の特定居住用宅地等に該当

解説 相続開始の直前において、『被相続人乙』の居住の用に供されていた家屋（『被相続人乙』が配偶者居住権であるもの）で、『被相続人乙』が所有（共有者）していたものの敷地の用に供されていた宅地等に該当

（例２）　A（被相続人乙と生計一親族）の居住の用に供されていた場合
　　▨部分が、A（被相続人乙と生計一親族）の特定居住用宅地等に該当

解説 相続開始の直前において、『被相続人乙と生計を一にする親族A』の居住の用に供されていた家屋（『被相続人乙』が配偶者居住権者であるもの）で『被相続人乙』が所有（共有者）していたものの敷地の用に供されていた宅地等に該当

（例３）　B（被相続人乙と生計別親族）の居住の用に供されていた場合
　　▨部分は、小規模宅地等の課税特例の適用対象外

解説 ▨部分は、被相続人等の居住の用に供されていた家屋の敷地の用に供されていた宅地等に非該当

①－(ロ)

（第一次相続直前）

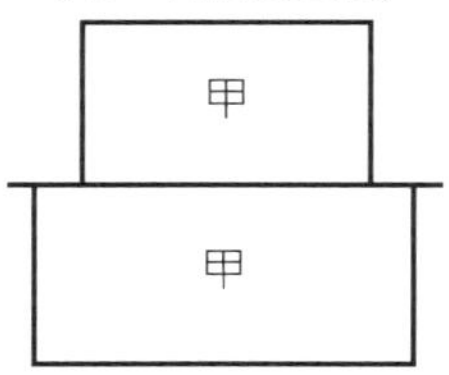


利用 甲・乙居住

⬇

（第一次相続による取得）

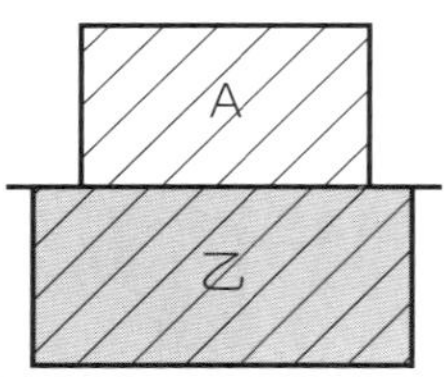


利用 （例１）乙居住
（例２）A居住（無償借受）
（例３）B居住（無償借受）

**第二次相続における取扱い**

（例１）　乙（被相続人）の居住の用に供されていた場合
　　▨部分が、乙（被相続人）の特定居住用宅地等に該当

解説 相続開始の直前において、『被相続人乙』の居住の用に供されていた家屋（『被相続人乙』が配偶者居住権者であるもの）で、『被相続人乙と生計を一にする親族A』が所有していたものの敷地の用に供されていた宅地等に該当

（例２）　A（被相続人乙と生計一親族）の居住の用に供されていた場合
　　▨部分が、A（被相続人乙と生計一親族）の特定居住用宅地等に該当

解説 相続開始の直前において、『被相続人乙と生計を一にする親族A』の居住の用に供されていた家屋（『被相続人乙』が配偶者居住権者であるもの）で『被相続人乙と生計を一にする親族A』が所有していたものの敷地の用に供されていた宅地等に該当

（例３）　B（被相続人乙と生計別親族）の居住の用に供されていた場合
　　▨部分は、小規模宅地等の課税特例の適用対象外

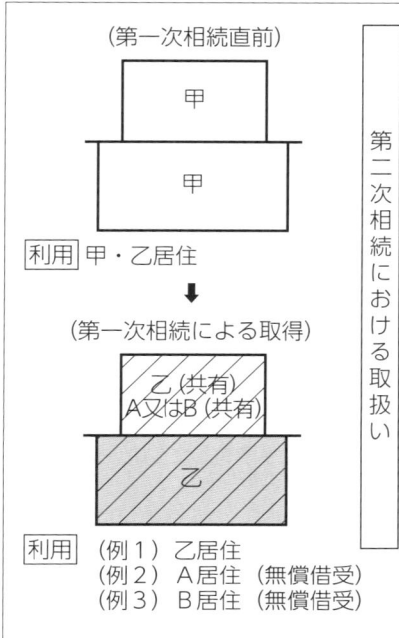

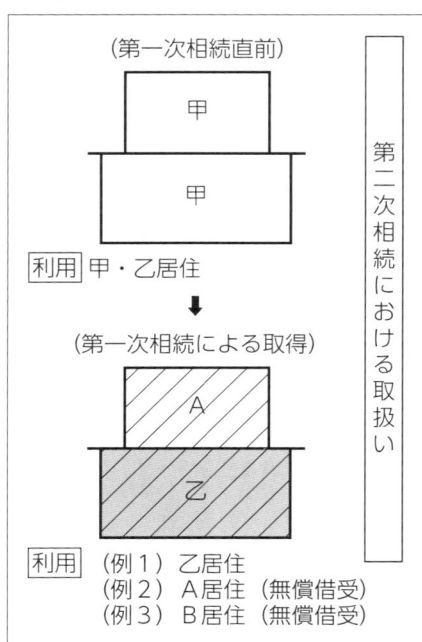

解説 ▨部分は、被相続人等の居住の用に供されていた家屋の敷地の用に供されていた宅地等に非該当

①－(ハ)

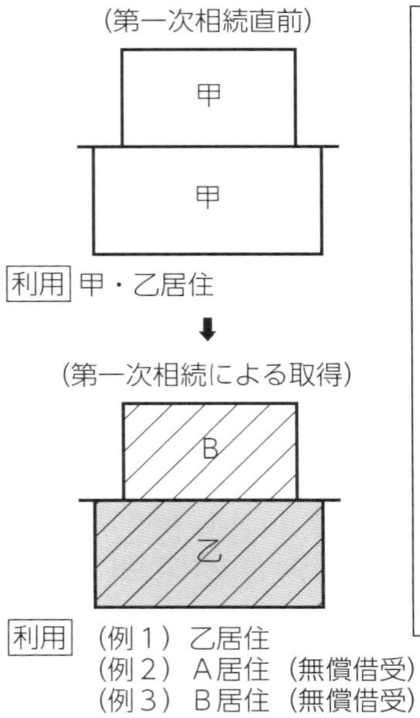


第二次相続における取扱い

（例１）　乙（被相続人）の居住の用に供されていた場合
　　▨部分が、乙（被相続人）の特定居住用宅地等に該当

解説　相続開始の直前において、『被相続人乙』の居住の用に供されていた家屋（『被相続人乙』が配偶者居住権者であるもの）で、『被相続人乙と生計を別にする親族Ｂ』が所有していたものの敷地の用に供されていた宅地等に該当

（例２）　Ａ（被相続人乙と生計一親族）の居住の用に供されていた場合
　　▨部分が、Ａ（被相続人と生計一親族）の特定居住用宅地等に該当

解説　相続開始の直前において、『被相続人乙と生計を一にする親族Ａ』の居住の用に供されていた家屋（『被相続人乙』が配偶者居住権者であるもの）で『被相続人乙と生計を別にする親族Ｂ』が所有していたものの敷地の用に供されていた宅地等に該当

（例３）　Ｂ（被相続人乙と生計別親族）の居住の用に供されていた場合
　　▨部分は、小規模宅地等の課税特例の適用対象外

解説　▨部分は、被相続人等の居住の用に供されていた家屋の敷地の用に供されていた宅地等に非該当

②－(イ)

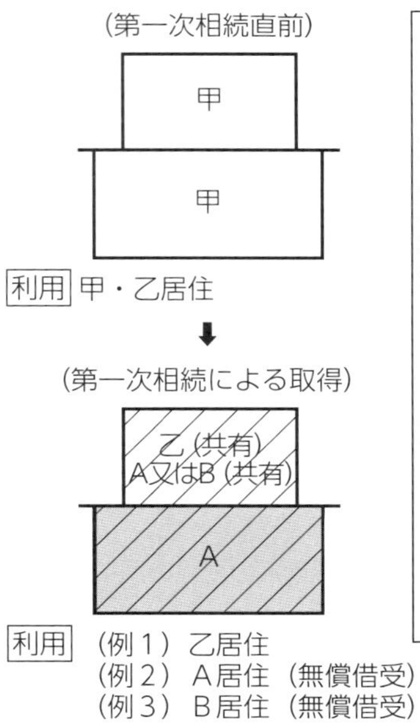


第二次相続における取扱い

（例１）　乙（被相続人Ａと生計一親族）の居住の用に供されていた場合
　　▨部分が、乙（被相続人Ａと生計一親族）の特定居住用宅地等に該当

解説　相続開始の直前において、『被相続人Ａと生計一親族乙』の居住の用に供されていた家屋（『被相続人Ａと生計を一にする親族乙』が配偶者居住権者であるもの）で『被相続人Ａと生計を一にする親族乙』が所有（共有者）していたものの敷地の用に供されていた宅地等に該当

（例２）　Ａ（被相続人）の居住の用に供されていた場合
　　▨部分が、Ａ（被相続人）の特定居住用宅地等に該当

解説　相続開始の直前において、『被相続人Ａ』の居住の用に供されていた家屋（『被相続人Ａと生計を一にする親族乙』が配偶者居住権者であるもの）で、『被相続人Ａと生計を一にする親族乙』が所有（共有者）していたものの敷地の用に供されていた宅地等に該当

（例３）　Ｂ（被相続人Ａと生計別親族）の居住の用に供されていた場合
　　▨部分は、小規模宅地等の課税特例の適用対象外

解説　▨部分は、被相続人等の居住の用に供されていた家屋の敷地の用に供されていた宅地等に非該当

②－(ロ)

（第一次相続直前）

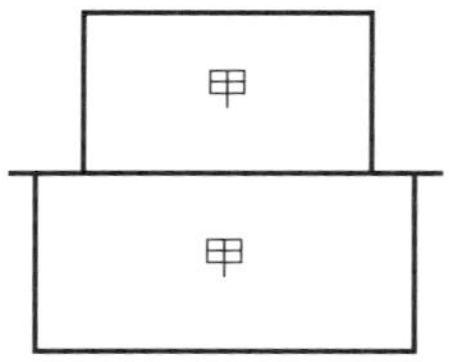


利用 甲・乙居住

⬇

（第一次相続による取得）

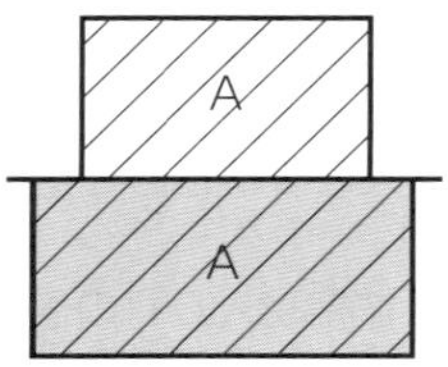


利用 （例１）乙居住
（例２）A居住（無償借受）
（例３）B居住（無償借受）

**第二次相続における取扱い**

（例１）　乙（被相続人Aと生計一親族）の居住の用に供されていた場合
▨部分が、乙（被相続人Aと生計一親族）の特定居住用宅地等に該当

解説 相続開始の直前において、『被相続人Aと生計を一にする親族乙』の居住の用に供されていた家屋（『被相続人Aと生計を一にする親族乙』が配偶者居住権者であるもの）で『被相続人A』が所有していたものの敷地の用に供されていた宅地等に該当

（例２）　A（被相続人）の居住の用に供されていた場合
▨部分が、A（被相続人）の特定居住用宅地等に該当

解説 相続開始の直前において、『被相続人A』の居住の用に供されていた家屋（『被相続人Aと生計を一にする親族乙』が配偶者居住権者であるもの）で、『被相続人A』が所有していたものの敷地の用に供されていた宅地等に該当

（例３）　B（被相続人Aと生計別親族）の居住の用に供されていた場合
▨部分は、小規模宅地等の課税特例の適用対象外

解説 ▨部分は、被相続人等の居住の用に供されていた家屋の敷地の用に供されていた宅地等に非該当

②－(ハ)

（第一次相続直前）

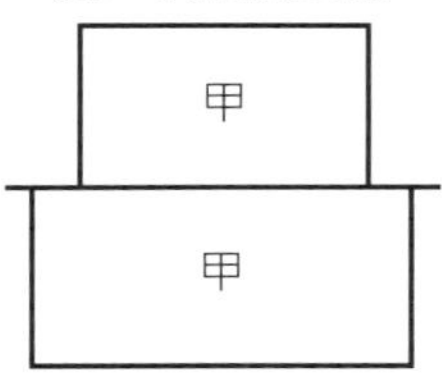


利用 甲・乙居住

⬇

（第一次相続による取得）

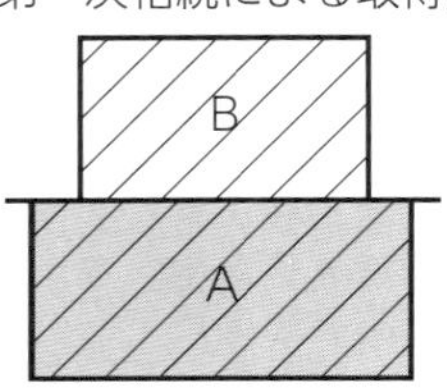


利用 （例１）乙居住
（例２）A居住（無償借受）
（例３）B居住（無償借受）

**第二次相続における取扱い**

（例１）　乙（被相続人Aと生計一親族）の居住の用に供されていた場合
▨部分が、乙（被相続人Aと生計一親族）の特定居住用宅地等に該当

解説 相続開始の直前において、『被相続人Aと生計を一にする親族乙』の居住の用に供されていた家屋（『被相続人Aと生計を一にする親族乙』が配偶者居住権者であるもの）で『被相続人Aと生計を別にする親族B』が所有していたものの敷地の用に供されていた宅地等に該当

（例２）　A（被相続人）の居住の用に供されていた場合
▨部分が、A（被相続人）の特定居住用宅地等に該当

解説 相続開始の直前において、『被相続人A』の居住の用に供されていた家屋（『被相続人Aと生計を一にする親族乙』が配偶者居住権者であるもの）で、『被相続人Aと生計を別にする親族B』が所有していたものの敷地の用に供されていた宅地等に該当

（例３）　B（被相続人Aと生計別親族）の居住の用に供されていた場合
▨部分は、小規模宅地等の課税特例の適用対象外

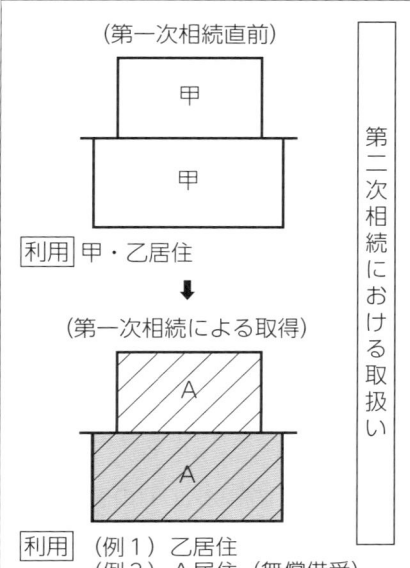

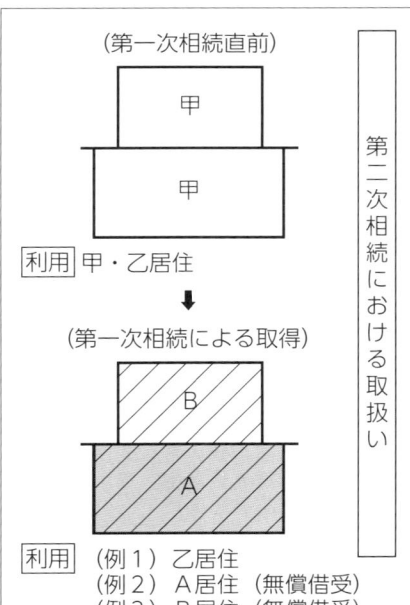

解説 ▨部分は、被相続人等の居住の用に供されていた家屋の敷地の用に供されていた宅地等に非該当

③－(イ)

（第一次相続直前）

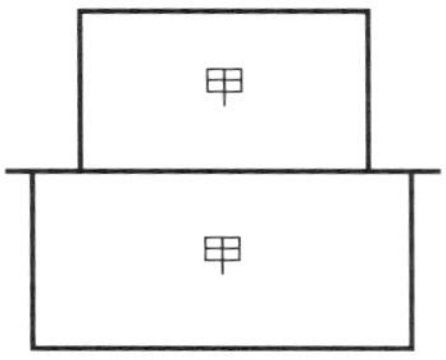


利用　甲・乙居住

⬇

（第一次相続による取得）

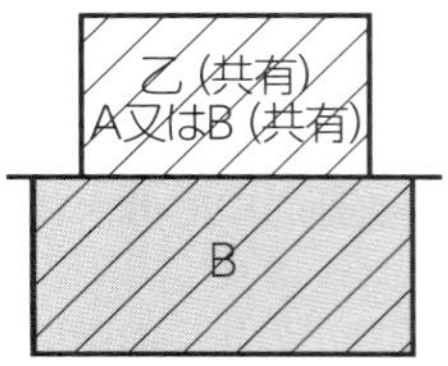


利用　（例１）乙居住
（例２）Ａ居住（無償借受）
（例３）Ｂ居住（無償借受）

第二次相続における取扱い

（例１）　乙（被相続人Ｂと生計別親族）の居住の用に供されていた場合
▨部分は、小規模宅地等の課税特例の適用対象外

解説　▨部分は、被相続人等の居住の用に供されていた家屋の敷地の用に供されていた宅地等に非該当

（例２）　Ａ（被相続人Ｂと生計別親族）居住の用に供されていた場合
▨部分は、小規模宅地等の課税特例の適用対象外

解説　▨部分は、被相続人等の居住の用に供されていた家屋の敷地の用に供されていた宅地等に非該当

（例３）　Ｂ（被相続人）の居住の用に供されていた場合
▨部分が、Ｂ（被相続人）の特定居住用宅地等に該当

解説　相続開始の直前において、『被相続人Ｂ』の居住の用に供されていた家屋（『被相続人Ｂと生計を別にする親族乙』が配偶者居住権者であるもの）で、『被相続人Ｂと生計を別にする親族乙』が所有（共有者）していたものの敷地の用に供されていた宅地等に該当

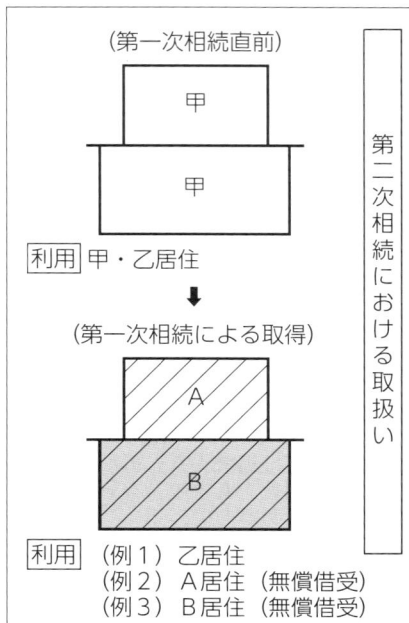

③－(ロ)

（第一次相続直前）

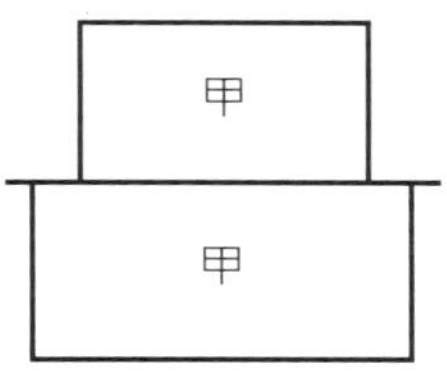


利用　甲・乙居住

⬇

（第一次相続による取得）

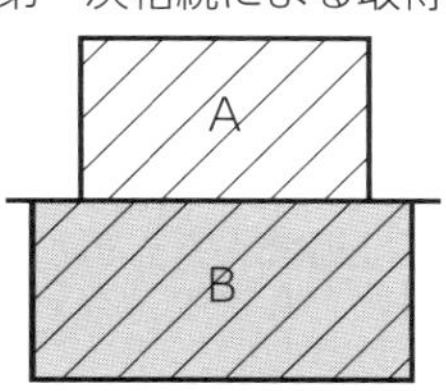


利用　（例１）乙居住
（例２）Ａ居住（無償借受）
（例３）Ｂ居住（無償借受）

第二次相続における取扱い

（例１）　乙（被相続人Ｂと生計別親族）の居住の用に供されていた場合
▨部分は、小規模宅地等の課税特例の適用対象外

解説　▨部分は、被相続人等の居住の用に供されていた家屋の敷地の用に供されていた宅地等に非該当

（例２）　Ａ（被相続人Ｂと生計別親族）の居住の用に供されていた場合
▨部分は、小規模宅地等の課税特例の適用対象外

解説　▨部分は、被相続人等の居住の用に供されていた家屋の敷地の用に供されていた宅地等に非該当

（例３）　Ｂ（被相続人）の居住の用に供されていた場合
▨部分が、Ｂ（被相続人）の特定居住用宅地等に該当

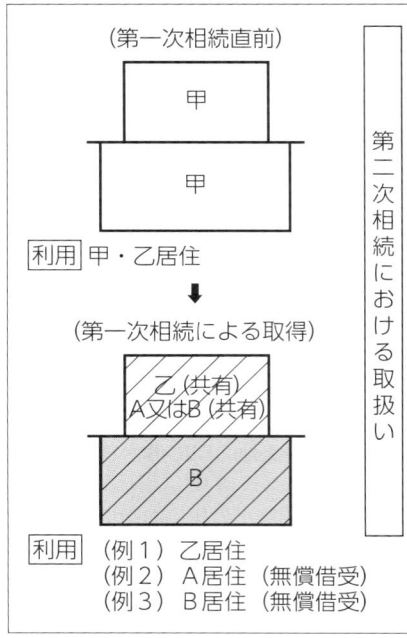

解説　相続開始の直前において、『被相続人Ｂ』の居住の用に供されていた家屋（『被相続人Ｂと生計を別にする親族乙』が配偶者居住権者であるもの）で、『被相続人Ｂと生計を別にする親族Ａ』が所有していたものの敷地の用に供されていた宅地等に該当

③－(ハ)

（第一次相続直前）

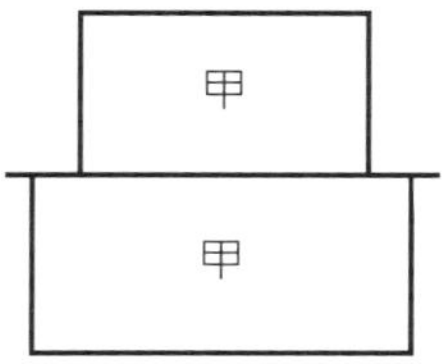


利用 甲・乙居住

⬇

（第一次相続による取得）

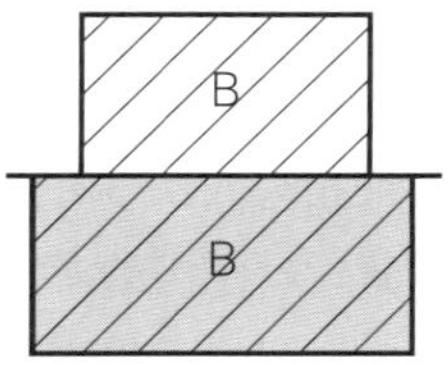


利用 （例１）乙居住
（例２）Ａ居住（無償借受）
（例３）Ｂ居住（無償借受）

第二次相続における取扱い

（例１）　乙（被相続人Ｂと生計別親族）の居住の用に供されていた場合
　▨部分は、小規模宅地等の課税特例の適用対象外

解説 ▨部分は、被相続人等の居住の用に供されていた家屋の敷地の用に供されていた宅地等に非該当

（例２）　Ａ（被相続人Ｂと生計別親族）の居住の用に供されていた場合
　▨部分は、小規模宅地等の課税特例の適用対象外

解説 ▨部分は、被相続人等の居住の用に供されていた家屋の敷地の用に供されていた宅地等に非該当

（例３）　Ｂ（被相続人）の居住の用に供されていた場合
　▨部分が、Ｂ（被相続人）の特定居住用宅地等に該当

解説 相続開始の直前において、『被相続人Ｂ』の居住の用に供されていた家屋（『被相続人Ｂと生計を別にする親族乙』が配偶者居住権者であるもの）で、『被相続人Ｂ』が所有していたものの敷地の用に供されていた宅地等に該当

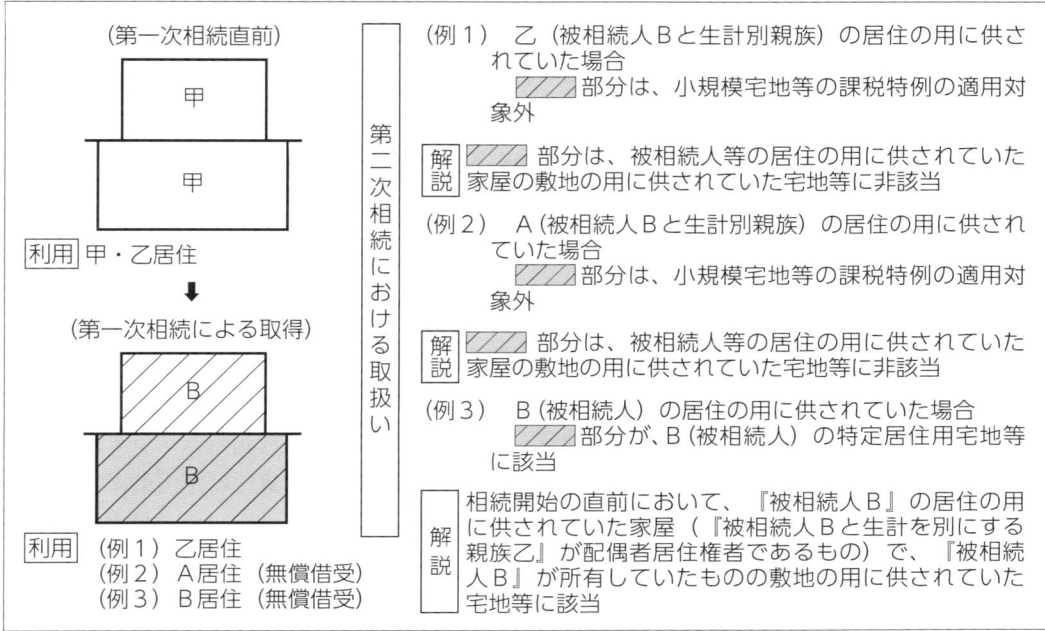

（注）　図１において、特定居住用宅地等に関する他の要件は、充足しているものとします。

**解説**　宅地等が被相続人等の居住用宅地等に該当するかどうかを判定するに当たって、次の点に留意する必要があります。

⑴　相続開始の直前において、被相続人等の居住の用に供されていた家屋（「被相続人又は被相続人の親族」が配偶者居住権者である場合のその配偶者居住権の目的となっている家屋をいいます。以下、⑵において同じです。）で、「被相続人」が所有していたもの（家屋を居住の用に供していた「被相続人等」が当該家屋を当該配偶者居住権者から借り受けていた場合には、無償又は相当の対価に至らない程度の対価で借り受けていたときにおける当該家屋に限ります。）の敷地の用に供されていた宅地等である場合

①　家屋を居住の用に供していた被相続人等が、当該家屋を配偶者居住権者である「被相続人等」から有償で借り受けていた場合には、配偶者居住権者である被相続人等の当該家屋の貸付けが不動産貸付（不動産の貸付けで、相当の対価により継続的に行われているもの）に該当することとなるので、その敷地である宅地等は、配偶者居住権者である「被相続人等」の事業用宅地等に該当します。

②　家屋を居住の用に供していた被相続人等が、当該家屋を配偶者居住権者である「その他親族（被相続人と生計を別にする親族）」から有償で借り受けていた場合には、その他親族の当該家屋の貸付けが「その他親

族（被相続人と生計を別にする親族）」の事業（貸付事業）に該当することとなるので、当該宅地等は、「被相続人等」の事業用宅地等及び居住用宅地等のいずれにも該当しません。

(2)　相続開始の直前において、被相続人等の居住の用に供されていた家屋で、「被相続人の親族（被相続人と生計を一にするか又は別にするかは、問われていません。）が所有していたもの（当該家屋を所有していた被相続人の親族が当該家屋の敷地を被相続人から無償又は相当の対価に至らない程度の対価で借り受けており、かつ、家屋を居住の用に供していた「被相続人等」が当該家屋を当該配偶者居住権から借り受けていた場合には、無償又は相当の対価に至らない程度の対価で借り受けていたときにおける当該家屋に限ります。）の敷地の用に供されていた宅地等である場合

①　家屋を所有する被相続人の親族が、宅地等を被相続人から有償で借り受けていた場合には、被相続人の当該宅地等の貸付けが不動産貸付に該当することとなるので、当該宅地等は「被相続人」の事業用宅地等に当該します。

②　家屋を所有する被相続人の親族が、宅地等を被相続人から無償又は相当の対価に至らない程度の対価で借り受けているが、家屋を居住の用に供していた「被相続人等」が当該家屋を配偶者居住権者から有償で借り受けていた場合には、次のとおりとなります。

(イ)　配偶者居住権者が「被相続人等」であるときは、配偶者居住権者である当該被相続人等の当該家屋の貸付けが不動産貸付に該当することとなるので、当該宅地等は配偶者居住権者である「被相続人等」の事業用宅地等に該当します。

(ロ)　配偶者居住権者が「その他親族（被相続人と生計を別にする親族）」であるときは、当該家屋の貸付けが「被相続人等」の事業に該当しないこととなり、また、その他親族の当該家屋の貸付けは、「その他親族（被相続人と生計を別にする親族）」の事業（貸付事業）に該当することとなるので、当該宅地等は、「被相続人等」の事業用宅地等及び居住用宅地等のいずれにも該当しません。

②　居住の用に供することができない一定の事由により被相続人の居住の用に供されなくなる直前まで被相続人の居住の用に供されていた家屋の敷地の用に供されていた宅地等である場合

(イ)　被相続人（注１）の居住の用に供されていた家屋（注２）で被相続人が所有していたもの（当該被相続人（注１）が当該家屋を当該配偶者居住権者から借り受けていた場合には、無償で借り受けていたときにおける当該家屋に限られます。）の敷地の用に供されていた宅地等

（注１）『被相続人』とされており、『被相続人等』とはなっていないことに留意する必要があります。

（注２）家屋とは、被相続人又は被相続人の親族（㊟）が配偶者居住権者である場合のその配偶者居住権の目的となっている家屋をいいます。（以下、〔10〕⑶②に関する部分において同じです。）

㊟　被相続人の親族は、本項では当該親族と被相続人との生計が一であるか別であるかを問わず、すべてが含まれます。

(ロ)　被相続人の居住の用に供されていた家屋で被相続人の親族が所有していたもの（当該家屋を所有していた被相続人の親族が当該家屋の敷地を被相続人から無償で借り受けており、かつ、当該被相続人が当該家屋を当該配偶者居住権者から借り受けていた場合には、無償で借り受けていたときにおける当該家屋に限られます。）の敷地の用に供されていた宅地等

上記(イ)及び(ロ)の取扱いを図示すると、図２のとおりになります。

**図２　宅地等が配偶者居住権の目的となっている家屋の敷地である場合に、一定の事由により被相続人の居住の用に供されなくなる直前まで被相続人の居住の用に供されていた宅地等の範囲**

（親族図）
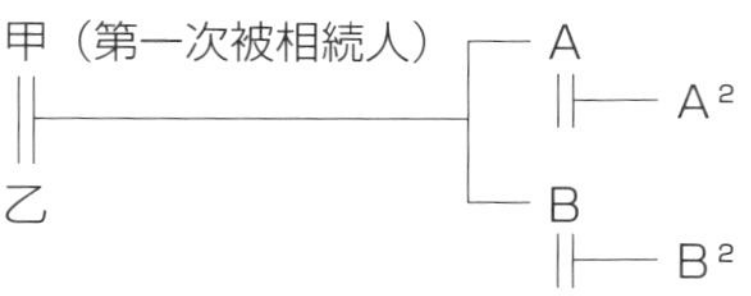


（注１）甲、乙、Ａ及びＡ²が生計を一にする者の範囲です。

（注２）Ｂ及びＢ²が生計を一にする者の範囲です。

（参考）▨部分又は▨部分は、配偶者居住権者（乙）による配偶者居住権又は配偶者居住権に基づく敷地利用権の対象とされている部分を示しています。

| 区分 | | 建物所有者 | | |
|---|---|---|---|---|
| | | 配偶者居住権者（乙）<br>(イ) | 配偶者居住権者（乙）と生計を一にする親族（Ａ）<br>(ロ) | 配偶者居住権者（乙）と生計を別にする親族（Ｂ）<br>(ハ) |
| 配偶者居住権者である者 | ④被相続人 | ④－(イ) | ④－(ロ) | ④－(ハ) |
| | ⑤被相続人と生計を一にする者 | ⑤－(イ) | ⑤－(ロ) | ⑤－(ハ) |
| | ⑥被相続人と生計を別にする者 | ⑥－(イ) | ⑥－(ロ) | ⑥－(ハ) |

④ー(イ)

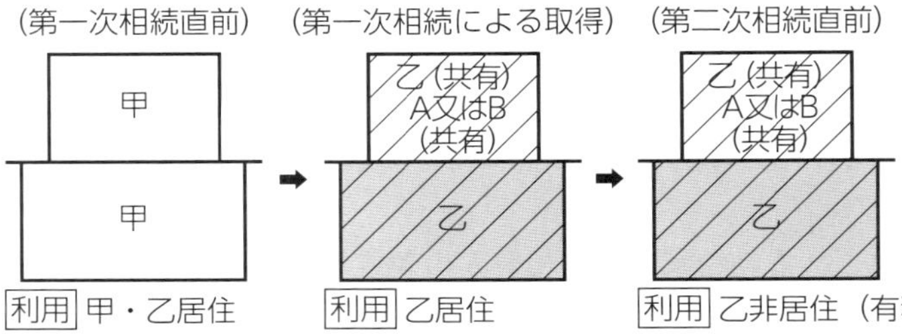


（例１）乙転居後、家屋は未利用である場合

（例２）乙転居後、家屋をAが無償借受した場合

（例３）乙転居後、家屋をBが無償借受した場合

**第二次相続における取扱い**

（例１）部分が、乙（被相続人）の特定居住用宅地等に該当

（例２）部分が、乙（被相続人）の特定居住用宅地等に該当

（例３）部分は、小規模宅地等の課税特例の適用対象外

**解説**　（例１）は、一定事由により『被相続人乙』の居住の用に供されなくなる直前まで、『被相続人乙』の居住の用に供されていた家屋（『被相続人乙』が配偶者居住権者であるもの）で、『被相続人乙』が所有（共有者）していたものの敷地の用に供されていた宅地等に該当。

なお、（例２）は、『被相続人乙』の居住の用に供されなくなった後の転用要件を充足（新たに『被相続人乙と生計を一にする親族A』の居住供用）するが、（例３）は当該転用要件を未充足（新たに『被相続人乙と生計を別にする親族B』の居住供用）

④ー(ロ)

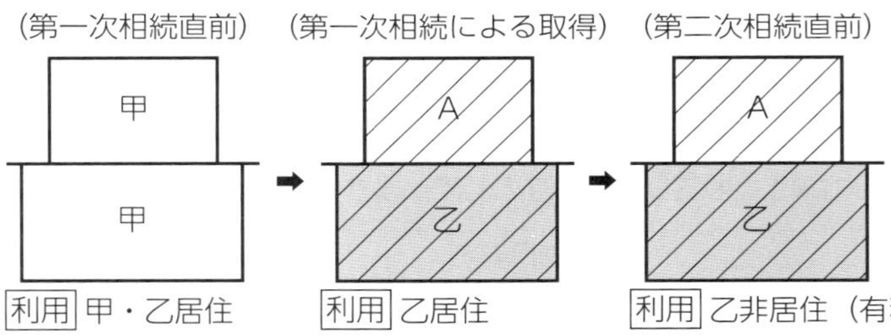


（例１）乙転居後、家屋は未利用である場合

（例２）乙転居後、家屋をＡが無償借受した場合

（例３）乙転居後、家屋をＢが無償借受した場合

**第二次相続における取扱い**

（例１）部分が、乙（被相続人）の特定居住用宅地等に該当

（例２）部分が、乙（被相続人）の特定居住用宅地等に該当

（例３）部分は、小規模宅地等の課税特例の適用対象外

**解説**　（例１）は、一定事由により『被相続人乙』の居住の用に供されなくなる直前まで、『被相続人乙』の居住の用に供されていた家屋（『被相続人乙』が配偶者居住権者であるもの）で、『被相続人乙と生計を一にする親族Ａ』が所有していたものの敷地の用に供されていた宅地等に該当

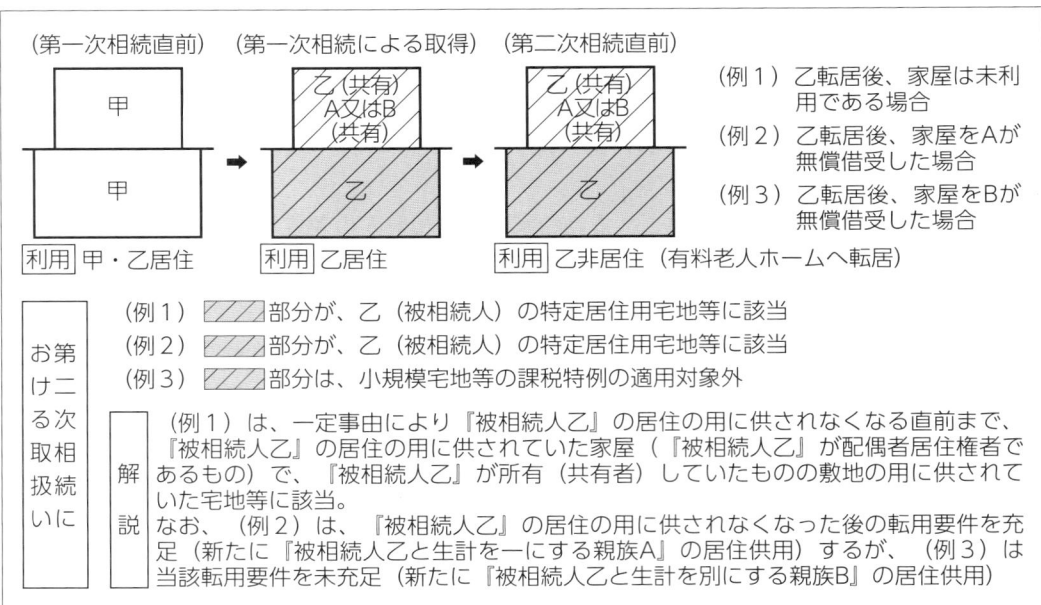

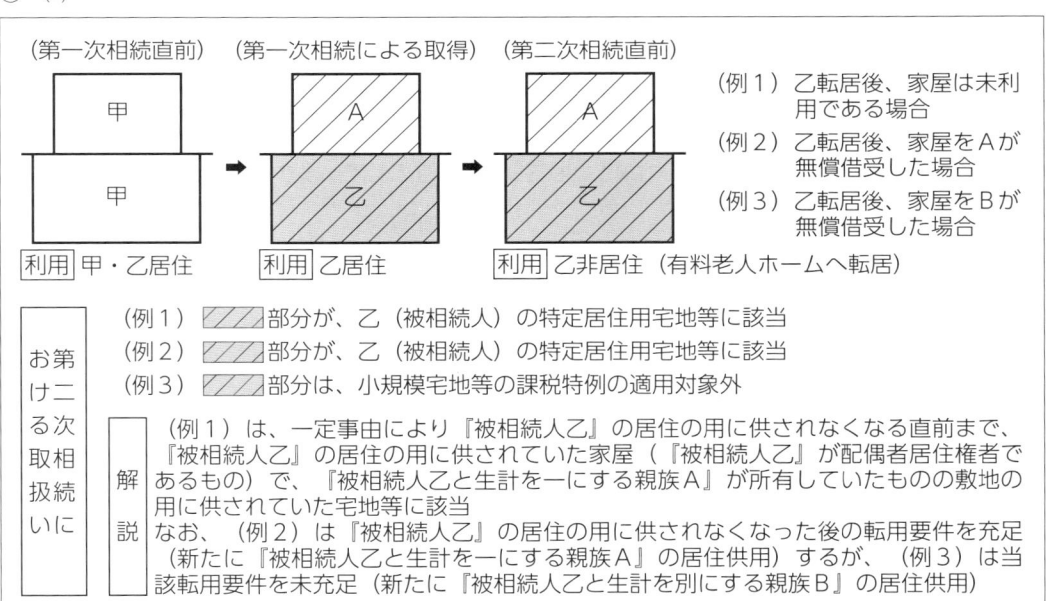

なお、（例２）は『被相続人乙』の居住の用に供されなくなった後の転用要件を充足（新たに『被相続人乙と生計を一にする親族Ａ』の居住供用）するが、（例３）は当該転用要件を未充足（新たに『被相続人乙と生計を別にする親族Ｂ』の居住供用）

④－(ハ)

（第一次相続直前）　（第一次相続による取得）　（第二次相続直前）

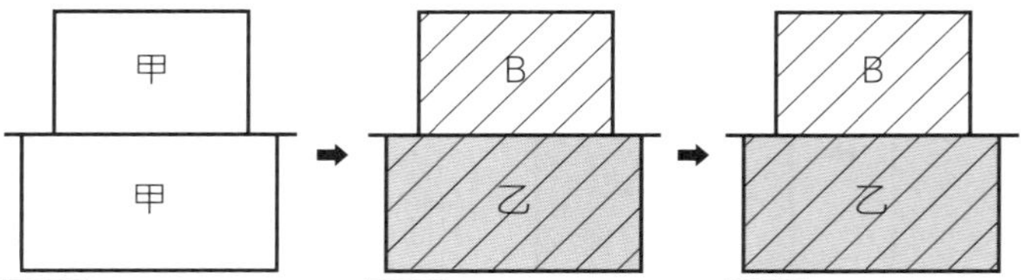


（例１）乙転居後、家屋は未利用である場合
（例２）乙転居後、家屋をAが無償借受した場合
（例３）乙転居後、家屋をBが無償借受した場合

利用 甲・乙居住　　利用 乙居住　　利用 乙非居住（有料老人ホームへ転居）

**第二次相続における取扱い**

（例１）　部分が、乙（被相続人）の特定居住用宅地等に該当
（例２）　部分が、乙（被相続人）の特定居住用宅地等に該当
（例３）　部分は、小規模宅地等の課税特例の適用対象外

**解説**　（例１）は、一定事由により『被相続人乙』の居住の用に供されなくなる直前まで、『被相続人乙』の居住の用に供されていた家屋（『被相続人乙』が配偶者居住権者であるもの）で、『被相続人乙と生計を別にする親族B』が所有していたものの敷地の用に供されていた宅地等に該当
なお、（例２）は『被相続人乙』の居住の用に供されなくなった後の転用要件を充足（新たに『被相続人乙と生計を一にする親族A』の居住供用）するが、（例３）は当該転用要件を未充足（新たに『被相続人乙と生計を別にする親族B』の居住供用）

⑤－(イ)

（第一次相続直前）　（第一次相続による取得）　（第二次相続直前）

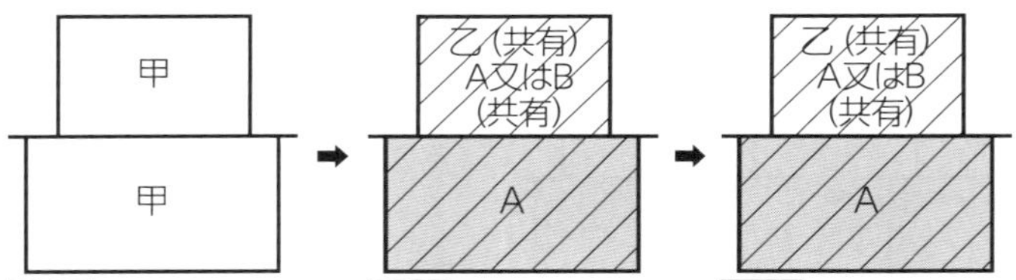


（例１）A転居後、家屋は未利用である場合
（例２）A転居後、家屋を$A^2$が無償借受した場合
（例３）A転居後、家屋をBが無償借受した場合

利用 甲・乙居住　　利用 A居住（乙より無償借受）　　利用 A非居住（有料老人ホームへ転居）

**第二次相続における取扱い**

（例１）　部分が、A（被相続人）の特定居住用宅地等に該当
（例２）　部分が、A（被相続人）の特定居住用宅地等に該当
（例３）　部分は、小規模宅地等の課税特例の適用対象外

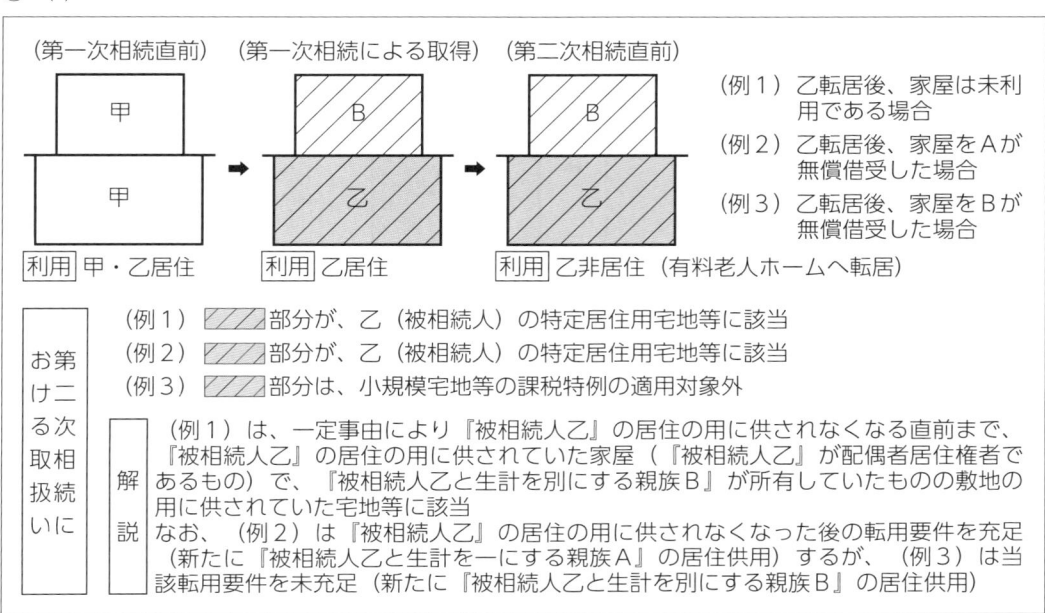

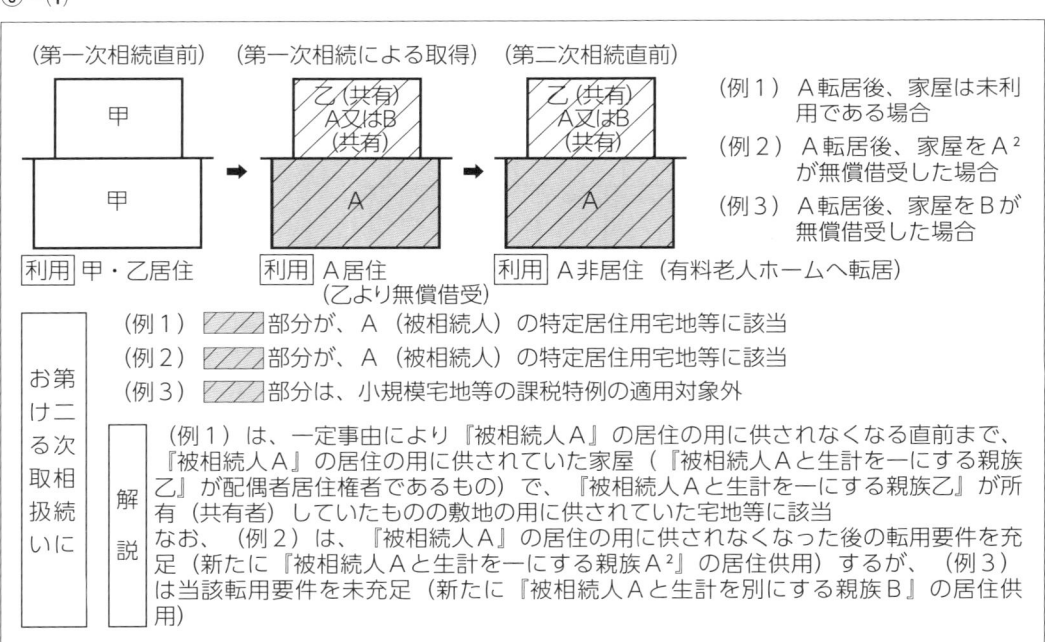

**解説**　（例１）は、一定事由により『被相続人A』の居住の用に供されなくなる直前まで、『被相続人A』の居住の用に供されていた家屋（『被相続人Aと生計を一にする親族乙』が配偶者居住権者であるもの）で、『被相続人Aと生計を一にする親族乙』が所有（共有者）していたものの敷地の用に供されていた宅地等に該当
なお、（例２）は、『被相続人A』の居住の用に供されなくなった後の転用要件を充足（新たに『被相続人Aと生計を一にする親族$A^2$』の居住供用）するが、（例３）は当該転用要件を未充足（新たに『被相続人Aと生計を別にする親族B』の居住供用）

⑤－(ロ)

（第一次相続直前）　（第一次相続による取得）　（第二次相続直前）

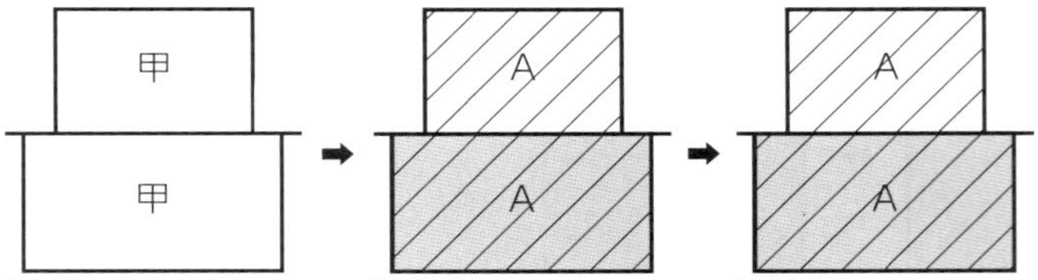


（例１）Ａ転居後、家屋は未利用である場合

（例２）Ａ転居後、家屋をＡ²が無償借受した場合

（例３）Ａ転居後、家屋をＢが無償借受した場合

利用 甲・乙居住　　利用 Ａ居住（乙より無償借受）　　利用 Ａ非居住（有料老人ホームへ転居）

**第二次相続における取扱い**

（例１）▨部分が、Ａ（被相続人）の特定居住用宅地等に該当

（例２）▨部分が、Ａ（被相続人）の特定居住用宅地等に該当

（例３）▨部分は、小規模宅地等の課税特例の適用対象外

**解説**

（例１）は、一定事由により『被相続人Ａ』の居住の用に供されなくなる直前まで、『被相続人Ａ』の居住の用に供されていた家屋（『被相続人Ａと生計を一にする親族乙』が配偶者居住権者であるもの）で、『被相続人Ａ』が所有していたものの敷地の用に供されていた宅地等に該当

なお、（例２）は、『被相続人Ａ』の居住の用に供されなくなった後の転用要件を充足（新たに『被相続人Ａと生計を一にする親族Ａ²』の居住供用）するが、（例３）は当該転用要件を未充足（新たに『被相続人Ａと生計を別にする親族Ｂ』の居住供用）

⑤－(ハ)

（第一次相続直前）　（第一次相続による取得）　（第二次相続直前）

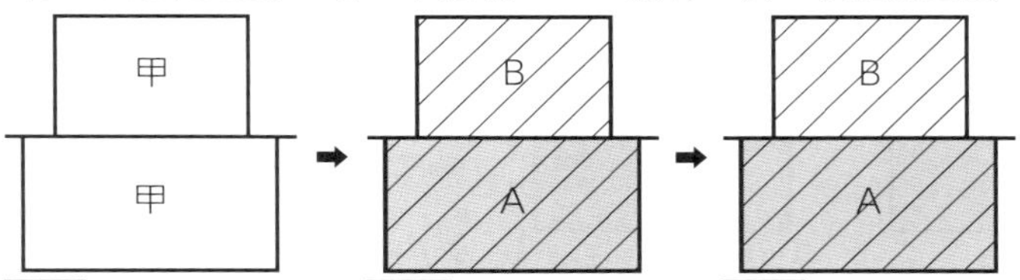


（例１）Ａ転居後、家屋は未利用である場合

（例２）Ａ転居後、家屋をＡ²が無償借受した場合

（例３）Ａ転居後、家屋をＢが無償借受した場合

利用 甲・乙居住　　利用 Ａ居住（乙より無償借受）　　利用 Ａ非居住（有料老人ホームへ転居）

**第二次相続における取扱い**

（例１）▨部分が、Ａ（被相続人）の特定居住用宅地等に該当

（例２）▨部分が、Ａ（被相続人）の特定居住用宅地等に該当

（例３）▨部分は、小規模宅地等の課税特例の適用対象外

**解説**

（例１）は、一定事由により『被相続人Ａ』の居住の用に供されなくなる直前まで、『被相続人Ａ』の居住の用に供されていた家屋（『被相続人Ａと生計を一にする親族乙』が配偶者居住権者であるもの）で、『被相続人Ａと生計を別にする親族Ｂ』が所有していたものの敷地の用に供されていた宅地等に該当

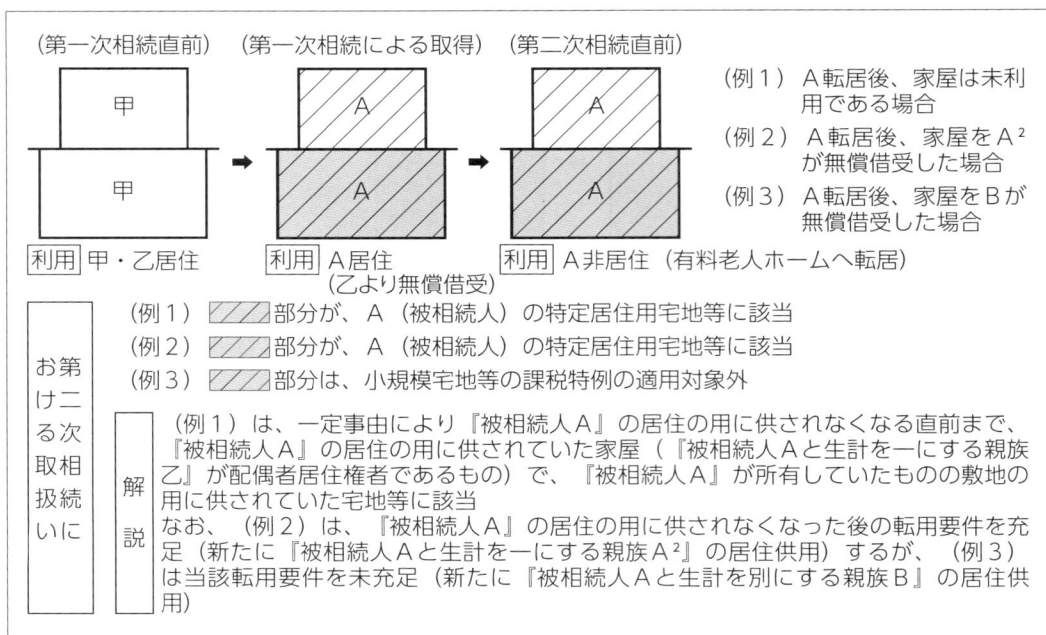

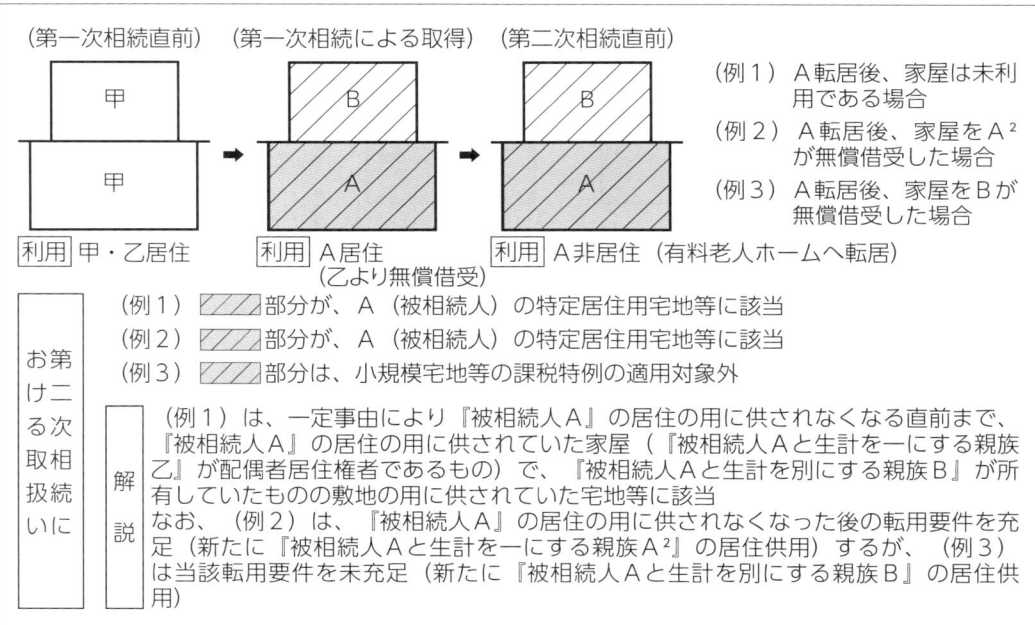

なお、（例２）は、『被相続人Ａ』の居住の用に供されなくなった後の転用要件を充足（新たに『被相続人Ａと生計を一にする親族Ａ²』の居住供用）するが、（例３）は当該転用要件を未充足（新たに『被相続人Ａと生計を別にする親族Ｂ』の居住供用）

⑥ー(イ)

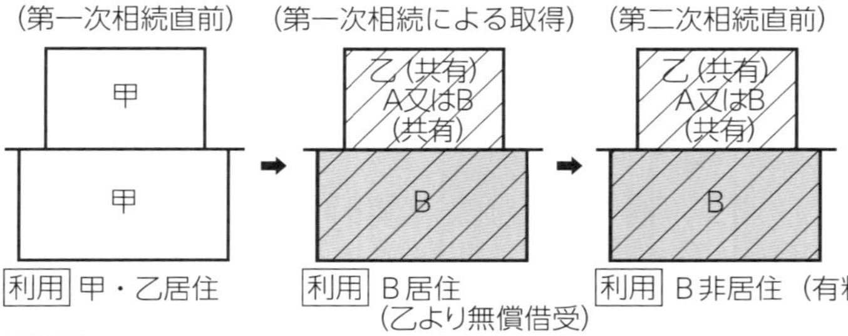


（例１）　Ｂ転居後、家屋は未利用である場合

（例２）　Ｂ転居後、家屋をＡが無償借受した場合

（例３）　Ｂ転居後、家屋をＢ$^2$が無償借受した場合

**第二次相続における取扱い**

（例１）▨部分が、Ｂ（被相続人）の特定居住用宅地等に該当

（例２）▨部分は、小規模宅地等の課税特例の適用対象外

（例３）▨部分が、Ｂ（被相続人）の特定居住用宅地等に該当

**解説**

（例１）は、一定事由により『被相続人Ｂ』の居住の用に供されなくなる直前まで、『被相続人Ｂ』の居住の用に供されていた家屋（『被相続人Ｂと生計を別にする親族乙』が配偶者居住権者であるもの）で、『被相続人Ｂと生計を別にする親族乙』が所有（共有者）していたものの敷地の用に供されていた宅地等に該当

なお、（例２）は、『被相続人Ｂ』の居住の用に供されなくなった後の転用要件を未充足（新たに『被相続人Ｂと生計を別にする親族Ａ』の居住供用）とするが、（例３）は当該転用要件を充足（新たに『被相続人Ｂと生計を一にする親族Ｂ$^2$』の居住供用）

⑥ー(ロ)

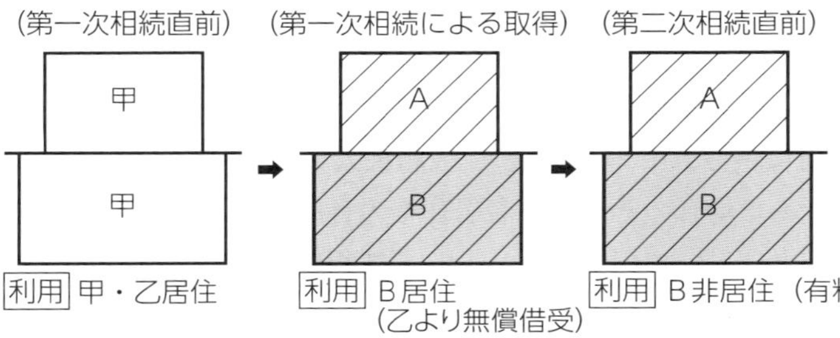


（例１）　Ｂ転居後、家屋は未利用である場合

（例２）　Ｂ転居後、家屋をＡが無償借受した場合

（例３）　Ｂ転居後、家屋をＢ$^2$が無償借受した場合

**第二次相続における取扱い**

（例１）▨部分が、Ｂ（被相続人）の特定居住用宅地等に該当

（例２）▨部分は、小規模宅地等の課税特例の適用対象外

（例３）▨部分が、Ｂ（被相続人）の特定居住用宅地等に該当

**解説**

（例１）は、一定事由により『被相続人Ｂ』の居住の用に供されなくなる直前まで、『被相続人Ｂ』の居住の用に供されていた家屋（『被相続人Ｂと生計を別にする親族乙』が配偶者居住権者であるもの）で、『被相続人Ｂと生計を別にする親族Ａ』が所有していたものの敷地の用に供されていた宅地等に該当

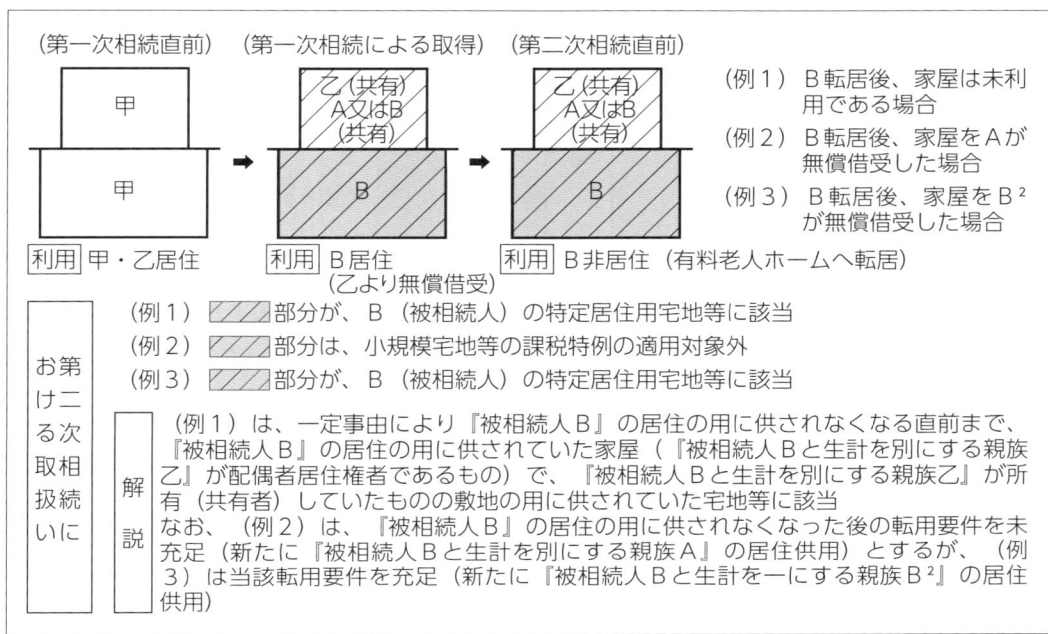

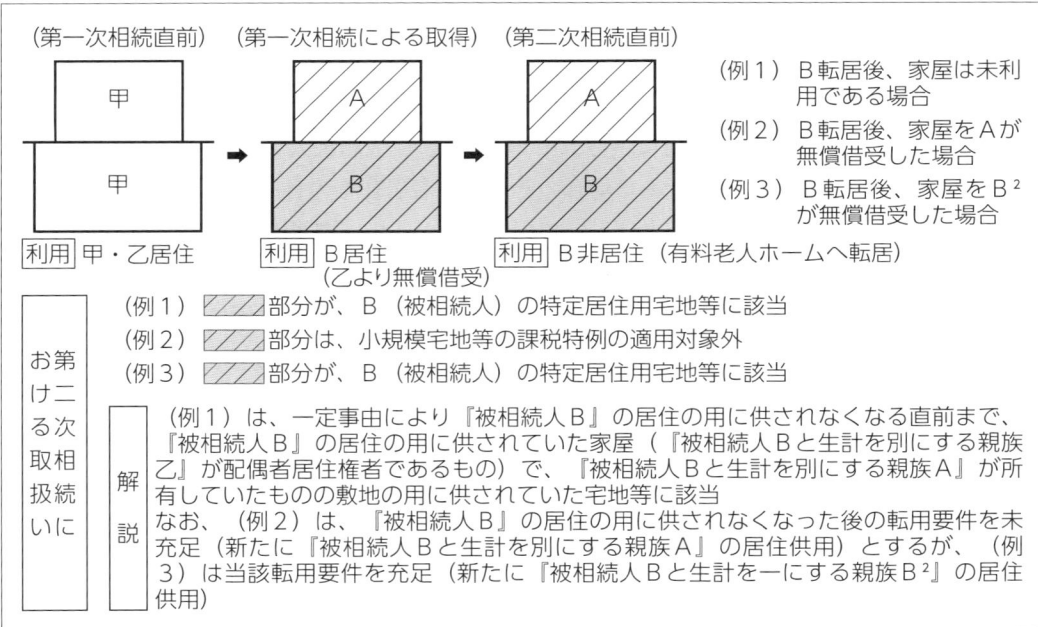

なお、（例２）は、『被相続人Ｂ』の居住の用に供されなくなった後の転用要件を未充足（新たに『被相続人Ｂと生計を別にする親族Ａ』の居住供用）とするが、（例３）は当該転用要件を充足（新たに『被相続人Ｂと生計を一にする親族Ｂ$^2$』の居住供用）

⑥－(ハ)

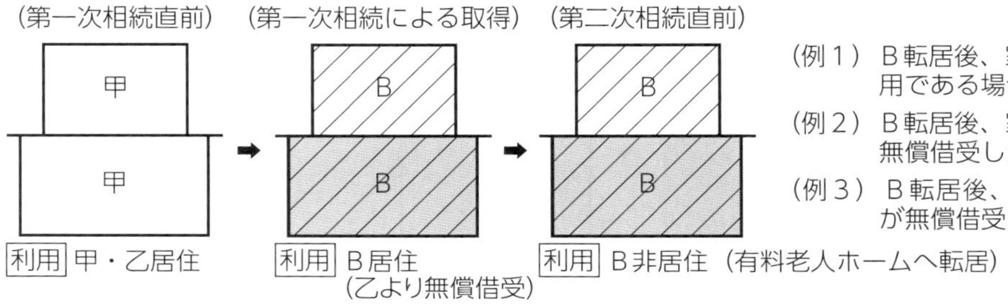


（例１）Ｂ転居後、家屋は未利用である場合

（例２）Ｂ転居後、家屋をＡが無償借受した場合

（例３）Ｂ転居後、家屋をＢ²が無償借受した場合

**第二次相続における取扱い**

（例１）▨部分が、Ｂ（被相続人）の特定居住用宅地等に該当

（例２）▨部分は、小規模宅地等の課税特例の適用対象外

（例３）▨部分が、Ｂ（被相続人）の特定居住用宅地等に該当

**解説**　（例１）は、一定事由により『被相続人Ｂ』の居住の用に供されなくなる直前まで、『被相続人Ｂ』の居住の用に供されていた家屋（『被相続人Ｂと生計を別にする親族乙』が配偶者居住権者であるもの）で、『被相続人Ｂ』が所有していたものの敷地の用に供されていた宅地等に該当

なお、（例２）は、『被相続人Ｂ』の居住の用に供されなくなった後の転用要件を未充足（新たに『被相続人Ｂと生計を別にする親族Ａ』の居住供用）とするが、（例３）は当該転用要件を充足（新たに『被相続人Ｂと生計を一にする親族Ｂ²』の居住供用）

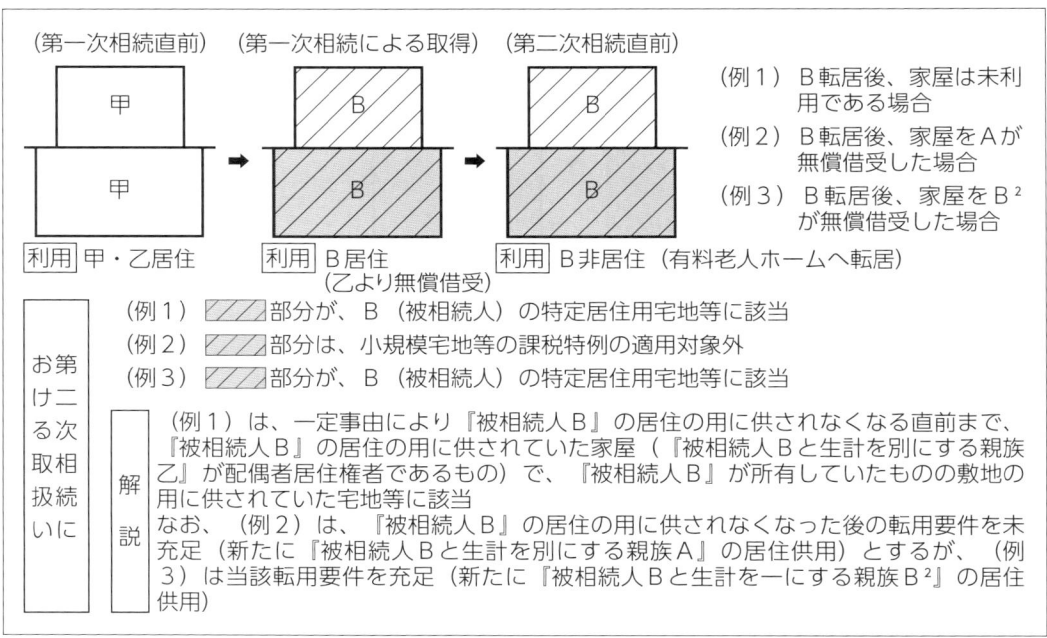

（注）　図２において、特定居住用宅地等に関する他の要件は、充足しているものとします。

**解説**　宅地等が被相続人の居住用宅地等に該当するかどうかを判定するに当たって、次の点に留意する必要があります。

(1)　一定の事由により被相続人の居住の用に供されなくなる直前まで、被相続人の居住の用に供されていた家屋（「被相続人又は被相続人の親族が配偶者居住権者である場合のその配偶者居住権の目的となっている家屋をいいます。以下、(2)において同じです。）で、「被相続人」が所有していたもの（家屋を居住の用に供していた「被相続人」が当該家屋を配偶者居住権者から借り受けていた場合には、無償又は相当の対価に至らない程度の対価で借り受けていたときにおける当該家屋に限ります。）の敷地の用に供されていた宅地等である場合

①　家屋を居住の用に供していた被相続人が、当該家屋を配偶者居住権者である「被相続人等」から有償で借り受けていた場合には、配偶者居住権者である被相続人等の当該家屋の貸付けが不動産貸付（不動産の貸付けで、相当の対価により継続的に行われているもの）に該当することとなるので、その敷地である宅地等は、配偶者居住権者である「被相続人等」の事業用宅地等に該当します。

②　家屋を居住の用に供していた被相続人が、当該家屋を配偶者居住権者である「その他親族（被相続人と生計を別にする親族）」から有償で借り受けていた場合には、その他親族の当該家屋の貸付けが「その他親族

（被相続人と生計を別にする親族）」の事業（貸付事業）に該当することとなるので、当該宅地等は、「被相続人等」の事業用宅地等及び居住用宅地等のいずれにも該当しません。

⑵　一定の事由により被相続人の居住の用に供されなくなる直前まで、被相続人の居住の用に供されていた家屋で、「被相続人の親族（被相続人と生計を一にするか又は別にするかは、問われていません。）」が所有していたもの（当該家屋を所有していた被相続人の親族が当該家屋の敷地を被相続人から無償又は相当の対価に至らない程度の対価で借り受けており、かつ、家屋を居住の用に供していた「被相続人」が当該家屋を当該配偶者居住権者から借り受けていた場合には、無償又は相当の対価に至らない程度の対価で借り受けていたときにおける当該家屋に限ります。）の敷地の用に供されていた宅地等である場合

①　家屋を所有する被相続人の親族が、宅地等を被相続人から有償で借り受けていた場合には、被相続人の当該宅地等の貸付けが不動産貸付に該当することとなるので、当該宅地等は「被相続人」の事業用宅地等に該当します。

②　家屋を所有する被相続人の親族が、宅地等を被相続人から無償又は相当の対価に至らない程度の対価で借り受けているが、家屋を居住の用に供していた「被相続人等」が当該家屋を配偶者居住権者から有償で借り受けていた場合には、次のとおりとなります。

⒤　配偶者居住権者が「被相続人等」であるときは、配偶者居住権者である当該被相続人等の当該家屋の貸付けが不動産貸付に該当することとなるので、当該宅地等は配偶者居住権者である「被相続人等」の事業用宅地等に該当します。

(ロ)　配偶者居住権者が「その他親族（被相続人と生計を別にする親族）」であるときは、当該家屋の貸付けが「被相続人等」の事業に該当しないこととなり、また、その他親族の当該家屋の貸付けは、「その他親族（被相続人と生計を別にする親族）」の事業（貸付事業）に該当することとなるので、当該宅地等は、「被相続人等」の事業用宅地等及び居住用宅地等のいずれにも該当しません。

(ハ)　留意点

㋑　被相続人の居住供用停止後の利用状況

上記⒤及び(ロ)の各定めにおいて、被相続人の居住の用に供されなくなった後、措置法第69条の４第１項に規定する事業の用又は新たに被相続人等以外の者の居住の用に供された宅地等を除くものとされています。

このただし書の取扱いの対象に係る判断事例を示して、被相続人の居住用宅地等に

該当するか否かを示すと、次のとおりになります。

| 被相続人の居住用宅地等に該当しない場合<br>（特定居住用宅地等の可能性無） | 被相続人の居住用宅地等に該当する場合<br>（特定居住用宅地等の可能性有） |
|---|---|
| 被相続人の居住の用に供されなくなった後、当該居住の用に供されていた宅地等が、次に掲げる用に供された場合<br>Ⓐ　事業の用<br>Ⓑ　準事業の用（事業と称するに至らない不動産の貸付けその他これに類する行為で相当の対価を得て継続的に行うものをいいます。）<br>Ⓒ　被相続人と生計を一にしていなかった親族の居住の用<br>Ⓓ　被相続人の親族に該当しない者の居住の用 | 被相続人の居住の用に供されなくなった後、当該居住の用に供されていた宅地等が、次に掲げる用に供された（又は状況にある）場合<br>Ⓐ　被相続人と生計を一にしていた親族の居住の用<br>Ⓑ　未利用<br>（注）　措置法通達69の４－７の２の⑵のただし書部分において『新たに』（上記＿＿部分）という用語の記載があることから、例えば、被相続人の居住の用に供されなくなる以前から同居の親族が継続して居住している場合には、たとえ、被相続人の居住の用に供されなくなった後に当該親族が被相続人と生計を一にしていないときであっても、これ（『新たに』という用語）には該当せず、当該通達の適用対象とされることに留意する必要があります。 |

㋺　適用開始時期

この〔10〕に掲げる取扱いは、民法に規定する配偶者居住権の創設に伴って令和２年度の税法改正によって定められたものであり、令和２年４月１日以後に開始した相続又は遺贈により取得した財産について適用するものとされています。

## 〔11〕　措置法通達69の４－７の３《要介護認定等の判定時期》

### ⑴　概要

平成25年度の税法改正（適用開始日は、平成26年１月１日以後に課税時期が到来したものより）によって、下表に掲げる事由により被相続人の居住の用に供されなくなる直前まで、被相続人の居住の用に供されていた家屋の敷地の用に供されていた一定の宅地等（被相続人の居住の用に供されなくなった後、措置法第69条の４第１項に規定する事業の用又は新たに被相続人等以外の者の居住の用に供された宅地等を除きます。）についても、これを被相続人等の居住の用に供されていた宅地等に含むものとされました。

<table>
<tr><td rowspan="2">①</td><td>被相続人の要件</td><td>(イ)　介護保険法第19条第１項に規定する要介護認定を受けていた被相続人<br>(ロ)　介護保険法第19条第２項に規定する要支援認定を受けていた被相続人<br>(ハ)　相続開始の直前において、介護保険法施行規則第140条の62の４第２号に該当していた被相続人</td></tr>
<tr><td>入居住居又は入所施設の要件</td><td>(イ)　老人福祉法第５条の２第６項に規定する認知症対応型老人共同生活援助事業が行われる住居<br>(ロ)　老人福祉法第20条の４に規定する養護老人ホーム<br>(ハ)　老人福祉法第20条の５に規定する特別養護老人ホーム<br>(ニ)　老人福祉法第20条の６に規定する軽費老人ホーム<br>(ホ)　老人福祉法第29条第１項に規定する有料老人ホーム<br>(ヘ)　介護保険法第８条第28項に規定する介護老人保健施設<br>(ト)　介護保険法第８条第29項に規定する介護医療院<br>（注）　上記(ト)については、平成30年４月１日以後に課税時期が到来するものから適用されるものとされています。<br>(チ)　高齢者の居住の安定確保に関する法律第５条第１項に規定するサービス付き高齢者向け住宅（(ホ)に規定する有料老人ホームを除く。）</td></tr>
<tr><td rowspan="2">②</td><td>被相続人の要件</td><td>障害者の日常生活及び社会生活を総合的に支援するための法律第21条第１項に規定する障害支援区分の認定を受けていた被相続人</td></tr>
<tr><td>入居住居又は入所施設の要件</td><td>(イ)　障害者の日常生活及び社会生活を総合的に支援するための法律第５条第11項に規定する障害者支援施設（同条第10項に規定する施設入所支援が行われるものに限る。）<br>(ロ)　障害者の日常生活及び社会生活を総合的に支援するための法律第５条第17項に規定する共同生活援助を行う住居</td></tr>
</table>

### (2)　判定時期

被相続人が上記(1)の表に掲げる要介護認定等を受けていたかどうかの判定時期は、相続の開始の直前により判定するものとされています。

留意点　被相続人が上記(1)の表に掲げる住居に入居又は施設に入所した時点においては要介護認定等を受けていない場合であっても、被相続人に係る相続の開始の直前において、要介護認定等を受けていれば適用要件を充足することになります。

### (3)　課税実務上の留意点

措置法通達の定めに明記はされていませんが、課税実務上において、被相続人に係る相続開始時点では、同人に対する要介護認定又は要支援認定がなされていないものの、相続開始後に要介護認定又は要支援認定がなされた場合には、介護保険法第27条《要介護認定》又は同法第32条《要支援認定》の各規定において当該認定の効果は申請時点にまで遡及効が認められるものとされていることから、当該被相続人は、相続開始時点においても要介護認定又は要支援認定を受けていたものとして取り扱うことが認められていることに留意する必要があります。

## 〔12〕 措置法通達69の４－７の４《建物の区分所有等に関する法律第１条の規定に該当する建物》

### ⑴ 概要

被相続人等の居住用宅地等の判断に当たっては、措置法通達69の４－７《被相続人等の居住の用に供されていた宅地等の範囲》の⑴及び⑵に掲げる宅地等のうちに、被相続人等の居住の用以外の用に供されていた部分があるときは、当該被相続人等の居住の用に供されていた部分に限られるのが原則的な取扱いとされていました。

そして、平成25年度の税法改正（適用開始日は、平成26年１月１日以後に課税時期が到来したものより）によって、上記に掲げる原則的な取扱いが拡張的に緩和され、被相続人の居住の用に供されていた部分が１棟の建物（建物の区分所有等に関する法律第１条《建物の区分所有》の規定に該当する建物を除きます。）に係るものである場合には、当該１棟の建物の敷地の用に供されていた宅地等のうち当該被相続人の親族（当該被相続人と生計を一にするか否かは問われていません。）の居住の用に供されていた部分が含まれることになりました。

### ⑵ 留意点

上記⑴の取扱い（被相続人等の居住用宅地等の範囲の拡大解釈）は、被相続人の居住の用に供されていた部分１棟の建物であっても、当該１棟の建物が『建物の区分所有等に関する法律第１条《建物の区分所有》の規定に該当する建物』に該当する場合は除く（この拡大解釈の適用除外）ものとされています。（上記⑴の＿＿部分）

そして、措置法通達69の４－７の４《建物の区分所有等に関する法律第１条の規定に該当する建物》の定めでは、これに該当するものとして、『区分所有建物（注）である旨の登記がされている建物』をいうものとされています。

（注） 区分所有建物とは、被災区分所有建物の再建等に関する特別措置法（平成７年３月24日法律第43号）第２条に規定する区分所有建物をいいます。

**資料**

① **建物の区分所有等に関する法律（昭和37年法律第69号）**

第１条《建物の区分所有》

１棟の建物に構造上区分された数個の部分で独立して住居、店舗、事務所又は倉庫その他建物としての用途に供することができるものがあるときは、その各部分は、この法律の定めるところにより、それぞれ所有権の目的とすることができる。

第２条《定義》

この法律において「区分所有建物」とは、前条に規定する建物の部分（第４条第２項の規定により共用部分とされたものを除く。）を目的とする所有権をいう。

２　この法律において「区分所有者」とは、区分所有権を有する者をいう。

３　この法律において「専有部分」とは、区分所有権の目的たる建物の部分をいう。

（以下略）

② 被災区分所有建物の再建等に関する特別措置法（平成７年法律第43号）（抜粋）
第２条《敷地共有者等集会等》
大規模な火災、震災その他の災害で政令で定めるものにより建物の区分所有等に関する法律（昭和37年法律第69号。以下「区分所有法」という。）第２条第３項に規定する専有部分が属する１棟の建物（以下「区分所有建物」という。）の全部が……（以下略）

## 〔13〕 措置法通達69の４－８《居住用建物の建築中等に相続が開始した場合》

### ⑴ 建築中の建物の所有権予定者

被相続人
被相続人の親族
｝の所有に係るもの

### ⑵ 『措置法通達69の４－５《事業用建物等の建築中等に相続が開始した場合》』の定めの準用

被相続人等の居住用建物の建築中、又は当該居住用建物の取得後被相続人等が居住の用に供する前に被相続人に係る相続が開始した場合には、当該建築中等の建物等の敷地の用に供されている宅地等が、被相続人等の居住の用に供されていた宅地等に該当するか否かの判定は、次に掲げる基準（形式基準又は実質基準）のいずれかを充足するか否かにより判定されます。

① 形式基準（被相続人又は被相続人と生計を一にする親族に代って一定の親族が居住供用する場合）

㈠ 居住供用期限

〔原則〕相続税の申告書の提出期限までに居住の用に供しているときには、居住用宅地等に該当するものとして取り扱われます。

〔特則〕相続税の申告期限までに当該建物等を居住の用に供していない場合の特則
建物等の規模等から判定して建築に相当の期間を要するため建物が完成していない場合や、法令の規制等により建築工事が遅延している場合等には、当該建物の完成後速やかに居住の用に供することが確実であると認められるときに限り居住用宅地等に該当するものとして取り扱われます。

㈡ 居住供用者

㋑ 当該被相続人と生計を一にしていたその被相続人の親族

㋺ 当該建物等又は当該建物等の敷地の用に供されていた宅地等を相続又は遺贈により取得した当該被相続人の親族（生計別の親族は当該建物等又は宅地等の取得が要件とされます。）

② 実質基準（相続開始直前における居住継続性を基に判断する場合）

相続開始直前において当該被相続人等の当該建物等に係る居住の準備行為の状況からみて当該建物等を速やかにその居住の用に供することが確実であったと認められるときは、当該建物等の敷地の用に供されていた宅地等は、居住用宅地等に該当するものとして取り扱われます。

（注）　この実質基準による取扱いでは、相続開始直前における被相続人等に係る居住継続の意思が確実であったことが確認できれば居住用宅地等として取り扱われ、その後における状況（例えば、相続開始後における相続人等の事情により又は不可抗力により居住が再開されなかった場合等）は、この判断に影響を与えないものとなりますので留意する必要があります。

なお、この実質基準に基づいて判定する場合には、単に被相続人等の居住継続の内心の意思の有無だけでは居住継続の意思が確実であったことの確認要素としては認められず、居住継続に関する具体的な事実が確認できる等、被相続人等の居住継続に対する準備行為の状況を客観的に確認可能であることが必要となります。

### ⑶　上記の場合の留意項目

①　建築中又は取得に係る建物等のうちに被相続人等の居住の用に供されると認められる部分以外の部分があるときの特例の適用

上記⑵に掲げる取扱いについては、当該建築中又は取得に係る建物等のうち被相続人等の居住の用に供されると認められる部分以外の部分があるときは、居住用宅地等の部分は、当該建物等の敷地のうち被相続人等の居住の用に供されると認められる当該建物等の部分に対応する部分に限られることになります。

②　別途の被相続人等に係る自己の居住用家屋の未保有要件

本通達の取扱いは、相続の開始の直前において現に被相続人等が居住の用に供していた建物（被相続人等が居住の用に供するための建物の建築中だけの仮住いである建物その他一時的な目的で入居していたと認められる建物を除きます。）を所有していた場合には、当該建築中等の建物等の敷地の用に供されている宅地等についてはその適用がないこととされていますので留意する必要があります。

## 〔14〕　措置法通達69の４－９《店舗兼住宅等の敷地の持分の贈与について贈与税の配偶者控除等の適用を受けたものの居住の用に供されていた部分の範囲》

### ⑴　通達の概要

小規模宅地等の課税特例の規定の適用がある店舗兼住宅等の敷地の用に供されていた宅地等で、被相続人の相続開始前に、当該被相続人からの当該宅地等に係るその持分の贈与につき、下記に掲げる課税の特例等の取扱いを受けたものがある場合であっても、小規模宅地等の課税特例の対象となる被相続人等の居住の用に供されていた部分の判定は、当該相続の開始の直前における現況によって行うものとされています。

①　相続の開始の前年以前に被相続人からのその持分の贈与につき相続税法第21条の６第１項《贈与税の配偶者控除》の規定による贈与税の配偶者控除の適用を受けたもの（相続税法基本通達21の６－３《店舗兼住宅等の持分の贈与があった場合の居住用部分の判定》のただし書の取扱いを適用して贈与税の申告があったものに限られます。**参考資料１**

参照）

② 相続の開始の年に被相続人からのその持分の贈与につき相続税法第19条《相続開始前３年以内に贈与があった場合の相続税額》第２項の規定により特定贈与財産に該当することとなったもの（相続税法基本通達19－10《店舗兼住宅等の持分の贈与を受けた場合の特定贈与財産の判定》の後段の取扱いを適用して相続税の申告があったものに限られます。**参考資料２** 参照）

**参考資料１**

> **（店舗兼住宅等の持分の贈与があった場合の居住用部分の判定）**
> **相基通21の６－３** 配偶者から店舗兼住宅等の持分の贈与を受けた場合には、21の６－２により求めた当該店舗兼住宅等の居住の用に供している部分の割合にその贈与を受けた持分の割合を乗じて計算した部分を居住用不動産に該当するものとする。
> ただし、その贈与を受けた持分の割合が21の６－２により求めた当該店舗兼住宅等の居住の用に供している部分（当該居住の用に供している部分に受贈配偶者とその配偶者との持分の割合を合わせた割合を乗じて計算した部分をいう。以下21の６－３において同じ。）の割合以下である場合において、その贈与を受けた持分の割合に対応する当該店舗兼住宅等の部分を居住用不動産に該当するものとして申告があったときは、法第21条の６第１項の規定の適用に当たってはこれを認めるものとする。また、贈与を受けた持分の割合が21の６－２により求めた当該店舗兼住宅等の居住の用に供している部分の割合を超える場合における居住の用に供している部分についても同様とする。（昭57直資２－177追加、平６課資２－114改正、平20課資２－10改正）
> （注） 相続の開始の年に当該相続に係る被相続人から贈与により取得した居住用不動産で特定贈与財産に該当するものについて法第21条の６第１項の規定を適用する場合において、19－10により21の６－３のただし書に準じて当該居住用不動産に該当する部分の計算を行っているときは、同項の適用を受ける居住用不動産は21の６－３のただし書により計算するものとする。

**参考資料２**

> **（店舗兼住宅等の持分の贈与を受けた場合の特定贈与財産の判定）**
> **相基通19－10** 相続の開始の年に当該相続に係る被相続人から贈与により取得した財産が21の６－２の店舗兼住宅等の持分である場合には、法第19条第２項に規定する居住用不動産に該当する部分は21の６－３の本文により計算した部分となるのであるが、当該居住用不動産に該当する部分について21の６－３のただし書に準じて計算して法施行令第４条第２項の規定による申告書の提出があったときは、これを認めるものとする。（平６課資２－114追加、平15課資２－１改正）

店舗兼住宅の敷地の用に供されている宅地等について、その生前に持分の贈与があった場合における贈与者（被相続人）の残存持分の判定を「当該相続の開始の直前における現況によって行う」（上記____部分）こととして取り扱う趣旨は、下記に掲げるとおりとされています。

① 措置法第69条の４《小規模宅地等についての相続税の課税価格の計算の特例》の規定では、その対象とされる宅地等（事業用宅地等、居住用宅地等）の判定は相続開始時の

直前の現況で行うものであること

② 相続税法基本通達21の６－３《店舗兼住宅等の持分の贈与があった場合の居住用部分の判定》のただし書きの取扱いの適用は、贈与税の配偶者控除の規定を適用する場合の計算に限った取扱いであり、事後の計算に影響を与えるものではないと考えられていること

③ 上記②に掲げる通達の取扱いを受けて共有となった店舗兼住宅の用に供される土地建物であっても、これを譲渡した場合に生ずる譲渡所得の金額の計算は、当該譲渡時における各共有者が有するそれぞれの持分に対して事業用及び居住用の割合を乗じた部分に区分した土地建物を譲渡したものとして計算するのが相当であるとされていること

**(2) 事例による確認**

① 被相続人甲の相続財産である店舗兼住宅等（建物及びその敷地である宅地等）の相続開始における状況は、次の図解のとおりです。（この店舗兼住宅等は、配偶者乙が相続により取得し、引き続き所有し、同一の用途に供しています。）

② 被相続人甲の相続開始の４年前に、甲は、その配偶者である乙に対して、①の店舗兼住宅等である建物及びその敷地の用に供されている宅地等の共有持分２分の１の贈与を行い、当該贈与につき、贈与税の配偶者控除（相基通21の６－３のただし書きの取扱いを適用）の適用を受けて、適法に贈与税の申告を行いました。

図解

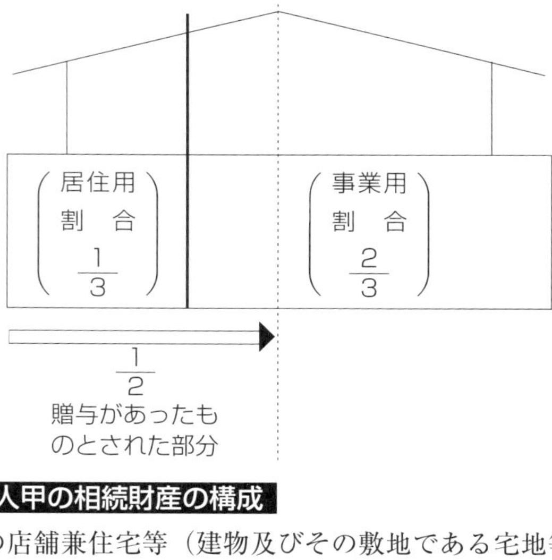


・相続開始時における被相続人甲の共有持分　…$\frac{1}{2}$

・宅地の地積(全体)…900㎡

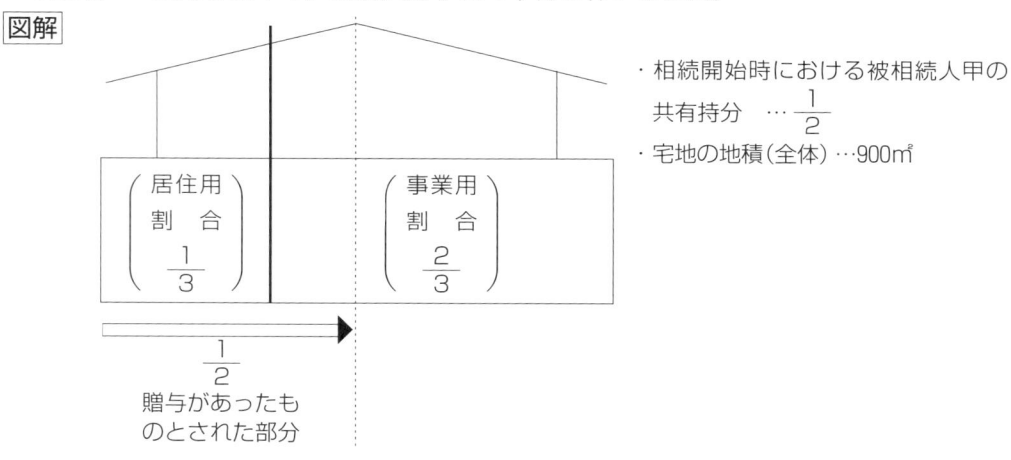

**被相続人甲の相続財産の構成**

上記の店舗兼住宅等（建物及びその敷地である宅地等）について、相続開始時における被相続人甲の共有持分２分の１が、当該店舗兼住宅等のどの部分から構成されているのかに関する考え方には、下記に掲げる２つの案が考えられますが、実務上においては、B案が採用されており、この通達ではそのことを留意的に明らかにしています。

（Ａ案）贈与時の申告状況を加味して
相続時の取扱いを考慮する考え方

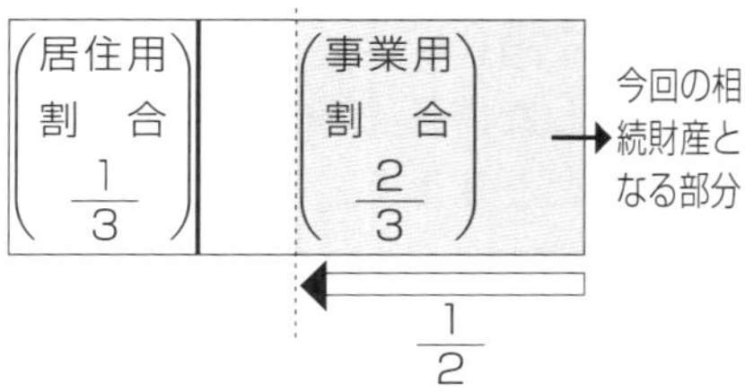


（Ｂ案）贈与時の申告状況を加味せず
相続時の取扱いを考慮する考え方

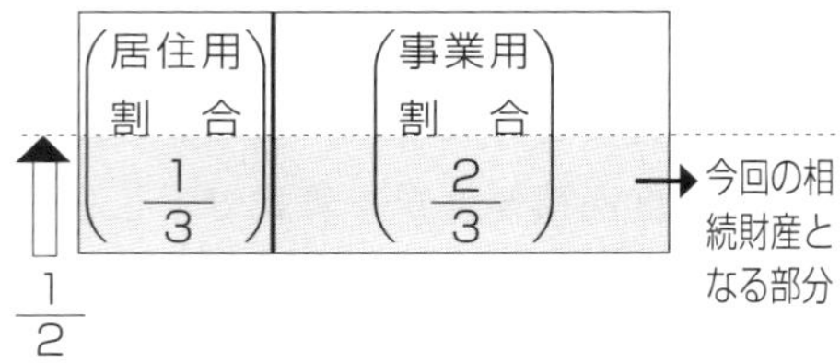


**事例の場合の具体的な計算（(Ｂ）案による）**

(1)　相続開始時における財産構成（事業用部分・居住用部分）

①　事業用部分及びその面積

・$\frac{2}{3}$（事業用割合）×$\frac{1}{2}$（被相続人持分）＝$\frac{2}{6}$

・900㎡×$\frac{2}{6}$＝300㎡

②　居住用部分及びその面積

・$\frac{1}{3}$（居住用割合）×$\frac{1}{2}$（被相続人持分）＝$\frac{1}{6}$

・900㎡×$\frac{1}{6}$＝150㎡

(2)　選択特例対象宅地等についての限度面積

①　特定事業用宅地等としての選択面積

300㎡（上記(1)①の面積）≦400㎡　　∴300㎡

②　特定居住用宅地等としての選択面積

150㎡（上記(1)②の面積）≦330㎡　　∴150㎡

③　①＋②＝450㎡

**ポイント**　平成25年度の改正で、課税時期が平成27年１月１日以後に到来した場合には、選択特例対象宅地等が『特定事業用等宅地等』及び『特定居住用宅地等』のみから成る場合には、それぞれの適用対象面積の上限（特定事業用宅地等400㎡、特定居住用宅地等330㎡）まで、換言すれば、最大で合計面積730㎡までの完全併用適用が可能となりました。

## 〔15〕　措置法通達69の４－10《選択特例対象宅地等のうちに貸付事業用宅地等がある場合の限度面積要件》

平成25年度の税法改正（適用開始日は、平成27年１月１日以後に課税時期が到来したものより）によって、貸付事業用宅地等を選択特例対象宅地等としない場合には、特定事業用等宅地等及び特定居住用宅地等のそれぞれの上限限度面積（特定事業用等宅地等400㎡、特定居住用宅地等330㎡）に達するまでの面積（完全併用適用）について、小規模宅地等の課税特例の適用対象とされることになりました。

一方、貸付事業用宅地等を選択特例対象宅地等とする場合には、一定の限度面積による調整計算が必要とされます。この調整方法について規定した措置法第69条の４第２項第３号の要件（限度面積要件）を算式で示しますと次のとおりになります。

$$A \times \frac{200}{400} + B \times \frac{200}{330} + C \leqq 200㎡$$

（注）　算式中の記号の意義

Ａ：当該相続又は遺贈により財産を取得した者に係るすべての選択特例対象宅地等である特定事業用等宅地等の面積の合計

Ｂ：当該相続又は遺贈により財産を取得した者に係るすべての選択特例対象宅地等である特定居住用宅地等の面積の合計

Ｃ：当該相続又は遺贈により財産を取得した者に係るすべての選択特例対象宅地等である貸付事業用宅地等の面積の合計

**参考資料**　**課税時期が平成26年12月31日までに到来した場合**

課税時期が平成26年12月31日までに到来した場合には、選択特例対象宅地等が特定事業用等宅地等、特定居住用宅地等又は貸付事業用宅地等（それぞれ、単独での上限限度面積の異なるもの）からなる場合には、（旧）措置法通達69の４－10《選択特例対象宅地等のうちに特定事業用等宅地等及び特定居住用宅地等がある場合の限度面積要件》として、次の資料のとおりに定められていました。

**資料**　**（旧）措置法通達69の４－10《選択特例対象宅地等のうちに特定事業用等宅地等及び特定居住用宅地等がある場合の限度面積要件》**

措置法第69条の４第２項第４号の要件《限度面積要件》を算式で示すと、次のとおりとなります。

$$A + B \times \frac{5}{3} + C \times 2 \leqq 400㎡$$

（注）　算式中の記号の意義

Ａ：当該相続又は遺贈により財産を取得した者に係るすべての選択特例対象宅地等である特定事業用等宅地等の面積の合計

Ｂ：当該相続又は遺贈により財産を取得した者に係るすべての選択特例対象宅地等である特定居住用宅地等の面積の合計

Ｃ：当該相続又は遺贈により財産を取得した者に係るすべての選択特例対象宅地等である貸付事業用宅地等の面積の合計

## 〔16〕　措置法通達69の４－11《限度面積要件を満たさない場合》

小規模宅地等の課税特例に規定する選択特例対象宅地等が、限度面積要件を満たしていない場合は、その選択特例対象宅地等のすべてについて、この課税特例の適用がないものとされています。

なお、この場合、その後の国税通則法第18条《期限後申告》第２項に規定する期限後申告書（参考資料(1)を参照）及び同法第19条《修正申告》第３項に規定する修正申告書（参考資料(2)を参照）において、その選択特例対象宅地等が限度面積要件を満たすこととなったときは、その選択特例対象宅地等について、この課税特例の適用があることになります。（ただし、この場合においても、下記〔17〕に掲げる措置法通達69の４－12《小規模宅地等の特例、特定計画山林の特例又は個人の事業用資産についての納税猶予及び免除を重複適用する場合に限度額要件等を満たさないとき》に該当する場合を除くものとされています。）

（注）実務上では、上記のような限度面積要件を充足していない相続税の申告書の提出があった場合には、税務署長は、小規模宅地等の課税特例の適用がないものとして更正又は決定を行うものとされていることから、相続人等による上記に掲げる修正申告書又は期限後申告書の提出は、当該更正処分又は決定処分を受ける前に行う必要があります。

参考資料

(1)　**国税通則法第18条《期限後申告》第１項及び第２項**

期限内申告書を提出すべきであった者（所得税法第123条第１項《確定損失申告》、第125条第３項《年の中途で死亡した場合の確定損失申告》又は第127条第３項《年の中途で出国をする場合の確定損失申告》（これらの規定を同法第166条《非居住者に対する準用》において準用する場合を含む。）の規定による申告書を提出することができる者でその提出期限内に当該申告書を提出しなかったもの及びこれらの者の相続人その他これらの者の財産に属する権利義務を包括して承継した者（法人が分割をした場合にあっては、第７条の２第４項《信託に係る国税の納付義務の承継》の規定により当該分割をした法人の国税を納める義務を承継した法人に限る。）を含む。）は、その提出期限後においても、第25条《決定》の規定による決定があるまでは、納税申告書を税務署長に提出することができる。

②　前項の規定により提出する納税申告書は、期限後申告書という。

(2)　**国税通則法第19条《修正申告》第１項から第３項まで**

納税申告書を提出した者（その相続人その他当該提出した者の財産に属する権利義務を包括して承継した者（法人が分割をした場合にあっては、第７条の２第４項《信託に係る国税の納付義務の承継》の規定により当該分割をした法人の国税を納める義務を承継した法人に限る。）を含む。以下第23条第１項及び第２項《更正の請求》において同じ。）は、次の各号のいずれかに該当する場合には、その申告について第24条《更正》の規定による更正があるまでは、その申告に係る課税標準等（第２条第六号イからハまで《定義》に掲げる事項をいう。以下同じ。）又は税額等（同号ニからヘまでに掲げる事項をいう。以下同じ。）を修正する納税申告書を税務署長に提出することができる。

一　先の納税申告書の提出により納付すべきものとしてこれに記載した税額に不足額があるとき。

二　先の納税申告書に記載した純損失等の金額が過大であるとき。

三　先の納税申告書に記載した還付金の額に相当する税額が過大であるとき。

四　先の納税申告書に当該申告書の提出により納付すべき税額を記載しなかった場合において、その納付すべき税額があるとき。

②　第24条から第26条まで《更正・決定》の規定による更正又は決定を受けた者（その相続人その他当該更正又は決定を受けた者の財産に属する権利義務を包括して承継した者（法人が分割をした場合にあっては、第７条の２第４項の規定により当該分割をした法人の国税を納める義務を承継した法人に限る。）を含む。第23条第２項において同じ。）は、次の各号のいずれかに該当する

場合には、その更正又は決定について第26条の規定による更正があるまでは、その更正又は決定に係る課税標準等又は税額等を修正する納税申告書を税務署長に提出することができる。
一　その更正又は決定により納付すべきものとしてその更正又は決定に係る更正通知書又は決定通知書に記載された税額に不足額があるとき。
二　その更正に係る更正通知書に記載された純損失等の金額が過大であるとき。
三　その更正又は決定に係る更正通知書又は決定通知書に記載された還付金の額に相当する税額が過大であるとき。
四　納付すべき税額がない旨の更正を受けた場合において、納付すべき税額があるとき。
③　前２項の規定により提出する納税申告書は、修正申告書という。

## 〔17〕　措置法通達69の４－12《小規模宅地等の特例、特定計画山林の特例又は個人の事業用資産についての納税猶予及び免除を重複適用する場合に限度額要件等を満たさないとき》

### (1)　３つの特例規定の重複適用関係

課税時期が平成31年４月１日以後である場合の取扱いでは、次に掲げる３つの課税特例の各規定（適用対象財産）について、その重複適用が一定の要件を充足していることを条件として可能とされています。

①　措置法第69条の４《小規模宅地等についての相続税の課税価格の計算の特例》に規定する『小規模宅地等』

②　措置法第69条の５《特定計画山林についての相続税の課税価格の計算の特例》第１項に規定する『選択特定計画山林』

③　措置法第70条の６の10《個人の事業用資産についての相続税の納税猶予及び免除》に規定する特定事業用資産のうち同条第２項第１号イに掲げる『猶予対象宅地等』

（注）『猶予対象宅地等』には、措置法施行令第40条の２《小規模宅地等についての相続税の課税価格の計算の特例》第５項に規定する『猶予対象受贈宅地等』が含まれるものとされています。
　なお、『猶予対象受贈宅地等』とは、措置法第70条の６の９《個人の事業用資産の贈与者が死亡した場合の相続税の課税の特例》第１項（同条第２項の規定により読み替えて適用する場合を含みます。）の規定により相続又は遺贈により取得したものとみなされた措置法第70条の６の８《個人の事業用資産についての贈与税の納税猶予及び免除》に規定する特例受贈事業用資産のうち同条第２項第１号イに掲げる宅地等をいいます。

この一定の要件とは、小規模宅地等の課税特例の対象とする選択特例対象宅地等に係る面積として下記に掲げる算式によって計算した面積（Ｓ）が限度面積（200㎡）に満たない場合において、当該満たない部分に代替するものとして一定の方法により求めた価額（限度額）(X)の範囲内で選択特定計画山林である特定（受贈）森林経営計画対象山林が選択されていることが特定計画山林の課税特例の適用要件とされ、又は、一定の方法により求めた面積（限度面積）(Y)の範囲内で特定事業用資産である猶予対象宅地等が選択されていることが個人の事業用資産についての相続税の納税猶予及び免除の適用要件とされています。

（算式）　$A \times \frac{200}{400} + B \times \frac{200}{330} + C =$ (S)

A：選択特例対象宅地等とした特定事業用等宅地等（『特定事業用宅地等』及び『特定同族会社事業用宅地等』をいいます。）の面積の合計

B：選択特例対象宅地等とした特定居住用宅地等の面積の合計

C：選択特例対象宅地等とした貸付事業用宅地等の面積の合計

すなわち、小規模宅地等の課税特例と他の２つの特例（特定計画山林の課税特例又は個人の事業用資産についての相続税の納税猶予及び免除）については、一定の限度額（上記(X)＿＿部分）又は限度面積（上記(Y)＿＿部分）に関する要件を充足していることを要件として、これらの特例の重複適用（３つの特例のうちから２つを選択する場合又は３つの特例のすべてを選択する場合があります。）が認められるものとなります。

**⑵　選択特定計画山林の価額が上記⑴に掲げる価額（限度額）の範囲内を超えている場合又は特定事業用資産である猶予対象宅地等の面積が上記⑴に掲げる面積（限度面積）の範囲内を超えている場合**

①　取扱い（３つの課税特例の重複適用関係）

措置法第69条の４に規定する小規模宅地等の課税特例、措置法第69条の５に規定する特定計画山林の課税特例又は措置法第70条の６の10に規定する個人の事業用資産についての相続税の納税猶予及び免除について、これらの規定について重複してその適用を受けようとする場合において、上記⑴に掲げる選択特定計画山林である特定（受贈）森林経営計画対象山林の価額が一定の方法により求めた価額（限度額）を超えるとき又は上記⑴に掲げる特定事業用資産である猶予対象宅地等の面積が一定の方法により求めた面積（限度面積）を超えるときには、法令に適合した有効な選択をしたことにはならないものと解釈されます。

したがって、上記のように重複適用要件を充足していない場合（下記に掲げる算式を充足していない場合）には、たとえ、個々の特例規定については適用範囲内であっても、すべての特例（小規模宅地等の課税特例、特定計画山林の課税特例及び個人の事業用資産についての相続税の納税猶予及び免除）の適用が認められないことに留意する必要があります。

上記に掲げる３つの特例を重複して受ける場合には、次の算式に掲げる要件を充足する必要があります。

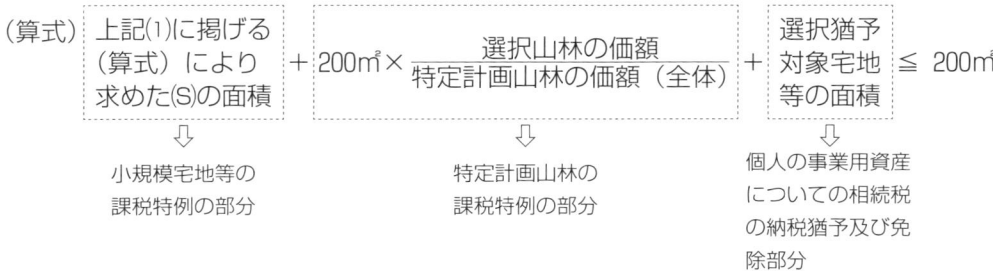

（算式）［上記⑴に掲げる（算式）により求めた(S)の面積］＋ $200㎡ \times \frac{\text{選択山林の価額}}{\text{特定計画山林の価額（全体）}}$ ＋［選択猶予対象宅地等の面積］≦ 200㎡

［上記⑴に掲げる（算式）により求めた(S)の面積］⇩ 小規模宅地等の課税特例の部分

［200㎡×選択山林の価額／特定計画山林の価額（全体）］⇩ 特定計画山林の課税特例の部分

［選択猶予対象宅地等の面積］⇩ 個人の事業用資産についての相続税の納税猶予及び免除部分

②　上記①に該当する場合の対応

上記①に該当する場合において、その後の国税通則法第18条《期限後申告》第２項に規定する期限後申告書（前記〔16〕参考資料(1)を参照）及び同法第19条《修正申告》第３項に規定する修正申告書（前記〔16〕参考資料(2)を参照）において、上記①に掲げる３つの特例規定（小規模宅地等の課税特例、特定計画山林の課税特例及び個人の事業用資産についての相続税の納税猶予及び免除）の重複適用に係る適用限度額又は適用限度面積を超えないこととなったときには、これらの特例規定のうち、小規模宅地等の課税特例及び特定計画山林の課税特例の２つの課税特例の適用が認められることになります。

（注）措置法第70条の６の10に規定する個人の事業用資産についての相続税の納税猶予及び免除は、その適用に関して、相続税法第27条《相続税の申告書》第１項の規定による期限内申告書の提出により適法にその取扱いの適用を受けることを手続要件としていることから、期限後申告書又は修正申告書の提出によって適用を受けることは認められていません。

参考１　**課税時期が平成27年１月１日から平成30年12月31日までの間に到来した場合**

(1)　**両特例規定の重複適用関係**

課税時期が平成27年１月１日から平成30年12月31日までの間に到来した場合の取扱いでは、小規模宅地等の課税特例と特定計画山林の課税特例の重複適用が一定の要件を充足していることを条件として可能とされています。

この一定の要件とは、小規模宅地等の課税特例の対象とする選択特例対象宅地等に係る面積として下記に掲げる算式によって計算した面積(S)が限度面積（200㎡）に満たない場合において、当該満たない部分に代替するものとして一定の方法により求めた価額（限度額）の範囲内で選択特定計画山林である特定（受贈）森林経営計画対象山林が選択されていることが特定計画山林の課税特例の適用要件とされ、これらの両要件を充足しているときに、両特例の重複適用が認められるものとなります。

（算式）　$A \times \frac{200}{400} + B \times \frac{200}{300} + C = (S)$

A：選択特例対象宅地等とした特定事業用等宅地等（『特定事業用宅地等』及び『特定同族会社事業用宅地等』をいいます。）の面積の合計

B：選択特例対象宅地等とした特定居住用宅地等の面積の合計

C：選択特例対象宅地等とした貸付事業用宅地等の面積の合計

(2)　**選択特定計画山林の価額が(1)に掲げる価額の範囲内を超えている場合**

①　取扱い（２つの課税特例の重複適用関係）

措置法第69条の４に規定する小規模宅地等の課税特例及び措置法第69条の５に規定する特定計画山林の課税特例について重複してその適用を受けようとする場合において、上記(1)に掲げる選択特定計画山林である特定（受贈）森林経営計画対象山林の価額が一定の方法により求めた価額（限度額）（注）を超えるときには、法令に適合した有効な選択をしたことにはならないものと解釈されます。

（注）併用適用が認められる特定計画山林の課税特例の適用対象となる選択特定計画山林の価額

特定計画山林でこの課税特例の適用を受けるものとして選択（選択特定計画山林）をした特定森林経営計画対象山林の価額 × $\frac{200㎡－（上記(1)の（算式）により計画した面積（(S)㎡））}{200㎡}$

したがって、上記のように重複適用要件を充足していない場合（両規定全体を通じての適用範囲が法令に定める適用限度を超過）には、たとえ、個々の課税特例については適用範囲内であっても、両方の課税特例（小規模宅地等の課税特例及び特定計画山林の課税特例）の適用が認められないことに留意する必要があります。

（注）　この場合、小規模宅地等に係る限度面積は200㎡未満であり、選択特定計画山林である特定（受贈）森林経営計画対象山林に係る適用可能額の計算に相違があったものであると主張して、小規模宅地等の課税特例に係る選択は適法であり、小規模宅地等の課税特例だけは有効なものとして適用可能であるという取扱いにはなっていませんので留意する必要があります。

また、特定計画山林の課税特例の対象である選択特定計画山林（特定（受贈）森林経営計画対象山林）だけをとらえた場合には、その選択は適法（適用可能限度額の範囲内）であるとして、特定計画山林の課税特例だけは有効であるという取扱いにもなってもいませんので、この点についてもあわせて確認しておく必要があります。

②　上記①に該当する場合の対応

上記①に該当する場合において、その後の国税通則法第18条《期限後申告》第２項に規定する期限後申告書（前記〔16〕参考資料(1)を参照）及び同法第19条《修正申告》第３項に規定する修正申告書（前記〔16〕参考資料(2)を参照）において、上記①に掲げる２つの課税特例（小規模宅地等の課税特例及び特定計画山林の課税特例）の重複適用に係る適用限度額を超えないこととなったときには、これら２つの課税特例の適用が認められることになります。

（注）　実務上では、上記のような限度面積要件を充足していない相続税の申告書の提出があった場合には、税務署長は、小規模宅地等の課税特例及び特定計画山林の課税特例の適用がないものとして更正又は決定を行うものとされていることから、相続人等による上記に掲げる修正申告書又は期限後申告書の提出は、当該更正又は決定処分を受ける前に行う必要があります。

## 参考２　課税時期が平成26年12月31日までに到来した場合

### (1)　両特例規定の重複適用関係

課税時期が平成21年４月１日から平成26年12月31日までの間に到来した場合の取扱いでは、小規模宅地等の課税特例と特定計画山林の課税特例の重複適用が一定の要件を充足していることを条件として可能とされています。

この一定の要件とは、小規模宅地等の課税特例の対象とする選択特例対象宅地等に係る面積として下記に掲げる算式によって計算した面積（Ｓ）が限度面積（400㎡）に満たない場合において、当該満たない部分に代替するものとして一定の方法により求めた価額の範囲内で選択特定計画山林である特定（受贈）森林経営計画対象山林が選択されていることが特定計画山林の課税特例の適用要件とされ、これらの両要件を充足しているときに、両特例の重複適用が認められるものとなります。

（算式）　$A+B\times\frac{5}{3}+C\times2=(S)$

Ａ：選択特例対象宅地等とした特定事業用等宅地等（『特定事業用宅地等』、及び『特定同族会社事業用宅地等』をいいます。）の面積の合計

B：選択特例対象宅地等とした特定居住用宅地等の面積の合計

C：選択特例対象宅地等とした貸付事業用宅地等の面積の合計

### (2)　選択特定計画山林の価額が(1)に掲げる価額の範囲内を超えている場合

①　取扱い（２つの課税特例の重複適用関係）

措置法第69条の４に規定する小規模宅地等の課税特例及び措置法第69条の５に規定する特定計画山林の課税特例について重複してその適用を受けようとする場合において、上記(1)に掲げる選択特定計画山林である特定（受贈）森林経営計画対象山林の価額が一定の方法により求めた適用限度額（注）を超えるときには、法令に適合した有効な選択をしたことにはならないものと解釈されます。

（注）　併用適用が認められる特定計画山林の課税特例の適用対象となる選択特定計画山林の価額

特定計画山林でこの課税特例の適用を受けるものとして選択（選択特定計画山林）をした特定森林経営計画対象山林の価額 × $\dfrac{400㎡-（上記(1)の（算式）により計算した面積（Ⓢ㎡））}{400㎡}$

したがって、上記のように重複適用要件を充足していない場合（両規定全体を通じての適用範囲が法令に定める適用限度を超過）には、たとえ、個々の課税特例については適用範囲内であっても、両方の課税特例（小規模宅地等の課税特例及び特定計画山林の課税特例）の適用が認められないことに留意する必要があります。

（注）　この場合、小規模宅地等に係る限度面積は400㎡未満であり、選択特定計画山林である特定（受贈）森林経営計画対象山林に係る適用可能額の計算に相違があったものであると主張して、小規模宅地等の課税特例に係る選択は適法であり、小規模宅地等の課税特例だけは有効なものとして適用可能であるという取扱いにはなっていませんので留意する必要があります。

また、特定計画山林の課税特例の対象である選択特定計画山林（特定（受贈）森林経営計画対象山林）だけをとらえた場合には、その選択は適法（適用可能限度額の範囲内）であるとして、特定計画山林の課税特例だけは有効であるという取扱いにもなっていませんので、この点についてもあわせて確認しておく必要があります。

②　上記①に該当する場合の対応

上記①に該当する場合、その後の国税通則法第18条《期限後申告》第２項に規定する期限後申告書（前記〔16〕 参考資料 (1)を参照）及び同法第19条《修正申告》第３項に規定する修正申告書（前記〔16〕 参考資料 (2)を参照）において、上記①に掲げる２つの課税特例（小規模宅地等の課税特例及び特定計画山林の課税特例）の重複適用に係る適用限度額を超えないこととなったときには、これら２つの課税特例の適用が認められることになります。

（注）　実務上では、上記のような限度面積要件を充足していない相続税の申告書の提出があった場合には、税務署長は、小規模宅地等の課税特例及び特定計画山林の課税特例の適用がないものとして更正又は決定を行うものとされていることから、相続人等による上記に掲げる修正申告書又は期限後申告書の提出は、当該更正又は決定処分を受ける前に行う必要があります。

## 〔18〕　措置法通達69の４－13《不動産貸付業等の範囲》

⑴　被相続人等の『不動産貸付業』・『駐車場業』又は『自転車駐車場業』（不動産貸付業等）については、その規模、設備の状況及び営業形態等を問わず、すべて『不動産貸付業等』（貸付事業）に該当するものとされています。

したがって当該業務が事業的規模で行われている場合であっても、特定事業用宅地等に該当することはありません。

⑵　事業用宅地等が特定事業用宅地等に該当するか否かの判定における事業の定義からは⑴の不動産貸付業等が除外されていますので、小規模宅地等の対象とした宅地等が被相続人等の不動産貸付業等である場合には、当該事業用宅地等（当該宅地が『特定同族会社事業用宅地等』に該当する場合を除きます。）に対する小規模宅地等の課税特例に係る減額割合はすべて『貸付事業用宅地等』（適用要件を充足していることが前提）として50％、適用上限面積は200㎡とされることとなります。

⑶　上記⑴に掲げるとおり、貸付事業には準事業も含まれるものとされています。

**（注）**『貸付事業』とは、不動産貸付業、駐車場業、自転車駐車場業及び準事業をいいます。

措置法施行令第40条の２《小規模宅地等についての相続税の課税価格の計算の特例》第１項の規定では、「事業と称するに至らない不動産の貸付けその他これに類する行為で相当の対価を得て継続的に行うもの」を準事業と定義付けしていることから、事業として行われている（換言すれば、事業的規模で行われている）不動産貸付業、駐車場業又は自転車駐車場業は、上記に規定する準事業には該当しないものとされます。

上記に掲げる貸付事業の区分をまとめると、次のとおりとなります。

**図解**　**貸付事業の区分**

<table>
<tr><th colspan="2">貸付けの態様</th><th>事業的規模</th><th>事業と称するに至らないもの</th></tr>
<tr><td colspan="2">不動産の貸付け</td><td rowspan="2">不動産貸付業</td><td rowspan="2">準事業</td></tr>
<tr><td rowspan="2">駐車場・自転車駐車場</td><td>（下記以外）</td></tr>
<tr><td>自己の責任において他人の物を保管</td><td>駐車場業<br>自転車駐車場業</td><td>準事業</td></tr>
</table>

⑷　平成30年度の税法改正によって、貸付事業用宅地等（課税価格算入割合50％、適用上限面積200㎡）の該当要件について、被相続人等の貸付事業が『準事業』であるのか、又は『準事業以外』（事業的規模で行われている不動産貸付業、駐車場又は自転車駐車場業）であるのかによって異なる（相続開始前３年以内に新たに貸付事業の用に供された宅地等の取扱いが異なる）こととされました。

そのため、本通達の注書において、「措置法令第40条の２第１項に規定する準事業は、上記の不動産貸付業、駐車場業又は自転車駐車場業に当たらないことに留意する。」旨の定めが新たに設けられました。当該定めは、上記⑶の＿＿＿部分の取扱いを明確化するために、平成30年度の税法改正を機会に留意的に設けられたものと考えられます。

## 〔19〕 措置法通達69の４－14《下宿等》

下宿等のように部屋を使用させるとともに食事を供する事業は不動産貸付業、駐車場業、自転車駐車場業及び準事業（事業と称するに至らない不動産の貸付けその他これに類する行為で相当の対価を得て継続的に行うものをいいます。）（貸付事業）には該当しないものとされていますので、当該事業の用に供されている宅地等については特定事業用宅地等として小規模宅地等の課税特例が適用される可能性を有することとなります。

上記の取扱いは、下宿等の性格として、単に部屋だけを提供するのではなく、むしろ食事を提供するのが主となると考えられるため、このような事業は宿泊業（下宿業）としてとらえ、単なる不動産の貸付けとして処理することが不適当であるとされるためと思われます。（なお、所得税基本通達26－４《アパート、下宿等の所得の区分》（下記 参考資料 を参照）においても同様の考え方を示しています。）

参考資料 所得税基本通達26－４《アパート、下宿等の所得の区分》

> アパート、下宿等の所得の区分については、次による。
> (1) アパート、貸間等のように食事を供さない場合の所得は、不動産所得とする。
> (2) 下宿等のように食事を供する場合の所得は、事業所得又は雑所得とする。

## 〔20〕 措置法通達69の４－15《宅地等を取得した親族が申告期限までに死亡した場合》

### (1) 通達の概要

① 被相続人の事業（貸付事業も含みます。）の用に供されていた宅地等（事業用宅地等）を相続（第一次相続）により取得した被相続人の親族が相続税の申告期限までに相続税の申告書を提出しないで死亡

② 上記①に係る第一次相続により当該宅地等を取得した当該親族から相続又は遺贈（第二次相続）により財産（当該宅地等）を取得した者が相続税法第27条第２項の規定（相続税の申告期限の延長）による相続税の申告期限（その親族に係る相続の開始があったことを知った日の翌日から10か月以内）までに次に掲げる要件のすべてを充足

(イ) 被相続人の事業を引き継ぐこと㊟

(ロ) 当該延長された相続税の申告期限まで引き続き当該宅地等を所有していること

(ハ) 当該延長された相続税の申告期限まで当該事業を営んでいること

㊟ 被相続人の事業を引き継ぐことの意義

被相続人の事業を引き継いだか否かの判定は、次に掲げるいずれの態様の場合でも差し支えない（事業を引き継いだ）こととされます。

㋑　被相続人―(事業引継)―被相続人の親族―(事業引継)→被相続人の親族の相続人

㋺　被相続人―(事業引継)→被相続人の親族の相続人

③　上記①及び②の要件を満たす場合には、当該宅地等は『特定事業用宅地等』又は『貸付事業用宅地等』に該当する可能性を有するものとされています。

### ⑵　事例による確認

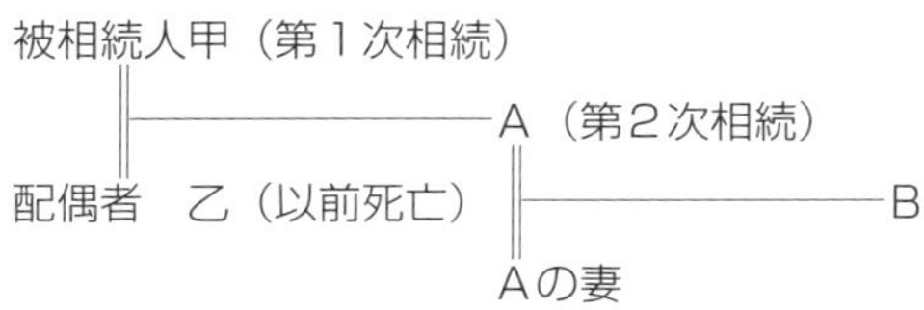


＊　第１次相続開始日　…………………　令和X年１月10日
　　第１次相続申告期限（本来）………　令和X年11月10日
　　第１次相続申告期限（延長）………　令和X年12月15日
＊　第２次相続開始日　…………………　令和X年２月15日
　　第２次相続申告期限…………………　令和X年12月15日

甲所有の事業用宅地→令和X年12月15日までにAの妻又はBが一定の条件を充足して承継すれば『特定事業用宅地等』（評価割合20％、限度面積400㎡）又は『貸付事業用宅地等』（評価割合50％、限度面積200㎡）として取り扱われます。

## 〔21〕　措置法通達69の４－16《申告期限までに転業又は廃業があった場合》

### ⑴　相続税の申告期限までに被相続人の事業の一部の転業があった場合

小規模宅地等の課税特例に規定する次に掲げる事業用宅地等の要件の判定については、相続税の申告期限までに当該宅地等を取得した親族が当該宅地等の上で営まれていた被相続人の事業の一部を他の事業（次に掲げる事業用宅地等の区分に応じて、当該区分に規定する事業に限られます。）に転業しているときであっても、当該親族は当該被相続人の事業を営んでいるものとして取り扱われます。

①　措置法第69条の４第３項第１号《特定事業用宅地等》イ（被相続人の事業を相続開始後に承継する場合）

②　措置法第69条の４第３項第４号《貸付事業用宅地等》イ（被相続人の貸付事業を相続開始後に承継する場合）

### ⑵　相続税の申告期限までに被相続人の事業の一部の廃止があった場合

小規模宅地等の課税特例に規定する次に掲げる事業用宅地等の要件の判定について、当該宅地等が被相続人の営む２以上の事業の用に供されていた場合において、当該宅地等を取得した親族が相続税の申告期限までにそれらの事業の一部を廃止したときにおけるその廃止に係る事業以外の事業の用に供されていた当該宅地等の部分については、当該宅地等の部分を取得した親族について適用要件を満たす限り、事業用宅地等に該当するものとされています。

①　措置法第69条の４第３項第１号《特定事業用宅地等》イ（被相続人の事業を相続開始後に承継する場合）

②　措置法第69条の４第３項第１号《特定事業用宅地等》ロ（被相続人と生計を一にする親族の事業の用に供されていた場合）

③　措置法第69条の４第３項第３号《特定同族会社事業用宅地等》

④　措置法第69条の４第３項第４号《貸付事業用宅地等》イ（被相続人の貸付事業を相続開始後に承継する場合）

⑤　措置法第69条の４第３項第４号《貸付事業用宅地等》ロ（被相続人と生計を一にする親族の貸付事業の用に供されていた場合）

**まとめ**　被相続人等㊟の事業の用に供されていた宅地等が特定事業用宅地等、特定同族会社事業用宅地等又は貸付事業用宅地等に該当するか否かの判定において、相続税の申告期限までに被相続人等㊟の営んでいた事業以外の他の事業に転業した場合又は被相続人等㊟の営んでいた事業を廃業した場合の取扱いは、当該小規模宅地等の区分に応じてそれぞれ下記に掲げるとおりになります。

㊟　下記(4)に掲げる場合には、『特定同族会社』と読み替えることになります。

### (3)　『特定事業用宅地等』の場合

①　被相続人の事業を相続開始後に事業承継する場合

<table>
<tr><th colspan="4">転業及び廃業の範囲・区分等</th><th>取　扱　い</th><th>備考</th></tr>
<tr><td rowspan="5">転業</td><td rowspan="3">一部転業</td><td>非転業部分</td><td></td><td>特定事業用宅地等の該当可能性㊒</td><td></td></tr>
<tr><td rowspan="2">転業部分</td><td>不動産貸付業等へ転業</td><td>特定事業用宅地等の該当可能性㊔</td><td></td></tr>
<tr><td>不動産貸付業等以外へ転業</td><td>特定事業用宅地等の該当可能性㊒</td><td></td></tr>
<tr><td rowspan="2">全部転業</td><td rowspan="2"></td><td>不動産貸付業等へ転業</td><td>特定事業用宅地等の該当可能性㊔</td><td>（注）</td></tr>
<tr><td>不動産貸付業等以外へ転業</td><td>特定事業用宅地等の該当可能性㊔</td><td>（注）</td></tr>
<tr><td rowspan="3">廃業</td><td rowspan="2">一部廃業</td><td colspan="2">廃業した部分に対応する宅地等</td><td>特定事業用宅地等の該当可能性㊔</td><td></td></tr>
<tr><td colspan="2">廃業しなかった部分に対応する宅地等</td><td>特定事業用宅地等の該当可能性㊒</td><td></td></tr>
<tr><td>全部廃業</td><td colspan="2"></td><td>特定事業用宅地等の該当可能性㊔</td><td>（注）</td></tr>
</table>

（注）　被相続人の親族が相続税の申告期限までに当該宅地上で営まれていた被相続人の事業の一部転業又は一部廃止をした場合の有遇措置であり、当該事業の全部転業又は全部廃止については、その対象とされていないことに留意する必要があります。

②　被相続人と生計を一にする親族の事業の用に供されていた場合

| 転業及び廃業の範囲・区分等 | | | | 取　扱　い | 備考 |
|---|---|---|---|---|---|
| 転業 | 一部転業 | 非転業部分 | | 特定事業用宅地等の該当可能性(有) | |
| | | 転業部分 | 不動産貸付業等へ転業 | 特定事業用宅地等の該当可能性(無) | |
| | | | 不動産貸付業等以外へ転業 | 特定事業用宅地等の該当可能性(有) | |
| | 全部転業 | | 不動産貸付業等へ転業 | 特定事業用宅地等の該当可能性(無) | |
| | | | 不動産貸付業等以外へ転業 | 特定事業用宅地等の該当可能性(有) | （注１） |
| 廃業 | 一部廃業 | 廃業した部分に対応する宅地等 | | 特定事業用宅地等の該当可能性(無) | |
| | | 廃業しなかった部分に対応する宅地等 | | 特定事業用宅地等の該当可能性(有) | |
| | 全部廃業 | | | 特定事業用宅地等の該当可能性(無) | （注２） |

（注１）　被相続人と生計を一にする親族については、相続税の申告期限までに当該宅地上で営まれていた当該親族の事業の全部転業（不動産貸付業等への転業を除きます。）を行った場合であっても、特定事業用宅地等に該当する可能性がある（上記①の取扱いと比較してください。）ことに留意する必要があります。

（注２）　被相続人と生計を一にする親族が相続税の申告期限までに当該宅地上で営まれていた当該親族の事業の一部廃止をした場合の有遇措置であり、当該事業の全部廃止については、その対象とされていないことに留意する必要があります。

## (4)　『特定同族会社事業用宅地等』の場合

| 転業及び廃業の範囲・区分等 | | | | 取　扱　い | 備考 |
|---|---|---|---|---|---|
| 転業 | 一部転業 | 非転業部分 | | 特定同族会社事業用宅地等の該当可能性(有) | |
| | | 転業部分 | 不動産貸付業等へ転業 | 特定同族会社事業用宅地等の該当可能性(無) | |
| | | | 不動産貸付業等以外へ転業 | 特定同族会社事業用宅地等の該当可能性(有) | |
| | 全部転業 | | 不動産貸付業等へ転業 | 特定同族会社事業用宅地等の該当可能性(無) | |
| | | | 不動産貸付業等以外へ転業 | 特定同族会社事業用宅地等の該当可能性(有) | （注１） |
| 廃業 | 一部廃業 | 廃業した部分に対応する宅地等 | | 特定同族会社事業用宅地等の該当可能性(無) | |
| | | 廃業しなかった部分に対応する宅地等 | | 特定同族会社事業用宅地等の該当可能性(有) | |
| | 全部廃業 | | | 特定同族会社事業用宅地等の該当可能性(無) | （注２） |

（注１）　特定同族会社については、相続税の申告期限までに当該宅地上で営まれていた当該特定同族会社の事業の全部転業（不動産貸付業等への転業を除きます。）を行った場合であっても、特定同族会社事業用宅地等に該当する可能性がある（上記⑶①の取扱いと比較してください。）ことに留意する必要があります。

（注２）　特定同族会社が相続税の申告期限までに当該宅地上で営まれていた当該特定同族会社の事業の一部廃止をした場合の有遇措置であり、当該事業の全部廃止については、その対象とされていないことに留意する必要があります。

## ⑸　『貸付事業用宅地等』の場合

①　被相続人の貸付事業を相続開始後に事業承継する場合

<table>
<tr><th colspan="4">転業及び廃業の範囲・区分等</th><th>取　扱　い</th><th>備考</th></tr>
<tr><td rowspan="5">転業</td><td rowspan="3">一部転業</td><td>非転業部分</td><td></td><td>貸付事業用宅地等の該当可能性（有）</td><td></td></tr>
<tr><td rowspan="2">転業部分</td><td>他の不動産貸付業等へ転業（注１）</td><td>貸付事業用宅地等の該当可能性（有）</td><td></td></tr>
<tr><td>不動産貸付業等以外へ転業</td><td>貸付事業用宅地等の該当可能性（無）</td><td>（注２）</td></tr>
<tr><td rowspan="2">全部転業</td><td rowspan="2"></td><td>他の不動産貸付業等へ転業（注１）</td><td>貸付事業用宅地等の該当可能性（無）</td><td>（注３）</td></tr>
<tr><td>不動産貸付業等以外へ転業</td><td>貸付事業用宅地等の該当可能性（無）</td><td>（注２）<br>（注３）</td></tr>
<tr><td rowspan="3">廃業</td><td rowspan="2">一部廃業</td><td colspan="2">廃業した部分に対応する宅地等</td><td>貸付事業用宅地等の該当可能性（無）</td><td></td></tr>
<tr><td colspan="2">廃業しなかった部分に対応する宅地等</td><td>貸付事業用宅地等の該当可能性（有）</td><td></td></tr>
<tr><td>全部廃業</td><td colspan="2"></td><td>貸付事業用宅地等の該当可能性（無）</td><td>（注３）</td></tr>
</table>

（注１）　被相続人の営んでいた宅地等に係る貸付事業の形態と当該宅地等を承継した親族の営む貸付事業の形態とが異なる場合（（例）被相続人は当該宅地上で貸家事業を営んでいたが、承継親族は相続税の申告期限までに当該貸家を取り壊して駐車場業を営むこととした事例）をいいます。

（注２）　この場合には当該宅地等を承継した親族の営む転業後の事業が不動産貸付業等以外の事業に該当することになりますが、それでも、相続開始の直前において被相続人等の不動産貸付業等以外の事業の用に供されている宅地等には該当しないことから、『特定事業用宅地等』に該当することにはなりません。

（注３）　被相続人の親族が相続税の申告期限までに当該宅地上で営まれていた被相続人の貸付事業の一部転業又は一部廃止をした場合の有遇措置であり、当該事業の全部転業又は全部廃止については、その対象とされていないことに留意する必要があります。

②　被相続人と生計を一にする親族の貸付事業の用に供されていた場合

<table>
<tr><th colspan="4">転業及び廃業の範囲・区分等</th><th>取　扱　い</th><th>備考</th></tr>
<tr><td rowspan="5">転業</td><td rowspan="3">一部転業</td><td>非転業部分</td><td></td><td>貸付事業用宅地等の該当可能性(有)</td><td></td></tr>
<tr><td rowspan="2">転業部分</td><td>他の不動産貸付業等へ転業（注１）</td><td>貸付事業用宅地等の該当可能性(有)</td><td></td></tr>
<tr><td>不動産貸付業等以外へ転業</td><td>貸付事業用宅地等の該当可能性(無)</td><td>（注２）</td></tr>
<tr><td rowspan="2">全部転業</td><td rowspan="2"></td><td>他の不動産貸付業等へ転業（注１）</td><td>貸付事業用宅地等の該当可能性(有)</td><td>（注３）</td></tr>
<tr><td>不動産貸付業等以外へ転業</td><td>貸付事業用宅地等の該当可能性(無)</td><td>（注２）</td></tr>
<tr><td rowspan="3">廃業</td><td rowspan="2">一部廃業</td><td colspan="2">廃業した部分に対応する宅地等</td><td>貸付事業用宅地等の該当可能性(無)</td><td></td></tr>
<tr><td colspan="2">廃業しなかった部分に対応する宅地等</td><td>貸付事業用宅地等の該当可能性(有)</td><td></td></tr>
<tr><td>全部廃業</td><td colspan="2"></td><td>貸付事業用宅地等の該当可能性(無)</td><td>（注４）</td></tr>
</table>

（注１）　被相続人と生計を一にする親族の営んでいた宅地等に係る貸付事業の形態と当該宅地等を承継した当該親族の当該承継後における貸付事業の形態とが異なる場合（(例)被相続人に係る相続開始前は駐車場業を営んでいたが、承継後は相続税の申告期限までに家屋を建築して貸家事業を営むこととした事例）をいいます。

（注２）　この場合には当該宅地等を承継した親族の営む転業後の事業が不動産貸付業等以外の事業に該当することになりますが、それでも、相続開始の直前において被相続人等の不動産貸付業等以外の事業の用に供されている宅地等には該当しないことから、『特定事業用宅地等』に該当することにはなりません。

（注３）　被相続人と生計を一にする親族については、相続税の申告期限までに当該宅地上で営まれていた当該親族の貸付事業の全部転業（不動産貸付業等以外の事業への転業を除きます。）を行った場合であっても、貸付事業用宅地等に該当する可能性がある（上記①の取扱いと比較してください。）ことに留意する必要があります。

（注４）　被相続人と生計を一にする親族が相続税の申告期限までに当該宅地上で営まれていた当該親族の貸付事業の一部廃止をした場合の有遇措置であり、当該事業の全部廃止については、その対象とされていないことに留意する必要があります。

## (6)　設例による確認

**設　例**　被相続人が事業用宅地等の上で飲食店業（食堂）と小売業（魚屋）を営んでいた場合において、当該事業用宅地等を取得した親族が相続税の申告期限までに当該宅地等は所有したものの、その営まれていた事業について、下記に掲げるような転業又は廃業があった場合の取扱いはどのようになりますか。

(例１)　飲食店業（食堂）の規模を縮小し、一部を物品小売業（雑貨屋）の店舗用地として転業した場合

(例２)　飲食店業（食堂）の規模を縮小し、一部を貸事務所として賃貸した場合

（例３）　飲食店業（食堂）を廃業（廃業地は未利用）し、小売業（魚屋）のみの営業とした場合

**解　答**　下記のとおりになります。

<table>
<tr><th rowspan="2">設例</th><th rowspan="2">区分</th><th colspan="2">転業（廃業）前後の概念図</th><th colspan="2">『特定事業用宅地等』の該当可能性</th></tr>
<tr><th>転業（廃業）前の状況</th><th>転業（廃業）後の状況</th><th>転業（廃業）前の飲食店業（食堂）の敷地</th><th>転業（廃業）前の小売業（魚屋）の敷地</th></tr>
<tr><td>（例１）</td><td>転業</td><td>被相続人｜被相続人<br>飲食店業（食堂）｜小売業（魚屋）</td><td>承継親族｜承継親族<br>飲食店業（食堂）<br>物品小売業（雑貨屋）｜小売業（魚屋）</td><td>有</td><td>有</td></tr>
<tr><td>（例２）</td><td>転業</td><td>被相続人｜被相続人<br>飲食店業（食堂）｜小売業（魚屋）</td><td>承継親族｜承継親族<br>飲食店業（食堂）<br>貸事務所｜小売業（魚屋）</td><td>飲食店継続部分　有<br>貸事務所転用部分　無</td><td>有</td></tr>
<tr><td>（例３）</td><td>廃業</td><td>被相続人｜被相続人<br>飲食店業（食堂）｜小売業（魚屋）</td><td>承継親族｜承継親族<br>廃業｜小売業（魚屋）</td><td>無</td><td>有</td></tr>
</table>

## 〔22〕　措置法通達69の４－17《災害のため事業が休止された場合》

### ⑴　『特定事業用宅地等』の判定→次の要件を充足すれば申告期限において事業供用の取扱い

①　被相続人等の事業の用に供されていた『施設』が『災害』により損害を受けたこと

②　申告期限において当該事業が休業中であること

③　財産を取得した親族等により事業再開の準備が進められていると認められること

### ⑵　災害の範囲

災害には、震災、風水害、火災のほか、雪害、落雷、噴火その他の自然現象の異変による災害及び火薬類の爆発その他の人為による異常な災害並びに害虫その他の生物による異常な災害も含まれることとなります。

### ⑶　上記通達が準用される範囲

上記⑴に掲げる特定事業用宅地等の判定（災害のため事業が休止された場合）の取扱いは、下記に掲げる区分に係る小規模宅地等の要件の判定について準用されます。

① 特定居住用宅地等のうち、下記に掲げるもの
(イ) 被相続人と同居の親族が取得する場合
(ロ) 被相続人と生計を一にする親族の居住の用に供されていた場合
② 特定同族会社事業用宅地等
③ 貸付事業用宅地等
(イ) 被相続人の貸付事業を相続開始後に事業承継する場合
(ロ) 被相続人と生計を一にする親族の貸付事業の用に供されていた場合

## 〔23〕 措置法通達69の４－18《申告期限までに宅地等の一部の譲渡又は貸付けがあった場合》

### (1) 『特定事業用宅地等』の判定について（判定要件）

① 申告期限までに宅地等の一部の譲渡又は貸付けがあった場合の当該部分 → 特定事業用宅地等の該当可能性㊀ ㊟

② 申告期限までに宅地等の一部の譲渡又は貸付けがあった場合の当該部分以外の部分（他の特定事業用宅地等の要件を充足している場合） → 特定事業用宅地等に該当

㊟ この宅地等については、特定事業用宅地等（課税価格算入割合20％）には該当しないことから、この適用区分での小規模宅地等の課税特例は適用されないことになります。

また、申告期限においては財産承継者（被相続人の親族）によって貸付けの用に供されている場合であっても、相続開始の直前において被相続人等の貸付事業の用に供されているものではありませんので、貸付事業用宅地等（課税価格算入割合50％）にも該当しません。

したがって、小規模宅地等の課税特例の対象には、一切該当しないことになります。

### (2) 留意点

相続税の申告期限までに宅地等の全部の譲渡又は貸付けがあった場合には、当然に当該宅地等の全部が特定事業用宅地等に該当しないこととなり、小規模宅地等の課税特例は一切、適用されないことになります。

### (3) 上記通達が準用される範囲

上記(1)に掲げる特定事業用宅地等の判定（相続税の申告期限までに宅地等の一部の譲渡又は貸付けがあった場合）の取扱いは、特定同族会社事業用宅地等である小規模宅地等の要件の判定についても準用されます。

## 〔24〕　措置法通達69の４－19《申告期限までに事業用建物等を建て替えた場合》

### ⑴　『特定事業用宅地等』の判定→次の要件を充足すれば申告期限において事業供用の取扱い

①　下記(イ)又は(ロ)に掲げる親族（(イ)の場合には、当該親族の相続人を含みます。）の事業の用に供されている建物等がそれぞれに係る相続税の申告期限までに建替え工事に着手されたものであること

(イ)　被相続人の事業を相続開始後に事業承継する場合の当該被相続人の親族

(ロ)　被相続人と生計を一にする親族の事業の用に供されていた場合における当該被相続人と生計を一にする親族

②　当該宅地等のうち、上記①(イ)又は(ロ)に掲げる親族により当該事業の用に供されると認められる部分であること

### ⑵　上記通達が準用される範囲

上記⑴に掲げる特定事業用宅地等の判定（相続税の申告期限までに事業用建物等を建て替えた場合）の取扱いは、下記に掲げる区分に係る小規模宅地等の要件の判定について準用されます。

①　特定居住用宅地等のうち、下記に掲げるもの

(イ)　被相続人と同居の親族が取得する場合

(ロ)　被相続人と生計を一にする親族の居住の用に供されていた場合

②　特定同族会社事業用宅地等

③　貸付事業用宅地等

(イ)　被相続人の貸付事業を相続開始後に事業承継する場合

(ロ)　被相続人と生計を一にする親族の貸付事業の用に供されていた場合

### ⑶　本通達と措置法通達69の４－５《事業用建物等の建築中等に相続が開始した場合》との差異

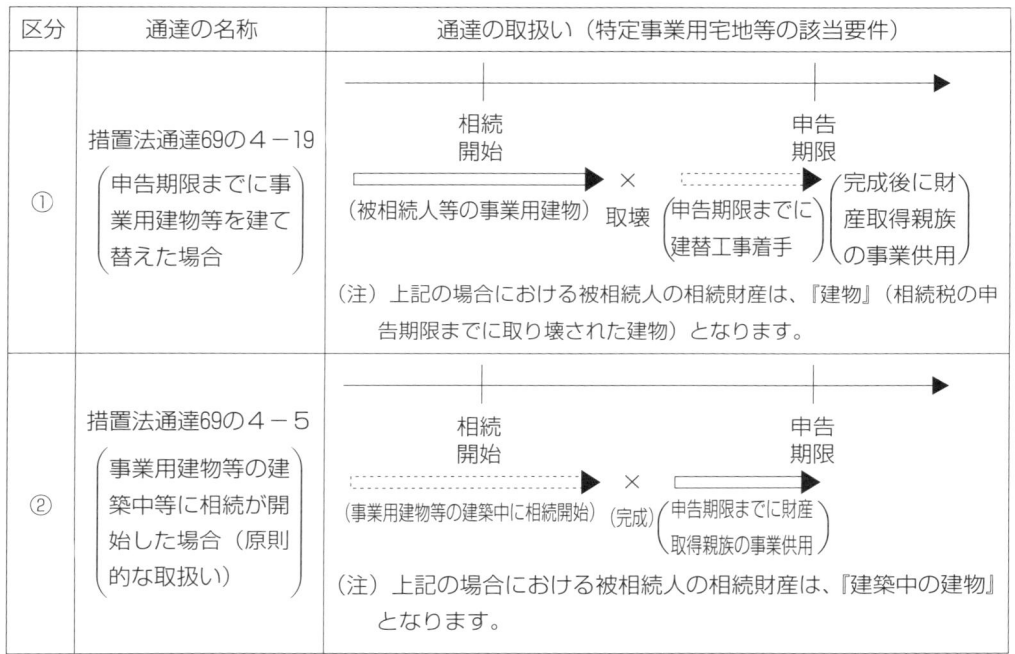

| 区分 | 通達の名称 | 通達の取扱い（特定事業用宅地等の該当要件） |
|---|---|---|
| ① | 措置法通達69の４－19<br>（申告期限までに事業用建物等を建て替えた場合） | 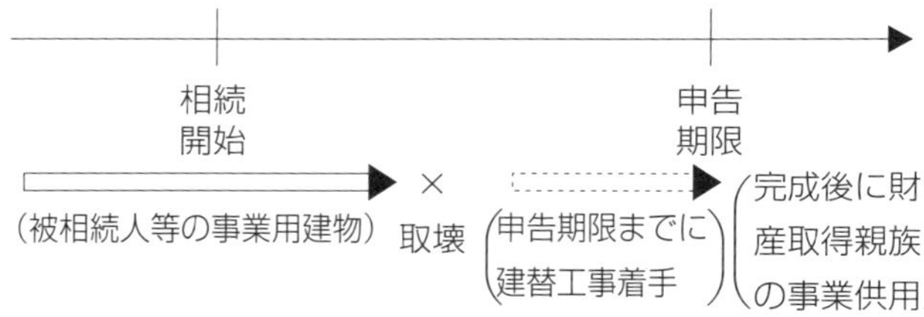<br>（注）上記の場合における被相続人の相続財産は、『建物』（相続税の申告期限までに取り壊された建物）となります。 |
| ② | 措置法通達69の４－５<br>（事業用建物等の建築中等に相続が開始した場合（原則的な取扱い）） | 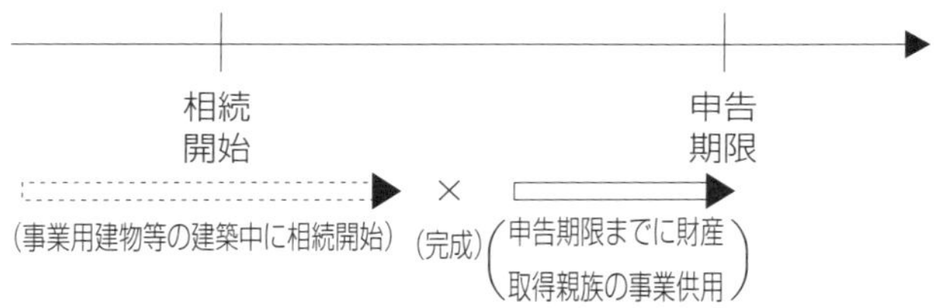<br>（注）上記の場合における被相続人の相続財産は、『建築中の建物』となります。 |

### ⑷　不動産貸付業等の用に供されている事業用宅地等に対する留意点

①　措置法通達69の４－19《申告期限までに事業用建物等を建て替えた場合》の定めの適用がある場合

(イ)　事業用宅地等が特定事業用宅地等に該当するためには、当該宅地等が相続開始直前において不動産貸付業等以外の事業の用に供されていたものであり、かつ、相続税の申告期限まで不動産貸付業等以外の事業の用に供されていることが必要となります。

(ロ)　上記(イ)より、相続税の申告期限までに事業用建物等を建て替えた場合における当該建物等の敷地の用に供されている宅地等が、建替え前又は建替え後において不動産貸付業等と不動産貸付業等以外の事業にも供されるときにおける特定事業用宅地等としての取扱いは、次の区分に応じて、それぞれに掲げるとおりとなります。

| 建替えの前後における態様 | 特定事業用宅地等該当部分 | 結　　論 |
|---|---|---|
| (A)　＞　(B) | (B) | (A)と(B)いずれか少ない方が特定事業用宅地等に該当 |
| (A)　＜　(B) | (A) | |

(A)：建替え前において『不動産貸付業等以外の事業の用に供されていた宅地等の部分』

(B)：建替え後の建物等の状況を基に判定した『不動産貸付業等以外の事業の用に供されている宅地等の部分』

(ハ)　上記(ロ)の表より、特定事業用宅地等に該当するのは、建替えの前後においてそれぞれの建物等の状況を基に判定した『不動産貸付業等以外の事業の用に供されていた宅地等の部分』のうち、いずれか少ない方となっています。

（注）　上記のように取り扱われる理由として、措置法通達69の４－19《申告期限までに事業用建物等を建て替えた場合》に該当する場合には、事業用建物等を取り壊したのは被相続人に係る相続開始後における相続人等の任意の行為によるものであり、相続開始時には当該事業用建物等は現存していたものであることが反映されるべきであるとの考え方によるものと思われます。

②　措置法通達69の４－５《事業用建物等の建築中等に相続が開始した場合》の定めの適用がある場合

(イ)　上記①に掲げる取扱いを行うのは、措置法通達69の４－19《申告期限までに事業用建物等を建て替えた場合》の適用を受ける場合であり、一方、措置法通達69の４－５《事業用建物等の建築中等に相続が開始した場合》の適用がある場合の取扱いは、次の区分に応じて、それぞれに掲げるとおりとなります。

| 建替えの前後における態様 | 特定事業用宅地等該当部分 | 結　　論 |
|---|---|---|
| (A)　＞　(B) | (B) | 常に建替え後の建物等の状況を基に特定事業用宅地等を判定 |
| (A)　＜　(B) | (B) | |

(A)：建替え前において『不動産貸付業等以外の事業の用に供されていた宅地等の部分』

(B)：建替え後の建物等の状況を基に判定した『不動産貸付業等以外の事業の用に供されていた宅地等の部分』

(ロ)　上記(イ)の表より、特定事業用宅地等に該当するのは、建替え前の建物等の状況には何ら関係なく、常に建替え後の建物等の状況を基に判定した『不動産貸付業等以外の事業の用に供されていた宅地等の部分』となっています。

（注）　上記のように取り扱われる理由として、措置法通達69の４－５《事業用建物等の建築中等に相続が開始した場合》に該当する場合には、被相続人に係る相続開始時までに被相続人の行為により従来の建物は取り壊されて現存しておらず、相続開始時において建築中等である事業用建物等のみが存するという事実が反映されるべきであるとの考え方によるものと思われます。

## 〔25〕　措置法通達69の４－20《宅地等を取得した親族が事業主となっていない場合》

| 区　　分 | 財産取得親族が事業を営んでいるかどうかの判定 |
|---|---|
| 原則 | 事業主として当該事業を行っているかどうかにより判定㊟ |
| 特例<br>（やむを得ない事情により当面事業主となれない場合） | （例　示）　財産取得親族が就学中であること等の事情<br>（取扱い）　当該財産取得親族の親族が事業主となっている場合には当該財産取得親族が当該事業を営んでいるものとする。 |

㊟　事業を営んでいるかどうかは、単に当該事業に対して時間的拘束をされているか否かにより判定するのではなく、その事業の事業主（当該事業に係る行為計算の帰属主体）となっているか否かにより判定することに注意する必要があります。

したがって、その事業の事業主となっている限り、たとえ下記に掲げるような状況に該当する場合であっても、『事業を営んでいる場合』に該当することになります。
(1) 会社等に勤務するなど他に職を有している場合
(2) 当該事業の他に主たる事業を有している場合

## 〔26〕措置法通達69の４－20の２《新たに事業の用に供されたか否かの判定》

### (1) 『新たに事業の用に供された』の該当性

#### ① 該当する場合

(イ) 事業（貸付事業（(注)①）を除きます。以下〔26〕において同じです。）の用以外の用に供されていた宅地等が事業の用に供された場合

(注) ① 貸付事業とは、不動産貸付業、駐車場業、自転車駐車場業及び準事業（事業と称するに至らない不動産の貸付けその他これに類する行為で相当の対価を得て継続的に行うものをいいます。）をいいます。
② この(イ)の該当例として、居住の用又は貸付事業の用等、事業の用以外の用に供されていた宅地等が事業の用に供された場合が挙げられます。

(ロ) 宅地等又はその上にある建物等につき『何らの利用がされていない場合』（当該用語の解釈に当たっては、下記(2)を参照）の宅地等が事業の用に供された場合

(注) この(ロ)の該当例として、何らの利用がされていない宅地等が、例えば、支店の敷地として事業の用に供された場合が挙げられます。

#### ② 該当しない場合

(イ) 事業の用に供されていた宅地等が他の事業の用に供された場合（いわゆる『転業』）の当該他の事業の用に供された部分

(注) この(イ)の該当例として、被相続人が営む小売業の建物の敷地の用に供されていた宅地等が、同人の転業によって飲食店の建物の敷地として供される宅地等になる場合が挙げられます。

(ロ) 他者から借り受けていた宅地等を事業の用に供用していた場合において、当該借受人が当該宅地等の所有権を取得して引き続き事業の用に供したときの当該事業の用に供された部分

(注) この(ロ)の該当例として、被相続人が賃借した宅地等に建物を建築して小売業を営んでいたところ、その後において被相続人が当該宅地等の所有権を取得して継続して小売業を営む場合が挙げられます。

### (2) 『何らの利用がされていない場合』の解釈

次に掲げる場合のように、事業に係る建物等が一時的に事業の用に供されていなかったと認められるときには、当該建物等に係る宅地等は、上記(1)①(ロ)に掲げる『何らの利用がされていない場合』に該当しないものとされています。

#### ① 事業用建物等に係る建替え

継続的に事業の用に供されていた建物等につき建替えが行われた場合において、建物等の建替後速やかに事業の用に供されていたとき（当該建替え後の建物等を事業の用以外の用に供していないときに限られます。）

（注１）　建替えのための建物等の建築中に相続が開始した場合には、措置法通達69の４－５《事業用建物等の建築中等に相続が開始した場合》（158ページを参照）の取扱いが適用されます。

（注２）　上記に該当する場合において、建替え後の建物等の敷地の用に供された宅地等のうちに、建替え前の建物等の敷地の用に供されていなかった宅地等が含まれるときは、当該供されていなかった宅地等については、新たに事業の用に供された宅地等に該当することになります。

### ②　事業用建物等に係る災害による休業

継続的に事業の用に供されていた建物等が災害により損害を受けたため、当該建物等に係る事業を休業した場合において、事業の再開のための当該建物等の修繕その他の準備が行われ、事業が再開されていたとき（休業中に当該建物等を事業の用以外の用に供していないときに限られます。）

（注）　災害による損害のための休業中に相続が開始した場合には、措置法通達69の４－17《災害のため事業が休止された場合》（214ページを参照）の取扱いが適用されます。

## ⑶　留意点

### ①　新たに事業の用に供された時の判定

上記⑵①又は②に該当する場合には、当該宅地等に係る『新たに事業の用に供された』時の判定は、下記に掲げる区分に応じて、それぞれに示すとおりとなります。

㈠　上記⑵①（事業用建物等に係る建替え）の場合

上記⑵①の建替え前の事業に係る事業の用に供された時

㈡　上記⑵②（事業用建物等に係る災害による休業）の場合

上記⑵②の災害による休業前の事業に係る事業の用に供された時

なお、上記㈠又は㈡に該当する前に上記⑵①又は②に該当していた場合には、その行っていた事業の前の事業に係る事業の用に供された時に、順次遡ることとなります。

上記⑵①（事業用建物等に係る建替え）の場合の『新たに事業の用に供された』時の判定を例として、被相続人等の事業の用に供されていた宅地等が相続開始前３年以内に新たに事業の用に供されたものであるかどうかを示すと、次のとおりとなります。

**図解**　事業用建物等に係る建替えがあった場合の『新たに事業の用に供された』時

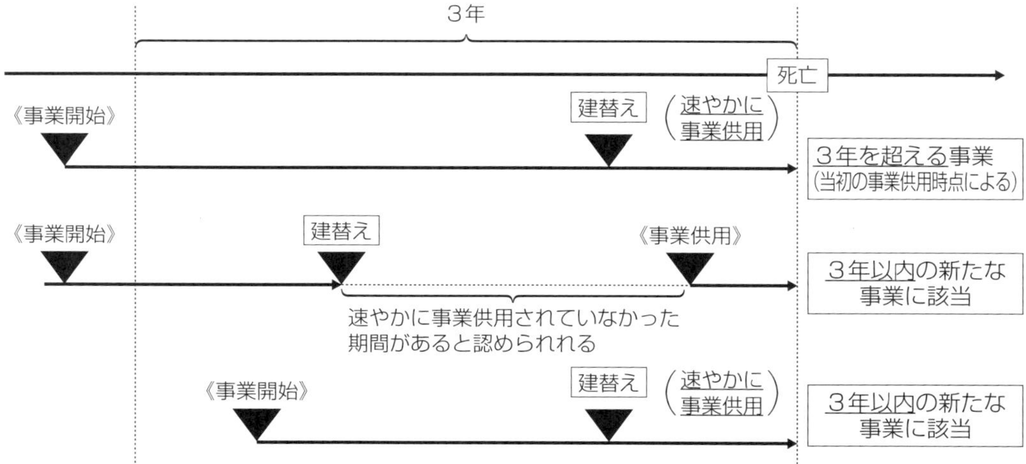

### ②　いわゆる『事業主交替による取得』による場合（原則的取扱い）

上記⑴①に掲げるとおり、『新たに事業の用に供された』とは、次に掲げる場合をいうものとされています。

⑴　事業の用以外の用に供されていた宅地等が事業の用に供された場合

⑵　宅地等又はその上にある建物等につき『何らの利用がされていない場合』の宅地等が事業の用に供された場合

なお、上記の判定は、被相続人等のそれぞれの利用状況により行うことから、例えば、他の者が事業を行っている宅地等を被相続人等が取得して、当該被相続人等がその事業を継続した（いわゆる『事業主交替による取得』による場合）としても、従前の事業は被相続人等が行っていたものではないため、その継続した事業の用に供された宅地等は、上記⑴①⑴の場合に該当することとなり、『新たに事業の用に供された』に当てはまることとなります。

### ③　いわゆる『事業主交替による取得』による場合（特例的取扱い）

上記②の取扱いは、被相続人の親族の事業の用に供されている宅地等を被相続人が取得（取得原因の例として、売買、贈与）して、その事業を当該被相続人が継続した場合のその宅地等にも適用されるものとされています。

一方、措置法施行令第40条の２《小規模宅地等についての相続税の課税価格の計算の特例》第９項において、要旨、被相続人が相続開始前３年以内に開始した相続又はその相続に係る遺贈により特定事業用宅地等を取得し、かつ、その取得の日以後当該宅地等を引き続き事業の用に供していた場合における当該宅地等は、上記⑴①⑴に掲げる『新たに事業の用に供された』宅地等に該当しないものと規定されています。

そうすると、被相続人が相続開始前３年以内に開始した相続又はその相続に係る遺贈により事業の用に供されていた宅地等を取得し（被承継者と承継者との生計一又は生計別の関係は問われていません。）、かつ、その取得の日以後当該宅地等を引き続き事業の用に供していた場合におけるその宅地等については、上記に掲げる措置法施行令第40条の２の規定の適用があり、上記⑴①⑴に掲げる『新たに事業の用に供された』宅地等に該当しないものとされています。

以上の取扱いを図示すると、次のとおりとなります。

### 図解　事業主交替による取得があった場合の『新たに事業の用に供された』の判定

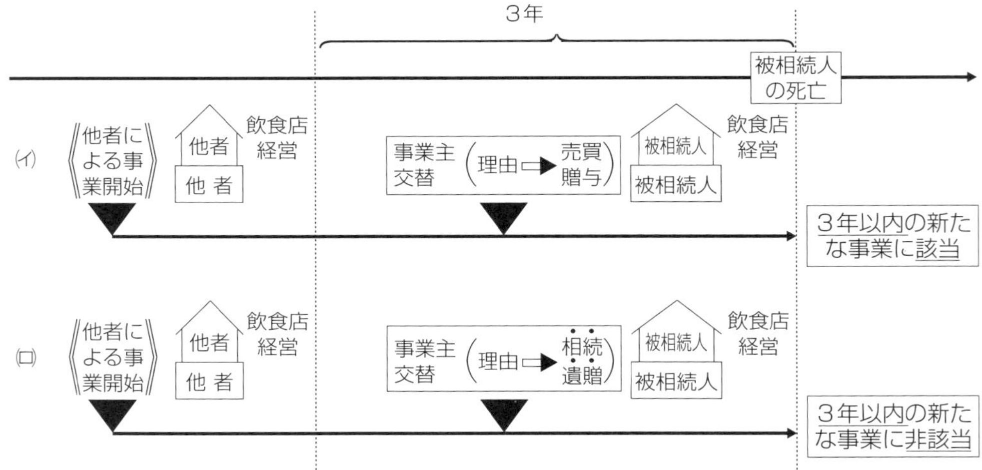


（注）　他者とは、被相続人以外のすべての者をいい、また、被相続人と生計を一にするか、又は生計を別にするかは問われていません。

#### ④　建物等の移転の場合

措置法通達69の４－５《事業用建物等の建築中等に相続が開始した場合》（158ページを参照）は被相続人等の事業の用に供されている建物等の建替えだけでなく、当該建物等の移転の場合もその取扱いの対象としています。

しかしながら、措置法通達69の４－20の２《新たに事業の用に供されたか否かの判定》に定める『何らの利用がされていない場合』に該当するか否かの解釈に当たっては、建物等の建替えはこれに該当しないものとされています（上記⑵①を参照）が、その一方で、建物等の移転による移転先の宅地等はこれに該当するものとされています。

その理由として、当該建物等の移転先の宅地等は移転前の宅地等とは異なることから、当該移転先の宅地等は相続開始前３年以内に新たに事業の用に供された宅地等に該当すると考えられることによります。

## 〔27〕　措置法通達69の４－20の３《政令で定める規模以上の事業の意義等》

### ⑴　『特定事業』の意義

平成31年度の税法改正（施行日：平成31年４月１日）によって、小規模宅地等の課税特例の適用対象とされる特定事業用宅地等の範囲について、次のとおりの見直しが行われることになりました。

①　一定の経過措置の適用がある場合を除いて、相続開始前３年以内に新たに事業（貸付事業（注）を除きます。以下〔27〕において同じです。）の用に供された宅地等は、特定事業用宅地等に該当しないものとされました。

（注）　貸付事業とは、不動産貸付業、駐車場業、自転車駐車場業及び準事業（事業と称するに至らな

い不動産の貸付けその他これに類する行為で相当の対価を得て継続的に行うものをいいます。）をいいます。

② 上記①に該当する宅地等であっても、措置法施行令で定める規模以上の事業（以下、〔27〕において「特定事業」といいます。）を行っていた被相続人等の当該事業の用に供されたものは、上記①の取扱いの対象とはならない（したがって、他の一定要件を充足すれば、特定事業用宅地等に該当する）ものとされました。

上記②に掲げる措置法施行令とは、措置法施行令第40条の２《小規模宅地等についての相続税の課税価格の計算の特例》第８項の規定を指しますが、本件通達はその内容を算式で示し、かつ、その取扱上の留意点を定めたものです。

特定事業とは、次に掲げる算式を満たす場合における当該事業をいいます。

（算式）

$$\frac{\text{事業の用に供されていた減価償却資産（注）のうち、被相続人等が有していたものの相続の開始の時における価額の合計額}}{\text{新たに事業の用に供された宅地等（以下、〔27〕において「特定宅地等」という。）の相続の開始の時における価額}} \geqq \frac{15}{100}$$

（注）『減価償却資産』とは、特定宅地等に係る被相続人等の事業の用に供されていた次に掲げる資産をいいます。

(イ) 特定宅地等の上に存する建物（その附属設備を含みます。）又は構築物

(ロ) 所得税法第２条《定義》第１項第19号に規定する減価償却資産で特定宅地等の上で行われる当該事業に係る業務の用に供されていたもの（上記(イ)に掲げるものを除きます。）

### (2) 判定上の留意点

#### ① 減価償却資産に関する留意点

(イ) 事業の用以外の用に供されていた部分がある場合

上記(1)の算式に係る（注）(イ)及び(ロ)に掲げる資産のうちに、被相続人等の事業の用以外の用に供されていた部分がある場合には、当該事業の用に供されていた部分に限るものとされています。

(ロ) 被相続人等の事業が特定宅地等を含む一の宅地等の上で行われていた場合

㋑ 建物（附属設備）又は構築物の取扱い

被相続人等の事業が特定宅地等を含む一の宅地等の上で行われていた場合には、特定宅地等を含む一の宅地等の上に存する建物（その附属設備を含みます。）又は構築物のうち当該事業の用に供されていた部分は、上記(1)の算式に係る（注）(イ)に掲げる資産（特定宅地等の上に存する建物（その附属設備を含みます。）又は構築物）に含まれるものとされています。

㋺ 上記㋑以外の減価償却資産の取扱い

被相続人等の事業が特定宅地等を含む一の宅地等の上で行われていた場合には、上記(1)の算式に係る（注）(ロ)に掲げる減価償却資産のうち特定宅地等を含む一の宅地等の上で行われる当該事業に係る業務の用に供されていた部分（当該建物（その附属設備を含みます。）及び当該構築物を除きます。）は、当該項目に掲げる資産（所得税法第２条《定義》第１項第19号に規定する減価償却資産で特定宅地等の上で行われる当

該事業に係る業務の用に供されていたもの（上記⑴の算式に係る（注）(イ)に掲げるものを除きます。））に含まれるものとされています。

この(ロ)の取扱いを図示すると、次のとおりとなります。

図解　特定事業の判定における減価償却資産の範囲（その１：被相続人等の事業が一の宅地等の上で行われていた場合）

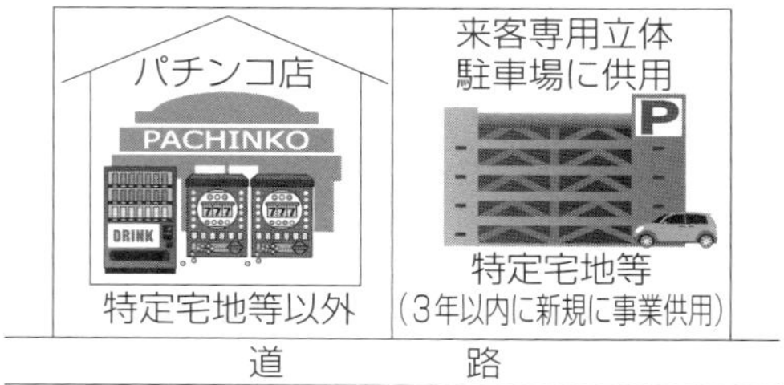


（その他）　事業者の減価償却資産には、左記以外にバス（最寄駅と本件パチンコ店とを往来する来客輸送用）が存在する。

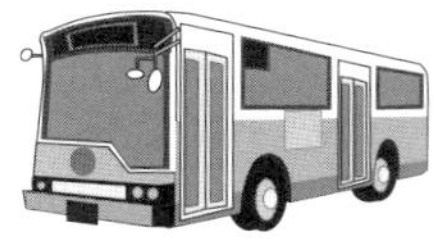

（取扱い）Ⓐ　パチンコ店（建物）及び来客専用立体駐車場設備（構築物）は、上記㋑に該当することから、そのすべてが上記⑴の算式に係る（注）(イ)に掲げる資産に含まれる（同算式の分子の額に算入される）ことになります。

Ⓑ　パチンコ台、自動販売機（いずれも器具及び備品）及びバス（車輌及び運搬具）は、上記㋺に該当することから、そのすべてが上記⑴の算式に係る（注）(ロ)に掲げる資産に含まれる（同算式の分子の額に算入される）ことになります。

(ハ)　減価償却資産（建物（その附属設備を含む）及び構築物を除く）が２以上の業務の用に供されていた場合

被相続人等の事業が特定宅地等を含む一の宅地等の上で行われていた場合には、上記⑴の算式に係る（注）(ロ)に掲げる減価償却資産が、共通して当該業務及び当該業務以外の業務の用に供されていた場合であっても、当該資産の全部が当該項目に掲げる資産（所得税法第２条《定義》第１項19号に規定する減価償却資産で特定宅地等の上で行われる当該事業に係る業務の用に供されたもの（上記⑴の算式に係る（注）(イ)に掲げるものを除きます。））に含まれるものとされています。

この(ハ)の取扱いを図示すると、次のとおりになります。

図解　特定事業の判定における減価償却資産の範囲（その２：建物等以外の減価償却資産が２以上の業務の用に供されていた場合）

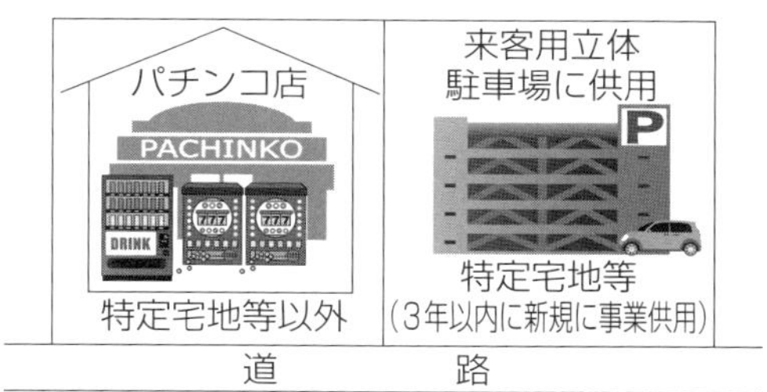


（その他）　事業者の減価償却資産には、左記以外にバス（最寄駅と本件パチンコ店及び同一事業者が経営する温泉入浴場を巡回する来客輸送用）が存在する。

また、来客用立体駐車場の一部（20%部分）は、同一事業主が営む別途の事業に必要な車輌置場として利用されている。

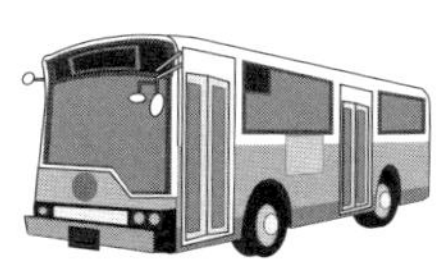

(取扱い) ㋑ パチンコ店（建物）は、上記㈫㋑に該当することから、そのすべてが上記⑴の算式に係る（注）㈠に掲げる資産に含まれる（同算式の分子の額に算入される）ことになります。

㋺ パチンコ台、自動販売機（いずれも器具及び備品）は、上記㈫㋺に該当することから、そのすべてが上記⑴の算式に係る（注）㈫に掲げる資産に含まれる（同算式の分子の額に算入される）ことになります。

㋩ バス（車輌及び運搬具）は、上記㈧に該当することから、そのすべてが上記⑴の算式に係る（注）㈫に掲げる資産に含まれる（同算式の分子の額に算入される）ことになります。

㊁ 来客用立体駐車場設備（構築物）には、上記㈧の取扱いは適用されないことから、当該構築物のうち、本件パチンコ店の業務の用に供されている部分（80%（1－20%））のみが上記⑴の算式に係る（注）㈠に掲げる資産に含まれる（同算式の分子の額に算入される）ことになります。

㈡ 『事業の用に供されていた減価償却資産』に該当するか否かの判定時期

上記⑴に掲げる算式の分子部分である『事業の用に供されていた減価償却資産』に該当するか否かの判定は、特定宅地等を新たに事業の用に供した時ではなく、相続開始の直前（実質的には、相続開始時と同義です。以下〔27〕において同じです。）における現況によって行うものとされています。したがって、次に掲げる事項に留意する必要があります。

㋑ 特定宅地等を新たに事業の用に供した後に、被相続人等が取得し相続開始の直前まで事業の用に供されていた上記⑴の算式に係る（注）㈫に掲げる資産については、同算式の分子に含まれることになります。

㋺ 特定宅地等を新たに事業の用に供した時において、既に事業の用に供されていた上記⑴の算式に係る（注）㈫に掲げる資産が、その後、廃棄等により相続開始の直前に事業の用に供されていなかった場合における当該資産などについては、その分子に含まれないことになります。

上記の取扱いを図示すると、次のとおりになります。

**図解** 『事業の用に供されていた減価償却資産』に該当するか否かの判定時期

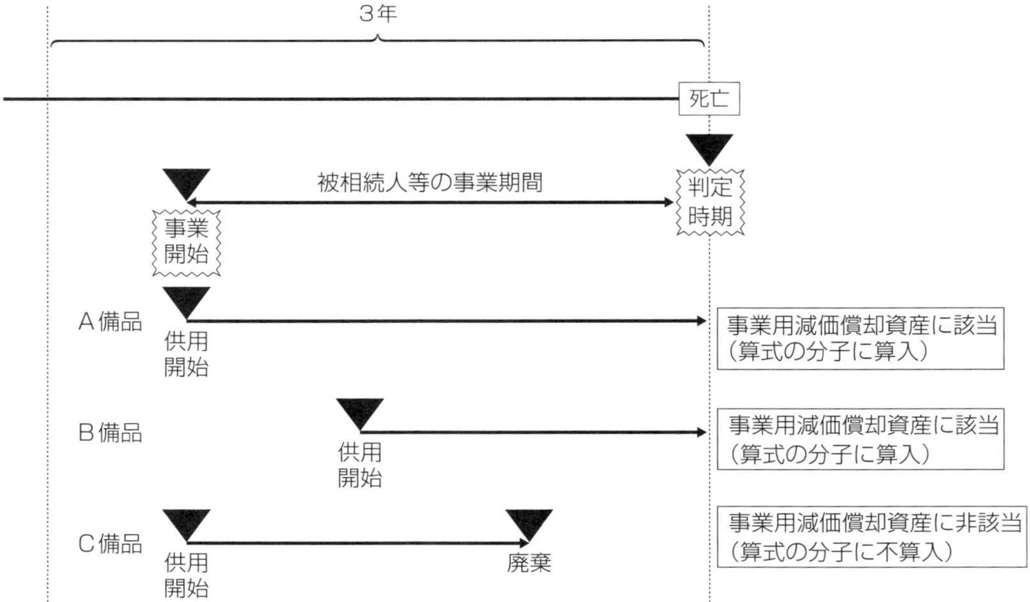


(ホ)　『被相続人等が有していたもの』の意義

上記(1)の算式の分子部分に掲げられている『被相続人等が有していたもの』とは、事業を行っていた被相続人又は事業を行っていた生計一親族（被相続人と生計を一にしていたその被相続人の親族をいいます。）が、自己の事業の用に供し、所有していた減価償却資産であるものをいいます。したがって、次に掲げる事項に留意する必要があります。

㋑　被相続人が保有していた減価償却資産について、被相続人の事業の用に供されていたものはこれに該当する（自己の事業用）が、生計一親族の事業の用に供されていたものはこれに該当しない（自己の事業用ではない）こととなります。

㋺　生計一親族が保有していた減価償却資産について、当該生計一親族の事業の用に供されていたものはこれに該当する（自己の事業用）が、被相続人の事業の用に供されていたものはこれに該当しない（自己の事業用ではない）ことになります。

（注）　上記㋑又は㋺の判断に当たっては、被相続人と生計一親族との両者間において、事業主と減価償却資産の保有者が異なることを理由として、使用の対価の授受があったか否か（賃貸借又は使用貸借の差異）は、何らの影響も与えないことに留意する必要があります。

② 特定宅地等に関する留意点

● 特定宅地等が共有である場合

『特定宅地等』は、相続開始の直前において被相続人が所有していた宅地等であり、当該宅地等が数人の共有に属していた場合には、当該被相続人の有していた持分の割合に応ずる部分であるとされています。

### ③　特定事業に関する留意点

● 特定事業の判定単位

上記(1)の算式を用いて行う被相続人等の行う事業が特定事業に該当するか否かの判定は、それぞれの特定宅地等（新たに事業の用に供された宅地等）ごとに行うものとされています。したがって、次に掲げる事項に留意する必要があります。

(イ) 特定宅地等が複数ある場合

特定宅地等が複数ある場合であっても、この特定事業に該当するか否かの判定は、それぞれの特定宅地等ごとに上記(1)の算式を満たすか否かで判定することとなります。

例示　特定宅地等が甲宅地と乙宅地の複数ある場合には、甲宅地と乙宅地のそれぞれで上記(1)の算式を満たすか否かを判定し、当該算式を満たさないときのその算式の分母に係る宅地等については、特定事業用宅地等から除かれることとなり、当該算式を満たすときのその算式の分母に係る宅地等については、特定事業用宅地等の範囲から除かれないこととなります。

(ロ) 相続開始前３年を超えて既に事業の用に供している他の宅地等がある場合

相続開始前３年を超えて既に事業の用に供している他の宅地等がある場合であっても、この特定事業に該当するか否かの判定は、それぞれの特定宅地等ごとに上記(1)の算式を満たすか否かで判定することになります。

例示　特定宅地等である甲宅地と特定宅地等には該当しない乙宅地（相続開始前３年を超えて既に事業の用に供している宅地）の複数がある場合には、甲宅地について上記(1)の算式を満たすか否かを判定し、当該算式を満たさないときの甲宅地については、特定事業用宅地等から除かれることとなり、当該算式を満たすときの甲宅地については、特定事業用宅地等の範囲から除かれないこととなります。

## 〔28〕　措置法通達69の４－20の４《相続開始前３年を超えて引き続き事業の用に供されていた宅地等の取扱い》

『相続開始前３年を超えて引き続き被相続人等の事業の用に供されていた宅地等』については、被相続人等の行っていた事業（貸付事業（注）を除きます。以下〔28〕において同じです。）が特定事業（上記〔27〕を参照）であるかどうかに関わらず、小規模宅地等の課税特例に掲げる特定事業用宅地等の適用要件（(1)被相続人の事業を相続開始後に事業承継する場合、(2)被相続人と生計を一にする親族の事業の用に供されていた場合）を満たす当該被相続人の親族が取得した場合には、当該特定事業用宅地等に該当することになります。

（注）　貸付事業とは、不動産貸付業、駐車場業、自転車駐車場業及び準事業（事業と称するに至らない不動産の貸付けその他これに類する行為で相当の対価を得て継続的に行うものをいいます。）をいいます。

上記の取扱いを図示すると、次のとおりとなります。

図解　相続開始前３年を超えて引き続き事業の用に供されていた宅地等の取扱い

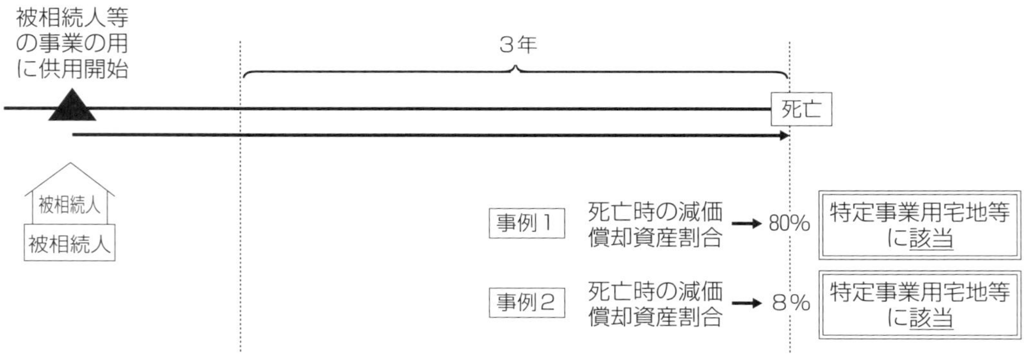


なお、被相続人等の事業の用に供されていた宅地等が措置法通達69の４－20の２《新たに事業の用に供されたか否かの判定》(219ページを参照）に該当する場合には、当該宅地等は引き続き事業の用に供されていた宅地等に該当することになります。

## 〔29〕　措置法通達69の４－20の５《平成31年改正法附則による特定事業用宅地等に係る経過措置について》

平成31年度税法改正による特定事業用宅地等に係る改正（特定事業用宅地等の範囲から相続開始前３年以内に新たに事業（貸付事業（注）を除きます。以下〔29〕において同じです。）の用に供された宅地等（当該宅地等の上で特定事業を行っていた被相続人等の事業の用に供された宅地等を除きます。）を除くものとされました。）は、平成31年４月１日以後に相続又は遺贈により取得する宅地等に係る相続税について適用するものとされていますが、当該改正には、次に掲げる経過措置が設けられていることに留意する必要があります。

（注）　貸付事業とは、不動産貸付業、駐車場業、自転車駐車場業及び準事業（事業と称するに至らない不動産の貸付けその他これに類する行為で相当の対価を得て継続的に行うものをいいます。）をいいます。

経過措置

平成31年４月１日から令和４年３月31日までの間に相続又は遺贈により取得した宅地等については、平成31年４月１日以後に新たに事業の用に供されたもの（当該宅地等の上で特定事業を行っていた被相続人等の事業の用に供されたものを除きます。）が、小規模宅地等の課税特例に規定する特定事業用宅地等の対象となる宅地等から除かれることになります。

上記の取扱いを図示すると、次のとおりとなります。

**図解** 特定事業用宅地等に係る経過措置

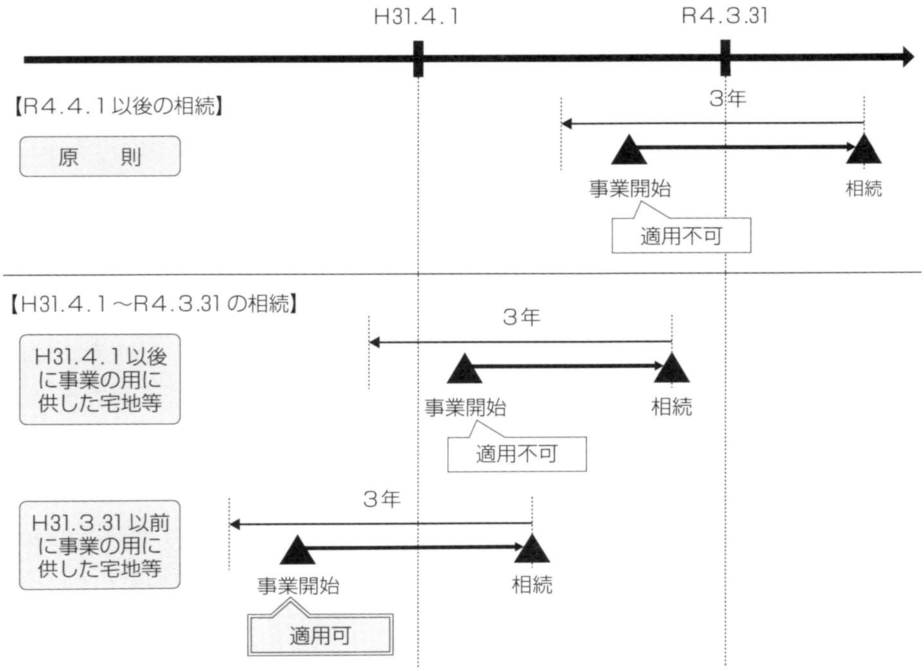


（注）上記の図解は、当該宅地等の上で行われていた被相続人等の事業が特定事業に該当しない場合における当該事業の用に供されている宅地等であることを前提としています。

## 〔30〕 措置法通達69の４－21《被相続人の居住用家屋に居住していた親族の範囲》

**前提** 本件通達は、特定居住用宅地等の区分の一つである『配偶者及び同居親族が存せず非同居親族が取得した場合』（いわゆる『家なき子』）（下記 参考 を参照）に規定する『当該被相続人の居住の用に供されていた家屋に居住していた親族』の意義を明確にした法令解釈通達となります。

### (1) 原則的な取扱い（下記(2)以外の場合の取扱い）

当該被相続人に係る相続の開始の直前において当該家屋で被相続人と共に起居していた者をいいます。

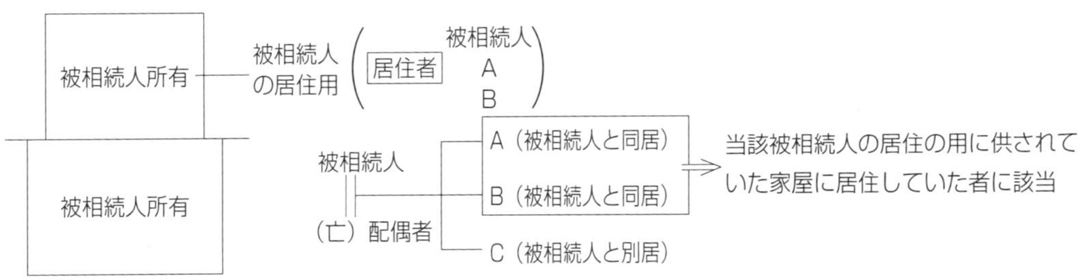

### ⑵　被相続人が『共同住宅』の『独立部分の一』に居住していた場合の取扱い

当該被相続人が１棟の建物でその構造上区分された数個の部分の各部分（独立部分）を独立して住居その他の用途に供することができるもの（共同住宅）の『独立部分の一』に居住していた場合には、当該独立部分に居住していた者をいいます。

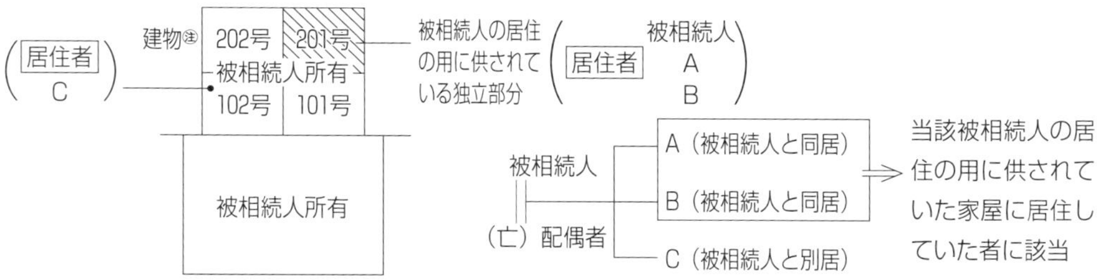


㊟　建物は構造上区分された数個の部分の各部分が独立しているものとします。

なお、この場合には、当該建物が区分所有建物である旨の登記がされている建物であるか否かは問われていないことに留意する必要があります。

参考　特定居住用宅地等の区分の１つである『配偶者及び同居親族が存せず非同居親族が取得した場合』（いわゆる『家なき子』）に該当するためには、要旨、次に掲げる３つの要件を充足する必要があります。

①　配偶者及び一定の同居親族不存在の要件

被相続人の配偶者又は相続開始の直前において当該被相続人の居住の用に供されていた家屋に居住していた親族（当該被相続人の法定相続人（相続の放棄があった場合には、その放棄がなかったものとした場合における相続人）をいいます。）がいないこと

②　財産取得親族が自己等の所有する家屋に居住したことがない要件

(イ)　被相続人の居住の用に供されていた宅地等を取得した者（親族）が当該被相続人に係る相続開始前３年以内に相続税法の施行地内にある当該親族、当該親族の配偶者、当該親族の３親等内の親族又は当該親族と特別の関係がある法人が所有する家屋（当該相続開始の直前において当該被相続人の居住の用に供されていた家屋を除きます。）に居住したことがないこと

(ロ)　被相続人の相続開始時に、当該被相続人の居住の用に供されていた宅地等を取得した者（親族）が居住している家屋を相続開始前のいずれの時においても所有していたことがないこと

③　所有継続の要件

被相続人に係る相続開始時から相続税の申告期限（当該親族が相続税の申告期限前に死亡している場合には、その死亡の日）まで、引き続き当該宅地等を所有していること

注　上記①の＿＿部分が、本件通達において解釈が明確化された部分です。

## 〔31〕　措置法通達69の４－22《『当該親族の配偶者』等の意義》

### ⑴　適用要件

被相続人の居住用宅地等で、被相続人の配偶者も一定の同居親族も存していない場合（いわゆる『家なき子』）において、当該居住用宅地等を非同居の親族が取得したときは、当該親族（取得者）について当該被相続人に係る相続開始前３年以内に日本国内に当該親族、当該親族の配偶者、当該親族の３親等内の親族又は当該親族と特別の関係がある法人の所有に係る家屋（相続開始の直前において当該被相続人の居住の用に供されていた家屋を除きます。）に居住したことがないことが特定居住用宅地等の適用要件とされています。

この場合における『当該親族の配偶者、当該親族の３親等内の親族又は当該親族と特別の関係がある法人』（上記＿＿部分）に該当するか否かの判定をどの時点に求めるべきかについて、法令上不明確でしたが、本通達において、相続開始の直前（実質的には、相続開始時と同義です。以下、〔31〕において同じです。）における当該親族の配偶者、当該親族の３親等内の親族又は当該親族と特別の関係がある法人をいうものとすることが明確化されました。

### ⑵　具体的な事例による検討

#### ①　当該親族（財産取得親族）の配偶者に該当するか否かの検討

⑴　令和Ｘ年５月　ＡはＢと婚姻し、その後、Ｂの所有する家屋に居住（Ｂとの婚姻前においては、Ａは借家に居住）

⑵　令和Ｙ年７月　ＡはＢと離婚し、その結果、Ａは借家に居住

⑶　令和Ｚ年８月　Ａの父である甲が死亡（甲の妻乙は既に他界）

図解

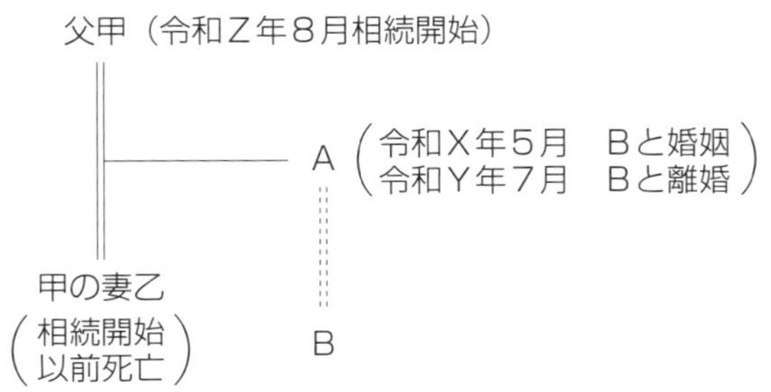


上記の場合において、Ａは父甲に係る相続開始の直前においては配偶者を有していないこととなりますので、相続開始前３年以内に日本国内に当該親族（財産取得親族）の配偶者の所有に係る家屋に居住したことがない者としてＡを取り扱うこととなります。

#### ②　当該親族（財産取得親族）の３親等内の親族に該当するか否かの検討

⑴　令和Ｘ年５月　Ａは養父丙及び養母丁と養子縁組（普通養子）を行い、その後、養父丙の所有する家屋に居住（養子縁組前においては、Ａは借家に居住）

⑵　令和Ｙ年７月　Ａは養父丙及び養母丁と養子縁組を解除し、その結果、Ａは借家に居住

⑶　令和Ｚ年８月　Ａの実父甲が死亡（実母乙は既に他界）

図解　実父甲（令和Ｚ年８月相続開始）
‖――――――――――（実子）Ａ
実母乙（相続開始以前死亡）
養子縁組（普通養子）（令和Ｘ年５月　縁組／令和Ｙ年７月　解約）
養父丙
‖――――――――――（養子）Ａ
養母丁

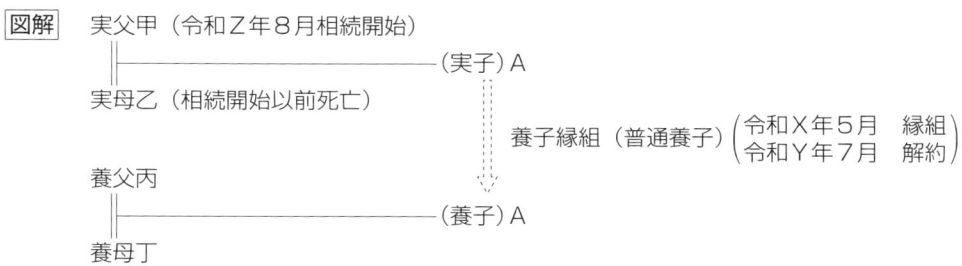

上記の場合において、Ａは実父甲に係る相続開始の直前においては養父丙との親族関係を有していないこととなりますので、相続開始前３年以内に日本国内に当該親族（財産取得親族）の３親等内の親族の所有に係る家屋に居住したことがない者としてＡを取り扱うこととなります。

③　当該親族（財産取得親族）と特別の関係がある法人に該当するか否かの検討

(イ)　令和Ｘ年５月　ＡはＡ㈱（ＡがＡ㈱の発行済株式の100％を所有）の所有する家屋（社宅）に居住（Ａは、社宅に居住する以前は、公営住宅に居住）

(ロ)　令和Ｙ年７月　ＡはＡ㈱の株式の全てを第三者（Ａとの同族関係はなし）に譲渡し、その結果、Ａは借家に居住

(ハ)　令和Ｚ年８月　Ａの父である甲が死亡（実母乙は既に他界）

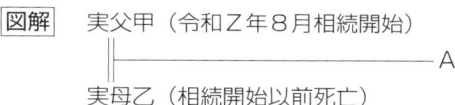

図解　実父甲（令和Ｚ年８月相続開始）
‖――――――――――Ａ
実母乙（相続開始以前死亡）

上記の場合において、Ａは実父甲に係る相続開始の直前においてはＡ㈱との特別の関係を有していないこととなりますので、相続開始前３年以内に日本国内に当該親族（財産取得親族）と特別の関係がある法人の所有に係る家屋に居住したことがない者としてＡを取り扱うこととなります。

## 〔32〕　措置法通達69の４－22の２《平成30年改正法附則による特定居住用宅地等に係る経過措置について》

経過措置対象宅地等（下記の 定義 を参照）については、次の⑴又は⑵に掲げる経過措置が設けられています。

定義　経過措置対象宅地等とは、平成30年３月31日に相続又は遺贈があったものとした場合に、平成30年改正法（注１）による改正前の措置法第69条の４第１項に規定する特例対象宅地等（同条第３項第２号に規定する特定居住用宅地等のうち同号ロに掲げる要件（注２）を満たすものに限られます。）に該当することとなる宅地等をいうものとされています。

（注１）　所得税法等の一部を改正する法律（平成30年法律第７号）をいいます。

（注２）　主な要件を掲げると、次のとおりとなります。

**配偶者及び一定の同居親族が存せず非同居親族が取得した場合（いわゆる『家なき子』）**

(イ) 被相続人の配偶者又は相続開始の直前において当該被相続人の居住の用に供されていた家屋に居住していた親族（当該被相続人の法定相続人をいいます。）がいないこと

(ロ) 当該被相続人の居住の用に供されていた宅地等を取得した親族が相続開始前３年以内に相続税法の施行地内にあるその者又はその者の配偶者の所有する家屋（当該相続開始の直前において当該被相続人の居住の用に供されていた家屋を除きます。）に居住したことがない者であること

(ハ) 当該被相続人に係る相続開始時から相続税の申告期限（当該親族が相続税の申告期限前に死亡している場合には、その死亡の日）まで引き続き当該宅地等を所有していること

## (1) 経過措置（その１）

**個人が平成30年４月１日から令和２年３月31日までの間に相続又は遺贈により取得した経過措置対象宅地等である場合**

措置法第69条の４第３項第２号《特定居住用宅地等》に規定する親族に係る要件は、次に掲げるとおりとなります。

① 措置法第69条の４第３項第２号イからハまでに掲げる要件

（注） 上記は、平成30年改正法適用後における現行法の要件を指しています。具体的には、次に掲げるものをいいます。
- イ⇨被相続人と同居の親族が取得した場合（38ページを参照）
- ロ⇨配偶者及び一定の同居親族が存せず非同居親族が取得した場合（39ページを参照）
- ハ⇨被相続人と生計を一にする親族の居住の用に供されていた場合（44ページを参照）

② 平成30年改正法による改正前の措置法第69条の４第３項第２号ロに掲げる要件（上記に掲げる定義の（注2）を参照）

## (2) 経過措置（その２）

**個人が令和２年４月１日以後に相続又は遺贈により取得した財産のうちに経過措置対象宅地等がある場合**

次に掲げる要件の全てを充足した場合には、当該経過措置対象宅地等は相続開始の直前において当該相続又は遺贈に係る被相続人の居住の用に供されていたものと、当該個人は措置法第69条の４第３項第２号イ（注）に掲げる要件を満たす親族とそれぞれみなされるものとされています。

（注） イ⇨被相続人と同居の親族が取得した場合（38ページを参照）

① 令和２年３月31日において当該経過措置対象宅地等の上に存する建物の新築又は増築その他の工事が行われていること

② 上記①の工事の完了（注）前に被相続人に係る相続又は遺贈があったこと

（注） 『工事の完了』（上記＿＿部分）とは、新築又は増築その他の工事に係る請負人から新築された建物の引渡しを受けたこと又は増築その他の工事に係る部分につき引渡しを受けたことをいいます。

③ 上記②に係る相続又は遺贈に係る相続税の申告期限までに当該個人が当該建物を自己の居住の用に供したこと

本通達に定める特定居住用宅地等に係る経過措置の取扱いをまとめると、次のとおりとなります。

図解　特定居住用宅地等に係る経過措置

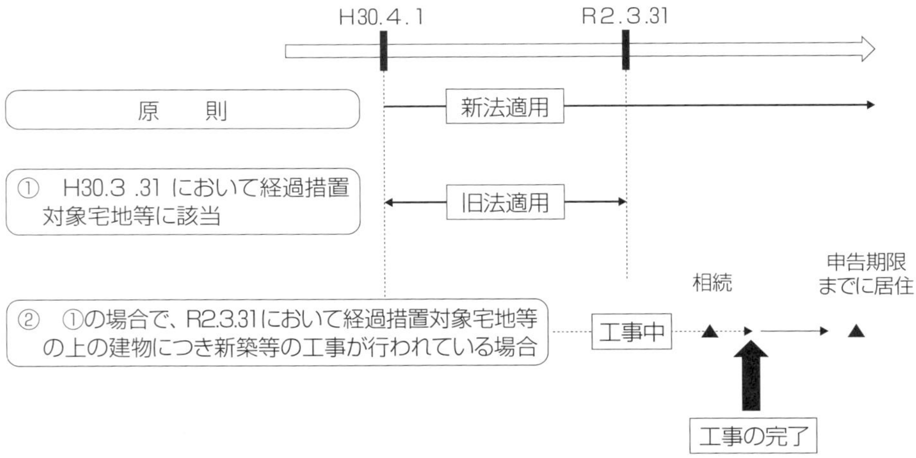


## 〔33〕 措置法通達69の４－23《法人の事業の用に供されていた宅地等の範囲》

### Ⓐ 下記Ⓑ以外の場合（通常の場合）

被相続人等の事業の用に供されていた宅地等が特定同族会社事業用宅地等（課税価格算入割合20％、適用上限面積400㎡）に該当するための被相続人等の事業（不動産貸付け）の形態は、次に掲げる⑴又は⑵のいずれかの形態に限られます。

⑴ **貸地型**（当該法人（注１）に貸し付けられ当該法人の事業（注２）の用に供されていた宅地等）

当該貸付けが事業（相当の対価を得て継続的に行われるもの）に該当する場合に限ります。

（注１） 相続税の申告期限において、清算中の法人を除きます。

（注２） 法人の事業には、不動産貸付業、駐車場業、自転車駐車場業及び準事業（これらを総称して「貸付事業」といいます。以下、〔33〕において同じです。）は含まれないものとされています。

なお、『準事業』とは、事業と称するに至らない不動産の貸付けその他これに類する行為で相当の対価を得て継続的に行うものをいいます。

図１

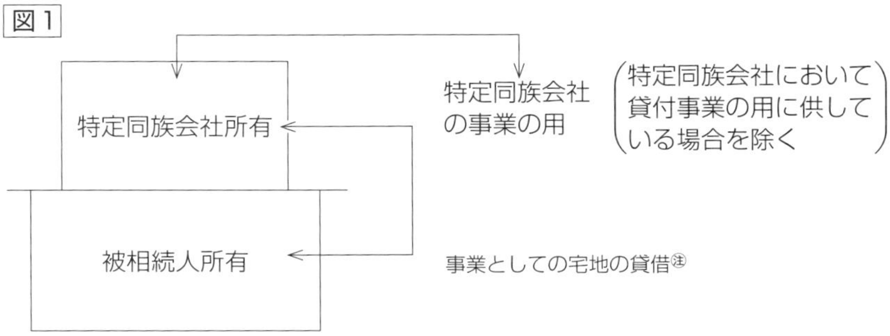


㊟　宅地の貸借

宅地の所有者である被相続人が借地人である特定同族会社に対して当該宅地を有償で貸し付けてい

ることが要件とされます。

⑵　**貸家型**（当該法人(注１)の事業（注２）の用に供されていた建物等で下記 図２Ａ 又は 図２Ｂ に掲げるもの）

当該貸付けが事業（相当の対価を得て継続的に行われるもの）に該当する場合に限ります。

（注１）　相続税の申告期限において、清算中の法人を除きます。

（注２）　法人の事業には、不動産貸付業、駐車場業、自転車駐車場業及び準事業は含まれないものとされています。

なお、『準事業』とは、事業と称するに至らない不動産の貸付けその他これに類する行為で相当の対価を得て継続的に行うものをいいます。

①　当該法人の事業の用に供されていた建物等で被相続人が所有していたもの

図2A

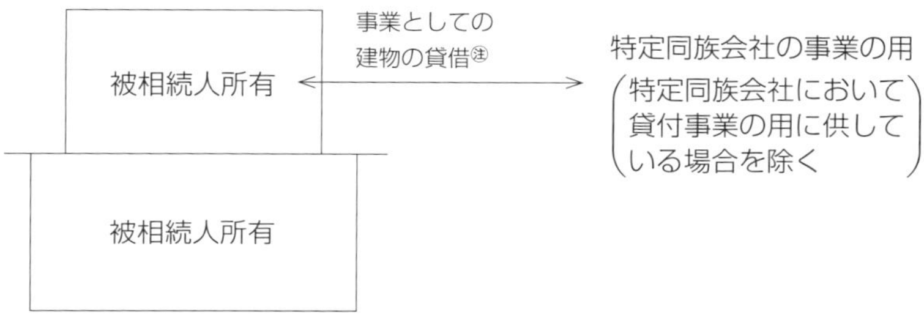


㊟　建物の貸借

上記の態様においては、建物所有者である被相続人が特定同族会社に対して、当該建物を有償で貸し付けていることが要件とされます。

②　当該法人の事業の用に供されていた建物等で被相続人と生計を一にしていたその被相続人の親族が所有していたもの

ただし、この場合においては、当該親族が当該建物等の敷地を被相続人から無償で借り受けていることが条件とされます。

図2B

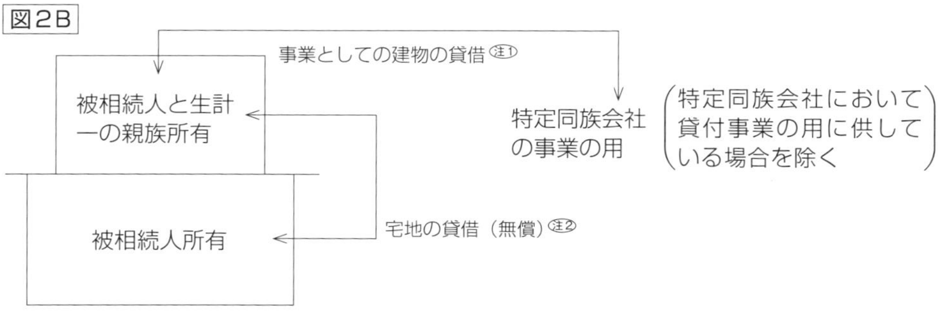


(注1)　建物の貸借

上記の態様においては、建物所有者である被相続人と生計を一にする親族が特定同族会社に対して当該建物を有償で貸し付けていることが要件とされます。

(注2)　宅地の貸借

上記の態様においては、宅地の所有者（被相続人）と建物の所有者（生計一の親族）との貸借関係が有償契約である場合には、措置法通達69の４－４⑴《他に貸し付けられていた宅地等》に該当することとなります。（したがって、⑵で判定する場合には、この両者間の貸借関係は無償契約であることが前提です。）

したがって、(1)又は(2)の場合において、『宅地の貸主である被相続人と借主である特定同族会社』（下記 図３Ａ ）、『建物の貸主である被相続人と借主である特定同族会社』（下記 図３Ｂ ）又は『建物の貸主である被相続人と生計一の親族と借主である特定同族会社』（下記 図３Ｃ ）の宅地又は建物の貸借関係が無償契約である場合には、本通達の適用除外となり、当該宅地は特定同族会社事業用宅地等（課税価格算入割合20％、適用上限面積400㎡）としては取り扱われないこととなります。

また、この場合においては被相続人等による宅地又は建物の貸付けが事業として行われていないこととなりますので（無償契約であるので使用の対価としての相当の対価を得ていないので）、当該宅地等は被相続人等の貸付事業としての事業用宅地等（貸付事業用宅地等（課税価格算入割合50％、適用上限面積200㎡））にも該当しないこととなり、一切、小規模宅地等の課税特例の適用対象外となってしまうことに注意する必要があります。

図３Ａ

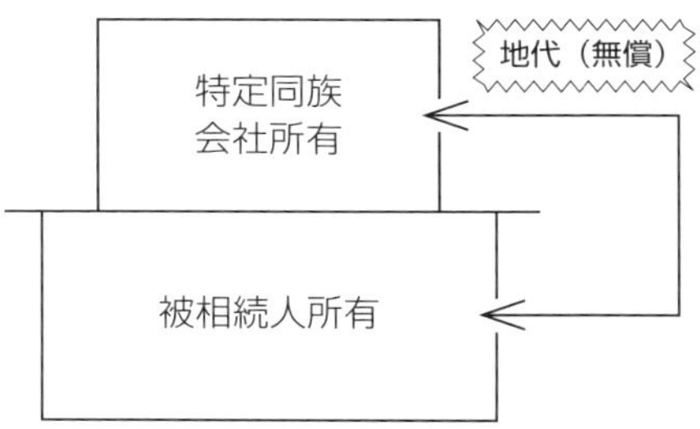


図３Ｂ

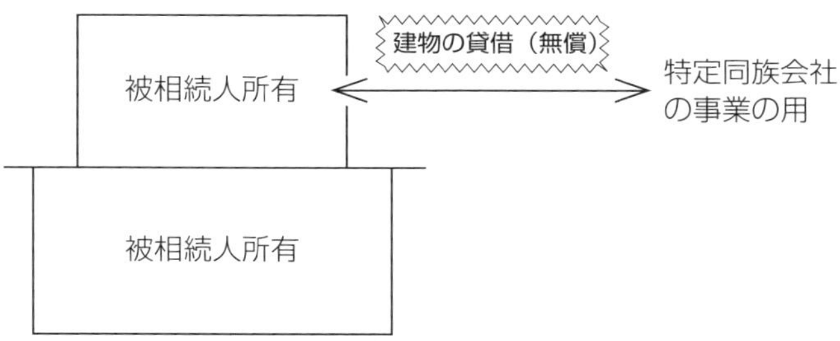


図３Ｃ

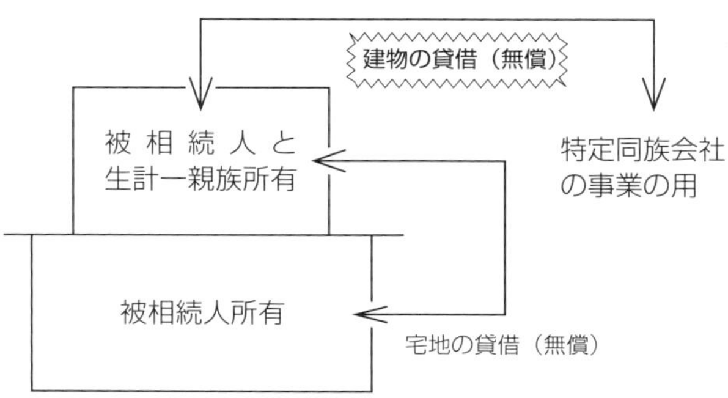

### ⑶ まとめ

⑴又は⑵の態様において被相続人等の事業の用に供されている宅地等について特定同族会社事業用宅地等に該当（課税価格算入割合20％、適用上限面積400㎡）する可能性を有するか又は貸付事業用宅地等に該当（課税価格算入割合50％、適用上限面積200㎡）する可能性を有するか若しくは小規模宅地等に一切該当しないかについて区分すると、次のとおりとなります。

⑴（貸地型の場合）の取扱い

| 土地所有者 | 建物所有者 | 地代 | 小規模宅地 | 参考図 | 備考 |
|---|---|---|---|---|---|
| 被相続人 | 特定同族会社 | 有償 | 80% | 図１ | |
| 被相続人 | 特定同族会社 | 無償 | ０% | 図３A | |

⑵（貸家型の場合）の取扱い

| 土地所有者 | 建物所有者 | 地代 | 建物所有者 | 建物利用者 | 家賃 | 小規模宅地 | 参考図 | 備考 |
|---|---|---|---|---|---|---|---|---|
| 被相続人 | 被相続人 | － | 被相続人 | 特定同族会社 | 有償 | 80% | 図２A | |
| 被相続人 | 被相続人 | － | 被相続人 | 特定同族会社 | 無償 | ０% | 図３B | |
| 被相続人 | 生計一親族 | 有償 | 生計一親族 | 特定同族会社 | 有償 | 50% | 図２B | 措通69の４-４⑴ |
| 被相続人 | 生計一親族 | 有償 | 生計一親族 | 特定同族会社 | 無償 | 50% | 図２B | 措通69の４-４⑴ |
| 被相続人 | 生計一親族 | 無償 | 生計一親族 | 特定同族会社 | 有償 | 80% | 図２B | |
| 被相続人 | 生計一親族 | 無償 | 生計一親族 | 特定同族会社 | 無償 | ０% | 図３C | |
| 被相続人 | 生計別親族 | 有償 | 生計別親族 | 特定同族会社 | 有償 | 50% | 下記⑷① | 措通69の４-４⑴ |
| 被相続人 | 生計別親族 | 有償 | 生計別親族 | 特定同族会社 | 無償 | 50% | 図４A | 下記⑷①を参照 |
| 被相続人 | 生計別親族 | 無償 | 生計別親族 | 特定同族会社 | 有償 | ０% | 下記⑷② | 下記⑷②を参照 |
| 被相続人 | 生計別親族 | 無償 | 生計別親族 | 特定同族会社 | 無償 | ０% | 図４B | |

（注） 80%⇨特定同族会社事業用宅地等として小規模宅地等の課税特例の適用の可能性がある場合
50%⇨貸付事業用宅地等として小規模宅地等の課税特例の適用の可能性がある場合
０%⇨小規模宅地等の課税特例の適用対象とならない場合
措通69の４－４⑴⇨上記〔５〕⑵①（他に貸し付けられていた宅地等（133ページを参照）に該当するもの

### ⑷ 留意点

特定同族会社に貸し付けられている建物の所有者が被相続人と生計を別にする親族である場合における当該建物の敷地の用に供されている宅地等が特定同族会社事業用宅地等に該当するか否かの判定は、下記①及び②に掲げるとおりになります。

① 宅地等の所有者である被相続人が建物等の所有者である生計別の親族から地代を徴収している（有償）場合

建物等の所有者である生計別の親族が当該建物等を特定同族会社に対して有償で貸し付けているか又は無償で貸し付けているかの区分に関係なく、宅地等の所有者である被相続人は建物等の所有者である生計別の親族から地代を徴収しており、当該宅地等は『貸付事業用宅地等』（措置法通達69の４－４(1)に定める貸地型）として小規模宅地等の課税特例の適用（課税価格算入割合50％、適用上限面積200㎡）の可能性を確認することが必要になります。

図４A　地代を徴収している（有償）場合

(イ)　家賃が有償である場合　　(ロ)　家賃が無償である場合

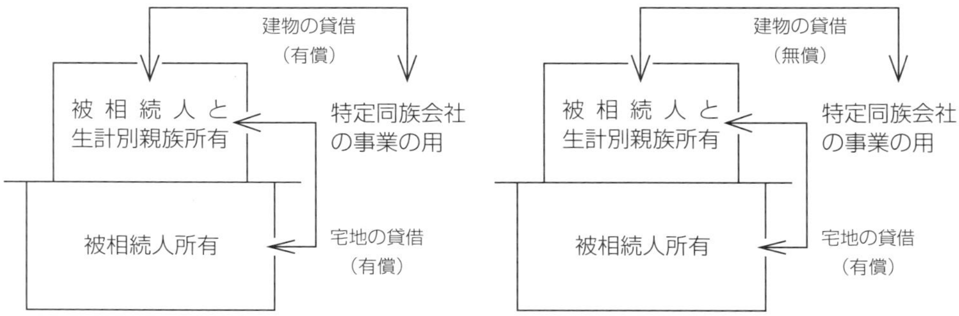


②　宅地等の所有者である被相続人が建物等の所有者である生計別の親族から地代を徴収していない（無償）場合

建物等の所有者である生計別の親族が当該建物等を特定同族会社に対して有償で貸し付けているか又は無償で貸し付けているかの区分に関係なく、宅地等の所有者である被相続人は建物等の所有者である生計別の親族から地代を徴収しておらず、当該宅地等は小規模宅地等の課税特例の対象とはされません。

図４B　地代を徴収していない（無償）場合

(イ)　家賃が有償である場合　　(ロ)　家賃が無償である場合

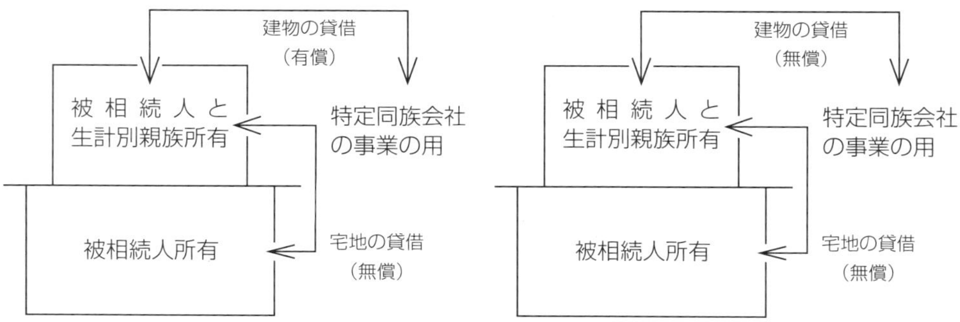


なお、措置法通達69の４－23《法人の事業の用に供されていた宅地等の範囲》の定めでは、被相続人の所有する宅地等が特定同族会社事業用宅地等に該当するためには当該宅地等の上に存する建物等の所有者が、(イ)被相続人である場合、又は、(ロ)被相続人と生計を一にしていた当該被相続人の親族である場合に限定されており、建物等の所有者が被相続人と生計を別にする親族である場合には、宅地等の所有者である被相続人に対する地代の支払いの有無及び建物等の借主である特定同族会社との間における家賃の受取りの有無にかかわらず、当該宅地等が特定同族会社事業用宅地等に該当することにはならないものとさ

れていることに留意する必要があります。

この取扱いは、措置法通達69の４－４《被相続人等の事業の用の用に供されていた宅地等の範囲》に定める被相続人の所有する宅地等が特定事業用宅地等に該当するための当該宅地等の上に存する建物等の所有者の要件（(イ)被相続人である場合、(ロ)被相続人と生計を一にしていた当該被相続人の親族である場合、又は、(ハ)被相続人と生計を別にしていた当該被相続人の親族である場合）（具体的には、〔５〕を参照）よりもその範囲が厳格化されていることに留意する必要があります。

### (B)　相続開始の直前において、建物等が、配偶者居住権者により、配偶者居住権に基づいて使用・収益されていたとき

#### (1)　(B)の取扱いと上記(A)の取扱いとの差異

上記(A)に掲げる法人の事業の用に供されていた宅地等の範囲の定めは、被相続人に係る相続開始時（課税特期）において、小規模宅地等の課税特例の対象とされる特例対象宅地等につき、配偶者居住権が設定されていないことが前提となっています。

すなわち、上記(A)の定めは、今回の被相続人に係る相続が配偶者居住権の設定に係る相続（以下、〔33〕においてこの相続を「第一次相続」といいます。）である場合においては、小規模宅地等の課税特例の適用要件である『被相続人等の事業の用に供されていた宅地等』の判定が『相続開始の直前』（配偶者居住権の取得前）の現況により行われるべきものとされていることとの均衡を図った取扱いであると考えられます。

一方、民法第1032条《配偶者による使用及び収益》第３項において、「配偶者は、居住建物の所有者の承諾を得なければ、居住建物の改築若しくは増築をし、又は第三者に居住建物の使用若しくは収益をさせることができない。」と規定されているところ、換言すれば、当該条項は、配偶者居住権についてはその設定後に居住建物の所有者の承諾を得たならば、第三者に当該居住建物を賃貸することも認められるということになります。

そうすると、第一次相続により配偶者居住権が設定された場合において、その後、配偶者居住権の目的となっている建物等の敷地である宅地等の所有者に相続開始があった（以下〔33〕においてこの相続を「第二次相続」といいます。）ときにおける当該第二次相続に係る被相続人等の事業の用に供されていた宅地等の範囲を明確にする必要が生じてきます。(B)部分は、この場合における取扱いを定めたものです。

#### (2)　共通要件

相続又は遺贈（第二次相続を指しています。）により取得した宅地等が、当該相続の開始の直前において配偶者居住権に基づき使用又は収益されていた建物等（注）の敷地の用に供されていたものである場合をいいます。

（注）建物等とは、建物又は構築物をいいます。

#### (3)　法人の事業の用に供されていた宅地等の要件（次の①又は②の要件を充足）

①　貸地型（当該法人（注１）に貸し付けられ当該法人の事業（注２）の用に供されていた

宅地等（当該貸付けが事業に該当する場合に限られます。））

上記に該当する事例（想定例）として、配偶者居住権の目的となっている建物を当該法人が買い取り、被相続人（第二次被相続人）が所有する当該建物の敷地を当該法人に貸し付けていた場合における当該敷地の用に供されていた宅地等が考えられます。

なお、この場合においては、当該法人が配偶者居住権の目的となっている建物を配偶者居住権者から貸し付けを受けて、当該法人の事業の用に供されていることが前提とされます。この取扱いを図示すると 図１ のとおりとなります。

（注１）　相続税の申告期限において、清算中の法人を除きます。

（注２）　法人の事業には、不動産貸付業、駐車場業、自転車駐車場業及び準事業は含まれないものとされています。

なお、『準事業』とは、事業と称するに至らない不動産の貸付けその他これに類する行為で相当の対価を得て継続的に行うものをいいます。

**図１**　**貸地型（当該法人に貸し付けられていた当該法人の事業の用に供されていた宅地等）**

（親族図）

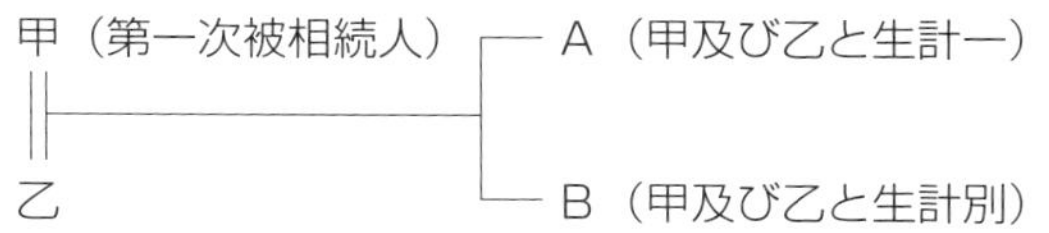


（注１）　AとBは、生計別です。

（注２）　㈱甲は、特定同族会社の要件を充足しており、同社は貸付事業を行っていないものとします。

（参考）　▨部分又は▨部分は、配偶者居住権者（乙）による配偶者居住権又は配偶者居住権に基づく敷地利用権の対象とされている部分を示しています。

| 区分 | | 法人への建物譲渡前の建物所有者 | | |
|---|---|---|---|---|
| | | 配偶者居住権者（乙）<br>(イ) | 配偶者居住権者（乙）と生計を一にする親族(A)<br>(ロ) | 配偶者居住権者（乙）と生計を別にする親族(B)<br>(ハ) |
| 配偶者居住権者である者 | ①被相続人 | ①－(イ) | ①－(ロ) | ①－(ハ) |
| | ②被相続人と生計を一にする者 | ②－(イ) | ②－(ロ) | ②－(ハ) |
| | ③被相続人と生計を別にする者 | ③－(イ) | ③－(ロ) | ③－(ハ) |

①－(イ)

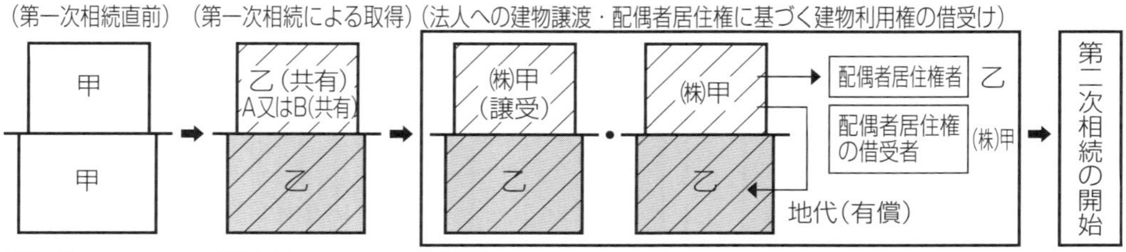


利用 甲・乙居住　利用 乙居住　利用 ㈱甲が建物買取後、配偶者居住権に基づく建物利用権を借り受けて㈱甲の事業に供用。土地所有者（乙）との貸借契約形態は、賃貸借契約を採用

第二次相続における取扱い

（取扱い）　▨部分が、乙（第二次被相続人）の『特定同族会社事業用宅地等』に該当

（解　説）　地代が有償なので、第二次被相続人(乙)による特定同族会社(㈱甲)に対する貸付宅地等に該当

①－(ロ)

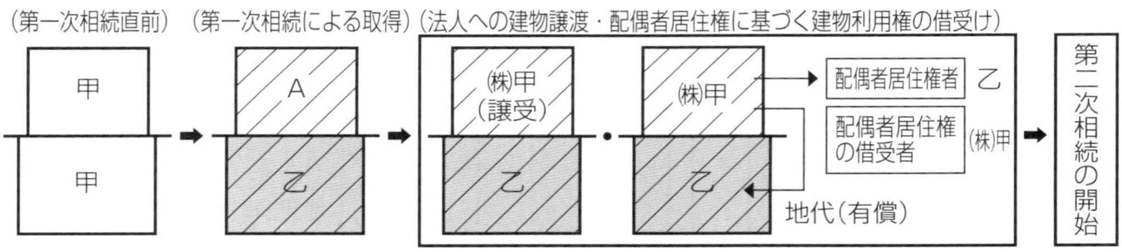


利用 甲・乙居住　利用 乙居住　利用 ㈱甲が建物買取後、配偶者居住権に基づく建物利用権を借り受けて㈱甲の事業に供用。土地所有者（乙）との貸借契約形態は、賃貸借契約を採用

第二次相続における取扱い

（取扱い）　▨部分が、乙（第二次被相続人）の『特定同族会社事業用宅地等』に該当

（解　説）　地代が有償なので、第二次被相続人(乙)による特定同族会社(㈱甲)に対する貸付宅地等に該当

①－(ハ)

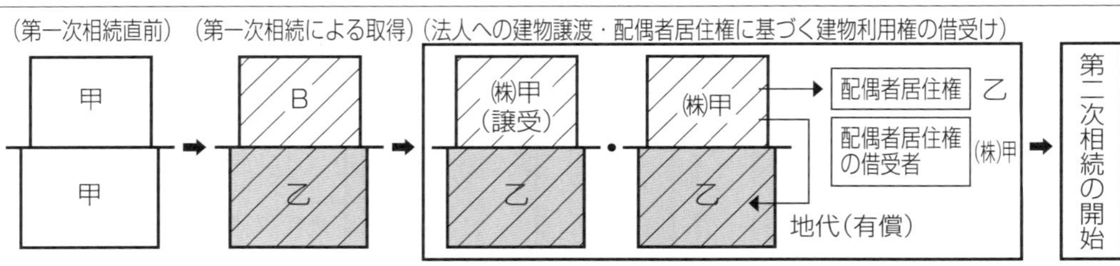


利用 甲・乙居住　利用 乙居住　利用 ㈱甲が建物買取後、配偶者居住権に基づく建物利用権を借り受けて㈱甲の事業に供用。土地所有者（乙）との貸借契約形態は、賃貸借契約を採用

第二次相続における取扱い

（取扱い）　▨部分が、乙（第二次被相続人）の『特定同族会社事業用宅地等』に該当

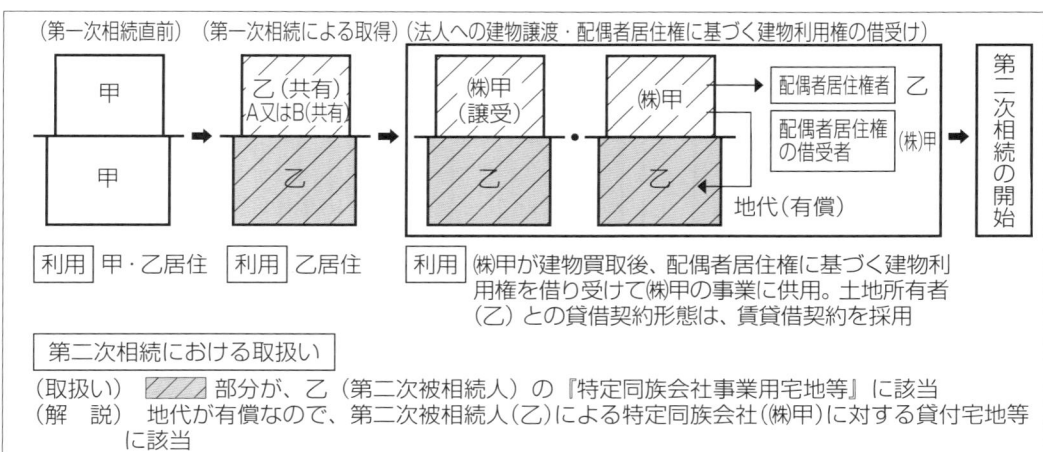

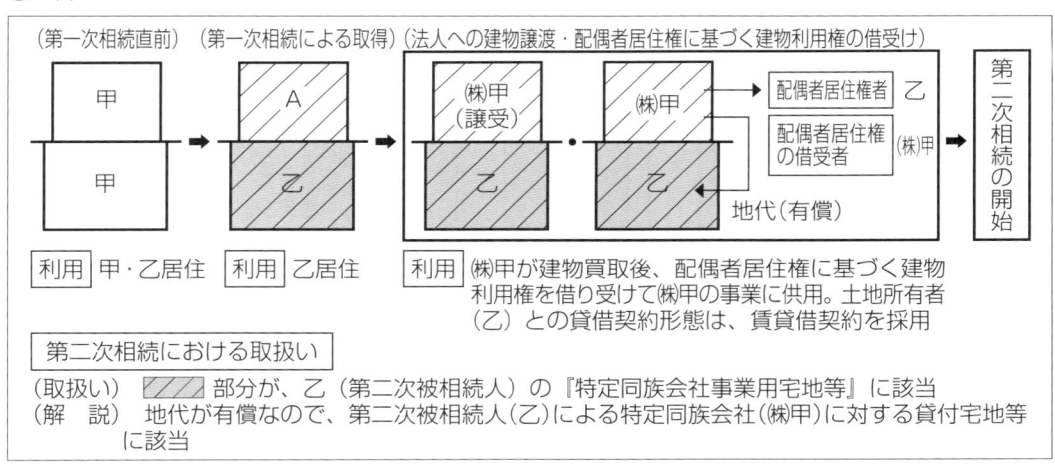

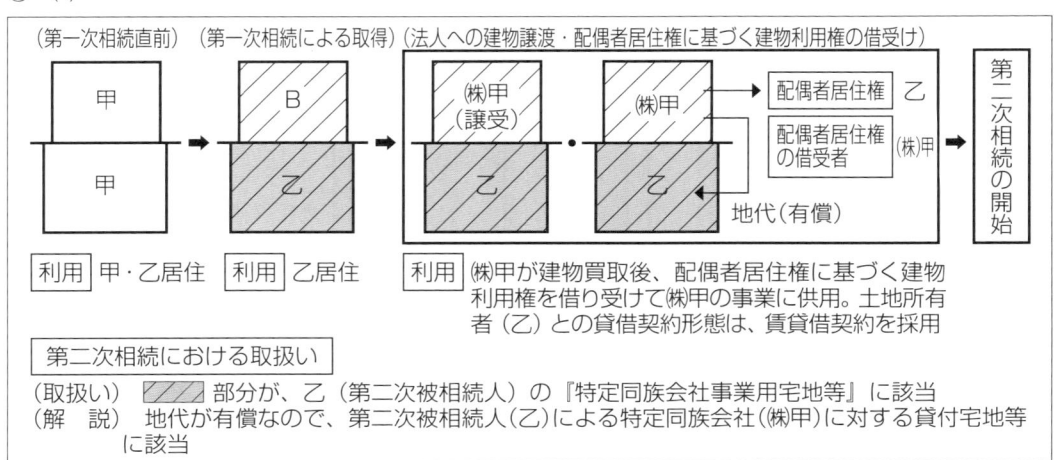

（解　説）　地代が有償なので、第二次被相続人(乙)による特定同族会社(㈱甲)に対する貸付宅地等に該当

②－(イ)

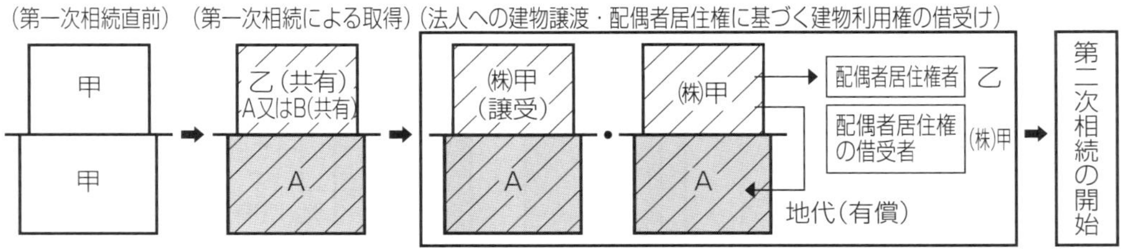


利用　甲・乙居住　利用　乙居住　利用　㈱甲が建物買取後、配偶者居住権に基づく建物利用権を借り受けて㈱甲の事業に供用。土地所有者（A）との貸借契約形態は、賃貸借契約を採用

第二次相続における取扱い

（取扱い）　▨部分が、A（第二次被相続人）の『特定同族会社事業用宅地等』に該当
（解　説）　地代が有償なので、第二次被相続人（A）による特定同族会社（㈱甲）に対する貸付宅地等に該当

②－(ロ)

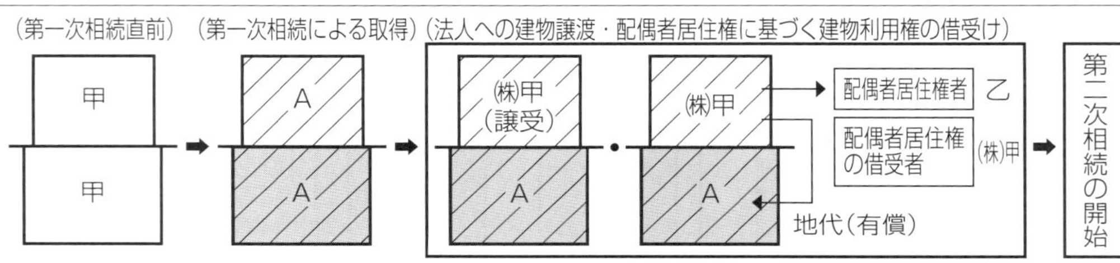


利用　甲・乙居住　利用　乙居住　利用　㈱甲が建物買取後、配偶者居住権に基づく建物利用権を借り受けて㈱甲の事業に供用。土地所有者（A）との貸借契約形態は、賃貸借契約を採用

第二次相続における取扱い

（取扱い）　▨部分が、A（第二次被相続人）の『特定同族会社事業用宅地等』に該当
（解　説）　地代が有償なので、第二次被相続人（A）による特定同族会社（㈱甲）に対する貸付宅地等に該当

②－(ハ)

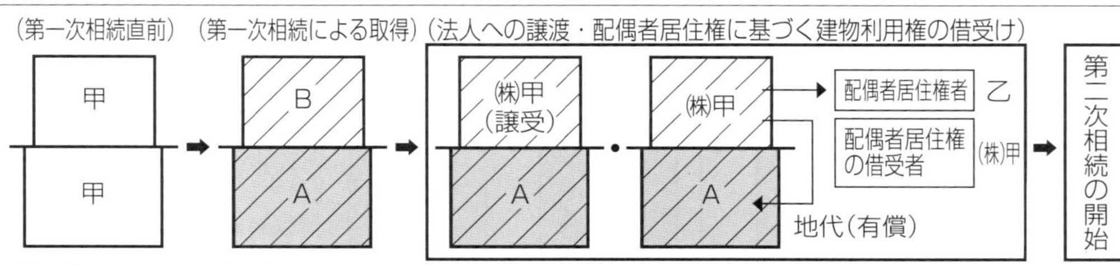


利用　甲・乙居住　利用　乙居住　利用　㈱甲が建物買取後、配偶者居住権に基づく建物利用権を借り受けて㈱甲の事業に供用。土地所有者（A）との貸借契約形態は、賃貸借契約を採用

第二次相続における取扱い

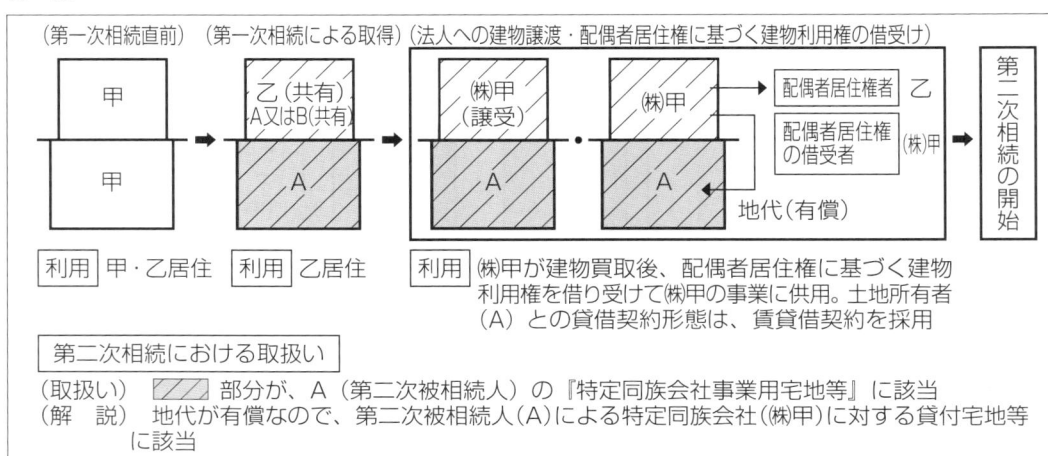

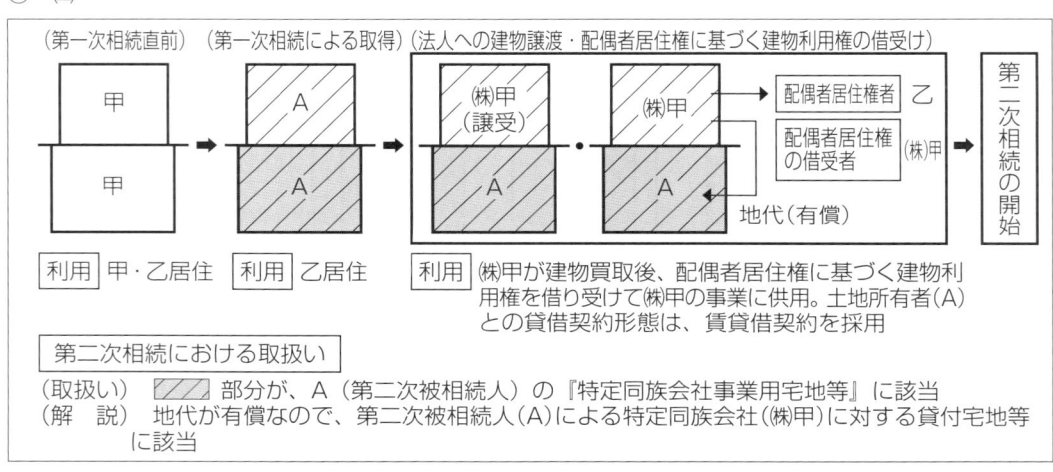

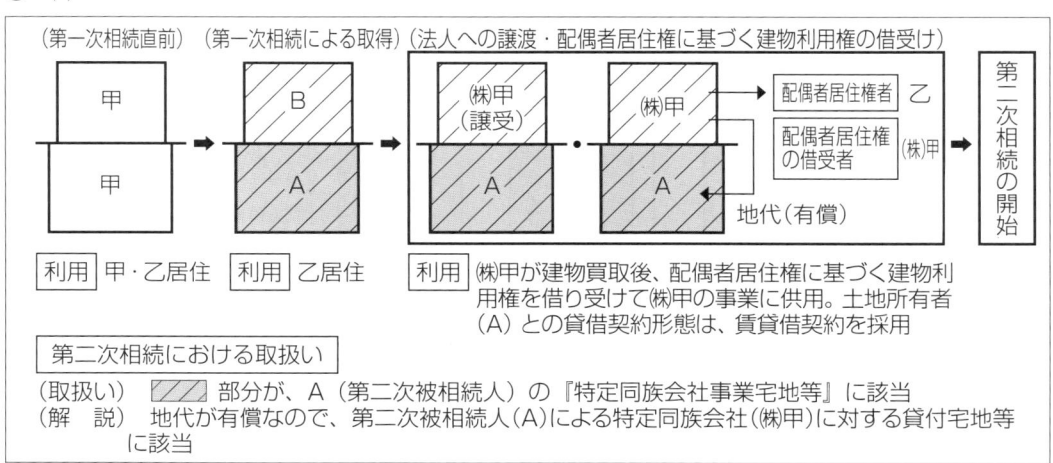

（取扱い）　▨部分が、A（第二次被相続人）の『特定同族会社事業宅地等』に該当
（解　説）　地代が有償なので、第二次被相続人（A）による特定同族会社（㈱甲）に対する貸付宅地等に該当

③－(イ)

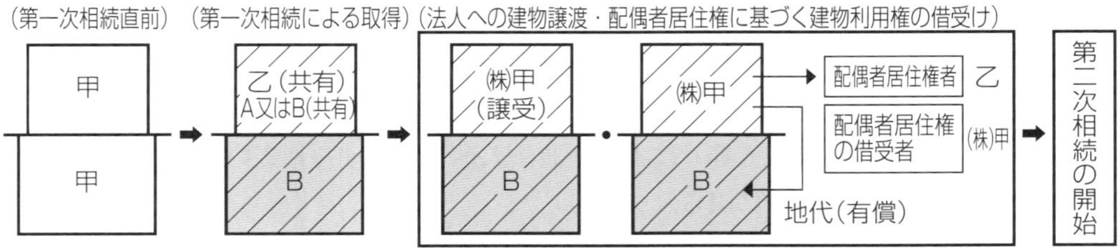


利用　甲・乙居住　利用　乙の居住　利用　㈱甲が建物買取後、配偶者居住権に基づく建物利用権を借り受けて㈱甲の事業に供用。土地所有者（B）との貸借契約形態は、賃貸借契約を採用

第二次相続における取扱い

（取扱い）　▨部分が、B（第二次被相続人）の『特定同族会社事業宅地等』に該当
（解　説）　地代が有償なので、第二次被相続人(B)による特定同族会社(㈱甲)に対する貸付宅地等に該当

③－(ロ)

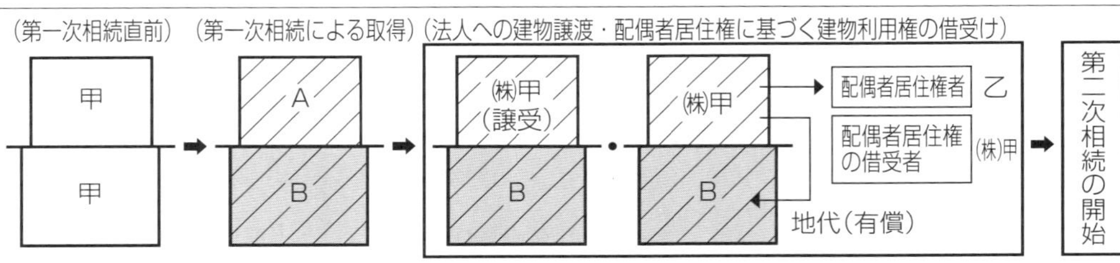


利用　甲・乙居住　利用　乙の居住　利用　㈱甲が建物買取後、配偶者居住権に基づく建物利用権を借り受けて㈱甲の事業に供用。土地所有者（B）との貸借契約形態は、賃貸借契約を採用

第二次相続における取扱い

（取扱い）　▨部分が、B（第二次被相続人）の『特定同族会社事業用宅地等』に該当
（解　説）　地代が有償なので、第二次被相続人(B)による特定同族会社(㈱甲)に対する貸付宅地等に該当

③－(ハ)

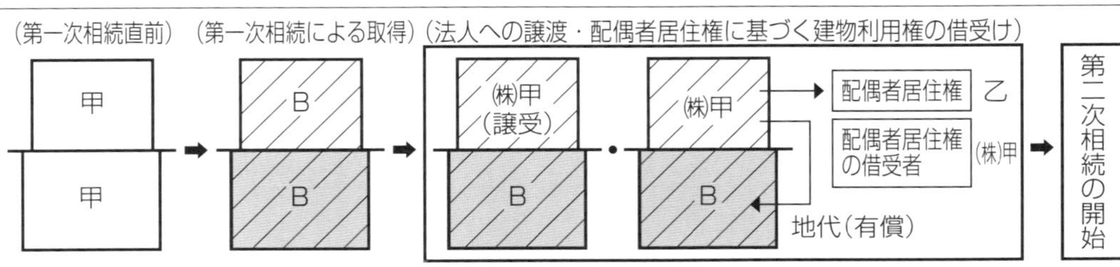


利用　甲・乙居住　利用　乙居住　利用　㈱甲が建物買取後、配偶者居住権に基づく建物利用権を借り受けて㈱甲の事業に供用。土地所有者（B）との貸借契約形態は、賃貸借契約を採用

第二次相続における取扱い

（取扱い）　▨部分が、B（第二次被相続人）の『特定同族会社事業用宅地等』に該当
（解　説）　地代が有償なので、第二次被相続人(B)による特定同族会社(㈱甲)に対する貸付宅地等に該当

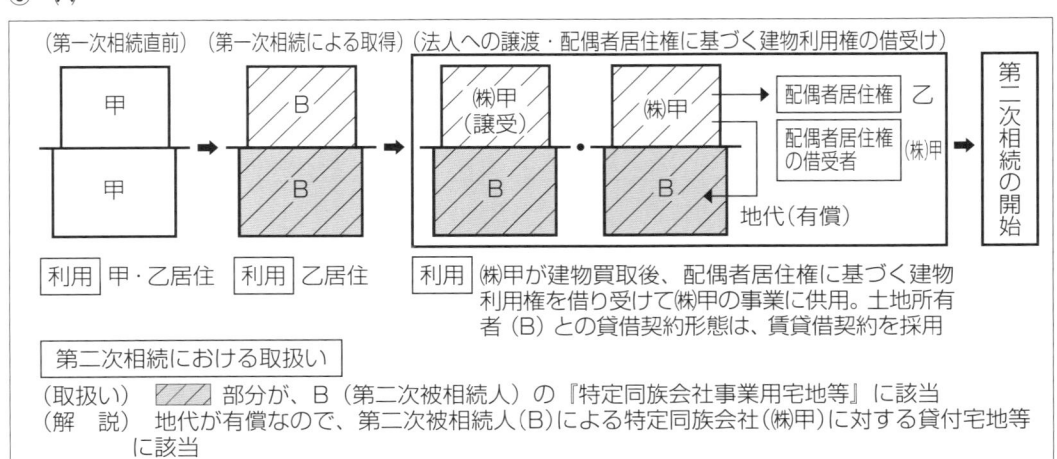

（注）　図１において、特定居住用宅地等に関する他の要件は、充足しているものとします。

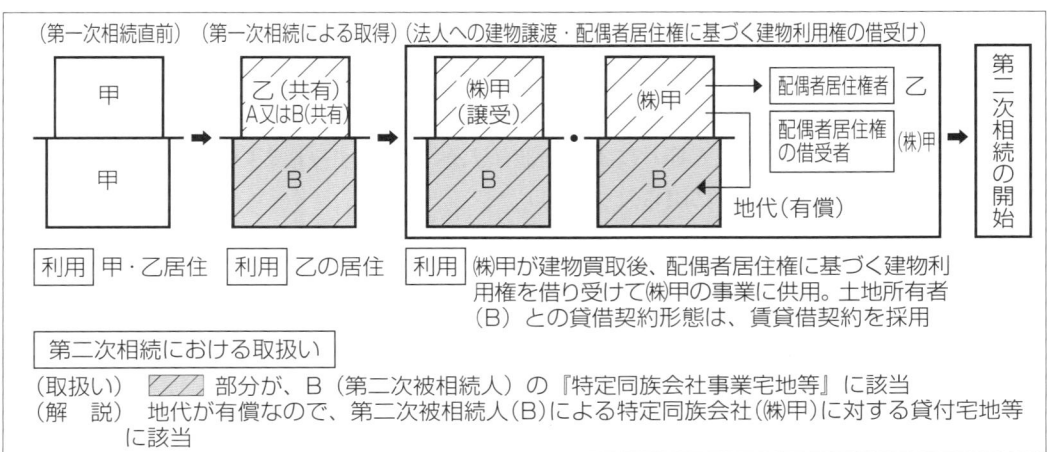

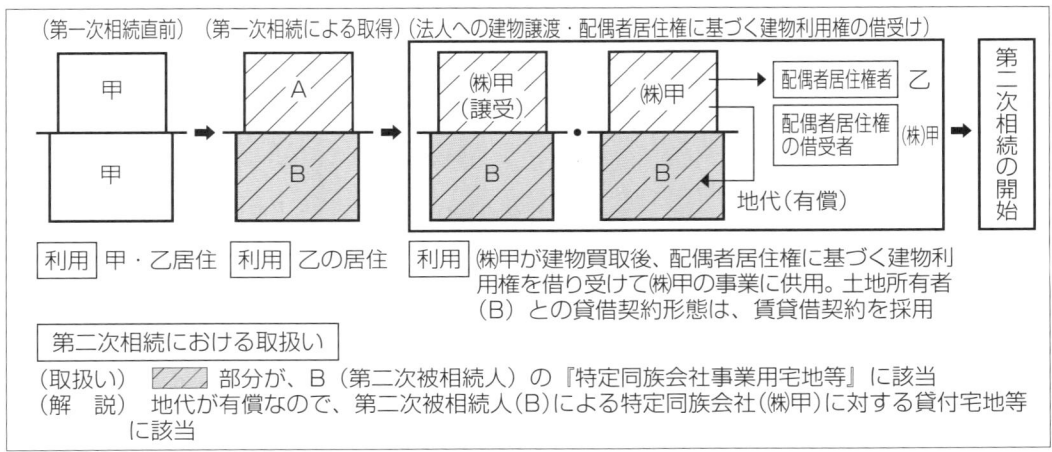

② 貸家型（当該法人（注1）の事業（注2）の用に供されていた建物等で、「被相続人」が所有していたもの又は「被相続人の親族（被相続人と生計を一にするか又は別にするかは、問われていません。）」が所有していたもの（当該親族が当該建物等の敷地を被相続人から無償で借り受けていた場合における当該建物等に限られます。）のうち、配偶者居住権者である「被相続人等」により当該法人へ貸し付けられていた宅地等（当該貸付けが事業に該当する場合に限られます。））

この取扱いを図示すると、図2のとおりとなります。

**図２ 貸家型（当該法人の事業の用に供されていた建物等で「被相続人」が所有していたもの又は「被相続人の親族」が所有していたもののうち、配偶者居住権者である「被相続人等」により当該法人へ貸し付けられていたものの宅地等）**

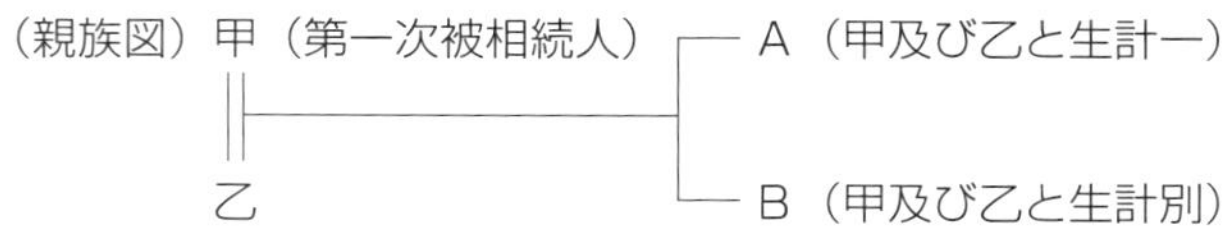


（注１） AとBは、生計別です。
（注２） ㈱甲は、特定同族会社の要件を充足しており、同社は貸付事業を行っていないものとします。

（参考） 部分又は 部分は、配偶者居住権者（乙）による配偶者居住権又は配偶者居住権に基づく敷地利用権の対象とされている部分を示しています。

| 区分 | | 建物所有者<br>配偶者居住権者（乙）<br>(イ) | 建物所有者<br>配偶者居住権者（乙）と生計を一にする親族(A)<br>(ロ) | 建物所有者<br>配偶者居住権者（乙）と生計を別にする親族(B)<br>(ハ) |
|---|---|---|---|---|
| 配偶者居住権者である者 | ④被相続人 | ④ー(イ) | ④ー(ロ) | ④ー(ハ) |
| 配偶者居住権者である者 | ⑤被相続人と生計を一にする者 | ⑤ー(イ) | ⑤ー(ロ) | ⑤ー(ハ) |
| 配偶者居住権者である者 | ⑥被相続人と生計を別にする者 | ⑥ー(イ) | ⑥ー(ロ) | ⑥ー(ハ) |

④－(イ)

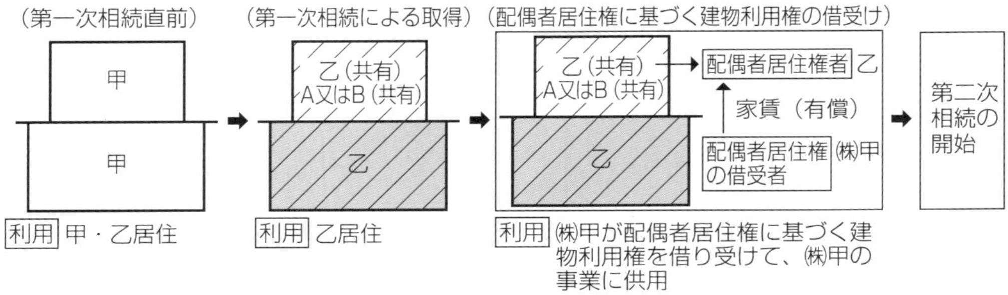


第二次相続における取扱い

（取扱い）　▨部分が、乙（第二次被相続人）の『特定同族会社事業用宅地等』に該当

（解　説）　当該法人（㈱甲）の事業の用に供されていた建物等で、『被相続人乙』が所有（共有者）していたもののうち、配偶者居住権者である『被相続人乙』により当該法人（㈱甲）へ貸し付けられていたもの（家賃有償）の敷地の用に供されていたものに該当

④－(ロ)

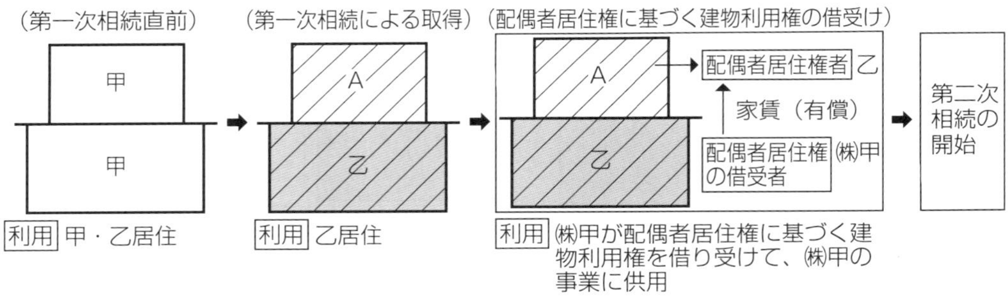


第二次相続における取扱い

（取扱い）　▨部分が、乙（第二次被相続人）の『特定同族会社事業用宅地等』に該当

（解　説）　当該法人（㈱甲）の事業の用に供されていた建物等で、『被相続人乙と生計を一にする親族Ａ』が所有していたもの（地代無償）のうち、配偶者居住権者である『被相続人乙』により当該法人（㈱甲）へ貸し付けられていたもの（家賃有償）の敷地の用に供されていたものに該当

④－(ハ)

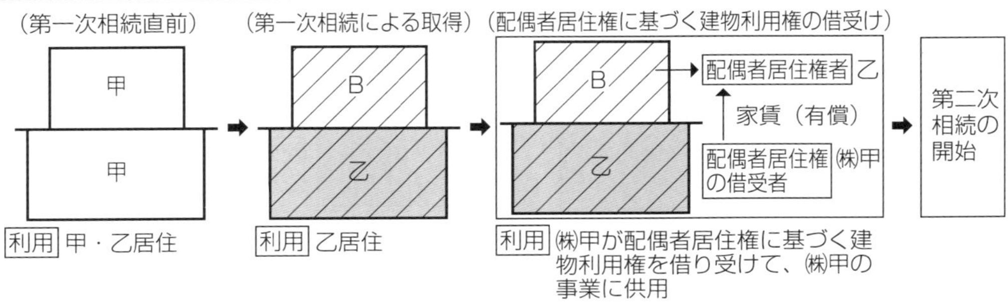


第二次相続における取扱い

（取扱い）　▨部分が、乙（第二次被相続人）の『特定同族会社事業用宅地等』に該当

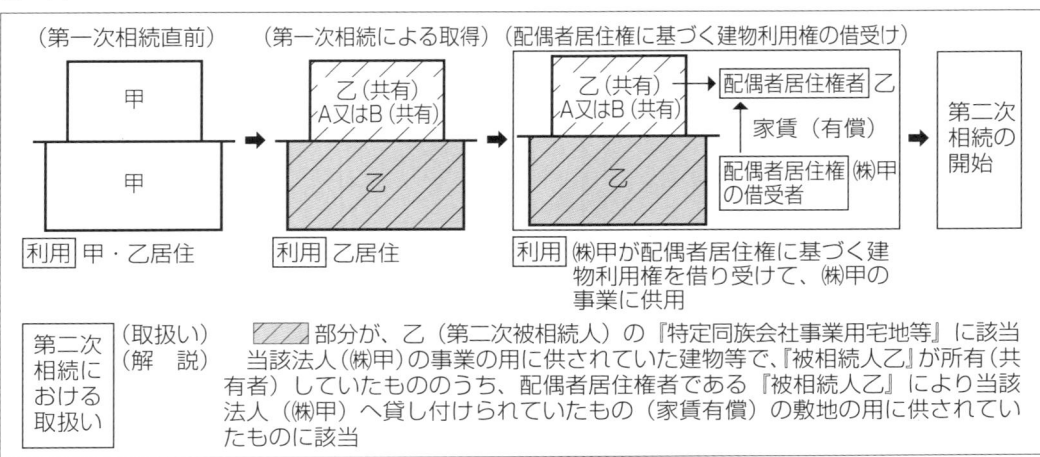

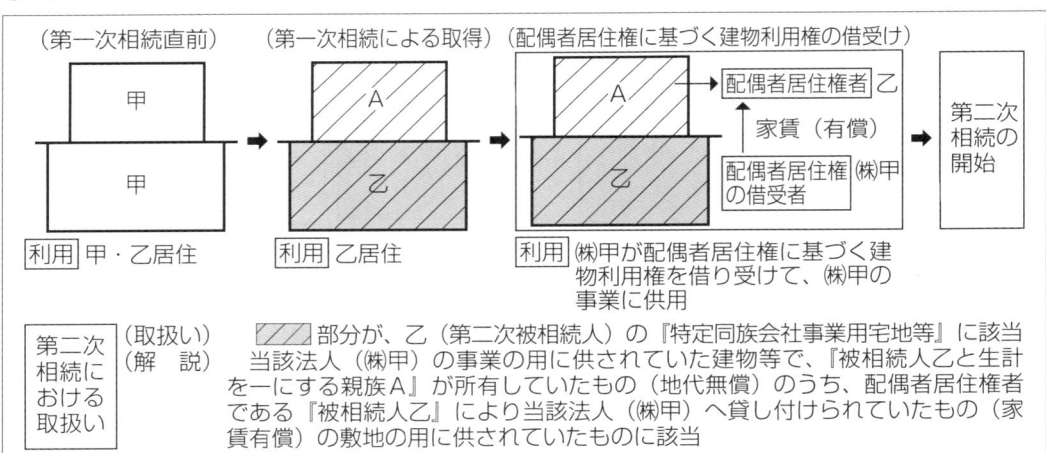

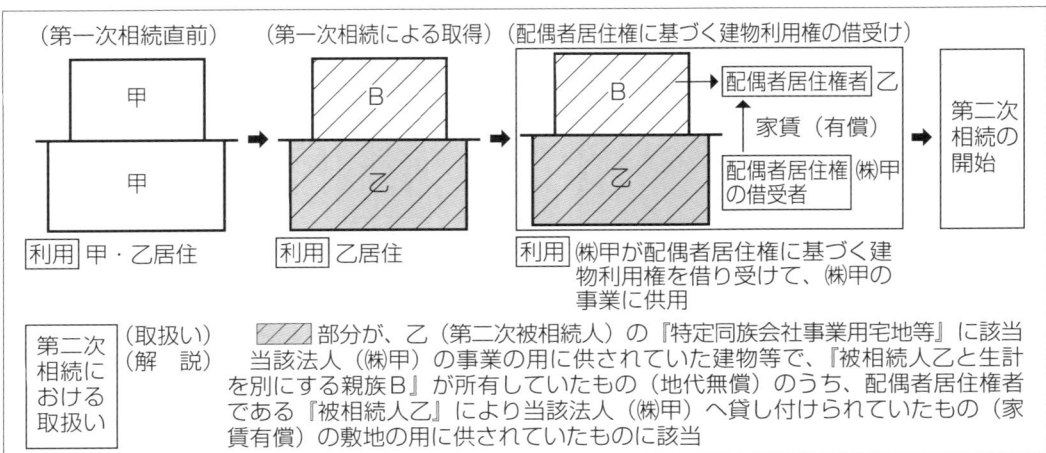

（解　説）　当該法人（㈱甲）の事業の用に供されていた建物等で、『被相続人乙と生計を別にする親族Ｂ』が所有していたもの（地代無償）のうち、配偶者居住権者である『被相続人乙』により当該法人（㈱甲）へ貸し付けられていたもの（家賃有償）の敷地の用に供されていたものに該当

⑤－(イ)

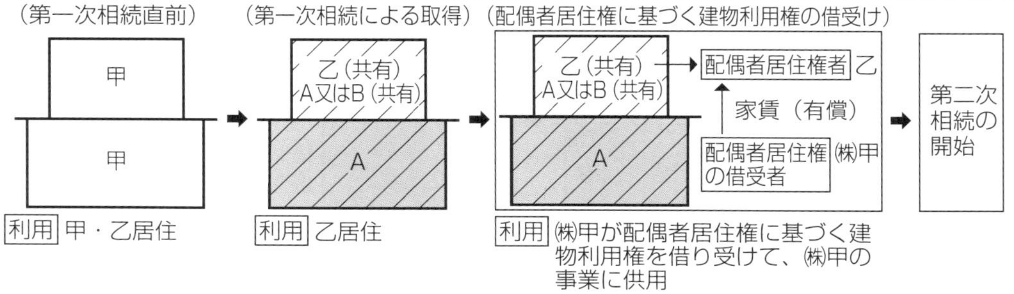


第二次相続における取扱い

（取扱い）　▨部分が、A（第二次被相続人）の『特定同族会社事業用宅地等』に該当

（解　説）　当該法人（㈱甲）の事業の用に供されていた建物等で、『被相続人Aと生計を一にする親族乙』が所有（共有者）していたもの（地代無償）のうち、配偶者居住権者である『被相続人Aと生計を一にする親族乙』により当該法人（㈱甲）へ貸し付けられていたもの（家賃有償）の敷地の用に供されていたものに該当

⑤－(ロ)

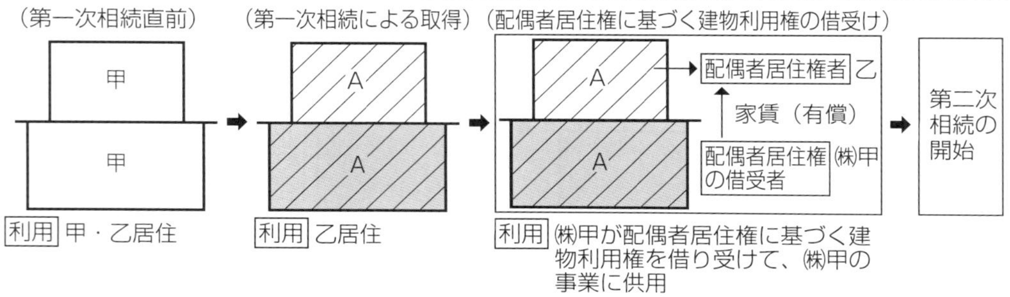


第二次相続における取扱い

（取扱い）　▨部分が、A（第二次被相続人）の『特定同族会社事業用宅地等』に該当

（解　説）　当該法人（㈱甲）の事業の用に供されていた建物等で、『被相続人A』が所有していたもののうち、配偶者居住権者である『被相続人Aと生計を一にする親族乙』により当該法人（㈱甲）へ貸し付けられていたもの（家賃有償）の敷地の用に供されていたものに該当

⑤－(ハ)

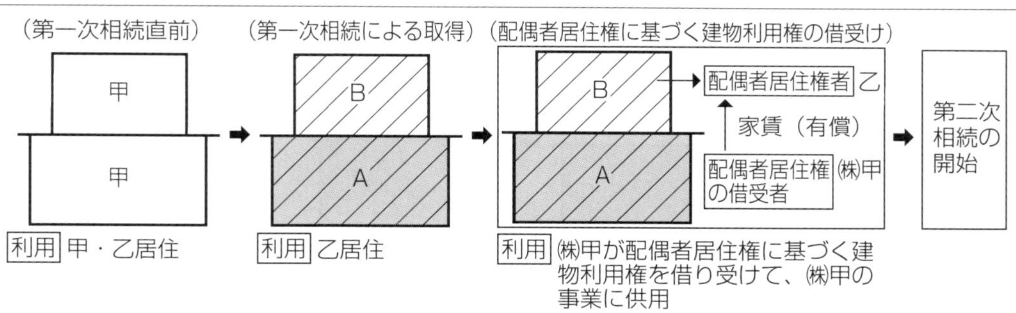


第二次相続における取扱い

（取扱い）　▨部分が、A（第二次被相続人）の『特定同族会社事業用宅地等』に該当

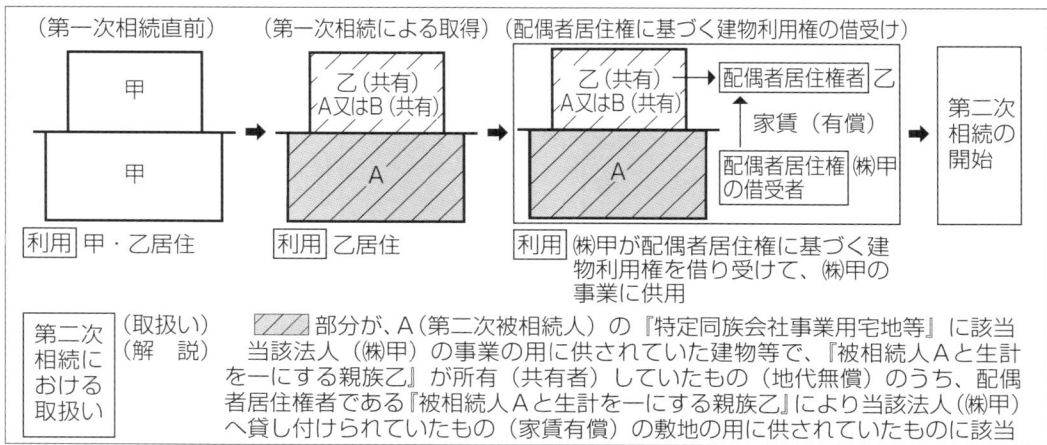

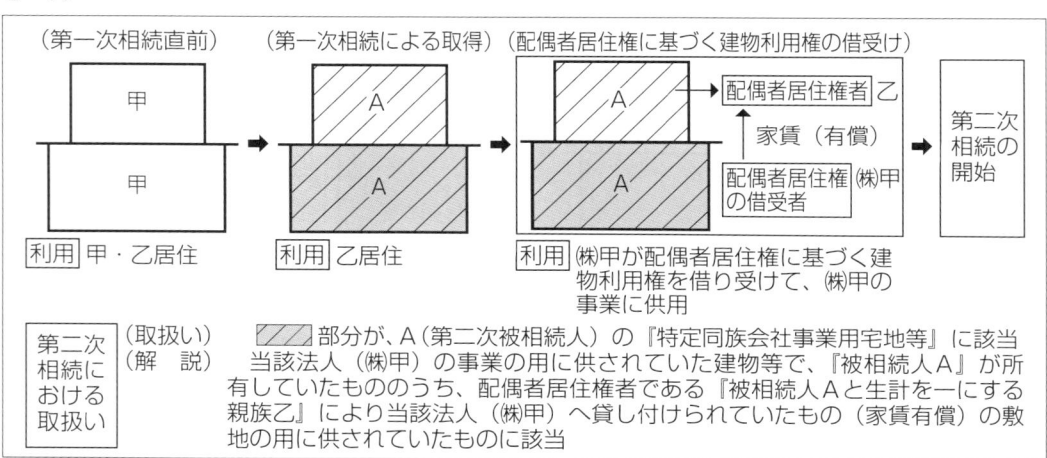

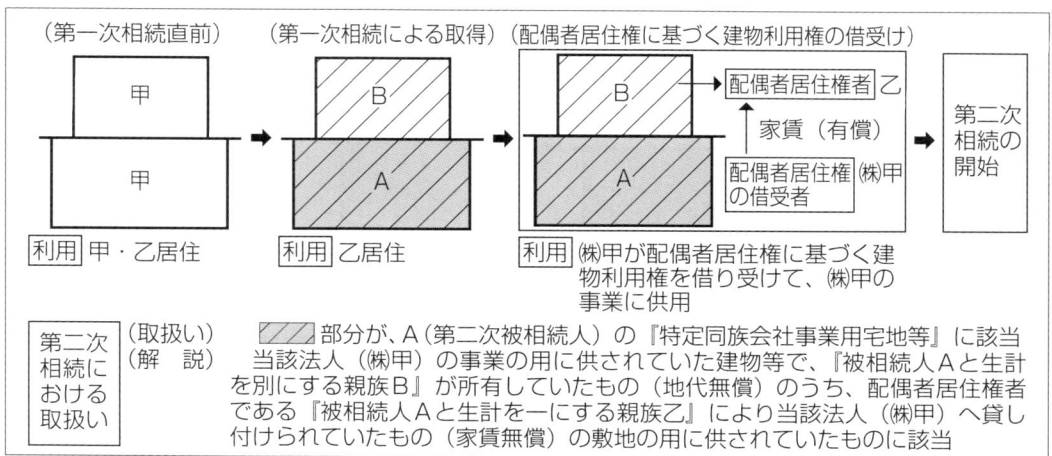

（解　説）　当該法人（㈱甲）の事業の用に供されていた建物等で、『被相続人Aと生計を別にする親族B』が所有していたもの（地代無償）のうち、配偶者居住権者である『被相続人Aと生計を一にする親族乙』により当該法人（㈱甲）へ貸し付けられていたもの（家賃無償）の敷地の用に供されていたものに該当

⑥－(イ)

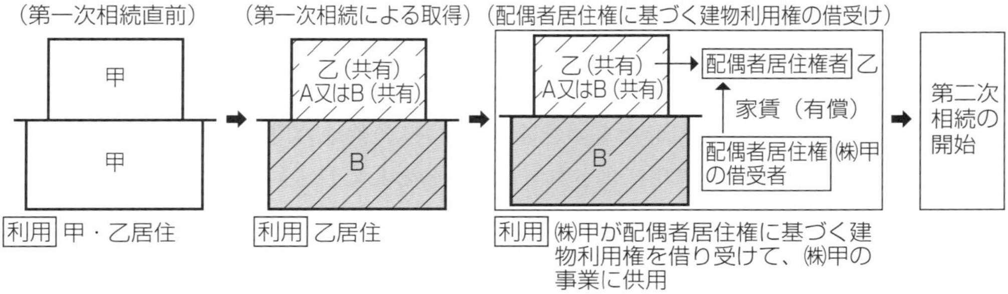


**第二次相続における取扱い**

（取扱い）　▨部分は、小規模宅地等の課税特例の適用対象外

（解　説）　当該法人（㈱甲）の事業の用に供されていた建物等で、『被相続人Ｂと生計を別にする親族乙』が所有（共有者）していたもの（地代無償）に該当するものの、配偶者居住権者（乙）は、『被相続人等（被相続人Ｂ又は当該被相続人Ｂと生計を一にする親族）』に該当しないため、適用要件を未充足

⑥－(ロ)

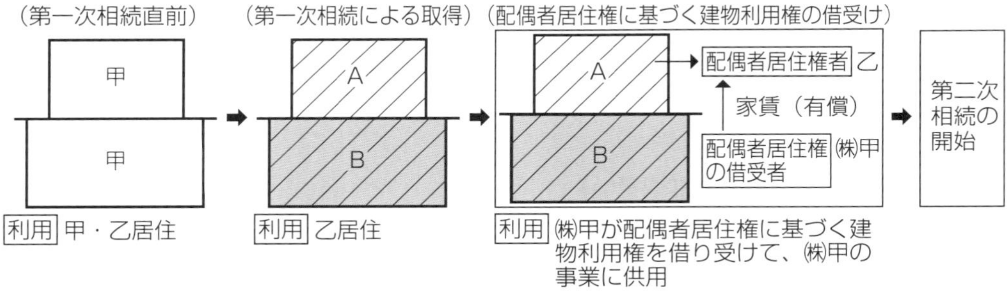


**第二次相続における取扱い**

（取扱い）　▨部分は、小規模宅地等の課税特例の適用対象外

（解　説）　当該法人（㈱甲）の事業の用に供されていた建物等で、『被相続人Ｂと生計を別にする親族Ａ』が所有していたもの（地代無償）に該当するものの、配偶者居住権者（乙）は、『被相続人等（被相続人Ｂ又は当該被相続人Ｂと生計を一にする親族）』に該当しないため、適用要件を未充足

⑥－(ハ)

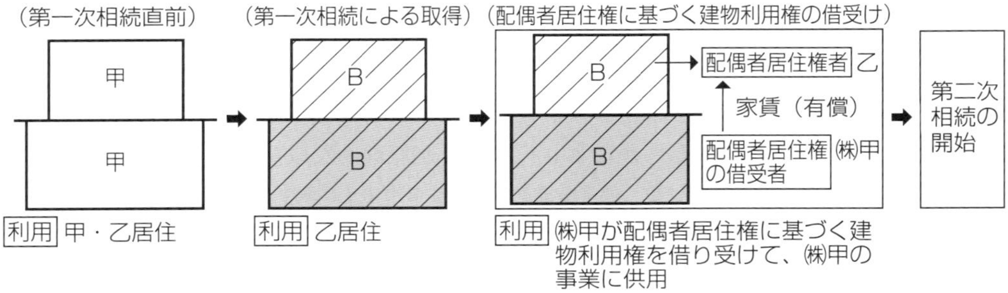


**第二次相続における取扱い**

（取扱い）　▨部分は、小規模宅地等の課税特例の対象外

（解　説）　当該法人（㈱甲）の事業の用に供されていた建物等で、『被相続人Ｂ』が所有していたものに該当するものの、配偶者居住権者（乙）は、『被相続人等（被相続人Ｂ又は当該被相続人Ｂと生計を一にする親族）』に該当しないため、適用要件を未充足

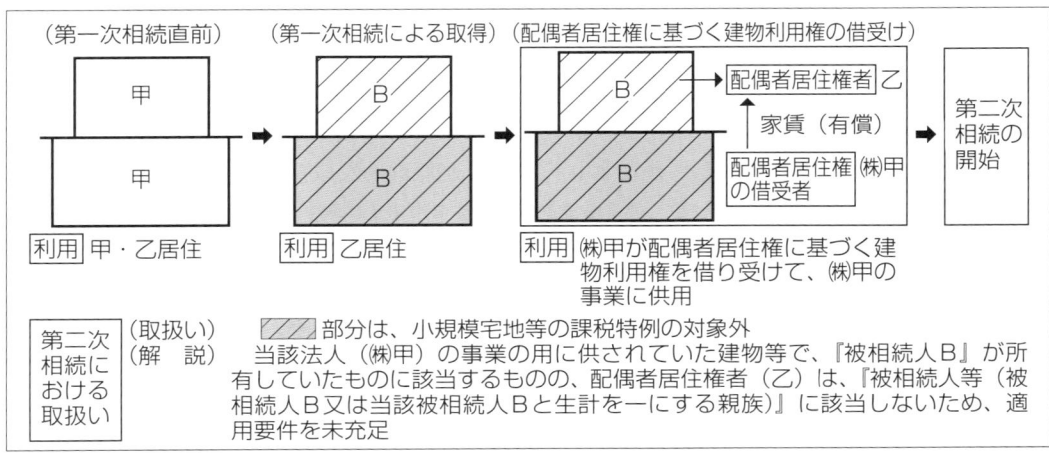

（注）　図２において、特定同族会社事業用宅地等に関する他の要件は、充足しているものとします。

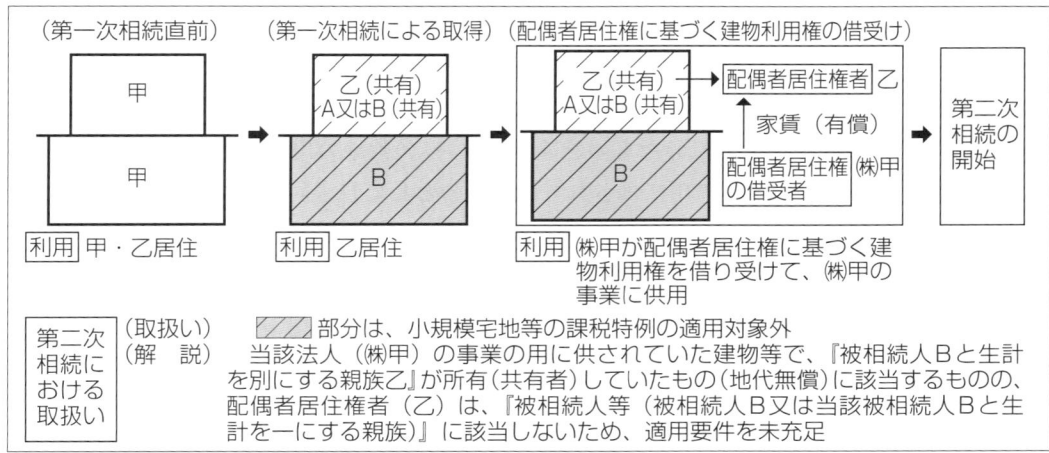

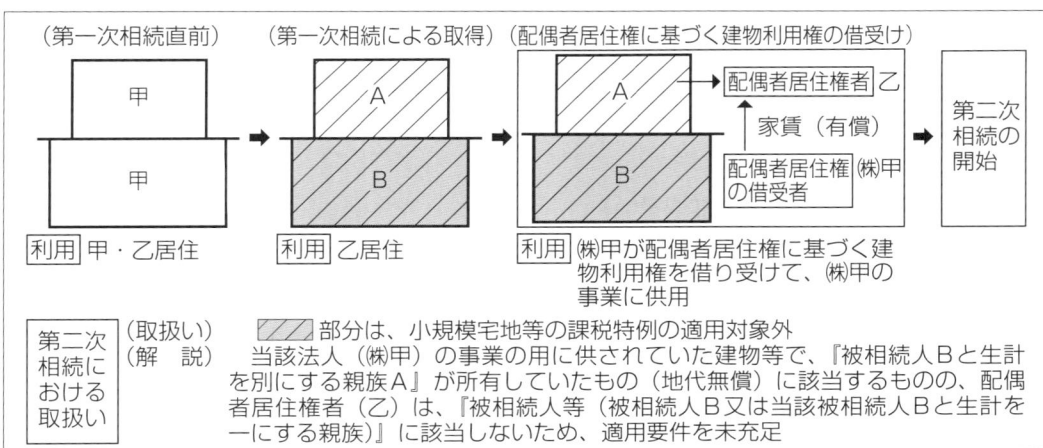

## 〔34〕　措置法通達69の４－24《法人の社宅等の敷地》

本通達は、措置法通達69の４－６《使用人の寄宿舎等の敷地》における取扱い（前記〔8〕を参照）を準用して特定同族会社である法人（注1）の営む事業に従事する社員等の社宅等（被相続人等の親族のみが使用していたものを除きます。）の敷地の用に供されていた宅地等は当該法人の営む事業そのものの用に供されていたものとして特定同族会社事業用宅地等に該当するか否かの判定を行うこととなります。

したがって、当該法人の営む事業が貸付事業（注2）である場合には、当該社宅等の敷地の用に供されている宅地等についても貸付事業の用に供されていた宅地等に該当し、特定同族会社事業用宅地等には該当しないこととなります。

（注1）　相続税の申告期限において、清算中の法人を除きます。

（注2）『貸付事業』とは、不動産貸付業、駐車場業、自転車駐車場業及び準事業（事業と称するに至らない不動産の貸付けその他これに類する行為で相当の対価を得て継続的に行うものをいいます。）をいいます。

## 〔35〕　措置法通達69の４－24の２《被相続人等の貸付事業の用に供されていた宅地等》

### (1)　通達制定の趣旨（原則的な取扱い）

被相続人又は被相続人と生計を一にしていた当該被相続人の親族（被相続人等）の事業の用に供されていた宅地等とは、相続の開始の直前において、当該被相続人等の事業の用に供されていた宅地等（棚卸資産及びこれに準ずる資産を除きます。）をいい、また、当該宅地等のうちに当該被相続人等の事業の用以外の用に供されていた部分があるときは、当該被相続人等の事業の用に供されていた部分に限られるものとされています。

そうすると、当該被相続人等から相続又は遺贈により取得した宅地等が措置法第69条の４第３項第４号に規定する『被相続人等の貸付事業（注）の用に供されていた宅地等』（貸付事業用宅地等）に該当するか否かの判断は、原則的には、当該宅地等が課税時期において現実に貸付事業の用に供されていた（換言すれば、貸家の場合には、借地借家法に係る借家に対する保護規定の適用対象となる家屋の賃借人が有する賃借権（借家権）の目的とされていた家屋の敷地の用に供されていた）かにより行うことが原則的な取扱いとされます。

（注）『貸付事業』とは、不動産貸付業、駐車場業、自転車駐車場業及び準事業をいいます。
　なお、『準事業』とは、事業と称するに至らない不動産の貸付けその他これに類する行為で相当の対価を得て継続的に行うものをいいます。

しかしながら、上記のように課税時期における一時点の状況のみに注目して判断した場合には実態に合わないものと考えられる事例も想定されることから、緩和措置として、平成22年度の改正により、本件措置法通達が新規に制定されることになりました。（取扱いの具体的内容については、下記(2)を参照してください。）

### ⑵　通達の適用事例（緩和的な取扱い）

被相続人等の貸付事業（下記 図解 のとおり、①被相続人所有の建物等に係る貸付事業、又は、②被相続人と生計を一にする親族所有の建物等に係る貸付事業が前提となります。）の用に供されていた宅地等に係る建物等のうちに『相続開始の時において一時的に賃貸されていなかったと認められる部分』がある場合には、当該部分に係る宅地等の部分も被相続人等の貸付事業の用に供されていた宅地等に該当するものとして取り扱われるものとされています。

図解

①　被相続人所有の建物等に係る貸付事業である場合

・賃貸マンションの所有者は、被相続人です。

（注）101号室及び202号室は、相続開始の時において一時的に賃貸されていなかったと認められます。

⬇

宅地等の全体が、被相続人の貸付事業の用に供されていた宅地等に該当します。

②　被相続人と生計を一にする親族所有の建物等に係る貸付事業である場合

・賃貸マンションの所有者は、被相続人と生計を一にする親族であり、当該親族は、土地所有者（被相続人甲）に対して地代は支払っていません。

（注）101号室及び202号室の状況は、①と同様です。

⬇

宅地等の全体が、被相続人と生計を一にする親族の貸付事業の用に供されていた宅地等に該当します。

### ⑶　上記⑴と⑵の関係

上記⑴に掲げる原則的な取扱いと⑵に掲げる緩和的な取扱いとの関係について、平成30年度の措置法通達の改正により、「貸付事業（筆者注 被相続人等の貸付事業をいいます。）の用に供されていた宅地等に該当するかどうかは、当該宅地等が相続開始の時において現実に貸付事業の用に供されていたかどうかで判定するのであるが、」という文言が本通達に新たに挿入されたことに留意する必要があります。

すなわち、法令等の規定による明確な取扱いを示したものではありませんが、上記に掲げる本通達の改正（文言の挿入）により、上記⑴に掲げる原則的な取扱い（現実に貸付事業の用に供されていたかどうかで判定する（上記＿＿部分））に重点が移行し、⑵に掲げる緩和的な取扱いは一定条件下における例外的な措置に留まるとの考え方に移行を図ったのではないかと考えられます。なお、⑵に掲げる緩和的な取扱いに対する具体的な解説については、後記⑹を参照してください。

### ⑷　『貸付事業の用に供されていた宅地等』の意義

平成30年度の改正により、本通達に新たな解釈が示され、次に掲げる建物等に係る宅地等は、措置法通達69の４－５《事業用建物等の建築中等に相続が開始した場合》の取扱い（158ページを参照）がある場合を除き、貸付事業の用に供されていた宅地等に該当しないものとされています。

① 新たに貸付事業の用に供する建物等を建築中である場合

② 新たに建築した建物等に係る賃借人の募集その他の貸付事業の準備行為が行われているに過ぎない場合

### ⑸ 『相続開始前３年以内に新たに貸付事業の用に供された宅地等』の意義

平成30年度税制改正では、貸付事業用宅地等について、相続開始前３年以内に新たに貸付事業の用に供された宅地等は、原則として、その対象から除くこととされましたが、当該規定の適用の有無を判断する場合における『新たに貸付事業の用に供された』（上記＝＝部分）時についても、上記⑷に掲げる本通達の定めと同様に、その宅地等が現実に貸付事業の用に供された時によることになります。

### ⑹ 『相続開始の時において一時的に賃貸されていなかったと認められる部分』の意義

上記⑵に掲げる『相続開始の時において一時的に賃貸されていなかったと認められる部分』（上記⑵＝＝部分）の意義について措置法通達には明確な定めは設けられていませんが、一般的には、相続開始の直前に空室となったアパート、マンション又は雑居ビル等について、当該空室となった直後から不動産業者を通じて新規の入居者を募集しているなど、いつでも新規に入居可能な状態に当該空室を管理している場合で、その状況が相続開始時点に至るまで継続的に維持され、かつ、空室の期間が課税時期の前後を通じて非常に短期間と認められるような一時的な期間と認識される状況をいうものと考えられます。

この措置法通達の取扱いは、財産評価基本通達26《貸家建付地の評価》（下記 参考資料 を参照）に定める貸家建付地の評価計算において、「賃貸されている各独立部分には、継続的に賃貸されていた各独立部分で、課税時期において、一時的に賃貸されていなかった（空室であった）と認められる部分を含むこととして差し支えない。」ものとされている当該財産評価基本通達上の取扱いを準用しているものと考えられます。

**参考資料**

**財産評価基本通達26《貸家建付地の評価》**

貸家（94《借家権の評価》に定める借家権の目的となっている家屋をいう。以下同じ。）の敷地の用に供されている宅地（以下「貸家建付地」という。）の価額は、次の算式により計算した価額によって評価する。

$$\text{その宅地の自用地としての価額} - \text{その宅地の自用地としての価額} \times \text{借地権割合} \times \text{94《借家権の評価》に定める借家権割合} \times \text{賃貸割合}$$

この算式における『借地権割合』及び『賃貸割合』は、それぞれ次による。

⑴ 『借地権割合』は、27《借地権の評価》の定めによるその宅地に係る借地権割合（同項のただし書に定める地域にある宅地については100分の20とする。次項において同じ。）による。

⑵ 『賃貸割合』は、その貸家に係る各独立部分（構造上区分された数個の部分の各部分をいう。以下同じ。）がある場合に、その各独立部分の賃貸の状況に基づいて、次の算式により計算した割合による。

> $$\frac{\text{Aのうち課税時期において賃貸されている各独立部分の床面積の合計}}{\text{当該家屋の各独立部分の床面積の合計（A）}}$$
>
> （注）１　上記算式の『各独立部分』とは、建物の構成部分である隔壁、扉、階層（天井及び床）等によって他の部分と完全に遮断されている部分で、独立した出入口を有するなど独立して賃貸その他の用に供することができるものをいう。したがって、例えば、ふすま、障子又はベニヤ板等の堅固でないものによって仕切られている部分及び階層で区分されていても、独立した出入口を有しない部分は『各独立部分』には該当しない。
>
> なお、外部に接する出入口を有しない部分であっても、共同で使用すべき廊下、階段、エレベーター等の共用部分のみを通って外部と出入りすることができる構造となっているものは、上記の『独立した出入口を有するもの』に該当する。
>
> ２　上記算式の『賃貸されている各独立部分』には、継続的に賃貸されていた各独立部分で、課税時期において、一時的に賃貸されていなかったと認められるものを含むこととして差し支えない。

なお、上記の財産評価基本通達に定める『継続的に賃貸されていた各独立部分で、課税時期において一時的に空室であったと認められる部分』に該当するか否かについては、この通達の取扱いが制定された後に国税庁から情報（資産評価企画官情報第２号、平成11年７月29日）が公開されており、当該情報によれば、次に掲げるような事実関係から総合的に判断するものとされています。

①　各独立部分が課税時期前に継続的に賃貸されてきたものかどうか。

②　賃借人の退去後速やかに新たな賃借人の募集が行われたかどうか。

③　空室の期間、他の用途に供されていないかどうか。

④　空室の期間が、課税時期の前後の例えば１か月程度であるなど一時的な期間であるかどうか。

⑤　課税時期後の賃貸が一時的なものではないかどうか。

### ⑺　配偶者居住権の設定に係る相続等により貸付事業に係る建物等で配偶者居住権の目的とされたものの敷地の用に供されていた宅地等を取得した場合

配偶者居住権の設定に係る相続又は遺贈により、当該貸付事業に係る建物等（当該配偶者居住権の目的とされたものに限られます。）の敷地の用に供されていた宅地等を取得した場合には、当該宅地等のうち当該配偶者居住権に基づく敷地利用権に相当する部分については、当該貸付事業の用に供されていた宅地等に該当しないものとされています。

すなわち、配偶者居住権（建物の利用権）については、その設定に係る相続（これを「第一次相続」といいます。）に係る被相続人が、第一次相続開始時においてその所有する建物等の一部を他に賃貸していた場合であっても、当該被相続人の配偶者は当該建物等を目的とする配偶者居住権を取得することが可能とされるものの、第一次相続開始時において既に建物等を賃借し被相続人に対して借家権を主張することができる建物等賃借人（借家人）に対しては、配偶者居住権は主張できないものと解されています。

そして、配偶者居住権に基づく敷地利用権（土地の利用権）については、当該敷地利用権が配偶者居住権に基づき建物等の使用・収益をする必要な限度で土地を利用する権利であることを踏まえれば、当該敷地利用権に基づき使用・収益することができる範囲と基本的に同様の範囲であると解するのが相当とされます。

したがって、第一次相続に係る被相続人が建物等を貸付事業の用に供していた部分については、当該被相続人の配偶者が配偶者居住権（建物の利用権）を行使できない部分となるため、この場合における当該建物等のうち貸付事業の用に供されていた部分に対する敷地部分についても、配偶者居住権に基づく敷地利用権（土地の利用権）を行使することは認められないことになります。

換言すれば、上記のような状況にある配偶者居住権に基づく敷地利用権（土地の利用権）に相当する部分については、貸付事業の用に供されていた部分（宅地等）には該当しないことになります。

上記の取扱いを事例で検討すると、次のとおりとなります。

**事例１ 建物等の一部を賃貸していた場合（相続開始時に実際に入居者が存する場合）**

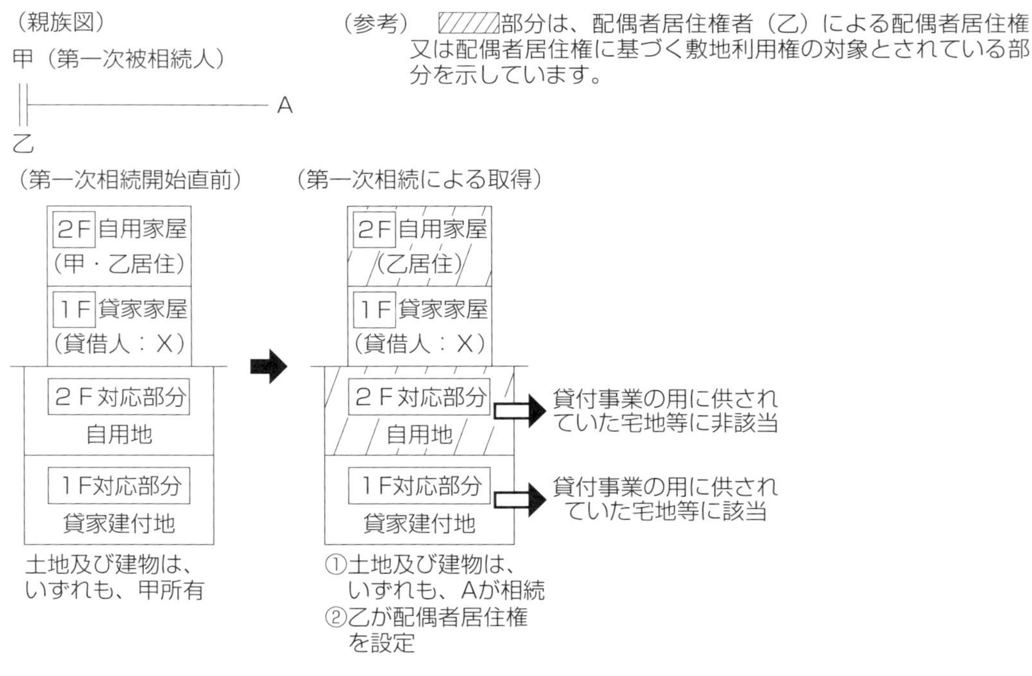

## 事例２　建物等の一部を賃貸していた場合（課税時期において空室であった部分が存する場合）

（親族図）

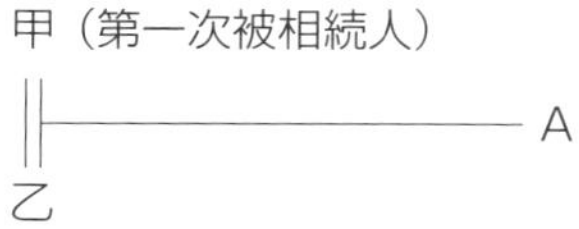


（参考）　▨部分は、配偶者居住権者（乙）による配偶者居住権又は配偶者居住権に基づく敷地利用権の対象とされている部分を示しています。

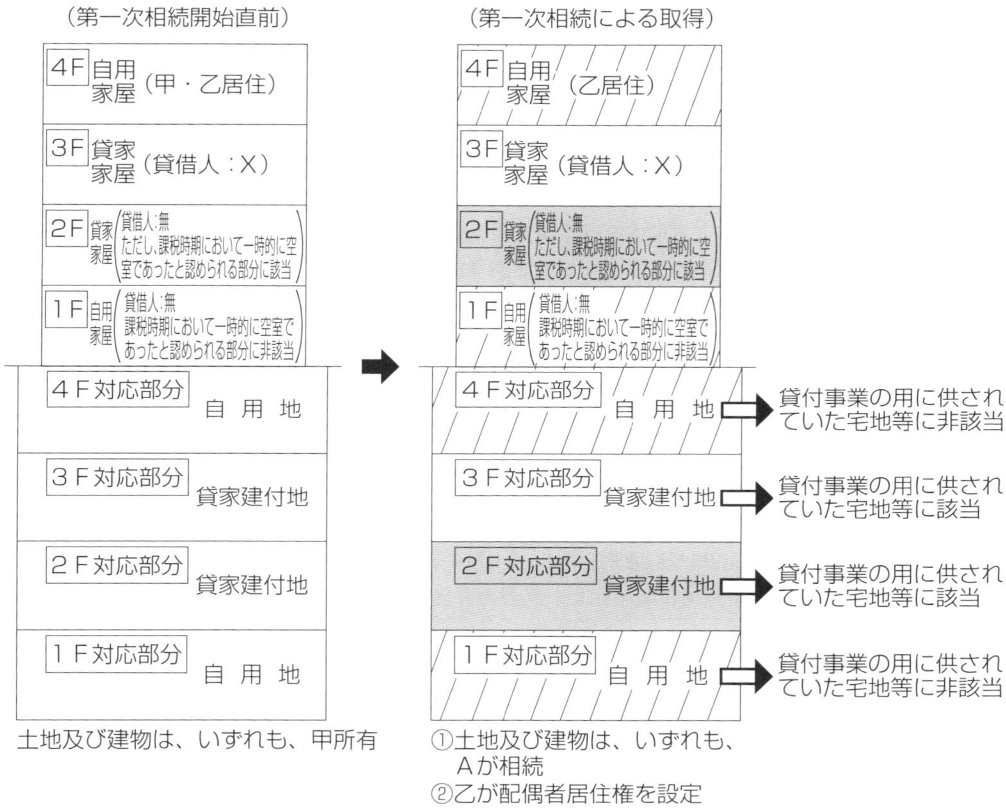


（注）　事例２の２F対応部分の敷地について、後記のワンポイントを参照してください。

### ワンポイント　民法上の配偶者居住権と相続税等における財産評価上の配偶者居住権等

上記 事例２ の（第一次相続による取得）の図の建物等のうち２Ｆ部分及びこれに対応する敷地部分の取扱いについて、次の事項を確認しておく必要があります。

(1)　民法上では、居住建物の一部の貸付用であったとしても、相続開始時において現実に貸し付けられていない（賃借権を有する賃借人が不在である）場合には、当該状況にある貸付用部分に対しても配偶者居住権の目的部分に該当すると解されます。

(2)　相続税等における財産評価の統一的基準を定めた財産評価基本通達26《貸家建付地の評価》(2)（注２）おいて、『賃貸されている各独立部分』には継続的に賃貸されていた各独立部分で課税時期において、一時的に賃貸されていなかったと認められるものを含むこととして差し支えないものとする旨の拡張的な解釈が示されています。

(3)　上記(1)及び(2)からすると、居住建物の一部が貸付用であったとしても、相続開始時において現実に貸し付けられていない（賃借権を有する賃借人が不在である）等、一定の要件を有する部分については、財産評価基本通達上の宅地の評価態様は貸家建付地に該当することとなり、その一方で配偶者居住権等の評価上の取扱いでは『賃貸の用に供されている部分以外の部分』に該当するという矛盾が生じる状況になります。

(4)　上記(3)に対応するものとして、相続税法基本通達23の２－１《一時的な空室がある場合の「賃貸の用に供されている部分」の範囲》の定めを制定し、被相続人に係る相続開始時において一時的に空室となっていたにすぎないと認められる部分については、財産評価基本通達の定めから当該部分を賃貸の用に供されている部分として取り扱うこととした場合には、配偶者居住権の評価においても同様に賃貸されている部分として取り扱う（取扱い 当該空室部分に対する敷地部分について、配偶者居住権に基づく敷地利用権（土地の利用権）を行使することは認められないことになります。）ことを留意的に明確化し、両者の評価上の均衡を図るものとしています。

### 参考　配偶者居住権の設定後に建物等を賃貸している場合における取扱い

民法第1032条《配偶者による使用及び収益》第３項において、『配偶者は、居住建物の所有者の承諾を得なければ、居住建物の改築若しくは増築をし、又は第三者に居住建物の使用若しくは収益をさせることはできない。』と規定しています。

換言すれば、配偶者居住権を取得した配偶者は、居住建物の所有者の承諾を得た場合には、当該居住建物を第三者に賃貸し、貸付事業の用に供することが認められているということになります。

この場合には、当該貸付事業の用に供されている居住建物の部分は、配偶者が配偶者居住権に基づいて使用・収益している部分に該当することから、当該居住建物の部分に係る配偶者居住権に基づく敷地利用権については、上記(7)に掲げる取扱いとは異なり、配偶者居住権者である配偶者の貸付事業の用に供しているものとして取り扱われることになります。

なお、この取扱いに関しては、前記〔６〕（措置法通達69の４－４の２《宅地等が配偶者居住権の目的となっている建物等の敷地である場合の被相続人の事業の用に供されていた宅地等の範囲》）(3)②(ｲ)に掲げる 図３ 中の「配偶者居住権者による有償貸付」欄を参照してください。

## 〔36〕　措置法通達69の４－24の３《新たに貸付事業の用に供されたか否かの判定》

### ⑴　『新たに貸付事業の用に供された』の該当性

#### ①　該当する場合

㈠　貸付事業（注）の用以外の用に供されていた宅地等が貸付事業の用に供された場合

㈡　宅地等又はその上にある建物等につき『何らの利用がされていない場合』（当該用語の解釈に当たっては、下記⑵を参照）の当該宅地等が貸付事業の用に供された場合

（注）『貸付事業』とは、不動産貸付業、駐車場業、自転車駐車場業及び準事業をいいます。
なお、『準事業』とは、事業と称するに至らない不動産の貸付けその他これに類する行為で相当の対価を得て継続的に行うものをいいます。

#### ②　該当しない場合

賃貸借契約につき更新がされた場合

### ⑵　『何らの利用がされていない場合』の解釈

次に掲げる場合のように、貸付事業に係る建物等が一時的に賃貸されていなかったと認められるときには、当該建物等に係る宅地等は、上記⑴①㈡に掲げる『何らの利用がされていない場合』に該当しないものとされています。

#### ①　賃貸建物等に係る賃借人の退去

継続的に賃貸されていた建物等につき賃借人が退去した場合において、その退去後速やかに新たな賃借人の募集が行われ、賃貸されていたとき（新たな賃借人が入居するまでの間、当該建物等を貸付事業の用以外の用に供していないときに限られます。）

#### ②　賃貸建物等に係る建替え

継続的に賃貸されていた建物等につき建替えが行われた場合において、建物等の建替え後速やかに新たな賃借人の募集が行われ、賃貸されていたとき（当該建替え後の建物等を貸付事業の用以外の用に供していないときに限られます。）

（注１）　建替えのための建物等の建築中に相続が開始した場合には、措置法通達69の４－５《事業用建物等の建築中等に相続が開始した場合》（158ページを参照）の取扱いが適用されます。

（注２）　上記に該当する場合において、建替え後の建物等の敷地の用に供された宅地等のうちに、建替え前の建物等の敷地の用に供されていなかった宅地等が含まれるときは、当該供されていなかった宅地等については、新たに貸付事業の用に供された宅地等に該当することになります。

#### ③　賃貸建物等に係る災害による休業

継続的に賃貸されていた建物等が災害により損害を受けたため、当該建物等に係る貸付事業を休業した場合において、当該貸付事業の再開のための当該建物等の修繕その他の準備が行われ、当該貸付事業が再開されていたとき（休業中に当該建物等を貸付事業の用以外の用に供していないときに限られます。）

（注）　災害による損害のための休業中に相続が開始した場合には、措置法通達69の４－17《災害のため事業が休止された場合》（214ページを参照）の取扱いが適用されます。

### ⑶　留意点

#### ①　新たに貸付事業の用に供された時の判定

上記⑵①、②又は③に該当する場合には、当該宅地等に係る『新たに貸付事業の用に供された』時の判定は、下記に掲げる区分に応じて、それぞれに示すとおりとなります。

(イ)　上記⑵①（賃貸建物等に係る賃借人の退去）の場合

上記⑵①の退去前の賃貸に係る貸付事業の用に供された時

(ロ)　上記⑵②（賃貸建物等に係る建替え）の場合

上記⑵②の建替前の賃貸に係る貸付事業の用に供された時

(ハ)　上記⑵③（賃貸建物等に係る災害による休業）の場合

上記⑵③の災害による休業前の賃貸に係る貸付事業の用に供された時

なお、上記(イ)ないし(ハ)に該当する前に上記⑵①、②又は③に該当していた場合には、当該賃貸の前の賃貸に係る貸付事業の用に供された時に、順次遡ることとなります。

上記⑵①（賃貸建物等に係る賃借人の退去）の場合の『新たに貸付事業の用に供された』時の判定を例として、被相続人等の貸付事業の用に供されていた宅地等が相続開始前３年以内に新たに貸付事業の用に供されたものであるかどうかを示すと、次のとおりとなります。

図解　賃借人の退去があった場合の『新たに貸付事業の用に供された』時

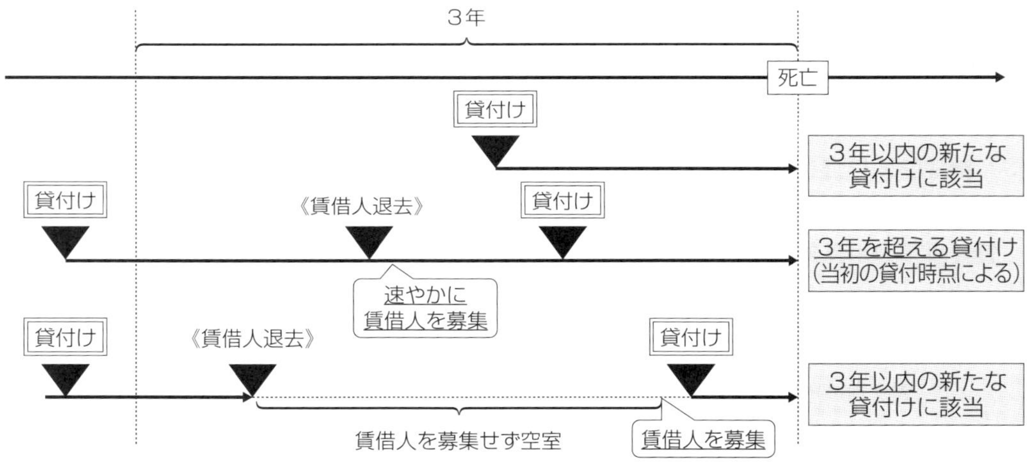


#### ②　いわゆる『居抜き取得』による場合（原則的取扱い）

上記⑴①に掲げるとおり、『新たに貸付事業の用に供された』とは、次に掲げる場合をいうものとされています。

(イ)　貸付事業の用以外の用に供されていた宅地等が貸付事業の用に供された場合

(ロ)　宅地等又はその上にある建物等につき『何らの利用がされていない場合』の当該宅地等が貸付事業の用に供された場合

なお、上記の判定は、被相続人等の利用状況により行うことから、例えば、他の者が貸付けを行っている宅地等を被相続人等が取得し、当該被相続人等がその貸付けを継続した

（いわゆる『居抜き取得』による場合）としても、従前の貸付けは被相続人等が行っていたものではないため、その継続した貸付けは、上記(イ)の場合に該当することとなり、『新たに貸付事業の用に供された』に当てはまることとなります。

### ③　いわゆる『居抜き取得』による場合（特例的取扱い）

上記②の取扱いは、被相続人の親族の貸付事業の用に供されている宅地等を被相続人が取得（取得原因の例として、売買、贈与）して、その貸付事業を当該被相続人が継続した場合のその宅地等にも適用されるものとされています。

一方、措置法施行令第40条の２《小規模宅地等についての相続税の課税価格の計算の特例》第９項及び第20項において、要旨、被相続人が相続開始前３年以内に開始した相続又はその相続に係る遺贈により貸付事業用宅地等を取得し、かつ、その取得の日以後当該宅地等を引き続き貸付事業の用に供していた場合における当該宅地等は、上記(1)①(イ)に掲げる『新たに貸付事業の用に供された』宅地等に該当しないものと規定されています。

そうすると、被相続人が相続開始前３年以内に開始した相続又はその相続に係る遺贈により貸付事業の用に供されていた宅地等を取得し（被承継者と承継者との生計一又は生計別の関係は問われていません。）、かつ、その取得の日以後当該宅地等を引き続き貸付事業の用に供していた場合におけるその宅地等については、上記に掲げる措置法施行令第40条の２の各規定の適用があり、上記(1)①(イ)に掲げる『新たに貸付事業の用に供された宅地等』に該当しないものとされています。

上記の取扱いを図示すると、次のとおりとなります。

**図解**　居抜きによる取得があった場合の『新たに貸付事業の用に供された』の判定

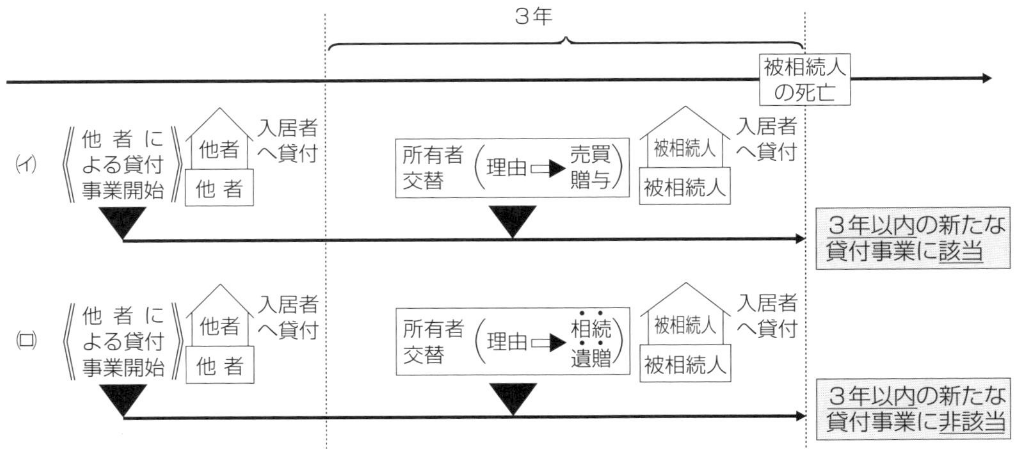


（注）　他者とは、被相続人以外のすべての者をいい、また、被相続人と生計を一にするか、又は生計を別にするかは問われていません。

### ④　建物等の移転の場合

措置法通達69の４－５《事業用建物等の建築中等に相続が開始した場合》（158ページを参照）は被相続人等の事業の用に供されている建物等の建替えだけでなく、当該建物等の移転の場合もその取扱いの対象としています。

しかしながら、措置法通達69の４－24の３《新たに貸付事業の用に供されたか否かの判定》に定める『何らかの利用がされていない場合』に該当するか否かの解釈に当たっては、建物等の建替えはこれに該当しないものとされています（上記⑵②を参照）が、その一方で、建物等の移転による移転先の宅地等はこれに該当するものとされています。

その理由として、当該建物等の移転先の宅地等は移転前の宅地等とは異なることから、当該移転先の宅地等は相続開始前３年以内に新たに貸付事業の用に供された宅地等に該当すると考えられることによります。

ただし、当該被相続人等が相続開始の日まで３年を超えて引き続き特定貸付事業（貸付事業のうち準事業以外のものをいいます。）を行っていた場合には、当該移転先の宅地等は当該貸付事業の用に供されたものに該当することとなります。

## 〔37〕　措置法通達69の４－24の４《特定貸付事業の意義》

### ⑴　実質基準

特定貸付事業とは、貸付事業（注１）のうち準事業（注２）以外のものをいうものとされています。また、被相続人等の貸付事業が準事業以外の貸付事業に当たるかどうかについては、社会通念上事業と称するに至る程度の規模で当該貸付事業が行われていたかどうかにより判定するものとされています。

（注１）『貸付事業』とは、不動産貸付業、駐車場業、自転車駐車場業及び準事業をいいます。

（注２）『準事業』とは、事業と称するに至らない不動産の貸付けその他これに類する行為で相当の対価を得て継続的に行うものをいいます。

### ⑵　形式基準

#### ①　被相続人等が行う貸付事業が不動産の貸付けである場合

㈠　当該不動産の貸付けが所得税法第26条《不動産所得》第１項に規定する不動産所得を生ずべき事業（事業的規模）として行われているとき

当該貸付事業は、特定貸付事業に該当

㈡　当該不動産の貸付けが上記㈠以外のもの（事業的規模以外）として行われているとき

当該事業は、準事業に該当

上記の判定を行うに当たっては、所得税基本通達26－９《建物の貸付けが事業として行われているかどうかの判定》（下記参考資料を参照）の取扱いがあるものとされています。

**参考資料**　所得税基本通達26－９《建物の貸付けが事業として行われているかどうかの判定》

> 建物の貸付けが不動産所得を生ずべき事業として行われているかどうかは、社会通念上事業と称するに至る程度の規模で建物の貸付けを行っているかどうかにより判定すべきであるが、次に掲げる事実のいずれか一に該当する場合又は賃貸料の収入の状況、貸付資産の管理の状況等からみてこれらの場合に準ずる事情があると認められる場合には、特に反証がない限り、事業として行われているものとする。
> ⑴　貸間、アパート等については、貸与することができる独立した室数がおおむね10以上であること。
> ⑵　独立家屋の貸付けについては、おおむね５棟以上であること。

②　被相続人等が行う貸付事業の対象が駐車場又は自転車駐車場であって自己の責任において他人の物を保管するものである場合

㈠　当該貸付事業が所得税法第27条《事業所得》第１項に規定する事業所得を生ずべきものとして行われているとき

当該貸付事業は、特定貸付事業に該当

㈡　当該貸付事業が所得税法第35条《雑所得》第１項に規定する雑所得を生ずべきものとして行われているとき

当該貸付事業は、準事業に該当

上記の判定を行うに当たっては、所得税法基本通達27－２《有料駐車場等の所得》（下記参考資料を参照）の取扱いがあるものとされています。

**参考資料**　所得税基本通達27－２《有料駐車場等の所得》

> いわゆる有料駐車場、有料自転車置場等の所得については、自己の責任において他人の物を保管する場合の所得は事業所得又は雑所得に該当し、そうでない場合の所得は不動産所得に該当する。

③　まとめ

上記①及び②に掲げる貸付事業の態様（特定貸付事業、準事業）と所得税法に規定する各種所得の区分との関係をまとめると、次のとおりとなります。

**図解**　貸付事業の態様と所得区分

| 貸付けの態様 | | 事業的規模 | 事業と称するに至らないもの |
|---|---|---|---|
| 不動産の貸付け | （下記以外） | 不動産貸付業（不動産所得を生ずべき事業）特定貸付事業に該当 | （不動産所得を生ずべき事業以外）準事業に該当 |
| 駐車場・自転車駐車場 | （下記以外） | | |
| 駐車場・自転車駐車場 | 自己の責任において他人の物を保管 | 駐車場業<br>自転車駐車場業<br>【事業所得を生ずべきもの】<br>特定貸付事業に該当 | 【雑所得を生ずべきもの】<br>準事業に該当 |

## 〔38〕　措置法通達69の４－24の５《特定貸付事業が引き続き行われていない場合》

相続開始前３年以内に宅地等が新たに被相続人等が行う特定貸付事業（貸付事業（注１）のうち準事業（注２）以外のものをいいます。）の用に供された場合において、その供された時から相続開始の日までの間に当該被相続人等が行う貸付事業が特定貸付事業に該当しないこととなったときは、当該宅地等は、相続開始の日まで３年を超えて引き続き特定貸付事業を行っていた被相続人等の貸付事業の用に供されたものに該当せず、小規模宅地等の課税特例に規定する貸付事業用宅地等の対象となる宅地等から除かれるものとされています。

（注１）『貸付事業』とは、不動産貸付業、駐車場業、自転車駐車場業及び準事業をいいます。

（注２）『準事業』とは、事業と称するに至らない不動産の貸付けその他これに類する行為で相当の対価を得て継続的に行うものをいいます。

上記の取扱いを図示すると、次のとおりとなります。

図解　特定貸付事業が引き続き行われていない場合の取扱い

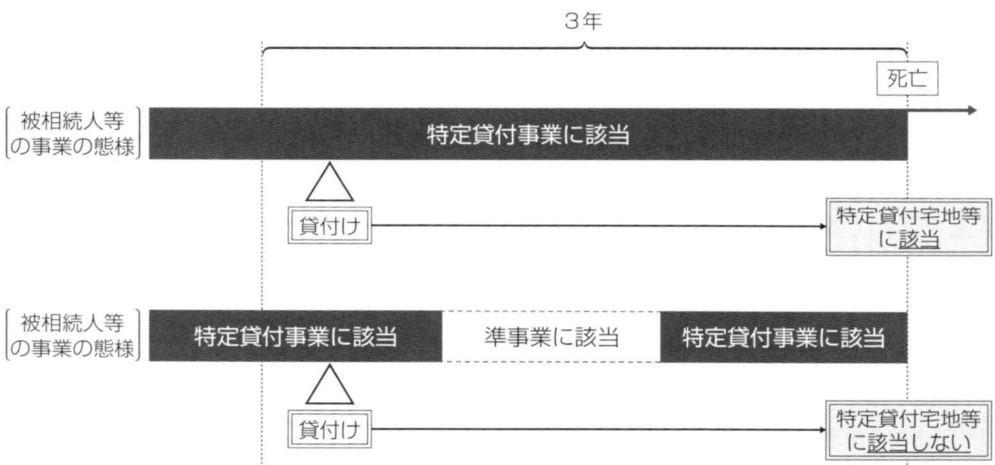


（注）　上記図解に掲げる『特定貸付宅地等』とは、被相続人に係る相続開始の日まで３年を超えて引き続き特定貸付事業（貸付事業のうち準事業以外のもの）を行っていた被相続人等の当該貸付事業の用に供されていたものをいいます。

なお、被相続人等が行っていた特定貸付事業が措置法通達69の４－24の３《新たに貸付事業の用に供されたか否かの判定》（255ページ参照）に掲げる場合に該当する場合には、当該特定貸付事業は、引き続き行われていたものに該当することになります。

## 〔39〕　措置法通達69の４−24の６《特定貸付事業を行っていた『被相続人等の当該貸付事業の用に供された』の意義》

小規模宅地等の課税特例に規定する特定貸付事業（貸付事業（注１）のうち準事業（注２）以外のものをいいます。）を行っていた『被相続人等の当該貸付事業の用に供された』に該当するか否かは、次に掲げる場合の区分に応じて、それぞれのとおりとされています。

（注１）『貸付事業』とは、不動産貸付業、駐車場業、自転車駐車場業及び準事業をいいます。

（注２）『準事業』とは、事業と称するに至らない不動産の貸付けその他これに類する行為で相当の対価を得て継続的に行うものをいいます。

### ⑴　該当する場合

特定貸付事業を行う被相続人等が、宅地等をその自己が行う特定貸付事業の用に供した場合

図解　①　被相続人が特定貸付事業を行っていた場合

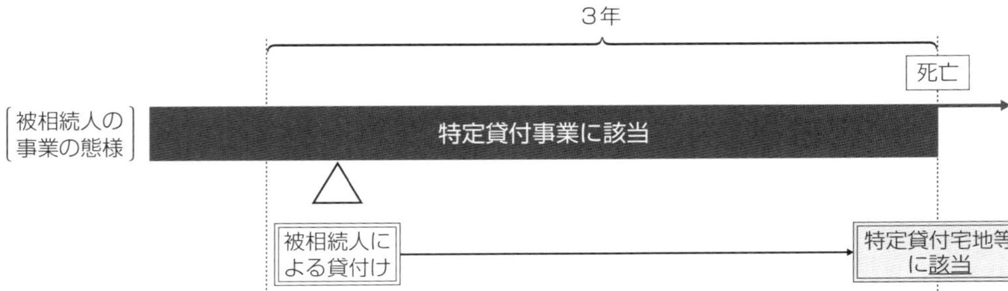


②　被相続人と生活を一にする親族が特定貸付事業を行っていた場合

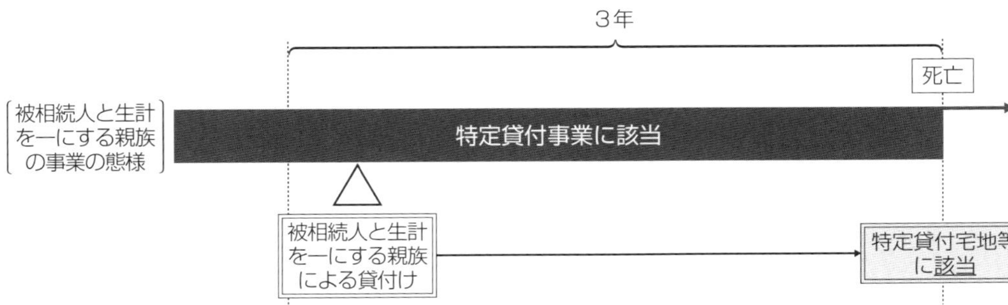


（注）　上記図解に掲げる『特定貸付宅地等』とは、被相続人に係る相続開始の日まで３年を超えて引き続き特定貸付事業（貸付事業のうち準事業以外のもの）を行っていた被相続人等の当該貸付事業の用に供されていたものをいいます。

### (2) 該当しない場合

特定貸付事業を行う被相続人等以外の者が、宅地等を自己の貸付事業の用に供した場合

図解　① 被相続人が特定貸付事業を行っていた場合に、被相続人と生計を一にする親族が宅地等を自己の貸付事業の用に供した場合

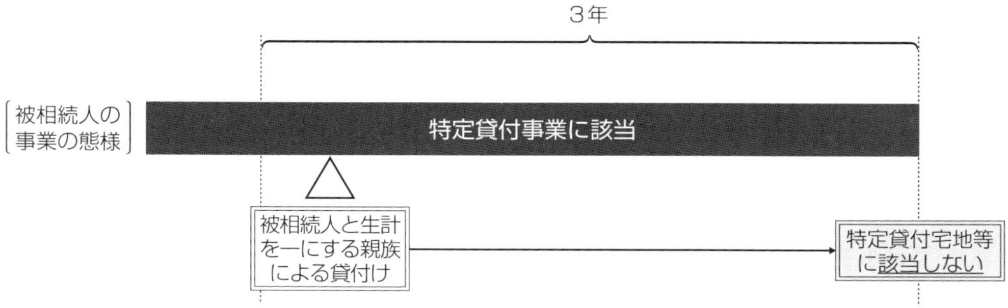


② 被相続人と生計を一にする親族が特定貸付事業を行っていた場合に、被相続人又は当該親族以外の被相続人と生計を一にする親族が宅地等を自己の貸付事業の用に供した場合

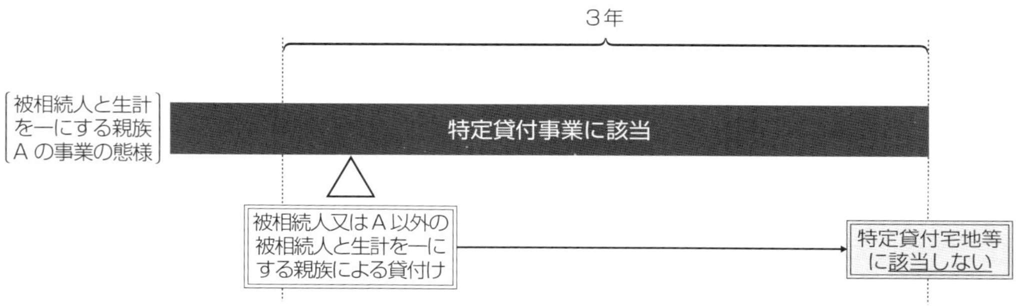


（注）上記図解に掲げる『特定貸付宅地等』とは、被相続人に係る相続開始の日まで３年を超えて引き続き特定貸付事業（貸付事業のうち準事業以外のもの）を行っていた被相続人等の当該貸付事業の用に供されていたものをいいます。

## 〔40〕 措置法通達69の４－24の７《相続開始前３年を超えて引き続き貸付事業の用に供されていた宅地等の取扱い》

『相続開始前３年を超えて引き続き被相続人等の貸付事業（注１）の用に供されていた宅地等』については、被相続人等の行っていた貸付事業が特定貸付事業（注２）であるかどうかに関わらず、小規模宅地等の課税特例に掲げる貸付事業用宅地等の適用要件（(1)被相続人の貸付事業を相続開始後に事業承継する場合、(2)被相続人と生計を一にする親族の貸付事業の用に供されていた場合）を満たす当該被相続人の親族が取得した場合には、当該貸付事業用宅地等に該当することになります。この取扱いを図示すると、次のとおりとなります。

（注１）『貸付事業』とは、不動産貸付業、駐車場業、自転車駐車場業及び準事業をいいます。
　　なお、『準事業』とは、事業と称するに至らない不動産の貸付けその他これに類する行為で相当

の対価を得て継続的に行うものをいいます。
（注２）『特定貸付事業』とは、貸付事業のうち準事業以外のものをいいます。

図解　相続開始前３年を超えて引き続き貸付事業の用に供されていた宅地等の取扱い

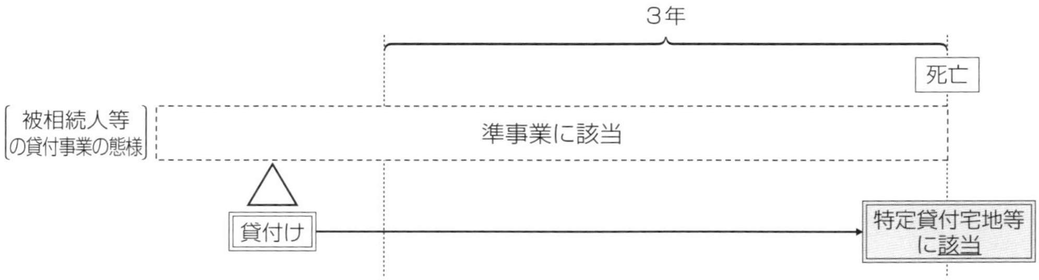


（注）上記 図解 に掲げる『特定貸付宅地等』とは、被相続人に係る相続開始の日まで３年を超えて引き続き特定貸付事業（上記（注２）を参照）を行っていた被相続人等の当該貸付事業の用に供されていたものをいいます。

なお、被相続人等の貸付事業の用に供されていた宅地等が措置法通達69の４－24の３《新たに貸付事業の用に供されたか否かの判定》（255ページ参照）に該当する場合には、当該宅地等は引き続き貸付事業の用に供されていた宅地等に該当することになります。

## 〔41〕 措置法通達69の４－24の８《平成30年改正法附則による貸付事業用宅地等に係る経過措置について》

平成30年度税法改正による貸付事業用宅地等に係る改正（貸付事業用宅地等の範囲から相続開始前３年以内に新たに貸付事業（注１）の用に供された宅地等（相続開始の日まで３年を超えて引き続き特定貸付事業（注２）を行っていた被相続人等の当該貸付事業の用に供された宅地等を除きます。）を除くものとされました。）は、平成30年４月１日以後に相続又は遺贈により取得する宅地等に係る相続税について適用するものとされていますが、当該改正には次に掲げる経過措置が設けられていることに留意する必要があります。

（注１）『貸付事業』とは、不動産貸付業、駐車場業、自転車駐車場業及び準事業をいいます。
なお、『準事業』とは、事業と称するに至らない不動産の貸付けその他これに類する行為で相当の対価を得て継続的に行うものをいいます。
（注２）『特定貸付事業』とは、貸付事業のうち準事業以外のものをいいます。

経過措置

平成30年４月１日から令和３年３月31日までの間に相続又は遺贈により取得した宅地等については、平成30年４月１日以後に新たに貸付事業の用に供されたもの（相続開始の日まで３年を超えて引き続き特定貸付事業を行っていた被相続人等の当該特定貸付事業の用に供されたものを除きます。）が、小規模宅地等の課税特例に規定する貸付事業用宅地等の対象となる宅地等から除かれることになります。

上記の取扱いを図示すると、次のとおりとなります。

**図解　貸付事業用宅地等に係る経過措置**

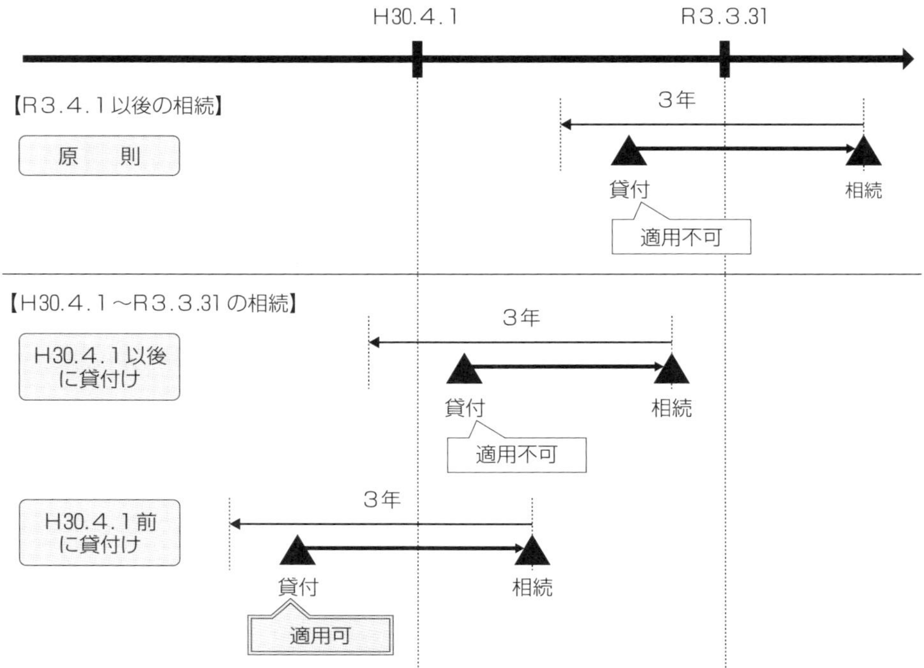


（注）　上記の図解は、被相続人等が相続開始前３年を超えて特定貸付事業を行っていない場合を前提としています。

## 〔42〕　措置法通達69の４－25《共同相続人等が特例対象宅地等の分割前に死亡している場合》

（例）

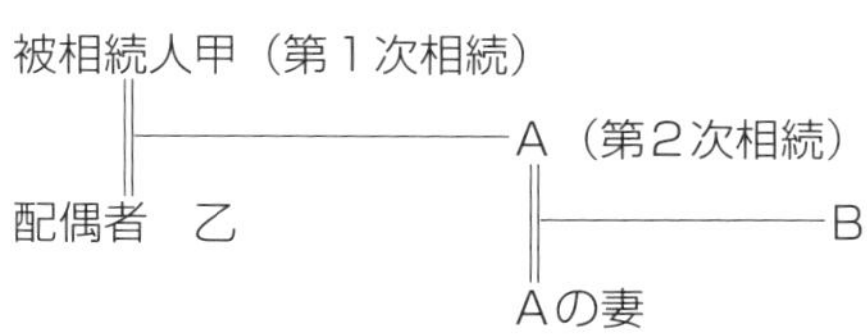


＊　第１次相続開始日　　　……令和X年２月10日
　　第２次相続開始日　　　……令和X年８月10日
　　第１次相続の遺産分割日……令和X年９月10日

（例）の場合につき令和X年９月10日開催の第１次相続に係る遺産分割協議において被相続人甲の有する措置法第69条の４の適用対象となる宅地等につき、当該宅地等を第２次相続における被相続人であるＡが取得したものとして確定（この場合には、第２次相続に係る被相続人Ａの共同相続人であるＡの妻及びＢ、並びに第１次相続に係る被相続人甲の共同相続人（ただし、第２次相続に係る被相続人であるＡを除きます。）である配偶者乙の３人で分割確定することになります。）させたときは当該分割が認められることとなります。

なお、共同相続人等が特例対象宅地等の分割前に死亡している場合における課税特例の適用については、第１次相続に係る共同相続人等のうちいずれかが死亡した後、第１次相続により取得した財産の全部又は一部が家庭裁判所における調停又は審判に基づいて分割されている場合において、当該調停等のなかで、当該死亡した者の具体的相続分（民法第900条《法定相続分》から第904条の２《寄与分》まで（第902条の2《相続分の指定がある場合の債権者の権利の行使》を除きます。）に規定する相続分をいいます。）のみが金額又は割合によって示されているにすぎないときであっても、当該死亡した者の共同相続人等の全員の合意により、当該死亡した者の具体的相続分に対応する財産として特定させたもののうちに特例対象宅地等があるときは、その適用が認められていますので留意する必要があります。

参考　民法第902条の２《相続分の指定がある場合の債権者の権利の行使》

被相続人が相続開始の時において有した債務の債権者は、前条の規定による相続分の指定がされた場合であっても、各共同相続人に対し、第900条及び第901条の規定により算定した相続分に応じてその権利を行使することができる。ただし、その債権者が共同相続人の一人に対してその指定された相続分に応じた債務の承継を承認したときは、この限りでない。

## 〔43〕 措置法通達69の４－26《申告書の提出期限後に分割された特例対象宅地等について特例の適用を受ける場合》

相続税法に規定する期限内申告書の提出期限（原則として、その相続の開始があったことを知った日の翌日から10か月以内）後に特例対象宅地等の全部又は一部が分割された場合には、当該分割された日において被相続人に係る相続財産のうちに次に掲げる財産（下記に掲げる 対象財産 を参照）があるときであっても、当該分割された特例対象宅地等の全部又は一部を選択特例対象宅地等として、小規模宅地等の課税特例の適用を受けるために相続税法に規定する更正の請求の特則に準じて更正の請求を行うことができる期間は、当該分割された日の翌日から４か月以内に限られています。

対象財産
(1)　今回分割された特例対象宅地等とは別の他に分割されていない特例対象宅地等
(2)　分割されていない特例対象山林（租税特別措置法第69条の５第２項第１号《特定計画山林についての相続税の課税価格の計算の特例》に規定する『特定森林経営計画対象山林』で財務省令で定める一定のものをいいます。）

したがって、当該期間（当該分割された日の翌日から４か月間）経過後においては、当該分割された特例対象宅地等（相続税の申告期限後に分割された特例対象宅地等）については、たとえ、上記(1)及び(2)に掲げる財産があったとしても、相続税の更正の請求をすることは認められていませんので留意する必要があります。

以上の取扱いを 設例 で示しますと、下記のとおりになります。

**設例**

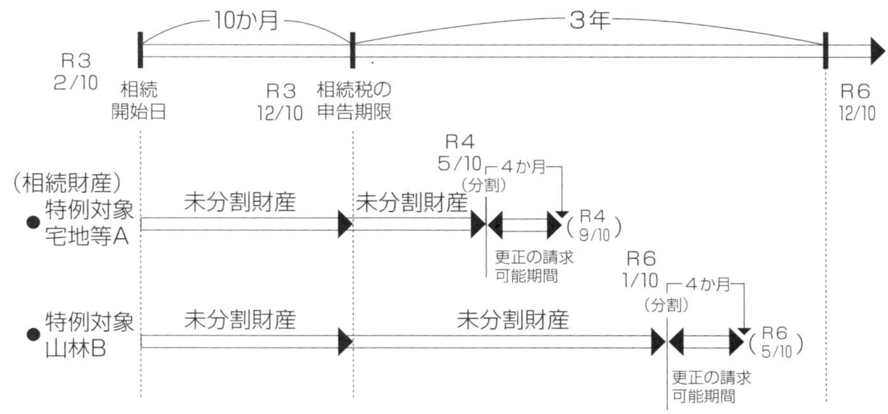

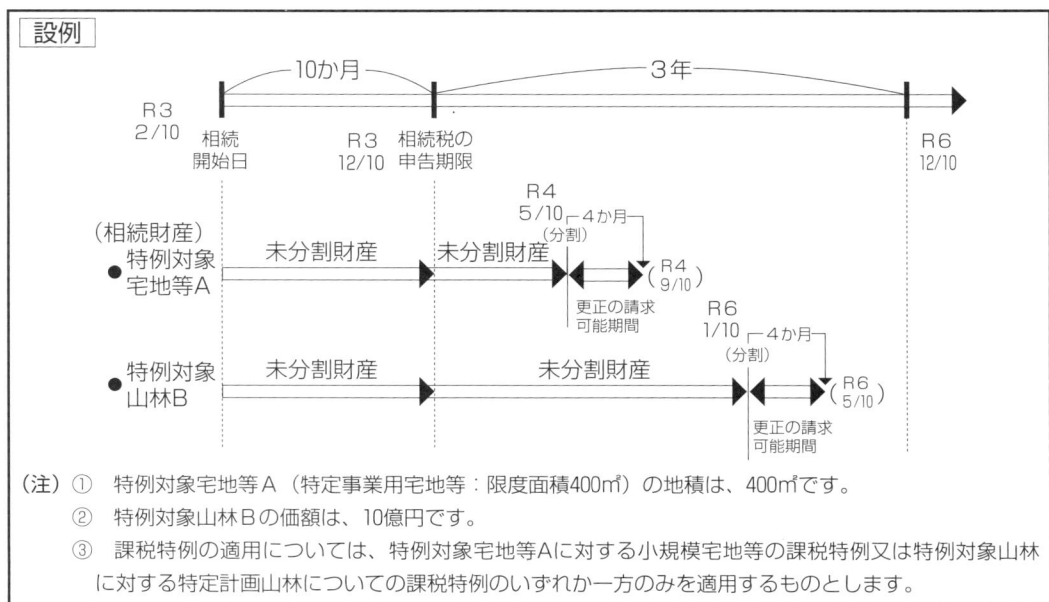

（注）①　特例対象宅地等Ａ（特定事業用宅地等：限度面積400㎡）の地積は、400㎡です。
②　特例対象山林Ｂの価額は、10億円です。
③　課税特例の適用については、特例対象宅地等Aに対する小規模宅地等の課税特例又は特例対象山林に対する特定計画山林についての課税特例のいずれか一方のみを適用するものとします。

上記の **設例** の場合、（注）③に配意した取扱いとして、特例対象宅地等Aに対する小規模宅地等の課税特例及び特例対象山林Bに対する特定計画山林の課税特例の適用関係をまとめると次表のとおりになります。

| 税務上の取扱い / 区分 | | 令和４年５月10日の宅地等Aの分割に係る税務取扱い | 令和６年１月10日の山林Bの分割に係る税務取扱い |
|---|---|---|---|
| (イ)特例対象宅地等Aの分割時（R4.5/10） | ④宅地等Aについて措置法第69条の４を適用する場合 | 当該分割がされた日の翌日から４か月以内（最終期限：令和４年９月10日）に相続税の更正の請求手続きを実施 | 課税特例の適用に係る手続きはなし（山林Bについては特定計画山林の課税特例の適用は不可（宅地等Aに対する適用で限度面積（400㎡）まで適用済）） |
| | ⑪宅地等Aについて措置法第69条の４を適用しない場合 | 課税特例の適用に係る手続きはなし | 一定の手続きを実施することにより、山林Bについては特定計画山林の課税特例の適用が可能（下記(ロ)④を参照） |
| (ロ)特例対象山林Bの分割時（R6.1/10） | ④山林Bについて措置法第69条の５を適用する場合 | 山林Bについて措置法第69条の５を適用する場合には、宅地等Aの分割時に当該宅地等Aについて措置法第69条の４を適用するための相続税の更正の請求手続きをしていないことが必要 | 当該分割がされた日の翌日から４か月以内（最終期限：令和６年５月10日）に相続税の更正の請求手続きを実施（ただし、左欄を参照） |

| | | | |
|---|---|---|---|
| | ㋺山林Bについて措置法第69条の５を適用しない場合 | | ①山林Bについて、措置法第69条の５の課税特例規定の適用はなし<br>②この段階で、宅地等Aについて措置法第69条の４の課税特例規定を申請（相続税の更正の請求）をすることは不可（更正の請求期限が既に経過済） |

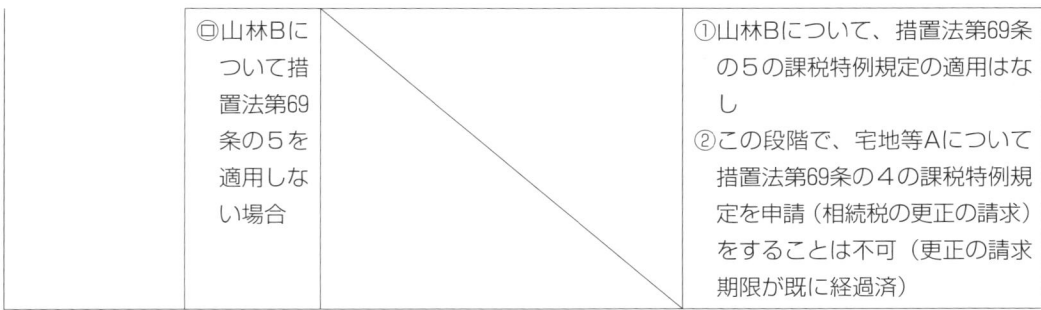

なお、前記第１章第２節〔６〕(1)③（93ページ）の取扱いに準ずるものとして、相続税の申告期限までに共同相続人又は包括受遺者によって分割された特例対象宅地等（以下本項において、「既に分割された特例対象宅地等」といいます。）について、当該相続又は遺贈に係る相続税の申告期限までに特例対象株式等又は特例対象山林の全部又は一部が分割されなかったことにより、既に分割された特例対象宅地等についてその選択がなされないために選択特例対象宅地等が確定せず、小規模宅地等の課税特例を受けなかった場合において、相続税の申告期限から３年以内に当該特例対象株式等又は特例対象山林の全部又は一部が分割されたこと等により当該選択がなされるときには、当該選択特例対象宅地等については、本特例（小規模宅地等の課税特例）を適用することができるものとされており、この特例の適用を受けるためには、当該選択の基因となった当該特例対象株式等又は特例対象山林の全部又は一部が分割された日の翌日から４か月以内に相続税の更正の請求を行う必要があるものとされています。（下記 図解 を参照）

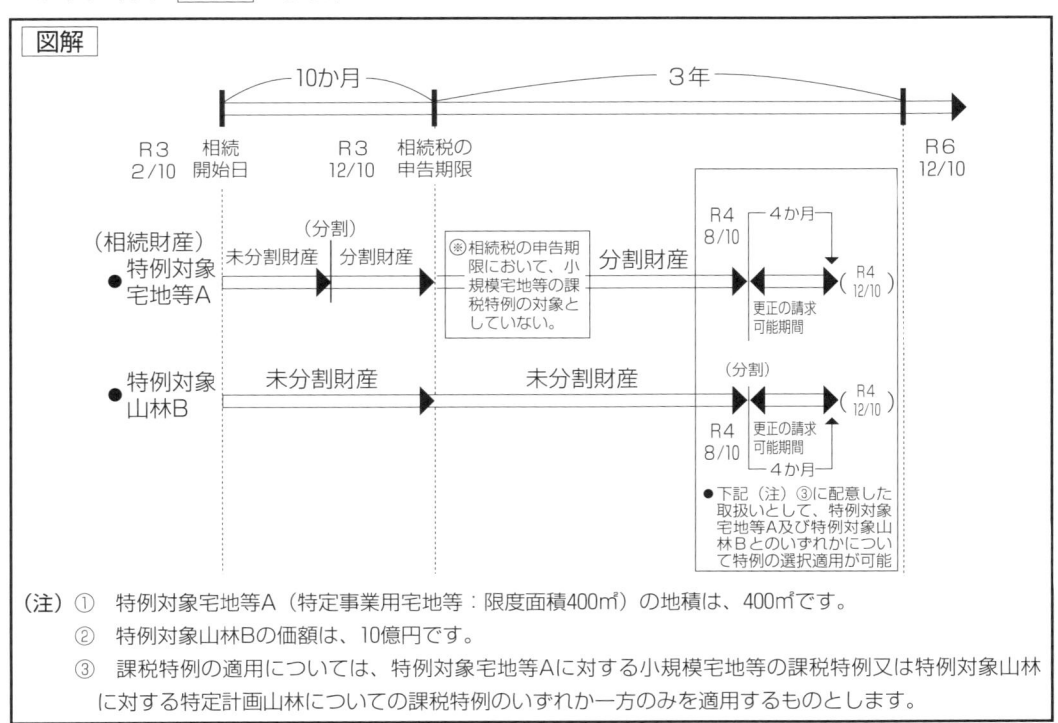

図解

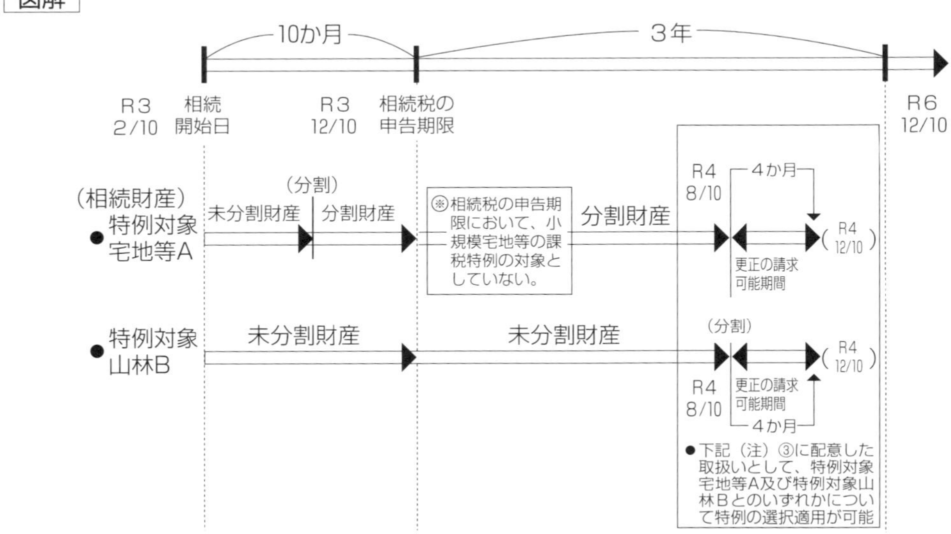


（注）① 特例対象宅地等A（特定事業用宅地等：限度面積400㎡）の地積は、400㎡です。
② 特例対象山林Bの価額は、10億円です。
③ 課税特例の適用については、特例対象宅地等Aに対する小規模宅地等の課税特例又は特例対象山林に対する特定計画山林についての課税特例のいずれか一方のみを適用するものとします。

上記の図解の場合には、(注) ③に配意した取扱いとして、特例対象宅地等Ａ及び特例対象山林Ｂの分割が確定したことによって、当該分割がなされた日の翌日から４か月以内（最終期限：令和４年12月10日）に、次に掲げるいずれかの課税特例の適用を選択して相続税の更正の請求をすることが可能となります。

| | 相続財産 | 適用すべき課税特例 |
|---|---|---|
| 選択 | 特例対象宅地等Ａ | 措置法第69条の４《小規模宅地等についての相続税の課税価格の計算の特例》 |
| | 特例対象山林Ｂ | 措置法第69条の５《特定計画山林についての相続税の課税価格の計算の特例》 |

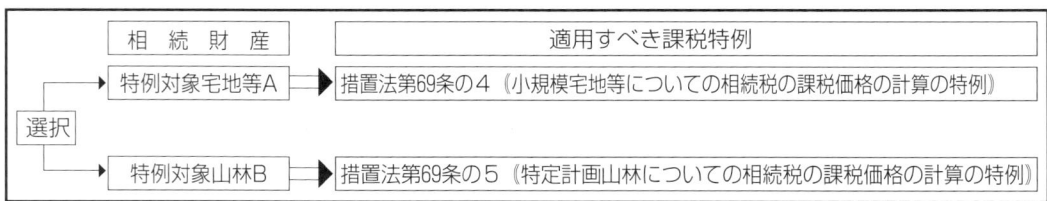

したがって、特例対象山林Ｂに係る遺産分割確定時における上記の 図解 の場合における取扱いと前記の 設例 の場合における取扱いとの間には明確な相違があり、当該相違の内容及び原因について確認しておく必要があります。（下表を参照）

| 区　分 | 適用可能な課税特例 | 取扱い上の相違が生じる原因 |
|---|---|---|
| 設例の場合 | 特例対象山林Ｂに対する措置法第69条の５《特定計画山林に係る課税特例》のみの適用<br>㊟　特例対象宅地等Ａに対する措置法第69条の４《小規模宅地等に係る課税特例》を選択適用する余地はありません。 | 特例対象宅地等Ａは相続税の申告期限において未分割であるため、当該宅地に対する特例適用（相続税の更正の請求）は、原則として相続税の申告期限から３年以内に行われた当該宅地に係る分割確定日の翌日から４か月以内に行う必要があった（特例対象山林Ｂに係る分割確定日においては、当該期間が既に経過済みとなってしまっている。）ため |
| 図解の場合 | 特例対象宅地等Ａに対する措置法第69条の４《小規模宅地等に係る課税特例》の適用と特例対象山林Ｂに対する措置法第69条の５《特定計画山林に係る課税特例》の適用のなかから、いずれか一方（(注) ③に掲げる前提要件から）を選択して適用 | 特例対象宅地等Ａは相続税の申告期限において分割が完了しているため、措置法施行令第40条の２第24項に定める優遇的取扱いによって、当該宅地に対する課税特例の適用申請が、特例対象山林Ｂに対する特例適用期限（原則として、相続税の申告期限から３年以内に行われた当該株式等に係る分割確定日の翌日から４か月以内）まで延長されているため |

**参考事項**　平成15年１月１日以降に開始した相続等について適用される小規模宅地等の課税特例と特定計画山林の課税特例の重複適用の取扱いを上記 図解 の事例に適用した場合

上記 図解 の事例では、当該 図解 に掲げる (注) ③の前提条件から令和４年８月10日における特例対象宅地等Ａ及び特例対象山林Ｂに係る遺産分割確定時には、小規模宅地等の課税特例及び特定計画山林の課税特例についていずれか一方の選択適用が求められるものとして、その取扱いが解説されています。

しかしながら、平成15年度の税法改正によって、一定の要件のもとにこれらの２つの課税特例の重複適用が平成15年１月１日以降に課税時期が到来（相続開始）したものから認められることになりました。そこで、この一定の要件を充足した前提条件に基づいた取扱いを示しますと下記 図解－２ のとおりになります。（上記 図解 の場合と比較対照してください。）

図解－２

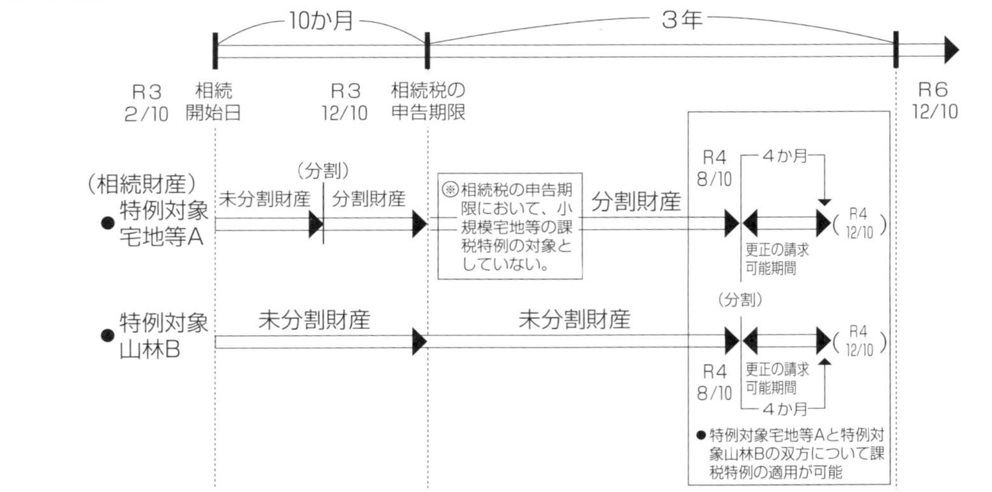


〔前提条件〕①　特例対象宅地等A（貸付事業用宅地等：限度面積200㎡）の地積は、120㎡です。
②　特例対象山林Bの価額は、10億円です。

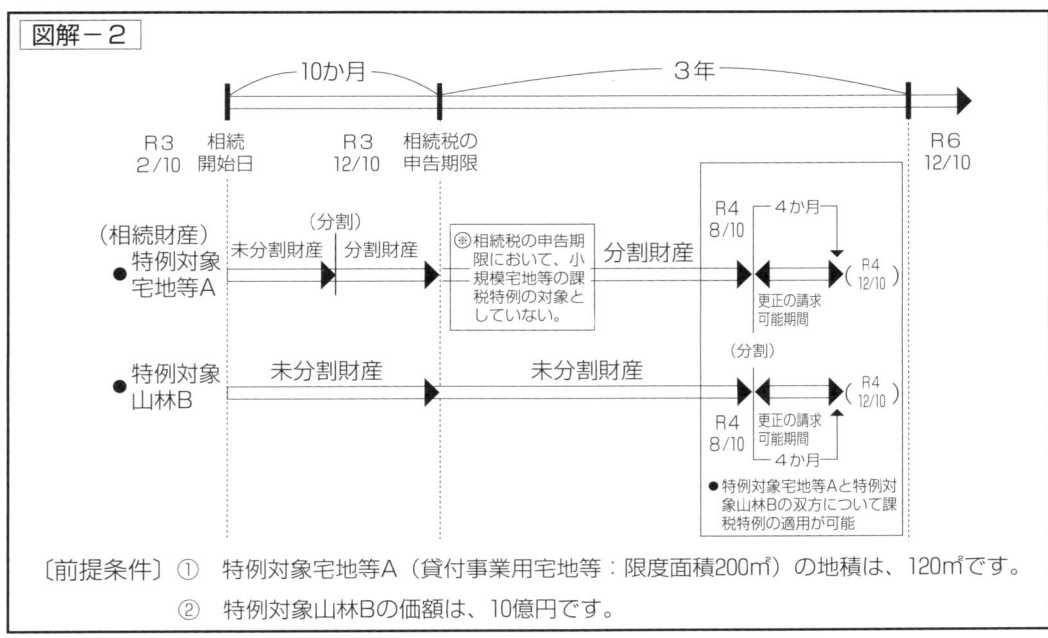

上記 図解－２ の場合には、特例対象宅地等A及び特例対象山林Bの分割が確定したことによって、当該分割がなされた日の翌日から４か月以内（最終期限：令和４年12月10日）に、次に掲げるいずれかの区分に基づく課税特例の適用を選択して相続税の更正の請求をすることが可能となります。（注：これ以外の組み合せの区分もありますが、下記に掲げるいずれか１つの選択が相続税の課税価格への算入額として最も低い価額となります。）

| | | 相続財産 | 適用すべき課税特例 |
|---|---|---|---|
| 選択 | 重複適用 | 特例対象宅地等Aの全部（120㎡） | 措置法第69条の４《小規模宅地等についての相続税の課税価格の計算の特例》 |
| | | 特例対象山林Bの一部（４億円） | 措置法第69条の５《特定計画山林についての相続税の課税価格の計算の特例》 |
| | | 特例対象山林Bの全部（10億円） | 措置法第69条の５《特定計画山林についての相続税の課税価格の計算の特例》 |

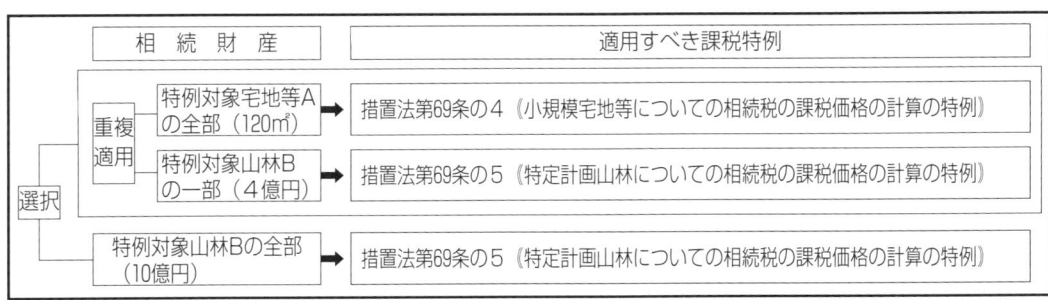

（注）　重複適用の計算
(1)　特例対象宅地等A→120㎡
(2)　特例対象山林B→４億円（下記参照）

①　$\underset{\left(\text{特定事業用等宅地等の面積}\right)}{0\text{㎡}} \times \frac{200}{400} + \underset{\left(\text{特定居住用宅地等の面積}\right)}{0\text{㎡}} \times \frac{200}{330} + \underset{\left(\text{貸付事業用宅地等の面積}\right)}{120\text{㎡}} \leqq 200\text{㎡}$　　∴120㎡

②　$\underset{\left(\substack{\text{特例対象山}\\\text{林Bの価額}}\right)}{\text{10億円}} \times \dfrac{200\text{m}^2 - 120\text{m}^2\text{（上記①）}}{200\text{m}^2} = 4\text{億円}$

参考資料　平成21年３月31日までに課税時期が到来する場合に適用されていた旧措置法第69条の５《特定事業用資産についての相続税の課税価格の計算の特例》（選択特定事業用資産が特定同族会社株式等である場合）の規定の適用を受ける場合（経過的措置の適用を受ける場合）の取扱い

相続税法に規定する期限内申告書の提出期限（原則として、その相続の開始があったことを知った日の翌日から10か月以内）後に特例対象宅地等の全部又は一部が分割された場合には、当該分割された日において被相続人に係る相続財産のうちに次に掲げる財産（下記に掲げる 対象財産 を参照）があるときであっても、当該分割された特例対象宅地等の全部又は一部を選択特例対象宅地等として、小規模宅地等の相続税の課税価格の計算の特例の適用を受けるために相続税法に規定する更正の請求の特則に準じて更正の請求を行うことができる期間は、当該分割された日の翌日から４か月以内に限られています。

対象財産

(1)　今回分割された特例対象宅地等とは別の他に分割されていない特例対象宅地等

(2)　分割されていない特例対象株式等（旧租税特別措置法第69条の５第２項第１号《特定事業用資産についての相続税の課税価格の計算の特例》に規定する『特定株式』及び同項第２号に規定する『特定出資』で財務省令で定める一定のものをいいます。）㊟

(3)　分割されていない特例対象山林（旧租税特別措置法第69条の５第２項第１号《特定計画山林についての相続税の課税価格の計算の特例》に規定する『特定森林施業計画対象山林』で財務省令で定める一定のものをいいます。）

したがって、当該期間（当該分割された日の翌日から４か月間）経過後においては、当該分割された特例対象宅地等（相続税の申告期限後に分割された特例対象宅地等）については、たとえ、上記(1)から(3)に掲げる財産があったとしても、相続税の更正の請求をすることは認められていませんので留意する必要があります。

㊟　10％減額特例規定の廃止について

平成21年４月１日以後に開始した相続から特定事業用資産についての相続税の課税価格の計算の特例について、選択特定事業用資産が特定同族会社株式等である場合の取扱い（10％減額特例）規定が、経過措置の適用を受ける場合を除き廃止されました。

以上の取扱いを **設例** で示しますと、下記のとおりになります。

**設例**

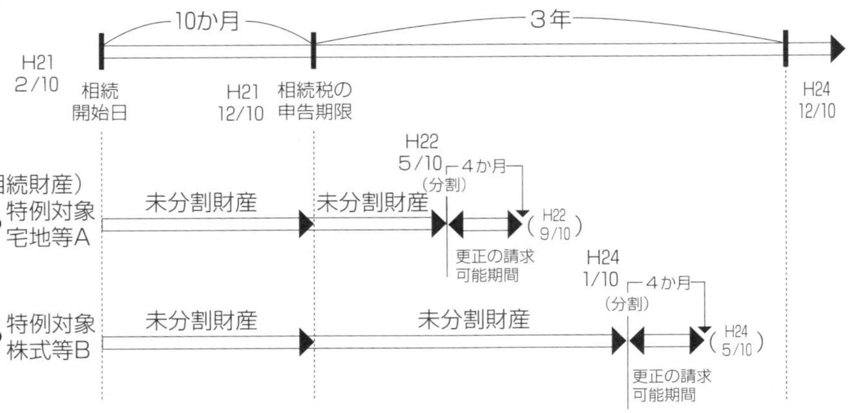

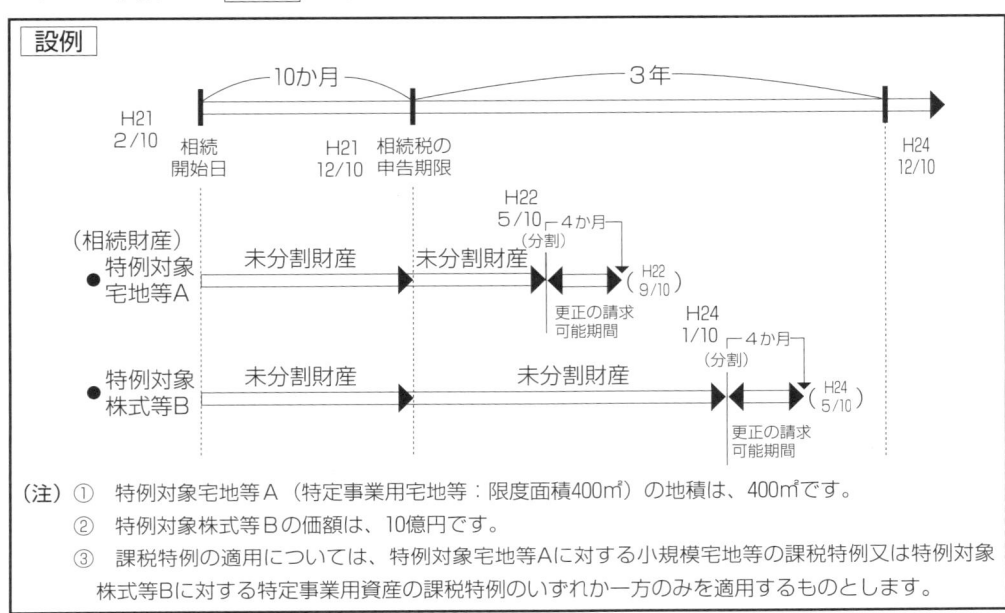

(注) ①　特例対象宅地等Ａ（特定事業用宅地等：限度面積400㎡）の地積は、400㎡です。
②　特例対象株式等Ｂの価額は、10億円です。
③　課税特例の適用については、特例対象宅地等Aに対する小規模宅地等の課税特例又は特例対象株式等Bに対する特定事業用資産の課税特例のいずれか一方のみを適用するものとします。

注　上記の **設例** は、相続開始日が平成21年２月10日となっていますが、平成21年度の税法改正による選択特定事業用資産が特定同族会社株式等である場合の取扱い（10％減額特例）規定の廃止は、平成21年４月１日以後に開始した相続から適用するものとされており、同日以前に開始した相続（上記の **設例** が該当）については従前のとおりとされていますので、双方の課税特例の併用適用関係に係る論点が残ることになります。

上記の **設例** の場合、(注) ③に配意した取扱いとして、特例対象宅地等Aに対する小規模宅地等の課税特例及び特例対象株式等Bに対する特定事業用資産の課税特例（旧法）の適用関係をまとめると次表のとおりになります。

| 区分 ＼ 税務上の取扱い | | 平成22年５月10日の宅地等Ａの分割に係る税務取扱い | 平成24年１月10日の株式等Ｂの分割に係る税務取扱い |
|---|---|---|---|
| (イ)特例対象宅地等Aの分割時（H22.５/10） | ㋑宅地等Ａについて措置法第69条の４を適用する場合 | 当該分割がされた日の翌日から４か月以内（最終期限：平成22年９月10日）に相続税の更正の請求手続きを実施 ➡ | 課税特例の適用に係る手続きはなし（株式等Bについては特定事業用資産の課税特例の適用は不可（宅地等Aに対する適用で限度面積（400㎡）まで適用済）） |
| | ㋺宅地等Ａについて措置法第69条の４を適用しない場合 | 課税特例の適用に係る手続きはなし ➡ | 一定の手続きを実施することにより、株式等Bについては特定事業用資産の課税特例の適用が可能（下記(ロ)㋑を参照） |

| | | | |
|---|---|---|---|
| (ロ)特例対象株式等Bの分割時（H24.1/10） | ①株式等Bについて旧措置法第69条の５を適用する場合 | 株式等Bについて旧措置法第69条の５を適用可能限度額（10億円）まで適用する場合には、宅地等Aの分割時に当該宅地等Aについて措置法第69条の４を適用するための相続税の更正の請求手続きをしていないことが必要 | ➡ 当該分割がされた日の翌日から４か月以内（最終期限：平成24年５月10日）に相続税の更正の請求手続きを実施（ただし、左欄を参照） |
| | ⓑ株式等Bについて旧措置法第69条の５を適用しない場合 | | ①株式等Bについて、旧措置法第69条の５の課税特例規定の適用はなし<br>②この段階で、宅地等Aについて措置法第69条の４の課税特例規定を申請（相続税の更正の請求）をすることは不可（更正の請求期限が既に経過済） |

なお、前記第１章第２節〔6〕(1)③（93ページ）の取扱いに準ずるものとして、相続税の申告期限までに共同相続人又は包括受遺者によって分割された特例対象宅地等（以下本項において、「既に分割された特例対象宅地等」といいます。）について、当該相続又は遺贈に係る相続税の申告期限までに特例対象株式等又は特例対象山林の全部又は一部が分割されなかったことにより、既に分割された特例対象宅地等についてその選択がなされないために選択特例対象宅地等が確定せず、小規模宅地等の課税特例を受けなかった場合において、相続税の申告期限から３年以内に当該特例対象株式等又は特例対象山林の全部又は一部が分割されたこと等により当該選択がなされるときには、当該選択特例対象宅地等については、本特例（小規模宅地等の課税特例）を適用することができるものとされており、この特例の適用を受けるためには、当該選択の基因となった当該特例対象株式等又は特例対象山林の全部又は一部が分割された日の翌日から４か月以内に相続税の更正の請求を行う必要があるものとされています。（下記 図解 を参照）

図解

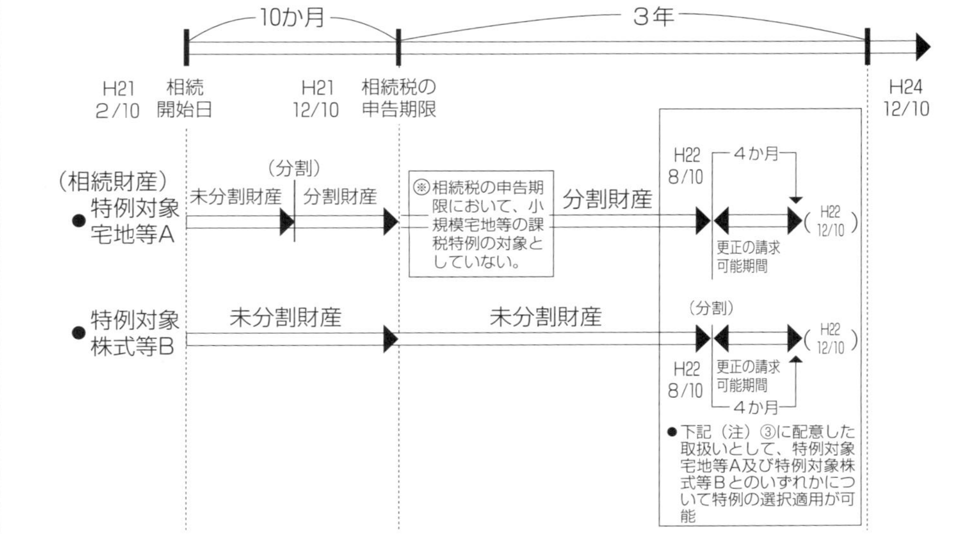


(注) ① 特例対象宅地等A（特定事業用宅地等：限度面積400㎡）の地積は、400㎡です。

② 特例対象株式等Bの価額は、10億円です。

③ 課税特例の適用については、特例対象宅地等Aに対する小規模宅地等の課税特例又は特例対象株式等Bに対する特定事業用資産の課税特例のいずれか一方のみを適用するものとします。

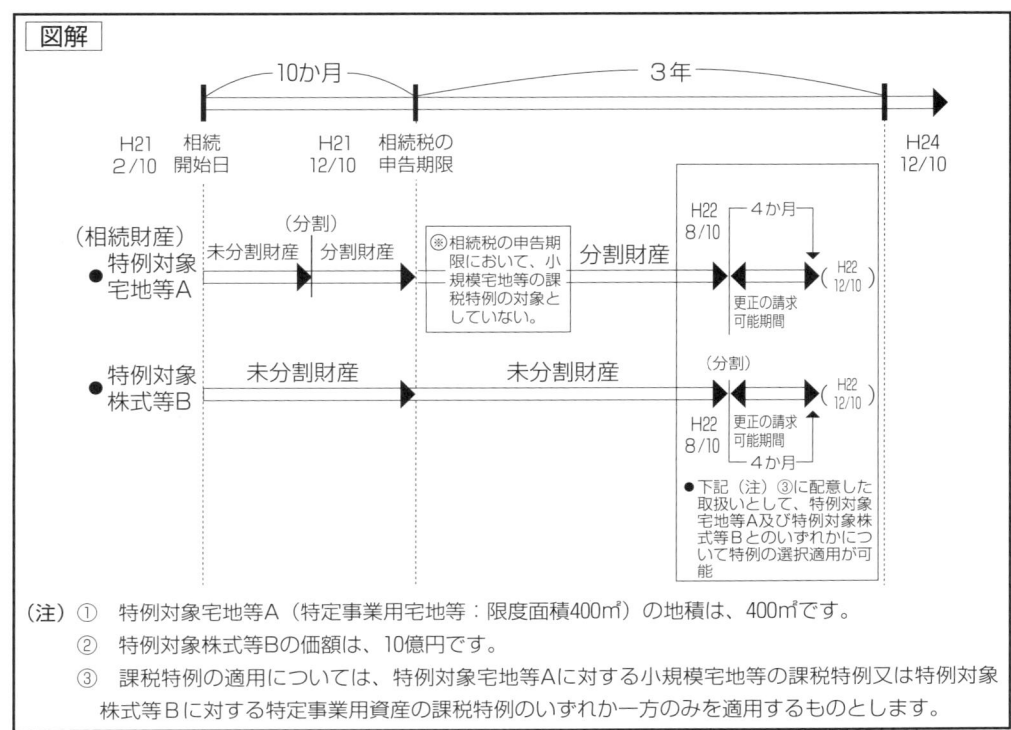

注 上記の 図解 は、相続開始日が平成21年２月10日となっていますが、平成21年度の税法改正による選択特定事業用資産が特定同族会社株式等である場合の取扱い（10％減額特例）規定の廃止は、平成21年４月１日以後に開始した相続から適用するものとされており、同日以前に開始した相続（上記の 図解 が該当）については従前のとおりとされていますので、双方の課税特例の併用適用関係に係る論点が残ります。

上記の 図解 の場合には、（注）③に配意した取扱いとして、特例対象宅地等A及び特例対象株式等Bの分割が確定したことによって、当該分割がなされた日の翌日から４か月以内（最終期限：平成22年12月10日）に、次に掲げるいずれかの課税特例の適用を選択して相続税の更正の請求をすることが可能となります。

| 選択 | 相続財産 | 適用すべき課税特例 |
| --- | --- | --- |
| → | 特例対象宅地等A | 措置法第69条の４《小規模宅地等についての相続税の課税価格の計算の特例》 |
| → | 特例対象株式等B | 旧措置法第69条の５《特定事業用資産についての相続税の課税価格の計算の特例》 |

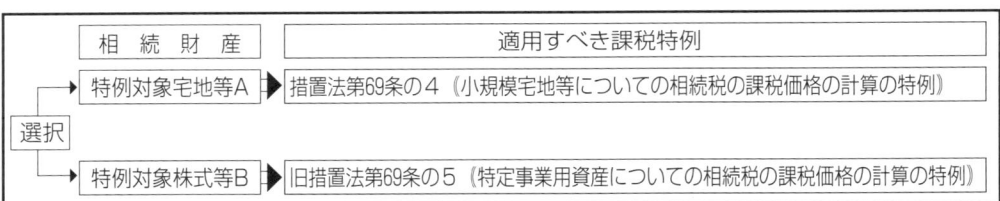

したがって、特例対象株式等Bに係る遺産分割確定時における上記の 図解 の場合における取扱いと前記の 設例 の場合における取扱いとの間には明確な相違があり、当該相違の内容及び原因について確認しておく必要があります。（下表を参照）

| 区　分 | 適用可能な課税特例 | 取扱い上の相違が生じる原因 |
|---|---|---|
| 設例の場合 | 特例対象株式等Bに対する旧措置法第69条の５《特定事業用資産に係る課税特例》のみの適用<br>㊟　特例対象宅地等Aに対する措置法第69条の４《小規模宅地等に係る課税特例》を選択適用する余地はありません。 | 特例対象宅地等Aは相続税の申告期限において未分割であるため、当該宅地に対する特例適用（相続税の更正の請求）は、原則として相続税の申告期限から３年以内に行われた当該宅地に係る分割確定日の翌日から４か月以内に行う必要があった（特例対象株式等Bに係る分割確定日においては、当該期間が既に経過済みとなってしまっている。）ため |
| 図解の場合 | 特例対象宅地等Aに対する措置法第69条の４《小規模宅地等に係る課税特例》の適用と特例対象株式等Bに対する旧措置法第69条の５《特定事業用資産に係る課税特例》の適用のなかから、いずれか一方（(注)③に掲げる前提要件から）を選択して適用 | 特例対象宅地等Aは相続税の申告期限において分割が完了しているため、旧措置法施行令第40条の２第14項に定める優遇的取扱いによって、当該宅地に対する課税特例の適用申請が、特例対象株式等Bに対する特例適用期限（原則として、相続税の申告期限から３年以内に行われた当該株式等に係る分割確定日の翌日から４か月以内）まで延長されているため |

**参考事項**　平成15年１月１日以降に開始した相続等（注）について適用される小規模宅地等の課税特例と（旧）特定事業用資産の課税特例の重複適用の取扱いを上記 図解 の事例に適用した場合

上記 図解 の事例では、当該 図解 に掲げる（注）③の前提条件から平成22年８月10日における特例対象宅地等A及び特例対象株式等Bに係る遺産分割確定時には、小規模宅地等の課税特例及び（旧）特定事業用資産の課税特例についていずれか一方の選択適用が求められるものとして、その取扱いが解説されています。

しかしながら、平成15年度の税法改正によって、一定の要件のもとにこれらの２つの課税特例の重複適用が平成15年１月１日以降に課税時期が到来（相続開始）したものから認められることになりました。(注) そこで、この一定の要件を充足した前提条件に基づいた取扱いを示しますと下記 図解－２ のとおりになります。（上記 図解 の場合と比較対照してください。）

(注)　(旧) 特定事業用資産の課税特例の規定は、平成21年３月31日をもって一定の経過措置の適用を受けるものを除いて廃止されましたので、この取扱いの適用対象とされるのは、相続開始時期が原則として、平成15年１月１日から平成21年３月31日までとなります。

図解－２

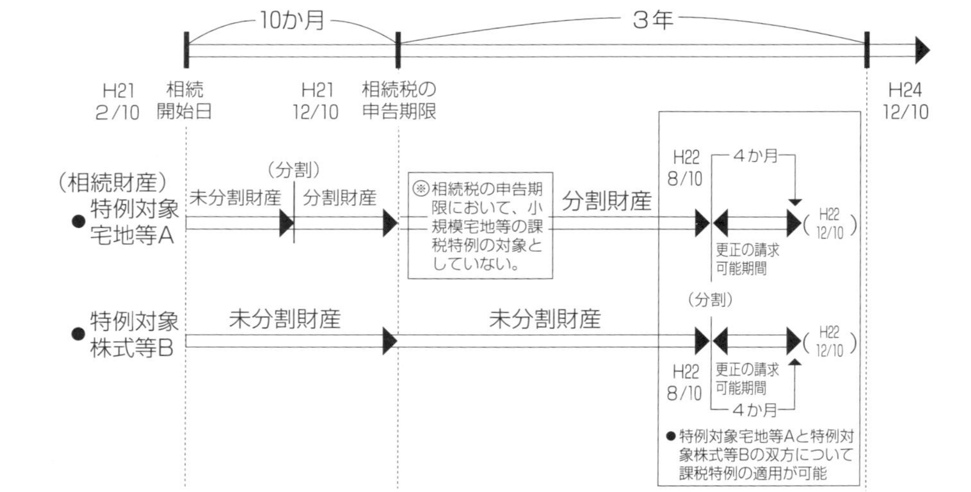


〔前提条件〕①　特例対象宅地等A（特定特例対象宅地等：限度面積200㎡）の地積は、200㎡です。

②　特例対象株式等Bの価額は、４億円です。

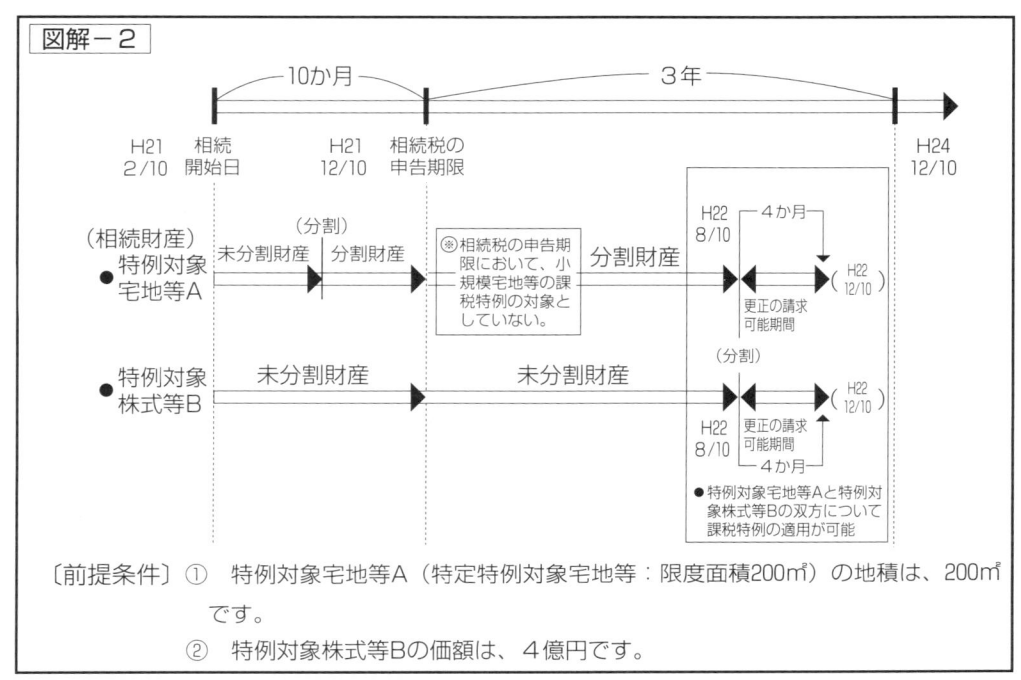

注　上記の図解－２は、相続開始日が平成21年２月10日となっていますが、平成21年度の税法改正による選択特定事業用資産が特定同族会社株式等である場合の取扱い（10％減額特例）規定の廃止は、平成21年４月１日以後に開始した相続から適用するものとされており、同日以前に開始した相続（上記図解－２が該当）については従前のとおりとされていますので、双方の課税特例の併用適用関係に係る論点が残ります。

上記 図解－２ の場合には、特例対象宅地等A及び特例対象株式等Bの分割が確定したことによって、当該分割がなされた日の翌日から４か月以内（最終期限：平成22年12月10日）に、次に掲げるいずれかの区分に基づく課税特例の適用を選択して相続税の更正の請求をすることが可能となります。（注：これ以外の組み合せの区分もありますが、下記に掲げるいずれか１つの選択が相続税の課税価格への算入額として最も低い価額となります。）

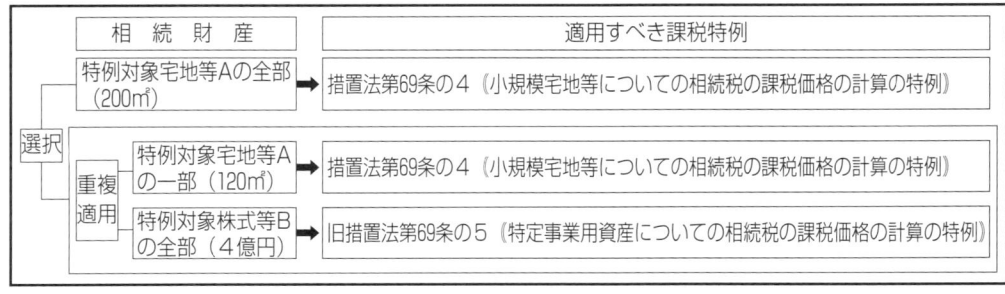

| | | 相続財産 | 適用すべき課税特例 |
|---|---|---|---|
| 選択 | | 特例対象宅地等Aの全部（200㎡） | 措置法第69条の４（小規模宅地等についての相続税の課税価格の計算の特例） |
| | 重複適用 | 特例対象宅地等Aの一部（120㎡） | 措置法第69条の４（小規模宅地等についての相続税の課税価格の計算の特例） |
| | | 特例対象株式等Bの全部（４億円） | 旧措置法第69条の５（特定事業用資産についての相続税の課税価格の計算の特例） |

（注）　重複適用の計算
　(1)　特例対象株式等B→４億円
　(2)　特例対象宅地等A→120㎡（下記参照）
　　①　$400㎡ \times \frac{10億円 - 4億円}{10億円} = 240㎡$
　　②　$240㎡ \times \frac{200㎡}{400㎡} = 120㎡$

## 〔44〕　措置法通達69の４－26の２《個人の事業用資産についての納税猶予及び免除の適用がある場合》

### (1)　個人の事業用資産の納税猶予制度の創設

令和元年度の税法改正において、新たに個人の事業用資産についての納税猶予及び免除の規定が設けられました。その概要は、次のとおりとされています。

参考資料　個人の事業用資産についての贈与税・相続税の納税猶予・免除（個人版事業承継税制）のあらまし

○　令和元年度税制改正により創設された個人版事業承継税制は、青色申告（正規の簿記の原則によるものに限ります。）に係る事業（不動産貸付業等を除きます。）を行っていた事業者の後継者※1として円滑化法の認定を受けた者が、平成31年１月１日から令和10年12月31日まで※2の贈与又は相続等により、特定事業用資産を取得した場合は、
①　その青色申告に係る事業の後継等、一定の要件のもと、その特定事業用資産に係る贈与税・相続税の全額の納税が猶予され、
②　後継者の死亡等、一定の事由により、納税が猶予されている贈与税・相続税の納税が免除されるものです。

※1　平成31年４月１日から令和６年３月31日までに「個人事業承継計画」を都道府県知事に提出し、確認を受けた者に限ります。
※2　先代事業者の生計一親族からの特定事業用資産の贈与・相続等については、上記の期間内で、先代事業者からの贈与・相続等の日から１年を経過する日までにされたものに限ります。

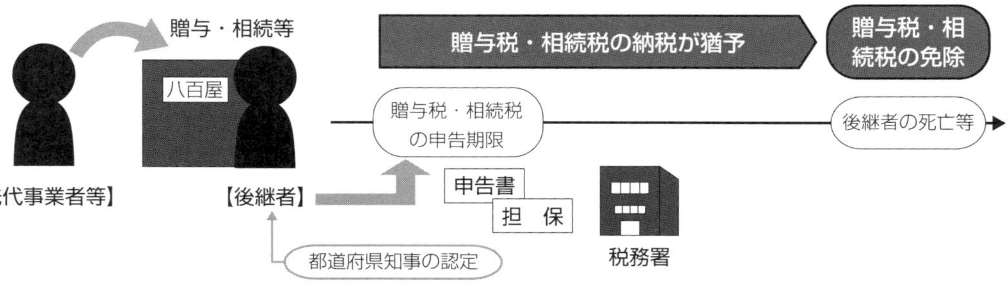

この制度の対象となる「特定事業用資産」とは、先代事業者（贈与者・被相続人）の事業の用に供されていた次の資産で、贈与又は相続等の日の属する年の前年分の事業所得に係る青色申告書の貸借対照表に計上されていたものをいいます。

①　宅地等（400㎡まで）

②　建物（床面積800㎡まで）

③　②以外の減価償却資産で次のもの

・固定資産税の課税対象とされているもの

・自動車税・軽自動車税の営業用の標準税率が適用されるもの（注）

注　令和３年度の税法改正によって、個人事業者の事業用資産に係る相続税・贈与税の納税猶予制度について、適用対象となる特定事業用資産の範囲に、被相続人又は贈与者の事業の用に供されていた乗用自動車で青色申告書に添付されている貸借対照表に計上されているもの（取得価額500万円以下の部分に対応する部分に限られます。）が加えられることになりました。

・その他一定のもの（貨物運送用など一定の自動車、乳牛・果樹等の生物、特許権等の無形固定資産）

（注）１　先代事業者が、配偶者の所有する土地の上に建物を建て、事業を行っている場合における土地など、先代事業者と生計を一にする親族が所有する上記①から③までの資産も、特定事業用資産に該当します。

２　後継者が複数人の場合には、上記①及び②の面積は各後継者が取得した面積の合計で判定します。

３　先代事業者等からの相続等により取得した宅地等につき小規模宅地等の特例の適用を受ける者がいる場合には、一定の制限があります。

（出典：国税庁ＨＰより（一部筆者加筆））

上記参考資料の（注）３に掲げるとおり、先代事業者等から相続等により取得した宅地等に対して、小規模宅地等の課税特例の適用を受ける者が存する場合には、個人の事業用資産についての相続税の納税猶予及び免除の規定の適用については一定の制限が設けられています。

すなわち、小規模宅地等の課税特例と個人の事業用資産についての納税猶予及び免除の両規定の間には、下記(2)に掲げるとおりの一定の重複適用に対する制限規定が設けられています。

### (2)　両規定の重複適用関係

#### ①　特定事業用宅地等に対する重複適用関係

(イ)　取扱い

被相続人が次に掲げる者のいずれかに該当する場合には、当該被相続人から相続又は遺贈により取得（注）した全ての『特定事業用宅地等』については、小規模宅地等の課税特例の適用対象にならないものとされています。

㋑　措置法第70条の６の８《個人の事業用資産についての贈与税の納税猶予及び免除》の規定の適用を受けた特例事業受贈者に係る贈与者

㋺　措置法第70条の６の10《個人の事業用資産についての相続税の納税猶予及び免除》の規定の適用を受ける特例事業相続人等に係る被相続人

（注）　上記の『取得』には、措置法第70条の６の９《個人の事業用資産の贈与者が死亡した場合の相続税の課税の特例》第１項（同条第２項の規定により読み替えて適用する場合も含みます。）の規定により、相続又は遺贈により取得したものとみなされる場合における当該取得を含むものとされています。

(ロ)　留意点

被相続人からの相続又は遺贈により特定事業用宅地等を取得した者自身が個人の事業用資産の相続税の納税猶予の適用を受けない場合であっても、その者又はその者以外の者が次の㋑又は㋺に掲げるものに該当するときには、当該被相続人は、上記(イ)の㋑又は㋺に掲げる者に該当することになります。

㋑　当該取得した者以外の者が個人の事業用資産の相続税の納税猶予の適用（注）を受けるとき

㋺　当該取得した者又はその者以外の者が既に被相続人からの贈与により取得した財産について個人の事業用資産の贈与税の納税猶予（措置法第70条の６の８《個人の事業用資産についての贈与税の納税猶予及び免除》の規定をいいます。）の適用（注）を受けていたとき

（注）　上記㋑及び㋺に掲げる個人の事業用資産の相続税・贈与税の納税猶予の適用については、建物及び減価償却資産など特定事業用宅地等に該当しない特定事業用資産（措置法第70条の６の10《個人の事業用資産についての相続税の納税猶予及び免除》第２項第１号又は第70条の６の８第２項第１号に規定する特定事業用資産をいいます。）についてのみ適用を受けていた場合であっても、同制度の適用を受けていたものとして取り扱われます。

したがって、上記の場合には、当該被相続人から相続又は遺贈により取得した全ての特定事業用宅地等について、小規模宅地等の課税特例の適用対象となりません。

**②　特定事業用宅地等以外の特例対象宅地等に対する重複適用関係**

(イ)　取扱い

上記①に掲げるとおり、個人の事業用資産についての相続税・贈与税の納税猶予及び免除の規定の適用を受ける場合には、特定事業用宅地等を小規模宅地等の課税特例の適用対象とすることは認められていません。

そうすると、下記に掲げる小規模宅地等の区分（特例対象宅地等）については、上記に掲げる個人の事業用資産についての相続税・贈与税の納税猶予及び免除の規定との重複適用が認められないとされる規定の適用はないことから、被相続人が上記(2)①(イ)㋑又は㋺に掲げる者に該当する場合であっても、これらの宅地等については、他の要件を満たすときには小規模宅地等の課税特例の適用対象とすることが認められています。

㋑　特定居住用宅地等

㋺　特定同族会社事業用宅地等

㋩　貸付事業用宅地等

⑵　留意点

上記⑴の後段の取扱いに関しては、下記に掲げる小規模宅地等の区分（特例対象宅地等）に応じて、個人の事業用資産についての相続税の納税猶予及び免除の対象とされる特定事業用資産である宅地等の面積との間で一定の調整（限度面積計算）に関する規定が設けられています。

㋑　『特定居住用宅地等』のみを選択特例対象宅地等とした場合

特定事業用資産である宅地等に対する適用面積（上限面積400㎡）にかかわらず、当該特定居住用宅地等の面積（上限面積330㎡）まで、小規模宅地等の課税特例を受けることが認められます。

すなわち、個人の事業用資産についての納税猶予及び免除の規定と特定居住用宅地等のみを選択特例対象宅地等とする小規模宅地等の課税特例の規定とは、両者の完全併用が認められるものとされています。

㋺　上記㋑以外の場合

上記㋑以外の場合として、次に掲げる組み合わせが考えられます。

(A)　『特定同族会社事業用宅地等』のみを選択特例対象宅地等とする場合

(B)　『貸付事業用宅地等』のみを選択特例対象宅地等とする場合

(C)　『特定居住用宅地等』、『特定同族会社事業用宅地等』又は『貸付事業用宅地等』のうちから複数を組み合わせて選択特例対象宅地等とする場合

（注）　特定居住用宅地等のみを選択特例対象宅地等とした場合には上記㋑の取扱いが適用されますが、特定居住用宅地等と他の特例対象宅地等（特定事業用宅地等を除きます。）を選択特例対象宅地等とした場合には、この(C)に該当することに留意する必要があります。

上記(A)ないし(C)に該当する場合には、特定事業用資産である宅地等に対する適用面積と小規模宅地等の課税特例の対象とする適用面積との間には、下記に掲げる算式を充足する必要があります。

算式　$A \times \frac{400㎡}{330㎡} + B + C \times \frac{400㎡}{200㎡} + D \leqq 400㎡$

Ａ：特定居住用宅地等である選択特例対象宅地等の面積
Ｂ：特定同族同社事業用宅地等である選択特例対象宅地等の面積
Ｃ：貸付事業用宅地等である選択特例対象宅地等の面積
Ｄ：特例事業用資産（注）である宅地等の面積

（注）　特例事業用資産とは、被相続人から相続又は遺贈によりその事業に係る特定事業用資産のすべての取得をした特例事業相続人等が、当該相続に係る相続税の申告書の提出により納付すべき相続税の額のうち、当該特定事業用資産で当該相続税の申告書に、個人の事業用資産についての相続税の納税猶予及び免除の規定の適用を受けようとする旨の記載があるものをいいます。

## 〔45〕　措置法通達69の４－27《郵便局舎の敷地の用に供されている宅地等に係る相続税の課税の特例》

### ⑴　概要

個人が相続又は遺贈により取得した財産のうちに、郵政民営化法（平成17年法律第97号）に規定する『特定宅地等』がある場合には、当該特定宅地等を第１章第２節〔4〕⑴（23ページ）に規定する『特定事業用宅地等』に該当する特例対象宅地等とみなして、措置法第69条の４《小規模宅地等についての相続税の課税価格の計算の特例》及び旧同法第69条の５《特定事業用資産についての相続税の課税価格の計算の特例》㊟の規定の適用を受けるものとされています。

㊟　10%減額特例規定の廃止について

平成21年４月１日以後に開始した相続から特定事業用資産についての相続税の課税価格の計算の特例について、選択特定事業用資産が特定同族会社株式等である場合の取扱い（10%減額特例）規定が、経過措置の適用を受ける場合を除き廃止されました。したがって、同日以後に開始した相続については、たとえ、相続財産が特定同族会社株式等の要件（法律改正前の要件）を充足していたとしても、小規模宅地等の課税特例規定と特定事業用資産の課税特例規定の重複適用の問題は生じないことになります。（特定同族会社株式等と10%減額特例との関係）

ただし、平成21年３月31日までに、10%減額特例の適用を受けるため相続時精算課税を選択して贈与を受けた株式等（特定受贈同族会社株式等）については、10%減額特例の要件を満たしている場合には、特定贈与者に係る相続開始時に10%減額特例を適用するものとされています。したがって、このただし書きに該当する場合には、従前（改正前）どおりに双方の課税特例規定の重複適用の問題が残ることになります。（特定受贈同族会社株式等と10%減額特例との関係）

### ⑵　郵政民営化法に規定する『特定宅地等』の意義

個人が相続又は遺贈により取得した財産のうちに、次に掲げる要件①のすべてを満たす土地又は土地の上に存する権利で一定のもの②をいいます。

#### ①　『次に掲げる要件』の意義

(イ)　郵政民営化法の施行日（平成19年10月１日）前に当該相続若しくは遺贈に係る被相続人又は当該被相続人の相続人と旧公社（**注：旧日本郵政公社**）との間の賃貸借契約に基づき旧公社法第20条第１項に規定する郵便局の用に供するため旧公社に対し貸し付けられていた建物で一定のもの㊟の敷地の用に供されていた土地又は土地の上に存する権利であること

㊟　『建物で一定のもの』とは、旧公社との賃貸借契約の当事者である被相続人又は当該被相続人の相続人が有していた建物とされています。

(ロ)　施行日から当該被相続人に係る相続の開始の直前までの間において当該賃貸借契約（施行日の直前に効力を有するものに限るものとされています。）の契約事項に一定の事項㊟以外の事項の変更がない賃貸借契約が存すること

㊟　『一定の事項』とは、次に掲げる事項とされています。

㋑　当該賃貸借契約に係る郵便局株式会社（平成24年10月１日以後は、日本郵便株式会社）の営業所、事務所その他の施設（以下㋑において「支社等」といいます。）の名称若しくは所在地又

は支社等の長

㋺　当該賃貸借契約に係る被相続人又は当該被相続人の相続人の氏名又は住所

㋩　当該賃貸借契約において定められた契約の期間

㋥　当該賃貸借契約に係る上記(1)に規定する特定宅地等及び下記(ハ)に規定する郵便局舎の所在地の行政区画、郡、区、市町村内の町若しくは字若しくはこれらの名称又は番地

(ハ)　上記(ロ)に掲げる契約に基づき、引き続き郵便局株式会社法第２条《定義》第２項（平成24年10月１日以後は日本郵便株式会社法第２条《定義》第４項）に規定する郵便局の用に供するため郵便局株式会社（平成24年10月１日以後は日本郵便株式会社）に貸し付けられていた建物で一定のもの㊟（これを「郵便局舎」といいます。以下(ニ)において同じ。）の敷地の用に供されていたもの（以下(ニ)及び(ホ)において「宅地等」といいます。）であること

㊟『建物で一定のもの』とは、郵便局株式会社（平成24年10月１日以後は、日本郵便株式会社）との賃貸借契約の当事者である被相続人又は当該被相続人の相続人が有していた建物とされています。

(ニ)　当該相続又は遺贈により当該宅地等の取得をした相続人から当該相続の開始の日以後５年以上当該郵便局舎を郵便局株式会社（平成24年10月１日以後は、日本郵便株式会社）が引き続き借り受けることにより、当該宅地等を同日以後５年以上当該郵便局舎の敷地の用に供する見込みであることにつき、一定の証明㊟がされたものであること

㊟『一定の証明』は、総務大臣の下記に掲げる事項を証する書類を相続税法第27条又は第29条の規定による相続税の期限内申告書（これらの申告書に係る国税通則法第18条第２項に規定する期限後申告書及びこれらの申告書に係る国税通則法第19条第３項に規定する修正申告書を含みます。）に添付して行うものとされています。

㋑　当該土地又は土地の上に存する権利が郵政民営化法第180条第１項第１号に規定する宅地等（前記(イ)から(ハ)までに掲げる要件を充足した土地等がこれに該当します。）に該当する旨

㋺　郵政民営化法第180条第１項第２号に規定する相続人（上記(ロ)に掲げる相続人）から相続の開始の日以後５年以上同項第１号に規定する郵便局舎を郵便局株式会社（平成24年10月１日以後は、日本郵便株式会社）が引き続き借り受けることにより、当該土地又は土地の上に存する権利を同日以後５年以上当該郵便局舎の敷地の用に供する見込みである旨

(ホ)　当該宅地等について、既にこの特例の規定（郵政民営化に伴う課税特例の経過措置）の適用を受けたことがないものであること

**②　『土地又は土地の上に存する権利で一定のもの』の意義**

『土地又は土地の上に存する権利で一定のもの』とは、次に掲げる(イ)及び(ロ)の要件のすべてを満たすものとされています。

(イ)　法施行日前から郵政民営化法第180条第１項の相続又は遺贈（注：郵政民営化以後の相続等）に係る被相続人に係る相続の開始の直前まで引き続き当該被相続人が有していたものであること

(ロ)　所得税法第２条《定義》第１項第16号に規定する棚卸資産（これに準ずる資産を含みます。）に該当しないものであること

なお、上記の要件を充足する場合であっても、平成24年改正法第３条の規定による

改正前の郵便局株式会社法（平成24年10月１日以後は、日本郵便株式会社法と法律名が変更されています。）（平成17年法律100号）第４条《業務の範囲》第１項に規定する業務㊟1（同条第２項に規定する業務㊟2を併せ行っている場合の当該業務を含みます。）の用に供されていた部分以外の部分があるときは、当該業務の用に供されていた部分に限るものとされています。

㊟1　旧郵便局株式会社法第４条《業務の範囲》第１項に規定する業務
　㋑　郵便事業株式会社の委託を受けて行う郵便窓口業務
　㋺　郵便事業株式会社の委託を受けて行う印紙の売りさばき
　㋩　上記㋑及び㋺に掲げる業務に附帯する業務

㊟2　旧郵便局株式会社法第４条《業務の範囲》第２項に規定する業務
　㋑　地方公共団体の特定の事務の郵便局における取扱いに関する法律（平成13年法律第120号）第３条第５項に規定する事務取扱郵便局において行う同条第１項第１号に規定する郵便局取扱事務に係る業務
　㋺　上記㋑に掲げるもののほか、銀行業及び生命保険業の代理業務その他の郵便局を活用して行う地域住民の利便の増進に資する業務
　㋩　上記㋑及び㋺に掲げる業務に附帯する業務

### ⑶　留意点

#### ①　みなし『特定事業用宅地等』

『郵便局舎の敷地の用に供されている宅地等に係る相続税の課税特例』の規定は、郵政民営化に伴う激変緩和措置として経過的に郵政民営化法（施行日：平成19年10月１日）の規定として設けられた取扱いで、一定の要件を充足して郵便局株式会社（平成24年10月１日以後は、日本郵便株式会社）に貸し付けられている郵便局舎の敷地の用に供されている宅地等を措置法第69条の４に規定する小規模宅地等の課税特例の対象となる『特定事業用宅地等』（評価割合20％、限度面積400㎡）とみなして、課税特例の対象とする取扱いです。

（注）　本来、郵便局株式会社（平成24年10月１日以後は、日本郵便株式会社）に貸し付けられている郵便局舎の敷地の用に供されている宅地等は、被相続人等の事業（準事業を除きます。）の用に供されている宅地等には該当しないことから当該宅地等が特定事業用宅地等に該当することはありませんが、経過的取扱いとしてこのみなし規定が設けられています。

#### ②　経過措置の適用を受ける場合に土地等の所有者と建物の所有者が異なるときの取扱い

『郵便局舎の敷地の用に供されている宅地等に係る相続税の課税特例』の規定の適用に関しては、土地等の所有者が被相続人で、建物の所有者が被相続人の相続人である場合に、当該土地等の貸借契約形態については問わないものとされていることから、当該契約形態が使用貸借契約（図㋑を参照）であるか、又は賃貸借契約（図㋺を参照）であるかにかかわらず、前記⑵に掲げる特定宅地等に該当する限り、経過措置として定められた課税特例の適用を受けることが認められます。

図(イ) 使用貸借契約である場合

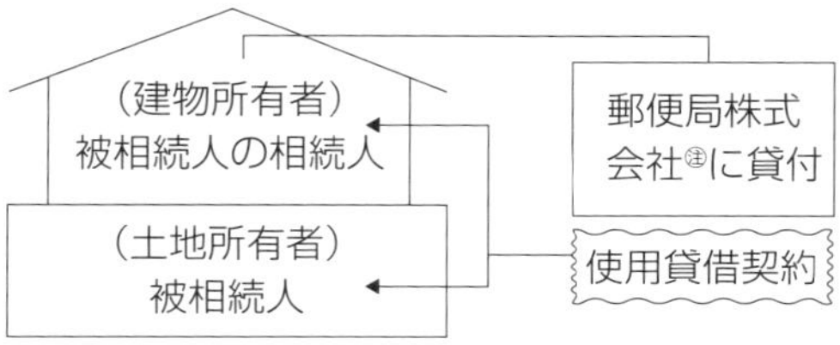


図(ロ) 賃貸借契約である場合

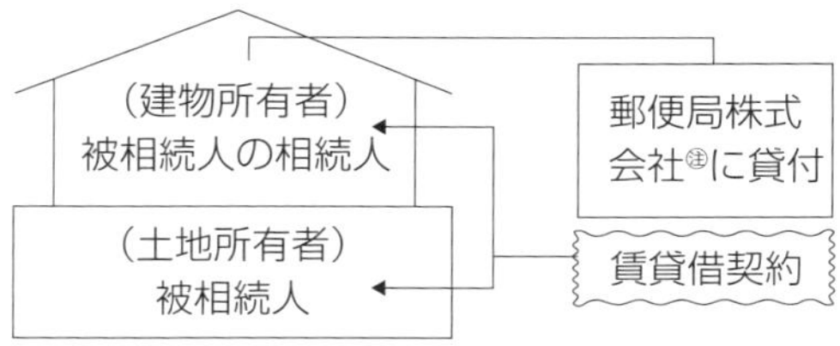


㊟ 平成24年10月１日以後は、日本郵便株式会社

### ③ １回限りの適用規定であること

『郵便局舎の敷地の用に供されている宅地等に係る相続税の課税特例』の規定は、上記①に掲げるとおり郵政民営化に伴う激変緩和措置として設けられた経過的取扱いであることから、前記⑵①(ホ)に掲げるとおり、その適用要件として、既にこの特例規定（郵政民営化法に伴う課税特例の経過措置）の適用を受けたことがないものであることとされており、１回限りの適用規定であることが理解されます。

なお、この留意点に関しては、措置法通達69の４－28《郵便局舎の敷地の用に供されている宅地等について相続税に係る課税の特例の適用を受けている場合》〔次の〔46〕を参照〕の取扱いが設けられています。

### ④ 特定宅地等に該当しない場合の小規模宅地等の課税特例の取扱い

前記⑵に掲げる特定宅地等の定義要件を充足しないために、『郵便局舎の敷地の用に供されている宅地等に係る相続税の課税特例』の規定の適用（みなし『特定事業用宅地等』としての小規模宅地等の課税特例（評価割合20％、限度面積400㎡）が認められない場合であっても、措置法第69条の４に規定する一定の要件を充足する場合（事業に準ずるものとして相当の対価を得て継続的に行う不動産（土地等又は建物等）の貸付け（準事業）と認められ、相続税の申告期限までに貸付事業を承継し、同期限まで当該宅地等を継続所有し、かつ、当該貸付事業に供用されている場合）には、貸付事業用宅地等として、小規模宅地等の課税特例（評価割合50％、限度面積200㎡）の適用が認められることに留意する必要があります。

## 〔46〕 措置法通達69の４－28《郵便局舎の敷地の用に供されている宅地等について相続税に係る課税の特例の適用を受けている場合》

### ⑴ 適用要件

『郵便局舎の敷地の用に供されている宅地等に係る相続税の課税特例』の規定は、前記〔45〕⑶③に掲げるとおり、既にこの特例規定（郵政民営化に伴う課税特例の経過措置）の適用を受けたことがないことが適用要件とされており、過去（平成19年10月１日から今回の相続開始日までの期間）に当該特例規定の適用を受けている場合には、再度の適用（特定宅地等としての小規模宅地等の課税特例の適用（評価割合20％、限度面積400㎡））は認められないものとされています。

### ⑵ 既に経過措置としての課税特例の適用を受けている場合

郵便局舎の敷地の用に供されている宅地等について、過去（平成19年10月１日から今回の相続開始日までの期間）にこの特例規定（郵政民営化に伴う課税特例の経過措置）の適用を受けた場合におけるその後における新たな相続（経過措置を受けた郵便局舎の敷地の用に供されている宅地等を相続等により取得した者に係る相続開始）が発生したときには、当該新たな相続に係る被相続人から相続又は遺贈により当該宅地等を取得した者については、当該宅地等が措置法第69条の４に規定する要件を充足する場合（事業に準ずるものとして相当の対価を得て継続的に行う不動産（土地等又は建物等）の貸付け（準事業）と認められ、相続税の申告期限までに貸付事業を承継し、同期限まで当該宅地等を継続所有し、かつ、当該貸付事業に供用されている場合）には、貸付事業用宅地等として、小規模宅地等の課税特例（評価割合50％、限度面積200㎡）の適用が認められることに留意する必要があります。この取扱いを図解で示すと下図のとおりとなります。

図解

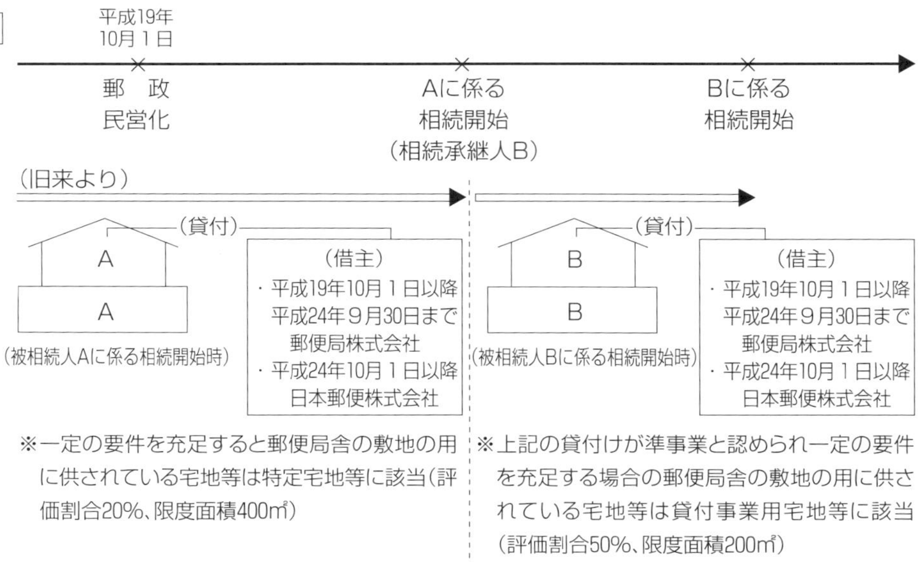


## 〔47〕措置法通達69の４－29（『相続人』の意義）

### ⑴ 相続人の意義

『郵便局舎の敷地の用に供されている宅地等に係る相続税の課税特例』の規定は、「郵政民営化法の施行日（平成19年10月１日）前に当該相続若しくは遺贈に係る被相続人又は当該被相続人の相続人(A)と旧公社（注：旧日本郵政公社）との間の賃貸借契約に基づき旧公社法第20条第１項に規定する郵便局の用に供するため旧公社に対し貸し付けられていた建物で一定のものの敷地の用に供されていた土地又は土地の上に存する権利であること」が適用要件の１

つに挙げられています。

この要件において、『相続人』（上記(A)部分）には、(B)相続を放棄した者及び(C)相続権を失った者を含まないものとされ、いわゆる共同相続人であることを意味しています。

また、この『相続人』とは、被相続人に係る相続において相続人（共同相続人）である者を意味するものとされており、判定時点は被相続人に係る相続開始時点とされることに留意する必要があります。

なお、『相続を放棄した者』（上記(B)部分）及び『相続権を失った者』（上記(C)部分）の意義については、下記 参考資料 に掲げる相続税法基本通達３－１《『相続を放棄した者』の意義》及び同通達３－２《『相続権を失った者』の意義》をそれぞれ準用するものとされています。

参考資料

**相続税法基本通達３－１《『相続を放棄した者』の意義》**

法第３条第１項に規定する「相続を放棄した者」とは、民法第915条《相続の承認又は放棄をすべき期間》から第917条までに規定する期間内に同法第938条《相続の放棄の方式》の規定により家庭裁判所に申述して相続の放棄をした者（同法第919条第２項《相続の承認及び放棄の撤回及び取消し》の規定により放棄の取消しをした者を除く。）だけをいうのであって、正式に放棄の手続をとらないで事実上相続により財産を取得しなかったにとどまる者はこれに含まれないのであるから留意する。

**相続税法基本通達３－２《『相続権を失った者』の意義》**

法第３条第１項に規定する「相続権を失った者」とは、民法第891条の各号《相続人の欠格事由》に掲げる者並びに同法第892条《推定相続人の廃除》及び第893条《遺言による推定相続人の廃除》の規定による推定相続人の廃除の請求に基づき相続権を失った者（同法第894条《推定相続人の廃除の取消し》の規定により廃除の取消しのあった者を除く。）だけをいうのであるから留意する。

## (2) 『情報』による確認

上記(1)に掲げる『相続人』に該当するか否かの判断によって、『郵便局舎の敷地の用に供されている宅地等に係る相続税の課税特例』の適用可否が峻別されることが考えられますが、この取扱いに関する明確性を確保する観点から、平成20年４月７日付けで「『租税特別措置法（相続税法の特例関係）の取扱いについて』（法令解釈通達）の一部改正のあらまし（情報）」（資産課税課情報第５号）が公開されており、同情報においては、下記 参考資料 に掲げる事例形式で課税特例の適用可否に関する判断を示しています。

（注） 図解 は、情報の理解を容易にするために筆者が作成し添付したものです。

**参考資料**　「『租税特別措置法（相続税法の特例関係）の取扱いについて』（法令解釈通達）の一部改正のあらまし（情報）」（資産課税課情報第５号、平成20年４月７日）における措置法通達69の４－29《『相続人』の意義》の事例による解説

**《事例１》**

郵政民営化法の施行日前に旧日本郵政公社との賃貸借契約を締結した契約当事者（建物所有者）は、その時点において被相続人の推定相続人であったが、施行日から被相続人に係る相続の開始の直前までの間において相続人の欠格事由（民法891）に該当し、被相続人に係る相続において相続人でなくなった場合

⇒　郵政民営化法による相続税に係る課税の特例の適用を受けることはできない。

図解

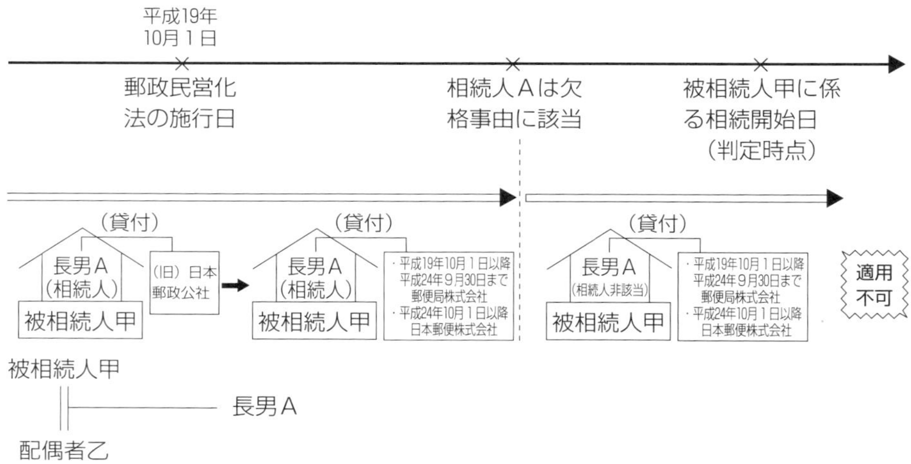


**《事例２》**

郵政民営化法の施行日前に旧日本郵政公社との賃貸借契約を締結した契約当事者（建物所有者）は、その時点において被相続人の推定相続人の推定相続人（例えば、被相続人の孫）であったが、施行日から被相続人に係る相続の開始の直前までの間において被相続人の推定相続人が亡くなったため、被相続人に係る相続において代襲相続により被相続人の相続人となった場合

⇒　他の要件を満たせば郵政民営化法による相続税に係る課税の特例の適用を受けることができる。

図解

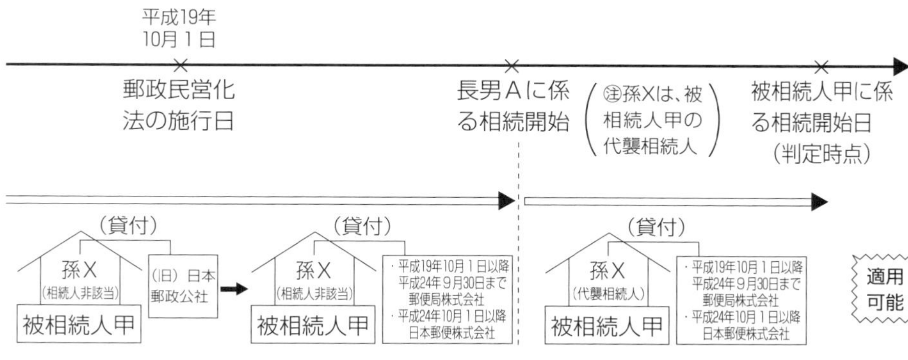

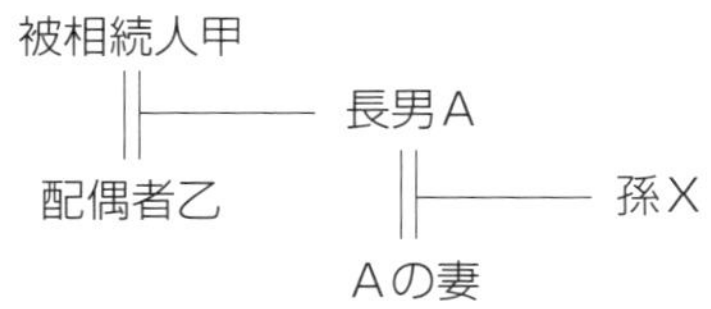


**《事例３》**

郵政民営化法の施行日前に旧日本郵政公社との賃貸借契約を締結した契約当事者（建物所有者）は、その時点において被相続人の推定相続人（被相続人の子）であったが、施行日から被相続人に係る相続の開始の直前までの間において被相続人の推定相続人が亡くなったため、その推定相続人の相続において推定相続人の相続人（被相続人の孫）が賃貸借契約に係る建物（郵便局舎）を相続し、郵便局株式会社（平成24年10月１日以後は、日本郵便株式会社）との契約当事者となり、その後被相続人に係る相続において代襲相続により被相続人の相続人となった場合

⇒　郵政民営化法による相続税に係る課税の特例の適用を受けることはできない。

〔理由〕　代襲相続により相続人となった者は、被相続人に係る相続における相続人であるが、当該相続人は、被相続人の相続開始前に当該被相続人の推定相続人の死亡により賃貸借契約に係る建物（郵便局舎）を取得し、契約当事者となっている。したがって、郵政民営化法の施行日前に旧日本郵政公社との賃貸借契約の契約当事者ではなく、また、郵政民営化法施行日以後の契約当事者の変更は、郵政民営化法第180条第１項第１号に規定する契約事項の変更に該当するため、郵政民営化法第180条第１項の規定の適用を受けることはできない。

図解

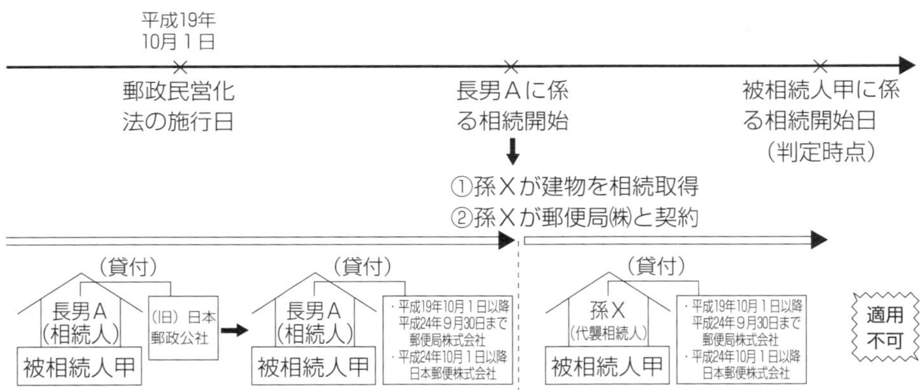


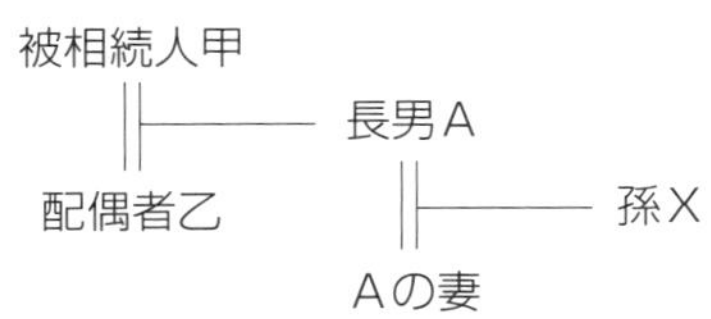

## 〔48〕　措置法通達69の４－30《特定宅地等の範囲》

### ⑴　適用要件

『郵便局舎の敷地の用に供されている宅地等に係る相続税の課税特例』の規定は、当該郵便局舎の敷地の用に供されていた土地等を被相続人が郵政民営化法の施行日（平成19年10月１日）前から相続の開始の直前まで引き続き所有している場合に限り適用されます。

### ⑵　具体的事例による確認

下記に掲げる各事例の場合には、上記⑴に掲げる要件を充足しないことから、郵便局株式会社（平成24年10月１日以後は、日本郵便株式会社）に対して貸し付けられている不動産（郵便局舎及び当該郵便局舎の敷地の用に供されている宅地等で、いずれも被相続人が所有。以下、各事例において同じ。）について、郵政民営化に伴う経過措置としての『郵便局舎の敷地の用に供されている宅地等に係る相続税の課税特例』の規定は適用できないことになります。

**事例１**　郵政民営化法の施行日（平成19年10月１日）以後に被相続人が売買により取得した不動産

**事例２**　郵政民営化法の施行日（平成19年10月１日）以後に被相続人が贈与により取得した不動産

**図解**

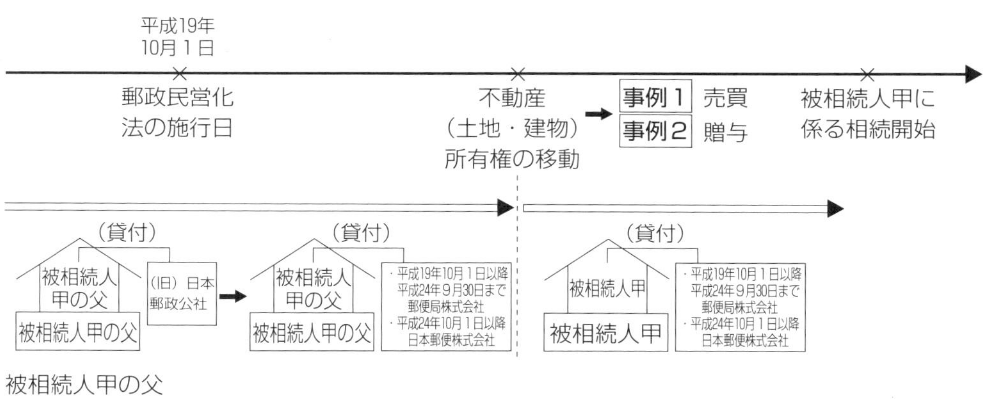


なお、上記に掲げる **事例１** 及び **事例２** において、被相続人甲に係る相続に関して、措置法第69条の４に規定する一定の要件を充足する場合（事業に準ずるものとして相当の対価を得て継続的に行う不動産（土地等又は建物等）の貸付け（準事業）と認められ、相続税の申告期限までに貸付事業を承継し、同期限まで当該宅地等を継続所有し、かつ、当該貸付事業に供用されている場合）には、貸付事業用宅地等として、小規模宅地等の課税特例（評価割合50％、限度面積200㎡）の適用が認められることに留意する必要があります。

## 〔49〕　措置法通達69の４－31《建物の所有者の範囲》

### ⑴　適用要件

『郵便局舎の敷地の用に供されている宅地等に係る相続税の課税特例』の規定は、郵便局株式会社との間において締結した郵便局舎に係る賃貸借契約の当事者である被相続人又は被相続人の相続人が、当該郵便局舎を郵政民営化法の施行日（平成19年10月１日）前から所有していた場合に限り適用されます。

### ⑵　『情報』による確認

上記⑴に掲げる取扱いに関して、その明確性を図る観点から、平成20年４月７日付けで「『租税特別措置法（相続税法の特例関係）の取扱いについて』（法令解釈通達）の一部改正のあらまし（情報）」（資産課税課情報第５号）が公開されており、同情報においては、下記 参考資料 に掲げる事例形式で課税特例の適用可否に関する判断を示しています。

（注） 図解 は、情報の理解を容易にするために筆者が作成し添付したものです。

**参考資料**　「『租税特別措置法（相続税法の特例関係）の取扱いについて』（法令解釈通達）の一部改正のあらまし（情報）」（資産課税課情報第５号、平成20年４月７日）における措置法通達69の４－31《建物の所有者の範囲》の設例による解説

〔設例〕

郵政民営化法の施行日前に旧日本郵政公社との賃貸借契約を締結した契約当事者（建物所有者）は、その時点において被相続人の推定相続人（被相続人の子）であったが、施行日から被相続人に係る相続の開始の直前までの間において被相続人の推定相続人が亡くなったため、その推定相続人の相続において推定相続人の相続人（被相続人の孫）が賃貸借契約に係る建物を相続し、郵便局株式会社（平成24年10月１日以後は、日本郵便株式会社）との契約当事者となり、その後被相続人の相続において代襲相続により被相続人の相続人となった場合

⇒　郵政民営化法による相続税に係る課税の特例の適用を受けることはできない。

（注）建物所有者の変更に伴う賃貸借契約の当事者の変更は、郵政民営化法第180条第１項第１号に規定する契約事項の変更に該当する。

図解

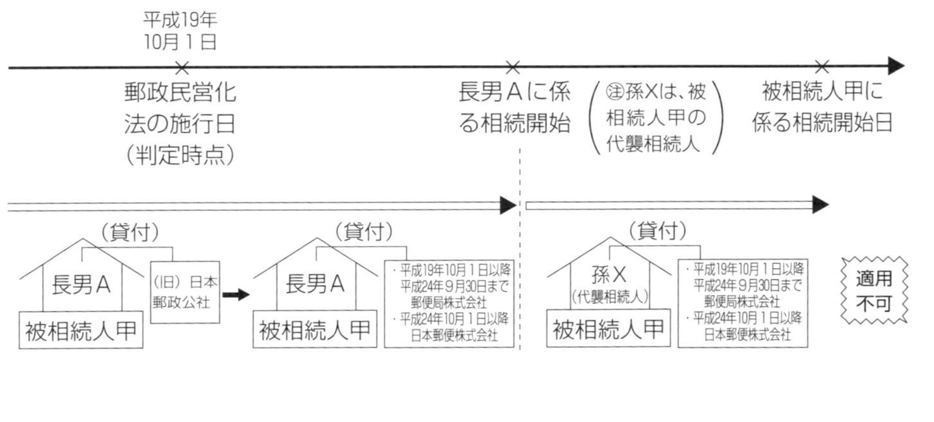

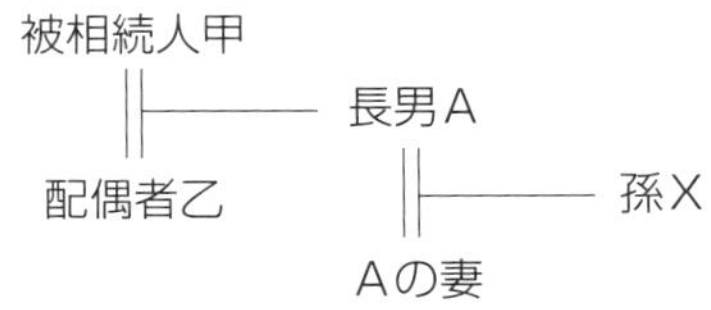


### ⑶ 参考事項

平成19年９月30日まで適用されていた旧措置法第69条の４に規定する小規模宅地等の課税特例の規定では、特例対象地が『特定郵便局（特定郵便局長を長とする郵便局をいいます。）の事業の用に供されていた宅地等』であれば、他の条件を問うことなく『国の事業の用に供されている宅地等』に該当し下記の区分に応ずる小規模宅地等の課税特例の対象とされていました。

| 小規模宅地等の区分 | 評価割合 | 限度面積 |
|---|---|---|
| ①　下記②以外の場合 | 50% | 200㎡ |
| ②　国営事業用宅地等の要件を充足する場合 | 20% | 400㎡ |

したがって、『国の事業の用に供されていた宅地等』に該当するか否かの判断においては、下記に掲げる事項は考慮外とされていました。

① 被相続人が所有する宅地等の上に存する特定郵便局の用に供する建物の所有者が誰であるか
② 特定郵便局の借主である（旧）日本郵政公社と建物賃貸借契約を締結した貸主が誰であるか
③ 特定郵便局の借主である（旧）日本郵政公社と建物賃貸借契約を締結した時期

## 〔50〕 措置法通達69の４－32《特定宅地等とならない部分の範囲》

### ⑴ 特定宅地等となる部分

『郵便局舎の敷地の用に供されている宅地等に係る相続税の課税特例』の適用対象とされる『特定宅地等』となる土地等とは、当該土地等のうちに、下記に掲げる業務の用に供されていた部分以外の部分があるときは、当該業務の用に供されていた部分に限られるものとされています。

① 平成24年改正法第３条の規定による改正前の郵便局株式会社法第４条《業務の範囲》第１項に規定する業務
② 平成24年改正法第３条の規定による改正前の郵便局株式会社法第４条《業務の範囲》第２項に規定する業務を併せて行っている場合の当該業務

参考資料

> **平成24年改正法第３条の規定による改正前の郵便局株式会社法第４条《業務の範囲》**
> 会社は、その目的を達成するため、次に掲げる業務を営むものとする。
> 一 郵便事業株式会社の委託を受けて行う郵便窓口業務
> 二 郵便事業株式会社の委託を受けて行う印紙の売りさばき
> 三 前二号に掲げる業務に附帯する業務
> ２ 会社は、前項に規定する業務を営むほか、その目的を達成するため、次に掲げる業務を営むことができる。
> 一 地方公共団体の特定の事務の郵便局における取扱いに関する法律（平成十三年法律第百二十号）第三条第五項に規定する事務取扱郵便局において行う同条第一項第一号に規定する郵便局取扱事務に係る業務
> 二 前号に掲げるもののほか、銀行業及び生命保険業の代理業務その他の郵便局を活用して行う地域住民の利便の増進に資する業務
> 三 前二号に掲げる業務に附帯する業務
> ３ 会社は、前二項に規定する業務のほか、前二項に規定する業務の遂行に支障のない範囲内で、前二項に規定する業務以外の業務を営むことができる。
> ４ 会社は、第二項第二号に掲げる業務及びこれに附帯する業務並びに前項に規定する業務を営もうとするときは、あらかじめ、総務省令で定める事項を総務大臣に届け出なければならない。

### ⑵ 郵便局株式会社から郵便事業株式会社に転貸された部分の取扱い

郵便局株式会社（平成24年10月１日以後は、日本郵便株式会社）に対し貸し付けられている郵便局舎であっても、例えば、当該郵便局株式会社（平成24年10月１日以後は、日本郵便株式会社）から郵政民営化法第176条の３《日本郵便株式会社及び郵便事業株式会社の合併》の規定により吸収合併消滅会社となった平成24年改正法第１条《郵政民営化法の一部改正》の規定による改正前の郵政民営化法第70条《設立》の規定により設立された郵便事業株式会社に転貸されていた部分は、平成24年改正法第３条の規定による改正前の郵便局株式会社法第４条第３項（上記 参考資料 を参照）に規定する業務の用に供されていた部分であるため、当該転貸部分は上記⑴に掲げる『特定宅地等』には該当しません。

したがって、当該転貸部分に対応する部分の土地等については、『郵便局舎の敷地の用に供されている宅地等に係る相続税の課税特例』の規定（経過措置）の適用はないものとされています。

ただし、当該転貸部分について経過措置としての課税特例の適用（評価割合20％、限度面積400㎡）が認められない場合であっても、措置法第69条の４に規定する一定の要件を充足する場合（事業に準ずるものとして相当の対価を得て継続的に行う不動産（土地等又は建物等）の貸付け（準事業）と認められ、相続税の申告期限までに貸付事業を承継し、同期限まで当該宅地等を継続所有し、かつ、当該貸付事業に供用されている場合）には、貸付事業用宅地等として、小規模宅地等の課税特例（評価割合50％、限度面積200㎡）の適用が認められることに留意する必要があります。（下記 図解 を参照）

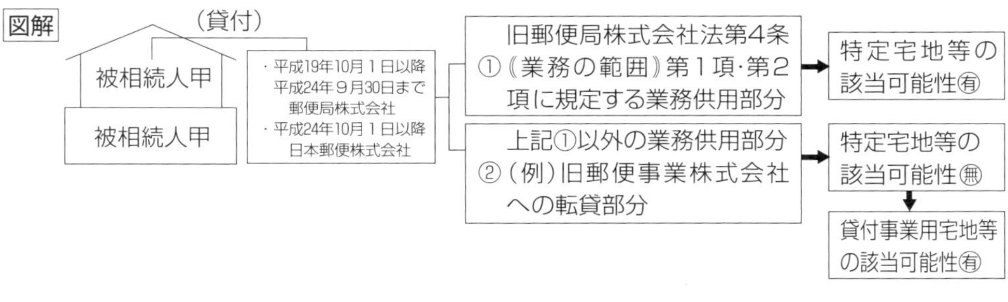


## 〔51〕　措置法通達69の４－33《郵便局舎の敷地を被相続人から無償により借り受けている場合》

### (1)　取扱い（郵便局舎の敷地を被相続人から使用貸借により借り受けている場合）

被相続人の相続の開始の直前において、当該被相続人と生計を一にしていた当該被相続人の相続人が、当該被相続人から無償（使用貸借）により借り受けていた土地等を郵便局舎の敷地の用に供していた場合（下記 図解 を参照）の取扱いは、下記の区分に応じて、それぞれに掲げるとおりとなります。

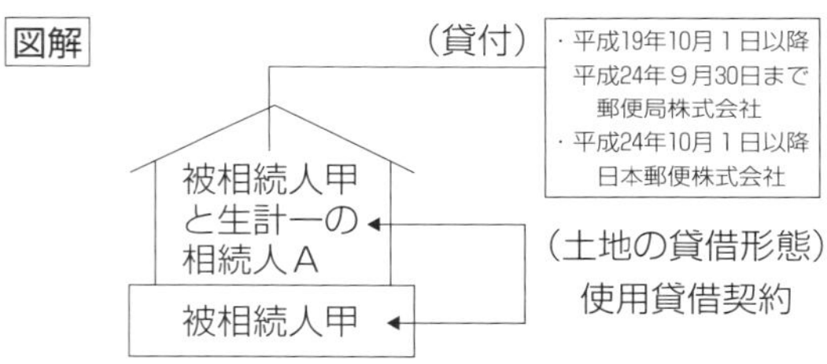


| 区　分 | | 小規模宅地等の課税特例の取扱い |
|---|---|---|
| ①　被相続人甲の所有地が『特定宅地等』に該当する場合㊟ | | みなし『特定事業用宅地等』（評価割合20%、限度面積400㎡） |
| ②　上記①以外の場合 | (イ)　相続人Ａの郵便局株式会社（平成24年10月１日以後は、日本郵便株式会社）に対する郵便局舎（家屋）の貸付けが準事業（相当の対価を得て継続的に貸し付けていた場合）に該当、相続税の申告期限まで継続所有し、かつ、相続開始前から当該貸付事業に供用されている場合 | 『貸付事業用宅地等』（評価割合50%、限度面積200㎡）<br>（被相続人と生計を一にする親族の貸付事業用） |
| | (ロ)　上記(イ)以外の場合 | 小規模宅地等の課税特例の対象には該当しません。 |

㊟　『郵便局舎の敷地の用に供されている宅地等に係る相続税の課税特例』（経過措置）に規定する『特定宅地等』に該当するか否かの判断については、土地等の所有者が被相続人で、建物の所有者が被相続人の相続人である場合に、その土地等の使用関係について、使用貸借であるのか又は賃貸借であるのかは問われていません。（下記(2)においても同様です。）

### ⑵　留意点（郵便局舎の敷地を被相続人から賃貸借により借り受けている場合）

被相続人の相続の開始の直前において、当該被相続人と生計を一にしていた当該被相続人の相続人が、当該被相続人から有償（賃貸借）により借り受けていた土地等を郵便局舎の敷地の用に供していた場合（下記 図解 を参照）の取扱いは、下記の区分に応じて、それぞれに掲げるとおりとなります。

図解

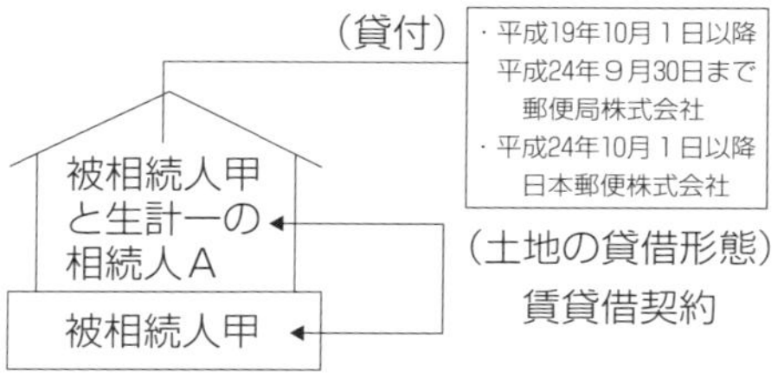


| 区　分 | | 小規模宅地等の課税特例の取扱い |
|---|---|---|
| ①　被相続人甲の所有地が『特定宅地等』に該当する場合 | | みなし『特定事業用宅地等』（評価割合20%、限度面積400㎡） |
| ②　上記①以外の場合 | ㈠　被相続人の貸付事業を相続開始後に事業承継する場合の要件（㋑貸付事業承継の要件、㋺所有継続の要件、㋩貸付事業継続の要件）を充足している場合 | 『貸付事業用宅地等』（評価割合50%、限度面積200㎡）（被相続人の貸付事業用） |
| | ㈡　上記㈠以外の場合 | 小規模宅地等の課税特例の対象には該当しません。 |

## 〔52〕　措置法通達69の４－34《賃貸借契約の変更に該当しない事項》

### ⑴　原則的な取扱い

『郵便局舎の敷地の用に供されている宅地等に係る相続税の課税特例』の規定は、郵政民営化法の施行日（平成19年10月１日）前に当該相続若しくは遺贈に係る被相続人又は当該被相続人の相続人と旧公社（注：旧日本郵政公社）との間の賃貸借契約に基づき、旧公社法第20条第１項に規定する郵便局の用に供するため旧公社に貸し付けられていた建物で一定のものの敷地の用に供されていた土地等であり、当該施行日から当該被相続人に係る相続の開始の直前までの間において当該賃貸借契約（当該施行日の直前に効力を有するものに限られます。）の契約事項に、一定の事項以外の事項の変更がない賃貸借契約が存することがその適用要件の１つとされています。

この場合において、『一定の事項』（上記＿＿部分）とは、次に掲げる事項とされています。

①　当該賃貸借契約に係る郵便局株式会社の営業所、事務所その他の施設（以下①において「支社等」といいます。）の名称若しくは所在地又は支社等の長

②　当該賃貸借契約に係る被相続人又は当該被相続人の氏名又は住所

③　当該賃貸借契約において定められた契約の期間

**⑵　『郵便局舎の賃貸借料算出基準』に基づく賃貸借料の変更等の取扱い**

上記⑴に規定する旧公社との間の賃貸借契約において、あらかじめ契約条項として定められた賃貸借料算出基準（『郵便局舎の賃貸借料算出基準』（下記 参考資料１ を参照）に基づく計算基準（以下、「基準」といいます。）をいいます。）に基づく下記に掲げる事項は、上記⑴に掲げる賃貸借契約の契約事項の変更には該当しないものとされています。

**①　賃貸借料の改定**

**〔理由〕**　上記⑴に掲げる賃貸借契約書の標準モデル（賃貸借契約書標準書式（下記 参考資料２ を参照））では、第３条《賃貸借料》第２項において、「前項に定める賃貸借料は、乙（ 筆者注 賃借人である旧日本郵政公社）が別に定める『郵便局舎の賃貸借料算出基準』に基づいて算出するものとし、算出した額に改定が生じる場合は、乙は改定後の賃貸借料を甲（ 筆者注 賃貸人である被相続人又は当該被相続人の相続人）に通知するものとします。」と規定されていることから、当該基準が当該賃貸借契約の一部を構成すると考えられているためです。

**②　賃貸借契約の目的物に変更がないと認めれる面積に増減が生じない郵便局舎の修繕、耐震工事若しくは模様替え**

**〔理由〕**　上記に掲げる行為は、建物の単なる維持管理を目的に行われるものであることから当該行為が行われた場合であっても、賃貸借契約の契約事項の変更とは解されないと考えられているためです。

## 参考資料１ 郵便局舎の賃貸借料算出基準（附属関連資料を含む）

### 第１ 賃貸借料算出基準

#### １ 一般局舎借料算出基準

郵便局用として賃貸借する局舎（ビル局舎を除く。）の借料月額は、次により算出した額とする。

(1) 貸主が「消費税及び地方消費税」（以下「消費税等」という。）を納税する事業者（課税事業者）である場合

下表の構成要素毎に基礎額（消費税等が含まれるものについては、当該消費税等を控除した額）に乗率を乗じて算出した額の合計額に消費税等を加算した額とする。

(2) 貸主が消費税等を納税しない事業者（免税事業者）である場合

下表の構成要素毎に基礎額（消費税等が含まれているものについては、当該消費税等を含んだ額）に乗率を乗じて算出した額の合計額とする。

【表：借料の構成要素、基礎額、乗率等】

| 計算区分／構成要素 | 基礎額 | 乗率等 | | |
|---|---|---|---|---|
| | | 木造 | 鉄筋造 | その他 |
| （純家賃）<br>減価償却費 | 建物借料対象額 | 建物の経済的耐用年数の変動等を踏まえ、不動産鑑定士の意見の範囲内で決定する。 | | |
| 資本利子 | 建物借料対象額 | 国債、市中金利等の金利の変動、不動産投資リスクの変動等を踏まえ、不動産鑑定士の意見の範囲内で決定する。 | | |
| 修繕費 | 建物借料対象工事費 | 修繕費水準を踏まえ、不動産鑑定士の意見の範囲内で決定する。 | | |
| 管理費 | 建物借料対象額 | 管理費水準を踏まえ、不動産鑑定士の意見の範囲内で決定する。 | | |
| 火災保険料 | 建物借料対象工事費 | 火災保険料水準を踏まえ、不動産鑑定士の意見の範囲内で決定する。 | | |
| 計 | | | | |
| （地代相当額）<br>資本利子 | 土地借料対象額 | 国債、市中金利等の金利水準の変動、不動産投資リスクの変動等を踏まえ、不動産鑑定士の意見の範囲内で決定する。 | | |
| 計 | | | | |
| 合計 | | | | |

(注) １ 上表の各乗率等は、別紙記載のとおりとし、不動産鑑定士の意見を踏まえ、見直しを行うものとする。

２ 建物借料対象額は、建物借料対象工事費、設計料及び諸経費の合計額とする。

３ 建物借料対象工事費は、局舎工事に要した直接工事費とする。

4 土地借料対象額は、当該使用土地の地方税法に定める基準年度（直近のもの）における土地固定資産税評価額（以下「固定資産税評価額」という。）（土地借料対象面積分）を時価に換算した額とする。

当該基準年度（直近のもの）は、別紙記載の年度とする。

5 端数処理は、「純家賃の計」及び「地代相当額の計」を、それぞれ10円未満四捨五入する。

(3) 貸主が耐震改修等を実施した場合の取扱い

ア 貸主が耐震改修（増築・改築に該当する耐震改修を除く。以下同じ。）を実施した場合

耐震改修分の借料は、別紙記載の方法により算出した額とし、借料月額に加算する。当該方法の見直しを行う場合は、不動産鑑定士の意見の範囲内で決定する。

イ 貸主が模様替、増築その他の工作を実施した場合

模様替、増築その他の工作分の借料は、別紙記載の方法により算出した額とし、借料月額に加算する。当該方法の見直しを行う場合は、不動産鑑定士の意見の範囲内で決定する。

(4) 貸主が諸経費のみを負担した場合の取扱い

諸経費のみを負担した場合の借料は、別紙記載の方法により算出した額とし、借料月額に加算する。当該方法の見直しを行う場合は、不動産鑑定士の意見の範囲内で決定する。

### 2 ビル局舎借料算出基準

郵便局用として賃貸借するビル局舎（貸店舗等のテナント用建物を賃貸借する場合に適用）の借料月額は、不動産鑑定手法の賃貸事例比較法により求めるものとする。

(1) 貸主がビル局舎へ内部造作等工事を実施した場合の取扱い

内部造作等工事分の借料は、別紙記載の方法により算出した額とし、借料月額に加算する。当該方法の見直しを行う場合は、不動産鑑定士の意見の範囲内で決定する。

(2) 貸主がビル所有者に敷金・保証金を支払っている場合の取扱い

ビル所有者に敷金・保証金を支払っている場合の金利相当分の借料は、敷金・保証金の実額（ネットワークセンターが契約書等により審査確認した額とする。）に別紙記載の乗率を乗じて算出した額とし、借料月額に加算する。当該乗率の見直しを行う場合は、不動産鑑定士の意見の範囲内で決定する。

## 第２ 賃貸借料算出基準の説明

### 1 一般局舎借料算出基準に関する事項

(1) この基準の基礎額は、それぞれ次により算出した額とする。

ア 建物借料対象額

建物借料対象工事費（イを参照）＋設計料 注1 ＋諸経費 注2

注1 設計料は、借入特定郵便局局舎設計料算出基準により算出した額の範囲内で実際に要した額とする。

注2 諸経費は、登録免許税、印紙税、公共的な負担金等とし、ネットワークセンターが審査確認した額とする。

イ 建物借料対象工事費

(ア) 新築の建物借料対象工事費

新築工事に実際に要した工事費（建物借料対象面積 注3 分）とする。ただし、「借入特定郵便局局舎新築標準工事費」の範囲内とする。

(イ) 新築以外の建物借料対象工事費

ネットワークセンターが工事費概算内訳明細書、附属図面等により審査確認した額とする。

(ウ)　既設建物の建物借料対象工事費

既設建物の評価額 注④ ＋模様替等工事費 注⑤

ただし、「借入特定郵便局局舎新築標準工事費」の範囲内とする。

注③　建物借料対象面積は、「特定郵便局舎面積算出要領」によるものとする。

なお、共同使用建物の借料対象面積は、局舎の専用部分面積に共有部分面積（通常共用する部分の面積を対象とし、局舎として専用使用する部分と局舎以外に専用使用する部分との面積比によって算出された面積の範囲内とする。）を加算した面積とする。

注④　既設建物の評価額は、不動産鑑定士が模様替等工事前に鑑定した鑑定評価額（建物借料対象面積分）とする。

注⑤　模様替等工事費は、模様替等工事の実際に要した額（建物借料対象面積分）とし、ネットワークセンターが工事費概算内訳明細書、附属図面等により審査確認した額とする。

ウ　土地借料対象額

１平方メートル当たり固定資産税評価額 注⑥ ×土地借料対象面積 注⑦ ×時価換算倍率 注⑧

なお、新たに局舎用土地を購入し、又は借り入れる場合及び現に借り入れている局舎用土地を購入する場合については、その取得費を土地借料対象額とすることができる。

この場合の取得費は次のとおりとする。

局舎用土地１平方メートル当たり時価額 注⑨ ×土地借料対象面積 注⑩ ＋間接費 注⑪

注⑥　１平方メートル当たり固定資産税評価額（以下「評価額」という。）は、第１－１（注）４に定める年度の当該使用土地の１平方メートル当たり評価額とする。ただし、地目が宅地以外のもの、広大な面積の評価となっている等のため評価額が著しく低いもの及び当該使用土地に造成等工事費を要したものは、近傍類似の宅地の１平方メートル当たり評価額（造成を要したものは、造成後の土地を対象とする。）を採用することができる。

注⑦　土地借料対象面積は、次による。

(ア)　土地借料対象面積は、建物に通常使用される土地面積を対象とし、別紙記載の面積を上限とする。

また、共同使用建物の土地借料対象面積は、建物借料対象面積とそれ以外の残存建物面積との面積比によって、通常使用される土地面積を案分した面積の範囲内とし、別紙記載の面積を上限とする。

なお、土地借料対象面積の上限の見直しを行う場合は、不動産鑑定士の意見の範囲内で決定する。

(イ)　積雪地の場合又は積雪地以外であっても、地形、画地、残地等の関係で必要と認められる場合は、土地借料対象面積に20％増の範囲内で加算することができる。

(ウ)　共同使用建物における土地借料対象面積の特例として、①２階建以上の建物で、１階の全部を局舎の専用又は共用に供しているものは、土地借料対象面積に20％増の範囲内で加算することができる。②土地借料対象面積が１階の局舎専用部分面積に達していない場合は、土地借料対象面積を１階の局舎専用部分面積まで引き上げることができる。

なお、特例①及び②がいずれも適用可能な場合は、いずれか有利な方を適用することができる。

(エ)　専用局舎を新築する場合で、その敷地が建築基準法（昭和25年法律第201号）等により建築面積の敷地面積に対する割合等を特定行政庁から指定されているため、前記(ア)及び(イ)によることが適当でないと認められるものについては、特定行政庁の指定による敷地面積までを土地借料対象面積とすることができる。

㊟8 時価換算倍率は、固定資産税評価額を地価公示価格（時価）に換算する倍率とし、別紙記載の率とする。

㊟9 局舎用土地１平方メートル当たり時価額は、不動産鑑定評価額（当該局舎用土地に造成等工事費を要した場合は、造成後の評価額とする。）の１平方メートル当たり単価の範囲内とする。

なお、地上物件移転補償等の支出金がある場合は、ネットワークセンターが契約書等により審査確認した額を加算することができる。

㊟10 土地借料対象面積は、**第２－１－(1)－ウ** ㊟7 を適用する。

㊟11 間接費は、不動産取得税、登録免許税、印紙税、鑑定評価料及び取得に要する諸経費（旅費、通信費、雑費等）とする。ただし、諸経費は、

時価額（土地借料対象面積分）に $\frac{3}{100}$ を乗じて得た額の範囲内で、ネットワークセンターが審査確認した額とする。

(2) 土地造成等工事を対象とし、地代相当額に加算できる特例

ア 適用範囲

造成後の土地に類似する他の宅地が近傍にない場合を対象とする。

イ 加算額は、次により算出した額とする。

土地造成等工事費 ㊟12 ×乗率 ㊟13

㊟12 土地造成等工事費は、局舎の建設に必要と認められる土地の造成等工事費（切土、盛土、擁壁及び整地等）に要する直接工事費とし、ネットワークセンターが契約書等により審査確認した額とする。

㊟13 乗率は、別紙記載の率とし、当該乗率の見直しを行う場合は、不動産鑑定士の意見の範囲内で決定する。

ウ 加算できる期限

造成後の土地について、当該土地の現況を基に固定資産税評価額の評価替が行われ、当該評価替後の固定資産税評価額を基に賃貸借料の改定を行う前日までとする。

**２ 転貸局舎の取扱い**

転貸局舎の借料の上限は、別紙記載のとおりとし、当該上限の見直しを行う場合は、不動産鑑定士の意見の範囲内で決定する。

なお、貸主が原契約 ㊟14 で敷金等を支払った場合の金利相当分 ㊟15 、転貸するために貸主負担で内部造作等工事を実施した場合の借料相当分（**第１－２－**(1)**に定める内部造作等工事分の借料**）又は転貸するために貸主負担で土地造成等工事を実施した場合の借料相当分（**第２－１－**(2)**－イの**加算額）は、原契約の借料に加算するものとする。ただし、ビル局舎借料算出基準を適用している局舎を除くものとする。

㊟14 原契約は、郵便局舎の貸主と土地所有者（又は建物所有者）との間で締結している賃貸借契約をいう。

㊟15 敷金等を支払った場合の金利相当分は、敷金等の額に別紙記載の乗率を乗じて算出した額とし、当該乗率の見直しを行う場合は、不動産鑑定士の意見の範囲内で決定する。

**３ 激変緩和措置**

借料改定の際は、別紙記載の改定幅とする。

改定幅の見直しを行う場合は、不動産鑑定士の意見の範囲内で決定する。

別紙

## 「郵便局局舎の賃貸借料算出基準」に定める乗率等

「郵便局局舎の賃貸借料算出基準」における乗率等は、次のとおりとする。

本乗率等は、平成19年１月１日から適用する。ただし、土地転貸局舎における土地転貸部分の地代相当額については、平成19年10月１日から適用する。

１　**第１－１（注）**１に定める乗率等は、下表のとおりとする。

(1)　耐用年数（木造25年、鉄筋造35年、その他30年）経過前の基礎額に乗じる場合

| 構成要素＼計算区分 | 乗率等 | | |
|---|---|---|---|
| | 木造 | 鉄筋造 | その他 |
| 【純家賃】 | | | |
| 減価償却費 | $\frac{4.00}{100}\times\frac{1}{12}$ | $\frac{2.86}{100}\times\frac{1}{12}$ | $\frac{3.33}{100}\times\frac{1}{12}$ |
| 資本利子 | $\frac{4.0}{100}\times\frac{1}{12}$ | $\frac{4.0}{100}\times\frac{1}{12}$ | $\frac{4.0}{100}\times\frac{1}{12}$ |
| 修繕費 | $\frac{2.2}{100}\times\frac{1}{12}$ | $\frac{1.2}{100}\times\frac{1}{12}$ | $\frac{1.5}{100}\times\frac{1}{12}$ |
| 管理費 | $\frac{0.31}{100}\times\frac{1}{12}$ | $\frac{0.15}{100}\times\frac{1}{12}$ | $\frac{0.2}{100}\times\frac{1}{12}$ |
| 火災保険料 | 別表の乗率（＊）／1000／12<br>＊別表の乗率は、局舎の構造別（木造：３級、鉄筋造：１級、その他は２級を使用する。）に、局舎が所在する地区の乗率を適用する。 | | |
| 【地代相当額】<br>資本利子 | $\frac{2.5}{100}\times\frac{1}{12}$ | | |

(2)　耐用年数（木造25年、鉄筋造35年、その他30年）経過後の基礎額に乗じる場合

| 構成要素＼計算区分 | 乗率等 | | |
|---|---|---|---|
| | 木造 | 鉄筋造 | その他 |
| 【純家賃】 | | | |
| 減価償却費 | $\frac{4.00}{100}\times\frac{1}{12}$ | $\frac{2.86}{100}\times\frac{1}{12}$ | $\frac{3.33}{100}\times\frac{1}{12}$ |
| 資本利子 | $\frac{4.0}{100}\times\frac{1}{12}$ | $\frac{4.0}{100}\times\frac{1}{12}$ | $\frac{4.0}{100}\times\frac{1}{12}$ |
| 修繕費 | $\frac{2.2}{100}\times\frac{1}{12}$ | $\frac{1.2}{100}\times\frac{1}{12}$ | $\frac{1.5}{100}\times\frac{1}{12}$ |
| 管理費 | $\frac{0.31}{100}\times\frac{1}{12}$ | $\frac{0.15}{100}\times\frac{1}{12}$ | $\frac{0.2}{100}\times\frac{1}{12}$ |
| 火災保険料 | 別表の乗率（＊）／1000／12<br>＊別表の乗率は、局舎の構造別（木造：３級、鉄筋造：１級、その他は２級を使用する。）に、局舎が所在する地区の乗率を適用する。 | | |
| 【地代相当額】<br>資本利子 | $\frac{2.5}{100}\times\frac{1}{12}$ | | |

２　**第１－１（注）**４に定める地方税法に定める基準年度（直近のもの）における土地固定資産税評価額の年度は、平成18年度とする。

3　**第１－１－(3)－ア**に定める耐震改修分の借料

下表の構成要素毎に基礎額（貸主が課税事業者の場合は消費税等を控除した額とし、貸主が免税事業者の場合は消費税等を含んだ額）に乗率を乗じて算出した額の合計額とする。

| 構成要素＼計算区分 | 基　礎　額 | 乗　率　等 | | |
|---|---|---|---|---|
| | | 木　造 | 鉄　筋　造 | そ　の　他 |
| 【純　家　賃】 | | | | |
| 減　価　償　却 | 建物借料対象額 | $\frac{6.67}{100}\times\frac{1}{12}$ | $\frac{4.76}{100}\times\frac{1}{12}$ | $\frac{5.56}{100}\times\frac{1}{12}$ |
| 資　本　利　子 | 建物借料対象額 | $\frac{4.0}{100}\times\frac{1}{12}$ | $\frac{4.0}{100}\times\frac{1}{12}$ | $\frac{4.0}{100}\times\frac{1}{12}$ |
| 修　繕　費 | 建物借料対象工事費 | $\frac{2.2}{100}\times\frac{1}{12}$ | $\frac{1.2}{100}\times\frac{1}{12}$ | $\frac{1.5}{100}\times\frac{1}{12}$ |
| 管　理　費 | 建物借料対象額 | $\frac{0.31}{100}\times\frac{1}{12}$ | $\frac{0.15}{100}\times\frac{1}{12}$ | $\frac{0.2}{100}\times\frac{1}{12}$ |
| 火　災　保　険　料 | 建物借料対象工事費 | 別表の乗率（＊）／1000／12<br>＊別表の乗率は、局舎の構造別（木造：３級、鉄筋造：１級、その他は２級を使用する。）に、局舎が所在する地区の乗率を適用する。 | | |
| 計 | | | | |

（注）１　建物借料対象額は、耐震工事費、設計料及び諸経費の合計額とする。

２　建物借料対象工事費は、耐震改修に要した直接工事費とする。

３　端数処理は、10円未満を四捨五入する。

4　**第１－１－(3)－イ**に定める模様替、増築その他の工作分の借料

下表の構成要素毎に基礎額（貸主が課税事業者の場合は消費税等を控除した額とし、貸主が免税事業者の場合は消費税等を含んだ額）に乗率を乗じて算出した額の合計額とする。

| 構成要素＼計算区分 | 基　礎　額 | 乗　率　等 | | |
|---|---|---|---|---|
| | | 木　造 | 鉄　筋　造 | そ　の　他 |
| 【純　家　賃】 | | | | |
| 減　価　償　却　費 | 建物借料対象額 | $\frac{4.00}{100}\times\frac{1}{12}$ | $\frac{2.86}{100}\times\frac{1}{12}$ | $\frac{3.33}{100}\times\frac{1}{12}$ |
| 資　本　利　子 | 建物借料対象額 | $\frac{4.0}{100}\times\frac{1}{12}$ | $\frac{4.0}{100}\times\frac{1}{12}$ | $\frac{4.0}{100}\times\frac{1}{12}$ |
| 修　繕　費 | 建物借料対象工事費 | $\frac{2.2}{100}\times\frac{1}{12}$ | $\frac{1.2}{100}\times\frac{1}{12}$ | $\frac{1.5}{100}\times\frac{1}{12}$ |
| 管　理　費 | 建物借料対象額 | $\frac{0.31}{100}\times\frac{1}{12}$ | $\frac{0.15}{100}\times\frac{1}{12}$ | $\frac{0.2}{100}\times\frac{1}{12}$ |
| 火　災　保　険　料 | 建物借料対象工事費 | 別表の乗率（＊）／1000／12<br>＊別表の乗率は、局舎の構造別（木造：３級、鉄筋造：１級、その他は２級を使用する。）に、局舎が所在する地区の乗率を適用する。 | | |
| 計 | | | | |

（注）１　建物借料対象額は、模様替、増築その他の工作の工事費、設計料及び諸経費の合計額とする。

２　建物借料対象工事費は、模様替、増築その他の工作の工事に要した直接工事費とする。

３　端数処理は、「純家賃の計」を10円未満四捨五入する。

5　第１－１－(4)に定める諸経費のみを負担した場合の借料

下表の構成要素毎に基礎額（貸主が課税事業者の場合は消費税等を控除した額とし、貸主が免税事業者の場合は消費税等を含んだ額）に乗率を乗じて算出した額の合計額とする。

| 計算区分<br>構成要素 | 基礎額 | 乗率等 | | |
|---|---|---|---|---|
| | | 木造 | 鉄筋造 | その他 |
| 【純家賃】 | | | | |
| 減価償却費 | 建物借料対象額 | $\frac{4.00}{100}\times\frac{1}{12}$ | $\frac{2.86}{100}\times\frac{1}{12}$ | $\frac{3.33}{100}\times\frac{1}{12}$ |
| 資本利子 | 建物借料対象額 | $\frac{4.0}{100}\times\frac{1}{12}$ | $\frac{4.0}{100}\times\frac{1}{12}$ | $\frac{4.0}{100}\times\frac{1}{12}$ |
| 修繕費 | 建物借料対象工事費 | $\frac{2.2}{100}\times\frac{1}{12}$ | $\frac{1.2}{100}\times\frac{1}{12}$ | $\frac{1.5}{100}\times\frac{1}{12}$ |
| 管理費 | 建物借料対象額 | $\frac{0.31}{100}\times\frac{1}{12}$ | $\frac{0.15}{100}\times\frac{1}{12}$ | $\frac{0.2}{100}\times\frac{1}{12}$ |
| 火災保険料 | 建物借料対象工事費 | 別表の乗率（＊）／1000／12<br>＊別表の乗率は、局舎の構造別（木造：３級、鉄筋造：１級、その他は２級を使用する。）に、局舎が所在する地区の乗率を適用する。 | | |
| 計 | | | | |

（注）　1　建物借料対象額は、貸主が負担した諸経費とする。
　　　　2　建物借料対象工事費がないので、修繕費分及び火災保険料分の借料は発生しない。
　　　　3　端数処理は、「純家賃の計」を10円未満四捨五入する。

6　第１－２－(1)に定める内部造作等工事分の借料

下表の構成要素毎に基礎額（貸主が課税事業者の場合は消費税等を控除した額とし、貸主が免税事業者の場合は消費税等を含んだ額）に乗率を乗じて算出した額の合計額とする。ただし、現に内部造作等工事分の借料を加算していない場合又は減額している場合は、この限りではない。

| 計算区分<br>構成要素 | 基礎額 | 乗率等 |
|---|---|---|
| 【純家賃】 | | |
| 減価償却費 | 建物借料対象額 | $\frac{4.00}{100}\times\frac{1}{12}$ |
| 資本利子 | 建物借料対象額 | $\frac{4.0}{100}\times\frac{1}{12}$ |
| 修繕費 | 建物借料対象工事費 | $\frac{2.2}{100}\times\frac{1}{12}$ |
| 管理費 | 建物借料対象額 | $\frac{0.31}{100}\times\frac{1}{12}$ |
| 火災保険料 | 建物借料対象工事費 | 別表の乗率（＊）／1000／12<br>＊別表の乗率は、局舎が所在する地区の木造（３級）の乗率を適用する。 |
| 計 | | |

（注）　1　建物借料対象額は、内部造作等工事費、設計料及び諸経費の合計額とする。
　　　　2　建物借料対象工事費は、内部造作等工事に要した直接工事費とする。
　　　　3　端数処理は、「純家賃の計」を10円未満四捨五入する。

7　**第１－２－**⑵に定める乗率

「４％／12」

8　**第２－１－**㊟7に定める土地借料対象面積の上限

建物借料対象面積の２倍の面積

9　**第２－１－**㊟8に定める時価換算倍率

「1.43」

10　**第２－１－**㊟13に定める乗率

「2.5％／12」

11　**第２－２**に定める転貸局舎の借料の上限

⑴　一般局舎借料算出基準を適用する局舎の場合

転貸部分について、一般局舎借料算出基準により算出した賃貸借料が原契約の借料を上回る場合は、原契約の借料を上限とする。

ただし、原契約において、物件に係る固定資産税及び都市計画税を原契約における借主（局舎の貸主）が物件借料とは別に負担することが明記されている場合以外においては、原契約の借料に税額相当分が含まれていることから、算出基準により算出した賃貸借料に当該税額（月額相当分）を加算して原契約の借料と比較を行うこと。

⑵　ビル局舎借料算出基準を適用する局舎の場合

転貸部分について、ビル局舎借料算出基準により算出した賃貸借料が原契約の借料を上回る場合は、原契約の借料を上限とする。

12　**第２－２－**㊟15に定める乗率

⑴　敷金、保証金を支払った場合

「４％／12」

⑵　借地権又は地上権の設定の対価（権利金等）として支払った場合

「2.5％／12」

13　**第２－３**に定める改定幅

⑴　一般局舎借料算出基準を適用する局舎の場合（土地転貸局舎における土地転貸部分の地代相当額を除く。）

ア　「従前の賃貸借料」と「借料算出基準による算定賃貸借料」との乖離が、10％以内の場合

「借料算出基準による算定賃貸借料」に改定する。

イ　「従前の賃貸借料」と「借料算出基準による算定賃貸借料」との乖離が、10％を超える場合

「従前の賃貸借料の±10％」の額に改定する。

⑵　ビル局舎借料算出基準を適用する局舎の場合

ア　「従前の賃貸借料」と「借料算出基準による算定賃貸借料」との乖離が、10％以内の場合

「借料算出基準による算定賃貸借料」に改定する。

イ　「従前の賃貸借料」と「借料算出基準による算定賃貸借料」との乖離が、10％を超え20％以内の場合

「従前の賃貸借料の±10％」の額に改定する。

ウ　「従前の賃貸借料」と「借料算出基準による算定賃貸借料」との乖離が、従前の賃貸借料の20％を超える場合

「従前の賃貸借料」と「借料算出基準による算定賃貸借料」との中間の額に改定する。

## 参考資料２　賃貸借契約書標準書式

※　郵便局株式会社（平成24年10月１日以後は、日本郵便株式会社）が単独で使用する局舎用（一般局舎）（注）

### 賃　貸　借　契　約　書

賃貸人　　　　　　を甲とし、賃借人　日本郵政公社を乙として、　　年　　月　　日に締結した　　　郵便局局舎の用に供する不動産の賃貸借契約の全部を改定し、次の条項により　　　郵便局局舎の用に供する不動産（以下「物件」という。）の賃貸借契約を締結します。

（総則）

**第１条**　甲は、次の物件を乙に賃貸します。

（物件の所在地）

（物件の表示）

造　　建　　　　　㎡（附属工作物一式を含む。）

（敷　地　　　　　　㎡）

（契約期間）

**第２条**　この契約期間は、平成　　年　　月　　日から平成　　年　　月　　日までとします。

２　前項に規定する満期の６月前に、甲又は乙から相手方に対し更新拒絶の通知をしないときは、この契約は、満期の翌日からなお１年間存続するものとします。以降、またこの例によります。

（賃貸借料）

**第３条**　物件の賃貸借料は、月額金　　　　　円（消費税込み）とします。

ただし、１月に満たない期間があるときは、日割計算によって算出した額とします。この場合において、10円未満の端数があるときは、これを切り捨てます。

２　前項に定める賃貸借料は、乙が別に定める「郵便局局舎の賃貸借料算出基準」に基づいて算出するものとし、算出した額に改定が生じる場合は、乙は改定後の賃貸借料を甲に通知するものとします。

３　毎年度、甲が支払った固定資産税及び都市計画税の実費額（借料の対象となる部分に限る。）は、甲の請求に基づき、賃貸借料に加算するものとします。

なお、年度の途中において契約が解消した場合については、賃貸借料の最終支払月に清算するものとします。

（賃貸借料の支払）

**第４条**　乙は毎月の賃貸借料を、翌月末までに甲又は甲の代理人に支払います。

２　乙が賃貸借料の全部又は一部の支払を遅延したときは、乙は、その支払を遅延した額に対して年8.25％の遅延利息を支払うものとします。ただし、その支払遅延が、天災その他の不可抗力によるものと認められるときは、遅延利息を支払うことを要しません。

３　前項の規定により計算した遅延利息の額が100円未満であるときは、遅延利息を支払うことを要せず、また、その額に100円未満の端数があるときは、これを切り捨てます。

（公租公課の負担）

**第５条**　物件に対する公租公課は、甲の負担とします。

（火災による損害の負担）

第6条　契約期間中に物件が火災（乙の故意又は重大な過失によるものを除く。）により滅失又はき損したときは、その損害額は、甲の負担とします。

（修繕義務）

第7条　甲又は乙は、物件の修繕を、別紙「借入特定郵便局局舎修繕負担区分表」に定める負担区分に従い、各自の負担において行います。

（原状変更）

第8条　甲又は乙は、次の各号のいずれかに該当するときは、書面をもって相手方に承諾を求めるものとします。

⑴　物件の耐震工事、模様替え、増築その他の工作をしようとするとき。

⑵　物件の敷地内に工作をしようとするとき。

２　前項の承諾を求められた甲又は乙は、遅滞なく事情を調査し、相手方に対し書面をもって承諾を与え、又は承諾を与えない旨を告げるものとします。

（乙による解約）

第9条　乙は、契約期間中であっても、３月前に予告して、物件の全部又は一部を解約することができます。

（原状回復）

第10条　乙は、この契約が終了したときは、遅滞なく物件を甲に返還するものとします。この場合においては、甲の請求により、当該物件を賃借権が設定されたときの用途に供するために支障がある部分（第８条第２項の規定による承諾を得た際、甲が原状回復を要しないことを明らかにしたものを除く。）を原状に復し、又は当該部分を原状に復するために必要な費用を補償するものとします。

２　前項後段の場合において、当該物件を原状に復するための工事の内容及び工事を完了すべき時期又は当該物件を原状に復するために必要な費用として補償すべき金額及びその支払時期については、甲乙協議して定めるものとします。

（解約補償）

第11条　乙が、乙の都合により第２条第２項に規定する更新を拒み又は第９条の規定により物件の全部若しくは一部を解約した場合は、甲は、その補償を請求することができます。

２　前項の規定により補償すべき期間、金額及びその支払時期については甲乙協議して定めるものとします。

３　甲は、前条及び本条第１項に定める以外の明渡しに伴う一切の補償請求は行わないものとします。

（転貸の承諾）

第12条　乙が、物件の一部を転貸することについては、甲はあらかじめこれを承諾するものとします。この場合においては、乙は、甲に事前に通知するものとします。

（紛争の解決方法）

第13条　この契約に定めていない事項又は疑義を生じた事項については、甲乙協議して定めるものとします。

この契約締結の証として、契約書２通を作成し、当事者記名押印の上、各自１通を保有します。

平成　　年　　月　　日

甲

乙　契約責任者
日本郵政公社　　　　支社長

(注)　賃貸借契約書標準書式には、本書に示した『郵便局株式会社（平成24年10月１日以後は、日本郵便株式会社）が単独で使用する局舎用（一般局舎）』以外に、『郵便局株式会社（平成24年10月１日以後は、日本郵便株式会社）が単独で使用する局舎用（ビル局舎）』もあります。

## 〔53〕　措置法通達69の４－35《相続の開始以後の日本郵便株式会社への郵便局舎の貸付》

### (1)　取扱い

『郵便局舎の敷地の用に供されている宅地等に係る相続税の課税特例』の規定は、相続の開始以後の郵便局株式会社（平成24年10月１日以後は、日本郵便株式会社）への郵便局舎の貸付に関して、下記に掲げるすべての要件を充足していることが必要とされています。

①　相続又は遺贈により郵便局舎の敷地の用に供されている土地等を取得した相続人が存すること

②　上記①の相続人が、上記①の土地等の上に存する郵便局舎である建物の全部又は一部を有していること

(注)　建物については、一部（共有持分）でも差し支えないものとされている点に留意する必要があります。

③　借主である郵便局株式会社（平成24年10月１日以後は、日本郵便株式会社）との賃貸借契約の当事者（貸主としての立場を有する者）として、当該郵便局舎を貸し付けていること

### (2)　『情報』による確認

上記(1)に掲げる要件に該当するか否かの判断に関して、明確性を図る観点から、平成20年４月７日付けで「『租税特別措置法（相続税法の特例関係）の取扱いについて』（法令解釈通達）の一部改正のあらまし（情報）」（資産課税課情報第５号）が公開されており、同情報においては、下記 参考資料 に掲げる事例形式で小規模宅地等の課税特例の適用可否に関する判断を示しています。

**参考資料** 「『租税特別措置法（相続税法の特例関係）の取扱いについて』（法令解釈通達）の一部改正のあらまし（情報）」（資産課税課情報第5号、平成20年4月7日）における措置法通達69の4－35《相続の開始以後の郵便局株式会社への郵便局舎の貸付》**筆者注**の事例による解説

**筆者注** 平成25年6月20日付けの措置法通達の改正（平25課資2－10改正）によって、本件通達の名称が「相続の開始以後の日本郵便株式会社への郵便局舎の貸付」に変更されています。

**《事例1》**

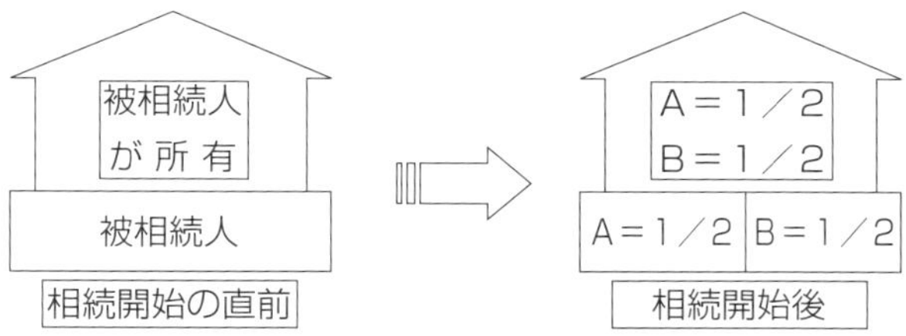


○　A及びBともに郵便局株式会社（平成24年10月1日以後は、日本郵便株式会社）との契約当事者（建物所有者）であることから、他の要件を満たせば郵政民営化法による相続税に係る課税の特例の適用を受けることができる。

**《事例2》**

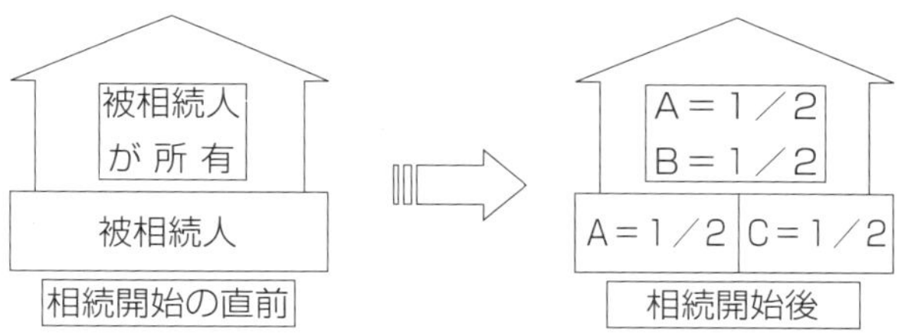


○　Aは、郵便局株式会社（平成24年10月1日以後は、日本郵便株式会社）との契約当事者（建物所有者）であることから、他の要件を満たせば郵政民営化法による相続税に係る課税の特例の適用を受けることができるが、Cは、郵便局株式会社（平成24年10月1日以後は、日本郵便株式会社）との契約当事者（建物所有者）ではないことから同特例の適用を受けることはできない。

**《事例3》**

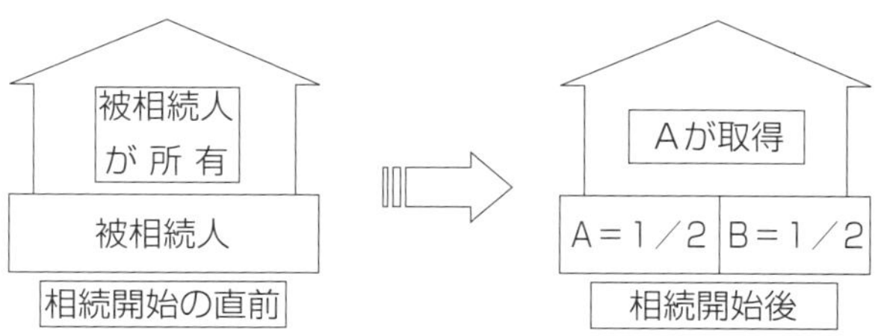


○　Aは、郵便局株式会社（平成24年10月1日以後は、日本郵便株式会社）との契約当事者（建物所有者）であることから、他の要件を満たせば郵政民営化法による相続税に係る課税の特例の適用を受けることができるが、Bは、郵便局株式会社（平成24年10月1日以後は、日本郵便株式会社）との契約当事者（建物所有者）ではないことから同特例の適用を受けることはできない。

**《事例４》**

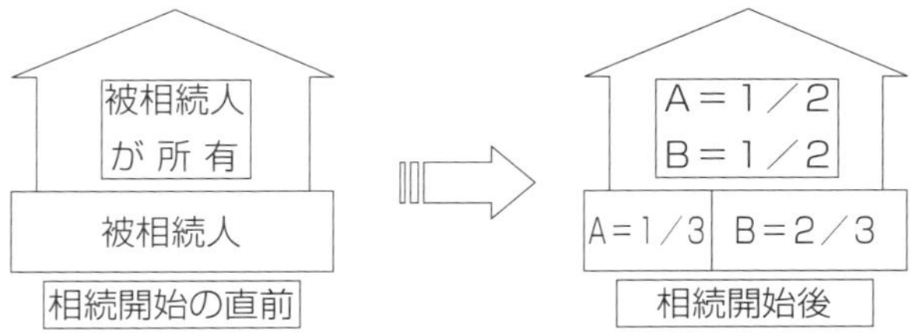


○　A、Bともに郵便局株式会社（平成24年10月１日以後は、日本郵便株式会社）との契約当事者（建物所有者）であることから、他の要件を満たせば郵政民営化法による相続税に係る課税の特例の適用を受けることができる。なお、A及びBは建物の共有持分を有しているが、郵政民営化法第180条の規定上、建物に対する持分概念が規定されていないことから、A及びBとも相続等により取得した土地等の全部について特例の適用を受けることができる。

## 〔54〕　措置法通達69の４－36《災害のため業務が休業された場合》

### (1)　取扱い

『郵便局舎の敷地の用に供されている宅地等に係る相続税の課税特例』の規定は、当該相続又は遺贈により当該宅地等の取得をした相続人から当該相続の開始の日以後５年以上当該郵便局舎を郵便局株式会社（平成24年10月１日以後は、日本郵便株式会社）が引き続き借り受けることにより、当該宅地等を同日以後５年以上当該郵便局舎の敷地の用に供する見込みであることにつき、一定の証明がされたものであることが適用要件の１つに挙げられています。

上記に掲げる適用要件を充足するか否かの判断において、当該郵便局舎が災害により損害を受けたため、相続税の申告期限において郵便局の業務が休業中である場合の取扱いについて疑義が生じるところですが、このような場合においても、下記に掲げる要件を充足しているときには、当該土地等を相続の開始の日以後５年以上当該郵便局舎の敷地の用に供する見込みであるものとして取り扱うものとされています。

①　当該相続又は遺贈により当該宅地等の取得をした相続人から郵便局株式会社（平成24年10月１日以後は、日本郵便株式会社）が郵便局舎を借り受けていること

②　郵便局の業務の再開のための準備が進められていると認められること

（注）　この場合においても、上記に掲げる『一定の証明』は必要とされています。

上記の取扱いは、当該業務の休業の理由が納税者（相続人）及び郵便局株式会社（平成24年10月１日以後は、日本郵便株式会社）の意思に基づかないやむを得ない事情によるものであることに照らし、単に課税時期において、休業中であることのみをもって特定宅地等の適用要件に該当しないとすることは相当でないと考えられるために設けられたものと考えられます。

### ⑵　『災害』の意義

上記⑴に規定する『災害』には、震災、風水害、火災のほか、雪害、落雷、噴火その他の自然現象の異変による災害及び火薬類の爆発その他の人為による異常な災害並びに害虫その他の生物による異常な災害も含まれるものと解釈されています。

## 〔55〕　措置法通達69の４－37《宅地等の一部の譲渡又は日本郵便株式会社との賃貸借契約の解除等があった場合》

### ⑴　相続の開始日以後の郵便局舎の敷地の供用見込年数要件

『郵便局舎の敷地の用に供されている宅地等に係る相続税の課税特例』の規定は、当該相続又は遺贈により当該宅地等の取得をした相続人から当該相続の開始の日以後５年以上当該郵便局舎を郵便局株式会社（平成24年10月１日以後は、日本郵便株式会社）が引き続き借り受けることにより、当該宅地等を同日以後５年以上当該郵便局舎の敷地の用に供する見込みであることが適用要件の１つに挙げられています。

この場合における『当該宅地等を同日以後５年以上当該郵便局舎の敷地の用に供する見込み』（上記＿＿部分）については、当該相続又は遺贈により取得した郵便局舎の敷地の用に供されていた土地等の全部について当該郵便局舎の敷地の用に供する見込みである場合をいうものとされています。

### ⑵　特定宅地等に該当しない場合

上記⑴より、例えば、下記に掲げる場合には、当該相続又は遺贈により取得した当該宅地等の全部を郵便局舎の敷地の用に供される見込みがあるとは認定し難いことから、当該宅地等は特定宅地等には該当せず、『郵便局舎の敷地の用に供されている宅地等に係る相続税の課税特例』の規定の適用を受けることは認められません。

①　被相続人に係る相続の開始の日以後から上記⑴に掲げる郵便局舎の敷地の供用見込に係る証明がされるまでの間に、当該土地等の一部が譲渡された場合（土地等の一部譲渡確定）

②　上記①に掲げる期間内に、郵便局株式会社（平成24年10月１日以後は、日本郵便株式会社）との賃貸借契約を解除された場合（賃貸借契約解除確定）

③　上記①に掲げる期間内に、当該土地等の一部を譲渡する見込みである場合（土地等の一部譲渡見込み）

④　上記①に掲げる期間内に、郵便局株式会社（平成24年10月１日以後は、日本郵便株式会社）との賃貸借契約を解除する見込みである場合（賃貸借契約解除見込み）

## 〔56〕　措置法通達69の４－38《平成21年改正前措置法第69条の４の取扱い》

平成21年度の税法改正によって、旧措置法第69条の５に規定されていた『特定事業用資産についての相続税の課税価格の計算の特例』が平成21年３月31日をもって廃止され、平成21年４月１日（施行日）をもって現行の措置法第69条の５に規定する『特定計画山林についての相続税の課税価格の計算の特例』に改められました。

この改正によって、施行日前において認められていた『特定（受贈）同族会社株式等』、『特定（受贈）森林経営計画対象山林』への適用が、施行日後は『特定（受贈）同族会社株式等』が対象から除外され、『特定（受贈）森林経営計画対象山林』のみを適用対象とする特例に改められました。

この措置法第69条の５に規定する取扱いの改正に伴って、当該規定に連動する措置法第69条の４（小規模宅地等についての相続税の課税価格の計算の特例）の取扱いについても、施行日（平成21年４月１日）前に相続又は遺贈により取得した財産に係る相続税については、原則として（注）、従前（施行日前）の『租税特別措置法（相続税法の特例関係）の取扱いについて』（措置法通達）の取扱いによるものとされています。

（注）　平成21年度の税法改正によって、措置法第70条の７の２《非上場株式等についての相続税の納税猶予》の規定が新設され、平成20年10月１日以後に相続又は遺贈（死因贈与を含みます。）により取得した非上場株式等について適用することができるものとされました。

この規定を適用する場合においては、当該相続等により取得をする当該非上場株式等に係る会社の株式又は出資については、たとえ、課税時期が平成20年10月１日から平成21年３月31日までの間にあるときであっても旧措置法第69条の５の取扱い（特定（受贈）同族会社株式等に対する相続税の課税価格の計算の特例の適用）の適用はないものとされています。したがって、この取扱いを受ける場合には、措置法第69条の５と措置法第69条の４の規定の取扱いとの重複適用の問題は生じないことになります。

参考資料

**租税特別措置法（附則平成21年）第64条《非上場株式等についての相続税の課税価格の計算の特例等に関する経過措置》第11項**

新租税特別措置法第69条の４及び第69条の５の規定は、施行日以後に相続又は遺贈により取得をする財産に係る相続税については、前条第２項の規定の適用がある場合を除き、なお従前の例による。

**租税特別措置法（附則平成21年）第63条《非上場株式等についての贈与税又は相続税の納税猶予に関する経過措置》第２項**

新租税特別措置法第70条の７の２の規定は、平成20年10月１日以後に相続又は遺贈（贈与をした者の死亡により効力を生ずる贈与を含む。以下附則第66条までにおいて同じ。）により取得をする非上場株式等に係る相続税について適用する。この場合において、当該相続又は遺贈により取得をする当該非上場株式等に係る会社の株式又は出資については、旧租税特別措置法第69条の５第１項の規定は適用しない。

## 〔57〕　措置法通達69の４－39《平成21年改正前措置法第70条の３の３又は第70条の３の４の規定の適用を受けた特定同族株式等について措置法第70条の７の２第１項の規定の適用を受けた場合の小規模宅地等の特例の不適用》

下記に掲げるいずれかの者（対象者）が、当該被相続人である特定同族株式等贈与者（注１）から平成20年12月31日以前に相続時精算課税に係る贈与により取得した特定同族株式等について、下記に掲げる規定（適用規定）の適用を受けている場合には、平成21年改正法附則第64条第７項の規定《非上場株式等についての相続税の課税価格の計算の特例等に関する経過措置》（注２）の適用の有無にかかわらず、当該被相続人から相続若しくは遺贈又は相続時精算課税に係る贈与により財産を取得したすべての者について、小規模宅地等の課税特例の規定の適用はない（注３）ものとされています。

対象者　⑴　被相続人から相続若しくは遺贈により財産を取得した者

⑵　被相続人から相続時精算課税に係る贈与により財産を取得した者

適用規定　⑴　平成21年改正前の旧措置法第70条の３の３第１項《特定の贈与者から特定同族株式等の贈与を受けた場合の相続時精算課税の特例》

（概要）　平成19年１月１日から平成20年12月31日までの間に特定同族株式等の贈与を受けた場合には、贈与者の年齢が60歳以上であれば（原則的な年齢要件は65歳以上）、相続時精算課税の特例の適用を受けることができるものとされていました。

⑵　平成21年改正前の旧措置法第70条の３の４第１項《特定同族株式等の贈与を受けた場合の相続時精算課税に係る贈与税の特別控除の特例》

（概要）　平成19年１月１日から平成20年12月31日までの間に特定同族株式等の贈与を受けた場合には、相続時精算課税の特別控除額（2,500万円）に、特定同族株式等特別控除額として500万円が加算されるものとされていました。

（注１）『特定同族株式等贈与者』の意義

ここに規定する『特定同族株式等贈与者』とは、平成21年改正法附則第64条第７項（（注２）を参照）に規定する特定同族株式等贈与者をいいます。

（注２）　租税特別措置法附則（平成21年）第64条《非上場株式等についての相続税の課税価格の計算の特例等に関する経過措置》第７項

> 前項に規定する場合（当該特定同族株式等の贈与をした者（以下次項までにおいて「特定同族株式等贈与者」という。）が平成20年10月１日以後に死亡した場合に限る。）において、当該特定同族株式等贈与者に係る特定受贈者が次に掲げる要件のすべてを満たすときは、当該特定受贈者は、当該特定同族株式等贈与者からの贈与（旧租税特別措置法第70条の３の３第３項第１号ロに規定する選択年中における当該特定同族株式等の最初の贈与の日から同項第４号に規定する確認日（第４号において「確認日」という。）までの間に行われたものに限る。）により取得をした株式又は出資（当該特定同族株式等に係る会社のもののうち、この項の規定の適用を受けるものとして政令で定めるところにより選択したものに限る。以下次項までにおいて「選

択特定同族株式等」という。）を当該特定同族株式等贈与者から相続（当該特定受贈者が当該特定同族株式等贈与者の相続人以外の者である場合には、遺贈）により取得をした非上場株式等とみなして、新租税特別措置法第70条の７の２の規定の適用を受けることができる。

一　当該特定受贈者が、平成22年３月31日までに納税地の所轄税務署長に、この項の規定により新租税特別措置法第70条の７の２の規定の適用を受けようとする旨その他財務省令で定める事項を記載した書類を提出していること。ただし、当該特定同族株式等贈与者の死亡に係る相続税の申告書の提出期限が同日までに到来する場合には、既に当該書類を提出している場合を除き、当該書類を当該相続税の申告書に添付して提出することとする。

二　当該特定受贈者が、当該特定同族株式等に係る贈与の時から当該特定同族株式等贈与者の死亡により開始した相続に係る申告期限を経過する時までの間のうち政令で定める期間において、当該選択特定同族株式等に係る認定承継会社の役員その他の地位として財務省令で定めるものを有していること。

三　当該特定受贈者が、当該特定同族株式等贈与者からの贈与により取得をした選択特定同族株式等のすべてを当該贈与の時から当該相続に係る申告期限（当該特定受贈者が当該申告期限前に死亡した場合には、その死亡の日）まで引き続き保有していること。

四　当該特定受贈者が、確認日の翌日から２月を経過する日までに、当該特定同族株式等に係る旧租税特別措置法第70条の３の３第１項に規定する確認書を納税地の所轄税務署長に提出していること。

（注３）　上記に掲げる 適用規定 を受けた特定同族株式等に係る会社と異なる会社に係る小規模宅地等の課税特例に規定する特例対象宅地等を当該被相続人から相続又は遺贈により取得した場合であっても、当該小規模宅地等の課税特例の規定の適用はないものとされています。

# 第３章

# 抜本的に取扱いが変更された平成22年度・平成25年度の改正項目

## 第１節　この章のポイント

第３章では、現行における『小規模宅地等についての相続税の課税価格の計算の特例』規定の基礎となっている、平成22年度及び平成25年度の改正項目についてその要点を確認することにします。

### 〔１〕 平成22年度の主要改正項目

小規模宅地等の課税特例について、被相続人から相続又は遺贈により財産を取得した者（以下「相続人等」といいます。）による事業又は居住の継続への配慮という制度趣旨等を踏まえて、大幅な見直しが加えられることになりました。

主な改正項目は下記に掲げる５点です。これらの見直しは、いずれも納税者にとって相続税の負担増加に直結するものとなっています。本章の第２節では、これらの改正項目を整理してみることにします。

①　事業又は居住要件を充足しない場合の適用除外
②　被相続人の親族以外の者が取得した場合の適用除外
③　一の宅地等に共同相続があった場合の適用要件の判定単位
④　１棟の建物の敷地である宅地等のうちに特定居住用宅地等がある場合の取扱い
⑤　特定居住用宅地等の意義の明確化

（注）　上記①ないし⑤に掲げる平成22年度の税法改正後の取扱いは、平成22年４月１日以後に開始した相続又は遺贈により取得した財産に係る相続税について適用されます。

## 〔2〕 平成25年度の主要改正項目

小規模宅地等の課税特例について、被相続人から相続人等による事業又は居住の継続への配慮という制度趣旨等を踏まえ、かつ、平成27年から実施される相続税の基礎控除の引下げとの調整対応、一種の社会問題にもなっていた完全二世帯住宅及び被相続人が老人ホーム等に入所していた場合の留守宅の各敷地の用に供されている宅地に対する特例適用の現実的な観点からの見直し等、大幅な改正が加えられることになりました。主な改正項目は下記に掲げる４点です。

これらの見直しは、上記〔1〕に掲げる平成22年度の改正とは逆で、原則として、いずれも納税者にとって相続税の負担軽減になるものとなっています。本章の第３節では、これらの改正項目を整理してみることにします。

① 特定居住用宅地等に対する適用上限面積の見直し

② 特例対象宅地等が複数の区分にまたがる場合の調整計算

③ １棟の二世帯住宅で構造上区分のあるものに対する特定居住用宅地等の判定

④ 被相続人が老人ホームに入所していた場合における空家となった家屋の敷地に対する特定居住用宅地等の判定

（注） 上記①ないし④に掲げる平成25年度の税法改正後の取扱いの適用関係は、次に掲げるとおりとなっています。

〔上記①及び②の改正〕

平成27年１月１日以後に開始した相続又は遺贈により取得した財産に係る相続税について適用されます。

〔上記③及び④の改正〕

平成26年１月１日以後に開始した相続又は遺贈により取得した財産に係る相続税について適用されます。

# 第２節　平成22年度の主要改正項目

## 〔１〕 事業又は居住要件を充足しない場合の適用除外

### ⑴ 内容

改正前の小規模宅地等の課税特例の取扱いでは、適用対象とされる事業用宅地等又は居住用宅地等の別に適用される上限面積及び減額割合を示すと図１のとおりとなり、相続人等が相続税の申告期限（原則として、被相続人に係る相続開始があったことを知った日の翌日から10か月を経過する日）までに事業又は居住を継続しない宅地等であっても被相続人等の事業用宅地等又は居住用宅地等であったことに注目して、200㎡（上限面積）まで50％（減額割合）の特例適用が容認されていました。

しかしながら、平成22年度の見直しでは『相続人等による事業又は居住の継続への配慮』(以下「改正趣旨」（下記 参考資料 を参照）といいます。）から、相続人等が相続税の申告期限までに事業又は居住を継続しない宅地等については、小規模宅地等の課税特例の適用対象から除外（減額割合０％）されました。(注)

この見直しの後の取扱いを示すと、図２のとおりとなります。

図１　改正前における取扱い

| 宅地等の区分 | | | 上限面積 | 減額割合 |
|---|---|---|---|---|
| 事業用 | 事業継続 | | 400㎡ | ▲80% |
| | 事業非継続 | | 200㎡ | ▲50% |
| | 不動産貸付 | 貸付継続 | 200㎡ | ▲50% |
| | | 貸付非継続 | 200㎡ | ▲50% |
| 居住用 | 居住継続 | | 240㎡ | ▲80% |
| | 居住非継続 | | 200㎡ | ▲50% |

⇨

図２　見直し後の取扱い

| 宅地等の区分 | | | 上限面積 | 減額割合 |
|---|---|---|---|---|
| 事業用 | 事業継続 | | 400㎡ | ▲80% |
| | 事業非継続 | | （廃止） | （廃止） |
| | 不動産貸付 | 貸付継続 | 200㎡ | ▲50% |
| | | 貸付非継続 | （廃止） | （廃止） |
| 居住用 | 居住継続 | | 240㎡ | ▲80% |
| | 居住非継続 | | （廃止） | （廃止） |

(注)　改正後においても、下記に掲げる区分に属する特定居住用宅地等については、相続税の申告期限までにおける居住供用要件（更に、下記①に関しては、相続税の申告期限までにおける所有継続要件も含みます。）は問わないものとされており、この点に関しては、平成22年度の税法改正における影響はないことになります。

①　被相続人等の居住の用に供されていた宅地等で、当該被相続人の配偶者が相続又は遺贈により取得した場合（通称：配偶者取得型（第１章第２節〔4〕⑵①(イ)（37ページ）を参照））

②　被相続人の居住の用に供されていた宅地等で、当該被相続人の配偶者又は一定の同居親族が存せず非同居親族（自己等の居住用家屋を非所有）が取得した場合（いわゆる『家なき子』型（第１章第２節〔4〕⑵①(ロ)㋺（39ページ）を参照））

### (2)　具体的な計算例

**設例**　被相続人が所有し、単身で居住の用に供していた家屋の敷地である宅地に関する資料は下記に掲げるとおりでした。

- 地積…300㎡
- 自用地としての相続税評価額（小規模宅地等の課税特例の適用前）…60,000千円

この宅地を相続により取得した長男は、既に自己名義の居住用不動産に居住しているため、当該宅地を当面、利用する予定はないものと認められます。

**計算**　①　改正前における取扱い

- $60{,}000千円 \times \frac{200㎡}{300㎡} \times 50\% = 20{,}000千円$
- 60,000千円－20,000千円＝40,000千円（相続税の課税価格算入額）

②　見直し後における取扱い

- 60,000千円（相続税の課税価格算入額）

（注）小規模宅地等の課税特例の適用はなし。

③　改正による影響

②－①＝20,000千円（相続税の課税価格算入額の増加額）

**参考資料**　会計検査院　平成17年度決算検査報告（抄）

第４章　国会及び内閣に対する報告並びに国会からの検査要請事項に関する報告等
第３節　特定検査対象に関する検査状況
第４　租税特別措置（小規模宅地等についての相続税の課税価格の計算の特例）の適用状況等について
４　本院の所見
(1)　適用状況について

近年の小規模宅地等の特例の適用実績の傾向についてみると、バブル崩壊後の地価の下落等により、小規模宅地等の特例を適用している申告書の被相続人の数が年平均２％程度減少しており、16年分の死亡者1,028,602人のうち、課税された申告書の被相続人は43,488人（4.2％）であり、この43,488人のうち小規模宅地等の特例を適用している申告書の被相続人は40,438人となっている。

本院が検査した66税務署における小規模宅地等の特例の適用状況は、次のとおりである。

ア　減額された課税価格の地域別平均をみると、東京都（23区）が政令指定都市の2.4倍、その他の市の4.6倍、町村の10.6倍となっており、地価の高い地域ほど減額された課税価格は大きくなっている。また、適用面積が200㎡以上の被相続人が85.4％を占めている一方、100㎡未満の被相続人も7.5％いる。

イ　特定事業用宅地等の適用相続人及びその他事業用宅地等の適用相続人のうち、事業を継続している適用相続人が79.8％を占めている一方、譲渡するなどしている適用相続人も7.7％いる。そして、事業の規模については、ある程度の規模の事業が見受けられる一方、小規模な事業（事業と称するに至らないような不動産の貸付けなどを含む。）も見受けられる。

ウ　居住継続等の要件を満たす相続人との共同相続により、要件を満たさない相続人が減額割合が80％である特定居住用宅地等などとして適用しているもので、当該相続人の適用面積が特定居住用宅地等などの適用面積全体の大部分又はすべてを占めているものが32件見

受けられ、このうち適用面積全体のすべてを占めているものが10件ある。
エ　１棟の建物の敷地の一部が特定居住用宅地等に該当することにより、相続人が居住を継続するなどしている居住用部分以外の貸付用等部分に対応する敷地部分を含めたその敷地全体に特定居住用宅地等として適用しているものが83件見受けられ、このうち貸付用等部分に対応する敷地部分の適用面積全体に占める割合が70％以上のものは30件ある。
オ　譲渡された小規模宅地等が193件見受けられ、このうち相続税の申告期限までの保有継続の要件があったものは30件あり、30件のうち申告期限の翌日以後12箇月以内に譲渡されたものが19件ある。

## 〔2〕　被相続人の親族以外の者が取得した場合の適用除外

### (1)　内容

改正前の小規模宅地等の課税特例の取扱いでは、小規模宅地等の区分と課税価格算入割合及び適用限度面積の関係は、図１に掲げるとおりでした。（ここでは、図１の④に掲げるとおり、いわゆる『特定要件』（特定要件の１つとして、承継者が親族であることを求めている部分があります。）を充足しない小規模宅地等も、取得者が個人であれば小規模宅地等の課税特例の対象とされていたことに留意する必要がありました。）

しかしながら、今回の見直しでは改正趣旨から、その適用範囲の厳格化が図られ、小規模宅地等の課税特例の対象とされるのは、『特定事業用宅地等』、『特定居住用宅地等』、『特定同族会社事業用宅地等』及び『貸付事業用宅地等』の４区分に限定されることになりました。（図２を参照）

そして、これらの４区分の小規模宅地等は、いずれも承継者が親族であることを要件としているため、結果として、改正後は被相続人の親族に該当しない個人（例：内縁の妻）が取得した宅地等は、小規模宅地等の課税特例の対象から除外されることになりました。

**図１　改正前における取扱い**

| 小規模宅地等の区分 | | 課税価格算入割合 | 適用限度面積 |
|---|---|---|---|
| ① | 『特定事業用宅地等』である小規模宅地等 | 20% | 400㎡ |
| ② | 『特定居住用宅地等』である小規模宅地等 | 20% | 240㎡ |
| ③ | 『特定同族会社事業用宅地等』である小規模宅地等 | 20% | 400㎡ |
| ④ | 上記①から③の区分に該当しない小規模宅地等 | 50% | 200㎡ |

⇒

**図２　見直し後の取扱い**

| 小規模宅地等の区分 | | 課税価格算入割合 | 適用限度面積 |
|---|---|---|---|
| ① | 『特定事業用宅地等』である小規模宅地等 | 20% | 400㎡ |
| ② | 『特定居住用宅地等』である小規模宅地等 | 20% | 240㎡ |
| ③ | 『特定同族会社事業用宅地等』である小規模宅地等 | 20% | 400㎡ |
| ④ | 『貸付事業用宅地等』である小規模宅地等 | 50% | 200㎡ |

### (2) 具体的な計算例

**設例** 被相続人が所有し、愛人（正式な婚姻関係にない事実婚）と２人で居住の用に供していた家屋の敷地である宅地に関する資料は下記に掲げるとおりでした。

- 地積……300㎡
- 自用地としての相続税評価額（小規模宅地等の課税特例の適用前）……60,000千円

この宅地を愛人は遺言により取得し、今後も継続して自己の居住の用に供する予定です。

**計算** ① 改正前における取扱い

- $60{,}000千円 \times \dfrac{200㎡}{300㎡} \times 50\% = 20{,}000千円$
- 60,000千円－20,000千円＝40,000千円（相続税の課税価格算入額）

② 見直し後における取扱い

- 60,000千円（相続税の課税価格算入額）

（注） 小規模宅地等の課税特例の適用はなし。

③ 改正による影響

②－①＝20,000千円（相続税の課税価格算入額の増加額）

## 〔３〕 一の宅地等に共同相続があった場合の適用要件の判定単位

### (1) 内容

改正前の小規模宅地等の課税特例の取扱いでは、特定居住用宅地等、特定事業用宅地等又は特定同族会社事業用宅地等を数人（複数）で取得した場合において、当該取得者のうち１人でもその要件を充足する者が存するときは、当該宅地等の全体が特定居住用宅地等、特定事業用宅地等又は特定同族会社事業用宅地等に該当することになるという優遇規定が設けられていました。この取扱いを特定居住用宅地等を例に示すと、図１のとおりとなります。

しかしながら、今回の見直しでは改正趣旨から特定要件を充足しない者に対する優遇措置の適用が疑問視されることとなり、一の宅地等について共同相続があった場合には、取得した者ごとに小規模宅地等の課税特例の適用要件を判定することになりました。この見直しの後の取扱いを示すと、図２のとおりになります。

図１　改正前における取扱い

| 被相続人の居住用宅地等の取得者 | 特定居住用宅地等の該当性 | 減額割合 |
|---|---|---|
| 配偶者 | 該当 | ▲80% |
| 子供（非同居） | 非該当 | ▲80% |

⇒

図２　見直し後の取扱い

| 被相続人の居住用宅地等の取得者 | 特定居住用宅地等の該当性 | 減額割合 |
|---|---|---|
| 配偶者 | 該当 | ▲80% |
| 子供（非同居） | 非該当 | （廃止） |

### (2) 具体的な計算例

**設例**　被相続人が所有し、配偶者と共に居住の用に供していた家屋の敷地である宅地に関する資料は下記に掲げるとおりでした。

• 地積…300㎡

• 自用地としての相続税評価額（小規模宅地等の課税特例の適用前）…60,000千円

この宅地を相続により取得した者は、配偶者（共有持分10％）及び長男（共有持分90％）です。

**計算**　① 改正前における取扱い

(イ) 配偶者

㋑ 60,000千円×10％＝6,000千円

㋺ ㋑×$\frac{240㎡\times10\%}{300㎡\times10\%}$×80％＝3,840千円

㋩ ㋑－㋺＝2,160千円

(ロ) 長男

㋑ 60,000千円×90％＝54,000千円

㋺ ㋑×$\frac{240㎡\times90\%}{300㎡\times90\%}$×80％＝34,560千円

㋩ ㋑－㋺＝19,440千円

(ハ) 合計

(イ)＋(ロ)＝21,600千円（相続税の課税価格算入額）

（注）小規模宅地等の課税特例の適用については、配偶者及び長男の共有持分に応じて選択しています。

② 見直し後における取扱い

(イ) 配偶者

㋑ 60,000千円×10％＝6,000千円

㋺ ㋑×$\frac{30㎡（注）}{300㎡\times10\%}$×80％＝4,800千円

（注）300㎡×10％＝30㎡＜240㎡　∴30㎡

㋩ ㋑－㋺＝1,200千円

(ロ) 長男

60,000千円×90％＝54,000千円

（注）長男は居住非継続者なので、小規模宅地等の課税特例の適用なし。

(ハ) 合計

(イ)＋(ロ)＝55,200千円（相続税の課税価格算入額）

③ 改正による影響

②－①＝33,600千円（相続税の課税価格算入額の増加額）

## 〔4〕 １棟の建物の敷地である宅地等のうちに特定居住用宅地等がある場合の取扱い

### (1) 内容

改正前の小規模宅地等の課税特例の取扱いでは、当該被相続人等の居住の用に供されていた部分が特定居住用宅地等に該当する場合において、当該居住の用に供されていた部分が一棟の建物に係るものであるときには、当該一棟の建物の敷地の用に供されていた宅地等のうちに、特定居住用宅地等に該当しない部分が存している場合であっても、その敷地の全体が特定居住用宅地等に該当することになるという優遇規定（注）が設けられていました。この取扱いを示すと 図１ のとおりになります。

（注）この優遇規定は、特定居住用宅地等においてのみ認められている取扱いで、他の特定事業用宅地等及び特定同族会社事業用宅地等には認められていません。

しかしながら、今回の見直しでは改正趣旨から特定居住用宅地等の要件を充足しない部分に該当する宅地等に対する優遇措置の適用が疑問視されることになり、一棟の建物の敷地の用に供されていた宅地等のうちに特定居住用宅地等の要件に該当する部分とそれ以外の部分がある場合には、それぞれの要件に該当する部分ごとにあん分して減額割合を計算することになりました。この見直し後の取扱いを示すと 図２ のようになります。

**図１　改正前における取扱い**

| 区　分 | | | 減額割合 |
|---|---|---|---|
| 被相続人の配偶者が取得した一棟の建物の利用状況 | １階… | 被相続人の事業用（事業非継続） | ▲80% |
| | ２階… | 貸　付（賃貸用） | |
| | ３階… | 未利用 | |
| | ４階… | 居住用 | |

⇨

**図２　見直し後の取扱い**

| 区　分 | | | 減額割合 |
|---|---|---|---|
| 被相続人の配偶者が取得した一棟の建物の利用状況 | １階… | 被相続人の事業用（事業非継続） | （廃止） |
| | ２階… | 貸　付（賃貸用） | ▲50% |
| | ３階… | 未利用 | （廃止） |
| | ４階… | 居住用 | ▲80% |

### (2) 具体的な計算例

**設例**　被相続人の相続財産である一棟の建物及びその敷地の用に供されている宅地に関する資料は下記に掲げるとおりでした。

- 一棟の建物の利用状況…上記 図１ 及び 図２ に掲げるとおり（各階の床面積は同一）
- 地積…300㎡
- 自用地としての相続税評価額（小規模宅地等の課税特例の適用前）…60,000千円
- 借地権割合…60％
- 借家権割合…30％

**計算**　①　改正前における取扱い

(イ)　小規模宅地等の課税特例の適用前の評価額

$60{,}000$千円×（１－60％×30％×$\frac{1}{4}$（賃貸用割合））＝57,300千円

(ロ)　小規模宅地等の課税特例の適用による減額金額

㋑　１階（事業非継続部分）、３階（未利用部分）及び４階（居住用部分）に対する適用

$60{,}000$千円×$\frac{3}{4}$×$\frac{225㎡（注）}{300㎡×\frac{3}{4}}$×80％＝36,000千円

（注）　300㎡×$\frac{3}{4}$＝225㎡＜240㎡　∴225㎡

㋺　２階（貸付（賃貸）用部分）に対する適用

$60{,}000$千円×$\frac{1}{4}$（賃貸用割合）×（１－60％×30％）＝12,300千円

$12{,}300$千円×$\left(\frac{15㎡（注）}{300㎡×\frac{1}{4}}\right)$×80％＝1,968千円

（注）　Ⅰ　300㎡×$\frac{1}{4}$（賃貸用割合）＝75㎡

Ⅱ　240㎡－225㎡（前記㋑）＝15㎡

Ⅲ　Ⅰ＞Ⅱ　∴Ⅱ　15㎡

㋩　合計

㋑＋㋺＝37,968千円

> **留意点**　小規模宅地等の課税特例の適用対象とされる小規模宅地等の選択については、１㎡当たりの減額単価が最大となる自用地部分（１階、３階及び４階）から適用し、自用地部分に対応する地積（225㎡）が小規模宅地等の適用限度面積（240㎡）に満たない部分の地積（15㎡）について、貸家建付地部分から減額するという考え方（優先的適用法）により処理しています。

(ハ)　小規模宅地等の課税特例の適用後

(イ)－(ロ)＝19,332千円（相続税の課税価格算入額）

②　見直し後における取扱い

(イ)　小規模宅地等の課税特例の適用前の評価額

$60{,}000$千円×（１－60％×30％×$\frac{1}{4}$（賃貸用割合））＝57,300千円

(ロ)　小規模宅地等の課税特例の適用による減額金額

㋑　４階（居住用部分）に対する適用

$60{,}000$千円×$\frac{1}{4}$（居住用割合）×$\left(\frac{75㎡（注）}{300㎡×\frac{1}{4}}\right)$×80％＝12,000千円

（注）　Ⅰ　300㎡×$\frac{1}{4}$（居住用割合）＝75㎡

Ⅱ　240㎡

Ⅲ　Ⅰ＜Ⅱ　∴Ⅰ　75㎡

㋺　２階（貸付（賃貸）用部分）に対する適用

60,000千円×$\frac{1}{4}$（賃貸用割合）×（１－60％×30％）＝12,300千円

12,300千円×$\left(\frac{75㎡（注）}{300㎡\times\frac{1}{4}}\right)$×50％＝6,150千円

（注）Ⅰ　300㎡×$\frac{1}{4}$（賃貸用割合）＝75㎡

Ⅱ　75㎡（前記(イ)）×$\frac{400㎡}{240㎡}$＝125㎡

（400㎡－125㎡（上記））×$\frac{200㎡}{400㎡}$＝137.5㎡

Ⅲ　Ⅰ＜Ⅱ　∴Ⅰ　75㎡

㋩　合計

㋑＋㋺＝18,150千円

(ハ)　小規模宅地等の課税特例の適用後

(イ)－(ロ)＝39,150千円（相続税の課税価格算入額）

③　改正による影響

②－①＝19,818千円（相続税の課税価格算入額の増加額）

## 〔５〕　特定居住用宅地等の意義の明確化

改正前の小規模宅地等の課税特例の取扱いでは、『被相続人等が居住の用に供していた宅地等』が複数存在する場合の取扱いに関して疑義（小規模宅地等の課税特例の適用対象宅地等は１つに限定されるのか、又は適用上限面積以下であれば複数存在することが容認されるのか。）が提されることもありました。

そこで、今回の見直しにおいて、特定居住用宅地等は、『被相続人等が主として居住の用に供していた一の宅地等』に限られることが明確化されました。

また、併せて、被相続人等の居住用宅地等が２以上ある場合の具体的な取扱いについても明確化されました。（下記 まとめ を参照）

### まとめ　被相続人等の居住用宅地等が２以上ある場合の取扱い

(1)　**『被相続人』の居住の用に供されていた宅地等が２以上ある場合**〔下記(3)に該当する場合を除く〕

当該『被相続人』が主としてその居住の用に供していた一の宅地等

(2)　**『被相続人と生計を一にしていた当該被相続人の親族』の居住の用に供されていた宅地等が２以上ある場合**〔下記(3)に該当する場合を除く〕

当該『親族』（注）が主としてその居住の用に供していた一の宅地等

（注）　当該親族が２人以上ある場合には、当該親族ごとにそれぞれ主としてその居住の用に供していた宅地等（下記(3)において同じ。）

**⑶　『被相続人』及び『被相続人と生計を一にしていた当該被相続人の親族』の居住の用に供されていた宅地等が２以上ある場合**

①　当該『被相続人』が主としてその居住の用に供していた一の宅地等と当該『親族』が主としてその居住の用に供していた一の宅地等が同一である場合

当該一の宅地等

②　当該『被相続人』が主としてその居住の用に供していた一の宅地等と当該『親族』が主としてその居住の用に供していた一の宅地等が同一でない場合

当該『被相続人』が主としてその居住の用に供していた一の宅地等及び当該『親族』が主としてその居住の用に供していた一の宅地等

## 〔6〕　改正の適用期日

平成22年度の税法改正による小規模宅地等の課税特例の見直しは、平成22年４月１日以後に開始した相続又は遺贈により取得した小規模宅地等に係る相続税について適用するものとされています。

## 参考資料　平成22年度の改正前後における小規模宅地等の区分と相続税の課税価格計算上の減額割合

<table>
<tr><th colspan="5" rowspan="3">小規模宅地等の区分要件</th><th colspan="4">小規模宅地等の区分と相続税の課税価格計算上の減額割合</th></tr>
<tr><th colspan="2">改正前<br>（平成22年３月31日まで）</th><th colspan="2">改正後<br>（平成22年４月１日以後）</th></tr>
<tr><th>小規模宅地等の区分</th><th>減額割合</th><th>小規模宅地等の区分</th><th>減額割合</th></tr>
<tr><td rowspan="8">事業用</td><td rowspan="2">自己の事業用</td><td colspan="3">(1)『特定事業用宅地等』の要件を充足する場合</td><td>特定事業用宅地等</td><td>▲80％</td><td>特定事業用宅地等</td><td>▲80％</td></tr>
<tr><td colspan="3">(2)『特定事業用宅地等』の要件を充足しない場合</td><td>特定特例対象宅地等（注）</td><td>▲50％</td><td>小規模宅地等に非該当</td><td>▲０％</td></tr>
<tr><td rowspan="6">貸付用（例）１ 貸家敷地 ２ 貸宅地</td><td rowspan="3">貸付先が『特定同族会社』である場合</td><td colspan="2">(3)『特定同族会社事業用宅地等』の要件を充足する場合</td><td>特定同族会社事業用宅地等</td><td>▲80％</td><td>特定同族会社事業用宅地等</td><td>▲80％</td></tr>
<tr><td rowspan="2">(4)『特定同族会社事業用宅地等』の要件を充足しない場合</td><td>①『貸付事業用宅地等』の要件を非充足</td><td>特定特例対象宅地等（注）</td><td>▲50％</td><td>小規模宅地等に非該当</td><td>▲０％</td></tr>
<tr><td>②『貸付事業用宅地等』の要件を充足</td><td>特定特例対象宅地等（注）</td><td>▲50％</td><td>貸付事業用宅地等（新設）</td><td>▲50％</td></tr>
<tr><td rowspan="2">貸付先が上記に該当しない場合</td><td colspan="2">(5)新設の『貸付事業用宅地等』の要件を充足する場合</td><td>特定特例対象宅地等（注）</td><td>▲50％</td><td>貸付事業用宅地等（新設）</td><td>▲50％</td></tr>
<tr><td colspan="2">(6)新設の『貸付事業用宅地等』の要件を充足しない場合</td><td>特定特例対象宅地等（注）</td><td>▲50％</td><td>小規模宅地等に非該当</td><td>▲０％</td></tr>
<tr><td rowspan="2">居住用</td><td colspan="4">(7)『特定居住用宅地等』の要件を充足する場合</td><td>特定居住用宅地等</td><td>▲80％</td><td>特定居住用宅地等</td><td>▲80％</td></tr>
<tr><td colspan="4">(8)『特定居住用宅地等』の要件を充足しない場合</td><td>特定特例対象宅地等（注）</td><td>▲50％</td><td>小規模宅地等に非該当</td><td>▲０％</td></tr>
</table>

（注）『特定特例対象宅地等』とは、平成22年度の改正前における課税特例の適用対象とされる宅地等のうち、特定事業用宅地等、特定居住用宅地等及び特定同族会社事業用宅地等以外の小規模宅地等の区分に属するものをいいます。

## 〔7〕 小規模宅地等の課税特例（平成22年度の税法改正後）の概要

### (1) 適用要件

① 個人が相続又は遺贈により取得した財産のうちに、当該相続の開始の直前において、当該相続若しくは遺贈に係る被相続人又は当該被相続人と生計を一にしていた当該被相続人の親族（以下「被相続人等」といいます。）の事業（注）の用又は居住の用に供されていた宅地等（土地又は土地の上に存する権利をいいます。）であること

（注）『事業』には、事業に準ずるものとして相当の対価を得て継続的に行う不動産（土地等又は建物等）の貸付けを含むものとされています。

**ポイント** ①部分には、平成22年度改正法による異同点はありません。

② ①の宅地等で一定の建物又は構築物の敷地（注１）の用に供されているもののうち、棚卸資産等に該当しないもの（注２）で、特定事業用宅地等、特定居住用宅地等、特定同族会社事業用宅地等及び貸付事業用宅地等に限られる（以下「特例対象宅地等」といいます。）こと

（注１）『一定の建物又は構築物の敷地』とは、下記に掲げる建物又は構築物の敷地以外の建物又は構築物の敷地をいうものとされています。

(イ) 温室その他の建物で、その敷地が耕作の用に供されているもの

(ロ) 暗きょその他の構築物で、その敷地が耕作の用又は耕作若しくは養蓄のための採草若しくは家畜の放牧の用に供されるもの

（注２）『棚卸資産等に該当しないもの』とは、当該宅地等が所得税法第２条第１項第16号に規定する『棚卸資産（これに準ずるものとされる雑所得の基因となる資産（宅地等）を含みます。）』に該当しないものをいいます。

**ポイント** 平成22年度改正法では、小規模宅地等の課税特例の対象とされるのは、上記＿＿部分で示された『特定事業用宅地等』、『特定居住用宅地等』、『特定同族会社事業用宅地等』及び『貸付事業用宅地等』に限定され、これに該当しないものは一切、適用対象とされないこととなりました。

③ 当該相続又は遺贈により財産を取得した者に係るすべての特例対象宅地等のうち、当該個人が取得した特例対象宅地等又はその一部でこの特例の規定の適用を受けるものとして選択したもの（以下「選択特例対象宅地等」といいます。）であること

**ポイント** ③部分には、平成22年度改正法による異同点はありません。

④ ③の選択特例対象宅地等で、次の(2)に掲げる限度面積要件を充足するもの（以下「小規模宅地等」といいます。）であること

**ポイント** ④部分には、平成22年度改正法による異同点はありません。

### (2) 小規模宅地等の区分と限度面積及び相続税の課税価格算入割合

上記(1)に掲げる適用要件を充足した小規模宅地等について、適用限度面積及び相続税の課税価格に算入すべき金額は、次表に掲げる小規模宅地等の区分を参照してください。）に応じて、それぞれに示すとおりとなります。

| 小規模宅地等の区分 | 課税価格算入割合 | 限度面積（最大） |
|---|---|---|
| 『特定事業用宅地等』である小規模宅地等 | 20% | 400㎡ |
| 『特定居住用宅地等』である小規模宅地等 | 20% | 240㎡ |
| 『特定同族会社事業用宅地等』である小規模宅地等 | 20% | 400㎡ |
| 『貸付事業用宅地等』である小規模宅地等 | 50% | 200㎡ |

なお、選択特例対象宅地等が特定事業用宅地等、特定居住用宅地等、特定同族会社事業用宅地等又は貸付事業用宅地等の複数の区分からなる場合には、下記に掲げる算式により計算した面積の合計が400㎡以下であることが必要とされています。

（算式）　選択特例対象宅地等とした特定事業用宅地等及び特定同族会社事業用宅地等の面積の合計 ＋ 選択特例対象宅地等とした特定居住用宅地等の面積の合計 × $\frac{5}{3}$ ＋ 選択特例対象宅地等とした貸付事業用宅地等の面積の合計 × ２ ≦ 400㎡

**ポイント**　平成22年度改正法では、小規模宅地等の区分に、『貸付事業用宅地等』の概念が創設されました。これに該当した場合には、課税価格算入割合50％、適用限度面積200㎡となります。換言すれば、この課税価格算入割合及び適用限度面積の対象とされるのは、この『貸付事業用宅地等』のみに限定されることになりました。

（注）　改正前に存在していたいわゆる特定要件を充足していない一般の事業用宅地等、居住用宅地等及び同族会社事業用宅地等に係る小規模宅地等の課税特例（課税価格算入割合50％、適用限度面積200㎡）は、平成22年３月31日をもって廃止されましたので、留意する必要があります。

# 第３節　平成25年度の主要改正項目

## 〔１〕　特定居住用宅地等に対する適用上限面積の見直し

### (1)　内容

改正前の小規模宅地等の課税特例の取扱いでは、小規模宅地等の課税特例の対象とされるのは、『特定事業用宅地等』、『特定居住用宅地等』、『特定同族会社事業用宅地等』及び『貸付事業用宅地等』の４区分に限定されており、図１に掲げるとおり、当該区分に応じて、それぞれ課税価格算入割合及び適用限度面積が規定されていました。そして、特定居住用宅地等に対する適用限度面積は240㎡となっていました。

しかしながら、今回の見直しでは、下記参考資料に掲げられている事項にも配慮して、この特定居住用宅地等に対する適用限度面積が330㎡に引き上げられることになりました。

参考資料　居住用宅地の面積

①　大都市圏においてこの特例を適用している事案の平均的な宅地面積は360㎡であること（三大都市圏の既成市街地等の圏内に所在する税務署ごとの実績より）

②　全国の居住用の土地面積の平均が300㎡であること（土地基本統計（平成20年度）における全国平均より）

改正後における小規模宅地等の課税特例の適用対象区分に応じる課税価格算入割合及び適用限度面積を示しますと、図２のとおりになります。

図１　改正前における取扱い

| 小規模宅地等の区分 | 課税価格算入割合 | 適用限度面積 |
|---|---|---|
| ①『特定事業用宅地等』である小規模宅地等 | 20% | 400㎡ |
| ②『特定居住用宅地等』である小規模宅地等 | 20% | 240㎡ |
| ③『特定同族会社事業用宅地等』である小規模宅地等 | 20% | 400㎡ |
| ④『貸付事業用宅地等』である小規模宅地等 | 50% | 200㎡ |

⇒

図２　見直し後の取扱い

| 小規模宅地等の区分 | 課税価格算入割合 | 適用限度面積 |
|---|---|---|
| ①『特定事業用宅地等』である小規模宅地等 | 20% | 400㎡ |
| ②『特定居住用宅地等』である小規模宅地等 | 20% | 330㎡ |
| ③『特定同族会社事業用宅地等』である小規模宅地等 | 20% | 400㎡ |
| ④『貸付事業用宅地等』である小規模宅地等 | 50% | 200㎡ |

### (2) 具体的な計算例

**設例** 被相続人が所有し、配偶者と２人で居住の用に供していた家屋の敷地である宅地に関する資料は下記に掲げるとおりでした。

- 地積……400㎡
- 自用地としての相続税評価額（小規模宅地等の課税特例の適用前）……140,000千円

この宅地は、遺産分割協議によって配偶者が取得することになりました。

**計算** ①　改正前における取扱い

- 140,000千円×$\frac{240㎡}{400㎡}$×80％＝67,200千円
- 140,000千円－67,200千円＝72,800千円（相続税の課税価格算入額）

②　見直し後における取扱い

- 140,000千円×$\frac{330㎡}{400㎡}$×80％＝92,400千円

140,000千円－92,400千円＝47,600千円（相続税の課税価格算入額）

③　改正による影響

①－②＝25,200千円（相続税の課税価格算入額の減少額）

### (3) 改正の適用期日

上記に掲げる『特定居住用宅地等に対する適用上限面積の見直し』の改正は、平成27年１月１日以後に開始した相続又は遺贈により取得した小規模宅地等に係る相続税について適用するものとされています。

## 〔2〕 特例対象宅地等が複数の区分にまたがる場合の調整計算

### (1) 内容

改正前の小規模宅地等の課税特例の取扱いでは、小規模宅地等の課税特例の適用対象地として選択する宅地等が、『特定事業用等宅地等』（特定事業用宅地等及び特定同族会社事業用宅地等をいいます。以下、この〔2〕において同じ。）、『特定居住用宅地等』及び『貸付事業用宅地等』から成る場合には、一定の方法で計算した面積（調整面積）が400㎡以下となるようにしなければならないという限度面積要件が規定されていました。この取扱いを算式で示すと、図１のとおりとなります。

しかしながら、今回の見直しでは居宅と個人事業所（これに準ずるものと考えられる一定の法人事業所を含みます。）の事業用地を別々に所有している個人事業者については双方の土地について併用適用されることが望ましいとの考え方から、小規模宅地等の課税特例の対象とする選択特例対象宅地等が『特定事業用等宅地等』及び『特定居住用宅地等』のみから成る場合には、それぞれの適用対象面積の上限（特定事業用等宅地等400㎡、特定居住用宅地等330㎡）まで、すなわち最大で合計730㎡まで完全併用適用が可能とされるという内容の改正が行われることになりました。

なお、『貸付事業用宅地等』を選択する場合には、改正前の取扱いに準ずるものとして、一定の方法で計算した面積（調整面積）が200㎡以下となるようにしなければならないという限度面積要件が設けられています。

改正後における特例対象宅地等が複数の区分にまたがる場合の調整計算の取扱いを算式で示すと図２のとおりとなります。

**図１　改正前における取扱い**

特定事業用等宅地等の適用面積 ＋ 特定居住用宅地等の適用面積 × $\frac{5\ (400㎡)}{3\ (240㎡)}$

＋ 貸付事業用宅地等の適用面積 × $\frac{2\ (400㎡)}{1\ (200㎡)}$ ≦400㎡

⟹

**図２　見直し後の取扱い**

① 適用対象地が『特定事業用等宅地等』と『特定居住用宅地等』のみである場合
1. 特定事業用等宅地等の面積（400㎡を限度）
2. 特定居住用宅地等の面積（330㎡を限度）
3. １＋２（最大：730㎡）

② 適用対象地に『貸付事業用宅地等』が存する場合

特定事業用等宅地等の適用面積 × $\frac{200㎡}{400㎡}$ ＋ 特定居住用宅地等の適用面積 × $\frac{200㎡}{330㎡}$

＋ 貸付事業用宅地等の適用面積 ≦200㎡

### (2) 具体的な計算例

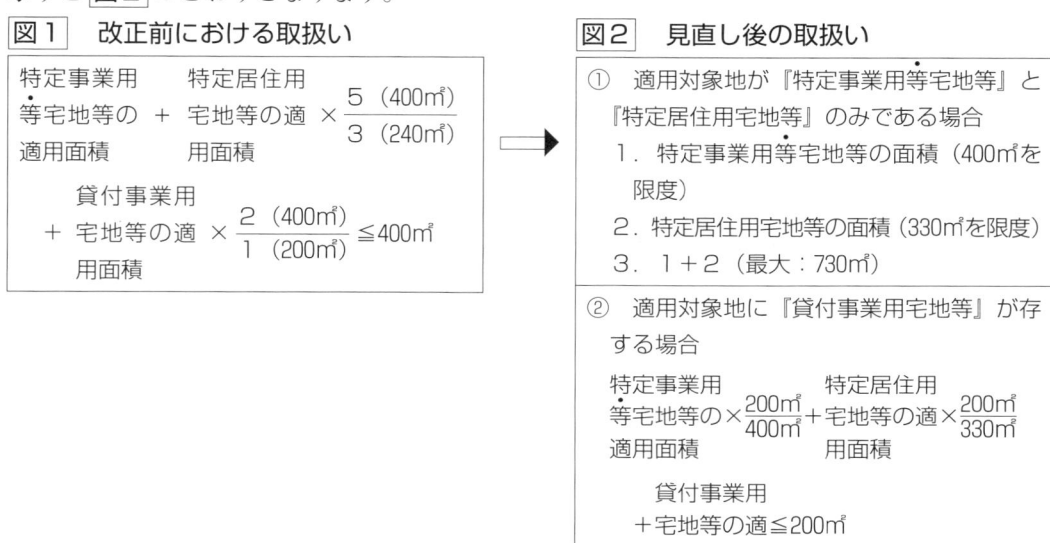

**設例**　被相続人が所有する小規模宅地等の課税特例の適用要件を充足した宅地等（特例対象宅地等）に関する資料は、次に掲げるとおりでした。

| 区分 | 面積 | 相続税評価額 |
|---|---|---|
| 特定事業用宅地等 | 450㎡ | 135,000千円 |
| 特定居住用宅地等 | 350㎡ | 70,000千円 |
| 貸付事業用宅地等 | 500㎡ | 500,000千円 |

小規模宅地等の課税特例の規定を最も有利に適用するとした場合における当該特例規定の適用による減額金額はいくらになりますか。

**計算**　① 改正前における取扱い

(イ) 特定事業用宅地等から優先的に適用した場合の減額金額

$$135{,}000千円 \times \frac{400㎡}{450㎡} \times 80\% = \underline{\underline{96{,}000千円}}$$

(ロ) 特定居住用宅地等から優先的に適用した場合の減額金額

$$70{,}000千円 \times \frac{240㎡（注）}{350㎡} \times 80\% = \underline{\underline{38{,}400千円}}$$

（注）改正前は、特定居住用宅地等に対する適用上限面積は240㎡とされていました。

(ハ)　貸付事業用宅地等から優先的に適用した場合の減額金額

$$500{,}000\text{千円}\times\frac{200\text{㎡}}{500\text{㎡}}\times 50\% = \underline{\underline{100{,}000\text{千円}}}$$

(ニ)　判定

(ハ)（貸付事業用宅地等から優先的に適用）の方法を選択することが最も有利になります。

②　見直し後における取扱い

(イ)　特定事業用等宅地等と特定居住用宅地等を選択した場合の減額金額

㋑　特定事業用宅地等に係る減額金額

$$135{,}000\text{千円}\times\frac{400\text{㎡}}{450\text{㎡}}\times 80\% = 96{,}000\text{千円}$$

㋺　特定居住用宅地等に係る減額金額

$$70{,}000\text{千円}\times\frac{330\text{㎡（注）}}{350\text{㎡}}\times 80\% = 52{,}800\text{千円}$$

（注）　見直し後は、特定居住用宅地等に対する適用上限面積も330㎡に引き上げられています。

参考　400㎡（特定事業用等宅地等に係る適用面積）＋330㎡（特定居住用宅地等に係る適用面積）≦730㎡

㋩　合計

㋑＋㋺＝148,800千円

(ロ)　貸付事業用宅地等から優先的に適用した場合の減額金額

$$500{,}000\text{千円}\times\frac{200\text{㎡}}{500\text{㎡}}\times 50\% = \underline{\underline{100{,}000\text{千円}}}$$

参考　この場合には、次に掲げる算式のとおり、貸付事業用宅地等以外の他の区分に係る小規模宅地等を選択特例対象宅地等とすることは認められません。

（算式）

$$0\text{㎡}\begin{pmatrix}\text{特定事業}\\\text{用等宅地}\\\text{等に係る}\\\text{適用面積}\end{pmatrix}\times\frac{200\text{㎡}}{400\text{㎡}}+0\text{㎡}\begin{pmatrix}\text{特定居住}\\\text{用宅地等}\\\text{に係る適}\\\text{用面積}\end{pmatrix}\times\frac{200\text{㎡}}{330\text{㎡}}+200\text{㎡}\begin{pmatrix}\text{貸付事業}\\\text{用宅地等}\\\text{に係る適}\\\text{用面積}\end{pmatrix}\leqq 200\text{㎡}$$

(ハ)　判定

(イ)（特定事業用等宅地等と特定居住用宅地等を選択して適用）の方法を選択することが最も有利になります。

### (3)　改正の適用期日

上記に掲げる『特例対象宅地等が複数の区分にまたがる場合の調整計算』の改正は、平成27年１月１日以後に開始した相続又は遺贈により取得した小規模宅地等に係る相続税について適用するものとされています。

## 〔3〕 １棟の２世帯住宅で構造上区分のあるものに対する特定居住用宅地等の判定

### (1) 内容

改正前の小規模宅地等の課税特例の取扱いでは、１棟の２世帯住宅で構造上区分のないもの（建物の構造上、内部（例えば、１階と２階）で往来が可能であり区分がされていないもの）に限って、当該１棟の建物の全体を１つの居住の単位（被相続人とその親族の居住の用）と認識して、当該建物の敷地の用に供されている宅地等の全体を他の一定の要件を充足することを条件として特定居住用宅地等として取り扱うことが認められていました。

また、一方で、１棟の２世帯住宅であっても構造上区分されているもの（建物の構造上、内部（例えば、１階と２階）で往来することが不可能であり区分されているもの）については、被相続人が居住していた部分に対応する敷地の用に供されていた宅地等についてのみ、一定要件下に、特定居住用宅地等として取り扱うものとされていました。

しかしながら、今回の改正では、同じ２世帯住宅の敷地の用に供されている宅地であったとしても、当該２世帯住宅の構造上の差異（構造上の区分がある場合と構造上の区分がない場合）により、特定居住用宅地等の取扱いに差異が生じるのは不合理であるとの考え方に基づいて、１棟の２世帯住宅で構造上区分のあるもの（建物の区分所有等に関する法律の規定により、区分所有建物である旨の登記がされているものを除きます。）について、被相続人及びその親族（注）が各独立部分に居住していた場合には、その親族（注）が相続又は遺贈により取得したその敷地の用に供されている宅地等のうち、被相続人及びその親族（注）が居住していた部分に対応する敷地の部分が小規模宅地等の課税特例の対象とされることになりました。

（注） 親族については、被相続人と生計を一にするか、又は生計を別にするかは問われないものとされています。

### (2) 具体的な事例

**設例** 被相続人が所有し、配偶者及び長男の３人で居住の用に供していた家屋及び当該家屋の敷地の用に供されていた宅地等（いずれも、被相続人の所有）に関する資料は、下記に掲げるとおりでした。

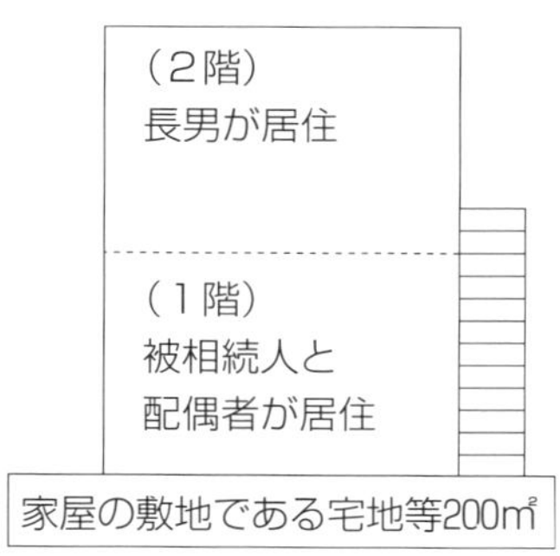


- 左記の家屋は、完全分離型の２世帯住宅で構造上区分のあるもの（１階と２階との間は内部での往来は不可能であり、外付け階段を利用して２階への出入りをするもの）に該当します。
- 各階の床面積は同じです。
- 左記の家屋は、建物の区分所有等に関する法律に規定する区分所有建物である旨の登記はされていません。
- 被相続人は長男と生計を一にはしていません。

上記の事例において、その財産の相続による取得者がそれぞれ、下記に掲げる者（いずれの者が取得した場合であっても、相続税の申告期限まで所有を継続し、かつ、当該家屋に居住することを継続するものとします。）とされた場合における小規模宅地等の課税特例の取扱いについて説明してください。

〔設例１〕　長男である場合

〔設例２〕　配偶者である場合

**回答**　①　改正前における取扱い

| 区分 | 特定居住用宅地等の該当性（判断とその根拠） |
|---|---|
| 〔設例１〕<br>長男が取得した場合 | 判断　特定居住用宅地等に該当する部分は存在しません。（適用面積：０㎡）<br>根拠　長男が取得した場合には、次に掲げる特定居住用宅地等に該当する要件（全部で４つ）のいずれにも該当しません。<br>(イ)　被相続人の配偶者が取得した場合<br>(ロ)　次に掲げる要件のいずれかを満たす被相続人の親族（被相続人の配偶者を除きますので、設例の場合では長男）が取得した場合<br>㋑　被相続人と同居の親族が取得した場合<br>㋺　配偶者及び一定の同居親族が存せず非同居親族が取得した場合<br>㋩　被相続人と生計を一にする親族の居住の用に供されていた場合 |
| 〔設例２〕<br>配偶者が取得した場合 | 判断　次により計算した100㎡のみが特定居住用宅地等に該当します。<br>200㎡（所有する宅地の面積）×50％（該当割合）(注)＝100㎡<br>(注)　$\frac{１階の床面積}{１階の床面積＋２階の床面積}$＝50％<br>根拠　被相続人の配偶者が取得したことから、被相続人等（被相続人及び当該被相続人と生計を一にする親族）の居住の用に供されていたと認められる１階部分の家屋の敷地に対応する宅地が特定居住用宅地等に該当します。 |

②　改正後における取扱い

| 区分 | 特定居住用宅地等の該当性（判断とその根拠） |
|---|---|
| 〔設例１〕<br>長男が取得した場合 | 判断　家屋の敷地である宅地等の全てである200㎡が特定居住用宅地等に該当します。<br>根拠　１棟の２世帯住宅であっても、被相続人及びその親族が各独立部分に居住していた場合には、当該居住部分に対応する敷地の部分は被相続人の居住の用に供されていた部分とされます。<br>そうすると、被相続人と長男は、いわば一種の同居状態と同様の状況（拡張同居）にあると考えられ、被相続人と同居の親族が取得した場合に該当することから、当該家屋の敷地の全て（200㎡）が特定居住用宅地等に該当します。 |

| | |
|---|---|
| 〔設例２〕<br>配偶者が取得した場合 | 判断　家屋の敷地である宅地等の全てである200㎡が特定居住用宅地等に該当します。<br>根拠　１棟の２世帯住宅であっても、被相続人及びその親族が各独立部分に居住していた場合には、当該居住部分に対応する敷地の部分は被相続人の居住の用に供されていた部分とされます。<br>　そうすると、被相続人の配偶者が取得したことから、被相続人等（被相続人及び当該被相続人と生計を一にする親族）の居住の用に供されていたと認められる家屋（１階及び２階）の敷地の全て（200㎡）が特定居住用宅地等に該当します。 |

### (3)　改正の適用期日

上記に掲げる『１棟の２世帯住宅で構造上区分のあるものに対する特定居住用宅地等の判定』の改正は、平成26年１月１日以後に開始した相続又は遺贈により取得した小規模宅地等に係る相続税について適用するものとされています。

## 〔４〕　被相続人が老人ホームに入所していた場合における空家となった家屋の敷地に対する特定居住用宅地等の判定

### (1)　内容

改正前の小規模宅地等の課税特例の取扱いでは、被相続人が老人ホームに入所していた場合における入所前まで居住していた建物で、相続開始直前まで空家となっていた当該建物に対する敷地が被相続人の居住用宅地等に該当するか否かについては、従来は、法令及び通達に明確な取扱いは設けられていませんでした。ただし、課税実務上の取扱いとして、下記に掲げる資料に定めるとおりとされていました。

**資料　老人ホームへの入所により空家となっていた建物の敷地についての小規模宅地等の課税特例**

被相続人が、老人ホームに入所したため、相続開始の直前においても、それまで居住していた建物を離れていた場合において、次に掲げる状況が客観的に認められるときには、被相続人が居住していた建物の敷地は、相続開始の直前においてもなお被相続人の居住の用に供されていた宅地等に該当するものとして差し支えないものと考えられます。

①　被相続人の身体又は精神上の理由により介護を受ける必要があるため、老人ホームへ入所することとなったものと認められること。

②　被相続人がいつでも生活できるようその建物の維持管理が行われていたこと。

③　入所後あらたにその建物を他の者の居住の用その他の用に供していた事実がないこと。

④　その老人ホームは、被相続人が入所するために被相続人又はその親族によって所有権が取得され、あるいは終身利用権が取得されたものではないこと。

（注）１　上記(1)について、特別養護老人ホームの入所者については、その施設の性格を踏まえれば、介護を受ける必要がある者に当たるものとして差し支えないものと考えられます。

なお、その他の老人ホームの入所者については、入所時の状況に基づき判断します。

> ２　上記(2)の「被相続人がいつでも生活できるよう建物の維持管理が行われている」とは、その建物に被相続人の起居に通常必要な動産等が保管されるとともに、その建物及び敷地が起居可能なように維持管理されていることをいいます。

そうすると、改正前の取扱いでは、被相続人の所有宅地等（老人ホームへの入所により空家となっていた建物の敷地である宅地等）に対して小規模宅地等の課税特例を適用する場合、とりわけ、当該老人ホームへの入所形態が介護付終身利用型有料老人ホームに終身にわたる利用を前提とするものであるときには、終身利用権等の取得を適用除外対象と定めている（上記**資料**の④を参照）ことから、適用に相当の困難性が生じ実務上のトラブルとなる事例も少なくはなかったようです。

そこで、今回の改正では、この小規模宅地等の課税特例の適用対象とされる被相続人等の居住の用に供されていた宅地等の範囲に、「(X)居住の用に供することができない事由として政令で定める事由により相続の開始の直前において当該被相続人の居住の用に供されていなかった場合(Y)（政令で定める用途に供されている場合を除く。）における当該事由により居住の用に供されなくなる直前の当該被相続人の居住の用に供されていた宅地等が含まれる」ことになりました。

上記(X)＿＿部分の適用を受けるための一定の事由については、『被相続人の要件』及び『入居住居又は入所施設』について要件が定められており、これをまとめると下表のとおりとなります。

まとめ（居住の用に供することができない事由として政令で定める事由）

| | | |
|---|---|---|
| ① | 被相続人の要件 | 介護保険法第19条１項に規定する要介護認定又は同条第２項に規定する要支援認定を受けていた被相続人 |
| | 入居住居又は入所施設の要件 | (イ)　老人福祉法第５条の２第６項に規定する認知症対応型老人共同生活援助事業が行われる住居<br>(ロ)　老人福祉法第20条の４に規定する養護老人ホーム<br>(ハ)　老人福祉法第20条の５に規定する特別養護老人ホーム<br>(ニ)　老人福祉法第20条の６に規定する軽費老人ホーム<br>(ホ)　老人福祉法第29条第１項に規定する有料老人ホーム<br>(ヘ)　介護保険法第８条第27項に規定する介護老人保健施設<br>(ト)　高齢者の居住の安定確保に関する法律第５条第１項に規定するサービス付き高齢者向け住宅（(ホ)に規定する有料老人ホームを除く。） |
| ② | 被相続人の要件 | 障害者の日常生活及び社会生活を総合的に支援するための法律第21条第１項に規定する障害支援区分の認定を受けていた被相続人 |
| | 入居住居又は入所施設の要件 | (イ)　障害者の日常生活及び社会生活を総合的に支援するための法律第５条第11項に規定する障害者支援施設（同条第10項に規定する施設入所支援が行われるものに限る。）<br>(ロ)　障害者の日常生活及び社会生活を総合的に支援するための法律第５条第15項に規定する共同生活援助を行う住居 |

なお、被相続人が、上記①に規定する要介護認定若しくは要支援認定又は上記②に規定す

る障害支援区分の認定を受けていたかどうかは、当該被相続人が当該被相続人の相続の開始の直前において当該認定を受けていたか否かにより判定するものとされています。

また、上記(Y)部分に規定する『政令で定める用途』とは、「措置法第69条の４第１項に規定する事業の用又は同項に規定する被相続人等以外の者の居住の用とする。」と規定されています。

そして、当該規定の解釈として、措置法通達69の４－７《被相続人等の居住の用に供されていた宅地等の範囲》において、「被相続人の居住の用に供されなくなった後、措置法第69条の４第１項に規定する事業の用又は新たに被相続人等以外の者の居住の用に供されていた宅地等を除く。」と定められています。

そうすると、相続開始直前に一定の事由により被相続人の居住用でない場合であっても、従前の状況（被相続人の居住用）を維持しているものとして取り扱うことの可否判断について、その事例を示すと次のとおりになります。

**まとめ（政令で定める用途について）**

| 政令で定める用途に該当（改正項目の適用対象外）<br>（特定居住用宅地等の可能性無） | 政令で定める用途に非該当（改正項目の適用対象）<br>（特定居住用宅地等の可能性有） |
|---|---|
| 被相続人の居住の用に供されなくなった後、当該居住の用に供されていた宅地等が、次に掲げる用に供された場合<br>①　事業の用<br>②　準事業の用（事業と称するに至らない不動産の貸付けその他これに類する行為で相当の対価を得て継続的に行うものをいいます。）<br>③　被相続人と生計を一にしていなかった親族の居住の用<br>④　被相続人の親族に該当しない者の居住の用 | 被相続人の居住の用に供されなくなった後、当該居住の用に供されていた宅地等が、次に掲げる用に供された（又は状況にある）場合<br>①　被相続人と生計を一にしていた親族の居住の用<br>②　未利用<br>（注）　上記の措置法通達69の４－７《被相続人等の居住の用に供されていた宅地等の範囲》の部分において『新たに』という用語の記載があることから、例えば、被相続人の居住の用に供されなくなる以前から同居の親族が継続して居住している場合には、たとえ、被相続人の居住の用に供されなくなった後に当該親族が被相続人と生計を一にしていないときであっても、これ（『新たに』という用語）には該当せず、当該通達の適用対象とされることに留意する必要があります。 |

### (2)　具体的な事例

**設例**　被相続人は、重度の認知症のため単身では生活が困難なことから要介護認定を受けており、介護付終身利用型有料老人ホームに入所（終身利用契約を締結し、終身利用権を取得済み）していましたが、本年６月に死亡しました。

被相続人がこの介護付終身利用型老人ホームに入所する直前まで居住の用に供していた建物は、同人が１人住いであったために近所に居住（旧来より借家住い）している長男が日常の維持管理をしており、もし仮に、被相続人の認知症の症状が緩和されたならば、同人の居住の用に供することができる状態で保全（未利用（空家）の状況にあります。）されていました。

この建物及びその敷地の用に供されている宅地（いずれも、被相続人の所有）は、長男が相続により取得し、被相続人に係る相続税の申告期限まで継続して保有していました。

**回答**　①　改正前における取扱い

判断　この宅地は、特定居住用宅地等に該当しないものと考えられます。

根拠　被相続人が入所したのは介護付終身利用型の老人ホームで、入所の際に終身利用契約を締結し終身利用権を取得済みとのことですから、前記に掲げる課税実務上の取扱いの**資料**④に掲げる要件（所有権又は終身利用権の未取得）を充足していないことになります。

②　改正後における取扱い

判断　この宅地は、特定居住用宅地等に該当するものと考えられます。

根拠　この宅地は、被相続人に介護が必要であるという居住の用に供することができない事由により相続開始の直前において当該被相続人の居住の用に供されていなかった場合で、かつ、当該宅地上の家屋が貸付け等の用途に供されていないことから、改正により拡大された被相続人の居住用宅地等に該当することになります。

そして、相続承継者である長男についても一定の要件（居住用不動産の未所有、相続税の申告期限までの所有継続等）を充足しているものと判断されます。

### (3)　改正の適用期日

上記に掲げる『被相続人が老人ホームに入所していた場合における空家となった家屋の敷地に対する特定居住用宅地等の判定』の改正は、平成26年１月１日以後に開始した相続又は遺贈により取得した小規模宅地等に係る相続税について適用するものとされています。

**参考**　**小規模宅地等の課税特例に係る平成25年度の改正項目とその適用期日**

| 小規模宅地等の課税特例に係る改正項目 | 適用期日 |
|---|---|
| ・特定居住用宅地等に対する適用上限面積の見直し | 平成27年１月１日以後 |
| ・特例対象宅地等が複数の区分にまたがる場合の調整計算 | 平成27年１月１日以後 |
| ・一棟の２世帯住宅で構造上区分のあるものに対する特定居住用宅地等の判定 | 平成26年１月１日以後 |
| ・被相続人が老人ホームに入所していた場合における空家となっていた家屋の敷地に対する特定居住用宅地等の判定 | 平成26年１月１日以後 |

# 第４章

# 質疑応答による確認

## 〔１〕　基本的項目・共通的項目

### (1)　『小規模宅地等の課税特例』制度の主な変遷

**質疑**　『小規模宅地等の課税特例』制度について、その主な変遷を適用対象地及び減額割合を中心に規定が創設されて以来の取扱いについて説明してください。

## 応答

『小規模宅地等の課税特例』制度の変遷（主要項目）は、次のとおりとなります。

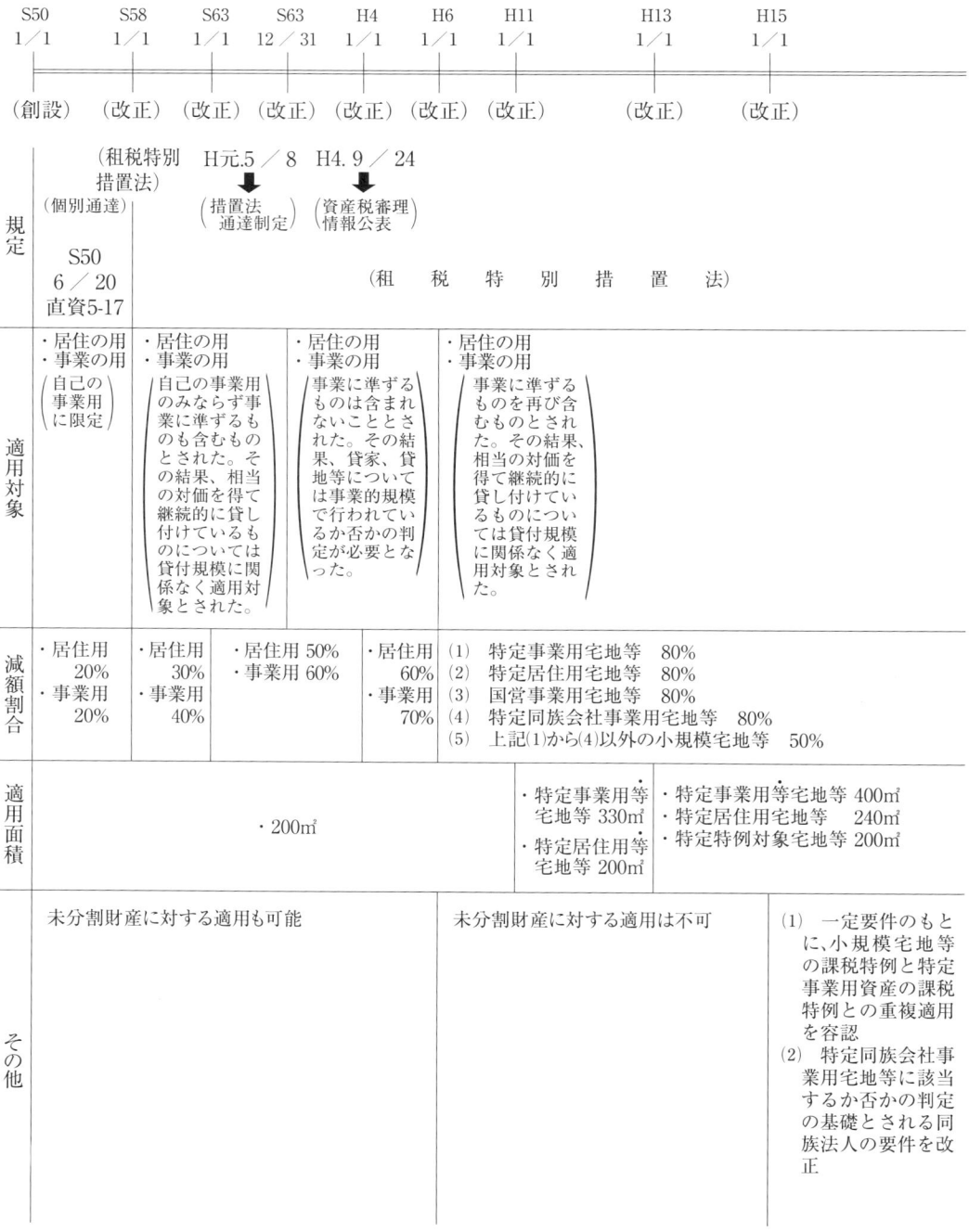

<table>
<tr><th></th><th>S50 1／1<br>（創設）</th><th>S58 1／1<br>（改正）</th><th>S63 1／1<br>（改正）</th><th>S63 12／31<br>（改正）</th><th>H4 1／1<br>（改正）</th><th>H6 1／1<br>（改正）</th><th>H11 1／1<br>（改正）</th><th>H13 1／1<br>（改正）</th><th>H15 1／1<br>（改正）</th></tr>
<tr><td>規定</td><td>（個別通達）<br>S50<br>6／20<br>直資5-17</td><td colspan="8">（租税特別措置法）<br>H元.5／8 ⬇ （措置法通達制定）<br>H4. 9／24 ⬇ （資産税審理情報公表）<br>（租　税　特　別　措　置　法）</td></tr>
<tr><td>適用対象</td><td>・居住の用<br>・事業の用<br>（自己の事業用に限定）</td><td colspan="2">・居住の用<br>・事業の用<br>（自己の事業用のみならず事業に準ずるものも含むものとされた。その結果、相当の対価を得て継続的に貸し付けているものについては貸付規模に関係なく適用対象とされた。）</td><td colspan="2">・居住の用<br>・事業の用<br>（事業に準ずるものは含まれないこととされた。その結果、貸家、貸地等については事業的規模で行われているか否かの判定が必要となった。）</td><td colspan="4">・居住の用<br>・事業の用<br>（事業に準ずるものを再び含むものとされた。その結果、相当の対価を得て継続的に貸し付けているものについては貸付規模に関係なく適用対象とされた。）</td></tr>
<tr><td>減額割合</td><td>・居住用<br>20%<br>・事業用<br>20%</td><td>・居住用<br>30%<br>・事業用<br>40%</td><td colspan="2">・居住用 50%<br>・事業用 60%</td><td>・居住用<br>60%<br>・事業用<br>70%</td><td colspan="4">(1)　特定事業用宅地等　80%<br>(2)　特定居住用宅地等　80%<br>(3)　国営事業用宅地等　80%<br>(4)　特定同族会社事業用宅地等　80%<br>(5)　上記(1)から(4)以外の小規模宅地等　50%</td></tr>
<tr><td>適用面積</td><td colspan="6">・200㎡</td><td>・特定事業用等宅地等 330㎡<br>・特定居住用等宅地等 200㎡</td><td colspan="2">・特定事業用等宅地等 400㎡<br>・特定居住用宅地等　240㎡<br>・特定特例対象宅地等 200㎡</td></tr>
<tr><td>その他</td><td colspan="5">未分割財産に対する適用も可能</td><td colspan="3">未分割財産に対する適用は不可</td><td>(1)　一定要件のもとに、小規模宅地等の課税特例と特定事業用資産の課税特例との重複適用を容認<br>(2)　特定同族会社事業用宅地等に該当するか否かの判定の基礎とされる同族法人の要件を改正</td></tr>
</table>

| | H19 10／1（改正） | H21 4／1（改正） | H22 4／1（改正） |
|---|---|---|---|
| 規定 | （租　税　特　別　措　置　法） | | |
| 適用対象 | （平成６年１月１日時と同じ） | | |
| 減額割合 | (1)　特定事業用宅地等　80%<br>(2)　特定居住用宅地等　80%<br>(3)　特定同族会社事業用宅地等　80%<br>(4)　上記(1)から(3)以外の小規模宅地等　50% | | (1)　特定事業用宅地等　80%<br>(2)　特定居住用宅地等　80%<br>(3)　特定同族会社事業用宅地等　80%<br>(4)　貸付事業用宅地等　50% |
| 適用面積 | （平成13年１月１日時と同じ） | | ・特定事業用等宅地等 400㎡<br>・特定居住用宅地等　240㎡<br>・貸付事業用宅地等　200㎡ |
| その他 | 国営事業用宅地等に対する適用は不可（ただし、一定の経過措置を創設） | 特定事業用資産の課税特例の改正に伴って、小規模宅地等の課税特例との併用適用に関する取扱いを見直し | (1)　相続人等による相続税の申告期限までの事業又は居住要件を充足しない宅地等に対する適用除外規定の創設<br>(2)　一の宅地等に共同相続があった場合の適用要件の判定単位の個別化（承継者ごとの判定）<br>(3)　１棟の建物の敷地である宅地等のうちに特定居住用宅地等がある場合の適用要件の判定単位の個別化（利用区分ごとの判定）<br>(4)　特定居住用宅地等の意義の明確化（被相続人等の居住の用に供されていた宅地等が2以上ある場合の取扱い） |

| | H26 1／1（改正） | H27 1／1（改正） |
|---|---|---|
| 規定 | （租　税　特　別　措　置　法） | |
| 適用対象 | （平成６年１月１日時と同じ） | |
| 減額割合 | （平成22年４月１日時と同じ） | |
| 適用面積 | （平成22年４月１日時と同じ） | ・特定事業用等宅地等 400㎡<br>・特定居住用宅地等　330㎡<br>・貸付事業用宅地等　200㎡ |
| その他 | (1)　１棟の２世帯住宅で構造上区分のあるもの（建物の区分所有等に関する法律の規定により、区分所有建物である旨の登記がされていないものに限ります）について、被相続人及びその親族が各独立部分に居住していた場合には、その親族が相続又は遺贈により取得したその敷地の用に供されていた宅地等のうち、被相続人及びその親族が居住していた部分に対応する部分の特例の適用対象化<br>(2)　被相続人が老人ホームに入所していた場合における空家となった家屋の敷地に対する特定居住用宅地等の判定について、従来よりの課税実務上における取扱いを一部見直した上（適用要件の緩和）で、法令として明確化 | 特例対象宅地等が複数の区分にまたがる場合の調整計算の二区分化<br>(1)　適用対象地が『特定事業用等宅地等』と『特定居住用宅地等』のみである場合<br>①　特定事業用等宅地等の面積（400㎡を限度）<br>②　特定居住用宅地等の面積（330㎡を限度）<br>③　①＋②（最大：730㎡）<br>(2)　適用対象地に『貸付事業用宅地等』が存する場合<br>$\text{特定事業用等宅地等の適用面積} \times \frac{200㎡}{400㎡} + \text{特定居住用宅地等の適用面積} \times \frac{200㎡}{330㎡} + \text{貸付事業用宅地等の適用面積} \leqq 200㎡$ |

H30
4／1

（改正）

| | |
|---|---|
| 規定 | （租　税　特　別　措　置　法） |
| 適用対象 | ・居住の用<br>・事業の用<br>(1)　相続開始前３年以内に新たに貸付事業の用に供された宅地等（相続開始の日まで３年を超えて引き続き特定貸付事業を行っていた被相続人等の当該貸付事業の用に供されたものを除く。）が、貸付事業用宅地等から除外されることとなった。<br>(2)　平成30年４月１日から令和３年３月31日までの間の適用関係については、上記(1)の＿＿部分を平成30年４月１日以後と読み替えて行うものとされた。 |
| 減額割合 | （平成22年４月１日時と同じ） |
| 適用面積 | （平成27年１月１日時と同じ） |
| その他 | (1)　持家に居住していない者に係る特定居住用宅地等の特例（家なき子型）の適用除外対象に、新たに次に掲げるものが加えられることとされた。<br>①　相続開始前３年以内に、その者（財産取得者）の３親等内の親族又はその者と特別の関係のある法人が所有する国内にある家屋に居住したことがある者<br>②　相続開始時において居住の用に供していた家屋を過去に所有していたことがある者<br>(2)　被相続人に係る相続の開始の直前において被相続人の居住の用に供されていたものとして取り扱う範囲に、介護医療院に入所したことにより被相続人の居住の用に供されなくなった家屋の敷地の用に供されていた宅地等が加えられることとされた。 |

H31
４／１

（改正）

| | |
|---|---|
| 規定 | （租　　税　　特　　別　　措　　置　　法） |
| 適用対象 | ・居住の用<br>・事業の用<br>⑴　相続開始前３年以内に新たに事業の用に供された宅地等（特定事業を行っていた被相続人等の当該事業の用に供されたものを除く。）が、特定事業用宅地等から除外されることとなった。<br>⑵　平成31年４月１日から令和４年３月31日までの間の適用関係については、上記⑴の＝＝部分を平成31年４月１日以後と読み替えて行うものとされた。 |
| 減額割合 | （平成22年４月１日時と同じ） |
| 適用面積 | （平成27年４月１日時と同じ） |
| その他 | 個人事業用資産についての相続税・贈与税の納税猶予制度の新設に伴って、当該特例の適用を受けた場合における小規模宅地等の課税特例の適用関係に関する取扱いを新設 |

R2
4／1
(改正)

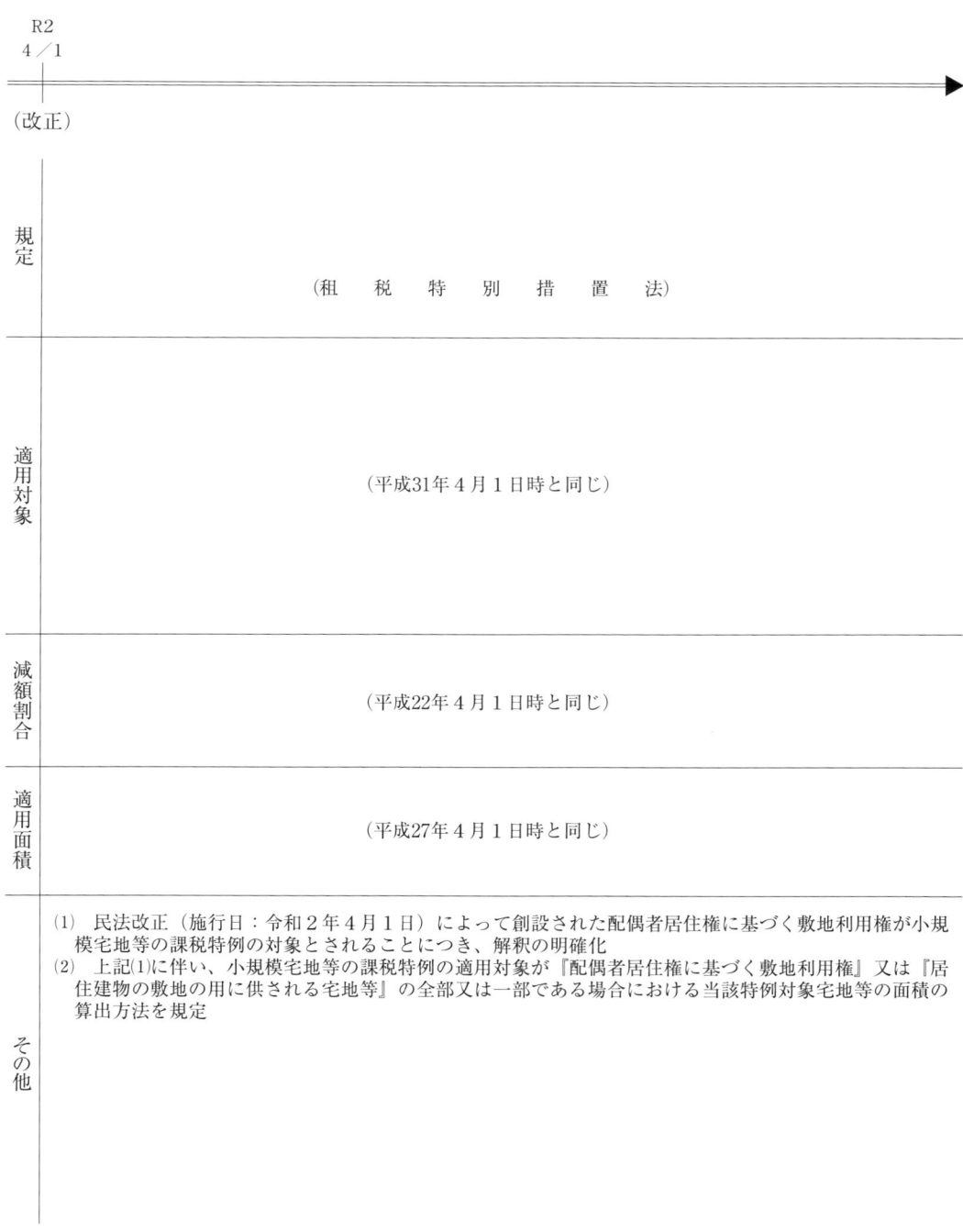

| | |
|---|---|
| 規定 | (租　税　特　別　措　置　法) |
| 適用対象 | (平成31年４月１日時と同じ) |
| 減額割合 | (平成22年４月１日時と同じ) |
| 適用面積 | (平成27年４月１日時と同じ) |
| その他 | (1) 民法改正（施行日：令和２年４月１日）によって創設された配偶者居住権に基づく敷地利用権が小規模宅地等の課税特例の対象とされることにつき、解釈の明確化<br>(2) 上記(1)に伴い、小規模宅地等の課税特例の適用対象が『配偶者居住権に基づく敷地利用権』又は『居住建物の敷地の用に供される宅地等』の全部又は一部である場合における当該特例対象宅地等の面積の算出方法を規定 |

### (2) 県人会（人格のない社団等）が遺贈により取得した宅地等に対する小規模宅地等の課税特例の適用可否

**質疑**　被相続人甲の相続開始時における住所は大阪市にありましたが、出身地は地方圏である○○県でした。被相続人甲は郷土愛が強く、長年にわたって『○○県人会（人格のない社団等に該当）』の会長を勤めていました。

その故もあってか、同人の遺言書には、大阪市内に所在する貸駐車場（アスファルト舗装施工）の用地を○○県人会に遺贈し、県人会はその収益をもって今後の更なる活動に充てることとされていました。

○○県人会においても、被相続人甲の意思を尊重して受遺の意思表示を行っており、今後も末長く○○県人会の運営によって貸駐車場経営が行われることになりそうです。

このような場合に、○○県人会が遺贈により取得した貸駐車場の用地について、小規模宅地等の課税特例の適用を受けることが認められますか。

**応答**

相続税法第66条《人格のない社団又は財団等に対する課税》第１項前段の規定では、「代表者又は管理者の定めのある人格のない社団又は財団に対し財産の贈与又は遺贈があった場合においては、当該社団又は財団を個人とみなして、これに贈与税又は相続税を課する。」と規定されています。そうすると、○○県人会が被相続人甲より遺贈を受けた財産（貸駐車場の用地）については、○○県人会を個人とみなして相続税が課税されることになります。

一方、小規模宅地等の課税特例の適用対象とされるためには、「個人が相続又は遺贈により取得した財産のうちに、当該相続の開始の直前において、当該相続若しくは遺贈に係る被相続人又は当該被相続人と生計を一にしていた当該被相続人の親族の事業の用又は居住の用に供されていた宅地等で（以下略）」（措法69の４①）と規定されており、適用対象とされるためには財産承継者が個人（上記＿＿部分）であることが求められており、県人会のような人格のない社団等は含まれていないことになります。

したがって、**質疑**の事例の場合、○○県人会が遺贈により取得した貸駐車場の用地を小規模宅地等の課税特例の対象とすることは認められないことになります。

### (3) 取得原因は贈与であっても相続税が課税される場合における小規模宅地等の課税特例の適用可否

**質疑**　被相続人甲は本年８月に相続の開始がありました。同人からの相続により財産を取得した相続人について被相続人甲からの生前贈与財産の受贈状況を確認したところ、下記のとおりとなっていました。

(1)　相続人Ａの受贈状況

今回の相続開始の２年前に賃貸用不動産（貸家及びその敷地である宅地）の贈与を受けていました。相続人Ａは受贈後も貸家事業経営に供用しており、今後も末長く継続する予定です。

なお、相続人Ａは相続時精算課税制度の適用は受けていません。

(2)　相続人Ｂの受贈状況

今回の相続開始の７年前に相続人Ｂ（被相続人甲と生計一にする親族）の居住用不動産（家屋及びその敷地である宅地）の贈与を受けていました。相続人Ｂは受贈後も当該家屋に居住し、今後も末長く居住の用に供する予定です。

なお、相続人Ｂは当該居住用不動産の贈与について、相続時精算課税制度を選択していました。

上記のような場合、相続人Ａ及びＢが贈与（民法上の取得原因）により取得した財産であっても、税法上の取扱いでは相続税が課税されることから、これらの財産の価額を相続税の課税価格に算入する段階で、小規模宅地等の課税特例の適用を受けることが認められますか。

**応答**

小規模宅地等の課税特例の適用対象とされるためには、「個人が相続又は遺贈により取得した財産のうちに、当該相続の開始の直前において、当該相続若しくは遺贈に係る被相続人又は当該被相続人と生計を一にしていた当該被相続人の親族の事業の用又は居住の用に供されていた宅地等で（以下略）」（措法69の４①）と規定されており、適用対象とされるためには財産の取得原因が相続又は遺贈（上記＿＿部分）であることが求められており、民法上の財産の取得原因が贈与である場合にはこれに該当しないことになります。なお、この取扱いは、民法上の取得原因が贈与であっても結果的に財産の無償移転による課税税目が相続税となることを理由に判断が左右されることはありません。

したがって、**質疑** の事例の場合、相続人Ａ及び相続人Ｂが被相続人甲からその生前に贈与を受けた財産（宅地）については、たとえ、相続税の課税価格に算入されて相続税の課税対象となったとしても、財産の取得原因が相続又は遺贈により取得したものではない（贈与が取得原因である）ことから、これらの宅地等を小規模宅地等の課税特例の対象とすることは認められないことになります。

### ⑷　外国所在地を小規模宅地等の課税特例の対象にすることの可否

**質疑**　小規模宅地等の課税特例の規定の適用について、外国に所在する宅地等をその適用対象とすることは可能ですか。

**応答**

小規模宅地等の課税特例の規定の適用要件について、当該特例対象としようとする宅地等の所在については法令上何らの制限もなされていません。

したがって、外国（相続税法の施行地外）に所在する宅地等についても特定事業用宅地等、特定居住用宅地等、特定同族会社事業用宅地等又は貸付事業用宅地等に該当する一定の要件を充足する限り、これを小規模宅地等の課税の特例の対象とすることが可能となります。

### ⑸　共有物を小規模宅地等の課税特例の対象とした場合の適用面積の換算

**質疑**　私は、小規模宅地等の課税特例の適用対象となる要件（⑴事業承継要件、⑵所有継続要件、⑶事業供用要件）を充足すると想定される宅地（特定事業用宅地等）を次のとおり２か所所有していますが、この場合、私に相続の開始があったときは適用面積（上限400㎡）の取扱いは、どうなりますか。

（Ａ宅地）面　積　450㎡

所有者　私→共有持分　$\frac{1}{3}$

妻→共有持分　$\frac{2}{3}$

（Ｂ宅地）面　積　280㎡

所有者　私→共有持分　$\frac{1}{2}$

妻→共有持分　$\frac{1}{2}$

**応答**

小規模宅地等の課税特例の適用対象地が共有地であった場合においては、当該特例の適用対象地の面積の計算は、共有持分を乗じて計算した後の面積とされることとなります。

したがって、上記の場合には、次の算式により小規模宅地等として選定した宅地等（選択特例対象宅地等）の面積は290㎡ということとなります。

（Ａ宅地）　（Ｂ宅地）

450㎡×$\frac{1}{3}$（持分）＋280㎡×$\frac{1}{2}$（持分）＝290㎡≦400㎡

∴290㎡（いずれか少ない方）

### (6)『生計を一にしていた』の意義とその判断基準

**質疑**　小規模宅地等の課税特例の規定は、個人が相続等により取得した財産のうちに、当該相続開始の直前において、当該相続等に係る被相続人又は当該被相続人と生計を一にしていた当該被相続人の親族の事業の用又は居住の用に供されていた宅地等について適用されることになっています。

この課税の特例規定の適用について、上記の＝＝部分である『生計を一にしていた』とはどのような状態をいうことになるのでしょうか。また、その判断基準について参考となるべきものがあれば説明してください。

**応答**

小規模宅地等の課税特例の規定については、法律（租税特別措置法）並びにこれに関連する政省令及び通達等において、『生計を一にしていた』又は『生計を一にする』という用語が頻繁に使用されています。

しかしながら、この用語に関する定義は、措置法第69条の４（法律）においても、また、その他の相続税に関する法規及び通達にも明示されておらず、専ら解釈に頼らざるを得ないものと考えられますが、当該解釈に際しては、下記に掲げる所得税基本通達2－47《生計を一にするの意義》が参考になるものと考えられます。

**参考**　所得税基本通達２－47《生計を一にするの意義》

法に規定する「生計を一にする」とは、必ずしも同一の家屋に起居していることをいうものではないから、次のような場合には、それぞれ次による。

(1)　勤務、修学、療養等の都合上他の親族と日常の起居を共にしていない親族がいる場合であっても、次に掲げる場合に該当するときは、これらの親族は生計を一にするものとする。

イ　当該他の親族と日常の起居を共にしていない親族が、勤務、修学等の余暇には当該他の親族のもとで起居を共にすることを常例としている場合

ロ　これらの親族間において、常に生活費、学資金、療養費等の送金が行われている場合

(2)　親族が同一の家屋に起居している場合には、明らかに互いに独立した生活を営んでいると認められる場合を除き、これらの親族は生計を一にするものとする。

上記の所得税基本通達より、『生計を一にする』とは、同一の生活単位に所属して日常生活の資を共通にしている状況にあることと解されており、必ずしも一方が他方を扶養する関係にあることや同居していることを絶対的要件とするものではありません。

この『生計を一にしていた』又は『生計を一にする』か否かの明確な判断基準を実務上において設けることは困難であると思われますが、下記に掲げるような法令解釈等を示した国税不服審判所の裁決事例を基礎にして、総合的に判断する必要があるものと考えられます。

参考　国税不服審判所による法令解釈等（平成20年６月26日裁決、東裁(諸)平19－219、平成17年相続開始分）

(1)　小規模宅地等についての相続税の課税価格の計算の特例（以下「本件特例」という。）にいう『生計を一にしていた』とは、同一の生活単位に属し、相助けて共同の生活を営み、ないしは日常生活の資を共通にしている場合をいい、『生計』とは、暮らしを立てるための手立てであって、通常、日常生活の経済的側面を指すものと解される。

(2)　上記(1)より、被相続人と同居していた親族は、明らかにお互いに独立した生活を営んでいると認められる場合を除き、一般に『生計を一にしていた』ものと推認されるが、別居していた親族が『生計を一にしていた』ものとされるためには、その親族が被相続人と日常生活の資を共通にしていたことを要し、その判断は社会通念に照らして個々になされるところ、少なくとも居住費、食費、光熱費その他日常の生活に係る費用の全部又は主要な部分を共通にしていた関係にあったことを要すると解される。

(3)　請求人は、生計とは、『暮らし』、『生活』を意味し、生計が一であるとは、費用を負担し合うことだけではない旨主張する。

しかしながら、本件特例にいう『生計を一にしていた』とは、同一の生活単位に属し、相助けて共同の生活を営み、日常生活の資を共通にしている場合をいうと解されることは、上記(1)のとおりである。

(4)　請求人は、本件被相続人の入院中、毎日のように植木の面倒、郵便物の確認等、本件被相続人居宅の管理を行っていたのであるから生活は一体であった旨主張する。

しかしながら、請求人が主張する事実は、生活の場を別にしている親子間の通常の助け合いであって、必ずしも生計を一にしているかどうかの判断に直接結びつく行為とは認められないから、このことだけをもって請求人が本件被相続人の『生計を一にしていた』親族と認めることはできない。

(5)　請求人は、相続税法等に『生計を一にしていた』という用語の定義も準用規定も示されていないことは法の不備であって、法の不備による不利益は課税庁側が負うべきである旨主張する。

しかしながら、法令の適用に当たっては、当該法令の趣旨に従って解釈し適用すべきであって、『生計を一にしていた』との文言について、相続税及び措置法に定義又は準用規定がないとしても、当該文言は上記(1)のとおり解することができ、『生計を一にしていた』親族に該当するか否かについては社会通念に照らして個々に判断できるので、この点に関する請求人の主張には理由がない。

筆者注　上記＿＿部分は、筆者が付線したものである。

## ⑺　自用地と借地権から構成される宅地に対する小規模宅地等の適用の選択

**質疑**

被相続人甲は、自用地と当該自用地等に隣接する宅地に設定した借地権を一体利用（面積合計500㎡）して、自己の事業の用（小売店業）に供する建物を建築し、事業の用に供していました。

この場合において、小規模宅地等の選択（特定事業用宅地等の要件を充足）に際してその適用上限面積である400㎡について、自用地である部分から優先的に選択することができますか。

（建物の敷地の状況）

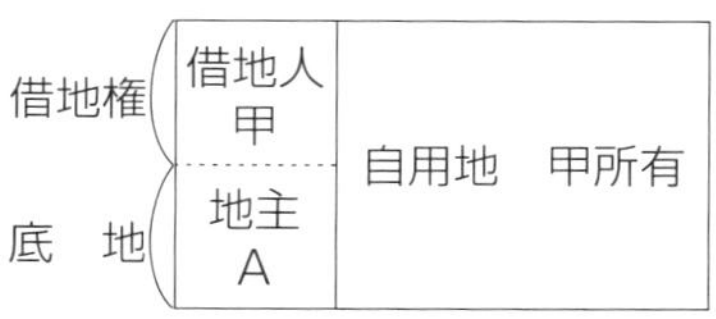


- 面積（借地権）　150㎡
　　（自用地）　350㎡
- 借地権割合　　60%
- 自用地としての価額（全体）５億円（500㎡に対応する価額）

**応答**

自用地と当該自用地に隣接する宅地に設定した借地権を一体利用している場合の財産評価上の評価単位は１利用単位として取り扱うものとされています。したがって、小規模宅地等の選択についても、自用地部分と借地権部分との面積比と同じ割合（７（350㎡）：３（150㎡））でこれらの宅地等から構成されるものとする考え方も成立します。（この場合には小規模宅地等の400㎡の選定は自用地部分280㎡（400㎡×70％）、借地権部分120㎡（400㎡×30％）となります。）

しかしながら、仮にもし、この自用地部分と借地権部分が分離独立して存在している場合には、一方的に有利になるものから選択することができますので、小規模宅地等の適用対象である宅地等が一体の場合と分散して存在している場合とで選択の有利不利が生じるのはかえって不合理と考えられます。

したがって、上記のような場合においては、財産を取得した者の選択により自用地部分からこの小規模宅地等の課税特例を優先的に適用することができると考えられます。

なお、この考え方によった場合の当該建物の敷地の用に供されている宅地等の評価額（小規模宅地等の課税特例の適用後）は、次により求めた金額とされます。

⑴　評価額（小規模宅地等の課税特例の適用前）の計算

①　自用地部分　$5\text{億円}\times\dfrac{350㎡}{350㎡+150㎡}=3.5\text{億円}$

②　借地権部分　$5\text{億円}\times\dfrac{150㎡}{350㎡+150㎡}\times60\%=0.9\text{億円}$

③　合計　　　①＋②＝4.4億円

⑵　小規模宅地等の課税特例の計算（減額金額の計算）

①　自用地部分　$3.5\text{億円}\times\dfrac{350㎡\text{（注）}}{350㎡}\times(1-20\%)=2.8\text{億円}$

（注）350㎡＜400㎡　∴350㎡

②　借地権部分　0.9億円×$\frac{50㎡（注）}{150㎡}$×（１－20％）＝0.24億円

（注）400㎡－350㎡＝50㎡

③　合計　　①＋②＝3.04億円

⑶　評価額（小規模宅地等の課税特例の適用後）の計算

⑴－⑵＝1.36億円

### ⑻　自用地と貸家建付地から構成される宅地に対する小規模宅地等の適用の選択

**質疑**　被相続人甲の相続財産のなかには、下記 図解 に掲げるとおり貸家用の不動産（建物及びその敷地である宅地）があります。

図解

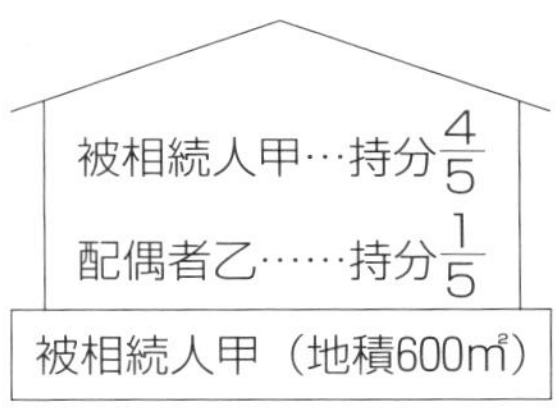


- この貸家用不動産は、被相続人甲所有地上に被相続人甲及び配偶者乙がその拠出資金の比率に応じて共有持分で建築したものです。
- 入居者から収受する家賃は家屋の持分に応じて、両人の不動産所得の金額の計算上、総収入金額に算入しています。
- 被相続人甲と配偶者乙は、生計を一にしています。
- 配偶者乙は、同人の家屋持分に対応する宅地の面積（600㎡×$\frac{1}{5}$＝120㎡）に対する地代の支払いは行っていません。（使用貸借契約）
- 自用地価額……60,000千円
- 借地権割合……60％
- 借家権割合……30％
- 賃貸割合………100％

上記 図解 に掲げる財産のうち、被相続人甲に帰属する部分については配偶者乙が相続により取得することになりました。

当該貸家用建物の敷地である宅地等が貸付事業用宅地等の要件を充足しているとした場合に、少しでも納税者に有利な計算を行いたいとして、下記に掲げるような面積の選択（１㎡当たりの単価が大きくなる自用地評価部分から優先的に適用）に基づいて小規模宅地等の課税特例の適用を受けることは認められますか。

適用限度面積の選択

⑴　自用地評価（配偶者乙の家屋持分に対応する宅地：被相続人と生計を一にする親族の貸付事業用宅地等）部分から優先的に適用

600㎡（宅地の面積）×$\frac{1}{5}$（配偶者乙の家屋持分）＝120㎡≦200㎡（適用限度面積）　∴120㎡

⑵　貸家建付地評価（被相続人甲の家屋持分に対応する宅地：被相続人の貸付事業用宅地等）部分から残余を適用

①　$600㎡ \times \frac{4}{5} = 480㎡$
（宅地の面積）（被相続人甲の家屋持分）

②　$200㎡ - 120㎡ = 80㎡$
（適用限度面積）（上記⑴）

③　①＞②　∴②（80㎡）

## 応答

小規模宅地等の面積の選択を検討する前に被相続人甲及び配偶者乙がそれぞれ所有する家屋の共有持分に対応する宅地が小規模宅地等の課税特例の適用対象とされるか否かについて検討することにします。

⑴　被相続人甲の家屋持分に対応する宅地部分

当該部分は、被相続人甲の不動産貸付業の用に供されていた宅地等で、当該被相続人甲の親族である配偶者乙が相続により取得したものであり、さらに、当該配偶者乙が相続開始時から申告期限までの間に当該宅地等に被相続人の貸付事業を引き継ぎ、申告期限まで引き続き当該宅地等を有し、かつ、当該貸付事業の用に供していることの要件を充足していることから、被相続人の貸付事業に該当する『貸付事業用宅地等』に該当することになり、小規模宅地等の課税特例の適用対象とされます。

なお、この場合において、被相続人甲の家屋持分に対応する宅地部分（$600㎡ \times \frac{4}{5}$（持分）＝480㎡）の評価は、『貸家建付地』として取り扱うことになります。

⑵　配偶者乙の家屋持分に対応する宅地部分

当該部分は、被相続人甲と生計を一にする親族である配偶者乙の貸付事業の用に供されていた宅地等で、当該配偶者乙が相続により取得したものであり、さらに、当該配偶者乙が相続開始時から申告期限まで引き続き当該宅地等を有し、かつ、相続開始前から申告期限まで引き続き当該宅地等を自己の貸付事業の用に供していることの要件を充足していることから、被相続人と生計を一にする親族の貸付事業に該当する『貸付事業用宅地等』に該当することになり、小規模宅地等の課税特例の適用対象とされます。

なお、この場合において、配偶者乙の家屋持分に対応する宅地部分（$600㎡ \times \frac{1}{5}$（持分）＝120㎡）の評価は、被相続人甲と配偶者乙との間に地代の収受がなされていないことからその貸借関係は使用貸借であると認められ、『自用地』として取り扱うことになります。

**質疑** の事例の評価対象地は、たとえ、評価上において自用地評価の部分と貸家建付地評価の部分に区分されるとしても１棟の家屋の敷地である宅地を評価するものであることから財産評価における宅地の評価単位は、１利用単位として取り扱うことになります。

そうすると、小規模宅地等の選択についても、自用地評価部分と貸家建付地評価部分との面積比と同じ割合（１：４）で行われるべきであるとする考え方も成立します。(この場合には、小規模宅地等の200㎡の選定は自用地評価部分40㎡（200㎡×$\frac{1}{5}$)、貸家建付地評価部分160㎡（200㎡×$\frac{4}{5}$）となります。

しかしながら、仮にもし、この自用地評価部分（600㎡×$\frac{1}{5}$（持分）＝120㎡）と貸家建付地評価部分（600㎡×$\frac{4}{5}$（持分）＝480㎡）とが分離独立してそれぞれが別途の場所に存在している場合には、一方的に有利なものから選択することが可能とされることとの均衡から考慮すると、小規模宅地等の適用対象である宅地等が一体の場合と分散して存在している場合とで、選択の有利不利が生じることは相当ではないと考えられます。

したがって、**質疑** の事例のような場合には、財産を取得した者の選択により自用地評価部分（120㎡）から優先的に適用し、適用限度面積に達するまでの残余の面積（80㎡）について貸家建付地評価部分から適用するという取扱い（ **質疑** に掲げる適用限度面積の選択）を適用することができるものと考えられます。

上記の取扱いによって計算した場合、当該貸家建物の敷地の用に供されている宅地等の評価額（小規模宅地等の課税特例の適用後）は、下記のとおりになります。

(1)　評価額（小規模宅地等の課税特例の適用前）の計算

①　自用地部分　　60,000千円×$\frac{1}{5}$＝12,000千円

②　貸家建付地部分　60,000千円×$\frac{4}{5}$×（１－60％×30％×100％）＝39,360千円

③　合計　　①＋②＝51,360千円

(2)　小規模宅地等の課税特例の計算（減額金額の計算）

①　自用地部分

12,000千円×$\frac{120㎡（注）}{120㎡}$×（１－50％）＝6,000千円

（注）600㎡×$\frac{1}{5}$＝120㎡≦200㎡　∴120㎡

②　貸家建付地部分

39,360千円×$\frac{80㎡（注）}{480㎡}$×（１－50％）＝3,280千円

（注）200㎡－120㎡＝80㎡

③　合計

①＋②＝9,280千円

(3)　評価額（小規模宅地等の課税特例の適用後）の計算

(1)－(2)＝42,080千円

## (9)　建築中の建物の敷地を小規模宅地等の課税特例の対象とする場合の『建築中』の判定

**質疑**

小規模宅地等の課税特例の規定の適用については、措置法通達69の４－５《事業用建物等の建築中等に相続が開始した場合》及び同通達69の４－８《居住用建物の建築中等に相続が開始した場合》において、建築中の建物の敷地に対して所定の要件を充足する場合には、当該敷地に対してこれを認める旨の定めがあります。

この場合の建築中とは、具体的にどのような時点を指すものと考えられますか。

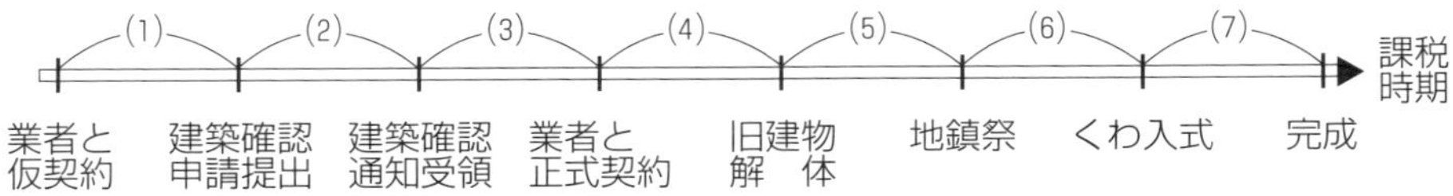


**応答**

建物の建替えを行う場合には、概ね、上記のような工程手順により行われるものと考えられ、『建築中』の解釈も千差万別であり一概にどの時点からといった統一した見解は通常はありません。

しかし、租税特別措置法に定める納税者を優遇する規定については特に、これを厳格に適用し、取扱いに不統一のないようにする必要があります。そこで、建物の建築中の解釈概念として、当該建築予定の建物の敷地に対して、当該建築予定の建物と直接的一体性を有することとなる物理的な作業がなされていることが必要であるという考え方に基づいて判断することが相当との取扱いが課税実務上では定着しているようです。

したがって、上記の考え方に基づいて判断すると、事例では、建築中とは『くわ入式』以後の状況（課税時期が(7)の期間中に到来した場合）を指すものとして取り扱うことが相当とされているようです。

なお、上記の工程表の(6)以前に課税時期が到来した場合の状況では建築中と解釈できないと考えられるのは、それぞれ次のような理由であると考えられます。

- 地　鎮　祭…地鎮祭は、土地に対する物理的な作業を加えたというよりも、今後の工事等の安全祈願等の形式的な宗教儀式であると考えられること
- 旧建物解体…旧建物を解体しただけでは、これに代替する新建物が建築されるという100％の保証はないので、建築予定の建物と直接的一体性を有する物理的な作業と考えるのは困難であること

## ⑽　相続税の申告期限までに取得した宅地等の一部の譲渡が行われた場合の小規模宅地等の課税特例の取扱い

**質疑**　被相続人甲の相続開始時において、被相続人甲、配偶者乙及び長男Ａが居住の用に供していた家屋及び当該家屋の敷地の用に供されていた宅地等の状況は下記 図１ のとおりでした。

図１　被相続人甲の相続開始時における状況

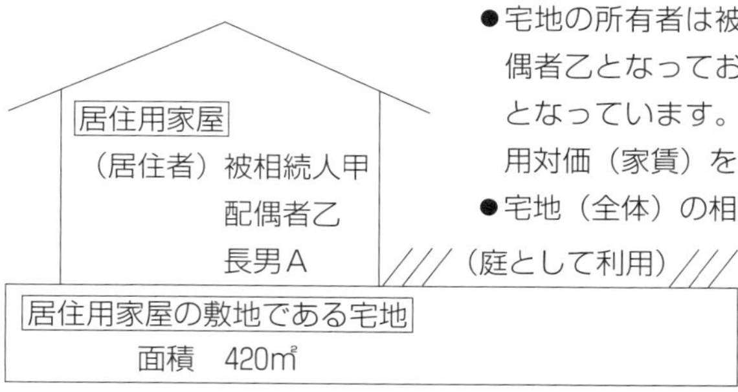


- 宅地の所有者は被相続人甲、居住用家屋の所有者は配偶者乙となっており、宅地の貸借関係は使用貸借契約となっています。また、配偶者乙に対して、家屋の利用対価（家賃）を支払っている者はいません。
- 宅地（全体）の相続税評価額は、42,000千円です。

相続税の申告期限までに実施された遺産分割協議の結果、上記に掲げる宅地については配偶者乙、長男Ａ及び長女Ｂ（上記の家屋には居住していません。）がそれぞれ共有持分３の１ずつで承継することが確定しました。（配偶者乙及び長男Ａの居住は、相続税の申告期限を経過後も継続しています。）

上記に掲げる共有持分による宅地を承継した３人の者に対して、隣地の所有者から 図１ に示されている庭として利用している部分の一部（180㎡（宅地全体の面積に占める割合$\frac{180㎡}{420㎡}=\frac{3}{7}$））を買い取りたいとの申出がなされ、配偶者乙、長男Ａ及び長女Ｂはこれに応じて該当部分を分筆して、相続税の申告期限までに引き渡しも完了しています。（図２ を参照）

図２　遺産分割協議による財産の取得と相続税の申告期限までに行われた宅地の一部譲渡

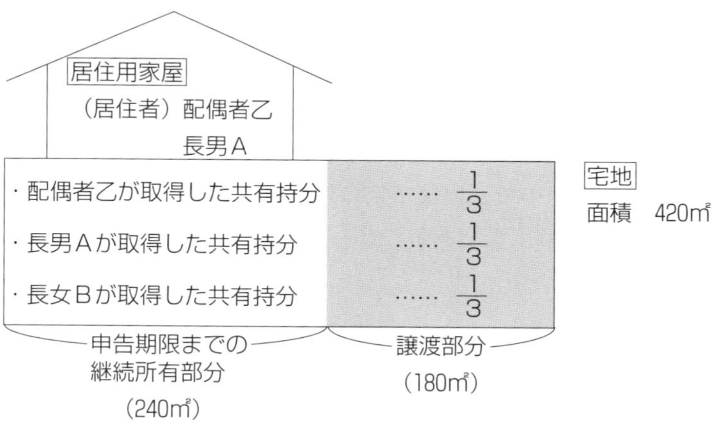


上記に掲げるような状況において、各相続人が共有持分で取得した宅地等について小規模宅地等の課税特例の適用関係はどのようになりますか。

## 応答

(1)　配偶者乙が取得した宅地の共有持分に対応する部分の取扱い

被相続人等の居住の用に供されていた宅地等が特定居住用宅地等に該当するケースの１つとして、当該宅地等を取得（注）した者が当該被相続人の配偶者である場合が挙げられています。

（注）　当該宅地等を複数で共同相続（遺贈）により取得した場合には、当該被相続人の配偶者が相続又は遺贈により取得した持分の割合に応ずる部分又は一定の要件を充足する当該被相続人の親族（当該被相続人の配偶者を除きます。以下本問において同じです。）が相続又は遺贈により取得した持分の割合に応ずる部分に限られています。

換言すれば、被相続人等の居住用宅地等が特定居住用宅地等に該当するためには、当該宅地等の取得者が当該被相続人の配偶者である場合には、当該配偶者が取得したことをもって要件が充足されたことになり、その他の要件（例えば、相続税の申告期限までの所有継続要件、居住継続要件等）は問わないものとされています。

そうすると、**質疑**の事例の場合には、配偶者乙が取得した共有持分に応ずる当該宅地等の面積140㎡（下記 計算 を参照）については、『特定居住用宅地等』に該当するものとして小規模宅地等の課税特例の対象とすることが相当とされます。

計算　$420㎡\left(\text{宅地全体の面積}\right) \times \frac{1}{3}\left(\text{配偶者乙の共有持分}\right) = 140㎡$

(2)　長男Ａが取得した宅地の共有持分に対応する部分の取扱い

被相続人等の居住の用に供されていた宅地等が特定居住用宅地等に該当するケースの１つとして、当該宅地等を取得（注）した者が、下記①から③に掲げる一定の要件を充足した被相続人と同居の親族である場合が挙げられています。

（注）　上記(1)に掲げる（注）と同じです。

① 同居親族の要件　当該親族が、相続開始の直前において当該宅地等の上に存する被相続人の居住の用に供されていた家屋に居住していた者であること

② 所有継続の要件　当該親族が、相続開始時から相続税の申告期限（当該親族が相続税の申告期限前に死亡した場合には、その死亡の日。以下③において同じ。）まで引き続き当該宅地等を所有していること

③ 居住継続の要件　当該親族が、相続税の申告期限まで当該家屋に居住していること

そうすると、**質疑**の事例の場合には、長男Ａが取得した共有持分に応ずる当該宅地等の面積のうち相続税の申告期限まで所有を継続していたと認められる部分に対応する面積80㎡（下記 計算 を参照）については、上記に掲げる①から③の要件を充足していることから『特定居住用宅地等』に該当するものとして小規模宅地等の課税特例の対象とすることが相当とされます。

計算　$420㎡\left(\text{宅地全体の面積}\right) \times \frac{1}{3}\left(\text{長男Ａの共有持分}\right) \times \frac{240㎡\ (\text{相続税の申告期限まで継続所有した部分の面積})}{420㎡\ (\text{宅地全体の面積})} = 80㎡$

**（参考）**　相続税の申告期限までに長男Ａが譲渡（相手方への引渡しまで完了）した部分につ

いては、上記②に掲げる要件を充足しないことから、長男Ａにとっては『特定居住用宅地等』には該当しないことになります。

なお、本問ではこれに該当しませんが、相続税の申告期限段階においては隣地の所有者と土地の売買契約が締結されているのみで、当該譲渡対象地の引渡しが当該相続税の申告期限後であるような場合には、上記②に掲げる要件を充足されることになり、『特定居住用宅地等』として小規模宅地等の課税特例の対象とされることになります。

（この取扱いに関しては、後記〔2〕の(7)の **質疑** を参照）

(3)　長女Ｂが取得した宅地の共有持分に対応する部分の取扱い

被相続人等の居住の用に供されていた宅地等が特定居住用宅地等に該当するためには、当該宅地等を取得した者（注）が、下記に掲げるいずれかの場合に該当することが必要とされています。

（注）　上記(1)に掲げる（注）と同じです。

①　被相続人の配偶者が取得した場合

②　下記に掲げるいずれかの場合に該当する被相続人の親族（当該被相続人の配偶者を除きます。以下②において同じです。）が取得した場合

(イ)　被相続人の居住用家屋に居住していた親族が取得する場合

(ロ)　被相続人の配偶者及び一定の同居親族が存在せず非同居親族が取得した場合（いわゆる『家なき子』に該当する場合）

(ハ)　被相続人と生計を一にする親族の居住の用に供されていた場合

そうすると、**質疑** の事例の場合には、長女Ｂが取得した共有持分に応ずる当該宅地等の面積140㎡（下記 計算 を参照）については、上記①及び②のいずれにも該当しないことから小規模宅地等の課税特例の対象とすることはできないものとされます。

計算　$420㎡\left(\text{宅地全体の面積}\right) \times \frac{1}{3}\left(\text{長女Bの共有持分}\right) = 140㎡$

## (11)　宅地の評価単位と小規模宅地等の課税特例の適用による減額金額の計算

**質疑**　被相続人甲が所有する下記に掲げる宅地（三大都市圏に所在し、財産評価基本通達20－２《地積規模の大きな宅地の評価》に定める地積規模の大きな宅地に該当）の評価額（小規模宅地等の課税特例の適用前）及び小規模宅地等の課税特例の適用による減額金額はいくらになりますか。

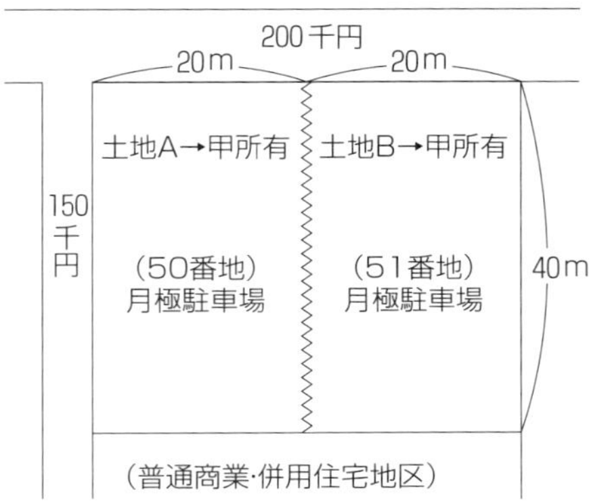


（評価の条件）

＊土地Ａ・Ｂともに面積800㎡

＊評価上の適用補正率

（奥行価格補正率）20m……1.00
　　　　　　　　　40m……0.93

（側方路線影響加算率）　0.08

（規模格差補正率）　0.75（面積　1,600㎡の場合）
　　　　　　　　　　0.78（面積　800㎡の場合）

※　土地Ａ（地番：50番地）及び土地Ｂ（地番：51番地）はともに被相続人甲が営んでいた月極駐車場の用に供されていた土地等（アスファルト舗装は施工済み）です。

※　ネットフェンス（〰部分）は、月極駐車場の運営の都合上で両地番の境界線に沿って設置した簡易なものです。

※　土地Ａ及び土地Ｂはともに被相続人甲の長男Ａが相続し、貸付事業用宅地等の要件（相続税の申告期限までにおける(1)事業承継要件、(2)所有継続要件及び(3)事業継続要件）を充足しているものとします。

## 応答

上記における宅地の評価額及び小規模宅地等の課税特例の減額金額の計算及びポイントは次のとおりです。

| | | |
|---|---|---|
| 宅地の評価額 | 計　算 | （200千円×0.93＋150千円×0.93×0.08）×0.75×1,600㎡＝236,592千円 |
| | ポイント | 財産評価上の評価単位は1単位となります。（いずれも被相続人甲の自用地として取り扱われます。なお、ネットフェンスの存在は、評価単位の判定に当たって格別の考慮対象になるものではありません。） |
| 小規模宅地等の課税特例の減額金額 | 計　算 | 236,592千円×$\frac{200㎡}{1600㎡}$×50%（減額割合）＝14,787千円 |
| | ポイント | 小規模宅地等の特例の計算は、原則として財産評価上の評価単位と一致して適用することとなります。（前記(7)は、土地に係る権利レベル（自用地と借地権）が異なることに起因する納税者に対する特段の有利配慮規定です。）<br>したがって、角地部分に該当する土地Ａのみの価額を抽出して計算し、次のような計算方法によりこの特例の適用による減額金額を計算することは認められていませんので注意する必要があります。<br>（認められない計算方法）<br>（200千円×0.93＋150千円×1.00×0.08）×0.78×800㎡＝123,552千円<br>123,552千円×$\frac{200㎡}{800㎡}$×50%（減額割合）＝15,444千円 |

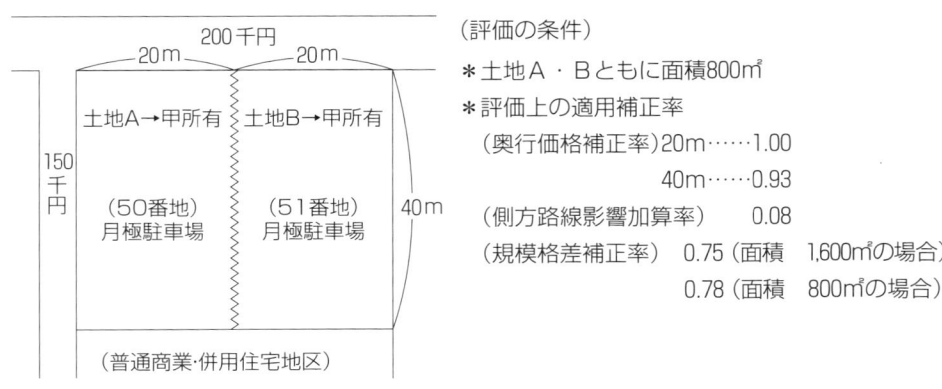

### ⑿　いわゆる時価評価をした宅地等についての小規模宅地等の課税特例の適用の可否

**質疑**　被相続人が居住の用に供していた家屋の敷地（面積：200㎡）を、被相続人の配偶者が相続することとなりましたが、その評価（小規模宅地等の課税特例の適用前）は次のとおりで、いわゆる時価と路線価の逆転現象が認められるものとなっています。

- 相続税評価額（路線価評価）　100,000千円Ⓐ
- 不動産鑑定士が鑑定した適正な時価評価額　70,000千円Ⓑ

被相続人の相続財産の評価をⒷの時価申告により行うつもりでいますが、小規模宅地等の課税特例の適用はどのようになりますか。

**応答**

小規模宅地等の課税特例を規定した措置法第69条の４において、要旨「……小規模宅地等について相続税の課税価格に算入すべき価額は、当該小規模宅地等の価額に次の各号に掲げる小規模宅地等の区分に応じ……」と規定されています。小規模宅地等の価額とは、原則として時価を示すものと解釈されますが、財産評価においてその安全性、統一性、簡便性等を考慮して財産評価基本通達を制定して実務の用に供されているところです。

したがって、財産評価基本通達に定める相続税評価額（路線価評価）によるのではなく、評価の原則である時価評価によることも当然差し支えないものと考えられますが、時価評価をした宅地等に対する小規模宅地等の課税特例の適用については、当該評価をした時価を基に計算することとなります。（小規模宅地等の課税特例の減額金額の計算だけ、路線価評価額を基に計算することは認められません。）

事例の場合における小規模宅地等の課税特例の減額金額は、次により計算されます。

$$70{,}000\text{千円}\times\frac{200\text{㎡}}{200\text{㎡}}\times 80\%\ \text{（特定居住用宅地等の減額割合）}=56{,}000\text{千円}$$

### ⒀　『借地権者の地位に変更がない旨の申出書』の提出がある場合の小規模宅地等の課税特例の対象面積とその評価額（相続税の課税価格に算入すべき価額）

**質疑**　父の相続財産のなかに、下記に掲げるような父母の居住の用に供している宅地等があります。（母が相続により取得することになっています。）

この宅地等の評価について、小規模宅地等の課税特例の適用対象面積はどのように計算しますか。

また、この課税特例の適用後における当該宅地等について相続税の課税価格に算入すべき価額はいくらになりますか。

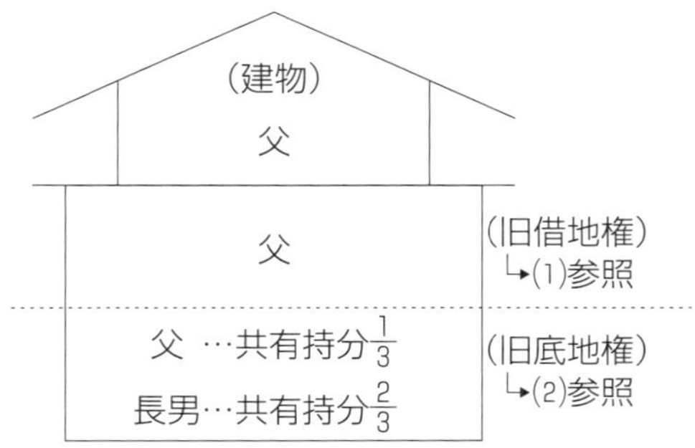


・宅地等の面積　……360㎡
・１㎡当たりの自用地としての評価額　……300千円
・借地権割合　…… 60%

(1)　昭和40年代後半に、父は当時の地主（第三者）に対して、適正な権利金を支払うことにより借地権を設定し、自己の居住用家屋を建築しました。

(2)　昭和60年に、地主から土地（底地権）の買取りを要求され、資金調達能力との関係から、父が$\frac{1}{3}$、長男が$\frac{2}{3}$の共有持分により取得しています。底地買取り後は、家屋所有者である父と土地の共有持分者である長男との間における地代の授受は認められません。

なお、父と長男との連名により、納税地の所轄税務署長に対して、『借地権者の地位に変更がない旨の申出書』が提出されています。

## 応答

**質疑** の事例の場合には、旧借地権部分と旧底地権部分の持分割合が異なることを考慮事項として、次のとおりに父の相続財産である宅地の評価額（小規模宅地等の課税特例の適用前）を計算します。

**〈宅地の評価額（小規模宅地等の課税特例の適用前）〉**

| | |
|---|---|
| ①旧借地権部分…300千円×60%（借地権割合）×360㎡ | ＝64,800千円 |
| ②旧底地権部分…300千円×40%（底地権割合）×360㎡×$\frac{1}{3}$（持分） | ＝14,400千円 |
| （合　　計） | 79,200千円 |

次に、小規模宅地等の課税特例の適用については、次のとおりに計算されます。

(1)　小規模宅地等の課税特例の対象となる面積の計算

小規模宅地等の課税特例の対象となる面積の計算については、旧借地権部分及び旧底地権部分の持分割合の如何にかかわらず、旧借地権部分と旧底地権部分の持分割合のうちいずれか大きい方の割合により算出することになります。

このような取扱いによるのは、建物を使用する権利は、当該建物の敷地全体に及ぶと考えられていることに起因するものと思われます。

したがって、**質疑** の事例の場合には、小規模宅地等の課税特例の対象となる居住用宅地等の面積は、下記に掲げる計算より、330㎡となります。

（計算）・旧借地権部分（100%）＞旧底地権部分$\left(\frac{1}{3}\right)$　∴100%

・360㎡×100%＝360㎡＞330㎡（特定居住用宅地等の限度面積）　∴330㎡

⑵　小規模宅地等の課税特例の適用後の評価額（相続税の課税価格に算入すべき金額）

**質疑** の場合には、被相続人（お父さん）の配偶者（お母さん）が、当該宅地等を相続するとのことですから、当該宅地等は特定居住用宅地等に該当することとなり、当該宅地等について相続税の課税価格に算入すべき価額は、上記①の計算による面積（330㎡）に達するまでの部分の価額について、通常の評価額の20％に相当する金額によります。

したがって、**質疑** の事例について、小規模宅地等の課税特例の適用後の相続税の課税価格に算入すべき価額の計算は下記のとおりになります。

**〈宅地の評価額（小規模宅地等の課税特例の適用後）〉**

①旧借地権部分…$64{,}800\text{千円}\times\dfrac{330㎡}{360㎡}\times 20\% + 64{,}800\text{千円}\times\dfrac{360㎡-330㎡}{360㎡}$ ＝17,280千円

②旧底地権部分…$14{,}400\text{千円}\times\dfrac{360㎡\times\frac{1}{3}\ (120㎡)}{360㎡\times\frac{1}{3}\ (120㎡)}\times 20\%$ ＝　2,880千円

（合　　計）　20,160千円

## ⒁　宅地の売買契約中に売主に相続が開始した場合の当該宅地等に対する小規模宅地等の課税特例の適用の有無

**質疑**

被相続人甲はその生前に自己所有の店舗用不動産（被相続人甲はこの店舗で時計店を経営）の売買契約を締結していましたが、その引渡し前に死亡してしまいました。（売買の状況等は次のとおりです。）

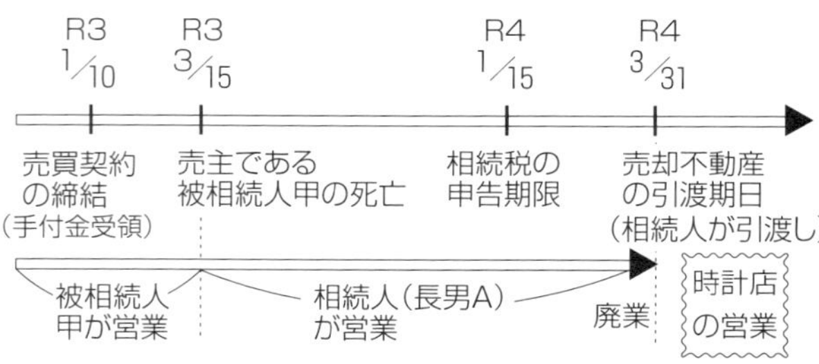


（土地に関する資料）
- 売買価額　……50,000千円
- 手付金　……　5,000千円
- 相続税評価額　……40,000千円
- 面積　……200㎡

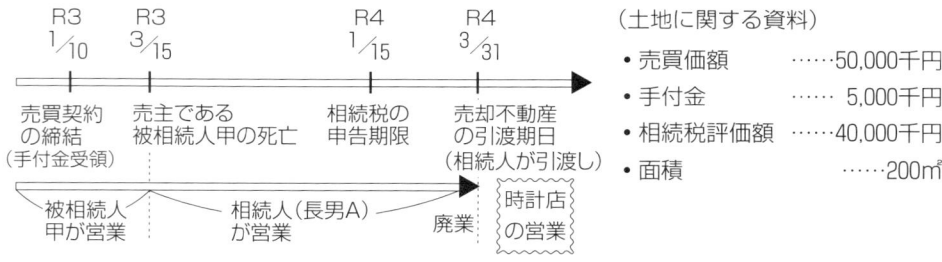

被相続人甲に係る相続開始によって、当該店舗用不動産は長男Ａが相続により取得し、令和４年３月31日の引渡期日までは時計店の事業の用に供していました。

このように、宅地の売買契約中に売主に相続が開始した場合には、当該宅地に対する小規模宅地等の課税特例の適用はどのようになりますか。

**応答**

現行の実務取扱いでは、土地等の売買契約中に売主又は買主に相続等があった場合の特殊な条件下における評価を別途に定めており、その定めでは、売主に相続の開始があった場合における評価対象財産及び具体的な評価方法は次のとおりです。（詳細については、下記に掲げる 考え方、資料 及び 参考資料 を参照してください。）

• 評価対象財産　　……相続開始時の残代金請求権
• 具体的な評価方法……売買契約に基づく相続開始時における未収の残代金に相当する金額で評価（事例の場合の未収入金は45,000千円となります。なお、手付金5,000千円は別の財産等として相続財産に反映されているはずです。）

したがって、現行の実務取扱いでは土地等の売買契約中に売主又は買主に相続等があった場合の特殊な状況下における当該財産の評価は、財産評価基本通達による評価とは別途に国税庁における資産課税課情報（下記 参考資料 をご参照）で定められており、当該情報では売主に相続の開始があった場合における評価対象財産は、『（相続開始時における）売買残代金請求権』（売買契約に基づく相続開始時における未収の残代金に相当する金額で評価）となります。

一方、現行の措置法第69条の４に定める小規模宅地等の課税特例の適用対象とされるのは、相続開始直前において被相続人等の事業の用又は居住の用に供されていた宅地等（土地又は土地の上に存する権利をいう。）で一定の要件を充足したものとされています。

この点から 質疑 に掲げる売買契約中の土地を被相続人甲の営む事業（時計店の経営）の用に供している宅地等として小規模宅地等の課税特例の適用対象に該当するか否かを判断すると、評価対象財産が既に宅地等ではなく売買残代金請求権（民法上の債権）とされるため、適用対象財産には該当しないこととなります。

したがって、質疑 に掲げる売買契約中の土地については、たとえ、相続開始の直前において被相続人甲の事業の用に供されていたとしても、小規模宅地等の課税特例の適用は受けられないこととなります。

そうすると、質疑 に掲げる売買契約中の土地は、最終的に売買残代金請求権として45,000千円で評価（相続税の課税価格に算入）されることとなります。

**考え方** 土地等の売買契約中に売主又は買主に相続等があった場合の評価について

相続税及び贈与税の財産評価において、当該財産の評価方法に関しては財産評価基本通達においてその取扱いが明記され、この評価通達を基に評価することにより評価の安全性、統一性及び簡便性が確保されていることとなります。

しかしながら、この財産評価基本通達に基づく評価は、評価対象財産が通常の状況にあることを前提として定められたものであり、土地等に係る売買契約締結中に売主又は買主に相続等があった場合のような特殊な状況下における財産評価については、財産評価基本通達においてその取扱いが具体化されておらず、実務上においても疑義の生じるところでした。（評価対象とすべき財産の種類は何か、また、その評価額はいくらとなるのか。）

また、このような特殊な状況下における土地等の評価については、国税不服審判所における裁決や裁判所における判決（下記 資料 ）により、一定の取扱い指針が明示されるようになってきました。

**資料　先例となる重要裁決及び判決**

(1)　国税不服審判所裁決（昭和61年４月25日裁決）

（要旨）被相続人が生前に購入契約を締結した土地の売買契約書によれば、代金完済日に所有権を移転する旨の特約があり、相続開始後に代金完済の事実が認められることから、当該相続に係る相続財産は土地の所有権移転請求権であり、かつ、またその価額は、その土地の売買価額の形成が正常な取引条件によりなされていると認められる限り、その売買価額とするのが相当である。

(2)　最高裁判所第二小法廷判決（昭和61年12月５日判決）

（要旨）農地の売主がその所有権移転前に死亡した場合、たとえその土地の所有権が売主に残っているとしても、もはやその実質は売買代金債権を確保するための機能を有するにすぎないものであり、独立して相続税の課税財産を構成しないというべきであって、相続税の課税財産となるのは、売買残代金債権（手付金、中間金として受領済みの代金は、現金預金等として相続財産を構成）であると解するのが相当である。

このような判決等を受けて、課税庁では課税の統一性を図るために、現行においては、土地等の売買契約の締結後、当該土地等の売主から買主への引渡しの日前に当該売主又は買主に相続が開始した場合の取扱いについては、当該土地等の所有権が売主に留保されているのか又は既に買主に移転済みであるのかにかかわらず、下記のように統一した取扱いを行うものとされています。（国税庁資産課税課情報第１号〔平成３年１月11日付〕（下記 参考資料 ）による取扱いが定められています。）

**参考資料　国税庁資産課税課情報第１号〔平成３年１月11日付〕の内容**

売買契約中の土地等（土地又は土地の上に存する権利をいう。）及び建物等（建物及びその附属設備又は構築物をいう。）に係る相続税の課税等については、次によるのが相当と考えられる。

(1)　土地等又は建物等の売買契約の締結後当該土地等又は建物等の売主から買主への引渡しの日（当該土地等が、売買について農地法第３条第１項若しくは第５条第１項本文の規定による許可又は同項第３号の規定による届出を要する農地若しくは採草放牧地又はこれらの土地の上に存する権利である場合には、当該許可の日又は当該届出の効力の生じた日後に当該土地等の所有権その他の権利が売主から買主へ移転したと認められる場合を除き、当該許可の日又は届出の効力の生じた日）前に当該売主又は買主に相続が開始した場合には、当該相続に係る相続税の課税上、当該売主又は買主たる被相続人の相続人その他の者が、当該売買契約に関し当該被相続人から相続又は遺贈（贈与者の死亡により効力を生ずる贈与を含む。以下同じ。）により取得した財産及び当該被相続人から承継した債務は、それぞれ次による。

イ．売主に相続が開始した場合には、相続又は遺贈により取得した財産は、当該売買契約に基づく相続開始時における残代金請求権とする。

ロ．買主に相続が開始した場合には、相続又は遺贈により取得した財産は、当該売買契約に係る土地等又は建物等の引渡請求権等とし、当該被相続人から承継した債務は、相続開始時における残代金支払債務とする。

（注１）　買主に相続が開始した場合における上記ロ．の土地等又は建物等の引渡請求権等の価額は、原則として当該売買契約に基づく土地等又は建物等の取得価額の金額によるが、当該売買契約の日から相続開始の日までの期間が通常の売買の例に比較して長期間であるなど当該取得価額の金額が当該相続開始の日における当該土地等又は建物等の引渡請求権等の価額として適当でない場合には、別途個別に評価した価額による。

（注２）　買主に相続が開始した場合において、当該土地等又は建物等を相続財産とする申告があったときにおいては、それを認める。この場合における当該土地等又は建物等の価額は、当該土地等又は建物等について租税特別措置法旧第69条の４第１項の規定（筆者注 平成８年税法改正により廃止されたいわゆる『取得価額課税』の取扱い）の適用がある場合を除き、相続税財産評価に関する基本通達（筆者注 現行では『財産評価基本通達』）により評価した価額によることになる。

（注３）　当該売買契約に基づき被相続人たる売主又は買主が負担することとなっている当該売買の仲介手数料その他の経費で、相続開始の時において未払いのものは、当該被相続人に係る債務である。

（注４）　上記の取扱いによる課税処分が訴訟事件となり、その審理の段階で引渡し前の相続財産が『土地等』であるとして争われる場合には、相続財産が『土地等』であるとしてもその価額が当該売買価額で評価すべきである旨を主張する事例もあることに留意する。

この資産課税課情報によると、土地等の売買契約中に売主又は買主に相続等が発生した場合には、課税時期における土地等の所有権が売主に残っているのか又は買主に移転しているのかの区分にかかわらず、下表のとおり同一の取扱いとなります。

| 被相続人 | 評価対象財産 | 評価の方法 | 備考 |
|---|---|---|---|
| 売主に相続開始があった場合 | （財産）売買残代金請求権 | 売買代金のうち課税時期における未収入金部分 | １・４ |
| 買主に相続開始があった場合 | （財産）引渡請求権等 | 売買契約に基づく土地等又は建物等の取得価額の金額 | ２・３・４ |
| | （債務）未払金 | 売買代金のうち課税時期における未払金部分 | |

（備考１）　引渡し前の相続財産が土地等であるとしても、その価額を当該土地等の売買価額として処理される場合があります。

（備考２）　引渡請求権等の価額について、取引の期間が長期間である等の理由により当該取得価額の金額とすることが適当でない場合には、別途個別に評価した価額によります。

（備考３）　相続財産を土地等又は建物等とする申告を行うことが認められます。（この場合の財産の評価額の算定は、財産評価基本通達の定めにより行います。）

（備考４）　売買契約に基づき売主又は買主が負担すべき仲介手数料等の経費で相続開始時において未払いのものは債務控除の対象となります。

### ⒂　小規模宅地等の課税特例の適用対象とされた宅地等を特定物納の対象財産とすることの可否

**質疑**　被相続人甲は、今から６年前に相続の開始がありました。被相続人甲からの相続により財産を取得した長男Ａ（取得財産の内訳については下記参照）は、同人に係る相続税について金銭で一時に納付することを困難とする金額として５千万円の延納の許可を受けて分割納付を行っていました。

相続により取得した財産の内訳

⑴　被相続人甲が事業の用に供していた宅地等（Ｘ宅地）

①　自用地としての相続税評価額（６年前の相続開始時の価額）……７千万円

②　小規模宅地等の課税特例（特定事業用宅地等）の適用による減額金額……４千万円

③　相続税の課税価格算入額（①－②）……３千万円

④　自用地としての相続税評価額（本年における価額）……４千万円

⑵　同族会社の株式……２億円

しかしながら、本年（この段階における延納に係る未納税額は４千万円でした。）になって、長男Ａが経営していた事業について極度の経営悪化により、今後、当該延納に係る未納税額をたとえ分割納付であったとしても金銭で納付することは極めて困難な状況になったと認められる事態になってしまいました。

相続税に詳しい知人の話では、相続税の申告期限の翌日から10年以内であれば一定の要件下において、当初許可されていた延納に係る未納税額を物納に変更することができるとのことでした。

もし、この話が本当であるのであれば、長男Ａについても、被相続人甲から相続により取得したＸ宅地をもって物納に変更することを検討したいのですが、可能でしょうか。

**応答**

相続税法第48条の２《特定の延納税額に係る物納》の規定では、要旨「税務署長は、延納の許可を受けた者について、延納税額からその納期限が到来している分納税額を控除した残額（以下「特定物納対象税額」という。）を延納手続の規定により変更された条件による延納によっても金銭で納付することを困難とする事由が生じた場合においては、その者の申請により、特定物納対象税額のうちその納付を困難とする一定の金額を限度として、物納を許可することができる。」とされており、一定の要件下において、延納から物納への変更が許可される取扱い（特定物納制度）が設けられています。

上記に掲げる特定物納の許可を受けようとする者は、当該特定物納に係る相続税の申告期限の翌日から起算して10年を経過する日までに、特定物納対象税額、金銭で納付することを困難とする金額及びその困難とする事由、特定物納の許可を求めようとする税額その他の一定事項を記載した申請書に物納手続関係書類を添付し、これを納税地の所轄税務署長に提出しなければならないものとされています。

この特定物納が許可された場合における当該特定物納に係る財産の収納価額は、当該特定物納に係る申請の時の価額によるものとされています。ただし、税務署長は、収納の時までに当該財産の状況に著しい変化が生じたときは、収納の時の現況により当該財産の収納価額を定めることができるものとされています。

上記の取扱いから、**質疑** の事例の場合においても特定物納を求めようとする日が相続税の申告期限から10年以内であることから、当該特定物納に係る財産について当該特定物納に係る申請の時の価額（上記＿＿部分）である４千万円をもって特定物納が許可されるようにも考えられるかもしれません。

しかしながら、措置法第69条の４《小規模宅地等についての相続税の課税価格の計算の特例》の第９項の規定では、特定物納の規定の適用については、小規模宅地等の課税特例の規定の適用を受けた小規模宅地等を除くものとされています。そうすると、本件Ｘ宅地は当初の相続税の期限内申告において当該小規模宅地等の課税特例規定の適用を適法に受けていることから、当該Ｘ宅地を対象として特定物納を申請することは認められないことになります。

このような取扱いが求められる背景として、下記に掲げる事項に留意する必要があるものと考えられます。

(1)　特定物納以外の物納（相続税の申告期限までに物納手続きを行うことが求められる物納、以下「一般の物納」といいます。）を行う場合の当該物納財産の収納価額を規定した相続税法第43条《物納財産の収納価額等》では、「物納財産の収納価額は、課税価格計算の基礎となった当該財産の価額による。」とされており、当該物納申請財産が小規模宅地等の課税特例の適用対象地であった場合には、当該課税特例適用後の価額が収納価額とされます。

また、特定物納の場合には、当該特定物納に係る申請の時の価額（上記＿＿部分）が収納価額になるものとされ（その一方で、小規模宅地等の課税特例の適用対象地は特定物納の適用対象外と規定）ており、両者に条文上、明確な差異が認められることになります。

(2)　上記(1)の取扱いの差異は、当初の相続税の申告において小規模宅地等の課税特例を適用して相続税の課税価格への算入額を減額調整した宅地等について、当該小規模宅地等の課税特例による減額規定を適用しないで算定した当該宅地等に係る特定物納申請時の価額による物納を認めることは制度的に不合理であることに配慮したものと考えられます。

(3)　上記(2)の取扱いを **質疑** の事例で確認すると、宅地Ｘの相続税の当初申告時における相続税の課税価格算入額が３千万円（上記に掲げる 相続により取得した財産の内訳 (1)③より）であるのに対し、当該宅地Ｘを特定物納の対象とすることを容認すると当該特定物納に係る申請時の価額である４千万円（上記に掲げる 相続により取得した財産の内訳 (1)④より）が特定物納財産の収納価額となり、その不合理性が確認されます。

(4)　上記(1)ないし(3)に対して、特定物納財産の収納価額についても一般の物納財産の収納価額と同様に小規模宅地等の課税特例の適用後の価額（ただし、適用に当たっては、特定物納を申請する時の価額を基礎に当該課税特例適用額を再計算）によることを検討すればよいとの考え方が生じるかもしれません。

しかしながら、特定物納財産の収納価額を上記により再調整した小規模宅地等の課税特例の適用後の価額によることは技術的には可能であるとしても、小規模宅地等の課税特例は相続税の申告（期限内申告、期限後申告及び修正申告）時における選択特例対象宅地等について、その適用関係について確定したものであり、事後における調整という概念には制度的になじまないものと考えられます。

## (16)　小規模宅地等の課税特例の適用対象とされた宅地等を分割し、分割不動産を物納（一般の物納）する場合における分割不動産の収納価額の計算

**質疑**　被相続人甲に相続の開始があり、同人の相続財産には 評価対象地 欄に掲げるとおりの月極駐車場の用に供されている土地（面積800㎡）があり、当該土地を長男Ａが相続により取得しました。（この土地に対して、貸付事業用宅地等に該当するものとして、小規模宅地等の課税特例の要件を充足していることが確認されています。）

長男Ａは、被相続人甲に係る相続税の納付方法として物納を選択し、当該土地のうち 物納申請地 欄に掲げるとおり当該土地のうち300㎡を分割（分筆）して収納してもらうことを検討しています。

評価対象地

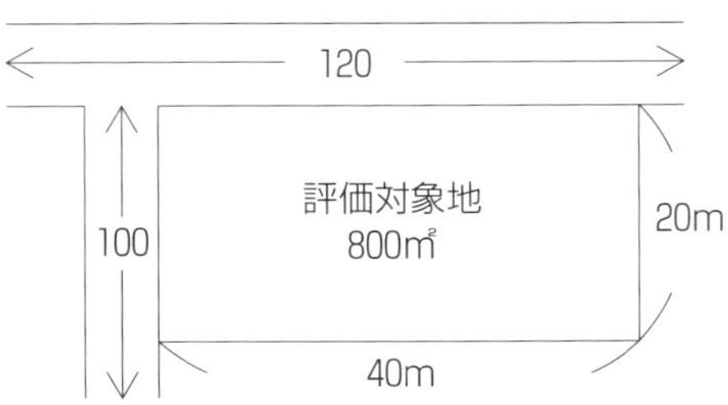


- 普通住宅地区
- 三大都市圏以外
- 奥行価格補正率
  1.00（20m）、0.97（25m）、0.91（40m）
- 側方路線影響加算率
  0.03

物納申請地

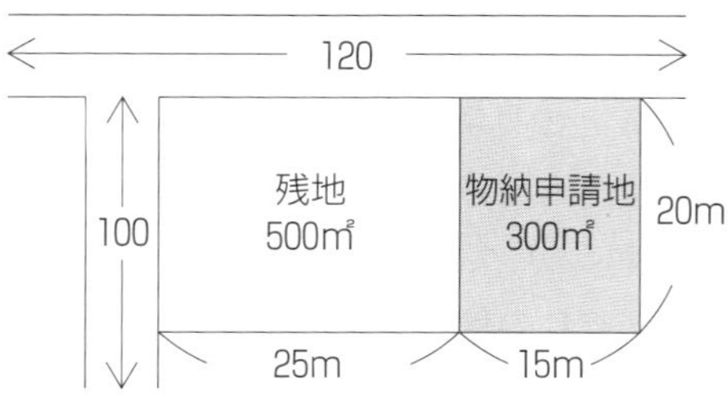


相続財産である不動産を分割して物納する場合における当該分割不動産の収納価額は、相続税法基本通達43－４《分割不動産の収納価額》（下記 参考資料 を参照）において定められていますが、当該通達には分割不動産が小規模宅地等の課税特例の適用を受けたものである場合の取扱い（分割不動産の収納価額の算定方法）は定められていません。

参考資料　相続税法基本通達43－４《分割不動産の収納価額》

> 相続財産である不動産を分割し、分割不動産について物納を許可する場合における法第43条第１項に規定する収納価額は、原則として、次の算式により計算した金額によるものとする。（平７課資２－119・徴管５－５追加）
>
> $K \times \frac{A}{A+B}$ ＝分割不動産の収納価額
>
> （注）　算式中の符号は、次のとおりである。
>
> Ｋは、分割前の課税価格計算の基礎となった価額
>
> Ａは、分割不動産について、相続開始時の評価基本通達の定めにより評価した価額
>
> Ｂは、分割前の不動産のうち、分割不動産部分以外の不動産について、相続開始時の評価基本通達の定めにより評価した価額

そこで、上記のような状況にある分割不動産の収納価額の算定方法について説明してください。また、事例の評価対象地に係る物納申請地（分割不動産）の具体的な収納価額はいくらになりますか。

## 応答

(1)　小規模宅地等の課税特例の対象とされた物納財産（土地等）に係る分割不動産の収納価額

小規模宅地等の課税特例の対象とされた相続財産である不動産（土地等）を分割し、分割不動産について物納が許可される場合における当該分割不動産の収納価額の算定方法については、上記 **質疑** に掲げるとおり、相続税法基本通達においても具体的な定めは設けられていません。

一般論的には、評価対象地に係る評価単位が１評価単位である限り、小規模宅地等の課税

特例を適用対象地部分を特定して分割不動産（物納申請地）から、又は分割不動産以外（残地）から優先的に受けるという考え方は馴染まないものとも考えられます。

しかしその一方で、下記に掲げる 考え方 を根拠として、次に掲げる 計算方法 によって分割不動産の収納価額を計算することが相当であるとの見解も示されています。

考 え 方　小規模宅地等の課税特例の適用を受けた土地等を物納するに当たり、その土地等を分割する場合において、相続開始の時において既に分割されていたものとして、小規模宅地等の課税特例の適用後のそれぞれの価額により、相続税の課税価格に算入された価額をあん分したとしても、課税価格計算の基礎となった価額に異同が生じないことから、分割不動産以外の不動産（残地）について、優先的に小規模宅地等の課税特例の適用を受けたものとして、分割不動産の収納価額を算定することにも合理性は認められると考えられる。

計算方法　上記の 考え方 に基づいて、分割不動産の収納価額の算定方法を示すと、上記 質疑 に掲げる相続税法基本通達43－４《分割不動産の収納価額》に準じて、下記に掲げる算式に基いて計算することになります。

（算式）

$$K \times \frac{A}{A+B} = \text{分割不動産の収納価額}$$

（注）　算式中の符号は、次のとおりである。

Ｋは、分割前の課税価格計算の基礎となった価額

Ａは、分割不動産について、次の場合に次のとおり計算した価額

①　分割不動産以外の不動産（残地）の面積が、分割前に小規模宅地等の課税特例の適用を受けた面積に等しいか又は超える場合

相続開始時において既に分割されていたものとして、相続開始時の財産評価基本通達の定めにより評価した価額

②　分割不動産以外の不動産（残地）の面積が、分割前に小規模宅地等の課税特例の適用を受けた面積に満たない場合

相続開始時において既に分割されていたものとして相続開始時の財産評価基本通達の定めにより評価した価額を基に、小規模宅地等の課税特例を適用して計算した価額

Ｂは、分割不動産以外の不動産（残地）について、相続開始時において既に分割されていたものとして相続開始時の財産評価基本通達の定めにより評価した価額を基に、小規模宅地等の課税特例を適用して計算した価額

〔注〕　Ａ又はＢに適用する小規模宅地等の課税特例の適用面積は、分割前に小規模宅地等の課税特例の適用を受けた面積に等しくなければならない。

分割不動産の収納価額の算定方法について、いずれの方法によるかを法令及び通達において明記したものは確認できませんが、現行の課税実務上の取扱いでは、上記に掲げる 考え方 に基づく方法が有力な見解として認められているようです。

⑵　事例の場合の分割不動産の収納価額

上記⑴に掲げる後者の方法によって、 質疑 の事例の評価対象地に係る分割不動産（物納申請地）の収納価額を算定すると、次に掲げる計算より、36,315,767円となります。

① 評価対象地の価額

(イ) 小規模宅地等の課税特例の適用前の価額

㋑ 120,000円（正面路線価）×1.00（奥行価格補正率）＝120,000円

㋺ ㋑＋100,000円（側方路線価）×0.91（奥行価格補正率）×0.03（側方路線影響加算率）＝122,730円

㋩ ㋺×800㎡（面積）＝98,184,000円

(ロ) 小規模宅地等の課税特例の適用後の価額

98,184,000円（上記(イ)㋩）－98,184,000円（上記(イ)㋩）×$\frac{200㎡}{800㎡}$（適用限度面積）×50％（減額割合）＝85,911,000円

② 分割不動産及び分割不動産以外の不動産の個別算定価額

(イ) 分割不動産の個別算定価額

㋑ 120,000円（正面路線価）×1.00（奥行価格補正率）＝120,000円

㋺ ㋑×300㎡（面積）＝36,000,000円

(ロ) 分割不動産以外の個別算定価額

㋑ 小規模宅地等の課税特例の適用前の価額

(A) 120,000円（正面路線価）×1.00（奥行価格補正率）＝120,000円

(B) (A)＋100,000円（側方路線価）×0.97（奥行価格補正率）×0.03（側方路線影響加算率）＝122,910円

(C) (B)×500㎡（面積）＝61,455,000円

㋺ 小規模宅地等の課税特例の適用後の価額

61,455,000円（上記㋑(C)）－61,455,000円（上記㋑(C)）×$\frac{200㎡(注)}{500㎡}$（適用限度面積）×50％（減額割合）＝49,164,000円

**（注）** (A) 0㎡（上記(イ)において適用した小規模宅地等の課税特例の適用面積）＋200㎡（上記(ロ)において適用した小規模宅地等の課税特例の適用面積）＝200㎡

(B) 200㎡（上記①(ロ)において評価対象地に適用した小規模宅地等の課税特例の適用面積）

(C) (A)＝(B)

③ 評価対象地に係る分割不動産（物納申請地）の収納価額

85,911,000円（上記①(ロ)）×$\frac{36,000,000円（上記②(イ)㋺）}{36,000,000円（上記②(イ)㋺）＋49,164,000（上記②(ロ)㋺）}$＝<u>36,315,767円</u>

**（注）** 上記に掲げる計算は、上記(1)に掲げる算式中、『A』については、①の区分に該当するもの（下記を参照）となっています。

(X) 分割不動産以外の不動産（残地）の面積　……500㎡

(Y) 分割前に小規模宅地等の課税特例の適用を受けた面積　……200㎡

(Z) (X)≧(Y)

### ⒄　小規模宅地等の課税特例の適用対象とされた宅地等を代償分割の対象とした場合の代償財産の価額

**質疑**　被相続人甲の相続人は配偶者乙と長男Ａの２人です。被相続人甲の相続財産は、配偶者乙が取得した貸付事業用宅地等の適用要件を充足したＸ土地（面積1,000㎡、詳細については、資料を参照）のみであったことから、その分割に当たっては代償分割を採用し、長男Ａには代償給付金として40百万円を交付することで遺産分割協議が成立しています。

資料　Ｘ土地の代償分割時の価額（時価）　…100百万円
Ｘ土地の相続開始時の価額（財産評価基本通達により評価）　…80百万円
Ｘ土地に対する小規模宅地等の課税特例の適用後の価額
…72百万円（80百万円－80百万円×$\frac{200㎡}{1,000㎡}$×50％）

遺産分割の方法として、代償分割が行われた場合における相続税の課税価格の計算については、相続税法基本通達11の２－９《代償分割が行われた場合の課税価格の計算》及び同通達11の２－10《代償財産の価額》の両通達の定めが適用されるものと理解していますが、上記の事例の場合には、具体的にどのように取り扱われることになりますか。

**応答**

遺産分割の方法として、代償分割が行われた場合における相続税の課税価格の計算については、相続税法基本通達11の２－９《代償分割が行われた場合の課税価格の計算》において、次のとおりに定められています。

⑴　代償財産の交付を受けた者
相続又は遺贈により取得した現物の財産の価額＋交付を受けた代償財産の価額

⑵　代償財産の交付をした者
相続又は遺贈により取得した現物の財産の価額－交付をした代償財産の価額

また、相続税法基本通達11の２－10《代償財産の価額》の定めでは、上記⑴及び⑵に掲げる『代償財産の価額』は、次に掲げる区分に応じて、それぞれ次に掲げるとおりとされています。

(A)　原則的な取扱い
代償分割の対象となった財産を現物で取得した者が他の共同相続人又は包括受遺者に対して負担した債務（以下「代償債務」といいます。）の額の相続開始の時における金額によるものとします。

(B)　特例的な取扱い
上記(A)の定めにかかわらず、次に掲げる場合に該当するときは、当該代償財産の価額はそれぞれ次に掲げるところによるものとされています。

Ⓐ　共同相続人及び包括受遺者の全員の協議に基づいて代償財産の額を次のⒷに掲げる算式に準じて又は合理的と認められる方法によって計算して申告があった場合……当該申告があった金額

Ⓑ　上記Ⓐ以外の場合で、代償債務の額が、代償分割の対象となった財産が特定され、かつ、当該財産の代償分割の時における通常の取引価額を基として決定されているとき……次の算式により計算した金額

（算式）

$$A \times \frac{C}{B}$$

（注）算式中の符号は、次のとおりとなります。

Aは、代償債務の額

Bは、代償債務の額の決定の基となった代償分割の対象となった財産の代償分割の時における価額

Cは、代償分割の対象となった財産の相続開始の時における価額（財産評価基本通達の定めにより評価した価額をいいます。）

そうすると、**質疑**の事例の場合は、その文脈から代償債務の額（40百万円）が、代償分割の対象となった財産（X土地）が特定され、かつ、当該財産の代償分割の時における通常の取引価額（100百万円）を基として決定されているものと認められることから、上記(1)又は(2)において加算又は減算する『代償財産の価額』は、上記(B)Ⓑに掲げる算式によって求めることになります。

そして、同算式中の符号『C』は、その(注)の＿＿部分に掲げるとおり、財産評価基本通達の定めにより評価した価額（換言すれば、小規模宅地等の課税特例を適用する前の価額）を用いるものとされています。

以上から、**質疑**の事例において、配偶者乙が交付し、長男Aが交付を受けた『代償財産の価額』は、次に掲げる計算より、32百万円となります。

（計算）

$$40\text{百万円（代償債務の額）} \times \frac{80\text{百万円（代償分割対象財産の相続開始時の相続税評価額）}}{100\text{百万円（代償分割対象財産の代償分割時の価額）}} = 32\text{百万円}$$

なお、**質疑**の事例における配偶者乙及び長男Aの相続税の課税価格をまとめると、下表のとおりとなります。

| | | 配偶者乙 | 長男A | 合計 |
|---|---|---|---|---|
| 相続財産（X土地） | | 80百万円 | | 80百万円 |
| 小規模宅地等の減額金額 | | ▲8百万円 | | ▲8百万円 |
| 代償分割 | 代償取得財産 | | 32百万円 | 32百万円 |
| | 代償給付債務 | ▲32百万円 | | ▲32百万円 |
| 相続税の課税価格 | | 40百万円 | 32百万円 | 72百万円 |

## ⒅　遺留分侵害額請求権の対象とされた遺贈により取得した宅地等について小規模宅地等の課税特例の適用を受ける場合における相続税の課税価格の計算上控除する遺留分侵害額に相当する価額

**質疑**　被相続人甲の相続人は配偶者乙と長男Ａの２人です。被相続人甲の相続財産は、下記に掲げるＸ土地と現金預金で、いずれも被相続人甲の遺言によりその取得者が、それぞれ、下記に掲げるとおりに確定しています。

なお、被相続人甲の相続財産はこれ以外にはないものとし、被相続人甲に係る生前贈与財産及び債務も一切ないものとします。

被相続人甲の相続財産

⑴　Ｘ宅地（地積1,000㎡）

配偶者乙が遺贈により取得したもので、貸付事業用宅地等の要件を充足しています。なお、Ｘ宅地の価額に関する資料は、次に掲げるとおりです。

①　Ｘ宅地の相続開始時の価額（時価）……500百万円

②　Ｘ宅地の相続開始時の価額（財産評価基本通達により評価）……400百万円

③　Ｘ宅地に対する小規模宅地等の課税特例適用後の価額……360百万円（注）

（注）　400百万円－400百万円×$\frac{200㎡}{1,000㎡}$×50％

⑵　現金預金（金60百万円）

長男Ａが遺贈により取得したものです。

上記に掲げる被相続人甲の遺言は、長男Ａの遺留分を侵害するものであるとして、長男Ａから配偶者乙に対して、遺留分侵害額80百万円（下記 計算 を参照）の支払を求める請求があり、配偶者乙はこれを認めて長男Ａに対して80百万円を支払うこととなりました。

計算　遺留分侵害額の算定

㈠　遺留分を算定するための財産の価額

500百万円（上記⑴①）＋60百万円（上記⑵）＝560百万円

㈡　長男Ａ（遺留分権利者）に係る遺留分の価額

560百万円（上記㈠）×$\frac{1}{2}$（長男Ａ（遺留分権利者）に係る総体的遺留分）×$\frac{1}{2}$（長男Ａ（遺留分権利者）の法定相続分）＝140百万円

㈢　遺留分侵害額

140百万円（上記㈡）－60百万円（上記⑵）＝80百万円

そうすると、遺留分を侵害する遺贈があった場合において、遺留分侵害額の支払請求に基づく当該支払金額の確定があった場合における遺留分権利者（長男Ａ）及び遺留分義務者（配偶者乙）のそれぞれの相続税の課税価格は、どのようにして計算することになりますか。

また、上記の計算に当たって、配偶者乙が遺贈により取得したＸ宅地（貸付事業用宅地等）に係る小規模宅地等の課税特例は、どのように反映させることになりますか。

## 応答

⑴　遺留分侵害額の支払請求が行われた場合の相続税の課税価格

遺贈が遺留分を侵害するものとして遺留分侵害額（資料１を参照）の支払の請求が行われた場合において、その金額が確定したときの相続税法第11条の２《相続税の課税価格》に規定する相続税の課税価格の計算方法については、法令及び通達等において明確な規定又は定めは設けられていませんが、課税実務上の取扱いでは、相続税法基本通達11の２－９《代償分割が行われた場合の課税価格の計算》の定めに準じて、次に掲げる者の区分に応じて、それぞれに定める課税価格とすることが相当とされています。

①　遺留分侵害額請求権に相当する金銭債権の支払を受ける相続人（遺留分権利者）

相続又は遺贈により取得した現物の財産の価額＋遺留分侵害額に相当する価額

②　遺留分侵害額請求権に相当する金銭積務の支払を行う受遺者（遺留分義務者）

相続又は遺贈により取得した現物の財産の価額－遺留分侵害額に相当する価額

⑵　『遺留分侵害額に相当する価額』の意義

上記⑴の①及び②に掲げる『遺留分侵害額に相当する価額』の意義についても、法令及び通達等において明確な規定又は定めは設けられていませんが、東京地方裁判所の裁判例（資料２を参照）もあり、課税実務上の取扱いでは、相続税法基本通達11の２－10《代償財産の価額》のただし書の定めに準じて、次に掲げる区分に応じて、それぞれ次に掲げるとおりとすることが相当と解釈されています。

相続税法基本通達11の２－10《代償財産の価額》のただし書の定めを準用した場合の『遺留分侵害額に相当する価額』の意義

①　共同相続人及び包括受遺者（遺留分義務者を含みます。）の全員の協議に基づいて、『遺留分侵害額に相当する価額』を次の②に掲げる算式に準じて又は合理的と認められる方法によって計算して申告があった場合……当該申告があった金額

②　上記①以外の場合で、遺留分侵害額の支払の請求の基因となった遺贈に係る財産が特定され、かつ、当該財産の相続開始の時における通常の取引価額を基として当該遺留分侵害額が決定されている場合……次の算式により計算した金額

$$A \times \frac{C}{B}$$

（注）算式中の符号は、次のとおりとなります。

Aは、遺留分侵害額

Bは、遺留分侵害額の支払の請求の基因となった遺贈に係る財産の遺留分侵害額の決定の基となった相続開始の時における価額（時価）

Cは、遺留分侵害額の支払の請求の基因となった遺贈に係る財産の相続開始の時における価額（財産評価基本通達の定めにより評価した価額をいいます。）

⑶　『遺留分侵害額に相当する価額』を求める場合の算式の適用における小規模宅地等の課税特例の取扱い

『遺留分侵害額に相当する価額』を上記⑵②に掲げる算式により求める場合において、同算式中の符号『C』は、その（注）の＿＿部分に掲げるとおり、財産評価基本通達の定めにより評価した価額（換言すれば、小規模宅地等の課税特例を適用する前の価額）を用いるものとされています。なお、この点について、資料３を参照してください。

⑷　**質疑** の事例の場合

**質疑** の事例の場合は、その文脈から遺留分侵害額（80百万円）が、当該遺留分侵害額の支払の請求の基因となった遺贈に係る財産（X土地）が特定され、かつ、当該財産の相続の開始の時における通常の取引価額（500百万円）を基として決定されているものと認められることから、上記⑴の①又は②において加算又は減算する『遺留分侵害額に相当する価額』は、上記⑵②に掲げる算式によって求めることになります。

そして、上記⑶に掲げるとおり、同算式中の符号『C』の価額（遺留分侵害額の支払の請求の基因となった遺贈に係る財産の相続開始時の価額は、小規模宅地等の課税特例を適用する前の財産評価基本通達の定めにより評価した価額（いわゆる相続税評価額）とするものとされています。

以上から、配偶者乙から長男Aに対して支払われた遺留分侵害額（80百万円）につき、両名の相続税の課税価格を求める場合に必要とされる『遺留分侵害額に相当する価額』は、次に掲げる計算より、64百万円となります。

（計算）

$$80百万円\left(\begin{matrix}遺留分\\侵害額\end{matrix}\right)\times\frac{400百万円\left(\begin{matrix}遺留分侵害額の支払の請求の基因となった遺贈に係る財産の相続開始\\の時における価額（財産評価基本通達の定めにより評価した価額\end{matrix}\right)}{500百万円\left(\begin{matrix}遺留分侵害額の支払の請求の基因となった遺贈に係る財産の遺留\\分侵害額の決定の基となった相続開始の時における価額（時価）\end{matrix}\right)}=64百万円$$

なお、**質疑** の事例における配偶者乙及び長男Aの相続税の課税価格（当初及び遺留分侵害額請求権の金額確定後）をまとめると、下表のとおりとなります。

また、併せて、遺留分侵害額の支払の請求があった場合における相続税・贈与税に係る課税関係について、資料４を参照してください。

| | | 当初 | | | 遺留分侵害額請求権の金額確定後 | | |
|---|---|---|---|---|---|---|---|
| | | 配偶者乙 | 長男A | 合　計 | 配偶者乙 | 長男A | 合　計 |
| 遺贈財産（X宅地） | | 400百万円 | | 400百万円 | 400百万円 | | 400百万円 |
| 小規模宅地等の減額金額 | | ▲40百万円 | | ▲40百万円 | ▲40百万円 | | ▲40百万円 |
| 遺贈財産（現金預金） | | | 60百万円 | 60百万円 | | 60百万円 | 60百万円 |
| 遺留分侵害額に相当する価額 | 遺留分権利者に係る債権 | | | | | 64百万円 | 64百万円 |
| | 遺留分義務者に係る債務 | | | | ▲64百万円 | | ▲64百万円 |
| 相続税の課税価格 | | 360百万円 | 60百万円 | 420百万円 | 296百万円 | 124百万円 | 420百万円 |

## 資料１　遺留分侵害額の計算

### (1)　各個別の遺留分権利者が有する具体的な遺留分の価額

各個別の遺留分権利者が有する具体的な遺留分の価額は、次に掲げる算式により計算するものとされています。

（算式）　遺留分を算定するための財産の価額 × 遺留分権利者に係る総体的遺留分 × 遺留分権利者の法定相続分

→ 当該価額の算出方法については、下記(2)を参照

### (2)　遺留分を算定するための財産の価額

上記(1)に掲げる算式に示されている遺留分を算定するための財産の価額は、次に掲げる算式により計算するものとされています。

（算式）　被相続人が相続開始の時において有した財産（遺贈財産も含む）の価額（注１） ＋ 相続開始前の10年間にした相続人に対する生前贈与財産の価額（注２）（注３）（注４） ＋ 相続開始前の１年間にした相続人以外の者に対する生前贈与財産の価額（注２）（注４） － 被相続人の債務の金額

（注１）　当該財産が条件付の権利又は存続期間の不確定な権利である場合には、家庭裁判所が選任した鑑定人の評価に従って、その価格を定めるものとされています。

（注２）　贈与者及び受贈者（相続人又は相続人以外の者）の双方が、遺留分権利者に損害を加えることを知って贈与をしたときは、10年前（相続人に対する贈与である場合）又は１年前（相続人以外の者に対する贈与である場合）の日より前にしたものについても、加算の対象とされます。

（注３）　相続人に対する生前贈与財産の価額の加算は、婚姻若しくは養子縁組のため又は生計の資本として受けた贈与の価額に限られるものとされています。

（注４）　加算対象とされる生前贈与財産の価額は、受贈者（相続人又は相続人以外の者）の行為によって、その目的である財産が滅失し、又はその価格の増減があったときであっても、相続開始の時においてなお原状のままであるものとみなして、これを定めるものとされています。

### (3)　各個別の遺留分権利者が有する遺留分侵害額

| | | | | | | | |
|---|---|---|---|---|---|---|---|
| （算式） | 各遺留分権利者が有する具体的な遺留分（金額）（上記(1)の（算式１）を参照） | － | 当該遺留分権利者が受けた特別受益（遺贈又は生前贈与（注1））の価額 | － | 当該遺留分権利者が民法に規定する具体的相続分（注2）（注3）に応じて取得すべき遺産の価額（注4） | ＋ | 当該遺留分権利者承継債務（注5）の額 |

（注１）　遺留分権利者が受けた生前贈与財産については、婚姻若しくは養子縁組のため又は生計の資本として受けた贈与に限られるものとされています。

（注２）　遺留分権利者の民法に規定する具体的な相続分の算定に当たって、同人が受けた生前贈与財産の価額の加算は、婚姻若しくは養子縁組のため又は生計の資本として受けた贈与の価額に限られるものとされています。

（注３）　遺留分権利者の民法に規定する具体的な相続分の算定に当たって、加算対象とされる生前贈与財産の価額は、受贈者（相続人）の行為によって、その目的である財産が滅失し、又はその価格の増減があったときでも、相続開始の時においてなお現状のままであるものとみなして、これを定めるものとされています。

（注４）　遺留分権利者が具体的な相続分に応じて取得すべき遺産の価額の算定に当たっては、民法第903条《特別受益者の相続分》の規定が適用されるものとされている（民法1046②二）ことから、被相続人に係る相続財産が分割されていない事案（未分割事案）においては、特別受益（一定の遺贈又は贈与（婚姻若しくは養子縁組のため又は生計の資本として受けたものに限られます。））の価額を加算したものを相続財産とみなして計算をする必要があります。

（注５）　遺留分権利者承継債務とは、被相続人が相続開始の時において有した債務のうち、民法第899条《共同相続の効力》の規定により遺留分権利者が承継する債務をいいます。

参考　民法899条《共同相続の効力》

各共同相続人は、その相続分に応じて被相続人の権利義務を承継する。

### 資料２　東京地方裁判所（平成27年２月９日判決、平成25年（行ウ）第552号、相続税更正処分取消請求事件）（東京地方裁判所の判断）

民法1041条所定の価額弁償金の価額の算定の基準時は、事実審の口頭弁論終結の時であると解されること（最高裁昭和50年(オ)第920号同51年８月30日第二小法廷判決）からすると、遺留分権利者が取得する価額弁償金を相続税の課税価格に算入するときは、上記に述べたところと同様に、価額弁償金の額についての相続開始の時における金額を計算する必要があるものと解される。このことに加え、同法1041条所定の価額弁償金の額は、贈与又は遺贈の目的の価額を基に定められるものであること及び相基通11の２－10のただし書の(2)の定めの内容からすると、上記の計算は、相基通11の２－10のただし書の(2)の定めに準じて行うことが合理的であると考えられる。

前提事実及び証拠（甲１）によれば、別件訴訟の判決においては、本件相続に係る相続財産である不動産の一部の価額を基として、原告らが取得すべき価額弁償金の額が定められたことが認められる（なお、その控訴審の判決においては、上記不動産の価額が「現時点」の価額である旨の判断が示されている（乙１）。）。そうすると、原告らが取得した価額弁償金について原告らの相続税の課税価格に算入すべき額は、被告の主張するとおり、相基通11の

２－10のただし書の(2)の定めに準じて行い、価額弁償金の額に価額弁償の対象となった相続財産の相続税評価額がその財産の価額弁償金の額の決定の基となった価額に占める割合を乗じて計算すべきである。

（注）　上記判決は、令和元年７月１日施行の民法改正前における旧民法の規定による遺留分減殺請求に伴って価額弁償金を取得した場合における相続税の課税価格の取扱いが争点とされた事例に係るものです。

**資料３**　**資産課税課情報による解説**

令和２年７月７日付で、国税庁資産課税課から公開された資産課税課情報第17号（相続税及び贈与税等に関する質疑応答事例（民法（相続法）改正関係）について（情報））によれば、上記(2)②に掲げる算式中の符号『Ｃ』について、小規模宅地等の課税特例を適用する前の価額を用いることについて、次のとおりの解説をしています。

（解説）

遺留分侵害額の支払の請求の基因となった遺贈に係る財産について小規模宅地等の特例の適用を受けるときに、上記算式（筆者注　上記(2)②に掲げる算式をいいます。以下、この解説において同じです。）の分子の金額を特例適用前の価額と適用後の価額のいずれの価額によるのか、疑問が生ずる。

この点、小規模宅地等の特例は、一定の宅地等について、相続税の課税価格に算入すべき価額を、その宅地等の相続開始の時における価額に一定割合を乗じて計算した金額とするものであり、特例適用後の宅地等の価額は当該宅地等の相続開始の時における価額を表すものではない。

そして、上記算式は、当該請求に基づき支払うべき金額（遺留分侵害額）を、その算定の基礎となった財産の相続開始の時の相続税評価額に引き直すものであることからすれば、上記算式の分子（筆者注　上記(2)②に掲げる算式中の符号『Ｃ』をいいます。）の金額は、小規模宅地等の特例適用前の宅地等の価額によることが相当である。

## 資料４　遺留分侵害額の支払の請求があった場合における相続税・贈与税に係る課税関係

| 対象 | | 贈与 | | 遺贈 |
|---|---|---|---|---|
| 税目 | | 贈与税 | 相続税 | 相続税 |
| 受贈者（受遺者） | 通常 | 贈与により取得した財産の価額（相続税評価額）から、次の算式により計算した「遺留分侵害額に相当する価額」を控除した価額が課税価格となります。<br>遺留分侵害額 × 遺留分侵害額の支払の請求の基因となった贈与に係る財産の贈与の時における価額（相続税評価額） / 遺留分侵害額の支払の請求の基因となった贈与に係る財産の遺留分侵害額の決定の基となった相続開始の時における価額（時価） | ・　原則として相続税の課税関係は生じません。<br>・　なお、生前贈与加算（相法19）又は相続時精算課税（相法21の15、21の16）の規定の適用がある場合に相続税の課税価格に加算等される財産の価額は、その贈与の時における価額（相続税評価額）から左の「遺留分侵害額に相当する価額」を控除した価格によります。 | 相続又は遺贈により取得した財産の価額から「遺留分侵害額に相当する価額」（原則として次の算式により計算した価額）を控除した価額が課税価格となります。<br>遺留分侵害額 × 遺留分侵害額の支払の請求の基因となった遺贈に係る財産の相続開始の時における価額（相続税評価額） / 遺留分侵害額の支払の請求の基因となった遺贈に係る財産の遺留分侵害額の決定の基となった相続開始の時における価額（時価）<br>（注）相続人等の全員の協議に基づき上記の方法に準じた方法又は他の合理的と認められる方法によることもできます。 |
| | 非上場株式等についての納税猶予 | 株式等の価額（相続税評価額）から「遺留分侵害額に相当する価額」を控除した価額が猶予税額を計算する場合の課税価格となります。<br>（注）「遺留分侵害額に相当する価額」の計算は上記と同様です。 | 贈与者が死亡した場合の相続税の課税の特例（措置法70の７の３等）の規定により相続等により取得したものとみなされる株式等の価額は、その贈与の時における価額（相続税評価額）から左の「遺留分侵害額に相当する価額」を控除した価額になります。 | 株式等の価額から「遺留分侵害額に相当する価額」を控除した価額が猶予税額を計算する場合の納税猶予適用者の課税価格となります。<br>（注）「遺留分侵害額に相当する価額」の計算は上記と同様です。 |
| 遺留分権利者 | | — | 相続又は遺贈により取得した財産の価額と「遺留分侵害額に相当する価額」（原則として次の算式により計算した価額）の合計額が課税価格となります。<br>遺留分侵害額 × 遺留分侵害額の支払の請求の基因となった遺贈に係る財産の相続開始の時における価額（相続税評価額） / 遺留分侵害額の支払の請求の基因となった遺贈に係る財産の遺留分侵害額の決定の基となった相続開始の時における価額（時価）<br>（注）相続人等の全員の協議に基づき上記の方法に準じた方法又は他の合理的と認められる方法によることもできます。 | 相続又は遺贈により取得した財産の価額と上記の「遺留分侵害額に相当する価額」の合計額が課税価格となります。 |

（出典：上記 資料３ に掲げる情報中の（参考）を基に一部加工）

## ⒆　複数の利用区分が存する宅地等を複数の者が取得した場合の取扱い（共有持分で取得した場合と区分所有登記に基づく敷地利用権を取得した場合の差異）

**質疑**　被相続人甲の相続財産である宅地（面積200㎡）上には、４階建の建物１棟（被相続人甲所有で、各階の床面積はいずれも100㎡で同一です。）があり、相続開始時における建物の利用状況及び２人の共同相続人（配偶者乙及び長男Ａ）の遺産分割協議に当たっての指針は下記に掲げるとおりでした。

| 階 | 相続開始時の利用状況 | 遺産分割協議に当たっての指針 |
|---|---|---|
| ４階 | 甲・乙夫婦の居住用 | 配偶者乙が今後も引き続き居住することを希望 |
| ３階 | 甲経営の貸室事業に供用 | ２階及び３階ともに、今後も引き続き貸室事業に供用すること及び可能であれば、２人の共同相続人で家賃収入を均分にすることを希望 |
| ２階 | 甲経営の貸室事業に供用 | |
| １階 | 甲経営の飲食店業に供用 | 長男Ａが今後も引き続き飲食店事業を継続することを希望 |

上記に掲げる相続財産である宅地及び建物が、次に掲げるとおりの２つの区分に分類された場合に、上掲の遺産分割協議に当たっての指針にも配慮して、それぞれに示される遺産分割の方法を採用したとしたならば、当該宅地に対する小規模宅地等の課税特例の適用関係はどのようになるのか説明してください。

⑴　建物区分所有登記がされておらず共有持分により宅地を取得する場合

|  |  |
|---|---|
| ４階 | 甲・乙夫婦の居住用 |
| ３階 | 貸室事業用 |
| ２階 | 貸室事業用 |
| １階 | 甲の飲食店業用 |
| | 宅地（200㎡） |

⇨

遺産分割の方法

宅地及び建物のすべてについて、配偶者乙及び長男Ａがそれぞれ、共有持分２分の１ずつで取得

⑵　建物が区分所有登記がされており敷地利用権として宅地を取得する場合

|  |  |
|---|---|
| ４階 | 甲・乙夫婦の居住用 |
| ３階 | 貸室事業用 |
| ２階 | 貸室事業用 |
| １階 | 甲の飲食店業用 |
| | 宅地（200㎡） |

⇨

遺産分割の方法

- ４階部分の建物と該当する敷地権（50㎡）を配偶者乙が取得
- ３階部分の建物と該当する敷地権（50㎡）を配偶者乙が取得
- ２階部分の建物と該当する敷地権（50㎡）を長男Ａが取得
- １階部分の建物と該当する敷地権（50㎡）を長男Ａが取得

**応答**

⑴　建物に区分所有登記がされておらず共有持分により宅地を取得する場合

被相続人甲に係る相続により財産を取得した配偶者乙及び長男Ａが、それぞれ取得した持

分に対応する利用区分等に応じて、下記に掲げるとおりに小規模宅地等の課税特例の適用関係を判定します。

なお、応答に当たっては、宅地を取得した者の相続税の申告期限までにおける所有状況及び利用状況に変動がないことを前提としています。以下(2)において同じです。

①　配偶者乙が取得した宅地

| 階数 | 配偶者乙が取得した左に対応する宅地の面積 | 小規模宅地等の課税特例の適用関係 |
|---|---|---|
| ４階部分 | 25㎡ $\left(200㎡\times\frac{1}{4}\text{（階数あん分）}\times\frac{1}{2}\text{（共有持分）}\right)$ | 特定居住用宅地等に該当 |
| ３階部分 | 25㎡ $\left(200㎡\times\frac{1}{4}\text{（階数あん分）}\times\frac{1}{2}\text{（共有持分）}\right)$ | 貸付事業用宅地等に該当 |
| ２階部分 | 25㎡ $\left(200㎡\times\frac{1}{4}\text{（階数あん分）}\times\frac{1}{2}\text{（共有持分）}\right)$ | 貸付事業用宅地等に該当 |
| １階部分 | 25㎡ $\left(200㎡\times\frac{1}{4}\text{（階数あん分）}\times\frac{1}{2}\text{（共有持分）}\right)$ | 適用なし<br>（貸付事業用宅地等の要件を未充足） |

②　長男Ａが取得した宅地

| 階数 | 長男Ａが取得した左に対応する宅地の面積 | 小規模宅地等の課税特例の適用関係 |
|---|---|---|
| ４階部分 | 25㎡ $\left(200㎡\times\frac{1}{4}\text{（階数あん分）}\times\frac{1}{2}\text{（共有持分）}\right)$ | 適用なし<br>（特定居住用宅地等の要件を未充足） |
| ３階部分 | 25㎡ $\left(200㎡\times\frac{1}{4}\text{（階数あん分）}\times\frac{1}{2}\text{（共有持分）}\right)$ | 貸付事業用宅地等に該当 |
| ２階部分 | 25㎡ $\left(200㎡\times\frac{1}{4}\text{（階数あん分）}\times\frac{1}{2}\text{（共有持分）}\right)$ | 貸付事業用宅地等に該当 |
| １階部分 | 25㎡ $\left(200㎡\times\frac{1}{4}\text{（階数あん分）}\times\frac{1}{2}\text{（共有持分）}\right)$ | 特定事業用宅地等に該当 |

⑵　建物が区分所有登記されており敷地利用権として宅地を取得する場合

建物の所有権が建物の区分所有等に関する法律第１条《建物の区分所有》（下記 参考資料 を参照）に規定する区分所有権の目的とされている場合には、専有部分（区分所有権の目的たる建物の部分をいいます。）を所有するために建物の敷地に関して権利が設定されており、これを『敷地利用権』といいます。

**参考資料　建物の区分所有等に関する法律第１条《建物の区分所有》**

> １棟の建物に構造上区分された数個の部分で独立して住居、店舗、事務所又は倉庫その他建物としての用途に供することができるものがあるときは、その各部分は、この法律の定めるところにより、それぞれ所有権の目的とすることができる。

上記の敷地利用権が設定されている場合には、区分所有権の目的とされているそれぞれの建物の状況に応ずる区分によって、下記に掲げるとおりに小規模宅地等の課税特例の適用関係を判定することになります。

①　配偶者乙が取得した宅地

| 階数 | 配偶者乙が取得した左に対応する宅地の面積 | 小規模宅地等の課税特例の適用関係 |
|---|---|---|
| ４階部分 | 50㎡$\left(200㎡\times\frac{1}{4}\text{(階数あん分)}\right)$配偶者乙が区分所有 | 特定居住用宅地等に該当 |
| ３階部分 | 50㎡$\left(200㎡\times\frac{1}{4}\text{(階数あん分)}\right)$配偶者乙が区分所有 | 貸付事業用宅地等に該当 |

②　長男Ａが取得した宅地等

| 階数 | 長男Ａが取得した左に対応する宅地の面積 | 小規模宅地等の課税特例の適用関係 |
|---|---|---|
| ２階部分 | 50㎡$\left(200㎡\times\frac{1}{4}\text{(階数あん分)}\right)$長男Ａが区分所有 | 貸付事業用宅地等に該当 |
| １階部分 | 50㎡$\left(200㎡\times\frac{1}{4}\text{(階数あん分)}\right)$長男Ａが区分所有 | 特定事業用宅地等に該当 |

### ⒇　被相続人が所有する宅地上に異なる利用用途の複数の建物が存する場合における小規模宅地等の課税特例の適用関係（当該宅地を１筆で所有する場合と分筆して所有する場合の差異）

**質疑**　被相続人甲が所有する宅地（面積300㎡）上には、下表のとおりの２棟の建物（Ｘ棟及びＹ棟）が存しており、当該各建物に関する相続開始時から相続税の申告期限までにおける諸状況等は、下表に掲げるとおりとなっていました。

| 棟 | 所有者 | 宅地の利用面積 | 相続開始時における利用状況 | 相続承継者 | 相続税の申告期限までの利用状況 |
|---|---|---|---|---|---|
| Ｘ棟 | 被相続人甲 | 180㎡ | 被相続人甲及び配偶者乙の居住用 | 配偶者乙 | 配偶者乙の居住用として利用 |
| Ｙ棟 | 長男Ａ(注) | 120㎡ | 長男Ａの営む事業用（物品小売業） | － | 長男Ａの事業用として利用 |

(注)　長男Ａは、被相続人甲と生計を一にしています。また、長男Ａは、Ｙ棟の敷地に対応する宅地の利用の対価としての地代を被相続人甲に支払ったという事実はありません。

上記の２棟の建物が所在する宅地が、下記⑴に掲げるとおり１筆である場合と、⑵に掲げるとおりに２棟の建物の所在に応じて２筆に分筆されている場合とでは、それぞれに掲げる態様で当該宅地を取得した配偶者乙及び長男Ａに係る小規模宅地等の課税特例の適用関係はどのようになりますか。

なお、配偶者乙及び長男Ａは、当該取得した宅地を被相続人甲に係る相続税の申告期限まで所有を継続し、かつ、従前と同様の用に供しています。

(1)　宅地が１筆である場合

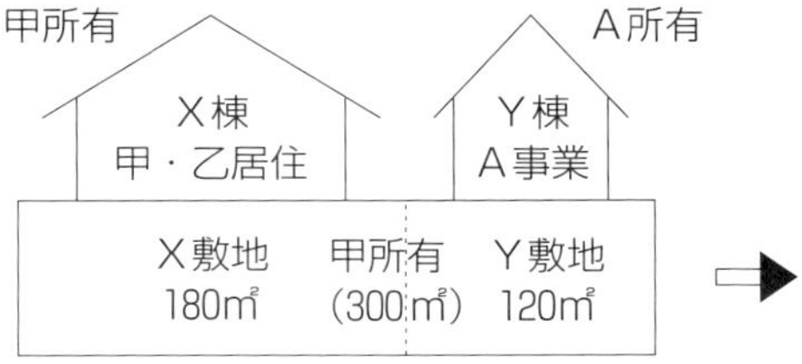


（宅地の分割方法）
配偶者乙が10分の６、長男Aが10分の４の割合で共有持分により、それぞれ相続

(2)　２棟の建物に応じて２筆に分筆されている場合

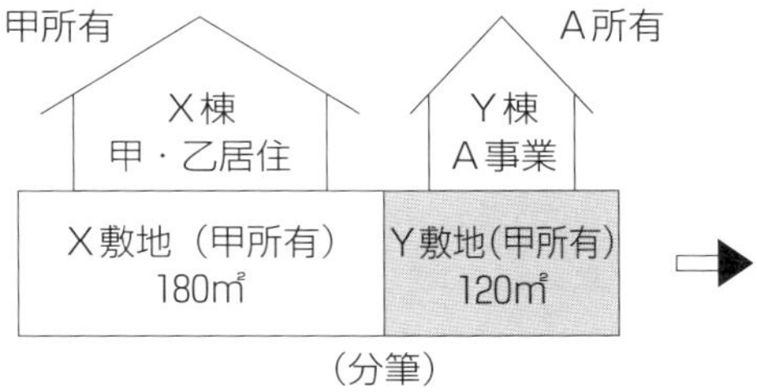


（宅地の分割方法）
配偶者乙がX敷地を、長男AがY敷地をそれぞれ、単独で相続

## 応答

(1)　宅地が１筆である場合

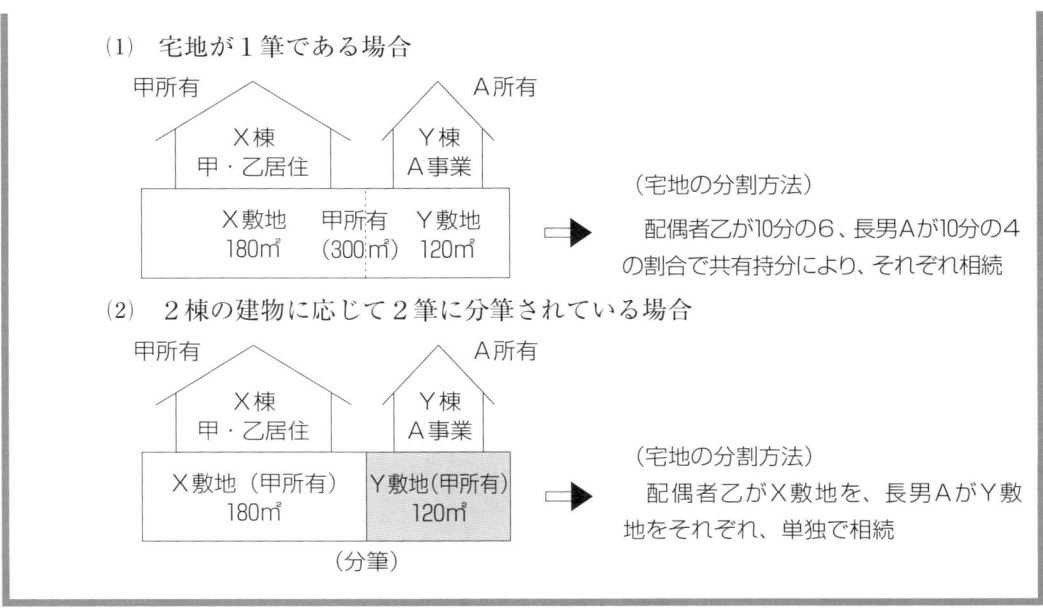

**質疑** の事例の場合、前提条件から配偶者乙が取得したX棟（被相続人甲及び配偶者乙の居住用家屋）に対応するX敷地（面積180㎡）部分は特定居住用宅地等に、また、長男Aが取得したY棟（被相続人甲と生計を一にする親族Aの事業用家屋）に対応するY敷地（面積120㎡）部分は特定事業用宅地等に、それぞれ該当することになります。

次に、上記(1)の場合、宅地のうち配偶者乙が取得した共有持分10分の６及び長男Aが取得した共有持分10分の４が、それぞれX敷地及びY敷地に対してどのような対応関係を有するのかがポイントになりますが、(1)の場合には共有持分による取得であることから、次のとおりの対応関係となり、これをもとに小規模宅地等の課税特例の適用関係を判断すると下表に掲げるとおりとなります。

| 各敷地 | 各相続人が取得した各敷地の持分に対応する面積 | 小規模宅地等の課税特例の適用関係 |
|---|---|---|
| X敷地<br>（180㎡） | 配偶者乙取得持分10分の６対応面積：108㎡$\left(180㎡\times\frac{6}{10}\right)$ | 特定居住用宅地等に該当（被相続人の配偶者が取得） |
| | 長男A取得持分10分の４対応面積：72㎡$\left(180㎡\times\frac{4}{10}\right)$ | 適用なし（長男Aは特定居住用宅地等の要件を未充足） |
| Y敷地<br>（120㎡） | 配偶者乙取得持分10分の６対応面積：72㎡$\left(120㎡\times\frac{6}{10}\right)$ | 適用なし（配偶者乙は特定事業用宅地等の要件を未充足） |
| | 長男A取得持分10分の４対応面積：48㎡$\left(120㎡\times\frac{4}{10}\right)$ | 特定事業用宅地等に該当（被相続人と生計を一にする親族が取得） |

なお、上記の判断に当たって、相続財産である１筆の宅地（面積300㎡）につき、配偶者乙が取得した持分10分の６に対応する面積180㎡ $\left(300㎡\times\frac{6}{10}\right)$ はX敷地（面積180㎡）から

優先的になるものとしてその全体が特定居住用宅地等に該当し、また、長男Ａが取得した持分10分の４に対応する面積120㎡ $\left(300㎡\times\frac{4}{10}\right)$ はＹ敷地（面積120㎡）から優先的になるものとしてその全体が特定事業用宅地等に該当するとの考え方（一種の優先的充当法）を採用することは認められていませんので留意する必要があります。

⑵　２棟の建物の敷地に応じて２筆に分筆されている場合

**質疑** の事例の場合、前提条件から配偶者乙が取得したＸ棟（被相続人甲及び配偶者乙の居住用家屋）に対応するＸ敷地（面積180㎡）部分は特定居住用宅地等に、また、長男Ａが取得したＹ棟（被相続人甲と生計を一にする親族Ａの事業用家屋）に対応するＹ敷地（面積120㎡）部分は特定事業用宅地等に、それぞれ該当することになります。

次に、上記⑵の場合には、２棟（Ｘ棟・Ｙ棟）の建物の配置に応じてその敷地たる宅地が２筆に分筆されて利用されており、かつ、遺産分割協議の結果、当該２筆の宅地の取得者も確定しているとのことですから、これをもとに小規模宅地等の課税特例の適用関係を判断すると下表のとおりとなります。

| 各敷地 | 各敷地の取得者 | 小規模宅地等の課税特例の適用関係 |
|---|---|---|
| Ｘ敷地（180㎡） | 配偶者乙が単独で取得 | 特定居住用宅地等に該当（被相続人の配偶者が取得） |
| Ｙ敷地（120㎡） | 長男Ａが単独で取得 | 特定事業用宅地等に該当（被相続人と生計を一にする親族が取得） |

### ㉑　貸家及びその敷地の用に供されている宅地のそれぞれが共有持分からなっている場合の小規模宅地等の課税特例の適用関係

**質疑**　被相続人甲の相続財産のうちには、次に掲げる２か所の貸家及びその敷地の用に供されている宅地があります。これらの不動産はいずれも、被相続人甲及び同人と生計を別にする長男Ａの２人による共有持分で取得しています。

被相続人甲に係る遺産分割協議の結果、当該貸家及びその敷地の用に供されている宅地のうち被相続人甲に帰属する共有持分については、同人の配偶者乙が相続により取得し相続税の申告期限まで継続して所有し貸家事業の用に供しています。

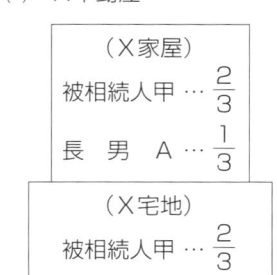

⑴　Ｘ不動産

（Ｘ家屋）
被相続人甲 … $\frac{2}{3}$
長　男　Ａ … $\frac{1}{3}$

（Ｘ宅地）
被相続人甲 … $\frac{2}{3}$
長　男　Ａ … $\frac{1}{3}$

⑵　Ｙ不動産

（Ｙ家屋）
被相続人甲 … $\frac{2}{3}$
長　男　Ａ … $\frac{1}{3}$

（Ｙ宅地）
被相続人甲 … $\frac{3}{4}$
長　男　Ａ … $\frac{1}{4}$

（注）　左記⑴及び⑵の場合において、被相続人甲及び長男Ａとの相互間において、土地の利用の対価としての金銭等の収受は一切認められませんでした。

上記の場合において、配偶者乙が相続により取得した宅地に係る小規模宅地等の課税特例の適用関係はどのようになりますか。

## 応答

上記(1)に掲げるＸ不動産及び(2)に掲げるＹ不動産は共に、家屋及びその敷地の用に供されている宅地は共有持分による所有状態にあり、かつ、当該共有者が家屋及び宅地について同一人（質疑 の事例では、被相続人甲及び長男Ａ）となっています。

上記のような状況にある場合におけるそれぞれの共有持分者が有する家屋及びその敷地の用に供されている宅地の対応関係については、次に掲げる２とおりの考え方が理論的には存在します。

考え方１　被相続人甲及び長男Ａは、それぞれが有する各土地（Ｘ宅地・Ｙ宅地）に係る自己の共有持分に係る範囲内で優先的に各建物（Ｘ家屋・Ｙ家屋）に係る自己の共有持分を有し、これに該当しない共有持分に係る部分において、宅地の使用貸借契約が締結されていると解することを相当とする。

考え方２　共有持分は、そもそも、その所有部分を特定しないのであるから、上記 考え方１ に示すような宅地に係る自己の共有持分の範囲内で優先的に建物に係る自己の共有持分を有するとの考え方は相当ではなく、家屋及び宅地の共有持分の数値の如何にかかわらず、共有者相互間に宅地の使用貸借契約が締結されていると解することを相当とする。

上記(1)及び(2)に掲げる事例につき、考え方１ 又は 考え方２ を適用して被相続人甲が所有する各宅地に共有持分についてその取扱いを示すと、それぞれ、次のとおりとなります。

(1)　Ｘ宅地

①　考え方１ によった場合

(イ)　被相続人甲が有する宅地の共有持分……$\frac{2}{3}$

(ロ)　被相続人甲が有する家屋の共有持分……$\frac{2}{3}$

(ハ)　(イ)＝(ロ)

∴　被相続人甲が有するＸ宅地に係る共有持分上に、同人が有するＸ家屋に係る共有持分が存在し、質疑 の前提条件から、当該宅地に係る共有持分 $\left(\frac{2}{3}\right)$ はその全てが貸家建付地となり、かつ、貸付事業用宅地等に該当します。

②　考え方２ によった場合

(イ)　被相続人甲の貸家建付地に該当する部分

$\frac{2}{3}$（被相続人甲のＸ宅地の共有持分）× $\frac{2}{3}$（被相続人甲のＸ家屋の共有持分）＝ $\frac{4}{9}$

(ロ)　被相続人甲の使用貸借による貸地に該当する部分

$\frac{2}{3}$（被相続人甲のＸ宅地の共有持分）× $\frac{1}{3}$（長男ＡのＸ家屋の共有持分）＝ $\frac{2}{9}$

∴　質疑 の前提条件から、(イ)に係る部分 $\left(\frac{4}{9}\right)$ は貸家建付地として貸付事業用宅地等に該当し、(ロ)に係る部分 $\left(\frac{2}{9}\right)$ は自用地として小規模宅地等の課税特例の適用はない（生計別の親族Ａの貸付事業用に該当するため）ものに該当します。

(2)　Ｙ宅地

①　考え方１ によった場合

(イ)　被相続人甲が有する宅地の共有持分……$\frac{3}{4}$ $\left(\frac{9}{12}\right)$

(ロ)　被相続人甲が有する家屋の共有持分……$\frac{2}{3}$ $\left(\frac{8}{12}\right)$

∴　上記(イ)及び(ロ)の対応関係

㋑　上記(イ) $\left(\frac{9}{12}\right)$ のうち(ロ) $\left(\frac{8}{12}\right)$ に達するまでの部分 $\left(\frac{8}{12}\right)$ は、貸家建付地として貸付事業用宅地等に該当します。

㋺　上記(イ) $\left(\frac{9}{12}\right)$ のうち㋑に該当する部分 $\left(\frac{8}{12}\right)$ 以外の部分 $\left(\frac{1}{12}\right)$ は、自用地として小規模宅地等の課税特例の適用はない（生計別の親族Ａの貸付事業用に該当するため）ものに該当します。

②　考え方２ によった場合

(イ)　被相続人甲の貸家建付地に該当する部分

$\frac{3}{4}$（被相続人甲のＹ宅地の共有持分）× $\frac{2}{3}$（被相続人甲のＹ家屋の共有持分）＝ $\frac{6}{12}$

(ロ)　被相続人甲の使用貸借による貸地に該当する部分

$\frac{3}{4}$（被相続人甲のＹ宅地の共有持分）× $\frac{1}{3}$（長男ＡのＹ家屋の共有持分）＝ $\frac{3}{12}$

∴　**質疑** の前提条件から、(イ)に係る部分 $\left(\frac{6}{12}\right)$ は貸家建付地として貸付事業用宅地等に該当し、(ロ)に係る部分 $\left(\frac{3}{12}\right)$ は自用地として小規模宅地等の課税特例の適用はない（生計別の親族Ａの貸付事業用に該当するため）ものに該当します。

上記に掲げる２とおりの考え方について、一般的には、それぞれ自己が有する共有持分に対応する土地に係る部分につき優先的に当該自己が有する共有持分に対応する家屋が存在していると理解しているものと考えられていることから、考え方１ によって取り扱うことが相当であると考えられます。

よって、Ｘ宅地については上記(1)①、Ｙ宅地については上記(2)①に示すところによって、小規模宅地等の課税特例の適用とすることが相当であると考えられます。

## ㉒　財産評価基本通達に定める地積規模の大きな宅地に対する小規模宅地等の課税特例の適用可否

**質疑**　被相続人甲は何代にもわたって物品小売業を営んでおり、当該事業に供用されていた建物及びその敷地たる宅地（評価等に必要な資料は、下記を参照）は、被相続人甲の長男Ａが相続により取得しました。

そして、長男Ａは、被相続人甲に係る相続税の申告期限までに物品小売業を承継し、かつ、当該宅地を継続して所有することにより同事業の用に供しています。

すなわち、小規模宅地等の課税特例の適用対象区分である『特定事業用宅地等』に該当するものと認められます。

そして、当該宅地は、資料に掲げる条件から判断すると、財産評価基本通達20－２《地積規模の大きな宅地の評価》に定める地積規模の大きな宅地にも該当していると判断されます。

そうすると、用語による感覚的な思考に過ぎませんが、『地積規模の大きな宅地』に対して『小規模宅地等の課税特例』を適用することは認められるのでしょうか。

また、併せて**事例**に掲げる宅地の相続税の課税価格に算入すべき金額はいくらになるのか算定してください。

**事例**　評価対象地（物品小売業用店舗の敷地である宅地）の状況等

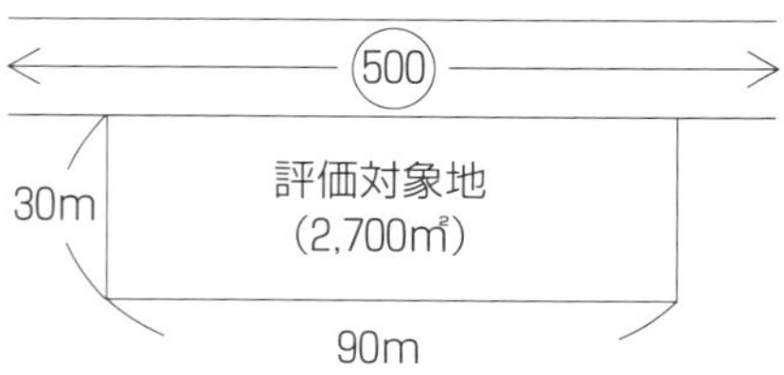


- 所在地……大阪市北区（三大都市圏に該当）
- 地区区分……普通商業・併用住宅地区
- 奥行価格補正率……1.00（30m）
- 都市計画法の区域区分……市街化区域
- 都市計画法の用途地域……商業地域
- 指定容積率……300%

**応答**

⑴　地積規模の大きな宅地の評価

平成30年１月１日以後に開始した相続、遺贈又は贈与により取得した財産の評価については、財産評価基本通達20－２《地積規模の大きな宅地の評価》の定めが適用されることになりました。

同通達は、平成29年度税制改正の大綱において、資産課税における相続税等の財産評価の適正化を図ることを目的として、相続税法の時価主義の下、実態を踏まえて、広大地の評価（平成29年12月31日限りで廃止されました。）について、面積に比例的に減額する評価方法から、各土地の個性に応じて形状・面積に基づき評価する方法に見直すとともに、適用要件を明確化する旨が明記され、これに伴って新設されたものです。

同通達に定められた地積規模の大きな宅地の評価では、新たに『規模格差補正率』を設け、地積規模の大きな宅地を戸建住宅用地として分割分譲する場合に発生する減価のうち、主に地積に依拠する次の①から③の減価を反映させたものであるとされています。

①　戸建住宅用地としての分割分譲に伴う潰れ地の負担による減価

②　戸建住宅用地としての分割分譲に伴う工事・整備費用等の負担による減価

③　開発分譲業者の事業収益・事業リスク等の負担による減価

同通達の定めの概要は、下記に掲げる資料のとおりとなります。

**資料　財産評価基本通達20－２《地積規模の大きな宅地の評価》の定め（概要）**

**(1)　地積規模の大きな宅地の定義**

財産評価基本通達20－２《地積規模の大きな宅地の評価》に定める地積規模の大きな宅地とは、下記に掲げる①から③までの要件のすべてを充足している宅地をいいます。

①　三大都市圏（注）においては500㎡以上の地積の宅地、それ以外の地域においては1,000㎡以上の地積の宅地であること。

②　次の(イ)から(ハ)までのいずれかに該当するものでないこと。

(イ)　市街化調整区域に所在する宅地

ただし、これに該当しても当該市街化調整区域が都市計画法第34条《開発許可の基準》第10号又は第11号の規定に基づき宅地分譲に係る同法第４条《定義》第12項に規定する開発行為を行うことができる区域を除きます。

(ロ)　都市計画法第８条《地域地区》第１項第１号に規定する工業専用地域に所在する宅地

注　㋑　倍率地域に所在する宅地にあっては、財産評価基本通達22－２《大規模工場用地》に定める大規模工場用地に該当する宅地も含まれます。（適用除外地に該当します。）

㋺　評価の対象となる宅地等が用途地域の定められていない地域にある場合には、工業専用地域に指定されている地域以外の地域に所在するものと判定されます。

(ハ)　容積率（建築基準法第52条《容積率》第１項に規定する建築物の延べ面積の敷地面積に対する割合をいいます。）が10分の40以上の地域に所在する宅地

ただし、東京都の特別区（地方自治法第281条《特別区》第１項に規定する特別区をいいます。）においては、10分の30以上の地域に所在する宅地

③　財産評価基本通達14－２《地区》の定めにより、普通商業・併用住宅地区及び普通住宅地区として定められた地域に所在すること。

（注）『三大都市圏』とは、次の地域をいいます。

(A)　首都圏整備法第２条《定義》第３項に規定する既成市街地又は同条第４項に規定する近郊整備地帯

(B)　近畿圏整備法第２条《定義》第３項に規定する既成都市区域又は同条第４項に規定する近郊整備区域

(C)　中部圏開発整備法第２条《定義》第３項に規定する都市整備区域

上記に掲げる三大都市圏に該当する具体的な地方自治体（都市）の名称は、次に掲げる参考１のとおりとなります。

**参考１**　**三大都市圏に該当する都市**（平成28年４月１日現在）

| 圏名 | 都道府県名 | | 都市名 |
|---|---|---|---|
| 首都圏 | 東京都 | 全域 | 特別区、武蔵野市、八王子市、立川市、三鷹市、青梅市、府中市、昭島市、調布市、町田市、小金井市、小平市、日野市、東村山市、国分寺市、国立市、福生市、狛江市、東大和市、清瀬市、東久留米市、武蔵村山市、多摩市、稲城市、羽村市、あきる野市、西東京市、瑞穂町、日の出町 |
| | 埼玉県 | 全域 | さいたま市、川越市、川口市、行田市、所沢市、加須市、東松山市、春日部市、狭山市、羽生市、鴻巣市、上尾市、草加市、越谷市、蕨市、戸田市、入間市、朝霞市、志木市、和光市、新座市、桶川市、久喜市、北本市、八潮市、富士見市、三郷市、蓮田市、坂戸市、幸手市、鶴ヶ島市、日高市、吉川市、ふじみ野市、白岡市、伊奈町、三芳町、毛呂山町、越生町、滑川町、嵐山町、川島町、吉見町、鳩山町、宮代町、杉戸町、松伏町 |
| | | 一部 | 熊谷市、飯能市 |
| | 千葉県 | 全域 | 千葉市、市川市、船橋市、松戸市、野田市、佐倉市、習志野市、柏市、流山市、八千代市、我孫子市、鎌ケ谷市、浦安市、四街道市、印西市、白井市、富里市、酒々井町、栄町 |
| | | 一部 | 木更津市、成田市、市原市、君津市、富津市、袖ケ浦市 |
| | 神奈川県 | 全域 | 横浜市、川崎市、横須賀市、平塚市、鎌倉市、藤沢市、小田原市、茅ケ崎市、逗子市、三浦市、秦野市、厚木市、大和市、伊勢原市、海老名市、座間市、南足柄市、綾瀬市、葉山町、寒川町、大磯町、二宮町、中井町、大井町、松田町、開成町、愛川町 |
| | | 一部 | 相模原市 |
| | 茨城県 | 全域 | 龍ケ崎市、取手市、牛久市、守谷市、坂東市、つくばみらい市、五霞町、境町、利根町 |
| | | 一部 | 常総市 |
| 近畿圏 | 京都府 | 全域 | 亀岡市、向日市、八幡市、京田辺市、木津川市、久御山町、井手町、精華町 |
| | | 一部 | 京都市、宇治市、城陽市、長岡京市、南丹市、大山崎町 |
| | 大阪府 | 全域 | 大阪市、堺市、豊中市、吹田市、泉大津市、守口市、富田林市、寝屋川市、松原市、門真市、摂津市、高石市、藤井寺市、大阪狭山市、忠岡町、田尻町 |
| | | 一部 | 岸和田市、池田市、高槻市、貝塚市、枚方市、茨木市、八尾市、泉佐野市、河内長野市、大東市、和泉市、箕面市、柏原市、羽曳野市、東大阪市、泉南市、四條畷市、交野市、阪南市、島本町、豊能町、能勢町、熊取町、岬町、太子町、河南町、千早赤阪村 |
| | 兵庫県 | 全域 | 尼崎市、伊丹市 |
| | | 一部 | 神戸市、西宮市、芦屋市、宝塚市、川西市、三田市、猪名川町 |
| | 奈良県 | 全域 | 大和高田市、安堵町、川西町、三宅町、田原本町、上牧町、王寺町、広陵町、河合町、大淀町 |
| | | 一部 | 奈良市、大和郡山市、天理市、橿原市、桜井市、五條市、御所市、生駒市、香芝市、葛城市、宇陀市、平群町、三郷町、斑鳩町、高取町、明日香村、吉野町、下市町 |
| 中部圏 | 愛知県 | 全域 | 名古屋市、一宮市、瀬戸市、半田市、春日井市、津島市、碧南市、刈谷市、安城市、西尾市、犬山市、常滑市、江南市、小牧市、稲沢市、東海市、大府市、知多市、知立市、尾張旭市、高浜市、岩倉市、豊明市、日進市、愛西市、清須市、北名古屋市、弥富市、みよし市、あま市、長久手市、東郷町、豊山町、大口町、扶桑町、大治町、蟹江町、阿久比町、東浦町、南知多町、美浜町、武豊町、幸田町、飛島村 |
| | | 一部 | 岡崎市、豊田市 |
| | 三重県 | 全域 | 四日市市、桑名市、木曽岬町、東員町、朝日町、川越町 |
| | | 一部 | いなべ市 |

（注）『一部』の欄に表示されている市町村は、その行政区域の一部が区域指定されているものです。評価対象となる宅地等が指定された区域内に所在するか否かは、各市町村又は府県の窓口で確認する必要があります。

参考2　『地積規模の大きな宅地の評価』の適用対象の判定のためのフローチャート

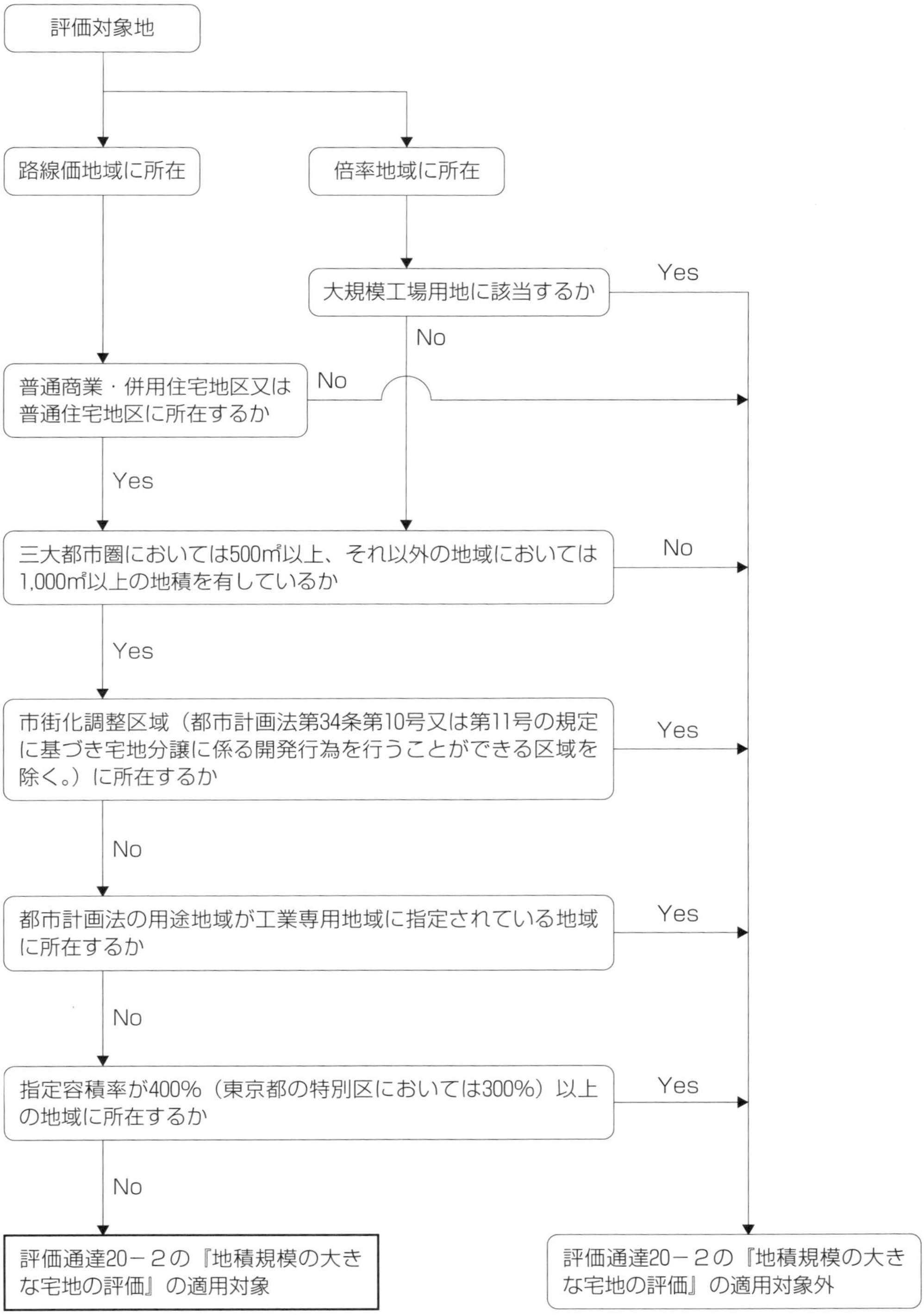

⑵　評価方法

①　地積規模の大きな宅地が路線価地域に所在する場合

上記⑴に掲げる要件を充足する地積規模の大きな宅地の価額は、財産評価基本通達15《奥行価格補正》から同通達20《不整形地の評価》（注）までの定めにより計算した価額に、その宅地の地積の規模に応じて、次の（算式１）により求めた規模格差補正率を乗じて計算した価額によって評価します。この取扱いを算式に示すと下記（算式２）のとおりになります。

（算式１）規模格差補正率

$$規模格差補正率＝\frac{Ⓐ×Ⓑ＋Ⓒ}{地積規模の大きな宅地の地積（Ⓐ）}×0.8$$（小数点以下第２位未満切捨て）

上記算式中の『Ⓑ』及び『Ⓒ』は、地積規模の大きな宅地が所在する地域（三大都市圏の地域又は三大都市圏以外の地域）に応じて、それぞれ次に掲げる表のとおりとされています。

⑴　三大都市圏に所在する宅地

| 地区区分／記号／地積 | 普通商業・併用住宅地区、普通住宅地区 | |
|---|---|---|
| | Ⓑ | Ⓒ |
| 500㎡以上1,000㎡未満 | 0.95 | 25 |
| 1,000㎡以上3,000㎡未満 | 0.90 | 75 |
| 3,000㎡以上5,000㎡未満 | 0.85 | 225 |
| 5,000㎡以上 | 0.80 | 475 |

⑵　三大都市圏以外の地域に所在する宅地

| 地区区分／記号／地積 | 普通商業・併用住宅地区、普通住宅地区 | |
|---|---|---|
| | Ⓑ | Ⓒ |
| 1,000㎡以上3,000㎡未満 | 0.90 | 100 |
| 3,000㎡以上5,000㎡未満 | 0.85 | 250 |
| 5,000㎡以上 | 0.80 | 500 |

（算式２）　路線価を基に算定した地積規模の大きな宅地の評価の定めを適用する前の１㎡当たりの価額×上記（算式１）により求めた『規模格差補正率』×地積

参考３　具体的な規模格差補正率

| 地積 | 規模格差補正率 | |
|---|---|---|
| | 三大都市圏 | 三大都市圏以外 |
| 500㎡ | 0.80 | − |
| 600㎡ | 0.79 | − |
| 700㎡ | 0.78 | − |
| 800㎡ | 0.78 | − |
| 900㎡ | 0.78 | − |
| 1,000㎡ | 0.78 | 0.80 |
| 1,500㎡ | 0.76 | 0.77 |
| 2,000㎡ | 0.75 | 0.76 |
| 2,500㎡ | 0.74 | 0.75 |
| 3,000㎡ | 0.74 | 0.74 |
| 3,500㎡ | 0.73 | 0.73 |
| 4,000㎡ | 0.72 | 0.73 |

| 地積 | 規模格差補正率 | |
|---|---|---|
| | 三大都市圏 | 三大都市圏以外 |
| 4,500㎡ | 0.72 | 0.72 |
| 5,000㎡ | 0.71 | 0.72 |
| 6,000㎡ | 0.70 | 0.70 |
| 7,000㎡ | 0.69 | 0.69 |
| 8,000㎡ | 0.68 | 0.69 |
| 9,000㎡ | 0.68 | 0.68 |
| 10,000㎡ | 0.67 | 0.68 |
| 20,000㎡ | 0.65 | 0.66 |
| 30,000㎡ | 0.65 | 0.65 |
| 40,000㎡ | 0.64 | 0.65 |
| 50,000㎡ | 0.64 | 0.64 |
| 100,000㎡ | 0.64 | 0.64 |

（注）財産評価基本通達20－２《地積規模の大きな宅地の評価》の定めでは、規模格差補正率は、同通達15《奥行価格補正》から20《不整形地の評価》までの各定めとの重複適用が可能とされています。

なお、規模格差補正率が上掲以外の他の画地補正率等と重複適用できるか否かについて、財産評価基本通達及び平成29年10月３日付けで国税庁から公開された「『財産評価基本通達の一部改正について』通達等のあらましについて（情報）」（資産評価企画官情報第５号）の各定めでは、地積規模の大きな宅地の評価に当たって規模格差補正率を適用した場合であっても、次に掲げる財産評価基本通達の各定めとの重複適用が必要とされる旨が示されています。

㈠ 財産評価基本通達20－３《無道路地の評価》
㈡ 財産評価基本通達20－４《間口が狭小な宅地等の評価》
㈢ 財産評価基本通達20－５《がけ地等を有する宅地の評価》
㈣ 財産評価基本通達20－６《土砂災害特別警戒区域内にある宅地の評価》
㈤ 財産評価基本通達20－７《容積率の異なる２以上の地域にわたる宅地の評価》
㈥ 財産評価基本通達24－６《セットバックを必要とする宅地の評価》

② 地積規模の大きな宅地が倍率地域に所在する場合

財産評価基本通達20－２《地積規模の大きな宅地の評価》に定める地積規模の大きな宅地が倍率地域に所在する場合の当該宅地の価額は、次の(イ)又は(ロ)に掲げる価額のうち、いずれか低い金額によって評価します。

(イ) 評価対象地である宅地の固定資産税評価額に地価事情の類似する地域ごとに、その地域にある宅地の売買実例価額、公示価格、不動産鑑定士等による鑑定評価額、精通者意見価格等を基として国税局長の定める倍率を乗じて計算した金額によって評価します。（(算式１）を参照）

（算式１）　評価対象地である宅地の固定資産税評価額 × 宅地の評価倍率

(ロ) 倍率地域に所在する地積規模の大きな宅地（財産評価基本通達22－２《大規模工場用地》に定める大規模工場用地に該当する宅地を除きます。）につき、その宅地が標準的な間口距離及び奥行距離を有する宅地であるとした場合の１㎡当たりの価額を財産評価基本通達14《路線価》に定める路線価とし、かつ、その宅地が財産評価基本通達14－２《地区》に定める普通住宅地区に所在するものとして、財産評価基本通達20－２《地積規模の大きな宅地の評価》の定めに準じて計算した価額によって評価します。((算式２）を参照)

（算式２）　その宅地が標準的な間口距離及び奥行距離を有する宅地であるとした場合の１㎡当たりの価額 × 各種画地調整補正率等 × 規模格差補正率 × 地積

（注）『その宅地が標準的な間口距離及び奥行距離を有する宅地であるとした場合の１㎡当たりの価額』（上記＿＿部分）は、付近にある標準的な画地規模を有する宅地の価額との均衡を考慮して算定する必要があります。

具体的には、評価対象となる宅地の近傍の固定資産税評価に係る標準宅地（近傍標準宅地）の１㎡当たりの価額を基に計算することが考えられますが、当該近傍標準宅地が固定資産税評価に係る各種補正の適用を受ける場合には、その適用がないものとしたときの１㎡当たりの価額に基づき計算することに留意する必要があります。

⑵　地積規模の大きな宅地に対する小規模宅地等の課税特例の適用

上記⑴に掲げるとおり、財産評価基本通達に定める地積規模の大きな宅地の評価は、地積規模の大きな宅地を戸建住宅用地として分割分譲する場合に発生する減価のうち主に地積に依拠する減価要素を反映させたものとされています。

また、措置法に規定する小規模宅地等の課税特例は、被相続人からの相続又は遺贈により取得した財産（宅地等）のなかには、当該財産を承継した相続人等の生活基盤となるべきものでその処分の相当の制約や困難を伴うものが想定されることから、被相続人の相続財産である一定の宅地等については、その処分の制約性をしんしゃく配慮して一定の減額をしてこれを相続税の課税価格に算入するという規定です。

すなわち、財産評価基本通達に定める地積規模の大きな宅地の評価は、相続財産である宅地の価額を算定するための定めであり、一方、措置法に規定する小規模宅地等の課税特例は、上記で算定した宅地の価額を相続税の課税価格に算入するに当たって、一定の事情を考慮した租税政策面におけるしんしゃく配慮の規定であって、両者はその趣旨、適用段階等を根本的に異するものであるといえます。

また、措置法に規定する小規模宅地等の課税特例は、その適用要件として、要旨、「個人が相続又は遺贈により取得した財産のうちに、当該相続の開始の直前において、被相続人等の事業の用又は居住の用に供されていた宅地等で一定の建物又は構築物の敷地の用に供されているもので一定のもの（特例対象宅地等）がある場合において、(以下略)」と規定されているところ、当該特例対象宅地等の範囲から財産評価基本通達に定める地積規模の大きな宅地に該当するものを除く旨の規定も設けられていません。

以上より、財産評価基本通達に定める地積規模の大きな宅地に対しても、その適用要件を充足しているのであれば、措置法に規定する小規模宅地等の課税特例を適用することは可能とされています。

⑶　**事例**の評価対象地の相続税の課税価格に算入すべき金額

①　評価対象地の相続税評価額（財産評価基本通達に定める地積規模の大きな宅地の評価

の定めの適用後）

(イ)　500千円 × 1.00 × 0.74（注） ＝370千円
（正面路線価）（奥行価格補正率）（規模格差補正率）

（注）規模格差補正率

$$\frac{2{,}700㎡ \times 0.90 + 75}{2{,}700㎡} \times 0.8 = 0.742\sim \to 0.74$$（小数点以下第３位未満切捨て）

判断基準

㋑　地積要件

2,700㎡（評価対象地の面積）≧500㎡（三大都市圏である場合の地積要件）

∴　地積要件を充足

㋺　区域区分要件

評価対象地は、市街化区域（市街化調整区域以外）に所在

∴　区域区分要件を充足

㋩　地域区分要件

評価対象地は商業地域（工業専用地域以外）に所在

∴　地域区分要件を充足

㋥　容積率要件

評価対象地に係る指定容積率は300％（指定容積率400％未満（東京都の特別区以外の場合）に該当）

∴　容積率要件を充足

㋭　地区区分要件

評価対象地は、普通商業・併用住宅地区に所在

∴　地区区分要件を充足

(ロ)　370千円 × 2,700㎡ ＝ 999,000千円
（上記(イ)）（面積）（評価対象地の相続税評価額）

②　相続税の課税価格に算入すべき金額（小規模宅地等の課税特例の適用後）

$$999{,}000千円 - 999{,}000千円 \times \frac{400㎡}{2{,}700㎡} \times 80\% = 880{,}600千円$$

（上記①(ロ)）（上記①(ロ)）（相続税の課税価格に算入すべき金額）

## ㉓　特定非常災害により相続税の申告書の提出期限が延長されている場合における小規模宅地等の課税特例の適用要件である「所有継続」及び「居住継続」の各要件の判定方法

**質疑**

令和３年12月15日に被相続人甲に相続開始があり、同人の相続人である長男（住所：Ａ県Ｂ市）及び長女（住所：Ｘ県Ｙ市）は、いずれも同日に被相続人甲に係る相続開始があったことを知りました。

被相続人甲の相続財産のうちには下記に掲げるものがあり、令和４年６月20日に実施された遺産分割協議によって、取得者も確定しています。

| 財産 | 財産の状況等 | 取得者 |
|---|---|---|
| Ａ宅地<br>Ａ建物 | Ａ建物はＡ宅地（面積250㎡）上に建築されたもので、Ａ県Ｂ市に所在しており、被相続人甲及び長男が居住の用に供していたものです。 | 長男 |
| Ｘ宅地 | Ｘ県Ｙ市に所在する宅地で、未利用地でした。 | 長女 |

長男は、同人が被相続人甲に係る相続税の申告期限であると考えている令和４年10月15日までは上記のＡ宅地及びＡ建物を継続して保有し、かつ、居住の用に供する予定でいますが、その後は、同人の勤務の関係から令和４年中には売却してしまいたいと考えています。

上掲のような状況下で、令和４年７月26日に台風による大災害（特定非常災害に指定されています。）が発生し、長女の住所地であるＸ県Ｙ市が「特定地域」に指定されたため、措置法第69条の８《相続税及び贈与税の申告書の提出期限の特例》の規定により、被相続人甲に係る相続税の申告期限が令和５年５月26日まで延長されることとなりました。

幸いなことに、長男及び長女ともに当該災害による被害はなく、被相続人甲に係る相続税の申告及び納付は、被相続人甲に係る相続開始日より10か月以内の令和４年８月中には完了する予定です。

このような場合、長男が取得したＡ宅地を小規模宅地等の課税特例の適用対象である特定居住用宅地等として取り扱うために長男に求められている「所有継続」及び「居住継続」の各要件として規定されている被相続人甲に係る相続税法第27条《相続税の申告書》の規定による申告書の提出期限はいつになりますか。

また、長男が予定どおりにＡ宅地及びＡ建物を売却した場合に、長男は、小規模宅地等の課税特例の適用を受けることが認められますか。

**応答**

(1)　特定居住用宅地等の適用要件（被相続人と同居の親族である場合）

被相続人等の居住の用に供されていた宅地等が特定居住用宅地等に該当するケースの１つとして、当該宅地等を取得（注）した者が、下記①から③に掲げる一定の要件を充足した被相続人と同居の親族である場合が挙げられています。

（注）当該宅地等を複数で共同相続（遺贈）により取得した場合には、当該被相続人の配偶者が相続又は遺贈により取得した持分の割合に応ずる部分又は一定の要件を充足する当該被相続人の親族（当該被相続人の配偶者を除きます。以下本問において同じです。）が相続又は遺贈により取得した持分の割合に応ずる部分に限られています。

①　同居親族の要件　当該親族が、相続開始の直前において当該宅地等の上に存する被相続人の居住の用に供されていた家屋に居住していた者であること

②　所有継続の要件　当該親族が、相続開始時から相続税法第27条《相続税の申告書》、第29条《相続財産法人に係る財産を与えられた者等に係る相続税の申告書》又は第31条《修正申告の特則》第２項の規定による申告書の提出期限（以下「相続税の申告期限」といいます。）（当該親族が相続税の申告期限前に死亡した場合には、その死亡の日。以下③において同じ。）まで引き続き当該宅地等を所有していること

③　居住継続の要件　当該親族が、相続税の申告期限まで当該家屋に居住していること

⑵　相続税の申告期限の解釈

相続税法第27条《相続税の申告書》第１項では、要旨、相続又は遺贈により財産を取得した者で一定の要件（申告義務要件）を充足する者は、その相続の開始があったことを知った日の翌日から10か月以内に所定の事項を記載した申告書を納税地の所轄税務署長に提出しなければならないと規定されています。

また、措置法第69条の８《相続税及び贈与税の申告書の提出期限の特例》では、要旨、同一の被相続人から相続又は遺贈により財産を取得した全ての者のうちに、(X)措置法第69条の６《特定土地等及び特定株式等に係る相続税の課税価格の計算の特例》（注１）の規定の適用を受けることができる者がいる場合において、当該相続又は遺贈により財産を取得した者が相続税法第27条《相続税の申告書》の規定により提出すべき申告書の提出期限が「特定日」（注２）の前日以前であるときは、(Y)当該申告書の提出期限は、特定日とすると規定されています。

（注１）措置法第69条の６《特定土地等及び特定株式等に係る相続税の課税価格の計算の特例》では、要旨、特定非常災害（注１）に係る特定非常災害発生日（注２）前に相続又は遺贈により財産を取得した者があり、かつ、当該相続又は遺贈に係る相続税法第27条《相続税の申告書》第１項の規定により提出すべき申告書の提出期限が当該特定非常災害発生日以後である場合において、その者が当該相続又は遺贈により取得した財産で当該特定非常災害発生日において所有していたもののうちに、当該特定非常災害により被災者生活再建支援法第３条《被災者生活再建支援金の給付》第１項の規定の適用を受ける地域（同項の規定の適用がない場合には、当該特定非常災害により相当な損害を受けた地域として財務大臣が指定する地域。以下「特定地域」といいます。）内にある「特定土地等」又は「特定株式等」があるときは、当該特定土地等又は当該特定株式等の価額は、相続税法第22条《評価の原則》の規定にかかわらず、当該特定非常災害の発生直後の価額として、所定の方法により定めるものの金額とすると規定されています。

**図解**　特定土地等及び特定株式等に係る相続税の課税価格の計算の特例

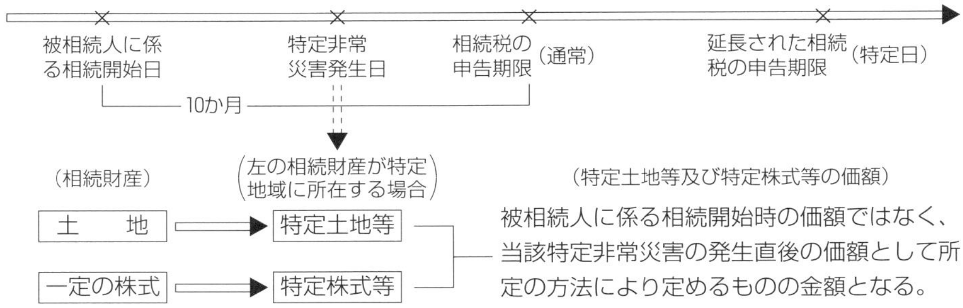


(注1)「特定非常災害」とは、特定非常災害の被害者の権利利益の保全等を図るための特別措置に関する法律第２条《特定非常災害及びこれに対し適用すべき措置の指定》第１項の規定により特定非常災害として指定された非常災害をいいます。

(注2)「特定非常災害発生日」とは、上記(注1)に掲げる特定非常災害に係る同法第２条第１項に規定する特定非常災害発生日をいいます。

（注2）「特定日」とは、措置法第69条の６《特定土地等及び特定株式等に係る相続税の課税価格の計算の特例》第１項の特定非常災害に係る国税通則法第11条《災害等による期限の延長》(㊟)の規定により延長された申告に関する期限と特定非常災害発生日の翌日から10か月を経過する日とのいずれか遅い日をいいます。

㊟　国税通則法第11条《災害等による期限の延長》では、要旨、国税庁長官、国税不服審判所長、国税局長、税務署長又は税関長は、災害その他やむを得ない理由により、国税に関する法律に基づく申告、申請、請求、届出その他の書類の提出、納付又は徴収に関する期限までにこれらの行為をすることができないと認めるときは、所定の方法で定めるところにより、その理由のやんだ日から２か月以内に限り、当該期限を延長することができると規定されています。

上記の規定を示すと、次のとおりとなります。

**図解**　相続税及び贈与税の申告書の提出期限の特例（相続税の場合）

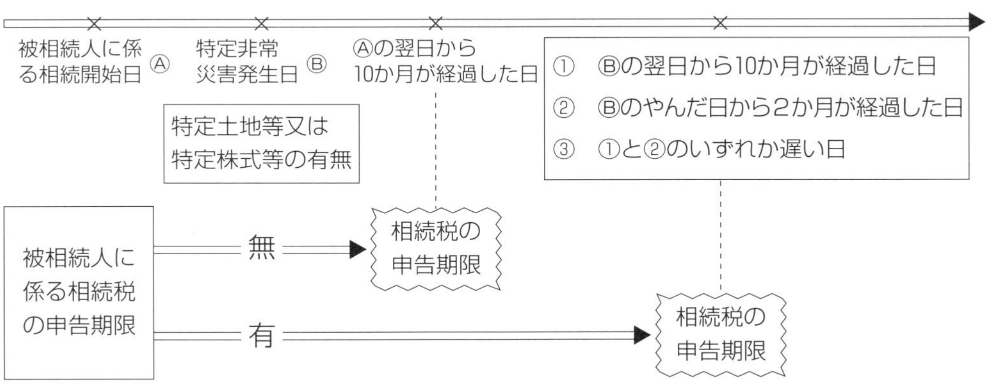

(3)　**質疑** の事例の場合

**質疑** の事例の場合には、次に掲げるとおりの当てはめとなります。

①　被相続人甲に係る相続（令和３年12月15日相続開始）により、長女（住所：Ｘ県Ｙ市）はＸ土地（Ｘ県Ｙ市所在）を取得しています。

②　上記①の場合、長女に係る相続税法第27条《相続税の申告書》に規定する相続税の申告期限は、通常の場合、令和４年10月15日となります。

③　上記②に掲げる日（令和４年10月15日）前に特定非常災害が発生（特定非常災害発生日：令和４年７月26日）したため、長女が上記①により取得したＸ土地は、特定土地等に該当します。そして、特定日（令和５年５月26日）が規定されています。

④　上記①ないし③より、長女は、措置法第69条の６《特定土地等及び特定株式等に係る相続税の課税価格の計算の特例》の規定の適用を受けることができる者とされます。

そうすると、上記(2)で確認した措置法第69条の８《相続税及び贈与税の申告書の提出期限の特例》では、同一の被相続人から相続により財産を取得した者のうちに、１人でも措置法第69条の６の規定の適用を受けることができる者がいる場合（上記(2)の(X)＿＿部分）で、相続税法27条に規定する相続税の申告期限（令和４年10月15日）が特定日（令和５年５月26日）の前日以前であるときに該当することから、被相続人甲に係る相続税の申告期限は特定日（令和５年５月26日）に延長される（強制規定です。）ものと規定（上記(2)の(Y)＿＿部分）されています。

したがって、Ａ県Ｂ市に住所を有する長男の相続税の申告期限も、特定日である令和５年５月26日とされます。

以上より、長男が相続により取得したＡ宅地については、令和４年中に売却を予定するのであれば、上記(1)に掲げる［②　所有継続の要件］及び［③　居住継続の要件］を充足していないことから、特定居住用宅地等（課税価格算入割合20％、適用上限面積330㎡）として小規模宅地等の課税特例の適用は受けられないものと考えられます。

なお、小規模宅地等の課税特例の規定は、措置法に規定する納税者優遇政策であることからその解釈及び適用に当たっては、課税の公平の見地から厳格な対応が求められており、次に掲げる事項の指摘があったとしても、それによって上記の判断が左右されることはないものと考えられます。

①　長男の住所はＡ県Ｂ市にあり、同人は特定土地等又は特定株式等を相続等で取得していないこと

②　長女の住所がＸ県Ｙ市（特定地域に該当します。）に所在しＸ宅地が特定土地等に該当するとしても、長女は長男とともに、通常どおり、被相続人に係る相続開始時から10か月以内に被相続人甲に係る相続税の申告及び納付を完了させることが可能な状況にあること

## 〔２〕『特定事業用宅地等』に関する項目

### ⑴　被相続人等の事業（貸付事業以外）用宅地等を親族以外の者（自然人）が取得した場合の小規模宅地等の課税特例の可否

**質疑**　被相続人甲の相続財産のなかに、相続開始の直前において同人が日本料理店を経営する目的で同人に係る相続開始の30年以上前から事業の用に供していた店舗用不動産（宅地及び建物）がありました。

被相続人甲の遺言によると当該不動産は、長年、安月給で奉公してくれた愛弟子のＡ君（被相続人甲の料理修業時代の後輩で親族関係はなし）に遺贈する旨の記載がありました。

上記の遺贈についてはＡ君も受遺の意思表示を示しており、今後も師匠（被相続人甲）の教えを守り当該承継した店舗で末永く日本料理店を営むつもり（相続税の申告期限までの事業承継、所有継続及び事業継続の各要件を充足）とのことです。

上記の場合に、被相続人甲の愛弟子Ａ君が遺贈により取得した店舗用建物の敷地である宅地について、特定事業用宅地等に該当するものとして、小規模宅地等の課税特例の適用対象とすることは認められますか。

**応答**

現行の取扱いでは、小規模宅地等の課税特例の適用対象とされる小規模宅地等は、下記に掲げる４つの区分のいずれかに該当するものに限るものとされています。

⑴　特定事業用宅地等である小規模宅地等（課税価格算入割合20％、適用上限面積400㎡）
⑵　特定居住用宅地等である小規模宅地等（課税価格算入割合20％、適用上限面積330㎡）
⑶　特定同族会社事業用宅地等である小規模宅地等（課税価格算入割合20％、適用上限地積400㎡）
⑷　貸付事業用宅地等である小規模宅地等（課税価格算入割合50％、適用上限地積200㎡）

そして、上記⑴に掲げる特定事業用宅地等とは、平成22年４月１日以後に課税時期が到来したものから、その取扱いとして、「被相続人等の事業（貸付事業を除きます。）の用に供されていた宅地等で、次に掲げる要件（略）のいずれかを満たす当該被相続人の親族が相続又は遺贈により取得したものをいう。」とされています。

すなわち、特定事業用宅地等に該当するためには、被相続人等の事業用宅地等を取得した者が当該被相続人の親族（上記＿＿部分）（注）であることが必要とされています。

（注）　小規模宅地等の課税特例の規定において『親族』の定義は固有概念として規定されていないことから、当該親族の範囲につき、民法第725条《親族の範囲》の規定（親族とは、①６親等内の血族、②配偶者、③３親等内の姻族をいいます。）を借用概念として適用することが相当であると考えられます。

そうすると、**質疑**の事例の場合には、被相続人甲から店舗用建物の敷地である宅地を遺贈により取得したＡ君は、被相続人甲との親族関係が認められないことから、たとえ、相続税の申告期限までに事業を承継し、その後において所有を継続し、かつ、事業を継続したとしても、小規模宅地等の課税特例の適用対象とすることは認められないことになります。

### (2) 遺産分割争いにより申告期限までに事業の用に供することができなかった場合

**質疑**　被相続人甲はその所有する宅地上で物品の小売業を同人に係る相続開始の40年以上前から営んでいましたが、その相続後においては当該財産の分割を巡って協議が整わず、相続税の申告期限までにその承継者が定まらないことから、物品の小売業も休業したままになっていました。

この宅地について、相続税の申告期限から３年以内に遺産の分割が成立して被相続人甲の親族が取得することにより事業（小売業）が再開された場合には、当該宅地等を特定事業用宅地等として80％減額の対象とすることができますか。

**応答**

被相続人の所有していた宅地等が特定事業用宅地等（80％減額の対象）に該当するためには、当該宅地等を取得した被相続人の親族が相続開始時から相続税の申告期限まで当該宅地等を引き続き所有し、当該相続税の申告期限までに当該宅地等の上で営まれていた被相続人の事業を承継し、当該相続税の申告期限まで引き続きその事業を営んでいることが必要です。

そうすると、上記の場合には、相続税の申告期限までの間に被相続人甲の事業が承継されていませんので、たとえ相続税の申告期限から３年以内に遺産が分割され事業が承継されたとしても、特定事業用宅地等の要件を充足していませんので当該宅地等を小規模宅地等の課税特例の適用対象地とすることは認められないことになります。

### (3) 生計別の親族に対して生前に事業承継が行われていた場合の小規模宅地等の課税特例の適用の可否

**質疑**　父の死亡により、相続財産であるＸ不動産（土地及び建物）を長男Ａ（父とは生計別）が承継しました。（相続税の申告期限まで引き続き保有し、長男Ａの事業に供用）

この不動産は、父に係る相続開始の20年以上前から同人が物品小売業を営んでおり、その店舗として使用していたものでしたが、父の高齢化に伴い長男Ａがその事業を生前承継（相続開始の５年前）し、その後継続して事業の用に供しています。

長男Ａは、父に対して家賃等の対価の支払は一切していませんが、父が負担すべきＸ不動産に対する固定資産税等は長男Ａが負担しています。

このような父所有のＸ不動産に係る土地についての小規模宅地等の課税特例の適用はどのようになりますか。

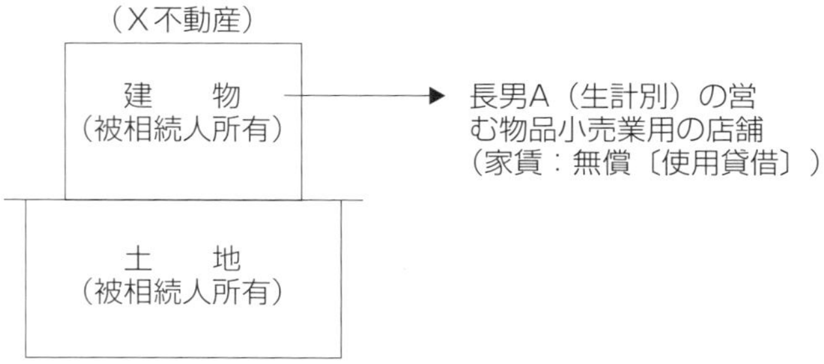


## 応答

被相続人の所有するX不動産に係る土地が小規模宅地等（事業用）の課税特例の適用対象地に該当するか否かの判断は次のとおりです。

(1)　特定事業用宅地等（減額割合80%）に該当するか否かの判断

①　被相続人の事業を相続開始後に事業承継する場合（適用要件は23ページ参照）

事例の場合には、被相続人甲の事業を相続開始前より承継していますので、この特例の対象にはなりません。

②　被相続人と生計を一にする親族の事業の用に供されていた場合（適用要件は24ページ参照）

事例の場合には、被相続人甲の事業を被相続人甲と生計を別にする親族（長男A）が承継していますので、この特例の対象にはなりません。

(2)　貸付事業用宅地等（減額割合50%）に該当するか否かの判断

事例の場合には、被相続人甲と生計を別にする親族である長男Aとの建物の貸借契約が使用貸借契約であるので、相当の対価を収受していないこととなり、被相続人甲に係る貸付事業とは認められず、この特例の対象にはなりません。

なお、固定資産税の支払等の実費に相当する金額を収受していたとしても、相当の対価とは認められず、使用貸借の取扱いとなります。

(3)　まとめ

上記(1)及び(2)より、質疑の事例の場合、被相続人甲が所有するX不動産に係る土地を小規模宅地等の課税特例の適用対象とすることは、認められないことになります。

### (4)　相続税の申告期限までに宅地等を取得した親族が死亡した場合における特定事業用宅地等の取扱い

**質疑**　被相続人甲は、本年6月に相続の開始がありました。同人の所有する不動産（家屋及びその敷地の用に供されている宅地）のうちには、下図に掲げるとおり、相続開始時において被相続人甲及び当該被相続人甲と生計を一にする親族（被相続人等）の事業の用に供用（供用期間は、いずれも被相続人甲に係る相続開始時より起算して３年を超えています。）されているものがありました。

図１　不動産Ａ（被相続人甲の事業の用に供用）

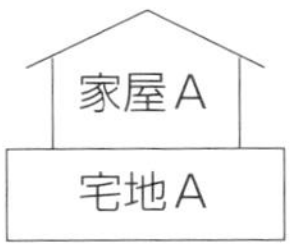


●被相続人甲の事業（物品販売業）を当該財産を取得した長男Ａが相続開始直後から承継しています。

図２　不動産Ｂ（被相続人甲と生計を一にする親族（長女Ｂ）の事業の用に供用）

●被相続人甲と生計を一にする親族（長女Ｂ）の事業（開業医）の用に相続開始前から供用されています。

●被相続人甲と長女Ｂとの間には、家賃の収受はなされていません。

●当該財産は、長女Ｂが取得しました。

上記に掲げる状況において、長男Ａ及び長女Ｂはともに、遺産分割協議が完了後で被相続人甲に係る相続税の申告期限前である本年12月に不慮の事故により死亡しました。（被相続人甲に係る相続税の申告書はこの段階では提出されていませんでした。）

その結果、長男Ａについては被相続人甲から承継した事業（物品販売業）を、また、長女Ｂについては同人が被相続人甲に係る相続開始前から営んでいた事業（開業医）を承継する者が存せず、やむを得ずに被相続人甲に係る相続税の申告期限までにこれらの事業はいずれも廃業となってしまいました。

このような場合、宅地Ａ及び宅地Ｂについて、被相続人甲に係る相続税の申告において『特定事業用宅地等』に該当するものとして、小規模宅地等の課税特例の対象とすることは認められますか。

## 応答

⑴　宅地Ａ（被相続人の事業の用に供用）の場合

被相続人の事業（貸付事業を除きます。以下⑴において同じ。）の用に供されていた宅地等が『特定事業用宅地等』の取扱いを受けるためには、被相続人の事業を相続開始後に事業承継する場合に該当するものとして、当該宅地等を相続又は遺贈により取得した当該被相続人の親族（当該親族から相続又は遺贈により当該宅地等を取得した当該親族の相続人を含みます。以下⑴において同じ。）が、下記に掲げる要件を充足することが必要とされています。

①　事業承継の要件　当該親族が、相続開始時から相続税の申告書の提出期限までの間に当該宅地等の上で営まれていた被相続人の事業を承継すること

②　所有継続の要件　上記の事業を承継した親族が相続開始時から相続税の申告期限まで引き続き当該宅地等を所有していること

③　事業継続の要件　上記の事業を承継した親族が事業承継後、相続税の申告期限まで引き続き当該事業を営んでいること

上記より、被相続人の事業を当該被相続人に係る相続開始後に当該被相続人の親族が事業承継をした場合において、当該被相続人に係る相続税の申告期限（第１次相続に係る相続税

の申告期限(注))までに当該被相続人の営む事業を承継した親族に相続開始があったとき（第２次相続の開始）には、第２次相続により当該宅地等を取得した親族に対して、第１次相続に係る相続税の申告期限（注）までの上記①から③に掲げる３要件（事業承継の要件、所有継続の要件、事業継続の要件）の充足を求めていることが理解されます。（上記＿＿部分を参照）

このような要件を設けたのは、被相続人の事業を相続開始後に事業承継した親族にとっては事業承継後の新しい事業主としての実績が余りなく、当該親族に係る第２次相続の開始が不可抗力によるものであることを考慮しても、当該宅地等を特定事業用宅地等として取り扱うためのなおさらの付加要件として、当該第２次相続より当該宅地等を取得した親族による当該第１次相続に係る相続税の申告期限（注）までの事業承継及び継続並びに所有継続の要件を求めたものと考えられます。

そうすると、**質疑** の事例の場合には、被相続人甲から宅地Ａを相続により取得した長男Ａは当該宅地Ａを直ちに被相続人甲が営んでいた事業（物品販売業）の用に供しているものの、被相続人甲の相続開始による当初の相続税の申告期限前に死亡しており、かつ、長男Ａから当該宅地Ａを第２次相続で取得した親族は当該宅地Ａ上で営まれていた事業を承継することなく第１次相続に係る相続税の申告期限（注）までに廃業してしまったとのことですから上記に掲げる要件を充足しないことになります。

（注）『第１次相続に係る相続税の申告期限』とは、具体的には、当該宅地等を取得した当該親族の相続人に係る相続税法第27条第２項の規定により延長された申告期限（その親族に係る相続の開始があったことを知った日の翌日から10か月以内）をいいます。

以上より、宅地Ａを『特定事業用宅地等』に該当するものとして、小規模宅地等の課税特例の対象とすることは認められないことになります。

⑵　宅地Ｂ（被相続人と生計を一にする親族の事業の用に供用）の場合

被相続人と生計を一にする親族の事業（貸付事業を除きます。以下⑵において同じ。）の用に供されていた宅地等が『特定事業用宅地等』の取扱いを受けるためには、当該宅地等を相続又は遺贈により取得した当該被相続人の親族が、下記に掲げる要件を充足することが必要とされています。

| | |
|---|---|
| ①　生計一親族の要件 | 当該親族が当該被相続人と生計を一にしていた者であること |
| ②　所有継続の要件 | 上記①に掲げる親族が相続開始時から相続税の申告期限(A)（当該親族が相続税の申告期限前に死亡した場合には、その死亡の日。以下⑵において同じ。）まで引き続き当該宅地等を所有していること |
| ③　事業継続の要件 | 上記①に掲げる親族が(B)相続開始前から相続税の申告期限まで引き続き当該宅地等を自己（**筆者注** 当該宅地等を承継した被相続人と生計を一にしていた親族）の事業の用に供していること |

上記より、被相続人と生計を一にする親族の事業の用に供されていた宅地等を当該生計を

一にする親族が当該被相続人から相続又は遺贈により取得した場合においては、たとえ当該被相続人に係る相続税の申告期限（第１次相続に係る申告期限）までに当該生計を一にしていた親族に相続開始があったとき（第２次相続の開始）でも、当該第２次相続により当該宅地等を取得した親族に対して、別段の要件の充足を求めることなく、所有継続の要件及び事業継続の要件は、第１次相続により当該宅地等を取得した当該生計を一にしていた親族に係る相続開始日までの状況により判断するものとされていることが理解されます。（上記(A)部分を参照）

このような取扱いとされたのは、被相続人と生計を一にする親族の事業の用に供されていた宅地等が『特定事業用宅地等』に該当するための要件の１つである『事業継続の要件』において、相続開始前からの事業供用を当該生計を一にする親族に求めており（上記(B)部分）、既に相続開始前からのある程度の期間にわたる生計一親族による事業の実績が認められることから、あえて、当該生計を一にする親族に第１次相続に係る相続税の申告期限までに相続開始があったとしても、当該第２次相続に係る親族に対する重ねての所有継続要件及び事業承継要件を求めなかったものと考えられます。

そうすると、**質疑** の事例の場合には、被相続人甲から宅地Ｂを相続により取得した当該被相続人甲と生計を一にする親族である長女Ｂは、被相続人甲に係る第１次相続の申告期限までに相続開始があり当該長女Ｂの営む事業（開業医）を承継した者は存していませんが、当該事項自体は判断に影響するものではなく、上記に掲げる要件を充足するものと認められます。

以上より、宅地Ｂは『特定事業用宅地等』に該当することとなり、小規模宅地等の課税特例の対象とすることが認められることになります。

### (5)　新規開業等をするための建物の建築中等に相続が開始した場合

**質疑**

相続開始前から30年以前にわたって飲食店を経営（個人事業）していた父は、事業拡張のために支店を設置するとともに、新規に他の事業（貸ビル業）も行うべく土地を購入し、それぞれ建物の建設を工事業者に行わさせていましたが、この度、不慮の事故により死亡しました。

父の相続財産である上記２か所の土地については、相続税の申告期限までに、それぞれ父の事業を承継した相続人が遺産分割によって財産を取得して事業の用に供することとなりますが、小規模宅地等の課税特例の適用については、この支店建物の敷地、貸ビル用地をその対象とすることができますか。

**応答**

措置法通達69の４－５《事業用建物等の建築中等に相続が開始した場合》では、被相続人等の事業の用に供されると認められる建物の建替え中等に相続の開始があった場合において、一定の要件を充足しているときは、当該建築中の建物の敷地の用に供されている宅地等についても被相続人等の事業用宅地等に該当する旨を定めています。

しかしながら、この取扱いが適用できるのは、次の要件（質疑関連項目のみ掲げます。）を充足している場合に限られています。

(1)　従前の建物等も被相続人等の事業の用に供されていたこと（したがって、当該建物の敷地も当然に被相続人等の事業の用に供されていたことが必要）

(2)　上記(1)に掲げる建物等の移転又は建替えのために当該建物が取り壊され又は譲渡されたものであること

(3)　従前の建物等に代わるべき建物等（注）で、被相続人等の事業の用に供されると認められるものであること

（注）　当該建物等は、被相続人又は被相続人の親族が所有する場合に限られます。

したがって、事例の場合の支店の増設（飲食店）や新規開業（貸ビル）の場合には、当該建築予定建物の敷地は、上記の要件を充足しないこととなりますので、被相続人等の事業用宅地等には該当しないこととなり、小規模宅地等の課税特例の適用対象とすることはできません。

### (6)　被相続人の責に帰することのできない事由により事業の開始が遅れた場合の小規模宅地等の課税特例の適用の可否

**質疑**　会社員であった父は、この度定年を迎えました。父は老後、カラオケボックスの経営に従事することとなり、店舗として使用すべく不動産（宅地及び建物）を購入しました。

その後、父は着々と営業開始に向けて準備を行っていましたが、営業開始３日前に近隣の居住者からの苦情（法令で認められている24時間経営を予定していたため夜間の騒音発生の問題が懸念されるという苦情）で実際の開業ができないままに、その１週間後に不慮の事故で死亡してしまいました。

その後、当該店舗用不動産（宅地及び建物）を相続した長男が、近隣住民との話合いにより営業時間を短縮することで、父に係る相続税の申告期限までにカラオケボックス店を開業し、その後も引き続き事業を営んでいます。

このような場合における当該店舗の敷地の用に供されている宅地等については、父の相続税の申告に際してこれを小規模宅地等の課税特例の適用対象地として取り扱うことができますか。

なお、父が購入し新たに事業の用に供された事業の用に供された宅地等（特定宅地等）の上で営まれる予定であった事業は、もし仮に父に係る相続開始時に実際に営まれていたとしたならば、特定事業に該当するものと認められます。

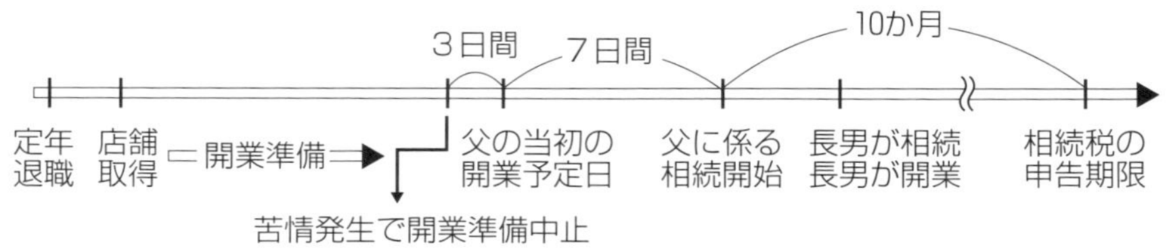


**応答**

小規模宅地等の課税特例の制度は、被相続人の所有地のうち一定要件を充足した宅地等については、その処分について相当の制約を受けることが考えられるために、必要最低限のものについて相応の減額を認めるものであり、その基本的要件として、「相続開始の直前において被相続人等の事業の用又は居住の用に供されていた宅地等」であることを挙げています。

上記の要件に該当するか否かについては、相続の開始の直前において、現実に被相続人等の事業の用に供されていたか否かという観点から判断されるべきであり、その解釈等に当っては別段の緩和的な取扱いが明示されている場合を除いては、課税の公平や迅速の観点からも、一義的に統一された明確な基準をもって判断されるべきものと解されます。

そうすると、事例の場合には、被相続人に係る相続開始の直前においては、当該カラオケボックス店については開業した（事業の開始があった）とは認められず、したがって現実に被相続人等の事業の用に供されていた宅地等とは解釈されないこととなり、その結果、小規模宅地等の課税特例の対象地にはならないものと考えられます。

なお、事例の場合には、法令では認められている行為で被相続人の責めに帰することのできない事由あるいは第三者の行為等個別事情によって小規模宅地等の課税特例の適用要件が欠除したとしても、このことを理由として、これを救済するための特別なしんしゃく配慮規定は設けられていません。

### ⑺　相続税の申告期限前に譲渡契約をした宅地等が特定事業用宅地等に該当するか否かの判断

**質疑**　父の死亡により、父がその相続開始の35年前から営んでいた青果店を長男が相続後直ちに承継しましたが、相続税の申告期限後に廃業し、相続により取得した店舗及び土地を下記のようなスケジュールで譲渡することとなりました。

このような場合でも、一応、父に係る相続税の申告期限まで父の事業を承継し営んでいたこと及び当該宅地を継続して所有したとして、小規模宅地等の課税特例に規定する特定事業用宅地等の80％の減額をすることができるでしょうか。

・相続開始の日　　………　令和３年２月12日
・売買契約の締結日………　令和３年11月25日（手付金10％受領）
・相続税の申告期限………　令和３年12月12日

・長男の青果店の廃業日…　令和３年12月31日
・売買不動産の引渡日……　令和４年１月10日（残金90％受領）

図解

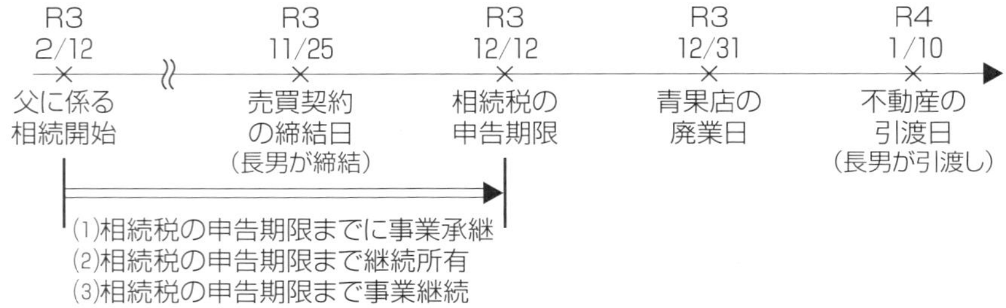


## 応答

特定事業用宅地等（減額割合80％）の制度は、相続開始の直前において被相続人等の事業の用に供されている宅地等のうち一定の要件を充足するものについてこれを優遇しようとするものであり、一定の要件とは、所有に関しては原則として事業を承継した者（親族）が相続開始時から相続税の申告期限まで引き続き当該宅地等を所有していることとなっています。

事例の場合、相続税の申告期限（判断期間の終末）においては引渡しこそされていないものの、それ以前に譲渡の契約を締結したことが、相続税の申告期限まで引き続き当該宅地等を所有していること（上記＝＝部分）との関係で問題（すなわち、売買契約を締結したことによって、当該時点で当該宅地等を所有する意思が消滅したのではないかという考え方もあります。下記参考資料を参照）になるのではないかという疑義も生じるかもしれません。

この点について、明確な指針を示した法令通達は存在しませんが、現行の実務上の取扱いとして、上記＝＝部分については、文字どおりの当該宅地等の民法上の所有権を有している場合と解釈し、たとえ、相続税の申告期限までに当該宅地等の売買契約を締結した場合であっても、その所有権が移転していないときには、当該宅地等を相続税の申告期限において所有している場合に該当するものとしているようです。

したがって、**質疑**の事例においては、被相続人である父に係る事業（青果店）を承継した長男が、相続税の申告期限までに当該宅地等の売買契約を締結した場合であっても、相続税の申告期限において当該宅地等の所有権（文字どおりの民法上の所有権と解釈されます。）を有し、かつ、事業継続の事実が認定されるときには、特定事業用宅地等に該当するものとして、当該宅地等の地積のうち、400㎡（限度面積）に達するまでの部分に対応する価額について、小規模宅地等の課税特例の適用により80％の減額特例の適用が認められるべきものであると考えられます。

**参考資料**　**現行の実務上の取扱いが唱えられる前の旧来（概ね、平成13～14年位まで）の取扱いとその考え方**

この小規模宅地等の課税特例制度が措置法に規定された優遇措置であり、また、そのなかでも通常の評価額の80％が減額されるという特に有利な規定の適用については、納税者間の課税の公平性及び統一性を確保する必要があり、その適用要件に関しては厳密に解釈する必要があること、及び相続税の申告期限前に売買契約を締結したことにより相手方に対する引渡義務が発生し、当該宅地等に対する所有意思はこの時点で消滅したとの考え方もできることとなります。（この考え方は、『土地等の売買契約中に売主又は買主に相続等があった場合の評価』に基づいています。）

したがって、相続税の申告期限前に宅地等の売買契約を締結した場合には、特定事業用宅地等には該当しないものとして取り扱うのが相当であると思われます。（ただし、一般の事業用宅地等には該当しますので50％の減額の適用は可能です。）

なお、所得税基本通達36－12《山林所得又は譲渡所得の総収入金額の収入すべき時期》の取扱いでは、土地の譲渡の時期は原則として引渡日によるものとし、特例として、納税者が契約の効力発生日を選択した場合にはそれによるとしていますが、この取扱いはあくまでも譲渡所得という所得課税における収入の帰属認識に関するものであり、事例の小規模宅地等が特定事業用宅地等に該当するか否かの所有要件判断と異なる結果となっても殊更に不統一であるということにはならないものと思われます。

また、当該宅地を物納する場合の物納申請は相続税の申告書の提出期限までに手続を行うことが要件とされており、物納申請をした土地については所有継続要件が充足されなくなり、その結果、特定事業用宅地等に該当しないのではないかという疑義も生じるかもしれません。しかし、物納申請はあくまでも申請（相手方に申し出る）であり、その結果が未確定（課税庁による承認若しくは却下又は納税者による取下げ）であって、相続税の申告期限時点においては対外的な（課税庁に対しての）債権債務が確定したとは考えられず、この点において、土地の売買契約を相続税の申告期限までに行った場合（売主と買主との間で債権債務が双務契約として確定）と異なることとなり、たとえ物納申請をした土地であっても、他の要件を充足している限り特定事業用宅地等に該当することになると思われます。

### ⑻　相続税の申告期限までに転業があった場合（その１）（一部転業又は全部転業の判断）

**質疑**　被相続人甲は自己の所有する土地、建物において魚類の小売業（個人事業）を同人に係る相続開始の40年以上前から営んでいましたが、本年２月に相続の開始がありました。

上記の土地、建物については相続人である長男が相続により取得しましたが、相続税の申告期限までに建物の内部を改装し、近代的な経営方法であるセルフストアー方式による食料品全般の小売業（個人事業）に業態転換をしました。（なお、長男は相続税の申告期限まで引き続き当該宅地等を所有し、事業を営んでいます。）

この場合において、次に掲げるそれぞれの条件下において当該宅地等が特定事業用宅地等に該当するか否かについて答えてください。

（条件１）セルフストアー方式の店舗において魚類を取り扱っている場合
（条件２）セルフストアー方式の店舗において魚類を取り扱わなかった場合
（条件３）セルフストアー方式による小売業を法人組織で行い、相続により承継した土地、建物を当該法人に譲渡又は貸付け（有償）をした場合

**応答**

被相続人の事業（貸付事業を除きます。）の用に供されていた宅地等が特定事業用宅地等に該当するためには次に掲げる要件のすべてを充足していることが要件です。

(1)　当該宅地等を取得した被相続人の親族が相続開始時から相続税の申告期限までの間に当該宅地等の上で営まれていた被相続人の事業を承継すること

(2)　上記(1)の親族が相続開始時から相続税の申告期限まで引き続き当該宅地等を所有していること

(3)　上記(1)の親族が事業承継後、相続税の申告期限まで引き続き当該事業を営んでいること

上記に掲げる特定事業用宅地等の該当要件の判定について、相続税の申告期限までに相続人が被相続人から承継した事業を転業した場合の取扱いが問題となりますが、その取扱いは措置法通達69の４－16《申告期限までに転業又は廃業があった場合》に定められており、被相続人の事業の一部を他の事業（貸付事業以外の事業に限られます。）に転業しているときは、当該親族は被相続人の営む事業を承継したこととなります。

また、相続税の申告期限までに被相続人の事業用宅地等が譲渡され又は貸し付けられた場合の取扱いは措置法通達69の４－18《申告期限までに宅地等の一部の譲渡又は貸付けがあった場合》に定められており、当該譲渡又は貸付けをした部分については特定事業用宅地等に該当しないことから、小規模宅地等の課税特例の適用は認められないことになります。

以上により、各条件の場合は、それぞれ次に掲げるところによります。

| 区　分 | 特定事業用宅地等 | 減額割合 | 判断のポイント |
|---|---|---|---|
| 条件１ | 該　当 | 80% | 改装後のセルフストアー方式の店舗で魚類を取り扱っているので、被相続人の事業の一部の転業に該当し、特定事業用宅地等に該当 |
| 条件２ | 非該当 | 0% | 改装後のセルフストアー方式の店舗で魚類を取り扱っていないので、被相続人の事業の全部の転業に該当し、特定事業用宅地等に非該当 |
| 条件３ | 非該当 | 0% | 相続税の申告書の提出期限までに取得した宅地を譲渡又は貸付けをしたため特定事業用宅地等には非該当 |

なお、条件２においてセルフストアー方式の店舗において相続税の申告期限までは魚類の小売業を営んでいたが、当該相続税の申告期限後に魚類の小売業の取扱いを中止した場合には、同通達に定める事業の全部の転業には該当しないため、特定事業用宅地等の要件を充足することとなります。

### (9)　相続税の申告期限までに転業があった場合（その２）（転業の判断基準〔その１〕）

**質疑**　被相続人甲は、その所有する土地・建物でうなぎ料理店を20年間経営していましたが、本年３月に死亡しました。同人の所有地である土地・建物についてはこれを

> 長男Ａが相続しました。
> 長男Ａはかねてより、うなぎ料理店の将来性に危惧を有していたこともあり、相続税の申告期限までに店舗を改装し、うなぎ料理店を完全に廃止して『とんかつ料理店』又は『すし店』に業態を変更したいと考えています。
> この場合、長男Ａは被相続人甲の事業を承継したものとして特定事業用宅地等の80％減額が可能ですか。

**応答**

特定事業用宅地等として80％減額の対象とするための適用要件に、被相続人の親族が相続税の申告期限までに当該宅地等の上で営まれていた被相続人の事業を引き継ぐことが挙げられています。

この場合において、被相続人の親族が『被相続人の事業』を引き継いだか否かの判断（事業の同一承継の判断）は、事実認定に属する問題となり形式的な基準は設けられていませんが、被相続人が営んでいた事業と当該被相続人の親族が開始した事業の同一性の判定に際しては、『日本標準産業分類』（総務省）の分類項目等を参考にして総合的に判断することに一つの合理性があるものと考えられます。

上記の考え方に基づいて、**質疑** に掲げる事例を検討すると、次のとおりとなります。

(1)　『とんかつ料理店』に業態を変更した場合

日本標準産業分類（下記 参考資料 を参照）においては『うなぎ料理店』と『とんかつ料理店』の双方は、小分類項目（番号762：専門料理店）及び細分類項目（番号7621：日本料理店）を同一とする分類であることから、それぞれの事業は同一のものであると考えるのが適切です。

したがって、被相続人甲が営んでいたうなぎ料理店を当該財産取得親族（長男Ａ）が廃止して相続税の申告期限までにとんかつ料理店に業態変更した場合であっても、被相続人甲の事業の全部を承継しているものと認められますので、特定事業用宅地等として80％減額の対象とすることができるものと考えられます。

(2)　『すし店』に業態を変更した場合

日本標準産業分類（下記 参考資料 を参照）において、『うなぎ料理店』は小分類項目が『番号762：専門料理店』に該当する一方で、『すし店』は小分類項目が『番号764：すし店』に該当するものとされており、両者は小分類番号を異にする別個の分類とされています。

したがって、被相続人甲が営んでいたうなぎ料理店を当該財産取得親族（長男Ａ）が廃止して相続税の申告期限までにすし店に業態変更した場合には、被相続人甲の事業の全部を転業したことと認められますので、特定事業用宅地等として80％の減額の対象とすることはできないものと考えられます。（この場合は、特定事業用宅地等に該当しないことから小規模宅地等の課税特例の対象とすることは認められません。）

**参考資料** 日本標準産業分類〔第13回改訂：平成25年10月30日総務省告示第405号、平成26年４月１日適用〕

## 中分類76－飲　食　店

### 総　　説

この中分類には、客の注文に応じ調理した飲食料品、その他の食料品、アルコールを含む飲料をその場所で飲食させる事業所及び主としてカラオケ、ダンス、ショー、接待サービスなどにより遊興飲食させる事業所が分類される。

なお、その場所での飲食と併せて持ち帰りや配達サービスを行っている事業所も本分類に含まれる。

小分類番号　細分類番号

**760　管理、補助的経済活動を行う事業所（76飲食店）**

7600　主として管理事務を行う本社等

主として飲食店の事業所を統括する本社等として、自企業の経営を推進するための組織全体の管理統括業務等の現業以外の業務を行う事業所をいう。

○管理事務を行う本社・本所・本店・支社・支所

7609　その他の管理、補助的経済活動を行う事業所

主として飲食店における活動を促進するため、同一企業の他事業所に対して、輸送、清掃、修理・整備、保安等の支援業務を行う事業所をいう。

○自家用車庫；自家用修理工場；自家用補修所；自家用集荷所

**761　食堂、レストラン（専門料理店を除く）**

7611　食堂、レストラン（専門料理店を除く）

主として主食となる各種の料理品をその場所で飲食させる事業所をいう。

ただし、専門料理店、そば・うどん店、すし店など特定の料理をその場所で飲食させる事業所は小分類［762、763、764］に分類される。

○食堂；大衆食堂；お好み食堂；定食屋；めし屋；ファミリーレストラン（各種の料理を提供するもの）

×ファミリーレストラン（中華料理のみを提供するもの）［7623］；中華レストラン［7623］

**762　専門料理店**

7621　日本料理店

主として特定の日本料理（そば、うどん、すしを除く）をその場所で飲食させる事業所をいう。

○てんぷら料理店；うなぎ料理店；川魚料理店；精進料理店；鳥料理店；釜めし屋；お茶漬屋；にぎりめし屋；沖縄料理店；とんかつ料理店；郷土料理店；かに料理店；牛丼店；ちゃんこ鍋店；しゃぶしゃぶ店；すき焼き店；懐石料理店；割ぽう料理店

×料亭［7622］；割ぽう旅館［7511］

7622　料　　亭

主として日本料理を提供し、客に遊興飲食させる事業所をいう。
○料亭；待合

7623　中華料理店
主として中華料理をその場所で飲食させる事業所をいう。
○中華料理店；上海料理店；北京料理店；広東料理店；四川料理店；台湾料理店；ぎょうざ（餃子）店；ちゃんぽん店
×中華そば店［7624］；ラーメン店［7624］

7624　ラーメン店
主としてラーメンをその場所で飲食させる事業所をいう。
○ラーメン店；中華そば店

7625　焼　肉　店
主として焼肉（自ら網で焼くもの）をその場所で飲食させる事業所をいう。
○焼肉店
×ステーキハウス［7629］；バーベキュー料理店［7629］；ジンギスカン料理店［7629］；ホルモン焼店［7629］

7629　その他の専門料理店
主として他に分類されない特定の料理をその場所で飲食させる事業所をいう。
○西洋料理店；フランス料理店；イタリア料理店；スパゲティ店；朝鮮料理店；印度料理店；カレー料理店；エスニック料理店；無国籍料理店

### 763　そば・うどん店

7631　そば・うどん店
主としてそばやうどんなどをその場所で飲食させる事業所をいう。
○そば屋；うどん店；きしめん店；ほうとう店
×中華そば店［7624］

### 764　す　し　店

7641　す　し　店
主としてすしをその場所で飲食させる事業所をいう。
○すし屋
×すし屋（持ち帰り専門店）［7711］；すし屋（宅配専門店）［7721］

### 765　酒場、ビヤホール

7651　酒場、ビヤホール
主として酒類及び料理をその場所で飲食させる事業所をいう。
○大衆酒場；居酒屋；焼鳥屋；おでん屋；もつ焼屋；ダイニングバー；ビヤホール

### 766　バー、キャバレー、ナイトクラブ

7661　バー、キャバレー、ナイトクラブ
主として洋酒や料理などを提供し、客に遊興飲食させる事業所をいう。
○バー；スナックバー；キャバレー；ナイトクラブ

767　　喫　茶　店

7671　喫　茶　店

主としてコーヒー、紅茶、清涼飲料などの飲料や簡易な食事などをその場所で飲食させる事業所をいう。

○喫茶店；フルーツパーラー；音楽喫茶；珈琲店；カフェ

×スナックバー〔7661〕

769　　その他の飲食店

7691　ハンバーガー店

主としてハンバーガーをその場所で飲食させる事業所をいう。

○ハンバーガー店

×ハンバーガー店（持ち帰り専門店）〔7711〕

7692　お好み焼・焼きそば・たこ焼店

主としてお好み焼、焼きそば、たこ焼をその場所で飲食させる事業所をいう。

○お好み焼店；焼きそば店；たこ焼店；もんじゃ焼店

×お好み焼店（持ち帰り専門店）〔7711〕

7699　他に分類されない飲食店

主として大福、今川焼、ところ天、汁粉、湯茶など他に分類されない飲食料品をその場所で飲食させる事業所をいう。

○大福屋；今川焼屋；ところ天屋；氷水屋；甘酒屋；汁粉屋；甘味処；アイスクリーム店；サンドイッチ専門店；フライドチキン店；ドーナツ店；ドライブイン（飲食店であって主たる飲食料品が不明なもの）

×ドライブイン〔飲食店であって主たる飲食料品が判明するものは、細分類7611、7621、7623～7641、7671～7692のそれぞれに分類される〕

### ⑽　相続税の申告期限までに転業があった場合（その３）（転業の判断基準〔その２〕）

**質疑**　被相続人甲は、その所有する土地・建物で内科（無床）医院を同人に係る相続開始の30年以上前から経営していましたが、本年６月に死亡しました。

同人の所有地である土地・建物についてはこれを長男Ａが相続し、相続税の申告期限までに歯科医院に改装して事業を開始しました。（従来は、長男Ａは大学病院に勤務する歯科医師でした。）

この場合、長男Ａは被相続人甲の事業を承継したものとして特定事業用宅地等の80％減額が可能ですか。

また、長男Ａが仮に医師で承継後の診療科目が内科であっても、事業を拡張して有床（ベッド数15）医院となった場合における取扱いはどのようになりますか。（その他の条件は同一です。）

## 応答

特定事業用宅地等として80％減額の対象とするための適用要件に、被相続人の親族が相続税の申告期限までに当該宅地等の上で営まれていた被相続人の事業を引き継ぐことが挙げられています。

この場合において、被相続人の親族が『被相続人の事業』を引き継いだか否かの判断（事業の同一承継の判断）は、事実認定に属する問題となり形式的な基準は設けられていませんが、被相続人が営んでいた事業と当該被相続人の親族が開始した事業との事業の同一性の判定に際しては、『日本標準産業分類』（総務省）の分類項目等を参考にして総合的に判断することに一つの合理性があるものと考えられます。

そうすると、日本標準産業分類（下記 参考資料 を参照）においては『一般診療所（無床）』（内科は一般診療所に該当）と『歯科診療所』とは小分類番号を異にする別個の分類とされており、さらに、医師は医師法の規定に基づき、歯科医師は歯科医師法の規定に基づく別個の免許制度を基礎とするものであること等より、両者の事業は全く別個のものであると考えるのが適切です。

したがって、診療科目を内科から歯科へ変更した場合には、被相続人甲の事業の全部を転業したことと認められますので、特定事業用宅地等として80％減額の対象とすることはできないものと考えられます。（この場合は、特定事業用宅地等に該当しないことから小規模宅地等の課税特例の対象とすることは認められません。）

また、長男Ａが仮に医師で承継後の診療科目が内科であっても、従来の無床病院から有床病院に変更があった場合には、日本標準産業分類によると小分類は同一でも細分類は異なることとなり事業の同一承継性に疑義が生じるかもしれません。

しかしながら、事業の同一性の判断に際しては日本標準産業分類の分類項目も参考にするということでこれを唯一無二の基準とするということにはならないと考えられますし、事例のように事業拡張により無床医院から有床医院に変更があったことのみをとらえて事業の同一性を有しなくなったと解釈するのは困難です。

なお、被相続人甲が医師（内科医）であり、また、長男Ａが医師（内科医）として医院を引き継いだとしても、医業は個人の資格をもって行うものであり、事例の場合には『承継』ではなく、『（被相続人甲による）廃業、（長男Ａによる）新規開業』に当たるのではないかという疑義が生じるかもしれません。

しかしながら、 質疑 のように、医師法の規定に基づく医師免許を有する医師が同一の事業所所在地において医業を継続して営んでいるという状況にあるのであれば、医業を承継したと解することが相当であると考えられます。

したがって、 質疑 のまた書の事例のような場合には、長男Ａは被相続人の事業を相続税の申告期限までに承継したものとして特定事業用宅地等の80％減額の対象とするのが適切であると考えられます。

## 参考資料　日本標準産業分類〔第13回改訂：平成25年10月30日総務省告示第405号、平成26年４月１日適用〕

### 中分類83－医　療　業

#### 総　　説

この中分類には、医師又は歯科医師等が患者に対して医業又は医業類似行為を行う事業所及びこれに直接関連するサービスを提供する事業所が分類される。

小分類番号　細分類番号

**830　管理、補助的経済活動を行う事業所（83 医療業）**

8300　主として管理事務を行う本社等

主として医療業の事業所を統括する本社等として、自企業の経営を推進するための組織全体の管理統括業務等の現業以外の業務を行う事業所をいう。

○管理事務を行う本社・本所・本店・支社・支所

8309　その他の管理、補助的経済活動を行う事業所

主として医療業における活動を促進するため、同一企業の他事業所に対して、輸送、清掃、修理・整備、保安等の支援業務を行う事業所をいう。

○自家用車庫；自家用修理工場；自家用補修所

**831　病　院**

8311　一般病院

20人以上の患者を入院させるための施設を有して医師又は歯科医師が医業を行う事業所をいう。

ただし、精神病床のみを有するものは細分類8312に分類される。

○病院（精神病床のみでないもの）；特定機能病院；地域医療支援病院；療養病床を有する病院

×精神科病院［8312］

8312　精神科病院

20人以上の精神病患者を入院させるための施設のみを有して医師が医業を行う事業所をいう。

○精神科病院

×一般病院（精神病床もあるもの）［8311］

**832　一般診療所**

8321　有床診療所

19人以下の患者を入院させるための施設を有して医師が医業を行う事業所をいう。

○医院（有床のもの）；診療所（有床のもの）；療養病床を有する診療所

8322　無床診療所

患者を入院させるための施設を有しないで、又は往診のみによって医師が医業を行う事業所をいう。

○医院（無床のもの）；診療所（無床のもの）

833　　歯科診療所

8331　歯科診療所

患者を入院させるための施設を有しないで、若しくは往診のみによって、又は19人以下の患者を入院させるための施設を有して歯科医師が歯科医業を行う事業所をいう。

○歯科医院；歯科診療所

834　　助産・看護業

8341　助　産　所

助産師がその業務（病院又は診療所において行うものを除く）を行う事業所をいう。助産師が出張のみによってその業務を行う場合も含む。

○助産所；助産師業

8342　看　護　業

看護師又は准看護師であって、公共職業安定所若しくは派出看護師会に求職登録を行ってあっせんされ、看護業務を行うもの、又は独立して看護を業とするものをいう。

○看護師業；派出看護師業；訪問看護ステーション

×看護師紹介所［9111］

835　　療　術　業

8351　あん摩マッサージ指圧師・はり師・きゅう師・柔道整復師の施術所

あん摩マッサージ指圧師、はり師、きゅう師及び柔道整復師がその業務を行う事業所をいう。これらの者が出張のみによってその業務を行う場合も含む。

○あん摩業；マッサージ業；指圧業；はり業；きゅう業；柔道整復業

8359　その他の療術業

温熱療法、光熱療法、電気療法、刺激療法などの医業類似行為を業とする者がその業務を行う事業所をいう。これらの者が出張のみによってその業務を行う場合も含む。

○太陽光線療法業；温泉療法業；催眠療法業；視力回復センター；カイロプラクティック療法業；ボディケア・ハンドケア・フットケア・ヘッドセラピー・タラソテラピー（医療類似行為のもの）；リフレクソロジー

836　　医療に附帯するサービス業

8361　歯科技工所

歯科医師又は歯科技工士が業として特定人に対する歯科医療の用に供する補てつ物、充てん物又は矯正装置の作成、修理又は加工を行う事業所をいう。

○歯科技工業；歯科技工所

×歯科材料製造業（歯科医の指示によらないもの）［2744］

8369　その他の医療に附帯するサービス業

主として臓器のあっせん、医療に係る検体検査など医療業に附帯するサービスを提供する事業所をいう。

○アイバンク；腎バンク；骨髄バンク；衛生検査所；滅菌業（医療用器材）；臨床検査業
×血液製剤製造業〔1653〕；歯科技工所〔8361〕

## ⑾　特定事業用宅地等に対する平成31年度の税法改正（相続開始前３年以内に新たに事業の用に供された宅地等に対する小規模宅地等の課税特例の適用除外規定の新設）の概要

**質疑**　被相続人甲に相続の開始がありました。同人は、その相続開始の２年前に不動産（家屋及びその敷地の用に供されている宅地等）を取得して物品販売業を新規に開業しました。

上記の不動産については、遺産分割協議によって長男Aが取得し、相続税の申告期限までには当該物品販売業を承継し、今後も末永く所有して事業を継続するつもりです。

このような状況にある物品販売業用の建物の敷地の用に供されている宅地等について、特定事業用宅地等として小規模宅地等の課税特例の対象とすることが認められますか。次に掲げる被相続人甲の相続開始の時期別に説明してください。

(1)　平成31年３月31日までに相続開始日が到来した場合
(2)　平成31年４月１日から令和４年３月31日までの間に相続開始日が到来した場合
(3)　令和４年４月１日以後に相続開始日が到来した場合

なお、被相続人甲が行っていた物品販売業は、いわゆる「特定事業」には該当しないものであることが確認されています。

**応答**

(1)　概要

平成31年度の税法改正では、特定事業用宅地等について、相続開始前３年以内に新たに事業の用に供された宅地等をその対象から除くこととされました。

ただし、特定事業（注）を行っていた被相続人等の当該事業の用に供された宅地等については、上記の相続開始前３年以内に事業の用に供されたものであっても、その対象から除かれない（換言すれば、特定事業用宅地等に該当する）ものとされています。

（注）「特定事業」とは、次に掲げる算式を充足する場合における当該事業をいいます。

（算式）

$$\frac{\text{分母に掲げる特定宅地等に係る被相続人等の事業の用に供されていた減価償却資産のうち当該被相続人等が有していたものの相続の開始の時における価額の合計額}}{\text{新たに事業の用に供された宅地等（特定宅地等）の相続の開始の時における価額}} \geqq \frac{15}{100}$$

上記の改正は、平成31年４月１日以後に相続又は遺贈により取得した小規模宅地等の課税特例に規定する宅地等に係る相続税について適用するものとされています。

ただし、この適用時期については経過措置が設けられており、平成31年４月１日から令和４年３月31日までの間に相続又は遺贈により取得する宅地等に係る特定事業用宅地等の規定の適用については、上記改正について『相続開始前３年以内に新たに事業の用に供された宅地等』とあるのは、『平成31年４月１日以後に新たに事業の用に供された宅地等』と読み替えて適用する（換言すれば、『平成31年３月31日以前に新たに事業の用に供された宅地等』については、平成31年度の改正は適用しない）ものとされています。この取扱いを図示すると、次のとおりとなります。

図解　特定事業用宅地等に係る平成31年度の改正（本則と経過措置）

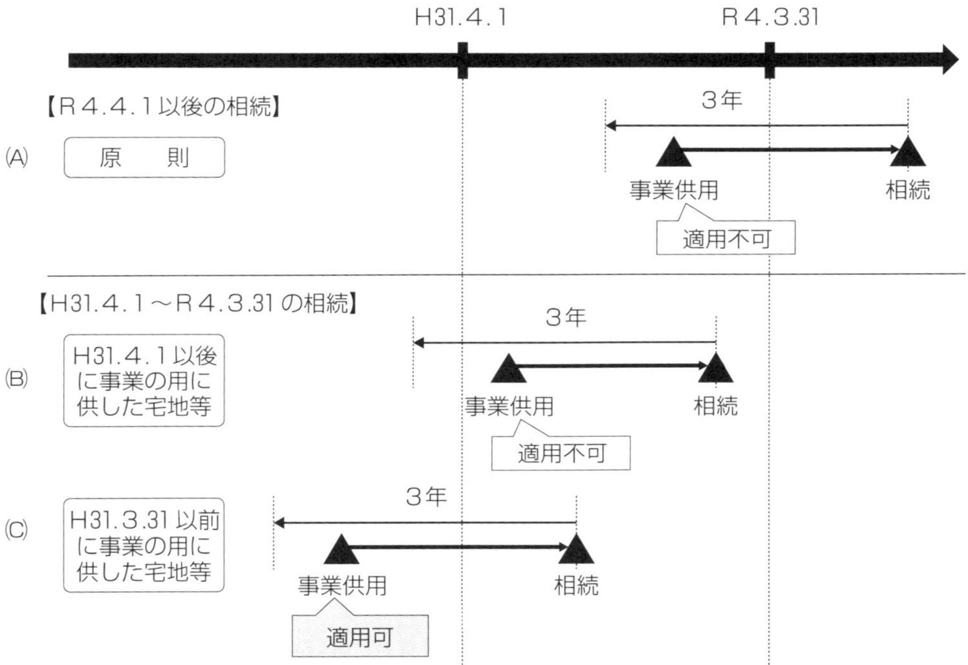


（注）上記は、被相続人等が営む事業が特定事業に該当しない場合を前提としています。

(2)　平成31年３月31日までに相続開始日が到来した場合

①　適用要件

特定事業用宅地等（被相続人の事業を相続開始後に事業承継する場合）に該当するためには、次に掲げる(イ)ないし(ハ)に掲げる要件を充足していることが必要とされます。

(イ)　被相続人の親族が、相続開始時から相続税の申告期限までの間に当該宅地等に係る被相続人の事業を承継すること

(ロ)　上記(イ)の事業を承継した親族が、相続開始時から相続税の申告期限まで引き続き当該宅地等を所有していること

(ハ)　上記(イ)の事業を承継した親族が、事業承継後、相続税の申告期限まで引き続き当該貸付事業の用に供していること

②　当てはめ

**質疑** の事例の場合（㊟新規事業供用日：平成29年２月10日、相続開始日：平成31年２月10日）、当該物品販売業に供用されている店舗の敷地である宅地等を相続により取得した長男Aは、その前提条件から上記①に掲げる適用要件を充足していると認められることから、当該宅地等は、特定事業用宅地等（課税価格算入割合20％、適用上限面積400㎡）に該当することになります。

(3)　平成31年４月１日から令和４年３月31日までの間に相続開始日が到来した場合

①　適用要件

特定事業用宅地等（被相続人の事業を相続開始後に事業承継する場合）に該当するためには、上記(2)①に掲げる要件及び(1)の後段の経過措置に掲げる適用除外要件を充足していることが必要とされます。

②　当てはめ

**質疑** の事例の場合、その前提条件から被相続人甲に係る相続開始の２年前に物品販売業に供用される店舗を取得したとのことですが、その敷地である宅地等が特定事業用宅地等（課税価格算入割合20％、適用上限面積400㎡）に該当するか否かの判断は、当該宅地等が新たに事業の用に供された時の下記に掲げる区分の別に、それぞれに示すとおりとされます。

(イ)　新たに事業の用に供された時が平成31年３月31日以前である場合

例えば、**質疑** の事例が、新たに事業の用に供された時が平成31年２月10日で被相続人甲に係る相続開始日が令和３年２月10日である場合としたならば、本件事例は、上記①に掲げる適用要件を充足する（上記(1)の 図解 の(C)に該当）こととなり、特定事業用宅地等に該当します。

(ロ)　新たに事業の用に供された時が平成31年４月１日以後である場合

例えば、**質疑** の事例が、新たに事業の用に供された時が令和元年６月10日で被相続人甲に係る相続開始日が令和３年６月10日である場合としたならば、本件事例は、上記①に掲げる適用要件を充足しない（上記(1)の 図解 の(B)に該当）こととなり、特定事業用宅地等に該当しません。

(4)　令和４年４月１日以後に相続開始日が到来した場合

①　適用要件

特定事業用宅地等（被相続人の事業を相続開始後に事業承継する場合）に該当するためには、上記(2)①に掲げる要件及び(1)の前段に掲げる平成31年度の税法改正後の適用除外要件を充足していることが必要とされます。

②　当てはめ

**質疑** の事例の場合（㊟新規事業供用日：令和３年２月10日、相続開始日：令和４年５月10日）、当該物品販売業に供用されている店舗の敷地である宅地等を相続により取得した長男Aは、その前提条件から上記①に掲げる適用要件を充足しない（上記(1)の 図解 の

(A)に該当）こととなり、特定事業用宅地等に該当しません。

### ⑿　平成31年度の税法改正による特定事業用宅地等に係る経過措置（『平成31年４月１日以後に新たに事業の用に供されたもの』の意義）

**質疑**　被相続人甲に相続の開始（相続開始日：令和３年12月10日）がありました。

同人が相続開始時において営む小売業の用に供されていた物件に関する資料が下表に掲げる 事例１ 又は 事例２ に示すとおりであるとしたならば、それぞれに掲げるＸ物件又はＹ物件の敷地の用に供されている宅地等につき、平成31年度の税法改正による特定事業用宅地等に係る経過措置の適用を受けて、当該宅地等を特定事業用宅地等として取り扱うことが認められるのでしょうか。

| 事例 | 物件の名称 | 不動産を取得した日 | 事業に供した日 | 備考 |
|---|---|---|---|---|
| 事例１ | Ｘ物件 | 平成31年２月５日 | 平成31年２月10日 | Ｘ物件に係る事業は、特定事業に非該当 |
| 事例２ | Ｙ物件 | 平成31年３月30日 | 平成31年４月３日 | Ｙ物件に係る事業は、特定事業に非該当 |

なお、上記に掲げる事項以外の事項については、特定事業用宅地等に係る適用要件を充足しているものとします。

**応答**

(1)　概要

平成31年度の税法改正では、特定事業用宅地等について、相続開始前３年以内に新たに事業の用に供された宅地等（ただし、特定事業（注）を行っていた被相続人等の当該事業の用に供された宅地等を除きます。）をその対象から除くものとされました。

（注）「特定事業」とは、次に掲げる算式を充足する場合における当該事業をいいます。

（算式）

$$\frac{\text{分母に掲げる特定宅地等に係る被相続人等の事業の用に供されていた減価償却資産のうち当該被相続人等が有していたものの相続の開始の時における価額の合計額}}{\text{新たに事業の用に供された宅地等（特定宅地等）の相続の開始の時における価額}} \geqq \frac{15}{100}$$

上記の特定事業用宅地等に係る改正は、平成31年４月１日以後に相続又は遺贈により取得した宅地等に係る相続税について適用するものとされています。

ただし、平成31年４月１日から令和４年３月31日までの間に相続又は遺贈による取得する宅地等に係る特定事業用宅地等の規定の適用については一定の経過措置が設けられており、当該期間中に相続又は遺贈により取得をした宅地等については、平成31年４月１日以後に新たに事業の用に供されたもの（特定事業を行っていた被相続人等の当該事業の用に供されたものを除きます。）が特定事業用宅地等の対象となる宅地等から除かれる（換言すれば、平成31年３月31日までに新たに事業の用に供されたものは除外の対象とはされない）ものとされています。

(2)　事例１（Ｘ物件の敷地である宅地等）の場合

事例１の場合、被相続人甲に係る相続開始日が令和３年12月10日、新規事業供用日が平成31年２月10日であることからＸ物件の敷地である宅地等は、相続開始前３年以内に新たに事業の用に供された宅地等に該当することになります。

また、その一方で新規事業供用日が平成31年２月10日であり、平成31年４月１日以後に新たに事業の用に供されたもの（上記(1)の＿＿部分）には該当しないことから、上記(1)のただし書きに掲げる経過措置の適用対象に該当することになります。この取扱いを図示すると、次の図１のとおりです。

したがって、小売業の用に供されていたＸ物件の敷地である宅地等については、特定事業用宅地等として小規模宅地等の課税特例の対象とすることが認められます。

図１　Ｘ物件の敷地である宅地等の取扱い

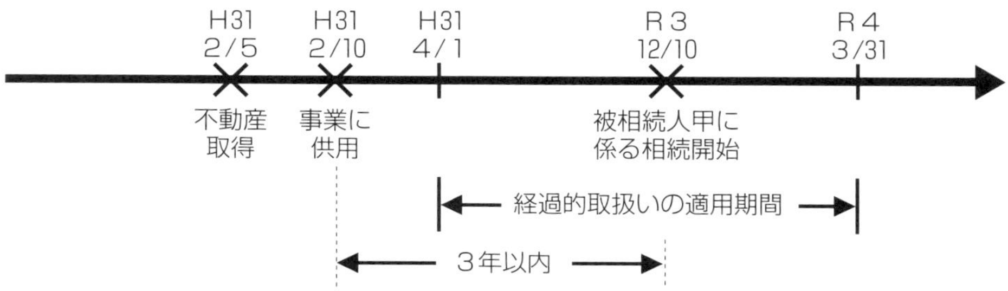


(3)　事例２（Ｙ物件の敷地である宅地等）

事例２の場合、被相続人甲に係る相続開始日が令和３年12月10日、新規事業供用日が平成31年４月３日であることからＹ物件の敷地である宅地等は、相続開始前３年以内に新たに事業の用に供された宅地等に該当することになります。

そして、上記(1)のただし書に掲げる経過措置の適用対象に該当するか否かの検討ですが、Ｙ物件の新規事業供用日が平成31年４月３日であり、平成31年４月１日以後に新たに貸付事業の用に供されたもの（上記(1)の＿＿部分）に該当し、当該経過措置の対象にも該当しないものとされています。この取扱いを図示すると、次の図２のとおりです。

（注）事例２の場合、Ｙ物件の取得日が平成31年３月30日で、同日は平成31年４月１日前に該当しますが、上記の経過措置の適用判断基準は、『平成31年４月１日以後に新たに事業の用に供されたもの』（上記(1)の＿＿部分）であり、当該不動産の取得日で判断するものではないことに留意する必要があります。

図２　Ｙ物件の敷地である宅地等の取扱い

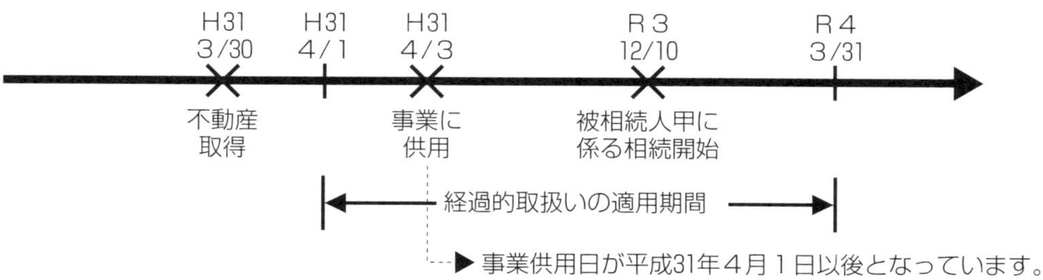

また、**質疑**に掲げる前提条件からＹ物件に係る事業は『特定事業を行っていた被相続人等の当該事業』にも該当しないことになります。

したがって、小売業の用に供されていたＹ物件の敷地である宅地等については、特定事業用宅地等として小規模宅地等の課税特例の対象とすることは認められません。

### ⒀　相続開始前３年以内に新たに事業の用に供された宅地等の意義（その１：相続開始前３年以内に新たに事業の用に供されたか否かの判定）（そのＡ：基本的な考え方）

**質疑**　被相続人甲に相続の開始（相続開始日：令和４年８月29日）がありました。同人が相続開始時において事業の用に供している建物（いずれも被相続人甲所有）の敷地であるＡ宅地ないしＥ宅地の所在が確認されています。

また、同人がこれらの宅地等を利用して行っていた事業はいずれも同人に係る相続開始前３年以内に、現行（被相続人甲に係る相続開始時をいいます。）の形態になったもので特定事業には該当せず、その詳細等は下表のとおりです。

| 区　分 | 地　積 | 現行における利用形態以前の利用形態 | 現行における利用形態 |
|---|---|---|---|
| Ａ宅地 | 120㎡ | 未利用 | 被相続人甲経営の小売店舗の敷地に供用 |
| Ｂ宅地 | 100㎡ | 被相続人甲の居住用家屋の敷地に供用 | 被相続人甲経営の書店店舗の敷地に供用 |
| Ｃ宅地 | 80㎡ | 被相続人甲経営の貸家家屋の敷地に供用 | 被相続人甲経営の居酒屋店の敷地に供用 |
| Ｄ宅地 | 60㎡ | 被相続人甲経営のうどん専門店の敷地に供用 | 被相続人甲経営のそば専門店の敷地に供用 |
| Ｅ宅地 | 40㎡ | 被相続人甲経営の理容院の敷地に供用 | 被相続人甲経営のラーメン店の敷地に供用 |

上記Ａ宅地ないしＥ宅地及びそれぞれの宅地上に存する建物はすべて長男が相続により取得し、相続税の申告期限までにこれらの各宅地上で営まれていた被相続人甲の事業を承継し、今後も末永く各宅地を所有してこれらの事業を継続する予定です。

小規模宅地等の課税特例（特定事業用宅地等）は、現行の規定では相続開始前３年以内に新たに事業の用に供された宅地等は、当該事業が特定事業に該当しない限り、その適用が認められないとのことです。

そうすると、上記に掲げるＡ宅地ないしＥ宅地は、上記＿＿＿部分に掲げる『相続開始前３年以内に新たに事業の用に供された宅地等』に該当することになるのでしょうか。

## 応答

(1)　概要

平成31年度の税法改正では、特定事業用宅地等について、相続開始前３年以内に新たに事業の用に供された宅地等（特定事業を行っていた被相続人等の当該事業の用に供されたものを除きます。）をその対象から除くこととされました。

なお、上記＿＿部分に掲げる『相続開始前３年以内に新たに事業の用に供された宅地等』の意義について、措置法通達69の４－20の２《新たに事業の用に供されたか否かの判定》の前段で次に掲げるものをいうと定められています。

①　事業（貸付事業を除きます。以下、本問において同じです。）の用以外の用に供されていた宅地等が事業の用に供された場合

②　宅地等又はその上にある建物等につき「何らの利用がされていない場合」の宅地等が事業の用に供された場合

上記の定めをまとめると、次のとおりとなります。

(イ)『相続開始前３年以内に新たに事業の用に供された宅地等』に該当する場合

㋑　何らの利用がされていない宅地等が、事業の用に供された場合の当該事業の用に供された部分

㋺　居住の用に供されていた宅地等が、事業の用に供された場合の当該事業の用に供された部分

㋩　貸付事業の用に供されていた宅地等が、事業の用に供された場合の当該事業の用に供された部分

(ロ)『相続開始前３年以内に新たに事業の用に供された宅地等』に該当しない場合

事業の用に供されていた宅地等が他の事業の用に供された場合（いわゆる「転業」をいいます。）の当該他の事業の用に供された部分

(2)　**質疑**　の事例の場合

**質疑**　の事例の場合、被相続人甲に係る相続開始日が令和４年８月29日で、同日現在において被相続人甲が営むA宅地ないしE宅地上における各事業については、当該各事業の形態となってからまだ３年が未経過であるとされています。

そうすると、これらの各宅地についてはそのすべてが、相続開始前３年以内に新たに事業の用に供された宅地等に該当すると考える向きがあるかもしれません。

しかしながら、上記(1)に掲げる措置法通達の定め及びこれに関する解釈からすると、下表のとおりに取り扱うことが相当であると考えられます。

<table>
<tr><td rowspan="2">区　分</td><td colspan="2">『相続開始前３年以内に新たに事業の用に供された』宅地等の該当性</td></tr>
<tr><td>判　定</td><td>判定の根拠</td></tr>
<tr><td>A宅地</td><td>該　当</td><td>相続開始前３年以内に未利用地が事業用地に供用された（上記⑴(イ)㋑に該当）と解釈</td></tr>
<tr><td>B宅地</td><td>該　当</td><td>相続開始前３年以内に被相続人甲の居住用地が事業用地に供用された（上記⑴(イ)㋺に該当）と解釈</td></tr>
<tr><td>C宅地</td><td>該　当</td><td>相続開始前３年以内に貸付事業用地が事業用地に供用された（上記⑴(イ)㋩に該当）と解釈</td></tr>
<tr><td>D宅地<br>・<br>E宅地</td><td>非該当</td><td>相続開始前３年以内に業態についてはいずれも変動が認められる（D宅地：うどん専門店からそば専門店、E宅地：理容院からラーメン店）ものの、ある事業から他の事業といういわゆる『転業』があったと解釈<br>（注）『相続開始前３年以内に新たに事業の用に供された』か否かを判定する場合における『転業』の解釈に当たっては、D宅地上における事業転換（うどん専門店からそば専門店）のように日本標準産業分類（第13回改訂：平成25年10月30日総務省告示第405号、平成26年４月１日適用）において細分類番号まで同一であるもの、又は、E宅地上における事業転換（理容院からラーメン店）のように大分類の段階で異なるもの（理容院は「大分類　N―生活関連サービス業、娯楽業」、ラーメン店は「大分類　M―宿泊業、飲食サービス業」に該当）の如何を問わず、すべて同一の取扱いとなります。<br>　この点につき、被相続人の事業を承継した親族が当該事業を相続税の申告期限までに転業した場合の『転業』の解釈とは異なるものとされていますので留意する必要があります。</td></tr>
</table>

したがって、**質疑** の事例の場合には、A宅地、B宅地及びC宅地は相続人甲に係る相続開始前３年以内に新たに事業の用に供された宅地等に該当することから、それぞれの宅地等の上で営まれていた被相続人甲の事業が特定事業に該当しない限り（本件 **質疑** では、特定事業に該当しないとされています。）、これらの宅地等を特定事業用宅地等として小規模宅地等の課税特例の対象とすることは認められないことになります。

留意点　本件 **質疑** の事例の場合には該当しませんが、平成31年４月１日から令和４年３月31日までの間に相続又は遺贈により取得した宅地等に係る特定事業用宅地等の規定の適用については、一定の経過措置が設けられていることに留意する必要があります。この点に関して、⑿の質疑応答を参照してください。

### ⒁　相続開始前３年以内に新たに事業の用に供された宅地等の意義（その１：相続開始前３年以内に新たに事業の用に供されたか否かの判定）（そのB：継続的に事業の用に供されていた建物等につき建替えが行われた場合）

**質疑**

被相続人甲に相続の開始（相続開始日：令和４年８月29日）がありました。同人が相続開始時において事業（物品販売業）の用に供しているのは、P宅地上に存しているY家屋でした。このY家屋に関しては、次に掲げる事項が判明しています。

Ｙ家屋に関する事項

①　平成元年２月４日に、被相続人甲がＰ宅地及び同宅地上に存するＸ家屋を購入し、購入直後から直ちに同人が経営する物品販売業の事業に供用しました。

②　令和２年８月29日に、老朽化したＸ家屋を建て替えることとなり、取り壊しました。（物品販売業は、仮店舗で営業していました。）

③　令和３年８月29日に、旧来のＸ家屋所在地であるＰ宅地上にＹ家屋を新築し、直ちに被相続人甲が経営する物品販売業の事業に供用しました。

そうすると、被相続人甲に係る相続開始日が令和４年８月29日であり、かつ、Ｙ家屋を新築して被相続人甲が経営する物品販売業への事業供用日が令和３年８月29日であることをもって、『相続開始前３年以内に新たに事業の用に供された』と解して、Ｙ家屋の敷地であるＰ宅地は特定事業用宅地等に該当しないと解釈することになるのでしょうか。

なお、上記に掲げる事項以外の事項については、特定事業用宅地等に係る適用要件を充足しているものとします。

## 応答

⑴　概要

平成31年度の税法改正では、特定事業用宅地等について、(イ)相続開始前３年以内に新たに事業の用に供された宅地等（特定事業を行っていた被相続人等の当該事業の用に供されたものを除きます。）をその対象から除くこととされました。

なお、上記(イ)＿＿部分に掲げる『相続開始前３年以内に新たに事業の用に供された宅地等』の意義について、措置法通達69の４－20の２《新たに事業の用に供されたか否かの判定》の前段で次に掲げるものをいうと定められています。

①　事業（貸付事業を除きます。以下、本問において同じです。）の用以外の用に供されていた宅地等が事業の用に供された場合

②　宅地等又はその上にある建物等につき「何らの利用がされていない場合」の宅地等が事業の用に供された場合

また、同通達では、「継続的に事業の用に供されていた建物等につき建替えが行われた場合において、建物等の建替え後速やかに事業の用に供されていたとき（当該建替え後の建物等を事業の用以外の用に供していないときに限る。）のように、(ロ)事業に係る建物等が一時的に事業の用に供されていなかったと認められる場合には、当該建物等に係る宅地等は、上記②の『何らの利用がされていない場合』の宅地等に該当しない」旨が定められています。

なお、上記の措置法通達のまた書に記載されている定めに該当する場合には、当該宅地等に係る『新たに事業の用に供された』時は、継続的に事業の用に供されていた建物等につき建替えが行われた場合における当該建替え前の事業に係る事業の用に供された時となること

に留意する必要があります。

(2)　**質疑**　の事例の場合

**質疑**　の事例の場合、被相続人甲に係る相続開始日が令和４年８月29日、建替え後のＹ家屋に係る物品販売業への事業供用日が令和３年８月29日であることから、Ｐ宅地は外形的に判断すると被相続人甲に係る相続開始前３年以内に新たに事業の用に供した宅地等に該当すると考えられるかもしれません。

しかしながら、上記(1)に掲げる措置法通達の定めでは、上記(1)の(ロ)部分に掲げるとおり、事業に係る建物等が一時的に事業の用に供されていなかったと認められる場合には、当該建物等に係る宅地等は、上記(1)②に掲げる『何らの利用がされていない場合』に該当しないと判断されるところ、**質疑**　の事例では、その前提条件から上記(1)の措置法通達に定める一定の要件を充足する建替えに該当すると考えられ、当該建替えは、事業に係る建物等が一時的に事業の用に供されていなかったと認められる場合に該当するものと判断されます。

そうすると、Ｐ宅地が『新たに事業の用に供された』時は、継続的に事業の用に供されていた建物等につき建替えが行われた場合における当該建替え前の事業に係る事業の用に供された時である平成元年２月４日と判断されることから、被相続人甲に係る相続開始前３年以内に新たに事業の用に供した宅地等に該当しないものとなり、他の要件も充足しているとのことですから、特定事業用宅地等に該当することになります。

> 留意点　本件　**質疑**　の事例の場合には該当しませんが、平成31年４月１日から令和４年３月31日までの間に相続又は遺贈により取得した宅地等に係る特定事業用宅地等の規定の適用については、一定の経過措置が設けられていることに留意する必要があります。この点に関して、⑿の質疑応答を参照してください。

なお、本件　**質疑**　の事例の場合には該当しませんが、事業用建物等の建築中等に相続が開始した場合には、下記　参考資料　に掲げる措置法通達の取扱いがあることに留意する必要があります。

参考資料　**措置法通達69の４－５《事業用建物等の建築中等に相続が開始した場合》**

> 被相続人等の事業の用に供されている建物等の移転又は建替えのため当該建物等を取り壊し、又は譲渡し、これらの建物等に代わるべき建物等（被相続人又は被相続人の親族の所有に係るものに限る。）の建設中に、又は当該建物等の取得後被相続人等が事業の用に供する前に被相続人について相続が開始した場合で、当該相続開始直前において当該被相続人等の当該建物等に係る事業の準備行為の状況からみて当該建物等を速やかにその事業の用に供することが確実であったと認められるときは、当該建物等の敷地の用に供されていた宅地等は、事業用宅地等に該当するものとして取り扱う。
>
> なお、当該被相続人と生計を一にしていたその被相続人の親族又は当該建物等若しくは当該建物等の敷地の用に供されていた宅地等を相続若しくは遺贈により取得した当該被相続人の親族が、当該建物等を相続税の申告期限までに事業の用に供しているとき（申告期限において当該建物等を事業の用に供していない場合であっても、それが当該建物等の規模等からみて建築に相当の期間を要することによるものであるときは、当該建物等の完成後速やかに事業の用に供することが確実であると認められるときを含む。）は、当該相続開始直前において当該被相続人等が当該建物等を速やかにその事業

の用に供することが確実であったものとして差し支えない。
（注）　当該建設中又は取得に係る建物等のうちに被相続人等の事業の用に供されると認められる部分以外の部分があるときは、事業用宅地等の部分は、当該建物等の敷地のうち被相続人等の事業の用に供されると認められる当該建物等の対応する部分に限られる。

### ⒂　相続開始前３年以内に新たに事業の用に供された宅地等の意義（その１：相続開始後３年以内に新たに事業の用に供されたか否かの判定）（そのＣ：継続的に事業の用に供されていた建物等につき建替えが行われた際に新たに建替え後の敷地の用に供された宅地等に対する取扱い）

**質疑**　前問⒁において、Ｙ家屋に関する事項の③欄が次のとおりであったとします。

Ｙ家屋に関する事項

③　令和３年８月29日に、旧来のＸ家屋の所在地であるＰ宅地（地積250㎡）及び当該Ｐ宅地の隣接地で従来より未利用であったＱ宅地（被相続人甲所有、地積120㎡）の両宅地上にＹ家屋を新築し、直ちに被相続人甲が経営する物品販売業の事業に供用しました。

上記のような状況にあったとした場合においても、Ｐ宅地及びＱ宅地は、継続的に事業の用に供されていた建物等につき建替えが行われた場合の措置法通達の定めを適用することにより被相続人甲に係る相続開始前３年以内に新たに事業の用に供した宅地等に該当しないものと解して、特定事業用宅地等に該当すると取り扱ってもよろしいのでしょうか。

なお、上記に掲げる事項以外は、前問⒁に掲げる事項と同様であるものとします。

**応答**

⑴　概要

継続的に事業の用に供されていた建物等につき建替えが行われた場合において、建物等の建替え後速やかに事業の用に供されていたとき（当該建替え後の建物等を事業の用以外の用に供していないときに限られます。）における当該建物等の敷地が相続開始前３年以内に新たな事業の用に供されたか否かの取扱いは、前問⒁の **応答** ⑴に掲げるとおりとなります。

この場合において、措置法通達69の４－20の２《新たに事業の用に供されたか否かの判定》の（注）３では、「前問⒁のまた書（『何らの利用がされていない場合』に該当しない場合）に該当する場合において、建替え後の建物等の敷地の用に供された宅地等のうちに、建替え前の建物等の敷地の用に供されていなかった宅地等が含まれるときは、当該供されていなかった宅地等については、新たに事業の用に供された宅地等に該当することに留意する」旨が定められています。

(2)　**質疑**　の事例の場合

P宅地について、被相続人甲に係る相続開始前３年以内に新たに事業の用に供された宅地等に該当せず、特定事業用宅地等に該当すると判断されることは、前問⒁の　**応答**　(2)に掲げるとおりとなります。

一方、Q宅地については、その前提条件からすると、上記(1)の後段に掲げる措置法通達69の４－20の２《新たに事業の用に供されたか否かの判定》の（注）３に掲げる「建替え後の建物等の敷地の用に供された宅地等（　**質疑**　の事例では、P宅地及びQ宅地）のうちに、建替え前の建物等の敷地の用に供されていなかった宅地等（　**質疑**　の事例では、Q宅地）が含まれるとき」に該当することとなります。

そして、被相続人甲に係る相続開始日が令和４年８月29日、建替え後のY家屋について被相続人甲が営む物品販売業に係るQ宅地の新規事業供用日が令和３年８月29日であることから、当該新規事業供用日は被相続人甲に係る相続開始前３年以内に該当することになります。

そうすると、Q宅地は、被相続人甲に係る相続開始前３年以内に新たに事業の用に供された宅地等に該当することとなり、Q宅地を含む一の宅地等（　**質疑**　の事例では、P宅地及びQ宅地）の上で営まれていた被相続人甲の事業（物品販売業）が特定事業に該当しない限り（本件　**質疑**　では、特定事業に該当しないとされています。）、Q宅地を特定事業用宅地等とすることは認められないものとされます。

> 留意点　　本件　**質疑**　の事例の場合には該当しませんが、平成31年４月１日から令和４年３月31日までの間に相続又は遺贈により取得した宅地等に係る事業用宅地等の規定の適用については、一定の経過措置が設けられていることに留意する必要があります。この点に関して、⑿の質疑応答を参照してください。

### ⒃　相続開始前３年以内に新たに事業の用に供された宅地等の意義（その１：相続開始前３年以内に新たに事業の用に供されたか否かの判定）（そのD：継続的に事業の用に供されていた建物等につき移転が行われた場合）

**質疑**

被相続人甲に相続の開始（相続開始日：令和４年８月29日）がありました。同人が相続開始時において事業（飲食店）の用に供用している不動産（Y物件（Y家屋及びY宅地））の存在が確認されています。

被相続人甲に係る事業（飲食店）の概況をまとめると、次のとおりとなっています。

事業（飲食店）の概況

①　平成元年２月４日に、被相続人甲がX物件（X家屋及びX宅地）を購入し、購入直後から被相続人甲が営む事業（飲食店）の用に供用

②　令和３年８月29日に、老朽化したX物件を売却

③　令和３年９月１日に、上記②の売却代金をもってY物件（Y家屋及びY宅地）

を購入（注）し、直ちに被相続人甲が営む事業（飲食店）の用に供用

（注）被相続人甲が営む飲食店の所在地が、Ｘ物件（Ｘ町所在）からＹ物件（Ｙ町所在）に移転しました。

上記のような状況（事業場の移転の実施）下にあるＹ物件についても、措置法通達69の４－20の２《新たに事業の用に供されたか否かの判定》の(1)の取扱い（継続的に事業の用に供されていた建物等につき建替えが行われた場合）を準用して、『何らの利用がされていない場合』には該当しないとして、Ｙ宅地を特定事業用宅地等として取り扱うことは認められるのでしょうか。

なお、上記に掲げる事項以外の事項については、特定事業用宅地等に係る適用要件を充足しているものとします。

## 応答

(1)　概要

平成31年度の税法改正では、特定事業用宅地について、(イ)相続開始前３年以内に新たに事業の用に供された宅地等（特定事業を行っていた被相続人等の当該事業の用に供されたものを除きます。）をその対象から除くこととされました。

なお、上記(イ)部分に掲げる『相続開始前３年以内に新たに事業の用に供された宅地等』の意義について、措置法通達69の４－20の２《新たに事業の用に供されたか否かの判定》の前段で次に掲げるものをいうと定められています。

①　事業（貸付事業を除きます。以下、本問において同じです。）の用以外の用に供されていた宅地等が事業の用に供された場合

②　宅地等又はその上にある建物等につき「何らの利用がされていない場合」の宅地等が事業の用に供された場合

また、同通達では、「継続的に事業の用に供されていた建物等につき建替えが行われた場合において、建物等の建替え後速やかに事業の用に供されていたとき（当該建替え後の建物等を事業の用に供していないときに限る。）のように、(ロ)事業に係る建物等が一時的に事業の用に供されていなかったと認められる場合には、当該建物等に係る宅地等は、上記②の『何らの利用がされていない場合』の宅地等に該当しない」旨が定められています。

(2)　**質疑**の事例の場合

**質疑**の事例の場合、被相続人甲に係る相続開始日が令和４年８月29日、事業場移転後のＹ家屋に係る飲食店経営の開始によるＹ宅地に係る新規事業供用日が令和３年８月29日であることから、Ｙ宅地は外形的に判断すると被相続人甲に係る相続開始前３年以内に新たに事業の用に供された宅地等に該当することになります。

そして、上記(1)のまた書に掲げる措置法通達の定めに該当するか否かについて検討すると、当該定めは、継続的に事業の用に供されていた建物等につき『建替え』が行われた場合の取扱いであり、『移転』の場合についてまで定められているものではない（その理由として、

当該建物等の移転先の宅地等は、移転前の宅地等とは異なるものであることが考えられます。）ことから、**質疑** の事例の場合の移転先であるＹ宅地については、当該定めの適用はないものとされます。

そうすると、移転先であるＹ宅地は、被相続人甲に係る相続開始前３年以内に新たに事業の用に供された宅地等に該当することとなり、Ｙ宅地の上で営まれていた被相続人甲の事業（飲食店）が特定事業に該当しない限り、Ｙ宅地を特定事業用宅地等とすることは認められないものとされます。

**留意点**　本件 **質疑** の事例の場合には該当しませんが、平成31年４月１日から令和４年３月31日までの間に相続又は遺贈により取得した宅地等に係る特定事業用宅地等の適用については、一定の経過措置が設けられていることに留意する必要があります。この点に関して、⑿の質疑応答を参照してください。

**参考**　**措置法通達69の４－20の２《新たに事業の用に供されたか否かの判定》と措置法通達69の４－５《事業用建物等の建築中等に相続が開始した場合》の比較**

措置法通達69の４－20の２《新たに事業の用に供されたか否かの判定》では、継続的に事業の用に供されていた建物等につき建替えが行われた場合において、建物等の建替え後速やかに事業の用に供されていたとき（当該建替え後の建物等を事業の用以外の用に供していないときに限る。）のように、事業に係る建物等が一時的に事業の用に供されていなかったと認められるときには、当該建物等に係る宅地等は、新たに事業の用に供されたか否かの判定における『何らの利用がされていない場合』に該当しない旨が定められているところ、当該定めの対象とされるのは本問で確認したとおり、建物等の『建替え』（上記＿＿部分）があった場合であり、建物等の『移転』については対象とされていません。

一方、措置法通達69の４－５《事業用建物等の建築中等に相続が開始した場合》の前段の定め（下記 **参考資料** を参照）は、事業用建物等の建築中等に相続が開始した場合の事業用宅地等（特定事業用宅地等、特定同族会社事業用宅地等又は貸付事業用宅地等）の該当性に関する一種の緩和措置とされていますが、その対象とされているのは、建物等の『移転又は建替え』（下記 **参考資料** の＿＿部分）とされています。

**参考資料**　**措置法通達69の４－５《事業用建物等の建築中等に相続が開始した場合》（前段のみ）**

> 被相続人等の事業の用に供されている建物等の移転又は建替えのため当該建物等を取り壊し、又は譲渡し、これらの建物等に代わるべき建物等（被相続人又は被相続人の親族の所有に係るものに限る。）の建築中に、又は当該建物等の取得後被相続人等が事業の用に供する前に被相続人について相続が開始した場合で、当該相続開始直前において当該被相続人等の当該建物等に係る事業の準備行為の状況からみて当該建物等を速やかにその事業の用に供することが確実であったと認められるときは、当該建物等の敷地の用に供されていた宅地等は、事業用宅地等に該当するものとして取り扱う。

そうすると、上掲の両通達では、建物等の『建替え』と『移転』の態様の違いによって、その取扱いに差異が生じていますので、留意する必要があります。

### ⒄　相続開始前3年以内に新たに事業の用に供された宅地等の意義（その1：相続開始前3年以内に新たに事業の用に供されたか否かの判定）（その E：継続的に事業の用に供されていた建物等について被災により事業を休業した場合）

**質疑**

被相続人甲に相続の開始（相続開始日：令和4年8月29日）がありました。同人が所有し、事業（被相続人甲は宿泊業を営んでいました。）の用に供用していたX物件（X家屋及びX宅地）の状況は、次に掲げるとおりとなっていました。

X物件の状況

① 平成7年6月24日に、被相続人甲がX物件を購入し、購入直後から直ちに被相続人甲が営む宿泊業の用に供用

② 令和2年6月15日に、災害（集中豪雨）のためX物件の一部が損壊したため宿泊業を休業し、直ちに修繕を開始

③ 令和3年3月15日に、上記②のX物件の修繕が完了したため再び宿泊業を再開

そうすると、被相続人甲の営む事業（宿泊業）は、令和3年3月15日のX物件の修繕完了後の宿泊業の再開をもって『新たに事業の用に供された』と解して、X宅地は特定事業用宅地等に該当しないと解釈することになるのでしょうか。

なお、上記に掲げる事項以外の事項については、特定事業用宅地等に係る適用要件を充足しているものとします。

**応答**

⑴　概要

平成31年度の税法改正では、特定事業用宅地等について、(イ)相続開始前3年以内に新たに事業の用に供された宅地等（特定事業を行っていた被相続人等の当該事業の用に供されたものを除きます。）をその対象から除くこととされました。

なお、上記(イ)＿＿＿部分に掲げる『相続開始前3年以内に新たに事業の用に供された宅地等』の意義について、措置法通達69の4－20の2《新たに事業の用に供されたか否かの判定》の前段で次に掲げるものをいうと定められています。

① 事業（貸付事業を除きます。以下、本問において同じです。）の用以外の用に供されていた宅地等が事業の用に供された場合

② 宅地等又はその上にある建物等につき「何らかの利用がされていない場合」の宅地等が事業の用に供された場合

また、同通達では、「継続的に事業の用に供されていた建物等が災害により損害を受けたため、当該建物等に係る事業を休業した場合において、事業の再開のための当該建物等の修繕その他の準備が行われ、事業が再開されていたとき（休業中に当該建物等を事業の用以外の用に供していないときに限る。）のように、(ロ)事業に係る建物等が一時的に事業の用に供さ

れていなかったと認められる場合には、当該建物等に係る宅地等は、上記②の『何らの利用がされていない場合』に該当しない」旨が定められています。

なお、上記の措置法通達のまた書に記載されている定めに該当する場合には、当該宅地等に係る『新たに事業の用に供された』時は、継続的に事業の用に供されていた建物等が災害により損害を受けたため、当該建物等に係る事業を休業した場合における当該休業前の事業に係る事業の用に供された時となることに留意する必要があります。

⑵　**質疑**　の事例の場合

**質疑**　の事例の場合、被相続人甲に係る相続開始日が令和４年８月29日、災害による修繕完了後のＸ物件について宿泊業の営業再開によるＸ宅地に係る新規事業供用日が令和３年３月15日であることから、Ｘ宅地は外形的に判断すると被相続人甲に係る相続開始前３年以内に新たに事業の用に供された宅地等に該当すると考えられるかもしれません。

しかしながら、上記⑴に掲げる措置法通達の定めでは、上記⑴の(ロ)部分に掲げるとおり、事業に係る建物等が一時的に事業の用に供されていなかったと認められる場合には、当該建物等に係る宅地等は、上記⑴②に掲げる『何らの利用がされていない場合』に該当しないと判断されるところ、**質疑**　の事例では、その前提条件から上記⑴の措置法通達に定める一定の要件を充足する休業に該当すると考えられ、当該休業は、事業に係る建物等が一時的に事業の用に供されていなかったと認められる場合に該当するものと判断されます。

そうすると、Ｘ宅地が『新たに事業の用に供された』時は、継続的に事業の用に供されていた建物等が災害により損害を受けたため、当該建物等に係る事業を休業した場合における当該休業前の事業に係る事業の用に供された時である平成７年６月24日と判断されることから、被相続人甲に係る相続開始前３年以内に新たに事業の用に供した宅地等に該当しないものとなり、他の要件も充足しているとのことですから、特定事業用宅地等に該当することになります。

| |
|---|
| **留意点**　本件　**質疑**　の事例の場合には該当しませんが、平成31年４月１日から令和４年３月31日までの間に相続又は遺贈により取得した宅地等に係る特定事業用宅地等の規定の適用については、一定の経過措置が設けられていることに留意する必要があります。この点に関して、⑿の質疑応答を参照してください。 |

なお、本件　**質疑**　の事例の場合には該当しませんが、災害のために被相続人に係る相続税の申告期限において事業が休業中である場合には、下記 **参考資料** に掲げる措置法通達の取扱いがあることに留意する必要があります。

参考資料　措置法通達69の４－17《災害のため事業が休止された場合》

措置法第69条の４第３項第１号イ又はロの要件の判定において、被相続人等の事業の用に供されていた施設が災害により損害を受けたため、同号イ又はロの申告期限において当該事業が休業中である場合には、同号に規定する親族（同号イの場合にあっては、その親族の相続人を含む。）により当該事業の再開のための準備が進められていると認められるときに限り、当該施設の敷地は、当該申告期限においても当該親族の当該事業の用に供されているものとして取り扱う。

（注）措置法第69条の４第３項第２号イ及びハ、同項第３号並びに同項第４号イ及びロの要件の判定については、上記に準じて取り扱う。

### ⒅　相続開始前３年以内に新たに事業の用に供された宅地等の意義（その１：相続開始前３年以内に新たに事業の用に供されたか否かの判定）（そのＦ：旧来から継続されていた事業に係る経営権をいわゆる『居抜き』により取得した場合）

質疑　被相続人甲に相続の開始（相続開始日：令和４年８月29日）がありました。同人が相続開始時において事業（日本料理店）の用に供していたＸ物件がありました。

このＸ物件は、令和２年７月28日に被相続人甲の知人が昭和の時代から経営していた日本料理店の経営権を引き継ぐに当たって、一定の条件（屋号の継続使用、営業形態の同一性及び従業員の継続雇用等）を順守することを要件として売買により取得したものです。

そうすると、被相続人甲が営む事業（日本料理店）は、元来は同人の知人が昭和の時代に創業したものであり、被相続人甲に係る相続開始前３年を超えて事業が継続されていることから、Ｘ物件の敷地であるＸ宅地は相続開始前３年以内に新たに事業の用に供された宅地等に該当しないと解して、特定事業用宅地等に該当すると解釈することは可能でしょうか。

なお、上記に掲げる事項以外の事項については、特定事業用宅地等に係る適用要件を充足しているものとします。

応答

(1)　概要

平成31年度の税法改正では、特定事業用宅地等について、(イ)相続開始前３年以内に新たに事業の用に供された宅地等（特定事業を行っていた被相続人等の当該事業の用に供されたものを除きます。）をその対象から除くこととされました。

なお、上記(イ)＿＿部分に掲げる『相続開始前３年以内に(ロ)新たに事業の用に供された宅地等』の意義について、措置法通達69の４－20の２《新たに事業の用に供されたか否かの判定》の前段で次に掲げるものをいうと定められています。

①　事業（貸付事業を除きます。以下、本問において同じです。）の用以外の用に供され

ていた宅地等が事業の用に供された場合

②　宅地等又はその上にある建物等につき「何らの利用がされていない場合」の宅地等が事業の用に供された場合

上記(ロ)＿＿部分に掲げる『新たに事業の用に供された』の判定は、国税庁より令和元年11月５日付で公開された資産課税課情報第17号『相続税法基本通達等の一部改正について（法令解釈通達）のあらまし（情報）』（以下、本問において「情報」といいます。）において、(ハ)被相続人等（被相続人又は当該被相続人と生計を一にしていた当該被相続人の親族）のそれぞれの利用状況により行う旨が定められています。

したがって、例えば、他の者の事業の用に供されている宅地等を被相続人等が取得し、当該被相続人等がその事業を継続（承継）したとしても、従前の事業は被相続人等が行っていたものではないため、その継続（承継）した事業は、上記①の場合に該当するものと定められています。

⑵　**質疑**　の事例の場合

**質疑**　の事例の場合、被相続人甲に係る相続開始日が令和４年８月29日、被相続人甲がＸ物件を知人から購入したことによるＸ宅地に係る新規事業供用日が令和２年７月28日であることから、Ｘ宅地は外形的に判断すると被相続人甲に係る相続開始前３年以内に新たに事業の用に供された宅地等に該当することになります。

そして、上記⑴に掲げるとおり、『新たに事業の用に供された』（上記⑴の(ロ)＿＿部分）の判定は、情報によれば、被相続人等のそれぞれの利用状況により行う（上記⑴の(ハ)＿＿部分）ものとされていることから、**質疑**　の事例では法令解釈上においても、被相続人甲がＸ宅地を新たに事業の用に供したのは、令和２年７月28日とされます。

そうすると、Ｘ宅地は、被相続人甲に係る相続開始前３年以内に新たに事業の用に供された宅地等に該当することとなり、Ｘ宅地の上で営まれていた被相続人甲の事業（日本料理店）が特定事業に該当しない限り、Ｘ宅地を特定事業用宅地等とすることは認められないものとされます。

なお、本件　**質疑**　の事例では、被相続人甲は知人から事業（日本料理店）を承継するためにＸ宅地を売買により取得したものとされていますが、もし仮に、事業譲渡者が知人ではなく被相続人甲に係る親族であり、当該親族からＸ宅地を売買や贈与により取得した場合であっても同様の取扱いとされます。

⑶　留意点

本件　**質疑**　の事例の場合には該当しませんが、被相続人が相続開始前３年以内に開始した相続又はその相続に係る遺贈により特定事業用宅地等に規定する事業の用に供されていた宅地等を取得し、かつ、その取得の日以後当該宅地等を引き続き当該事業の用に供していた場合における当該宅地等は、当該被相続人の相続開始前３年以内に新たに事業の用に供された宅地等に該当しないという取扱いが設けられており、本件　**質疑**　の事例との差異を確認しておく必要があります。（この取扱いに関して、⒇の質疑応答を参照してください。）

留意点　本件 **質疑** の事例の場合には該当しませんが、平成31年４月１日から令和４年３月31日までの間に相続又は遺贈により取得した宅地等に係る特定事業用宅地等の規定の適用については、一定の経過措置が設けられていることに留意する必要があります。この点に関して、⑿の質疑応答を参照してください。

## ⒆　相続開始前３年以内に新たに事業の用に供された宅地等の意義（その１：相続開始前３年以内に新たに事業の用に供されたか否かの判定）（そのＧ：賃借物件で旧来から継続して事業を行っていた被相続人が当該賃借物件の所有権を取得した場合）

**質疑**　被相続人甲に相続の開始（相続開始日：令和４年８月29日）がありました。同人は相続開始時にいたる約30年間、事業（日本料理店）経営を行っていました。

上記の日本料理店の店舗として使用されていたＸ物件は、事業開始時は賃借物件であったものですが、令和２年７月28日に、被相続人甲が旧来の貸主から売買契約により取得して、同人の所有としたものです。

そうすると、上記のＸ物件の敷地であるＸ宅地は被相続人甲に係る相続開始前３年以内に新たに事業の用に供された宅地に該当するとして、特定事業用宅地等には該当しないと判断することになるのでしょうか。

なお、上記に掲げる事項以外の事項については、特定事業用宅地等に係る適用要件を充足しているものとします。

また、前問⒅（旧来から継続されていた事業に係る経営権をいわゆる『居抜き』により取得した場合）と本問との差異についても説明してください。

### 応答

⑴　概要

平成31年度の税法改正では、特定事業用宅地等について、(イ)相続開始前３年以内に新たに事業の用に供された宅地等（特定事業を行っていた被相続人等の当該事業の用に供されたものを除きます。）をその対象から除くこととされました。

なお、上記(イ)＿＿部分に掲げる『相続開始前３年以内に(ロ)新たに事業の用に供された宅地等』の意義について、措置法通達69の４－20の２《新たに事業の用に供されたか否かの判定》の前段で次に掲げるものをいうと定められています。

①　事業（貸付事業を除きます。以下、本問において同じです。）の用以外の用に供されていた宅地等が事業の用に供された場合

②　宅地等又はその上にある建物等につき「何らの利用がされていない場合」の宅地等が事業の用に供された場合

上記(ロ)＿＿部分に掲げる『新たに事業の用に供された』の判定は、国税庁より令和元年11月５日付で公開された資産課税課情報第17号『相続税法基本通達等の一部改正について（法

令解釈通達）のあらまし（情報）』（以下、本問において「情報」といいます。）において、(ハ)被相続人等（被相続人又は当該被相続人と生計を一にしていた当該被相続人の親族）のそれぞれの利用状況により行う旨が定められています。

したがって、被相続人等が借り受けていた宅地等を事業の用に供していた場合において、当該被相続人等が当該宅地等を取得して引き続き事業の用に供したときの当該事業の用に供された部分については、『新たに事業の用に供された』宅地等に該当しないことと定められています。

(2)　質疑　の事例の場合

質疑　の事例の場合、被相続人甲に係る相続開始日が令和４年８月29日、被相続人甲がＸ物件を旧来の貸主から購入したことによりＸ宅地の所有者となったのが令和２年７月28日であることから、一見すると、Ｘ宅地は被相続人甲に係る相続開始前３年以内に新たに事業の用に供した宅地等に該当すると考えられるかもしれません。

しかしながら、上記(1)に掲げるとおり、『新たに事業の用に供された』（上記(1)の(ロ)＿＿部分）の判定は、情報によれば、被相続人等のそれぞれの利用状況により行う（上記(1)の(ハ)＿＿部分）ものとされていることから、質疑　の事例では法令解釈上においても、被相続人甲がＸ宅地を新たに事業の用に供した（注）のは、同人に係る相続開始の約30年前の事業（日本料理店）経営の開始時とされます。

（注）　Ｘ宅地を新たに事業の用に供したか否かの判断を行うに当たっては、当該事業供用者のＸ宅地に対する権原が所有権に基づくものであるのか、又は貸借権（賃貸借、使用貸借）に基づくものであるのかの区分は、判断要件とされていないことに留意する必要があります。

そうすると、Ｘ宅地は、被相続人甲に係る相続開始前３年以内に新たに事業の用に供された宅地等には該当しないこととなり、Ｘ宅地は特定事業用宅地等に該当することになります。

| |
|---|
| **留意点**　本件　質疑　の事例の場合には該当しませんが、平成31年４月１日から令和４年３月31日までの間に相続又は遺贈により取得した宅地等に係る特定事業用宅地等の規定の適用については、一定の経過措置が設けらてれいることに留意する必要があります。この点に関して、⑿の質疑応答を参照してください。 |

(3)　前問⒅と本問の差異（まとめ）

前問（旧来から継続されていた事業に係る経営権をいわゆる『居抜き』により取得した場合）と本問（賃借物件で旧来から継続して事業を行っていた被相続人が当該賃借物件の所有権を取得した場合）との差異をまとめると、次のとおりとなります。

図解　(1)　前問（旧来から継続されていた事業に係る経営権をいわゆる『居抜き』より取得した場合）

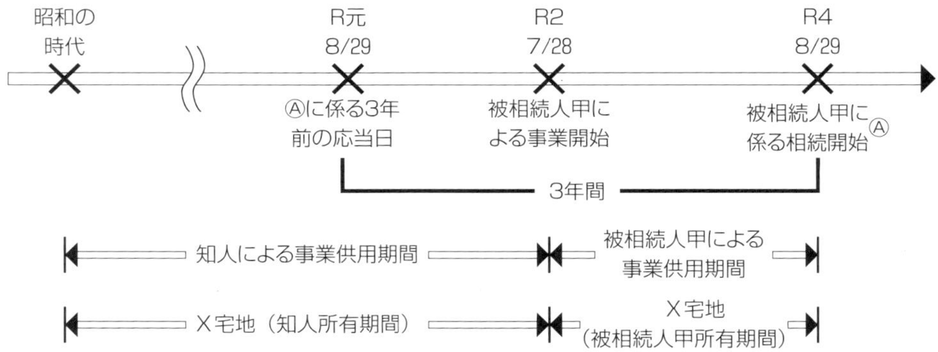


結論　Ｘ宅地は、被相続人甲に係る相続開始前３年以内に新たに事業の用に供された宅地等に該当

解釈　他の者（知人）の事業の用に供されている宅地等を被相続人甲が取得し、被相続人甲がその事業を継続（承継）したとしても、従前の事業は、被相続人甲が行っていたものではない。

そうすると当該承継された事業は、被相続人甲から判断すると、宅地等又はその上にある建物等につき「何らの利用がされていない場合」の宅地等が事業の用に供された場合に該当

(2)　本問（賃借物件で旧来から継続して事業を行っていた被相続人甲が当該賃借物件の所有権を取得した場合）

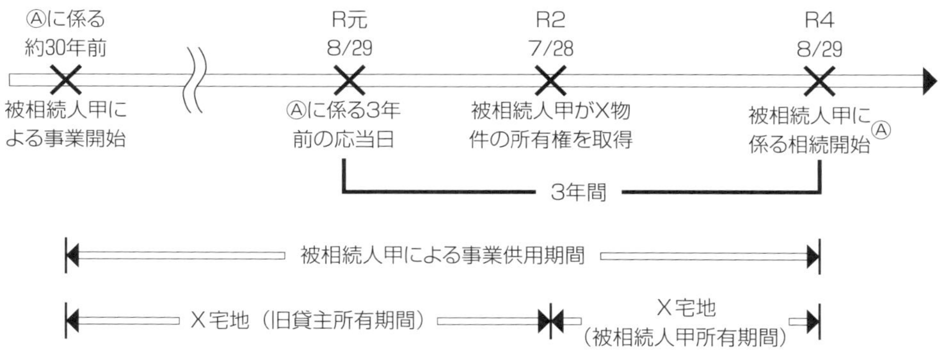


結論　Ｘ宅地は、被相続人甲に係る相続開始前３年以内に新たに事業の用に供された宅地等に非該当

解釈　『新たに事業の用に供された』の判定は、被相続人甲の利用状況により行うものとされている。

そうすると、被相続人甲がＸ宅地を取得したのが同人に係る相続開始前３年以内であったとしても、被相続人甲がＸ宅地を事業の用に供したのは同人に係る相続開始の約30年前であることから、Ｘ宅地は『新たに事業の用に供された』の意義に非該当

### ⒇ 相続開始前３年以内に新たに事業の用に供された宅地等の意義（その１：相続開始前３年以内に新たに事業の用に供されたか否かの判定）（そのＨ：被相続人が今回の相続開始前３年以内に開始した相続等により特定事業用宅地等を取得していた場合）

**質疑**

被相続人甲に相続の開始（相続開始日：令和４年８月29日）がありました。同人が所有し、事業（中華料理店）の用に供していたＸ物件（Ｘ家屋及びＸ宅地）の状況は、次に掲げるとおりとなっていました。

Ｘ物件の状況

① 平成12年３月11日に、被相続人甲の父がＸ物件を購入し、購入直後から直ちに父が営む中華料理店の事業の用に供用

② 令和２年12月30日に、父に相続開始があったため、被相続人甲はＸ物件を相続により取得して、直ちに中華料理店を承継し、その状況を被相続人甲に係る相続開始時まで継続

そうすると、被相続人甲の営む事業（中華料理店）は、令和２年12月30日における父からの相続承継によって『新たに事業の用に供された』と解して、Ｘ宅地は被相続人甲に係る相続税申告に当たって特定事業用宅地等に該当しないと解釈することになるのでしょうか。

また、上記の解釈に当たって、父に係る相続開始によってＸ宅地を取得した被相続人甲の下記に掲げる申告態様の区分によって差異が生ずることになるのでしょうか。

(イ) 父に係る相続税申告に当たって、被相続人甲がＸ宅地（父に係る相続では、特定事業用宅地等の要件を充足）を選択特例対象宅地等として選択していた場合

(ロ) 父に係る相続税申告に当たって、被相続人甲がＸ宅地（父に係る相続では、特定事業用宅地等の要件を充足）を選択特例対象宅地等として選択していなかった場合

なお、上記に掲げる事項以外の事項については、特定事業用宅地等に係る適用要件を充足しているものとします。

**応答**

(1) 概要

平成31年度の税法改正では、特定事業用宅地等について、(イ)相続開始前３年以内に新たに事業の用に供された宅地等（特定事業を行っていた被相続人等の当該事業の用に供されたものを除きます。）をその対象から除くこととされました。

しかしながら、上記の取扱いには例外（適用除外）項目があり、被相続人が相続開始前３年以内に開始した相続又はその相続に係る遺贈により、(ロ)特定事業宅地等に規定する事業の用に供されていた宅地等を取得し、かつ、その取得の日以後当該宅地等を引き続き特定事業用

宅地等に規定する事業の用に供していた場合における当該宅地等は、上記(イ)部分に掲げる『相続開始前３年以内に新たに事業の用に供された宅地等』に該当しないものとする旨規定されています。

(2)　**質疑** の事例の場合

**質疑** の事例の場合、被相続人甲に係る相続開始日が令和４年８月29日、被相続人甲がＸ物件を取得して同人が営む事業（中華料理店）の用に供した日が令和２年12月30日であることから、Ｘ宅地は外形的に判断すると被相続人甲に係る相続開始前３年以内に新たに事業の用に供された宅地等に該当すると考えられるかもしれません。

しかしながら、相続開始前３年以内に新たに事業の用に供された宅地等を特定事業用宅地等として取り扱わないとする規定には、上記(1)の後段のとおりの例外（適用除外）規定が設けられており、その適用要件は、次に掲げるとおりとなっています。

①　被相続人が相続開始前３年以内に開始した相続又はその相続に係る遺贈により、特定事業用宅地等に規定する事業の用に供されていた宅地等を取得すること

②　上記①に掲げる宅地等の取得の日以後、当該宅地等を引き続き特定事業用宅地等に規定する事業の用に供していること

そうすると、**質疑** の事例の場合、次に掲げる事項が認められることから、被相続人甲が取得したＸ宅地は、同人に係る相続開始前３年以内に新たに事業の用に供された宅地等には該当しないこととなります。

(イ)　被相続人甲に係る相続開始日である令和４年８月29日前３年以内に該当する令和２年12月30日に開始した父に係る相続により、被相続人甲は特定事業用宅地等の要件を充足するＸ宅地を取得していること

(ロ)　被相続人甲は、上記(イ)に掲げるＸ宅地の取得の日以後、当該Ｘ宅地を引き続き特定事業用宅地等に規定する事業（中華料理店）の用に供していること

以上より、Ｘ宅地は、被相続人甲に係る相続税申告に当たって、特定事業用宅地等に該当することになります。

(3)　留意点

上記(2)に掲げる判断に当たって、**質疑** においてＸ宅地を父に係る相続税申告の際に特定事業用宅地等として選択特例対象宅地等として選択しておくべきであったか否かによる差異の有無が照会されていますが、上記(1)の後段の(ロ)部分に示すとおり、この例外（適用除外）規定は、『特定事業用宅地等に規定する事業の用に供されていた宅地等』を相続等により取得することが要件とされているのみで、当該宅地等を特定事業用宅地等として選択特例対象宅地等の対象としていたか否かは問われていません。

したがって、ご照会の **質疑** の(イ)又は(ロ)に掲げる父に係る相続税申告に当たってのＸ宅地の取扱いの如何によって、今回の被相続人甲に係る特定事業用宅地等の該当性の判断が左右されることにはなりません。

**留意点**　本件 **質疑** の事例の場合には該当しませんが、平成31年４月１日から令和４年３月31日までの間に相続又は遺贈により取得した宅地等に係る特定事業用宅地等の規定の適用については、一定の経過措置が設けられていることに留意する必要があります。この点に関して、⑿の質疑応答を参照してください。

**ワンポイント**

**本件 質疑 の事例で被相続人甲の事業が『特定事業』に該当しなかった場合の取扱い**

もし仮に、本件 **質疑** の事例で被相続人甲が営む事業（中華料理店）が『特定事業』（注）に該当しない規模であった場合における **応答** について検討してみることにします。

（注）『特定事業』に該当する場合に限って、(イ)相続開始前３年以内に新たに事業の用に供された宅地等であっても、特定事業用宅地等に該当する旨の規定（適用除外規定）が設けられています。

上記の『特定事業』に該当するか否かの判定は、下記の算式に基づいて、下記に記載されている特定宅地等ごとに行うものとされています。

（算式）
$$\frac{\text{分母に掲げる特定宅地等に係る被相続人等の事業の用に供されていた減価償却資産のうち当該被相続人等が有していたものの相続の開始の時における価額の合計額}}{\text{新たに事業の用に供された宅地等（特定宅地等）の相続の開始の時における価額}} \geqq \frac{15}{100}$$

本件 **質疑** の事例の場合、**応答** の(2)に掲げるとおり、被相続人甲が取得したＸ宅地は、同人に係る(ロ)相続開始前３年以内に新たに事業の用に供された宅地等には該当しないものとされています。

そうすると、Ｘ宅地は上記に掲げるとおり、相続開始前３年以内に新たに事業の用に供された宅地等には該当しない（上記(ロ)＿＿部分）と判断されていることから、上記（注）に掲げる適用除外規定に該当するための適用要件とされる『相続開始前３年以内に新たに事業の用に供された宅地等』（上記(イ)＿＿部分）には、そもそも該当しないことになります。

したがって、被相続人甲が営む事業（中華料理店）が『特定事業』に該当するか否かで、被相続人甲が所有するＸ宅地の特定事業用宅地等の該当性の判断が左右されることはないものとされます。

### ㉑　相続開始前３年以内に新たに事業の用に供された宅地等の意義（その１：相続開始前３年以内に新たに事業の用に供されたか否かの判定）（そのⅠ：被相続人が今回の相続開始前３年以内に贈与（売買）により特定事業用宅地等を取得していた場合）

**質疑**

前問⒇において、Ｘ物件の状況欄 の②が、下記に掲げるとおりであったとします。

Ｘ物件の状況

②　令和２年12月30日に、被相続人甲はＸ物件を父から贈与によって取得するとともに、併せて、父が営んでいた中華料理店の事業を承継し、その状況を被相続人甲に係る相続開始時まで継続

上記に掲げる場合には、被相続人甲の営む事業（中華料理店）は、令和２年12月30日における贈与による事業承継によって『新たに事業の用に供された』と解して、Ｘ宅地は被相続人甲に係る相続税申告に当たって特定事業用宅地等に該当しないと解釈することになるのでしょうか。

なお、上記に掲げる事項以外の事項については、特定事業用宅地等に係る適用要件を充足しているものとします。

類題　上記の 質疑 において、被相続人甲のＸ物件の取得原因が同人の父からの売買による取得であった場合にはどのようになりますか。

なお、他の条件は、上記 質疑 と同一であるものとします。

## 応答

(1)　概要

平成31年度の税法改正では、特定事業用宅地等について、(イ)相続開始前３年以内に新たに事業の用に供された宅地等（特定事業を行っていた被相続人等の当該事業の用に供されたものを除きます。）をその対象から除くこととされました。

しかしながら、前問⒇に掲げるとおり、上記の取扱いには例外（適用除外）項目があり、(ロ)被相続人が相続開始前３年以内に開始した相続又はその相続に係る遺贈により、特定事業用宅地等に規定する事業の用に供されていた宅地等を取得し、かつ、その取得の日以後当該宅地等を引き続き特定事業用宅地に規定する事業の用に供していた場合における当該宅地等は、上記(イ)＿＿部分に掲げる『相続開始前３年以内に新たに事業の用に供された宅地等』に該当しないものとする旨規定されています。

(2)　質疑 の事例の場合

質疑 の事例の場合、被相続人甲に係る相続開始日が令和４年８月29日、被相続人甲がＸ物件を取得して同人が営む事業（中華料理店）の用に供した日が令和２年12月30日であることから、Ｘ宅地は外形的に判断すると被相続人甲に係る相続開始前３年以内に新たに事業の用に供された宅地等に該当することになります。

そして、被相続人甲によるＸ宅地の取得原因は父からの贈与であって、上記(1)の(ロ)＿＿部分に掲げる相続又は遺贈による特定事業用宅地等に規定する事業の用に供されていた宅地等の取得ではないことから、上記(1)の後段に掲げる例外（適用除外）項目にも該当しません。

そうすると、Ｘ宅地は、被相続人甲に係る相続開始前３年以内に新たに事業の用に供された宅地等に該当することとなり、Ｘ宅地の上で営まれていた被相続人甲の事業（中華料理店）が特定事業に該当しない限り、Ｘ宅地を特定事業用宅地等とすることは認められないものとされます。

(3)　類題 の場合

類題 の場合も、その前提において、被相続人甲が事業（中華料理店）の用に供しているＸ物件は、同人と父との間における売買により取得したものとされていることから、上記(2)で示したとおりその適用要件（相続又は遺贈による取得）を欠くことになります。

そうすると、Ｘ宅地は、被相続人甲に係る相続開始前３年以内に新たに事業の用に供された宅地等に該当することとなり、Ｘ宅地の上で営まれていた被相続人甲の事業（中華料理店）が特定事業に該当しない限り、Ｘ宅地を特定事業用宅地等とすることは認められないものとされます。

（注）前問⒇の 質疑 に掲げる事例は、被相続人甲（第１次相続人）の父（第１次相続人に係る被相続人）が営んでいた特定事業用宅地等に規定する事業の用に供されていた宅地等を相続又は遺贈により取得し、被相続人甲についても当該事業の用に供用していることを前提として認められるものであり、本問のように贈与（類題 の場合では、売買）という移転原因についてまでも拡張解釈して適用する趣旨ではないことに留意する必要があります。

留意点　本件 質疑 の事例の場合には該当しませんが、平成31年４月１日から令和４年３月31日までの間に相続又は遺贈により取得した宅地等に係る特定事業用宅地等の規定の適用については、一定の経過措置が設けられていることに留意する必要があります。この点に関して、⑿の質疑応答を参照してください。

### ㉒　相続開始前３年以内に新たに事業の用に供された宅地等の意義（その２：特定事業に該当するか否かの判定）（そのＡ：判定時期）

質疑　被相続人甲に相続の開始（相続開始日：令和４年８月29日）がありました。同人が相続開始時において事業（小売業）の用に供しているＸ物件（Ｘ家屋及びＸ宅地）の所在が確認されており、その状況等は下記のとおりでした。

Ｘ物件の状況等

①　令和２年７月28日に、被相続人甲がＸ物件を購入し、購入直後から直ちに同人が経営する事業（小売業）に供用しました。

②　被相続人甲に係る相続開始により、同人の長男ＡがＸ物件を相続により取得し、かつ、事業（小売業）を承継しました。また、長男Ａは今後も末長く、Ｘ物件を所有して物品販売業を継続していく予定です。

③　被相続人甲が経営していた事業（小売業）につき、下記に掲げる算式による割合（以下、本問においてこの割合を『判定割合』といいます。）を算定すると、次のとおりとなりました。

㈠　被相続人甲に係る事業開始時……12％

㈡　被相続人甲に係る相続開始時……18％

（算式）$\dfrac{\text{被相続人甲の事業（小売業）の用に供されていた減価償却資産のうち当該被相続人甲が有していたものの価額の合計額}}{\text{Ｘ宅地の価額}}$

（注）上記に掲げる判定割合が『㈠（12％）＜㈡（18％）』となっているのは、主に、令和４年３月に購入した車両（配送用車両）が上記算式の分子に算入されたこと及びＸ宅地の価額が事業開始時に比して相続開始時には下落したことが原因となっています。

そうすると、被相続人甲に係る相続開始日が令和４年８月29日であり、かつ、Ｘ物件を取得して被相続人甲が経営する事業（小売業）への事業供用日が令和２年７月28日であることから、Ｘ宅地は相続開始前３年以内に新たに事業の用に供された宅地等に該当するものの、併せて、上記の Ｘ物件の状況等 欄の③㈡に掲げる事項を摘示して、被相続人甲が営んでいた事業（小売業）は『特定事業』に該当するので、特定事業用宅地等に該当すると主張することは可能とされますか。特定事業に該当するか否かの判定時点について説明してください。

なお、上記に掲げる事項以外の事項については、特定事業用宅地等に係る適用要件を充足しているものとします。

**類題**　上記の **質疑** の事例において、X物件の状況等 欄の③に掲げる算式の割合が次のとおりであったならば、どのような取扱いになりますか。その他の条件は、**質疑** の事例と同一であるものとします。

(イ)　被相続人甲に係る事業開始時……18%

(ロ)　被相続人甲に係る相続開始時……12%

（注）　上記に掲げる割合が『(イ)（18%）＞(ロ)（12%）』となっているのは、主に、事業開始時より事業供用している減価償却資産に係る減価償却が進行したこと及びX宅地の価額が事業開始時に比して相続開始時には上昇したことが原因となっています。

## 応答

(1)　概要

平成31年度の税法改正では、特定事業用宅地等について、相続開始前３年以内に新たに事業の用に供された宅地等をその対象から除くこととされました。

ただし、上記に該当する宅地等であっても、特定事業を行っていた被相続人等の当該事業の用に供されたものを除く（換言すれば、『相続開始前３年以内に新たに事業の用に供された宅地等』に該当しないと解釈する）こととされています。

この場合において、上記＿＿部分に掲げる『特定事業』とは、次に掲げる算式を満たす場合における当該事業をいうものとされています。

（算式）

$$\frac{\text{分母に掲げる特定宅地等に係る被相続人等の事業の用に供されていた減価償却資産のうち当該被相続人等が有していたものの相続の開始の時における価額の合計額}}{\text{新たに事業の用に供された宅地等（以下、本問において『特定宅地等』といいます。）の相続の開始の時における価額}} \geqq \frac{15}{100}$$

そうすると、特定事業に該当するか否かの判定は、上記算式の分母及び分子に掲げるとおり、『相続の開始の時における価額』（上記＿＿＿部分）を基準とした判定割合をもって行うものとされています。

また、措置法通達69の４－20の３《政令で定める規模以上の事業の意義等》の（注）１のおって書において、要旨、「『事業の用に供されていた減価償却資産』に該当するか否かの判定は、特定宅地等を新たに事業の用に供した時ではなく、相続開始の直前における現況によって行うことに留意する。したがって、例えば、特定宅地等を新たに事業の用に供した後に被相続人等が取得した減価償却資産で特定宅地等の上で行われる当該事業に係る業務の用に供されていたもの（特定宅地等の上に存する建物（その附属設備を含みます。）又は構築物を除きます。）も、上記に掲げる算式の分子に含まれることに留意する。」と定められています。

⑵　**質疑**　の事例の場合

**質疑**　の事例の場合、その前提条件から、Ｘ宅地は被相続人甲による事業（小売業）供用日から同人に係る相続開始時までの期間が３年以内であるもの（特定宅地等）に該当します。

しかしながら、その判定時点を被相続人甲に係る相続開始時（一時点）に求める特定事業に該当するか否かの判断をすると、次に掲げる判定のとおり、被相続人甲の事業（小売業）は特定事業に該当することになります。

判定　18%（被相続人甲に係る相続開始時における判定割合）≧15%

なお、**質疑**　の事例の場合、被相続人甲に係る事業（小売業）開始時における判定割合は12%とされ判定割合の基準である15%に満たない割合となっていますが、上述のとおり、特定事業に該当するか否かの判定時点は相続開始時であることからすると、当該判定割合（12%）は、判定に何らの影響も与えないことになります。

そうすると、Ｘ宅地は、特定事業用宅地等に該当するものとして取り扱われることになります。

⑶　類題　の場合

類題　の場合も、その前提条件から、Ｘ宅地は被相続人甲による事業（小売業）供用日から同人に係る相続開始時までの期間が３年以内であるもの（特定宅地等）に該当します。

そして、その判定時点を被相続人甲に係る相続開始時（一時点）に求める特定事業に該当するか否かの判断をすると、次に掲げる判定のとおり、被相続人甲の事業（小売業）は特定事業に該当しないことになります。

判定　12%（被相続人甲に係る相続開始時における判定割合）＜15%

なお、類題　の場合、被相続人甲に係る事業（小売業）開始時における判定割合は18%とされ判定割合の基準である15%以上の割合となっていますが、上述のとおり、特定事業に該当するか否かの判定時点は相続開始時であることからすると、当該判定割合（18%）は、判定に何らの影響も与えないことになります。

そうすると、Ｘ宅地は、特定事業用宅地等に該当しないものとして取り扱われることになります。

| | |
|---|---|
| 留意点 | 本件　**質疑**　の事例の場合には該当しませんが、平成31年４月１日から令和４年３月31日までの間に相続又は遺贈により取得した宅地等に係る特定事業用宅地等の規定の適用については、一定の経過措置が設けられていることに留意する必要があります。この点に関して、⑿の質疑応答を参照してください。 |

**ワンポイント**

**判定割合を求める場合における各財産の『相続の開始の時における価額』の意義**

上記に掲げる **応答** の(1)に掲げる算式（判定割合を求める算式）中の分母及び分子において用いられている『相続の開始の時における価額』は、それぞれ対象とされる財産につき、財産評価基本通達の定めにより算定した価額（相続税評価額）をいうものとされており、会計上又は税務上の帳簿価額を指すものではないことに留意する必要があります。

事業用財産である宅地及び減価償却資産（主なもの）につき、財産評価基本通達に定める評価方法を掲げると、次のとおりとなります。

(1)　宅地（財産評価基本通達11《評価の方式》）

宅地の評価は、原則として、次に掲げる区分に従って、それぞれ次に掲げる方式によって行うものとされています。

①　市街地的形態を形成する地域にある宅地…路線価方式

②　上記①以外の宅地…倍率方式

(2)　家屋（財産評価基本通達89《家屋の評価》）

家屋の価額は、その家屋の固定資産税評価額（地方税法第381条《固定資産課税台帳の登録事項》の規定により家屋課税台帳若しくは家屋補充課税台帳に登録された基準年度の価格又は比準価格をいいます。）に、別表１に定める倍率（1.0）を乗じて計算した金額によって評価するものとされています。

(3)　附属設備等（財産評価基本通達92《附属設備等の評価》）

附属設備等の評価は、次に掲げる区分に従って、それぞれ次に掲げるところによって行うものとされています。

①　家屋と構造上一体となっている設備

家屋の所有者が有する電気設備（ネオンサイン、投光器、スポットライト、電話機、電話交換機及びタイムレコーダー等を除きます。）、ガス設備、衛生設備、給排水設備、温湿度調整設備、消火設備、避雷針設備、昇降設備、じんかい処理設備等で、その家屋に取り付けられ、その家屋と構造上一体となっているものについては、その家屋の価額に含めて評価するものとされています。

②　門、塀等の設備

門、塀、外井戸、屋外じんかい処理設備等の附属設備の価額は、次に掲げる算式により計算した金額によって評価するものとされています。

（算式）$\left(\begin{array}{l}\text{その附属設備の}\\\text{再建築価額（注１）}\end{array}-\begin{array}{l}\text{建築の時から課税時期までの期間（注２）}\\\text{の償却費の額の合計額又は減価の額（注３）}\end{array}\right)\times\dfrac{70}{100}$

（注１）『再建築価額』とは、課税時期においてその資産を新たに建築又は設備するために要する費用の額の合計額をいいます。

（注２）『建築の時から課税時期までの期間』に１年未満の端数があるときは、その端数は１年とします。

（注３）償却方法は、定率法によるものとし、その耐用年数は減価償却資産の耐用年数等に関する省令に規定する耐用年数によります。

③　庭園設備

庭園設備（庭木、庭石、あずまや、庭池等をいいます。）の価額は、次に掲げる算式により計算した金額によって評価するものとされています。

（算式）$\text{その庭園設備の調達価額（注）} \times \frac{70}{100}$

（注）『調達価額』とは、課税時期においてその財産をその財産の状況により取得する場合の価額をいいます。

⑷　構築物（財産評価基本通達97《評価の方式》）

構築物の価額は、次に掲げる算式によって計算した金額によって評価するものとされています。

（算式）$\left(\text{その構築物の再建築価額（注1）} - \text{建築の時から課税時期までの期間（注2）の償却費の額の合計額又は減価の額（注3）}\right) \times \frac{70}{100}$

（注１）『再建築価額』とは、課税時期においてその資産を新たに建築又は設備するために要する費用の額の合計額をいいます。

（注２）『建築の時から課税時期までの期間』に１年未満の端数があるときは、その端数は１年とします。

（注３）償却方法は、定率法によるものとし、その耐用年数は減価償却資産の耐用年数等に関する省令に規定する耐用年数によります。

⑸　一般動産（財産評価基本通達129《一般動産の評価》）

一般動産の評価は、次に掲げる区分に従って、それぞれ次に掲げるところによって行うものとされています。

①　下記②以外の一般動産

下記②以外の一般動産の価額は、売買実例価額、精通者意見価格等を参酌して評価するものとされています。

②　売買実例価額、精通者意見価格等が明らかでない動産

売買実例価額、精通者意見価額等が明らかでない動産の価額は、次に掲げる算式によって計算した金額によって評価するものとされています。

（算式）$\text{その動産と同種及び同規格の新品の課税時期における小売価額} - \text{製造の時から課税時期までの期間（注１）の償却費の額の合計額又は減価の額（注２）}$

（注１）『製造の時から課税時期までの期間』に１年未満の端数があるときは、その端数は１年とします。

（注２）償却方法は、定率法によるものとし、その耐用年数は減価償却資産の耐用年数等に関する省令に規定する耐用年数によります。

## ㉓　相続開始前３年以内に新たに事業の用に供された宅地等の意義（その２：特定事業に該当するか否かの判定）（そのＢ：判定単位）

**質疑**　被相続人甲に相続の開始（相続開始日：令和４年８月29日）がありました。同人が相続開始時において事業（卸売業）の用に供しているＸ物件（Ｘ家屋及びＸ宅地）並びにＹ物件（Ｙ家屋及びＹ宅地）の所在が確認されており、その状況等は下表のとおりでした。

X物件及びY物件の状況等

| 物　件 | 事業供用日 | 相続開始時における価額 | | 割合 | |
|---|---|---|---|---|---|
| | | ①宅地 | ②減価償却資産 | 判定A 個別判定 | 判定B 合算判定 |
| ⑴X物件 | 令和２年7月28日 | 50,000千円 | 5,000千円 | $\frac{5{,}000千円((1)②)}{50{,}000千円((1)①)}=10\%$ | $\frac{5{,}000千円((1)②)+9{,}000千円((2)②)}{50{,}000千円((1)①)+20{,}000千円((2)①)}=\frac{14{,}000千円}{70{,}000千円}=20\%$ |
| ⑵Y物件 | 令和３年7月28日 | 20,000千円 | 9,000千円 | $\frac{9{,}000千円((2)②)}{20{,}000千円((2)①)}=45\%$ | |

被相続人に係る相続開始前３年以内に新たに事業の用に供された宅地等（特定宅地等）であっても、『特定事業』を行っていた被相続人等の当該事業の用に供されたものは、特定事業用宅地等の範囲から除外されないものとされています。

そうすると、**質疑** のように、複数の特定宅地等が存在する場合における特定事業に該当するか否かの判定は、どのように行うことになるのでしょうか。

なお、上記に掲げる事項以外の事項については、特定事業用宅地等に係る適用要件を充足しているものとします。

## 応答

⑴　概要

平成31年度の税法改正では、特定事業用宅地等について、相続開始前３年以内に新たに事業の用に供された宅地等をその対象から除くこととされました。

ただし、上記に該当する宅地等であっても、特定事業を行っていた被相続人等の当該事業の用に供されたものを除く（換言すれば、『相続開始前３年以内に新たに事業の用に供された宅地等』に該当しないと解釈する）こととされています。

この場合において、上記＿＿部分に掲げる『特定事業』とは、次に掲げる算式を満たす場合における当該事業をいうものとされています。

（算式）
$$\frac{\text{分母に掲げる特定宅地等に係る被相続人等の事業の用に供されていた減価償却資産のうち当該被相続人等が有していたものの相続の開始の時における価額の合計額}}{\text{新たに事業の用に供された宅地等（以下、本問において『特定宅地等』といいます。）の相続の開始の時における価額}} \geqq \frac{15}{100}$$

そして、措置法通達69の４－20の３《政令で定める規模以上の事業の意義等》において、「特定事業に該当するか否かの判定は、特定宅地等ごとに行うことに留意する。」と定められています。

⑵　**質疑** の事例の場合

**質疑** の事例の場合、その前提条件から、X宅地及びY宅地は共に、被相続人甲による事業（卸売業）供用日から同人に係る相続開始時までの期間が３年以内であるもの（特定宅地等）に該当します。

そして、前問㉒で確認したとおり、その判定時点を被相続人甲に係る相続開始時点（一時点）に求め、かつ、上記(1)で確認したとおり、特定宅地等ごとに行うものと定められている特定事業に該当するか否かの判断を行うと、**質疑** の X物件及びY物件の状況等 の 判定Ａ（個別判定）に掲げるとおりに判定することが相当となります。

そうすると、X宅地は上記(1)に掲げる算式の割合が10％（15％未満）であることから特定事業の用に供されていた宅地等には該当しないものとされますが、Y宅地は当該割合が45％（15％以上）とされることから特定事業の用に供されていた宅地等に該当することになります。

（注）再掲となりますが、特定事業に該当するか否かの判定は、特定宅地等ごとに行うこととされていることから、**質疑** の X物件及びY物件の状況等 の 判定Ｂ（合算判定）に掲げるとおりに判定して、X宅地及びY宅地の双方ともに特定事業の用の供されていた宅地等に該当するという考え方は採用されませんので留意する必要があります。

したがって、**質疑** の事例の場合には、X宅地は特定事業用宅地等に該当しませんが、Y宅地は特定事業用宅地等に該当することになります。

> 留意点　本件 **質疑** の事例の場合には該当しませんが、平成31年４月１日から令和４年３月31日までの間に相続又は遺贈により取得した宅地等に係る特定事業用宅地等の規定の適用については、一定の経過措置が設けられていることに留意する必要があります。この点に関して、⑿の質疑応答を参照してください。

### ㉔　相続開始前３年以内に新たに事業の用に供された宅地等の意義（その２：特定事業に該当するか否かの判定）（そのＣ：被相続人等の事業の用以外の用に供されていた部分がある場合の取扱い）

**質疑**　被相続人甲に相続の開始（相続開始日：令和４年８月29日）がありました。同人が相続開始時において店舗兼住宅として事業（飲食店）及び居住（被相続人甲の配偶者乙と同居）の用に供しているX物件（X家屋及びX宅地）の所在が確認されており、その状況等は下記のとおりでした。

X物件の状況等

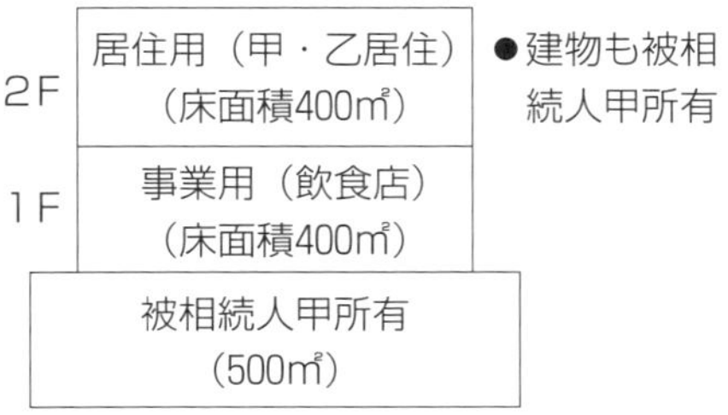


①　令和２年７月28日に、被相続人甲がX物件を購入し、購入直後から直ちに、店舗兼住宅として左図のとおりに供用しています。

②　被相続人甲に係る相続開始により、配偶者乙がX物件を相続により取得し、今後も末永く所有して店舗兼住宅としての利用を継続していく予定です。

③　被相続人甲に係る相続開始時における相続財産の価額（相続税評価額）

(イ)　X家屋……　30,000千円

(ロ)　X宅地……250,000千円
(ハ)　飲食店事業に供用されていた減価償却資産……7,500千円

そうすると、被相続人甲に係る相続開始日が令和4年8月29日であり、かつ、X物件を取得してその一部を被相続人甲が経営する事業（飲食店）へ供用した日が令和2年7月28日であることから、X宅地（事業供用部分）は相続開始前3年以内に新たに事業の用に供された宅地等に該当するものとして、特定事業用宅地等に該当しないと判断することになるのでしょうか。

それとも、被相続人甲が経営する事業（飲食店）が『特定事業』に該当するとして、上記の取扱いの適用除外項目に該当とすると判断することになるのでしょうか。

なお、上記に掲げる事項以外の事項については、特定事業用宅地等に係る適用要件を充足しているものとします。

## 応答

(1)　概要

平成31年度の税法改正では、特定事業用宅地等について、相続開始前3年以内に新たに事業の用に供された宅地等をその対象から除くこととされました。

ただし、上記に該当する宅地等であっても、(イ)特定事業を行っていた被相続人等の当該事業の用に供されたものを除く（換言すれば、『相続開始前3年以内に新たに事業の用に供された宅地等』に該当しないと解釈する）こととされています。

この場合において、上記(イ)部分に掲げる『特定事業』とは、次に掲げる算式を満たす場合における当該事業をいうものとされています。

（算式）

$$\frac{\text{分母に掲げる特定宅地等に係る被相続人等の事業の用に供されていた(ロ)減価償却資産のうち当該被相続人等が有していたものの相続の開始の時における価額の合計額}}{\text{新たに事業の用に供された宅地等（以下、本問において『特定宅地等』といいます。）の相続の開始の時における価額}} \geqq \frac{15}{100}$$

そして、措置法通達69の4－20の3《政令で定める規模以上の事業の意義等》の（注）1において、上記算式中の分子部分の(ロ)に掲げる減価償却資産の意義及びその留意点として、「『減価償却資産』とは、特定宅地等に係る被相続人等の事業の用に供されていた次の①及び②に掲げる資産をいい、(ハ)当該資産のうちに当該事業の用以外の用に供されていた部分がある場合には、当該事業の用に供されていた部分に限ることに留意する。」と定められています。

①　特定宅地等の上に存する建物（その附属設備を含みます。）又は構築物

②　所得税法第2条《定義》第1項第19号に規定する減価償却資産で特定宅地等の上で行われる当該事業に係る業務の用に供されていたもの（①に掲げるものを除きます。）

(2)　**質疑**の事例の場合

**質疑**の事例の場合、その前提条件から、X宅地のうちの事業供用部分は、被相続人甲

による事業（飲食店）供用日から同人に係る相続開始時までの期間が３年以内であるもの（特定宅地等）に該当することから、当該宅地等が特定事業を行っていた被相続人等の当該事業の用に供されたものでない限り、相続開始前３年以内に新たに事業の用に供された宅地等に該当するものとされ、特定事業用宅地等には該当しないものとされます。

そして、特定事業に該当するか否かの判定は、上記⑴に掲げる算式による割合（以下、本問においてこの割合を『判定割合』といいます。）が15%以上であるか否かによって行うものとされています。

また、上記の判定割合を求めるに当たって、算式中の分子に掲げる『減価償却資産』のうちに当該事業（筆者注 被相続人等の事業）の用以外の用に供されていた部分がある場合には、当該事業の用に供されていた部分に限る（上記⑴の(ハ)部分）ものとされていることにも併せて留意する必要があります。

以上より、**質疑** の事例における特定事業の判定を行うと、下記の 判断過程 のとおりとなり、Ｘ宅地のうちの事業供用部分上で行われている事業は、特定事業に該当することになります。

判断過程

①　特定宅地等の相続開始時の価額（上記⑴の算式の分母部分）

(イ)　$500㎡\left(\begin{array}{c}\text{Ｘ宅地}\\\text{の面積}\end{array}\right)\times\dfrac{400㎡\text{（事業用部分の床面積）}}{800㎡\text{（Ｘ家屋の総床面積）}}=250㎡\left(\begin{array}{c}\text{特定宅地}\\\text{等の面積}\end{array}\right)$

(ロ)　$250{,}000\text{千円}\left(\begin{array}{c}\text{Ｘ宅地}\\\text{の価額}\end{array}\right)\times\dfrac{250㎡\text{（特定宅地等の面積）}}{500㎡\text{（Ｘ宅地の面積）}}=125{,}000\text{千円}$

②　事業の用に供されていた減価償却資産のうち被相続人等が有していたものの相続開始時の価額（上記⑴の算式の分子部分）

$30{,}000\text{千円}\left(\begin{array}{c}\text{Ｘ家屋}\\\text{の価額}\end{array}\right)\times\dfrac{400㎡\text{（事業用部分の床面積）}}{800㎡\text{（Ｘ家屋の総床面積）}}+7{,}500\text{千円}\left(\begin{array}{c}\text{飲食店事業用の減}\\\text{価償却資産の価額}\end{array}\right)=22{,}500\text{千円}$

③　特定事業の該当性

$\dfrac{22{,}500\text{千円（上記②：減価償却資産の価額）}}{125{,}000\text{千円（上記①：特定宅地等の価額）}}=18\%\geqq15\%$　∴特定事業に該当（判定割合15%以上）

そうすると、Ｘ宅地のうちの事業供用部分（250㎡）については、特定事業用宅地等に該当することになります。

> 留意点　本件 **質疑** の事例の場合には該当しませんが、平成31年４月１日から令和４年３月31日までの間に相続又は遺贈により取得した宅地等に係る特定事業用宅地等の規定の適用については、一定の経過措置が設けられていることに留意する必要があります。この点に関して、⑿の質疑応答を参照してください。

## ㉕　相続開始前３年以内に新たに事業の用に供された宅地等の意義（その２：特定事業に該当するか否かの判定）（そのＤ：減価償却資産のうち被相続人等が有していたものの意義）

**質疑**

被相続人甲に相続の開始（相続開始日：令和４年８月29日）がありました。同人が相続開始時において事業（運送業）の用に供しているＸ物件（Ｘ家屋及びＸ宅地）の所在が確認されており、その状況等は下記のとおりでした。

Ｘ物件の状況等

①　令和２年７月28日に、被相続人甲がＸ物件を購入し、購入直後から直ちに事業（運送業）の用に供しています。

②　被相続人甲に係る相続開始により、長男ＡがＸ物件を相続により取得し、今後も末長く所有して事業（運送業）の用に供する予定です。

③　被相続人甲に係る相続開始時における相続財産の価額（相続税評価額）

⑴　Ｘ家屋……　10,000千円

⑵　Ｘ宅地……100,000千円

⑶　運送業事業に供用されていた減価償却資産（Ｘ家屋内に配備された器具備品）…2,000千円

④　被相続人甲が営んでいた運送業の遂行上不可欠である車両（トラック10台）は、同人と生計を一にする親族である兄Ｐの厚意で使用貸借により借り受けている（兄Pは、自身で令和２年６月まで運送業を経営していました。）ものです。これらの車両の相続税評価額（価額時点は、被相続人甲に係る相続開始時）は、全部で30,000千円になります。

そうすると、被相続人甲に係る相続開始日が令和４年８月29日であり、かつ、Ｘ物件を取得して同人が経営する事業（運送業）への供用日が令和２年７月28日であることから、Ｘ宅地は相続開始前３年以内に新たに事業の用に供された宅地等に該当するものとして、特定事業用宅地等に該当しないと判断することになるのでしょうか。

それとも、被相続人甲が経営する事業（運送業）が、『特定事業』に該当するとして、上記の取扱いの適用除外項目に該当すると判断することになるのでしょうか。

なお、上記に掲げる事項以外の事項については、特定事業用宅地等に係る適用要件を充足しているものとします。

**応答**

(1)　概要

平成31年度の税法改正では、特定事業用宅地等について、相続開始前３年以内に新たに事業の用に供された宅地等をその対象から除くこととされました。

ただし、上記に該当する宅地等であっても、(イ)特定事業を行っていた被相続人等の当該事業の用に供されたものを除く（換言すれば、『相続開始前３年以内に新たに事業の用に供された宅地等』に該当しないと解釈する）こととされています。

この場合において、上記(イ)部分に掲げる『特定事業』とは、次に掲げる算式を満たす場合における当該事業をいうものとされています。

（算式）
$$\frac{\text{分母に掲げる特定宅地等に係る被相続人等の事業の用に供されていた減価償却資産のうち当該}\overset{(ロ)}{\text{被相続人等が有していたもの}}\text{の相続の開始の時における価額の合計額}}{\text{新たに事業の用に供された宅地等（以下、本問において『特定宅地等』といいます。）の相続の開始の時における価額}} \geqq \frac{15}{100}$$

そして、措置法通達69の４－20の３《政令で定める規模以上の事業の意義等》の（注）２において、上記算式中の分子部分の(ロ)に掲げる被相続人等が有していたものの意義及びその留意点として、「『被相続人等が有していたもの』は、事業を行っていた被相続人又は事業を行っていた生計一親族（被相続人と生計を一にしていたその被相続人の親族をいう。）が自己の事業の用に供し、所有していた減価償却資産であることに留意する。」と定められています。

そうすると、例えば、被相続人が保有していた減価償却資産について被相続人の事業の用に供されていたものはこれに該当するものの、生計一親族の事業の用に供されていたものはこれに該当しないことになります。

また、これとは逆に、生計一親族が保有していた減価償却資産について生計一親族の事業の用に供されていたものはこれに該当するものの、被相続人の事業の用に供されていたものはこれに該当しないことになります。

すなわち、自己が所有して自己の事業の用に供されていることが要件と解されています。これらの取扱いをまとめると、下図のとおりとなります。

| | 減価償却資産の所有者 | 事業の主体者 | 『被相続人等が有していたもの』の該当性（(算式)の分子部分に算入することの可否） |
|---|---|---|---|
| ① | 被相続人 | 被相続人 | 該　当（算入可能） |
| ② | 被相続人 | 生計一親族 | 非該当（算入不可） |
| ③ | 生計一親族 | 被相続人 | 非該当（算入不可） |
| ④ | 生計一親族 | 生計一親族 | 該　当（算入可能） |

(2)　**質疑**の事例の場合

**質疑**の事例の場合、その前提条件から、Ｘ宅地は被相続人甲による事業（運送業）供用日から同人に係る相続開始日までの期間が３年以下であるもの（特定宅地等）に該当することから、当該宅地等が特定事業を行っていた被相続人等の当該事業の用に供されたものでない限り、相続開始前３年以内に新たに事業の用に供された宅地等に該当するものとされ、特定事業用宅地等には該当しないものとされます。

そして、特定事業に該当するか否かの判定は、上記(1)に掲げる算式による割合（以下、本問においてこの割合を『判定割合』といいます。）が15%以上であるか否かによって行うものとされています。

また、上記の判定割合を求めるに当たって、算式中の分子に掲げる『被相続人等が有していたもの』とは、被相続人又は生計一親族の別に、それぞれ自己が所有していた減価償却資産を自己の事業の用に供することが要件と解されていることに併せて留意する必要があります。

以上より、**質疑** の事例における特定事業の判定を行うと、下記の 判断過程 のとおりとなり、X宅地上で行われている被相続人甲の事業は特定事業に該当しないことになります。

判断過程

① 特定宅地等の相続開始時の価額（上記(1)の算式の分母部分）

100,000千円（X宅地の価額）

② 事業の用に供されていた減価償却資産のうち被相続人等が有していたもの（注）の相続開始時の価額（上記(1)の算式の分子部分）

10,000千円（X家屋の価額）＋2,000千円（運送業用の減価償却資産（器具備品）の価額）＝12,000千円

（注）**質疑** の事例の事業主体者は被相続人甲であるため、『被相続人等が有していたもの』とは、被相続人甲が有していたものと解釈されることになります。」

したがって、車両（被相続人甲と生計を一にする親族である兄Pの所有）の価額は、判定割合の計算上、分子部分に算入することは認められないことになります。

③ 特定事業の該当性

$$\frac{12{,}000\text{千円（上記②：減価償却資産の価額）}}{100{,}000\text{千円（上記①：特定宅地等の価額）}}=12\%<15\%$$　∴特定事業に非該当（判定割合15％未満）

そうすると、X宅地は、特定事業用宅地等には該当しないことになります。

留意点　本件 **質疑** の事例の場合には該当しませんが、平成31年４月１日から令和４年３月31日までの間に相続又は遺贈により取得した宅地等に係る特定事業用宅地等の規定の適用については、一定の経過措置が設けられていることに留意する必要があります。この点に関して、⑿の質疑応答を参照してください。

### ㉖ 相続開始前３年以内に新たに事業の用に供された宅地等の意義（その２：特定事業に該当するか否かの判定）（そのE：事業の用に供されていた減価償却資産の範囲）

**質疑**

前問㉕においては、その **質疑** の④に掲げる車両（トラック10台、相続開始時における価額30,000千円）の所有者は被相続人甲と生計を一にする親族である兄Pのものであるとされていました。

もし仮に、当該車両の所有者が兄Pではなく被相続人甲であった場合には、当該車両の価額を被相続人甲が営んでいた事業が特定事業に該当するか否かの判定を行う場合の算式中の分子に算入することが認められますか。

当該車両は常時移動しており、前問㉕の **質疑** の③(ハ)に掲げるX家屋及びX家屋内に配備された器具備品とは異なり、特定宅地等（X宅地）の上に存する減価償却資産に該当するものには該当しないと考えられますが、当該事項は、特定事業に

該当するか否かの判定にどのような影響を与えることになるのでしょうか。
なお、その他の事項については、すべて前問㉕と同一であるものとします。

## 応答

⑴　概要

平成31年度の税法改正では、特定事業用宅地等について、相続開始前３年以内に新たに事業の用に供された宅地等をその対象から除くこととされました。

ただし、上記に該当する宅地等であっても、(イ)特定事業を行っていた被相続人等の当該事業の用に供されたものを除く（換言すれば、『相続開始前３年以内に新たに事業の用に供された宅地等』に該当しないと解釈する）こととされています。

この場合において、上記(イ)＿＿部分に掲げる『特定事業』とは、次に掲げる算式を満たす場合における当該事業をいうものとされています。

（算式）

$$\frac{\text{分母に掲げる特定宅地等に係る被相続人等の}^{(ロ)}\text{事業の用に供されていた減価償却資産のうち当該被相続人等が有していたものの相続の開始の時における価額の合計額}}{\text{新たに事業の用に供された宅地等（以下、本問において『特定宅地等』といいます。）の相続の開始の時における価額}} \geqq \frac{15}{100}$$

そして、上記算式の分子部分の(ロ)＿＿に掲げる『減価償却資産』については、措置法通達69の４－20の３《政令で定める規模以上の事業の意義等》において、次に掲げる事項に留意する旨が定められています。

減価償却資産に関する留意事項

①　『減価償却資産』とは、特定宅地等に係る被相続人等の事業の用に供されていた次に掲げる資産をいいます。

⑴　特定宅地等の上に存する建物（その附属設備を含みます。）又は構築物

⑵　所得税法第２条《定義》第１項第19号に規定する減価償却資産で特定宅地等の上で行われる当該事業に係る業務の用に供されていたもの（上記⑴に掲げるものを除きます。）

②　特定宅地等に係る被相続人等の事業が特定宅地等を含む一の宅地等の上で行われていた場合には、次に掲げる部分は、上記①⑴又は⑵に掲げる資産にそれぞれ含まれるものとされています。

⑴　特定宅地等を含む一の宅地等の上に存する建物（その附属設備を含みます。）又は構築物のうち当該事業の用に供されていた部分

⑵　上記①⑵の減価償却資産のうち特定宅地等を含む一の宅地等の上で行われる当該事業に係る業務の用に供されていた部分（当該建物及び当該構築物を除きます。）

そうすると、お尋ねの車両は、上記算式の分子部分に算入される被相続人等の『事業の用に供されていた減価償却資産』（上記(ロ)＿＿部分）に該当し、上記の減価償却資産に関する

留意事項の①(ロ)及び②(ロ)に掲げる取扱いより、当該減価償却資産の所在は問わないものとされています。

(2) 質疑 の事例の場合

質疑 の事例の場合、その前提条件から、X宅地は被相続人甲による事業（運送業）供用日から同人に係る相続開始前までの期間が３年以下であるもの（特定宅地等）に該当することから、当該宅地等が特定事業を行っていた被相続人等の当該事業の用に供されたものでない限り、相続開始前３年以内に新たに事業の用に供された宅地等に該当するものとされ、特定事業用宅地等には該当しないものとされます。

そして、特定事業に該当するか否かの判定は、上記(1)に掲げる算式による割合（以下、本問においてこの割合を『判定割合』といいます。）が15％以上であるか否かによって行うものとされています。

また、この判定割合を求めるに当たって、お尋ねの車両は上記(1)より、被相続人等の事業の用に供されていた減価償却資産に該当し、当該車両であれば当該減価償却資産の所在は問わないものとされていることに併せて留意する必要があります。

以下より、質疑 の事例における特定事業の判定を行うと、下記の判断過程のとおりとなり、X宅地上で行われている被相続人甲の事業は特定事業に該当することになります。

判断過程

① 特定宅地等の相続開始時の価額（上記(1)の算式の分母部分）
100,000千円（X宅地の価額）

② 事業の用に供されていた減価償却資産のうち被相続人等が有していたもの（注）の相続開始時の価額（上記(1)の算式の分子部分）

$$10{,}000\text{千円}\left(\begin{array}{c}\text{X家屋}\\\text{の価額}\end{array}\right)+2{,}000\text{千円}\left(\begin{array}{c}\text{運送業用の減価償却資}\\\text{産（器具備品）の価額}\end{array}\right)$$
$$+30{,}000\text{千円}\left(\begin{array}{c}\text{運送業用の減価償却}\\\text{資産（車両）の価額}\end{array}\right)=42{,}000\text{千円}$$

（注） 質疑 の事例の事業主体者は被相続人甲であるため、『被相続人等が有していたもの』とは、被相続人甲が有していたものと解釈されることになります。

③ 特定事業の該当性

$$\frac{42{,}000\text{千円（上記②：減価償却資産の価額）}}{100{,}000\text{千円（上記①：特定宅地等の価額）}}=42\%\geqq15\%$$ ∴特定事業に該当（判定割合15％以上）

そうすると、X宅地は、特定事業用宅地等に該当することになります。

留意点　本件 質疑 の事例の場合には該当しませんが、平成31年４月１日から令和４年３月31日までの間に相続又は遺贈により取得した宅地等に係る特定事業用宅地等の規定の適用については、一定の経過措置が設けられていることに留意する必要があります。この点に関して、⑿の質疑応答を参照してください。

## (27) 相続開始前３年以内に新たに事業の用に供された宅地等の意義（その２：特定事業に該当するか否かの判定）（そのＦ：事業が特定宅地等を含む一の宅地等の上で行われていた場合の減価償却資産の取扱い）

**質疑**　被相続人甲に相続の開始（相続開始日：令和４年８月29日）がありました。同人が相続開始時において事業（ラーメン店）の用に供している不動産（Ｘ家屋並びにＸ宅地及びＹ宅地）の存在が確認されており、その状況等は下記のとおりでした。

事業用不動産の状況等

①　平成21年２月４日に、被相続人がＸ宅地及びＸ家屋を購入し、購入直後から直ちに同人が経営する事業（ラーメン店）に供用しました。（参考図１を参照）

②　令和２年２月21日に、ラーメン店の経営規模を拡大するためＸ宅地の隣接地であるＹ宅地を購入し、同宅地上にも跨がる形でＸ家屋を増床し事業の用に供しました。（参考図２を参照）

③　被相続人甲に係る相続開始により、同人の長男Ａが上記の事業用不動産を相続により取得し、かつ、事業（ラーメン店）を承継しました。また、長男Ａは今後も末長く、当該事業用不動産を所有して事業（ラーメン店）を継続していく予定です。

④　被相続人甲に係る相続開始時における各資産の価額（相続税評価額）は、次のとおりとなっていました。

(イ)　Ｘ宅地……80,000千円、Ｙ宅地……100,000千円

(ロ)　Ｘ家屋……20,000千円（内訳 ・増床前の部分に対応する価額　15,000千円　・増床部分に対応する価額　5,000千円）

(ハ)　上記(ロ)以外の減価償却資産……30,000千円（内訳 ・増床前の部分に配備されている資産の価額　22,000千円　・増床部分に配備されている資産の価額　8,000千円）

参考図１　開業時（平成21年２月４日）の状況等

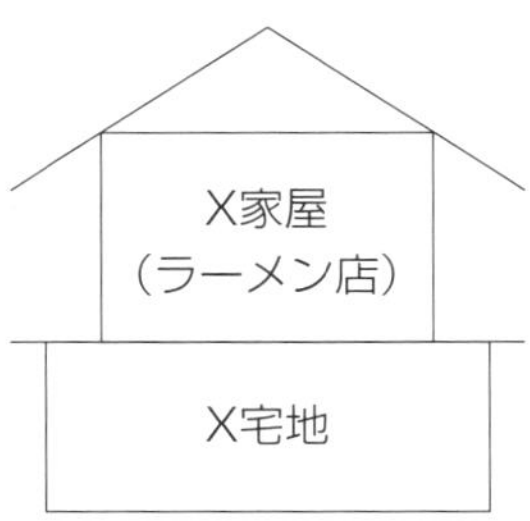


参考図２　増床時（令和２年２月21日）の状況等

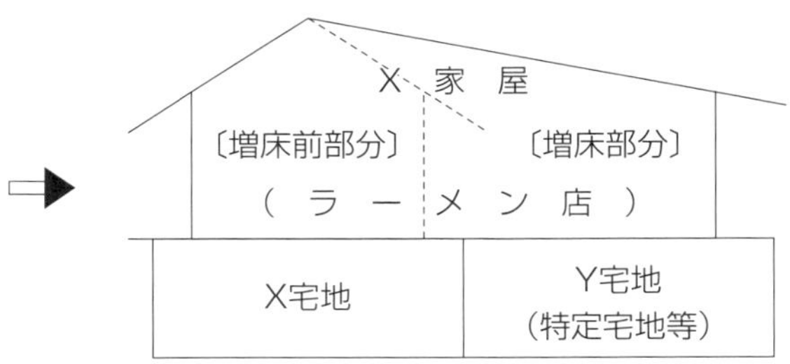


被相続人に係る相続開始前３年以内に新たに事業の用に供された宅地等（特定宅地等）であっても、『特定事業』を行っていた被相続人等の当該事業の用に供

されたものは、特定事業用宅地等の範囲から除外されないものとされています。

そうすると、**質疑** のように、被相続人等の事業が特定宅地等を含む一の宅地等の上で行われていた場合における特定事業に該当するか否かの判定は、どのように行うことになるのでしょうか。

なお、上記に掲げる事項以外の事項については、特定事業用宅地等に係る適用要件を充足しているものとします。

## 応答

⑴　概要

平成31年度の税法改正では、特定事業用宅地等について、相続開始前３年以内に新たに事業の用に供された宅地等をその対象から除くこととされました。

ただし、上記に該当する宅地等であっても、(イ)特定事業を行っていた被相続人等の当該事業の用に供されたものを除く（換言すれば、『相続開始前３年以内に新たに事業の用に供された宅地等』に該当しないと解釈する）こととされています。

この場合において、上記(イ)＿＿部分に掲げる『特定事業』とは、次に掲げる算式を満たす場合における当該事業をいうものとされています。

（算式）
$$\frac{\text{分母に掲げる特定宅地等に係る被相続人等の事業の用に供されていた}^{(ロ)}\text{減価償却資産のうち当該被相続人等が有していたものの相続の開始の時における価額の合計額}}{\text{新たに事業の用に供された宅地等（以下、本問において『特定宅地等』といいます。）の相続の開始の時における価額}} \geqq \frac{15}{100}$$

そして、上記算式の分子部分の(ロ)＿＿に掲げる『減価償却資産』については、措置法通達69の４－20の３《政令で定める規模以上の事業の意義等》において、次に掲げる事項に留意する旨が定められています。

減価償却資産に関する留意事項

①　『減価償却資産』とは、特定宅地等に係る被相続人等の事業の用に供されていた次に掲げる資産をいいます。

⑴　特定宅地等の上に存する建物（その附属設備を含みます。）又は構築物

⑵　所得税法第２条《定義》第１項第19号に規定する減価償却資産で特定宅地等の上で行われる当該事業に係る業務の用に供されていたもの（上記⑴に掲げるものを除きます。）

②　特定宅地等に係る被相続人等の事業が特定宅地等含む一の宅地等の上で行われていた場合には、次に掲げる部分は、上記①⑴又は⑵に掲げる資産にそれぞれ含まれるものとされています。

⑴　特定宅地等を含む一の宅地等の上に存する建物（その附属設備を含みます。）又は構築物のうち当該事業の用に供されていた部分

⑵　上記①⑵の減価償却資産のうち特定宅地等を含む一の宅地等の上で行われる当該事業に係る業務の用に供されていた部分（当該建物及び当該構築物を除きます。）

そうすると、上記に掲げる留意事項をまとめると、上記算式の分子部分の(ロ)＿＿に掲げる『減価償却資産』について、特定宅地等に係る被相続人等の事業に係る業務が特定宅地等を含む一の宅地等で行われていた場合には、当該事業に係る業務の用に供されている減価償却資産の所在については、次に掲げるとおりとされていることが理解されます。

(A)　建物（その附属設備を含みます。）又は構築物については、その所在は何も当該特定宅地等の上に存することを要件とするものではなく、当該特定宅地等を含む一の宅地等の上に存するものであればよいものとされています。

(B)　建物（その附属設備を含みます。）又は構築物以外の減価償却資産については、その所在は一切問われておらず、当該特定宅地等の上で行われる当該事業に係る業務の用に供されていたものであることのみが必要とされています。

(2)　**質疑** の事例の場合

**質疑** の事例の場合、その前提条件から、Y宅地は被相続人甲による事業（ラーメン店）供用日から同人に係る相続開始日までの期間が3年以下であるもの（特定宅地等）に該当することから、当該宅地等が特定事業を行っていた被相続人等の当該事業の用に供されたものでない限り、相続開始前3年以内に新たに事業の用に供された宅地等に該当するものとされ、特定事業用宅地等には該当しないものとされます。

そして、特定事業に該当するか否かの判定は、上記(1)に掲げる算式による割合（以下、本問においてこの割合を『判定割合』といいます。）が15%以上であるか否かによって行うものとされています。

また、この判定割合を求める場合における算式中の分子部分に掲げる『減価償却資産』につき、特定宅地等に係る被相続人等の事業が特定宅地等を含む一の宅地等で行われていたときの取扱上の留意点は、上記(1)に掲げるとおりとされています。

以上より、**質疑** の事例における特定事業の判定を行うと、下記の 判断過程 のとおりとなり、Y宅地上で行われている被相続人甲の事業は特定事業に該当することになります。

判断過程

①　特定宅地等の相続開始時の価額（上記(1)の算式の分母部分）

100,000千円（Y宅地の価額）

②　事業の用に供されていた減価償却資産のうち被相続人等が有していたもの（注1）の相続開始時の価額（上記(1)の算式の分子部分）

20,000千円（X家屋の価額(注2)）＋30,000千円（X家屋以外の減価償却資産（注3））＝50,000千円

(注1)　**質疑** の事例の事業主体者は被相続人甲であるため、『被相続人等が有していたもの』とは、被相続人甲が有していたものと解釈されることになります。

(注2)　X家屋（上記(1)に掲げる 減価償却資産に関する留意事項 ①(イ)及び②(イ)に該当）は、特定宅地等を含む一の宅地等の上に存する建物に該当することから、上記(1)の算式の分子部分に算入されます。

(注3)　X家屋以外の減価償却資産（上記(1)に掲げる 減価償却資産に関する留意事項 ①(ロ)及び②(ロ)に該当）は、特定宅地等を含む一の宅地等の上で行われる当該事業に係る業務の用に供されて

いたものに該当することから、上記(1)の算式の分子部分に算入されます。

③　特定事業の該当性

$$\frac{50{,}000\text{千円（上記②：減価償却資産の価額）}}{100{,}000\text{千円（上記①：特定宅地等の価額）}}=50\%\geqq15\%$$　∴特定事業に該当（判定割合15％以上）

そうすると、Ｙ宅地は、特定事業用宅地等に該当することになります。

**留意点**　本件 **質疑** の事例の場合には該当しませんが、平成31年４月１日から令和４年３月31日までの間に相続又は遺贈により取得した宅地等に係る特定事業用宅地等の規定の適用については、一定の経過措置が設けられていることに留意する必要があります。この点に関して、⑿の質疑応答を参照してください。

### ㉘　相続開始前３年以内に新たに事業の用に供された宅地等の意義（その２：特定事業に該当するか否かの判定）（そのＧ：特定宅地等に係る被相続人等の事業とそれ以外の事業の用に供されていた減価償却資産の取扱い）

**質疑**　被相続人甲に相続の開始（相続開始日：令和４年８月29日）がありました。同人が相続開始時において事業（飲食店及び土産物販売店）の用に供している不動産（Ｘ不動産（Ｘ家屋及びＸ宅地）及びＹ不動産（Ｙ家屋及びＹ宅地））の存在が確認されており、その状況等は下記のとおりでした。

事業用不動産の状況等

①　平成２年３月11日に、被相続人がＸ不動産（Ｘ家屋及びＸ宅地）を購入し、購入直後から直ちに同人が経営する事業（飲食店及び土産物販売店）に供用しました。（参考図１を参照）

②　令和２年２月21日に、飲食店の経営規模を拡大するためにＸ宅地の隣接に所在するＹ不動産（Ｙ家屋及びＹ宅地）を購入し、直ちに飲食店の事業に供用しています。

③　被相続人甲に係る相続開始により、同人の長男Ａが上記の事業用不動産を相続により取得し、かつ、事業（飲食店及び土産物販売店）を承継しました。また、長男Ａは今後も末長く、当該事業用不動産を所有して事業（飲食店及び土産物販売店）を継続していく予定です。

④　被相続人甲に係る相続開始時における各資産の価額（相続税評価額）は、次のとおりとなっていました。

| 宅地等 | 減価償却資産 | | | | | | | | |
|---|---|---|---|---|---|---|---|---|---|
| | 建物（附属設備）・構築物 | | | | 左記以外の減価償却資産 | | | | |
| | X家屋に係るもの | | Y家屋に係るもの | | X家屋内の所在物 | | | Y家屋内の所在物 | |
| | 飲食店部分 | 土産物販売店部分 | 飲食店部分 | 土産物販売店部分 | 飲食店部分 | 土産物販売店部分 | 共通部分 | 飲食店部分 | 土産物販売店部分 |
| X宅地 100,000千円 Y宅地 150,000千円 | 6,000千円（注１） | 8,000千円（注１） | 9,000千円 | —（Y家屋は飲食店専業） | 2,000千円 | 3,000千円 | 4,000千円（注２） | 3,000千円 | —（Y家屋は飲食店専業） |

（注１）　X家屋は飲食店兼土産物販売店であることから、両者の価額は床面積の比率で配分しています。

（注２）　X家屋内の所在物（減価償却資産）のうち『共通部分』は、飲食店及び土産物販売店の双方の業務使用されるものです。なお、両者の価額を合理的と認められる使用比率で配分すると飲食店部分が1,000千円、土産物販売店部分が3,000千円になるものと認められます。

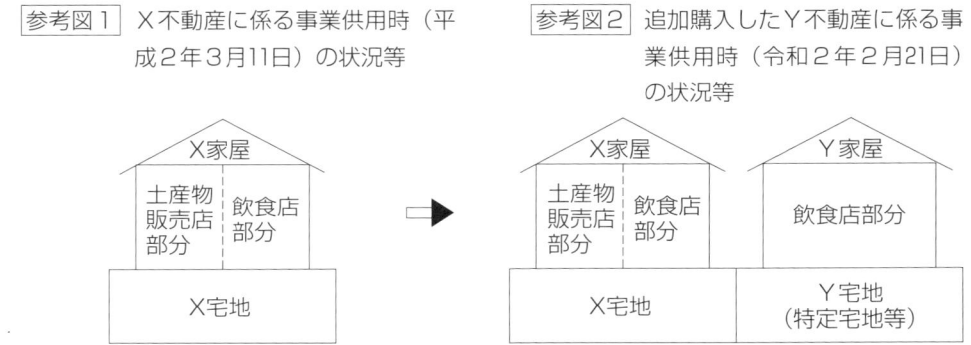

参考図１　X不動産に係る事業供用時（平成２年３月11日）の状況等

参考図２　追加購入したY不動産に係る事業供用時（令和２年２月21日）の状況等

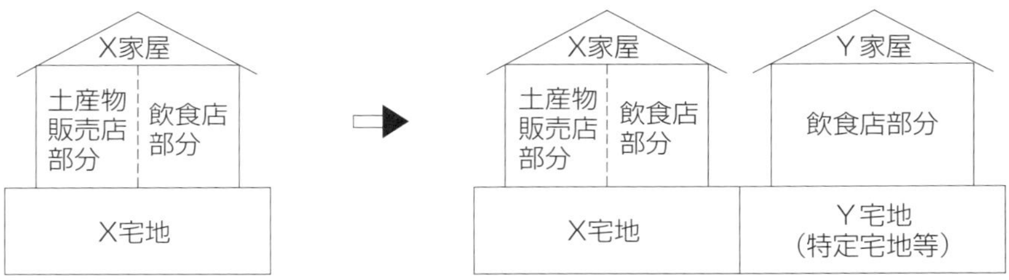


被相続人に係る相続開始前３年以内に新たに事業の用に供された宅地等（特定宅地等）であっても、『特定事業』を行っていた被相続人等の当該事業の用に供されたものは、特定事業用宅地等の範囲から除外されないものとされています。

そうすると、**質疑** の事例のように、被相続人等の事業が特定宅地等を含む一の宅地等の上で行われていた場合において、当該特定宅地等に係る被相続人等の事業とそれ以外の事業の用に供用されていた減価償却資産があるときにおける特定事業に該当するか否かの判定は、どのように行うことになるのでしょうか。

なお、上記に掲げる事項以外の事項については、特定事業用宅地等に係る適用要件を充足しているものとします。

## 応答

(1)　概要

平成31年度の税法改正では、特定事業用宅地等について、相続開始前３年以内に新たに事業の用に供された宅地等をその対象から除くこととされました。

ただし、上記に該当する宅地等であっても、特定事業（イ）を行っていた被相続人等の当該事業の用に供されたものを除く（換言すれば、『相続開始前３年以内に新たに事業の用に供された宅地等』に該当しないと解釈する）こととされています。

この場合において、上記(イ)部分に掲げる『特定事業』とは、次に掲げる算式を満たす場合における当該事業をいうものとされています。

（算式）

$$\frac{\text{分母に掲げる特定宅地等に係る被相続人等の事業の用に供されていた}^{(ロ)}\text{減価償却資産のうち当該被相続人等が有していたものの相続の開始の時における価額の合計額}}{\text{新たに事業の用に供された宅地等（以下、本問において『特定宅地等』といいます。）の相続の開始の時における価額}} \geqq \frac{15}{100}$$

そして、上記算式の分子部分の(ロ)に掲げる『減価償却資産』については、措置法通達69の４－20の３《政令で定める規模以上の事業の意義等》において、次に掲げる事項に留意する旨が定められています。

減価償却資産に関する留意事項

① 『減価償却資産』とは、特定宅地等に係る被相続人等の事業の用に供されていた次に掲げる資産をいいます。

(イ) 特定宅地等の上に存する建物（その附属設備を含みます。）又は構築物

(ロ) 所得税法第２条《定義》第１項第19号に規定する減価償却資産で特定宅地等の上で行われる当該事業に係る業務の用に供されていたもの（上記(イ)に掲げるものを除きます。）

② 特定宅地等に係る被相続人等の事業が特定宅地等を含む一の宅地等の上で行われていた場合には、次に掲げる部分は、上記①(イ)又は(ロ)に掲げる資産にそれぞれ含まれるものとされています。

(イ) 特定宅地等を含む一の宅地等の上に存する建物（その附属設備を含みます。）又は構築物のうち当該事業の用に供されていた部分

(ロ) 上記①(ロ)の減価償却資産のうち特定宅地等を含む一の宅地等の上で行われる当該事業に係る業務の用に供されていた部分（当該建物及び当該構築物を除きます。）

③ 上記①(ロ)に掲げる資産が、共通して当該業務及び当該業務以外の業務の用に供されていた場合であっても、当該資産の全部が上記①(ロ)に掲げる資産に該当することになります。

なお、上記に掲げる 減価償却資産に関する留意事項 ③に関して、国税庁より令和元年11月５日付で公開された資産課税課情報第17号『相続税法基本通達等の一部改正について（法令解釈通達）のあらまし（情報）』（以下、本問において「情報」といいます。）において、要旨、「上記③に掲げる資産が、特定宅地等の上で行われる事業に係る業務に加え、他の事業所での業務でも使用している場合など、共通してその業務の用に供されていた場合には、特定宅地等の上で行われる事業に係る業務の用に供されていた部分に限ることなく、当該業務以外の業務の用に供されていた部分も含め、その資産の全部が上記③に掲げる資産に該当することとなる。」と定めています。

そうすると、上記算式の分子部分の(ロ)に掲げる『減価償却資産』について、その一部

でも、特定宅地等の上で行われる被相続人等の事業に係る業務の用に供されているのであれば、残余部分の業務上の利用状況にかかわらず、当該資産の全部が特定宅地等に係る被相続人等の事業の用に供されていたものに該当するものとされます。

⑵　**質疑**　の事例の場合

**質疑**　の事例の場合、その前提条件から、Ｙ宅地は被相続人甲による事業（飲食店）供用日から同人に係る相続開始日までの期間が３年以下であるもの（特定宅地等）に該当することから、当該宅地等が特定事業を行っていた被相続人等の当該事業の用に供されたものでない限り、相続開始前３年以内に新たに事業の用に供された宅地等に該当するものとされ、特定事業用宅地等には該当しないものとされます。

そして、特定事業に該当するか否かの判定は、上記⑴に掲げる算式による割合（以下、本問においてこの割合を『判定割合』といいます。）が15％以上であるか否かによって行うものとされています。

また、この判定割合を求める場合における算式中の分子部分に掲げる『減価償却資産』が、特定宅地等の上で行われる当該事業に係る業務の用に供されていたもの（建物（その附属設備を含みます。）又は構築物を除きます。）であることに加え、他の事業所での業務に使用される等、共通してその業務の用に供されているときの取扱いは上記⑴に掲げるとおりとされています。

以上より、**質疑**　の事例における特定事業の判定を行うと、下記の 判断過程 のとおりとなり、Ｙ宅地上で行われている被相続人甲の事業は特定事業に該当することになります。

判断過程

①　特定宅地等の相続開始時の価額（上記⑴の算式の分母部分）

150,000千円（Ｙ宅地の価額）

②　事業の用に供されていた減価償却資産のうち被相続人等が有していたもの（注１）の相続開始時の価額（上記⑴の算式の分子部分）

㈠　建物（附属設備）・構築物

㋑　Ｘ家屋……6,000千円（注２）

㋺　Ｙ家屋……9,000千円

㋩　㋑＋㋺＝15,000千円

㈡　上記㈠以外の減価償却資産

㋑　Ｘ家屋内の所在物……2,000千円＋4,000千円（注３）＝6,000千円

㋺　Ｙ家屋内の所在物……3,000千円

㋩　㋑＋㋺＝9,000千円

㈢　㈠＋㈡＝24,000千円

（注１）　**質疑**　の事例の事業主体者は被相続人甲であるため、『被相続人等が有していたもの』とは、被相続人甲が有していたものと解釈されることになります。

（注２）　Ｘ家屋については飲食店部分（上記⑴に掲げる 減価償却資産に関する留意事項 ①㈠に該当）のみが、特定宅地等に係る被相続人等の事業の用に供されていた建物に該当することから、上記⑴の算式の分子部分に算入されます。

（注３）　Ｘ家屋内の所在物（減価償却資産：上記(1)に掲げる 減価償却資産に関する留意事項 ①(ロ)に該当）については、上記(1)に掲げる 減価償却資産に関する留意事項 ②に掲げる取扱いより、飲食店部分と土産物販売店部分に共通して使用されるものであっても、その価額（相続税評価額）の全額を上記(1)の算式の分子部分に算入することが認められています。

③　特定事業の該当性

$$\frac{24,000\text{千円（上記②：減価償却資産の価額）}}{150,000\text{千円（上記①：特定宅地等の価額）}} = 16\% \geqq 15\%$$

∴特定事業に該当（判定割合15％以上）

Ｙ宅地は、特定事業用宅地等に該当することになります。

**ワンポイント**

本件 **質疑** において、もし仮に、上記 **応答** の(1)に掲げる 減価償却資産に関する留意事項 ③の取扱いを承知していなかったとして、**質疑** の④（注2）に掲げるとおりにＸ家屋内の所在物（減価償却資産）のうち共通部分に対して、合理的な比率で区分した飲食店部分の価額（1,000千円）をもって判定割合を求めると、次に掲げる 判断過程 のとおり14％となり、結果としてＹ宅地は特定事業用宅地等に該当しないことになります。建物（附属設備）・構築物以外の減価償却資産で **質疑** に掲げる事例のような共通資産（特定宅地等を含む一の宅地等の上で行われる複数の業務に共用される資産）の取扱いには十分に留意する必要があります。

判断過程

①　特定宅地等の相続開始時の価額（上記(1)の算式の分母部分）
150,000千円（Ｙ宅地の価額）

②　事業の用に供されていた減価償却資産のうち被相続人等が有していたものの相続開始時の価額（上記(1)の算式の分子部分）

(イ)　建物（附属設備）・構築物
　㋑　Ｘ家屋……6,000千円
　㋺　Ｙ家屋……9,000千円
　㋩　㋑＋㋺＝15,000千円

(ロ)　上記(イ)以外の減価償却資産
　㋑　Ｘ家屋内の所在物……2,000千円＋1,000千円（注）＝3,000千円
　　（注）　これが誤認（共通部分に対して合理的な比率で区分した飲食店部分の価額を採用すること）した数値です。
　㋺　Ｙ家屋内の所在物……3,000千円
　㋩　㋑＋㋺＝6,000千円

(ハ)　(イ)＋(ロ)＝21,000千円

③　特定事業の該当性

$$\frac{21,000\text{千円（上記②：減価償却資産の価額）}}{150,000\text{千円（上記①：特定宅地等の価額）}} = 14\% < 15\%$$

∴特定事業に非該当（判定割合15％未満）

**留意点**　　本件 **質疑** の事例の場合には該当しませんが、平成31年４月１日から令和４年３月31日までの間に相続又は遺贈により取得した宅地等に係る特定事業用宅地等の規定の適用については、一定の経過措置が設けられていることに留意する必要があります。この点に関して、⑿の質疑応答を参照してください。

## ㉙　相続開始前３年以内に新たに事業の用に供された宅地等の意義（その２：特定事業に該当するか否かの判定）（そのＨ：特定宅地等を被相続人及び被相続人以外の者による共有により所有していた場合の取扱い）

**質疑**　被相続人甲に相続の開始（相続開始日：令和４年８月29日）がありました。同人が相続開始時において事業（小売業）の用に供しているＸ不動産（Ｘ家屋及びＸ宅地）の存在が確認されており、その状況等は下記のとおりでした。

Ｘ不動産（Ｘ家屋及びＸ宅地）の状況等

①　令和２年２月21日に、被相続人甲は下記に掲げる態様でＸ物件（Ｘ家屋及びＸ宅地）を取得し、直ちに同人の事業（小売業）の用に供することになりました。

㈑　Ｘ家屋……共有により取得（(共有持分）被相続人甲60％、配偶者乙40％）

㈺　Ｘ宅地……共有により取得（(共有持分）被相続人甲60％、配偶者乙40％）

（注）配偶者乙は、被相続人甲と生計を一にする親族に該当します。

②　被相続人甲に係る相続開始により、同人の長男Ａが上記のＸ物件に係る被相続人甲の持分を相続により取得し、かつ、事業（小売業）を承継しました。また、長男Ａは今後も末長く、当該Ｘ物件に係る共有持分を所有して事業（小売業）を継続していく予定です。

③　被相続人甲に係る相続開始時における各資産の価額（相続税評価額）は、次のとおりとなっていました。

㈑　Ｘ家屋……　10,000千円（共有持分を乗じる前の価額）

㈺　Ｘ宅地……100,000千円（共有持分を乗じる前の価額）

㈩　上記㈑以外の減価償却資産……7,200千円（被相続人甲が所有）

被相続人に係る相続開始前３年以内に新たに事業の用に供された宅地等（特定宅地等）であっても、『特定事業』を行っていた被相続人等の当該事業の用に供されたものは、特定事業用宅地等の範囲から除外されないものとされています。

そうすると、**質疑** の事例のように、特定宅地等を被相続人及び被相続人以外の者による共有により所有していた場合における特定事業に該当するか否かの判定は、どのように行うことになるのでしょうか。

なお、上記に掲げる事項以外の事項については、特定事業用宅地等に係る適用要件を充足しているものとします。

**類題**　上記の **質疑** において、Ｘ家屋が被相続人甲と配偶者乙による共有持分によって所有されているのではなく、配偶者乙による単独所有（土地の貸借関係は使用貸借とします。）であった場合には、被相続人甲に係る事業が特定事業に該当するか否かの判定はどのようになりますか。なお、その他の要件はすべて本題と同一であるものとします。

## 応答

(1)　概要

平成31年度の税法改正では、特定事業用宅地等について、相続開始前３年以内に新たに事業の用に供された宅地等をその対象から除くこととされました。

ただし、上記に該当する宅地等であっても、(イ)特定事業を行っていた被相続人等の当該事業の用に供されたものを除く（換言すれば、『相続開始前３年以内に新たに事業の用に供された宅地等』に該当しないと解釈する）こととされています。

この場合において、上記(イ)部分に掲げる『特定事業』とは、次に掲げる算式を満たす場合における当該事業をいうものとされています。

（算式）

$$\frac{\text{分母に掲げる特定宅地等に係る被相続人等の事業の用に供されていた減価償却資産のうち当該被相続人等が有していたものの相続の開始の時における価額の合計額}}{\text{新たに事業の用に供された宅地等（以下、本問において(ロ)『特定宅地等』といいます。）の相続の開始の時における価額}} \geqq \frac{15}{100}$$

そして、上記算式の分母部分の(ロ)に掲げる『特定宅地等』については、措置法通達69の４－20の３《政令で定める規模以上の事業の意義等》において、「『特定宅地等』は、相続開始の直前において被相続人が所有していた宅地等であり、当該宅地等が数人の共有に属していた場合には当該被相続人の有していた持分の割合に応ずる部分であることに留意する。」と定められています。

そうすると、上記算式の分母部分の(ロ)に掲げる『特定宅地等』について、共有持分により所有されていたものである場合には被相続人の有していた持分の割合に応ずる部分だけが該当し、たとえ、被相続人と生計を一にする親族が有していた持分の割合であっても当該割合はこれに該当しないものとされていることに留意する必要があります。

(2)　**質疑**　の事例の場合

**質疑**　の事例の場合、その前提条件から、Ｘ宅地は被相続人甲による事業（小売業）供用日から同人に係る相続開始日までの期間が３年以下であるもの（特定宅地等）に該当することから、当該宅地等が特定事業を行っていた被相続人等の当該事業の用に供されたものでない限り、相続開始前３年以内に新たに事業の用に供された宅地等に該当するものとされ、特定事業用宅地等には該当しないものとされます。

そして、特定事業に該当するか否かの判定は、上記(1)に掲げる算式による割合（以下、本問においてこの割合を『判定割合』といいます。）が15%以上であるか否かによって行うものとされています。

また、この判定割合を求める場合における算式中の分母部分に掲げる『特定宅地等』につき、その所有が被相続人及び被相続人以外の者による共有によるものであるときにおける取扱いは上記(1)に掲げるとおりとされています。

以上より、**質疑**　の事例における特定事業の判定を行うと、下記の 判断過程 のとおりとなり、Ｘ宅地上で行われている被相続人甲の事業は特定事業に該当することになります。

判断過程

①　特定宅地等の相続開始時の価額（上記(1)の算式の分母部分）

100,000千円（共有持分を乗じる前のX宅地の価額）×60%（被相続人甲の共有持分）（注１）＝60,000千円

②　事業の用に供されていた減価償却資産のうち被相続人等が有していたもの（注２）の相続開始時の価額（上記(1)の算式の分子部分）

(イ)　X家屋

10,000千円（共有持分を乗じる前のX家屋の価額）×60%（被相続人甲の共有持分）＝6,000千円

(ロ)　上記(イ)以外の減価償却資産

7,200千円

(ハ)　(イ)＋(ロ)＝13,200千円

（注１）　特定宅地等が数人の共有に属していた場合には、当該被相続人の有していた持分の割合に応ずる部分の価額を算定するものとされています。

（注２）　質疑 の事例の事業主体者は被相続人甲であるため、『被相続人等が有していたもの』とは、被相続人甲が有していたものと解釈されることになります。

③　特定事業の該当性

$$\frac{13{,}200\text{千円（上記②：減価償却資産の価額）}}{60{,}000\text{千円（上記①：特定宅地等の価額）}} = 22\% \geqq 15\%$$ ∴特定事業に該当（判定割合15%以上）

そうすると、X宅地は、特定事業用宅地等に該当することになります。

(3)　類題 の場合

類題 の場合における特定事業の判定を行うと、下記の 判断過程 のとおりとなり、X宅地上で行われている被相続人甲の事業は特定事業に該当しないことになります。

判断過程

①　特定宅地等の相続開始時の価額（上記(1)の算式の分母部分）

100,000千円（共有持分を乗じる前のX宅地の価額）×60%（被相続人甲の共有持分）＝60,000千円

②　事業の用に供されていた減価償却資産のうち被相続人等が有していたものの相続開始時の価額（上記(1)の算式の分子部分）

7,200千円（X家屋以外の減価償却資産）

（注）　類題 の場合、X家屋は配偶者乙の所有とされているため、たとえ、配偶者乙が被相続人甲と生計を一にする親族であったとしても、X家屋の価額を上記(1)の算式の分子部分に算入することは認められていません。

③　特定事業の該当性

$$\frac{7{,}200\text{千円（上記②：減価償却資産の価額）}}{60{,}000\text{千円（上記①：特定宅地等の価額）}} = 12\% < 15\%$$ ∴特定事業に非該当（判定割合15%未満）

留意点　本件 質疑 の事例の場合には該当しませんが、平成31年４月１日から令和４年３月31日までの間に相続又は遺贈により取得した宅地等に係る特定事業用宅地等の規定の適用については、一定の経過措置が設けられていることに留意する必要があります。この点に関して、⑿の質疑応答を参照してください。

### ㉚　相続開始前３年以内に新たに事業の用に供された宅地等の意義（その２：特定事業に該当するか否かの判定）（その１：事業の用に供されていた減価償却資産のうちに帳簿価額がないもの等が存する場合の取扱い）

**質疑**　被相続人甲に相続の開始（相続開始日：令和４年８月29日）がありました。同人が相続開始時において事業（配達専門ピザ店）の用に供しているＸ物件（Ｘ家屋及びＸ宅地）の所在が確認されており、その状況等は下記のとおりでした。

Ｘ物件の状況等

①　令和２年７月28日に、被相続人甲がＸ物件を購入し、購入直後から直ちに同人が経営する事業（配達専門ピザ店）に供用しました。

②　被相続人甲に係る相続開始により、同人の長男Ａが上記のＸ物件を相続により取得し、かつ、事業（配達専門ピザ店）を承継しました。また、長男は今後も末長く、当該Ｘ物件を所有して事業（配達専門ピザ店）を継続していく予定です。

③　被相続人甲に係る相続開始時における各資産に関する資料は、次のとおりとなっていました。

| 資　産 | 帳簿価額 | 相続税評価額 | 備考 |
| --- | --- | --- | --- |
| Ｘ宅地 | 300,000千円 | 240,000千円 | |
| Ｘ家屋　旧来分 | 55,000千円 | 28,000千円 | •令和４年分の固定資産税評価額は、下段に掲げる増築に関する事項は考慮されずに算定されており、左欄の相続税評価額は、当該価額に倍率（1.0）を乗じたものとして算定 |
| Ｘ家屋　増築分 | 8,000千円 | 5,000千円 | •令和３年６月にＸ家屋を増築<br>•左欄の相続税評価額は、上段に掲げる事情から欄外の資料１の＿＿＿部分に掲げる評価方法に基づいて算定 |
| 車両運搬具 | ０千円 | 3,200千円 | •令和２年の開業以来、毎年、１台20万円前後の電動自転車を購入し、措置法第28条の２に規定する『中小事業者の少額減価償却資産の取得価額の必要経費算入の特例』により全額必要経費に算入（資料２を参照） |
| 器具備品 | ０千円 | 7,000千円 | •令和２年７月の開業時に、取引先から開業祝として贈与を受けた商品保管庫であり、これに関する会計処理は未実施 |

被相続人に係る相続開始前３年以内に新たに事業の用に供された宅地等（特定宅地等）であっても、『特定事業』を行っていた被相続人等の当該事業の用に供され

たものは、特定事業用宅地等の範囲から除外されないものとされています。

そうすると、上記の『特定事業に該当するか否かの判定に当たって、上記③の＿＿＿部分に掲げる各資産のように、被相続人等が所有し、かつ、その営む事業の用に供されてはいるものの帳簿価額が付されていないものは、どのように取り扱われることになるのでしょうか。

なお、上記に掲げる事項以外の事項については、特定事業用宅地等に係る適用要件を充足しているものとします。

**資料１**　課税時期において、増改築等に係る家屋の状況に応じた固定資産税評価額が付されていない家屋の価額

課税時期において、増改築等に係る家屋の状況に応じた固定資産税評価額が付されていない家屋の価額については、財産評価基本通達５《評価方法の定めのない財産の評価》の定めに基づき評価します。

具体的には、当該家屋の価額は、増改築等に係る部分以外の部分に対応する固定資産税評価額に、当該増改築等に係る部分の価額として、当該増改築等に係る家屋と状況の類似した付近の家屋の固定資産税評価額を基として、その付近の家屋との構造、経過年数、用途等の差を考慮して評定した価額（ただし、状況の類似した付近の家屋がない場合には、その増改築等に係る部分の再建築価額から償却費相当額を控除した価額の100分の70に相当する金額）を加算した価額（課税時期から申告期限までの間に、その家屋の課税時期の状況に応じた固定資産税評価額が付された場合には、その固定資産税評価額）に基づき財産評価基本通達89《家屋の評価》又は93《貸家の評価》の定めにより評価します。

なお、償却費相当額は、財産評価基本通達89－２《文化財建造物である家屋の評価》の⑵に定める評価方法に準じて、再建築価額から当該価額に0.1を乗じて計算した金額を控除した価額に、その建物の耐用年数（減価償却資産の耐用年数等に関する省令（昭和40年大蔵省令第15号）に規定する耐用年数）のうちに占める経過年数（増改築等の時から課税時期までの期間に相当する年数（その期間に１年未満の端数があるときは、その端数は、１年とします。））の割合を乗じて計算します。

**資料２**　措置法第28条の２《中小事業者の少額減価償却資産の取得価額の必要経費算入の特例》の概要

青色申告書を提出する一定の中小事業者が、平成18年４月１日から令和４年３月31日までの間に取得等をし、かつ、当該中小事業者の不動産所得、事業所得又は山林所得を生ずべき業務の用に供した減価償却資産で、その取得価額が30万円未満であるもの（以下「少額減価償却資産」といいます。）については、当該少額減価償却資産の取得価額に相当する金額を、当該中小事業者のその業務の用に供した年分の不動産所得の金額、事業所得の金額又は山林所得の金額の計算上、一定の手続きを要件として、必要経費に算入することができるものとされています。

なお、この場合において、当該中小事業者のその業務の用に供した年分の上記に掲げる所得の金額の計算上、必要経費に算入することができる金額は１暦年間で少額減価償却資産の取得価額の合計額が300万円以下である部分に限られるものとされています。（年の中途における開廃業等は、月割計算となります。）

## 応答

(1)　概要

平成31年度の税法改正では、特定事業用宅地等について、相続開始前３年以内に新たに事業の用に供された宅地等をその対象から除くこととされました。

ただし、上記に該当する宅地等であっても、(イ)特定事業を行っていた被相続人等の当該事業の用に供されたものを除く（換言すれば、『相続開始前３年以内に新たに事業の用に供された宅地等』に該当しないと解釈する）こととされています。

この場合において、上記(イ)部分に掲げる『特定事業』とは、次に掲げる算式を満たす場合における当該事業をいうものとされています。

（算式）

$$\frac{\text{分母に掲げる特定宅地等に係る被相続人等の事業の用に供されていた(ロ)減価償却資産のうち当該被相続人等が有していたものの相続の開始の時における価額の合計額}}{\text{新たに事業の用に供された宅地等（以下、本問において『特定宅地等』といいます。）の相続の開始の時における価額}} \geqq \frac{15}{100}$$

そして、上記算式の分子部分の(ロ)に掲げる『減価償却資産』に該当するものとしてその価額が算入の対象とされるのは、次に掲げる要件を充足していることが必要とされています。

①　被相続人等の事業の用に供されていたものであること

②　被相続人等（注）が所有していたものであること

（注）　事業主体者が被相続人であれば減価償却資産の所有者も被相続人であること、また、事業主体者が被相続人と生計を一にする親族であれば減価償却資産の所有者も被相続人と生計を一にする親族であることが必要とされます。

そうすると、上記①及び②以外の事項は、上記算式の分子部分に算入されるか否かの判断要件には該当しないものと解釈されますので、**質疑** の事例の車両運搬具や器具備品のように帳簿価額が付されていないものであっても、上記①及び②の要件を充足するものであれば、これらの減価償却資産の価額は、上記算式の分子部分に算入されることになります。

また、上記算式の分子部分に該当するとされた場合に、当該分子部分に算入される減価償却資産の価額は、課税時期（被相続人等に係る相続開始時）における財産評価基本通達の定めにより計算した金額であり、当該資産の帳簿価額ではないことに留意（この点に関して、(22)の **ワンポイント** を参照してください。）する必要があります。

(2)　**質疑** の事例の場合

**質疑** の事例の場合、その前提条件から、Ｘ宅地は被相続人甲による事業（配達専門ピザ店）供用日から同人に係る相続開始日までの期間が３年以下であるもの（特定宅地等）に該当することから、当該宅地等が特定事業を行っていた被相続人等の当該事業の用に供されたものでない限り、相続開始前３年以内に新たに事業の用に供された宅地等に該当するものとされ、特定事業用宅地等には該当しないものとされます。

そして、特定事業に該当するか否かの判定は、上記(1)に掲げる算式による割合（以下、本問においてこの割合を『判定割合』といいます。）が15%以上であるか否かによって行うものとされています。

また、この判定割合を求める場合における算式中の分子部分に掲げる『減価償却資産』の意義及び価額に関する留意点は、上記(1)に掲げるとおりとされています。

以上より、**質疑** の事例における特定事業の判定を行うと、下記の 判断過程 のとおりとなり、X宅地上で行われている被相続人甲の事業は特定事業に該当することになります。

判断過程

①　特定宅地等の相続開始時の価額（上記(1)の算式の分母部分）

240,000千円

②　事業の用に供されていた減価償却資産のうち被相続人等が有していたもの（注１）の相続開始時の価額（上記(1)の算式の分子部分）

28,000千円（X家屋（旧来分））＋5,000千円（X家屋（増築分））（注２）

＋3,200千円（車両運搬具）（注３）＋7,000千円（器具備品）（注４）

＝43,200千円

（注１）**質疑** の事例の事業主体者は被相続人甲であるため、『被相続人が有していたもの』とは、被相続人甲が有していたものと解釈されることになります。

（注２）X家屋に係る増築部分は、既設の固定資産税評価額には反映されていないため、**質疑** の 資料１（課税時期において、増改築等に係る家屋の状況に応じた固定資産税評価額が付されていない家屋の評価）の定めにより算定した金額をX家屋（旧来分）の価額に加算する必要があります。

（注３）車両運搬具は、**質疑** の 資料２（中小事業者の少額減価償却資産の取得価額の必要経費算入の特例）により全額が必要経費に算入され帳簿価額は０円とされていますが、財産評価基本通達の定めによりその価額（相続税評価額）を算定する必要があります。

（注４）器具備品は、受贈益の計上もれで会計処理が未実施であることから帳簿価額は０円とされていますが、財産評価基本通達の定めによりその価額（相続税評価額）を算定する必要があります。

③　特定事業の該当性

$$\frac{43{,}200\text{千円（上記②：減価償却資産の価額）}}{240{,}000\text{千円（上記①：特定宅地等の価額）}} = 18\% \geqq 15\%$$

∴特定事業に該当（判定割合15%以上）

そうすると、X宅地は、特定事業用宅地等に該当することになります。

| |
|---|
| 留意点　本件 **質疑** の事例の場合には該当しませんが、平成31年４月１日から令和４年３月31日までの間に相続又は遺贈により取得した宅地等に係る特定事業用宅地等の規定の適用については、一定の経過措置が設けられていることに留意する必要があります。この点に関して、⑿の質疑応答を参照してください。 |

## ⑶1　相続開始前３年以内に新たに事業の用に供された宅地等の意義（その３：規制の対象とされる特定事業用宅地等の範囲）（そのＡ：相続開始前３年以内に新たに開始した事業が『特定事業』に該当する場合）

**質疑**　被相続人甲に相続の開始（相続開始日：令和４年８月29日）がありました。同人が相続開始時において事業（書店）の用に供しているＸ物件（Ｘ家屋及びＸ宅地）の所在が確認されており、その状況等は下記のとおりでした。

Ｘ物件の状況等

①　令和３年９月９日に、被相続人甲は会社員生活を定年により終了し退職金を原資としてＸ物件を購入し、購入直後から直ちに同人が経営する事業（書店）に供用しました。

②　被相続人に係る相続開始により、同人の長男ＡがＸ物件を相続により取得し、かつ、事業（書店）を承継しました。また、長男Ａは今後も末長く、Ｘ物件を所有して書店を継続していく予定です。

③　被相続人甲に係る相続開始時における相続財産の価額（相続税評価額）

⑴　Ｘ家屋…10,000千円

⑵　Ｘ宅地…100,000千円

⑶　Ｘ家屋以外の減価償却資産…8,000千円

そうすると、被相続人甲の事業は下記に掲げる算式の割合が18％（15％以上）となることから、特定事業に該当し、相続開始前３年以内に新たに事業の用に供された宅地等を特定事業用宅地等の適用対象から除外するという取扱いの適用対象外になる（換言すれば、特定事業用宅地等の適用対象とされる）ものと理解して差し支えないでしょうか。

被相続人甲が新規に事業を開始してから相続開始までの期間は１年にも満たず、また、同人は会社員であったため旧来より事業を行っていたという経験もありません。これらの事項は、上記の判断に何か影響を与えることにはならないのでしょうか。

（算式）

$$\frac{\text{分母に掲げる特定宅地等に係る被相続人等の事業の用に供されていた減価償却資産のうち当該被相続人等が有していたものの相続の開始の時における価額の合計額}}{\text{新たに事業の用に供された宅地等（以下、本問において『特定宅地等』といいます。）の相続の開始の時における価額}}$$

$$=\frac{10{,}000\text{千円（上記③(イ)）}+8{,}000\text{千円（上記③(ハ)）}}{100{,}000\text{千円（上記③(ロ)）}}$$

＝18％≧15％

## 応答

平成31年度の税法改正では、特定事業用宅地等について、相続開始前３年以内に新たに事業の用に供された宅地等をその対象から除くこととされました。

ただし、上記に該当する宅地であっても、特定事業を行っていた被相続人等の当該事業の用に供されたものを除く（換言すれば、『相続開始前３年以内に新たに事業の用に供された宅地等』に該当しないと解釈する）こととされています。

この場合において、上記＿＿部分に掲げる『特定事業』に該当するか否かの判定は、上記 **質疑** に掲げる算式による割合（以下、本問においてこの割合を『判定割合』といいます。）が15％以上であるか否かによって行うものとされています。

そして、上記の判定割合が15％以上（換言すれば、被相続人等の行っていた事業が特定事業に該当）という要件を充足するのであれば（ **質疑** の事例は、判定割合が18％であることからこの要件を充足しています。）、特定宅地等は『相続開始前３年以内に新たな事業の用に供された宅地等』に該当しないものとされ、特定事業用宅地等として小規模宅地等の課税特例の対象とすることが可能とされます。

なお、上記の判断に当たって、 **質疑** で指摘された下記に掲げるような事項は考慮の対象とはされていないことに留意する必要があります。

(1)　被相続人等に係る特定事業の開始時期から同人に係る相続開始の日までの期間が短期間であること

(2)　被相続人等に係る特定事業以外の事業（異なる事業）を、当該被相続人等が同人に係る相続開始の日まで３年を超えて引き続き一定の規模（減価償却資産の価額が土地の価額のうちに占める割合が15％）以上の事業として営んできたという事実がないこと

また、上記の取扱いと対比して確認しておきたい貸付事業用宅地等に関する論点（相続開始前３年以内に新たに貸付事業の用に供された宅地等（相続開始前３年以内に新たに開始した事業が『特定貸付事業』に該当する場合））があります。この点に関して、㉞の質疑応答を参照してください。

| 留意点 | 本件 **質疑** の事例の場合には該当しませんが、平成31年４月１日から令和４年３月31日までの間に相続又は遺贈により取得した宅地等に係る特定事業用宅地等の規定の適用については、一定の経過措置が設けられていることに留意する必要があります。この点に関して、⑿の質疑応答を参照してください。 |
|---|---|

### ㉜　相続開始前３年以内に新たに事業の用に供された宅地等の意義（その３：規制の対象とされる特定事業用宅地等の範囲）（そのＢ：相続開始前３年以内に新たに開始した事業は『特定事業』に該当しないものの、相続開始の日まで３年を超えて引き続き一定の規模以上の別事業を営んでいた場合）

**質疑**　被相続人甲に相続の開始（相続開始日：令和４年８月29日）がありました。同人が相続開始時において所有し、かつ、事業の用に供している不動産（Ｘ物件及びＹ物件）の所在が確認されており、その状況等は下記のとおりでした。

事業用不動産の状況等

①　Ｘ物件及びＹ物件のそれぞれの用途、事業供用日及び被相続人甲に係る相続開始時の価額（相続税評価額）は、下表のとおりとなっていました。

| | Ｘ物件 | | | Ｙ物件 | | |
|---|---|---|---|---|---|---|
| | (イ)Ｘ家屋 | (ロ)Ｘ宅地 | (ハ)工具器具備品 | (ニ)Ｙ家屋 | (ホ)Ｙ宅地 | (ヘ)工具器具備品 |
| 用途 | 小売業 | | | 飲食店業 | | |
| 事業供用日 | 平成25年２月21日 | | | 令和２年７月28日 | | |
| 価額（相続税評価額） | 30,000千円 | 200,000千円 | 20,000千円 | 10,000千円 | 300,000千円 | 8,000千円 |
| 割合 | $\frac{(イ)+(ハ)}{(ロ)}=\frac{50,000千円}{200,000千円}=25\%\geqq15\%$ | | | $\frac{(ニ)+(ヘ)}{(ホ)}=\frac{18,000千円}{300,000千円}=6\%<15\%$ | | |

②　被相続人に係る相続開始により、同人の長男ＡがＸ物件及びＹ物件を相続により取得し、かつ、各事業（小売業及び飲食店業）を承継しました。また、長男Ａは今後も末長く、両物件を所有して各事業（小売業及び飲食店業）を継続していく予定です。

長男Ａは、小規模宅地等の課税特例の適用に当たって、特定事業用宅地等としてＹ宅地を選択することを希望しています。

Ｙ宅地は、被相続人甲に係る相続開始前３年以内に新たに事業の用に供された宅地等であり、Ｙ物件に係る被相続人甲の事業は特定事業に該当しない（上記①の表の『割合』欄が６％とされ15％未満となっています。）ことも理解しています。

しかしながら、その一方で、被相続人甲が別途営むＸ物件に係る小売業は同人に係る相続開始の日まで３年を超えて引き続き一定の規模以上の事業（上記①の表の『割合』欄が25％とされ15％以上となっています。）に該当するものとされています。

そうすると、被相続人甲に係る相続開始前３年以内に新たに事業の用に供された宅地等（Ｙ宅地）に対する特定事業用宅地等の取扱いに当たって、上記に掲げるＸ物件における被相続人甲の営む事業の状況をしんしゃくすることは認められないのでしょうか。

## 応答

平成31年度の税法改正では、特定事業用宅地等について、相続開始前３年以内に新たに事業の用に供された宅地等をその対象から除くこととされました。

ただし、上記に該当する宅地であっても、特定事業を行っていた被相続人等の当該事業の用に供されたものを除く（換言すれば、『相続開始前３年以内に新たに事業の用に供された宅地等』に該当しないと解釈する）こととされています。

この場合において、上記＿＿部分に掲げる『特定事業』とは、次に掲げる算式を満たす場合における当該事業をいうものとされています。

（算式）

$$\frac{\text{分母に掲げる特定宅地等に係る被相続人等の事業の用に供されていた減価償却資産のうち当該被相続人等が有していたものの相続の開始の時における価額}}{\text{新たに事業の用に供された宅地等（以下、本問において『特定宅地等』といいます。）の相続の開始の時における価額}} \geqq \frac{15}{100}$$

そして、措置法通達69の４－20の３《政令で定める規模以上の事業の意義等》において、「特定事業に該当するか否かの判定は、特定宅地等ごとに行うことに留意する。」と定められています。

そうすると、Ｙ宅地が小規模宅地等の課税特例の適用対象とされる特定事業用宅地等に該当するか否かの判定は、Ｙ宅地に関して固有の次に掲げる要件を充足するか否かを確認すれば事足りるものとされています。

(1)　被相続人等に係る相続開始前３年以内に新たに事業の用に供された宅地等であるか否か

(2)　当該宅地等の上で行われている事業が特定事業に該当するか否か

したがって、上記に掲げる確認事項以外の事項（例えば、**質疑**でお尋ねのようなＹ物件以外で被相続人甲が営む他の事業（Ｘ物件における小売業）を同人に係る相続開始の日まで３年を超えて引き続き一定の規模以上で継続して営んでいたこと等）は、上記に掲げる判断の要素にはなり得ないことに留意する必要があります。

以上より、**質疑**で示されたとおり、Ｙ宅地を特定事業用宅地等として取り扱うことは認められないことになります。

なお、上記の取扱いと対比して確認しておきたい貸付事業用宅地等に関する論点（相続開始前３年以内に新たに貸付事業の用に供された宅地等（相続開始前３年以内に新たに開始した事業は『特定貸付事業』に該当しないものの、相続開始の日まで３年を超えて引き続き営んでいた他の貸付事業が特定貸付事業に該当する場合））があります。この点に関して、(34)の質疑応答を参照してください。

**留意点**　本件**質疑**の事例の場合には該当しませんが、平成31年４月１日から令和４年３月31日までの間に相続又は遺贈により取得した宅地等に係る特定事業用宅地等の規定の適用については、一定の経過措置が設けられていることに留意する必要があります。この点に関して、(12)の質疑応答を参照してください。

### ㉝　相続開始前３年以内に新たに事業の用に供された宅地等の意義（その３：規制の対象とされる特定事業用宅地等の範囲）（そのＣ：生計を一にする親族の事業の用に供されていた宅地等に対する適用の有無）

**質疑**　被相続人甲に相続の開始（相続開始日：令和４年８月29日）がありました。同人が相続開始時において所有している不動産（Ｘ物件（Ｘ家屋及びＸ宅地））の存在が確認されています。このＸ物件に関する資料は、次に掲げるとおりです。

Ｘ物件の状況等

①　令和元年12月30日に、被相続人甲がＸ物件を不動産業者から売買により取得しています。

②　令和２年２月10日から被相続人甲と生計を一にする親族である長男Ａは、Ｘ物件を無償で借り受けて同人の事業（西洋料理店）の事業の用に供しています。

③　被相続人甲に係る相続開始に伴って、長男ＡがＸ物件を取得し、今後も末長く所有して同人の事業の用に供するものとされています。

上記に掲げる状況にあるＸ物件について、これを特定事業用宅地等として小規模宅地等の課税特例の対象とすることは認められるのでしょうか。

**応答**

(1)　概要

平成31年度の税法改正では、特定事業用宅地等について、相続開始前３年以内に新たに事業の用に供された宅地等（特定事業を行っていた被相続人等の当該事業の用に供されたものを除きます。）をその対象から除くこと（適用除外規定の新設）とされました。

ところで、『特定事業用宅地等』に該当するためには、上記により新設された要件以外に次に掲げる要件を充足していることが必要とされています。

①　被相続人等（被相続人(X)又は当該被相続人と生計を一にしていた当該被相続人の親族(Y)をいいます。）の事業（貸付事業（注）を除きます。以下、本問において同じです。）の用に供されていた宅地等であること

（注）　貸付事業とは、不動産貸付業、駐車場業、自転車駐車場業及び準事業（事業と称するに至らない不動産の貸付けその他これらに類する行為で相当の対価を得て継続的に行うものをいいます。）をいいます。

②　次の(イ)又は(ロ)に掲げる要件のいずれかを満たす被相続人の親族が相続又は遺贈により取得したものであること

(イ)　被相続人の事業(X)を相続開始後に事業承継する場合

被相続人の親族が、相続開始時から相続税の申告書の提出期限（以下「申告期限」といいます。）までの間に当該宅地等の上で営まれていた被相続人の事業を引き継ぎ、申告期限まで引き続き当該宅地等を有し、かつ、当該事業を営んでいること

(ロ)　被相続人と生計を一にする親族の事業(Y)の用に供されていた場合

被相続人の親族が当該被相続人と生計を一にしていた者であって、相続開始時から申告期限（当該親族が申告期限前に死亡した場合には、その死亡の日。(ロ)において同じ）まで引き続き当該宅地等を有し、かつ、相続開始前から申告期限まで引き続き当該宅地等を自己の事業の用に供していること

そうすると、上記の新設された適用除外規定は特定事業用宅地等を対象とした規定であり、また、特定事業用宅地等に該当する区分として、被相続人の事業（上記①及び②(イ)の各(X)＿＿＿部分）用である場合と被相続人と生計を一にする親族の事業（上記①及び②(ロ)の(Y)＿＿＿部分）用である場合の２つが存在することが確認されます。

したがって、上記の新設された適用除外規定は、被相続人が所有する宅地等が当該被相続人と生計を一にする親族の事業の用に供されていた場合においても適用対象とされることになります。

(2)　**質疑**の事例の場合

**質疑**の事例の場合、被相続人甲に係る相続開始日が令和４年８月29日、同人が売買により取得したＸ物件を同人と生計を一にする親族である長男Ａが無償で借り受けてその営む事業（西洋料理店）の用に供したのが令和２年２月10日であることから、長男Ａに係る事業供用日は、被相続人甲に係る相続開始前３年以内に該当します。

また、上記(1)で確認したとおり、新設された適用除外規定は、被相続人と生計を一にする親族の事業の用に供されていた場合においても適用対象とされています。

そうすると、ご照会のＸ宅地は、被相続人甲に係る相続開始前３年以内に新たに事業の用（被相続人甲と生計を一にする親族Ａの事業の用）に供された宅地等に該当することとなり、Ｘ宅地の上で営まれていた被相続人甲と生計を一にする親族である長男Ａの事業（西洋料理店）が特定事業に該当しない限り、Ｘ宅地を特定事業用宅地等とすることは認められないものとされます。

| 留意点 | 本件**質疑**の事例の場合には該当しませんが、平成31年４月１日から令和４年３月31日までの間に相続又は遺贈により取得した宅地等に係る特定事業用宅地等の規定の適用については、一定の経過措置が設けられていることに留意する必要があります。この点に関して、⑿の質疑応答を参照してください。 |
|---|---|

## ㉞　相続開始前３年以内に新たに事業の用に供された宅地等に対する特定事業用宅地等の取扱いと相続開始前３年以内に新たに貸付事業の用に供された宅地等に対する貸付事業用宅地等の取扱いの差異比較

**質疑**　平成31年度の税法改正によって新設された特定事業用宅地等の適用除外規定（相続開始前３年以内に新たに事業の用に供された宅地等は、原則として特定事業用宅地等に該当しない旨の規定）と平成30年度の税法改正によって新設された貸付事業用宅地等の適用除外規定（相続開始前３年以内に新たに貸付事業の用に供された宅

地等は、原則として貸付事業用宅地等に該当しない旨の規定）の両規定の差異について、下記に掲げる項目の区分ごとに説明してください。

⑴　両規定の概要

⑵　特定事業用宅地等における『特定事業の用に供された宅地等』と貸付事業用宅地等における『特定貸付宅地等』（注）の判定上の差異

（注）『特定貸付宅地等』とは、相続開始の日まで３年を超えて引き続き特定貸付事業を行っていた被相続人等の当該貸付事業の用に供された宅地等をいいます。

⑶　旧来においては事業又は貸付事業を行っていなかった者が、被相続人に係る相続開始前３年以内に新規に『特定事業』又は『特定貸付事業』を開業した場合の取扱い上の差異

⑷　被相続人に係る相続開始前３年を超えて引き続き『事業』又は『特定貸付事業』を営んでいた者が、相続開始前３年以内に別途、『特定事業に該当しない事業』又は『特定貸付事業に該当しない貸付事業』（準事業）を追加して開業した場合の取扱上の差異

## 応答

⑴　両規定の概要

①　特定事業用宅地等の適用除外規定

平成31年度の税法改正では、特定事業用宅地等について、相続開始前３年以内に新たに事業の用に供された宅地等をその対象から除くこととされました。

ただし、特定事業を行っていた被相続人等の当該事業の用に供された宅地等については、上記の相続開始前３年以内に事業の用に供されたものであっても、その対象から除かれない（換言すれば、特定事業用宅地等に該当する）ものとされています。

上記の特定事業に該当するか否かの判定に当たっては、措置法通達69の４－20の３《政令で定める規模以上の意義等》において、次に掲げる算式を充足する場合における当該事業をいうものと定められています。

また、特定事業に該当するか否かの判定は、当該算式に掲げる特定宅地等ごとに行うものと定められています。

（算式）
$$\frac{\text{分母に掲げる特定宅地等に係る被相続人等の事業の用に供されていた減価償却資産のうち当該被相続人等が有していたものの相続の開始の時における価額}}{\text{新たに事業の用に供された宅地等（以下、本問において『特定宅地等』といいます。）の相続の開始の時における価額}} \geqq \frac{15}{100}$$

そして、上記の改正は、平成31年４月１日以後に相続又は遺贈により取得した小規模宅地等の課税特例に規定する宅地等に係る相続税について適用するものとされています。

なお、平成31年４月１日から令和４年３月31日までの間に相続又は遺贈により取得した宅地等に係る特定事業用宅地等の規定の適用については、一定の経過措置が設けられており、この点については、⑿の質疑応答を参照してください。

②　貸付事業用宅地等の適用除外規定

平成30年度の税法改正では、貸付事業用宅地等について、相続開始前３年以内に新たに貸付事業の用に供された宅地等をその対象から除くこととされました。

ただし、相続開始の日まで３年を超えて引き続き特定貸付事業（注）を行っていた被相続人等の当該貸付事業の用に供されたもの（以下、本問において『特定貸付宅地等』といいます。）については、上記の相続開始前３年以内に貸付事業の用に供されたものであっても、その対象から除かれない（換言すれば、貸付事業用宅地等に該当する）ものとされています。

（注）『特定貸付事業』とは、貸付事業のうち準事業以外のものをいいます。また、『準事業』とは、事業と称するに至らない不動産の貸付けその他これらに類する行為で相当の対価を得て継続的に行うものとされています。

なお、平成30年４月１日から令和３年３月31日までの間に相続又は遺贈により取得した宅地等に係る貸付事業用宅地等の規定の適用については、一定の経過措置が設けられています。

上記の特定貸付事業に該当するか否かの判定に当たっては、措置法通達69の４－24の４《特定貸付事業の意義》において、次に掲げるとおり実質基準及び形式基準の２つの基準が定められています。

(イ)　実質基準

特定貸付事業とは、貸付事業のうち準事業以外のものをいうものとされています。被相続人等の貸付事業が準事業以外の貸付事業に当たるかどうかについては、社会通念上事業と称するに至る程度の規模で当該貸付事業が行われていたかどうかにより判定するものとされています。

(ロ)　形式基準

㋑　被相続人等が行う貸付事業が不動産の貸付けである場合

(A)　当該不動産の貸付けが所得税法第26条《不動産所得》第１項に規定する不動産所得を生ずべき事業（事業的規模）として行われているとき

当該貸付事業は、特定貸付事業に該当

(B)　当該不動産の貸付けが上記(A)以外のもの（事業的規模以外）として行われているとき

当該事業は、準事業に該当

上記の判定を行うに当たっては、所得税基本通達26－９《建物の貸付けが事業として行われているかどうかの判定》（下記 参考資料 を参照）の取扱いがあるものとされています。

**参考資料　所得税基本通達26－９《建物の貸付けが事業として行われているかどうかの判定》**

建物の貸付けが不動産所得を生ずべき事業として行われているかどうかは、社会通念上事業と称するに至る程度の規模で建物の貸付けを行っているかどうかにより判定すべきであるが、次に掲げる事実のいずれか一に該当する場合又は賃貸料の収入の状況、貸付資産の管理の状況等からみてこれらの場合に準ずる事情があると認められる場合には、特に反証がない限り、事業として行われているものとする。
(1)　貸間、アパート等については、貸与することができる独立した室数がおおむね10以上であること。
(2)　独立家屋の貸付けについては、おおむね５棟以上であること。

(ロ)　被相続人等が行う貸付事業の対象が駐車場又は自転車駐車場であって自己の責任において他人の物を保管するものである場合

(A)　当該貸付事業が所得税法第27条《事業所得》第１項に規定する事業所得を生ずべきものとして行われているとき

当該貸付事業は、特定貸付事業に該当

(B)　当該貸付事業が所得税法第35条《雑所得》第１項に規定する雑所得を生ずべきものとして行われているとき

当該貸付事業は、準事業に該当

上記の判定を行うに当たっては、所得税基本通達27－２《有料駐車場等の所得》（下記 参考資料 を参照）の取扱いがあるものとされています。

**参考資料　所得税基本通達27－２《有料駐車場等の所得》**

いわゆる有料駐車場、有料自転車置場等の所得については、自己の責任において他人の物を保管する場合の所得は事業所得又は雑所得に該当し、そうでない場合の所得は不動産所得に該当する。

(ハ)　まとめ

上記(イ)及び(ロ)に掲げる貸付事業の態様（特定貸付事業、準事業）と所得税法に規定する各種所得の区分との関係をまとめると、次のとおりとなります。

**図解　貸付事業の態様と所得区分**

<table>
<tr><th colspan="2">貸付けの態様</th><th>事業的規模</th><th>事業と称するに至らないもの</th></tr>
<tr><td colspan="2">不動産の貸付け</td><td rowspan="2">不動産貸付業<br>（不動産所得を生ずべき事業）<br>特定貸付事業に該当</td><td rowspan="2">（不動産所得を生ずべき事業以外）<br>準事業に該当</td></tr>
<tr><td rowspan="2">駐車場<br>・<br>自転車駐車場</td><td>（下記以外）</td></tr>
<tr><td>自己の責任において他人の物を保管</td><td>駐車場業<br>自転車駐車場業<br>【事業所得を生ずべきもの】<br>特定貸付事業に該当</td><td>【雑所得を生ずべきもの】<br>準事業に該当</td></tr>
</table>

⑵　特定事業用宅地等における『特定事業の用に供された宅地等』と貸付事業用宅地等における『特定貸付宅地等』の判定上の差異

①　特定事業用宅地等における『特定事業の用に供された宅地等』の判定

特定事業用宅地等における特定事業の用に供された宅地等に該当するか否かの判定は、特定宅地等ごとに、上記⑴①の算式に掲げるとおり、被相続人に係る相続開始前３年以内に新たに事業の用に供された宅地等（特定宅地等）の相続の開始の時における価額（上記⑴①の算式の＿＿部分）のうちに、当該特定宅地等に係る被相続人等の事業の用に供されていた　減価償却資産のうち当該被相続人等が有していたものの相続の開始の時における価額の占める割合が15％以上であるか否かによって行うものとされています。

そうすると、特定事業用宅地等における特定事業の用に供された宅地等の判定は、次に掲げる判定単位及び判定時点に基づくものであることが理解されます。

判定単位　特定宅地等ごと

判定時点　被相続人に係る相続開始時の価額（相続税評価額）を基にするという一時点を対象

したがって、ある特定宅地等が特定事業用宅地等に該当し小規模宅地等の課税特例の適用対象とされる特定事業の用に供された宅地等に該当するか否かの判断に当たっては、他の特定宅地等又は特定宅地等に該当しない他の特定事業用宅地等の存在の有無は、上記の判定に何らの影響も与えないものとされています。

②　貸付事業用宅地等における『特定貸付宅地等』の判定

貸付事業用宅地等における特定貸付宅地等に該当するか否かの判定は、被相続人に係る相続の開始の日まで３年を超えて引き続き、当該被相続人（当該被相続人と生計を一にする親族を含みます。）に係る貸付事業のうち準事業以外のものに供されたもの（特定貸付宅地等）（上記⑴②の＿＿部分）に該当するか否かによって行うものとされています。

そうすると、貸付事業用宅地等における特定貸付宅地等の判定は、次に掲げる判定単位及び判定時点に基づくものであることが理解されます。

判定単位　被相続人又は当該被相続人と生計を一にする親族のそれぞれが営む貸付事業ごと

判定時点　被相続人に係る相続の開始の日まで３年を超えて継続しているかという一定の期間を対象

したがって、被相続人等に係る相続開始前３年以内に貸付事業の用に供されたある宅地等が貸付事業用宅地等に該当し小規模宅地等の課税特例の適用対象とされる特定貸付宅地等に該当するか否かの判断に当たっては、他の貸付事業用宅地等の存在によってその結果が異なるものとされています。

(3)　旧来においては『事業』又は『貸付事業』を行っていなかった者が、被相続人に係る相続開始前３年以内に新規に『特定事業』又は『特定貸付事業』を開業した場合の取扱上の差異

題記の件について、これを設例で確認すると、次のとおりになります。

①　被相続人に係る相続開始前３年以内に新規に『特定事業』を開業した場合の特定事業用宅地等の取扱い

設例　令和３年８月29日に相続開始があった被相続人甲は、令和２年７月28日にその所有するＸ宅地を利用して新規に事業（小売店）を開始した。被相続人甲の事業は、上記(1)①に掲げる算式の要件を充足しており特定事業に該当するものと認められる。

なお、Ｘ宅地を承継した相続人は今後も末長く所有し、事業（小売店）を継続する予定である。

回答　Ｘ宅地は、特定事業用宅地等に該当する。

解説　上記(2)①に掲げるとおり、特定事業に該当するか否かの判定は特定宅地等ごとに、被相続人に係る相続の開始の時点の現況に基づいて行うものとされている。

そうすると、設例の前提より、Ｘ宅地は特定事業の用に供されていた宅地等に該当する。

（図解）

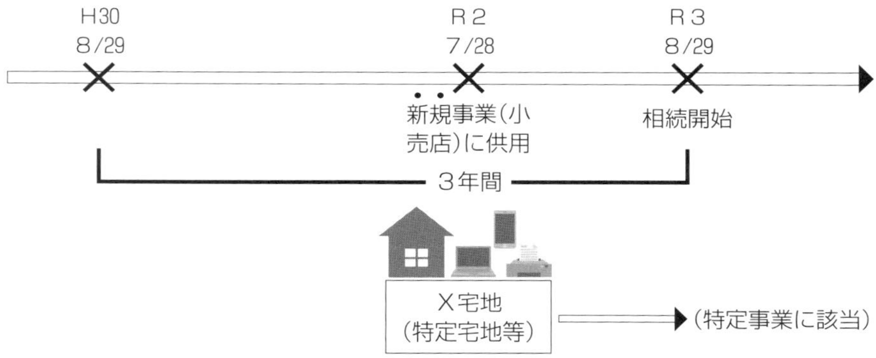


②　被相続人に係る相続開始前３年以内に新規に『特定貸付事業』を開業した場合の貸付事業用宅地等の取扱い

設例　令和３年８月29日に相続開始があった被相続人甲は、令和２年７月28日にその所有するＸ宅地を利用して新規に貸付事業（賃貸アパート（室数20室））を開始した。被相続人甲の貸付事業は、上記(1)②(ロ)(イ)(A)に掲げる形式基準から判断すると特定貸付事業に該当するものと認められる。

なお、Ｘ宅地を承継した相続人は今後も末長く所有し、貸付事業（賃貸アパート）を継続する予定である。

回答　Ｘ宅地は、貸付事業用宅地等に該当しない。

解説　上記(1)②(ロ)(イ)(A)に掲げる形式基準から判断すると、被相続人甲の貸付事業は特定貸付事業に該当する。

しかしながら、上記(2)②に掲げるとおり、特定貸付宅地等に該当するか否かの判定

は被相続人等の営む貸付事業ごとに（㊟被相続人又は当該被相続人と生計を一にする親族がそれぞれに営む貸付事業の両者を合算することはしないという意味である。）、当該被相続人に係る相続開始の日まで３年を超えて継続して特定貸付事業が営まれていたか否かの観点から行うものとされている。

そうすると、設例の前提より、X宅地は特定貸付宅地等に該当しないことになる。

（図解）

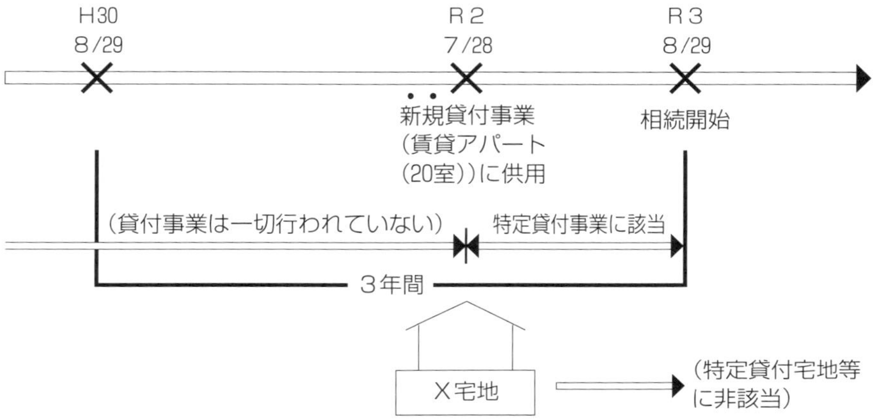


(4)　被相続人に係る相続開始前３年を超えて引き続き『事業』又は『特定貸付事業』を営んでいた者が、相続開始前３年以内に別途、『特定事業に該当しない事業』又は『特定貸付事業に該当しない貸付事業』（準事業）を追加開業した場合の取扱上の差異

題記の件について、これを設例で確認すると、次のとおりとなります。

①　被相続人に係る相続開始前３年を超えて引き続き『事業』を営んでいた者が、相続開始前３年以内に別途、『特定事業に該当しない事業』を追加開業した場合

設例　令和３年８月29日に相続開始があった被相続人甲は、その所有するX宅地及びY宅地を下記に掲げるとおりに同人の営む事業の用に供していた。

(イ)　平成21年２月４日にX宅地を利用して事業（小売店）を新規開業した。

(ロ)　令和２年７月28日にY宅地を利用して事業（飲食店）を追加開業した。

(ハ)　上記(ロ)に係る事業は、上記(1)①に掲げる算式の要件を充足しておらず特定事業には該当しないものと認められる。

(ニ)　上記(イ)に掲げるX宅地及び(ロ)に掲げるY宅地を承継した相続人は、両宅地を今後も末長く所有し、それぞれの事業（小売店及び飲食店）を継続する予定である。

回答　X宅地は特定事業用宅地等に該当するが、Y宅地は特定事業用宅地等に該当しない。

解説　上記(2)①に掲げるとおり、特定事業に該当するか否かの判定は特定宅地等ごとに、被相続人に係る相続の開始の時点の現況に基づいて行うものとされており、設例の前提より、Y宅地は特定事業の用に供されていた宅地等には該当しないものとされている。

なお、X宅地が被相続人甲に係る相続開始前３年を超えて引き続き同人の事業（小売店）の用に供されていたという事実は、上掲のY宅地が特定事業の用に供されてい

た宅地等に該当するか否かの判断に何らの影響を与えないものとされる。

（図解）

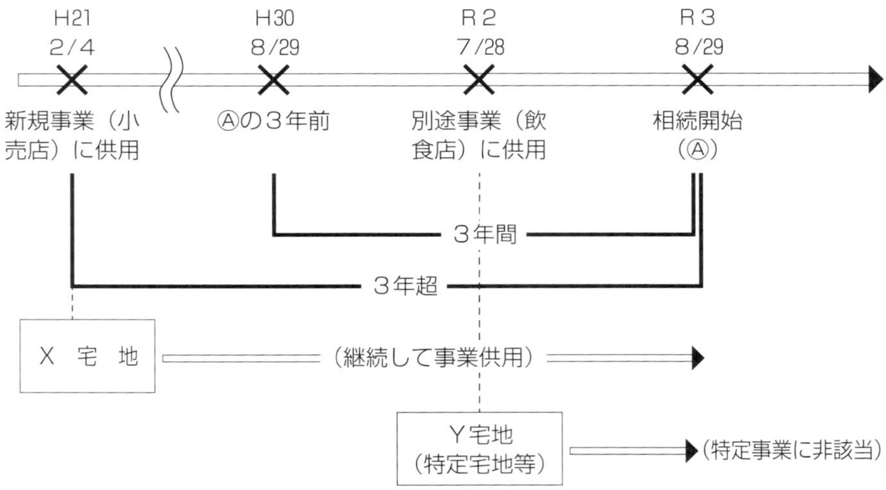


②　被相続人に係る相続開始前３年を超えて引き続き『特定貸付事業』を営んでいた者が、相続開始前３年以内に、別途『特定貸付事業に該当しない貸付事業』（準事業）を追加開業した場合

設例　令和３年８月29日に相続開始があった被相続人甲は、その所有するX宅地及びY宅地を下記に掲げるとおりに同人の営む貸付事業の用に供していた。

㈠　平成21年２月４日にX宅地を利用して貸付事業（賃貸アパート（20室））を新規開業した。

㈡　令和２年７月28日にY宅地を利用して貸付事業（賃貸アパート（６室））を追加開業した。

㈢　上記⑴②㈡㋑(A)に掲げる形式基準から判断すると、被相続人甲の貸付事業は、上記㈠の貸付事業につき特定貸付事業に該当するものの、上記㈡の貸付事業はそれ自体を単体で判断すると特定貸付事業に該当しないものと認められる。

㈣　上記㈠に掲げるX宅地及び㈡に掲げるY宅地を承継した相続人は、両宅地を今後も末長く所有し、かつ、それぞれの貸付事業（賃貸アパート）を継続する予定である。

回答　X宅地及びY宅地は、双方ともに貸付事業用宅地等に該当する。

解説　上記設例㈢に掲げるとおり、それぞれを単体で判定すると、被相続人甲のX宅地上の貸付事業は特定貸付事業に該当し、Y宅地上の貸付事業は特定貸付事業に該当しないものとなる。

しかしながら、上記⑵②に掲げるとおり、特定貸付宅地等に該当するか否かの判定は被相続人等の営む貸付事業ごとに（㊟被相続人又は当該被相続人と生計を一にする親族がそれぞれに営む貸付事業の両者を合算することはしないという意味である。）、当該被相続人に係る相続開始の日まで３年を超えて継続して特定貸付事業が営まれていたか否かの観点から行うものとされている。

そうすると、設例の前提より、Ｘ宅地及びＹ宅地はその双方ともに特定貸付宅地等に該当することになる。

（図解）

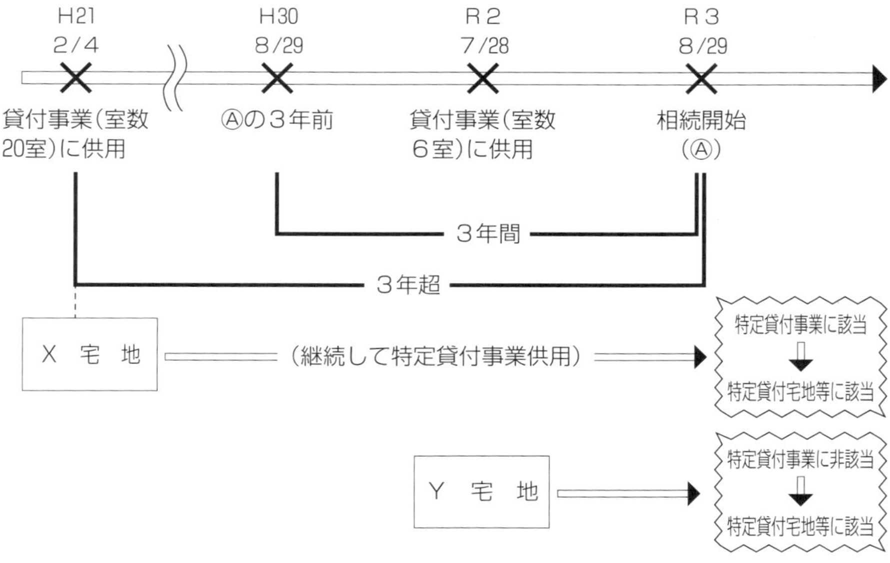


### ㉟　相続開始前３年を超えて引き続き事業の用に供されていた宅地等の取扱い

**質疑**　被相続人甲に相続の開始（相続開始日：令和４年８月29日）がありました。同人が相続開始時において事業（物品販売業）の用に供しているＸ物件（Ｘ家屋及びＸ宅地）の所在が確認されており、その状況等は下記のとおりでした。

Ｘ物件の状況等

①　令和元年５月10日に、被相続人甲がＸ物件を購入し、購入直後から直ちに同人が経営する物品販売業の事業に供用しました。

②　被相続人甲に係る相続開始により、同人の長男ＡがＸ物件を相続により取得し、かつ、物品販売業を承継しました。また、長男Ａは今後も末長く、Ｘ物件を所有して物品販売業を継続していく予定です。

③　被相続人甲が経営していた物品販売業につき、下記に掲げる算式による割合を算定すると、12％となり、同人の営む事業は、『特定事業』には該当しないと判断されることになります。

（算式）$\frac{\text{Ｘ宅地に係る被相続人甲の物品販売業の用に供されていた減価償却資産のうち当該被相続人甲が有していたものの相続の開始の時における価額の合計額}}{\text{Ｘ宅地の相続開始の時における価額}}$

そうすると、被相続人甲に係る相続開始日が令和４年８月29日であり、かつ、Ｘ物件を取得して被相続人甲が経営する物品販売業への事業供用日が令和元年５

月10日であることから、X宅地を相続開始前3年以内に新たに事業の用に供された宅地等に該当しないと解して、X宅地を特定事業用宅地等に該当するものとして取り扱うことは可能でしょうか。

また、上記の判断に当たって、X物件の状況等欄の③に掲げる被相続人甲が営む事業が『特定事業』に該当しないという事項は、どのような影響を与えることになるのでしょうか。

なお、上記に掲げる事項以外の事項については、特定事業用宅地等に係る適用要件を充足しているものとします。

## 応答

(1)　概要

平成31年度の税法改正では、特定事業用宅地等について、(イ)相続開始前3年以内に新たに事業の用に供された宅地等(ロ)(特定事業を行っていた被相続人等の当該事業の用に供されたものを除きます。)をその対象から除くこととされました。

上記の取扱いは、特定事業用宅地等につき、相続開始前3年以内に新たに事業の用に供された宅地等（上記(イ)部分）を適用対象外とするものの、当該宅地等が特定事業を行っていた被相続人等の当該事業の用に供されたものであればこれを適用対象外から除くこと（上記(ロ)部分）（換言すれば、適用対象になること）とする例外的な規定を併せて設けたものといえます。

そうすると、上記(イ)及び(ロ)部分の各取扱いは、『相続開始前3年以内に新たに事業の用に供された宅地等』に該当するか否かの判断に関して用いられる原則的取扱いと例外的取扱いに関する要件であり、この要件に該当しない（換言すれば、相続開始前3年を超えて引き続き被相続人等の事業の用に供されていた）宅地等については、当該宅地等の上で被相続人等が行っていた事業が特定事業であるか否かの区分を問わないものとされています。

上記の取扱いを確認するものとして、措置法通達69の4－20の4《相続開始前3年を超えて引き続き事業の用に供されていた宅地等の取扱い》があり、『相続開始前3年を超えて引き続き被相続人等の事業の用に供されていた宅地等については、「措置法令第40条の2第8項に定める規模以上の事業を行っていた被相続人等の事業」以外の事業に係るものであっても、措置法第69条の4第3項第1号イ又はロに掲げる要件を満たす当該被相続人の親族が取得した場合には、同号に規定する特定事業用宅地等に該当することに留意する。」と定められています。

(2)　質疑の事例の場合

質疑の事例の場合、被相続人甲に係る相続開始日が令和4年8月29日であり、かつ、X宅地を被相続人甲が経営する物品販売業への事業供用日が令和元年5月10日であることから、X宅地は相続開始前3年以内に新たに事業の用に供された宅地等に該当しないことになります。

上記 **質疑** の X物件の状況等 欄の③に掲げる算式による割合が12％（15％未満）であることからすると、被相続人甲の事業（物品販売業）は『特定事業』に該当しないことになりますが、当該事項は上記⑴に掲げるとおり、『相続開始前３年以内に新たに事業の用に供された宅地等』に係る例外的な取扱いに関する要件であることから、Ｘ宅地の取扱いを判断するに当たっては、何らの影響も与えないことになります。

そうすると、Ｘ宅地は、特定事業用宅地等に該当するものとして取り扱われることになります。

留意点　本件 **質疑** の事例の場合には該当しませんが、平成31年４月１日から令和４年３月31日までの間に相続又は遺贈により取得した宅地等に係る特定事業用宅地等の規定の適用については、一定の経過措置が設けられていることに留意する必要があります。この点に関して、⑿の質疑応答を参照してください。

### ㊱　申告期限までに事業用建物等を建て替えた場合の特定事業用宅地等の取扱い（その１）

**質疑**　本年６月に父甲が死亡し、同人の相続財産である事業用資産（物品小売業用建物及びその敷地である宅地）は長男Ａが相続により承継しました。

相続により承継した物品小売業用建物は父甲が同人に係る相続開始前の40年位前から事業に供用されており老朽化していたため、長男Ａは父甲に係る相続税の申告期限までに取り壊して建替工事に着手しました。（建物の建替工事は遅滞なく完成し、長男Ａの物品小売業の用に供されています。）

上記のような場合には、相続税の申告期限まで事業を営んでいるということには該当せず、当該宅地等については特定事業用宅地等としての小規模宅地等の課税特例（80％減額）の適用が受けられないこととなりますか。

**応答**

被相続人等が事業（貸付事業を除く。）の用に供していた宅地等を一定の親族（事業承継等親族）が相続し、当該親族が相続開始時から相続税の申告期限まで引き続き当該宅地等を所有し、かつ、当該宅地等を事業の用に供している場合には、特定事業用宅地等として400㎡までの部分について80％の減額ができるものとされています。

この取扱いを厳密に適用すると、事例のように申告期限までに建替えを行った場合には、申告期限まで引き続き事業の用に供しているということにならないことから、特定事業用宅地等に該当しないのではないかという疑義が生じることとなります。

しかしながら、建物の建替えは事業の継続において必然的に生じるものであり、かつ、相続税の申告期限という一時点のみに着目して判断することはあまりにも形式的であるために、措置法通達69の４－19《申告期限までに事業用建物等を建て替えた場合》の取扱いを定め、被相続人等の事業の用に供されていた建物等が相続開始の日から相続税の申告期限までに建替工事に着手されたときは、当該宅地等のうち当該親族により当該事業の用に供されると認められる部分については、当該申告期限においても当該親族の当該事業の用に供されているもの（特定事業用宅地等）として取り扱うものとするという配慮の定めが設けられています。

したがって、事例の場合における相続税の申告期限後に建替工事が完成した物品小売業用建物の敷地についても、特定事業用宅地等として小規模宅地等の課税特例（80％減額）の適用を受けることができます。

### ㊲　申告期限までに事業用建物等を建て替えた場合の特定事業用宅地等の取扱い（その２）

**質疑**　本年３月に父甲が死亡し、同人の相続財産である店舗兼貸家住宅（２棟）及びその敷地を相続により長男Ａが承継しました。

この相続により承継した２棟の建物は父甲が同人に係る相続開始前の50年位前から事業に供され相当老朽化しており危険でもあるために、長男Ａは相続開始後、直ちに取り壊して相続税の申告期限までには建替工事に着手しました。

その後、店舗兼貸家住宅の建替工事が完成（建物の名義人は長男Ａです。）し、従来どおりに事業の用に供しています。

今回の建替えについては、２棟の店舗兼貸家住宅の立地条件に応じて、当該建替えの前後において店舗部分と貸家部分との床面積が相当異なるものとなっています。

この２棟の店舗兼貸家住宅の建替え前後における態様及び当該住宅の敷地の状況は、下図のとおりとなっていますが、この場合における各店舗兼貸家住宅の敷地である宅地等に対する小規模宅地等の課税特例の適用はどのようになりますか。

| | 相続財産 | 土地の相続税評価額（自用地） | 地　積 | 建物の床面積（建替前） | | | 建物の床面積（建替後） | | | 今回の建替えの方針 |
|---|---|---|---|---|---|---|---|---|---|---|
| | | | | 店舗部分 | 貸家部分 | 合　計 | 店舗部分 | 貸家部分 | 合　計 | |
| (1) | Ｘ店舗兼貸家住宅 | 80,000千円 | 80㎡ | 40㎡ | 160㎡ | 200㎡ | 240㎡ | 80㎡ | 320㎡ | 店舗部分の拡充 |
| (2) | Ｙ店舗兼貸家住宅 | 60,000千円 | 120㎡ | 80㎡ | 40㎡ | 120㎡ | 45㎡ | 135㎡ | 180㎡ | 貸家部分の拡充 |

（注）　借地権割合を60％、借家権割合を30％、貸家住宅部分に係る賃貸割合を100％とします。
また、建物の利用に応じて土地が利用されているものとします。

**応答**

相続税の申告期限までに事業用建物等を建て替えた場合の特定事業用宅地等に対する原則的な取扱いは前問のとおりです。そして、事業用宅地等が特定事業用宅地等に該当するためには、当該宅地等が相続開始直前において貸付事業以外の事業の用に供されていたものであり、かつ、相続税の申告期限まで貸付事業以外の事業の用に供されていることが必要となります。

そうしますと、事例の場合においては建物のうち、店舗部分の敷地に対応する宅地等のみが特定事業用宅地等に該当（80％減額）し、当該宅地等に該当しない宅地等は特定事業用宅地等には該当しないことになります。

また、事例の場合では建物のうち、貸家部分の敷地に対応する宅地等のみが貸付事業用宅地等に該当（50％減額）し、当該宅地等に該当しない宅地等は貸付事業用宅地等には該当しないことになります。

なお、事例のように、建替えの前後において当該宅地等のうちに貸付事業と貸付事業以外の事業の用に供される部分の割合が異なることとなる場合における特定事業用宅地等に該当する部分の取扱いは次のとおりです。

（取扱い）次に掲げる(1)と(2)のうち、いずれか少ない方が特定事業用宅地等に該当

(1)　建替え前において『貸付事業以外の事業の用に供されていた宅地等の部分』

(2)　建替え後の建物等の状況を基に判定した『貸付事業以外の事業の用に供されていた宅地等の部分』

以上の取扱いを基にＸ及びＹの各店舗兼貸家住宅について、相続税の課税価格に算入される金額を計算すると次のとおりになります。

（注）店舗兼貸家住宅の敷地の用に供されている宅地等（貸家建付地）の評価は、本来的には、〔5〕の㉜の **質疑** に掲げる 参考 のとおりに取り扱って一体として評価すべきですが、本問では、理解の容易性を重視して、店舗部分（自用地評価）と貸家住宅部分（貸家建付地評価）とに区分して評価しています。

①　Ｘ店舗兼貸家住宅

(イ)　評価額の計算（小規模宅地等の課税特例の適用前）

㋑　店舗部分（自用地評価）

$$80{,}000千円\times\frac{80㎡\times\frac{40㎡}{200㎡}}{80㎡}=16{,}000千円$$

㋺　貸家住宅部分（貸家建付地評価）

$$80{,}000千円\times\frac{80㎡\times\frac{160㎡}{200㎡}}{80㎡}\times（1-60\%\times30\%\times100\%）=52{,}480千円$$

㋩　合計

㋑＋㋺＝68,480千円

(ロ)　小規模宅地等の課税特例の適用による減額金額の計算

㋑　特定事業用宅地等該当部分（80％減額）

$$80㎡\times\frac{40㎡}{200㎡}(20\%)=16㎡（建替前）<80㎡\times\frac{240㎡}{320㎡}(75\%)=60㎡（建替後）$$

∴　いずれか少ない方　16㎡（建替前）〔特定事業用宅地等割合20％〕を採用

$$80{,}000千円\times\frac{16㎡}{80㎡}\times80\%=12{,}800千円$$

㋺　貸付事業用宅地等該当部分（50%減額）

$$80㎡\times\frac{160㎡}{200㎡}(80\%)=64㎡（建替前）>80㎡\times\frac{80㎡}{320㎡}(25\%)=20㎡（建替後）$$

∴　いずれか少ない方　20㎡（建替後）〔貸付事業用宅地等割合25%〕を採用

$$80{,}000千円\times\frac{20㎡}{80㎡}\times(1-60\%\times30\%\times100\%)\times50\%=8{,}200千円$$

㋩　合計

㋑＋㋺＝21,000千円

(ハ)　相続税の課税価格算入額

(イ)－(ロ)＝ 47,480千円

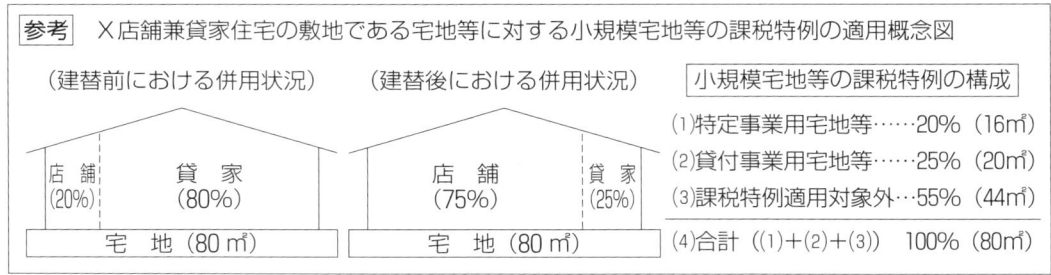

**参考**　X店舗兼貸家住宅の敷地である宅地等に対する小規模宅地等の課税特例の適用概念図

（建替前における併用状況）　（建替後における併用状況）

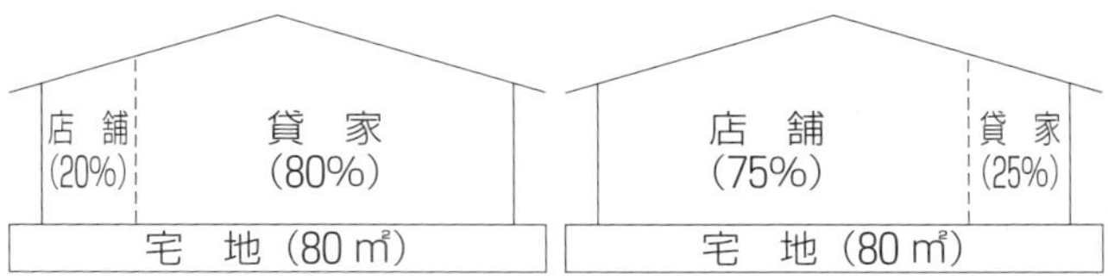


小規模宅地等の課税特例の構成

(1)特定事業用宅地等……20%（16㎡）
(2)貸付事業用宅地等……25%（20㎡）
(3)課税特例適用対象外…55%（44㎡）
(4)合計（(1)＋(2)＋(3)）　100%（80㎡）

**注**　今回の建替えを行ったことによって、課税特例適用対象外の面積（$\frac{44㎡}{80㎡}=55\%$）が生じたことに留意する必要があります。

②　Y店舗兼貸家住宅

(イ)　評価額の計算（小規模宅地等の課税特例の適用前）

㋑　店舗部分（自用地評価）

$$60{,}000千円\times\frac{120㎡\times\frac{80㎡}{120㎡}}{120㎡}=40{,}000千円$$

㋺　貸家住宅部分（貸家建付地評価）

$$60{,}000千円\times\frac{120㎡\times\frac{40㎡}{120㎡}}{120㎡}\times(1-60\%\times30\%\times100\%)=16{,}400千円$$

㋩　合計

㋑＋㋺＝56,400千円

(ロ)　小規模宅地等の課税特例の適用による減額金額の計算

㋑　特定事業用宅地等該当部分（80%減額）

$$120㎡\times\frac{80㎡}{120㎡}\left(\frac{2}{3}\right)=80㎡（建替前）>120㎡\times\frac{45㎡}{180㎡}(25\%)=30㎡（建替後）$$

∴　いずれか少ない方　30㎡（建替後）〔特定事業用宅地等割合25%〕を採用

$60{,}000\text{千円} \times \dfrac{30\text{m}^2}{120\text{m}^2} \times 80\% = 12{,}000\text{千円}$

㋺　貸付事業用宅地等該当部分（50％減額）

$120\text{m}^2 \times \dfrac{40\text{m}^2}{120\text{m}^2}\left(\dfrac{1}{3}\right) = 40\text{m}^2$（建替前）＜　$120\text{m}^2 \times \dfrac{135\text{m}^2}{180\text{m}^2}(75\%) = 90\text{m}^2$（建替後）

∴　いずれか少ない方　40㎡（建替前）〔貸付事業用宅地等割合$\dfrac{1}{3}$〕を採用

$60{,}000\text{千円} \times \dfrac{40\text{m}^2}{120\text{m}^2} \times (1 - 60\% \times 30\% \times 100\%) \times 50\% = 8{,}200\text{千円}$

㋩　合計

㋑＋㋺＝20,200千円

(ハ)　相続税の課税価格算入額

(イ)－(ロ)＝ 36,200千円

**参考**　Ｙ店舗兼貸家住宅の敷地である宅地等に対する小規模宅地等の課税特例の適用概念図

（建替前における併用状況）　（建替後における併用状況）

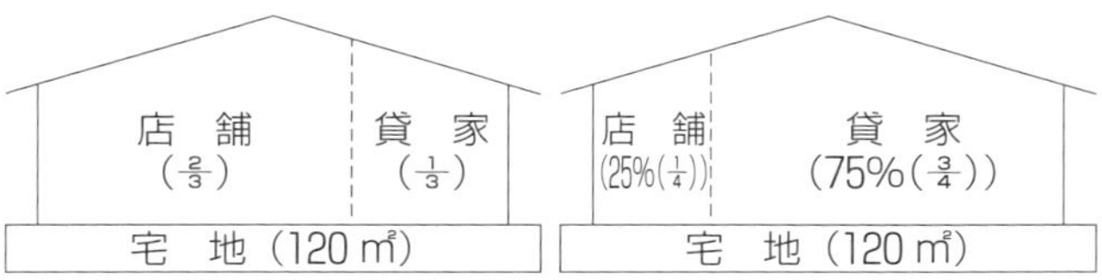


小規模宅地等の課税特例の構成

(1)特定事業用宅地等………$\dfrac{3}{12}$　(30㎡)

(2)貸付事業用宅地等………$\dfrac{4}{12}$　(40㎡)

(3)課税特例適用対象外……$\dfrac{5}{12}$　(50㎡)

(4)合計((1)+(2)+(3))　……$\dfrac{12}{12}$　(120㎡)

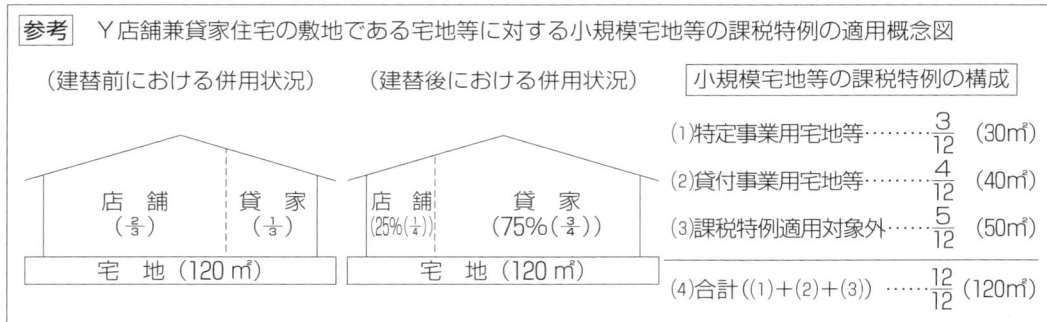

**注**　今回の建替えを行ったことによって、課税特例の適用対象外の地積（$\dfrac{50\text{m}^2}{120\text{m}^2} = \dfrac{5}{12}$）が生じたことに留意する必要があります。

### (38)　事業用建物等の建築中に相続が開始した場合における建築中の建物等の敷地である宅地等に対する小規模宅地等の課税特例の適用の可否

**質疑**　被相続人甲は、旧来からその所有する不動産（家屋及びその敷地であるＸ宅地〔地積280㎡、自用地としての相続税評価額140百万円〕）をもって同人に係る相続開始の30年以上前から小売業を営んでいましたが、家屋の老朽化により新店舗への建替えが必要となり、当該新店舗を建築中でした。

しかしながら建築半ばの令和３年６月に事故により死亡してしまいました。（新店舗への建替え等のタイムスケジュールは下図のとおりです。）

**図解**

上記の事例では、被相続人甲に係る相続開始の直前においてＸ宅地を事業の用に供していないと外形的に判断して、直ちに、小規模宅地等の課税特例の適用除外とすることは相当ではないとの考え方から一定の救済措置が定められているとのことですがその内容について説明してください。

また、被相続人の所有財産（建築中の新店舗及びＸ宅地）を承継した親族（長男Ａ）の状況が下記に掲げる各事例のとおりであったとしたならば、Ｘ宅地に対する小規模宅地等の課税特例（特定事業用宅地等）の適用の可否はどのようになるのかあわせて説明してください。

**事例１**　長男Ａは、令和３年10月に完成した新店舗を利用して被相続人甲が営んでいた小売業を再開し、その後引き続き相続税の申告期限以降も当該事業の用に供しています。

なお、被相続人甲が、令和３年10月に予定されていた新店舗の完成にあわせて、店舗内の商品の仕入発注及び新店舗完成時の記念セレモニーの企画を行っていたことが具体的な資料により確認することができます。

**事例２**　長男Ａは、令和３年10月に完成した新店舗を利用して被相続人甲が営んでいた小売業を再開し、その後引き続き相続税の申告期限以降も当該事業の用に供しています。

なお、被相続人甲は、その相続開始時（令和３年６月）においては新店舗の完成予定期日（令和３年10月）までなお相当の期間があるとして、格別の新店舗における事業再開を意識した準備行為は行っていなかったものと認められます。

**事例３**　被相続人甲は、令和３年10月に予定されていた新店舗の完成にあわせて、店舗内の商品の仕入発注及び新店舗完成時の記念セレモニーの企画を行っていたことが具体的な資料により確認することができます。

しかしながら、被相続人甲の相続開始により、甲の小売業を承継する親族もなく（長男Ａは他の業務に従事）事業の継続を図ることが困難であることから、長男Ａは建築中の新店舗の建築を中止し、当該建築中の新店舗用の建物を解体し、相続開始時においては未利用の更地となっていました。

## 応答

措置法通達69の４－５《事業用建物等の建築中等に相続が開始した場合》の定めでは、下記に掲げる状況（事業用建物等の建築中等）にある場合において、被相続人に相続開始があったときは、一定の要件を充足すれば、当該建築中等である事業用建物等の敷地の用に供されていた宅地等は被相続人等の事業用宅地等に該当するものとして取り扱うものとされています。

**状況**　(1)　被相続人等の事業の用に供されている建物又は構築物（以下、本問において「建物等」といいます。）の移転又は建替えのため、当該建物等を取り壊し、又は譲渡し、これらの建物等に代わるべき建物等（事業用建物等）の建築中である場合

(2)　被相続人等の事業の用に供されている建物等の移転又は建替えによるその事業用建物等の取得後、現に被相続人等が事業の用に供する前（上記(1)とあわせて、「建築中等」といいます。）である場合

（注）上記(1)及び(2)において、建築中等である事業用建物等は、被相続人又は被相続人の親族の所有に係るものに限られます。

要件　(イ)　被相続人等による事業供用が確実であると認められる場合

当該相続開始直前において、当該被相続人等の当該建物等に係る事業の準備行為の状況からみて当該建物等を速やかにその事業の用に供することが確実であったと認められるとき

(ロ)　生計一親族等が相続税の申告期限までに事業供用している場合

当該被相続人と生計を一にしていたその被相続人の親族又は当該建物等若しくは当該建物等の敷地の用に供されていた宅地等を相続若しくは遺贈により取得した当該被相続人の親族が、当該建物等を相続税の申告期限までに事業の用に供しているとき

（注）相続税の申告期限において当該建物等を事業の用に供していない場合であっても、それが下記に掲げるような事情によるものであるときは、当該建物等の完成後速やかに事業の用に供することが確実であると認められるものに限り、上記(ロ)の要件に該当するものとして取り扱われます。

㋑　建築中等の建物等の規模からみて建築工事に相当の期間を要すること
㋺　法令の規制等により建築工事が遅延していること
㋩　㋑又は㋺に準じる特別な事情があること

なお、当該建築中又は取得に係る建物等のうちに被相続人等の事業の用に供されると認められる部分以外の部分があるときは、事業用宅地等の部分は、当該建物等の敷地のうち被相続人等の事業の用に供されると認められる当該建物等の部分に対応する部分に限られるものとされています。

上記の取扱いを基にして、**質疑**に掲げる各事例の取扱いを検討するとそれぞれ、下記に掲げるとおりになります。

(A)　事例１の取扱い

下記に掲げる判断基準から判断すると事例１におけるＸ宅地は、被相続人甲の事業の用に供されていた宅地等（特定事業用宅地等に該当）として小規模宅地等の課税特例の適用対象地とすることが相当であり、相続税の課税価格に算入する金額は、下記に掲げる計算のとおり28百万円となります。

判断基準　Ⓐ　本件建築中の新店舗は、従来において小売業の用に供していた老朽化した旧店舗に代替するものであり、被相続人甲の事業の用に供されている建物等の建替えに該当すること（上記状況(1)に該当）

Ⓑ　被相続人甲は、新店舗開業時に備えての商品の仕入発注及び記念行事の企画を進めていることが認められ、これらの新店舗に係る事業の準備行為の状況からみて当該新店舗を速やかにその事業の用に供することが確実であったと認められること（上記 要件 (イ)に該当）

Ⓒ　被相続人甲に係る相続開始後、X宅地を承継した長男Aは当該X宅地が特定事業用宅地等に該当するための承継者側の３つの要件（相続税の申告期限までの(X)事業承継要件、(Y)所有継続要件及び(Z)事業供用要件）を充足していると認められること

計算　$140\text{百万円} \times \frac{280\text{m}^2}{280\text{m}^2} \times 20\% = 28\text{百万円}$

(B) 事例２ の取扱い

下記に掲げる 判断基準 から判断すると 事例２ におけるX宅地は、被相続人甲の事業の用に供されていた宅地等（特定事業用宅地等に該当）として小規模宅地等の課税特例の適用対象地とすることが相当であり、相続税の課税価格に算入する金額は、下記に掲げる 計算 のとおり28百万円となります。

判断基準
Ⓐ　上記(A)に掲げる 判断基準 Ⓐと同一

Ⓑ　被相続人甲に係る相続財産（本件建築中の新店舗及びその敷地であるX宅地）を取得した長男が、当該建築中の新店舗を完成させて相続税の申告期限までに事業の用に供していることが認められること（上記 要件 (ロ)に該当）

（注）　事例２ では、被相続人甲は同人に係る相続開始時点までに新店舗に係る事業の準備行為が認められませんが、上記に掲げるとおり相続財産を取得した親族（長男A）による相続税の申告期限までにおける事業供用が認められるときには、当該事実が問題視されることはありません。

Ⓒ　上記(A)に掲げる 判断基準 Ⓒと同一

計算　$140\text{百万円} \times \frac{280\text{m}^2}{280\text{m}^2} \times 20\% = 28\text{百万円}$

(C) 事例３ の取扱い

下記に掲げる 判断基準 から判断すると 事例３ におけるX宅地は、被相続人甲の事業の用に供されていた宅地等には該当するものの特定事業用宅地等の要件を充足していないため、小規模宅地等の課税特例の適用対象地とすることは認められないことになります。

事例３ の場合にはX宅地の相続税の課税価格に算入すべき金額は140百万円となります。

判断基準
Ⓐ　下記に掲げる事項からX宅地は、被相続人甲の事業の用に供されていた宅地等には該当すると認められること

(ア)　上記(A)に掲げる 判断基準 Ⓐと同一

(イ)　上記(A)に掲げる 判断基準 Ⓑと同一

Ⓑ　被相続人甲に係る相続開始後、X宅地を承継した長男Aは相続税の申告期限ま

でに当該宅地上で営まれていた被相続人甲の事業を承継しておらず、当該Ｘ宅地が特定事業用宅地等に該当するための承継者側の要件（相続税の申告期限までの(X)事業承継要件、(Y)所有継続要件及び(Z)事業供用要件）を充足していないと認められること

**まとめ**

措置法通達69の４－５《事業用建物等の建築中等に相続が開始した場合》の定めについて、事業継続性の判断段階（判断基準）と小規模宅地等の相続税の課税特例の適用の可否との観点から整理すると、下記に掲げる **図解** のとおりとなります。

**図解**　事業用建物等の建築中等に相続が開始した場合における事業継続性の判断段階（判断基準）と小規模宅地等の課税特例の適用の可否

| | 事業継続性の判断段階（判断基準）<br>第１段階の判断基準：被相続人等の事業の準備行為からの判断 | 第２段階の判断基準：相続人等の申告期限までの事業再開からの判断 | 特定事業用宅地等の該当要件<br>財産承継者側の要件（相続税の申告期限までの①事業承継要件、②所有継続要件及び③事業供用要件）の充足の確認 | 小規模宅地等の課税特例の適用の可否 |
|---|---|---|---|---|
| (1) | 事業継続性が客観的に確認可能 | 実際に事業を再開 | 特定事業用宅地等の該当要件を充足している場合 | 適用可能 |
| | | | 特定事業用宅地等の該当要件を充足していない場合 | 適用不可能 |
| (2) | 事業継続性が客観的に確認可能 | 事業の再開を断念 | 特定事業用宅地等の該当要件を充足している場合（この組合せはあり得ない） | ╳ |
| | | | 特定事業用宅地等の該当要件を充足していない場合 | 適用不可能 |
| (3) | 事業継続性が客観的に確認不可能 | 実際に事業を再開 | 特定事業用宅地等の該当要件を充足している場合 | 適用可能 |
| | | | 特定事業用宅地等の該当要件を充足していない場合 | 適用不可能 |
| (4) | 事業継続性が客観的に確認不可能 | 事業の再開を断念 | 特定事業用宅地等の該当要件を充足している場合（この組合せはあり得ない） | ╳ |
| | | | 特定事業用宅地等の該当要件を充足していない場合 | 適用不可能 |

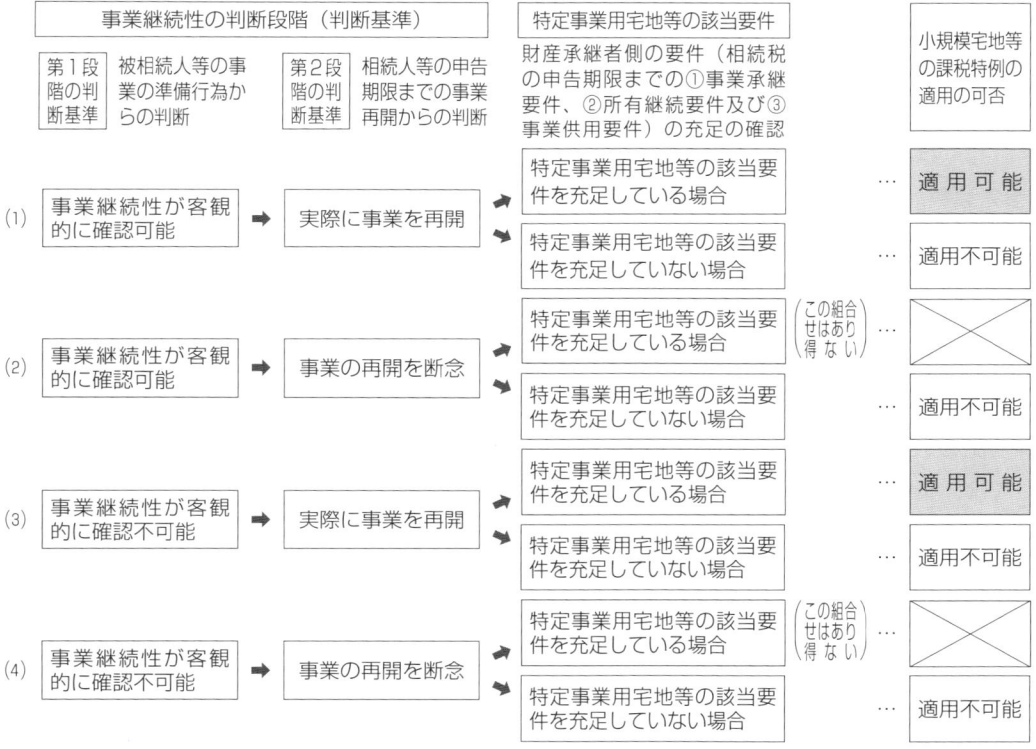

## (39) 農業用機械器具等を収納するための建物の敷地である宅地（農業用施設用地）に対する小規模宅地等の課税特例の適用の可否

**質疑**　農業を営んでいた被相続人甲の相続財産のなかには、下記に掲げる農業（事業）の用に供されている建物の敷地である宅地（農業用施設用地で、被相続人甲の相続開始の30年位前に事業に供用）がありますが、これらの宅地について、小規模宅地

等の課税特例の対象（特定事業用宅地等）として取り扱うことができますか。
(1)　温室（被相続人甲が当該温室内で耕作の形態で野菜を育成）用の建物の敷地である宅地
(2)　農業用機械器具等を収納するための倉庫（床は土間形式）用の建物の敷地である宅地

## 応答

小規模宅地等の課税特例の適用要件の１つとして、一定の建物又は構築物の敷地の用に供されている宅地等であることが必要であるとされており、具体的には、次に掲げる建物又は構築物以外の建物又は構築物とする旨が定められています。

①　温室その他の建物で、その敷地が耕作（農地法第43条《農作物栽培高度化施設に関する特例》第１項の規定により耕作に該当するものとみなされる農作物の栽培を含みます。次の②において同じです。）の用に供されるもの

②　暗きょその他の構築物で、その敷地が耕作の用又は耕作若しくは養畜のための採草若しくは家畜の放牧の用に供されるもの

**参考資料**　**農地法第43条《農作物栽培高度化施設に関する特例》第１項**

農林水産省令で定めるところにより農業委員会に届け出て農作物栽培高度化施設の底面とするために農地をコンクリートその他これに類するもので覆う場合における農作物栽培高度化施設の用に供される当該農地については、当該農作物栽培高度化施設において行われる農作物の栽培を耕作に該当するものとみなして、この法律の規定を適用する。この場合において、必要な読替えその他当該農地に対するこの法律の規定の適用に関し必要な事項は、政令で定める。

上記の取扱いから判断すると、**質疑**の(1)に掲げる温室用の建物の敷地である宅地については、正に、上記①に該当することから小規模宅地等の課税特例の適用はないものとされますが、(2)に掲げる倉庫については、たとえ、床が土間（(注) 床を張らないで、地面のままになった部分）形式になっていても、農業用機械器具等を収納するための建物であって、その敷地が耕作の用に供されるもの（上記①の＿＿＿部分）には該当しないことから、他の要件を充足する限り、小規模宅地等の課税特例の適用対象とされる特定事業用宅地等に該当することになります。

なお、上記①及び②の土地が小規模宅地等の課税特例から除外されている趣旨は、それらの土地が建物又は構築物の敷地に該当するとはいえ、同時に、農地又は採草放牧地にも該当し、これらの土地については、別段の取扱いとして、相続税の納税猶予に係る特例制度が設けられていることから、重ねて小規模宅地等の課税特例制度の対象とする必要がないものと考えられたためであると思われます。

### ⑽　不在者財産管理人が行う事業用地に対する小規模宅地等の課税特例の適用の可否

**質疑**　失踪した父の財産管理人であるAは、父の財産保全（民法第27条《管理人の職務》に定める職務の範囲内）のため、従来、空地であった土地にアスファルト舗装等を施し駐車場業を開始しました。

その後、父が失踪してから７年が経過した（注）ため、父の親族は民法第30条《失踪の宣告》の規定に基づき、家庭裁判所に失踪宣告の請求を申立てて認められることになりました。

（注）　父が失踪して７年が経過した時点では、父の財産管理人であるAによる駐車場開業から５年が経過したものであると認められます。

父に係る相続税の申告について、この駐車場業の用に供されていた宅地等（貸付事業用宅地等の要件は充足しています。）を小規模宅地等の課税特例の対象地とすることができますか。

**応答**

財産管理人とは、次に掲げる場合に不在者（従来の住所又は居所を去った者をいいます。以下同じ。）の利害関係人（不在者の債権者や相続資格者をいいます。）又は検察官の請求によって、家庭裁判所が財産の管理に必要な処分をなさしむる者として選任する者をいうものとされています。（民法25①）

⑴　当該不在者が財産管理人を置かなかった場合

⑵　当該不在者の任命した財産管理人の権限が、当該不在者の不在中に消滅した場合

この家庭裁判所が選任した不在者財産管理人は、不在者の財産目録を作成し、管理すべき財産の内容・範囲を確定した後、財産の現状維持（保存・利用・改良行為の範囲内において、権利行使権限、権利義務設定権限及び処分権限を有します。）を図る職務を負うことになります。（民法27①）

そうすると、**質疑** の場合には、家庭裁判所が選任した不在者財産管理人が不在者の財産保全を目的として行っていた事業が、小規模宅地等の課税特例に規定する被相続人等の事業に該当するのか否かの判断が必要になるものと思われます。

そこで、不在者財産管理人の現状維持のための権利行使について考えると、当該権利行使の効果は当該不在者に直接的に帰属するものとして取り扱われることから判断して、不在者本人のための代理権行使であり、一種の法定代理権（注）であると解釈するのが相当であると思われます。（また、最高裁判所における判例（昭和47年９月11日）においても、家庭裁判所が選任した不在者財産管理人は、法定代理人と解する旨の判示を行っています。）

したがって、**質疑** の場合には、Aは父の法定代理人と解されますので、Aの駐車場業に係る法律上の効果はすべて父に帰属し、駐車場業は父が行っていたものと考えられます。

このことから、Aの行為が民法に規定する不在者財産管理人の職務の範囲内であることを

前提として、駐車場業の用に供されていた宅地等は、『被相続人等の事業の用に供されていた宅地等』に該当すると考えられますので、その他一定の要件（貸付事業用宅地等に該当する要件）を充足する場合に限り、小規模宅地等の課税特例の規定の適用（適用限度面積200㎡、課税価格算入割合50％）を受けることができるものと考えられます。

（注）法定代理権は、本人の委託によらないで生ずる代理権であって、その法的根拠については、次に掲げる三種類に区分することができます。

① 法律が当然に代理人となる者を規定している場合
（例）・未成年者に対する親権者（民法824条）
② 裁判所の選任により代理人となる者が決定される場合
（例）・不在者の財産管理人（民法25条）
・相続財産の管理人（民法918条）
③ 本人以外の者の協議又は指定によって定められた者が代理人となる場合
（例）・未成年者の指定後見人（民法839条）

**参考資料**　民法の条文

**民法第25条《不在者の財産の管理》**
従来の住所又は居所を去った者（以下「不在者」という。）がその財産の管理人（以下この節において単に「管理人」という。）を置かなかったときは、家庭裁判所は、利害関係人又は検察官の請求により、その財産の管理について必要な処分を命ずることができる。本人の不在中に管理人の権限が消滅したときも、同様とする。
２　前項の規定による命令後、本人が管理人を置いたときは、家庭裁判所は、その管理人、利害関係人又は検察官の請求により、その命令を取り消さなければならない。

**民法第27条《管理人の職務》**
前二条の規定により家庭裁判所が選任した管理人は、その管理すべき財産の目録を作成しなければならない。この場合において、その費用は、不在者の財産の中から支弁する。
２　不在者の生死が明らかでない場合において、利害関係人又は検察官の請求があるときは、家庭裁判所は、不在者が置いた管理人にも、前項の目録の作成を命ずることができる。
３　前二項に定めるもののほか、家庭裁判所は、管理人に対し、不在者の財産の保存に必要と認める処分を命ずることができる。

**民法第824条《財産の管理及び代表》**
親権を行う者は、子の財産を管理し、かつ、その財産に関する法律行為についてその子を代表する。ただし、その子の行為を目的とする債務を生ずべき場合には、本人の同意を得なければならない。

**民法第839条《未成年後見人の指定》**
未成年者に対して最後に親権を行う者は、遺言で、未成年後見人を指定することができる。ただし、管理権を有しない者は、この限りでない。
２　親権を行う父母の一方が管理権を有しないときは、他の一方は、前項の規定により未成年後見人の指定をすることができる。

**民法第918条《相続財産の管理》**
相続人は、その固有財産におけるのと同一の注意をもって、相続財産を管理しなければならない。ただし、相続の承認又は放棄をしたときは、この限りでない。

2　家庭裁判所は、利害関係人又は検察官の請求によって、いつでも、相続財産の保存に必要な処分を命ずることができる。
3　第27条から第29条までの規定は、前項の規定により家庭裁判所が相続財産の管理人を選任した場合について準用する。

### ⑷　使用貸借通達の適用により底地評価となる場合の特定事業用宅地等の該当性

**質疑**　被相続人甲に係る相続で、同人と生計を一にしていた弟A（出生以来の住所：東京都文京区）は、次のような東京都内に所在するX土地（地積120㎡）を遺贈により取得しました。

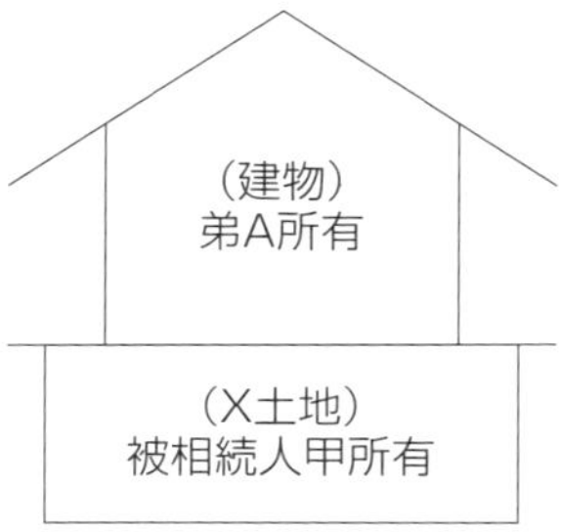


- 弟Aは昭和42年10月から建物の所有を目的としてX土地を無償で被相続人甲より借り受け、建築した建物を自己の事業の用（書店店舗）に供している。
- 自用地としての評価額　　60,000千円
- 借地権割合　　60%

このような場合には、被相続人甲所有のX土地の評価は自用地ではなく底地として評価されることとなるそうですが、小規模宅地等の課税特例の適用についてはどのように取り扱われるのでしょうか。

**応答**

事例のような場合の被相続人甲の所有に係るX土地の評価は、使用貸借通達6《経過的取扱い――土地の無償借受け時に借地権相当額の課税が行われている場合》の取扱いの適用により底地（貸宅地）として評価されます。（下記 参考資料 を参照）

このような土地に対する小規模宅地等の課税特例の適用について、その評価態様が貸宅地とされることから貸付用不動産とされ、特定事業用宅地等としての80%の減額割合が適用できないのではないかという疑義が生じるかもしれません。

しかしながら、事例のように使用貸借通達を適用することにより貸宅地評価とするのは、財産評価上の取扱いの変遷に伴う借地権の帰属者の確認が困難であることを考慮しての定めであり、土地の使用貸借契約を賃貸借契約に読み替えるものではありません。

したがって、事例の場合には、土地の貸借が無償によるものであるとして、他の特定事業用宅地等の要件を充足していれば被相続人と生計を一にする親族の事業用宅地等として80%減額（特定事業用宅地等）の対象となります。（なお、要件を充足していない場合には小規模宅地等の課税特例の適用対象とはされません。）

事例の場合、特定事業用宅地等の要件を充足すると認められたときにおける小規模宅地等

の課税特例の適用による減額金額の計算は下記のとおりになります。

計算　60,000千円×（１－ 60% ）× $\frac{120㎡}{120㎡}$ × 80% ＝19,200千円
（借地権割合）　（減額割合）

参考資料　相続税関係個別通達である『使用貸借に係る土地についての相続税及び贈与税の取扱い』（昭48直資２－189、直所２－76、直法２－92）に定める通達６（経過的取扱い――土地の無償借受け時に借地権相当額の課税が行われている場合）の取扱い（まとめ）

(イ)　概要

この使用貸借通達の適用（昭和48年11月１日）前においては、建物等の所有を目的として土地の使用貸借契約が締結された場合又は使用貸借により借り受けている土地上の建物を相続等により取得した場合には、当該土地の使用借権者に借地権に相当する利益の供与がなされたものとしてその者に相続税又は贈与税が課税されることがありました。

そこで、上記の取扱いを受けたものについては、この使用貸借通達の適用（土地等の使用貸借がなされた場合においても、当該使用借権者に帰属する使用権の価額は零として取り扱います。）との調整を図る必要が生ずるために、その経過措置として本通達が設けられています。

(ロ)　具体的な適用事例

(イ)により、使用貸借通達の適用前において、建物等の所有者に対して借地権相当額の利益が生じたものとして相続税又は贈与税が課税されているものについては、今後（使用貸借通達適用（昭和48年11月１日）以後）の当該建物等又は当該土地の評価は、当該建物等又は当該土地の次に掲げる区分に従ってそれぞれ次に掲げるところによります。

①　当該建物等を相続又は贈与により取得した場合

建物等……建物等の利用形態（自用又は貸付け）に応じて自用家屋又は貸家として評価します。

土　地……当該建物等の敷地の用に供されている土地に係る借地権は評価の対象としません。

上記の取扱いを図示すると次のとおりです。（土地の貸借は使用貸借）

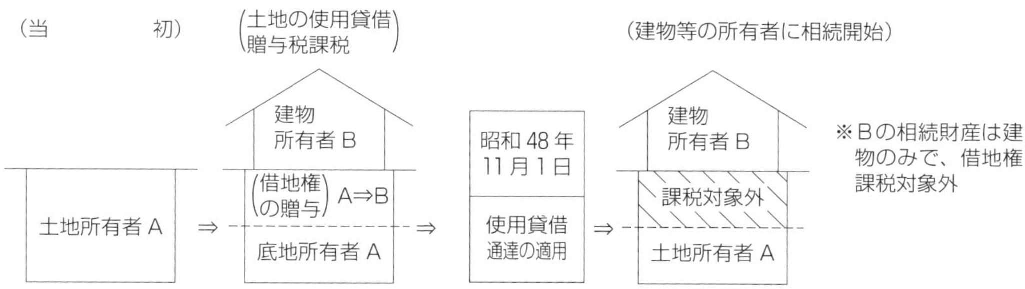


②　当該土地を相続又は贈与により取得した場合

次に掲げる区分（三区分）に従って、それぞれに掲げるところにより評価します。

(A)　当該土地を相続等により取得する前に当該土地上の当該建物等の所有者に異動があり、その異動時に借地権の課税が行われていないとき

土　地……当該土地は自用地として評価します。

上記の取扱いを図示すると次のとおりです。（土地の貸借は使用貸借）

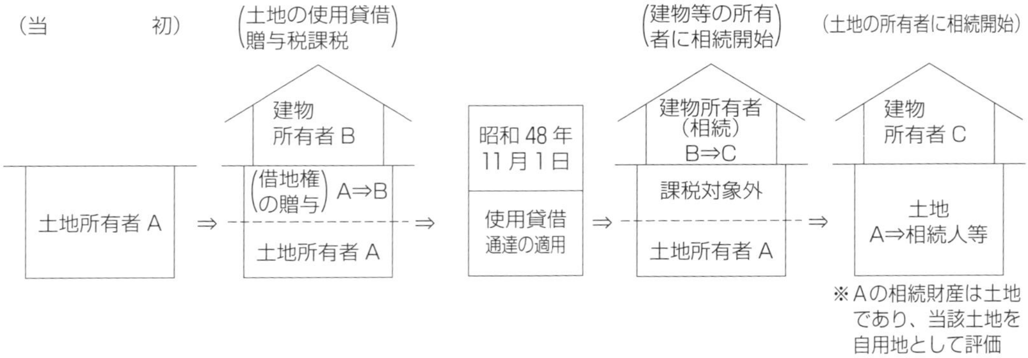


(B)　当該土地を相続等により取得する前に当該土地上の当該建物等の所有者に異動があり、その異動時に借地権の課税が行われているとき

土　地……当該土地は借地権の目的とされている土地（貸宅地）として評価します。

上記の取扱いを図示すると次のとおりです。（土地の貸借は使用貸借）

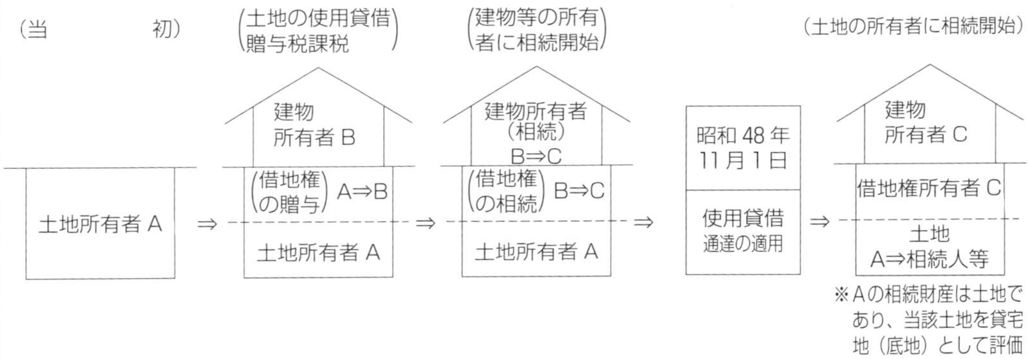


(C)　当該土地を相続等により取得する前に当該土地上の当該建物等の所有者に異動がないとき

土　地……当該土地は借地権の目的とされている土地（貸宅地）として評価します。

上記の取扱いを図示すると次のとおりです。（土地の貸借は使用貸借）

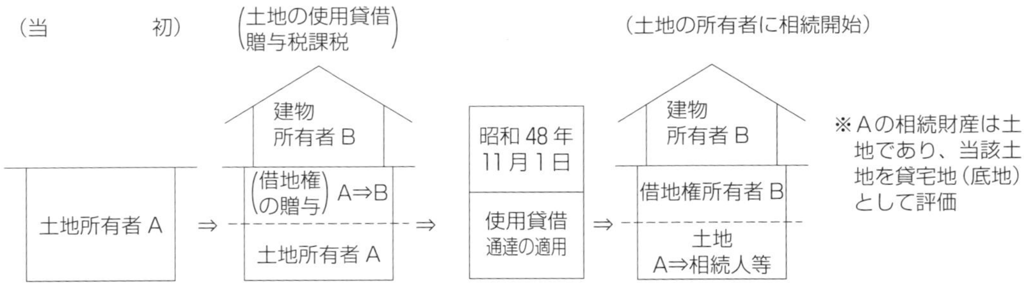


**(ハ)　「借地権相当額の贈与税の課税が行われているもの」の意義**

建物等の所有を目的として土地の使用貸借による借受けがなされた場合において「借地権相当額の贈与税の課税が行われているもの」とは、実際に贈与税の課税が行われた場合はもちろんのこと、それ以外にも「別表の既往における課税上の取扱い」**（注）**により「贈与税の課税が行われていたものとして取り扱う」場合をも含むとされています。

（注）　別表の既往における課税上の取扱い

建物等の所有を目的とする土地の使用貸借がなされた場合に対して借地権相当額の贈与税課税がなされる前提として、当該土地が借地権の設定に際して権利金その他の一時金を授受する取引の慣行のある地域であることが必要となりますが、そのような認定は全国統一的に一律処理をすることができず、各国税局単位によりその取扱いを異にするものとなります。

なお、参考までに、東京国税局管内及び大阪国税局管内における取扱いを示しますと下記のとおりです。

―― 使用貸借に係る土地についての相続税及び贈与税の経過的取扱い（時期別一覧表）――

㋑　東京国税局における取扱い（昭和49年１月26日付　直資第219号）

土地の無償使用の開始があった場合

| 時期 | 既往における課税上の取扱い | 今後相続・贈与があった場合の取扱い |
|---|---|---|
| 昭22．５．２以前 | 借地権相当額の贈与税の課税は行われていなかった。 | ⑴　建物の所有者の異動……建物のみの価額<br>⑵　土地の所有者の異動……自用地価額 |
| 昭22．５．３<br>｜<br>昭33．12．31 | 借地権相当額の贈与税の課税は行われていたものとして取り扱う。 | ⑴　建物の所有者の異動……建物のみの価額<br>⑵　土地の所有者の異動<br>イ　建物の所有者が異動していない場合……底地価額<br>ロ　建物の所有者が異動している場合<br>(イ)　借地権相当額の課税が行われている場合……底地価額<br>(ロ)　借地権相当額の課税が行われていない場合…自用地価額 |
| 昭34．１．１<br>｜ | イ　夫と妻、親と子、祖父母と孫等特殊関係のある者相互間における居住用の建物の所有を目的とした土地の無償借受けがあった場合には、借地権相当額の贈与税の課税は行われなかったものとして取り扱う。ただし、納税者の申出により贈与税を課税した事実が明らかなものについては、この限りではない。 | ⑴　建物の所有者の異動……建物のみの価額<br>⑵　土地の所有者の異動……自用地価額<br>（注）「既往における課税上の取扱い」欄のただし書に該当するものについては、次のロによるものであるから留意する。 |

| | | |
|---|---|---|
| 昭39. 12. 31 | ロ　イ以外の土地の無償借受けがあった場合には借地権相当額の贈与税の課税は行われていたものとして取り扱う。<br>ハ　土地の使用貸借の開始時において贈与税を課税した事案に係る建物等を相続又は贈与により取得した場合における相続税又は贈与税の課税は行われていたものとして取り扱う。 | (1)　建物の所有者の異動……建物のみの価額<br>(2)　土地の所有者の異動<br>イ　建物の所有者が異動していない場合……底地価額<br>ロ　建物の所有者が異動している場合<br>(イ)　借地権相当額の課税が行われている場合……底地価額<br>(ロ)　借地権相当額の課税が行われていない場合…自用地価額 |
| 昭40. 1. 1 | イ　配偶者、直系血族及び推定相続人である直系血族の配偶者など特別近親関係者（以下「特別近親関係者」という。）で、かつ、自己の居住の用に供する家屋の所有を目的とした土地の無償借受け（借地権の一部について無償借受けがあった場合を含む。）があった場合には、借地権相当額の贈与税の課税は行われなかったものとして取り扱う。<br>ただし、納税者の申出により、贈与税を課税した事実が明らかなものについては、この限りではない。 | (1)　建物の所有者の異動……建物のみの価額<br>(2)　土地の所有者の異動……自用地価額<br>（注）「既往における課税上の取扱い」欄のただし書に該当するものについては、次のロによるものであるから留意する。 |
| 昭42. 12. 31 | ロ　イに掲げる特別近親関係者に該当する場合であっても、建物と当該建物に係る敷地を併せ所有する者から建物のみの贈与を受け、土地の使用貸借の開始があったものについては借地権相当額の贈与税の課税が行われていたものとして取り扱う。<br>ハ　イ及びロ以外の土地の無償借受けがあった場合には、借地権相当額の贈与税の課税を行ったかどうかにかかわらず、全て贈与税の課税は行われていたものとして取り扱う。 | (1)　建物の所有者の異動……建物のみの価額<br>(2)　土地の所有者の異動<br>イ　建物の所有者が異動していない場合……底地価額<br>ロ　建物の所有者が異動している場合<br>(イ)　借地権相当額の課税が行われている場合……底地価額<br>(ロ)　借地権相当額の課税が行われていない場合…自用地価額 |

| | | |
|---|---|---|
| 昭43. 1.1<br>｜<br>昭46. 12. 31 | イ　すべて借地権相当額の贈与税の課税は行われていなかったものとして取り扱う。 | (1)　建物の所有者の異動……建物のみの価額<br>(2)　土地の所有者の異動……自用地価額 |
| | ロ　例外として、土地の無償使用開始時に、借地権相当額の贈与税を課税した事案に係る建物等を相続又は贈与により取得した場合における相続税又は贈与税の課税は行われていたものとして取り扱う。 | (1)　建物の所有者の異動……建物のみの価額<br>(2)　土地の所有者の異動<br>イ　建物の所有者が異動していない場合……底地価額<br>ロ　建物の所有者が異動している場合<br>(イ)　借地権相当額の課税が行われている場合……底地価額<br>(ロ)　借地権相当額の課税が行われていない場合……自用地価額 |
| 昭47. 1.1<br>以降 | 現行（使用貸借通達）の取扱いと同じ取扱い。 | 現行の取扱いと同じ取扱い。 |

◎　**大阪国税局における取扱い**（昭和49年１月10日付　大局直資（審）第７号）

土地の無償使用の開始があった場合

| 時期 | 既往における課税上の取扱い | 今後相続・贈与があった場合の取扱い |
|---|---|---|
| 昭39. 12. 31<br>以前 | 借地権相当額の贈与税の課税は行われていなかった。 | (1)　建物の所有者の異動……建物のみの価額<br>(2)　土地の所有者の異動……自用地価額 |
| 昭40. 1.1<br>｜ | イ　配偶者、直系血族及び推定相続人である直系血族の配偶者など特別近親関係者（以下「特別近親関係者」という。）で、かつ、自己の居住の用に供する家屋の所有を目的とした土地の無償借受け（借地権の一部について無償借受けがあった場合を含む。）があった場合には、借地権相当額の贈与税の課税は行われなかったものとして取り扱う。<br>ただし、納税者の申出により、贈与税を課税をした事実が明らかなものについては、この限りではない。 | (1)　建物の所有者の異動……建物のみの価額<br>(2)　土地の所有者の異動……自用地価額<br>**（注）**「既往における課税上の取扱い」欄のただし書に該当するものについては、次のロによるものであるから留意する。 |

| | | |
|---|---|---|
| ｜<br>昭42．12．31 | ロ　イ以外の土地の無償借受けがあった場合には、借地権相当額の贈与税の課税を行ったかどうかにかかわらず、全て贈与税の課税は行われていたものとして取り扱う。 | (1)　建物の所有者の異動……建物のみの価額<br>(2)　土地の所有者の異動<br>イ　建物の所有者が異動していない場合……底地価額<br>ロ　建物の所有者が異動している場合<br>(イ)　借地権相当額の課税が行われている場合……底地価額<br>(ロ)　借地権相当額の課税が行われていない場合……自用地価額 |
| 昭43．１．１<br>｜<br>昭46．12．31 | イ　全て借地権相当額の贈与税の課税は行われていなかったものとして取り扱う。 | (1)　建物の所有者の異動……建物のみの価額<br>(2)　土地の所有者の異動……自用地価額 |
| | ロ　例外として、土地の無償使用開始時に、借地権相当額の贈与税を課税した事案に係る建物等を相続又は贈与により取得した場合における相続税又は贈与税の課税は行われていたものとして取り扱う。 | (1)　建物の所有者の異動……建物のみの価額<br>(2)　土地の所有者の異動<br>イ　建物の所有者が異動していない場合……底地価額<br>ロ　建物の所有者が異動している場合<br>(イ)　借地権相当額の課税が行われている場合……底地価額<br>(ロ)　借地権相当額の課税が行われていない場合……自用地価額 |
| 昭47．１．１以降 | 現行（使用貸借通達）の取扱いと同じ取扱い。 | 現行の取扱いと同じ取扱い。 |

### (42)　不動産貸付（賃貸アパート経営）を事業的規模で行っている場合の特定事業用宅地等の該当性

**質疑**　被相続人甲は近在では著名な地主であり、賃貸アパートを20棟（貸室数合計400室）所有し、長きにわたり多額の不動産所得を申告していました。

これらの不動産はすべて長男Ａが相続により取得し、その後も継続して不動産賃貸業を継続していく予定となっています。

小規模宅地等の課税特例の適用に当たっては、被相続人甲による不動産の貸付けは事業的規模で行われていると認められることから、特定事業用宅地等（課税価格算入割合20％、適用上限面積400㎡）に該当するものとして取り扱ってもよろしいでしょうか。

**応答**

措置法第69条の４《小規模宅地等についての相続税の課税価格の計算の特例》第３項第１

号に規定する特定事業用宅地等に該当するためには、被相続人等の事業の用に供されていた宅地等であることが要件とされていますが、この事業（上記＿＿部分）には、貸付事業は除かれる旨が規定されています。

また、措置法通達69の４－13《不動産貸付業等の範囲》において、要旨、被相続人等の貸付事業については、その規模、設備の状況及び営業形態等を問わず、すべて特定事業用宅地等の対象となる事業には該当せず、貸付事業用宅地等の対象となる事業に該当する旨が定められています。

そうすると、**質疑** の事例のように、たとえ被相続人甲が貸付事業を事業的規模で行っていたとしても、当該賃貸アパートの敷地の用に供されている宅地等についてはこれを特定事業用宅地等（課税価格算入割合20％、適用上限面積400㎡）として取り扱うことは認められず、貸付事業用宅地等（課税価格算入割合50％、適用上限面積200㎡）として取り扱うことになります。

### ㊸　事業所得として申告する有料駐車場を経営している場合の特定事業用宅地等の該当性

**質疑**　被相続人甲は人通りの多い駅前で収容台数200台の大規模な有料駐車場を30年間経営していました。

当該駐車場は、建物形式で管理人が常駐する方式が採用されており、自己の責任において他人の物を保管する場合に該当するものとして、被相続人甲は、当該駐車場経営に係る所得を事業所得として申告していました。

当該駐車場の用に供されている土地は長男Ａが相続により取得し、その後も継続して被相続人甲と同様の事業形態で駐車場事業を行っています。

小規模宅地等の課税特例の適用に当たっては、被相続人甲による駐車場経営が事業的規模で行われており、かつ、所得区分も事業所得として申告していることから、特定事業用宅地等（課税価格算入割合20％、適用上限面積400㎡）に該当するものとして取り扱ってもよろしいでしょうか。

**応答**

措置法第69条の４《小規模宅地等についての相続税の課税価格の計算の特例》第３項第１号に規定する特定事業用宅地等に該当するためには、被相続人等の事業の用に供されていた宅地等であることが要件とされていますが、この事業（上記＿＿部分）には、貸付事業は除かれる旨が規定されています。

また、措置法通達69の４－13《不動産貸付業等の範囲》において、要旨、被相続人等の駐車場業又は自転車駐車場業については、その規模、設備の状況及び営業形態等を問わず、全て特定事業用宅地等の対象となる事業には該当せず、貸付事業用宅地等の対象となる事業に該当する旨が定められています。

なお、所得税基本通達27－２《有料駐車場等の所得》では、「いわゆる有料駐車場、有料自転車置場等の所得については、自己の責任において他人の物を保管する場合の所得は事業所得又は雑所得に該当し、そうでない場合の所得は不動産所得に該当する。」と定められていますが、この所得税における所得区分の取扱いの如何によって、相続税における小規模宅地等の課税特例の適用区分が左右されることにはなりません。

そうすると、**質疑** の事例のように、たとえ、被相続人甲が駐車場経営を事業的規模で行い、その所得を事業所得として申告していたとしても、当該駐車場の用に供されている土地についてはこれを特定事業用宅地等（課税価格算入割合20％、適用上限面積400㎡）として取り扱うことは認められず、貸付事業用宅地等（課税価格算入割合50％、適用上限面積200㎡）として取り扱うことになります。

## ⑷ 電力会社に売電を行っている場合における太陽光発電設備の敷地用地に係る特定事業用宅地等の該当性

**質疑**

被相続人甲は、同人に係る相続開始の５年前からその所有地上に太陽光発電設備を設けて、発電した電力を地元の電力会社に売却していました。

当該土地は長男Ａが相続により取得し、その後も継続して同様の利用に供しています。

小規模宅地等の課税特例の適用に当たっては、当該所有地が発電事業の用に供されていることから、特定事業用宅地等（課税価格算入割合20％、適用上限面積400㎡）に該当するものとして取り扱ってもよろしいでしょうか。

**応答**

措置法第69条の４《小規模宅地等についての相続税の課税価格の計算の特例》第１項では、小規模宅地等の課税特例の適用対象地とされるためには、被相続人に係る相続の開始の直前において被相続人等の事業の用又は居住の用に供されていた宅地等で一定の建物又は構築物の敷地の用に供されているものであることが必要とされています。

一方、お尋ねの太陽光発電設備は、自家発電設備に該当し、一般的には減価償却資産の耐用年数等に関する省令別表第二に規定する「機械装置」（番号31の電気業用設備）に分類されるものと考えられます。

そうすると、**質疑** の太陽光発電設備の敷地として利用されている土地は、小規模宅地等の課税特例の適用要件である一定の建物又は構築物の敷地の用（上記＿＿部分）に供されているものには該当しないことから、小規模宅地等の課税特例の適用を受けることはできないものと考えられます。

### ㊺　個人の事業用資産についての納税猶予及び免除の適用がある場合における特定事業用宅地等に対する小規模宅地等の課税特例の適用（その１：概要）

**質疑**　被相続人甲は、本年８月に相続の開始がありました。被相続人甲は永年にわたって飲食店（そば店とラーメン店）を経営しており、各店舗の敷地の用に供されていた宅地等に関する資料は、下表のとおりでした。

| 種類 | 各店舗の敷地 | 取得者 | 財産取得者が適用を希望する特例規定 |
|---|---|---|---|
| そ　ば　店 | X宅地（地積200㎡） | 長男A | 個人の事業用資産についての相続税の納税猶予及び免除 |
| ラーメン店 | Y宅地（地積150㎡） | 長男A | 小規模宅地等についての相続税の課税価格の計算の特例 |

参考　そば店については相続税の納税猶予及び免除、ラーメン店については小規模宅地等の課税特例の各規定の適用を受けようとするのは、長男Aの次の考え方によるものです。

⑴　そば店については、代々の事業として次世代以降に承継すべきものと考えていること

⑵　ラーメン店については、５年後位を目安として事業譲渡を考えていること

上記のような状況において、長男Aが適用を希望する『相続税の納税猶予及び免除』及び『小規模宅地等の課税特例』の両規定の重複適用は可能でしょうか。なお、両規定の重複適用の可否に関する論点以外の両規定に係る適用要件は、すべて充足しているものとします。

**応答**

⑴　個人の事業用資産の納税猶予制度（概要）

令和元年度の税法改正において、新たに個人の事業用資産についての納税猶予及び免除の規定が設けられました。その概要は、次のとおりとされています。

概要　青色申告（正規の簿記の原則によるものに限ります。）に係る事業（不動産貸付業等を除きます。）を行っていた事業者の後継者（注1）として中小企業における経営の承継の円滑化に関する法律の認定を受けた者が、平成31年１月１日から令和10年12月31日まで（注2）の贈与又は相続等により、特定事業用資産を取得した場合には、次に掲げる取扱いが適用されることになります。

①　その青色申告に係る事業の継続等、一定の要件のもと、その特定事業用資産に係る贈与税・相続税の全額の納税が猶予されます。

②　後継者の死亡等、一定の事由により、納税が猶予されている贈与税・相続税の

納税が免除されます。

（注１）　平成31年４月１日から令和６年３月31日までに「個人事業承継計画」を都道府県知事に提出し、確認を受けた者に限ります。

（注２）　先代事業者の生計一親族からの特定事業用資産の贈与・相続等については、上記の期間内で、先代事業者からの贈与・相続等の日から１年を経過する日までにされたものに限ります。

この制度の対象となる「特定事業用資産」とは、先代事業者（贈与者・被相続人）の事業の用に供されていた次の資産で、贈与又は相続等の日の属する年の前年分の事業所得に係る青色申告書の貸借対照表に計上されていたものをいいます。

①　宅地等（400㎡まで）

②　建物（床面積800㎡まで）

③　②以外の減価償却資産で次のもの

(イ)　固定資産税の課税対象とされているもの

(ロ)　自動車税・軽自動車税の営業用の課税標準が適用されるもの（注）

注　令和３年度の税法改正によって、個人事業者の事業用資産に係る相続税・贈与税の納税猶予制度について、適用対象となる特定事業用資産の範囲に、被相続人又は贈与者の事業の用に供されていた乗用自動車で青色申告書に添付されている貸借対照表に計上されているもの（取得価額500万円以下の部分に対応する部分に限られます。）が加えられることになりました。

(ハ)　その他一定のもの（貨物運送用など一定の自動車、乳牛・果樹等の生物、特許権等の無形固定資産）

（注１）　先代事業者が、配偶者の所有する土地の上に建物を建て、事業を行っている場合における土地など、先代事業者と生計を一にする親族が所有する上記①から③までの資産も、特定事業用資産に該当します。

（注２）　後継者が複数人の場合には、上記①及び②の面積は、各後継者が取得した面積の合計で判定します。

（注３）　先代事業者等からの相続等により取得した宅地等につき、小規模宅地等の課税特例の適用を受ける者がいる場合には、一定の制限があります。（下記(2)を参照）

(2)　両規定の重複適用関係

①　特定事業用宅地等である小規模宅地等に対する重複適用関係

(イ)　取扱い

被相続人が次に掲げる者のいずれかに該当する場合には、当該被相続人から相続又は遺贈により取得（注）したすべての『特定事業用宅地等』については、小規模宅地等の課税特例の適用対象にならないものとされています。

㋑　措置法第70条の６の８《個人の事業用資産についての贈与税の納税猶予及び免除》の規定の適用を受けた特例事業受贈者に係る贈与者

㋺　措置法第70条の６の10《個人の事業用資産についての相続税の納税猶予及び免除》の規定の適用を受ける特例事業相続人等に係る被相続人

（注）　上記の『取得』には、措置法第70条の６の９《個人の事業用資産の贈与者が死亡した場合の相続税の課税の特例》第１項（同条第２項の規定により読み替えて適用する場合も含みます。）

の規定により、相続又は遺贈により取得したものとみなされる場合における当該取得を含むものとされています。

(ロ)　留意点

被相続人からの相続又は遺贈により特定事業用宅地等を取得した者自身が個人の事業用資産の相続税の納税猶予の適用を受けない場合であっても、その者又はその者以外の者が次の㋑又は㋺に掲げるものに該当するときには、当該被相続人は、上記(イ)の㋑又は㋺に掲げる者に該当することになります。

㋑　当該取得した者以外の者が個人の事業用資産の相続税の納税猶予の適用（注）を受けるとき

㋺　当該取得した者又はその者以外の者が既に被相続人からの贈与により取得した財産について個人の事業用資産の贈与税の納税猶予（措置法第70条の６の８《個人の事業用資産についての贈与税の納税猶予及び免除》の規定をいいます。）の適用（注）を受けていたとき

（注）　上記㋑及び㋺に掲げる個人の事業用資産の相続税・贈与税の納税猶予の適用については、建物及び減価償却資産など特定事業用宅地等に該当しない特定事業用資産（措置法第70条の６の10《個人の事業用資産についての相続税の納税猶予及び免除》第２項第１号又は第70条の６の８第２項第１号に規定する特定事業用資産をいいます。）についてのみ適用を受けていた場合であっても、同制度の適用を受けていたものとして取り扱われます。

したがって、上記の場合には、当該被相続人から相続又は遺贈により取得したすべての特定事業用宅地等について、小規模宅地等の課税特例の適用対象となりません。

②　特定事業用宅地等以外の特例対象宅地等に対する重複適用関係

(イ)　取扱い

上記①に掲げるとおり、個人の事業用資産についての相続税・贈与税の納税猶予及び免除の規定の適用を受ける場合には、特定事業用宅地等を小規模宅地等の課税特例の適用対象とすることは認められていません。

そうすると、下記に掲げる小規模宅地等の区分（特例対象宅地等）については、上記に掲げる個人の事業用資産についての相続税・贈与税の納税猶予及び免除の規定との重複適用が認められないとされる規定の適用はないことから、被相続人が上記(2)①(イ)㋑又は㋺に掲げる者に該当する場合であっても、これらの宅地等については、他の要件を満たすときには小規模宅地等の課税特例の適用対象とすることが認められています。

㋑　特定居住用宅地等

㋺　特定同族会社事業用宅地等

㋩　貸付事業用宅地等

(ロ)　留意点

上記(イ)の後段の取扱いに関しては、下記に掲げる小規模宅地等の区分（特例対象宅地等）に応じて、個人の事業用資産についての相続税の納税猶予及び免除の対象とされる特定事業用資産である宅地等の面積との間で一定の調整（限度面積計算）に関する規定

が設けられています。

㋑　『特定居住用宅地等』のみを選択特例対象宅地等とした場合

特定事業用資産である宅地等に対する適用面積（上限面積400㎡）にかかわらず、当該特定居住用宅地等の面積（上限面積330㎡）まで、小規模宅地等の課税特例を受けることが認められます。

すなわち、個人の事業用資産についての納税猶予及び免除の規定と特定居住用宅地等のみを選択特例対象宅地等とする小規模宅地等の課税特例の規定とは、両者の完全併用が認められるものとされています。

㋺　上記㋑以外の場合

上記㋑以外の場合として、次に掲げる組み合わせが考えられます。

(A)　『特定同族会社事業用宅地等』のみを選択特例対象宅地等とする場合

(B)　『貸付事業用宅地等』のみを選択特例対象宅地等とする場合

(C)　『特定居住用宅地等』、『特定同族会社事業用宅地等』又は『貸付事業用宅地等』のうちから複数を組み合わせて選択特例対象宅地等とする場合

**(注)**　特定居住用宅地等のみを選択特例対象宅地等とした場合には上記㋑の取扱いが適用されますが、特定居住用宅地等と他の特例対象宅地等（特定事業用宅地等を除きます。）を選択特例対象宅地等とした場合には、この(C)に該当することに留意する必要があります。

上記(A)ないし(C)に該当する場合には、特定事業用資産である宅地等に対する適用面積と小規模宅地等の課税特例の対象とする適用面積との間には、下記に掲げる算式を充足する必要があります。

算式　$A \times \frac{400㎡}{330㎡} + B + C \times \frac{400㎡}{200㎡} + D \leqq 400㎡$

Ａ：特定居住用宅地等である選択特例対象宅地等の地積

Ｂ：特定同族同社事業用宅地等である選択特例対象宅地等の地積

Ｃ：貸付事業用宅地等である選択特例対象宅地等の地積

Ｄ：特例事業用資産（注）である宅地等の地積

**(注)**　特例事業用資産とは、特定事業用資産のうち、相続税の申告書に相続税の納税猶予の適用を受けようとする旨の記載があるものをいいます。

(3)　**質疑**　の場合

上記(2)①(イ)に掲げるとおり、被相続人が措置法第70条の６の10《個人の事業用資産についての相続税の納税猶予及び免除》の規定の適用を受ける特例事業相続人等に係る被相続人に該当する場合には、当該被相続人から相続又は遺贈により取得したすべての『特定事業用宅地等』について、小規模宅地等の課税特例の適用対象にならないものとされています。

そうすると、**質疑**　の事例の場合、被相続人甲から相続により財産（Ｘ宅地・Ｙ宅地）を取得した長男Ａは、『相続税の納税猶予及び免除』及び『小規模宅地等の課税特例』の両規定の重複適用を希望しているとのことですが、上記に掲げるとおり、両規定はそのいずれかを選択適用するものであり、重複適用は認められていません。

## ⑽ 個人の事業用資産についての納税猶予及び免除の適用がある場合における特定事業用宅地等に対する小規模宅地等の課税特例の適用（その２：納税猶予を受ける者と小規模宅地等の課税特例を受ける者が異なる場合）

**質疑**　前問⑮の **質疑** において、被相続人甲が経営していた各店舗の敷地の用に供されていた宅地等に関する資料が下表のとおりであるとしたならば、長男Ａが適用を希望する『相続税の納税猶予及び免除』及び二男Ｂが適用を希望する『小規模宅地等の課税特例』の両規定の重複適用は可能でしょうか。なお、その他の条件は、すべて前問⑮と同一であるものとします。

| 種類 | 各店舗の敷地 | 取得者 | 財産取得者が適用を希望する特例規定 |
|---|---|---|---|
| そ　ば　店 | Ｘ宅地（地積200㎡） | 長男Ａ | 個人の事業用資産についての相続税の納税猶予及び免除 |
| ラーメン店 | Ｙ宅地（地積150㎡） | 二男Ｂ | 小規模宅地等についての相続税の課税価格の計算の特例 |

**応答**

(1)　個人の事業用資産の納税猶予制度（概要）

前問⑮の **応答** (1)を参照

(2)　両規定の重複適用関係

前問⑮の **応答** (2)を参照

(3)　**質疑** の場合

前問⑮の **応答** (2)①(ロ)に掲げるとおり、被相続人からの相続又は遺贈により特定事業用宅地等を取得した者（ **質疑** の場合：二男Ｂ）自身が個人の事業用資産の相続税の納税猶予の適用を受けない場合であっても、その者以外の者（ **質疑** の場合：長男Ａ）が個人の事業用資産の相続税の納税猶予の適用を受けるときには、当該特定事業用宅地等について、小規模宅地等の課税特例の適用対象にならないものとされています。

そうすると、**質疑** の事例の場合、被相続人甲からの相続により、長男Ａが取得した財産（Ｘ宅地）について『相続税の納税猶予及び免除』、二男Ｂが取得した財産（Ｙ宅地）について『小規模宅地等の課税特例』の各規定の重複適用を希望しているとのことですが、上記に掲げるとおり、たとえ、両規定の適用対象者が異なっていたとしても、両規定はそのいずれかを選択適用するものであり、重複適用は認められません。

## ㊼　個人の事業用資産についての納税猶予及び免除の適用がある場合における特定事業用宅地等に対する小規模宅地等の課税特例の適用（その３：被相続人が贈与税の納税猶予に係る贈与者であった場合における小規模宅地等の課税特例の適用可否）（そのＡ：贈与税の納税猶予の対象財産に宅地等が含まれている場合）

**質疑**　被相続人甲は、本年12月に相続の開始がありました。被相続人甲は長年にわたって飲食店（そば店とラーメン店）を経営していました。被相続人甲に係る経営の状況及び各店舗の敷地の用に供されていた宅地等に関する資料は、下表のとおりでした。

| 種類 | 各店舗の敷地 | 備　考 |
|---|---|---|
| そ　ば　店 | Ｘ宅地（地積200㎡） | 被相続人甲に係る相続開始の前年にそば店の経営が委譲され、同人から長男ＡはＸ宅地の贈与を受けている。これに関して長男Ａは個人の事業用資産についての贈与税の納税猶予及び免除の規定の適用を適法に受けている。 |
| ラーメン店 | Ｙ宅地（地積150㎡） | 二男Ｂが遺産分割協議によって取得し、同人は小規模宅地等についての相続税の課税価格の計算の特例の規定の適用を受けることを希望している。 |

上記のような状況や（長男Ａが『贈与税の納税猶予及び免除』の規定を受けている場合）において、二男Ｂが取得したＹ宅地について、『小規模宅地等の課税特例』の適用を受けることは可能でしょうか。なお、両規定の重複適用に関する論点以外の適用要件はすべて充足しているものとします。

### 応答

⑴　個人の事業用資産の納税猶予制度（概要）

前々問㊺の **応答** ⑴を参照

⑵　両規定の重複適用関係

前々問㊺の **応答** ⑵を参照

⑶　**質疑** の場合

前々問㊺の **応答** ⑵①(ロ)に掲げるとおり、被相続人からの相続又は遺贈により特定事業用宅地等を取得した者（ **質疑** の場合：二男Ｂ）自身が個人の事業用資産の相続税の納税猶予の適用を受けない場合であっても、その者以外の者（ **質疑** の場合：長男Ａ）が個人の事業用資産の贈与税の納税猶予の適用を受けていたときには、当該特定事業用宅地等については、小規模宅地等の課税特例の適用対象にならないものとされています。

そうすると、 **質疑** の事例の場合、長男Ａは被相続人甲に係る相続開始前に同人から贈与を受け、当該贈与について『贈与税の納税猶予及び免除』の規定を受けているとのことですから、二男Ｂが取得した財産（Ｙ宅地）について『小規模宅地等の課税特例』の規定の適用は認められないことになります。

### ㊽　個人の事業用資産についての納税猶予及び免除の適用がある場合における特定事業用宅地等に対する小規模宅地等の課税特例の適用（その３：被相続人が贈与税の納税猶予に係る贈与者であった場合における小規模宅地等の課税特例の適用可否（そのＢ：贈与税の納税猶予の対象財産に宅地等が含まれていない場合）

**質疑**　前問㊼の **質疑** において、被相続人甲に係る経営の状況及び各店舗の敷地の用に供されていた宅地等に関する資料が下表のとおりであるとしたならば、二男Ｂが取得したＹ宅地について、『小規模宅地等の課税特例』の適用を受けることは可能でしょうか。なお、その他の条件は、すべて前問㊼と同一であるものとします。

| 種類 | 各店舗の敷地 | 備　　考 |
|---|---|---|
| そ　ば　店 | Ｘ宅地（地積200㎡） | 被相続人甲に係る相続開始の前年にそば店の経営が委譲され、同人から長男Ａは事業用資産（店舗建物及び器具備品）（注）の贈与を受けている。<br>これに関連して、長男Ａは個人の事業用資産についての贈与税の納税猶予及び免除の規定の適用を受けている。<br>（注）　店舗建物の敷地は、被相続人甲の兄の所有地を使用貸借契約により借り受けていたものであることから、当該敷地に係る使用借権は贈与税の課税対象とされていない。 |
| ラーメン店 | Ｙ宅地（地積150㎡） | 二男Ｂが遺産分割協議によって取得し、同人は小規模宅地等についての相続税の課税価格の計算の特例の規定の適用を受けることを希望している。 |

**応答**

⑴　個人の事業用資産の納税猶予制度（概要）

前々々問㊺の **応答** ⑴を参照

⑵　両規定の重複適用関係

前々々問㊺の **応答** ⑵を参照

⑶　**質疑** の場合

前々々問㊺の **応答** ⑵①㈺に掲げるとおり、被相続人からの相続又は遺贈により特定事業用宅地等を取得した者（**質疑** の場合：二男Ｂ）自身が個人の事業用資産の相続税の納税猶予の適用を受けていない場合であっても、その者以外の者（**質疑** の場合：長男Ａ）が個人の事業用資産の贈与税の納税猶予の適用を受けていたときには、当該特定事業用宅地等については、小規模宅地等の課税特例の適用対象にならないものとされています。

なお、**質疑** の場合には、長男Ａに係る個人の事業用資産の贈与税の納税猶予の適用について、適用対象財産が建物及び器具備品であり宅地等を含まない特定事業用資産であることを理由として、上記の取扱いに疑義を呈するかも知れません。

しかしながら、両規定の併用適用の制限規定は、前々々問㊺の **応答** (2)①(イ)に掲げるとおり、被相続人が個人の事業用資産についての贈与税の納税猶予の規定の適用を受けた特例事業受贈者に係る贈与者である場合には、当該被相続人から相続又は遺贈により取得したすべての『特定事業用宅地等』について、小規模宅地等の課税特例の適用対象にならないものとされており、当該特例事業受贈者が贈与を受けた特定事業用資産に宅地等が含まれていたか否かで、その判断が異なるものではありません。

そうすると、**質疑** の事例の場合、長男Ａは被相続人甲に係る相続開始前に同人から贈与を受け、当該贈与について『贈与税の納税猶予及び免除』の規定を受けているとのことですから、二男Ｂが取得した財産（Ｙ宅地）について『小規模宅地等の課税特例』の規定の適用は認められないことになります。

## 〔３〕『特定居住用宅地等』に関する項目

### (1)　被相続人等の居住用宅地等を親族以外の者（自然人）が取得した場合の小規模宅地等の課税特例の可否

**質疑**　被相続人甲の相続財産のなかに、相続開始の直前において同人及び同人とは正式な婚姻関係にはないが相当長期間にわたって内縁関係にあるＡ子の２人が居住の用に供していた不動産（宅地及び建物）がありました。

被相続人甲の遺言によると当該不動産は、長年、お世話になったＡ子に遺贈する旨の記載があり、Ａ子も受遺の意思表示を示しており、今後も当該承継した家屋で末長く居住するつもり（相続開始時における同居要件、相続税の申告期限までの所有継続及び居住継続の各要件を充足）です。

上記の場合に、被相続人甲と内縁関係にあったＡ子が遺贈により取得した居住用建物の敷地である宅地について、特定居住用宅地等に該当するものとして、小規模宅地等の課税特例の適用対象にすることは認められますか。

**応答**

現行の取扱いでは、小規模宅地等の課税特例の適用対象とされる小規模宅地等は、下記に掲げる４つの区分のいずれかに該当するものに限るものとされています。

(1)　特定事業用宅地等である小規模宅地等（課税価格算入割合20％、適用上限面積400㎡）

(2)　特定居住用宅地等である小規模宅地等（課税価格算入割合20％、適用上限面積330㎡）

(3)　特定同族会社事業用宅地等である小規模宅地等（課税価格算入割合20％、適用上限面積400㎡）

(4)　貸付事業用宅地等である小規模宅地等（課税価格算入割合50％、適用上限面積200㎡）

そして、上記(2)に掲げる特定居住用宅地等とは、平成22年４月１日以後に課税時期が到来したものから、その取扱いとして、「被相続人等の居住の用に供されていた宅地等で、当該被相続人の配偶者又は次に掲げる要件（略）のいずれかを満たす当該被相続人の親族（当該被相続人の配偶者を除きます。）が相続又は遺贈により取得したものをいう。」とされています。

すなわち、特定居住用宅地等に該当するためには、被相続人等の居住用宅地等を取得した者が当該被相続人の親族（上記____部分）（注）であることが必要とされています。

（注）　小規模宅地等の課税特例の規定において『親族』の定義は固有概念として規定されていないことから、当該親族の範囲につき、民法第725条《親族の範囲》の規定（親族とは、①６親等内の血族、②配偶者、③３親等内の姻族をいいます。）を借用概念として適用することが相当であると考えられます。

そうすると、**質疑**の事例の場合には、被相続人甲から居住用建物の敷地である宅地を遺贈により取得したＡ子は、被相続人甲の親族には該当しないことから、たとえ、相続開始時において被相続人甲と同居し、その後、相続税の申告期限まで所有を継続し、かつ、居住を継続したとしても、小規模宅地等の課税特例の適用対象とすることは認められないことになります。

### ⑵　被相続人等の居住用宅地等が２以上ある場合（その１：規定の概要の確認）

**質疑**　被相続人等の居住の用に供されていた宅地等で、当該被相続人の配偶者又は当該被相続人に係る一定の親族が相続又は遺贈により取得したものを『特定居住用宅地等』と呼称して、小規模宅地等の課税特例の対象とするものとされています。
　この場合において、被相続人等の居住の用に供されていた宅地等が２以上ある場合の取扱いについて説明してください。

**応答**

被相続人等の居住の用に供されていた宅地等が２以上ある場合の小規模宅地等の課税特例の適用上における取扱い（適用限度面積の範囲内であれば被相続人等の居住用宅地等が複数存在することが容認される（この考え方を『住所複数主義』といいます。）のか、又は相続税法に規定する『住所』の定義から『生活の本拠』という用語解釈として１か所に限定される（この考え方を『住所単一主義』といいます。）のか。）については、従来は、条文上において明記されていませんでした。

そこで、上記の点を明確化するために、平成22年度の税法改正（課税時期が平成22年４月１日以後に到来したものから適用）において、被相続人等の居住の用に供されていた宅地等が２以上ある場合には、被相続人等が主として居住の用に供していた一の宅地等に限られるものと規定されました。

平成22年度の税法改正後は、被相続人等の居住の用に供されていた宅地等が２以上ある場合の小規模宅地等の取扱い（当該小規模宅地等の対象とされるのは、被相続人が主として居住の用に供していた一の宅地等に限定）の具体的な運用は、居住用宅地等を２以上所有する者が被相続人であるのか、被相続人と生計を一にする親族であるのか、又はその双方であるのか、更に、当該被相続人と生計を一にする者が複数存在する場合の別に、下記に掲げるとおりになります。

⑴　被相続人の居住の用に供されていた宅地等が２以上ある場合（下記⑶に該当する場合を除きます。）

当該被相続人が主としてその居住の用に供していた一の宅地等が小規模宅地等の課税特例の対象とされます。なお、上記の取扱いの適用事例を示すと、下記 図解 のとおりとなります。

図解　被相続人の居住用宅地が２以上ある場合

| 番号 | 被相続人の居住の用に供されていた宅地等 | 被相続人と生計を一にしていた当該被相続人の親族（長男）の居住の用に供されていた宅地等 | 被相続人と生計を一にしていた当該被相続人の親族（二男）の居住の用に供されていた宅地等 | 『特定居住用宅地等』に該当する可能性のある宅地等 |
|---|---|---|---|---|
| (1) | 甲宅地　乙宅地 | なし | なし | ・『甲宅地』又は『乙宅地』のいずれか一の宅地（主として居住の用に供している一の宅地等） |
| (2) | 甲宅地　乙宅地 | Ａ宅地 | なし | ・『甲宅地』又は『乙宅地』のいずれか一の宅地（主として居住の用に供している一の宅地等）<br>・『Ａ宅地』 |
| (3) | 甲宅地　乙宅地 | Ａ宅地 | α宅地 | ・『甲宅地』又は『乙宅地』のいずれか一の宅地（主として居住の用に供している一の宅地等）<br>・『Ａ宅地』<br>・『α宅地』 |

(2)　被相続人と生計を一にしていた当該被相続人の親族の居住の用に供されていた宅地等が２以上ある場合（下記(3)に該当する場合を除きます。）

当該親族が主としてその居住の用に供していた一の宅地等（注）が小規模宅地等の課税特例の対象とされます。

（注）　被相続人と生計を一にしていた当該被相続人の親族が２人以上ある場合には、当該親族ごとにそれぞれ主としてその居住の用に供していた一の宅地等が小規模宅地等の課税特例の対象（生計一の親族ごとの個々の判定となります。）とされます。

なお、上記の取扱いの適用事例を示すと、下記 図解 のとおりとなります。

**図解**　**被相続人と生計を一にする親族の居住用宅地等が２以上ある場合**

| 番号 | 被相続人の居住の用に供されていた宅地等 | 被相続人と生計を一にしていた当該被相続人の親族（長男）の居住の用に供されていた宅地等 | 被相続人と生計を一にしていた当該被相続人の親族（二男）の居住の用に供されていた宅地等 | 『特定居住用宅地等』に該当する可能性のある宅地等 | 備考 |
|---|---|---|---|---|---|
| (1) | なし | Ａ宅地　Ｂ宅地 | なし | ・『Ａ宅地』又は『Ｂ宅地』のいずれか一の宅地（主として居住の用に供している一の宅地等） | |
| (2) | 甲宅地 | Ａ宅地　Ｂ宅地 | なし | ・『甲宅地』<br>・『Ａ宅地』又は『Ｂ宅地』のいずれか一の宅地（主として居住の用に供している一の宅地等） | |
| (3) | 甲宅地 | Ａ宅地　Ｂ宅地 | α宅地 | ・『甲宅地』<br>・『Ａ宅地』又は『Ｂ宅地』のいずれか一の宅地（主として居住の用に供している一の宅地等）<br>・『α宅地』 | 生計一の親族が複数存在する場合 |
| (4) | なし | Ａ宅地　Ｂ宅地 | α宅地　β宅地 | ・『Ａ宅地』又は『Ｂ宅地』のいずれか一の宅地（主として居住の用に供している一の宅地等）<br>・『α宅地』又は『β宅地』のいずれか一の宅地（主として居住の用に供している一の宅地等） | 生計一の親族が複数存在する場合 |
| (5) | 甲宅地 | Ａ宅地　Ｂ宅地 | α宅地　β宅地 | ・『甲宅地』<br>・『Ａ宅地』又は『Ｂ宅地』のいずれか一の宅地（主として居住の用に供している一の宅地 | 生計一の親族が複数存在する場合 |

| | | | | | |
|---|---|---|---|---|---|
| | | | | 等）<br>・『α宅地』又は『β宅地』のいずれか一の宅地（主として居住の用に供している一の宅地等） | |

(3)　被相続人及び当該被相続人と生計を一にしていた当該被相続人の親族の居住の用に供されていた宅地等が２以上ある場合

下記に掲げる①又は②の場合の区分に応じて、それぞれに定める宅地等が小規模宅地等の課税特例の対象とされます。

①　当該被相続人が主としてその居住の用に供していた一の宅地等と当該親族が主としてその居住の用に供していた一の宅地等とが同一である場合

当該一の宅地等

なお、上記の取扱いの適用事例を示すと、下記 図解 のとおりとなります。

**図解　被相続人及び生計一親族の居住用宅地等がそれぞれ２以上あり、かつ、主たる居住用宅地等が同一の場合**

| 被相続人の居住の用に供されていた宅地等 | 被相続人と生計を一にしていた当該被相続人の親族（長男）の居住の用に供されていた宅地等 | 被相続人と生計を一にしていた当該被相続人の親族（二男）の居住の用に供されていた宅地等 | 『特定居住用宅地等』に該当する可能性のある宅地等 |
|---|---|---|---|
| （注）<br>２階<br>１階<br>甲宅地　乙宅地<br>（主たる居住） | （注）<br>２階<br>１階<br>甲宅地　Ａ宅地<br>（主たる居住） | なし | ・『甲宅地』 |

（注）　上記 図解 において、被相続人所有の甲宅地上に存する家屋の課税時期における利用状況は下記に掲げるとおりです。

１階　……　被相続人とその配偶者の居住供用部分

２階　……　被相続人と生計を一にする親族（長男）の居住供用部分

②　当該被相続人が主としてその居住の用に供していた一の宅地等及び当該親族が主としてその居住の用に供していた一の宅地等とが異なる場合

当該被相続人が主として居住の用に供していた一の宅地等及び当該親族（注）が主としてその居住の用に供していた一の宅地等

（注）　当該親族が２人以上ある場合には、当該親族ごとにそれぞれ主としてその居住の用に供していた一の宅地等が小規模宅地等の課税特例の対象（生計一の親族ごとの個々の判定となります。）とされます。

なお、上記の取扱いの適用事例を示すと、下記 図解 のとおりとなります。

図解　**被相続人及び生計一親族の居住用宅地等がそれぞれ2以上あるものの、主たる居住用宅地等は同一ではない場合**

| 番号 | 被相続人の居住の用に供されていた宅地等 | 被相続人と生計を一にしていた当該被相続人の親族（長男）の居住の用に供されていた宅地等 | 被相続人と生計を一にしていた当該被相続人の親族（二男）の居住の用に供されていた宅地等 | 『特定居住用宅地等』に該当する可能性のある宅地等 | 備考 |
|---|---|---|---|---|---|
| (1) | 甲宅地　乙宅地 | A宅地　B宅地 | なし | ・『甲宅地』又は『乙宅地』のいずれか一の宅地（主として居住の用に供している一の宅地等）<br>・『A宅地』又は『B宅地』のいずれか一の宅地（主として居住の用に供している一の宅地等） | |
| (2) | 甲宅地　乙宅地 | A宅地　B宅地 | α宅地　β宅地 | ・『甲宅地』又は『乙宅地』のいずれか一の宅地（主として居住の用に供している一の宅地等）<br>・『A宅地』又は『B宅地』のいずれか一の宅地（主として居住の用に供している一の宅地等）<br>・『α宅地』又は『β宅地』のいずれか一の宅地（主として居住の用に供している一の宅地等） | 生計一の親族が複数存在する場合 |

### (3)　被相続人等の居住用宅地等が2以上ある場合（その2：相当複雑な事案の確認）

**質疑**　被相続人は相続開始の直前において甲宅地上に存する家屋（被相続人所有）の1階部分を主たる居住の用に供しており、その一方で乙宅地についても副次的に居住の用に供していました。

また、被相続人と生計を一にしていた被相続人の親族である長男は、前記の甲宅地上に存する家屋の２階部分を主たる居住の用に供する一方で、Ａ宅地（被相続人所有）についても副次的に居住の用に供していました。

さらに、被相続人と生計を一にしていた被相続人の親族である二男は、いずれも被相続人が所有するα宅地及びβ宅地上に存する２棟の家屋に必要に応じて住み分けて居住の用に供していました。

上記のような状況にある場合において、被相続人等の居住用宅地等が『特定居住用宅地等』に該当する可能性があると認められるのは、どの宅地等になりますか。

## 応答

質疑 の事例を図示すると、下記に掲げる 図解 のとおりとなります。

図解

| 被相続人の居住の用に供されていた宅地等 | 被相続人と生計を一にしていた当該被相続人の親族（長男）の居住の用に供されていた宅地等 | 被相続人と生計を一にしていた当該被相続人の親族（二男）の居住の用に供されていた宅地等 |
|---|---|---|

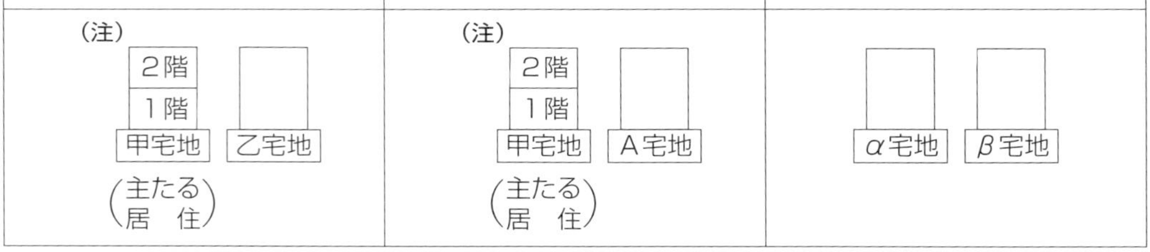

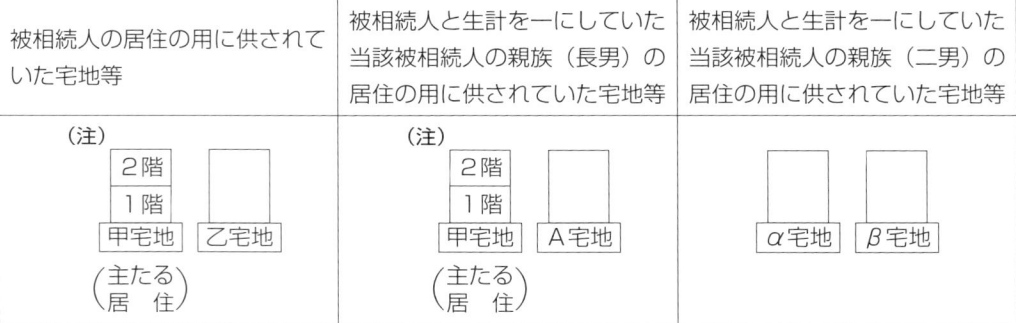

（注）　被相続人所有の甲宅地上に存する家屋の課税時期における利用状況は下記に掲げるとおりです。
１階　……　被相続人とその配偶者の居住供用部分
２階　……　被相続人と生計を一にする親族（長男）の居住供用部分

質疑 の事例の場合、被相続人と２人の生計を一にする親族との関係及び２人の生計を一にしていた親族間に対して適用される小規模宅地等の課税特例（特定居住用宅地等）の適用関係を掲げると下記のとおりになります。

(1)　被相続人と長男の関係

質疑 の事例は、被相続人の居住の用に供されていた宅地等と被相続人と生計を一にしていた当該被相続人の親族（長男）の居住用宅地等がそれぞれ２以上あり、かつ、主たる居住用宅地等が同一の場合に該当します。

(2)　被相続人と二男との関係

質疑 の事例は、被相続人の居住の用に供されていた宅地等と被相続人と生計を一にしていた当該被相続人の親族（二男）の居住用宅地等がそれぞれ２以上あるものの、主たる居住用宅地等は同一ではない場合に該当します。

(3)　長男と二男との関係

**質疑** の事例は、被相続人と生計を一にしていた親族が複数（長男と二男）存在していたことから、当該親族ごとにそれぞれ主として居住の用に供していた一の宅地等を判定する場合に該当します。

以上の取扱いに基づいて、**質疑** の事例の場合、被相続人の居住用宅地等が『特定居住用宅地等』に該当する可能性のある宅地等を判定すると下記のとおりになります。

・『甲宅地』

・『α宅地』又は『β宅地』のいずれか一の宅地（主として居住の用に供している一の宅地等）

## (4)　被相続人の居住用宅地等と被相続人と生計を一にする親族の居住用宅地等の双方を小規模宅地等の課税特例の対象とすることの可否

**質疑**　被相続人甲の相続財産のうちには、次に掲げる２か所の宅地（Ｘ宅地及びＹ宅地）が存在し、その詳細は下表に掲げるとおりです。

| 宅地 | 面積 | 相続開始時における利用状況 | 取得者 | 参考事項等 |
|---|---|---|---|---|
| Ｘ宅地 | 200㎡ | 被相続人甲所有の家屋の敷地の用に供用され、当該家屋には、被相続人甲と長男Ａが同居しています。 | 長男Ａ | 長男Ａは、Ｘ宅地を取得後、相続税の申告期限まで引き続き所有し、継続して居住の用に供するものとしています。 |
| Ｙ宅地 | 120㎡ | 被相続人甲所有の家屋の敷地の用に供用され、当該家屋には、被相続人甲と生計を一にする二男Ｂが居住しています。 | 二男Ｂ | 二男Ｂは、Ｙ宅地を取得後、相続税の申告期限まで引き続き所有し、継続して居住の用に供するものとしています。 |

そうすると、Ｘ宅地の面積が200㎡であり、Ｙ宅地の面積が120㎡であることからすると合計しても330㎡以下（合計限度面積）となり、また、Ｘ宅地はいわゆる(A)『被相続人の居住用家屋に居住していた親族が取得した場合』に該当し、Ｙ宅地も(B)『被相続人と生計を一にする親族の居住の用に供されていた場合』に該当するものとして、これらの宅地の双方を小規模宅地等の課税特例の対象とされる特定居住用宅地等として取り扱うことは認められるのでしょうか。

**応答**

(1)　概要

①　被相続人の同居の親族が取得した場合

上記 **質疑** の(A)＿＿部分に掲げる『被相続人の居住用家屋に居住していた親族が取得した場合』に該当するためには、財産を取得した被相続人の親族（当該被相続人の配偶者を除きます。）が、相続開始の直前において当該宅地等の上に存する当該被相続人の居住の用に供されたていた１棟の建物に居住していた者であって、相続開始時から相続税の申告書の提出期限（以下「申告期限」といいます。）（当該親族が申告期限前に死亡した場合には、その死亡の日。以下同じ。）まで引き続き当該宅地等を有し、かつ、当該建物に居住していることが要件とされています。

②　被相続人と生計を一にする親族の居住の用に供されていた場合

上記 **質疑** の(B)部分に掲げる『被相続人と生計を一にする親族の居住の用に供されていた場合』に該当するためには、財産を取得した親族（当該被相続人の配偶者を除きます。）が、当該被相続人と生計を一にしていた者であって、相続開始時から申告期限まで引き続き当該宅地等を有し、かつ、相続開始前から申告期限まで引き続き当該宅地等を自己の居住の用に供していることが要件とされています。

⑵　当てはめ

上記 **質疑** の事例に掲げるＸ宅地は、その前提条件から上記⑴①に示されている被相続人と同居の親族が取得した場合の要件を充足しているものと認められ、また、Ｙ宅地についてもその前提条件から上記⑴②に示されている被相続人と生計を一にする親族の居住の用に供されていた場合の要件を充足しているものと認められます。

そうすると、**質疑** の事例の場合には、被相続人甲の居住の用に供されていた宅地等（当該被相続人甲と同居の親族Ａが取得）と被相続人甲と生計を一にしていた当該被相続人甲の親族Ｂの居住の用に供されていた宅地等（当該被相続人甲と生計を一にしていた当該被相続人甲の親族Ｂが取得）の双方が存在することとなりますが、これらの双方について特定居住用宅地等を適用することについて小規模宅地等の課税特例に特段の制限規定は設けられておらず、限度面積要件を充足するのであれば、その適用は可能とされています。

⑶　留意点

特定居住用宅地等の定義として、「被相続人等の居住の用に供されていた宅地等（(C)当該宅地等が２以上ある場合には、政令で定める宅地等に限る。）で、（以下略）」とあり、被相続人等の居住の用に供されていた宅地等が２以上ある場合の規定に該当するのではないかという疑問が生じるかもしれません。

上記の政令で定める宅地等とは、次に掲げる場合の区分に応じて、それぞれに示す宅地等をいうものとされています。

①　被相続人の居住の用に供されていた宅地等が２以上ある場合（下記③に掲げる場合を除きます。）

当該被相続人が主としてその居住の用に供していた一の宅地等

②　被相続人と生計を一にしていた当該被相続人の親族の居住の用に供されていた宅地等が２以上ある場合（下記③に掲げる場合を除きます。）

当該親族が主としてその居住の用に供していた一の宅地等（当該親族が２人以上ある場合には、当該親族ごとにそれぞれ主としてその居住の用に供していた一の宅地等。下記③

において同じです。)

③　被相続人及び当該被相続人と生計を一にしていた当該被相続人の親族の居住の用に供されていた宅地等が２以上ある場合

次に掲げる場合の区分に応じて、それぞれ次に定める宅地等

(イ)　当該被相続人が主としてその居住の用に供していた一の宅地等と当該親族が主としてその居住の用に供していた一の宅地等とが同一である場合

当該一の宅地等

(ロ)　上記(イ)に掲げる場合以外の場合

当該被相続人が主としてその居住の用に供していた一の宅地等及び当該親族が主としてその居住の用に供していた一の宅地等

そうすると、上記(C)部分の「当該宅地等が２以上ある場合には、政令で定める宅地等に限る。」との文言は、被相続人の居住用宅地等が複数ある場合（上記①部分）、被相続人と生計を一にする親族の居住用宅地等が複数ある場合（上記②部分）又は被相続人及び当該被相続人と生計を一にする親族の居住用宅地等がそれぞれに複数ある場合（上記③部分）の取扱いを定めたものであり、**質疑** の事例のように被相続人甲の居住用宅地等及び被相続人甲と生計を一にする親族Ｂの居住用宅地等がそれぞれ１か所ずつ存在する場合に対する取扱いを定めたものではないことに留意する必要があります。

(注)　被相続人等の居住の用に供されていた宅地等が２以上ある場合の取扱いの詳細については、前々問(2)及び前問(3)を参照してください。

### (5)　被相続人等の居住用宅地等を配偶者が取得した場合の小規模宅地等の課税特例の可否（その１：被相続人の居住用宅地等を相続税の申告期限までに譲渡した場合）

**質疑**

被相続人甲の相続財産のうちには、同人及びその配偶者乙が居住の用に供しているＸ不動産（Ｘ家屋及びＸ宅地から構成されています。）があり、配偶者乙が相続により取得しています。

配偶者乙は被相続人甲に係る相続開始後においては一人暮らしが心細いため、遠方に居住する長女宅へ転居し、その結果、被相続人甲に係る相続税の申告期限までにＸ不動産を譲渡してしまいました。

このような場合には、配偶者乙が取得したＸ宅地について特定居住用宅地等（減額割合80％）としての小規模宅地等の課税特例の適用はどのようになりますか。

**応答**

被相続人等の居住の用に供されていた宅地等が、小規模宅地等の課税特例の適用対象とされる特定居住用宅地等に該当するための要件として、当該被相続人の配偶者が相続又は遺贈により取得したものであることが挙げられています。

そして、当該配偶者が取得した場合には、他の付加要件（例えば、相続税の申告期限まで

における所有継続要件、居住継続要件）は一切問わないものとされています。

そうすると、**質疑** の事例の場合には、被相続人甲の居住の用に供されていたＸ宅地を同人の配偶者乙が相続により取得したとのことですので、たとえ、相続税の申告期限までに当該Ｘ宅地を譲渡したとしても上記に掲げる要件を充足していることとなりますので、当該Ｘ宅地は特定居住用宅地等に該当することになります。

### ⑹　被相続人等の居住用宅地等を配偶者が取得した場合の小規模宅地等の課税特例の可否（その２：被相続人と生計を一にする親族の居住用宅地等を取得した場合）

**質疑**　被相続人甲の相続財産のうちには、同人と生計を一にする親族である長男Ａが居住の用に供しているＸ不動産（Ｘ家屋及びＸ宅地から構成されています。）がありました。

当該Ｘ不動産については、被相続人甲に係る配偶者乙が相続により取得しています。配偶者乙は当該Ｘ不動産を取得した後においても、継続して末長く長男Ａの居住の用に供させることを予定しています。

このような場合には、配偶者乙が取得したＸ宅地について特定居住用宅地等（減額割合80％）としての小規模宅地等の課税特例の適用はどのようになりますか。

類題　上記において、配偶者乙が相続により取得したＸ不動産を被相続人甲に係る相続税の申告期限までに譲渡した場合には、どのようになりますか。

**応答**

被相続人等の居住の用に供されていた宅地等が、小規模宅地等の課税特例の適用対象とされる特定居住用宅地等に該当するための要件として、当該被相続人の配偶者が相続又は遺贈により取得したものであることが挙げられています。

また、上記の『被相続人等の居住の用に供されていた宅地等』の文言のうちの『被相続人等』（上記＿＿部分）とは、被相続人又は当該被相続人と生計を一にしていた当該被相続人の親族をいうものとされています。

そうすると、**質疑** の事例の場合には、被相続人甲と生計を一にする親族である長男Ａの居住の用に供されていたＸ宅地を配偶者乙が相続により取得したとのことですので、当該Ｘ宅地は特定居住用宅地等に該当することになります。

なお、類題で、配偶者乙が相続税の申告期限までに譲渡した場合の取扱いについてですが、被相続人と生計を一にしていた当該被相続人の親族の居住の用に供されていた宅地等を当該被相続人の配偶者が取得した場合には、他の付加要件（例えば、相続税の申告期限までにおける所有継続要件、居住継続要件）は一切問わないものとされていることから、この場合においても、配偶者乙が相続により取得したＸ宅地は特定居住用宅地等に該当することになります。

### (7) 相続税の申告期限までに宅地等を取得した配偶者が死亡した場合における特定居住用宅地等の取扱い

**質疑**　被相続人甲は、本年２月に相続の開始がありました。同人が所有し長年、配偶者乙とともに居住の用に供していた不動産（家屋及びその敷地の用に供されている宅地）については、同年８月に行われた遺産分割協議により、当該配偶者乙が相続により取得することになりました。

その後、配偶者乙は、被相続人甲に係る相続税の申告期限前である本年11月に死亡してしまいました。

配偶者乙に係る相続開始により当該不動産を取得した親族は別途に居宅を保有しているため、その後は未利用のままで放置されています。

上記に掲げる状況において、被相続人甲に係る相続税の申告において、当該被相続人甲及び配偶者乙の居住の用に供されていた家屋の敷地である宅地について、『特定居住用宅地等』に該当するものとして、小規模宅地等の課税特例の対象とすることは認められますか。

**応答**

被相続人等の居住の用に供されていた宅地等が『特定居住用宅地等』に該当する形態の１つとして、当該宅地等を当該被相続人の配偶者が相続又は遺贈により取得した場合が挙げられています。

この場合には、上述のとおり、当該被相続人の配偶者が当該宅地等を取得すればそれのみで要件を充足し、他の要件（相続税の申告期限までにおける所有継続要件、居住継続要件等）は問わないものとされています。

このような取扱いとされたのは、被相続人の配偶者という法律的立場の尊重及び当該配偶者に対する居住用財産（宅地等）相当部分に対する相続税課税上のより一層の配慮という観点に起因しているものと考えられます。

そうすると、**質疑** の事例の場合には、被相続人甲から同人らの居住の用に供されている宅地等を相続により取得した配偶者乙は被相続人甲に係る相続税の申告期限までに死亡し、その後は居住を継続する者が存在しないとのことですが、被相続人の配偶者が取得した場合には、相続税の申告期限までの所有継続要件及び居住継続要件は付されていないことから、この点は、判断に何らの影響も与えるものではありません。

以上より、配偶者乙が取得した **質疑** の宅地は、『特定居住用宅地等』に該当し、小規模宅地等の課税特例の対象とすることが認められるものとされます。

### (8)　相続税の申告期限までに宅地等を取得した親族（配偶者以外）が死亡した場合における特定居住用宅地等の取扱い（その１：被相続人と同居の親族が取得した場合）

**質疑**　被相続人甲は、本年１月に相続の開始がありました。同人が所有し長年、長男Ａとともに居住（同居）の用に供していた不動産（家屋及びその敷地の用に供されている宅地）については、同年５月に行われた遺産分割協議により、当該長男Ａが相続により取得することになりました。

その後、長男Ａは当該不動産を所有し、かつ、同人の居住の用に供していましたが、被相続人甲に係る相続税の申告期限前である本年９月に死亡してしまいました。

長男Ａに係る相続開始により当該不動産を取得した親族は別途に居宅を保有しているため、その後は未利用のままで放置されています。

上記に掲げる状況において、被相続人甲に係る相続税の申告において、当該被相続人甲及び長男Ａの居住の用に供されていた家屋の敷地である宅地について、『特定居住用宅地等』に該当するものとして、小規模宅地等の課税特例の対象とすることは認められますか。

**応答**

被相続人の居住の用に供されていた宅地等が『特定居住用宅地等』の取扱いを受けるためには、当該被相続人と同居の親族が取得する場合に該当するものとして、当該宅地等を相続又は遺贈により取得した当該被相続人の親族（当該被相続人の配偶者を除きます。以下本問において同じ。）が、下記に掲げる要件を充足することが必要とされています。

(1)　同居親族の要件　当該親族が、相続開始の直前において当該宅地等の上に存する当該被相続人の居住の用に供されていた家屋に居住（同居）していた者であること

(2)　所有継続の要件　相続開始時から相続税の申告期限（当該親族が相続税の申告期限前に死亡した場合には、その死亡の日。以下(3)において同じ。）まで引き続き当該宅地等を所有していること

(3)　居住継続の要件　相続税の申告期限まで当該家屋に居住していること

上記より、被相続人の居住の用に供されていた宅地等を当該被相続人と同居する親族が当該被相続人から相続又は遺贈により取得した場合においては、たとえ、当該被相続人に係る相続税の申告期限（第１次相続に係る申告期限）までに当該同居していた親族に相続開始があったとき（第２次相続の開始）でも、当該第２次相続により当該宅地等を取得した親族に対して、別段の要件の充足を求めることなく、所有継続の要件及び居住継続の要件は、第１次相続により当該宅地等を取得した当該被相続人と同居していた親族に係る相続開始日までの状況により判断するものとされていることが理解されます。（上記＿＿部分を参照）

このような取扱いとされたのは、被相続人の居住の用に供されていた宅地等を当該被相続

人と同居する親族が取得した場合における同居要件の判断基準として相続開始の直前を判断時点としており、『居住継続の要件』の判断において既に相続開始前からのある程度の期間にわたる当該親族による居住実績が認められるため、あえて、当該親族に第１次相続に係る相続税の申告期限までに相続開始があったとしても、当該第２次相続に係る親族に対する重ねての所有継続要件及び居住継続要件を求めなかったものと考えられます。

そうすると、**質疑** の事例の場合には、被相続人甲から同人らの居住の用に供されていた宅地等を相続により取得した長男Ａは被相続人甲に係る相続税の申告期限までに死亡し、その後は居住を継続する者が存在しないとのことですが、被相続人と同居する親族が取得した場合には、相続税の申告期限までの所有継続要件及び居住継続要件は付されていないことから、この点は、判断に何らの影響を与えるものではありません。

以上より、被相続人甲と同居する親族である長男Ａが取得した **質疑** の宅地は、『特定居住用宅地等』に該当し、小規模宅地等の課税特例の対象とすることが認められるものとされます。

### (9) 相続税の申告期限までに宅地等を取得した親族（配偶者以外）が死亡した場合における特定居住用宅地等の取扱い（その２：配偶者及び一定の同居親族が存せず非同居親族が取得した場合）

**質疑**

被相続人甲は、本年３月に相続の開始がありました。同人が所有し長年、１人で居住の用（注）に供していた新潟市に所在する不動産（家屋及びその敷地の用に供されている宅地）については、唯一の法定相続人であり就職の関係で東京に在住（同人は持家に居住しておらず、また、今日まで持家に居住したことはなく第三者所有の借家に居住）している長男Ａが相続により取得することになりました。

（注）被相続人甲の配偶者は、相当以前に死亡しています。

長男Ａは、当該不動産を相続により取得した後も居住することはなく未利用の状況が継続していましたが、被相続人甲に係る相続税の申告期限前である本年12月に死亡してしまいました。

長男Ａに係る相続開始により当該不動産を取得した親族（長男Ａの子）も東京に在住しているため、当該不動産は何ら利用されることなく放置されたままの状態でした。

上記に掲げる状況において、被相続人甲に係る相続税の申告について、当該被相続人甲の居住の用に供されていた家屋の敷地である宅地（新潟市所在）について、『特定居住用宅地等』に該当するものとして、小規模宅地等の課税特例の対象とすることは認められますか。

**応答**

被相続人の居住の用に供されていた宅地等が『特定居住用宅地等』の取扱いを受けるため

には、当該被相続人に配偶者及び一定の同居親族が存せず非同居親族が取得した場合に該当するものとして、当該宅地等を相続又は遺贈により取得した当該被相続人の親族（当該被相続人の配偶者を除きます。以下本問において同じ。）が下記に掲げる要件を充足することが必要とされています。

(1)　配偶者及び一定の同居親族不存在の要件

当該被相続人の配偶者又は相続開始の直前において当該被相続人の居住の用に供されていた家屋に居住していた親族（注）がいないこと

（注）『親族』は、当該被相続人の法定相続人（相続の放棄があった場合には、その放棄がなかったものとした場合における相続人）に限られます。

(2)　自己等の所有する家屋への非居住の要件

①　当該被相続人の居住の用に供されていた宅地等を取得した当該親族が、相続開始前３年以内に相続税法の施行地内にある当該親族、当該親族の配偶者、当該親族の３親等内の親族又は当該親族と特別の関係がある法人が所有する家屋（注１）に居住したことがない者（注２）であること

（注１）　当該相続の開始の直前において当該被相続人の居住の用に供されていた家屋を除きます。

（注２）　その者について、下記①ないし③に掲げる相続税の納税義務者の区分のいずれかに該当することが必要とされています。

(イ)　相続税法第１条の３《相続税の納税義務者》第１項第１号の規定に該当する者（いわゆる『居住無制限納税義務者』）

(ロ)　相続税法第１条の３《相続税の納税義務者》第１項第２号の規定に該当する者（いわゆる『非居住無制限納税義務者』）

(ハ)　相続税法第１条の３《相続税の納税義務者》第１項第４号の規定に該当する者（いわゆる『非居住制限納税義務者』）のうち日本国籍を有する者

②　当該被相続人の相続開始時に当該親族が居住している家屋を相続開始前のいずれの時においても所有していたことがないこと

(3)　所有継続の要件

相続開始時から相続税の申告期限（当該親族が相続税の申告期限前に死亡した場合には、その死亡の日。）まで引き続き当該宅地等を所有していること

上記より、被相続人の居住の用に供されていた宅地等を当該被相続人の配偶者及び一定の要件を充足する同居親族が存せず非同居親族が当該被相続人から相続又は遺贈により取得した場合においては、たとえ、当該被相続人に係る相続税の申告期限（第１次相続に係る申告期限）までに当該非同居親族に相続開始があったとき（第２次相続の開始）でも、当該第２次相続により当該宅地等を取得した親族に対して、別段の要件の充足を求めることなく、所有継続の要件は、第１次相続により当該宅地等を取得した当該非同居親族に係る相続開始日までの状況により判断するものとされていることが理解されます。（上記＿＿部分を参照）

このような取扱いとされたのは、被相続人の居住の用に供されていた宅地等を当該非同居親族が取得した場合における当該宅地等に対するしんしゃく配慮（相続税の課税価格の特例）

の必要性は、第一義的には当該非同居親族に対して図られるべきものであり、その他の者に対しては無関係であると考えられるため、あえて、当該非同居親族に第１次相続に係る相続税の申告期限までに相続開始があったとしても、当該第２次相続に係る親族に対する重ねての所有継続要件を求めなかったものと考えられます。

そうすると、**質疑** の事例の場合には、被相続人甲の居住の用に供されていた宅地等を相続により取得した長男Ａは被相続人甲に係る相続税の申告期限までに死亡し、その後も居住を継続する者が存在しないとのことですが、被相続人の配偶者及び一定の同居親族が存せず非同居親族が取得した場合には、相続税の申告期限までの所有継続要件は付されていないことから（㊟当然のこととして、居住継続要件も同様です。）、この点は、判断に何らの影響も与えるものではありません。

以上より、被相続人甲の配偶者及び一定の同居親族が存せず、当該被相続人甲とは同居とは認められない親族である長男Ａが取得した **質疑** の宅地は、『特定居住用宅地等』に該当し、小規模宅地等の課税特例の対象とすることが認められるものとされます。

### ⑽　相続税の申告期限までに宅地等を取得した親族（配偶者以外）が死亡した場合における特定居住用宅地等の取扱い（その３：被相続人と生計を一にする親族の居住の用に供されていた場合）

**質疑**　被相続人甲は、本年４月に相続の開始がありました。同人の所有する不動産（家屋及びその敷地の用に供されている宅地）のうちには、下記に掲げるとおり、相続開始時において当該被相続人甲と生計を一にする親族（長男Ａ）の居住の用に供されているものがありました。

被相続人甲と生計を一にする親族の居住の用に供用されていた宅地等

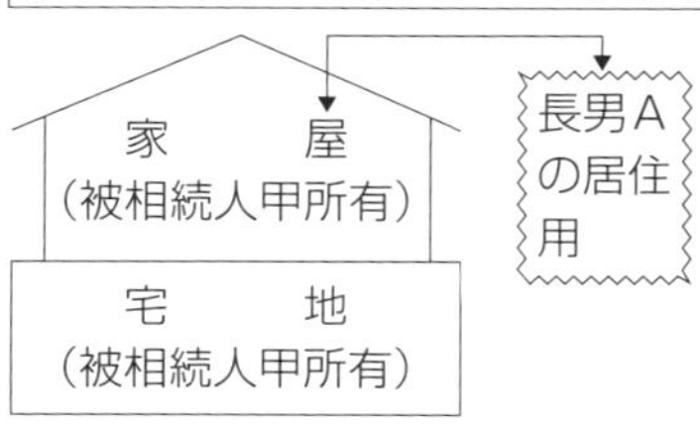


- 被相続人甲と生計を一にする親族（長男Ａ）の居住の用に相続開始前から供用されています。
- 被相続人甲と長男Ａとの間には、家賃の収受はなされていません。
- 当該財産は、長男Ａが遺産分割協議により取得しました。

上記に掲げる状況において、長男Ａは遺産分割協議の完了後で被相続人甲に係る相続税の申告期限前である本年９月に死亡しました。

長男Ａに係る相続開始により当該不動産を取得した親族（長男Ａの子）は既に自己所有の家屋に居住しているため、当該不動産は長男Ａに係る相続開始後は何ら利用されることなく、放置されたままの状態でした。

このような場合、被相続人甲に係る相続税の申告について、当該被相続人甲と生計を一にする親族である長男Ａの居住の用に供されていた家屋の敷地である宅地について、『特定居住用宅地等』に該当するものとして、小規模宅地等の課税特例の対象とすることは認められますか。

**応答**

被相続人と生計を一にする親族の居住の用に供されていた宅地等が『特定居住用宅地等』の取扱いを受けるためには、当該宅地等を相続又は遺贈により取得した当該被相続人の親族が、下記に掲げる要件を充足することが必要とされています。

(1)　生計一親族の要件　当該親族が当該被相続人と生計を一にしていた者であること

(2)　所有継続の要件　上記(1)に掲げる親族が相続開始時から相続税の申告期限(A)（当該親族が相続税の申告期限前に死亡した場合には、その死亡の日。以下本問において同じ。）まで引き続き当該宅地等を所有していること

(3)　居住継続の要件　上記①に掲げる親族が(B)相続開始前から相続税の申告期限まで引き続き当該宅地等を自己（**筆者注**　当該宅地等を承継した被相続人と生計を一にしていた親族）の居住の用に供していること

上記より、被相続人と生計を一にする親族の居住の用に供されていた宅地等を当該生計を一にする親族が当該被相続人から相続又は遺贈により取得した場合においては、たとえ当該被相続人に係る相続税の申告期限（第１次相続に係る申告期限）までに当該生計を一にしていた親族に相続開始があったとき（第２次相続の開始）でも、当該第２次相続により当該宅地等を取得した親族に対して、別段の要件の充足を求めることなく、所有継続の要件及び居住継続の要件は、第１次相続により当該宅地等を取得した当該生計を一にしていた親族に係る相続開始日までの状況により判断するものとされていることが理解されます。（上記(A)部分を参照）

このような取扱いとされたのは、被相続人と生計を一にする親族の居住の用に供されていた宅地等が『特定居住用宅地等』に該当するための要件の１つである『居住継続の要件』において、相続開始前からの居住供用を当該生計を一にする親族に求めており（上記(B)部分）、既に相続開始前からのある程度の期間にわたる生計一親族による居住の実績が認められることから、あえて、当該生計を一にする親族に第１次相続に係る相続税の申告期限までに相続開始があったとしても、当該第２次相続に係る親族に対する重ねての所有継続要件及び居住継続要件を求めなかったものと考えられます。

そうすると、**質疑**の事例の場合には、被相続人甲から宅地を相続により取得した当該被相続人甲と生計を一にする親族である長男Ａは、被相続人甲に係る第１次相続の申告期限までに相続開始があり、当該長男Ａが居住の用に供していた宅地等を自己の居住の用に供する目的で承継した者は存していませんが、当該事項自体は判断に影響するものではなく、上記に掲げる要件を充足するものと認められます。

以上より、**質疑**に掲げる宅地は『特定居住用宅地等』に該当することとなり、小規模宅地等の課税特例の対象とすることが認められることになります。

### ⑾　被相続人の入院等により空家となっていた建物の敷地に対する特定居住用宅地等の取扱い

**質疑**　被相続人甲は、相続開始の３年前から病気治療のため入院していましたが本年６月に死亡してしまいました。

被相続人甲が入院するまで自己の居住の用に供していた建物は、同人が１人暮らし（配偶者や同居親族はいませんでした。）であったため入院後は誰も住んでいませんでした。（建物の維持管理は長男Ａ（旧来より第三者所有の借家に居住し、持家に居住したことはありません。）が行っていました。）

この場合に、当該建物及びその敷地の用に供されていた宅地等を長男Ａが相続したとき（相続税の申告期限まで所有を継続）は、当該宅地等は80％減額の対象となる特定居住用宅地等に該当しますか。

**応答**

被相続人が所有する宅地等が、当該被相続人の居住用宅地等に該当するか否かは、当該被相続人がその宅地等の上に存する建物に生活の拠点があったかどうかにより判定（被相続人の日常生活の状況、建物への入居目的、その建物の構造や設備の状況あるいは生活の拠点となるべき他の建物等の有無等を総合的に考慮して判定）します。

例えば、下記に掲げる建物については、被相続人等が居住していた事実があったとしても、被相続人等が生活の拠点を置いていた建物とはいえないものとされています。

⑴　居住の用に供する建物の建築期間中だけの仮住まいである建物

⑵　他に生活の拠点と認められる建物がありながら、小規模宅地等の課税特例の適用を受けるためのみの目的その他の一時的な目的で入居した建物

⑶　主として趣味、娯楽又は保養の用に供する目的で有する建物（別荘等）

そうしますと、入院期間中は病院で起居することとなりますので、入院中はその者の生活の拠点が病院に移転したと考えることもできますが、あくまでも病院は病気治療のための施設ですので、入院患者は病気が治った場合には退院して入院前に居住していた建物に戻るのが通常です。

したがって、被相続人が入院していて従来居住の用に供していた建物が相続開始時においては空家となっている場合においても、当該空家が空家となってから他の用途に供された（例えば貸家の用）というような事実がない限り、その者の生活の拠点は、なお当該建物（空家）にあったと考えるのが相当であり、この場合には当該建物（空家）の敷地の用に供されていた宅地等については被相続人の居住用宅地等に該当することとなります。

また、この宅地等を相続した長男Ａは特定居住用宅地等の適用要件（被相続人の配偶者及び一定の同居親族が存せず非同居親族が取得した場合）を充足していることとなりますのでその減額割合は80％となります。

なお、被相続人甲は入院して以来、退院することなく死亡していますが、当該事実は上記の判断には何らの影響も与えることはないものと考えられます。

### ⑿　被相続人が老人ホーム（健常者専用）等に入所していたため空家となっていた建物の敷地に対する特定居住用宅地等の取扱い

**質疑**　被相続人甲は、本年６月に交通事故で死亡しました。被相続人甲及びその妻は高齢ではありますが身体及び精神的にも健康で、かつ、その性格は非常に社交的であったため、相続開始前５年ぐらいは介護等の必要がないことを条件に入所することができる健常者専用の老人ホームにそれぞれ自己の意思に基づいて入所し、他の入居者とともに相続開始時まで快適な日常を過ごしていました。

一方、被相続人甲及びその妻がこの老人ホームに入所するまで居住の用に供していた建物は、特段の措置を施すことなく当該老人ホーム入所直前の状態を保ったまま維持管理がなされており、希望すれば、被相続人甲夫妻はいつでも復帰して居住を再開することが可能であったと認められます。

この建物及びその敷地の用に供されている宅地（いずれも、被相続人甲が所有）は、相続により妻が取得しました。妻が承継した場合には、相続税の申告期限までの所有継続要件及び居住継続要件が求められないことから、当該宅地等を特定居住用宅地等として小規模宅地等の課税特例の対象とすることは認められますか。

**応答**

小規模宅地等の課税特例の対象とされる『特定居住用宅地等』とは、被相続人等の居住の用に供されていた宅地等で、下記に掲げる項目のいずれかに該当する被相続人の親族が相続又は遺贈により取得したものをいうものとされています。

⑴　当該被相続人の配偶者が取得した場合

⑵　下記に掲げる①から③に掲げる項目のいずれかを満たす当該被相続人の親族（当該被相続人の配偶者を除きます。⑵において同じ。）が取得した場合

①　被相続人の居住用家屋に居住していた親族が取得した場合

②　被相続人の配偶者及び一定の同居親族が存せず非同居親族が取得した場合（いわゆる『家なき子』に該当する場合）

③　被相続人と生計を一にする親族の居住の用に供されていた場合

そうすると **質疑** の事例の宅地についても相続により妻が取得したことで、この課税特例の適用要件を充足するのではないかという考え方が生じるかもしれませんが、あくまでも、この課税特例の適用対象とされるのは『被相続人等の居住の用に供されていた宅地等』であることが要件（上記＿＿部分）とされていることから、当該宅地が被相続人等の居住用宅地等と認定されることが大前提とされます。

一般的に健常者が自発的に入居する老人ホームの場合は、原則として、病院のように病気

の治療のために滞在する施設という性格とは異なり、入所者が当該老人ホームにおいて入所直前に自宅において過ごしていたのと同様に、通常の日常生活が送れるような設備や施設を有していると認められます。

そうすると、被相続人甲夫妻がこのような状況にある老人ホームに入所した場合には、特段の事由がない限り、原則として、当該被相続人甲夫妻の生活の拠点も当該老人ホームに移転したものと考えられます。

したがって、**質疑** の事例の場合のように、当該老人ホームに転居する前に居住の用に供していた建物の敷地である宅地等については、たとえ、常時居住可能な状態で維持管理されていたとしても被相続人甲夫妻の生活の拠点は、当該建物（空家）には存在しないと考えるのが相当であり、その結果、当該宅地等は『相続開始の直前において、被相続人の居住の用に供されていた宅地等』には該当せず、小規模宅地等の課税特例の適用対象には該当しないことになります。

なお、**質疑** の事例は健常者向けの老人ホームへの入所という前提条件となっていますが、老人向け賃貸マンション（入居者が一定年齢以上であり、かつ、健常者であることを入居条件とする高齢者専用の賃貸不動産）に転居したような事例についても、上記と同様の解釈になるものと考えられます。

**理解ポイント**　平成25年度の税法改正との関係について

平成25年度の税法改正によって、平成26年１月１日以後に課税時期が到来したものから、被相続人が老人ホームに入所していた場合における空家となった家屋の敷地に対する特定居住用宅地等の判定要件が緩和されました。

すなわち、被相続人の居住用の範囲に、居住の用に供することができない一定の事由により、相続の開始の直前において当該被相続人の居住の用に供されていなかった一定の場合における当該事由により居住の用に供されなくなる直前の当該被相続人の居住の用が含まれるものとされました。

しかしながら、上記に掲げる一定の事由の１つとして、当該被相続人が要介護認定若しくは要支援認定又は障害者支援区分の認定を当該被相続人に係る相続開始の直前において受けていたことが要件とされています。

そうすると、**質疑** の事例では、被相続人甲はその相続開始の直前まで健常者であり、上掲の要介護認定若しくは要支援認定又は障害者支援区分の認定を受けていなかったことから、平成25年度の税法改正後においても、当該老人ホームに転居する前に居住の用に供していた建物の敷地である宅地等については、小規模宅地等の課税特例の適用対象にはなりません。

### ⒀　被相続人が市の措置委託により特別養護老人ホームに入所していたため空家となっていた建物の敷地に対する特定居住用宅地等の取扱い

**質疑**　被相続人甲は、老齢に伴う下半身の麻痺と重度の認知症（要介護度５と認定されています。）のため市の措置委託により入所していた特別養護老人ホームで、老衰のため本年９月に死亡しました。

被相続人甲がこの特別養護老人ホームに入所する直前まで居住の用に供していた

建物は、同人が１人住いであったために近所（第三者所有の借家）に居住している相続人Ａ（被相続人甲の長男で自己の持家に居住したことはありません。）が日常の維持管理をしており、被相続人甲の症状が緩和したならば同人の居住の用に供することができる状態で保全されていました。

この建物及びその敷地の用に供されている宅地（いずれも、被相続人甲が所有）は、相続人Ａが相続により取得（相続税の申告期限まで所有）しました。

当該宅地等を特定居住用宅地等に該当するものとして、小規模宅地等の課税特例の対象とすることは認められますか。

**応答**

前々問⑾の **質疑** の事例のように被相続人が病院へ入院していた場合は、病院は生活の拠点にはなり得ないという解釈から、被相続人が入院直前に居住の用に供していた建物の敷地である宅地等について、一定要件下に特定居住用宅地等に該当するという考え方に相当性が認められました。

また、前問⑿の **質疑** の事例のように健常者向けの老人ホームの場合には、病院のように病気の治療のための施設という性格とは異なり、一般的には自発的に入所した入所者が通常の日常生活を送ることを可能とする設備及び施設を有していることを考慮すると、被相続人がこのような老人ホームに入所した場合には、それに伴い当該被相続人の生活の拠点も当該老人ホームに移転したものと考えられます。このように解釈すると、当該被相続人が入所直前に居住の用に供していた建物の敷地である宅地等については、特定居住用宅地等に該当するという考え方は、一般的には成立しないものと考えられます。

健常者が入所する老人ホームに関する一般的な取扱いは上記のまた書き以下のとおりとなりますが、個々の事例（健常者以外の者が入所する場合）のなかには、その者の身体上又は精神上の理由により介護を受ける必要があるため、居住していた建物を離れて、老人ホームに入所しているものの、その被相続人は自宅での生活を望んでいるため、いつでも居住できるような自宅の維持管理がなされているケースがあり、このようなケースについては、諸事情を総合勘案すれば、病気治療のため病院に入院した場合と同様な状況にあるものと考えられる場合もありますから、一律に生活の拠点を移転したものとみるのは実情にそぐわない面があります。

そこで、平成25年度の税法改正（適用開始日は、平成26年１月１日に課税時期が到来したものより）によって、被相続人の居住用宅地等の範囲に、居住の用に供することができない下表に掲げる事由により、相続の開始の直前において当該被相続人の居住の用に供されていなかった場合であっても、当該被相続人の居住の用に供されなくなる直前まで当該被相続人の居住の用に供されていた家屋の敷地の用に供されていた一定の宅地等（当該被相続人の居住の用に供されなくなった後、措置法第69条の４第１項に規定する事業の用又は新たに被相続人等以外の者の居住の用に供された宅地等を除きます。）についても、これを被相続人等の居住の用に供されていた宅地等に含むものとされました。

表　被相続人の居住の用に供することができない事由（被相続人の要件・入居住居又は入所施設の要件）

| | | |
|---|---|---|
| (1) | 被相続人の要件 | ①　介護保険法第19条第１項に規定する要介護認定を受けていた被相続人<br>②　介護保険法第19条第２項に規定する要支援認定を受けていた被相続人<br>③　相続開始の直前において、介護保険法施行規則第140条の62の４第２号に該当していた被相続人 |
| | 入居住居又は入所施設の要件 | ①　老人福祉法第５条の２第６項に規定する認知症対応型老人共同生活援助事業が行われる住居<br>②　老人福祉法第20条の４に規定する養護老人ホーム<br>③　老人福祉法第20条の５に規定する特別養護老人ホーム<br>④　老人福祉法第20条の６に規定する軽費老人ホーム<br>⑤　老人福祉法第29条第１項に規定する有料老人ホーム<br>⑥　介護保険法第８条第28項に規定する介護老人保健施設<br>⑦　介護保険法第８条第29項に規定する介護医療院<br>（注）上記⑦については、平成30年４月１日以後に課税時期が到来するものから適用されるものとされています。<br>⑧　高齢者の居住の安定確保に関する法律第５条第１項に規定するサービス付き高齢者向け住宅（⑤に規定する有料老人ホームを除く。） |
| (2) | 被相続人の要件 | 障害者の日常生活及び社会生活を総合的に支援するための法律第21条第１項に規定する障害支援区分の認定を受けていた被相続人 |
| | 入居住居又は入所施設の要件 | ①　障害者の日常生活及び社会生活を総合的に支援するための法律第５条第11項に規定する障害者支援施設（同条第10項に規定する施設入所支援が行われるものに限る。）<br>②　障害者の日常生活及び社会生活を総合的に支援するための法律第５条第17項に規定する共同生活援助を行う住居 |

**質疑** の事例の『特別養護老人ホーム』は、身体上又は精神上著しい障害があるため常時介護を必要とする者で、居宅で適切な介護を受けることが困難な者を市町村等の措置委託により入所させて養護する施設であり、上表(1)③に掲げる入所施設に該当します。

そうすると、**質疑** の事例は、被相続人甲が要介護認定を受けて特別養護老人ホームに入所していたものであり、空家となっていた被相続人甲の居住用建物が空家となってから他の用途に転用されることはなかったとのことですから、当該建物の敷地の用に供されていた宅地等は被相続人甲の居住用宅地等に該当することとなります。

そして、この宅地等を相続した相続人Ａは特定居住用宅地等の要件（被相続人の配偶者及び一定の同居親族が存せず非同居親族が存せず非同居親族が取得した場合）を充足していることとなりますので、小規模宅地等の課税特例の適用は可能であり、その減額割合は80％となります。

なお、**質疑** の事例では、被相続人甲がいつでも生活できるようその建物（空家）の維持管理が行われているとのことですが、課税時期が平成26年１月１日以降である場合には、当該事項（空家の維持管理の有無）は、小規模宅地等の課税特例の適用可否の判断には直接の影響は与えないことになります。

また、上記の **質疑** において課税時期が平成25年12月31日以前である場合の取扱いについては、次の参考資料を参照してください。

**参考資料**　**課税時期が平成25年12月31日以前である場合の取扱い**

前々問⑾の **質疑** の事例のように被相続人が病院へ入院していた場合は、病院は生活の拠点にはなり得ないという解釈から、被相続人が入院直前に居住の用に供していた建物の敷地である宅地等について、一定要件下に特定居住用宅地等に該当するという考え方に相当性が認められました。

また、前問⑿の **質疑** の事例のように健常者向けの老人ホームの場合には、病院のように病気の治療のための施設という性格とは異なり、一般的には自発的に入所した入所者が通常の日常生活を送ることを可能とする設備及び施設を有していることを考慮すると、被相続人がこのような老人ホームに入所した場合には、それに伴い当該被相続人の生活の拠点も当該老人ホームに移転したものと考えられます。このように解釈すると、当該被相続人が入所直前に居住の用に供していた建物の敷地である宅地等については、特定居住用宅地等に該当するという考え方は、一般的には成立しないものと考えられます。

健常者が入所する老人ホームに関する一般的な取扱いは上記のまた書き以下のとおりとなりますが、個々の事例（健常者以外の者が入所する場合）のなかには、その者の身体上又は精神上の理由により介護を受ける必要があるため、居住していた建物を離れて、老人ホームに入所しているものの、その被相続人は自宅での生活を望んでいるため、いつでも居住できるような自宅の維持管理がなされているケースがあり、このようなケースについては、諸事情を総合勘案すれば、病気治療のため病院に入院した場合と同様な状況にあるものと考えられる場合もありますから、一律に生活の拠点を移転したものとみるのは実情にそぐわない面があります。

そこで、被相続人が、老人ホームに入所したため、相続開始の直前においても、それまで居住していた建物を離れていた場合において、次に掲げる状況が客観的に認められるときには、被相続人が居住していた建物の敷地は、相続開始の直前においてもなお被相続人の居住の用に供されていた宅地等に該当するものとして差し支えないものと考えられます。

⑴　被相続人の身体又は精神上の理由により介護を受ける必要があるため、老人ホームへ入所することとなったものと認められること

⑵　被相続人がいつでも生活できるようその建物の維持管理が行われていたこと

⑶　入所後新たにその建物を他の者の居住の用その他の用に供していた事実がないこと

⑷　その老人ホームは、被相続人が入所するために被相続人又はその親族によって所有権が取得され、あるいは終身利用権が取得されたものでないこと

**（注１）**　上記⑴について、特別養護老人ホームの入所者については、その施設の性格を踏まえれば、介護を受ける必要がある者に当たるものとして差し支えないものと考えられます。

なお、その他の老人ホームの入所者については、入所時の状況に基づき判断します。

**（注２）**　上記⑵の「被相続人がいつでも生活できるよう建物の維持管理が行われている」とは、その建物に被相続人の起居に通常必要な動産等が保管されるとともに、その建物及び敷地が起居可能なように維持管理されていることをいいます。

なお、**質疑**の事例のような『特別養護老人ホーム』については、上記（注１）に掲げるとおり、身体上又は精神上著しい障害があるため常時介護を必要とする者で、居宅で適切な介護を受けることが困難な者を市町村等の措置委託により入所させて養護する施設ですから、一般の老人ホームへの入所に比して、特別養護老人ホームへの入所はその目的や理由等を勘案しますと、病気の治療のために病院に入院したのと同様の状況にあると解釈することもできます。そこで、被相続人が特別養護老人ホームに入所していた場合には、相続開始時において空家となっている被相続人の居住用建物が空家となってから他の用途に転用されることなく、いつでも被相続人が帰宅した場合には当該建物において日常生活が可能であるように維持管理がなされていると認められる場合には、当該建物の敷地の用に供されていた宅地等は被相続人の居住用宅地等に該当することとなります。（なお、この宅地等を相続した相続人Ａは特定居住用宅地等の要件（被相続人甲の配偶者及び一定の同居親族が存せず非同居親族が取得した場合）を充足していることとなりますので、小規模宅地等の課税特例の適用は可能であり、その減額割合は80％となります。）

### ⒁　被相続人が介護付終身利用型有料老人ホームに入所していたため空家となっていた建物の敷地に対する特定居住用宅地等の取扱い

**質疑**

被相続人甲は、日常生活動作全般について介護を必要とし単身では生活が困難な状態で要介護認定（要介護度３と認定されています。）を受けていたことから、ケアマネージャーの助言に基づいて介護付終身利用型有料老人ホームに入所（終身利用契約を締結し、入所預り金（３年間で償却し、以後返還金はなし）も全額支払済み）していましたが、入所後、４年経過した本年１月に死亡しました。

被相続人甲がこの介護付終身利用型老人ホームに入所する直前まで居住の用に供していた建物は、同人が１人住いであったために近所に居住（旧来より借家住い）している相続人Ａ（被相続人甲の長男）が日常の維持管理をしており、被相続人甲の症状が緩和したならば同人の居住の用に供することができる状態で保全されていました。

この建物及びその敷地の用に供されている宅地（いずれも、被相続人甲が所有）は、相続人Ａが相続により取得（相続税の申告期限まで所有）しました。当該宅地等を特定居住用宅地等に該当するものとして、小規模宅地等の課税特例の対象とすることは認められますか。

**応答**

下記**参考資料**に掲げるとおり、従来（課税時期が平成25年12月31日までに到来した場合）の課税実務上の取扱いでは、被相続人が老人ホームに入所したため、相続開始の直前においてそれまで居住していた建物を離れていた場合においても、当該建物（空家）の敷地がなお被相続人の居住の用に供されていた宅地等に該当するための要件の１つとして、「その老人ホームは、被相続人が入所するために被相続人又はその親族によって所有権が取得され、あるいは終身利用権が取得されたものではないこと」が挙げられており、**質疑** の事例は、その前提から当該要件を充足していないものとされ、小規模宅地等の課税特例の適用は認められないものとされていました。

しかしながら、現実的には、**質疑** のような介護付終身利用型老人ホームに入所するに当たって、所有権又は終身利用権の取得（換言すれば、これらの権利の取得を対価とする一時金の支出）を伴わない事例は、ほぼ皆無であり、実務上におけるその適用可能性に疑義が挿まれることも珍しくはなかったようです。

そこで、平成25年度の税法改正（適用開始日は、平成26年１月１日に課税時期が到来したものより）によって、被相続人の居住用宅地等の範囲に、居住の用に供することができない下表に掲げる事由により、相続の開始の直前において当該被相続人の居住の用に供されていなかった場合であっても、当該被相続人の居住の用に供されなくなる直前まで当該被相続人の居住の用に供されていた家屋の敷地の用に供されていた一定の宅地等（当該被相続人の居住の用に供されなくなった後、措置法第69条の４第１項に規定する事業の用又は新たに被相続人等以外の者の居住の用に供された宅地等を除きます。）についても、これを被相続人等の居住の用に供されていた宅地等に含むものとされました。

表　被相続人の居住の用に供することができない事由（被相続人の要件・入居住居又は入所施設の要件）

| | | |
|---|---|---|
| (1) | 被相続人の要件 | ①　介護保険法第19条第１項に規定する要介護認定を受けていた被相続人<br>②　介護保険法第19条第２項に規定する要支援認定を受けていた被相続人<br>③　相続開始の直前において、介護保険法施行規則第140条の62の４第２号に該当していた被相続人 |
| | 入居住居又は入所施設の要件 | ①　老人福祉法第５条の２第６項に規定する認知症対応型老人共同生活援助事業が行われる住居<br>②　老人福祉法第20条の４に規定する養護老人ホーム<br>③　老人福祉法第20条の５に規定する特別養護老人ホーム<br>④　老人福祉法第20条の６に規定する軽費老人ホーム<br>⑤　老人福祉法第29条第１項に規定する有料老人ホーム<br>⑥　介護保険法第８条第28項に規定する介護老人保健施設<br>⑦　介護保険法第８条第29項に規定する介護医療院<br>（注）上記⑦については、平成30年４月１日以後に課税時期が到来するものから適用されるものとされています。<br>⑧　高齢者の居住の安定確保に関する法律第５条第１項に規定するサービス付き高齢者向け住宅（⑤に規定する有料老人ホームを除く。） |
| (2) | 被相続人の要件 | 障害者の日常生活及び社会生活を総合的に支援するための法律第21条第１項に規定する障害支援区分の認定を受けていた被相続人 |
| | 入居住居又は入所施設の要件 | ①　障害者の日常生活及び社会生活を総合的に支援するための法律第５条第11項に規定する障害者支援施設（同条第10項に規定する施設入所支援が行われるものに限る。） |

| | | |
|---|---|---|
| | | ②　障害者の日常生活及び社会生活を総合的に支援するための法律第５条第17項に規定する共同生活援助を行う住居 |

**質疑** の事例の『介護付終身利用型有料老人ホーム』は、老人を入居させ、入浴、排せつ若しくは食事の介護、食事の提供又はその他の日常生活上必要な一定の便宜の供与をする事業を行う一定の施設であり、上表⑴⑤に掲げる入所施設に該当します。

そうすると、**質疑** の事例は、被相続人甲が要介護認定を受けて介護付終身利用型有料老人ホームに入所していたものであり、空家となっていた被相続人甲の居住用建物が空家となってから他の用途に転用されることはなかったとのことですから、当該建物の敷地の用に供されていた宅地等は被相続人甲の居住用宅地等に該当することになります。

なお、この宅地等を相続した相続人Ａは特定居住用宅地等の要件（被相続人の配偶者及び一定の同居親族が存せず非同居親族が取得した場合）を充足していることとなりますので、小規模宅地等の課税特例の適用は可能であり、その減額割合は80％となります。

また、**質疑** の事例では、被相続人甲がいつでも生活できるようにその建物（空家）の維持管理が行われているとのことですが、課税時期が平成26年１月１日以降である場合には、当該事項（空家の維持管理の有無）は、小規模宅地等の課税特例の適用可否の判断には直接の影響は与えないことになります。

なお、上記の **質疑** において課税時期が平成25年12月31日以前である場合の取扱いについては、次の参考資料を参照してください。

**参考資料**　課税時期が平成25年12月31日以前である場合の取扱い

前問⒀でも確認したとおり、老人ホームへの入所には様々な形態（入所動機、帰宅希望の有無等）が認められるところから、老人ホームへの入所に伴って自動的に従前、被相続人の居住の用に供していた建物の敷地等である宅地（注）が一律に生活の拠点でなくなり、小規模宅地等の課税特例の対象とされなくなるという取扱いは相当でないと考えられます。

（注）　その建物に被相続人の起居に通常必要な動産等が保管されるとともに、その建物及び敷地である宅地が起居可能なように維持管理されていることが前提となります。

そこで、課税実務上の取扱いでは、被相続人が老人ホームに入所したため、相続の開始の直前においても、それまで居住していた建物を離れていた場合において、次に掲げる状況が客観的に認められるときには、被相続人が居住していた建物の敷地は、相続開始の直前においてもなお被相続人の居住の用に供されていた宅地等に該当するものと考えられるとされています。

⑴　被相続人の身体又は精神上の理由により介護を受ける必要があるため、老人ホームへ入所することとなったものと認められること

（注）　特別養護老人ホーム以外のその他の老人ホームの入所者については、入所時の状況に基づいて上記に該当するか否かを判断します。

⑵　被相続人がいつでも生活できるようその建物の維持管理が行われていたこと

⑶　入所後新たにその建物を他の者の居住の用その他の用に供していた事実がないこと

⑷　その老人ホームは、被相続人が入所するために被相続人又はその親族によって所有権が取得され、あるいは終身利用権が取得されたものでないこと

そうすると、**質疑** の事例の場合には被相続人甲は介護を受ける必要があるため当該老人ホームに入所し、かつ、留守宅は被相続人甲の当該老人ホーム入所直前の状況を保持したまま維持管理がなされているものと認められることから、上記に掲げる⑴、⑵及び⑶の要件は充足していることになります。

しかしながら、被相続人甲が入所したのは介護付終身利用型の老人ホームで入所に当たっては終身利用契約を締結し入所預り金も全額支払済みとのことですから、上記⑷に掲げる要件（所有権又は終身利用権の未取得）を充足していないことになります。また、当該終身利用契約の締結によって被相続人甲は当該老人ホームを終身にわたって利用することが可能（注）であったと認められることから、当該老人ホームへの入所は客観的に判断して一時的なものであるとは認められないものと考えられます。

（注）　一般的には、当該老人ホームへの月額利用料は、介護保険及び健康保険等からの給付金及び入所者本人の年金（老齢年金等）で賄うことになります。

そうすると、被相続人がこのような終身利用権を伴う老人ホームに入所した場合には、それに伴い当該被相続人の生活の拠点も当該老人ホームに移転したものと考えられます。このように解釈すると、当該被相続人が入所直前に居住の用に供していた建物の敷地である宅地等については、特定居住用宅地等に該当するという考え方は、一般的に成立しないものと考えられます。

### ⒂　被相続人が老人ホーム等に入居又は入所していた場合の留守宅の敷地である宅地に対する特定居住用宅地等の取扱い（その１：被相続人に係る相続開始時に要介護認定申請中であった場合）

**質疑**　被相続人甲は、妻が他界したことを起因として従来居住していたＸ不動産（被相続人甲が所有するＸ家屋及びＸ宅地から構成されています。）から有料老人ホーム（老人福祉法第29条第１項に規定するものです。）に転居しましたが、入所時には非常に元気で何らの認定も受けていませんでした。

ところが、被相続人甲は入所後、ケガをしたことから身体に不自由が生じ、介護保険法第19条第１項に規定する要介護認定を受けるための申請手続を終了し、該当市町村からの通知待ちの段階で相続開始がありました。

後日に受領した通知書には、被相続人甲を要介護３と認定する旨の記載がありました。このＸ宅地を特定居住用宅地等（減額割合80％）として取り扱うことは認められるのでしょうか。

なお、Ｘ不動産は、本問における論点を除く他のいわゆる『家なき子』の要件を充足する長男Ａが相続により取得しています。

**応答**

被相続人の居住用宅地等の範囲に、居住の用に供することができない次に掲げる被相続人の要件により、相続開始の直前において当該被相続人の居住の用に供されていなかった場合であっても、当該被相続人の居住の用に供されなくなる直前まで当該被相続人の居住の用に供されていた家屋の敷地の用に供されていた一定の宅地等についても、これを被相続人等の居住の用に供されていた宅地等に含むものとされています。

⑴　介護保険法第19条第１項に規定する要介護認定を受けていた被相続人

⑵　介護保険法第19条第２項に規定する要支援認定を受けていた被相続人

⑶　相続開始の直前において、介護保険法施行規則第140条の62の４第２号に該当していた被相続人

⑷　障害者の日常生活及び社会生活を総合的に支援するための法律第21条第１項に規定する障害支援区分の認定を受けていた被相続人

そして、措置法通達69の４－７の３《要介護認定等の判定時期》の定めでは、被相続人が上記に規定する要介護認定若しくは要支援認定又は障害者支援区分の認定を受けていたかどうかは、当該被相続人が当該被相続人の相続の開始の直前において当該認定を受けていたかにより判定するものとされています。

そうすると、**質疑**の事例では、被相続人甲は同人に係る相続開始時点では要介護認定の申請手続中であり、上記措置法通達に定める＿＿部分の要件を充足していないのではないかという疑義が生じるかもしれません。

この点につき、介護保険法第27条《要介護認定》第１項において、要介護認定を受けようとする被保険者は、厚生労働省令で定めるところにより、申請書に被保険者証を添付して市町村に申請をしなければならないと規定しており、また、同条第８項において、要介護認定は、その申請のあった日に遡ってその効力を生ずると規定しています。すなわち、当該認定行為に遡及効を認めています。

以上の点から判断すると、**質疑**の事例では、被相続人甲に係る相続開始時点では同人は要介護認定はなされていないものの、相続開始後に要介護３と認定されたとのことから当該認定の効果は申請時点までに遡及効が認められることとなり、被相続人甲は相続開始時点においても要介護３であると認められます。

また、被相続人甲は、老人福祉法第29条第１項に規定する有料老人ホームに入所しており、また、Ｘ不動産を相続により取得した長男Ａも所定の要件を充足しているとされています。

したがって、Ｘ宅地は、特定居住用宅地等に該当することになります。

### ⒃　被相続人が老人ホーム等に入居又は入所していた場合の留守宅の敷地である宅地に対する特定居住用宅地等の取扱い（その２：被相続人に係る相続開始時に留守宅に配偶者が居住していた場合）

**質疑**　被相続人甲は、生前に体調を崩し介護保険法第19条第１項に規定する要介護５の認定を受け家庭内における生活が著しく困難となったため、従来居住していたＸ不動産（被相続人甲が所有するＸ家屋及びＸ宅地から構成されています。）から有料老人ホーム（老人福祉法第29条第１項に規定するものです。）に転居していましたが、

この度、相続の開始がありました。
このX不動産を相続により取得したのは配偶者乙（被相続人甲と生計を一にしています。）ですが、同人は、被相続人甲が上記の老人ホームに転居した後も当該不動産に継続して居住していました。
このX宅地を特定居住用宅地等（減額割合80%）として取り扱うことは認められるのでしょうか。

## 応答

(1)　概要

小規模宅地等の課税特例の適用対象とされる特定居住用宅地等に該当する１つの形態として、「被相続人等の居住の用に供されていた宅地等で当該被相続人の配偶者が相続又は遺贈により取得したもの」が挙げられています。

そして、上記＿＿部分の『居住の用』の範囲には、「居住の用に供することができない下記資料1に掲げる事由により、相続の開始の直前において当該被相続人の居住の用に供されていなかった場合（下記資料2に定める用途に供されている場合を除きます。）における当該事由により居住の用に供されなくなる直前の当該被相続人の居住の用」を含むものとされています。

### 資料1　被相続人が居住の用に供することができない事由

① 被相続人が要介護認定等を受けていた場合

次の(イ)に掲げる被相続人が、(ロ)に掲げる住居又は施設に入居又は入所していたこと

(イ)　被相続人の要件

㋑　介護保険法第19条第１項に規定する要介護認定を受けていた被相続人

㋺　介護保険法第19条第２項に規定する要支援認定を受けていた被相続人

㋩　相続開始の直前において、介護保険法施行規則第140条の62の４第２号に該当していた被相続人

（注）　介護保険法施行規則第140条の62の４第２号に該当する者とは、厚生労働大臣が定める基準に該当する第１号被保険者（２回以上にわたり当該基準の該当の有無を判断した場合においては、直近の当該基準の該当の有無の判断の際に当該基準に該当した第１号被保険者）（要介護認定を受けた第１号被保険者においては、当該要介護認定による介護給付に係る居宅サービス、地域密着型サービス及び施設サービス並びにこれらに相当するサービスを受けた日から当該要介護認定の有効期間の満了の日までの期間を除きます。）をいう（通称：チェックリスト該当者）ものとされています。

(ロ)　入居住居又は入所施設の要件

㋑　老人福祉法第５条の２第６項に規定する認知症対応型老人共同生活援助事業が行われる住居

㋺　老人福祉法第20条の４に規定する養護老人ホーム

㋩　老人福祉法第20条の５に規定する特別養護老人ホーム

㊁　老人福祉法第20条の６に規定する軽費老人ホーム

㋭　老人福祉法第29条第１項に規定する有料老人ホーム

㋬　介護保険法第８条第28項に規定する介護老人保健施設

㋣　介護保険法第８条第29項に規定する介護医療院（注）

㋠　高齢者の住居の安定確保に関する法律第５条第１項に規定するサービス付き高齢者向け住宅（上記㋭に規定する有料老人ホームを除きます。）

（注）　介護医療院とは、要介護者であって、主として長期にわたり療養が必要である者に対し、施設サービス計画に基づいて、療養上の管理、看護、医学的管理の下における介護及び機能訓練その他必要な医療並びに日常生活上の世話を行うことを目的とする施設をいいます。

平成30年４月１日以後に開始した相続又は遺贈により取得する財産に係る相続税については、上記の介護医療院に入所したことにより被相続人の居住の用に供されなくなった家屋の敷地の用に供されていた宅地等につき、これを当該相続の開始の直前において被相続人の居住の用に供されていたものとして、本件課税特例の適用対象とされることになりました。

**②　被相続人が障害支援区分の認定を受けていた場合**

次の(イ)に掲げる被相続人が、(ロ)に掲げる施設又は住居に入所又は入居していたこと

(イ)　被相続人の要件

障害者の日常生活及び社会生活を総合的に支援するための法律第21条第１項に規定する障害支援区分の認定を受けていた被相続人

(ロ)　入所施設又は入居住居の要件

㋑　障害者の日常生活及び社会生活を総合的に支援するための法律第５条第11項に規定する障害者支援施設（同条第10項に規定する施設入所支援が行われるものに限られます。）

㋺　障害者の日常生活及び社会生活を総合的に支援するための法律第５条第17項に規定する共同生活援助を行う住居

### 資料２　適用除外とされる一定の用途について

①　被相続人等の事業の用

（注１）　被相続人等とは、被相続人又は当該被相続人と生計を一にしていた当該被相続人の親族をいいます。

（注２）　事業には、事業に準ずるもの（事業と称するに至らない不動産の貸付けその他これに類する行為で相当の対価を得て継続的に行うもの）が含まれます。

②　被相続人等（被相続人と上記資料１に掲げる入居又は入所の直前において生計を一にし、かつ、被相続人の居住の用に供されていた宅地等の上に存する建物に引き続き居住している当該被相続人の親族を含みます。）以外の者の居住用

(2)　当てはめ

**質疑**の事例の場合、被相続人甲は、相続開始の直前において介護保険法第19条第１項に規定する要介護の認定を受けて、老人福祉法第29条第１項に規定する有料老人ホームに入所していたとのことですから、上記資料１の①の(イ)㋑及び(ロ)㋭に掲げる要件を充足していることとなり、Ｘ宅地は被相続人甲が居住の用に供することができない事由を有するものに該当することになります。

そして、被相続人甲がＸ不動産から有料老人ホームに転居した後においても居住を継続していた配偶者乙は、被相続人甲と生計を一にする親族に該当することから、Ｘ不動産は、上

記 資料２ に掲げる被相続人甲の居住の用に供されなくなった後における一定の用途供用制限の規定の対象にも抵触することはありません。

そうすると、Ｘ宅地は、上記＿＿部分に掲げる『居住の用』の範囲を充足することとなり、その結果、『被相続人等の居住の用に供されていた宅地等』に該当することになります。

また、Ｘ不動産を取得したのは、被相続人甲の配偶者乙であることから、同人には被相続人等の居住用宅地等を取得した後における他の付加要件（例えば、相続税の申告期限までにおける所有継続要件、居住継続要件）は一切問われていません。

以上より、 質疑 の事例におけるＸ宅地は、特定居住用宅地等に該当することになります。

### ⒄　被相続人が老人ホーム等に入居又は入所していた場合の留守宅の敷地である宅地に対する特定居住用宅地等の取扱い（その３：老人ホーム等への転居後に当該転居時に被相続人と生計を一にする親族（配偶者以外）が居住していた場合）

**質疑**　被相続人甲は、生前に介護保険法第19条第１項に規定する要介護５の認定を受け家庭内における生活が著しく困難となったため、相続開始の６年前に従来居住していたＸ不動産（被相続人甲が所有するＸ家屋及びＸ宅地から構成されています。）から有料老人ホーム（老人福祉法第29条第１項に規定するものです。）に転居していましたが、この度、相続の開始がありました。

このＸ不動産を相続により取得したのは長男Ａ（同人は、被相続人甲がＸ不動産から有料老人ホームに転居するまでの期間は、被相続人甲と同居（生計を一）していました。また、被相続人甲の配偶者は既に他界しています。）で、今後も末長くＸ不動産を所有することとしています。

この長男Ａが取得したＸ宅地を特定居住用宅地等（減額割合80％）として取り扱うことは認められるのでしょうか。これを被相続人甲が有料老人ホームに転居した後における長男Ａに係る次の 事例 別に説明してください。

事例１　被相続人甲が有料老人ホームに転居した後も被相続人甲と生計を一にし、被相続人甲に係る相続開始時まで継続してＸ不動産に居住し、かつ、今後も末長くＸ不動産に居住する予定である場合

事例２　被相続人甲が有料老人ホームに転居した後も被相続人甲と生計を一にしていましたが、当該転居と同時に賃貸住宅に転居（ただし、継続して生計を一）した場合

事例３　被相続人甲が有料老人ホームに転居した後には被相続人甲と生計は別となったものの、被相続人甲に係る相続開始時まで継続してＸ不動産に居住し、かつ、今後も末長くＸ不動産に居住する予定である場合

事例４　被相続人甲が有料老人ホームに転居した後には被相続人甲と生計は別となり、かつ、当該転居と同時に賃貸住宅に転居した場合

## 応答

(1)　概要

小規模宅地等の課税特例の適用対象とされる特定居住用宅地等に該当する１つの形態として、「被相続人等の居住の用(A)に供されていた宅地等で次に掲げる要件(B)のいずれかを満たす当該被相続人の親族（当該被相続人の配偶者を除きます。）が相続又は遺贈により取得したもの」が挙げられています。

そして、上記(A)部分の『居住の用』の範囲には、「居住の用に供することができない一定の事由（前問⒃の 応答 の(1) 資料１ を参照）により、相続の開始の直前において当該被相続人の居住の用に供されていなかった場合（前問⒃の 応答 の(1) 資料２ に定める用途に供されている場合を除きます。）における当該事由により居住の用に供されなくなる直前の当該被相続人の居住の用」を含むものとされています。

また、上記(B)部分の『次に掲げる要件』のうち、本問に関連する部分を掲記すると、次のとおりとなります。

①　被相続人の居住用家屋に居住していた者である場合

被相続人の居住の用に供されていた宅地等を取得した親族が相続開始の直前において、当該宅地等の上に存する当該被相続人の居住の用に供されていた１棟の建物に居住していた者であって、相続開始時から相続税の申告書の提出期限（以下「申告期限」という。）まで引き続き当該宅地等を有し、かつ、当該建物に居住していること

②　いわゆる『家なき子』に該当する者である場合

被相続人の居住の用に供されていた宅地等を取得した親族が、次に掲げる要件のすべてを満たすこと（当該被相続人の配偶者又は相続開始の直前において当該被相続人の居住の用に供されていた家屋に居住していた親族で、当該被相続人の法定相続人に該当する者がいない場合に限られます。）

(イ)　相続開始前３年以内に相続税法の施行地内にある当該親族、当該親族の配偶者、当該親族の３親等内の親族又は当該親族と特別の関係がある法人が所有する家屋（相続開始の直前において当該被相続人の居住の用に供されていた家屋を除きます。）に居住したことがないこと

(ロ)　当該被相続人の相続開始時に当該親族が居住している家屋を相続開始前のいずれかの時においても所有していたことがないこと

(ハ)　相続開始時から申告期限（当該親族が相続税の申告期限前に死亡した場合には、その死亡の日）まで引き続き当該宅地等を有していること

(2)　当てはめ

質疑 の事例の場合、被相続人甲は、相続開始の直前において介護保険法第19条第１項に規定する要介護の認定を受けて、老人福祉法第29条第１項に規定する有料老人ホームに入所していたとのことですから、前問⒃の 応答 の(1) 資料１ の①の(イ)㋑及び(ロ)㋭に掲げる

要件を充足していることとなり、Ｘ宅地は被相続人甲が居住の用に供することができない事由を有するものに該当することになります。

(注)　上記に掲げる要件（被相続人が居住の用に供することができない事由に関する要件）は、**質疑**に掲げる事例１ないし事例４において、共通して充足しているものと判断されます。

そして、他の該当要件（留守宅における利用状況に関する要件、宅地等を取得した親族に関する要件）について各事例別に検討し、Ｘ宅地が特定居住用宅地等に該当するか否かを判断すると、それぞれ次に掲げるとおりになります。

①　事例１の場合

被相続人甲に係るＸ家屋からの転居後に当該Ｘ家屋に被相続人甲と生計を一にする親族である長男Ａが居住していることから、留守宅における利用状況に関する要件を充足していることになります。

そうすると、Ｘ宅地は、被相続人甲にとって上記(1)の(A)部分に掲げる『居住の用』に供されていた宅地等に該当することになります。

また、**質疑**に掲げる前提条件からすると、Ｘ宅地を取得した長男Ａは、上記(1)①に掲げる被相続人の居住用家屋に居住していた者に該当するものと認められます。

以上より判断すると、長男Ａが取得したＸ宅地は、特定居住用宅地等に該当することになります。

参考　事例１の場合には、次に掲げる要件も充足していると認められることから、被相続人と生計を一にしていた親族の居住の用に供されていた宅地等として、Ｘ宅地を特定居住用宅地等として取り扱うことも可能とされています。

> 当該親族（財産を取得した親族）が当該被相続人と生計を一にしていた者であって、相続開始時から申告期限まで引き続き当該宅地等を有し、かつ、相続開始前から申告期限まで引き続き当該宅地等を自己の居住の用に供していること

②　事例２の場合

被相続人甲に係るＸ家屋からの転居後に当該Ｘ家屋に居住していた長男Ａも転居したことから当該Ｘ家屋はその後未利用の状況にあるものとされ、留守宅における利用状況に関する要件を充足していることになります。

そうすると、Ｘ宅地は、被相続人甲にとって上記(1)の(A)部分に掲げる『居住の用』に供されていた宅地等に該当することになります。

また、**質疑**に掲げる前提条件からすると、Ｘ宅地を取得した長男Ａは、上記(1)②に掲げるいわゆる『家なき子』に該当するものと認められます。

以上より判断すると、長男Ａが取得したＸ宅地は、特定居住用宅地等に該当することになります。

③　事例３の場合

被相続人甲に係るＸ家屋からの転居後に当該Ｘ家屋には、長男Ａ（同人は、被相続人甲

が転居するまでは被相続人甲と生計一であり、転居後は同人と生計を別にしています。）が居住しています。

この場合における留守宅の利用状況に関する要件について、前問⒃の **応答** の(1) **資料２** の②に掲げる『被相続人等』の括弧書において「被相続人と前問⒃の **応答** の(1) **資料１** に掲げる(X)入居又は入所の直前において生計を一にし、かつ、被相続人の居住の用に供されていた宅地等の上に存する(Y)建物に引き続き居住している当該被相続人の親族を含みます。」と規定されていることから、被相続人との生計一要件は入居又は入所の直前において問われているもので（上記(X)＿＿部分）であり、その後における状況においてはこれを問うものではない（上記(Y)＿＿部分）ことが理解されます。

そうすると、Ｘ宅地は、被相続人甲にとって上記(1)の(A)＿＿部分に掲げる『居住の用』に供されていた宅地等に該当することになります。

また、**質疑** に掲げる前提条件からすると、Ｘ宅地を取得した長男Ａは、上記(1)①に掲げる被相続人の居住用家屋に居住していた者に該当するものと認められます。

以上により判断すると、長男Ａが取得したＸ宅地は、特定居住用宅地等に該当することになります。

④　**事例４** の場合

**事例４** の場合における被相続人甲に係る留守宅の利用状況に関する要件については、上記③に掲げる事項と同一となります。

そうすると、Ｘ宅地は、被相続人甲にとって上記(1)の(A)＿＿部分に掲げる『居住の用』に供されていた宅地等に該当することになります。

また、**質疑** に掲げる前提条件からすると、Ｘ宅地を取得した長男Ａは、上記(1)②に掲げるいわゆる『家なき子』に該当するものと認められます。

以上より判断すると、長男Ａが取得したＸ宅地は、特定居住用宅地等に該当することになります。

## ⒅　被相続人が老人ホーム等に入居又は入所していた場合の留守宅の敷地である宅地に対する特定居住用宅地等の取扱い（その４：老人ホーム等への転居前に賃貸住宅に居住していた期間がある被相続人である場合における『家なき子』の適用の可否）

**質疑**

被相続人甲は、夫が他界した後もＸ不動産（被相続人甲が夫からの相続により取得したものでＸ家屋及びＸ宅地から構成されています。）に単身で居住していましたが、防犯上の不安もあってその後は、民間の賃貸マンションに転居しました。（Ｘ不動産は、その後は未利用のままの状況が継続しています。）

被相続人甲はその後認知症となり、介護保険法第19条第１項に規定する要介護３の認定を受け上記の賃貸マンションにおける生活が困難となったため、有料老人ホーム（老人福祉法第29条第１項に規定するものです。）に転居しましたが、この度、相続の開始がありました。

上記のＸ不動産を相続により取得したのは長男Ａですが、同人は公務員であり、被相続人甲に係る相続開始の30年前から官舎に継続して居住していました。

なお、長男Ａは相続により取得したＸ不動産について具体的な利用予定はないものの、今後も末長く所有を継続する予定でいます。

このような状況にある場合、長男Ａが取得したＸ宅地を特定居住用宅地等（減額割合80％）として取り扱うことは認められるのでしょうか。

**応答**

(1)　概要

小規模宅地等の課税特例の適用対象とされる特定居住用宅地等に該当する１つの形態として、「被相続人等の居住の用に供されていた宅地等で一定の要件を満たす当該被相続人の親族（当該被相続人の配偶者を除きます。）が相続又は遺贈により取得したもの」が挙げられています。

そして、上記＿＿部分の『居住の用』の範囲には、「居住の用に供することができない一定の事由(A)（前々問⑯の **応答** の(1) 資料１ を参照）により、相続の開始の直前において当該被相続人の居住の用に供されていなかった場合（前々問⑯の **応答** の(1) 資料２ に定める用途に供されている場合を除きます。）における当該事由により居住の用に供されなくなる(B)直前の当該被相続人の居住の用」を含むものとされています。

(2)　当てはめ

上記(1)に掲げる『居住の用に供することができない一定の事由』（上記(A)＿＿部分）の例として、介護保険法第19条第１項に規定する要介護認定を受けていた被相続人が老人福祉法第29条第１項に規定する有料老人ホームに入所していた場合が挙げられますが、上記(1)の『居住の用』の範囲に含まれるのは、被相続人に係る居住用宅地等が「当該事由により居住の用に供されなくなる」（上記(B)＿＿部分）ことが要件とされています。

そうすると、**質疑** の事例では、被相続人甲がＸ不動産を居住の用に供しなくなった後に、直ちに有料老人ホームに入所したのではなく、一度は民間の賃貸マンションに入居したという事実を経た後のこととされていますので、Ｘ宅地は当該事由により居住の用に供されなくなる直前の被相続人甲の居住の用に供されていた宅地等には該当しなくなります。

したがって、長男Ａが取得したＸ宅地は、特定居住用宅地等には該当しないこととなります。

### ⒆　被相続人が老人ホーム等に入居又は入所していた場合の留守宅の敷地である宅地に対する特定居住用宅地等の取扱い（その５：老人ホーム等への転居前に所有者として居住していた期間がない被相続人である場合における『家なき子』の適用可否）

**質疑**　被相続人甲は、本年６月に相続の開始があり、同人の所有するＸ不動産（Ｘ家屋及びＸ宅地）は長男Ａ（同人は被相続人甲に係る相続開始の10年以上前から公営住宅を賃借して居住）が相続により取得しました。

被相続人甲に係る親族の状況及びＸ不動産に係る居住状況等を示すと、次のとおりとなります。

親族図

被相続人甲（本年６月相続開始）
　‖――――――――――――――――　長男Ａ
被相続人甲の夫乙（相続開始以前死亡）

Ｘ不動産の利用状況等

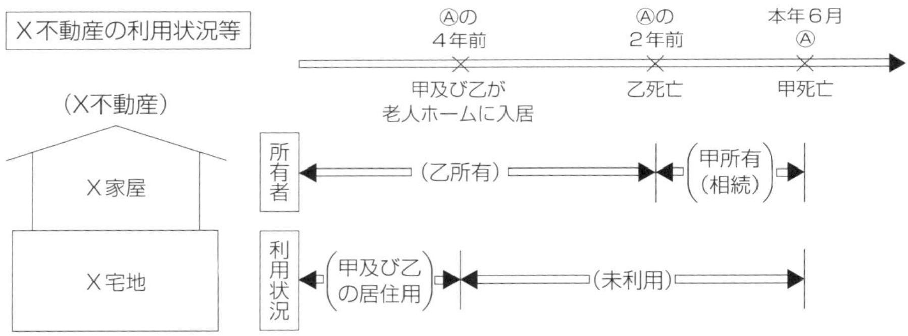


（注）　被相続人甲及びその夫である乙は、両人ともに介護保険法第19条《市町村の認定》第１項に規定する要介護認定を受け自助での生活が困難なため、老人福祉法第29条《届出等》第１項に規定する有料老人ホームに入居したものです。

上図からも理解できるとおり、事例の場合には、今回の被相続人甲は過去にＸ家屋に居住した事実は認められるものの、所有者自身として居住したという事実は認められません。

このような状況にある場合でも、長男Ａが取得したＸ宅地については、『被相続人に係る配偶者及び一定の同居親族が存せず非同居親族が取得した場合（いわゆる『家なき子』）』に該当するものとして特定居住用宅地等（減額割合80％）として取り扱うことは認められるのでしょうか。

**応答**

(1)　概要

小規模宅地等の課税特例の適用対象とされる特定居住用宅地等に該当する１つの形態として、「被相続人等の居住の用（①）に供されていた宅地等で一定の要件を満たす当該被相続人の親族（当該被相続人の配偶者を除きます。）が相続又は遺贈により取得したもの」が挙げられています。

そして、上記①部分の『居住の用』の範囲には、「居住の用に供することができない一定の事由（問⒃の 応答 の⑴ 資料１ を参照）により、相続の開始の直前において当該被相続人の居住の用に供されていなかった場合（問⒃の 応答 の⑵ 資料２ に定める用途に供されている場合を除きます。）における当該事由により居住の用に供されなくなる直前の当該被相続人の居住の用」を含むものとされています。

ところで、上記②部分の『当該被相続人の居住の用』という用語の解釈に当たって、単に被相続人（ 質疑 の事例の場合には、被相続人甲）の居住の用であればよいのか、又は、所有者として被相続人の居住の用に供されていることが必要とされるのかについては法令上の規定は設けられておらず、先例となる裁判例（裁決事例）も見受けられません。

この点につき、上述のとおり、措置法第69条の４《小規模宅地等についての相続税の課税価格の計算の特例》第１項の規定では、「居住の用に供することができない事由により相続の開始の直前において当該被相続人の居住の用に供されていなかった場合」とされており、上記③に掲げるとおり、相続開始の直前を判定時期とすることは明記されているものの他の要件は規定されておらず、また、当該解釈に当たって格別の理解を求める規定や先例もないことから文理解釈に従って解釈すると、被相続人の居住の用に供されていた宅地等を所有者として居住の用に供していたとまでする制限条項はないものと考えることが相当と思われます。

⑵　当てはめ

上記⑴最終段落に掲げる「この点につき、（略）」に掲げる解釈に従って 質疑 の事例を検討すると、被相続人甲は介護保険法第19条第１項に規定する要介護認定を受けて老人福祉法第29条第１項に規定する有料老人ホームに入所していたとのことですから、居住の用に供することができない一定の事由に該当し、かつ、同人は、 質疑 に掲げる X不動産の利用状況等 からその相続開始の４年前まではＸ宅地を同人の居住の用に供していることが確認されます。

また、被相続人甲から当該Ｘ宅地を相続により取得した長男についても、いわゆる『家なき子』としての取得側の要件を充足していることが確認されます。

そうすると、 質疑 の長男が取得したＸ宅地は、特定居住用宅地等に該当するものと考えられます。

なお、老人ホーム等への転居前に所有者として居住していた期間が必要とされるか否かの解釈については、平成30年12月７日付で国税庁から公開された下記 資料 に掲げるとおりの文書回答事例（「老人ホームに入居中に自宅を相続した場合の小規模宅地等についての相続税の課税価格の計算の特例（租税特別措置法第69条の４）の適用について」、東京国税局審理課長）があります。

**資料**　文書回答事例（「老人ホームに入居中に自宅を相続した場合の小規模宅地等についての相続税の課税価格の計算の特例（租税特別措置法第69条の４）の適用について」、平成30年12月７日、東京国税局審理課長）

老人ホームに入居中に自宅を相続した場合の小規模宅地等についての相続税の課税価格の計算の特例（租税特別措置法第69条の４）の適用について

１　事前照会の趣旨及び事実関係

(1)　被相続人甲は、平成29年４月、Ｘ有料老人ホーム（老人福祉法第29条《届出等》第１項に規定する有料老人ホームに該当します。）に入居しました。

(2)　被相続人甲は、平成29年６月、Ｘ有料老人ホームに入居する直前において居住の用に供していた家屋（以下「本件家屋」といいます。）及びその敷地の用に供されていた宅地等（以下「本件宅地等」といいます。）を、Ｙ有料老人ホームに入居（平成28年７月）していた配偶者乙から相続により取得しました。

(3)　被相続人甲は、平成30年２月、本件家屋に戻ることなく死亡しました。なお、本件家屋は、被相続人甲がＸ有料老人ホームに入居した後は、空家となっていました。

(4)　被相続人甲は、死亡する前に介護保険法第19条《市町村の認定》第１項に規定する要介護認定を受けています。

(5)　このような事実関係を前提として、本件家屋及び本件宅地等を長男丙が相続により取得した場合において、丙は本件宅地等について租税特別措置法第69条の４第１項に規定する被相続人の居住の用に供されていた宅地等に該当するとして、小規模宅地等についての相続税の課税価格の計算の特例（措法69の４）（以下「本件特例」といいます。）の適用を受けることができると解してよいか、照会します。

なお、丙は、本件特例に係る他の要件を満たしています。

参考として、相続関係図及び時系列は以下のとおりとなります。

【相続関係図】

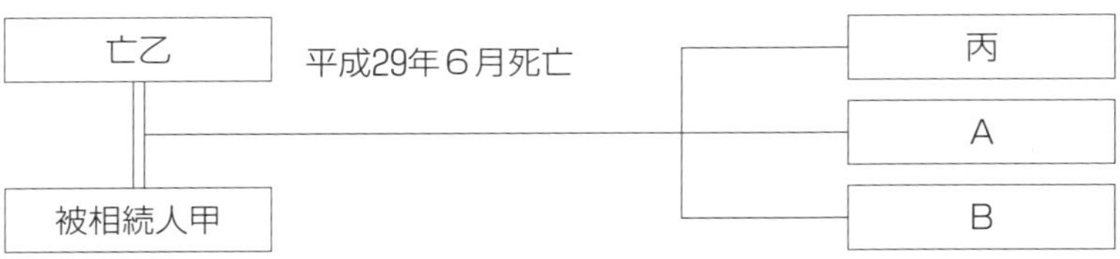


【時系列】

２　照会者の求める見解となることの理由

(1)　本件において、被相続人甲はＸ有料老人ホームへの入居前に、本件宅地等を居住の用に供していましたが、Ｘ有料老人ホームに入居中に本件家屋及び本件宅地等を相続により取得し、その後本件家屋に戻ることなく死亡しました。

被相続人の居住の用に供されていた宅地等で一定のものについては、本件特例の対象となるところ、相続開始の直前において被相続人の居住の用に供されていなかった宅地等であっても、租税特別措置法施行令第40条の２《小規模宅地等についての相続税の課税価格の計算の特例》第２項に定める事由（要介護認定又は要支援認定等を受けていた被相続人が同項の住居又は施設（以下「有料老人ホーム等」といいます。）に入居又は入所（以下「入居等」といいます。）していたこと）により居住の用に供されなくなる直前に被相続人の居住の用に供されていた宅地等（被相続人が有料老人ホーム等に入居等した後に、事業の用又は新たに被相続人等以外の者の居住の用に供されている場合を除きます。）については、本件特例の対象となる宅地等に該当するとされています（措法69の４①）。

被相続人が有料老人ホーム等に入居等する直前において宅地等の所有者であればその宅地等が本件特例の対象となる宅地等に当たることは明らかですが、本件における被相続人甲は、Ｘ有料老人ホーム入居の直前においては本件宅地等を居住の用に供していたものの本件宅地等の所有者ではなく、本件宅地等を取得した後はこれを居住の用に供していない場合であっても、本件宅地等が本件特例の対象となると解してよいか疑義が生じるところです。

⑵　上記事由により相続開始の直前において被相続人の居住の用に供されていなかった宅地等が、本件特例の対象となる居住の用に供されていた宅地等に該当するか否かについては、被相続人が有料老人ホーム等に入居等して居住の用に供されなくなった直前の利用状況で判定することとされていますが、その時において被相続人が宅地等を所有していたか否かについては、法令上特段の規定は設けられていません。

⑶　したがって、本件宅地等は、被相続人甲がＸ有料老人ホームに入居し居住の用に供されなくなった直前において、被相続人甲の居住の用に供されていたものであることから、その時において被相続人甲が本件宅地等を所有していなかったとしても本件特例の対象となる宅地等に該当すると解され、丙は本件特例の適用を受けることができるものと考えます。

**ワンポイント**

上記に掲げる小規模宅地等の課税特例の適用については、被相続人の居住の用の解釈について被相続人が所有者として居住の用に供していることまでをも要件とするものではないこととされているようです。

しかしながら、同じく租税特別措置法（以下「措置法」といいます。）に規定する居住用財産に対する課税特例であっても、居住用財産を譲渡した場合の課税特例である措置法第35条《居住用財産の譲渡所得の特別控除》第１項の規定は、居住用財産を譲渡した場合には、譲渡者は再び居住用代替資産を取得する蓋然性が高いこと、通常の家屋であれば特別控除の額の範囲内で取得できるであろうとの配慮から、居住用財産の譲渡者が所得税の負担なくして通常程度の居住用代替資産を取得することを可能にする趣旨に出たものであり、この趣旨からすれば、譲渡者が当該家屋をその所有者として居住の用に供していたことを特別控除を認めるための要件とするものと解されています。

そして、措置法第35条第２項が特別控除について連年の適用を認めず、３年間に一度の適用を認めたにとどまることにかんがみると、同項の適用を受けるために法令解釈上必要とされる『所有者として居住の用に供していた』（上記＿＿部分）とは、自らが所有する家屋について、真に所有者として居住する意思を持って、客観的にもある程度の期間継続して生活の拠点としていたことを要すると解すべきであり、その判定に当たっては、住居移転の経緯、居住の期間及び居住の態様等について総合考慮して決すべきであると解されています。

なお、居住用財産の譲渡所得の特別控除の適用の可否が争点とされた事案で、譲渡資産が譲渡者の居住用財産に該当するか否かの判断を上記に掲げる解釈に求めた下記 資料 に掲げる国税不服審判所の裁決事例（平成22年６月24日裁決、広裁（所）平21－33、平成19年分所得税）があります。

**資料　国税不服審判所裁決事例（平成24年６月24日裁決、広裁（所）平21－33、平成19年分所得税）**

請求人は、譲渡したＡ建物を、10年以上にわたって生活の拠点としており、また、贈与により取得して所有者となった日から売買契約締結の日の前後を通じて５か月の間、居住の意思を持って居住の用に供していたところ、租税特別措置法第35条第１項には、所有期間及び居住期間についての定めはないから、Ａ建物の所有者になってからの居住期間が短いとしても、Ａ建物は、同項に規定する個人が居住の用に供している家屋に該当する旨主張する。

しかしながら、租税特別措置法第35条第１項に規定する個人がその居住の用に供している家屋に該当するというためには、当該家屋を所有者として居住する意思を持って、客観的にもある程度の期間継続して生活の本拠としていたことを要すると解すべきであるところ、請求人がＡ建物の所有者となる前の居住期間は、同項の適用を判断するに当たり考慮すべき事実とはならず、また、請求人がＡ建物の所有者となった日前にＡ土地建物の買主から諸条件の提示を受けて購入申込みを受諾していることからすれば、同受諾した日以降は、Ａ土地建物は買主に譲渡されることが予定されていたものといえるから、請求人がＡ建物の所有者となった日以降において、請求人は、Ａ建物を所有者として居住する意思を持って居住の用に供していたものとは認められない。

したがって、請求人がＡ建物に居住していた全期間について、Ａ建物を租税特別措置法第35条第１項に規定する個人が居住の用に供している家屋であると認めることはできない。

そうすると、同じ『居住の用に供していた』という用語であっても、措置法第69条の４《小規模宅地等についての相続税の課税価格の計算の特例》と措置法第35条《居住用財産の譲渡所得の特別控除》の規定では、条文自体には明記されていませんが、その法令解釈等において両者に差異が生じていることに留意する必要があります。

### (20)　居住用建物の敷地の範囲

**質疑**　被相続人甲の相続財産である同人が居住していた建物及びその敷地等については、下図のとおりに３人の相続人（Ａ・Ｂ・Ｃ）が承継することとなりました。

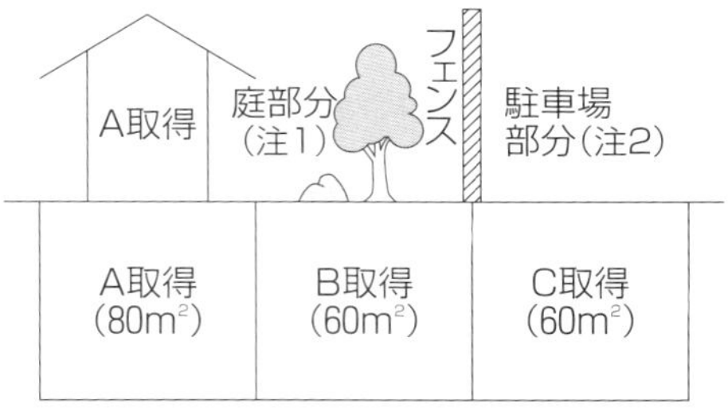


（注１）　被相続人甲が居宅と一体として利用していた。
（注２）　近隣の者が駐車場用地（アスファルト敷）として利用（被相続人甲は善意で貸し付けており、料金等の授受なし）

この場合において、Ｂが取得した庭部分の土地及びＣが取得した駐車場部分の土地についても、被相続人甲の居住の用に供されていた宅地等として、小規模宅地等の課税の特例の対象（特定居住用宅地等）に該当することとなりますか。

なお、Ａ、Ｂ及びＣは被相続人甲に係る相続開始直前において、当該建物に被相続人甲と同居しており、当該相続による宅地の承継後においても居住を継続しています。

**応答**

建物の敷地の用に供されていた宅地等の範囲については、その建物を建築するために必要な最小限の宅地等の部分のみであると解するのは相当ではなく、当該建物に関する法令等の規定（例：建ぺい率、容積率、最低敷地面積の定め等）や現実における利用状況を基に、社会通念に従って、当該建物と一体として利用されていたかどうかにより総合的に考慮して判定するものと考えられます。

したがって、次に掲げるような土地については居住用建物の敷地との一体性が認められませんので、当該部分については居住用宅地等には該当しません。

⑴　居住用建物とは別の用途の建物の敷地となっている場合

⑵　宅地の一部を駐車場として貸し付けている場合

事例の場合には、Ｂの取得した庭部分の土地（財産評価上の地目は宅地に該当します。）が被相続人甲の居住していた建物と一体として利用されていたと認められますので、Ｂ取得の土地についても他の一定の要件を充足するときには、小規模宅地等の課税特例（特定居住用宅地等）の適用を受けることができます。（この場合の減額割合は80％となります。）

一方、Ｃの取得した駐車場部分については、前述のとおり、居住用建物の敷地との一体性が認められないことから、この部分の土地については小規模宅地等の課税特例（特定居住用宅地等）の適用対象にはならず、また、駐車場としての賃料も収受していないとのことですから、貸付事業用宅地等として小規模宅地等の課税特例の適用対象とすることも認められません。したがって、Ｃの取得した土地については一切その適用がないこととなります。

なお、居住用建物の敷地の範囲に自宅の庭部分の土地が含まれるか否かの解釈について、平成28年８月22日付で国税庁から公開された下記資料に掲げるとおりの文書回答事例（「庭先部分を相続した場合の小規模宅地等についての相続税の課税価格の計算の特例（租税特別措置法第69条の４）の適用について」、関東信越国税局審理課長）があります。

**資料**　文書回答事例（「庭先部分を相続した場合の小規模宅地等についての相続税の課税価格の計算（租税特別措置法第69条の４）の適用について」、平成28年８月22日、関東信越国税局審理課長）

庭先部分を相続した場合の小規模宅地等についての相続税の課税価格の計算の特例（租税特別措置法第69条の４）の適用について

１　事前照会の趣旨及び事実関係

被相続人甲が居住の用に供していた家屋（被相続人甲所有）の敷地は、下図のようにＸ部分の土地とＹ部分の土地の二筆から構成されており、相続人Ａ（甲の子）と相続人Ｂ（甲の養子であり、Ａの子）とでこれらの土地をそれぞれ相続により取得することとしました（下記図参照）。

ここで、被相続人甲とともに当該家屋に居住していた相続人Ａが、Ｘ部分の土地を相続により取得し、申告期限まで引き続きＸ部分の土地を有し、かつ当該家屋に居住することとした場合、相続人Ａが当該相続により取得したＸ部分の土地について、特定居住用宅地等（措法69の４③二イ）に該当するとして、小規模宅地等の相続税の課税価格の計算の特例（措法69の４）（以下「本件特例」という。）の適用を受けることができますか。

なお、当該家屋はＹ部分の土地とともに相続人Ｂが相続により取得しますが、当該家屋には、今後も継続して相続人Ａが居住する予定です。

（図）

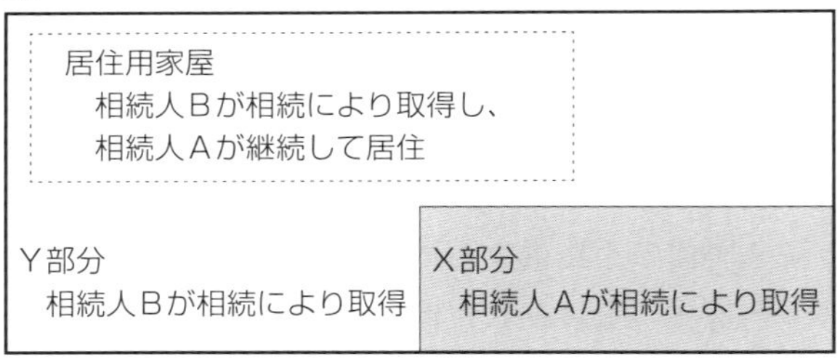


２　事前照会者の求める見解となることの理由

被相続人の居住の用に供されていた宅地等で一定のものについては、本件特例の対象となる宅地等となるところ（措法69の４①）、この「被相続人の居住の用に供されていた宅地等」とは、相続開始の直前において、被相続人等の居住の用に供されていた家屋で、被相続人が所有していたものの敷地の用に供されていた宅地等をいうこととされています（租税特別措置法（相続税法の特例関係）の取扱いについて（法令解釈通達）69の４－７）

そして、被相続人の居住の用に供されていた一棟の建物に居住していた親族が、その被相続人の居住の用に供されていた宅地等を相続により取得し、相続開始時から申告期限まで引き続きその宅地等を有し、かつ、その建物に居住している場合には、その相続により取得した被相続人の居住の用に供されていた宅地等については、「特定居住用宅地等」に該当し、本件特例の適用を受けることができることとされています（措法69の４③二イ）。

ところで、本件特例の趣旨は、「被相続人等の居住の用に供されていた小規模な宅地等については、一般に、それが相続人等の生活基盤の維持のために欠くことのできないものであって、相続人において居住の用を廃してこれを処分することについて相当の制約を受けるのが通常であることから、相続税の課税価格に算入すべき価額を計算する上において、政策的な観点から一定の減額をすることとした」（東京地裁平成23年８月26日判決等）ことにあると解されています。

本件において、被相続人甲と同居していた相続人Ａが相続により取得するＸ部分の土地は、相続開始の直前において、被相続人甲の居住の用に供されていた家屋で、被相続人甲が所有していたものの敷地ですが、Ｘ部分の土地の上に当該家屋が存しないため、居住の用を廃することなく、Ｘ部分の土地のみを処分することが可能であることからすると、上記の本件特例の趣旨に照らし、本件特例の適用は認められないのではないかとの疑問が生じるところです。

しかしながら、相続人Ａが相続により取得するＸ部分の土地と相続人Ｂが相続により取得するＹ部分の土地は、事実関係に記載のとおり、一体として「相続の開始直前において被相続人の居住の用に供されていた家屋で被相続人が所有していたものの敷地の用に供されていた宅地」であることからすると、居住の用を廃する必要があるかどうかにかかわらず、Ｘ部分の土地は、「相続の開始直前において被相続人の居住の用に供されていた家屋で被相続人が所有していたものの敷地の用に供されていた宅地」に該当すると考えます。

また、相続人Ａは、被相続人甲の親族であり、「相続開始の直前において被相続人の居住の用に供されていた一棟の建物に居住していた者」に該当します。

したがって、相続人ＡがＸ部分の土地を相続により取得し、申告期限まで引き続きＸ部分の土地を有し、かつ、家屋に居住している場合には、Ｘ部分の土地は、「特定居住用宅地等」として、本件特例の対象になると考えられます。

### ㉑　財産を取得した者が相続税の申告期限前に転勤により居住できなくなった場合の特定居住用宅地等の取扱い

**質疑**　父の死亡により、従前から父と同居していた長男が父所有の居宅及びその敷地を相続により取得し、その後引き続き居住の用に供する予定でいましたが、相続税の申告期限前に勤務先の社命に基づき地方の子会社に出向することとなりました。

幸い、出向期間は２年と短期間であるため単身赴任（社宅住い）とし、妻は今の居住している家屋に残ることを希望しています。

このような場合でも、相続税の申告期限まで引き続き居住するという要件を充足していない（相続税の申告期限までにおける所有継続の要件は充足しています。）ということで、父から相続した居宅の敷地については、特定居住用宅地等（減額割合80％）としての小規模宅地等の課税特例の適用はできないことになりますか。

**応答**

被相続人の同居親族（被相続人の配偶者を除きます。）が、当該同居していた家屋の敷地を相続により取得した場合には、居住に関する要件として、相続税の申告期限まで引き続きその宅地等を自己の居住の用に供していることが必要であると規定しています。

この要件に該当するか否かの判断に当たって、相続税の申告期限までに転勤した場合には、転勤により原則として生活の本拠の移転があったと考えられ、上記の要件を充足しないこととなりますので、特定居住用宅地等には該当しないと考えるのが理論的です。

しかしながら、**質疑** の事例の場合には、転勤というやむを得ない事情により単身赴任をするとのことであり、この小規模宅地等の課税特例の趣旨が居住の継続性に対する相続税負担の緩和であることを考慮すると、やむを得ない事情により一時的に長男がその家屋に起居しなくなった後においても、長男と同居していたその者の親族（社会通念上、その者と同居することが通常であると認められる親族に限られます。）がその家屋を引き続き居住の用に供している場合においては、その家屋は長男にとっても、なお生活の本拠に準じたものとして考えるのが相当であると思われ、これに該当すると認められる場合には、特定居住用宅地等として小規模宅地等の課税特例を適用することができます。

**質疑** の事例では、社会通念上、長男と同居することが通常であると認められる配偶者（長男の親族に該当します。）が、その家屋に引き続き居住するとのことですから、長男が父から相続した居宅の敷地については、特定居住用宅地等（減額割合80％）として、小規模宅地等の課税特例を適用することができます。

なお、**質疑** に掲げる事例において、もし仮に、次に掲げる状況にある場合には、長男が父から相続した居宅の敷地については、これを特定居住用宅地等に該当するものとして取り扱うことは認められないものと考えられます。

⑴　長男が独身で、父に係る相続開始後は父が所有していた居宅に単身で居住していたものの、相続税の申告期限前の社命による出向後は空き家となっていた場合

⑵　長男の妻が、父に係る相続税の申告期限前に当該居宅を居住の用に供しなくなった場合

## ㉒　財産を取得した者が被相続人に係る相続開始時に転勤（単身赴任）のため被相続人と同居していなかった場合の特定居住用宅地等の取扱い

**質疑**

父の死亡により、長男が父所有の居住用家屋及びその敷地の用に供している宅地等を相続により取得しました。

長男は、従前においては父と同居していたものの、父に係る相続開始の２年前に社命に基づき地方の子会社に単身赴任（社宅住い）し、相続開始時には父と同居していません。父の居宅には、長男の妻が引き続き父と同居しています。

このような場合には、財産を取得した親族（長男）が相続開始の直前において当該宅地等の上に存する当該被相続人の居住の用に供されていた一棟の建物に居住していた者（同居者）であることという要件を充足していない（相続税の申告期限までにおける所有継続の要件は充足しています。）ということで、父から相続した居宅の敷地については、特定居住用宅地等（減額割合80％）としての小規模宅地等の課税特例の適用はできないことになりますか。

**応答**

被相続人の同居親族（被相続人の配偶者を除きます。）が、当該同居していた家屋の敷地を相続により取得した場合には、居住に関する要件として、相続税の申告期限までに引き続きその宅地等を自己の居住の用に供していることが必要であると規定しています。

この要件に該当するか否かの判断に当たって、**質疑**の事例の場合には被相続人に係る相続開始の直前（法令解釈上は、相続開始時と同義です。）において、居宅の敷地を相続により取得した長男は、転勤のため被相続人と同居しておらず、当該要件を充足していないことから特定居住用宅地等には該当しないのではないかと考えるのが理論的です。これは、転勤により、原則として生活の本拠の移転があったと認めるのが相当であるとの考え方によるものです。

しかしながら、**質疑**の事例の場合には、被相続人に係る相続開始の直前において転勤というやむを得ない事情により、一時的に長男（財産取得者）が被相続人（父）が居住する家屋に居住（同居）することができなかったとのことであり、この小規模宅地等の課税特例の趣旨が居住の継続性に対する相続税負担の緩和であることを考慮すると、長男が転勤によりその家屋に起居しなくなった後においても、長男と同居していた長男の親族（社会通念上、その者と同居することが通常であると認められる親族に限られます。）がその家屋を引き続き居住の用に供している場合においては、その家屋は長男にとっても、なお生活の本拠に準じたものとして考えるのが相当であると思われ、これに該当すると認められる場合には、特定居住用宅地等として小規模宅地等の課税特例を適用することができます。

**質疑**の事例では、社会通念上、長男と同居することが通常であると認められる配偶者（長男の親族に該当します。）が、その家屋に引き続き居住するとのことですから、長男が父から相続した居宅の敷地については、特定居住用宅地等（減額割合80％）として、小規模宅地等の課税特例を適用することができます。

なお、**質疑**に掲げる事例において、もし仮に、次に掲げる状況にある場合には、長男が父から相続した居宅の敷地については、これをいわゆる『被相続人と同居の親族が取得した場合』の形態による特定居住用宅地等に該当するものとして取り扱うことは認められないものと考えられます。

(1)　長男が独身で、父に係る相続開始後は空き家となっていた場合

（注）　ただし、上記(1)の場合には、いわゆる『家なき子』の形態による特定居住用宅地等に該当するものと考えられます。平成30年４月１日以後に開始した相続又は遺贈である場合の原則的な取扱い（平成30年４月１日から令和２年３月31日までの経過的取扱いについては略）としての『家なき子』の適用要件を掲げると、要旨、次のとおりとなります。

①　被相続人の配偶者又は相続開始の直前において当該被相続人の居住の用に供されていた家屋に居住していた親族（当該被相続人の法定相続人をいいます。）がいないこと

②　当該被相続人の居住の用に供されていた宅地等を取得した親族が相続開始前３年以内に相続税法の施行地内にある当該親族、当該親族の配偶者、当該親族の３親等内の親族又は当該親族と特別の関係がある法人が所有する家屋（当該相続開始の直前において当該被相続人の居住の

用に供されていた家屋を除きます。）に居住したことがないこと

③　当該被相続人の相続開始時に当該親族が居住している家屋を相続開始前のいずれの時においても所有していたことがないこと

④　相続開始時から相続税の申告期限（当該親族が相続税の申告期限前に死亡している場合には、その死亡の日）まで引き続き当該宅地等を所有していること

(2)　長男の妻が、父に係る相続税の申告期限前に当該居宅を居住の用に供しなくなった場合

### (23)　被相続人が相続開始時に単身赴任していた場合の居住用宅地等の判定

**質疑**　被相続人甲の死亡により、同人の相続財産である下記２か所に所在する不動産（建物及びその敷地である宅地等）を配偶者乙が取得しました。

これらの２か所に所在する宅地等について、小規模宅地等の課税特例の対象となる特定居住用宅地等に該当することになりますか。

| | A不動産（建物及びその敷地） | B不動産（建物及びその敷地） |
|---|---|---|
| 所　　在 | ・山口県下関市 | ・大阪府東大阪市 |
| 利用状況 | ・転勤のため単身赴任していた被相続人甲の居住用<br>(注)　相当長期間に及ぶ単身赴任が想定されたため、単身赴任先においても居住用財産を取得しました。（場合によっては、下関市に永住することも念頭に置いています。） | ・被相続人甲の配偶者乙及び長男Ａ（いずれも、被相続人甲と生計一の親族）の居住用 |
| 宅地等の面積 | ・120㎡ | ・70㎡ |

**応答**

小規模宅地等の課税特例の対象となる被相続人等の居住の用に供されていた宅地等は、次に掲げる２つの区分から構成されています。

(1)　相続開始の直前において被相続人の居住の用に供されていた宅地等

(2)　相続開始の直前において被相続人と生計を一にしていた当該被相続人の親族の居住の用に供されていた宅地等

上記の取扱いを基に、**質疑** のA不動産及びB不動産に係る宅地等について、小規模宅地等の課税特例の適用の可否を検討すると次のとおりになります。

| | |
|---|---|
| A不動産に係る宅地等 | ・当該宅地等は、相続開始の直前において被相続人甲の居住の用に供されていた宅地等に該当（上記(1)に該当）し、かつ、被相続人甲の配偶者乙が取得することから、特定居住用宅地等（80％減）に該当することになります。 |

| | |
|---|---|
| B不動産に係る宅地等 | ・当該宅地等は、被相続人甲と生計を一にする配偶者乙及び長男Aの居住の用に供されていた宅地等に該当（上記(2)に該当）し、かつ、被相続人甲の配偶者乙が取得することから、特定居住用宅地等（80％減）に該当することになります。 |

以上の取扱いから、小規模宅地等の課税特例の対象となる被相続人等の居住の用に供されていた宅地等（特定居住用宅地等）が複数存在することとなりますが、このような場合には、330㎡までの限度面積の範囲内で複数の宅地等を選択することが認められるべきものであると考えられます。

なお、平成22年度の税法改正（平成22年４月１日施行）において、『被相続人等の居住の用に供されていた宅地等が２以上ある場合には、当該被相続人等が主として居住の用に供していた一の宅地等に限られるものとする。』という規定が措置法において明文化（注）されました。

（注）具体的な取扱いについては、(2)及び(3)の質疑応答を参照してください。

ただし、上記の規定は、原則として（この原則に該当しない例外的取扱いとして、下記 別解 を参照）、『被相続人の居住用宅地等が２以上ある場合の取扱い』又は『被相続人と生計を一にする親族の居住用宅地等が２以上ある場合の取扱い』に関するものであり、**質疑** の事例（被相続人の居住用宅地等及び被相続人と生計を一にする親族の居住用宅地等が各１か所である場合）とは異なるものであることに留意する必要があります。

また、上記に掲げる取扱いに対して、**質疑** の事例は『被相続人の居住用宅地等が２以上ある場合』に該当し、A不動産（山口県下関市所在）又はB不動産（大阪府東大阪市所在）のうち被相続人甲が主としてその居住の用に供していた一の宅地等が小規模宅地等の課税特例の対象とされるという考え方も成立する余地があるものと思われます。この考え方は、下記 別解 のとおりです。したがって、実務適用に当たっては、個々の事案に係る特性にも配慮して適切な対応が図られるべきものであると思われます。

**別解　被相続人の居住用宅地等が２以上ある場合の取扱いが適用されるとする考え方**

**質疑** のB不動産（大阪府東大阪市所在）について、これを被相続人甲と生計を一にしていた親族の居住の用に供されていた宅地等として区分するよりも、相続開始の直前において被相続人甲の居住の用に供されていた宅地等（被相続人甲の留守宅の敷地である宅地等）としての性格に着目し、かつ、譲渡所得税に関する取扱いではあるものの、租税特別措置法第31条の３《居住用財産を譲渡した場合の長期譲渡所得の課税の特例〔軽減税率の特例〕》に規定する『その居住の用に供している家屋』に関する解釈として設けられた措置法通達31の３－２《居住用家屋の範囲》（下記 参考資料 を参照）では、『転勤等のため配偶者等（社会通念に照らしその者と同居することが通常であると認められる配偶者その他の者をいいます。）と別居していても、当該事情の解消時には当該配偶者等と同居することが想定される場合には、当該配偶者等の居住用家屋は、その者（別居者）にとっても、その居住用家屋に該当する。』旨の定めが設けられていることとの均衡にも配意して、被相続人甲に係る相続開始の直前において、被相続人甲の居住の用に供されていた宅地等が２か所あるものと解釈することが相当である。

この場合には、平成22年度の税法改正（平成22年４月１日施行）によって、当該２か所ある被相続人甲の居住用宅地等については、当該被相続人甲が主としてその居住の用に供していた一の宅地等が小規模宅地等の課税特例の対象となる。

**参考資料**　措置法通達31の３－６《生計を一にする親族の居住の用に供している家屋》に規定する軽減税率の特例の対象とされる『その居住の用に供している家屋』のうち、生計を一にする親族の居住の用に供している家屋の取扱い

（生計を一にする親族の居住の用に供している家屋）

31の３－６　その有する家屋が31の３－２に定めるその居住の用に供している家屋に該当しない場合であっても、次に掲げる要件の全てを満たしているときは、その家屋はその所有者にとって措置法第31条の３第２項に規定する「その居住の用に供している家屋」に該当するものとして取り扱うことができるものとする。ただし、当該家屋の譲渡、当該家屋とともにするその敷地の用に供されている土地等の譲渡又は災害により滅失（31の３－５に定める取壊しを含む。）をした当該家屋の敷地の用に供されていた土地等の譲渡が次の⑵の要件を欠くに至った日から１年を経過した日以後に行われた場合には、この限りでない。

⑴　当該家屋は、当該所有者が従来その所有者としてその居住の用に供していた家屋であること。

⑵　当該家屋は、当該所有者が当該家屋をその居住の用に供さなくなった日以後引き続きその生計を一にする親族（所得税基本通達２－47《生計を一にするの意義》に定める親族をいう。以下この項において同じ。）の居住の用に供している家屋であること。

⑶　当該所有者は、当該家屋をその居住の用に供さなくなった日以後において、既に措置法第31条の３、第35条第１項（同条第３項の規定により適用する場合を除く。）、第36条の２、第36条の５、第41条の５又は第41条の５の２の規定の適用を受けていないこと。

⑷　当該所有者の31の３－２に定めるその居住の用に供している家屋は、当該所有者の所有する家屋でないこと。

（注）１　当該家屋が、上記⑴の当該所有者が従来その居住の用に供していた家屋であるかどうか及び上記⑵の生計を一にする親族がその居住の用に供している家屋であるかどうかは、31の３－２に定めるところに準じて判定する。

２　（略）

## ㉔　被相続人の居宅に相続権のない被相続人の親族が同居していた場合の特定居住用宅地等の取扱い

**質疑**　被相続人甲の親族関係図は下図のとおりであり、その相続財産である被相続人甲が居住していた家屋及びその敷地である宅地等については長男Ａが相続により取得し、被相続人甲の相続開始後において長男Ａ一家の居住の用に供しています。（長男Ａは、当該宅地等を相続税の申告期限まで継続して所有しています。）

長男Ａは、自己が所有する家屋に居住したことはなく、被相続人甲に係る相続開始前は勤務先の社宅に居住（10年間）していました。

なお、被相続人甲の居宅には、同人に係る相続開始時までは同人の弟が同人と同居していましたが、長男Ａの入居と入替りに弟は他に転居しています。

この被相続人甲所有の居宅の敷地である宅地等について特定居住用宅地等として小規模宅地等の課税特例を適用することができますか。

親族図

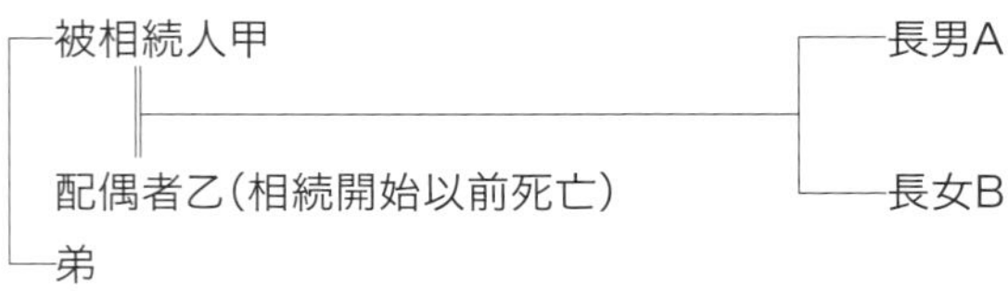


## 応答

被相続人が居住していた建物の敷地が特定居住用宅地等に該当するためには、その敷地を相続により取得した者（当該被相続人の配偶者を除きます。）が相続開始直前において当該被相続人と同居していなかった場合には、一定の要件を充足する必要があり、その要件の一つに「当該被相続人の配偶者又は相続開始の直前において被相続人の居住の用に供していた家屋に居住していた（一定の）親族がいないこと」と規定されています。

この『親族』の範囲については、平成11年度の税法改正により異同があったものであり、その改正の前後における取扱いは下記のとおりとなっています。

①　平成11年度改正前の取扱い（課税時期が平成10年12月31日以前の場合）

改正前の『親族』の範囲については、被相続人に係る相続人に限る等の制限規定は設けられていませんので、税法における通常どおりの解釈となり、民法第725条に規定する親族（６親等内の血族、配偶者及び３親等内の姻族）を示すこととなっていました。

したがって、**質疑**の事例の場合には、被相続人甲の親族である弟（６親等内の血族）が相続開始の直前において被相続人甲所有の家屋に被相続人甲と同居しており、上記の適用要件を充足しないので被相続人甲所有の当該居宅の敷地については、特定居住用宅地等には該当しないこととなり、その減額割合は80％ではなく一般の居住用宅地等として50％となっていました。

（注）　平成22年３月31日までは、被相続人等の居住用宅地等については特定居住用宅地等に該当しない場合であっても、一般の居住用宅地等として小規模宅地等の課税特例（課税価格算入割合50％、限度面積200㎡）の適用を受けることが認められていました。

②　平成11年度改正後の取扱い（課税時期が平成11年１月１日以後の場合）

改正後の『親族』の範囲について、当該被相続人の法定相続人（相続の放棄があった場合には、その放棄がなかったものとした場合における相続人をいいます。）に限るものとされることになりました。

すなわち、相続権を有していた被相続人の親族が被相続人と同居していた場合に限り、他の相続人等（当該被相続人の配偶者を除きます。）が取得した宅地等について特定居住用宅地等に該当しないことになり、一方、これに該当しない相続権を有しない被相続人の親族が被相続人と同居していた場合には、他の要件を充足する限り、特定居住用宅地等に該当することになります。

したがって、**質疑**の事例の場合には、被相続人甲の親族である弟（６親等内の血族）は相続開始の直前において被相続人甲所有の家屋に被相続人甲と同居していますが、被相続人甲に係る相続権を有しないため（被相続人甲に係る法定相続人は、長男Ａと長女Bの２人です。）に、上記の適用要件を充足することとなります。

そうすると、被相続人甲所有の当該居宅の敷地については、特定居住用宅地等に該当することとなり、その減額割合は80％となります。

### ㉕　被相続人の同居親族に該当するか否かの判定（「同居」の意義）（その１：被相続人と同居の親族が取得した場合に該当するか否かの判定）

**質疑**

被相続人甲と配偶者乙とが居住していた家屋及びその敷地の用に供されていた宅地等を長男Ａが相続により取得しました。

長男Ａは自己所有で自己の居住の用に供する家屋を所有していましたが、被相続人甲が自宅で療養していた関係で被相続人甲に係る相続開始前６か月位はほとんど自宅に帰ることなく、被相続人甲の自宅において同人の看病に従事していました。（相続開始後においては、被相続人甲に係る法要、相続問題の処理、配偶者乙が今後単身で生活を維持していくために必要な環境整備を施す等の種々の理由による必要性から被相続人甲の相続税の申告期限までは、当該相続により取得した家屋に配偶者乙とともに居住していました。その後、残務整理も終了し一段落したことから長男Ａは、自己所有の居宅に戻っています。）

この場合に、長男Ａは相続開始直前において被相続人甲と同居していた親族で一定の要件を充足した者であるとして、特定居住用宅地等の80％減額の特例を適用することができますか。

**応答**

上記の場合には、長男Ａが相続開始の直前において被相続人甲と同居していたものであると認められた場合には80％減額の対象となりますし、同居していたと認められない場合には小規模宅地等の課税特例の適用対象とはされない（前提条件（配偶者乙の存在）から、長男Ａはいわゆる『家なき子』には該当しません。）ことになります。

被相続人の親族が当該被相続人の相続開始の直前において当該被相続人と同居していたか否かの判定に際しては、次に掲げる事項に基づいて総合的に考慮して判断するものとされています。

⑴　当該親族の日常の生活状況

⑵　当該建物への入居目的

⑶　当該建物の構造及び設備

⑷　当該親族に係る生活の拠点となるべき他の建物の保有の有無

上記の考え方に基づいて、被相続人甲に係る相続開始の直前の状況において判断すると、長男Ａは、被相続人甲所有の家屋に居所はあったとしても、当該家屋に真に居住の意思をもって起居していたと認識するのは困難であり、被相続人甲の療養期間中のみ同人所有の居住家屋に起居していたと認定するのが相当であり、相続開始の直前における被相続人甲の同居の親族には該当しないものと考えられます。

したがって、**質疑** の事例の場合、長男Ａが取得した宅地等は、特定居住用宅地等に該当しないため、小規模宅地等の課税特例の対象とすることは認められないことになります。

### ㉖　被相続人の同居親族に該当するか否かの判定（「同居」の意義）（その２：被相続人の配偶者及び一定の同居親族が存せず非同居親族が取得した場合に該当するか否かの判定）

**質疑**

被相続人甲は本年６月に相続の開始がありました。被相続人甲が居住していた家屋及びその敷地の用に供されていた宅地等は、長男Ａが相続により取得し相続税の申告期限まで継続して所有しています。

被相続人甲は同人に係る相続開始の約１年位前までは単身で居住（被相続人甲の配偶者は既に他界しています。）していましたが、体調を崩したことから近在に居住していた長男Ａ（同人は、今日まで公営住宅に居住しており、持家に居住した事実はありません。）が同人の看病に当たることを目的として被相続人甲が居住していた家屋で同居を開始し、被相続人甲に係る相続開始時までは、継続して当該家屋で２人は寝食を共にしていました。

その後、被相続人甲に係る相続開始があったことから、長男Ａは公営住宅に戻って生活をしています。

上記のような状況において、長男Ａが取得した宅地等について、いわゆる『家なき子』に該当するとして、特定居住用宅地等の80％減額の特例を適用することができるでしょうか。

**応答**

被相続人の親族（当該被相続人の配偶者を除きます。）が取得した宅地等が、小規模宅地等の課税特例の適用対象とされる特定居住用宅地等の一形態であるいわゆる『家なき子』（被相続人の配偶者及び一定の同居親族が存せず非同居親族が取得した場合）に該当するためには、次に掲げる要件を充足していることが必要とされています。

⑴　当該被相続人の配偶者又は相続開始の直前において当該被相続人の居住の用に供されていた家屋に居住していた親族（当該被相続人の法定相続人である者をいいます。）がいないこと

⑵　当該被相続人の居住の用に供されていた宅地等を取得した一定の親族が相続開始前３年以内に相続税法の施行地内にある当該親族、当該親族の配偶者、当該親族の３親等内の親族又は当該親族と特別の関係がある法人が所有する家屋（相続開始の直前において当該被相続人の居住の用に供されていた家屋を除きます。）に居住したことがないこと

⑶　当該被相続人の相続開始時に当該親族が居住している家屋を相続開始前のいずれの時においても所有していたことがないこと

⑷　相続開始時から相続税の申告期限（当該親族が相続税の申告期限前に死亡した場合には、その死亡の日）まで引き続き当該宅地等を所有していること

そうすると、**質疑** の事例の場合、被相続人甲の相続財産である宅地等を取得した長男Ａは、相続開始の直前において被相続人甲の居住の用に供されていた家屋に居住していた同人に係る法定相続人に該当すると解釈した場合には、上記⑴の＿＿部分の要件を充足していないものとされ、当該宅地等は特定居住用宅地等（課税価格算入割合20％、適用上限面積330㎡）に該当しないことになります。

被相続人の親族が当該被相続人の相続開始の直前において当該被相続人と同居していたか否かの判定に際しては、次に掲げる事項に基づいて総合的に考慮して判断するものとされています。

⑷　当該親族の日常の生活状況

⑸　当該建物への入居目的

⑹　当該建物の構造及び設備

⑺　当該親族に係る生活の拠点となるべき他の建物の保有の有無

上記の考え方に基づいて、被相続人甲に係る相続開始の直前の状況において判断すると、長男Ａは、被相続人甲所有の家屋に居所はあったとしても、当該家屋に真に居住の意思をもって起居していたと認識するのは困難であり、被相続人甲の療養期間中のみ同人の看病を目的として同人の居住家屋に起居していたと認定するのが相当であり、相続開始の直前における被相続人甲の同居の親族には該当しないものと考えられます。

したがって、**質疑** の事例の場合、長男Ａが取得した宅地等は上記⑴に掲げる要件を充足しているものと考えられます。そして、**質疑** に掲げる前提条件から上記⑵ないし⑷の各要件も充足しているものと認められることから、当該宅地等は、特定居住用宅地等に該当するものとして、小規模宅地等の課税特例の対象とすることができるものと考えられます。

### ㉗　相続開始前３年以内に自己又は自己の配偶者等の所有する家屋に居住したことがない者の意義（その１：その所有する家屋を貸家の用に供していた場合）

**質疑**　田舎で１人暮らしの私の父は令和３年５月に死亡しました。父の相続人は私１人だけでしたので、父が居住の用に供していた家屋及びその敷地の用に供されていた宅地等を相続により私が承継しました。（相続税の申告期限まで引き続き所有しています。）

私（独身）は平成29年５月に自己の居住の用に供する家屋を東京都内で購入し居住していましたが、会社の勤務の都合で平成29年９月からは、大阪で府営住宅に居住しています。（購入した家屋はその後貸家の用に供しています。）

この場合において、私が父から相続した父の居住の用に供していた宅地等について特定居住用宅地等の取扱いが適用できますか。

**応答**

被相続人の居住の用に供されていた宅地等を相続又は遺贈により取得した親族（当該被相続人の配偶者を除きます。）のなかに次に掲げる要件のすべてを充足する者がいる場合における当該宅地等は、特定居住用宅地等として80％の減額が適用されます。

⑴　当該被相続人の配偶者又は相続開始の直前において当該被相続人の居住の用に供されていた家屋に居住していた親族（当該被相続人の法定相続人〔相続の放棄があった場合には、その放棄がなかったものとした場合における相続人〕をいいます。）がいないこと

⑵　当該被相続人の居住の用に供されていた宅地等を取得した一定の親族が相続開始前３年以内に相続税法の施行地内にある当該親族、当該親族の配偶者、当該親族の３親等内の親族又は当該親族と一定の特別の関係がある法人の所有する家屋（当該相続開始の直前において当該被相続人の居住の用に供されていた家屋を除きます。）に居住したことがない者であること

⑶　当該被相続人の相続開始時に当該親族が居住している家屋を相続開始前のいずれの時においても所有していたことがないこと

⑷　相続開始時から相続税の申告期限（当該親族が申告期限前に死亡した場合には、その死亡の日）まで引き続き当該宅地等を所有していること

したがって、**質疑**の事例の場合には、この特例の適用要件に該当するか否かの判定期間である相続開始（令和３年５月）前３年以内の期間内においては、被相続人である父から同人が居住の用に供していた家屋及びその敷地の用に供されていた宅地等を相続により取得したあなたは自己所有の家屋を貸家の用に供しており、所有者（あなた）自身の居住の用には供していないため、その結果、特定居住用宅地等の適用要件を充足していることとなりますので80％減額の適用対象とされることとなります。

### ㉘　相続開始前３年以内に自己又は自己の配偶者等の所有する家屋に居住したことがない者の意義（その２：その所有する家屋を所有者の長男の居住の用に供していた場合）

**質疑**　前問㉗に掲げる **質疑** において、前提条件の一部が下記のとおりに変更（これ以外の条件は全く同一であるとします。）された場合には、私が父から相続した父の居住の用に供していた宅地等について特定居住用宅地等の取扱いが適用できますか。

前提条件の変更部分

①　前問㉗では私は独身でしたが、本問では、私には配偶者と長男が存しています。

②　前問㉗では私が購入した家屋は貸家の用に供していましたが、本問では、当該家屋を長男（私と生計一にする大学生）の居住の用に供していました。（私と配偶者は賃借した府営住宅住いで、長男とは別居しています。）

**応答**

被相続人に係る配偶者又は一定の同居親族がいない場合において、非同居の親族が取得した被相続人の居住の用に供されていた建物の敷地である宅地等が特定居住用宅地等に該当するためには、前問㉗の **応答** に掲げる⑴から⑷の要件を充足している必要があります。

このうち、⑵の要件について、相続開始前３年以内に相続税法の施行地内にある財産取得親族の所有する家屋に当該財産取得親族と生計を一にする当該財産取得親族の親族が居住していることからこれが問題視されるのではないかという疑念が生じることも考えられます。

しかしながら、⑵の要件を精読すると、「被相続人の居住の用に供されていた宅地等を相続等により取得した親族が、相続開始前３年以内に相続税法の施行地内にある当該親族、当該親族の配偶者、当該親族の３親等内の親族又は当該親族と一定の特別の関係がある法人の所有する家屋に居住したことがない者であること」とされており、**質疑** の事例の場合には、財産取得親族（あなた）は自己所有の家屋が存するものの、その家屋には財産取得親族（あなた）自身は居住せず、たとえ、財産取得親族（あなた）と生計一であったとしても長男のみが居住しているとのことですから、これには該当しない（前記＿＿部分を参照してください。）ことになります。

したがって、**質疑** の事例は、特定居住用宅地等の適用要件を充足していることになりますので80％減額の適用対象とされることになります。

なお、本問に係る類例として、もし仮に、家屋を相続により取得した者（あなた）のみが賃借した府営住宅住いで、当該相続により取得した家屋にはその者（あなた）の配偶者と長男が居住している事例（いわゆる『単身赴任』）があった場合には、当該相続により家屋を取得した者（あなた）の生活の拠点という観点から判断して上記と異なる取扱いがなされる可能性があることに留意する必要があります。

### ㉙　相続開始前３年以内に自己又は自己の配偶者等の所有する家屋に居住したことがない者の意義（その３：相続開始前３年以内に自己所有の家屋に被相続人と同居していた場合）

**質疑**　田舎で１人暮らしの私の父は令和３年５月に死亡しました。父の相続人は私１人だけでしたので、父が居住の用に供していた家屋（平成元年に私の名義によって新築したもので、私は令和３年１月まで当該家屋に父と共に居住していましたが、同年２月に社命により神戸に転勤となり、課税時期においては賃借した市営住宅に入居していました。）の敷地の用に供されていた宅地等（父所有地）を相続により私が承継しました。（相続税の申告期限まで引き続き所有しています。）

この場合において、私が父から相続した父の居住の用に供していた宅地等について特定居住用宅地等の取扱いが適用できますか。（私と父との間においては地代や家賃の授受は一切なされていません。）

**応答**

上記において、その相続により取得した宅地等が特定居住用宅地等に該当するか否かの判定は前々問㉗における **応答** に記載する⑴から⑷の４つの要件をすべて充足するか否かにより判定することとなります。

この判定において、⑴、⑶及び⑷の要件は一見して充足していることが判明しますが、⑵の要件については相続開始前３年以内に自己所有の家屋に居住していた（ **質疑** の事例の場合、令和３年１月まであなたは自己所有の家屋に被相続人である父と同居）とのことですから、この点において適用要件を充足していないように見えるかもしれません。

しかしながら、⑵の要件についてはその（　）書において「当該相続の開始直前において当該被相続人の居住の用に供されていた家屋を除きます。」とされており、本事例においては正にこの適用除外項目に該当します。

したがって、⑵の要件も充足することとなり、当該親族（私）が取得した宅地等については、特定居住用宅地等の適用要件を充足していることとなりますので80％減額の適用対象とされることになります。

### ㉚　相続開始前３年以内に自己又は自己の配偶者等の所有する家屋に居住したことがない者の意義（その４：相続開始前３年以内に配偶者所有の家屋に居住していたがその後、当該配偶者と死別した場合）

**質疑**　田舎で１人暮らしの私の父は令和３年12月に死亡しました。父の相続人は私１人だけでしたので、父が居住の用に供していた不動産（家屋及びその敷地である宅地等）については相続により私が承継し、相続税の申告期限まで引き続き所有しています。

父の相続開始前における私の居住に関する資料は下記のとおりです。

**資料**　(1)　平成20年６月に私は配偶者Ａと婚姻し、配偶者Ａの所有する家屋に居住することになりました。なお、配偶者Ａの実家は資産家であるため当該家屋の購入資金は配偶者Ａの実父（私の義父）からの贈与によるものです。

(2)　令和元年８月に配偶者Ａが急死しました。配偶者Ａ名義の不動産（居住用家屋及びその敷地である宅地等）については、上記(1)に掲げる取得の経緯もあったことから、配偶者Ａがその生前に作成していた遺言書に基づいて、配偶者Ａの実父が遺贈により取得しています。

(3)　上記(2)に掲げる事情もあって、私は配偶者Ａの死亡（令和元年８月）以後、当該配偶者Ａ名義の家屋に継続して居住することが困難となり、新たに賃貸住宅に転居することとなり、その後、私の父に係る相続開始時（令和３年12月）まで借家住まい（当該借家を私が過去に所有していたという事実はありません。）を継続しています。

**参考**

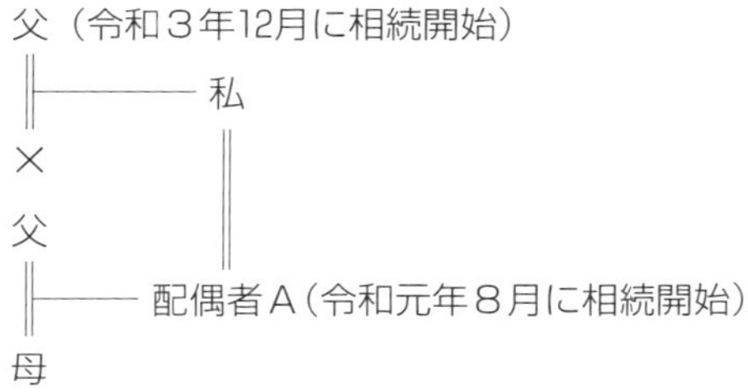


上記に掲げるような状況にある場合において、今回、私が実父から相続により取得した同人の居住の用に供していた宅地等について、特定居住用宅地等に該当するものとして小規模宅地等の課税特例の対象とすることが認められますか。

## 応答

上記において、あなたが実父から相続により取得した宅地等が特定居住用宅地等に該当するか否かの判定は(27)における **応答** に記載する(1)から(4)の４つの要件をすべて充足するか否かにより判定することになります。

この判定において、(1)、(3)及び(4)の要件は一見して充足していることが判明しますが、(2)の要件については相続開始前３年以内に自己の配偶者[(A)]（配偶者Ａ）の所有する家屋に居住していた（ **質疑** の事例の場合、令和元年８月まであなたは配偶者Ａが所有する家屋に居住）とのことですから、この点において適用要件を充足していないように見えるかもしれません。

上記に掲げる『自己の配偶者』（上記[(A)]部分）の意義について条文（租税特別措置法）上の明確な定義は規定されていませんが、措置法通達69の４－22《『当該親族の配偶者』等の意義》においては「『当該親族の配偶者、当該親族の３親等内の親族又は当該親族と特別の関係がある法人』とは、相続の開始の直前において[(B)]当該親族（ **筆者注** 宅地等を取得した親族をいいます。）の配偶者、当該親族の３親等内の親族又は当該親族と特別の関係がある法人である者をいうものとする。」と定められており、その者の配偶者等に該当するか否かの判定は相続開始の直前（上記(B)部分）が判断時点とされることが明確化されています。

このような取扱いとされたのは、その者の配偶者等に該当するか否かの判定時点を相続の開始の直前とした場合に、当該判定時点において既に死亡しており戸籍法上において当該親族の配偶者等に該当しない者までをも、上記の特定居住用宅地等に該当するか否かの判断上の配偶者等の範囲に含めることは相当性がないものと考えられたことによるものと思われます。

したがって、**質疑** の事例の場合には、あなたの父に係る相続開始の直前においてあなたには配偶者が存していないものとされ、⑵に掲げられている「相続開始前３年以内に相続税法の施行地内にある当該親族、当該親族の配偶者、当該親族の３親等内の親族又は当該親族と一定の特別の関係がある法人の所有する家屋に居住したことがない者であること」の要件を充足していることになります。

そうすると、**質疑** の事例ではあなたが取得した宅地等については、特定居住用宅地等の適用要件を充足していることとなりますので80％減額の適用対象とされることになります。

### ㉛　相続開始前３年以内に自己又は自己の配偶者等の所有する家屋に居住したことがない者の意義（その５：相続開始前３年以内に配偶者所有の家屋に居住していたがその後、当該配偶者と離婚した場合）

**質疑**　田舎で１人暮らしの私の父は令和３年９月に死亡しました。父の相続人は私１人だけでしたので、父が居住の用に供していた不動産（家屋及びその敷地である宅地等）については相続により私が承継し、相続税の申告期限まで引き続き所有しています。

父の相続開始前における私の居住に関する資料は下記のとおりです。

**資料**　⑴　平成17年８月に私は配偶者Ａと婚姻し、配偶者Ａの所有する家屋（配偶者Ａは実業家で、非常に高額な収入を有しており、当該収入を原資として取得したと認められます。）に居住することになりました。

⑵　令和２年２月に私の浮気が発覚して有責配偶者として責任を果たす必要が生じ、配偶者Ａと離婚することになりました。

当該離婚に伴って、私は配偶者Ａ名義の家屋から退居し、新たに賃貸住宅（当該賃貸住宅を私が過去に所有していたという事実はありません。）に入居することとし、その後は私の父に係る相続開始時（令和３年９月）まで借家住いを継続しています。

上記に掲げるような状況にある場合において、今回、私が父から相続により取得した同人の居住の用に供していた宅地等について、特定居住用宅地等に該当するものとして小規模宅地等の相続税の課税特例の対象とすることが認められますか。

**応答**

上記において、あなたが実父から相続により取得した宅地等が特定居住用宅地等に該当するか否かの判定は㉗における **応答** に記載する⑴から⑷の４つの要件をすべて充足するか否かにより判定することになります。

この判定において、⑴、⑶及び⑷の要件は一見して充足していることが判明しますが、⑵の要件については相続開始前３年以内に自己の配偶者(A)（配偶者Ａ）の所有する家屋に居住していた（ **質疑** の事例の場合、令和２年２月まであなたは配偶者Ａが所有する家屋に居住）とのことですから、この点において適用要件を充足していないように見えるかもしれません。

上記に掲げる『自己の配偶者』（上記(A)部分）の意義について条文（租税特別措置法）上の明確な定義は規定されていませんが、措置法通達69の４－22《『当該親族の配偶者』等の意義》においては「『当該親族の配偶者、当該親族の３親等内の親族又は当該親族と特別の関係がある法人』とは、相続の開始の直前において(B)当該親族（ **筆者注** 宅地等を取得した親族をいいます。）の配偶者、当該親族の３親等内の親族又は当該親族と特別の関係がある法人である者をいうものとする。」と定められており、その者の配偶者等に該当するか否かの判定は相続開始の直前（上記(B)部分）が判断時点とされることが明確化されています。

このような取扱いとされたのは、その者の配偶者に該当するか否かの判定時点を相続の開始の直前とした場合に、当該判定時点において既に離婚しており戸籍法上において当該親族の配偶者に該当しない者までをも、上記の特定居住用宅地等に該当するか否かの判断上の配偶者の範囲に含めることは相当性がないものと考えられたことによるものと思われます。

したがって、 **質疑** の事例の場合には、あなたの父に係る相続開始の直前においてあなたには配偶者が存していないものとされ、⑵に掲げられている「相続開始前３年以内に相続税法の施行地内にある当該親族、当該親族の配偶者、当該親族の３親等内の親族又は当該親族と一定の特別の関係がある法人の所有する家屋に居住したことがない者であること」の要件を充足していることになります。

そうすると、 **質疑** の事例ではあなたが取得した宅地等については、特定居住用宅地等の適用要件を充足していることとなりますので80％減額の適用対象とされることになります。

### ㉜　相続開始前３年以内に自己又は自己の配偶者等の所有する家屋に居住したことがない者の意義（その６：相続開始前３年以内に被相続人所有の家屋に居住していた者である場合）

**質疑**

被相続人甲の相続財産のうちには、下表に掲げるＸ不動産及びＹ不動産（いずれも、居住用家屋及びその敷地である宅地から構成されています。）があります。

これらの財産は、いずれも長男Ａ（被相続人甲と生計別の親族）が相続により取得しており、今後も継続して所有する予定となっています。

長男Ａは、小規模宅地等の課税特例の適用に当たって、Ｘ宅地を特定居住用宅地等に該当するものとして取り扱うことが認められるのでしょうか。

| 相続財産 | 相続財産の利用状況等 | |
|---|---|---|
| Ｘ不動産 | Ｘ家屋 | ・被相続人甲は、Ｘ家屋に単身（配偶者は既に他界）で居住していました。 |
| | Ｘ宅地 | |
| Ｙ不動産 | Ｙ家屋 | ・長男Ａは、被相続人甲に係る相続開始の８年前よりＹ家屋に居住（家賃は無償）していました。 |
| | Ｙ宅地 | |

## 応答

ご照会の 質疑 の事例の場合、Ｘ宅地が特定居住用宅地等に該当する可能性について検討の対象とされるべきものは、いわゆる『家なき子』（被相続人の配偶者及び一定の同居親族が存せず非同居親族が取得した場合）に該当する要件を充足しているか否かであると考えられます。

質疑 の事例の場合、Ｘ宅地がいわゆる『家なき子』として特定居住用宅地等に該当するか否かを検討すると、被相続人甲に係る下記に掲げる相続開始日の区分に応じて、それぞれに示すとおりとなります。

(1)　平成30年３月31日までに相続開始日が到来した場合

①　適用要件

いわゆる『家なき子』に該当するためには、次に掲げる(イ)ないし(ハ)に掲げる要件を充足していることが必要とされます。

(イ)　被相続人の配偶者又は相続開始の直前において当該被相続人の居住の用に供されていた家屋に居住していた親族（当該被相続人の法定相続人をいいます。）がいないこと

(ロ)　被相続人の居住の用に供されていた宅地等を取得した一定の親族が相続開始前３年以内に相続税法の施行地内にある当該親族又は当該親族の配偶者が所有する家屋（当該相続開始の直前において当該被相続人の居住の用に供されていた家屋を除きます。）に居住したとこがないこと

(ハ)　相続開始時から相続税の申告期限（当該親族が相続税の申告期限前に死亡した場合には、その死亡の日）まで引き続き当該宅地等を所有していること

②　当てはめ

質疑 の事例の場合、Ｘ宅地を相続により取得した長男Ａについて、相続開始前３年以内に居住していた家屋は被相続人甲が所有する家屋であり、長男Ａ又は長男Ａの配偶者が所有する家屋ではないことから、上記①(ロ)に掲げる要件を充足していると認められる（上記①(イ)及び(ハ)に掲げる要件も、前提条件から充足していると認められる）こととなり、Ｘ宅地は、特定居住用宅地等（課税価格算入割合20％、適用上限面積330㎡）に該当するこ

とになります。

⑵　平成30年４月１日から令和２年３月31日までの間に相続開始日が到来した場合

①　適用要件

平成30年度の税制改正によって、いわゆる『家なき子』に該当するためには、次に掲げる(イ)ないし(ロ)に掲げる要件を充足していることが必要とされます。

(イ)　被相続人の配偶者又は相続開始の直前において当該被相続人の居住の用に供されていた家屋に居住していた親族（当該被相続人の法定相続人をいいます。）がいないこと

(ロ)　被相続人の居住の用に供されていた宅地等を取得した一定の親族が相続開始前３年以内に相続税法の施行地内にある当該親族、当該親族の配偶者、当該親族の３親等内の親族又は当該親族と特別の関係がある法人が所有する家屋（当該相続開始の直前において当該被相続人の居住の用に供されていた家屋を除きます。）に居住したことがないこと

(注)　上記＿＿部分が平成30年度の税法改正によって追加されました。

(ハ)　被相続人の居住の用に供されていた宅地等を取得した一定の親族は、当該被相続人の相続開始時に当該親族が居住している家屋を相続開始前のいずれの時においても所有していたことがないこと

(注)　上記(ハ)の要件が平成30年度の税法改正によって新設されました。

(ニ)　相続開始時から相続税の申告期限（当該親族が相続税の申告期限前に死亡した場合には、その死亡の日）まで引き続き宅地等を所有していること

ただし、上記に掲げる平成30年度の税法改正後の取扱いに対して、個人が平成30年４月１日から令和２年３月31日までの間に相続又は遺贈により取得した『経過措置対象宅地等』については、これを特定居住用宅地等に該当するものとして取り扱う旨を規定した経過的な取扱いが設けられています。

経過措置対象宅地等

経過措置対象宅地等とは、平成30年３月31日に相続又は遺贈があったものとした場合に、平成30年改正法による改正前の措置法第69条の４第１項に規定する特例対象宅地等（同条第３項第２号に規定する特定居住用宅地等（同条第３項第２号に規定する特定居住用宅地等のうち同号ロ（いわゆる『家なき子』型）に掲げる要件（上記⑴①を参照）を満たすものに限られます。））に該当することとなる宅地等をいいます。

②　当てはめ

**質疑** の事例の場合、Ｘ宅地を相続により取得した長男Ａについて相続開始前３年以内に居住していた家屋は被相続人甲が所有する家屋であり、長男Ａからすると被相続人甲は１親等の血族に該当することから、平成30年度の税法改正によって追加された「相続開始前３年以内に相続税法の施行地内にある当該親族（被相続人の居住の用に供されていた宅地等を取得した一定の親族）の３親等内の親族が所有する家屋に居住したことがないこ

と」とする上記①(ロ)に掲げる要件を充足していないことになり、特定居住用宅地等に該当しないのではないかと考えられるかも知れません。

しかしながら、平成30年４月１日から令和２年３月31日までに開始した相続又は遺贈により取得した財産に係る特定居住用宅地等の適用については、上記①のただし書に掲げるとおりの経過的な取扱いが規定されており、**質疑** の事例の場合、長男Ａは上記(1)に掲げるとおり、その要件を充足しているものと認められます。

したがって、長男Ａが相続により取得したＸ宅地は、特定居住用宅地等（課税価格算入割合20％、適用上限面積330㎡）に該当することになります。

(3)　令和２年４月１日以後に相続開始日が到来した場合

①　適用要件

いわゆる『家なき子』に該当するためには、上記(2)①の本文に掲げる要件を充足していることが必要とされます。

②　当てはめ

**質疑** の事例の場合、Ｘ宅地を相続により取得した長男Ａについて相続開始前３年以内に居住していた家屋は被相続人甲が所有する家屋であり、長男Ａからすると被相続人甲は１親等の血族に該当することから、平成30年度の税法改正によって追加された「相続開始前３年以内に相続税法の施行地内にある当該親族（被相続人の居住の用に供されていた宅地等を取得した一定の親族）の３親等内の親族が所有する家屋に居住したことがないこと」とする上記(2)①(ロ)に掲げる要件を充足していないこととなります。

したがって、長男Ａが相続により取得したＸ宅地は、特定居住用宅地等（課税価格算入割合20％、適用上限面積330㎡）には該当しないことになります。

## (33)　相続開始前３年以内に自己又は自己の配偶者等の所有する家屋に居住したことがない者の意義（その７：被相続人の孫が遺贈により取得した場合）

**質疑**　被相続人甲は、その所有する不動産（居住用家屋及びその敷地である宅地から構成されています。）に単身（配偶者は既に他界）で居住していました。当該不動産は、被相続人甲の孫であるＡが遺贈により取得しています。

なお、孫Ａは、その出生以来、同人の父が所有する家屋に継続して居住しています。

孫Ａは、遺贈により取得した不動産を今後も継続して保有する予定です。

このような状況にある場合、孫Ａが遺贈により取得した宅地を小規模宅地等の課税特例の適用対象となる特定居住用宅地等として取り扱うことは認められるのでしょうか。

**類題**　孫Ａがその出生以来、同人の父が所有する家屋に居住していたものの、被相続人甲に係る相続開始前に就職を機会に独立することになり、それぞれ、次に掲げる時期に公営の賃貸住宅に転居した場合にはどのようになりますか。

なお、これ以外の条件は本題と同様であるものとします。

(1)　公営の賃貸住宅への転居時期が平成29年１月10日である場合

(2)　公営の賃貸住宅への転居時期が平成30年１月10日である場合

(3)　公営の賃貸住宅への転居時期が平成31年１月10日である場合

（親族図）

（不動産）

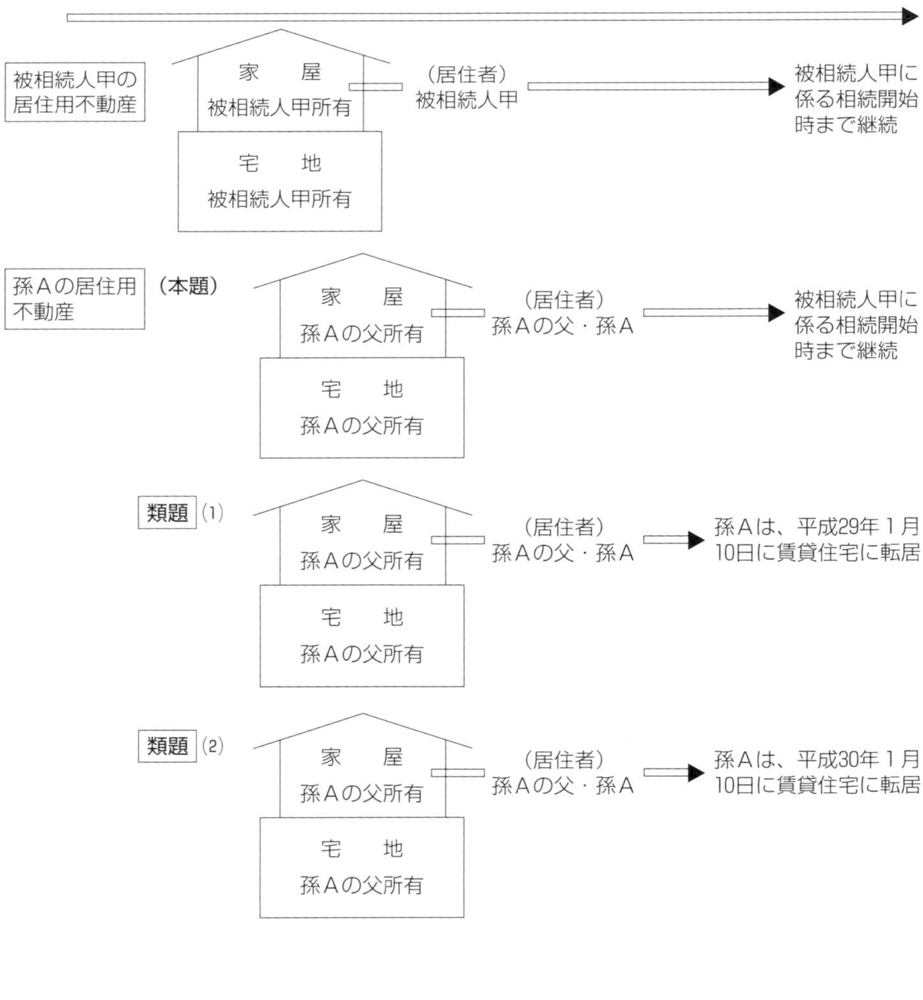

**類題**(3)

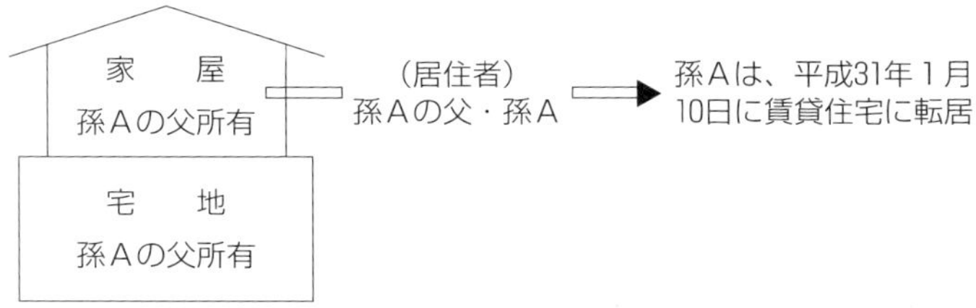


## 応答

(1)　概要

ご照会の **質疑** の事例の場合、孫Aが遺贈により取得した宅地が特定居住用宅地等に該当する可能性について検討の対象とされるべきものは、いわゆる『家なき子』（被相続人の配偶者及び一定の同居親族が存せず非同居親族が取得した場合）に該当する要件を充足しているか否かであると考えられます。

平成30年度の税法改正によって、このいわゆる『家なき子』の要件に次に掲げるとおりの見直しが行われました。

①　平成30年3月31日までに相続開始日が到来した場合

いわゆる『家なき子』に該当するためには、次に掲げる(イ)ないし(ハ)に掲げる要件を充足していることが必要とされます。

(イ)　被相続人の配偶者又は相続の開始の直前において当該被相続人の居住の用に供されていた家屋に居住していた親族（当該被相続人の法定相続人をいいます。）がいないこと

(ロ)　被相続人の居住の用に供されていた宅地等を取得した一定の親族が相続開始前3年以内に相続税法の施行地内にある当該親族又は当該親族の配偶者が所有する家屋（当該相続開始の直前において当該被相続人の居住の用に供されていた家屋を除きます。）に居住したことがないこと

(ハ)　相続開始時から相続税の申告期限（当該親族が相続税の申告期限前に死亡した場合には、その死亡の日）まで引き続き当該宅地等を所有していること

②　平成30年4月1日から令和2年3月31日までの間に相続開始日が到来した場合

平成30年3月31日に相続又は遺贈があったものとした場合に、平成30年改正法による改正前の措置法第69条の4第1項に規定する特例対象宅地等（同条第3項第2号に規定する特定居住用宅地等（同条第3項第2号に規定する特定居住用宅地等のうち同号ロ（いわゆる『家なき子』型）に掲げる要件（上記①を参照）を満たすものに限られます。））に該当することとなる宅地等（以下、これを「経過措置対象宅地等」といいます。）については、これをいわゆる『家なき子』に該当するものとして取り扱う旨の経過的な取扱いが規定されています。

③　令和2年4月1日以後に相続開始日が到来した場合

いわゆる『家なき子』に該当するためには、次に掲げる(イ)ないし(ニ)に掲げる要件を充足していることが必要とされます。

(イ)　被相続人の配偶者又は相続開始の直前において当該被相続人の居住の用に供されていた家屋に居住していた親族（当該被相続人の法定相続人をいいます。）がいないこと

(ロ)　被相続人の居住の用に供されていた宅地等を取得した一定の親族が相続開始前３年以内に相続税法の施行地内にある当該親族、当該親族の配偶者、当該親族の３親等内の親族又は当該親族と特別の関係がある法人が所有する家屋（当該相続開始の直前において当該被相続人の居住の用に供されていた家屋を除きます。）に居住したことがないこと

（注）　上記＿＿部分が平成30年度の税法改正によって追加されました。

(ハ)　被相続人の居住の用に供されていた宅地等を取得した一定の親族は、当該被相続人の相続開始時に当該親族が居住している家屋を相続開始前のいずれの時においても所有していたことがないこと

（注）　上記(ハ)の要件が平成30年度の税法改正によって新設されました。

(ニ)　相続開始時から相続税の申告期限（当該親族が相続税の申告期限前に死亡した場合には、その死亡の日）まで引き続き当該宅地等を所有していること

(2)　**（本題）**（孫Ａが孫の父所有の家屋に居住を継続）の場合の取扱い

①　平成30年３月31日までに相続開始日が到来した場合

孫Ａが遺贈により取得した宅地については、上記(1)①に掲げる(イ)ないし(ハ)の全ての要件を充足していると認められることからいわゆる『家なき子』に該当し、当該宅地を特定居住用宅地等（課税価格算入割合20％、適用上限面積330㎡）として取り扱うことが認められます。

②　平成30年４月１日から令和２年３月31日までの間に相続開始日が到来した場合

孫Ａが遺贈により取得した宅地については、上記(1)②に掲げる経過措置対象宅地等の要件を充足していると認められることからいわゆる『家なき子』に該当し、当該宅地を特定居住用宅地等（課税価格算入割合20％、適用上限面積330㎡）として取り扱うことが認められます。

③　令和２年４月１日以後に相続開始日が到来した場合

孫Ａは **質疑** に掲げる前提条件から、その出生以来、被相続人甲に係る相続開始時まで孫Ａの父（孫Ａからすると、孫Ａの父は１親等の親族に該当）が所有する家屋に居住していたとのことから、孫Ａが遺贈により取得した宅地については、上記(1)③(ロ)に掲げる要件を満たさないこととなりいわゆる『家なき子』には該当せず、当該宅地を特定居住用宅地等（課税価格算入割合20％、適用上限面積330㎡）として取り扱うことは認められないものとされます。

(3)　**類題**(1)（孫Aが平成29年1月10日に賃貸住宅に転居）の場合

①　平成30年3月31日までに相続開始日が到来した場合

孫Aが遺贈により取得した宅地については、上記(1)①に掲げる(イ)ないし(ハ)の全ての要件を充足していると認められることからいわゆる『家なき子』に該当し、当該宅地を特定居住用宅地等（課税価格算入割合20%、適用上限面積330㎡）として取り扱うことが認められます。

②　平成30年4月1日から令和2年3月31日までの間に相続開始日が到来した場合

孫Aが遺贈により取得した宅地については、上記(1)②に掲げる経過措置対象宅地等の要件を充足していると認められることからいわゆる『家なき子』に該当し、当該宅地を特定居住用宅地等（課税価格算入割合20%、適用上限面積330㎡）として取り扱うことが認められます。

(注)　相続開始日が令和2年1月11日から令和2年3月31日までの間である場合には、上記の経過措置対象宅地等に該当するとともに、平成30年度の税法改正後のいわゆる『家なき子』の要件（上記(1)③を参照）も充足（上記(1)③(ロ)に掲げる相続開始前3年以内の一定の者の所有家屋対する非居住要件を充足（賃貸住宅転居日Ⓐ：平成29年1月10日、Ⓐより3年経過日：令和2年1月10日、相続開始日：令和2年1月11日から令和2年3月31日）しています。）していることになります。

③　令和2年4月1日以後に相続開始日が到来した場合

孫Aは **質疑** に掲げる前提条件から、平成29年1月10日に孫Aの父が所有する家屋から賃貸住宅に転居しており、本欄に掲げる期間は同日から3年を経過した日（令和2年1月10日）後に該当することから平成30年度の税法改正後のいわゆる『家なき子』の要件（上記(1)③を参照）を充足している（上記(1)③(ロ)に掲げる相続開始前3年以内の一定の者の所有家屋に対する非居住要件を充足）ことになります。

したがって、孫Aが遺贈により取得した宅地については、これを特定居住用宅地等（課税価格算入割合20%、適用上限面積330㎡）として取り扱うことが認められます。

(4)　**類題**(2)（孫Aが平成30年1月10日に賃貸住宅に転居）の場合

①　平成30年3月31日までに相続開始日が到来した場合

孫Aが遺贈により取得した宅地については、上記(1)①に掲げる(イ)ないし(ハ)の全ての要件を充足していると認められることからいわゆる『家なき子』に該当し、当該宅地を特定居住用宅地等（課税価格算入割合20%、適用上限面積330㎡）として取り扱うことが認められます。

②　平成30年4月1日から令和2年3月31日までの間に相続開始日が到来した場合

孫Aが遺贈により取得した宅地については、上記(1)②に掲げる経過措置対象宅地等の要件を充足していると認められることからいわゆる『家なき子』に該当し、当該宅地を特定居住用宅地等（課税価格算入割合20%、適用上限面積330㎡）として取り扱うことが認められます。

③　令和2年4月1日から令和3年1月10日までの間に相続開始日が到来した場合

孫Aは **質疑** に掲げる前提条件から、平成30年1月10日に孫Aの父が所有する家屋から賃貸住宅に転居しており、本欄に掲げる期間は同日から３年を経過した日（令和３年１月10日）以前に該当することから平成30年度の税法改正後のいわゆる『家なき子』の要件（上記⑴③を参照）を充足していない（上記⑴③(ロ)に掲げる相続開始前３年以内の一定の者の所有家屋に対する非居住要件を未充足）ことになります。

したがって、孫Ａが遺贈により取得した宅地については、これを特定居住用宅地等（課税価格算入割合20％、適用上限面積330㎡）として取り扱うことは認められないものとされます。

④　令和３年１月11日以後に相続開始日が到来した場合

孫Ａは **質疑** に掲げる前提条件から、平成30年１月10日に孫Ａの父が所有する家屋から賃貸住宅に転居しており、本欄に掲げる期間は同日から３年を経過した日（令和３年１月10日）後に該当することから平成30年度の税法改正後のいわゆる『家なき子』の要件（上記⑴③を参照）を充足している（上記⑴③(ロ)に掲げる相続開始前３年以内の一定の者の所有家屋に対する非居住要件を充足）ことになります。

したがって、孫Ａが遺贈により取得した宅地については、これを特定居住用宅地等（課税価格算入割合20％、適用上限面積330㎡）として取り扱うことが認められます。

⑸　**類題**⑶（孫Ａが平成31年１月10日に賃貸住宅に転居）の場合

①　平成31年１月10日から令和２年３月31日までの間に相続開始日が到来した場合

孫Ａが遺贈により取得した宅地については、上記⑴②に掲げる経過措置対象宅地等の要件を充足していると認められることからいわゆる『家なき子』に該当し、当該宅地を特定居住用宅地等（課税価格算入割合20％、適用上限面積330㎡）として取り扱うことが認められます。

②　令和２年４月１日から令和４年１月10日までの間に相続開始日が到来した場合

孫Ａは **質疑** に掲げる前提条件から、平成31年１月10日に孫Ａの父が所有する家屋から賃貸住宅に転居しており、本欄に掲げる期間は同日から３年を経過した日（令和４年１月10日）以前に該当することから平成30年度の税法改正後のいわゆる『家なき子』の要件（上記⑴③を参照）を充足していない（上記⑴③(ロ)に掲げる相続開始前３年以内の一定の者の所有家屋に対する非居住要件を未充足）ことになります。

したがって、孫Ａが遺贈により取得した宅地については、これを特定居住用宅地等（課税価格算入割合20％、適用上限面積330㎡）として取り扱うことは認められないものとされます。

③　令和４年１月11日以後に相続開始日が到来した場合

孫Ａは **質疑** に掲げる前提条件から、平成31年１月10日に孫Ａの父が所有する家屋から賃貸住宅に転居しており、本欄に掲げる期間は同日から３年を経過した日（令和４年１月10日）後に該当することから平成30年度の税法改正後のいわゆる『家なき子』の要件（上記⑴③を参照）を充足している（上記⑴③(ロ)に掲げる相続開始前３年以内の一定の者の所有家屋に対する非居住要件を充足）ことになります。

したがって、孫Ａが遺贈により取得した宅地については、これを特定居住用宅地等（課税価格算入割合20％、適用上限面積330㎡）として取り扱うことが認められます。

### ⒁　相続開始前３年以内に自己又は自己の配偶者等の所有する家屋に居住したことがない者の意義（その８：財産取得者が相続開始時に居住の用に供している賃借家屋につき、旧来所有者であった場合）

**質疑**　被相続人甲は、その所有する不動産（居住用家屋及びその敷地である宅地から構成されています。）に単身（配偶者とは離婚しています。）で居住していました。当該不動産は長男Ａが相続により取得しています。

長男Ａが被相続人甲に係る相続開始時において居住の用に供していた不動産（家屋及びその敷地）の状況は、次に掲げるとおりでした。

⑴　被相続人甲に係る相続開始の15年前に長男Ａが自己の名義をもって購入しました。

⑵　被相続人甲に係る相続開始の６年前に長男Ａの個人的な事情（借入金返済の必要性）から、当該不動産を友人Ｘに売却し、以後、今日まで継続して友人Ｘから適正相場による家賃を支払って賃借していました。

長男Ａは、相続により取得した不動産を今後も継続して保有する予定です。

このような状況にある場合、長男Ａが相続により取得した宅地を小規模宅地の課税特例の適用対象となる特定居住用宅地等として取り扱うことは認められるのでしょうか。

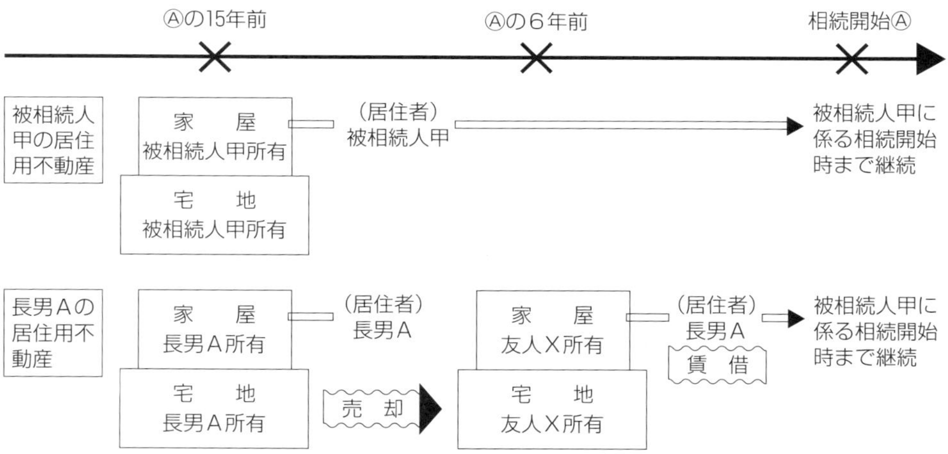


**応答**

⑴　概要

ご照会の **質疑** の事例の場合、長男Ａが相続により取得した宅地が特定居住用宅地等に該当する可能性について検討の対象とされるべきものは、いわゆる『家なき子』（被相続人の配偶者及び一定の同居親族が存せず非同居親族が取得した場合）に該当する要件を充足しているか否かであると考えられます。

平成30年度の税法改正によって、このいわゆる『家なき子』の要件に次に掲げるとおりの見直しが行われました。

①　平成30年３月31日までに相続開始日が到来した場合

いわゆる『家なき子』に該当するためには、次に掲げる(イ)ないし(ハ)に掲げる要件を充足していることが必要とされます。

(イ)　被相続人の配偶者又は相続の開始の直前において当該被相続人の居住の用に供されていた家屋に居住していた親族（当該被相続人の法定相続人をいいます。）がいないこと

(ロ)　被相続人の居住の用に供されていた宅地等を取得した一定の親族が相続開始前３年以内に相続税法の施行地内にある当該親族又は当該親族の配偶者が所有する家屋（当該相続開始の直前において当該被相続人の居住の用に供されていた家屋を除きます。）に居住したことがないこと

(ハ)　相続開始時から相続税の申告期限（当該親族が相続税の申告期限前に死亡した場合には、その死亡の日）まで引き続き当該宅地等を所有していること

②　平成30年４月１日から令和２年３月31日までの間に相続開始日が到来した場合

平成30年３月31日に相続又は遺贈があったものとした場合に、平成30年改正法による改正前の措置法第69条の４第１項に規定する特例対象宅地等（同条第３項第２号に規定する特定居住用宅地等（同条第３項第２号に規定する特定居住用宅地等のうち同号ロ（いわゆる『家なき子』型）に掲げる要件（上記①を参照）を満たすものに限られます。））に該当することとなる宅地等（以下、これを「経過措置対象宅地等」といいます。）については、これをいわゆる『家なき子』に該当するものとして取り扱う旨の経過的な取扱いが規定されています。

③　令和２年４月１日以後に相続開始日が到来した場合

いわゆる『家なき子』に該当するためには、次に掲げる(イ)ないし(ニ)に掲げる要件を充足していることが必要とされます。

(イ)　被相続人の配偶者又は相続開始の直前において当該被相続人の居住の用に供されていた家屋に居住していた親族（当該被相続人の法定相続人をいいます。）がいないこと

(ロ)　被相続人の居住の用に供されていた宅地等を取得した一定の親族が相続開始前３年以内に相続税法の施行地内にある当該親族、当該親族の配偶者、<u>当該親族の３親等内の親族又は当該親族と特別の関係がある法人</u>が所有する家屋（当該相続開始の直前において当該被相続人の居住の用に供されていた家屋を除きます。）に居住したことがないこと

（注）　上記＿＿部分が平成30年度の税法改正によって追加されました。

(ハ)　被相続人の居住の用に供されていた宅地等を取得した一定の親族は、当該被相続人の相続開始時に当該親族が居住している家屋を相続開始前のいずれの時においても所有していたことがないこと

（注）　上記(ハ)の要件が平成30年度の税法改正によって新設されました。

(ニ)　相続開始時から相続税の申告期限（当該親族が相続税の申告期限前に死亡した場合には、その死亡の日）まで引き続き当該宅地等を所有していること

(2)　**質疑** の事例の場合の取扱い

長男Ａが、いわゆる『家なき子』（被相続人の配偶者及び一定の同居親族が存せず非同居親族が取得した場合）に該当する要件は、上記(1)に掲げるとおりです。これを **質疑** の事例に当てはめると、被相続人甲に係る相続開始日の下記に掲げる区分に応じて、それぞれに示すとおりとなります。

①　平成30年３月31日までに相続開始日が到来した場合

長男Ａが相続により取得した宅地については、上記(1)①に掲げる(イ)ないし(ハ)のすべての要件を充足していると認められる（被相続人甲に係る相続開始前３年以内に長男Ａは、同人又は同人の配偶者が所有する家屋に居住していません。）ことからいわゆる『家なき子』に該当し、当該宅地を特定居住用宅地等（課税価格算入割合20％、適用上限面積330㎡）として取り扱うことが認められます。

②　平成30年４月１日から令和２年３月31日までの間に相続開始日が到来した場合

長男Ａが相続により取得した宅地については、上記(1)②に掲げる経過措置対象宅地等の要件を充足していると認められることからいわゆる『家なき子』に該当し、当該宅地を特定居住用宅地等（課税価格算入割合20％、適用上限面積330㎡）として取り扱うことが認められます。

③　令和２年４月１日以後に相続開始日が到来した場合

**質疑** の事例の場合、宅地を相続により取得した長男Ａについて、被相続人甲に係る相続開始時に居住している家屋は友人Ｘの所有で同人から賃借しているものではあるものの、当該家屋は被相続人甲に係る相続開始前（６年前）に同人に売却したものであり、旧来の所有者は長男Ａであったことが認められます。

そうすると、平成30年度の税法改正によって追加された「被相続人の居住の用に供されていた宅地等を取得した一定の親族は、当該被相続人の相続開始時に当該親族が居住している家屋を相続開始前のいずれの時においても所有していたことがないこと」とする上記(1)③(ハ)に掲げる要件を充足していないこととなります。

したがって、長男Ａが相続により取得した宅地については、これを特定居住用宅地等（課税価格算入割合20％、適用上限面積330㎡）として取り扱うことは認められないものとされます。

## ㉟　相続開始前３年以内に自己又は自己の配偶者等の所有する家屋に居住したことがない者の意義（その９：財産取得者が同族会社所有の家屋に居住している場合）（そのＡ：同族会社の株式保有割合が財産取得者及びその親族等で50%超となるとき）

**質疑**　被相続人甲は、その所有する不動産（居住用家屋及びその敷地である宅地から構成されています。）に単身（配偶者は既に他界）で居住していました。当該不動産は長男Ａが相続により取得しています。

長男Ａは、被相続人甲に係る相続開始の10年前から自身がその発行済株式総数の100％を保有するＡ㈱が所有する不動産（所在地：大阪市中央区）に居住（社宅）していました。

長男Ａは、相続により取得した不動産を今後も継続して保有する予定です。

このような状況にある場合、長男Ａが相続により取得した宅地を小規模宅地等の課税特例の適用対象となる特定居住用宅地等として取り扱うことは認められるのでしょうか。

なお、長男Ａは、相続税の納税義務者の区分として、いわゆる『居住無制限納税義務者』に該当します。

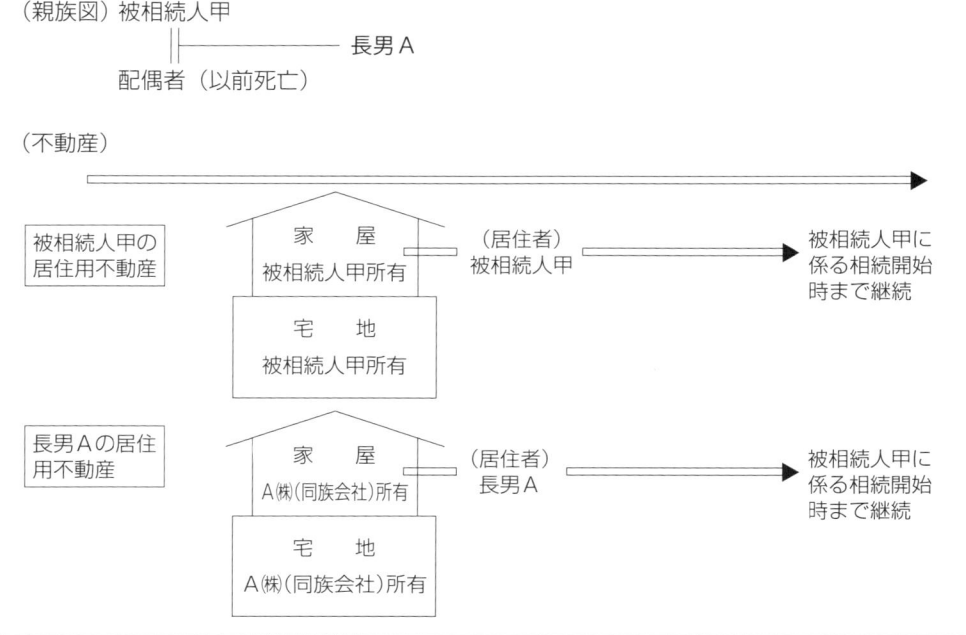

（親族図）被相続人甲
　　　　　　‖――――――――　長男Ａ
　　　　　配偶者（以前死亡）

（不動産）

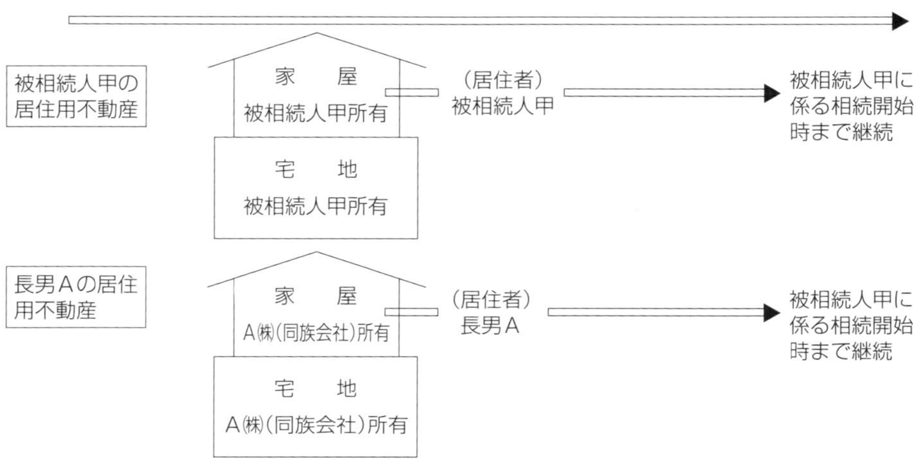


**応答**

(1)　概要

ご照会の **質疑** の事例の場合、長男Ａが相続により取得した宅地が特定居住用宅地等に該当する可能性について検討の対象とされるべきものは、いわゆる『家なき子』（被相続人の配偶者及び一定の同居親族が存せず非同居親族が取得した場合）に該当する要件を充足しているか否かであると考えられます。

平成30年度の税法改正によって、このいわゆる『家なき子』の要件に次に掲げるとおりの見直しが行われました。

①　平成30年３月31日までに相続開始日が到来した場合

いわゆる『家なき子』に該当するためには、次に掲げる(イ)ないし(ハ)に掲げる要件を充足していることが必要とされます。

(イ)　被相続人の配偶者又は相続の開始の直前において当該被相続人の居住の用に供されていた家屋に居住していた親族（当該被相続人の法定相続人をいいます。）がいないこと

(ロ)　被相続人の居住の用に供されていた宅地等を取得した一定の親族が相続開始前３年以内に相続税法の施行地内にある当該親族又は当該親族の配偶者が所有する家屋（当該相続開始の直前において当該被相続人の居住の用に供されていた家屋を除きます。）に居住したことがないこと

(ハ)　相続開始時から相続税の申告期限（当該親族が相続税の申告期限前に死亡した場合には、その死亡の日）まで引き続き当該宅地等を所有していること

②　平成30年４月１日から令和２年３月31日までの間に相続開始日が到来した場合

平成30年３月31日に相続又は遺贈があったものとした場合に、平成30年改正法による改正前の措置法第69条の４第１項に規定する特例対象宅地等（同条第３項第２号に規定する特定居住用宅地等（同条第３項第２号に規定する特定居住用宅地等のうち同号ロ（いわゆる『家なき子』型）に掲げる要件（上記①を参照）を満たすものに限られます。））に該当することとなる宅地等（以下、これを「経過措置対象宅地等」といいます。）については、これを『家なき子』に該当するものとして取り扱う旨の経過的な取扱いが規定されています。

③　令和２年４月１日以後に相続開始日が到来した場合

いわゆる『家なき子』に該当するためには、次に掲げる(イ)ないし(ニ)に掲げる要件を充足していることが必要とされます。

(イ)　被相続人の配偶者又は相続開始の直前において当該被相続人の居住の用に供されていた家屋に居住していた親族（当該被相続人の法定相続人をいいます。）がいないこと

(ロ)　被相続人の居住の用に供されていた宅地等を取得した一定の親族が相続開始前３年以内に相続税法の施行地内にある当該親族、当該親族の配偶者、当該親族の３親等内の親族又は当該親族と特別の関係がある法人が所有する家屋（当該相続開始の直前において当該被相続人の居住の用に供されていた家屋を除きます。）に居住したことがないこと

（注）　上記＿＿部分が平成30年度の税法改正によって追加されました。

(ハ)　被相続人の居住の用に供されていた宅地等を取得した一定の親族は、当該被相続人の相続開始時に当該親族が居住している家屋を相続開始前のいずれの時においても所有していたことがないこと

（注）　上記(ハ)の要件が平成30年度の税法改正によって新設されました。

(ニ)　相続開始時から相続税の申告期限（当該親族が相続税の申告期限前に死亡した場合には、その死亡の日）まで引き続き当該宅地等を所有していること

なお、上記(ロ)に掲げる『特別の関係がある法人』とは、次に掲げる法人をいうものとされています。

(A)　措置法第69条の４第３項第２号ロに規定する親族（下記Ⓐに掲げる者をいいます。）及び次のⒷに掲げる者（以下「親族等」といいます。）が法人の発行済株式又は出資（当該法人が有する自己の株式又は出資を除きます。）の総数又は総額（以下「発行済株式総数等」といいます。）の10分の５を超える数又は金額の株式又は出資を有する場合における当該法人

Ⓐ　当該被相続人の居住の用に供されていた宅地等を取得した者であって、下記に掲げる者に限られます。

(ア)　相続税法第１条の３《相続税の納税義務者》第１項第１号の規定に該当する者（いわゆる『居住無制限納税義務者』）

(カ)　相続税法第１条の３《相続税の納税義務者》第１項第２号の規定に該当する者（いわゆる『非居住無制限納税義務者』）

(サ)　相続税法第１条の３《相続税の納税義務者》第１項第４号の規定に該当する者（いわゆる『非居住制限納税義務者』）のうち日本国籍を有する者

Ⓑ(ア)　当該親族の配偶者

(カ)　当該親族の３親等内の親族

(サ)　当該親族と婚姻の届出をしていないが事実上婚姻関係と同様の事情にある者

(タ)　当該親族の使用人

(ナ)　上記(ア)から(タ)までに掲げる者以外の者で当該親族から受けた金銭その他の資産によって生計を維持しているもの

(ハ)　上記(サ)から(ナ)までに掲げる者と生計を一にするこれらの者の配偶者又は３親等内の親族

(B)　親族等及びこれと上記(A)の関係がある法人が他の法人の発行済株式総数等の10分の５を超える数又は金額の株式又は出資を有する場合における当該他の法人

(C)　親族等及びこれと上記(A)又は(B)の関係がある法人が他の法人の発行済株式総数等の10分の５を超える数又は金額の株式又は出資を有する場合における当該他の法人

(D)　親族等が理事、監事、評議員その他これらの者に準ずるものとなっている持分の定めのない法人

⑵　**質疑** の事例の場合の取扱い

長男Ａが、いわゆる『家なき子』（被相続人の配偶者及び一定の同居親族が存せず非同居親族が取得した場合）に該当する要件は、上記⑴に掲げるとおりです。これを **質疑** の事例に当てはめると、被相続人甲に係る相続開始日の下記に掲げる区分に応じて、それぞれに示すとおりとなります。

①　平成30年３月31日までに相続開始日が到来した場合

長男Ａが相続により取得した宅地については、上記⑴①に掲げる(イ)ないし(ハ)の全ての要件を充足していると認められる（長男Ａは、同人又は同人の配偶者が所有する家屋には居住していません。）ことからいわゆる『家なき子』に該当し、当該宅地を特定居住用宅地等（課税価格算入割合20％、適用上限面積330㎡）として取り扱うことが認められます。

②　平成30年４月１日から令和２年３月31日までの間に相続開始日が到来した場合

長男Ａが相続により取得した宅地については、上記⑴②に掲げる経過措置対象宅地等の要件を充足していると認められることからいわゆる『家なき子』に該当し、当該宅地を特定居住用宅地等（課税価格算入割合20％、適用上限面積330㎡）として取り扱うことが認められます。

③　令和２年４月１日以後に相続開始日が到来した場合

**質疑** の事例の場合、宅地を相続により取得した長男Ａについて相続開始前３年以内に居住していた家屋はＡ㈱（長男Ａが発行済株式総数の100％を保有する法人）が所有する家屋であり、平成30年度の税法改正によって追加された「相続開始前３年以内に相続税法の施行地内にある当該親族（被相続人の居住の用に供されていた宅地等を取得した一定の親族）と特別の関係がある法人が所有する家屋に居住したことがないこと」とする上記⑴③(ロ)に掲げる要件を充足していないこととなります。

したがって、長男Ａが相続により取得した宅地は、特定居住用宅地等（課税価格算入割合20％、適用上限面積330㎡）には該当しないことになります。

## ㊱　相続開始前３年以内に自己又は自己の配偶者等の所有する家屋に居住したことがない者の意義（その９：財産取得者が同族会社所有の家屋に居住している場合）（そのＢ：同族会社の株式保有割合を算定する際の親族の範囲）

**質疑**

前問㉟の **質疑** において、長男Ａが居住している家屋を所有しているＡ㈱の株主が長男Ａの従兄弟姉妹（長男Ａの伯父の子）たるＸである場合（同人が100％保有）には、長男Ａが相続により取得した宅地を特定居住用宅地等とすることは認められるのでしょうか。

他の条件は前問㉟に掲げる事項と同一であるものとします。

## 応答

(1)　いわゆる『家なき子』の要件

長男Ａが相続により取得した宅地がいわゆる『家なき子』（被相続人の配偶者及び一定の同居親族が存せず非同居親族が取得した場合）に該当する要件を充足しているか否かについては、前問㉟の 応答 (1)を参照してください。

(2)　質疑 の事例の場合の取扱い

質疑 の事例の場合、被相続人甲に係る相続開始日の下記に掲げる区分に応じて、それぞれに示すとおりとなります。

①　平成30年３月31日までに相続開始日が到来した場合

長男Ａが相続により取得した宅地については、前問㉟の 応答 (1)①に掲げる(イ)ないし(ハ)の全ての要件を充足していると認められる（長男Ａは、同人又は同人の配偶者が所有する家屋に居住していません。）ことからいわゆる『家なき子』に該当し、当該宅地を特定居住用宅地等（課税価格算入割合20％、適用上限面積330㎡）として取り扱うことが認められます。

②　平成30年４月１日以後に相続開始日が到来した場合

平成30年度の税法改正によって、いわゆる『家なき子』に該当するためには、「相続開始前３年以内に相続税法の施行地内にある当該親族（被相続人の居住の用に供されていた宅地等を取得した一定の親族）と特別の関係がある法人が所有する家屋に居住したことがないこと」（前問㉟の 応答 (1)③(ロ)を参照）という要件が必要とされています。そして、上記＿＿部分の『特別の関係がある法人』に該当するか否かの判定は、当該親族の親族が株主である場合には、当該親族の３親等内の親族（前問㉟の 応答 (1)③Ⓑ(カ)を参照）の株式保有割合をもって行うものとされています。

そうすると、質疑 の事例の場合は、被相続人甲に係る相続開始前３年以内に長男Ａが居住の用に供していた家屋の所有であるＡ㈱の株主は、長男Ａの従兄弟姉妹（長男Ａの伯父の子）であり、長男Ａから判定すると４親等の親族（血族である親族）に該当することとなり、その結果、Ａ㈱は、長男Ａと『特別の関係がある法人』に該当しないことになります。

したがって、長男Ａが取得した当該宅地は、他の要件も充足していると認められることから、質疑 の事例の場合には、平成30年４月１日から令和２年３月31日までの間に相続開始があった場合の経過的な取扱いの検討をするまでもなく、特定居住用宅地等（課税価格算入割合20％、適用上限面積330㎡）に該当するものとして取り扱うことが認められます。

**参考資料**　３親等内の親族（　　部分）

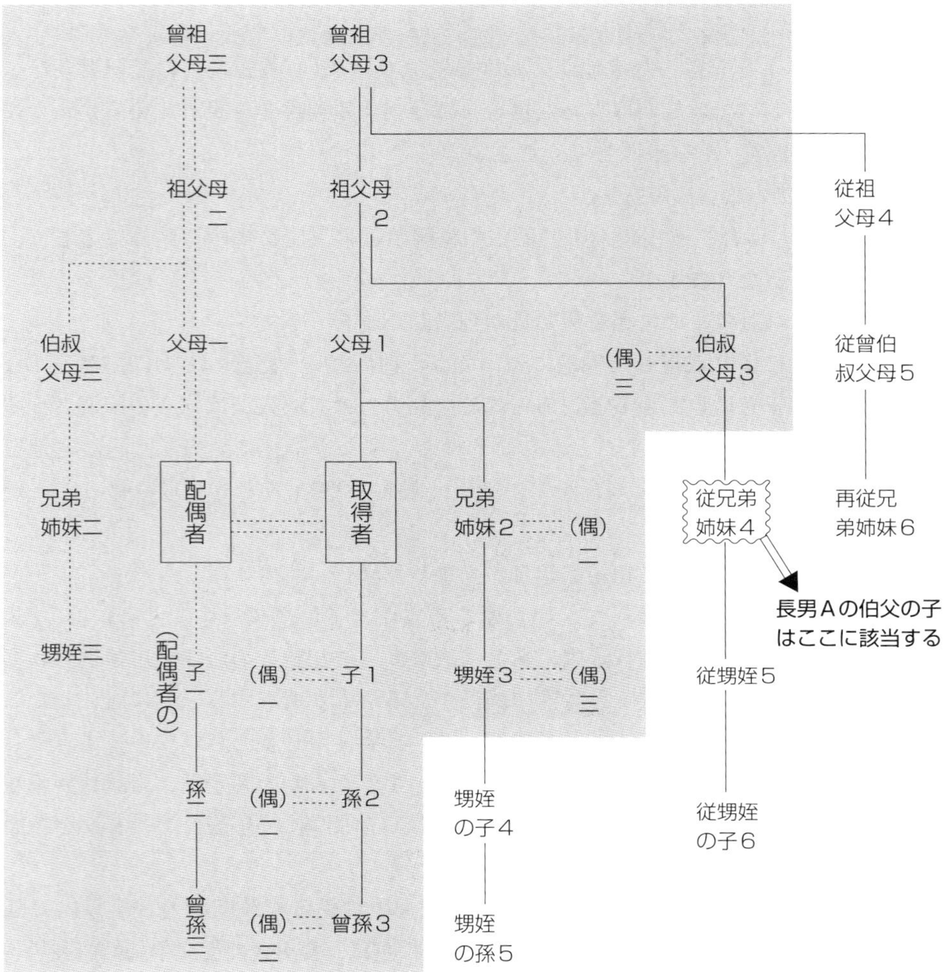


1．肩書数字は親等を、うちアラビア数字は血族、漢数字は姻族を、（偶）は配偶者を示しています。
2．養親族関係…養子と養親及びその血族との間においては、養子縁組の日から血族間におけると同一の親族関係が生じます。

### ㊲　相続開始前３年以内に自己又は自己の配偶者等の所有する家屋に居住したことがない者の意義（その10：財産取得者（日本国籍保有者）が被相続人に係る相続開始時に当該財産取得者の配偶者が所有する国外に所在する家屋に居住していた場合）

**質疑**　令和３年６月に相続開始があった被相続人甲（住所：東京都世田谷区）は、その所有する不動産（居住用家屋及びその敷地である宅地から構成されています。）に単身（配偶者は既に他界）で居住していました。

当該不動産は長男Ａが相続により取得しています。

長男Ａ（日本国籍保有者）は、被相続人甲に係る相続開始の20年前から仕事の関係で英国のロンドンに継続して住所があり、同人の妻名義の不動産（戸建住宅及びその敷地である宅地）に居住しています。

長男Ａは、相続により取得した不動産を今後も末長く継続して保有する予定です。

このような状況にある場合、長男Ａが相続により取得した宅地を小規模宅地等の課税特例の適用対象となる特定居住用宅地等として取り扱うことは認められるのでしょうか。

**応答**

ご照会の **質疑** の事例の場合、長男Ａが相続により取得した宅地が特定居住用宅地等に該当する可能性について検討の対象とされるべきものは、いわゆる『家なき子』（被相続人の配偶者及び一定の同居親族が存せず非同居親族が取得した場合）に該当する要件を充足しているか否かであると考えられます。

**質疑** の事例の場合、長男Ａがいわゆる『家なき子』に該当するためには、次に掲げる(1)ないし(5)のすべての要件を充足していることが必要とされます。

(1)　被相続人の居住の用に供されていた宅地等を取得した者（ **質疑** の事例の場合、長男Ａ）が、(A)下記に掲げるいずれかの者に該当する被相続人の親族であること

**親族の要件**

①　相続税法第１条の３《相続税の納税義務者》第１項第１号の規定に該当する者（いわゆる『居住無制限納税義務者』）

②　相続税法第１条の３《相続税の納税義務者》第１項第２号の規定に該当する者（いわゆる『非居住無制限納税義務者』）

③　相続税法第１条の３《相続税の納税義務者》第１項第４号の規定に該当する者（いわゆる『非居住制限納税義務者』）のうち日本国籍を有する者

(2)　被相続人の配偶者又は相続開始の直前において当該被相続人の居住の用に供されていた家屋に居住していた親族（当該被相続人の法定相続人をいいます。）がいないこと

(3)　上記(1)及び(2)に掲げる親族が相続開始前３年以内に(B)相続税法の施行地内にある当該親族、当該親族の配偶者、当該親族の３親等内の親族又は当該親族と特別の関係がある法

人が有する家屋（当該相続の開始の直前において当該被相続人の居住の用に供されていた家屋を除きます。）に居住したことがないこと

(4)　当該被相続人の相続開始時に上記(1)ないし(3)に掲げる親族が(C)居住している家屋を相続開始前のいずれの時においても所有していたことがないこと

(5)　相続開始時から相続税の申告期限（当該親族が相続税の申告期限前に死亡した場合には、その死亡の日）まで引き続き当該宅地等を所有していること

次に、長男Ａが上記に掲げる(1)ないし(5)の要件を充足しているか否かを検討すると、下記のとおりとなります。

検討１　上記(1)に掲げる要件について

長男Ａは、次に掲げる事項からすると、上記(1)の 親族の要件 ②に掲げる『非居住無制限納税義務者』のうち、日本国籍を保有する者の場合に該当するものと判断され、上記(1)の(A)＿＿部分に掲げる親族に該当し、上記(1)の要件を充足していることになります。

①　相続又は遺贈により財産を取得した日本国籍を有する個人であること

②　当該相続又は遺贈により財産を取得した時において、この法律の施行地に住所を有していないこと

③　当該相続又は遺贈に係る相続の開始前10年以内のいずれの時においても、この法律の施行地に住所を有していたことがないこと（当該相続又は遺贈に係る被相続人が外国人被相続人（注１）又は非居住被相続人（注２）である場合を除きます。）

（注１）　外国人被相続人とは、次に掲げる要件のすべてを充足する者をいいます。

(イ)　相続開始の時において、在留資格を有していること

(ロ)　この法律の施行地に住所を有していた当該相続に係る被相続人であること

（注２）　非居住被相続人とは、次に掲げる要件のすべてを充足する者をいいます。

(イ)　相続開始の時において、この法律の施行地に住所を有していなかった当該相続に係る被相続人であること

(ロ)　次に掲げる要件のいずれかに該当するものであること

㋑　当該相続の開始前10年以内のいずれかの時において、この法律の施行地に住所を有していたことがあるもののうち、そのいずれの時においても日本国籍を有していなかったもの

㋺　当該相続の開始前10年以内のいずれの時においても、この法律の施行地に住所を有していたことがないこと

検討２　上記(2)に掲げる要件について

被相続人甲に係る居住用財産に対する居住状況に関する要件をみると、被相続人甲は、相続開始の直前においてその所有する不動産に単身で居住しており、同人の配偶者は既に他界して存しないとのことから、上記(2)の要件を充足していることになります。

検討３　上記(3)に掲げる要件について

被相続人甲に係る居住用財産を取得した親族（長男Ａ）の相続開始前３年以内における自己の居住用家屋の所有に関する要件をみると、財産を取得した親族である長男Ａは、同人の妻が所有する家屋に居住していることが認められるものの、当該家屋は英国（ロンド

ン）に所在していることから上記(3)の(B)部分に掲げる相続税法の施行地内にあるとの所在要件には該当しないこととなり、上記(3)の要件を充足していることになります。

検討４　上記(4)に掲げる要件について

被相続人甲に係る居住用財産を取得した親族（長男Ａ）に係る自己の居住用家屋の所有に関する要件をみると、財産を取得した親族である長男Ａは、同人の妻が所有する家屋に居住していることから上記(4)の(C)部分に掲げる自己の居住用家屋の過去における未所有要件に該当し、上記(4)の要件を充足していることになります。

（注）検討４については、次に掲げる点に留意する必要があります。

① 上記(4)に掲げる要件は、被相続人に係る相続開始時に財産を取得した親族（長男Ａ）が居住している家屋が相続税法の施行地外に所在する場合であっても、確認の対象とされること

② 上記(4)に掲げる要件は、財産を取得した親族（長男Ａ）についてのみが所有要件に関する確認の対象とされており、当該財産取得者に係る一定の親族（長男Ａの妻）についてまで確認の対象とされるものではないこと（この点、上記(3)の要件と大きく異なりますので、注意する必要があります。）

検討５　上記(5)に掲げる要件について

長男Ａは、被相続人甲からの相続により取得した不動産を今後も末長く継続して所有するとのことから、上記(5)の要件を充足していることになります。

以上から判断すると、長男Ａが相続により取得した宅地は、特定居住用宅地等（課税価格算入割合20％、適用上限面積330㎡）に該当することになります。

参考　**質疑** の事例における長男Aの相続税の納税義務者の区分（令和３年４月１日以後に課税時期が到来分）は、下図のうち、　　部分に該当する部分となります。

（相続税の納税義務者の区分）

| 相続人又は受遺者に係る要件 ／ 被相続人又は遺贈者に係る要件 | | | 相続開始時に日本国内に住所あり | | 相続開始時に日本国内に住所なし | | |
|---|---|---|---|---|---|---|---|
| | | | (A) 右記(B)に該当しない場合 | (B) 相続開始時に在留資格を有し相続開始前15年以内の日本国内の住所保有期間合計が10年以下 | 日本国籍を保有 | | 日本国籍を未保有 |
| | | | | | 相続開始前10年以内に日本国内に住所あり | 相続開始前10年以内に日本国内に住所なし | |
| 相続開始時に日本国内に住所あり | (イ) 下記(ロ)に該当しない場合 | | 1 | 1 | 2(1) | 2(1) | 2(2) |
| | (ロ) 相続開始時に在留資格あり | | 1 | 3 | 2(1) | 4 | 4 |
| 相続開始時に日本国内に住所なし | 相続開始前10年以内に日本国内に住所あり | (ハ) 下記(ニ)に該当しない場合 | 1 | 1 | 2(1) | 2(1) | 2(2) |
| | | (ニ) 相続開始前10年以内の期間中、継続して日本国籍を未保有 | 1 | 3 | 2(1) | 4 | 4 |
| | 相続開始前10年以内に日本国内に住所なし | | 1 | 3 | 2(1) | 4 | 4 |

（記号の意味）　相続税の納税義務者の区分

- 1　……居住無制限納税義務者
- 2(1)　……非居住無制限納税義務者（日本国籍保有者）
- 2(2)　……非居住無制限納税義務者（日本国籍未保有者）
- 3　……居住制限納税義務者
- 4　……非居住制限納税義務者

### ㊳　相続開始前３年以内に自己又は自己の配偶者等の所有する家屋に居住したことがない者の意義（その11：財産取得者（日本国籍未保有者）が被相続人に係る相続開始時に当該財産取得者の配偶者が所有する国外に所在する家屋に居住していた場合）

**質疑**

前問㊲の **質疑** において、被相続人甲が所有する不動産（居住用家屋及びその敷地である宅地）を相続により取得した長男Ａが日本国籍を保有していなかった場合には、長男Ａが相続により取得した当該宅地を小規模宅地の課税特例の適用対象となる特定居住用宅地等として取り扱うことは認められるのでしょうか。

なお、上記に掲げるもの以外の要件はすべて前問㊲に示すものと同一であるものとします。

**応答**

ご照会の **質疑** の事例の場合、長男Ａが相続により取得した宅地が特定居住用宅地等に該当する可能性について検討の対象とされるべきものは、いわゆる『家なき子』（被相続人の配偶者及び一定の同居親族が存せず非同居親族が取得した場合）に該当する要件を充足しているか否かであると考えられます。

**質疑** の事例の場合、長男Ａがいわゆる『家なき子』に該当するためには、次に掲げる(1)ないし(5)のすべての要件を充足していることが必要とされます。

(1)　被相続人の居住の用に供されていた宅地等を取得した者（ **質疑** の事例の場合、長男Ａ）が、(A)下記に掲げるいずれかの者に該当する被相続人の親族であること

親族の要件　①　相続税法第１条の３《相続税の納税義務者》第１項第１号の規定に該当する者（いわゆる『居住無制限納税義務者』）

②　相続税法第１条の３《相続税の納税義務者》第１項第２号の規定に該当する者（いわゆる『非居住無制限納税義務者』）

③　相続税法第１条の３《相続税の納税義務者》第１項第４号の規定に該当する者（いわゆる『非居住制限納税義務者』）のうち日本国籍を有する者

(2)　被相続人の配偶者又は相続開始の直前において当該被相続人の居住の用に供されていた家屋に居住していた親族（当該被相続人の法定相続人をいいます。）がいないこと

(3)　上記(1)及び(2)に掲げる親族が相続開始前３年以内に(B)<u>相続税法の施行地内にある</u>当該親族、当該親族の配偶者、当該親族の３親等内の親族又は当該親族と特別の関係がある法人が有する家屋（当該相続の開始の直前において当該被相続人の居住の用に供されていた家屋を除きます。）に居住したことがないこと

(4)　当該被相続人の相続開始時に上記(1)ないし(3)に掲げる親族が(C)<u>居住している家屋を相続開始前のいずれの時においても所有していたことがないこと</u>

(5)　相続開始時から相続税の申告期限（当該親族が相続税の申告期限前に死亡した場合には、その死亡の日）まで引き続き当該宅地等を所有していること

次に、長男Ａが上記に掲げる(1)ないし(5)の要件を充足しているか否かを検討すると、下記のとおりになります。

検討１　上記(1)に掲げる要件について

長男Ａは、次に掲げる事項からすると、上記(1)の **親族の要件** ②に掲げる『非居住無制限納税義務者』のうち、日本国籍を保有しない者の場合に該当するものと判断され、上記(1)の(A)部分に掲げる親族に該当し、上記(1)の要件を充足していることになります。

①　相続又は遺贈により財産を取得した日本国籍を有しない個人であること

②　当該相続又は遺贈により財産を取得した時において、この法律の施行地に住所を有していないこと

③　当該相続又は遺贈に係る被相続人が、外国人被相続人（注１）又は非居住被相続人（注２）に該当しないこと

（注１）　外国人被相続人とは、次に掲げる要件のすべてを充足する者をいいます。

(イ)　相続開始の時において、在留資格を有していること

(ロ)　この法律の施行地に住所を有していた当該相続に係る被相続人であること

（注２）　非居住被相続人とは、次に掲げる要件のすべてを充足する者をいいます。

(イ)　相続開始の時において、この法律の施行地に住所を有していなかった当該相続に係る被相続人であること

(ロ)　次に掲げる要件のいずれかに該当するものであること

㋑　当該相続の開始前10年以内のいずれかの時において、この法律の施行地に住所を有していたことがあるもののうち、そのいずれの時においても日本国籍を有していなかったもの

㋺　当該相続の開始前10年以内のいずれの時においても、この法律の施行地に住所を有していたことがないこと

検討２　上記(2)に掲げる要件について

被相続人甲に係る居住用財産に対する居住状況に関する要件をみると、被相続人甲は、相続開始の直前においてその所有する不動産に単身で居住しており、同人の配偶者は既に他界して存しないとのことから、上記(2)の要件を充足していることになります。

検討３　上記(3)に掲げる要件について

被相続人甲に係る居住用財産を取得した親族（長男Ａ）の相続開始前３年以内における自己の居住用家屋の所有に関する要件をみると、財産を取得した親族である長男Ａは、同人の妻が所有する家屋に居住していることが認められるものの、当該家屋は英国（ロンドン）に所在していることから上記(3)の(B)部分に掲げる相続税法の施行地内にあるとの所在要件には該当しないこととなり、上記(3)の要件を充足していることになります。

検討４　上記(4)に掲げる要件について

被相続人甲に係る居住用財産を取得した親族（長男Ａ）に係る自己の居住用家屋の所有に関する要件をみると、財産を取得した親族である長男Ａは、同人の妻が所有する家屋に居住していることから上記(4)の(C)部分に掲げる自己の居住用家屋の過去における未保有

要件に該当し、上記(4)の要件を充足していることになります。

（注）検討４については、次に掲げる点に留意する必要があります。

① 上記(4)に掲げる要件は、被相続人に係る相続開始時に財産を取得した親族（長男Ａ）が居住している家屋が相続税法の施行地外に所在する場合であっても、確認の対象とされること

② 上記(4)に掲げる要件は、財産を取得した親族（長男Ａ）についてのみが所有要件に関する確認の対象とされており、当該財産取得者に係る一定の親族（長男Ａの妻）についてまで確認の対象とされるものではないこと（この点、上記(3)の要件と大きく異なりますので、注意する必要があります。）

検討５　上記(5)に掲げる要件について

長男Ａは、被相続人甲からの相続により取得した不動産を今後も末長く継続して所有するとのことから、上記(5)の要件を充足していることになります。

以上から判断すると、長男Ａが相続により取得した宅地は、特定居住用宅地等（課税価格算入割合20％、適用上限面積330㎡）に該当することになります。

なお、前問(37)において財産を取得した親族（長男Ａ）は被相続人甲に係る相続開始時において日本国籍を有する者とされており、また、本問では財産を取得した親族（長男Ａ）は被相続人甲に係る相続開始時において日本国籍を有しないものとされていますが、両問の**応答**の(1)に掲げる**親族の要件**②に掲げるいわゆる『非居住無制限納税義務者』に該当し、他の一定の要件を充足していることから適用対象地について、小規模宅地等の課税特例の対象とすることが認められるものとされています。

参考　**質疑**　の事例における長男Ａの相続税の納税義務者の区分（令和３年４月１日以後に課税時期が到来分）は、下図のうち、　　部分に該当する部分となります。

（相続税の納税義務者の区分）

<table>
<tr><th colspan="3" rowspan="3">相続人又は受遺者に係る要件 ／ 被相続人又は遺贈者に係る要件</th><th colspan="2">相続開始時に日本国内に住所あり</th><th colspan="3">相続開始時に日本国内に住所なし</th></tr>
<tr><th rowspan="2">(A)右記(B)に該当しない場合</th><th rowspan="2">(B)相続開始時に在留資格を有し相続開始前15年以内の日本国内の住所保有期間合計が10年以下</th><th colspan="2">日本国籍を保有</th><th rowspan="2">日本国籍を未保有</th></tr>
<tr><th>相続開始前10年以内に日本国内に住所あり</th><th>相続開始前10年以内に日本国内に住所なし</th></tr>
<tr><td rowspan="2">相続開始時に日本国内に住所有り</td><td colspan="2">(イ)下記(ロ)に該当しない場合</td><td>[1]</td><td>[1]</td><td>[2](1)</td><td>[2](1)</td><td>[2](2)</td></tr>
<tr><td colspan="2">(ロ)相続開始時に在留資格あり</td><td>[1]</td><td>[3]</td><td>[2](1)</td><td>[4]</td><td>[4]</td></tr>
<tr><td rowspan="3">相続開始時に日本国内に住所なし</td><td rowspan="2">相続開始前10年以内に日本国内に住所あり</td><td>(ハ)下記(ニ)に該当しない場合</td><td>[1]</td><td>[1]</td><td>[2](1)</td><td>[2](1)</td><td>[2](2)</td></tr>
<tr><td>(ニ)相続開始前10年以内の期間中、継続して日本国籍を未保有</td><td>[1]</td><td>[3]</td><td>[2](1)</td><td>[4]</td><td>[4]</td></tr>
<tr><td colspan="2">相続開始前10年以内に日本国内に住所なし</td><td>[1]</td><td>[3]</td><td>[2](1)</td><td>[4]</td><td>[4]</td></tr>
</table>

（記号の意味）　相続税の納税義務者の区分

- [1]　……居住無制限納税義務者
- [2](1)　……非居住無制限納税義務者（日本国籍保有者）
- [2](2)　……非居住無制限納税義務者（日本国籍未保有者）
- [3]　……居住制限納税義務者
- [4]　……非居住制限納税義務者

## (39)　相続開始前３年以内に自己又は自己の配偶者等の所有する家屋に居住したことがない者の意義（その12：財産取得者（日本国籍保有者又は日本国籍未保有者）が被相続人に係る相続開始時に当該財産取得者の所有する国外に所在する家屋に居住していた場合）

**質疑**　前々問(37)及び前問(38)において、被相続人甲に係る相続財産である居住用財産を取得した長男Ａ（前々問(37)では日本国籍保有者、前問(38)では日本国籍未保有者）が、被相続人甲に係る相続開始時に住所を有している英国（ロンドン）において、その居住の用に供する不動産（戸建住宅及びその敷地である宅地）の所有者名義が、長男Ａの名義であった場合には、被相続人甲が所有していた宅地を小規模宅地等の課税特例の適用対象となる特定居住用宅地等として取り扱うことは認められるのでしょうか。

なお、上記に掲げる事項以外の他の事項は、すべて前々問(37)及び前問(38)におけるものと同一であるものとします。

### 応答

**質疑** の事例の場合、長男Ａが相続により取得した宅地が特定居住用宅地等に該当するためには、長男Ａがいわゆる『家なき子』（被相続人の配偶者及び一定の同居親族が存せず非同居親族が取得した場合）に該当する必要があります。このいわゆる『家なき子』に該当するためには、次に掲げる(1)ないし(3)のすべての要件を充足していることが必要とされます。

(1)　被相続人の居住の用に供されていた宅地等を取得した者（ **質疑** の事例の場合、長男Ａ）が、下記に掲げるいずれかの者に該当する被相続人の親族であること

親族の要件
①　相続税法第１条の３《相続税の納税義務者》第１項第１号の規定に該当する者（いわゆる『居住無制限納税義務者』）
②　相続税法第１条の３《相続税の納税義務者》第１項第２号の規定に該当する者（いわゆる『非居住無制限納税義務者』）
③　相続税法第１条の３《相続税の納税義務者》第１項第４号の規定に該当する者（いわゆる『非居住制限納税義務者』）のうち日本国籍を有する者

(2)　被相続人の配偶者又は相続の開始の直前において当該被相続人の居住の用に供されていた家屋に居住していた親族（当該被相続人の法定相続人をいいます。）がいないこと

(3)　上記(1)及び(2)に掲げる親族が相続開始前３年以内に相続税法の施行地内にある当該親族、当該親族の配偶者、当該親族の３親等内の親族又は当該親族と特別の関係がある法人が有する家屋（当該相続の開始の直前において当該被相続人の居住の用に供されていた家屋を除きます。）に居住したことがないこと

(4)　当該被相続人の相続開始時に上記(1)ないし(3)に掲げる親族が居住している家屋を相続開始前のいずれの時においても所有していたことがないこと

⑸　相続開始時から相続税の申告期限（当該親族が相続税の申告期限前に死亡した場合には、その死亡の日）まで引き続き当該宅地等を所有していること

そうすると、**質疑** の事例の場合には、被相続人甲に係る相続開始時において、長男Aが住所を有している英国（ロンドン）において、その居住の用に供する不動産の所有者名義が、長男A名義であることから、上記⑷に掲げる要件（財産取得親族の居住用家屋の被相続人に係る相続開始時までにおける継続しての未保有要件）を充足していないことになります。

したがって、**質疑** の事例の場合には、長男Aが相続により取得した宅地は、特定居住用宅地等（課税価格算入割合20％、適用上限面積330㎡）に該当しないことになります。

## ㊵　相続開始前３年以内に自己又は自己の配偶者等の所有する家屋に居住したことがない者の意義（その13：相続開始前３年以内に財産取得親族の所有家屋に被相続人が居住していた場合）（そのA：同居型家屋（内部で行き来が可能）に被相続人が居住していた場合）

**質疑**　被相続人甲に相続の開始がありました。被相続人甲が相続開始時に居住していたX家屋に関して判明した事項は、次に掲げるとおりです。

⑴　被相続人甲は、同人に係る相続開始の10年前から同10か月前までは、被相続人甲所有地（X宅地）上に長男Aが建築したX家屋（平家形式の同居型家屋（内部で行き来が可能））に、長男Aと同居していました。

なお、長男Aは被相続人甲に対して地代を支払ったという事実はなく、また、被相続人甲は長男Aに対して家賃を支払ったという事実もありません。（図１ を参照）

⑵　長男Aは会社員であり、被相続人甲に係る相続開始の10か月前に社命による転勤があり、以後は相続開始時まで継続して赴任先に所在する市営住宅を賃借して入居していました。（図２ を参照）

⑶　上記⑵より、被相続人甲に係る相続開始時においては、X家屋に同人が単身で居住（被相続人甲の配偶者は既に他界しています。）していました。

図１　相続開始の10年前から相続開始の10か月前までの状況

図２　相続開始の10か月前から相続開始の直前までの状況

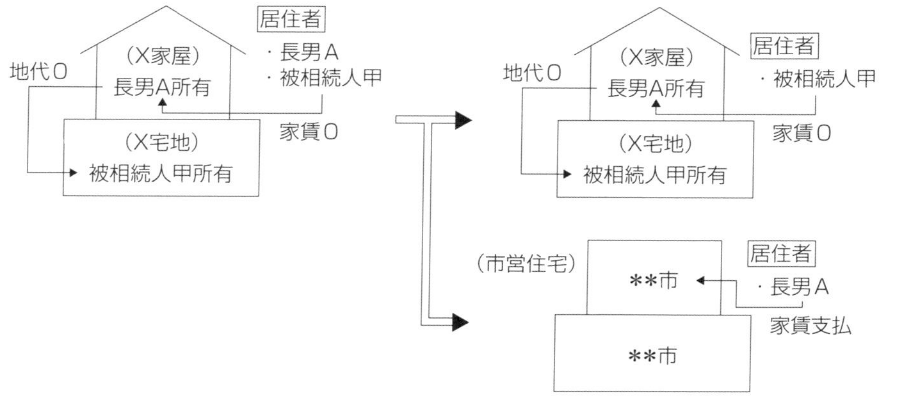


上記に掲げる状況において、被相続人甲の相続財産であるＸ宅地を相続した長男は当該財産を今後も継続して所有する予定（ただし、当分の間は未利用となります。）です。

このような場合、Ｘ宅地を特定居住用宅地等（減額割合80％）として取り扱うことが認められるのでしょうか。

## 応答

(1)　概要

**質疑**に掲げる事例の場合、長男Ａが相続により取得したＸ宅地を特定居住用宅地等として取り扱うためには、長男Ａにつき、次に掲げる要件を充足したいわゆる『家なき子』に該当する者であることが必要とされます。

**いわゆる『家なき子』の要件**

被相続人の居住の用に供されていた宅地等を取得した親族が、次に掲げる要件のすべてを満たすこと（当該被相続人の配偶者又は相続開始の直前において当該被相続人の居住の用に供されていた家屋に居住していた親族で当該被相続人の法定相続人に該当する者がいない場合に限られます。）

①　相続開始前３年以内に相続税法の施行地内にある当該親族、当該親族の配偶者、当該親族の３親等内の親族又は当該親族と特別の関係がある法人が所有する家屋（相続開始の直前において当該被相続人の居住の用に供されていた家屋を除きます。）に居住したことがないこと

②　当該被相続人の相続開始時に当該親族が居住している家屋を相続開始前のいずれかの時においても所有していたことがないこと

③　相続開始時から相続税の申告期限（当該親族が相続税の申告期限前に死亡した場合には、その死亡の日）まで引き続き当該宅地等を有していること

⑵　当てはめ

**質疑** の事例の場合、Ｘ宅地を相続により取得した長男Ａは、上記 **質疑** に掲げる前提条件から被相続人甲に係る相続開始の10か月前まで長男Ａの所有する家屋に居住しており、一見すると、上記⑴①に掲げる相続開始前３年以内に相続税法の施行地内にある当該親族（長男Ａをいいます。）が所有する家屋に居住したことがないことの要件を充足していないと考えられるかもしれません。

しかしながら、その一方で、上記⑴①の括弧書においては、相続開始の直前において当該被相続人の居住の用に供されていた家屋を除くものとされている（上記⑴①の＿＿部分）ことからその点を検討する必要があるところ、正に、Ｘ家屋は、**質疑** の事例では、相続開始の直前において被相続人甲の居住の用に供されているものであり、この除外要件に該当するものとされます。

したがって、長男Ａが相続により取得したＸ宅地は、いわゆる『家なき子』に該当し、特定居住用宅地等として取り扱うことが認められることになります。

### ㊶　相続開始前３年以内に自己又は自己の配偶者等の所有する家屋に居住したことがない者の意義（その13：相続開始前３年以内に財産取得親族の所有家屋に被相続人が居住していた場合）（そのＢ：完全２世帯区分型家屋（内部で行き来は不可）に被相続人が居住していた場合）

**質疑**　被相続人甲に相続の開始がありました。被相続人甲が相続開始時に居住していたＸ家屋に関して判明した事項は、次に掲げるとおりです。

⑴　被相続人甲は、同人に係る相続開始の10年前から同10か月前までは、被相続人甲所有地（Ｘ宅地）上に長男Ａが建築したＸ家屋（２階建の完全２世帯区分型家屋（内部で行き来は不可））に長男Ａと共に居住（１階部分が被相続人甲の居住用、２階部分が長男Ａの居住用）していました。

なお、長男Ａは被相続人甲に対して地代を支払ったという事実はなく、また、被相続人甲は長男Ａに対して家賃を支払ったという事実もありません。（図１ を参照）

⑵　長男Ａは会社員であり、被相続人甲に係る相続開始の10か月前に社命による転勤があり、以後は相続開始時まで継続して赴任先に所在する市営住宅を賃借して入居していました。（図２ を参照）

⑶　上記⑵より、被相続人甲に係る相続開始時においては、Ｘ家屋の１階部分に同人が単身で居住（被相続人甲の配偶者は既に他界しています。）していました。なお、２階部分は長男Ａの転居に伴って未利用とされていました。

図１　相続開始の10年前から相続開始の10か月前までの状況

図２　相続開始の10か月前から相続開始の直前までの状況

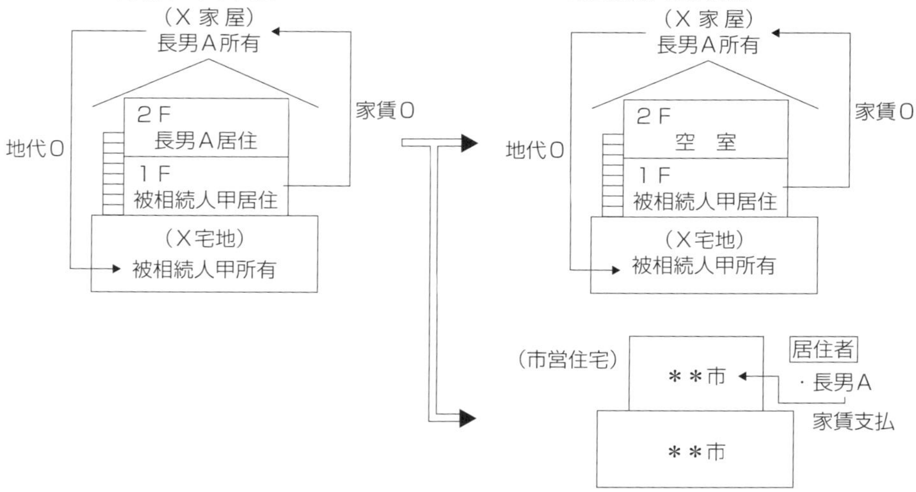


上記に掲げる状況において、被相続人甲の相続財産であるＸ宅地を相続した長男Ａは当該財産を今後も継続して所有する予定（ただし、当分の間は未利用となります。）です。

このような場合、Ｘ宅地を特定居住用宅地等（減額割合80％）として取り扱うことが認められるのでしょうか。

## 応答

⑴　概要

**質疑** に掲げる事例の場合、長男Ａが相続により取得したＸ宅地を特定居住用宅地等として取り扱うためには、長男Ａにつき、次に掲げる要件を充足したいわゆる『家なき子』に該当する者であることが必要とされます。

**いわゆる『家なき子』の要件**

被相続人の居住の用に供されていた宅地等を取得した親族が、次に掲げる要件のすべてを満たすこと（当該被相続人の配偶者又は相続開始の直前において当該被相続人の居住の用に供されていた家屋に居住していた親族で当該被相続人の法定相続人に該当する者がいない場合に限られます。）

①　相続開始前３年以内に相続税法の施行地内にある当該親族、当該親族の配偶者、当該親族の３親等内の親族又は当該親族と特別の関係がある法人が所有する家屋（相続開始の直前において当該被相続人の居住の用に供されていた家屋を除きます。）に居住したことがないこと

②　当該被相続人の相続開始時に当該親族が居住している家屋を相続開始前のいずれかの時においても所有していたことがないこと

③　相続開始時から相続税の申告期限（当該親族が相続税の申告期限前に死亡した場合には、その死亡の日）まで引き続き当該宅地等を有していること

⑵　当てはめ

**質疑** の事例の場合、Ｘ宅地を相続により取得した長男Ａは、上記 **質疑** に掲げる前提条件から被相続人甲に係る相続開始の10か月前まで長男Ａの所有する家屋に居住しており、一見すると、上記⑴①に掲げる相続開始前３年以内に相続税法の施行地内にある当該親族（長男Ａをいいます。）が所有する家屋に居住したことがないことの要件を充足していないと考えるかもしれません。

しかしながら、その一方で、上記⑴①の括弧書においては、相続開始の直前において当該被相続人の居住の用に供されていた家屋を除くものとされており（上記⑴①の＿＿部分）、これに該当するか否かを検討する必要があることになります。

この点を明確にした規定及び定めは存在しないものの、措置法通達69の４－21《被相続人の居住用家屋に居住していた親族の範囲》の定めでは、要旨、次のとおりに定めておりこれを準用して取り扱うのも１つの合理的な考え方であると思われます。

①　措置法第69条の４第３項第２号ロ（筆者注　いわゆる『家なき子』を指します。）に規定する当該被相続人の居住の用に供されていた家屋に居住していた親族とは、当該被相続人に係る相続開始の直前において当該家屋で被相続人と共に起居していたものをいいます。

②　上記①に掲げる『被相続人の居住の用に供されていた家屋』（上記①の＿＿部分）については、当該被相続人が１棟の建物でその構造上区分された数個の部分の各部分（独立部分）を独立して住居その他の用途に供することができるものの独立部分の一に居住していたときは、当該独立部分をいうものとされています。

（注）　上記に掲げる『独立部分』に該当するか否かの判定に当たっては、１棟の建物が建物の区分所有に関する法律第１条《建物の区分所有》の規定に該当する建物（区分所有建物）である旨の登記がされているのか否かは問われていないことに留意する必要があります。

そうすると、被相続人甲に係る相続開始前３年以内に長男Ａが居住の用に供していたのはＸ家屋の２階部分であり、一方、相続開始の直前において被相続人甲の居住の用に供されていたのはＸ家屋の１階部分とされ、両者は異なるものとなり、結果として、長男Ａが被相続人甲に係る相続開始前３年以内に居住していた家屋は相続開始の直前において当該被相続人甲の居住の用に供されていた家屋は該当しないことになります。その結果、上記⑴①の＿＿部分の括弧書の除外要件を充足しないものとされます。

したがって、長男Ａが相続により取得したＸ宅地は、いわゆる『家なき子』には該当せず、これを特定居住用宅地等として取り扱うことは認められないものとなります。

### (42) 相続開始前３年以内に自己又は自己の配偶者等の所有する家屋に居住したことがない者の意義（その14：自己又は自己の配偶者等の所有する家屋の意義）（そのＡ：未分割財産である家屋に居住していた場合）

**質疑**　被相続人甲に係る相続財産である家屋（当該家屋に同人は単身で居住していました。なお、同人の配偶者は既に他界しています。）及びその敷地に供用されていた宅地等は、長男Ａが相続により取得し相続税の申告期限まで継続して保有する予定です。

長男Ａが居住している家屋は、今から10年前に長男Ａの妻Ｂに係る遠縁の親戚Ｘ（妻Ｂの４親等の親族に該当します。）の厚意により、同人所有の物件を使用貸借（家賃無償）で借り受けたものです。

なお、親戚Ｘは、今から６年前に相続開始があり、同人の相続に関しては、相続人であるＹ及びＺ並びに包括受遺者である妻Ｂ（親戚Ｘの遺言書によれば、妻Ｂに包括遺贈割合５分の１をもって遺贈する旨の記載があり、妻Ｂも包括遺贈を承諾しています。）との間で、現在も遺産分割協議が継続していますが、今日に到るまで具体的な進展はなく未分割財産の状況が継続しています。

このような状況において、長男Ａが取得した宅地等について、いわゆる『家なき子』に該当するとして、特定居住用宅地等の80％減額の特例を適用することができますか。

**応答**

被相続人の親族（当該被相続人の配偶者を除きます。）が取得した宅地等が、小規模宅地等の課税特例の適用対象とされる特定居住用宅地等の一形態であるいわゆる『家なき子』（被相続人の配偶者及び一定の同居親族が存せず非同居親族が取得した場合）に該当するためには、次に掲げる要件を充足していることが必要とされています。

(1)　当該被相続人の配偶者又は相続開始の直前において当該被相続人の居住の用に供されていた家屋に居住していた親族（当該被相続人の法定相続人である者をいいます。）がいないこと

(2)　当該被相続人の居住の用に供されていた宅地等を取得した一定の親族が相続開始前３年以内に相続税法の施行地内にある当該親族、当該親族の配偶者、当該親族の３親等内の親族又は当該親族と特別の関係がある法人が所有する家屋（相続開始の直前において当該被相続人の居住の用に供されていた家屋を除きます。）に居住したことがないこと

(3)　当該被相続人の相続開始時に当該親族が居住している家屋を相続開始前のいずれの時においても所有していたことがないこと

(4)　相続開始時から相続税の申告期限（当該親族が相続税の申告期限前に死亡した場合には、その死亡の日）まで引き続き当該宅地等を所有していること

そうすると、**質疑** の事例の場合、被相続人甲の相続財産である宅地等を取得した長男Ａは、旧来より妻Ｂの遠縁の親戚Ｘ（妻Ｂの４親等の親族）名義の家屋に居住しており、相続開始前３年以内に相続税法の施行地内にある長男Ａ、長男Ａの配偶者（妻Ｂ）、長男Ａの３親等内の親族又は長男Ａと特別の関係がある法人が所有する家屋に居住したことがないこと（上記(2)の＿＿部分）の要件を充足し、かつ、**質疑** に掲げる前提条件から上記(1)、(3)及び(4)の各要件も充足しているものとして、当該宅地等を特定居住用宅地等に該当すると判断されるかも知れません。

しかしながら、妻Ｂの遠縁の親戚Ｘは、今から６年前に相続開始があり同人の相続財産は今日に至るまで同人に係る共同相続人（Ｙ及びＺ）及び包括受遺者（妻Ｂ）において分割されておらず、未分割財産の状態が継続しているとのことですから、包括受遺者である妻Ｂは、遠縁の親戚Ｘが所有する全ての財産について包括遺贈割合たる５分の１の割合で共有持分を有しているものと考えられます。

そうすると、被相続人甲の相続財産である宅地等を取得した長男Ａは、被相続人甲に係る相続開始前３年以内に相続税法の施行地内にある長男Ａの配偶者（妻Ｂ）が所有する家屋に居住していた者とされることから、結果として、上記(2)に掲げる要件を充足していないものと判断されます。

したがって、当該宅地等は、特定居住用宅地等に該当せず、小規模宅地等の課税特例の対象とすることは認められないものとなります。

### (43)　相続開始前３年以内に自己又は自己の配偶者等の所有する家屋に居住したことがない者の意義（その14：自己又は自己の配偶者等の所有する家屋の意義）（そのＢ：未分割財産である家屋に居住していた場合の取扱いを確認する裁決事例）

**質疑**

前問(42)に掲げる考え方（財産取得者の配偶者が未分割財産を共有持分により所有していることから、財産取得者は、相続開始３年以内における一定の者が所有する家屋に居住したことがない者には該当せず、その取得した宅地等は、特定居住用宅地等には該当しないとする考え方）を理解するうえで、参考とすべき裁決事例があれば紹介してください。

**応答**

ご照会の内容に適合するものとして、国税不服審判所の裁決事例（平成13年12月25日裁決、東裁（諸）平13－116、平成10年相続開始分）があります。

本件裁決事例は、小規模宅地等の課税特例に規定する特定居住用宅地等に該当するか否かの判断につき、被相続人と同居していた親族がいない場合に同特例の適用を受けるには、本件土地を取得した相続人が『相続開始前３年以内に相続税法の施行地内にあるその者（当該被相続人の居住の用に供されていた宅地等を取得した者）又はその者の配偶者の所有する家屋に居住したことがない者』（平成10年当時）であることが要件となるところ、請求人は、同期間において、前回の相続に係る未分割財産であった本件マンションに配偶者と共に居住し、その後、それに係る遺産分割によって同マンションを取得したもので、民法第896条《相続の一般的効力》及び第898条《共同相続の効力》の規定により、請求人は上記要件に該当しないことになるため、本件土地は特定居住用宅地等に該当しないと解釈することの可否が争点とされたものです。

本件裁決事例につき、**〔１〕**事案の概要・基礎事実、**〔２〕**事案のポイント・争点、**〔３〕**争点に対する双方の主張、**〔４〕**国税不服審判所の判断及び**〔６〕**裁決事例から確認する実務における留意点は、第６章4（居住の用に供していた家屋を遺産分割により取得した者は特定居住用宅地等（いわゆる『家なき子』）の該当要件たる『自己又は一定の親族等が所有する家屋に居住したことがない者』に該当するか否かが争点とされた事例）（1235ページ）に掲げていますので、該当ページを参照してください。

### ⒁ 被相続人が所有する宅地上に２棟の建物が存在しそれぞれに被相続人と被相続人の親族が居住していた場合における特定居住用宅地等の取扱い（その１：建物の所有者がいずれも被相続人であった場合）

**質疑**　被相続人甲の相続財産である宅地（宅地Ｘ及び宅地Ｙより構成され全体の面積は320㎡）の相続開始時における利用状況は下図のとおりです。

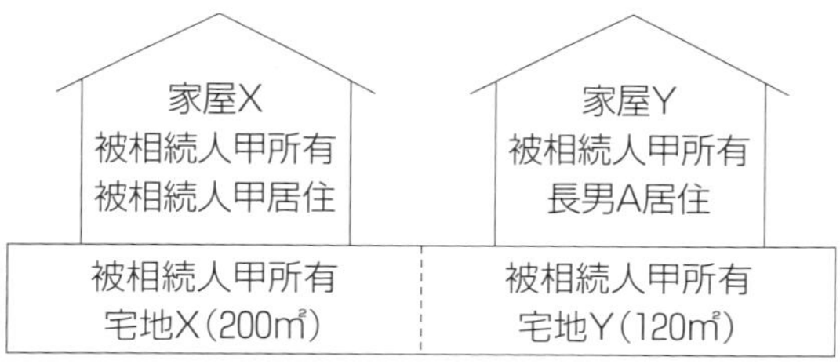


・被相続人甲は家屋Ｘに単身で居住しています。なお、配偶者は既に他界しています。
・長男Ａは、被相続人甲に係る相続開始の20年前から家屋Ｙに居住を継続しており、この間、被相続人甲に対して家賃を支払ったことはありません。

上図に掲げる被相続人甲名義の財産は全て長男Ａが相続することになり、同人は今後も末長くこれらの財産を所有し、かつ、利用（当分の間、宅地Ｘ及び家屋Ｘは未利用とし、宅地Ｙ及び家屋Ｙは長男Ａの居住用を継続）することを予定しています。

上記のような状況にある宅地について、小規模宅地等の課税特例の適用区分である特定居住用宅地等（減額割合80％）の取扱いはどのようになるのでしょうか。次に掲げる被相続人甲と長男Ａとの生計の関係の区分の別に説明してください。

⑴　被相続人甲と長男Ａとの両者間の生計が同一であると認められる場合
⑵　被相続人甲と長男Ａとの両者間の生計が別であると認められる場合

## 応答

⑴　概要

本問において、長男Ａが相続により取得した宅地について特定居住用宅地等に該当する可能性を検討する必要性を有するものは、次に掲げる２点となります。

①　いわゆる『家なき子』に該当する者が取得した場合

被相続人の居住の用に供されていた宅地等を取得した親族が、次に掲げる要件のすべてを満たすこと（当該被相続人の配偶者又は相続開始の直前において当該被相続人の居住の用に供されていた家屋に居住していた親族で、当該被相続人の法定相続人に該当する者がいない場合に限られます。）

(イ)　相続開始前３年以内の相続税法の施行地内にある当該親族、当該親族の配偶者、当該親族の３親等内の親族又は当該親族と特別の関係がある法人が所有する家屋（相続開始の直前において当該被相続人の居住の用に供されていた家屋を除きます。）に居住したことがないこと

(ロ)　当該被相続人の相続開始時に当該親族が居住している家屋を相続開始前のいずれかの時においても所有していたことがないこと

(ハ)　相続開始時から相続税の申告期限（当該親族が相続税の申告期限前に死亡した場合には、その死亡の日）まで引き続き当該宅地等を有していること

②　被相続人と生計を一にしていた者が取得した場合

被相続人と生計を一にしていた親族の居住の用に供されていた宅地等を取得した親族が、当該被相続人と生計を一にしていた者であって、相続開始時から申告期限まで引き続き当該宅地等を有し、かつ、相続開始前から申告期限まで引き続き当該宅地等を自己の居住の用に供していること

⑵　被相続人甲と長男Ａが生計一である場合

①　宅地Ｘ（被相続人甲の居住用部分）の取扱い

宅地Ｘについて特定居住用宅地等の該当性を検討する必要があると考えられるのは、上記⑴①に掲げるいわゆる『家なき子』に該当する場合です。ただし、上記⑴①に掲げる要件は、平成30年度の税法改正による改正後の原則的な取扱いです。

そうすると、**質疑** の事例の宅地Ｘに対する特定居住用宅地等の取扱いについては、被相続人甲に係る相続開始時期のそれぞれに掲げる区分に応じて、それぞれに示すとおりとなります。

(イ)　平成30年３月31日までに相続開始日が到来した場合

いわゆる『家なき子』に該当するためには、次に掲げる㋑ないし㋩に掲げる要件を充足していることが必要とされます。

㋑　被相続人の配偶者又は相続の開始の直前において当該被相続人の居住の用に供されていた家屋に居住していた親族（当該被相続人の法定相続人をいいます。）がい

ないこと

㋺　被相続人の居住の用に供されていた宅地等を取得した一定の親族が相続開始前３年以内に相続税法の施行地内にある当該親族又は当該親族の配偶者が所有する家屋（当該相続開始の直前において当該被相続人の居住の用に供されていた家屋を除きます。）に居住したことがないこと

㋩　相続開始時から相続税の申告期限（当該親族が相続税の申告期限前に死亡した場合には、その死亡の日）まで引き続き当該宅地等を所有していること

そうすると、**質疑**の事例の場合、宅地Ｘを取得した長男Ａが被相続人甲に係る相続開始前３年以内に居住の用に供していた家屋Ｙの所有者は被相続人甲であり、長男Ａ又は長男Ａの配偶者が所有する家屋に居住したことがないこととする要件（上記㋺の要件）を充足し、かつ、他の要件も充足しているものと認められます。

したがって、宅地Ｘを特定居住用宅地等として取り扱うことが認められます。

(ロ)　平成30年４月１日から令和２年３月31日までの間に相続開始日が到来した場合

平成30年３月31日に相続又は遺贈があったものとした場合に、平成30年改正法による改正前の措置法第69条の４第１項に規定する特例対象宅地等（同条第３項第２号に規定する特定居住用宅地等（同条第３項第２号に規定する特定居住用宅地等のうち同号ロ（いわゆる『家なき子』型）に掲げる要件（上記①(イ)を参照）を満たすものに限られます。））に該当することとなる宅地等（以下、これを「経過措置対象宅地等」といいます。）については、これをいわゆる『家なき子』に該当するものとして取り扱う旨の経過的な取扱いが規定されています。

そうすると、**質疑**の事例の場合、宅地Ｘを取得した長男Ａは、上記(イ)に掲げる経過的な取扱いに係る適用要件を充足しているものと認められます。

したがって、宅地Ｘを特定居住用宅地等として取り扱うことが認められます。

(ハ)　令和２年４月１日以後に相続開始日が到来した場合

いわゆる『家なき子』に該当するためには、上記(1)①の(イ)ないし(ハ)に掲げる要件を充足していることが必要とされます。

そうすると、**質疑**の事例の場合、宅地Ｘを取得した長男Ａが被相続人甲に係る相続開始前３年以内に長男Ａの３親等内の親族である被相続人甲（長男Ａから判定すると１親等の親族）が所有する家屋Ｙに居住しており、また、当該家屋Ｙは、被相続人甲に係る相続開始の直前において当該被相続人甲の居住の用に供されていた家屋にも該当しない（被相続人甲は、家屋Ｘに居住）ことから、いわゆる『家なき子』の要件を充足していないものと認められます。

したがって、宅地Ｘを特定居住用宅地等として取り扱うことは認められないことになります。

②　宅地Ｙ（長男Ａの居住用部分）の取扱い

宅地Ｙについて特定居住用宅地等の該当性を検討する必要があると考えられるのは、上

記(1)②に掲げる『被相続人と生計を一にしていた者』に該当する場合です。

そうすると、**質疑** の事例の場合、宅地Ｙを取得した長男Ａは、被相続人甲と生計を一にしていた者に該当することから、上記(1)②に掲げる要件を充足しているものと認められます。

したがって、宅地Ｙを特定居住用宅地等として取り扱うことが認められます。

(3)　被相続人甲と長男Ａが生計別である場合

①　宅地Ｘ（被相続人甲の居住用部分）の取扱い

上記(2)①と同様となります。

②　宅地Ｙ（長男Ａの居住用部分）の取扱い

宅地Ｙについて特定居住用宅地等の該当性を検討する必要があると考えられるのは、上記(1)②に掲げる『被相続人と生計を一にしていた者』に該当する場合です。

そうすると、**質疑** の事例の場合、宅地Ｙを取得した長男Ａは、被相続人甲と生計を別にする者に該当することから、上記(1)②に掲げる要件を充足していないものと認められます。

したがって、宅地Ｙを特定居住用宅地等として取り扱うことは認められないことになります。

## (45)　被相続人が所有する宅地上に２棟の建物が存在しそれぞれに被相続人と被相続人の親族が居住していた場合における特定居住用宅地等の取扱い（その２：建物の所有者が各戸別に被相続人と被相続人の親族に区分されていた場合）

**質疑**　被相続人甲の相続財産である宅地（宅地Ｘ及び宅地Ｙより構成され全体の面積は320㎡）の相続開始時における利用状況は下図のとおりです。

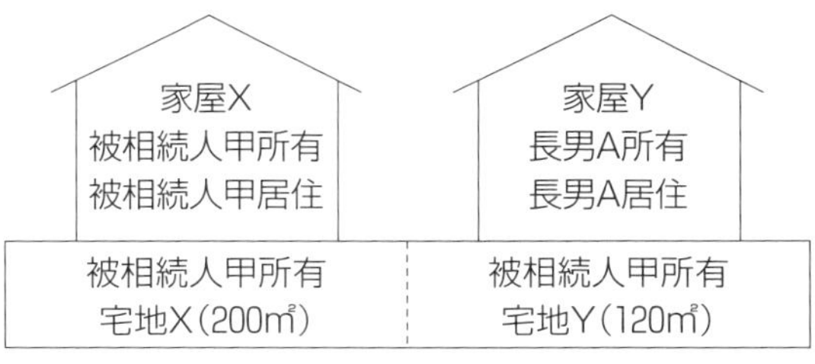


・被相続人甲は家屋Ｘに単身で居住しています。なお、配偶者乙は既に他界しています。

・長男Ａは、被相続人甲に係る相続開始の20年前に宅地Ｙを使用貸借により借り受けて家屋Ｙを建築し、今日まで当該家屋に居住しています。

上図に掲げる被相続人甲名義の財産は全て長男Ａが相続することになり、同人は今後も末長くこれらの財産を所有し、かつ、利用（当分の間、宅地Ｘ及び家屋Ｘは未利用とし、宅地Ｙは家屋Ｙ（長男Ａの居住用家屋）の敷地の用に供用）することを予定しています。

上記のような状況にある宅地について、小規模宅地等の課税特例の適用区分である特定居住用宅地等（減額割合80％）の取扱いはどのようになるのでしょうか。次に掲げる被相続人甲と長男Ａとの生計の関係の区分の別に説明してください。

⑴　被相続人甲と長男Ａとの両者間の生計が同一であると認められる場合
⑵　被相続人甲と長男Ａとの両者間の生計が別であると認められる場合

**応答**

⑴　概要

本問においても、長男Ａが相続により取得した宅地について特定居住用宅地等に該当する可能性を検討する必要性を有するものは、次に掲げる２点となります。

①　いわゆる『家なき子』に該当する者が取得した場合

適用要件の詳細については、前問㊹の **応答** ⑴①の解説を参照してください。

②　被相続人と生計を一にしていた者が取得した場合

適用要件の詳細については、前問㊹の **応答** ⑴②の解説を参照してください。

⑵　被相続人甲と長男Ａが生計一である場合

①　宅地Ｘ（被相続人甲の居住用部分）の取扱い

宅地Ｘに対して、特定居住用宅地等の該当可能性の検討の対象となるのは、上記⑴①に掲げるいわゆる『家なき子』に該当する者が取得した場合ですが、**質疑** に挙げる前提条件から長男Ａは被相続人甲に係る相続開始の20年前から長男Ａ所有の家屋Ｙに居住しているとのことですから、いわゆる『家なき子』の適用要件の１つである「相続開始前３年以内に相続税法の施行地内にある当該親族（宅地Ｘを取得した長男Ａ）が所有する家屋に居住したことがないこと」の要件を充足しないことになります。したがって、宅地Ｘをいわゆる『家なき子』として取り扱うことはできないものとされます。

そうすると、宅地Ｘを特定居住用宅地等として取り扱うことは認められないことになります。

②　宅地Ｙ（長男Ａの居住用部分）

宅地Ｙに対して、特定居住用宅地等の該当可能性の検討の対象となるのは、上記⑴②に掲げる被相続人と生計を一にしていた者が取得した場合ですが、**質疑** に掲げる前提条件から長男Ａはその適用要件を充足しているものと認められます。

したがって、宅地Ｙを被相続人甲と生計を一にしていた者が取得した場合として取り扱うことができるものとされます。

そうすると、宅地Ｙを特定居住用宅地等として取り扱うことが認められることになります。

⑶　被相続人甲と長男Ａが生計別である場合

①　宅地Ｘ（被相続人甲の居住用部分）の取扱い

上記⑵①と同様となります。

②　宅地Ｙ（長男Ａの居住用部分）の取扱い

宅地Ｙは長男Ａの居住用家屋の敷地の用に供されている宅地であり、被相続人甲の居住用家屋の敷地の用に供されている宅地等ではないことから当然にいわゆる『家なき子』の検討の余地もなく、また、**質疑** に掲げる前提条件から長男Ａは被相続人甲と生計を別にしているとのことですから被相続人甲と生計を一にしていた者が取得した場合として取り扱うことも認められないものとされます。

そうすると、宅地Ｙを特定居住用宅地等として取り扱うことは認められないことになります。

**ポイント**

上記㊺の **質疑** における取扱いは、被相続人甲に係る下記に掲げる相続開始日の区分にかかわらず、すべて同一の取扱いとなります。

⑴　平成30年３月31日までに相続開始日が到来した場合

⑵　平成30年４月１日から令和２年３月31日までの間に相続開始日が到来した場合

⑶　令和２年４月１日以後に相続開始日が到来した場合

### ㊻　被相続人が所有する宅地上に２棟の建物が存在しそれぞれに被相続人と被相続人の親族が居住していた場合における特定居住用宅地等の取扱い（その３：建物の所有者が各戸別に被相続人と被相続人の親族に区分されていた場合において、被相続人と生計を一にする親族といわゆる『家なき子』が共有持分により取得したとき）

**質疑**　被相続人甲の相続財産である宅地（宅地Ｘ及び宅地Ｙより構成された１筆の宅地で、全体の面積は320㎡）の相続開始時における利用状況は、下図のとおりです。

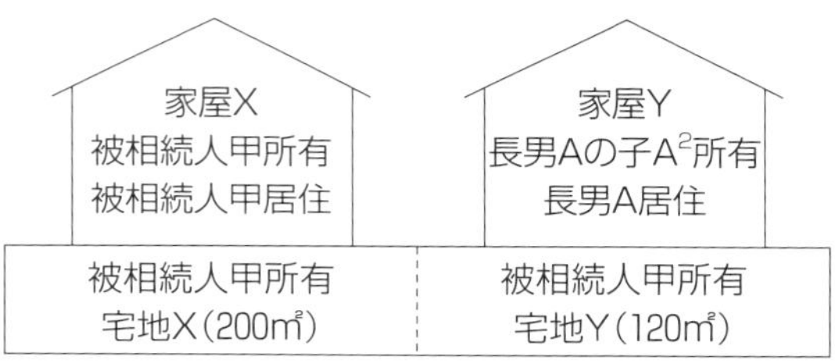


・被相続人甲は家屋Xに単身で居住しています。なお、配偶者乙は既に他界しています。

・長男Ａの子$A^2$は、被相続人甲に係る相続開始の20年前に宅地Ｙを使用貸借により借り受けて家屋Ｙを建築し、これを長男Ａに無償で使用させています。また、長男Ａは、今日まで当該家屋に居住しています。

上図に掲げる被相続人甲名義の宅地（Ｘ宅地・Ｙ宅地）は長男Ａ（被相続人甲と生計を一にする親族に該当します。）及び二男Ｂ（被相続人甲に係る相続開始の15年前から県営住宅に居住しています。）が、それぞれ、共有持分$\frac{3}{4}$及び$\frac{1}{4}$の割合で相続することとなり、両名は今後も末長くこれらの財産を所有し、かつ、利用（当分の間、宅地Ｘ及び家屋Ｘは未利用とし、宅地Ｙは家屋Ｙ（長男Ａの居住用家屋）の敷地の用に供用）することを予定しています。

上記のような状況にある宅地について、小規模宅地等の課税特例の適用区分である特定居住用宅地等（減額割合80％）の取扱いはどのようになるのでしょうか。

**類題**　上記の事例において、被相続人甲が所有する家屋Ｘに居住している者が被相続人甲及び長女Ｃの両名であった場合には、どのようになりますか。なお、上記以外の項目については全て本題と同一であるものとします。

## 応答

⑴　概要

本問において、長男Ａ及び二男Ｂが相続により取得した宅地について特定居住用宅地等に該当する可能性を検討する必要性を有するものは、次に掲げる２点となります。

①　いわゆる『家なき子』に該当する者が取得した場合

被相続人の居住の用に供されていた宅地等を取得した親族が、次に掲げる要件のすべてを満たすこと（当該被相続人の配偶者又は相続開始の直前において当該被相続人の居住の用に供されていた家屋に居住していた親族で、当該被相続人の法定相続人に該当する者がいない場合に限られます。）

(イ)　相続開始前３年以内の相続税法の施行地内にある当該親族、当該親族の配偶者、当該親族の３親等内の親族又は当該親族と特別の関係がある法人が所有する家屋（相続開始の直前において当該被相続人の居住の用に供されていた家屋を除きます。）に居住したことがないこと

(ロ)　当該被相続人の相続開始時に当該親族が居住している家屋を相続開始前のいずれかの時においても所有していたことがないこと

(ハ)　相続開始時から相続税の申告期限（当該親族が相続税の申告期限前に死亡した場合には、その死亡の日）まで引き続き当該宅地等を有していること

②　被相続人と生計を一にしていた者が取得した場合

被相続人等の居住の用に供されていた宅地等を取得した親族が当該被相続人と生計を一にしていた者であって、相続開始時から申告期限まで引き続き当該宅地等を有し、かつ、相続開始前から申告期限まで引き続き当該宅地等を自己の居住の用に供していること

⑵　宅地Ｘ（被相続人甲の居住用部分）の取扱い

①　いわゆる『家なき子』に係る税法改正の取扱い

長男Ａ及び長女Ｂがそれぞれ共有持分により相続取得した宅地Ｘについて特定居住用宅地等の該当性を検討する必要があると考えられるのは、上記⑴①に掲げるいわゆる『家なき子』に該当する場合です。ただし、上記⑴①に掲げる要件は、平成30年度の税法改正による改正後の原則的な取扱いです。

そうすると、**質疑** の事例の宅地Ｘに対する特定居住用宅地等の取扱いについては、被相続人甲に係る相続開始時期のそれぞれに掲げる区分に応じて、それぞれに示すとおりとなります。

(イ)　平成30年３月31日までに相続開始日が到来した場合

いわゆる『家なき子』に該当するためには、次に掲げる㋑ないし㋩に掲げる要件を充足していることが必要とされます。

㋑　被相続人の配偶者又は相続の開始の直前において当該被相続人の居住の用に供されていた家屋に居住していた親族（当該被相続人の法定相続人をいいます。）がいないこと

㋺　被相続人の居住の用に供されていた宅地等を取得した一定の親族が相続開始前３年以内に相続税法の施行地内にある当該親族又は当該親族の配偶者が所有する家屋（当該相続開始の直前において当該被相続人の居住の用に供されていた家屋を除きます。）に居住したとこがないこと

㋩　相続開始時から相続税の申告期限（当該親族が相続税の申告期限前に死亡した場合には、その死亡の日）まで引き続き当該宅地等を所有していること

(ロ)　平成30年４月１日から令和２年３月31日までの間に相続開始日が到来した場合

平成30年３月31日に相続又は遺贈があったものとした場合に、平成30年改正法による改正前の措置法第69条の４第１項に規定する特例対象宅地等（同条第３項第２号に規定する特定居住用宅地等（同条第３項第２号に規定する特定居住用宅地等のうち同号ロ（いわゆる『家なき子』型）に掲げる要件（上記①(イ)を参照）を満たすものに限られます。））に該当することとなる宅地等（以下、これを「経過措置対象宅地等」といいます。）については、これをいわゆる『家なき子』に該当するものとして取り扱う旨の経過的な取扱いが規定されています。

(ハ)　令和２年４月１日以後に相続開始日が到来した場合

いわゆる『家なき子』に該当するためには、上記(1)①の(イ)ないし(ハ)に掲げる要件を充足していることが必要とされます。

②　長男Ａが取得した共有持分に対応する部分の取扱い

被相続人甲に係る相続により、長男Ａが取得した宅地Ｘに係る共有持分に対応する部分（200㎡（宅地Ｘの面積）× $\frac{3}{4}$ （共有持分）＝150㎡）については、被相続人甲に係る相続開始時期のそれぞれに掲げる区分に応じて、それぞれに示すとおりとなります。

(イ)　平成30年３月31日までに相続開始日が到来した場合

**質疑** の事例の場合、宅地Ｘの共有持分を取得した長男Ａが被相続人甲に係る相続開始前３年以内に居住の用に供していた家屋Ｙの所有者は長男Ａの子 $A^2$ であり、長男Ａ又は長男Ａの配偶者が所有する家屋に居住したことがないこととする要件（上記①(イ)㋺の要件）を充足し、かつ、他の要件も充足しているものと認められます。

したがって、長男Ａが取得した宅地Ｘの共有持分に対応する部分（150㎡）を特定居住用宅地等として取り扱うことが認められます。

(ロ)　平成30年４月１日から令和２年３月31日までの間に相続開始日が到来した場合

**質疑** の事例の場合、宅地Ｘの共有持分を取得した長男Ａは、上記①(ロ)に掲げる経

過的な取扱いに係る適用要件を充足しているものと認められます。

したがって、長男Ａが取得した宅地Ｘの共有持分に対応する部分（150㎡）を特定居住用宅地等として取り扱うことが認められます。

(ハ)　令和２年４月１日以後に相続開始日が到来した場合

**質疑** の事例の場合、宅地Ｘの共有持分を取得した長男Ａが被相続人甲に係る相続開始前３年以内に長男Ａの３親等内の親族である長男Ａの子$A^2$（長男Ａから判定すると１親等の親族）が所有する家屋Ｙに居住しており、また、当該家屋Ｙは、被相続人甲に係る相続開始の直前において当該被相続人の居住の用に供されていた家屋にも該当しない（被相続人甲は、家屋Ｘに居住）ことから、いわゆる『家なき子』の要件（上記(1)①(イ)の要件）を充足していないものと認められます。

したがって、長男Ａが取得した宅地Ｘの共有持分に対応する部分（150㎡）を特定居住用宅地等として取り扱うことは認められないことになります。

③　二男Ｂが取得した共有持分に対応する部分

被相続人甲に係る相続により、二男Ｂが取得した宅地Ｘに係る共有持分に対応する部分（200㎡（宅地Ｘの面積）×$\frac{1}{4}$（共有持分）＝50㎡）については、被相続人甲に係る相続開始時期のそれぞれに掲げる区分に応じて、それぞれに示すとおりとなります。

(イ)　平成30年３月31日までに相続開始日が到来した場合

**質疑** の事例の場合、宅地Ｘの共有持分を取得した二男Ｂが被相続人甲に係る相続開始前３年以内に居住の用に供していた家屋は県営住宅であり、二男Ｂ又は二男Ｂの配偶者が所有する家屋に居住したことがないこととする要件（上記①(イ)(ロ)の要件）を充足し、かつ、他の要件も充足しているものと認められます。

したがって、二男Ｂが取得した宅地Ｘの共有持分に対応する部分（50㎡）を特定居住用宅地等として取り扱うことが認められます。

(ロ)　平成30年４月１日から令和２年３月31日までの間に相続開始日が到来した場合

**質疑** の事例の場合、宅地Ｘの共有持分を取得した二男Ｂは、上記①(ロ)に掲げる経過的な取扱いに係る適用要件を充足しているものと認められます。

したがって、二男Ｂが取得した宅地Ｘの共有持分に対応する部分（50㎡）を特定居住用宅地等として取り扱うことが認められます。

(ハ)　令和２年４月１日以後に相続開始日が到来した場合

**質疑** の事例の場合、宅地Ｘの共有持分を取得した二男Ｂが被相続人甲に係る相続開始前３年以内に居住の用に供していた家屋は県営住宅であり、二男Ｂ、二男Ｂの配偶者、二男Ｂの３親等内の親族又は二男Ｂと特別の関係がある法人が所有する家屋に居住したことがないこととする要件（上記(1)①(イ)の要件）を充足し、かつ、他の要件も充足しているものと認められます。

したがって、二男Ｂが取得した宅地Ｘの共有持分に対応する部分（50㎡）を特定居住用宅地等として取り扱うことが認められます。

⑶　宅地Ｙ（長男Ａの居住用部分）の取扱い

宅地Ｙについて特定居住用宅地等の該当性を検討する必要があると考えられるのは、上記⑴②に掲げる『被相続人と生計を一にしていた者が取得した場合』に該当する場合です。この点を宅地Ｙを共有持分により取得した長男Ａ及び二男Ｂについて検討すると、それぞれ、下記に掲げるとおりとなります。

①　長男Ａが取得した共有持分に対応する部分の取扱い

**質疑** の事例の場合、宅地Ｙの共有持分を取得した長男Ａは、被相続人甲と生計を一にしていた者の居住の用に供されていた宅地等を当該親族が取得した場合に該当することから、上記⑴②に掲げる要件を充足しているものと認められます。

したがって、長男Ａが取得した宅地Ｙの共有持分に対応する部分（120㎡（宅地Ｙの面積）$\times \frac{3}{4}$（共有持分）＝90㎡）を特定居住用宅地等として取り扱うことが認められます。

②　二男Ｂが取得した共有持分に対応する部分の取扱い

**質疑** の事例の場合、宅地Ｙ（被相続人と生計を一にする親族の居住用宅地等に該当）の共有持分を取得した二男Ｂは、当該共有持分部分について、これを特定居住用宅地等に該当させるための要件（下記に見出し項目のみを記載）のいずれにも当てはまらないものとなっています。

特定居住用宅地等に該当するための要件

(イ)　被相続人等の居住の用に供されていた宅地等を当該被相続人の配偶者が取得した場合

(ロ)　下記の㋑から㋩に掲げる項目のいずれかを満たす被相続人の親族（当該被相続人の配偶者を除きます。）が取得した場合

㋑　被相続人の居住の用に供されていた宅地等を当該被相続人と同居の親族が取得した場合

㋺　被相続人の居住の用に供されていた宅地等につき、当該被相続人の配偶者及び一定の同居親族が存せず非同居親族が取得した場合（いわゆる『家なき子』に該当する場合）

㋩　被相続人と生計を一にしていた親族の居住の用に供されていた宅地等を当該親族が取得した場合

したがって、二男Ｂが取得した宅地Ｙの共有持分に対応する部分（120㎡（宅地Ｙの面積）$\times \frac{1}{4}$（共有持分）＝30㎡）を特定居住用宅地等として取り扱うことは認められないことになります。

⑷　**類題**の場合

**類題**の場合（被相続人甲が所有する家屋Ｘに居住している者が被相続人甲及び長女Ｃの両名であった場合）には、いわゆる『家なき子』に該当するための要件の１つである「当該被相続人の配偶者又は相続開始の直前において当該被相続人の居住の用に供されていた家屋に居住していた親族で、当該被相続人の法定相続人に該当する者がいないこと」の要件（上

記(1)①の要件）を充足しなくなります。（類題の場合には、被相続人甲は、相続開始の直前において、長女Ｃ（法定相続人である親族）と同居しています。）

したがって、類題の事例では、本題において長男Ａ及び二男Ｂがその適用要件を充足するものとしていわゆる『家なき子』の適用が認められていたすべての部分について、その適用が認められないものとされます。

なお、本題において長男Ａが被相続人甲と生計を一にする親族として特定居住用宅地等の適用が容認された部分の取扱いについては、異動はありません。

## (47) 被相続人が所有する宅地上に２棟の建物が存在しそれぞれに被相続人と被相続人の親族が居住していた場合における特定居住用宅地等の取扱い（その４：建物の所有者が各戸別に被相続人と被相続人の親族に区分されていた（宅地も各戸別に分筆済）場合において、被相続人と生計を一にする親族といわゆる『家なき子』が各々、各筆を単独で取得したとき）

**質疑**　被相続人甲の相続財産である２筆の宅地（宅地Ｘ：200㎡、宅地Ｙ：120㎡）の相続開始時における利用状況は、下図のとおりです。

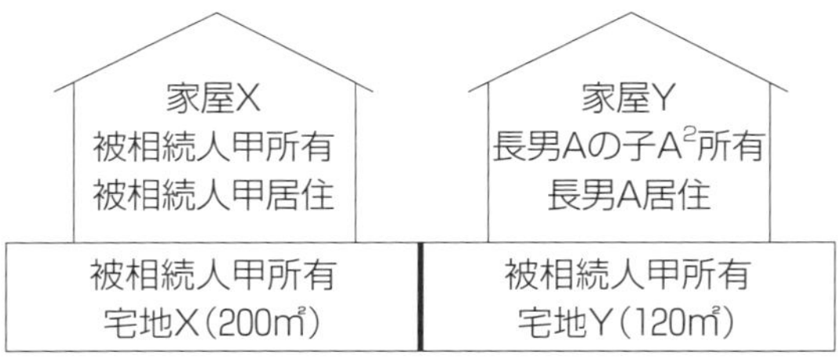


・被相続人甲は家屋Ｘに単身で居住しています。なお、配偶者乙は既に他界しています。
・長男Ａの子Ａ²は、被相続人甲に係る相続開始の20年前に宅地Ｙを使用貸借により借り受けて家屋Ｙを建築し、これを長男Ａに無償で使用させています。また、長男Ａは、今日まで当該家屋に居住しています。

上図に掲げる被相続人甲名義の宅地（宅地Ｘ・宅地Ｙ）については、遺産分割協議によって長男Ａ（被相続人甲と生計を一にする親族に該当します。）が宅地Ｙを取得し、二男Ｂ（被相続人甲に係る相続開始の15年前から県営住宅に居住しています。）が宅地Ｘを取得する（家屋Ｘも二男Ｂが取得します。）こととなり、両名は今後も末長くこれらの財産を所有し、かつ、利用（当分の間、宅地Ｘ及び家屋Ｘは未利用とし、宅地Ｙは家屋Ｙ（長男Ａの居住用家屋）の敷地の用に供用）することを予定しています。

上記のような状況にある宅地について、小規模宅地等の課税特例の適用区分である特定居住用宅地等（減額割合80％）の取扱いはどのようになるのでしょうか。

類題　上記の事例において、被相続人甲が所有する家屋Ｘに居住している者が被相続人甲及び長女Ｃの両名であった場合には、どのようになりますか。なお、上記以外の項目については全て本題と同一であるものとします。

## 応答

⑴　概要

本問において、長男Ａ及び二男Ｂが相続により取得した宅地について特定居住用宅地等に該当する可能性を検討する必要性を有するものは、次に掲げる２点となります。

①　いわゆる『家なき子』に該当する者が取得した場合

上記に該当するための要件については、前問㊻の **応答** の⑴①及び⑵①を参照してください。

②　被相続人と生計を一にしていた者が取得する場合

上記に該当するための要件については、前問㊻の **応答** ⑴②を参照してください。

⑵　宅地Ｘ（被相続人甲の居住用部分）の取扱い

被相続人甲に係る相続により、二男Ｂが取得した宅地Ｘ（200㎡）については、被相続人甲に係る相続開始時期のそれぞれに掲げる区分に応じて、それぞれに示すとおりとなります。

①　平成30年３月31日までに相続開始日が到来した場合

**質疑** の事例の場合、宅地Ｘを取得した二男Ｂが被相続人甲に係る相続開始前３年以内に居住の用に供していた家屋は県営住宅であり、二男Ｂ又は二男Ｂの配偶者が所有する家屋に居住したことがないこととする要件（前問㊻の **応答** ⑵①(イ)(ロ)に掲げる要件）を充足し、かつ、他の要件も充足しているものと認められます。

したがって、二男Ｂが取得した宅地Ｘ（200㎡）を特定居住用宅地等として取り扱うことが認められます。

②　平成30年４月１日から令和２年３月31日までの間に相続開始日が到来した場合

**質疑** の事例の場合、宅地Ｘを取得した二男Ｂは、経過的な取扱いに係る適用要件（前問㊻の **応答** ⑵①(ロ)の要件）を充足しているものと認められます。

したがって、二男Ｂが取得した宅地Ｘ（200㎡）を特定居住用宅地等として取り扱うことが認められます。

③　令和２年４月１日以後に相続開始日が到来した場合

**質疑** の事例の場合、宅地Ｘを取得した二男Ｂが被相続人甲に係る相続開始前３年以内に居住の用に供していた家屋は県営住宅であり、二男Ｂ、二男Ｂの配偶者、二男Ｂの３親等内の親族又は二男Ｂと特別の関係がある法人が有する家屋に居住したことがないこととする要件（前問㊻の **応答** ⑴①(イ)の要件）を充足し、かつ、他の要件も充足しているものと認められます。

したがって、二男Ｂが取得した宅地Ｘ（200㎡）を特定居住用宅地等として取り扱うことが認められます。

⑶　宅地Ｙ（長男Ａの居住用部分）

被相続人甲に係る相続により、長男Ａが取得した宅地Ｙ（120㎡）について特定居住用宅地等の該当性を検討する必要性があると考えられるのは、『被相続人と生計を一にしていた者が取得した場合』に該当する場合（適用要件については、前問㊻の **応答** ⑴②を参照）

です。

**質疑** の事例の場合、宅地Ｙを取得した長男Ａは、被相続人甲と生計を一にしていた者の居住の用に供されていた宅地等を当該親族が取得した場合に該当することから、上記に掲げる要件を充足しているものと認められます。

したがって、長男Ａが取得した宅地Ｙ（120㎡）を特定居住用宅地等として取り扱うことが認められます。

⑷ 類題 の場合

類題（被相続人甲が所有する家屋Ｘに居住している者が被相続人甲及び長女Ｃの両名であった場合）には、いわゆる『家なき子』に該当するための要件の１つである「当該被相続人の配偶者又は相続開始の直前において当該被相続人の居住の用に供されていた家屋に居住していた親族で、当該被相続人の法定相続人に該当する者がいないこと」の要件（前問㊻の **応答** ⑴①の要件）を充足しなくなります。（ 類題 の場合には、被相続人甲は、相続開始の直前において、長女Ｃ（法定相続人である親族）と同居しています。）

したがって、類題 の事例では、本題において上記⑵に掲げるとおり二男Ｂがその適用要件を充足するものとしていわゆる『家なき子』の適用が認められていた宅地Ｘ（200㎡）について、その適用が認められないものとされます。

## ㊽ いわゆる『家なき子』としての特定居住用宅地等の該当可能性（取得財産の取得後の利用又は処分状況と小規模宅地等の課税特例の適用可否）

**質疑**

被相続人甲の相続財産のうちには、同人が相続開始の直前まで単身で（配偶者は既に他界しています。）居住の用に供しているＸ不動産（東京都内に所在するＸ家屋及びＸ宅地から構成されています。）があり、長男Ａが相続により取得しています。

長男Ａは、25年前から秋田県で地方公務員として勤務しているため官舎に居住しており、今後もこの状況が継続するものと考えられます。

このような場合には、長男Ａが取得したＸ宅地について特定居住用宅地等（減額割合80％）としての小規模宅地等の課税特例の適用はどのようになりますか。

なお、当該判断に当たって、長男Ａは今後、取得したＸ不動産（Ｘ家屋・Ｘ宅地）を下記に掲げるとおりに利用又は処分することを検討しているものとします。

事例１　相続税の納税資金を調達する必要性があることから、相続税の申告期限までに売却

事例２　被相続人甲の一周忌法要を終えるまでは空き家として保持しておくが、当該法要終了後は売却

事例３　○○家の伝統の土地であるため今後も財産として継続所有するが、Ｘ家屋は老朽化が著しく危険なため四十九日の法要が終了次第解体し、以後、更地としてＸ宅地のみを保有

事例４　事例３ の場合で、更地化されたＸ宅地の有効利用を図るために当該Ｘ宅地上に賃貸住宅を建築し、相続税の申告期限までに貸付事業の用に供用

## 応答

⑴　概要

被相続人の居住の用に供されていた宅地等がいわゆる『家なき子』（被相続人の配偶者及び一定の同居親族が存せず非同居親族が取得した場合）に該当するための要件を掲げると、次のとおりとなります。

①　被相続人の配偶者又は相続開始の直前において当該被相続人の居住の用に供されていた家屋に居住していた親族（当該被相続人の法定相続人をいいます。）がいないこと

②　当該被相続人の居住の用に供されていた宅地等を取得した親族が相続開始前３年以内に相続税法の施行地内にある当該親族、当該親族の配偶者、当該親族の３親等内の親族又は当該親族と特別の関係がある法人が所有する家屋（当該相続開始の直前において当該被相続人の居住の用に供されていた家屋を除きます。）に居住したことがないこと

③　当該被相続人の相続開始時に当該親族が居住している家屋を相続開始前のいずれの時においても所有していたことがないこと

④　相続開始時から相続税の申告期限（当該親族の相続税の申告期限前に死亡している場合には、その死亡の日）まで引き続き当該宅地等を所有していること

⑵　事例１ ないし 事例４ に対する検討

①　事例１ の場合

（判断）　Ｘ宅地は、特定居住用宅地等に該当しません。

（理由）　事例１ の場合には、Ｘ不動産を相続税の申告期限までに売却するとのことですから、いわゆる『家なき子』に該当するために必要な要件である上記⑴④を充足しないものと認められます。

②　事例２ の場合

（判断）　Ｘ宅地は、特定居住用宅地等に該当します。

（理由）　事例２ の場合には、Ｘ不動産を売却するもののその時期は被相続人甲に係る一周忌法要後（当然に、相続税の申告期限後）になるとのことですから、いわゆる『家なき子』に該当するために必要な要件である上記⑴④を含め、すべてを充足しているものと認められます。

③　事例３ の場合

（判断）　Ｘ宅地は、特定居住用宅地等に該当します。

（理由）　事例３ の場合には、Ｘ家屋を相続税の申告期限までに解体するとのことですが、いわゆる『家なき子』に該当するために必要な要件は上記⑴に掲げるとおりであり、当該要件には、被相続人の居住用家屋に対する財産取得者の継続所有要件は付されておらず、上記⑴の要件をすべて充足しているものと認められます。

④　事例４ の場合

（判断）　Ｘ宅地は、特定居住用宅地等に該当します。

（理由）　事例４ の場合には、Ｘ家屋を解体し、相続税の申告期限までに新たに賃貸住宅を建築するとのことですが、いわゆる『家なき子』に該当するために必要な要件は上記(1)に掲げるとおりであり、当該要件には、被相続人の居住用家屋に対する財産取得者の継続所有要件及び当該家屋の敷地である宅地に対する利用上の制約要件は付されておらず、上記(1)の要件をすべて充足しているものと認められます。

## ㊾　２世帯住宅に対する特定居住用宅地等の取扱い（２世帯住宅で住宅内部での往来が可能な構造である場合）

**質疑**　被相続人甲の相続財産を確認したところ、下記に掲げる不動産（Ｘ宅地及びＸ宅地上に存する２階建てのＹ家屋）がありました。

このＹ家屋はいわゆる２世帯住宅で各階に台所、浴室、洗面所等の諸設備が設けられていますが、１階と２階を住宅内部の階段を利用して往来することが可能であることから建物の区分所有等に関する法律第１条《建物の区分所有》の規定に基づく区分所有建物である旨の登記は不可とされることから行われていません。

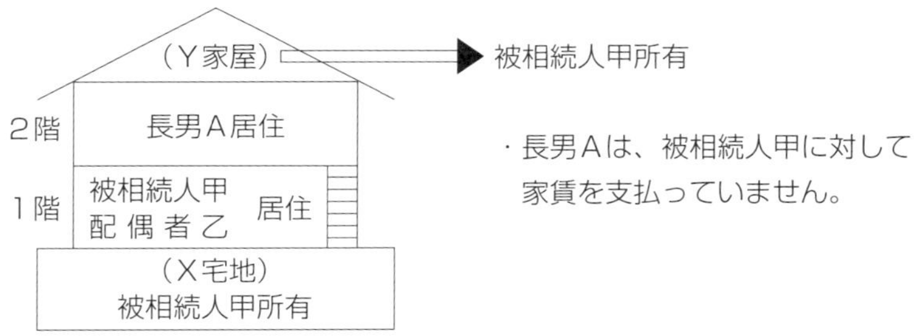


上記の不動産を遺産分割協議によって配偶者乙が取得することになりました。

この場合において、Ｘ宅地を特定居住用宅地等（減額割合80％）として取り扱うことが認められますか。

類題１　上記の **質疑** において、Ｘ宅地を取得したのは長男Ａで、同人は、今後も末長くＸ宅地を所有し、かつ、Ｙ家屋に居住する予定であるとした場合にはＸ宅地に対する特定居住用宅地等の取扱いはどのようになりますか。

なお、この場合において、被相続人甲と長男Ａは生計を一にしていたものであるとします。（掲記以外の事項は、本題と同じであるとします。）

類題２　上記の 類題１ において、被相続人甲と長男Ａが生計を別にしていたものであるとした場合には、Ｘ宅地に対する特定居住用宅地等の取扱いはどのようになりますか。（掲記以外の事項は、類題１ と同じであるとします。）

## 応答

(1)　概要

小規模宅地等の課税特例の適用対象とされる特定居住用宅地等に該当するための要件（本問に関連するもののみを抜記します。）をまとめると、次のとおりとなります。

①　被相続人等の居住用部分に関する要件

被相続人に係る相続の開始の直前において、当該相続若しくは遺贈に係る被相続人又は当該被相続人と生計を一にしていた当該被相続人の親族（以下「被相続人等」といいます。）の居住の用に供されていた宅地等というものとされています。

そして、上記の宅地等のうちに当該被相続人等の居住の用以外の用に供されていた部分があるときは、当該被相続人等の居住の用に供されていた部分に限るものとされています。

また、上記＿＿部分の『居住の用に供されていた部分』については、「当該居住の用に供されていた部分が被相続人の居住の用に供されていた１棟の建物（建物の区分所有等に関する法律第１条《建物の区分所有》（参考資料を参照）の規定に該当する建物を除きます。）に係るものである場合には、当該１棟の建物の敷地の用に供されていた宅地等のうち当該被相続人の親族（注）の居住の用に供されていた部分を含みます。」と規定されています。この取扱いを図示すると、次の図解のとおりとなります。

（注）　当該被相続人の親族は、当該被相続人と生計を一にするか、又は生計を別にするかは問われていません。

図解　被相続人の居住の用に供されていた１棟の建物（区分所有建物でない場合）

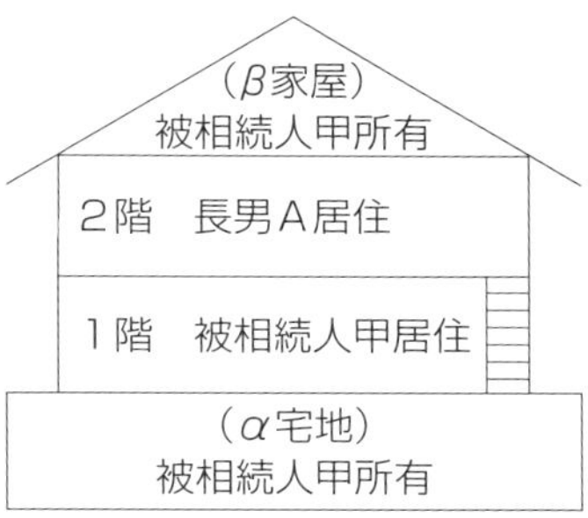


(1)　β家屋は、建物の区分所有等に関する法律第１条《建物の区分所有》の規定に該当する建物ではありません。

(2)　長男Ａは、被相続人甲に対して家賃を支払ったことはありません。

⇨　（被相続人甲の居住用部分）１階部分及び２階部分（被相続人甲の親族たる長男Ａの居住用）ともに、被相続人甲の居住用部分となります。

参考資料　**建物の区分所有等に関する法律第１条《建物の区分所有》**

> １棟の建物の構造上区分された数個の部分で独立して住居、店舗、事務所又は倉庫その他建物としての用途に供することができるものがあるときは、その各部分は、この法律の定めるところにより、それぞれ所有権の目的とすることができる。

②　被相続人等の居住用宅地等を取得した者の要件

被相続人等の居住の用に供されていた宅地等で、次に掲げる者が相続又は遺贈により取得したものをいうものとされています。

(イ)　当該被相続人の配偶者

(ロ)　当該被相続人の親族（当該被相続人の配偶者を除きます。）で、次に掲げる要件を

充足するもの

**要件**　当該親族が相続開始の直前において当該宅地等の上に存する当該被相続人の居住の用に供されていた１棟の建物（注）に居住していた者であって、相続開始時から相続税の申告期限まで引き続き当該宅地等を有し、かつ、当該建物に居住していること

（注）　上記の『被相続人の居住の用に供されていた１棟の建物』（上記＿＿部分）は、当該被相続人又は当該被相続人の親族（当該親族は、当該被相続人と生計を一にするか、又は生計を別にするかは問われていません。）の居住の用に供されていた部分として、次に掲げる場合の区分に応じて、それぞれに定める部分とされています。

㋑　被相続人の居住の用に供されていた１棟の建物が建物の区分所有等に関する法律第１条《建物の区分所有》の規定に該当する建物である場合
　当該被相続人の居住の用に供されていた部分

㋺　上記㋑に掲げる場合以外の場合
　被相続人又は当該被相続人の親族（当該親族は、当該被相続人と生計を一にするか、又は生計を別にするかは問われていません。）の居住の用に供されていた部分

(2)　当てはめ

**質疑** の事例の場合、下記に掲げる事項から判断すると、Ｙ家屋のすべてが被相続人甲の居住の用に供されていた部分に該当するものと判断されます。

①　Ｙ家屋は１棟の建物で、各階を住宅内部の階段を利用して往来することが可能であることから建物の区分所有等に関する法律第１条《建物の区分所有》の規定に該当する建物には該当しないこと

②　Ｙ家屋の１階部分を被相続人甲及び配偶者乙の居住用、２階部分を長男Ａ（被相続人甲の親族に該当します。なお、両者間における生計の一又は別は問われていません。）の居住用に供していること

そうすると、Ｘ宅地はそのすべてが被相続人甲の居住の用に供されていた宅地に該当します。（上記(1)①の要件を充足）

そして、Ｘ宅地を相続により取得した者は被相続人甲の配偶者乙であることから、同人には取得要件以外の殊更の要件（例えば、所有要件、居住要件）は求められていません。（上記(1)②(イ)の要件を充足）

したがって、**質疑** の事例の場合には、配偶者乙が相続により取得したＸ宅地は、特定居住用宅地等に該当することになります。

(3)　**類題１** の場合

**類題１** の事例の場合も、上記(2)①及び②に掲げる事項から判断すると、Ｙ家屋のすべてが被相続人甲の居住の用に供されていた部分に該当するものと判断されます。

そうすると、Ｘ宅地はそのすべてが被相続人甲の居住の用に供されていた宅地等に該当します。（上記(1)①の要件を充足）

そして、Ｘ宅地を相続により取得した者は長男Ａであるところ、下記に掲げる事項から判断すると、同人は一定の要件を充足する被相続人甲の親族に該当します。（上記(1)②(ロ)㋺の

要件を充足）

①　長男Ａは、被相続人甲に係る相続開始の直前において、被相続人甲の居住の用に供されていた１棟の建物（Ｙ家屋は建物の区分所有等に関する法律第１条《建物の区分所有》の規定に該当する建物ではないことから、被相続人甲又は被相続人甲の親族（類題１の場合には、配偶者乙及び長男Ａ）の居住の用に供されていた部分がこれに該当し、具体的には、Ｙ家屋の全体となります。）に居住していた者に該当すること

②　長男Ａは、被相続人甲に係る相続税の申告期限まで引き続き当該宅地等を有し、かつ、Ｙ家屋に居住していること

したがって、類題１の事例の場合には、長男Ａ（被相続人甲と生計を一にする親族）が相続により取得したＸ宅地は、特定居住用宅地等に該当することになります。

なお、解釈上では、Ｘ宅地のうち２階部分に対応する部分については、長男Ａは被相続人甲と生計を一にする親族に該当することから、被相続人甲と生計を一にしていた当該被相続人甲の親族の居住の用に供されていた宅地等に該当するものとして、取り扱うことも可能とされます。

(4)　類題２の場合

類題２の事例の場合についても、上記(3)に掲げる類題１の事例の場合と同様となります。（上記(1)①及び(1)②(ロ)㋺の各要件を充足）

すなわち、類題１と類題２の場合とでは、被相続人甲と長男Ａとの間における生計の一又は別の違いは、その取扱いを左右するものではないことになります。

したがって、類題２の事例の場合には、長男Ａ（被相続人甲と生計を別にする親族Ａ）が相続により取得したＸ宅地は、特定居住用宅地等に該当することになります。

## (50)　２世帯住宅に対する特定居住用宅地等の取扱い（２世帯住宅で住宅内部での往来が不可能な構造である場合）（その１：区分所有建物である旨の登記がされている場合）

**質疑**　被相続人甲の相続財産を確認したところ、下記に掲げる不動産（Ｘ宅地及びＸ宅地上に存する２階建てのＹ家屋）がありました。

このＹ家屋はいわゆる２世帯住宅で各階に台所、浴室、洗面所等の諸設備が設けられており、プライバシーに配慮して１階と２階を住宅内部の階段を利用して往来することは不可能（２階へは外付階段を利用）な構造となっています。そのため、建物の区分所有等に関する法律第１条《建物の区分所有》の規定に基づく区分所有建物である旨の登記が行われています。

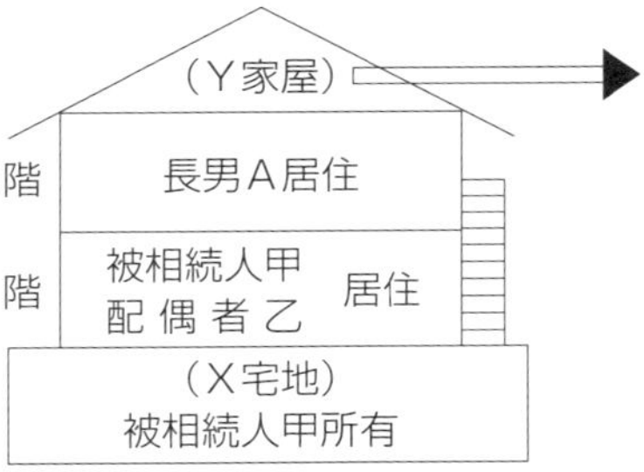


・長男Ａは、被相続人甲に対して家賃を支払っていません。
・長男Ａは、被相続人甲と生計を別にしているものとします。

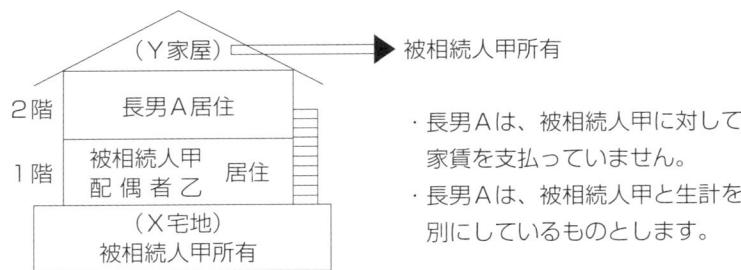

上記の不動産を遺産分割協議によって配偶者乙が取得することになりました。

この場合において、Ｘ宅地を特定居住用宅地等（減額割合80％）として取り扱うことが認められますか。

**類題１**　上記の **質疑** において、Ｘ宅地を取得したのは長男Ａで、同人は、今後も末長くＸ宅地を所有し、かつ、Ｙ家屋に居住する予定であるとした場合にはＸ宅地に対する特定居住用宅地等の取扱いはどのようになりますか。

なお、この場合において、被相続人甲と長男Ａは生計を一にしていたものであるとします。（掲記以外の事項は、本題と同じであるとします。）

**類題２**　上記の **類題１** において、被相続人甲と長男Ａが生計を別にしていたものであるとした場合には、Ｘ宅地に対する特定居住用宅地等の取扱いはどのようになりますか。（掲記以外の事項は、**類題１** と同じであるとします。）

## 応答

(1)　概要

小規模宅地等の課税特例の適用対象とされる特定居住用宅地等に該当するための要件（本問に関連するもののみを抜記します。）をまとめると、次のとおりとなります。

①　被相続人等の居住用部分に関する要件

被相続人に係る相続の開始の直前において、当該相続若しくは遺贈に係る被相続人又は当該被相続人と生計を一にしていた当該被相続人の親族（以下「被相続人等」といいます。）の居住の用に供されていた宅地等というものとされています。

そして、上記の宅地等のうちに当該被相続人等の居住の用以外の用に供されていた部分があるときは、当該被相続人等の(A)居住の用に供されていた部分に限るものとされています。

また、上記(A)＿＿部分の『居住の用に供されていた部分』については、「当該居住の用に供されていた部分が被相続人の居住の用に供されていた１棟の建物(B)（建物の区分所有等に関する法律第１条《建物の区分所有》（**参考資料** を参照）の規定に該当する建物を除きます。）に係るものである場合には、当該１棟の建物の敷地の用に供されていた宅地等のうち当該被相続人の親族（注）の居住の用に供されていた部分を含みます。」と規定されています。

（注）　当該被相続人の親族は、当該被相続人と生計を一にするか、又は生計を別にするかは問われていま

せん。

**参考資料**　**建物の区分所有等に関する法律第１条《建物の区分所有》**

> １棟の建物に構造上区分された数個の部分で独立して住居、店舗、事務所又は倉庫その他建物としての用途に供することができるものがあるときは、その各部分は、この法律の定めるところにより、それぞれ所有権の目的とすることができる。

そうすると、上記(B)＿＿に掲げるとおり、建物の区分所有等に関する法律第１条《建物の区分所有》の規定に該当する建物である場合には、被相続人の居住の用に供されていた１棟の建物の敷地の用に供されていた宅地等の範囲に、当該被相続人の親族の居住の用に供されていた部分までもが含まれるとの一種の拡張解釈規定の適用がないことになります。この取扱いを図示すると、次の 図解 のとおりとなります。

**図解**　被相続人の居住の用に供されていた１棟の建物（区分所有建物である旨の登記がされている場合）

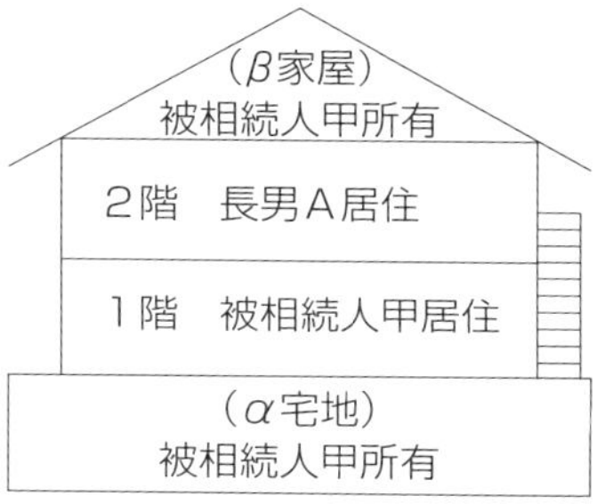


(1)　β家屋は、建物の区分所有等に関する法律第１条《建物の区分所有》の規定に該当する建物であり、区分所有建物である旨の登記が行われています。

(2)　長男Ａは、被相続人甲に対して家賃を支払ったことはありません。

➡ （被相続人甲の居住用部分）１階部分（被相続人甲が実際に居住の用に供用していた部分）のみが、被相続人甲の居住用部分となります。

②　被相続人等の居住用宅地等を取得した者の要件

被相続人等の居住の用に供されていた宅地等で、次に掲げる者が相続又は遺贈により取得したものをいうものとされています。

(イ)　当該被相続人の配偶者

(ロ)　当該被相続人の親族（当該被相続人の配偶者を除きます。）で、次に掲げる要件を充足するもの

**要件**　当該親族が相続開始の直前において当該宅地等の上に存する当該被相続人の居住の用に供されていた１棟の建物（注）に居住していた者であって、相続開始時から相続税の申告期限まで引き続き当該宅地等を有し、かつ、当該建物に居住していること

（注）　上記の『被相続人の居住の用に供されていた１棟の建物』（上記＿＿部分）は、当該被相続人又は当該被相続人の親族（当該親族は、当該被相続人と生計を一にするか、又は生計を別にするかは問われていません。）の居住の用に供されていた部分として、次に掲げる場合の区分に応じて、それぞれに定める部分とされています。

㋑　被相続人の居住の用に供されていた１棟の建物が建物の区分所有等に関する法律第１条《建物の区分所有》の規定に該当する建物である場合

当該被相続人の居住の用に供されていた部分

㋺　上記㋑に掲げる場合以外の場合

被相続人又は当該被相続人の親族（当該親族は、当該被相続人と生計を一にするか、又は生計を別にするかは問われていません。）の居住の用に供されていた部分

(2)　当てはめ

**質疑** の事例の場合、下記に掲げる事項から判断すると、Y家屋のうち1階部分に対応する部分が被相続人甲の居住の用に供されていた部分に該当するものと判断されます。

①　Y家屋は1棟の建物ではあるものの、各階を住宅内部の階段を利用して往来することはできず外付階段を利用する必要があり完全に分離されているものであることから建物の区分所有等に関する法律第1条《建物の区分所有》の規定に該当し、かつ、区分所有建物である旨の登記がされていること

②　Y家屋の1階部分のみが被相続人甲及び配偶者乙の居住の用に供されていること

③　Y家屋の2階部分は長男A（被相続人甲と生計別の親族）の居住の用に供されていること

そうすると、X宅地のうちY家屋の1階部分に対応する部分が被相続人甲の居住の用に供されていた宅地等に該当します。（該当部分のみが、上記(1)①の要件を充足）

そして、X宅地を相続により取得した者は被相続人甲の配偶者乙であることから、同人には取得要件以外の殊更の要件（例えば、所有要件、居住要件）は求められていません。（上記(1)②(イ)の要件を充足）

したがって、**質疑** の事例の場合には、配偶者乙が相続により取得したX宅地のうちY家屋の1階部分に対応する部分は、特定居住用宅地等に該当することになります。

(3)　類題1 の場合

類題1 の事例の場合、下記に掲げる事項から判断すると、Y家屋のすべてが被相続人等の居住の用に供されていた部分（内訳：1階部分が被相続人甲の居住用、2階部分が被相続人甲と生計を一にする親族である長男Aの居住用）に該当するものと判断されます。

①　Y家屋は1棟の建物ではあるものの、各階を住宅内部の階段を利用して往来することはできず外付階段を利用する必要があり完全に分離されているものであることから建物の区分所有等に関する法律第1条《建物の区分所有》の規定に該当し、かつ、区分所有建物である旨の登記がされていること

②　Y家屋の1階部分のみが被相続人甲及び配偶者乙の居住の用に供されていること

③　Y家屋の2階部分は長男A（被相続人甲と生計一の親族）の居住の用に供されていること

そうすると、X宅地はそのすべてが被相続人等の居住の用に供されていた宅地等に該当します。（上記(1)①の要件を充足）

そして、X宅地を相続により取得した者は長男A（被相続人甲と生計一の親族）であるところ、下記に掲げる事項から判断すると、同人はX宅地のうちY家屋の2階部分に対応する部分について一定の要件を充足する被相続人の親族に該当します。

① 長男Ａは、被相続人甲に係る相続税の申告期限まで引き続き当該宅地等を有していること

② 長男Ａは、被相続人甲に係る相続開始前から相続税の申告期限まで引き続き当該宅地等を自己の居住の用に供していること

（注） Ｙ家屋は、建物の区分所有等に関する法律第１条《建物の区分所有》の規定に該当する建物であり、かつ、区分所有建物である旨の登記がされていることから、被相続人甲に係る相続開始の直前において、被相続人甲の居住の用に供されていた部分は、被相続人甲が居住していた１階部分に限られます。（上記⑴②㈺㋑に該当）

そうすると、長男Ａは、被相続人甲に係る相続開始の直前において被相続人甲が居住していた１階部分に居住していた者には該当せず（長男Ａは、Ｙ家屋の２階部分に居住）、いわゆる『被相続人の居住用家屋に居住していた親族が取得した場合』には該当しないものとされます。（上記⑴②㈺の要件を未充足）

したがって、類題１ の事例の場合には、長男Ａ（被相続人甲と生計を一にする親族）が相続により取得したＸ宅地のうちＹ家屋の２階部分に対応する部分は特定居住用宅地等に該当することになります。

⑷ 類題２ の場合

類題２ の事例の場合、下記に掲げる事項から判断すると、Ｙ家屋のうち１階部分が被相続人甲の居住の用に供されていた部分に該当するものと判断されます。

① Ｙ家屋は１棟の建物ではあるものの、各階を住宅内部の階段を利用して往来することはできず外付階段を利用する必要があり完全に分離されているものであることから建物の区分所有等に関する法律第１条《建物の区分所有》の規定に該当し、かつ、区分所有建物である旨の登記がされていること

② Ｙ家屋の１階部分のみが被相続人甲及び配偶者乙の居住の用に供されていること

③ Ｙ家屋の２階部分は長男Ａ（被相続人甲と生計別の親族）の居住の用に供されていること

そうすると、Ｘ宅地のうちＹ家屋の１階に対応する部分が被相続人甲の居住の用に供されていた宅地等に該当します。（該当部分について、上記⑴①の要件を充足）

そして、Ｘ宅地を相続により取得した者は長男Ａ（被相続人甲と生計別の親族）であるところ、下記に掲げる事項から判断すると、同人は上記⑴②に掲げる被相続人の居住用宅地等を取得した者の要件を充足する被相続人の親族に該当しないことになります。

事項　Ｙ家屋は、建物の区分所有等に関する法律第１条《建物の区分所有》の規定に該当する建物であり、かつ、区分所有建物である旨の登記がされていることから、被相続人甲に係る相続開始の直前において、被相続人甲の居住の用に供されていた部分は、被相続人甲が居住していた１階部分に限られます。（上記⑴②㈺㋑に該当）

そうすると、長男Ａは、被相続人甲に係る相続開始の直前において被相続人甲が居住していた１階部分に居住していた者には該当せず（長男Ａは、Ｙ家屋の２階部分に居住）、いわゆる『被相続人の居住用家屋に居住していた親族が取得した場合』には

該当しないものとされます。（上記⑴②(ロ)の要件を未充足）

したがって、類題２ の事例の場合には、長男Ａ（被相続人甲と生計を別にする親族）が相続により取得したＸ宅地は、そのすべてが特定居住用宅地等には該当しないものとされます。

### (51)　２世帯住宅に対する特定居住用宅地等の取扱い（２世帯住宅で住宅内部での往来が不可能な構造である場合）（その２：区分所有建物である旨の登記がされていない場合）

**質疑**　前問(50)の **質疑** 、類題１ 及び 類題２ の事例について、Ｙ家屋が建物の区分所有等に関する法律第１条《建物の区分所有》の規定に該当する建物ではあるものの、区分所有建物である旨の登記が行われていない場合におけるＸ宅地に対する特定居住用宅地等（減額割合80％）の取扱いはどのようになりますか。

なお、本問で掲記した条件以外の他の条件は、前問(50)で示したものと同様であるものとします。

**応答**

⑴　概要

小規模宅地等の課税特例の適用対象とされる特定居住用宅地等に該当するための要件（本問に関連するもののみを抜記します。）をまとめると、次のとおりとなります。

①　被相続人等の居住用部分に関する要件

被相続人に係る相続の開始の直前において、当該相続若しくは遺贈に係る被相続人又は当該被相続人と生計を一にしていた当該被相続人の親族（以下「被相続人等」といいます。）の居住の用に供されていた宅地等というものとされています。

そして、上記の宅地等のうちに当該被相続人等の居住の用以外の用に供されていた部分があるときは、当該被相続人等の(A)居住の用に供されていた部分に限るものとされています。

また、上記(A)部分の『居住の用に供されていた部分』については、「当該居住の用に供されていた部分が被相続人の居住の用に供されていた１棟の建物(B)（建物の区分所有等に関する法律第１条（建物の区分所有）（参考資料１ を参照）の規定に該当する建物を除きます。）に係るものである場合には、当該１棟の建物の敷地の用に供されていた宅地等のうち当該被相続人の親族（注）の居住の用に供されていた部分を含みます。」と規定されています。

（注）当該被相続人の親族は、当該被相続人と生計を一にするか、又は生計を別にするかは問われていません。

**参考資料１**　建物の区分所有等に関する法律第１条《建物の区分所有》

| |
|---|
| １棟の建物に構造上区分された数個の部分で独立して住居、店舗、事務所又は倉庫その他建物としての用途に供することができるものがあるときは、その各部分は、この法律の定めるところにより、それぞれ所有権の目的とすることができる。 |

そうすると、上記(B)に掲げるとおり、建物の区分所有等に関する法律第１条《建物の区分所有》の規定に該当する建物である場合には、被相続人の居住の用に供されていた１棟の建物の敷地の用に供されていた宅地等の範囲に、当該被相続人の親族の居住の用に供されていた部分までもが含まれるとの一種の拡張解釈規定の適用が、前問㊿の **応答** (1)①に掲げるのと同様にないものと考えられるかもしれません。

しかしながら、上記(B)部分の解釈として、措置法通達69の４－７の４《建物の区分所有等に関する法律第１条の規定に該当する建物》（参考資料２を参照）の定めでは、区分所有建物である旨の登記がされている建物をいうものとされています。

**参考資料２**　**措置法通達69の４－７の４《建物の区分所有等に関する法律第１条の規定に該当する建物》**

| |
|---|
| 措置法令第40条の２第４項及び第13項に規定する「建物の区分所有等に関する法律第１条の規定に該当する建物」とは、区分所有建物である旨の登記がされている建物をいうことに留意する。<br>（注）上記の区分所有建物とは、被災区分所有建物の再建等に関する特別措置法第２条に規定する区分所有建物をいうことに留意する。 |

そうすると、建物の区分所有等に関する法律第１条《建物の区分所有》の規定要件を充足する建物であっても、区分所有建物である旨の登記がされていなければ、上記(B)部分には該当せず、被相続人の居住の用に供されていた１棟の建物の敷地の用に供されていた宅地等の範囲には、当該被相続人の親族（注）の居住の用に供されていた部分を含むものとして取り扱うものとされます。この取扱いを図示すると、次の図解のとおりとなります。

（注）当該被相続人の親族は、当該被相続人と生計を一にするか、又は生計を別にするかは問われていません。

**図解**　被相続人の居住の用に供されていた１棟の建物（区分所有建物ではあるが区分所有建物である旨の登記がされていない場合）

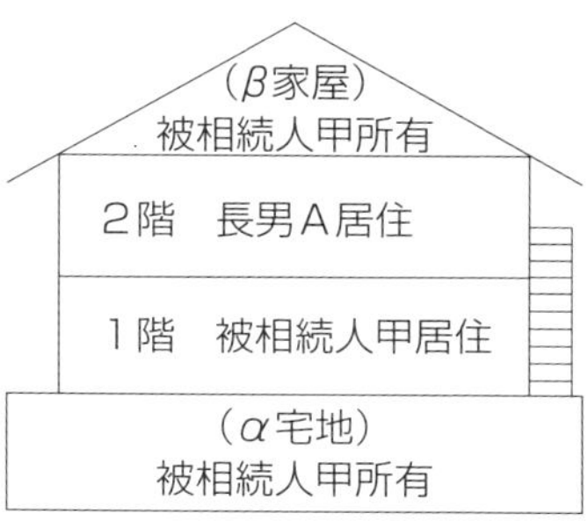


(1)　β家屋は、建物の区分所有等に関する法律第１条《建物の区分所有》の規定要件を充足する建物ではあるものの、区分所有建物である旨の登記は行われていません。
(2)　長男Ａは、被相続人甲に対して家賃を支払ったことはありません。

→（被相続人甲の居住用部分）１階部分及び２階部分（被相続人甲の親族たる長男Ａの居住用部分）ともに、被相続人甲の居住用部分となります。

②　被相続人等の居住用宅地等を取得した者の要件

被相続人等の居住の用に供されていた宅地等で、次に掲げる者が相続又は遺贈により取得したものをいうものとされています。

(イ)　当該被相続人の配偶者

(ロ)　当該被相続人の親族（当該被相続人の配偶者を除きます。）で、次に掲げる要件を充足するもの

要件　当該親族が相続開始の直前において当該宅地等の上に存する当該被相続人の居住の用に供されていた１棟の建物（注）に居住していた者であって、相続開始時から相続税の申告期限まで引き続き当該宅地等を有し、かつ、当該建物に居住していること

（注）　上記の『被相続人の居住の用に供されていた１棟の建物』（上記＿＿部分）は、当該被相続人又は当該被相続人の親族（当該親族は、当該被相続人と生計を一にするか、又は生計を別にするかは問われていません。）の居住の用に供されていた部分として、次に掲げる場合の区分に応じて、それぞれに定める部分とされています。

㋑　被相続人の居住の用に供されていた１棟の建物が建物の区分所有等に関する法律第１条《建物の区分所有》の規定に該当する建物である場合

当該被相続人の居住の用に供されていた部分

㋺　上記㋑に掲げる場合以外の場合

被相続人又は当該被相続人の親族（当該親族は、当該被相続人と生計を一にするか、又は生計を別にするかは問われていません。）の居住の用に供されていた部分

(2)　当てはめ

質疑 の事例の場合、下記に掲げる事項から判断すると、Ｙ家屋のすべてが被相続人甲の居住の用に供されていた部分に該当するものと判断されます。

①　１棟の建物であるＹ家屋は、各階を住宅内部の階段を利用して往来することはできず外付階段を利用する必要があり完全に分離されているものであることから建物の区分所有等に関する法律第１条《建物の区分所有》の規定要件に該当するものの、区分所有建物である旨の登記がされていないこと

②　Ｙ家屋の１階部分を被相続人甲及び配偶者乙の居住用、２階部分を長男Ａ（被相続人甲の親族に該当します。なお、両者間における生計の一又は別は問われていません。）の居住の用に供していること

そうすると、Ｘ宅地はそのすべてが被相続人甲の居住の用に供されていた宅地等に該当します。（上記(1)①の要件を充足）

そして、Ｘ宅地を相続により取得した者は被相続人甲の配偶者乙であることから、同人には取得要件以外の殊更の要件（例えば、所有要件、居住要件）は求められていません。（上記(1)②(イ)の要件を充足）

したがって、質疑 の事例の場合には、配偶者乙が相続により取得したＸ宅地は、特定居住用宅地等に該当することになります。

(3)　類題１ の場合

類題１ の事例の場合も、上記(2)①及び②に掲げる事項から判断すると、Ｙ家屋のすべてが被相続人甲の居住の用に供されていた部分に該当するものと判断されます。

そうすると、Ｘ宅地はそのすべてが被相続人甲の居住の用に供されていた宅地等に該当し

ます。(上記(1)①の要件を充足)

そして、Ｘ宅地を相続により取得した者は長男Ａであるところ、下記に掲げる事項から判断すると、同人は一定の要件を充足する被相続人甲の親族に該当します。(上記(1)②(ロ)㋺の要件を充足)

① 長男Ａは、被相続人甲に係る相続開始の直前において、被相続人甲の居住の用に供されていた１棟の建物（Ｙ家屋は建物の区分所有等に関する法律第１条《建物の区分所有》の規定要件に該当するものの、区分所有登記がされていないことから、被相続人甲又は被相続人甲の親族（類題１の場合には、配偶者乙及び長男Ａ）の居住の用に供されていた部分がこれに該当し、具体的には、Ｙ家屋の全体となります。）に居住していた者に該当すること

② 長男Ａは、被相続人甲に係る相続税の申告期限まで引き続き当該宅地を有し、かつ、Ｙ家屋に居住していること

したがって、類題１の事例の場合には、長男Ａ（被相続人甲と生計を一にする親族）が相続により取得したＸ宅地は、特定居住用宅地等に該当することになります。

(4) 類題２の場合

類題２の事例の場合についても、上記(3)に掲げる類題１の事例の場合と同様となります。(上記(1)①及び(1)②(ロ)㋺の各要件を充足)

したがって、類題２の事例の場合には、長男Ａ（被相続人甲と生計を別にする親族）が相続により取得したＸ宅地は、そのすべてが特定居住用宅地等に該当します。

すなわち、類題１と類題２の場合とでは、被相続人甲と長男Ａとの間における生計の一又は別の違いは、その取扱いを左右するものではないことになります。

### (52) マンション敷地である宅地に対する特定居住用宅地等の取扱い（被相続人の居住の用に供されていた部分に居住していた者の判定）（その１：区分所有登記が行われている場合）

**質疑**

令和３年８月29日に相続開始があった被相続人甲の相続財産中には、建物の区分所有等に関する法律第１条《建物の区分所有》の規定に基づいて区分所有建物である旨の登記がされている建物（マンションで全20室のうち、被相続人甲が２室を所有）(以下「区分所有マンション」といいます。）があり、その詳細は下表のとおりでした。

| 号室 | 居住者 | 財産承継者 | その他の事項等 |
|---|---|---|---|
| 307号室 | 被相続人甲が単身で居住（配偶者乙は既に他界） | 長男Ａ | (1)　長男Ａは、被相続人甲に係る相続開始の前年に長男Ａが所有し、かつ、居住していた家屋を売却して、その後202号室を被相続人甲から使用貸借により借り受けて居住しています。 |
| 202号室 | 長男Ａ夫妻が居住（長男Ａは被相続人甲と生計別） | 長男Ａ | (2)　長男Ａは、取得した財産（２室）を今後も末長く所有する予定です。（307号室は当分の間は未利用、202号室は現状を継続） |

上記のような状況にある場合、長男Ａが相続により取得した区分所有マンションの307号室及び202号室の敷地である宅地等を特定居住用宅地等（減額割合80％）として取り扱うことは認められるのでしょうか。

**類題１**　長男Ａが、被相続人甲に係る相続開始の20年前から202号室を使用貸借により借り受けて居住していた場合にはどのように取り扱われますか。（その他の条件は、本題と同一であるものとします。）

**類題２**　被相続人甲に係る相続開始時において、長男Ａが被相続人甲と生計を一にする親族に該当していた場合にはどのように取り扱われることになりますか。（その他の条件は、本題と同一であるものとします。）

## 応答

(1)　概要

小規模宅地等の課税特例の適用対象とされる特定居住用宅地等に該当する１つの形態として、「被相続人等の居住の用に供されていた宅地等で次に掲げる要件のいずれかを満たす当該被相続人の親族（当該被相続人の配偶者を除きます。）が相続又は遺贈により取得したもの」が挙げられています。

①　被相続人の居住用家屋に居住していた者である場合

被相続人の居住の用に供されていた宅地等を取得した親族が相続開始の直前において、当該宅地等の上に存する当該被相続人の居住の用に供されていた１棟の建物に居住していた者であって、相続開始時から相続税の申告書の提出期限（以下「申告期限」という。）まで引き続き当該宅地等を有し、かつ、当該建物に居住していること

②　いわゆる『家なき子』である場合

被相続人の居住の用に供されていた宅地等を取得した親族が、次に掲げる要件のすべてを満たすこと（当該被相続人の配偶者又は相続開始の直前において当該被相続人の居住の用に供されていた家屋に居住していた親族で当該被相続人の法定相続人に該当する者がいない場合に限る。）

(イ)　相続開始前3年以内に相続税法の施行地内にある当該親族、当該親族の配偶者、当該親族の3親等内の親族又は当該親族と特別の関係がある法人が所有する家屋（相続開始の直前において当該被相続人の居住の用に供されていた家屋を除く。）に居住したことがないこと

(ロ)　当該被相続人の相続開始時に当該親族が居住している家屋を相続開始前のいずれかの時においても所有していたことがないこと

(ハ)　相続開始時から相続税の申告期限（当該親族が相続税の申告期限前に死亡した場合には、その死亡の日）まで引き続き当該宅地等を有していること

③　被相続人と生計を一にしていた親族の居住用である場合

被相続人と生計を一にしていた親族の居住の用に供されていた宅地等を取得した親族が、当該被相続人と生計を一にしていた者であって、相続開始時から申告期限まで引き続き当該宅地等を有し、かつ、相続開始前から申告期限（当該親族が相続税の申告期限前に死亡した場合には、その死亡の日）まで引き続き当該宅地等を自己の居住の用に供していること

また、被相続人等の居住の用に供されていた宅地等のうちに当該被相続人等の居住の用以外の用に供されていた部分があるときは、当該被相続人等の居住の用に供されていた部分（当該居住の用に供されていた部分が被相続人の居住の用に供されていた1棟の建物（建物の区分所有等に関する法律第1条《建物の区分所有》の規定に該当する建物を除きます。）に係るものである場合には、当該1棟の建物の敷地の用に供されていた宅地等のうち当該被相続人の親族の居住の用に供されていた部分を含みます。）に限るものとされています。この取扱いを図示すると、下記に掲げるとおりとなります。

<table>
<tr><th colspan="2">区　　分</th><th>『居住の用に供されていた部分』の解釈</th></tr>
<tr><td rowspan="2">Ⓐ被相続人の居住の用に供されていた1棟の建物である場合</td><td>Ⓐ下記Ⓑ以外の建物である場合</td><td>・被相続人の居住の用に供されていた部分<br>・被相続人の親族（注）の居住の用に供されていた部分</td></tr>
<tr><td>Ⓑ建物の区分所有等に関する法律第1条の規定に該当する建物である場合</td><td>・被相続人の居住の用に供されていた部分</td></tr>
<tr><td colspan="2">Ⓑ被相続人と生計を一にする親族の居住の用に供されていた1棟の建物である場合</td><td>・被相続人と生計を一にする親族の居住の用に供されていた部分</td></tr>
</table>

（注）　当該親族は、被相続人と生計を一にするか又は別にするかは問われていません。

(2)　当てはめ

**質疑** の事例の場合、財産を相続により取得した長男Aにつき、上記(1)の①ないし③に掲げる適用要件を当てはめると次に掲げるとおりとなり、そのいずれにも該当せず、その結果、307号室及び202号室の敷地である宅地等を特定居住用宅地等として取り扱うことは認められないものとされます。

①　『被相続人の居住用家屋に居住していた者』に該当するか否かの検討

被相続人甲の相続財産は区分所有建物である旨の登記がされている区分所有マンションであるため、被相続人甲の居住の用に供されていた部分は、『被相続人の居住の用に供されていた部分』（上記(1)の図のⒶⒷ部分に該当）とされ、具体的には307号室の部分とされます。

一方、長男Ａは202号室に居住しており、307号室には居住していないことから同人は『被相続人の居住用家屋に居住していた者』に該当しないものとされます。

②　いわゆる『家なき子』に該当するか否かの検討

長男Ａは、**質疑**に掲げる前提条件から被相続人甲に係る相続開始前３年以内である当該相続開始の前年に、長男Ａが所有する家屋に居住していたという事実があることから、いわゆる『家なき子』に該当しないものとされます。

③　『被相続人と生計を一にしていた親族の居住用』に該当するか否かの検討

長男Ａは、**質疑**に掲げる前提条件から被相続人甲と生計を別にしているという事実があることから、『被相続人と生計を一にしていた親族の居住用』に該当しないものとされます。

(3)　**類題１**の場合

**類題１**の場合、財産を相続により取得した長男Ａにつき、上記(1)の①ないし③に掲げる適用要件を当てはめると次に掲げるとおりとなり、そのいずれにも該当せず、その結果、307号室及び202号室の敷地である宅地等については、そのいずれも特定居住用宅地等として取り扱うことは認められないものとされます。

①　『被相続人の居住用家屋に居住していた者』に該当するか否かの検討

上記(2)①と同様となります。

②　いわゆる『家なき子』に該当するか否かの検討

(イ)　『被相続人甲の居住の用に供されていた家屋に居住していた親族』の該当性

上記(1)②に掲げるとおり、家なき子に該当するためには、当該被相続人の配偶者又は相続開始の直前において当該被相続人の居住の用に供されていた家屋に居住していた親族で当該被相続人の法定相続人に該当する者がいない場合に限られています。

この＝＝部分の解釈として、措置法通達69の４－21《被相続人の居住用家屋に居住していた親族の範囲》（下記**参考資料**を参照）では、「当該被相続人の居住の用に供されていた家屋に居住していた親族とは、当該被相続人に係る相続開始の直前において当該家屋で被相続人と共に起居していたものをいう。」と定められています。

また、この括弧書中の被相続人の居住の用に供されていた家屋については、「当該被相続人が１棟の建物でその構造上区分された数個の部分の各部分（独立部分）を独立して住居その他の用途に供することができるものの独立部分の一に居住していたときは、当該独立部分をいう。」と定められています。

**参考資料**　措置法通達69の４－21《被相続人の居住用家屋に居住していた親族の範囲》

> 措置法第69条の４第３項第２号ロに規定する当該被相続人の居住の用に供されていた家屋に居住していた親族とは、当該被相続人に係る相続の開始の直前において当該家屋で被相続人と共に起居していたものをいうのであるから留意する。この場合において、当該被相続人の居住の用に供されていた家屋については、当該被相続人が１棟の建物でその構造上区分された数個の部分の各部分（以下69の４－21において「独立部分」という。）を独立して住居その他の用途に供することができるものの独立部分の一に居住していたときは、当該独立部分をいうものとする。

そうすると、長男Ａは、被相続人甲に係る相続開始の直前において202号室に居住しており、当該202号室において被相続人甲と共に起居していた者ではないことからこの要件は充足することになります。

㈺　『長男Ａの居住する家屋が被相続人甲の居住用家屋でもあること』の該当性

長男Ａは、**質疑**に掲げる前提条件から被相続人甲に係る相続開始前３年以内（**質疑**の事例では、20年前から）に長男Ａの３親等内の親族である被相続人甲（父）（１親等の親族に該当）が所有する家屋に居住していますが、当該家屋の範囲から『相続開始の直前において当該被相続人の居住の用に供されていた家屋』を除くものとされていますので、この点について検討を行う必要があります。

そうすると、上記㈵のまた書から被相続人の居住の用に供されていた家屋につき、被相続人が独立部分を独立して居住その他の用途に供することができるものの独立部分の一に居住していたときは、当該独立部分をいうものとされていることから、**類題１**では、相続開始の直前において当該被相続人の居住の用に供されていた家屋（上記＿＿部分）は307号室であり、当該家屋は長男Ａが居住している家屋（202号室）とは異なるものとされており、この要件を充足していないことになります。

㈻　判断

上記より、長男Ａは、いわゆる『家なき子』に該当しないものとされます。

③　『被相続人と生計を一にしていた親族の居住用』に該当するか否かの検討

上記⑵③と同様となります。

⑷　**類題２**の場合

**類題２**の場合、財産を相続により取得した長男Ａにつき、上記⑴の①ないし③に掲げる適用要件を当てはめると次に掲げるとおりとなり、その結果、③の要件を充足することから202号室の敷地である宅地等を特定居住用宅地等として取り扱うことが認められます。

①　『被相続人の居住用家屋に居住していた者』に該当するか否かの検討

上記⑵①と同様となります。

②　いわゆる『家なき子』に該当するか否かの検討

上記⑵②と同様となります。

③　『被相続人と生計を一にしていた親族の居住用』に該当するか否かの検討

長男Ａは、**質疑**に掲げる前提条件から被相続人甲と生計を一にする親族であり、また、上記(1)③に掲げる他の要件も充足していることから、202号室の敷地である宅地等について『被相続人と生計を一にしていた親族の居住用』に該当することになります。

### (53)　マンション敷地である宅地に対する特定居住用宅地等の取扱い（被相続人の居住の用に供されていた部分に居住していた者の判定）（その２：区分所有登記が行われていない場合）

**質疑**　令和３年８月29日に相続開始があった被相続人甲の相続財産中には、下記に掲げる１棟のマンション用建物（建物の区分所有等に関する法律第１条《建物の区分所有》に規定する区分所有建物である旨の登記はされていません。）及びその敷地である宅地（面積200㎡）があり、その詳細は下表のとおりでした。

| 号室 | 居住者 | 財産承継者 | その他の事項等 |
|---|---|---|---|
| 307号室 | 被相続人甲が単身で居住（配偶者乙は既に他界） | 長男Ａ | (1)　長男Ａは、被相続人甲に係る相続開始の前年に長男Ａが所有し、かつ、居住していた家屋を売却して、その後、202号室を被相続人甲から使用貸借により借り受けています。<br>(2)　長男Ａは、取得した財産を今後も末長く所有する予定です。（307号室は当分の間は未利用、その他の号室は現状を継続）<br>(3)　被相続人甲は、相続開始の10年から不動産賃貸業を事業的規模で行っています。 |
| 202号室 | 長男Ａ夫婦が居住（長男Ａは被相続人甲と生計別） | 長男Ａ | |
| 上記以外の号室 | 賃貸借契約による各入居者 | 長男Ａ | |

上記のような状況になる場合、長男Ａが相続により取得した建物の307号室及び202号室に対応する部分の宅地等を特定居住用宅地等（減額割合80％）として取り扱うことは認められるのでしょうか。

**類題１**　長男Ａが、被相続人甲に係る相続開始の20年前から202号室を使用貸借により借り受けて居住していた場合にはどのように取り扱われますか。（その他の条件は、本題と同一であるものとします。）

**類題２**　被相続人甲に係る相続開始時において、長男Ａが被相続人甲と生計を一にする親族に該当していた場合にはどのように取り扱われることになりますか。（その他の条件は、本題と同一であるものとします。）

**応答**

(1)　概要

小規模宅地等の課税特例の適用対象とされる特定居住用宅地等に該当する１つの形態とし

て、「被相続人等の居住の用に供されていた宅地等で次に掲げる要件のいずれかを満たす当該被相続人の親族（当該被相続人の配偶者を除きます。）が相続又は遺贈により取得したもの」が挙げられています。

① 被相続人の居住用家屋に居住していた者である場合

被相続人の居住の用に供されていた宅地等を取得した親族が相続開始の直前において、当該宅地等の上に存する当該被相続人の居住の用に供されていた１棟の建物に居住していた者であって、相続開始時から相続税の申告書の提出期限（以下「申告期限」という。）まで引き続き当該宅地等を有し、かつ、当該建物に居住していること

② いわゆる『家なき子』に該当する者である場合

被相続人の居住の用に供されていた宅地等を取得した親族が、次に掲げる要件のすべてを満たすこと（当該被相続人の配偶者又は相続開始の直前において当該被相続人の居住の用に供されていた家屋に居住していた親族で当該被相続人の法定相続人に該当する者がいない場合に限る。）

(イ) 相続開始前３年以内に相続税法の施行地内にある当該親族、当該親族の配偶者、当該親族の３親等内の親族又は当該親族と特別の関係がある法人が所有する家屋（相続開始の直前において当該被相続人の居住の用に供されていた家屋を除く。）に居住したことがないこと

(ロ) 当該被相続人の相続開始時に当該親族が居住している家屋を相続開始前のいずれかの時においても所有していたことがないこと

(ハ) 相続開始時から申告期限（当該親族が相続税の申告期限前に死亡した場合には、その死亡の日）まで引き続き当該宅地等を有していること

③ 被相続人と生計を一にしていた親族の居住用である場合

被相続人と生計を一にしていた親族の居住の用に供されていた宅地等を取得した親族が、当該被相続人と生計を一にしていた者であって、相続開始時から申告期限まで引き続き当該宅地等を有し、かつ、相続開始前から申告期限（当該親族が相続税の申告期限前に死亡した場合には、その死亡の日）まで引き続き当該宅地等を自己の居住の用に供していること

また、被相続人等の居住の用に供されていた宅地等のうちに当該被相続人等の居住の用以外の用に供されていた部分があるときは、当該被相続人等の居住の用に供されていた部分（当該居住の用に供されていた部分が被相続人の居住の用に供されていた１棟の建物（建物の区分所有等に関する法律第１条《建物の区分所有》の規定に該当する建物を除きます。）に係るものである場合には、当該１棟の建物の敷地の用に供されていた宅地等のうち当該被相続人の親族の居住の用に供されていた部分を含みます。）に限るものとされています。この取扱いを図示すると、下記に掲げるとおりとなります。

<table>
<tr><th colspan="2">区　　分</th><th>『居住の用に供されていた部分』の解釈</th></tr>
<tr><td rowspan="2">(A)被相続人の居住の用に供されていた１棟の建物である場合</td><td>Ⓐ下記Ⓑ以外の建物である場合</td><td>・被相続人の居住の用に供されていた部分<br>・被相続人の親族（注）の居住の用に供されていた部分</td></tr>
<tr><td>Ⓑ建物の区分所有等に関する法律第１条の規定に該当する建物である場合</td><td>・被相続人の居住の用に供されていた部分</td></tr>
<tr><td colspan="2">(B)被相続人と生計を一にする親族の居住の用に供されていた１棟の建物である場合</td><td>・被相続人と生計を一にする親族の居住の用に供されていた部分</td></tr>
</table>

（注）　当該親族は、被相続人と生計を一にするか又は別にするかは問われていません。

(2)　当てはめ

**質疑** の事例の場合、財産を相続により取得した長男Ａにつき、上記(1)の①ないし③に掲げる適用要件を当てはめると次に掲げるとおりとなり、その結果、307号室及び202号室に対応する部分の宅地等を特定居住用宅地等として取り扱うことが認められるものとされます。

①　『被相続人の居住用家屋に居住していた者』に該当するか否かの検討

被相続人甲の相続財産はマンション用建物ではあるものの建物の区分所有等に関する法律に規定する区分所有建物である旨の登記はされていないため、被相続人甲の居住の用に供されていた部分は、『被相続人の居住の用に供されていた部分』及び『被相続人の親族（被相続人との生計一又は生計別の区分を問いません。）の居住の用に供されていた部分』（上記(1)の図の(A)Ⓐ部分に該当）とされます。具体的には、307号室及び202号室とされます。

そうすると、長男Ａは202号室に居住していることから、同人は『被相続人の居住用家屋に居住していた者』に該当することになります。

②　いわゆる『家なき子』に該当するか否かの検討

長男Ａは、**質疑** に掲げる前提条件から被相続人甲に係る相続開始前３年以内である当該相続開始の前年に、長男Ａが所有する家屋に居住していたという事実があることから、いわゆる『家なき子』に該当しないものとされます。

③　『被相続人と生計を一にしていた親族の居住用』に該当するか否かの検討

長男Ａは、**質疑** に掲げる前提条件から被相続人甲と生計を別にしているという事実があることから『被相続人と生計を一にしていた親族の居住用』に該当しないものとされます。

(3)　類題１ の場合

類題１ の場合、財産を相続により取得した長男Ａにつき、上記(1)の①ないし③に掲げる適用要件を当てはめると次に掲げるとおりとなり、その結果、307号室及び202号室に対応する部分の宅地等を特定居住用宅地等として取り扱うことが認められるものとされます。

①　『被相続人の居住用家屋に居住していた者』に該当するか否かの検討

上記(2)①と同様となります。

② いわゆる『家なき子』に該当するか否かの検討

(イ) 『被相続人甲の居住の用に供されていた家屋に居住していた親族』の該当性

上記(1)②に掲げるとおり、家なき子に該当するためには、当該被相続人の配偶者又は相続開始の直前において当該被相続人の居住の用に供されていた家屋に居住していた親族で当該被相続人の法定相続人に該当する者がいない場合に限られています。

この＿＿部分の解釈として、措置法通達69の４－21《被相続人の居住用家屋に居住していた親族の範囲》（下記 参考資料 を参照）では、「当該被相続人の居住の用に供されていた家屋に居住していた親族とは、当該被相続人に係る相続開始の直前において当該家屋で被相続人と共に起居していたものをいう。」と定められています。

また、この括弧書中の被相続人の居住の用に供されていた家屋については、「当該被相続人が１棟の建物でその構造上区分された数個の部分の各部分（独立部分）を独立して住居その他の用途に供することができるものの独立部分の一に居住していたときは、当該独立部分をいう。」と定められています。

**参考資料**　**措置法通達69の４－21《被相続人の居住用家屋に居住していた親族の範囲》**

> 措置法第69条の４第３項第２号ロに規定する当該被相続人の居住の用に供されていた家屋に居住していた親族とは、当該被相続人に係る相続の開始の直前において当該家屋で被相続人と共に起居していたものをいうのであるから留意する。この場合において、当該被相続人の居住の用に供されていた家屋については、当該被相続人が１棟の建物でその構造上区分された数個の部分の各部分（以下69の４－21において「独立部分」という。）を独立して住居その他の用途に供することができるものの独立部分の一に居住していたときは、当該独立部分をいうものとする。

そうすると、長男Ａは、被相続人甲に係る相続開始の直前において202号室に居住しており、被相続人甲が居住の用に供していた307号室において被相続人甲と共に起居していた者ではないことからこの要件は充足することになります。

(ロ) 『長男Ａの居住する家屋が被相続人甲の居住用家屋でもあること』の該当性

長男Ａは、質疑 に掲げる前提条件から被相続人甲に係る相続開始前３年以内（質疑 の事例では、20年前から）に長男Ａの３親等内の親族である被相続人甲（父）（１親等の親族に該当）が所有する家屋に居住していますが、当該家屋の範囲から『相続開始の直前において当該被相続人の居住の用に供されていた家屋』を除くものとされていますので、この点について検討を行う必要があります。

そうすると、上記(イ)のまた書から被相続人の居住の用に供されていた家屋につき、被相続人が独立部分を独立して居住その他の用途に供することができるものの独立部分の一に居住していたときは、当該独立部分をいうものとされていることから、類題１ では、相続開始の直前において当該被相続人甲の居住の用に供されていた家屋（上記＿＿部分）は307号室であり、当該家屋は長男Ａが居住している家屋（202号室）とは異なるものとされており、この要件を充足していないことになります。

(ハ)　判断

上記より、長男Aは、いわゆる『家なき子』に該当しないものとされます。

③　『被相続人と生計を一にしていた親族の居住用』に該当するか否かの検討

上記(2)③と同様となります。

(4)　**類題2** の場合

**類題2** の場合、財産を相続により取得した長男Aにつき、上記(1)の①ないし③に掲げる適用要件を当てはめると次に掲げるとおりとなり、その結果、①及び③の要件を充足することから307号室及び202号室に対応する部分の宅地等を特定居住用宅地等として取り扱うことが認められるものとされます。

①　『被相続人の居住用家屋に居住していた者』に該当するか否かの検討

上記(2)①と同様となります。

②　いわゆる『家なき子』に該当するか否かの検討

上記(2)②と同様となります。

③　『被相続人と生計を一にしていた親族の居住用』に該当するか否かの検討

長男Aは、**質疑** に掲げる前提条件から被相続人甲と生計を一にする親族であり、また、上記(1)③に掲げる他の要件も充足していることから、202号室に対応する部分の宅地等について『被相続人と生計を一にしていた親族の居住用』に該当することになります。

### (54)　申告期限までに居住用建物等を建て替えた場合の特定居住用宅地等の取扱い

**質疑**

被相続人甲は令和3年6月に死亡したため、その居住の用に供していた家屋及びその敷地である宅地は長男Aが相続しました。

長男Aは相続後、直ちにこの建物を取り壊して相続税の申告期限までに建替工事に着手し、申告期限の2か月後には新築建物が完成しています。

建替え前の建物は被相続人甲及び長男Aの居住専用家屋（両人は同居）でしたが、建替え後の建物は長男Aの今後の副収入も兼ねて住居（長男Aの居住用）兼貸家家屋（1棟）となっており、その詳細は下記のとおりとなっています。

このような場合における当該宅地等に対する小規模宅地等の課税特例の適用はどのようになりますか。

- 宅地の地積　……150㎡
- 宅地の相続税評価額（自用地評価額）　……90,000千円
- 建替え前の家屋の床面積　……80㎡
- 建替え後の家屋の床面積　……長男Aの居住用部分60㎡、貸家部分40㎡

**応答**

被相続人が居住の用に供していた家屋に同居していた当該被相続人の親族が当該家屋の敷

地である宅地等を相続し、当該親族が相続開始時から相続税の申告期限まで引き続き当該宅地等を所有し、かつ、当該宅地等を居住の用に供している場合には、特定居住用宅地等として330㎡までの部分について80％の減額ができるものとされています。

この取扱いを厳密に適用しますと、事例のように申告期限までに建替えを行った場合には、申告期限までに引き続き居住の用に供しているということになりませんので特定居住用宅地等に該当しないのではないかという疑義が生じることとなります。

しかしながら、建物の建替えは居住を継続する上で必然的に生じるものであり、かつ、相続税の申告期限という一時点のみに着目して判断することはあまりにも形式的であるために、措置法通達69の４－19《申告期限までに事業用建物等を建て替えた場合》(※本通達において、居住用建物に関する取扱いも準用するものとして制定）の取扱いを定め、被相続人等の居住の用に供されていた建物等が相続開始の日から相続税の申告期限までに建替工事に着手されたときは、当該宅地等のうち当該親族により当該居住の用に供されると認められる部分については、当該申告期限においても当該親族の当該居住の用に供されているもの（特定居住用宅地等）として取り扱うものとする一定のしんしゃく配慮措置が設けられています。

なお、**質疑**の事例のように、被相続人等の居住用建物を承継した親族による相続税の申告期限までにおける建替えが行われた場合において、当該建替えの前後において当該建物の敷地の用に供されていた（又は供される予定の）宅地等のうちに、当該居住の用に供される部分と当該居住の用に供されない部分との割合（**質疑**の事例では、建替前の居住割合100％$\left(\frac{80㎡}{80㎡}\right)$、建替後の居住割合60％$\left(\frac{60㎡}{60㎡+40㎡}\right)$）が異なることとなる場合の『当該宅地等のうち当該親族により当該居住の用に供されると認められる部分』（上記＿＿部分）の取扱いは、下記のとおりとなります。

（取扱い）　次に掲げる(ア)と(イ)のうち、いずれか少ない方が特定居住用宅地等に該当

(ア)　建替え前において『被相続人等の居住の用に供されていた宅地等の部分』

(イ)　建替え後の建物等の状況を基に判定した『財産を取得した親族の居住の用に供されている宅地等の部分』

以上の取扱いを基にして、**質疑**の事例の宅地等について相続税の課税価格に算入される金額を計算すると下記のとおりになります。

**計算** (1)　宅地の相続税評価額（自用地評価額）

90,000千円

(2)　小規模宅地等の課税特例の適用による減額金額

**適用面積**　①　建替前　$150㎡ \times \frac{80㎡}{80㎡}$（居住用割合：100％）＝150㎡≦330㎡(注)　∴150㎡

②　建替後　$150㎡ \times \frac{60㎡}{60㎡+40㎡}$（居住用割合：60％）＝90㎡≦330㎡(注)　∴90㎡

③　①＞②　∴90㎡（いずれか少ない方）

**減額金額**　$90{,}000千円 \times \frac{90㎡}{150㎡} \times 80\% = 43{,}200千円$

(3)　相続税の課税価格算入額（小規模宅地等の課税特例の適用後）

(1)－(2)＝46,800千円

## (55)　居住の用に供していた宅地等について土地区画整理事業に伴う仮換地指定がなされた場合の取扱い

**質疑**　被相続人甲が居住の用に供していた土地及び建物（いずれも被相続人甲所有）について土地区画整理事業が施行されることとなり、当該従前地に対して仮換地の指定を受けていましたが当該仮換地の使用収益の開始までに被相続人甲の相続の開始がありました。（当該仮換地は、被相続人甲の妻である配偶者乙が相続により取得しています。）

被相続人甲は従前地を立退いた後は、被相続人甲の兄所有のマンションに仮住いをしていました。

このような場合において、土地区画整理事業に係る仮換地は、従前地の代替用地であることから、従前地において相続開始時まで居住していたと仮定して判断したならば当該従前地が小規模宅地等に該当するときは、当該仮換地も小規模宅地等に該当するものとして小規模宅地等の課税特例の適用対象とすることが可能ですか。

なお、被相続人甲の妻である配偶者乙が相続した仮換地については、事業施行者より使用収益開始日が別途通知されることになっているために使用収益をすることができず、被相続人甲に係る相続税の申告期限までに何らの利用もなされていない状況でした。

**応答**

**質疑**　に掲げるような被相続人等の居住の用に供されていた宅地等について土地区画整理事業の施行に伴う仮換地指定がなされた場合における当該従前地に対する小規模宅地等の課税特例の適用の可否判断は、下記に掲げるとおり、平成19年１月23日付けの最高裁判決（平成17年（行ヒ）第91号）の前後で異なるものとなっています。

(1)　最高裁判決による判示がなされる前における取扱い

個人が相続又は遺贈により財産を取得した場合において、その相続の開始直前に、その相続に係る被相続人等の居住の用に供されていた宅地等があるときに、小規模宅地等の課税特例が適用されるのが取扱いの原則です。

しかしながら、小規模宅地等（特定居住用宅地等）に該当するか否かの判定を被相続人に係る相続開始直前の一時点のみで行うのはこの課税特例の創設趣旨を考慮した場合には不適切であると考えられるため、例外的な救済措置として措置法通達69の４－８《居住用建物の建築中等に相続が開始した場合》の取扱いを設けて、居住用建物の建築中又は居住用建物の取得後、被相続人等が居住の用に供する前に被相続人について相続が開始した場合においては、原則として、当該建物等を相続税の申告書の提出期限までに居住の用に供しているときは、当該建物等の敷地である宅地等は、被相続人等の居住の用に供されていた宅地等に該当するものとしています。

事例の仮換地について、上記の例外的な救済措置の適用の有無も含めて小規模宅地等の課税特例の適用対象地になるか否かを判定すると、次に掲げる理由から、たとえ、従前から居住の用に供していた宅地等に対してなされた土地区画整理事業に係る仮換地であっても、相続開始の直前において被相続人等の居住の用に供されていた宅地等には該当しないものとして取り扱うのが相当であり、小規模宅地等の課税特例の適用対象とすることはできないものと考えられます。

①　土地区画整理事業が施行されたことにより、相続開始の直前には、被相続人等が従前から居住の用に供していた建物が取り壊されており、現に存しないこと

②　被相続人等が居住の用に供していた宅地等については、その処分に相当の制約を受けること等の事情から居住の継続性の維持を目的として特別に設けられた優遇措置であり、その適用については厳格に運営される必要があるところ、土地区画整理事業に係る仮換地は、そのような事情にあると認められず、当該仮換地を現に居住の用に供している宅地等と同一の規定を適用するのは不合理であること

③　小規模宅地等の課税特例の規定は、その適用要件として、居住継続の要件、所有継続の要件等を定めているところ、事例の仮換地については、相続税の申告期限においても、被相続人等の居住の用に供する建物等が建築（完成）されたという事実が存しないこと

④　例外的な救済措置である措置法通達69の４－８《居住用建物の建築中等に相続が開始した場合》の取扱いは、相続開始時点で居住用建物の建築に着手していることが要件とされているのに対して、事例においては、相続開始時点のみならず相続税の申告期限までに居住用の建物の建築に着手しておらず、また、着手予定も未定であること

⑵　最高裁判決による判示がなされた後における取扱い

被相続人がその生前に居住の用に供していた宅地等（従前地）について土地区画整理事業が施行され、従前地及び仮換地について共に使用収益が禁止されている場合における当該従前地に対する小規模宅地等の課税特例の適用に対する取扱いを変更する最高裁判所の判決（平成17年（行ヒ）第91号）が平成19年１月23日に言い渡され、上記のような状況にある従前地についても、相続開始時から相続税申告までの時点において仮換地を居住の用に供する予定がなかったと認めるに足りる特段の事情のない限り、これを小規模宅地等の課税特例の適用対象と認められるとの判断（判例の紹介については、次問56を参照してください。）がなされました。

この最高裁判決を受けて、平成19年６月22日付けで実施された通達改正において、措置法通達69の４－３《公共事業の施行により従前地及び仮換地について使用収益が禁止されている場合》の定めが新設されました。この通達により一定要件（下記 参考資料 を参照）

を充足した場合には、従前地について小規模宅地等の課税特例の適用が認められることが明記されました。

**参考資料** **措置法通達69の４－３《公共事業の施行により従前地及び仮換地について使用収益が禁止されている場合》の概要**

小規模宅地等の課税特例の適用対象地（特例対象宅地等）には、下記に掲げる要件を充足する宅地等が含まれるものとされています。

⑴　個人が被相続人から相続又は遺贈により取得した被相続人等の居住用等（注）に供されていた宅地等（以下、本問において「従前地」といいます。）であること

（注）『居住用等』とは、事業（事業と称するに至らない不動産の貸付けその他これに類する行為で相当の対価を得て継続的に行うものを含みます。）の用又は居住の用をいいます。

⑵　公共事業の施行による土地区画整理法第３章第３節《仮換地の指定》に規定する仮換地の指定に伴い、当該相続の開始の直前において従前地及び仮換地の使用収益が共に禁止されていること

⑶　当該相続の開始の時から相続税の申告書の提出期限までの間に当該被相続人等が仮換地を居住用等に供する予定がなかったと認めるに足りる特段の事情（注）がなかったものであること

（注）『被相続人等が仮換地を居住用等に供する予定がなかったと認めるに足りる特段の事情』を例示すると、下記のとおりです。

①　従前地について、売買契約を締結していた場合

②　被相続人等の居住用等に供されていた宅地等に代わる宅地等を取得（売買契約中のものを含みます。）していた場合

③　従前地又は仮換地について、相続税法第６章《延納又は物納》に規定する物納の申請をし又は物納の許可を受けていた場合

## ㊻　土地区画整理事業が施行中である宅地等（従前地）に対する小規模宅地等の課税特例の適用が争点とされた判例の確認

**質疑**

前問㊺の **応答** ⑵に掲げる最高裁判所の判断が最終的に示された事案（以下、本問において「本件事案」といいます。）について、その概要から課税処分の内容、各当事者の主張、そして各裁判所（地裁、高裁、最高裁及び差戻後控訴審判決）の判断までの一連の流れについて説明してください。

**応答**

本件事案は、被相続人に係る相続開始前には当該被相続人の居住用宅地等に該当していたものの土地区画整理事業の施行に伴って仮換地が実施され（ただし、当該仮換地については課税時期において事業施行者より使用収益開始日を別途通知することとされているため使用収益が不可）、従前地の上に存していた被相続人所有の建物は取り壊され更地状態となっていた相続財産である土地について、小規模宅地等の課税特例の適用可否が争点とされたものです。

本件事案に関して、〔1〕基礎事実、〔2〕争点、〔3〕争点に対する双方〔原告（納税者）及び被告（課税庁）〕の主張及び〔4〕各裁判所（地裁、高裁、最高裁及び差戻後控訴審判決）の判断は、第６章8（被相続人等の居住用宅地が土地区画整理事業施行中により使用収益が禁止されている場合に小規模宅地等の課税特例の適用の可否が争点とされた事例）(1274ページ）に掲げていますので、該当ページを参照してください。

## (57) 店舗兼住宅の敷地である宅地の持分の贈与が行われて贈与税の配偶者控除（優先法）が適用されていた場合においてその後贈与者に相続開始があったときの取扱い

**質疑**　被相続人甲は、令和３年10月に相続の開始がありました。被相続人甲及び同人の配偶者である妻乙の共有名義で所有する不動産（被相続人甲が事業主である物品販売業の用に供する部分と被相続人甲及び妻乙夫妻の居住の用に供する部分から構成される店舗併用住宅及びその敷地である宅地）に関する資料は下記のとおりでした。

(1)　相続開始時における評価に必要な資料

| 区分 | 相続税評価額（全体の評価額） | 家屋の床面積・宅地の面積 | | | 共有持分 |
|---|---|---|---|---|---|
| | | 居住部分 | 店舗部分 | 合　計 | |
| 家屋 | 45,000千円 | 120㎡（40%） | 180㎡（60%） | 300㎡ | 被相続人甲…$\frac{7}{10}$、妻乙…$\frac{3}{10}$ |
| 宅地 | 120,000千円 | 240㎡（40%） | 360㎡（60%） | 600㎡ | 被相続人甲…$\frac{7}{10}$、妻乙…$\frac{3}{10}$ |

(2)　妻乙の共有持分の取得の経緯について

①　妻乙は、被相続人甲に係る相続開始の10年前の平成23年に、被相続人甲との婚姻期間が20年以上に到達したことを記念して被相続人甲から共有持分10分の３の贈与を受けました。

②　上記①の贈与が行われた時点における家屋及び宅地の相続税評価額（全体の評価額）は、下記のとおりでした。

なお、当該贈与時点における家屋の床面積及び宅地の地積について居住用部分及び店舗部分の利用割合は、上記(1)に掲げる相続開始時における状況と同一で変化は認められません。

(イ)　家屋……50,000千円

(ロ)　宅地……60,000千円

③　上記①の贈与に係る妻乙の贈与税の申告については、いわゆる『優先法』(その贈与を受けた持分のうち受贈配偶者と贈与配偶者との持分の割合を合計して判定した居住の用に供している部分を居住用不動産に該当するものとして申告があった場合には、当該申告を是認（考え方　贈与持分は、居住用部分から構成されているものとする取扱い）する処理方法）を採用して、下記

のとおりに納付すべき贈与税額を計算しています。

計算 (イ)　受贈財産の相続税評価額

（50,000千円（家屋の贈与時の相続税評価額）＋60,000千円（宅地の贈与時の相続税評価額））×$\frac{3}{10}$（贈与割合）＝33,000千円

(ロ)　贈与税の配偶者控除の適用に係る控除額

㋑　$\frac{4}{10}$（居住用割合）(注)×（$\frac{3}{10}$（受贈配偶者の持分割合）＋$\frac{7}{10}$（贈与配偶者の持分割合））＝$\frac{4}{10}$＞$\frac{3}{10}$（贈与割合）

∴$\frac{3}{10}$（いずれか少ない方）が居住用不動産に該当

(注)　家屋……$\frac{120㎡（居住部分の床面積）}{300㎡（家屋の床面積）}$＝$\frac{4}{10}$

宅地……$\frac{240㎡（居住部分の面積）}{600㎡（宅地の面積）}$＝$\frac{4}{10}$

㋺　（50,000千円（家屋の贈与時の相続税評価額）＋60,000千円（宅地の贈与時の相続税評価額））×$\frac{3}{10}$（上記㋑の割合）＝33,000千円

＞20,000千円　∴20,000千円（いずれか少ない方）

(ハ)　納付すべき贈与税額の計算

（33,000千円（上記(イ)）－20,000千円（上記(ロ)）－1,100千円（贈与税の基礎控除額））×50％－2,250千円（平成23年分の贈与税の速算表より）＝3,700千円

(3)　相続による承継等の状況

上記(1)に掲げる不動産のうち被相続人甲が相続開始時において所有する共有持分$\frac{7}{10}$は、妻乙が相続により取得し、その後、相続税の申告期限まで引き続き継続して所有しています。

また、妻乙は当該不動産を引き続き自己の居住の用に供し、かつ、被相続人甲の店舗（事業）用部分については当該事業を相続税の申告期限までに承継して、事業を継続しています。

そうすると、今回の被相続人甲に係る相続開始時点においては、被相続人甲は上記に掲げる不動産の共有不動産の持分$\frac{7}{10}$を有していることになりますが、当該不動産のうち宅地部分（全体の面積600㎡、被相続人甲の共有持分割合に対応する面積420㎡）に対する小規模宅地等の課税特例の適用関係はどのようになりますか。

また、下記に掲げる考え方によって処理することは相当性のあるものとして認められますか。

なお、被相続人甲は、相続財産として上記に掲げる不動産以外の不動産は所有していません。

考え方　当該不動産の利用割合は贈与時から相続開始時まで一貫して居住用が$\frac{4}{10}$、店舗（事業）用が$\frac{6}{10}$であり、贈与税の配偶者控除の適用に当たってはいわゆる優先法の適用により贈与を受けた割合$\left(\frac{3}{10}\right)$のすべてが居住用不動産から成るものとして申告処理していることとの均衡に配慮すると、今回の被相続人甲に係る相続開始における同人の残存持分割合$\left(\frac{7}{10}\right)$は、下記計算に基づく割合から構成されるものとして処理することが相当である。

●居住用部分　…$\frac{4}{10}$（贈与前の居住用部分の割合）－$\frac{3}{10}$（贈与対象とされた居住用部分の割合）

＝$\frac{1}{10}$（相続財産となる居住用部分の割合）

●店舗（事業）用部分…$\frac{6}{10}$（贈与前の事業用部分の割合）－$\frac{0}{10}$（贈与対象とされた事業用部分の割合）

＝$\frac{6}{10}$（相続財産となる事業用部分の割合）

類題　上記の **質疑** において、被相続人甲に係る相続開始日が平成26年10月（平成25年度の税法改正施行（課税時期が平成27年１月１日以後であるものに適用）前）であった場合にはどのようになりますか。

## 応答

⑴　贈与税の配偶者控除の概要

『贈与税の配偶者控除』とは、その年において贈与によりその者との婚姻期間が20年以上である配偶者から下記①又は②に掲げる一定の要件を充足した資産の贈与を受けた場合においては、その者のその年分の贈与税については、課税価格から２千万円（最大額）を控除するものとされる制度をいいます。

①　専ら居住の用に供する土地若しくは土地の上に存する権利（借地権）又は家屋で相続税法の施行地（日本国内）にあるもの（以下「居住用不動産」といいます。）を取得した者が、当該取得の日の属する年の翌年３月15日までに当該居住用不動産をその者の居住の用に供し、かつ、その後引き続き居住の用に供する見込みである場合（図解１ 参照）

②　金銭を取得した者が、当該取得の日の属する年の翌年３月15日までに当該金銭をもって居住用不動産を取得して、これをその者の居住の用に供し、かつ、その後引き続き居住の用に供する見込みである場合（図解２ 参照）

**図解１**　居住用不動産の贈与を受けた場合

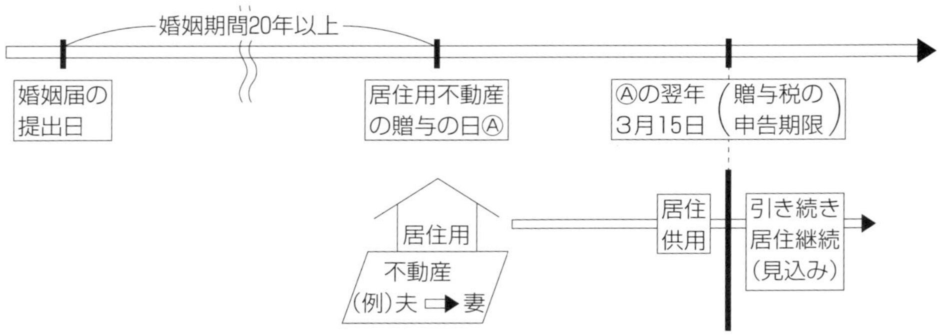


**図解２**　居住用不動産を取得するための金銭の贈与を受けた場合

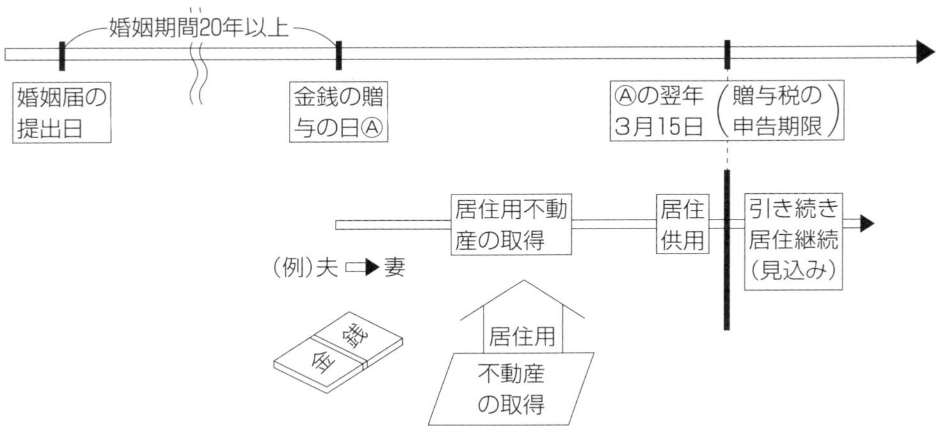


贈与税の配偶者控除の適用に当たって、実務上、留意すべき事項をまとめると下記のとおりとなります。

⑷　同一配偶者間における適用関係

その年の前年以前のいずれかの年において贈与により当該配偶者から取得した財産に係る贈与税について、既に贈与税の配偶者控除の適用を受けている場合を除きます。（同一配偶者間においては、１回限りの適用となります。）

⑸　贈与税の配偶者控除額

当該贈与により取得した居住用不動産の価額に相当する金額と当該贈与により取得した金銭のうち居住用不動産の取得に充てられた部分の金額との合計額が２千万円に満たない場合には、贈与税の配偶者控除額は当該合計額となります。

⑹　『婚姻期間が20年以上である配偶者』の判定

㋑　判定時点

判定時点は、財産の贈与の時の現況によります。

㊟　その年１月１日若しくは12月31日又は当該贈与に係る贈与税の申告期限（その年の翌年３月15日）等で判定するものではないことに注意する必要があります。

㋺　婚姻期間

婚姻期間の計算は、民法第739条《婚姻の届出》に規定する届出のあった日から当該居住用不動産又は金銭の贈与があった日までの期間により計算します。

㊟　婚姻期間の計算は戸籍に基づいて算定するものとされていることから、内縁関係にあった期間等のいわゆる事実婚の期間はこの計算対象に含まれないことに注意する必要があります。

㋩　端数処理

上記㋺の婚姻期間を計算する場合において、その計算した婚姻期間に１年未満の端数があるときであっても、当該端数を切り上げることは認められていません。

㊟　上記より、例えば、贈与時における婚姻期間が19年11か月である場合であっても、贈与税の配偶者控除は適用されないことに注意する必要があります。

⑵　店舗兼住宅及びその敷地である土地等についての贈与（全部の贈与）があった場合における贈与税の配偶者控除の適用

上記⑴に掲げる贈与税の配偶者控除の対象とされる居住用不動産については、「専ら居住の用に供する土地若しくは土地の上に存する権利又は家屋でこの法律の施行地にあるもの」とされていますが、１棟の家屋（当該家屋の敷地の用に供されている土地等を含みます。）が店舗兼住宅等である場合の居住用不動産に含まれる範囲については、課税実務上では相続税基本通達21の６－１《居住用不動産の範囲》に基づいて解釈することになります。

店舗兼住宅及びその敷地である土地等の全部を取得した場合における居住用不動産の範囲に含まれるものについて同通達の定めに従って示すと、当該店舗兼住宅等に係る下記に掲げる態様に応じて、それぞれ次のとおりになります。

①　原則的な取扱い

受贈配偶者が取得した土地等又は家屋で、例えば、その取得の日の属する年の翌年３月15日現在において、店舗兼住宅及び当該店舗兼住宅の敷地の用に供されている土地等のように、その専ら居住の用に供している部分と居住の用以外の用に供されている部分がある場合における当該居住の用に供している部分の土地及び家屋が居住用不動産に該当します。

②　特例的な取扱い（納税者有利に配慮した簡便的な取扱い）

上記①の場合において、その居住の用に供している部分の面積が、その土地等又は家屋の面積のそれぞれのおおむね10分の９以上であるときは、その土地等又は家屋の全部を居住用不動産に該当するものとして取り扱うことが認められています。

⑶　店舗兼住宅及びその敷地である土地等について持分の贈与があった場合における贈与税の配偶者控除の適用

店舗兼住宅等についてその所有権の全部の贈与があった場合における贈与税の配偶者控除の取扱い（居住用不動産の範囲）は、上記⑵に掲げるとおりです。

そして、**質疑** の事例のように、店舗兼住宅等について持分の贈与（**質疑** の事例では、贈与後において『共有』となります。）があった場合における贈与税の配偶者控除の対象とされる『居住の用に供されている部分』の判定については、相続税法基本通達21の６－３《店舗兼住宅等の持分の贈与があった場合の居住用部分の判定》において、下記に掲げる２種類の計算方法が示されています。

① 民法上の共有概念を基礎として居住用部分を判定する方法（以下『均分法』といいます。）

**取扱い**　当該配偶者から店舗兼住宅等の持分の贈与を受けた場合には、当該店舗兼住宅等の居住の用に供している部分の割合にその贈与を受けた持分の割合を乗じて計算した部分を居住用不動産に該当するものとして取り扱います。これを算式で示すと下記のとおりになります。

（算式）　当該店舗兼住宅等に係る居住供用割合 × 贈与を受けた持分割合 ＝ 贈与を受けた不動産に係る居住用部分の割合

**考え方**　民法第249条《共有物の使用》の規定によれば、「各共有者は共有物の全部についてその持分に応じた使用をすることができる。」ものとされており、『共有』とは、複数の者が一個の物の所有権を分量的に分割されて制限された持分権によって所有している状態をいうものとされています。

したがって、店舗兼住宅等について持分の贈与がなされた場合に、当該持分の移転対象とされるのは当該店舗兼住宅等の全体（店舗部分及び居住部分）であり、このうち、贈与税の配偶者控除の対象とされるのは居住の用に供している部分に限られていることから、上記に掲げる算式に基づいて計算することが必要になります。

**計算例**

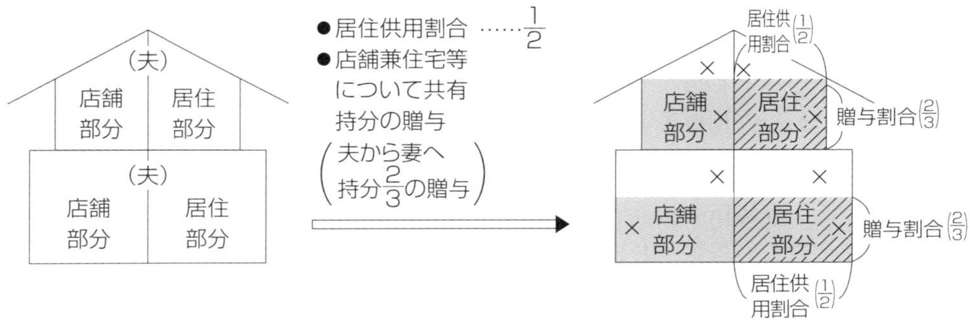


（注）　共有持分の贈与であることから、×部分のいずれをとっても、夫…$\frac{1}{3}$（　部分）、妻…$\frac{2}{3}$（　部分）となる。

上記 **計算例** の設例の場合における贈与を受けた不動産に係る居住用部分の割合は次のとおりになります。

● $\frac{1}{2}$（居住供用割合）× $\frac{2}{3}$（贈与持分割合）＝ $\frac{2}{6}$ $\left(\frac{1}{3}\right)$

② 贈与税の配偶者控除の立法趣旨を尊重して居住用部分を判定する方法（以下『優先法』といいます。）

取扱い　当該配偶者から店舗兼住宅等の持分の贈与を受けた場合には、その贈与を受けた持分の割合に対応する部分は、当該店舗兼住宅等の居住の用に供している部分（当該居住の用に供している部分に受贈配偶者とその配偶者との持分の割合を合わせた割合を乗じて計算した部分をいいます。以下同じ。）から優先的に構成されている（贈与を受けたものとする）として申告があった場合（注）には、贈与税の配偶者控除の規定の適用に当たってはこれを認めるものとして取り扱います。

（注）この取扱い（優先法）の適用を受けるためには、納税義務者側からの積極的な意思表示として当該適用を受ける旨の申告が必要（上記＝＝部分）とされていることに留意する必要があります。

この取扱いを算式で示すと下記のとおりになります。

（算式）(イ) 贈与を受けた持分の割合

(ロ) 当該店舗兼住宅等に係る居住供用割合 × (贈与後の受贈配偶者の持分 ＋ 贈与後の贈与配偶者の持分)

(ハ) (イ)≦(ロ)　∴(イ)と(ロ)いずれか低い方が贈与を受けた不動産に係る居住用部分の割合となる。

考え方　共有持分の移転という法形式によって贈与を行った場合には、民法上の共有概念から上記①のとおり、店舗兼住宅等に係る店舗部分についても必然的に贈与の対象となり、たとえ、贈与持分に相当する移転財産の価額が２千万円以下であっても、贈与税の配偶者控除は居住用不動産についてのみその適用対象としていることから、結果として納付すべき贈与税が生じることになります。

このような取扱いは理論的ではありますが、次に掲げるような観点から判断した場合には、その取扱いに慎重な対応が求められるものと考えられます。

(イ) 専用住宅等と店舗兼住宅等との利用形態上の差異によって、計算結果に著しい差異が生じること

(ロ) 贈与税の配偶者控除は、一定要件を充足した配偶者間における居住用不動産に対する特例であることから、たとえ、店舗兼住宅等の贈与であっても、当事者間においては、居住用部分を中心に贈与したものであるという概念が強いこと

したがって、店舗兼住宅等について持分の贈与があった場合において、納税者が申告において選択したときは、上記①に掲げる民法の考え方に基づく 均分法 による取扱いではなく、この 優先法 による取扱いを設けてその均衡を図ったものであると考えられます

計算例

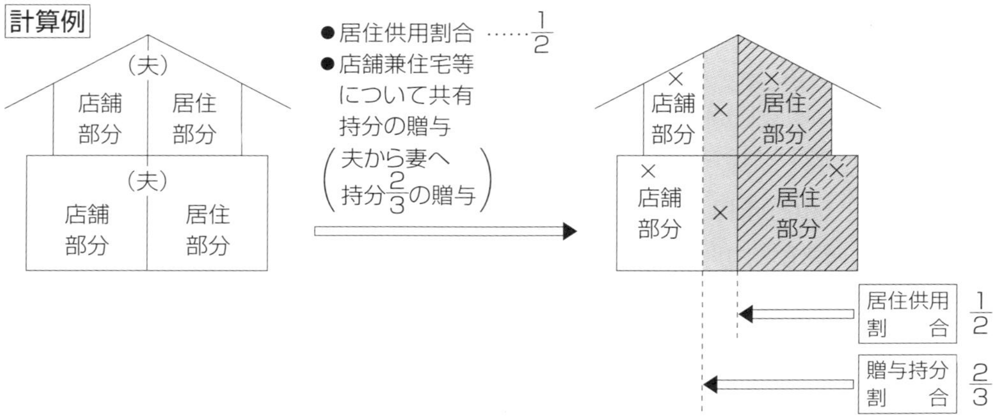


（注）共有持分の贈与であることから、民法上の考え方からすれば、×部分のいずれをとっても夫が３分の１の持分、妻が３分の２の持分とされるが、贈与税の配偶者控除の適用に限っては、夫から妻へ贈与された持分３分の２（　部分）は、居住用部分の全部 $\left(持分換算：\frac{1}{2}\left(\frac{3}{6}\right)\right)$ と店舗部分の一部（持分換算：$\frac{1}{6}\left(\frac{2}{3}\left(\frac{4}{6}\right)-\frac{1}{2}\left(\frac{3}{6}\right)\right)$）からなるものとして取り扱われます。

上記 計算例 の設例の場合における贈与を受けた不動産に係る居住用部分の割合は次のとおりになります。

(イ)　$\frac{2}{3}$（贈与を受けた持分の割合）

(ロ)　$\frac{1}{2}$（当該店舗兼住宅等に係る居住供用割合）× 〔 $\frac{2}{3}$（贈与後の受贈配偶者の持分）＋ $\frac{1}{3}$（贈与後の贈与配偶者の持分）〕＝ $\frac{1}{2}$

(ハ)　(イ)＞(ロ)　∴ $\frac{1}{2}$（いずれか少ない方）

ただし、課税実務上における取扱いとしては、上記②に掲げる優先法の考え方に従って処理した方が『居住の用に供されている部分』の割合が大きくなるため、納税者にとって有利になります。

したがって、**質疑** の事例における店舗兼併用住宅等に係る持分の贈与について、贈与税の配偶者控除の適用に当たっては、当該 **質疑** の 計算 欄に掲げるとおり『居住の用に供されている部分』の算定について上記②で説明された優先法を用いて納税者有利に取り扱って処理したものと推察されます。

なお、参考までに **質疑** の事例において店舗兼併用住宅等に係る持分の贈与（持分贈与割合：$\frac{3}{10}$）について、贈与税の配偶者控除に係る『居住の用に供されている部分』の算定を上記①に掲げる均分法を適用して、納付すべき贈与税額を算定すると下記のとおりになります。

計算

(イ)　受贈財産の相続税評価額

（ 50,000千円（家屋の贈与時の相続税評価額） ＋ 60,000千円（宅地の贈与時の相続税評価額） ）× $\frac{3}{10}$（贈与割合） ＝33,000千円

(ロ)　贈与税の配偶者控除の適用に係る控除額

㋑　$\frac{4}{10}$（注）×　$\frac{3}{10}$　＝$\frac{12}{100}$
（居住用割合）（贈与割合）

（注）居住用割合については、質疑 の 計算 欄の(ロ)㋑（注）を参照

㋺　（　50,000千円　＋　60,000千円　）×　$\frac{12}{100}$　＝13,200千円≦20,000千円
（家屋の贈与時の相続税評価額）（宅地の贈与時の相続税評価額）（上記㋑の割合）

∴13,200千円（いずれか少ない方）

(ハ)　納付すべき贈与税額の計算

（33,000千円－13,200千円－　1,100千円　）×50％－2,250千円＝7,100千円
（上記(イ)）（上記(ロ)）（贈与税の基礎控除額）（平成23年分の贈与税の速算表より）

(4)　店舗兼住宅及びその敷地である土地等について持分の贈与後に相続開始があった場合の留意点

持分の贈与後における各共有者の所有概念

質疑 の事例における贈与税の配偶者控除の取扱いにつき優先法を適用した場合には、同欄に掲げる 計算 のとおり、被相続人甲から妻乙に対する店舗兼住宅等の共有持分の贈与については、当該贈与持分の$\frac{3}{10}$はすべて居住の用に供している部分（$\frac{4}{10}$）のうちから充当された（なぜならば、$\frac{3}{10}$（贈与割合）≦$\frac{4}{10}$（居住用割合））ものであり、この考え方を基礎に当該贈与後の各共有者（贈与配偶者及び受贈配偶者）の当該店舗兼住宅等に対する所有概念を整理すると、下表に掲げるとおりの取扱い（贈与後における居住部分及び事業部分の各人の所有割合について　　　部分のとおり）になるとの考え方が成立するかもしれません。

表　質疑 の事例における店舗兼住宅等に対する各共有者の所有概念

| 利用区分／所有者 | 贈与前 | | | 配偶者への贈与（優先法適用） | | | 贈与後 | | |
|---|---|---|---|---|---|---|---|---|---|
| | 居住部分 | 店舗部分 | 合計 | 居住部分 | 店舗部分 | 合計 | 居住部分 | 店舗部分 | 合計 |
| 被相続人甲 | $\frac{4}{10}$ | $\frac{6}{10}$ | $\frac{10}{10}$ | ▲$\frac{3}{10}$ | — | ▲$\frac{3}{10}$ | $\frac{1}{10}$ | $\frac{6}{10}$ | $\frac{7}{10}$ |
| 妻　乙 | $\frac{0}{10}$ | $\frac{0}{10}$ | $\frac{0}{10}$ | ＋$\frac{3}{10}$ | — | ＋$\frac{3}{10}$ | $\frac{3}{10}$ | $\frac{0}{10}$ | $\frac{3}{10}$ |
| 合　計 | $\frac{4}{10}$ | $\frac{6}{10}$ | $\frac{10}{10}$ | 0 | — | 0 | $\frac{4}{10}$ | $\frac{6}{10}$ | $\frac{10}{10}$ |

しかしながら、上記(3)②に掲げる優先法は、店舗兼住宅等について持分の贈与があった場合における贈与税の配偶者控除の対象とされる居住用不動産の判定に際して、相続税法基本通達21の６－３《店舗兼住宅等の持分の贈与があった場合の居住用部分の判定》に定められた納税者（受贈配偶者）に有利な取扱いとなることを容認した特段の贈与税の計算上の優遇緩和措置とされています。

そのことは、同通達中における表現（「（前略）その贈与を受けた持分の割合に対応する当該店舗兼住宅等の部分を居住用不動産に該当するものとして申告があったときは、法第21条の６第１項の規定（筆者注 贈与税の配偶者控除）の適用に当たってはこれを認めるものとする。」）からも明らかなものであると考えられます。

すなわち、この優先法に基づく取扱いは、民法上の共有概念の例外規定として特別に納税者に配慮して設けられたその適用を贈与税の配偶者控除に限定した（換言すれば、他の項目に係る課税関係にはその影響が波及しない）特例措置であるということができます。

そうすると、店舗兼住宅等に対する共有持分の贈与がなされその申告においていわゆる優先法が適用された後における各共有者の有する各共有持分に係る所有概念について、質疑 の事例に掲げるような 考え方 を採用して、上記に掲げる 表 のとおりに考えることは、やはり失当であるものといわざるを得ません。

質疑 の事例における上記の取扱いを図示すると、下記のとおりになります。

図解　(ア) 優先法の適用による贈与税の配偶者控除の適用上における贈与概念

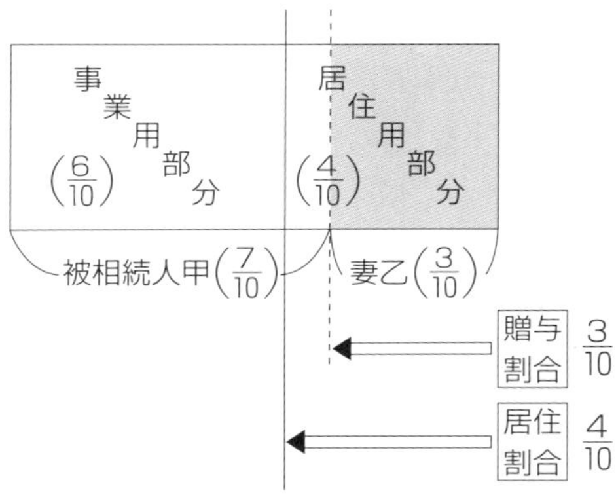


(イ) 贈与（贈与税の配偶者控除適用）後における所有形態概念（民法上の考え方を基調）

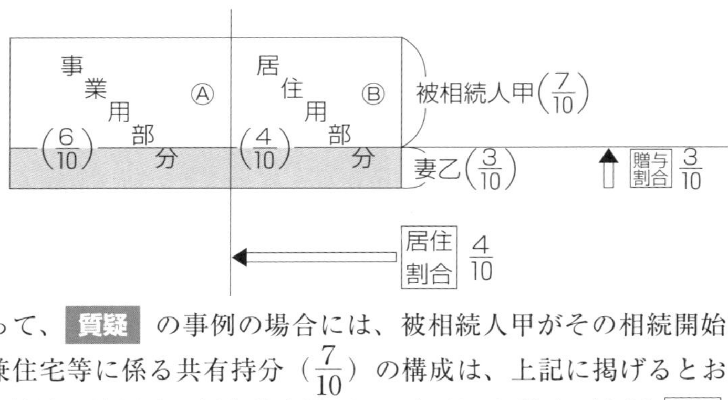


したがって、質疑 の事例の場合には、被相続人甲がその相続開始時において有する当該店舗兼住宅等に係る共有持分（$\frac{7}{10}$）の構成は、上記に掲げるとおり、たとえ、贈与税の配偶者控除の適用時に優先法を適用して処理した場合（上記 図解 (ア)に該当）であっても、当該贈与申告に係る適用とは無関係に民法上の共有持分の考え方を基調とした所有形態概念（上記 図解 (イ)に該当）によることになります。

これに基づいて、被相続人甲が相続開始時に有する土地の共有持分に係る面積区分の計算を示すと下記のとおりです。

面積区分の計算　被相続人甲が所有する土地の共有持分の構成

(X)　店舗部分に対応する地積

$$600㎡ \times \left( \frac{7}{10} \times \frac{6}{10} \right) = 252㎡$$

（宅地全体の面積）（被相続人甲の共有持分）（店舗部分の割合）

(Y)　住宅部分に対応する地積

$$600㎡ \times \left( \frac{7}{10} \times \frac{4}{10} \right) = 168㎡$$

（宅地全体の面積）（被相続人甲の共有持分）（住宅部分の割合）

なお、上記の取扱いを確認するものとして、措置法通達69の４－９《店舗兼住宅等の敷地の持分の贈与について贈与税の配偶者控除等の適用を受けたものの居住の用に供されていた部分の範囲》に、要旨、「小規模宅地等の課税特例の規定の適用がある店舗兼住宅等の敷地の用に供されていた宅地等で相続の開始の年の前年以前に被相続人からのその持分の贈与につき相続税法第21条の６《贈与税の配偶者控除》の規定による贈与税の配偶者控除の適用を受けたもの（相続税法基本通達21の６－３《店舗兼住宅等の持分の贈与があった場合の居住用部分の判定》のただし書の取扱い（筆者注 上記に掲げる優先法を指します。）を適用して贈与税の申告があったものに限ります。）であっても、小規模宅地等の課税特例に規定する被相続人等の居住の用に供されていた部分の判定は、当該相続の開始の直前における現況によって行うのであるから留意する。」と定められています。

(5)　小規模宅地等の課税特例の適用と 質疑 の事例における相続税の課税価格算入額

本項目は、平成25年度の税法改正（施行日：平成27年１月１日）によりその取扱いが改められた部分であり、課税時期が平成27年１月１日以後に到来した場合（ 質疑 の本題の場合）と課税時期が平成26年12月31日以前に到来した場合（ 質疑 の 類題 の場合）とでは、下記に区分して掲げるとおり、その取扱いに相当の差異が認められます。

## Ⓐ 課税時期が平成27年１月１日以後に到来した場合の取扱い（ 質疑 の本題の場合）

❶　小規模宅地等の課税特例の適用

質疑 の事例の店舗兼住宅等の敷地の用に供されている宅地は、個人が相続又は遺贈により取得した財産のうちに、当該相続の開始の直前において、当該相続若しくは遺贈に係る被相続人又は当該被相続人と生計を一にしていた当該被相続人の親族（以下「被相続人等」といいます。）の事業の用又は居住の用に供されていた宅地等（土地又は土地の上に存する権利をいいます。）で一定の建物の敷地の用に供されているものに該当することから、限度面積要件を充足する等一定の要件のもとに、小規模宅地等の課税特例の対象とされます。

この小規模宅地等について、相続税の課税価格に算入すべき金額は、当該小規模宅地等の価額に次に掲げる小規模宅地等の区分に応じて、それぞれ規定する割合を乗じて計算した金額となります。

| 番 | 小規模宅地等の区分 | 課税価格算入割合 | 限度面積（最大） |
|---|---|---|---|
| ① | 特定事業用宅地等である小規模宅地等 | 20% | 400㎡ |
| ② | 特定居住用宅地等である小規模宅地等 | 20% | 330㎡ |
| ③ | 特定同族会社事業用宅地等である小規模宅地等 | 20% | 400㎡ |
| ④ | 貸付事業用宅地等である小規模宅地等 | 50% | 200㎡ |

そうすると、**質疑** の事例の場合には、被相続人甲がその相続開始時において有する当該店舗兼住宅等に係る共有持分（$\frac{7}{10}$）に対して適用される小規模宅地等の課税特例に係る適用面積（600㎡（全体の面積）×$\frac{7}{10}$（共有持分）＝420㎡）の選択は、下記により計算（注）することになります。

（注）　相続又は遺贈により財産を取得した者に係る小規模宅地等の課税特例の対象とする選択特例対象宅地等が『特定事業用等宅地等』（特定事業用宅地等及び特定同族会社事業用宅地等をいいます。）及び『特定居住用宅地等』のみから成る場合には、それぞれの適用対象面積の上限（特定事業用等宅地等400㎡、特定居住用宅地等330㎡）まで（最大730㎡）の完全併用適用が可能とされています。
　したがって、**質疑** の事例の場合には、次に掲げるとおり、被相続人甲の共有持分に対応する土地の面積（420㎡）のすべてが小規模宅地等の課税特例の適用対象地となります。

**計算**　小規模宅地等の課税特例に係る適用面積の選択

(X)　店舗（特定事業用宅地等）部分に対応する面積

Ⓧ　252㎡（(4) **面積区分の計算** (X)より）

Ⓨ　400㎡（特定事業用宅地等に係る限度面積）

Ⓩ　Ⓧ≦Ⓨ　∴Ⓧ（252㎡）（いずれか少ない方）

(Y)　住宅（特定居住用宅地等）部分に対応する面積

Ⓧ　168㎡（(4) **面積区分の計算** (Y)より）

Ⓨ　330㎡（特定居住用宅地等に係る限度面積）

Ⓩ　Ⓧ≦Ⓨ　∴Ⓧ（168㎡）（いずれか少ない方）

❷ **質疑** の事例における相続税の課税価格算入額

上記に掲げる取扱いに基づいて、被相続人甲の相続開始時における当該店舗兼住宅等に係る共有持分（$\frac{7}{10}$）について、相続税の課税価格に算入すべき金額を計算すると下記のとおりになります。

①　家屋

45,000千円（全体の評価額）× $\frac{7}{10}$（被相続人甲の持分）＝ 31,500千円（相続税の課税価格算入額）

②　宅地

(イ)　相続税評価額（小規模宅地等の課税特例適用前の評価額）

120,000千円（全体の評価額）× $\frac{7}{10}$（被相続人甲の持分）＝84,000千円

(ロ)　小規模宅地等の課税特例の適用による減額金額

㋑　店舗（特定事業用宅地等）部分に対応する減額金額

$$84{,}000\text{千円}\ (\text{上記(イ)の金額}) \times \frac{252\text{㎡}(\text{店舗部分の面積：上記❶\fbox{計算}(X)より})}{600\text{㎡}\times\frac{7}{10}\ (\text{被相続人甲の持分に対応する面積})} \times 80\%\ (\text{減額率}) = 40{,}320\text{千円}$$

㋺　住宅（特定居住用宅地等）部分に対応する減額金額

$$84{,}000\text{千円}\ (\text{上記(イ)の金額}) \times \frac{168\text{㎡}(\text{住宅部分の面積：上記❶\fbox{計算}(Y)より})}{600\text{㎡}\times\frac{7}{10}\ (\text{被相続人甲の持分に対応する面積})} \times 80\%\ (\text{減額率}) = 26{,}880\text{千円}$$

㋩　合計

㋑＋㋺＝67,200千円

(ハ)　相続税の課税価格算入額

(イ)－(ロ)＝16,800千円

## Ⓑ 課税時期が平成26年12月31日以前に到来した場合（質疑 の 類題 の場合）

❶　小規模宅地等の課税特例の適用

質疑 の事例の店舗兼住宅等の敷地の用に供されている宅地は、個人が相続又は遺贈により取得した財産のうちに、当該相続の開始の直前において、当該相続若しくは遺贈に係る被相続人又は当該被相続人と生計を一にしていた当該被相続人の親族（以下「被相続人等」といいます。）の事業の用又は居住の用に供されていた宅地等（土地又は土地の上に存する権利をいいます。）で一定の建物の敷地の用に供されているものに該当することから、限度面積要件を充足する等一定の要件のもとに、小規模宅地等の課税特例の対象とされます。

この小規模宅地等について、相続税の課税価格に算入すべき金額は、当該小規模宅地等の価額に次に掲げる小規模宅地等の区分に応じて、それぞれ規定する割合を乗じて計算した金額となります。

| 番 | 小規模宅地等の区分 | 課税価格算入割合 | 限度面積（最大） |
|---|---|---|---|
| ① | 特定事業用宅地等である小規模宅地等 | 20% | 400㎡ |
| ② | 特定居住用宅地等である小規模宅地等 | 20% | 240㎡ |
| ③ | 特定同族会社事業用宅地等である小規模宅地等 | 20% | 400㎡ |
| ④ | 貸付事業用宅地等である小規模宅地等 | 50% | 200㎡ |

そうすると、質疑 の事例の場合には、被相続人甲がその相続開始時において有する当該店舗兼住宅等に係る共有持分（$\frac{7}{10}$）に対して適用される小規模宅地等の課税特例に係る適用面積の選択は、下記により計算（注）することになります。

（注）　相続税の課税価格への算入額が最少額となるように、小規模宅地等の課税特例の選択は適用単価が同一（いずれも自用地）であることから限度面積がより大きい特定事業用宅地等から優先して適用しています。

計算　小規模宅地等の課税特例に係る適用面積の選択

(X)　店舗（特定事業用宅地等）部分に対応する面積

Ⓧ　252㎡（(4) 面積区分の計算 (X)より）

Ⓨ　400㎡（特定事業用宅地等に係る限度面積）

Ⓩ　Ⓧ≦Ⓨ　∴Ⓧ（252㎡）（いずれか少ない方）

(Y)　住宅（特定居住用宅地等）部分に対応する面積

Ⓧ　168㎡（(4) 面積区分の計算 (Y)より）

Ⓨ　$252㎡ + x㎡ \times \frac{5}{3} + 0㎡ \times 2 = 400㎡$

$x㎡ = 88.8㎡$

Ⓩ　Ⓧ＞Ⓨ　∴Ⓨ（88.8㎡）（いずれか少ない方）

❷　**質疑** の事例における相続税の課税価格算入額

上記に掲げるの取扱いに基づいて、被相続人甲の相続開始時における当該店舗兼住宅等に係る共有持分（$\frac{7}{10}$）について、相続税の課税価格に算入すべき金額を計算すると下記のとおりになります。

①　家屋

$45,000千円 \times \frac{7}{10} = 31,500千円$

（全体の評価額）（被相続人甲の持分）（相続税の課税価格算入額）

②　宅地

(イ)　相続税評価額（小規模宅地等の課税特例の適用前の評価額）

$120,000千円 \times \frac{7}{10} = 84,000千円$

（全体の評価額）（被相続人甲の持分）

(ロ)　小規模宅地等の課税特例の適用による減額金額

㋑　店舗（特定事業用宅地等）部分に対応する減額金額

$84,000千円 \times \frac{252㎡（店舗部分の面積：上記❶ 計算 (X)より）}{600㎡ \times \frac{7}{10}（被相続人甲の持分に対応する面積）} \times 80\% = 40,320千円$

（上記(イ)の金額）（減額率）

㋺　住宅（特定居住用宅地等）部分に対応する減額金額

$84,000千円 \times \frac{88.8㎡（住宅部分の面積：上記❶ 計算 (Y)より）}{600㎡ \times \frac{7}{10}（被相続人甲の持分に対応する面積）} \times 80\% = 14,208千円$

（上記(イ)の金額）（減額率）

㋩　合計

㋑＋㋺＝54,528千円

(ハ)　相続税の課税価格算入額

(イ)－(ロ)＝29,472千円

## ㈤㈧　個人の事業用資産についての納税猶予及び免除の適用がある場合における特定居住用宅地等に対する小規模宅地等の課税特例の適用

**質疑**　被相続人甲に相続の開始がありました。同人の相続財産のうちには次に掲げる３か所の宅地等があり、これらの宅地等に関する資料は、下表のとおりでした。

| 区　分 | 面　積 | 取得者 | 備　考 |
|---|---|---|---|
| Ｘ宅地 | 240㎡ | 長男Ａ | 被相続人甲が20年前から経営している雑貨店（被相続人甲所有で、長男Ａが取得）の敷地の用に供されていた宅地である。<br>長男Ａは適用要件を充足していることから、個人の事業用資産についての相続税の納税猶予及び免除の規定を受ける予定である。 |
| Ｙ宅地 | 165㎡ | 配偶者乙 | 被相続人甲及び配偶者乙が居住の用に供用している家屋（被相続人甲所有で、配偶者乙が取得）の敷地の用に供されていた宅地である。<br>配偶者乙は、特定居住用宅地等として、小規模宅地等の課税特例の適用を受けたいと考えている。 |
| Ｚ土地 | 50㎡ | 長女Ｂ | 被相続人甲が10年前から経営している月極駐車場（アスファルト舗装施工済）の敷地の用に供されていた土地（雑種地）である。<br>長女Ｂは相続税の申告期限までに月極駐車場の経営を承継し、今後も末長くＺ土地を所有し経営を継続する予定である。<br>長女Ｂは、貸付事業用宅地等として、小規模宅地等の課税特例の適用を受けたいと考えている。 |

上記のような状況において、長男Ａが『相続税の納税猶予及び免除』の規定の適用を受けた場合に、配偶者乙又は長女Ｂがそれぞれ適用を希望している『小規模宅地等の課税特例』の規定の適用関係について説明してください。なお、両規定の重複適用の可否に関する論点以外の両規定に係る適用要件は、すべて充足しているものとします。

**応答**

⑴　個人の事業用資産の納税猶予制度（概要）

令和元年度の税法改正において、新たに個人の事業用資産についての納税猶予及び免除の規定が設けられました。その概要は、次のとおりとされています。

概要　青色申告（正規の簿記の原則によるものに限ります。）に係る事業（不動産貸付業等を除きます。）を行っていた事業者の後継者（注１）として中小企業における経営の承継の円滑化に関する法律の認定を受けた者が、平成31年１月１日から令和10年12月31日まで（注２）の贈与又は相続等により、特定事業用資産を取得した場合には、次に掲げる取扱いが適用されることになります。

①　その青色申告に係る事業の継続等、一定の要件のもと、その特定事業用資産に係る贈与税・相続税の全額の納税が猶予されます。

②　後継者の死亡等、一定の事由により、納税が猶予されている贈与税・相続税の納税が免除されます。

(注１)　平成31年４月１日から令和６年３月31日までに「個人事業承継計画」を都道府県知事に提出し、確認を受けた者に限ります。

(注２)　先代事業者の生計一親族からの特定事業用資産の贈与・相続等については、上記の期間内で、先代事業者からの贈与・相続等の日から１年を経過する日までにされたものに限ります。

この制度の対象となる「特定事業用資産」とは、先代事業者（贈与者・被相続人）の事業の用に供されていた次の資産で、贈与又は相続等の日の属する年の前年分の事業所得に係る青色申告書の貸借対照表に計上されていたものをいいます。

①　宅地等（400㎡まで）

②　建物（床面積800㎡まで）

③　②以外の減価償却資産で次のもの

(イ)　固定資産税の課税対象とされているもの

(ロ)　自動車税・軽自動車税の営業用の課税標準が適用されるもの（注）

注　令和３年度の税法改正によって、個人事業者の事業用資産に係る相続税・贈与税の納税猶予制度について、適用対象となる特定事業用資産の範囲に、被相続人又は贈与者の事業の用に供されていた乗用自動車で青色申告書に添付されている貸借対照表に計上されているもの（取得価額500万円以下の部分に対応する部分に限られます。）が加えられることになりました。

(ハ)　その他一定のもの（貨物運送用など一定の自動車、乳牛・果樹等の生物、特許権等の無形固定資産）

(注１)　先代事業者が、配偶者の所有する土地の上に建物を建て、事業を行っている場合における土地など、先代事業者と生計を一にする親族が所有する上記①から③までの資産も、特定事業用資産に該当します。

(注２)　後継者が複数人の場合には、上記①及び②の面積は、各後継者が取得した面積の合計で判定します。

(注３)　先代事業者からの相続等により取得した宅地等につき、小規模宅地等の課税特例の適用を受ける者がいる場合には、一定の制限があります。（下記(2)を参照）

(2)　両規定の重複適用関係

①　特定事業用宅地等である小規模宅地等に対する重複適用関係

(イ)　取扱い

被相続人が次に掲げる者のいずれかに該当する場合には、当該被相続人から相続又は遺贈により取得（注）したすべての『特定事業用宅地等』については、小規模宅地等の課税特例の適用対象にならないものとされています。

㋑　措置法第70条の６の８《個人の事業用資産についての贈与税の納税猶予及び免除》の規定の適用を受けた特例事業受贈者に係る贈与者

㋺　措置法第70条の６の10《個人の事業用資産についての相続税の納税猶予及び免除》の規定の適用を受ける特例事業相続人等に係る被相続人

（注）　上記の『取得』には、措置法第70条の６の９《個人の事業用資産の贈与者が死亡した場合の相続税の課税の特例》第１項（同条第２項の規定により読み替えて適用する場合も含みます。）の規定により、相続又は遺贈により取得したものとみなされる場合における当該取得を含むものとされています。

(ロ)　留意点

被相続人からの相続又は遺贈により特定事業用宅地等を取得した者自身が個人の事業用資産の相続税の納税猶予の適用を受けない場合であっても、その者又はその者以外の者が次の㋑又は㋺に掲げるものに該当するときには、当該被相続人は、上記(イ)の㋑又は㋺に掲げる者に該当することになります。

㋑　当該取得した者以外の者が個人の事業用資産の相続税の納税猶予の適用（注）を受けるとき

㋺　当該取得した者又はその者以外の者が既に被相続人からの贈与により取得した財産について個人の事業用資産の贈与税の納税猶予（措置法第70条の６の８《個人の事業用資産についての贈与税の納税猶予及び免除》の規定をいいます。）の適用（注）を受けていたとき

（注）　上記㋑及び㋺に掲げる個人の事業用資産の相続税・贈与税の納税猶予の適用については、建物及び減価償却資産など特定事業用宅地等に該当しない特定事業用資産（措置法第70条の６の10《個人の事業用資産についての相続税の納税猶予及び免除》第２項第１号又は第70条の６の８第２項第１号に規定する特定事業用資産をいいます。）についてのみ適用を受けていた場合であっても、同制度の適用を受けていたものとして取り扱われます。

したがって、上記の場合には、当該被相続人から相続又は遺贈により取得したすべての特定事業用宅地等について、小規模宅地等の課税特例の適用対象となりません。

②　特定事業用宅地等以外の特例対象宅地等に対する重複適用関係

(イ)　取扱い

上記①に掲げるとおり、個人の事業用資産についての相続税・贈与税の納税猶予及び免除の規定の適用を受ける場合には、特定事業用宅地等を小規模宅地等の課税特例の適用対象とすることは認められていません。

そうすると、下記に掲げる小規模宅地等の区分（特例対象宅地等）については、上記に掲げる個人の事業用資産についての相続税・贈与税の納税猶予及び免除の規定との重複適用が認められないとされる規定の適用はないことから、被相続人が上記(2)①(イ)㋑又は㋺に掲げる者に該当する場合であっても、これらの宅地等については、他の要件を満たすときには小規模宅地等の課税特例の適用対象とすることが認められています。

㋑　特定居住用宅地等

㋺　特定同族会社事業用宅地等

㋩　貸付事業用宅地等

(ロ)　留意点

上記(イ)の後段の取扱いに関しては、下記に掲げる小規模宅地等の区分（特例対象宅地等）に応じて、個人の事業用資産についての相続税の納税猶予及び免除の対象とされる特定事業用資産である宅地等の面積との間で一定の調整（限度面積計算）に関する規定が設けられています。

㋑　『特定居住用宅地等』のみを選択特例対象宅地等とした場合

特定事業用資産である宅地等に対する適用面積（上限面積400㎡）にかかわらず、当該特定居住用宅地等の面積（上限面積330㎡）まで、小規模宅地等の課税特例を受けることが認められます。

すなわち、個人の事業用資産についての納税猶予及び免除の規定と特定居住用宅地等のみを選択特例対象宅地等とする小規模宅地等の課税特例の規定とは、両者の完全併用が認められるものとされています。

㋺　上記㋑以外の場合

上記㋑以外の場合として、次に掲げる組み合わせが考えられます。

(A)　『特定同族会社事業用宅地等』のみを選択特例対象宅地等とする場合

(B)　『貸付事業用宅地等』のみを選択特例対象宅地等とする場合

(C)　『特定居住用宅地等』、『特定同族会社事業用宅地等』又は『貸付事業用宅地等』のうちから複数を組み合わせて選択特例対象宅地等とする場合

**(注)**　特定居住用宅地等のみを選択特例対象宅地等とした場合には上記㋑の取扱いが適用されますが、特定居住用宅地等と他の特例対象宅地等（特定事業用宅地等を除きます。）を選択特例対象宅地等とした場合には、この(C)に該当することに留意する必要があります。

上記(A)ないし(C)に該当する場合には、特定事業用資産である宅地等に対する適用面積と小規模宅地等の課税特例の対象とする適用面積との間には、下記に掲げる算式を充足する必要があります。

算式　$A \times \frac{400㎡}{330㎡} + B + C \times \frac{400㎡}{200㎡} + D \leqq 400㎡$

A：特定居住用宅地等である選択特例対象宅地等の面積

B：特定同族会社事業用宅地等である選択特例対象宅地等の面積

C：貸付事業用宅地等である選択特例対象宅地等の面積

D：特例事業用資産（注）である宅地等の面積

**(注)**　特例事業用資産とは、特定事業用資産のうち、相続税の申告書に相続税の納税猶予の適用を受けようとする旨の記載があるものをいいます。

(3)　**質疑**　の場合

上記(2)の取扱いより、**質疑**　の場合には、貸付事業用宅地等の適用要件を充足するＺ土地を選択特例対象宅地等として、小規模宅地等の課税特例の適用対象とするか否かの区分の別に次に掲げるとおりとなります。

①　Ｚ土地（貸付事業用宅地等）を選択特例対象宅地等としなかった場合

上記(2)②(ロ)㋑より、特定居住用宅地等であるＹ宅地のみを選択特例対象宅地等とした場

合には、特定事業用資産である宅地等に対する適用面積（上限面積400㎡）にかかわらず、当該特定居住用宅地等の面積（上限面積330㎡）まで、小規模宅地等の課税特例を受けることが認められます。

したがって、**質疑**の場合でＺ土地（貸付事業用宅地等に該当）を選択特例対象宅地等としないで、Ｙ宅地（特定居住用宅地）のみを選択特例対象宅地等としたときにおける同土地に対する小規模宅地等の課税特例の適用上限面積は、下記算式により求められた165㎡となります。

（算式）　165㎡（Ｙ宅地の面積）≦330㎡（特定居住用宅地等の適用上限面積）
∴165㎡（いずれか少ない方）

②　Ｚ土地（貸付事業用宅地等）を選択特例対象宅地等とした場合

上記⑵②(ロ)㋺より、貸付事業用宅地等であるＺ土地を選択特例対象宅地等とした場合には、特定事業用資産である宅地等に対する適用面積と小規模宅地等の課税特例の対象とする適用面積との間において、同欄に掲げる算式に示すとおりの調整が求められています。

したがって、**質疑**の場合でＺ土地（貸付事業用宅地等に該当）を優先的に選択特例対象宅地等とした場合における小規模宅地等の課税特例の適用面積は、下記計算のとおり、Ｚ土地（貸付事業用宅地等）が50㎡、Ｙ宅地（特定居住用宅地等）が49.5㎡となります。

（計算）

(イ)　400㎡（全体の換算面積）−240㎡（特定事業用資産である宅地等の面積）＝160㎡（小規模宅地等の課税特例に適用可能な面積（換算面積））

(ロ)
- ㋑　50㎡（Ｚ土地の面積）
- ㋺　160㎡（上記(イ)）$\times \frac{200㎡}{400㎡}$＝80㎡（貸付事業用宅地等とした場合の上限適用面積）
- ㋩　㋑＜㋺　∴50㎡（いずれか少ない方）⇨貸付事業用宅地等の適用面積

(ハ)
- ㋑　165㎡（Ｙ宅地の面積）
- ㋺　（160㎡（上記(イ)）−50㎡（上記(ロ)㋩）$\times \frac{400㎡}{200㎡}$）$\times \frac{330㎡}{400㎡}$＝49.5㎡（特定居住用宅地等とした場合の上限適用面積）
- ㋩　㋑＞㋺　∴49.5㎡（いずれか少ない方）⇨特定居住用宅地等の適用面積

**参考**　49.5㎡（特定居住用宅地等の面積）$\times \frac{400㎡}{330㎡}$ ＋ 50㎡（貸付事業用宅地等の面積）$\times \frac{400㎡}{200㎡}$ ＋ 240㎡（特例事業用資産である宅地等の面積）＝ 400㎡ ≦ 400㎡

## 〔４〕『特定同族会社事業用宅地等』に関する項目

### ⑴　被相続人等が特定同族会社の事業の用に供している宅地等を親族以外の者（自然人）が取得した場合の小規模宅地等の課税特例の可否

**質疑**

被相続人甲の相続財産のなかに、相続開始の直前において特定同族会社（物品販売業）である甲㈱の本社の用に供されている不動産（宅地及び建物）として相当な対価で継続的に貸し付けられているものがありました。

被相続人甲の遺言によると当該不動産は、長年、苦楽を共にして来た共同経営者（甲㈱の取締役）であるＡ氏（被相続人甲とは学生時代からの友人で親族関係はなし）に遺贈する旨の記載があり、Ａ氏も受遺の意思表示を示しており、今後もＡ氏が甲㈱の役員として当該不動産を活用して企業経営を継続していくつもり（相続税の申告期限までの所有継続及び法人の事業供用要件を充足）です。

上記の場合に、被相続人甲の友人で甲㈱の共同経営者であるＡ氏が遺贈により取得した甲㈱の本社用建物の敷地である宅地について、特定同族会社事業用宅地等に該当するものとして、小規模宅地等の課税特例の適用対象にすることは認められますか。

**応答**

現行の取扱いでは、小規模宅地等の課税特例の適用対象とされる小規模宅地等は、下記に掲げる４つの区分のいずれかに該当するものに限るものとされています。

⑴　特定事業用宅地等である小規模宅地等（課税価格算入割合20％、適用上限面積400㎡）

⑵　特定居住用宅地等である小規模宅地等（課税価格算入割合20％、適用上限面積330㎡）

⑶　特定同族会社事業用宅地等である小規模宅地等（課税価格算入割合20％、適用上限面積400㎡）

⑷　貸付事業用宅地等である小規模宅地等（課税価格算入割合50％、適用上限面積200㎡）

そして、上記⑶に掲げる特定同族会社事業用宅地等とは、平成22年４月１日以後に課税時期が到来したものから、その取扱いとして、「相続開始の直前に被相続人及び当該被相続人の親族その他当該被相続人と特別の関係がある者が有する株式の総数又は出資の総額が当該株式又は出資に係る法人の発行済株式の総数又は出資の総額の10分の５を超える法人（特定同族会社）の事業の用に供されていた宅地等で、当該宅地等を相続又は遺贈により取得した当該被相続人の親族（相続税の申告期限において当該法人の役員（清算人を除きます。）である者に限られます。）が相続開始時から申告期限まで引き続き有し、かつ、申告期限まで引き続き当該法人の事業の用に供されているものをいう。」とされています。

すなわち、特定同族会社事業用宅地等に該当するためには、当該特定同族会社の事業の用に供されていた宅地等を取得した者が当該被相続人の親族（上記＿＿部分）(注) であることが必要とされています。

（注）　小規模宅地等の課税特例の規定において『親族』の定義は固有概念として規定されていないことから、当該親族の範囲につき、民法第725条《親族の範囲》の規定（親族とは、①６親等内の血族、②配偶者、③３親等内の姻族をいいます。）を借用概念として適用することが相当であると考えられます。

そうすると、**質疑**の事例の場合には、被相続人甲から特定同族会社の本社用建物の敷地として事業の用に供されている宅地を遺贈により取得したＡ氏は、被相続人甲との親族関係が認められないことから、たとえ、Ａ氏が役員として相続税の申告期限まで所有を継続し、かつ、当該特定同族会社の事業の用に供していたとしても、小規模宅地等の課税特例の適用対象とすることは認められないことになります。

### ⑵　特定同族会社事業用宅地等に該当するか否かの判定（持株割合（保有議決権割合）の判定時期）

**質疑**

被相続人甲は自己の所有する宅地及び当該宅地上に存する建物を相当な対価を得て甲㈱（食料品の小売業）に対し、同社の営業所の用に供する目的で旧来より貸付けを行っていましたが、被相続人甲の死亡により配偶者乙が相続し、その後引き続き同社に対して貸付けの用に供しています。

甲㈱の被相続人甲に係る相続開始直前と遺産分割（遺言執行）後における株主の態様等は次のとおりです。

| 株　主 | 甲との親族関係等 | 相続開始直前 | 異動内容 | 異動後 | 甲㈱の役職 | 備　考 |
|---|---|---|---|---|---|---|
| 被相続人甲 | ―― | 140株 | ▲140株 | 0株 | 取締役 | |
| 配偶者乙 | 甲の配偶者 | 20株 | ＋60株 | 80株 | 取締役 | 宅地等を相続により取得 |
| 甲の友人A | 特殊関係無 | 30株 | ＋30株 | 60株 | 取締役 | |
| 甲の友人B | 特殊関係無 | 10株 | ＋50株 | 60株 | 監査役 | |
| （合　計） | | (200株) | (±0株) | (200株) | | |

（注）　甲の友人A及びB相互間に特殊関係はありません。

この場合、特定同族会社事業用宅地等に該当するか否かの判定要件である持株割合（保有議決権割合）の判定は、相続開始直前の状況で行うこととなりますか。それとも分割後の状況により行うこととなりますか。

なお、甲㈱の株式はすべて、１株につき１個の議決権が付与されており、議決権に制限のある株式は発行されていません。

**応答**

被相続人が特定同族会社事業用宅地等を有する場合の小規模宅地等の課税特例の適用による減額割合は80％となりますが、その要件の１つとして、被相続人及び当該被相続人の親族その他当該被相続人と一定の特別の関係がある者で当該宅地等の貸付先の同族会社の株式又は出資の50％超を保有することが要件とされています。

（注）　上記の出資要件については、平成15年度の税法改正において留意すべき重要な改正があった部分です。（この改正点の確認として、〔９〕の(4)の質疑応答を参照）

上記の場合には、この割合を相続開始直前の状況で判定しますと80％$\left(\frac{140株+20株}{200株}\right)$となりますが、分割後の状況で判定しますと40％$\left(\frac{0株+80株}{200株}\right)$となり、分割後においては上記の割合要件を充足しないこととなり、特定同族会社事業用宅地等には該当しないのではという疑義が生じます。

しかしながら、この株式又は出資の保有議決権割合の判定は、相続開始直前における株主の状況により判定すればこと足り、その後における状況（遺産分割の内容や承継した株式のその後における譲渡等）はこれを一切加味する必要はありません。

また、この保有議決権割合の計算は相続開始の直前において被相続人及び当該被相続人の親族その他当該被相続人と一定の特別の関係がある者の株式又は出資の保有割合の合計で全体の50％超であればよいこととされていますので、極端な例ですが、被相続人の保有割合が０％でも当該被相続人の親族のみで50％超保有している場合にはこの割合要件を充足することとなります。（例えば、本問の事例で、甲㈱の相続開始直前における株式の保有状況が配偶者乙が160株、甲の友人Ａ及びＢの２名で40株を所有している場合等がこれに該当します。）

そうすると、上記 **質疑** の場合は、相続開始直前における株式保有割合が80％であり（50％超）、かつ、他の要件も充足していますので、配偶者乙が取得した宅地等は特定同族会社事業用宅地等として80％減額の対象とすることができます。

（注１）　株式保有割合（保有議決権割合）を計算する場合には、会社の株主名簿に記載されている株主により判定するのではなく「真実の株主」を対象として行う必要があることに留意してください。（一般的に、同族会社の株主（株式）の中には、名義貸与株主（株式）や既に相続が開始しており現に存していない株主が存する場合も数多くありますので注意が必要です。）

（注２）　上記の株式又は出資の保有割合（保有議決権割合）の判定については、議決権に制限のある株式又は出資として相続開始の時において下記に該当するものは、これを含めないで判定するものとされています。

(1)　株式（発行済株式）

①　会社法第108条《異なる種類の株式》第１項第３号に掲げる事項（株主総会において議決権を行使することができる事項）の全部について制限のある株式

②　会社法第105条《株主の権利》第１項第３号に掲げる議決権（株主総会における議決権）の全部について制限のある株主が有する株式

③　会社法第308条《議決権の数》第１項又は第２項の規定により議決権を有しないものとされる者（第１項⇒単元未満株式の所有者、第２項⇒自己株式の所有者）が有する株式

④　①から③以外に掲げる株式以外の株式で議決権のない株式

(2)　出資（出資金額）

上記(1)に掲げる株式に準ずる出資

### ⑶　特定同族会社事業用宅地等に該当するか否かの判定（宅地等を取得する者の要件）

**質疑**

⑵の **質疑** における設定条件と同一の条件において、被相続人甲の所有する甲㈱に対する貸付用不動産を相続により承継した者が次男Ｂ（被相続人甲とは生計は別です。なお、甲㈱の取締役ではありますが同社の株式は一切保有していません。）であった場合には、当該宅地等は特定同族会社事業用宅地等に該当することとなりますか。

**応答**

被相続人の所有する宅地等が特定同族会社事業用宅地等に該当するための要件は、第１章第２節〔４〕の⑶（66ページ）のとおりですが、これを要約しますと次のとおりとなります。

（出資要件）相続開始の直前に被相続人及び当該被相続人の親族その他当該被相続人と一定の特別の関係がある者が当該同族会社の株式又は出資の50％超を保有

（役員要件）当該宅地等の承継者が相続税の申告期限までに法人税法に規定する役員に就任

（所有要件）当該宅地等の承継者が相続税の申告期限まで引き続き当該宅地等を所有

（事業供用要件）当該宅地等を相続税の申告期限まで引き続き当該法人の事業の用に供用

そうしますと、特定同族会社事業用宅地等に該当するか否かの判断要件として、被相続人の所有していた宅地等を承継した当該被相続人の親族について、

⑴　当該親族が被相続人と生計を一にしていたか否か

⑵　当該親族が当該宅地等を事業の用に供している一定の同族会社の株式又は出資を保有しているか否か（又は相続等により当該株式又は出資を承継したか否か）

というような事項はその基準として掲げられていません。

したがって、本問の場合には、次男Ｂが取得した宅地等は『特定同族会社事業用宅地等』に該当し、80％減額の対象とすることができます。

### ⑷　相続税の申告期限までに宅地等を取得した親族が死亡した場合における特定同族会社事業用宅地等の取扱い

**質疑**

被相続人甲は、本年８月に相続の開始がありました。同人の所有する不動産（家屋及びその敷地の用に供されている宅地）のうちには、下記に掲げるとおり、相続開始の直前において当該被相続人甲がその発行済株式総数のすべてを所有する甲㈱（小売業を営む特定同族会社）に貸し付けられているものがありました。

特定同族会社の事業の用に供用されていた宅地等

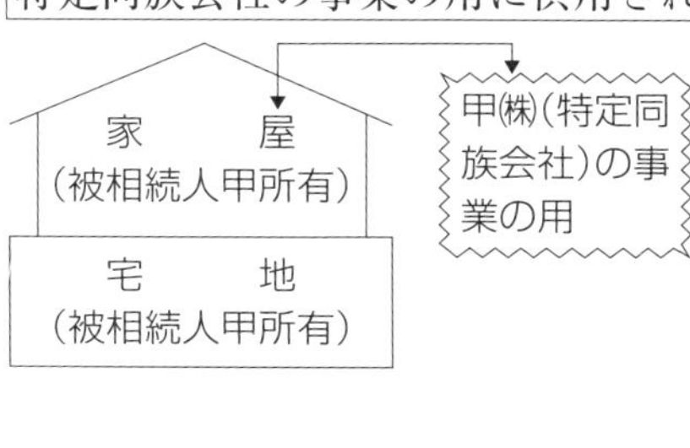


- 被相続人甲と甲㈱との間には、世間相場並みの適正な家賃が収受されています。
- 当該財産は、長男Ａ（甲㈱の取締役に就任）が遺産分割協議により取得し、甲㈱への貸付けが継続されています。

上記に掲げる状況において、長男Ａは遺産分割協議の完了後で被相続人甲に係る相続税の申告期限前である本年12月に死亡しました。

長男Ａに係る相続開始により当該不動産を取得した親族（長男Ａの子）は既に会社員として他社で就業しているため、甲㈱の経営には関心がなく、他に後継者も存在しないことから甲㈱は長男Ａに係る相続開始後は事業活動を停止（休業中）しています。そのため、当該不動産は長男Ａに係る相続開始後は何ら利用されることなく、放置されたままの状態でした。

このような場合、被相続人甲に係る相続税の申告について、被相続人甲が甲㈱に貸し付けていた家屋の敷地である宅地について、『特定同族会社事業用宅地等』に該当するものとして、小規模宅地等の課税特例の対象とすることは認められますか。

**応答**

被相続人の事業の用に供されていた宅地等が『特定同族会社事業用宅地等』の取扱いを受けるためには、当該宅地等を事業の用に供している法人及び当該宅地等を相続又は遺贈により取得した当該被相続人の親族が下記に掲げる要件を充足することが必要とされています。

①　法人に係る出資及び事業要件

相続開始の直前に被相続人及び当該被相続人の親族その他当該被相続人と一定の特別の関係がある者が有する株式又は出資の金額の合計額が当該株式又は出資に係る法人の発行済株式の総数又は出資金額の10分の５を超える法人（以下、『特定同族会社』といいます。）の事業（貸付事業を除きます。以下本問において同じ。）の用に供されていた宅地等であること

②　被相続人の親族の要件

相続税の申告期限（当該親族が相続税の申告期限前に死亡した場合にはその死亡の日。下記③及び④において同じ。）において、当該法人（当該相続税の申告期限において、清算中の法人を除きます。以下本問において同じ。）の法人税法第２条《定義》第15号に規定する役員（清算人を除きます。以下本問において同じ。）であること

③　所有継続の要件

相続開始時から相続税の申告期限まで引き続き当該宅地等を所有していること

④　事業供用の要件

当該宅地等を相続税の申告期限まで引き続き当該法人の事業の用に供していること

上記より、特定同族会社の事業の用に供されていた宅地等を一定の要件を充足する被相続人の親族が当該被相続人から相続又は遺贈により取得した場合においては、たとえ当該被相続人に係る相続税の申告期限（第１次相続に係る申告期限）までに当該宅地等を取得した親族に相続開始があったとき（第２次相続の開始）でも、当該第２次相続により当該宅地等を取得した親族に対して、別段の要件の充足を求めることなく、所有継続の要件及び事業供用の要件は、第１次相続により当該宅地等を取得した被相続人の親族に係る相続開始日までの

状況により判断するものとされていることが理解されます。（上記＿＿部分を参照）

このような取扱いとされたのは、当該宅地等が被相続人の所有時（旧来）から当該法人の事業の用に供されていたものであることから、一般的にはもう既に過去における相当の期間にわたる事業実績が認められ、あえて当該宅地等を取得した親族に第１次相続に係る相続税の申告期限までに相続開始があったとしても、当該第２次相続に係る親族に対する重ねての所有継続要件及び事業供用要件を求めなかったものと考えられます。

そうすると、**質疑**の事例の場合には、被相続人甲から宅地を相続により取得した長男Ａは、被相続人甲に係る第１次相続の申告期限までに相続開始があり、長男Ａに係る第２次相続により当該宅地等を相続により取得した親族（長男Ａの子）は、当該宅地等を未利用のままで放置しており結果として甲㈱の事業の用には供されていないとのことですが、当該事項自体は判断に影響するものではなく、上記に掲げる要件を充足するものと認められます。

また、上記②（被相続人の親族の要件）において、法人の要件について、その括弧書で「当該相続税の申告期限において、清算中の法人を除きます。」とされているところ、甲㈱は長男Ａに係る相続開始後は事業活動を停止（休業中）していることから、これに該当するのではという指摘が想定されますが、清算中の会社とは、解散に係る株主総会の特別決議はされたものの清算に関わる業務がすべて完了する前の状況（清算業務が継続中の状況）にあるものをいい、単なる休業中の会社は、これに該当しないものとされています。

以上より、**質疑**の宅地は『特定同族会社事業用宅地等』に該当することとなり、小規模宅地等の課税特例の対象とすることが認められることになります。

### ⑸　申告期限までに特定同族会社に貸し付けられていた事業用建物等を建て替えた場合の特定同族会社事業用宅地等の取扱い

**質疑**　本年２月に被相続人甲が死亡し、同人の相続財産である事業用資産（特定同族会社（飲食店業を営む甲㈱）に貸し付けられている建物及びその敷地の用に供されている宅地）は、長男Ａ（甲㈱の役員）が相続により承継しました。

当該相続により承継した貸付用の建物は相当の老朽化が認められたために、相続税の申告期限までに取り壊して建替工事に着手することになりました。そのため、旧建物（取り壊された建物）の賃貸借契約は取り壊し直前（相続税の申告期限前）に甲㈱との間で合意解除されました。

また、相続税の申告期限後に完成した建替工事後の新建物（建築に必要な通常の期間内に完成）についても、当該建物の所有者である長男Ａと甲㈱との間で新たに賃貸借契約が締結されて、甲㈱の営む事業の用に供されています。

上記のような場合、相続税の申告期限まで特定同族会社たる甲㈱の事業の用に供されていることには該当せず、当該宅地については特定同族会社事業用宅地等としての小規模宅地等の課税特例（80％減額）の適用が受けられないことになりますか。

## 応答

相続開始の直前に被相続人及び当該被相続人の親族（注１）その他当該被相続人と一定の特別の関係がある者（注２）が有する株式の総数又は出資の金額の合計額が当該株式又は出資に係る法人（注３）の発行済株式の総数又は出資の総額（注４）の10分の５を超える法人の事業（貸付事業を除きます。）の用に供されていた宅地等で、当該宅地等を相続又は遺贈により取得した当該被相続人の親族（注５）が相続開始時から申告期限まで引き続き有し、かつ、申告期限まで引き続き当該法人の事業の用に供されているもの（注６）がある場合には、当該宅地等についてはこれを特定同族会社事業用宅地等に該当するものとして400㎡までの部分について80％の減額ができるものとされています。

（注１）『親族』の意義

『親族』は、借用概念として民法第725条《親族の範囲》に規定する親族をいうものと解されています。

参考　民法第725条《親族の範囲》

次に掲げる者は、親族とする。

一　６親等内の血族

二　配偶者

三　３親等内の姻族

（注２）『当該被相続人と一定の特別の関係がある者』の意義

『当該被相続人と一定の特別の関係がある者』とは、次に掲げる者とされています。

一　被相続人と婚姻の届出をしていないが事実上婚姻関係と同様の事情にある者

二　被相続人の使用人

三　被相続人の親族及び前二号に掲げる者以外の者で被相続人から受けた金銭その他の資産によって生計を維持しているもの

四　前三号に掲げる者と生計を一にする㊟これらの者の親族

五　次に掲げる法人

イ　被相続人（当該被相続人の親族及び当該被相続人に係る前各号に掲げる者を含む。以下この号において同じ。）が法人の発行済株式又は出資（当該法人が有する自己の株式又は出資を除く。）の総数又は総額（以下この号において「発行済株式総数等」という。）の10分の５を超える数又は金額の株式又は出資を有する場合における当該法人

ロ　被相続人及びこれとイの関係がある法人が他の法人の発行済株式総数等の10分の５を超える数又は金額の株式又は出資を有する場合における当該他の法人

ハ　被相続人及びこれとイ又はロの関係がある法人が他の法人の発行済株式総数等の10分の５を超える数又は金額の株式又は出資を有する場合における当該他の法人

㊟『生計を一にする』の意義

参考　所得税基本通達２－47《生計を一にするの意義》

法に規定する『生計を一にする』とは、必ずしも同一の家屋に起居していることをいうものではないから、次のような場合には、それぞれ次による。

⑴　勤務、修学、療養等の都合上他の親族と日常の起居を共にしていない親族がある場合であっても、次に掲げる場合に該当するときは、これらの親族は生計を一にするものとする。

イ　当該他の親族と日常の起居を共にしていない親族が、勤務、修学等の余暇には当該他の親族のもとで起居を共にすることを常例としている場合

ロ　これらの親族間において、常に生活費、学資金、療養費等の送金が行われている場合

⑵　親族が同一の家屋に起居している場合には、明らかに互いに独立した生活を営んでいると認められる場合を除き、これらの親族は生計を一にするものとする。

（注３）　除外される法人
相続税の申告期限において清算中の法人は除くものとされています。

（注４）『当該株式又は出資に係る法人の発行済株式の総数又は出資の総額』の意義
『当該株式又は出資に係る法人の発行済株式の総数又は出資の総額』については、議決権に制限のある株式又は出資として相続開始の時において下記に該当するものは、含まれないものとされています。

⑴　株式（発行済株式）
①　会社法第108条《異なる種類の株式》第１項第３号に掲げる事項（株主総会において議決権を行使することができる事項）の全部について制限のある株式
②　会社法第105条《株主の権利》第１項第３号に掲げる議決権（株主総会における議決権）の全部について制限のある株主が有する株式
③　会社法第308条《議決権の数》第１項又は第２項の規定により議決権を有しないものとされる者（第１項⇒単元未満株式の所有者、第２項⇒自己株式の所有者）が有する株式
④　①から③以外に掲げる株式以外の株式で議決権のない株式

⑵　出資（出資金額）
上記⑴に掲げる株式に準ずる出資

（注５）『当該被相続人の親族』の要件
当該親族は、相続税の申告期限において当該法人（特定同族会社）の法人税法第２条《定義》第15号に規定する役員（清算人を除きます。）である者とされています。

（注６）　当該宅地等を複数で取得した場合
当該宅地等を複数で共同相続（遺贈）により取得した場合には、上記に掲げる要件に該当する被相続人の親族が相続又は遺贈により取得した持分の割合に応ずる部分に限られています。

この取扱いを厳密に適用すると、**質疑**の事例のように特定同族会社に貸し付けられていた建物を相続税の申告期限までに建て替えた場合には、当該申告期限まで引き続いて法人の事業の用に供されていることにはなりませんので、特定同族会社事業用宅地等に該当しないのではないかという疑義が生じることとなります。

しかしながら、建物の建替えは事業の継続において必然的に生じるものであり、かつ、相続税の申告期限という一時点のみに着目して判断することはあまりにも形式的であると考えられるところです。

このような事情から、措置法通達69の４－19《申告期限までに事業用建物等を建て替えた場合》の取扱いが定められており、被相続人等の事業の用に供されていた建物等が相続開始の日から相続税の申告期限までの間に建替工事に着手されたときは、当該宅地等のうち事業承継親族により当該事業の用に供されると認められる部分については、当該申告期限においても当該親族の当該事業の用に供されているもの（特定事業用宅地等）として取り扱うものとするとされており、また、当該取扱いは、特定同族会社事業用宅地等に該当するか否かの判定に当たっても準用されるものとなっています。（この取扱いは、同通達の（注）書きにおいて定められています。）

したがって、**質疑**の事例のように相続税の申告期限後に建替工事が完成して新たに締結された賃貸者契約に基づいて特定同族会社に貸し付けられることとなった飲食店用建物の敷地の用に供されている宅地についても、『特定同族会社事業用宅地等』として小規模宅地

等の課税特例の適用（適用限度面積400㎡、減額割合80％）対象とすることが認められます。

### ⑹　特定同族会社事業用宅地等に該当するか否かの判定（宅地を取得した者と建物を取得した者が異なる場合の取扱い）

**質疑**　被相続人甲は、その所有する宅地上の建物（被相続人甲所有）を被相続人甲が発行済株式数の100％を所有する甲㈱（物品小売業）に相当な対価によって貸し付けていました。

被相続人甲に係る遺産分割協議の結果、上記の宅地及び建物の相続承継者及び当該不動産に係る賃借の態様が下図のとおりに定められました。

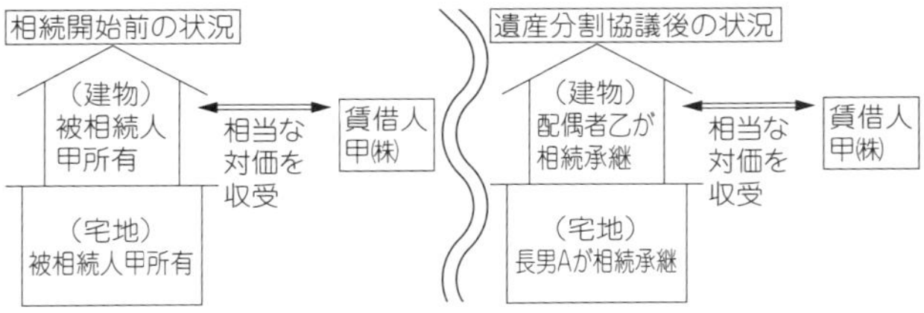


- 長男Aと配偶者乙の宅地の貸借は使用貸借契約
- 長男Aは甲㈱の役員に就任
- 長男Aと配偶者乙は、相続開始前から相続税の申告期限まで生計別

上記のような場合において、長男Aが相続により取得した宅地を特定同族会社事業用宅地等に該当するものとして取り扱うことができますか。

**応答**

特定同族会社事業用宅地等とは、「相続開始の直前に被相続人及び当該被相続人の親族その他当該被相続人と一定の特別の関係がある者が有する株式の総数又は出資の総額が当該株式又は出資に係る法人の発行済株式の総数又は出資の総額の10分の５を超える㈠法人の事業の用に供されていた宅地等で、当該宅地等を相続又は遺贈により取得した当該被相続人の親族（相続税の申告期限（当該親族が、相続税の申告期限前に死亡した場合には、その死亡の日。以下本問において同じ。）において法人税法に規定する役員である者に限る。）が相続開始時から申告期限まで引き続き有し、かつ、㈺申告期限まで引き続き当該法人の事業の用に供されているもの（政令で定める部分に限る。）をいう。」ものとされています。（措法69の４③三）

また、上記『㈠法人の事業の用に供されていた宅地等』の解釈として、措置法通達69の４−23《法人の事業の用に供されていた宅地等の範囲》⑵において、建物等が当該法人の事業の用に供されていたものであり、かつ、当該建物等の所有者が次に掲げるいずれかの者であることを必要としています。

①　被相続人が所有していた場合

②　被相続人と生計を一にしていたその被相続人の親族が所有していた場合（当該親族が当該建物等の敷地を被相続人から無償で借り受けていた場合における当該建物等に限る。）

そうすると、**質疑**の事例の場合には、相続開始直前の状況で判定すると特定同族会社事業用宅地等の要件を充足するものの、その後の遺産分割協議の成立によって、宅地を取得した長男Ａと建物を取得した配偶者乙とが生計を別にしていることから、上記②との関係において、上記「(ロ)申告期限まで引き続き当該法人の事業の用に供されている」との要件に抵触しているのではないかという疑念が生じることが考えられます。

しかしながら、上記(ロ)の解釈は、当該宅地が特定同族会社の事業の用に供されているという相続開始時の状態が相続税の申告期限まで継続していることが要求されているのであって、当該宅地等を相続等により取得した親族（ 質疑 の場合は、長男Ａ）の事業の用に供されていることを要求しているものではないと考えられます。

したがって、 質疑 の事例の場合には、配偶者乙が当該宅地を取得した長男Ａから使用貸借により借り受けて建物を所有しており、当該建物を相続税の申告期限まで引き続いて特定同族会社の事業の用に供していることから、長男Ａが取得した宅地は、たとえ、宅地を取得した者と建物を取得した者が異なっているとしても、『特定同族会社事業用宅地等』に該当し、80％減額の対象とすることができるものと考えられます。

### (7)　いわゆる持株会社を通じて同族会社の事業の用に供されている宅地等に対する『特定同族会社事業用宅地等』に該当するか否かの判定

**質疑**

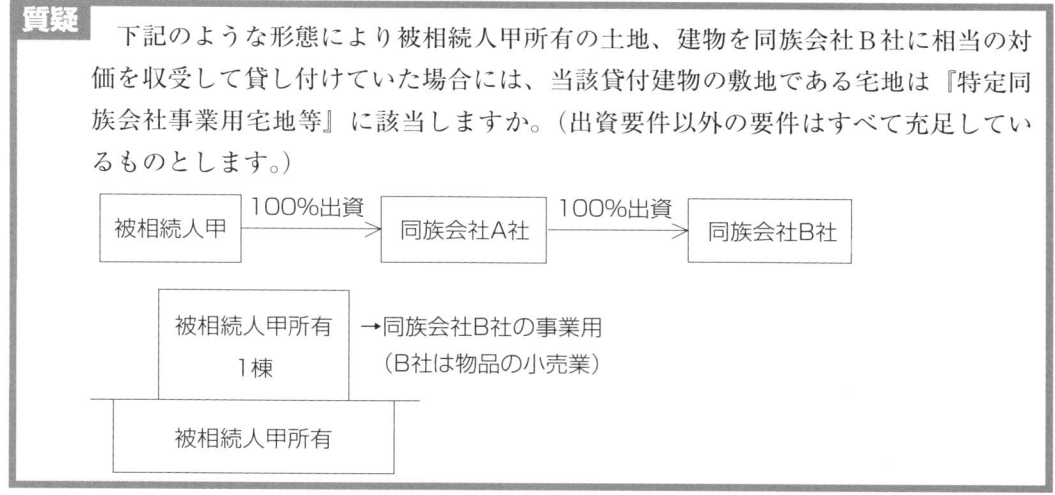

下記のような形態により被相続人甲所有の土地、建物を同族会社Ｂ社に相当の対価を収受して貸し付けていた場合には、当該貸付建物の敷地である宅地は『特定同族会社事業用宅地等』に該当しますか。（出資要件以外の要件はすべて充足しているものとします。）

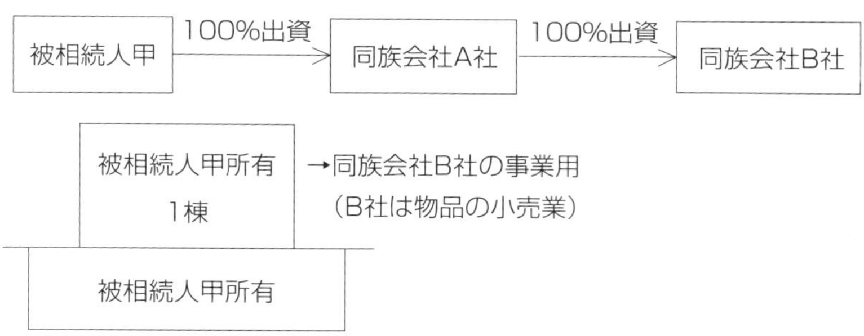


**応答**

『特定同族会社事業用宅地等』に該当するためには、当該土地建物の貸付先の同族会社に対する株式又は出資の保有割合（保有議決権割合）が、被相続人及び当該被相続人の親族その他当該被相続人と一定の特別の関係がある者の保有割合（保有議決権割合）を合計して発行済株式の総数又は出資金額の50％超であることをその要件としています。

この場合において、『当該被相続人と一定の特別の関係がある者』（上記＿＿部分）とは、下記に掲げる者をいうものとされています。

(1)　被相続人と婚姻の届出をしていないが事実上婚姻関係と同様の事情にある者
(2)　被相続人の使用人
(3)　被相続人の親族及び上記(1)(2)に掲げる者以外の者で被相続人から受けた金銭その他の資産によって生計を維持しているもの
(4)　上記(1)から(3)までに掲げる者と生計を一にするこれらの者の親族
(5)　次に掲げる法人
①　被相続人（当該被相続人の親族及び当該被相続人に係る上記(1)から(4)までに掲げる者を含む。以下(5)において同じ。）が有する法人の株式の総数又は出資の金額の合計額が当該法人の発行済株式の総数又は出資金額（当該法人が有する自己の株式又は出資を除く。以下(5)において「発行済株式総数等」という。）の10分の５を超える数の株式又は出資の金額に相当する場合における当該法人
②　被相続人及びこれと①の関係がある法人が有する他の法人の株式の総数又は出資の金額の合計額が当該他の法人の発行済株式総数等の10分の５を超える数の株式又は出資の金額に相当する場合における当該他の法人
③　被相続人及びこれと①又は②の関係がある法人が有する他の法人の株式の総数又は出資の金額の合計額が当該他の法人の発行済株式総数等の10分の５を超える数の株式又は出資の金額に相当する場合における当該他の法人

そうすると、**質疑** の事例の『同族会社B社』は、上記(5)①の取扱いに該当する『同族会社A社』（被相続人甲が10分の５を超えて出資する法人（事例の場合は、100％出資））が上記＿＿部分の『当該被相続人と一定の特別の関係がある者』に該当することから、『特定同族会社事業用地等』の適用要件である株式保有割合（保有議決権割合）要件（被相続人及び当該被相続人の親族その他当該被相続人と一定の特別の関係がある者の株式保有割合（保有議決権割合）が50％超）を充足していることになります。

また、**質疑** の前提条件から、土地建物の貸付先の同族会社Ｂ社は物品の小売業を営んでおり、貸付事業を営む法人にも該当していません。

したがって、被相続人甲所有の宅地は、『特定同族会社事業用宅地等』に該当し、80％減額の対象とすることができます。

### (8)　貸付事業を営む法人の事業の用に供されている宅地等に該当するか否かの判定（その１：貸付事業を専業としている法人の本社の敷地の用に供されている宅地等である場合）

**質疑**

当社（A㈱）は、貸付事業を専業で営む法人ですが、当社の本社は、下図のように当社の株主（株式保有割合（保有議決権割合）60％）であるＡ（個人）の所有する宅地及び建物に対して相当の対価（家賃）を支払って賃借しているものです。

当社（A㈱）は、貸付事業を専業で営んでいますが、Ａ（個人）から賃借している建物は当社の本社として利用されているものであり、他者に賃貸（転貸）してい

るものではありません。

このような場合には、当該Ａ（個人）の所有する宅地は、「特定同族会社事業用宅地等」である小規模宅地等として80％減額の可能性がありますか。

なお、特定同族会社事業用宅地等に該当するか否かを判定するうえで必要な他の要件は充足しているものとします。

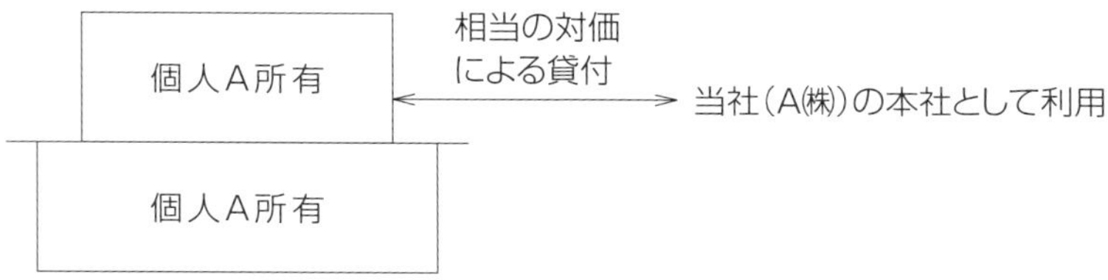


**応答**

特定同族会社の事業の用に供されている宅地等で一定の要件を充足するものについては80％減額の対象とされますが、当該宅地等を利用して営まれる当該特定同族会社の事業の範囲からは貸付事業（不動産貸付業、駐車場業、自転車駐車場業及び準事業をいいます。）が除外されています。

したがって、**質疑**の事例のようにＡ（個人）の所有する不動産が、借主である法人Ａ㈱において直接、貸付事業の用として貸付けの対象とされていない場合でも、当該法人の事業目的である貸付事業の事業遂行のために利用されていることには相違はありませんので、これを『特定同族会社事業用宅地等』（課税価格算入割合20％、適用上限面積400㎡）として取り扱うことはできないこととなります。

### (9)　貸付事業を営む法人の事業の用に供されている宅地等に該当するか否かの判定（その２：貸付事業とそれ以外の事業を兼業している法人の本社の敷地の用に供されている宅地等である場合）

**質疑**

前問(8)に掲げる**質疑**において、当社（Ａ㈱）が貸付事業と物品の卸売業を兼業している場合には、Ａ（個人）が所有し、当社の本社として相当の対価（家賃）で貸し付けられている建物の敷地の用に供されている宅地を特定同族会社事業用宅地等として取り扱うことは認められますか。

なお、本問で記載以外の前提条件は、すべて前問(8)と同様であるものとします。

**応答**

貸付事業（不動産貸付業、駐車場業、自転車駐車場業及び準事業をいいます。）を専業で営む法人の本社の敷地の用に供されている宅地等である場合の取扱いについては、前問(8)の**応答**に掲げるとおり、当該宅地等を特定同族会社事業用宅地等として取り扱うことはできないものとされています。

一方、本問でお尋ねのように借主である法人が貸付事業と物品の卸売業を兼業していた場合の当該法人の本社敷地として利用されている事業用宅地等については、このうち物品卸売業の用に供されていると認められる部分については当該宅地等を利用して営まれる当該特定同族会社の事業が貸付事業ではないことから、特定同族会社事業用宅地等に該当すると判断して差し支えないものと考えられます。

したがって、この場合には、本社敷地の用に供されている宅地等を合理的な基準（利用用途区分、従業員数の比、売上金額等）によって区分して、『特定同族会社事業用宅地等』（課税価格算入割合20％、適用上限面積400㎡）に該当する部分を求める必要があるものと思われます。

### ⑽　貸付事業を営む法人の事業の用に供されている宅地等に該当するか否かの判定（その３：貸付事業を兼業している会社の貸付事業以外の事業の用に供されている宅地等である場合）

**質疑**

当社（Ａ㈱）は、貸付事業と物品の卸売業を兼業で営む法人です。当社の物品卸売業の用に供している商品出荷用倉庫は、下図のように当社の株主（株式保有割合（保有議決権割合）60％）であるＡ（個人）の所有する土地及び建物に対して相当の対価（家賃）を支払って賃借しているものです。

この場合において、当該Ａ（個人）の所有する宅地は、『特定同族会社事業用宅地等』である小規模宅地等として80％減額をすることは可能でしょうか。その判断に当たっては、当社が兼業で貸付事業を営んでいることは何か影響を与えるのでしょうか。

なお、特定同族会社事業用宅地等に該当するか否かを判定するうえで必要な他の要件は充足しているものとします。

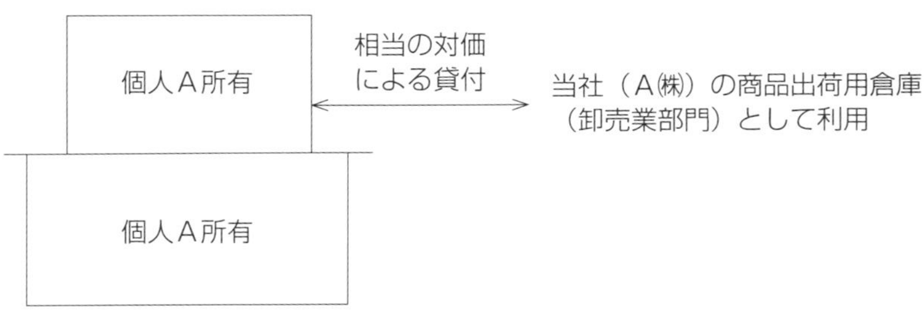


**応答**

前問⑼では、貸付事業（不動産貸付業、駐車場業、自転車駐車場業及び準事業をいいます。）とそれ以外の事業を兼業している場合における本社の敷地の用に供されている宅地等に対する取扱いについて確認しました。

ところで、本問でお尋ねのように借主である法人が貸付事業と物品の卸売業を兼業していた場合の当該法人の卸売業のみの用に供される建物（ **質疑** の場合は、商品出荷用倉庫）の敷地の用に供されている宅地等については、当該個別の利用状況に基づいて判断することが相当とされています。

そうすると、 **質疑** の事例では、Ａ（個人）の所有する不動産は、Ａ㈱の事業目的である物品の卸売業の事業遂行のためにのみ利用されており、貸付事業の事業遂行のために利用されているものには該当しないことから、これを『特定同族会社事業用宅地等』（課税価格算入割合20％、適用上限面積400㎡）として取り扱うことが可能となります。

### ⑾　貸付事業を営む法人の事業の用に供されている宅地等に該当するか否かの判定（その４：不動産管理業を専業としている法人の事業の用に供されている宅地等である場合）

**質疑**

当社（Ａ㈱）は、不動産管理業を専業とする法人です。（貸付事業は一切、営んでいません。）

当社の本社事務所の用に供されている建物は、下図のように当社の株主（株主保有割合（保有議決権割合）60％）であるＡ（個人）の所有する土地及び建物に対して相当の対価（家賃）を支払って賃借しているものです。

この場合において、当該Ａ（個人）の所有する宅地は、『特定同族会社事業用宅地等』である小規模宅地等として80％減額することは可能でしょうか。

前掲⑻の取扱いでは、貸付事業の事業遂行のために供用されている本社の敷地の用に供されている宅地は、特定事業用宅地等に該当しないとのことでしたが、本問における当社（Ａ㈱）の営む不動産管理業もこれと同様であると理解することになるのでしょうか。

なお、特定同族会社事業用宅地等に該当するか否かを判定するうえで必要な他の要件は充足しているものとします。

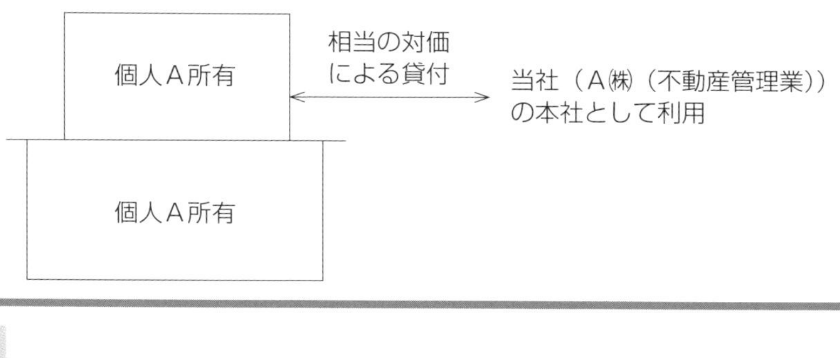


**応答**

特定同族会社の事業の用に供されている宅地等で一定の要件を充足するものについては80％減額の対象とされていますが、当該特定同族会社の事業の範囲からは貸付事業が除外されています。

ここに示す貸付事業とは、不動産貸付業、駐車場業、自転車駐車場業及び準事業（事業と称するに至らない不動産の貸付けその他これらに類する行為で相当の対価を得て継続的に行うものをいいます。）をいうものとされています。

上掲の貸付事業に該当するか否かの判断基準としてこれを明確にしたものは存在しませんが、一般的には、『日本標準産業分類』（総務省）の分類項目等を参考にして総合的に判断することに一つの合理性があるものと考えられます。

そうすると、日本標準産業分類（下記 参考資料 を参照）では、『中分類69―不動産賃貸・管理業』のうちに属する下記に掲げる小分類番号の項目は、明らかに上掲の貸付事業に該当するものと考えられます。

⑴　小分類番号691　不動産賃貸業（貸家業、貸間業を除く）

⑵　小分類番号692　貸家業、貸間業

⑶　小分類番号693　駐車場業

一方、本問における 質疑 のA㈱が営む事業は不動産管理業であり、上記の日本標準産業分類では『小分類番号694　不動産管理業』に該当し、上掲の貸付事業には該当しないものと判断されます。

したがって、質疑 の事例では、Ａ（個人）の所有する不動産は、A㈱の事業目的である不動産管理業の事業遂行のためにのみ利用されており、貸付事業のために利用されているものには該当しないことから、これを『特定同族会社事業用宅地等』（課税価格算入割合20%、適用上限面積400㎡）として取り扱うことが可能と考えられます。

**参考資料**　日本標準産業分類〔第13回改訂：平成25年10月30日総務省告示第405号、平成26年４月１日適用〕

中分類69－不動産賃貸業・管理業

総　　説

この中分類には、主として不動産賃貸又は管理を行う事業所が分類される。

| 小分類番号 | 細分類番号 | |
|---|---|---|
| 690 | | 管理、補助的経済活動を行う事業所（69不動産賃貸業・管理業） |
| | 6900 | 主として管理事務を行う本社等<br>主として不動産賃貸業・管理業の事業所を統括する本社等として、自企業の経営を推進するための組織全体の管理統括業務、人事・人材育成、総務、財務・経理、法務、企画、広報・宣伝、営業支援、調査・研究開発、プロジェクト管理、支社・支店等の管理、情報システム管理等の現業以外の業務を行う事業所をいう。<br>○管理事務を行う本社・本所・本店・支社・支所 |
| | 6909 | その他の管理、補助的経済活動を行う事業所<br>主として不動産賃貸業・管理業における活動を促進するため、同一企業の他事業所に対して、輸送、清掃、修理・整備、保安等の支援業務を提供する事業所をいう。<br>○自家用車庫；自家用修理工場；自家用補修所 |

## 691　不動産賃貸業（貸家業、貸間業を除く）

6911　貸事務所業

主として事務所、店舗その他の営業所を比較的長期（通例月別又はそれ以上）に賃貸する事業所をいう。

○貸事務所業（短期のものを除く）；貸店舗業（店舗併用住宅を除く）；貸倉庫業

×貸店舗業（店舗併用住宅のもの）[6921]

6912　土地賃貸業

主として土地を賃貸する事業所をいう。

○土地賃貸業；地主（土地の賃貸を業とするもの）

6919　その他の不動産賃貸業

主として比較的短期（通例時間別、日別又は週別）に事務所、店舗その他の営業所又は土地に定着する施設を賃貸する事業所をいう。

○貸事務所業（短期のもの）；貸会議室業

×集会場［9511］；映画館賃貸業［8011］；劇場賃貸業［8021］；スポーツ施設賃貸業［804］；競輪場賃貸業［8031］；ウィークリーマンション賃貸業［6921］

## 692　貸家業、貸間業

6921　貸　家　業

主として住宅（店舗併用住宅を含む）を賃貸する事業所をいう。

住宅とは、世帯が独立して家庭生活を営むことができるように建築された建物及び独立して家庭生活を営むことができるように区画され設備された建物の一部をいう。

○貸家業；住宅賃貸業；アパート業；ウィークリーマンション賃貸業；貸別荘業；住宅協会；住宅公社；住宅供給公社；貸店舗業（店舗併用住宅のもの）

6922　貸　間　業

専用又は共用の炊事用排水設備がなく独立して家庭生活を営むことができないような室を賃貸する事業所をいう。

○貸間業

## 693　駐 車 場 業

6931　駐 車 場 業

主として自動車の駐車のための場所を賃貸する事業所をいう。

長期的に倉庫に物品を保管することを業とする事業所は大分類Ｈ－運輸業、郵便業［47］に分類される。

○駐車場業；ガレージ業；自動車車庫業；モータープール業；駐車場管理業

×倉庫業［47］

## 694　不動産管理業

6941　不動産管理業

主としてビル、マンション等の所有者（管理組合等を含む）の委託を受けて経営業務あるいは保全業務等不動産の管理を行う事業所をいう。

ただし、所有者の委託を受けて駐車場の管理運営を行う事業所は駐車場業［6931］

に分類される。
○不動産管理業；ビル管理業；マンション管理業；アパート管理業；土地管理業
×ビルメンテナンス業［9221］

## ⑿　特定同族会社の社宅の用に供されている宅地に対する特定同族会社事業用宅地等の取扱い

**質疑**　当社（製造業を営む特定同族会社である甲㈱）の社宅は次の２か所にあり、いずれも被相続人甲所有の宅地を相当の対価により賃借し、当該宅地上に当社が建物を建設したものです。

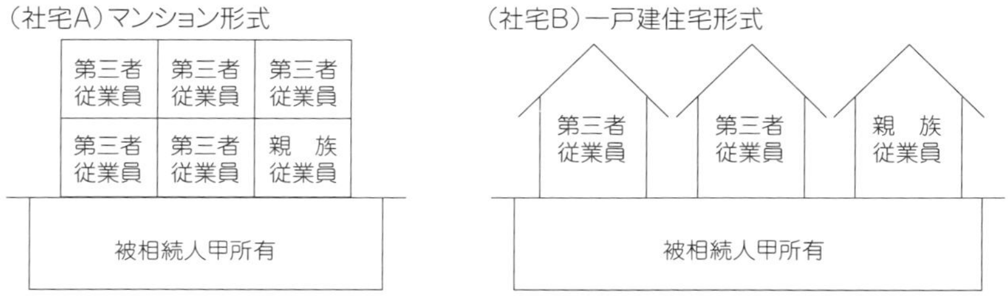


両社宅ともに、従業員である被相続人甲の親族と親族関係のない第三者である従業員とが居住していますが、この場合の社宅Ａ及び社宅Ｂの敷地の全てについて、貸付先が特定同族会社であることから特定同族会社事業用宅地等として80％の減額対象とすることが可能ですか。

なお、小規模宅地等の課税特例の可否判断に当たって考慮すべき事項は、上記に掲げる社宅の入居者に関する事項のみであるものとし、他の適用要件はすべて充足しているものとします。

**応答**

措置法通達69の４－24《法人の社宅等の敷地》の定めでは、特定同族会社の従業員社宅は、所定の要件を充足すれば特定同族会社事業用宅地等（減額割合80％）に該当しますが、この場合においても親族のみが使用していた場合は除かれるものとされています。

（社宅Ａ）１棟の社宅を一般の従業員と従業員である被相続人甲の親族が併用している場合には、あん分計算を行うことが理論的であると考えられますが、次のような要件を充足している場合には、当該敷地の全てが法人の社宅の敷地の用に供されているものとして、特定同族会社事業用宅地等に該当するものと思われます。

⑴　マンション形式である１棟の社宅の大部分の入居者が一般の従業員であり、当該社宅の主たる利用者が被相続人甲の親族である従業員ではないと認められること

⑵　入居者である被相続人甲の親族である従業員の負担する家賃等の利用条件が、他の親族でない第三者の入居者である従業員と同一であること

（社宅Ｂ）被相続人甲所有の敷地に社宅である戸建て住宅が数棟建っており、そのうちの１棟を被相続人甲の親族のみが入居して使用している場合には、たとえ当該親族が特定同族会社の従業員であったとしても、当該親族が入居している建物の敷地の部分は『特定同族会社事業用宅地等』には該当しません。

上記の場合において、当該親族の入居している建物の敷地の部分は、被相続人甲が相当の対価で当社（甲㈱）に貸し付けているとのことですから、他の一定の要件（相続税の申告期限までにおける⑴貸付事業承継要件、⑵所有継続要件、⑶貸付事業供用要件）を充足している場合には、『貸付事業用宅地等』（適用限度面積200㎡、減額割合50％）に該当することとなります。

### ⒀　被相続人が同族会社等の所有する建物に居住していた場合の当該建物の敷地の用に供されていた被相続人所有の宅地等の取扱い

**質疑**　被相続人甲はその所有する宅地上に自己が主宰する同族会社甲㈱（被相続人甲が100％出資）に建物を建築させて当該建物を社宅として自己の居住の用に供していました。

本件事例における宅地の貸借については地代を無償とすることとし、課税庁に対しては『土地の無償返還に関する届出書』を提出しています。（**事案１**）

この場合、被相続人甲の所有していた宅地等に対する小規模宅地等の課税特例の取扱いはどのようになりますか。

また、建物所有者が同族会社甲㈱ではなく、被相続人甲と生計を一にする親族である場合（**事案２**）や被相続人甲と生計を別にする親族（**事案３**）〔これらの場合においても、いずれも宅地の貸借は無償とします。〕である場合にはどのようになりますか。

なお、小規模宅地等の課税特例の可否判断に当たって考慮すべき事項は、下記（**事案１**）から（**事案３**）に掲げる家賃の収受の有無のみであるものとし、他の適用要件はすべて充足しているものとします。

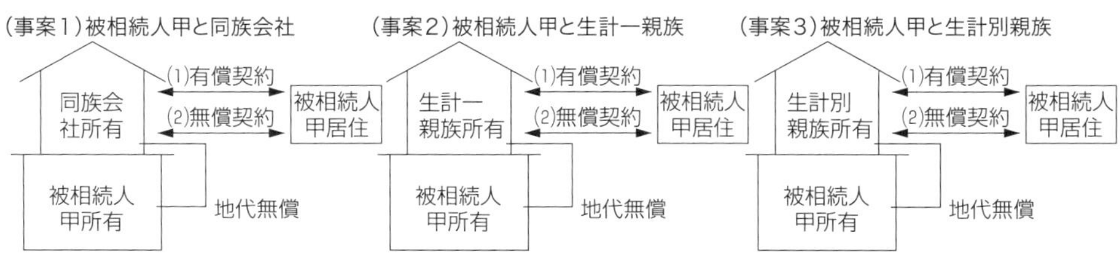


（注）　有償契約とは相当な対価の支払がなされているものをいい、無償契約には実費相当程度の支払がなされるものも含むものとします。

**応答**

（**事案１**）から（**事案３**）までの各ケースにおいて、被相続人甲の所有する宅地が小規模宅地等の課税特例の適用対象地に該当するか否か及び該当する場合の減額割合をまとめますと次の表のとおりとなります。

| 建物所有者 | | 建物の貸借契約 | 被相続人所有地の取扱い | 減額割合 | 備　考 |
|---|---|---|---|---|---|
| 事案1 | 同族会社 | (1)　有償契約 | 小規模宅地等には一切非該当 | 0％ | (注１) |
| | | (2)　無償契約 | 小規模宅地等には一切非該当 | 0％ | (注１)・(注２) |
| 事案2 | 被相続人甲と生計一親族 | (1)　有償契約 | 生計一親族の貸付事業用宅地等（準事業）に該当 | 50％ | |
| | | (2)　無償契約 | 被相続人甲の特定居住用宅地等に該当 | 80％ | |
| 事案3 | 被相続人甲と生計別親族 | (1)　有償契約 | 小規模宅地等には一切非該当 | 0％ | |
| | | (2)　無償契約 | 被相続人甲の特定居住用宅地等に該当 | 80％ | (注３) |

(注１)　小規模宅地等の課税特例において、被相続人等の居住の用に供されていた宅地等に該当するための要件として措置法通達69の４－７《被相続人等の居住の用に供されていた宅地等の範囲》において、建物所有者は被相続人又は当該被相続人の親族（当該親族が被相続人と生計を一にするか又は生計を別にするかでさらに要件に差異が生じます。）であることが大前提となります。

したがって、被相続人等の居住の用に供されていた建物の所有者が上記に記載した者でない場合においては、たとえ、当該建物の所有者が被相続人等の主宰する同族会社であったとしても、被相続人の所有地は被相続人等の居住用宅地等に該当することはあり得ません。

(注２)　この場合には、被相続人は社宅に無償で居住していたものであるとしてその経済的な利益（フリンジベネフィット）に対する課税問題（給与課税）が生じることに留意する必要があります。

(注３)　本来、小規模宅地等の課税特例の制度の対象となるのは、被相続人若しくは当該被相続人と生計を一にする親族の事業の用又は居住の用に供している宅地等に関する優遇措置ですので、その判断対象となる不動産（建物）の所有関係において、当該建物の所有者が上記の記載に該当しない者（被相続人と生計別の親族又は被相続人の主宰する同族会社若しくは第三者）である場合においては、理論的には被相続人の所有する宅地等は一切被相続人等の居住用宅地等には該当しないこととなります。

しかしながら、この取扱いには一つだけ例外があり、当該例外が本欄記載事項（宅地等の所有者である被相続人と建物の所有者である被相続人と生計別の親族の宅地等の貸借契約が無償契約で、かつ、当該建物の所有者と入居者（被相続人等）との建物の貸借契約が無償契約である場合）に当たり、これに該当した場合には、被相続人等の居住用宅地等に該当するものとして小規模宅地等の課税特例の適用（80％減額）の対象としています。

これは、生計を別にする親族の建物を一種のトンネル（地代が無償、家賃も無償）であると考え、かつ、生計を別にするとはいえ被相続人とは親族関係にある者の感情を考慮した場合には、このような不動産の所有形態も社会通念上のものとして考えられること等に対する特例的な配慮の定めであると考えられます。（したがって、建物の所有者が経済的取引関係を第一義に考える法人（たとえ同族会社であっても同様）や、被相続人とは親族関係にない第三者の場合にはこのような配慮を行う必要は一切ないものと考えられます。）

### ⒁　同族会社所有地に対して特定同族会社事業用宅地等に該当するとして本件課税特例を適用することの可否

**質疑**　被相続人甲は旧来よりその所有する宅地及び当該宅地上に存する建物を適正な相場家賃をもって、同族会社である甲㈱（被相続人甲が発行済株式のすべてを保有する会社で飲食店業を営んでいます。）に貸し付けていましたが、同人に係る相続開始の４年前に当該法人に適正な価額で譲渡しており、相続開始時には当該宅地は甲㈱の所有となっていました。

被相続人甲の相続財産である甲㈱の株式を純資産価額方式（相続税評価額によって計算した金額）によって評価する場合において、甲㈱が所有する当該宅地を特定同族会社事業用宅地等（課税価格算入割合20％、適用上限面積400㎡）として取り扱うことはできるのでしょうか。

なお、甲㈱の株式は被相続人甲の長男Ａ（同人は、甲㈱の役員です。）がそのすべてを相続により取得し、今後も末長く同社の経営を行うことが見込まれています。

**応答**

小規模宅地等の課税特例の適用を受けるための要件として、「個人が相続又は遺贈により取得した財産のうちに、当該相続の開始の直前において、当該相続若しくは遺贈に係る被相続人又は当該被相続人と生計を一にしていた当該被相続人の親族の事業の用に供されていた宅地等で（以下略）」とされており、個人が相続又は遺贈により取得した宅地等であること（上記＝＝部分）が必要とされます。

そうすると、お尋ねの **質疑** の事例では、たとえ、被相続人甲が発行済株式のすべてを保有する会社であり、その営む事業が貸付事業以外であったとしても、法人が所有する宅地等については、当該法人の株式評価に当たって、その純資産価額（相続税評価額によって計算した金額）を算定する場合に、小規模宅地等の課税特例を適用することは認められないものとされています。

### ⒂　同族会社に貸し付けられていた不動産の対価が被相続人に係る相続開始前に有償から無償に変更されていた場合の小規模宅地等の課税特例の適用可否

**質疑**　被相続人甲は旧来よりその所有する宅地及び当該宅地上に存する建物を適正な相場家賃をもって、同族会社である甲㈱（被相続人甲が発行済株式のすべてを保有する会社で小売店業を営んでいます。）に貸し付けていました。

ただし、近年の客足低下による業績不振のため、被相続人甲に係る相続開始の約６か月前から両者の合意に基づいて、当該家賃を無償にする旨の改定が行われていました。

被相続人甲が所有する宅地は、『特定同族会社事業用宅地等』である小規模宅地

> 等として80％減額をすることは可能でしょうか。
>
> その判断に当たっては、被相続人甲に係る相続開始前に家賃を有償から無償に変更したことは何か影響を与えるのでしょうか。
>
> なお、上記に掲げる論点以外は、特定同族会社事業用宅地等に該当するか否かを判定するうえで必要な他の要件は充足しているものとします。

## 応答

小規模宅地等の課税特例の適用を受けるための要件として、「[1]当該相続の開始の直前において、当該相続若しくは遺贈に係る被相続人又は当該被相続人と生計を一にしていた当該被相続人の親族（以下「被相続人等」といいます。）の[2]事業の用に供されていた宅地等で（以下略）」とされており、被相続人等の事業の用に供されていた宅地等（以下「事業用宅地等」といいます。）であること（上記[2]＿＿部分）が必要とされています。

また、措置法通達69の４－４《被相続人等の事業の用に供されていた宅地等の範囲》では、事業用宅地等とは、次に掲げる宅地等をいうものとするとして、その定義が定められています。

①　他に貸し付けられていた宅地等（当該貸付けが[3]事業に該当する場合に限る。）

②　①に掲げる宅地等を除き、被相続人等の[3]事業の用に供されていた建物等で被相続人等が所有していたもの又は被相続人の親族（被相続人と生計を一にしていたその被相続人の親族を除く。）が所有していたもの（被相続人等が当該建物等を当該親族から無償（相当の対価に至らない程度の対価の授受がある場合を含む。）で借り受けていた場合における当該建物等に限る。）の敷地の用に供されていたもの

そして、上記①又は②に掲げる事業（上記[3]＿＿部分）に該当するためには、当該宅地等（上記①の場合）又は建物等（上記②の場合）の貸付けが相当の対価により継続的になされるものであることが必要であると解釈されています。

また、当該貸付けが相当の対価を得て継続的に行われていたか否かの判断に当たっては、上記[1]＿＿部分に掲げるとおり、被相続人に係る相続の開始の直前の状況によることが相当であると考えられます。

そうすると、お尋ねの **質疑** の事例では、旧来は適正な相場家賃（相当の対価）を収受して被相続人甲が所有する宅地上における同人所有に係る建物の貸付けを行っていた（この状況は、上記②に掲げる場合に該当しています。）ものの、その後の状況の変化から、被相続人甲に係る相続開始の直前においては家賃を改定してこれを無償（注１）にしたというものですから、当該建物の敷地の用に供されている宅地等を被相続人の事業用宅地等に該当するとして、『特定同族会社事業用宅地等』（課税価格算入割合20％、適用上限面積400㎡）の取扱いをすることは認められないことになります。（注２）

（注１）　お尋ねの **質疑** の事例は該当していませんが、無償には、固定資産税その他の必要経費を回収する程度の実費相当額程度による対価による貸付けも含まれるものとされています。

（注２）　この場合には、当該宅地等を『貸付事業用宅地等』（課税価格算入割合50％、適用上限面積200㎡）として取り扱うことも認められないことになります。

## ⒃　特定同族会社事業用宅地等に該当するか否かの判定（議決権に制限のある株式が存在している場合）

**質疑**

被相続人甲はその所有する宅地を相当の対価により物品販売業を営む同族会社である甲㈱（同社の株主名簿は、下記のとおりです。）に建物の所有を目的として貸し付けていました。

被相続人甲に係る相続財産は、すべて長男Ａ（甲㈱の取締役です。）が取得し、上記の宅地についても今後も継続して甲㈱に賃貸するものとされています。

●被相続人甲に係る相続開始の直前における甲㈱の株主名簿

| 株主 | 所有<br>株式数 | 所有<br>株式割合 |
|---|---|---|
| 被相続人甲 | 9,970株 | 39.88% |
| 甲の友人Ａ | 6,380株 | 25.52% |
| 甲の友人Ｂ | 1,870株 | 7.48% |
| 甲㈱ | 3,640株 | 14.56% |
| 乙㈱ | 3,140株 | 12.56% |
| 合計 | 25,000株 | 100.00% |

・被相続人甲、甲の友人Ａ及びＢの３人の間では、相互に同族関係はありません。
・甲㈱は、会社法に規定する単元株制度を採用しており、一単元の株式の数は100株とされています。
・乙㈱は、甲㈱の関連会社で、甲㈱が乙㈱の発行済株式（議決権）総数の30%を所有しています。

（概念図）

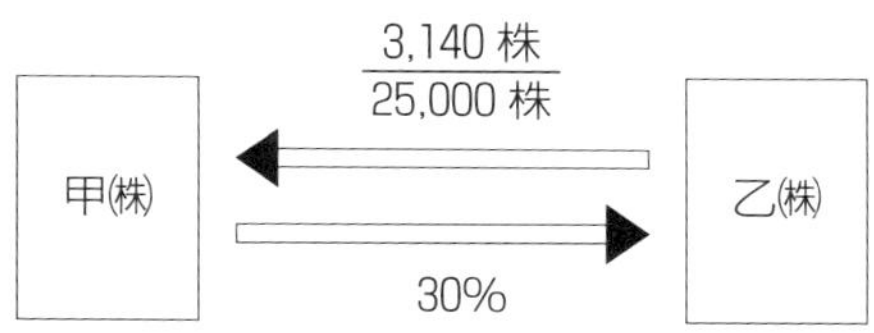


上記の場合において、被相続人甲が所有する宅地は、『特定同族会社事業用宅地等』である小規模宅地等として80％減額をすることは可能でしょうか。

なお、特定同族会社事業用宅地等に該当するか否かを判定するうえで必要な他の要件は充足しているものとします。

**応答**

特定同族会社事業用宅地等に該当するための要件として、「当該相続開始の直前に被相続人及び当該被相続人の親族その他当該被相続人と一定の特別の関係がある者が有する株式の総数又は出資の金額の合計額が当該株式又は出資に係る法人の発行済株式の総数又は出資の総額の10分の５を超える法人の事業（貸付事業を除きます。）の用に供されていた宅地等で（以下略）」とされています。

そして、措置法施行令第40条の２第17項において、上記＿＿部分の『当該株式又は出資に係る法人の発行済株式の総数又は出資の総額』の意義について、要旨、次のとおりに規定しています。

**資料**　措置法施行令第40条の２第17項に規定する『当該株式又は出資に係る法人の発行済株式の総数又は出資の総額』の意義

『当該株式又は出資に係る法人の発行済株式の総数又は出資の総額』については、議決権に制限のある株式又は出資として相続開始の時において下記に該当するものは、含まれないものとされています。

⑴　株式（発行済株式）

①　会社法第108条《異なる種類の株式》第１項第３号に掲げる事項（株主総会において議決権を行使することができる事項）の全部について制限のある株式

②　会社法第105条《株主の権利》第１項第３号に掲げる議決権（株主総会における議決権）の全部について制限のある株主が有する株式

③　会社法第308条《議決権の数》第１項又は第２項の規定により議決権を有しないものとされる者（第１項⇒単元未満株式の所有者、第２項⇒自己株式の所有者）が有する株式

④　①から③以外に掲げる株式以外の株式で議決権のない株式

⑵　出資（出資金額）

上記⑴に掲げる株式に準ずる出資

そうすると、お尋ねの **質疑** の甲㈱については、単元株制度が採用されていること及び乙㈱が所有している甲㈱の株式については一定の相互保有株式に該当すること（この２点は、上記**資料**⑴③に掲げる会社法第308条《議決権の数》第１項に該当します。）並びに自己株式を所有していること（甲㈱が所有する甲㈱の株式。この点は、上記**資料**⑴③に掲げる会社法第308条《議決権の数》第２項に該当します。）から、議決権に制限のある株式が発行されている状況にあり、当該議決権に制限のある株式を含めないところで判定する必要があります。

**参考**　会社法第308条《議決権の数》

株主（株式会社がその総株主の議決権の４分の１以上を有することその他の事由を通じて株式会社がその経営を実質的に支配することが可能な関係にあるものとして法務省令で定める株主を除く。）は、株主総会において、その有する株式１株につき１個の議決権を有する。ただし、単元株式数を定款で定めている場合には、１単元の株式につき１個の議決権を有する。

②　前項の規定にかかわらず、株式会社は、自己株式については、議決権を有しない。

以上に基づいて、甲㈱の株式所有割合（保有議決権割合）を算定すると、下表のとおりとなり、相続開始の直前における被相続人甲及びその親族その他被相続人甲と一定の特別の関係がある者が有する割合は55％となり、冒頭に掲げる要件を充足することになります。

●甲㈱の株式所有割合（保有議決権割合）

| 株主 | 所有株式数 | 措置法施行令に規定する除外株式を控除した後の所有株式数 | 左の株式の所有割合 | 計算及び判定等 |
|---|---|---|---|---|
| 被相続人甲 | 9,970株 | 9,900株 | 55% | • 9,970株÷100株＝99.7➡99単元<br>• 100株×99単元＝9,900株<br>• 9,900株÷18,000株＝55%<br>• 株式所有割合（保有議決権割合）を充足（55%＞50%） |
| 甲の友人A | 6,380株 | 6,300株 | 35% | • 6,380株÷100株＝63.8➡63単元<br>• 100株×63単元＝6,300株<br>• 6,300株÷18,000株＝35%<br>• 株式所有割合（保有議決権割合）を未充足（35%≦50%） |
| 甲の友人B | 1,870株 | 1,800株 | 10% | • 1,870株÷100株＝18.7➡18単元<br>• 100株×18単元＝1,800株<br>• 1,800株÷18,000株＝10%<br>• 株式所有割合（保有議決権割合）を未充足（10%≦50%） |
| 甲㈱ | 3,640株 | 0株 | 0% | • 自己株式につき、会社法第308条《議決権の数》第２項の規定により議決権はなし |
| 乙㈱ | 3,140株 | 0株 | 0% | • 一定の相互保有株式につき、会社法第308条《議決権の数》第１項の規定により議決権はなし |
| 合計 | 25,000株 | 18,000株 | 100% | |

したがって、被相続人甲が所有する宅地は、『特定同族会社事業用宅地等』（課税価格算入割合20%、適用上限面積400㎡）に該当することになります。

## ⒄　特定同族会社事業用宅地等に該当するか否かの判定（医療法人に対して貸し付けられていた場合）

**質疑**

被相続人甲は、医療法人甲会にその所有する宅地を建物の所有を目的として相当の対価をもって貸し付けていました。当該宅地は、被相続人甲に係る相続によって同人の長男Ａ（同人も医療法人甲会の理事を務めています。）が取得し、その後も継続して末長く医療法人甲会に貸し続けるものとされています。

特定同族会社事業用宅地等に該当するための要件として、「当該相続開始の直前に被相続人及び当該被相続人の親族その他当該被相続人と一定の特別の関係がある者が有する株式の総数又は出資の金額の合計額が当該株式又は出資に係る法人の発行済株式の総数又は出資の総額の10分の５を超える法人の事業（貸付事業を除きます。）の用に供されていた宅地等で（以下略）」（出資所有割合要件）が規定されています。

そうすると、医療法人（社団たる医療法人を前提とします。）については、『出資持分のある医療法人』と『出資持分のない医療法人』が存在するものとされていますが、上記に掲げる所有割合要件と医療法人に係る出資持分の有無との関係について説明してください。

また、**質疑** に掲げる被相続人甲が所有する宅地が特定同族会社事業用宅地等に該当するのでしょうか。

なお、回答に当たって、医療法人甲会が出資持分のある医療法人に該当する場合には、被相続人甲はその出資総額の70%を所有しているものとします。

## 応答

⑴　医療法人の種類

医療法人は、『財団たる医療法人』（個人又は法人が無償で提供（寄附）する財産に基づいて設立される医療法人です。）と『社団たる医療法人』（複数の人（社員）が集まり設立される医療法人で、社員は設立のため、現預金、不動産、備品等を拠出します。）に区分されますが、現行では社団たる医療法人が医療法人全体の95%超を占めています。

社団たる医療法人は、出資持分の有無の差異から、下記に掲げるとおりに、『出資持分のある医療法人』と『出資持分のない医療法人』とに区分することができます。

①　出資持分のある医療法人

出資持分のある医療法人とは、社団たる医療法人であって当該医療法人の定款に出資持分に関する定めが設けられているものをいいます。当該定めは、一般的には下記に掲げる事項に関するものとされています。

㈠　社員の退社に伴う出資持分の払戻し

㈺　医療法人の解散に伴う残余財産の分配

平成19年施行の第５次医療法の改正によって、出資持分のある医療法人を新規に設立することは認められなくなりました。なお、既存の出資持分のある医療法人については、当分の間存続することが認められる旨の経過的な取扱いが設けられています。

②　出資持分のない医療法人

出資持分のない医療法人とは、社団たる医療法人であって当該医療法人の定款に出資持分に関する定めが設けられていないものをいいます。

⑵　特定同族会社事業用宅地等の該当性

①　医療法人甲会が出資持分の定めのある医療法人である場合

小規模宅地等の課税特例に係る特定同族会社事業用宅地等の適用は、上記 **質疑** に係る出資所有割合要件を充足するのであれば、出資持分の定めのある医療法人についても適用があるものとされています。

そうすると、お尋ねの宅地は、**質疑** に掲げる前提条件から、(イ)出資所有割合要件、(ロ)役員（理事就任要件）、(ハ)継続所有要件及び(ニ)継続貸付要件を充足していると認められることから、『特定同族会社事業用宅地等』（課税価格算入割合20％、適用上限面積400㎡）に該当するものとされます。

②　医療法人甲会が出資持分の定めのない医療法人である場合

医療法人甲会が出資持分の定めのない医療法人である場合には、そもそも出資の概念が存在しないことから上記 **質疑** に掲げる出資所有割合要件を充足していないことになります。

そうすると、お尋ねの宅地は『特定同族会社事業用宅地等』（課税価格算入割合20％、適用上限面積400㎡）には該当しないものとされます。

ただし、**質疑** の場合には、被相続人甲が医療法人甲会に賃貸していた宅地（建物の敷地に供用）につき、長男Ａによる(イ)承継要件、(ロ)継続所有要件及び(ハ)継続貸付要件を充足していると認められることから、当該宅地は『貸付事業用宅地等』（課税価格算入割合50％、適用上限面積200㎡）に該当することになります。

### ⒅　相続開始前３年以内に新たに特定同族会社の事業の用に供された宅地等に対する特定同族会社事業用宅地等の取扱い

**質疑**　被相続人甲に相続の開始（相続開始日：令和３年８月29日）がありました。同人の相続財産のなかに、相続開始の直前においていずれも特定同族会社である甲㈱（小売業）及び乙㈱（不動産賃貸業）の事業の用に供されている不動産（宅地及び建物）として相当な対価を得て継続的に貸し付けられていたものがあり、その態様は下記のとおりです。

⑴　甲㈱（小売業）に貸し付けられていた不動産
（貸付不動産）　Ｘ不動産（Ｘ家屋及びＸ宅地）
（貸付開始日）　令和元年10月15日

⑵　乙㈱（不動産賃貸業）に貸し付けられていた不動産
（貸付不動産）　Ｙ不動産（Ｙ家屋及びＹ宅地）
（貸付開始日）　令和２年２月４日

上記⑴及び⑵に掲げる不動産は、いずれも被相続人甲の長男Ａ（甲㈱及び乙㈱の役員に就任）が取得し、今後も末長く所有し、両社に対して継続して賃貸する予定となっています。

一方、平成30年度の税法改正では貸付事業用宅地等を対象として、また、平成31

年度の税法改正では特定事業用宅地等を対象として、それぞれ、相続開始前３年以内に新たに貸付事業又は事業の用に供された宅地等をその対象から原則として除くこととされました。

そうすると、上記(1)及び(2)に掲げる各不動産を被相続人甲が特定同族会社に貸し付けたのはいずれも同人に係る相続開始日（令和３年８月29日）前の３年以内となっていますが、上記に掲げる両年の税法改正は特定同族会社事業用宅地等の判定に何らかの影響を与えることになりますか。

また、上記(1)及び(2)に掲げるX宅地及びY宅地に係る小規模宅地等の課税特例の適用はどのようになりますか。

なお、被相続人甲が所有する不動産は、上記のX不動産及びY不動産のみで他に不動産を所有しているという事実はありません。

**応答**

(1)　概要

①　平成30年度の税法改正（貸付事業用宅地等に対する適用除外規定の新設）

平成30年度の税法改正では、貸付事業用宅地等について、相続開始前３年以内に新たに貸付事業の用に供された宅地等をその対象から除くこととされました。

ただし、相続開始の日まで３年を超えて引き続き特定貸付事業（貸付事業のうち準事業以外のものをいいます。）を行っていた被相続人等の当該貸付事業の用に供された宅地等（特定貸付宅地等）については、上記の相続開始前３年以内の貸付事業の用に供された宅地等であっても、その対象から除かれない（換言すれば、貸付事業用宅地等に該当する）ものとされています。

なお、上記の改正は、原則として、平成30年４月１日以後に相続又は遺贈により取得した小規模宅地等の課税特例に規定する宅地等に係る相続税について適用するものとされています。

②　平成31年度の税法改正（特定事業用宅地等に対する適用除外規定の新設）

平成31年度の税法改正では、特定事業用宅地等について、相続開始前３年以内に新たに事業の用に供された宅地等をその対象から除くこととされました。

ただし、特定事業（注）を行っていた被相続人等の当該事業の用に供された宅地等については、上記の相続開始前３年以内に事業の用に供されたものであっても、その対象から除かれない（換言すれば、特定事業用宅地等に該当する）ものとされています。

（注）「特定事業」とは、次に掲げる算式を充足する場合における当該事業をいいます。

（算式）

$$\frac{\text{分母に掲げる特定宅地等に係る被相続人等の事業の用に供されていた減価償却資産のうち当該被相続人等が有していたものの相続の開始の時における価額の合計額}}{\text{新たに事業の用に供された宅地等（特定宅地等）の相続の開始の時における価額}} \geqq \frac{15}{100}$$

なお、上記の改正は、原則として、平成31年４月１日以後に相続又は遺贈により取得した小規模宅地等の課税特例に規定する宅地等に係る相続税について適用するものとされています。

(2)　**質疑** の事例の場合

①　Ｘ宅地（Ｘ家屋の敷地に供用）の取扱い

Ｘ不動産を賃借している甲㈱は当該賃借不動産を小売業（貸付事業以外）の事業の用に供しているとのことであり、また、**質疑** に掲げる前提事項から一定の必要とされる要件も充足しているものと認められますので、Ｘ宅地は特定同族会社事業用宅地等に該当するものと認められます。

なお、**質疑** に掲げるとおり、平成30年度及び平成31年度の各税法改正によって、貸付事業用宅地等及び特定事業用宅地等については、それぞれ、相続開始前３年以内に新たに貸付事業又は事業の用に供された宅地等をその対象から原則として除くこととされました。（上記⑴を参照してください。）

しかしながら、上述のとおり、相続開始前３年以内に新たに貸付事業又は事業の用に供された宅地等をその対象から原則として除くことが規定化されているのは、『貸付事業用宅地等』及び『特定事業用宅地等』とされており、お尋ねの『特定同族会社事業用宅地等』についてはこれらに該当する適用除外に関する規定は設けられていません。

そうすると、**質疑** のＸ宅地は相続開始前３年以内に新たに特定同族会社の事業の用に供された宅地等に該当しますが、所定の要件を充足していることから『特定同族会社事業用宅地等』である小規模宅地等（課税価格算入割合20％、適用上限面積400㎡）として取り扱うことができるものとされます。

②　Ｙ宅地（Ｙ家屋の敷地に供用）の取扱い

特定同族会社の事業の用に供されている宅地等で一定の要件を充足するものについては、特定同族会社事業用宅地等に該当するものとして80％減額の対象とされますが、当該宅地等を利用して営まれる特定同族会社の事業の範囲からは貸付事業（不動産貸付業、駐車場業、自転車駐車場業及び準事業をいいます。）が除外されています。

そうすると、**質疑** に掲げるとおり、Ｙ不動産を賃借している乙㈱は当該不動産を不動産賃貸業（貸付事業に該当）の事業の用に供しているとのことですから、真に上掲のとおり、Ｙ宅地は特定同族会社事業用宅地等に該当しないものと認められます。

その一方で、**質疑** に掲げる前提事項からすると、Ｙ宅地は貸付事業用宅地等に該当するものと認められます。

そして、**質疑** に掲げるとおり、平成30年度の税法改正によって、貸付事業用宅地等について、相続開始前３年以内に新たに貸付事業の用に供された宅地等をその対象から原則として除くこととされました。（上記⑴①を参照してください。）

以上の取扱いより、**質疑** のＹ宅地は相続開始前３年以内に新たに貸付事業の用に供された宅地等に該当することになりますので、『貸付事業用宅地等』である小規模宅地等（課税価格算入割合50％、適用上限面積200㎡）として取り扱うことはできないものとされます。

## ⒆　個人の事業用資産についての納税猶予及び免除の適用がある場合における特定同族会社事業用宅地等に対する小規模宅地等の課税特例の適用

**質疑**　被相続人甲に相続の開始がありました。同人の相続財産のうちには次に掲げる２か所の宅地等があり、これらの宅地等に関する資料は、下表のとおりでした。

| 区　分 | 面　積 | 取得者 | 備　　　考 |
|---|---|---|---|
| Ｘ宅地 | 300㎡ | 長男Ａ | 被相続人甲が15年前から経営している飲食店（被相続人甲所有で、長男Ａが取得）の敷地の用に供されていた宅地である。<br>長男Ａは適用要件を充足していることから、個人の事業用資産についての相続税の納税猶予及び免除の規定を受ける予定である。 |
| Ｙ宅地 | 500㎡ | 二男Ｂ | 被相続人甲が特定同族会社（小売業を営む甲㈱）に対して、建物の所有を目的として賃貸している宅地である。二男Ｂは甲㈱の取締役に就任しており、今後も末長くＹ土地を所有して甲㈱に対する賃貸を継続する予定である。<br>二男Ｂは、特定同族会社事業用宅地等として、小規模宅地等の課税特例の適用を受けたいと考えている。 |

上記のような状況において、長男Ａが『相続税の納税猶予及び免除』の規定の適用を受けた場合に、二男Ｂが適用を希望している『小規模宅地等の課税特例』の規定の適用関係について説明してください。なお、両規定の重複適用の可否に関する論点以外の両規定に係る適用要件は、すべて充足しているものとします。

**応答**

⑴　個人の事業用資産の納税猶予制度（概要）

令和元年度の税法改正において、新たに個人の事業用資産についての納税猶予及び免除の規定が設けられました。その概要は、次のとおりとされています。

概要　青色申告（正規の簿記の原則によるものに限ります。）に係る事業（不動産貸付業等を除きます。）を行っていた事業者の後継者（注１）として中小企業における経営の承継の円滑化に関する法律の認定を受けた者が、平成31年１月１日から令和10年12月31日まで（注２）の贈与又は相続等により、特定事業用資産を取得した場合には、次に掲げる取扱いが適用されることになります。

①　その青色申告に係る事業の継続等、一定の要件のもと、その特定事業用資産に係る贈与税・相続税の全額の納税が猶予されます。

②　後継者の死亡等、一定の事由により、納税が猶予されている贈与税・相続税の納税が免除されます。

（注１）　平成31年４月１日から令和６年３月31日までに「個人事業承継計画」を都道府県知事に提出し、確認を受けた者に限ります。

（注２）　先代事業者の生計一親族からの特定事業用資産の贈与・相続等については、上記の期間内で、

先代事業者からの贈与・相続等の日から1年を経過する日までにされたものに限ります。

この制度の対象となる「特定事業用資産」とは、先代事業者（贈与者・被相続人）の事業の用に供されていた次の資産で、贈与又は相続等の日の属する年の前年分の事業所得に係る青色申告書の貸借対照表に計上されていたものをいいます。

① 宅地等（400㎡まで）

② 建物（床面積800㎡まで）

③ ②以外の減価償却資産で次のもの

(イ) 固定資産税の課税対象とされているもの

(ロ) 自動車税・軽自動車税の営業用の課税標準が適用されるもの（注）

> 注　令和3年度の税法改正によって、個人事業者の事業用資産に係る相続税・贈与税の納税猶予制度について、適用対象となる特定事業用資産の範囲に、被相続人又は贈与者の事業の用に供されていた乗用自動車で青色申告書に添付されている貸借対照表に計上されているもの（取得価額500万円以下の部分に対応する部分に限られます。）が加えられることになりました。

(ハ) その他一定のもの（貨物運送用など一定の自動車、乳牛・果樹等の生物、特許権等の無形固定資産）

（注1）先代事業者が、配偶者の所有する土地の上に建物を建て、事業を行っている場合における土地など、先代事業者と生計を一にする親族が所有する上記①から③までの資産も、特定事業用資産に該当します。

（注2）後継者が複数人の場合には、上記①及び②の面積は、各後継者が取得した面積の合計で判定します。

（注3）先代事業者からの相続等により取得した宅地等につき、小規模宅地等の課税特例の適用を受ける者がいる場合には、一定の制限があります。（下記(2)を参照）

(2) 両規定の重複適用関係

① 特定事業用宅地等である小規模宅地等に対する重複適用関係

(イ) 取扱い

被相続人が次に掲げる者のいずれかに該当する場合には、当該被相続人から相続又は遺贈により取得（注）したすべての『特定事業用宅地等』については、小規模宅地等の課税特例の適用対象にならないものとされています。

㋑ 措置法第70条の6の8《個人の事業用資産についての贈与税の納税猶予及び免除》の規定の適用を受けた特例事業受贈者に係る贈与者

㋺ 措置法第70条の6の10《個人の事業用資産についての相続税の納税猶予及び免除》の規定の適用を受ける特例事業相続人等に係る被相続人

（注）上記の『取得』には、措置法第70条の6の9《個人の事業用資産の贈与者が死亡した場合の相続税の課税の特例》第1項（同条第2項の規定により読み替えて適用する場合も含みます。）の規定により、相続又は遺贈により取得したものとみなされる場合における当該取得を含むものとされています。

(ロ) 留意点

被相続人からの相続又は遺贈により特定事業用宅地等を取得した者自身が個人の事業

用資産の相続税の納税猶予の適用を受けない場合であっても、その者又はその者以外の者が次のⓘ又はⓡに掲げるものに該当するときには、当該被相続人は、上記(イ)のⓘ又はⓡに掲げる者に該当することになります。

ⓘ　当該取得した者以外の者が個人の事業用資産の相続税の納税猶予の適用（注）を受けるとき

ⓡ　当該取得した者又はその者以外の者が既に被相続人からの贈与により取得した財産について個人の事業用資産の贈与税の納税猶予（措置法第70条の６の８《個人の事業用資産についての贈与税の納税猶予及び免除》の規定をいいます。）の適用（注）を受けていたとき

（注）　上記ⓘ及びⓡに掲げる個人の事業用資産の相続税・贈与税の納税猶予の適用については、建物及び減価償却資産など特定事業用宅地等に該当しない特定事業用資産（措置法第70条の６の10《個人の事業用資産についての相続税の納税猶予及び免除》第２項第１号又は第70条の６の８第２項第１号に規定する特定事業用資産をいいます。）についてのみ適用を受けていた場合であっても、同制度の適用を受けていたものとして取り扱われます。

したがって、上記の場合には、当該被相続人から相続又は遺贈により取得したすべての特定事業用宅地等について、小規模宅地等の課税特例の適用対象となりません。

②　特定事業用宅地等以外の特例対象宅地等に対する重複適用関係

(イ)　取扱い

上記①に掲げるとおり、個人の事業用資産についての相続税・贈与税の納税猶予及び免除の規定の適用を受ける場合には、特定事業用宅地等を小規模宅地等の課税特例の適用対象とすることは認められていません。

そうすると、下記に掲げる小規模宅地等の区分（特例対象宅地等）については、上記に掲げる個人の事業用資産についての相続税・贈与税の納税猶予及び免除の規定との重複適用が認められないとされる規定の適用はないことから、被相続人が上記(2)①(イ)ⓘ又はⓡに掲げる者に該当する場合であっても、これらの宅地等については、他の要件を満たすときには小規模宅地等の課税特例の適用対象とすることが認められています。

ⓘ　特定居住用宅地等

ⓡ　特定同族会社事業用宅地等

ⓗ　貸付事業用宅地等

(ロ)　留意点

上記(イ)の後段の取扱いに関しては、下記に掲げる小規模宅地等の区分（特例対象宅地等）に応じて、個人の事業用資産についての相続税の納税猶予及び免除の対象とされる特定事業用資産である宅地等の面積との間で一定の調整（限度面積計算）に関する規定が設けられています。

ⓘ　『特定居住用宅地等』のみを選択特例対象宅地等とした場合

特定事業用資産である宅地等に対する適用面積（上限面積400㎡）にかかわらず、当該特定居住用宅地等の面積（上限面積330㎡）まで、小規模宅地等の課税特例を受

けることが認められます。

すなわち、個人の事業用資産についての納税猶予及び免除の規定と特定居住用宅地等のみを選択特例対象宅地等とする小規模宅地等の課税特例の規定とは、両者の完全併用が認められるものとされています。

㋺　上記㋑以外の場合

上記㋑以外の場合として、次に掲げる組み合わせが考えられます。

(A)　『特定同族会社事業用宅地等』のみを選択特例対象宅地等とする場合

(B)　『貸付事業用宅地等』のみを選択特例対象宅地等とする場合

(C)　『特定居住用宅地等』、『特定同族会社事業用宅地等』又は『貸付事業用宅地等』のうちから複数を組み合わせて選択特例対象宅地等とする場合

（注）　特定居住用宅地等のみを選択特例対象宅地等とした場合には上記㋑の取扱いが適用されますが、特定居住用宅地等と他の特例対象宅地等（特定事業用宅地等を除きます。）を選択特例対象宅地等とした場合には、この(C)に該当することに留意する必要があります。

上記(A)ないし(C)に該当する場合には、特定事業用資産である宅地等に対する適用面積と小規模宅地等の課税特例の対象とする適用面積との間には、下記に掲げる算式を充足する必要があります。

算式　$A \times \frac{400m^2}{330m^2} + B + C \times \frac{400m^2}{200m^2} + D \leqq 400m^2$

A：特定居住用宅地等である選択特例対象宅地等の面積

B：特定同族会社事業用宅地等である選択特例対象宅地等の面積

C：貸付事業用宅地等である選択特例対象宅地等の面積

D：特例事業用資産（注）である宅地等の面積

（注）　特例事業用資産とは、特定事業用資産のうち、相続税の申告書に相続税の納税猶予の適用を受けようとする旨の記載があるものをいいます。

(3)　**質疑**　の場合

上記(2)②(ロ)㋺より、特定同族会社事業用宅地等であるＹ宅地を選択特例対象宅地等とした場合には、特定事業用資産である宅地等に対する適用面積と小規模宅地等の課税特例の対象とする適用面積との間において、同欄に掲げる算式に示すとおりの調整が求められています。

したがって、**質疑**　の場合でＹ宅地（特定同族会社事業用宅地等に該当）を選択特例対象宅地等とした場合における小規模宅地等の課税特例の適用面積は、下記計算のとおり、100㎡となります。

（計算）　①　400㎡（全体の換算面積）－300㎡（特定事業用資産である宅地等の面積）＝100㎡（小規模宅地等の課税特例に適用可能な面積（換算面積））

②
- (イ)　500㎡（Ｙ宅地の面積）
- (ロ)　100㎡（上記①）×$\frac{400m^2}{400m^2}$＝100㎡（特定同族会社事業用宅地等とした場合の上限適用面積）
- (ハ)　(イ)＞(ロ)　∴100㎡（いずれか少ない方）⇨ 特定同族会社事業用宅地等の適用面積

（著者経歴）
昭和37年12月　兵庫県神戸市生まれ
昭和56年４月　関西大学経済学部入学
昭和58年９月　大原簿記専門学校非常勤講師就任
昭和59年12月　税理士試験合格
昭和60年３月　関西大学経済学部卒業
　　　　　　　その後会計事務所に勤務（主に相続・譲渡等の資産税部門の業務を担当）
平成３年２月　笹岡会計事務所設立　その後現在に至る。
（著　　書）
『これだけはおさえておきたい相続税の実務Ｑ＆Ａ』（清文社）
『ケーススタディ 相続税財産評価の税務判断』（清文社）
『具体事例による財産評価の実務』（清文社）
『難解事例から探る　財産評価のキーポイント』（ぎょうせい）

（お願い）
小規模宅地等に関する事案は、各事例とも極めて個別特殊性を有するものであることが一般的です。そのような理由により本書に関するご質問及び照会につきましては対応が大変困難な状況です。この点斟酌をいただき、ご配慮をお願い申し上げます。

令和３年７月改訂
詳解 小規模宅地等の課税特例の実務－重要項目の整理と理解－〈上〉

2021年８月25日　発行

著　者　笹岡 宏保 Ⓒ

発行者　小泉 定裕

発行所　株式会社 清文社
東京都千代田区内神田１－６－６（MIFビル）
〒101-0047　電話 03(6273)7946　FAX 03(3518)0299
大阪市北区天神橋２丁目北２－６（大和南森町ビル）
〒530-0041　電話 06(6135)4050　FAX 06(6135)4059
URL https://www.skattsei.co.jp/

印刷：㈱廣済堂


＊本書の追録情報等は、当社ホームページ（https://www.skattsei.co.jp）をご覧ください。

ISBN978-4-433-72191-6

令和３年７月改訂

# 詳解 小規模宅地等の課税特例の実務

重要項目の整理と理解

下

税理士 笹岡 宏保［著］

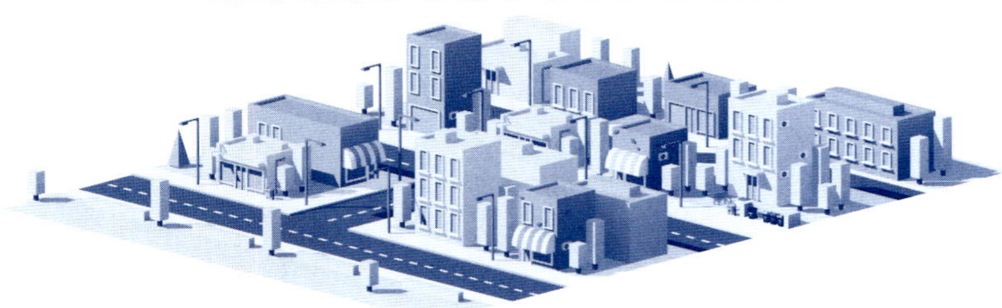

清文社

上巻・目次



下巻・目　次

# 第４章　質疑応答による確認

（第４章〔１〕～〔４〕は〈上巻〉に収録）

# 第5章　制度の創設と改正経緯

## 第6章　裁判例（判例）・裁決事例の確認

## 附録資料　参考法令通達集



## 凡　例

| | |
|---|---|
| 相　　法……相続税法 | 措　　規……租税特別措置法施行規則 |
| 措　　法……租税特別措置法 | 措　　通……租税特別措置法関係通達 |
| 措　　令……租税特別措置法施行令 | 評価通達……財産評価基本通達 |

(注)　本書は、令和３年６月１日現在において公表されている法令・通達によっています。

## 〔５〕『貸付事業用宅地等』に関する項目

### (1)　被相続人等の不動産貸付事業等に供用されていた宅地等を親族以外の者（自然人）が取得した場合の小規模宅地等の課税特例の可否

**質疑**　被相続人甲の相続財産のなかに、相続開始の直前において同人が貸家事業経営（事業的規模で被相続人甲に係る相続開始の10年前から継続的に貸付事業が行われています。）の用に供している不動産（宅地及び建物）がありました。

被相続人甲はその生前から社会福祉活動に非常に熱心であったため、同人が残した遺言書によると、当該不動産は、同様の志を持ち被相続人甲の後継としての立場にあるＡさん（被相続人甲との親族関係はなし）に遺贈し、活動資金の一助にしてほしい旨の記載がありました。Ａさんも当該遺贈を承諾する旨の意思を表示しており、今後も末長く貸家事業経営を継続していくつもり（相続税の申告期限までの貸家事業承継、所有継続及び貸家事業継続の各要件を充足）です。

上記の場合に、被相続人甲の志を継ぐＡさんが遺贈により取得した貸家用建物の敷地である宅地について、貸付事業用宅地等に該当するものとして、小規模宅地等の課税特例の適用対象とすることは認められますか。

**応答**

現行の取扱いでは、小規模宅地等の課税特例の適用対象とされる小規模宅地等は、下記に掲げる４つの区分のいずれかに該当するものに限るものとされています。

(1)　特定事業用宅地等である小規模宅地等（課税価格算入割合20％、適用上限面積400㎡）

(2)　特定居住用宅地等である小規模宅地等（課税価格算入割合20％、適用上限面積330㎡）

(3)　特定同族会社事業用宅地等である小規模宅地等（課税価格算入割合20％、適用上限面積400㎡）

(4)　貸付事業用宅地等である小規模宅地等（課税価格算入割合50％、適用上限面積200㎡）

そして、上記(4)に掲げる貸付事業用宅地等とは、平成22年４月１日以後に課税時期が到来したものから、その取扱いとして、「被相続人等の事業（貸付事業に限られます。）の用に供されていた宅地等で、次に掲げる要件（略）のいずれかを満たす当該被相続人の親族が相続又は遺贈により取得したもの（特定同族会社事業用宅地等を除きます。）をいう。」とされています。

すなわち、貸付事業用宅地等に該当するためには、被相続人等の貸付事業に供されていた宅地等を取得した者が当該被相続人の親族（上記＿＿部分）(注)であることが必要とされています。

(注)　小規模宅地等の課税特例の規定において『親族』の定義は固有概念として規定されていないことから、当該親族の範囲につき、民法第725条《親族の範囲》の規定（親族とは、①６親等内の血族、②配偶者、③３親等内の姻族をいいます。）を借用概念として適用することが相当であると考えられます。

そうすると、**質疑** の事例の場合には、被相続人甲から貸家用建物の敷地である宅地を遺贈により取得したＡさんは、被相続人甲との親族関係が認められないことから、たとえ、相続税の申告期限までに貸家事業を承継し、その後において所有を継続し、かつ、貸家事業を継続したとしても、小規模宅地等の課税特例の適用対象とすることは認められないことになります。

### ⑵　貸付事業に該当するか否かの判定における『相当の対価』の判断基準等

**質疑**

小規模宅地等の課税特例の対象には、事業と称するに至らない不動産の貸付けであっても相当の対価を得て継続的に行われているものが含まれるとされていますが、この場合における次の事項についてはどのように解釈すればよいでしょうか。

⑴　『相当の対価』とはどのような対価をいいますか。

⑵　貸付不動産を全額借入金で調達した場合には、金利高騰時においては借入金に係る支払利息が相当高額となることから、世間相場の賃料（地代家賃）を収受していても課税所得の計算は赤字になることが一般的には多いものと考えられますが、このような場合には小規模宅地等の課税特例の適用はないのでしょうか。

⑶　小規模宅地等の課税特例の適用要件に『継続的に行われる』とありますが、この判断については貸付開始から相続開始時点までにおける貸付期間の長短で判断するのでしょうか。

そうであるならば下記のような事例は継続的に行われているものとは認め難いということで小規模宅地等の課税特例の適用対象地にはならないのでしょうか。

（事例）貸付内容……被相続人である地主甲（相続開始の10年前から特定貸付事業を営む者）の所有地に借地人乙が建物の所有を目的として普通借地権を設定

貸付期間……令和３年４月１日から30年間

相続開始日…令和３年４月15日

**応答**

上記については、次のとおりに解釈するのが相当と考えられます。

⑴　『相当な対価』の意義

平成６年度の税法改正後における小規模宅地等の課税特例の適用の有無の判断をする場合には、貸付事業に該当するか否かの判定においては措置法通達69の４－13《不動産貸付業等の範囲》において「被相続人等の不動産貸付業、駐車場業又は自転車駐車場業については、その規模、設備の状況及び営業形態等を問わない。」とされています。

また、不動産の貸付けによる対価の額は、一般に、その不動産の所在する場所、その貸付けの目的となっている建物及びその施設の状況等から決定されるものであってその額は一様に定まるものではなく、貸し借りの需給バランスも大きく影響するものと考えられます。

以上より、現行の小規模宅地等の課税特例における『相当の対価』とは、貸し付けられている不動産の所在、その施設等の状況からみて相応の対価（通常の世間相場）と認められるような対価をいうものと考えられます。

⑵　課税所得（不動産所得）が赤字となる場合の小規模宅地等の課税特例の適用の可否

上記⑴より、平成６年度の税法改正後においては『相当の対価』とは、貸し付けられている不動産の所在等の状況からみて相応の世間相場の対価を指すものと考えられ、当該対価（世間相場並みの地代家賃）が当該不動産の貸付けに係る必要経費の全てを回収して、なお利益が生じるような対価となっていることまでをも要求しているものではないと考えられます。

したがって、貸付けの対価が『相当の対価』と認められるものであるならば、結果として、課税所得（不動産所得）の計算が赤字となる場合であっても小規模宅地等の課税特例の適用対象地とすることができるものと考えられます。

なお、上記の解釈は、①平成６年度の税法改正前における小規模宅地等の課税特例における取扱い（貸付用不動産の場合には、当該貸付けが事業として行われていた場合に限り小規模宅地等の課税特例の適用を認めるもの）や、②措置法第37条に規定する特定事業用資産の買換特例制度における事業用資産の範囲（貸付用不動産が事業用資産に該当するか否かの判断）において用いられている『相当の対価』とは異なるものとなっていますので、十分に留意が必要です。

**参考資料**　**措置法通達37－３《事業に準ずるものの範囲》（所得税関係）**

（事業に準ずるものの範囲）

37－３　措置法第37条第１項に規定する「事業に準ずるもの」とは、措置法令第25条第２項の規定により事業と称するに至らない不動産又は船舶の貸付けその他これに類する行為で相当の対価を得て継続的に行うものをいうのであるが、その判定については、次の点に留意する。

⑴「不動産又は船舶の貸付けその他これに類する行為」とは、措置法第37条第１項の表の各号に掲げる資産の賃貸その他その使用に関する権利の設定（以下この項において「貸付け等」という。）の行為をいう。

⑵「相当の対価を得て継続的に行う」とは、相当の所得を得る目的で継続的に対価を得て貸付け等の行為を行うことをいう。

この場合には、次のことに留意する。

イ　相当の所得を得る目的で継続的に対価を得ているかどうかについては、次による。

(ｲ)　相当の対価については、その貸付け等の用に供している資産の減価償却費の額（当該資産の取得につき措置法第37条第１項（同条第３項及び第４項において準用する場合を含む。）の規定の適用を受けているときは、措置法第37条の３第１項の規定により計算した取得価額を基として計算した減価償却費の額）、固定資産税その他の必要経費を回収した後において、なお相当の利益が生ずるような対価を得ているかどうかにより判定する。

～

（以　下　省　略）

⑶　『継続的に行われる』の判断基準

不動産の貸付けが継続的に行われているかどうかの判断を行う場合の継続性については、単に貸付開始の時から相続開始時までの貸付期間の長短により判断をするのではなく、原則として、その貸付けに係る契約の効力の発生した時の現況において、当該不動産の貸付けが相当期間継続して行われることが予定されているものであるかどうかにより判断します。

したがって、（事例）の場合は貸付開始から相続開始時までの期間は比較的短期間ではありますが、当初の契約において相当の期間（契約上は30年間ですが、法定更新も考慮に入れますと実際にはそれ以上に長期間になります。）にわたって貸し付けることが予定されていたもので、当該不動産の貸付けは継続的に行われていたものとして取り扱うことができ、他の要件を充足すれば小規模宅地等の課税特例の適用対象とすることができるものと考えられます。

## ⑶　私道に対する小規模宅地等の課税特例の適用の可否

**質疑**　次のような土地を所有している場合に、私道部分についての小規模宅地等の課税特例の規定の適用はどのようになりますか。

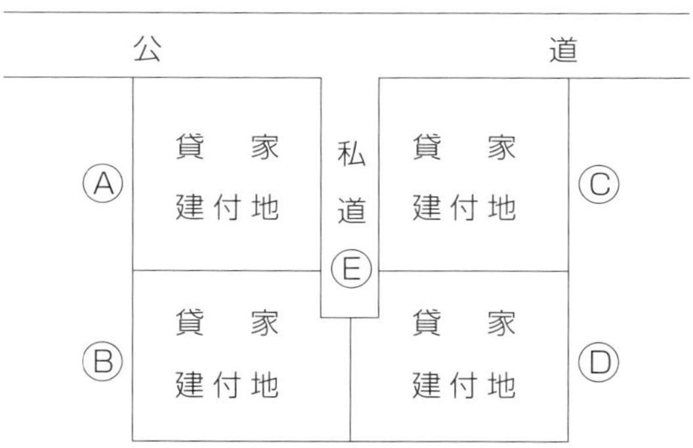


※Ⓐから Ⓔまでの宅地の所有者は全て今回の被相続人とし、各区分の地積はいずれも40㎡（合計200㎡）とします。

なお、これらⒶからⒺまでの宅地は相続税の申告期限までに長男Ａが遺産分割協議により取得し、長男Ａは被相続人の貸付事業を承継し、相続税の申告期限まで継続して所有し、かつ、貸付けの用に供しています。

また、被相続人は、同人に係る相続開始の10年以上前から事業的規模で不動産貸付業等を営んでいることが確認されています。

**応答**

私道の用に供されている土地Ⓔは、ⒶからⒹまでの各宅地（貸家建付地）の維持、効用を果たすために必要不可欠な土地であると認められますので、貸付事業の用に供されている事業用の宅地等（貸付事業用宅地等）として、小規模宅地等の課税特例の適用対象とすることができます。

なお、上記の私道のような場合には、私道部分も含めて貸付けの対象としていると考えられますので、当該私道の評価についても貸家建付地に準じて評価することができると考えられます。

上記の私道の評価（小規模宅地等の課税特例の適用後）の計算例を示すと次のとおりになります。

（前提）自用地としての私道の評価額　2,000千円
借地権割合　60％
借家権割合　30％
賃貸割合　100％

（計算）2,000千円×（１－60％×30％×100％）＝1,640千円
1,640千円×（$1-\frac{50}{100}$）＝820千円（相続税の課税価格算入額）

## ⑷　信託契約中のその目的とされている宅地等に対する小規模宅地等の課税特例の適用の可否

**質疑**

被相続人甲は生前に所有していた空地（未利用地）の有効利用を図るため信託銀行と土地の信託契約を締結していましたが、この度相続の開始がありました。

課税時期において当該信託契約の目的とされた土地の上には貸家建物が建設され入居者の募集も開始されていました。（ただし、課税時期において実際の賃貸契約の締結はなされていませんでした。）

なお、当該土地（宅地）は相続税の申告期限までに長男Ａが遺産分割協議により取得し、被相続人甲が信託銀行と締結していた土地信託に関する契約のすべてを承継しています。

この場合において、被相続人甲の所有する信託契約中の宅地等について、不動産貸付業等の用に供されている事業用の宅地等（貸付事業用宅地等）として小規模宅地等の課税特例の適用は可能でしょうか。

なお、被相続人甲は、同人に係る相続開始の10年以上前から上記の信託契約中の宅地等とは別個の不動産を利用して、特定貸付事業を営んでいることが確認されています。

**応答**

土地信託契約は、信託期間中における信託財産の管理運用等のすべてが受託者の名義で行われるという特性を有するものの、これは信託財産の管理運用上の便法にすぎず、その実質は当該財産の所有者（委託者）が自ら財産の管理運用等を行うのとその経済的効果は異なるものではないと思われます。

それ故に、単に受託者（信託銀行）との間で信託契約が締結されていることだけをもって、

当該信託の目的とされている土地等の取扱いと所有者自ら実際に管理運用を行う信託の目的とされていない土地等の取扱いとの間に差異を設ける格別の理由はないと考えられます。

したがって、上記の場合には、課税時期において信託契約中の宅地等であっても、当該事項のみをもって貸付事業として事業の用に供した状態（入居者の存在、建物の賃貸借契約の締結）とは認められませんので、小規模宅地等の課税特例の対象とすることはできません。

また、当該宅地の評価については、貸家建付地としての評価ではなく、自用地として評価します。

### (5)　相続税の申告期限までに宅地等を取得した親族が死亡した場合における貸付事業用宅地等の取扱い

**質疑**　被相続人甲は、本年２月に相続の開始がありました。下図に掲げるとおり、同人の所有する宅地のうちには、相続開始時において被相続人甲及び当該被相続人甲と生計を一にする親族である長女Ｂ（被相続人等）の貸付事業の用に供されているものがありました。

図１　不動産Ａ（被相続人甲の貸付事業の用に供用）

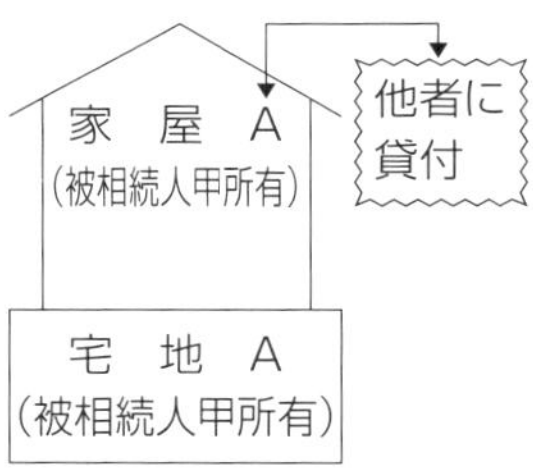


- 貸付けの対価は、相当と認められます。
- 被相続人甲の貸付事業を当該家屋Ａ及び宅地Ａを遺産分割協議により取得した長男Ａが相続開始直後から承継しています。

図２　不動産Ｂ（被相続人甲と生計を一にする親族（長女Ｂ）の貸付事業の用に供用）

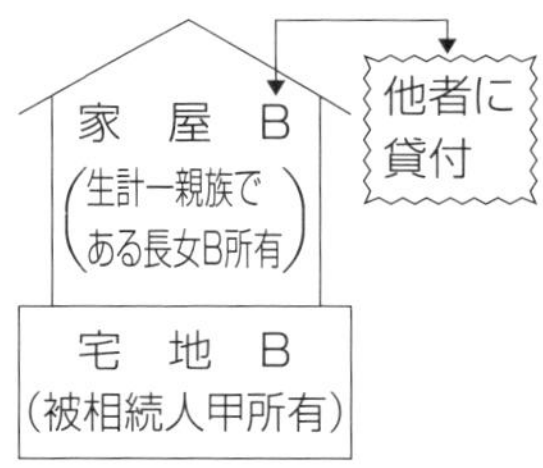


- 被相続人甲と生計を一にする親族（長女Ｂ）の貸付事業の用に相続開始前から供用
- 長女Ｂの他者に対する貸付けの対価は相当と認められます。
- 被相続人甲と長女Ｂとの間には、地代の収受はなされていません。
- 当該宅地Ｂは、長女Ｂが遺産分割協議により取得しました。

上記に掲げる状況において、長男Ａ及び長女Ｂはともに、遺産分割協議の完了後で被相続人甲に係る相続税の申告期限前である本年10月に不慮の事故により死亡しました。（被相続人甲に係る相続税の申告書はこの段階では提出されていませんでした。）

そして、長男Ａ及び長女Ｂに係るそれぞれの財産承継者（親族）は、相続税の納税資金を確保する必要性から、やむを得ずに被相続人甲に係る相続税の申告期限までに各入居者に対する貸付事業を停止し、不動産Ａ及び不動産Ｂをともに業者に売却してしまいました。

このような場合、宅地Ａ及び宅地Ｂについて、被相続人甲に係る相続税の申告において『貸付事業用宅地等』に該当するものとして、小規模宅地等の課税特例の対象とすることは認められますか。

なお、被相続人甲は、同人に係る相続開始の10年以上前から事業的規模で不動産貸付業等を営んでいることが確認されています。

## 応答

⑴　宅地Ａ（被相続人の貸付事業の用に供用）の場合

被相続人の事業（不動産貸付業、駐車場業、自転車駐車場業及び準事業（注）（以下「貸付事業」といいます。）に限られます。以下⑴において同じ。）の用に供されていた宅地等が『貸付事業用宅地等』の取扱いを受けるためには、被相続人の貸付事業を相続開始後に事業承継する場合に該当するものとして、当該宅地等を相続又は遺贈により取得した当該被相続人の親族（当該親族から相続又は遺贈により当該宅地等を取得した当該親族の相続人を含みます。以下⑴において同じ。）が、下記に掲げる要件を充足することが必要とされています。

（注）　事業と称するに至らない不動産の貸付けその他これらに類する行為で相当の対価を得て継続的に行うものをいいます。

| | |
|---|---|
| ①　貸付事業承継の要件 | 当該親族が、相続開始時から相続税の申告書の提出期限までの間に当該宅地等に係る被相続人の貸付事業を承継すること |
| ②　所有継続の要件 | 上記の貸付事業を承継した親族が相続開始時から相続税の申告期限まで引き続き当該宅地等を所有していること |
| ③　貸付事業継続の要件 | 上記の貸付事業を承継した親族が貸付事業承継後、相続税の申告期限まで引き続き当該貸付事業の用に供していること |

上記より、被相続人の貸付事業を当該被相続人に係る相続開始後に当該被相続人に係る親族が承継した場合において、当該被相続人に係る相続税の申告期限（第１次相続に係る相続税の申告期限（注））までに当該被相続人の営む貸付事業を承継した親族に相続開始があったとき（第２次相続の開始）には、第２次相続により当該宅地等を取得した親族に対して、第１次相続に係る相続税の申告期限（注）までの上記①から③に掲げる３要件（貸付事業承継の要件、所有継続の要件、貸付事業継続の要件）の充足を求めていることが理解されます。（上記①から③まで及び＿＿部分を参照）

このような要件を設けたのは、被相続人の貸付事業を相続開始後に事業承継した親族にとっては事業承継後の新しい事業主（貸主）としての実績があまりなく、当該親族に係る第２次相続の開始が不可抗力によるものであることを考慮しても、当該宅地等を貸付事業用宅地等として取り扱うためのなおさらの付加要件として、当該第２次相続により当該宅地等を取得した親族による当該第１次相続に係る相続税の申告期限（注）までの貸付事業承継及び継続並びに所有継続の要件を求めたものと考えられます。

そうすると、**質疑** の事例の場合には、被相続人甲から宅地Ａを相続により取得した長男Ａは当該宅地Ａを直ちに被相続人甲が営んでいた貸付事業の用に供しているものの、被相続人甲の相続開始による当初の相続税の申告期限前に死亡しており、かつ、長男Ａから当該宅地Ａを第２次相続で取得した親族は当該貸付事業を承継することなく第１次相続に係る相続税の申告期限（注）までに譲渡してしまったとのことですから上記に掲げる要件を充足しないことになります。

（注）『第１次相続に係る相続税の申告期限』とは、具体的には、当該宅地等を取得した当該親族の相続人に係る相続税法27条２項の規定により延長された申告期限（その親族に係る相続の開始があったことを知った日の翌日から10月以内）をいいます。

以上より、宅地Ａを『貸付事業用宅地等』に該当するものとして、小規模宅地等の課税特例の対象とすることは認められないことになります。

⑵　宅地Ｂ（被相続人と生計を一にする親族の貸付事業の用に供用）の場合

被相続人と生計を一にする親族の事業（貸付事業に限られます。以下⑵において同じ。）の用に供されていた宅地等が『貸付事業用宅地等』の取扱いを受けるためには、当該宅地等を相続又は遺贈により取得した当該被相続人の親族が、下記に掲げる要件を充足することが必要とされています。

| | |
|---|---|
| ①　生計一親族の要件 | 当該親族が当該被相続人と生計を一にしていた者であること |
| ②　所有継続の要件 | 上記①に掲げる親族が相続開始時から相続税の申告期限[(A)]（当該親族が相続税の申告期限前に死亡した場合には、その死亡の日。以下⑵において同じ。）まで引き続き当該宅地等を所有していること |
| ③　事業継続の要件 | 上記①に掲げる親族が[(B)]相続開始前から相続税の申告期限まで引き続き当該宅地等を自己（**筆者注** 当該宅地等を承継した被相続人と生計を一にしていた親族）の貸付事業の用に供していること |

上記より、被相続人と生計を一にする親族の貸付事業の用に供されていた宅地等を当該生計を一にする親族が当該被相続人から相続又は遺贈により取得した場合においては、たとえ当該被相続人に係る相続税の申告期限（第１次相続に係る相続税の申告期限）までに当該生計を一にしていた親族に相続開始があったとき（第２次相続の開始）でも、当該第２次相続により当該宅地等を取得した親族に対して、別段の要件の充足を求めることなく、所有継続の要件及び貸付事業継続の要件は、第１次相続により当該宅地等を取得した当該生計を一にしていた親族に係る相続開始日までの状況により判断するものとされていることが理解されます。（上記[(A)]＿＿部分を参照）

このような取扱いとされたのは、被相続人と生計を一にする親族の貸付事業の用に供されていた宅地等が『貸付事業用宅地等』に該当するための要件の１つである『貸付事業継続の要件』において、相続開始前からの貸付事業供用を当該生計を一にする親族に求めており（上記(B)部分）、既に相続開始前からのある程度の期間にわたる生計一親族による貸付事業の実績が認められるものであるため、あえて、当該生計を一にする親族に第１次相続に係る相続税の申告期限までに相続開始があったとしても、当該第２次相続に係る親族に対する重ねての所有継続要件及び貸付事業継続要件を求めなかったものと考えられます。

そうすると、**質疑** の事例の場合には、被相続人甲から宅地Ｂを相続により取得した当該被相続人甲と生計を一にする親族である長女Ｂは、被相続人甲に係る第１次相続の申告期限までに相続開始があり当該長女Ｂの営む貸付事業（貸家業）を承継した者は存していませんが、当該事項自体は判断に影響するものではなく、上記に掲げる要件を充足するものと認められます。

以上より、宅地Ｂは『貸付事業用宅地等』に該当することとなり、小規模宅地等の課税特例の対象とすることが認められることになります。

### (6)　貸付事業用宅地等に対する平成30年度の税法改正（相続開始前３年以内に新たに貸付事業の用に供された宅地等に対する小規模宅地等の課税特例の適用除外規定の新設）の概要

**質疑**

被相続人甲に相続の開始がありました。同人は、その相続開始の２年前に賃貸用アパートを購入して貸付事業を新規に開業しました。

当該賃貸用アパート（家屋及びその敷地に供用されている宅地等）については、遺産分割協議によって長男Ａが取得し、今後も末長く所有し、貸付事業を承継するものとされています。

このような状況にある賃貸用アパートの敷地である宅地等について、貸付事業用宅地等として小規模宅地等の課税特例の対象とすることが認められますか。次に掲げる被相続人甲の相続開始の時期別に説明してください。

(1)　平成30年３月31日までに相続開始日が到来した場合

(2)　平成30年４月１日から令和３年３月31日までの間に相続開始日が到来した場合

(3)　令和３年４月１日以後に相続開始日が到来した場合

**応答**

(1)　概要

平成30年度の税法改正では、貸付事業用宅地等について、相続開始前３年以内に新たに貸付事業の用に供された宅地等をその対象から除くこととされました。

ただし、相続開始の日まで３年を超えて引き続き特定貸付事業（貸付事業のうち準事業以外のものをいいます。）を行っていた被相続人等の当該貸付事業の用に供された宅地等（以下「特定貸付宅地等」といいます。）については、上記の相続開始前３年以内に貸付事業の用に供された宅地等であっても、その対象から除かれない（換言すれば、貸付事業用宅地等に該当する）ものとされています。

上記の改正は、平成30年４月１日以後に相続又は遺贈により取得した小規模宅地等の課税特例に規定する宅地等に係る相続税について適用するものとされています。

ただし、この適用時期については経過措置が設けられており、平成30年４月１日から令和３年３月31日までの間に相続又は遺贈により取得する宅地等に係る貸付事業用宅地等の規定の適用については、上記改正について『相続開始前３年以内に新たに貸付事業の用に供された宅地等』とあるのは、『平成30年４月１日以後に新たに貸付事業の用に供された宅地等』と読み替えて適用する（換言すれば、『平成30年３月31日以前に新たに貸付事業の用に供された宅地等』については、平成30年度の改正は適用しない）ものとされています。この取扱いを図示すると、次のとおりとなります。

図解　貸付事業用宅地等に係る平成30年度の改正（本則と経過措置）

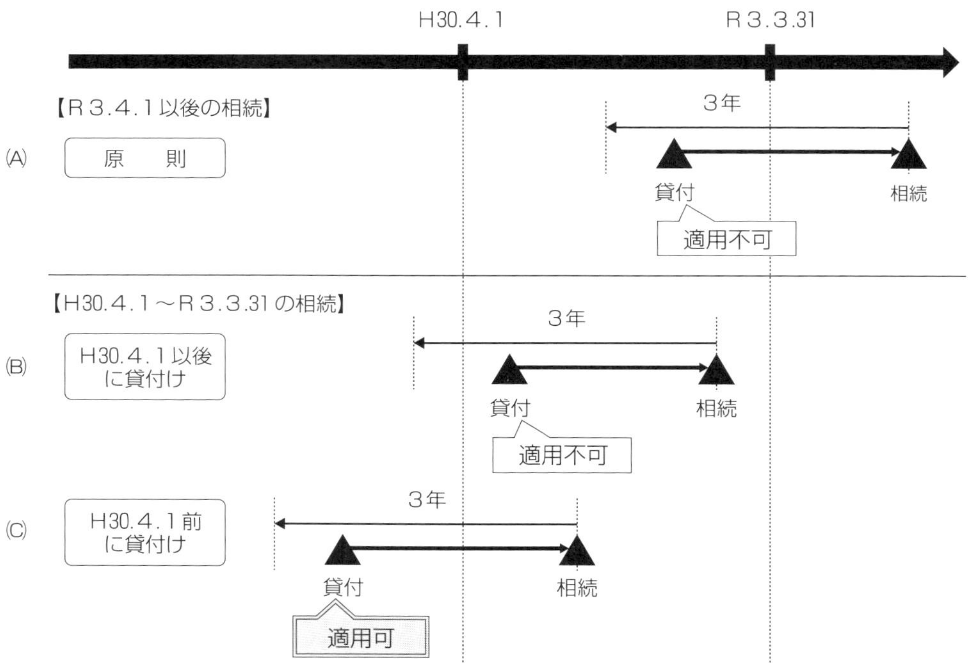


（注）　上記は、被相続人等が相続開始前３年を超えて特定貸付事業を行っていない場合を前提としています。

⑵　平成30年３月31日までに相続開始日が到来した場合

①　適用要件

貸付事業用宅地等（被相続人の貸付事業を相続開始後に事業承継する場合）に該当するためには、次に掲げる⑷ないし⑹に掲げる要件を充足していることが必要とされます。

⑷　被相続人の親族（当該親族から相続又は遺贈により当該宅地等を取得した当該親族の相続人を含みます。以下①において同じ。）が、相続開始時から相続税の申告期限までの間に当該宅地等に係る被相続人の貸付事業を承継すること

㈺　上記㈠の貸付事業を承継した親族が、相続開始時から相続税の申告期限まで引き続き当該宅地等を所有していること

㈧　上記㈠の貸付事業を承継した親族が、貸付事業承継後、相続税の申告期限まで引き続き当該貸付事業の用に供していること

②　当てはめ

**質疑** の事例の場合（㈱新規貸付事業供用日：平成28年２月10日、相続開始日：平成30年２月10日）、当該賃貸用アパートの敷地である宅地等を相続により取得した長男Ａは、その前提条件から上記①に掲げる適用要件を充足していると認められることから、当該宅地等は、貸付事業用宅地等（課税価格算入割合50％、適用上限面積200㎡）に該当することになります。

⑶　平成30年４月１日から令和３年３月31日までの間に相続開始日が到来した場合

①　適用要件

貸付事業用宅地等（被相続人の貸付事業を相続開始後に事業承継する場合）に該当するためには、上記⑵①に掲げる要件及び⑴の後段の経過措置に掲げる適用除外要件を充足していることが必要とされます。

②　当てはめ

**質疑** の事例の場合、その前提条件から被相続人甲に係る相続開始の２年前に賃貸用アパートを取得したとのことですが、その敷地である宅地等が貸付事業用宅地等（課税価格算入割合50％、適用上限面積200㎡）に該当するか否かの判断は、当該宅地等が新たに貸付事業の用に供された時の下記に掲げる区分の別に、それぞれに示すとおりとされます。

㈠　新たに貸付事業の用に供された時が平成30年３月31日以前である場合

例えば、**質疑** の事例が、新たに貸付事業の用に供された時が平成30年２月10日で被相続人甲に係る相続開始日が令和２年２月10日である場合としたならば、本件事例は、上記①に掲げる適用要件を充足する（上記⑴の図解のⒸに該当）こととなり、貸付事業用宅地等に該当します。

㈺　新たに貸付事業の用に供された時が平成30年４月１日以後である場合

例えば、**質疑** の事例が、新たに貸付事業の用に供された時が平成31年２月10日で被相続人甲に係る相続開始日が令和３年２月10日である場合としたならば、本件事例は、上記①に掲げる適用要件を充足しない（上記⑴の図解のⒷに該当）こととなり、貸付事業用宅地等に該当しません。

⑷　令和３年４月１日以後に相続開始日が到来した場合

①　適用要件

貸付事業用宅地等（被相続人の貸付事業を相続開始後に事業承継する場合）に該当するためには、上記⑵①に掲げる要件及び⑴の前段に掲げる平成30年度の税法改正後の適用除外要件を充足していることが必要とされます。

②　当てはめ

**質疑** の事例の場合（㋑新規貸付事業供用日：平成31年４月10日、相続開始日：令和３年４月10日）、当該賃貸用アパートの敷地である宅地等を相続により取得した長男Ａは、その前提条件から上記①に掲げる適用要件を充足しない（上記⑴の**図解**のⒶに該当）こととなり、貸付事業用宅地等に該当しません。

**⑺　平成30年度の税法改正による貸付事業用宅地等に係る経過措置（『平成30年４月１日以後に新たに貸付事業の用に供されたもの』の意義）**

**質疑**　被相続人甲に相続の開始（相続開始日：令和３年１月10日）がありました。

同人が相続開始時において営む貸付事業（賃貸アパート）の用に供されていた物件（いずれも、自己資金で購入し、貸付事業を新規開業）に関する資料が下表に掲げる **事例１** 又は **事例２** に示すとおりであるとしたならば、それぞれに掲げるＸ物件又はＹ物件の敷地の用に供されている宅地等につき、平成30年度の税法改正による貸付事業用宅地等に係る経過措置の適用を受けて、当該宅地等を貸付事業用宅地等として取り扱うことが認められるのでしょうか。

| 事例 | 物件の名称 | 不動産を取得した日 | 貸付事業に供した日 | 備考 |
|---|---|---|---|---|
| 事例１ | Ｘ物件 | 平成30年２月５日 | 平成30年２月10日 | Ｘ物件の貸付けは、準事業とされます。 |
| 事例２ | Ｙ物件 | 平成30年３月30日 | 平成30年４月３日 | Ｙ物件の貸付けは、準事業とされます。 |

なお、上記に掲げる事項以外の事項については、貸付事業用宅地等に係る適用要件を充足しているものとします。

## 応答

⑴　概要

平成30年度の税法改正では、貸付事業用宅地等について、相続開始前３年以内に新たに貸付事業の用に供された宅地等（ただし、相続開始の日まで３年を超えて引き続き特定貸付事業（貸付事業のうち準事業以外のものをいいます。）を行っていた被相続人等の当該貸付事業の用に供されたもの（以下「特定貸付宅地等」といいます。）を除きます。）をその対象から除くものとされました。

上記の貸付事業用宅地等に係る改正は、平成30年４月１日以後に相続又は遺贈により取得する宅地等に係る相続税について適用するものとされています。

ただし、平成30年４月１日から令和３年３月31日までの間に相続又は遺贈により取得する宅地等に係る貸付事業用宅地等の規定の適用については一定の経過措置が設けられており、当該期間中に相続又は遺贈により取得をした宅地等については、平成30年４月１日以後に新たに貸付事業の用に供されたもの（相続開始の日まで３年を超えて引き続き特定貸付事業を行っていた被相続人等の当該特定貸付事業の用に供されたものを除きます。）が貸付事業用宅地等の対象となる宅地等から除かれる（換言すれば、平成30年３月31日までに新たに貸付事業の用に供されたものは除外の対象とはされない）ものとされています。

⑵　事例１（Ｘ物件の敷地である宅地等）の場合

事例１の場合、被相続人甲に係る相続開始日が令和３年１月10日、新規貸付事業供用日が平成30年２月10日であることからＸ物件の敷地である宅地等は、相続開始前３年以内に新たに貸付事業の用に供された宅地等に該当することになります。

また、その一方で新規貸付事業供用日が平成30年２月10日であり、平成30年４月１日以後に新たに貸付事業の用に供されたもの（上記⑴の＿＿部分）には該当しないことから、上記⑴のただし書に掲げる経過措置の適用対象に該当することになります。この取扱いを図示すると、次の図１のとおりです。

したがって、賃貸アパートであるＸ物件の敷地である宅地等については、貸付事業用宅地等として小規模宅地等の課税特例の対象とすることが認められます。

図１　Ｘ物件の敷地である宅地等の取扱い

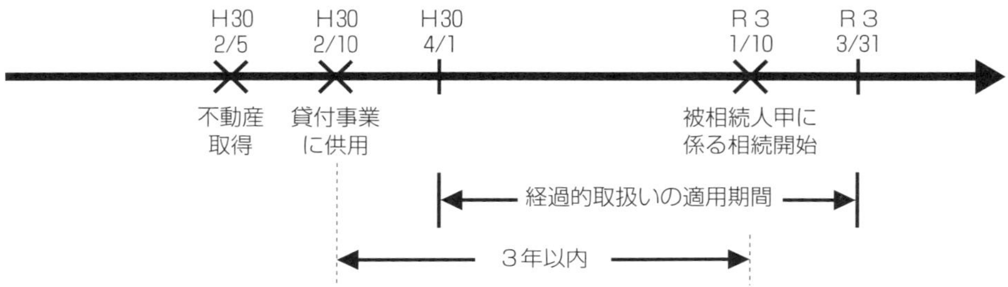


⑶　事例２（Ｙ物件の敷地である宅地等）の場合

事例２の場合、被相続人甲に係る相続開始日が令和３年１月10日、新規貸付事業供用日が平成30年４月３日であることからＹ物件の敷地である宅地等は、相続開始前３年以内に新たに貸付事業の用に供された宅地等に該当することになります。

そして、上記⑴のただし書に掲げる経過措置の適用対象に該当するか否かの検討ですが、Ｙ物件の新規貸付事業供用日が平成30年４月３日であり、平成30年４月１日以後に新たに貸付事業の用に供されたもの（上記⑴の＿＿部分）に該当することから、当該経過措置の対象に該当しないものとされています。この取扱いを図示すると、次の図２のとおりです。

（注）　事例２の場合、Ｙ物件の取得日が平成30年３月30日で、同日は平成30年４月１日前に該当しますが、上記の経過措置の適用判断基準は、『平成30年４月１日以後に新たに貸付事業の用に供されたもの』（上記⑴の＿＿部分）であり、当該不動産の取得日で判断するものではないことに留意する必要があります。

図２　Ｙ物件の敷地である宅地等の取扱い

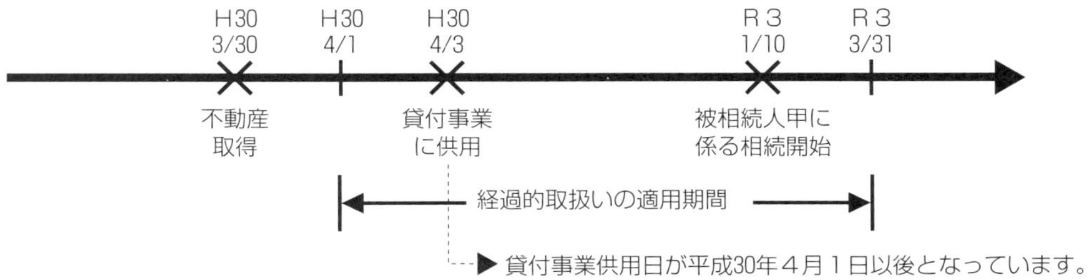


また、**質疑** に掲げる前提条件からＹ物件の貸付けは『相続開始の日まで３年を超えて引き続き特定貸付事業を行っていた被相続人等の当該特定貸付事業』にも該当しないことになります。

したがって、賃貸アパートであるＹ物件の敷地である宅地等については、貸付事業用宅地等として小規模宅地等の課税特例の対象とすることは認められません。

### (8)　相続開始前３年以内に新たに貸付事業の用に供された宅地等の意義（その１：相続開始前３年以内に特定貸付事業が引き続き行われていなかった期間がある場合の取扱い）

**質疑**

被相続人甲に相続の開始（相続開始日：令和３年４月10日）がありました。当該相続開始時に被相続人甲が不動産貸付業の用に供しているのは、同人が平成31年４月10日に貸付事業に供用を開始した一戸建住宅であるＹ物件（自己資金で購入）のみで、いわゆる準事業に該当するものです。

なお、被相続人甲は、上記のＹ物件以外にも平成15年頃に取得した賃貸アパートであるＸ物件（不動産所得を生ずべき事業（いわゆる事業的規模であると認められます。）の用に供されていました。）を所有していましたが、被相続人甲に係る相続開始前の令和３年１月10日に他者に譲渡してしまいました。

このような状況において、一戸建住宅であるＹ物件の敷地の用に供されている宅地等を貸付事業用宅地等に該当するとして、小規模宅地等の課税特例の対象とすることが認められますか。

なお、上記に掲げる事項以外の事項については、貸付事業用宅地等に係る適用要件は充足しているものとします。

**応答**

(1)　概要

平成30年度の税法改正では、貸付事業用宅地等について、相続開始前３年以内に新たに貸付事業の用に供された宅地等をその対象から除くこととされました。

ただし、相続開始の日まで３年を超えて引き続き特定貸付事業（貸付事業のうち準事業以外のものをいいます。）を行っていた被相続人等の当該貸付事業の用に供された宅地等（以下「特定貸付宅地等」といいます。）については、上記の相続開始前３年以内に貸付事業の用に供された宅地等であっても、その対象から除かれない（換言すれば、貸付事業用宅地等に該当する）ものとされています。

そして、『相続開始の日まで３年を超えて引き続き特定貸付事業を行っていた被相続人等』（上記＿＿部分）の解釈に当たっては、措置法通達69の４－24の５《特定貸付事業が引き続き行われていない場合》（下記 参考資料 を参照）において、要旨、「相続開始前３年以内に宅地等が新たに被相続人等が行う特定貸付事業の用に供された場合であっても、その供された時から相続開始の日までの間に当該被相続人等が行う貸付事業が特定貸付事業に該当しないこととなったとき（例えば、事業規模を縮小し、いわゆる事業的規模に該当しなくなった場合が想定されます。）は、当該被相続人等は、相続開始の日まで３年を超えて特定貸付事業を行っていた者に該当しないことから、当該宅地等は、『相続開始の日まで３年を超えて引き続き政令で定める貸付事業（貸付事業のうち準事業以外のものをいいます。）を行っていた被相続人等の当該貸付事業の用に供されたもの』に該当しないこととなり、相続開始前３年以内に新たに貸付事業の用に供された宅地等として、貸付事業用宅地等の対象となる宅地等から除かれることとなります。」と定められています。

**参考資料**　措置法通達69の４－24の５《特定貸付事業が引き続き行われていない場合》

> 相続開始前３年以内に宅地等が新たに被相続人等が行う特定貸付事業の用に供された場合において、その供された時から相続開始の日までの間に当該被相続人等が行う貸付事業が特定貸付事業に該当しないこととなったときは、当該宅地等は、相続開始の日まで３年を超えて引き続き特定貸付事業を行っていた被相続人等の貸付事業の用に供されたものに該当せず、措置法第69条の４第３項第４号に規定する貸付事業用宅地等の対象となる宅地等から除かれることに留意する。
>
> （注）　被相続人等が行っていた特定貸付事業が69の４－24の３に掲げる場合に該当する場合には、当該特定貸付事業は、引き続き行われているものに該当することに留意する。

⑵　**質疑**　の事例の場合

**質疑**　の事例の場合、被相続人甲に係る相続開始日が令和３年４月10日、賃貸用の一戸建住宅であるＹ物件に係る新規貸付事業供用日が平成31年４月10日であることからＹ物件の敷地である宅地等は、相続開始前３年以内に新たに貸付事業の用に供された宅地等に該当することになります。

そして、上記⑴のただし書に掲げる適用除外項目に該当するか否かの検討ですが、適用除外項目に関する人的要件は、『相続開始の日まで３年を超えて引き続き特定貸付事業を行っていた被相続人等』（上記⑴の＿＿部分）となっています。

そうすると、**質疑**　の事例の場合では、下記に掲げる 図解 のとおり、被相続人甲に係る相続開始日（令和３年４月10日）の３年以内に該当する令和３年１月10日以後は、賃貸アパートであるＸ物件を他者に譲渡したため被相続人甲に係る不動産賃貸業は、いわゆる準事業に該当するものに留まり特定貸付事業には該当しないこととなり、結果として、上記(1)＿＿部分の人的要件を充足しないものとなります。

**図解　質疑　の事例の場合における特定貸付事業を行っていた期間**

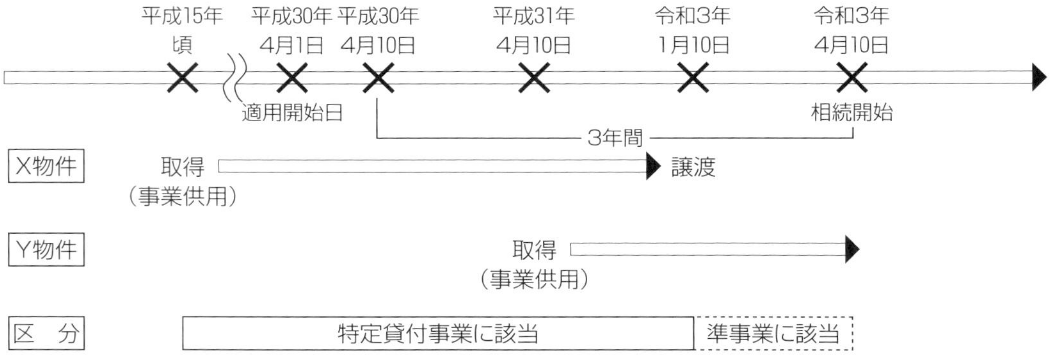


したがって、一戸建住宅であるＹ物件の敷地である宅地等については、貸付事業用宅地等として小規模宅地等の課税特例の対象とすることは認められません。

> **留意点**　本件 **質疑** の事例の場合には該当しませんが、平成30年４月１日から令和３年３月31日までの間に相続又は遺贈により取得した宅地等に係る貸付事業用宅地等の規定の適用については、一定の経過措置が設けられていることに留意する必要があります。この点に関して、(6)の質疑応答を参照してください。

### (9)　相続開始前３年以内に新たに貸付事業の用に供された宅地等の意義（その２：相続開始日まで３年を超えて特定貸付事業を行っていた場合に相続開始前３年以内の新規貸付事業供用宅地等を適用対象地とすることの可否）

> **質疑**　被相続人甲に相続の開始（相続開始日：令和３年４月10日）がありました。同人は、不動産貸付事業に注力しており、その相続開始の30年以上前から不動産所得を生ずべき事業（いわゆる事業的規模であると認められます。）を営んでいました。
>
> また、同人は、その相続開始の２年前（平成31年４月10日）にも貸付用ビルであるＸ物件を追加購入しています。これらの不動産については、遺産分割協議によって長男Ａがそのすべてを取得し、今後も末長く所有し、貸付事業を承継するものとされています。
>
> このような状況において、貸付用ビルであるＸ物件の敷地の用に供されている宅地等を貸付事業用宅地等に該当するとして、小規模宅地等の課税特例の対象とすることが認められますか。

**応答**

(1)　概要

平成30年度の税法改正では、貸付事業用宅地等について、相続開始前３年以内に新たに貸付事業の用に供された宅地等をその対象から除くこととされました。

ただし、相続開始の日まで３年を超えて引き続き特定貸付事業（貸付事業のうち準事業以外のものをいいます。）を行っていた被相続人等の当該貸付事業の用に供された宅地等（以下「特定貸付宅地等」といいます。）については、上記の相続開始前３年以内に貸付事業の用に供された宅地等であっても、その対象から除かれない（換言すれば、貸付事業用宅地等に該当する）ものとされています。

(2)　**質疑**　の事例の場合

**質疑**　の事例の場合、被相続人甲に係る相続開始日が令和３年４月10日、賃貸用ビルであるＸ物件に係る新規貸付事業供用日が平成31年４月10日であることからＸ物件の敷地である宅地等は、相続開始前３年以内に新たに貸付事業の用に供された宅地等に該当することになります。

そして、上記(1)のただし書に掲げる適用除外項目に該当するか否かの検討ですが、適用除外項目に関する人的要件は『相続開始の日まで３年を超えて引き続き特定貸付事業を行っていた被相続人等』（上記(1)の＿＿部分）であり、この人的要件に該当する者が行う貸付事業の用に供された宅地等（特定貸付宅地等）であるならば、その貸付事業の用に供された時期は問わないものとされています。

そうすると、**質疑**　の事例の場合、賃貸用ビルであるＸ物件が被相続人甲に係る相続開始前３年以内に貸付事業の用に供されたものであっても、当該被相続人甲が相続開始の日まで３年を超えて引き続き特定貸付事業を営んでいることから、当該事項は判断に何らの影響を与えるものではありません。

したがって、賃貸用ビルであるＸ物件の敷地である宅地等については、貸付事業用宅地等として小規模宅地等の課税特例の対象とすることが認められます。

> **留意点**　本件　**質疑**　の事例の場合には該当しませんが、平成30年４月１日から令和３年３月31日までの間に相続又は遺贈により取得した宅地等に係る貸付事業用宅地等の規定の適用については、一定の経過措置が設けられていることに留意する必要があります。この点に関して、(6)の質疑応答を参照してください。

### (10)　相続開始前３年以内に新たに貸付事業の用に供された宅地等の意義（その３：相続開始前３年以内に特定貸付事業を新規に開業した場合）

**質疑**

被相続人甲に相続の開始（相続開始日：令和３年４月10日）がありました。同人は、その相続開始の２年前の平成31年４月10日に退職金を充当して賃貸用アパートを３棟取得して、新規に不動産所得を生ずべき事業（いわゆる事業的規模であると認められます。）を開始しました。

これらの貸付用アパート（家屋及びその敷地に供用されている宅地等）については、遺産分割協議によって長男Ａがすべてを取得し、今後も末長く所有し、貸付事業を承継するものとされています。

このような状況にある３棟の賃貸用アパートの敷地である各宅地等について、貸付事業用宅地等として小規模宅地等の課税特例の対象とすることが認められますか。

## 応答

⑴　概要

平成30年度の税法改正では、貸付事業用宅地等について、相続開始前３年以内に新たに貸付事業の用に供された宅地等をその対象から除くこととされました。

ただし、相続開始の日まで３年を超えて引き続き特定貸付事業（貸付事業のうち準事業以外のものをいいます。）を行っていた被相続人等の当該貸付事業の用に供された宅地等（以下「特定貸付宅地等」といいます。）については、上記の相続開始前３年以内に貸付事業の用に供された宅地等であっても、その対象から除かれない（換言すれば、貸付事業用宅地等に該当する）ものとされています。

⑵　質疑　の事例の場合

質疑　の事例の場合、被相続人甲に係る相続開始日が令和３年４月10日、新規貸付事業供用日が平成31年４月10日であることからこれらの賃貸用アパートの敷地である宅地等は、相続開始前３年以内に新たに貸付事業の用に供された宅地等に該当することになります。

そして、上記⑴のただし書に掲げる適用除外項目に該当するか否かの検討ですが、新規貸付事業供用日が平成31年４月10日であることから「相続開始の日（令和３年４月10日）まで３年を超えて引き続き特定貸付事業を行っていた」（上記⑴の＿＿部分）の要件を充足しない（特定貸付宅地等に非該当）こととなりますので、上記の取扱いの適用除外項目に該当しないこととなります。

したがって、質疑　の事例のこれらの賃貸用アパートの敷地である宅地等については、たとえ、いわゆる事業的規模で営まれ、特定貸付事業に該当したとしても、貸付事業用宅地等として小規模宅地等の課税特例の対象とすることは認められません。

留意点　本件　質疑　の事例の場合には該当しませんが、平成30年４月１日から令和３年３月31日までの間に相続又は遺贈により取得した宅地等に係る貸付事業用宅地等の規定の適用については、一定の経過措置が設けられていることに留意する必要があります。この点に関して、⑹の質疑応答を参照してください。

### ⑾　相続開始前3年以内に新たに貸付事業の用に供された宅地等の意義（その4：被相続人が今回の相続開始前3年以内に相次相続で取得した貸付事業の用に供されていた宅地等の取扱い）（そのA：特定貸付事業であった期間の合算の可否）

**質疑**

被相続人甲に相続の開始（相続開始日：令和3年4月10日）がありました。同人が相続開始時において貸付事業の用に供しているのはマンションであるX物件で、不動産所得を生ずべき事業（いわゆる事業的規模であると認められます。）に該当するものです。

また、被相続人甲は当該X物件を同人の父αからの相続（相続開始日：令和元年9月10日）により取得しています。そして、父αは、当該X物件を平成15年頃に購入し、その後、継続して貸付事業の用に供していました。

上記のような状況において、被相続人甲が相続により取得したX物件の敷地の用に供されていた宅地等は、相続開始前3年以内に新たに貸付事業の用に供された宅地等に該当するものとして、貸付事業用宅地等に該当しないと解釈することになるのでしょうか。

なお、上記に掲げる事項以外の事項については、貸付事業用宅地等に係る適用要件は充足しているものとします。

**応答**

(1)　概要

平成30年度の税法改正では、貸付事業用宅地等について、相続開始前3年以内に新たに貸付事業の用に供された宅地等をその対象から除くこととされました。

ただし、相続開始の日まで3年を超えて引き続き特定貸付事業（貸付事業のうち準事業以外のものをいいます。）を行っていた被相続人等の当該貸付事業の用に供された宅地等（以下「特定貸付宅地等」といいます。）については、上記の相続開始前3年以内に貸付事業の用に供された宅地等であっても、その対象から除かれない（換言すれば、貸付事業用宅地等に該当する）ものとされています。

なお、上記の＿＿部分に掲げる『相続開始の日まで3年を超えて引き続き特定貸付事業を行っていた被相続人等』に該当するか否かの解釈に当たって、措置法施行令第40条の2《小規模宅地等についての相続税の課税価格の計算の特例》第21項において、「特定貸付事業を行っていた被相続人（以下「第1次相続人」という。）が、当該第1次相続人の死亡に係る相続開始前3年以内に相続又は遺贈（以下「第1次相続」という。）により当該第1次相続に係る被相続人の特定貸付事業の用に供されていた宅地等を取得していた場合には、当該第1次相続人の特定貸付事業の用に供されていた宅地等に係る貸付事業用宅地等の規定の適用については、当該第1次相続に係る被相続人が当該第1次相続があった日まで引き続き特定貸付事業を行っていた期間は、当該第1次相続人が特定貸付事業を行っていた期間に該当するものとみなす。」と規定しています。

(2)　**質疑**　の事例の場合

**質疑**　の事例の場合、被相続人甲に係る相続開始日が令和３年４月10日、同人が賃貸マンションであるＸ物件を取得したのが令和元年９月10日（被相続人甲の父αからの相続取得）であることからＸ物件の敷地である宅地等は、形式的には相続開始前３年以内に新たに貸付事業の用に供された宅地等に該当することになります。

そして、上記(1)のただし書に掲げる適用除外項目に該当するか否かの検討ですが、適用除外項目に関する人的要件は『相続開始の日まで３年を超えて引き続き特定貸付事業を行っていた被相続人等』（上記(1)の＿＿部分）とされているところ、被相続人甲に係る相続開始日が令和３年４月10日、同人が特定貸付事業を開始したのが令和元年９月10日（Ｘ物件の事業供用日）であることから、外形的に判断するとこの適用除外項目に該当しないとされるかもしれません。

しかしながら、上記(1)のなお書に掲げる措置法施行令の規定は、要旨、第１次相続人（**質疑**　の事例の場合、被相続人甲）及び当該第１次相続人に係る被相続人（**質疑**　の事例の場合、被相続人甲の父α）の双方が特定貸付事業を行っていた場合には、当該第１次相続人が特定貸付事業を行っていた期間の判定に当たって、両者（第１次相続人及び当該第１次相続人に係る被相続人）の特定貸付事業を行っていた期間を合算するというものであり、これによって判断した場合には、被相続人甲は、『相続開始の日（令和３年４月10日）まで３年を超えて（被相続人甲の父αのＸ物件の取得日は平成15年頃）引き続き特定貸付事業を行っていた被相続人等』（上記(1)の＿＿部分）に該当し、上記(1)のただし書の適用除外項目に該当することになります。

したがって、賃貸マンションであるＸ物件の敷地である宅地等については、貸付事業用宅地等として小規模宅地等の課税特例の対象とすることが認められます。

| |
|---|
| 留意点　本件　**質疑**　の事例の場合には該当しませんが、平成30年４月１日から令和３年３月31日までの間に相続又は遺贈により取得した宅地等に係る貸付事業用宅地等の規定の適用については、一定の経過措置が設けられていることに留意する必要があります。この点に関して、(6)の質疑応答を参照してください。 |

### (12)　相続開始前３年以内に新たに貸付事業の用に供された宅地等の意義（その４：被相続人が今回の相続開始前３年以内に相次相続で取得した貸付事業の用に供されていた宅地等の取扱い）（そのＢ：特定貸付事業であった期間を合算して相続開始前３年を超えて引き続き特定貸付事業が行われていたと認められる場合における相続開始前３年以内に新たに貸付事業の用に供された宅地等に対する適用の可否）

**質疑**

前問(11)に掲げる前提条件以外に、下記に掲げる事項が確認された場合におけるＸ物件及びＹ物件の敷地の用に供されていた宅地等は、相続開始前３年以内に新たに貸付事業の用に供された宅地等に該当するものとして、貸付事業用宅地等に該当しないと解釈することになるのでしょうか。

確認された事項

被相続人甲は、令和２年２月10日にもマンションであるＹ物件を購入して、新たに貸付事業の用に供しています。なお、Ｙ物件の貸付規模は準事業に留まるものと認められます。

**類題**　上記の確認された事項において、被相続人甲に係るＹ物件の貸付規模がいわゆる事業的規模であった場合にはどのようになりますか。

## 応答

(1)　概要

前問⑾の **応答** (1)（概要）に掲げるとおりです。

(2)　**質疑** の事例の場合

①　Ｘ物件の敷地の用に供された宅地等

前問⑾の **応答** (2)（**質疑** の事例の場合）に掲げるとおりです。（Ｘ物件の敷地の用に供された宅地等は、貸付事業用宅地等に該当します。）

②　Ｙ物件の敷地の用に供された宅地等

上記(1)及び①より、被相続人甲は、相続開始の日（令和３年４月10日）まで３年を超えて引き続き特定貸付事業を行っていた被相続人に該当します。

そうすると、被相続人甲の当該貸付事業の用に供された宅地等（特定貸付宅地）については、同人に係る相続開始前３年以内に貸付事業の用に供された宅地等であっても、貸付事業用宅地等に該当するものとされています。

したがって、Ｙ物件の敷地の用に供されていた宅地等については、貸付事業用宅地等として小規模宅地等の課税特例の対象とすることが認められます。なお、この判断は、Ｙ物件の貸付規模が準事業であるのか、又はいわゆる事業的規模であるのかによって左右されることはありません。

(3)　**類題** の場合

Ｙ物件の敷地の用に供されていた宅地等については、貸付事業用宅地等として小規模宅地等の課税特例の対象とすることが認められます。なお、そのように判断される理由は、上記(2)②に掲げるものと同様です。

留意点　本件 **質疑** の事例の場合には該当しませんが、平成30年４月１日から令和３年３月31日までの間に相続又は遺贈により取得した宅地等に係る貸付事業用宅地等の規定の適用については、一定の経過措置が設けられていることに留意する必要があります。この点に関して、⑹の質疑応答を参照してください。

### ⒀　相続開始前3年以内に新たに貸付事業の用に供された宅地等の意義（その4：被相続人が今回の相続開始前3年以内に相次相続で取得した貸付事業の用に供されていた宅地等の取扱い）（そのC：準事業であった期間の合算の可否）

**質疑**　被相続人甲に相続の開始（相続開始日：令和3年4月10日）がありました。同人が相続開始時において貸付事業の用に供しているのは一戸建住宅であるX物件のみで、いわゆる準事業に該当するものです。

また、被相続人甲は当該X物件を同人の父αからの相続（相続開始日：令和元年9月10日）により取得しています。そして、父αは、当該X物件を平成15年頃に購入し、その後、継続して貸付事業の用に供していました。

上記のような状況において、被相続人甲が相続により取得したX物件の敷地の用に供されていた宅地等は、相続開始前3年以内に新たに貸付事業の用に供された宅地等に該当するものとして、貸付事業用宅地等に該当しないと解釈することになるのでしょうか。

前々問⑾の **応答** に掲げる取扱いに準じて、父αと被相続人甲のそれぞれの貸付事業の供用期間を合算して判定することは認められないのでしょうか。

なお、上記に掲げる事項以外の事項については、貸付事業用宅地等に係る適用要件は充足しているものとします。

**応答**

⑴　概要

平成30年度の税法改正では、貸付事業用宅地等について、(イ)相続開始前3年以内に新たに貸付事業の用に供された宅地等をその対象から除くこととされました。

ただし、(ロ)相続開始の日まで3年を超えて引き続き特定貸付事業（貸付事業のうち準事業以外のものをいいます。）を行っていた被相続人等の当該貸付事業の用に供された宅地等（以下「特定貸付宅地等」といいます。）については、上記の相続開始前3年以内に貸付事業の用に供された宅地等であっても、その対象から除かれない（換言すれば、貸付事業用宅地等に該当する）ものとされています。

なお、上記の(ロ)＿＿部分に掲げる『相続開始の日まで3年を超えて引き続き特定貸付事業を行っていた被相続人等』に該当するか否かの解釈に当たって、措置法施行令第40条の2《小規模宅地等についての相続税の課税価格の計算の特例》第21項において、「特定貸付事業を行っていた被相続人（以下「第1次相続人」という。）が、当該第1次相続人の死亡に係る相続開始前3年以内に相続又は遺贈（以下「第1次相続」という。）により当該第1次相続に係る被相続人の特定貸付事業の用に供されていた宅地等を取得していた場合には、当該第1次相続人の特定貸付事業の用に供されていた宅地等に係る貸付事業用宅地等の規定の適用については、当該第1次相続に係る被相続人が当該第1次相続があった日まで引き続き特定貸付事業を行っていた期間は、当該第１次相続人が特定貸付事業を行っていた期間に該当するものとみなす。」と規定しています。

また、上記(イ)＿＿部分に掲げる『相続開始前３年以内に新たに貸付事業の用に供された宅地等』に該当するか否かの解釈に当たって、措置法施行令第40条の２《小規模宅地等についての相続税の課税価格の計算の特例》第９項及び第20項において、要旨「被相続人が相続開始前３年以内に開始した相続又はその相続に係る遺贈により貸付事業の用に供されていた宅地等を取得し、かつ、その取得の日以後当該宅地等を引き続き貸付事業の用に供していた場合における当該宅地等は、新たに貸付事業の用に供された宅地等に該当しないものとする。」と規定されています。（この規定は、平成31年度の税法改正によって新設されたもので、施行日は平成31年４月１日とされています。）

(2)　**質疑** の事例の場合

**質疑** の事例の場合、被相続人甲に係る相続開始日が令和３年４月10日、同人が賃貸マンションであるＸ物件を取得したのが令和元年９月10日であることからＸ物件の敷地である宅地等は、形式的には相続開始前３年以内に新たに貸付事業の用に供された宅地等に該当することになります。

そして、上記(1)のただし書に掲げる適用除外項目に該当するか否かの検討ですが、適用除外項目に関する人的要件は『相続開始の日まで３年を超えて引き続き特定貸付事業を行っていた被相続人等』（上記(1)の＿＿部分）とされているところ、被相続人甲に係る相続開始日が令和３年４月10日、同人が貸付事業を開始したのが令和元年９月10日（Ｘ物件の事業供用日）であることから、外形的に判断すると当該人的要件を充足せずこの適用除外項目には該当しないことになります。

さらに、上記(1)のなお書に掲げる措置法施行令の規定の該当性を検討すると、当該規定は要旨、第１次相続人（ **質疑** の事例の場合、被相続人甲）及び当該第１次相続人に係る被相続人（ **質疑** の事例の場合、被相続人甲の父α）の双方が特定貸付事業（貸付事業のうち準事業以外のものをいいます。）を行っていた場合には、当該第１次相続人が特定貸付事業を行っていた期間の判定に当たって、両者（第１次相続人及び当該第１次相続人に係る被相続人）の特定貸付事業を行っていた期間を合算するというものですが、 **質疑** の事例の場合は、その前提条件において、被相続人甲（第１次相続人）及び被相続人甲の父α（第１次相続人に係る被相続人）が営んでいた不動産賃貸業がいずれも準事業に該当するとされていることから、その適用要件を欠くこととなり当該規定の適用がないものと解釈して、Ｘ物件の敷地の用に供されていた宅地等を貸付事業用宅地等に該当しないと判断するかも知れません。

しかしながら、上記(1)のまた書に掲げるとおり、平成31年４月１日を施行日として被相続人が相続開始前３年以内に相続又は遺贈により貸付事業の用に供されていた宅地等を取得しその後継続して貸付事業の用に供していた場合の取扱いが規定されているところ、Ｘ物件の敷地の用に供されていた宅地等は、被相続人甲に係る相続開始日が令和３年４月10日であり、当該相続開始前３年以内に開始した相続（父αに係る相続開始日：令和元年９月10日）により貸付事業の用に供された宅地等を取得し、かつ、その取得の日以後当該宅地等を引き続き貸付事業の用に供していたものに該当することになり、結果として、被相続人甲に係る相続開始前３年以内に新たに貸付事業の用に供された宅地等に該当しないこととなり、上記⑴のまた書部分の取扱いに該当することになります。

したがって、戸建住宅であるX物件の敷地である宅地等については、貸付事業用宅地等として小規模宅地等の課税特例の対象とすることが認められます。

（注）　前々問⑾の **質疑** に掲げる事例は、被相続人甲（第１次相続人）及び被相続人甲の父α（第１次相続人に係る被相続人）が営んでいた不動産賃貸業が、いずれも特定貸付事業（貸付事業のうち準事業以外のものをいいます。）に該当するものであり、本問のように準事業に該当するものではないことに留意する必要があります。

> **留意点**　本件 **質疑** の事例の場合には該当しませんが、平成30年４月１日から令和３年３月31日までの間に相続又は遺贈により取得した宅地等に係る貸付事業用宅地等の規定の適用については、一定の経過措置が設けられていることに留意する必要があります。この点に関して、⑹の質疑応答を参照してください。

### ⒁　相続開始前３年以内に新たに貸付事業の用に供された宅地等の意義（その４：被相続人が今回の相続開始前３年以内に相次相続で取得した貸付事業の用に供されていた宅地等の取扱い）（そのＤ：準事業であった期間を合算して相続開始前３年を超えて引き続き貸付事業が行われていたと認められる場合における相続開始前３年以内に新たに貸付事業の用に供された宅地等に対する適用の可否）

> **質疑**
>
> 前問⒀に掲げる前提条件以外に、下記に掲げる事項が確認された場合におけるX物件及びY物件の敷地の用に供されていた宅地等は、相続開始前３年以内に新たに貸付事業の用に供された宅地等に該当するものとして、貸付事業用宅地等に該当しないと解釈することになるのでしょうか。
>
> 確認された事項
>
> 被相続人甲は、令和２年２月10日にもマンションであるＹ物件を購入して、新たに貸付事業の用に供しています。なお、Ｙ物件の貸付規模はいわゆる事業的規模に該当するものと認められます。
>
> **類題**　上記の確認された事項において、被相続人甲に係るＹ物件の貸付規模が準事業に留まるものであった場合にはどのようになりますか。

## 応答

⑴　概要

前問⒀の **応答** ⑴（概要）に掲げるとおりです。

(2) **質疑** の事例の場合

① Ｘ物件の敷地の用に供された宅地等

前問⒀の **応答** (2)（**質疑** の事例の場合）に掲げるとおりです。（Ｘ物件の敷地の用に供された宅地等は、貸付事業用宅地等に該当します。）

② Ｙ物件の敷地の用に供された宅地等

上記(1)及び①より、被相続人甲は、相続開始の日（令和３年４月10日）まで３年を超えて引き続き特定貸付事業を行っていた被相続人には該当しないものとされます。

留意点　被相続人甲及び同人に係る被相続人である父αのＸ物件の貸付事業への供用期間を合算すると、Ｘ物件の敷地の用に供されていた宅地等は、被相続人甲に係る相続開始前３年を超えて貸付事業の用に供されていた宅地等に該当するように思われるかも知れませんが、上記に掲げるような供用期間の合算が認められるのは、被相続人甲及び父αのＸ物件の貸付事業が特定貸付事業に該当すると認められる場合であり、準事業に留まるものについてまで供用期間の合算が認められているものではないことに留意する必要があります。

そうすると、被相続人甲は特定貸付事業を営んでいる者には該当しないことから、同人の貸付事業の用に供されたＹ物件の敷地の用に供された宅地等は、同人に係る相続開始前３年以内に新たに貸付事業の用に供された宅地等に該当することになります。

したがって、Ｙ物件の敷地の用に供されていた宅地等については、貸付事業用宅地等として小規模宅地等の課税特例の対象とすることは認められません。なお、この判断は、Ｙ物件の貸付規模がいわゆる事業的規模であるのか、又は準事業に留まるのかによって左右されることはありません。

(3) 類題 の場合

Ｙ物件の敷地の用に供されていた宅地等については、貸付事業用宅地等として小規模宅地等の課税特例の対象とすることは認められません。なお、そのように判断される理由は、上記(2)②に掲げるものと同様です。

留意点　本件 **質疑** の事例の場合には該当しませんが、平成30年４月１日から令和３年３月31日までの間に相続又は遺贈により取得した宅地等に係る貸付事業用宅地等の規定の適用については、一定の経過措置が設けられていることに留意する必要があります。この点に関して、⑹の質疑応答を参照してください。

### ⒂ 相続開始前３年以内に新たに貸付事業の用に供された宅地等の意義（その５：被相続人が今回の相続開始前３年以内に贈与（売買）で取得した貸付事業の用に供されていた宅地等の取扱い）（特定貸付事業であった期間の合算の可否）

**質疑**　被相続人甲に相続の開始（相続開始日：令和３年４月10日）がありました。同人が相続開始時において貸付事業の用に供しているのはマンションであるＸ物件で、不動産所得を生ずべき事業（いわゆる事業的規模であると認められます。）に該当するものです。

また、被相続人甲は当該Ｘ物件を同人の父$\alpha$からの贈与（贈与日：令和元年９月10日）により取得しています。そして、父$\alpha$は、当該Ｘ物件を平成15年頃に購入し、その後、継続して貸付事業の用に供していました。

上記のような状況において、被相続人甲が贈与により取得したＸ物件の敷地の用に供されていた宅地等は、相続開始前３年以内に新たに貸付事業の用に供された宅地等に該当するものとして、貸付事業用宅地等に該当しないと解釈することになるのでしょうか。

なお、上記の掲げる事項以外の事項については、貸付事業用宅地等に係る適用要件は充足しているものとします。

類題　上記の 質疑 において、被相続人甲のＸ物件の取得原因が同人の父$\alpha$からの売買による取得であった場合にはどのようになりますか。

なお、他の条件は、上記 質疑 と同一であるものとします。

## 応答

(1)　概要

平成30年度の税法改正では、貸付事業用宅地等について、相続開始前３年以内に新たに貸付事業の用に供された宅地等をその対象から除くこととされました。

ただし、相続開始の日まで３年を超えて引き続き特定貸付事業（貸付事業のうち準事業以外のものをいいます。）を行っていた被相続人等の当該貸付事業の用に供された宅地等（以下「特定貸付宅地等」といいます。）については、上記の相続開始前３年以内に貸付事業の用に供された宅地等であっても、その対象から除かれない（換言すれば、貸付事業用宅地等に該当する）ものとされています。

なお、上記の＿＿部分に掲げる『相続開始の日まで３年を超えて引き続き特定貸付事業を行っていた被相続人等』に該当するか否かの解釈に当たって、措置法施行令第40条の２《小規模宅地等についての相続税の課税価格の計算の特例》第21項において、「特定貸付事業を行っていた被相続人（以下「第１次相続人」という。）が、当該第１次相続人の死亡に係る相続開始前３年以内に相続又は遺贈（以下「第１次相続」という。）により当該第１次相続に係る被相続人の特定貸付事業の用に供されていた宅地等を取得していた場合には、当該第１次相続人の特定貸付事業の用に供されていた宅地等に係る貸付事業用宅地等の規定の適用については、当該第１次相続に係る被相続人が当該第１次相続があった日まで引き続き特定貸付事業を行っていた期間は、当該第１次相続人が特定貸付事業を行っていた期間に該当するものとみなす。」と規定しています。

⑵　**質疑** の事例の場合

**質疑** の事例の場合、被相続人甲に係る相続開始日が令和３年４月10日、同人が賃貸マンションであるＸ物件を取得したのが令和元年９月10日であることからＸ物件の敷地である宅地等は、形式的には相続開始前３年以内に新たに貸付事業の用に供された宅地等に該当することになります。

そして、上記⑴のただし書に掲げる適用除外項目に該当するか否かの検討ですが、適用除外項目に関する人的要件は『相続開始の日まで３年を超えて引き続き特定貸付事業を行っていた被相続人等』（上記⑴の＿＿部分）とされているところ、被相続人甲に係る相続開始日が令和３年４月10日、同人が特定貸付事業を開始したのが令和元年９月10日（Ｘ物件の事業供用日）であることから、外形的に判断すると当該人的要件を充足せずこの適用除外項目には該当しないことになります。

さらに、上記⑴のなお書に掲げる措置法施行令の規定の該当性を検討すると、当該規定は要旨、第１次相続人及び当該第１次相続人に係る被相続人の双方が特定貸付事業（貸付事業のうち準事業以外のものをいいます。）を行っていた場合には、当該第１次相続人が特定貸付事業を行っていた期間の判定に当たって、両者（第１次相続人及び当該第１次相続人に係る被相続人）の特定貸付事業を行っていた期間を合算するというものですが、**質疑** の事例の場合は、その前提条件において、被相続人甲が貸付事業の用に供しているＸ物件は、被相続人甲の父αからの贈与により取得したものとされていることから、その適用要件（相続又は遺贈による取得）を欠くことになり、当該規定の適用はないものとされ、最終的に、上記⑴のただし書の適用除外項目には該当しないことになります。

したがって、賃貸マンションであるＸ物件の敷地である宅地等については、貸付事業用宅地等として小規模宅地等の課税特例の対象とすることは認められません。

⑶　類題の場合

類題の場合も、その前提条件において、被相続人甲が不動産貸付業の用に供しているＸ物件は、被相続人甲の父αとの売買により取得したものとされていることから、上記⑵で示したとおりその適用要件（相続又は遺贈による取得）を欠くことになり、賃貸マンションであるＸ物件の敷地である宅地等については、貸付事業用宅地等として小規模宅地等の課税特例の対象とすることは認められません。

（注）⑾の **質疑** に掲げる事例は、被相続人甲（第１次相続人）の父α（第１次相続人に係る被相続人）が営んでいた特定貸付事業（貸付事業のうち準事業以外のものをいいます。）に該当する不動産貸付業を相続し、被相続人甲についても特定貸付事業を営んでいたと認められるものであり、本問のように贈与（類題の場合では、売買）という移転原因についてまでも拡張解釈をして適用する趣旨ではないことに留意する必要があります。

留意点　本件 **質疑** の事例の場合には該当しませんが、平成30年４月１日から令和３年３月31日までの間に相続又は遺贈により取得した宅地等に係る貸付事業用宅地等の規定の適用については、一定の経過措置が設けられていることに留意する必要があります。この点に関して、⑹の質疑応答を参照してください。

## ⒃　相続開始前３年以内に新たに貸付事業の用に供された宅地等の意義（その６：準事業と認められる場合に相続開始前３年以内の新規貸付事業用宅地等とこれに該当しない貸付事業用宅地等が並存する場合）

**質疑**　被相続人甲に相続の開始（相続開始日：令和３年４月10日）がありました。同人が相続開始時において営む貸付事業（賃貸アパート）の用に供されていた物件（いずれも、自己資金で購入）に関する資料は、下表のとおりです。

| 物件の名称 | 貸付事業に供した日 | 備　　考 |
|---|---|---|
| Ｘ物件 | 平成10年２月25日 | Ｘ物件及びＹ物件の事業規模は、ともに単独で判定した場合には準事業とされ、また、両者の規模を合算して判定した場合でも準事業とされます。 |
| Ｙ物件 | 令和元年７月16日 | |

Ｘ物件及びＹ物件ともに、遺産分割協議によって長男Ａがそのすべてを取得し、今後も末長く所有し、貸付事業を承継するものとされています。

このような状況において、賃貸アパートであるＸ物件、Ｙ物件の敷地の用に供されている宅地等を貸付事業用宅地等に該当するとして、小規模宅地等の課税特例の対象とすることが認められますか。

**類題**　上表に掲げる備考欄の記載が下記のとおりとなっていた場合（その他の条件は不変であるものとします。）には、どのようになりますか。

- Ｘ物件及びＹ物件の事業規模は、ともに単独で判定した場合には準事業と判定されますが、両者の規模を合算して判定した場合には特定貸付事業に該当するものとされます。

**応答**

⑴　概要

平成30年度の税法改正では、貸付事業用宅地等について、相続開始前３年以内に新たに貸付事業の用に供された宅地等をその対象から除くこととされました。

ただし、相続開始の日まで３年を超えて引き続き特定貸付事業（貸付事業のうち準事業以外のものをいいます。）を行っていた被相続人等の当該貸付事業の用に供された宅地等（以下「特定貸付宅地等」といいます。）については、上記の相続開始前３年以内に貸付事業の用に供された宅地等であっても、その対象から除かれない（換言すれば、貸付事業用宅地等に該当する）ものとされています。

⑵　**質疑**　の事例の場合

①　Ｘ物件の敷地である宅地等

被相続人甲に係る相続開始日が令和３年４月10日、Ｘ物件の新規貸付事業供用日が平成10年２月25日であることからＸ物件の敷地である宅地等は、相続開始前３年以内に新たに貸付事業の用に供された宅地等に該当しません。

また、**質疑** に掲げる前提条件から他の要件も充足しているものと認められますので、Ｘ物件の敷地である宅地等は、貸付事業用宅地等として小規模宅地等の課税特例の対象とすることが認められます。

(注)　Ｘ物件の敷地である宅地等に対する本件課税特例の適用に当たっては、下記③の留意点を併せて参照してください。

②　Ｙ物件の敷地である宅地等

被相続人甲に係る相続開始日が令和３年４月10日、Ｙ物件の新規貸付事業供用日が令和元年７月16日であることからＹ物件の敷地である宅地等は、形式的には相続開始前３年以内に新たに貸付事業の用に供された宅地等に該当することになります。

そして、上記の取扱いの適用除外項目に該当するか否かの検討ですが、**質疑** に掲げる前提条件から被相続人甲が行っていたのは準事業であり、『相続開始の日まで３年を超えて引き続き特定貸付事業を行っていた被相続人等』（上記(1)の＿＿部分）の要件を充足しない（特定貸付宅地等に非該当）こととなりますので、上記の取扱いの適用除外項目に該当しないこととなります。

したがって、Ｙ物件の敷地である宅地等は、貸付事業用宅地等として小規模宅地等の課税特例の対象とすることは認められません。

③　留意点

平成30年度の税法改正によってその取扱いが見直されたのは、『相続開始前３年以内に新たに貸付事業の用に供された宅地等』を対象とするものであって、『相続開始前３年を超えて引き続き被相続人等の貸付事業の用に供されていた宅地等』については、被相続人等の行っていた事業が準事業に留まるのか又は特定貸付事業（事業的規模）に該当するのかに関わらず、一定の要件（(イ)被相続人の貸付事業を相続開始後に事業承継する場合、(ロ)被相続人と生計を一にする親族の貸付事業の用に供されていた場合）を満たす当該被相続人の親族が取得した場合には、貸付事業用宅地等に該当するものとされています。

この点を確認するものとして、措置法通達69の４－24の７《相続開始前３年を超えて引き続き貸付事業の用に供されていた宅地等の取扱い》（下記 参考資料 を参照）の定めが設けられています。

**参考資料　措置法通達69の４－24の７《相続開始前３年を超えて引き続き貸付事業の用に供されていた宅地等の取扱い》**

相続開始前３年を超えて引き続き被相続人等の貸付事業の用に供されていた宅地等については、措置法令第40条の２第19項に規定する特定貸付事業以外の貸付事業に係るものであっても、措置法第69条の４第３項第４号イ又はロに掲げる要件を満たす親族が取得した場合には、同号に規定する貸付事業用宅地等に該当することに留意する。

(注)　被相続人等の貸付事業の用に供されていた宅地等が69の４－24の３に掲げる場合に該当する場合には、当該宅地等は引き続き貸付事業の用に供されていた宅地等に該当することに留意する。

(3)　類題の事例の場合

①　Ｘ物件の敷地である宅地等

Ｘ物件の敷地である宅地等は、貸付事業用宅地等として小規模宅地等の課税特例の対象とすることが認められます。その理由については、上記(2)①と同様となりますので同欄を参照してください。

②　Ｙ物件の敷地である宅地等

被相続人甲に係る相続開始日が令和３年４月10日、Ｙ物件の新規貸付事業供用日が令和元年７月16日であることからＹ物件の敷地である宅地等は、形式的には相続開始前３年以内に新たに貸付事業の用に供された宅地等に該当することになります。

そして、上記の取扱いの適用除外項目に該当するか否かの検討ですが、類題に掲げる前提条件から被相続人が特定貸付事業を開始したと認められるのはＹ物件の新規貸付事業供用日である令和元年７月16日とされ、『相続開始の日（令和３年４月10日）まで３年を超えて引き続き特定貸付事業を行っていた被相続人等』（上記(1)の＿＿部分）の要件を充足しない（特定貸付宅地等に非該当）こととなりますので、上記の取扱いの適用除外項目に該当しないこととなります。

したがって、Ｙ物件の敷地である宅地等は、貸付事業用宅地等として小規模宅地等の課税特例の対象とすることは認められません。

| 留意点 | 本件 **質疑** の事例の場合には該当しませんが、平成30年４月１日から令和３年３月31日までの間に相続又は遺贈により取得した宅地等に係る貸付事業用宅地等の規定の適用については、一定の経過措置が設けられていることに留意する必要があります。この点に関して、(6)の質疑応答を参照してください。 |
|---|---|

## ⒄　相続開始前３年以内に新たに貸付事業の用に供された宅地等の意義（その７：『被相続人等の当該貸付事業の用に供された』の意義（被相続人及び当該被相続人と生計を一にしていた親族の各貸付事業を合算して特定貸付事業の該当性を判定することの可否））

**質疑**

被相続人甲に相続の開始（相続開始日：令和３年４月10日）がありました。同人が相続開始時において不動産貸付業の用に供しているのは平成15年頃に購入したマンションであるＸ物件で、不動産所得を生ずべき事業（いわゆる事業的規模であると認められます。）に該当するものです。

また、被相続人甲は、令和元年５月10日にその所有するＹ宅地を同人と生計を一にする親族である長男Ａに無償で貸し付け、長男Ａは同年７月10日にＹ宅地上に建築したＹ建物を第三者に賃貸することで新規に貸付事業を開始しています。この長男Ａの不動産の貸付けは、いわゆる準事業に該当するものです。

上記のような状況において、Ｙ宅地を被相続人甲と生計を一にする親族である長男Ａの事業の用に供されていた宅地等に該当するものとして、貸付事業用宅地等の取扱いを適用することは認められますか。

なお、上記に掲げる事項以外の事項については、貸付事業宅地等に係る適用要件を充足しているものとします。

類題　上記の 質疑 において、Ｘ物件の所有者が被相続人甲と生計を一にする親族である長男Ａであり、Ｙ宅地及び当該Ｙ宅地上に建築したＹ建物の所有者が被相続人甲であった場合には、どのようになりますか。なお、他の条件は、上記 質疑 と同一であるものとします。

## 応答

⑴　概要

平成30年度の税法改正では、貸付事業用宅地等について、相続開始前３年以内に新たに貸付事業の用に供された宅地等をその対象から除くこととされました。

ただし、相続開始の日まで３年を超えて引き続き特定貸付事業（貸付事業のうち準事業以外のものをいいます。）を行っていた被相続人等の当該貸付事業の用に供された宅地等（以下「特定貸付宅地等」といいます。）については、上記の相続開始前３年以内に貸付事業の用に供された宅地等であっても、その対象から除かれない（換言すれば、貸付事業用宅地等に該当する）ものとされています。

なお、上記＿＿部分に掲げる『被相続人等の当該貸付事業の用に供された』に該当するか否かの解釈に当たっては、措置法通達69の４－24の６《特定貸付事業を行っていた「被相続人等の当該貸付事業の用に供された」の意義》(下記 参考資料 を参照）において、要旨、「『被相続人等』とは、被相続人又は被相続人と生計を一にしていた当該被相続人の親族をいうのであるが、『被相続人等の当該貸付事業の用に供された』とは、特定貸付事業を行う被相続人等が、宅地等を自己が行う特定貸付事業の用に供した場合をいうのであって、自身以外の者（①自身が被相続人である場合の被相続人と生計を一にする親族、②自身が被相続人と生計を一にする親族Ａである場合の被相続人又は当該親族Ａ以外の被相続人と生計を一にする親族）が特定貸付事業を行っていたとしても、『被相続人等の当該貸付事業の用に供された』場合には該当しないこととなります。」と定められています。

**参考資料　措置法通達69の４－24の６《特定貸付事業を行っていた「被相続人等の当該貸付事業の用に供された」の意義》**

措置法第69条の４第３項第４号の特定貸付事業を行っていた「被相続人等の当該貸付事業の用に供された」とは、特定貸付事業を行っていた被相続人等が、宅地等をその自己が行っていた特定貸付事業の用に供した場合をいうのであって、次に掲げる場合はこれに該当しないことに留意する。

⑴　被相続人が特定貸付事業を行っていた場合に、被相続人と生計を一にする親族が宅地等を自己の貸付事業の用に供したとき

⑵　被相続人と生計を一にする親族が特定貸付事業を行っていた場合に、被相続人又は当該親族以外の被相続人と生計を一にする親族が宅地等を自己の貸付事業の用に供したとき

(2)　質疑 の事例の場合

質疑 の事例の場合、被相続人甲に係る相続開始日が令和３年４月10日、Ｙ宅地等に係る新規貸付事業供用日が令和元年７月10日であることからＹ宅地は、形式的には被相続人甲と生計を一にする親族である長男Ａが被相続人甲に係る相続開始前３年以内に新たに貸付事業の用に供した宅地等に該当することになります。

そして、上記(1)のただし書に掲げる適用除外項目に該当するか否かの検討ですが、適用除外項目に関する事業供用要件は、『被相続人等の当該貸付事業の用に供された』（上記(1)＿＿部分）となっています。

そうすると、質疑 の事例の場合では、下記に掲げる 図解 のとおり、『被相続人甲が特定貸付事業（Ｘ物件の貸付け）を行っていた場合に、被相続人甲と生計を一にする親族である長男Ａが宅地等（Ｙ宅地）を自己の貸付事業の用に供したとき（上記(1)の 参考資料 の措置法通達69の４－24の６の(1)を参照）』に該当し、結果として、上記(1)の＿＿部分の事業供用要件を充足しないものとなります。

図解　被相続人の特定貸付事業に留まる場合における被相続人と生計を一にする親族の貸付事業の取扱い

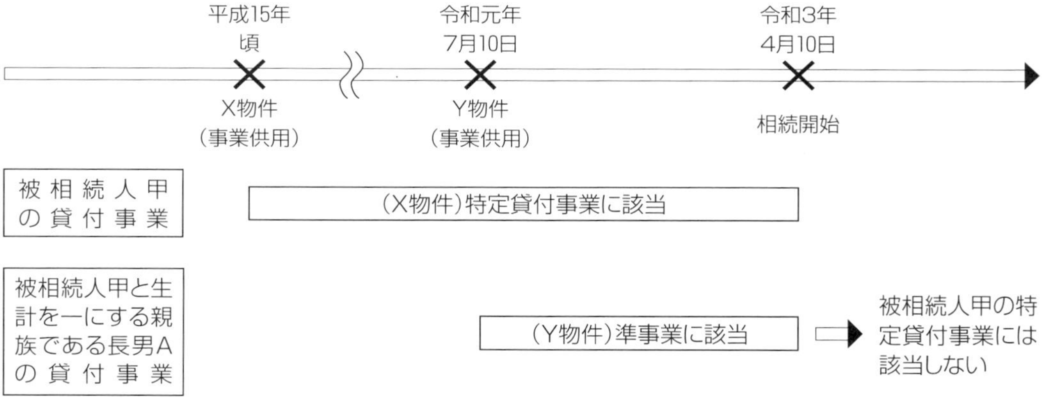


したがって、Ｙ宅地を貸付事業用宅地等として小規模宅地等の課税特例の対象とすることは認められません。

(3)　類題 の事例の場合

類題 の事例の場合では、下記に掲げる 図解 のとおり、『被相続人甲と生計を一にする親族である長男Ａが特定貸付事業（Ｘ物件の貸付け）を行っていた場合に、被相続人甲が宅地等（Ｙ宅地）を自己の貸付事業の用に供したとき（上記(1)の 参考資料 の措置法通達69の４－24の６の(2)を参照）』に該当し、結果として、上記(1)の＿＿部分の事業供用要件を充足しないものとなります。

**図解**　被相続人と生計を一にする親族の特定貸付事業に留まる場合における被相続人の貸付事業の取扱い

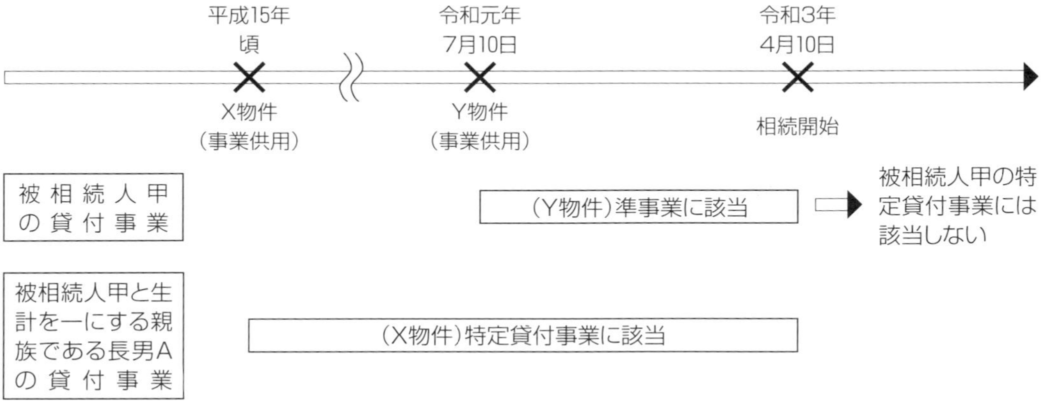


したがって、Ｙ宅地を貸付事業用宅地等として小規模宅地等の課税特例の対象とすることは認められません。

> **留意点**　本件 **質疑** の事例の場合には該当しませんが、平成30年４月１日から令和３年３月31日までの間に相続又は遺贈により取得した宅地等に係る貸付事業用宅地等の規定の適用については、一定の経過措置が設けられていることに留意する必要があります。この点に関して、⑹の質疑応答を参照してください。

### ⒅　相続開始前３年以内に新たに貸付事業の用に供された宅地等の意義（その８：相続開始前３年以内に新たに貸付事業の用に供されたか否かの判定）（そのＡ：賃貸借契約等について更新がされた場合）

> **質疑**　被相続人甲に相続の開始（相続開始日：令和３年４月10日）がありました。同人が相続開始時において貸付事業の用に供しているのは一戸建住宅であるＸ物件（自己資金で購入）のみで、いわゆる準事業に該当するものです。
>
> 　このＸ物件の貸付けは、契約締結日を平成26年４月１日、当初の契約期間を３年間とする賃貸借契約により行われたもので、以後、３年経過ごとに同一内容で更新されたものであり、相続開始日の直近では、令和２年４月１日に更新された契約が有効なものとなっています。
>
> 　そうすると、被相続人甲の貸付事業の規模が準事業に留まり、かつ、Ｘ物件の貸付けは、令和２年４月１日の更新をもって『新たに貸付事業の用に供された』と解して、Ｘ物件の敷地であるＸ宅地は貸付事業用宅地等に該当しないと解釈することになるのでしょうか。
>
> 　なお、上記に掲げる事項以外の事項については、貸付事業用宅地等に係る適用要件を充足しているものとします。

## 応答

⑴　概要

平成30年度の税法改正では、貸付事業用宅地等について、相続開始前３年以内に新たに貸付事業の用に供された宅地等をその対象から除くこととされました。

なお、上記＿＿部分に掲げる『相続開始前３年以内に新たに貸付事業の用に供された』の意義について、措置法通達69の４－24の３《新たに貸付事業の用に供されたか否かの判定》の前段で次に掲げるものをいうと定められています。

①　貸付事業の用以外の用に供されていた宅地等が貸付事業の用に供された場合

②　宅地等若しくはその上にある建物等につき『何らの利用がされていない場合』の当該宅地等が貸付事業の用に供された場合

したがって、賃貸借契約等につき更新がされた場合は、上記①及び②のいずれにも該当しないことから、新たに貸付事業の用に供された場合には該当しないことになります。

⑵　質疑　の事例の場合

質疑　の事例の態様を示すと、次に掲げる図解のとおりとなります。

図解　質疑　の事例の態様

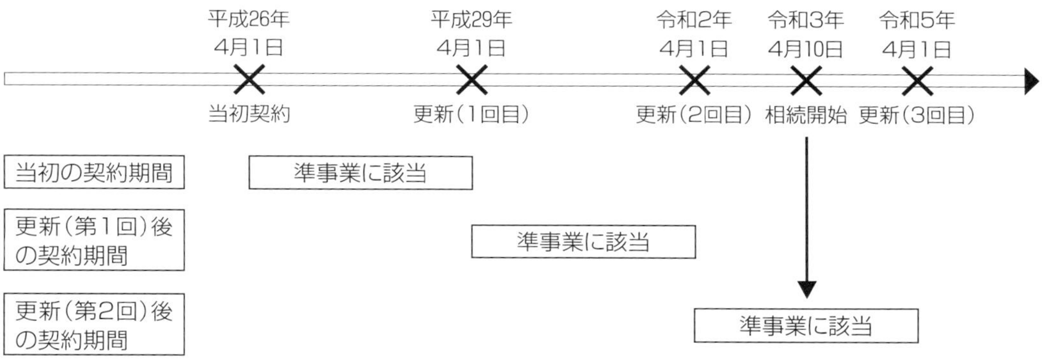


そうすると、質疑　の事例は、平成26年４月１日に当初契約が締結された被相続人甲の貸付事業に係る賃貸借契約が更新された場合に該当し、当該更新は、上記⑴より新たに貸付事業の用に供された場合には該当しないことになります。

したがって、Ｘ宅地は、相続開始前３年以内に新たに貸付事業の用に供された（上記⑴の＿＿部分）宅地等に該当しないこととなり、他の適用要件も充足しているとのことから、貸付事業用宅地等として小規模宅地等の課税特例の対象とすることが認められます。

> 留意点　本件　質疑　の事例の場合には該当しませんが、平成30年４月１日から令和３年３月31日までの間に相続又は遺贈により取得した宅地等に係る貸付事業用宅地等の規定の適用については、一定の経過措置が設けられていることに留意する必要があります。この点に関して、⑹の質疑応答を参照してください。

### ⒆　相続開始前３年以内に新たに貸付事業の用に供された宅地等の意義（その８：相続開始前３年以内に新たに貸付事業の用に供されたか否かの判定）（そのＢ：継続的に賃貸されていた建物等につき賃借人が退去をした場合）

**質疑**　被相続人甲に相続の開始（相続開始日：令和３年４月10日）がありました。同人が相続開始時において貸付事業の用に供しているのは一戸建住宅であるＸ物件（自己資金で購入）のみで、いわゆる準事業に該当するものです。このＸ物件の入居状況は、次に掲げるとおりとなっています。

Ｘ物件の入居状況

①　平成20年５月１日に、入居者Ａによる入居開始

②　令和２年３月20日に、入居者Ａは退去（左に伴って、新たな入居者を募集）

③　令和２年４月10日に、新入居者Ｂによる入居開始

そうすると、被相続人甲の貸付事業の規模が準事業に留まり、かつ、Ｘ物件の貸付けは、令和２年４月10日の入居者Ｂに対する新規の貸付けをもって『新たに貸付事業の用に供された』と解して、Ｘ物件の敷地であるＸ宅地は貸付事業用宅地等に該当しないと解釈することになるのでしょうか。

なお、上記に掲げる事項以外の事項については、貸付事業宅地等に係る適用要件を充足しているものとします。

**類題１**　上記に掲げる Ｘ物件の入居状況 において、②に掲げる入居者Ａの退去後、③に掲げる新入居者Ｂによる入居開始までの期間中の一部の期間において、被相続人甲の親しい友人Ｐが春休み中の旅行拠点に利用したいとのことで、被相続人甲は友人ＰにＸ物件を10日間無償で貸与していたという事実があった場合にはどのように取り扱われますか。

**類題２**　上記に掲げる Ｘ物件の入居状況 において、②に掲げる入居者Ａの退去後、新入居者を募集したにもかかわらず応募がなく、結果として、新入居者Ｂによる入居開始が旧入居者Ａの退去後、約１年以上経過した後である令和３年３月25日となってしまった場合にはどのようになりますか。

**応答**

⑴　概要

平成30年度の税法改正では、貸付事業用宅地等について、(イ)相続開始前３年以内に新たに貸付事業の用に供された宅地等をその対象から除くこととされました。

なお、上記(イ)＿＿部分に掲げる『相続開始前３年以内に新たに貸付事業の用に供された』の意義について、措置法通達69の４－24の３《新たに貸付事業の用に供されたか否かの判定》の前段で次に掲げるものをいうと定められています。

①　貸付事業の用以外の用に供されていた宅地等が貸付事業の用に供された場合

②　宅地等又はその上にある建物等につき『何らの利用がされていない場合』の当該宅地等が貸付事業の用に供された場合

また、同通達では、「継続的に賃貸されていた建物等につき賃借人が退去をした場合において、その退去後速やかに新たな賃借人の募集が行われ、賃貸されていたとき（新たな賃借人が入居するまでの間、当該建物等を貸付事業の用以外の用に供していないときに限る。）のように、(ロ)貸付事業に係る建物等が一時的に賃貸されていなかったと認められる場合には、当該建物等に係る宅地等は、上記②の『何らの利用がされていない場合』に該当しない」旨が定められています。

そして、上記(ロ)部分に掲げる『貸付事業に係る建物等が一時的に賃貸されていなかった』と認められる部分に該当するか否かについては、現行の課税実務上の取扱いでは、財産評価基本通達26《貸家建付地の評価》に関して公開された情報（資産評価企画官情報第２号、平成11年７月29日）の定めを準用するものと考えられます。

当該情報では、上記(ロ)部分の解釈について、次に掲げるような事実関係から総合的に判断するものとされています。

(イ)　各独立部分が課税時期前に継続的に賃貸されてきたものかどうか。

(ロ)　賃借人の退去後速やかに新たな賃借人の募集が行われたかどうか。

(ハ)　空室の期間、他の用途に供されていないかどうか。

(ニ)　空室の期間が、課税時期の前後の例えば１か月程度であるなど一時的な期間であるかどうか。

(ホ)　課税時期後の賃貸が一時的なものではないかどうか。

なお、上記の措置法通達のまた書に記載されている定めに該当する場合には、当該宅地等に係る『新たに貸付事業の用に供された』時は、継続的に賃貸されていた建物等につき賃借人が退去した場合における当該賃借人の退去前の賃貸に係る貸付事業の用に供された時となることに留意する必要があります。

(2)　**質疑**　の事例の場合

**質疑**　の事例の場合、被相続人甲に係る相続開始日が令和３年４月10日、Ｘ物件に係る新入居者Ｂの入居によるＸ宅地に係る新規貸付事業供用日が令和２年４月10日であることから、Ｘ宅地は、形式的には被相続人甲に係る相続開始前３年以内に新たに貸付事業の用に供した宅地等に該当すると考えられるかもしれません。

しかしながら、上記(1)に掲げる措置法通達の定めでは、上記(1)の(ロ)部分に掲げるとおり、貸付事業に係る建物等が一時的に賃貸されていなかったと認められる場合には、当該建物等に係る宅地等は、上記(1)②に掲げる『何らの利用がされていない場合』に該当しないと判断されるところ、**質疑**　の事例では、旧入居者Ａの退去（令和２年３月20日）から新入居者Ｂの入居（令和２年４月10日）までの期間、空室期間中の状況等から上記(1)に掲げる情報にも照らして総合的に判断すると、当該空室は、貸付事業に係る建物等が一時的に賃貸されていなかったと認められる場合に該当するものと判断されます。

そうすると、Ｘ宅地が『新たに貸付事業の用に供された』時は、継続的に賃貸されていた建物等につき賃借人が退去した場合における当該退去前の賃貸に係る貸付事業の用に供された時である平成20年５月１日と判断されることから、被相続人甲に係る相続開始前３年以内に新たに貸付事業の用に供した宅地等に該当しないものとなり、他の適用要件も充足しているとのことですから、貸付事業用宅地等に該当することになります。

(3)　類題１の事例の場合

類題１の事例の場合、被相続人甲に係る相続開始日が令和３年４月10日、Ｘ物件に係る新入居者Ｂの入居によるＸ宅地に係る新規貸付事業供用日が令和２年４月10日であることから、Ｘ宅地は、形式的には被相続人甲に係る相続開始前３年以内に新たに貸付事業の用に供した宅地等に該当することになります。

そして、上記(1)に掲げる措置法通達の定めに該当するか否かについて判定すると、入居者Ａの退去（令和２年３月20日）から新入居者Ｂの入居（令和２年４月10日）までの期間のみをみると、同通達の定める「継続的に賃貸されていた建物等につき賃借人が退去した場合において、その退去後速やかに新たな賃借人の募集が行われ、賃貸されていた。」との要件は充足しているものと考えられますが、その一方で、括弧書に定める「新たな賃借人が入居するまでの間、当該建物等を貸付事業の用以外の用に供していないときに限る。」との要件については、上記に掲げる空室期間中の10日間にわたって、被相続人甲は友人Ｐにこれを無償で貸与していたとのことですから、当該空室期間中、Ｘ物件は被相続人甲の貸付事業以外の用に供されたものとなり、これを充足しないものと考えられます。

そうすると、Ｘ宅地は、被相続人甲に係る相続開始前３年以内に新たに貸付事業の用に供した宅地等に該当することとなり、貸付事業用宅地等に該当しないこととなります。

(4)　類題２の事例の場合

類題２の事例の場合、被相続人甲に係る相続開始日が令和３年４月10日、Ｘ物件に係る新入居者Ｂの入居によるＸ宅地に係る新規貸付事業供用日が令和３年３月25日であることから、Ｘ宅地は形式的には被相続人甲に係る相続開始前３年以内に新たに貸付事業の用に供した宅地等に該当することになります。

そして、上記(1)に掲げる措置法通達の定めに該当するか否かについて判定すると、当該通達では、『貸付事業に係る建物等が一時的に賃貸されていなかった』（上記(1)の(ロ)部分）ことが要件とされており、これに該当するか否かについては現行の課税実務上の取扱いでは、上記(1)に掲げる財産評価基本通達26《貸家建付地の評価》に関して定められた情報の取扱いが準用されると解されるところ、類題２の事例では、Ｘ物件に係る入居者Ａの退去日（令和２年３月20日）から新入居者Ｂの入居（令和３年３月25日）までの期間は約１年超となっており、当該情報に掲げる「空室の期間が、課税時期の前後の例えば１か月程度であるなど一時的な期間であるかどうか」（上記(1)の情報の(ニ)）の判断基準を逸脱しているものと考えられ、上記の要件を充足しないものと考えられます。

そうすると、Ｘ宅地は、被相続人甲に係る相続開始前３年以内に新たに貸付事業の用に供した宅地等に該当することとなり、貸付事業用宅地等に該当しないこととなります。

> **留意点**　本件 **質疑** の事例の場合には該当しませんが、平成30年４月１日から令和３年３月31日までの間に相続又は遺贈により取得した宅地等に係る貸付事業用宅地等の規定の適用については、一定の経過措置が設けられていることに留意する必要があります。この点に関して、⑹の質疑応答を参照してください。

### ⒇　相続開始前３年以内に新たに貸付事業の用に供された宅地等の意義（その８：相続開始前３年以内に新たに貸付事業の用に供されたか否かの判定）（そのＣ：賃借人の入居及び退去が頻繁である場合の相続開始前３年以内に新たに貸付事業の用に供されたに該当するか否かの判定）

**質疑**　被相続人甲に相続の開始（相続開始日：令和３年４月10日）がありました。同人が相続開始時において貸付事業の用に供しているのは区分所有マンションの１室であるＸ物件のみで、いわゆる準事業に該当するものです。

このＸ物件は、都心近くの交通利便性の高い場所にあるため単身赴任者に人気があり、入居者の入居及び退去が頻繁に認められ、その入居状況は次に掲げるとおりとなっています。

Ｘ物件の入居状況

①　平成27年１月10日に、被相続人甲が購入
②　平成27年２月１日に、入居者Ａによる入居開始
③　平成29年３月10日に、入居者Ａが退去
④　平成29年３月25日に、入居者Ｂによる入居開始
⑤　令和元年８月25日に、入居者Ｂが退去
⑥　令和元年９月10日に、入居者Ｃによる入居開始
⑦　令和３年２月20日に、入居者Ｃが退去
⑧　令和３年３月10日に、入居者Ｄによる入居開始

そうすると、被相続人甲の貸付事業の規模が準事業に留まり、かつ、Ｘ物件の貸付けは、令和３年３月10日の入居者Ｄに対する新規の貸付けをもって『新たに貸付事業の用に供された』と解して、Ｘ物件の敷地であるＸ宅地は貸付事業用宅地等に該当しないと解釈することになるのでしょうか。

なお、上記に掲げる事項以外の事項については、貸付事業用宅地等に係る適用要件を充足しているものとします。

**応答**

(1)　概要

前問⒆の **応答** の(1)を参照してください。

(2) **質疑** の事例の場合

**質疑** の事例における X物件の入居状況 をまとめると、次の 図解 のとおりとなります。

図解　X物件の入居状況

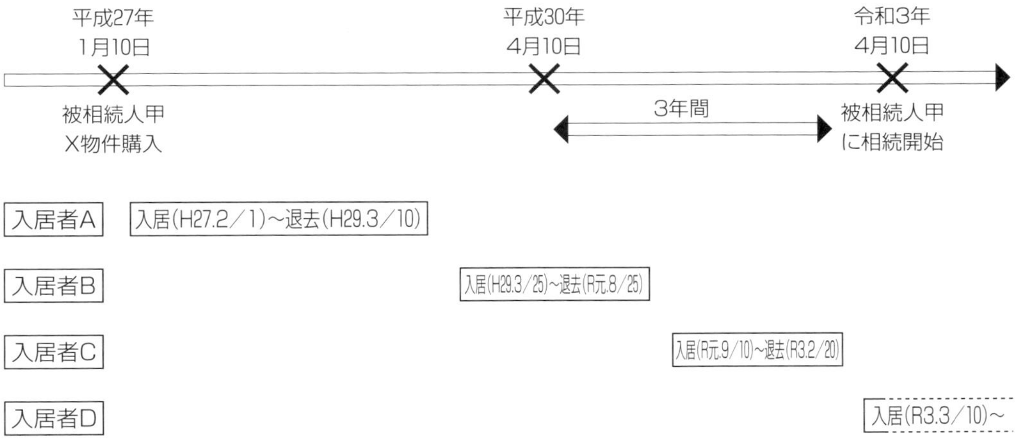


**質疑** の事例の場合、被相続人甲に係る相続開始日が令和３年４月10日、同日におけるX物件の入居者である入居者Dの入居によるX宅地に係る新規貸付事業供用日が令和３年３月10日であることから、X宅地は、形式的には被相続人甲に係る相続開始前３年以内に新たに貸付事業の用に供した宅地等に該当すると考えられるかもしれません。

しかしながら、前問⒆の **応答** の(1)に掲げるとおり、平成30年度の税法改正では、貸付事業用宅地等について、相続開始前３年以内に新たに貸付事業の用に供された宅地等を特定貸付宅地等に該当する場合を除いて、その対象から除外するものとされました。当該改正の適用上の留意点は、次のとおりです。

① 継続的に賃貸されていた建物等につき賃借人が退去した場合において、その退去後速やかに新たな賃借人の募集が行われ、賃貸されていたとき（新たな賃借人が入居するまでの間、当該建物等を貸付事業の用以外の用に供していないときに限る。）のように、貸付事業に係る建物等が一時的に賃貸されていなかったと認められる場合には、当該建物等に係る宅地等は、『何らの利用がされていない場合』（換言すれば、上記＿＿部分の『新たに貸付事業の用に供された』）に該当しないこと

② 上記＿＿部分の『新たに貸付事業の用に供された』時は、継続的に賃貸されていた建物等につき賃借人が退去した場合における当該賃借人の退去前の賃貸に係る貸付事業の用に供された時となること

そうすると、**質疑** の事例では、掲げられている前提条件から判断すると入居者AからB、同BからC、及び同CからDへの入居者の入替えに当たって貸付事業に建物等の空室期間はいずれも『一時的に賃貸されていなかったと認められる場合』に該当すると認められ、結果として、X物件が『新たに貸付事業の用に供された』時は、平成27年２月１日（入居者Aの入居開始日）になるものと考えられます。

したがって、Ｘ宅地は、被相続人甲に係る相続開始前３年以内に新たに貸付事業の用に供した宅地等に該当しないものとなり、他の適用要件も充足しているとのことですから、貸付事業用宅地等に該当することになります。

| |
|---|
| **留意点**　本件 **質疑** の事例の場合には該当しませんが、平成30年４月１日から令和３年３月31日までの間に相続又は遺贈により取得した宅地等に係る貸付事業用宅地等の規定の適用については、一定の経過措置が設けられていることに留意する必要があります。この点に関して、⑹の質疑応答を参照してください。 |

### ㉑　相続開始前３年以内に新たに貸付事業の用に供された宅地等の意義（その８：相続開始前３年以内に新たに貸付事業の用に供されたか否かの判定）（そのＤ：継続的に賃貸されていた建物等につき建替えが行われた場合）

**質疑**　被相続人甲に相続の開始（相続開始日：令和３年４月10日）がありました。同人が相続開始時において貸付事業の用に供しているのはＰ宅地上に存する一戸建住宅であるＹ物件のみで、いわゆる準事業に該当するものです。このＹ物件の入居状況は、次に掲げるとおりとなっています。

Ｙ物件の入居状況

①　平成２年２月20日に、被相続人甲がＰ宅地及び一戸建住宅であるＸ家屋を購入し、購入直後から直ちに貸付開始（新入居者Ａが入居）

②　令和２年５月20日に、老朽化したＸ家屋を建て替えることとなり、入居者であるＡに対して立退料を支払って立退きを実行。その後、直ちに老朽化した建物を解体

③　令和２年11月10日に、旧来のＸ家屋所在地であるＰ宅地上にＹ家屋を新築し、直ちに貸付開始（新入居者であるＢが直ちに入居）

そうすると、被相続人甲の貸付事業の規模が準事業に留まり、かつ、Ｙ家屋の貸付けは、令和２年11月10日の入居者Ｂに対する新規の貸付けをもって『相続開始前３年以内に新たに貸付事業の用に供された』と解して、Ｙ家屋の敷地であるＰ宅地は貸付事業用宅地等に該当しないと解釈することになるのでしょうか。

なお、上記に掲げる事項以外の事項については、貸付事業用宅地等に係る適用要件を充足しているものとします。

**応答**

⑴　概要

平成30年度の税法改正では、貸付事業用宅地等について、(イ)相続開始前３年以内に新たに貸付事業の用に供された宅地等をその対象から除くこととされました。

なお、上記(イ)＿＿部分に掲げる『相続開始前３年以内に新たに貸付事業の用に供された』の

意義について、措置法通達69の４－24の３《新たに貸付事業の用に供されたか否かの判定》の前段で次に掲げるものをいうと定められています。

①　貸付事業の用以外の用に供されていた宅地等が貸付事業の用に供された場合

②　宅地等又はその上にある建物等につき『何らの利用がされていない場合』の当該宅地等が貸付事業の用に供された場合

また、同通達では、「継続的に賃貸されていた建物等につき建替えが行われた場合において、建物等の建替え後速やかに新たな賃借人の募集が行われ、賃貸されていたとき（当該建替え後の建物等を貸付事業の用以外の用に供していないときに限る。）のように、(ロ)貸付事業に係る建物等が一時的に賃貸されていなかったと認められる場合には、当該建物等に係る宅地等は、上記②の『何らの利用がされていな場合』に該当しない。」旨が定められています。

なお、上記の措置法通達のまた書に記載されている定めに該当する場合には、当該宅地等に係る『新たに貸付事業の用に供された』時は、継続的に賃貸されていた建物等につき建替えが行われた場合における当該建替え前の賃貸に係る貸付事業の用に供された時となることに留意する必要があります。

(2)　**質疑** の事例の場合

**質疑** の事例の場合、被相続人甲に係る相続開始日が令和３年４月10日、建替え後のＹ家屋に係る新入居者Ｂの入居によるＰ宅地に係る新規貸付事業供用日が令和２年11月10日であることから、Ｐ宅地は、形式的には被相続人甲に係る相続開始前３年以内に新たに貸付事業の用に供した宅地等に該当すると考えられるかもしれません。

しかしながら、上記(1)に掲げる措置法通達の定めでは、上記(1)の(ロ)＿＿部分に掲げるとおり、貸付事業に係る建物等が一時的に賃貸されていなかったと認められる場合には、当該建物等に係る宅地等は、上記(1)②に掲げる『何らの利用がされていない場合』に該当しないと判断されるところ、**質疑** の事例では、その前提条件から上記(1)の措置法通達に定める一定の要件を充足する建替えに該当すると考えられ、当該建替えは、貸付事業に係る建物等が一時的に賃貸されていなかったと認められる場合に該当するものと判断されます。

そうすると、Ｐ宅地が『新たに貸付事業の用に供された』時は、継続的に賃貸されていた建物等につき建替えが行われた場合における当該建替え前の賃貸に係る貸付事業の用に供された時である平成２年２月20日と判断されることから、被相続人甲に係る相続開始前３年以内に新たに貸付事業の用に供した宅地等に該当しないものとなり、他の要件も充足しているとのことですから、貸付事業用宅地等に該当することになります。

> 留意点　本件 **質疑** の事例の場合には該当しませんが、平成30年４月１日から令和３年３月31日までの間に相続又は遺贈により取得した宅地等に係る貸付事業用宅地等の規定の適用については、一定の経過措置が設けられていることに留意する必要があります。この点に関して、(6)の質疑応答を参照してください。

なお、本件 **質疑** の事例の場合には該当しませんが、事業用建物等の建築中等に相続が開始した場合には、下記 参考資料 に掲げる措置法通達の取扱いがあることに留意する必要があります。

**参考資料**　**措置法通達69の４－５（事業用建物等の建築中等に相続が開始した場合）**

> 被相続人等の事業の用に供されている建物等の移転又は建替えのため当該建物等を取り壊し、又は譲渡し、これらの建物等に代わるべき建物等（被相続人又は被相続人の親族の所有に係るものに限る。）の建築中に、又は当該建物等の取得後被相続人等が事業の用に供する前に被相続人について相続が開始した場合で、当該相続開始直前において当該被相続人等の当該建物等に係る事業の準備行為の状況からみて当該建物等を速やかにその事業の用に供することが確実であったと認められるときは、当該建物等の敷地の用に供されていた宅地等は、事業用宅地等に該当するものとして取り扱う。
>
> なお、当該被相続人と生計を一にしていたその被相続人の親族又は当該建物等若しくは当該建物等の敷地の用に供されていた宅地等を相続若しくは遺贈により取得した当該被相続人の親族が、当該建物等を相続税の申告期限までに事業の用に供しているとき（申告期限において当該建物等を事業の用に供していない場合であっても、それが当該建物等の規模等からみて建築に相当の期間を要することによるものであるときは、当該建物等の完成後速やかに事業の用に供することが確実であると認められるときを含む。）は、当該相続開始直前において当該被相続人等が当該建物等を速やかにその事業の用に供することが確実であったものとして差し支えない。
>
> （注）　当該建築中又は取得に係る建物等のうちに被相続人等の事業の用に供されると認められる部分以外の部分があるときは、事業用宅地等の部分は、当該建物等の敷地のうち被相続人等の事業の用に供されると認められる当該建物等の部分に対応する部分に限られる。

## ㉒　相続開始前３年以内に新たに貸付事業の用に供された宅地等の意義（その８：相続開始前３年以内に新たに貸付事業の用に供されたか否かの判定）（そのＥ：継続的に賃貸されていた建物等につき建替えが行われた際に新たに建替え後の敷地の用に供された宅地等に対する取扱い）

**質疑**

前問㉑において、［Ｙ物件の入居状況］の③欄が次のとおりであったとします。

> ③　令和２年11月10日に、旧来のＸ家屋所在地であるＰ宅地（面積120㎡）及び当該Ｐ宅地の隣接地で従来より未利用であったＱ宅地（被相続人甲所有、面積60㎡）の両宅地上にＹ家屋を新築し、直ちに貸付開始（新入居者であるＢが直ちに入居）

上記のような状況にあったとした場合においても、Ｐ宅地及びＱ宅地は、継続的に賃貸されていた建物等につき建替えが行われた場合の措置法通達の定めを適用して被相続人甲に係る相続開始前３年以内に新たに貸付事業の用に供した宅地等に該当しないものと解して、貸付事業用宅地等に該当すると取り扱ってもよろしいのでしょうか。

なお、上記に掲げる事項以外は、前問㉑に掲げる事項と同様であるものとします。

## 応答

⑴　概要

継続的に賃貸されていた建物等につき建替えが行われた場合において、建物等の建替え後速やかに新たな賃借人の募集が行われ、賃貸されていたとき（当該建替え後の建物等を貸付事業の用以外の用に供していないときに限られます。）における当該建物等の敷地が相続開始前３年以内に新たな貸付事業の用に供されたか否かの取扱いは、前問㉑の **応答** ⑴に掲げるとおりとなります。

この場合において、措置法通達69の４－24の３《新たに貸付事業の用に供されたか否かの判定》の（注）３では、「前問㉑の **応答** ⑴のまた書（『何らの利用がされていない場合』に該当しない場合）に該当する場合において、建替え後の建物等の敷地の用に供された宅地等のうちに、建替え前の建物等の敷地の用に供されていなかった宅地等が含まれるときは、当該供されていなかった宅地等については、新たに貸付事業の用に供された宅地等に該当することに留意する。」旨が定められています。

⑵　**質疑** の事例の場合

Ｐ宅地について、被相続人甲に係る相続開始前３年以内に新たに貸付事業の用に供した宅地等に該当せず、貸付事業用宅地等に該当すると判断されることは、前問㉑の **応答** ⑵に掲げるとおりとなります。

一方、Ｑ宅地については、その前提条件からすると、上記⑴の後段に掲げる措置法通達69の４－24の３《新たに貸付事業の用に供されたか否かの判定》の（注）３に掲げる「建替え後の建物等の敷地の用に供された宅地等（ **質疑** の事例では、Ｐ宅地及びＱ宅地）のうちに、建替え前の建物等の敷地の用に供されていなかった宅地等（ **質疑** の事例では、Ｑ宅地）が含まれるとき」に該当することとなります。

そして、被相続人甲に係る相続開始日が令和３年４月10日、建替え後のＹ家屋に係る新入居者Ｂの入居によるＱ宅地に係る新規貸付事業供用日が令和２年11月10日であることから、当該新規貸付事業供用日は被相続人甲に係る相続開始前３年以内に該当することになります。

そうすると、Ｑ宅地は、被相続人甲に係る相続開始前３年以内に新たに貸付事業の用に供した宅地等に該当することとなり、貸付事業用宅地等には該当しないものとされます。

> **留意点**　本件 **質疑** の事例の場合には該当しませんが、平成30年４月１日から令和３年３月31日までの間に相続又は遺贈により取得した宅地等に係る貸付事業用宅地等の規定の適用については、一定の経過措置が設けられていることに留意する必要があります。この点に関して、⑹の質疑応答を参照してください。

## ㉓　相続開始前３年以内に新たに貸付事業の用に供された宅地等の意義（その８：相続開始前３年以内に新たに貸付事業の用に供されたか否かの判定）（そのＦ：継続的に賃貸されて建物等につき移転が行われた場合）

**質疑**　被相続人甲に相続の開始（相続開始日：令和３年４月10日）がありました。同人が相続開始時において貸付事業の用に供しているのは一戸建住宅（１棟）のみで、いわゆる準事業に該当するものです。被相続人甲の不動産貸付業の概況を示すと、次のとおりとなっています。

不動産貸付業の概況

①　平成２年２月20日に、被相続人甲がＸ物件（Ｘ家屋及びＸ宅地）を購入し、購入直後から直ちに貸付を開始し、継続して貸付事業に供用

②　令和２年５月20日に、老朽化したＸ物件を売却

③　令和２年６月10日に、上記②の売却代金をもってＹ物件（Ｙ家屋及びＹ宅地）を購入（注）し、直ちに貸付開始（新入居者が直ちに入居）

（注）　貸付事業を生ずべき場所がＸ物件の所在地からＹ物件の所在地に移転しました。

上記のような状況（事業場の移転の実施）下にあるＹ物件についても、措置法通達69の４－24の３《新たに貸付事業の用に供されたか否かの判定》の⑵の取扱い（継続的に賃貸されていた建物等につき建替えが行われた場合）を準用して、『何らの利用がされていない場合』には該当しないとして、Ｙ宅地を貸付事業用宅地等として取り扱うことは認められるのでしょうか。

なお、上記に掲げる事項以外の事項については、貸付事業用宅地等に係る適用要件を充足しているものとします。

**応答**

⑴　概要

平成30年度の税法改正では、貸付事業用宅地等について、相続開始前３年以内に新たに貸付事業の用に供された(イ)宅地等をその対象から除くこととされました。

なお、上記(イ)部分に掲げる『相続開始前３年以内に新たに貸付事業の用に供された』の意義について、措置法通達69の４－24の３《新たに貸付事業の用に供されたか否かの判定》の前段で次に掲げるものをいうと定められています。

①　貸付事業の用以外の用に供されていた宅地等が貸付事業の用に供された場合

②　宅地又はその上にある建物等につき『何らの利用がされていない場合』の当該宅地等が貸付事業の用に供された場合

また、同通達では、「継続的に賃貸されていた建物等につき建替えが行われた場合において、建物等の建替え後速やかに新たな賃借人の募集が行われ、賃貸されていたとき（当該建替え後の建物等を貸付事業の用以外の用に供していないときに限る。）のように、(ロ)貸付事業に係

る建物等が一時的に賃貸されていなかったと認められる場合には、当該建物等に係る宅地等は、上記②の『何らの利用がされていない場合』に該当しない。」旨が定められています。

(2)　**質疑** の事例の場合

**質疑** の事例の場合、被相続人甲に係る相続開始日が令和３年４月10日、事業場移転後のＹ家屋に係る新入居者の入居によるＹ宅地に係る新規貸付事業供用日が令和２年６月10日であることから、Ｙ宅地は、形式的には被相続人甲に係る相続開始前３年以内に新たに貸付事業の用に供した宅地等に該当することになります。

そして、上記(1)のまた書に掲げる措置法通達の定めに該当するか否かについて検討すると、当該定めは、継続的に賃貸されていた建物等につき『建替え』が行われた場合の取扱いであり、『移転』の場合についてまで定められているものではない（その理由として、当該建物等の移転先の宅地等は、移転前の宅地等とは異なるものであることが考えられます。）ことから、**質疑** の事例の場合の移転先であるＹ宅地については、当該定めの適用はないものとされます。

そうすると、移転先であるＹ宅地は、被相続人甲に係る相続開始前３年以内に新たに貸付事業の用に供した宅地等に該当することとなり、貸付事業用宅地等に該当しないこととなります。

| |
|---|
| 留意点　本件 **質疑** の事例の場合には該当しませんが、平成30年４月１日から令和３年３月31日までの間に相続又は遺贈により取得した宅地等に係る貸付事業用宅地等の規定の適用については、一定の経過措置が設けられていることに留意する必要があります。この点に関して、(6)の質疑応答を参照してください。 |

**参考**　**措置法通達69の４－24の３《新たに貸付事業の用に供されたか否かの判定》と措置法通達69の４－５《事業用建物等の建築中等に相続が開始した場合》の比較**

措置法通達69の４－24の３《新たに貸付事業の用に供されたか否かの判定》では、継続的に賃貸されていた建物等につき建替えが行われた場合において、建物等の建替え後速やかに新たな賃借人の募集が行われ、賃貸されていたとき（当該建替え後の建物等を貸付事業の用以外の用に供していないときに限る。）のように、貸付事業に係る建物等が一時的に賃貸されていなかったと認められるときには、当該建物等に係る宅地等は、新たに貸付事業の用に供されたか否かの判定における『何らの利用がされていない場合』に該当しない旨が定められているところ、当該定めの対象とされるのは本問で確認したとおり、建物等の『建替え』（上記＿＿部分）があった場合であり、建物等の『移転』については対象とされていません。

一方、措置法通達69の４－５《事業用建物等の建築中等に相続が開始した場合》の前段の定め（下記 参考資料 を参照）は、事業用建物等の建築中等に相続が開始した場合の事業用宅地等（特定事業用宅地等、特定同族会社事業用宅地等又は貸付事業用宅地等）の該当性に関する一種の緩和措置とされていますが、その対象とされているのは、建物等の『移転又は建替え』（下記 参考資料 の＿＿部分）とされています。

参考資料　措置法通達69の４－５《事業用建物等の建築中等に相続が開始した場合》（前段のみ）

> 被相続人等の事業の用に供されている建物等の移転又は建替えのため当該建物等を取り壊し、又は譲渡し、これらの建物等に代わるべき建物等（被相続人又は被相続人の親族の所有に係るものに限る。）の建築中に、又は当該建物等の取得後被相続人等が事業の用に供する前に被相続人について相続が開始した場合で、当該相続開始直前において当該被相続人等の当該建物等に係る事業の準備行為の状況からみて当該建物等を速やかにその事業の用に供することが確実であったと認められるときは、当該建物等の敷地の用に供されていた宅地等は、事業用宅地等に該当するものとして取り扱う。

そうすると、上掲の両通達では、建物等の『建替え』と『移転』の態様の違いによって、その取扱いに差異が生じていますので、留意する必要があります。

## ㉔　相続開始前３年以内に新たに貸付事業の用に供された宅地等の意義（その８：相続開始前３年以内に新たに貸付事業の用に供されたか否かの判定）（そのＧ：継続的に賃貸されていた建物等について被災により貸付事業を休業した場合）

**質疑**　被相続人甲に相続の開始（相続開始日：令和３年４月10日）がありました。同人が貸付事業の用に供しているのは一戸建住宅であるＸ物件のみで、いわゆる準事業に該当するものです。このＸ物件の入居状況は、次に掲げるとおりとなっていました。

Ｘ物件の入居状況

① 平成25年６月20日に、被相続人甲がＸ物件を購入し、購入直後から直ちに貸付開始（入居者Ａが入居）

② 令和元年７月15日に、災害（集中豪雨）のためＸ物件の一部が損壊したため貸付事業を休業し、直ちに修繕を開始（入居者Ａは、他の賃貸住宅に転居）

③ 令和元年９月25日に、上記②のＸ物件の修繕が完了したため再び貸付開始（新入居者Ｂが直ちに入居）

そうすると、被相続人甲の貸付事業の規模が準事業に留まり、かつ、Ｘ物件の貸付けは、令和元年９月25日のＸ物件の修繕完了後の新入居者Ｂに対する新規の貸付けをもって『新たに貸付事業の用に供された』と解して、Ｘ物件の敷地であるＸ宅地は貸付事業用宅地等に該当しないと解釈することになるのでしょうか。

なお、上記に掲げる事項以外の事項については、貸付事業用宅地等に係る適用要件を充足しているものとします。

### 応答

(1)　概要

平成30年度の税法改正では、貸付事業用宅地等について、(イ)相続開始前３年以内に新たに貸付事業の用に供された宅地等をその対象から除くこととされました。

なお、上記(イ)部分に掲げる『相続開始前３年以内に新たに貸付事業の用に供された』の意義について、措置法通達69の４－24の３《新たに貸付事業の用に供されたか否かの判定》の前段で次に掲げるものをいうと定められています。

① 貸付事業の用以外の用に供されていた宅地等が貸付事業の用に供された場合

② 宅地等又はその上にある建物等につき『何らの利用がされていない場合』の当該宅地等が貸付事業の用に供された場合

また、同通達では、「継続的に賃貸されていた建物等が災害により損害を受けたため、当該建物等に係る貸付事業を休業した場合において、当該貸付事業の再開のための当該建物等の修繕その他の準備が行われ、当該貸付事業が再開されていたとき（休業中に当該建物等を貸付事業の用以外の用に供していないときに限る。）のように、(ロ)貸付事業に係る建物等が一時的に賃貸されていなかったと認められる場合には、当該建物等に係る宅地等は、上記②の『何らの利用がされていない場合』に該当しない。」旨が定められています。

なお、上記の措置法通達のまた書に記載されている定めに該当する場合には、当該宅地等に係る『新たに貸付事業の用に供された』時は、継続的に賃貸されていた建物等が災害により損害を受けたため、当該建物等に係る貸付事業を休業した場合における当該休業前の賃貸に係る貸付事業の用に供された時となることに留意する必要があります。

⑵ **質疑** の事例の場合

**質疑** の事例の場合、被相続人甲に係る相続開始日が令和３年４月10日、災害による修繕完了後のＸ物件に係る新入居者Ｂの入居によるＸ宅地に係る新規貸付事業供用日が令和元年９月25日であることから、Ｘ宅地は、形式的には被相続人甲に係る相続開始前３年以内に新たに貸付事業の用に供した宅地等に該当すると考えられるかもしれません。

しかしながら、上記⑴に掲げる措置法通達の定めでは、上記⑴の(ロ)部分に掲げるとおり、貸付事業に係る建物等が一時的に賃貸されていなかったと認められる場合には、当該建物等に係る宅地等は、上記⑴②に掲げる『何らの利用がされていない場合』に該当しないと判断されるところ、**質疑** の事例では、その前提条件から上記⑴の措置法通達に定める一定の要件を充足する休業に該当すると考えられ、当該休業は、貸付事業に係る建物等が一時的に賃貸されていなかったと認められる場合に該当するものと判断されます。

そうすると、Ｘ宅地が『新たに貸付事業の用に供された』時は、継続的に賃貸されていた建物等につき災害により損害を受けたため、当該建物等に係る貸付事業を休業した場合における当該休業前の賃貸に係る貸付事業の用に供された時である平成25年６月20日と判断されることから、被相続人甲に係る相続開始前３年以内に新たに貸付事業の用に供した宅地等に該当しないものとなり、他の要件も充足しているとのことですから、貸付事業用宅地等に該当することになります。

留意点　本件 質疑 の事例の場合には該当しませんが、平成30年４月１日から令和３年３月31日までの間に相続又は遺贈により取得した宅地等に係る貸付事業用宅地等の規定の適用については、一定の経過措置が設けられていることに留意する必要があります。この点に関して、⑹の質疑応答を参照してください。

なお、本件 質疑 の事例の場合には該当しませんが、災害のために被相続人に係る相続税の申告期限において事業が休業中である場合には、下記 参考資料 に掲げる措置法通達の取扱いがあることに留意する必要があります。

参考資料　措置法通達69の４－17《災害のため事業が休止された場合》

措置法第69条の４第３項第１号イ又はロの要件の判定において、被相続人等の事業の用に供されていた施設が災害により損害を受けたため、同号イ又はロの申告期限において当該事業が休業中である場合には、同号に規定する親族（同号イの場合にあっては、その親族の相続人を含む。）により当該事業の再開のための準備が進められていると認められるときに限り、当該施設の敷地は、当該申告期限においても当該親族の当該事業の用に供されているものとして取り扱う。

（注）　措置法第69条の４第３項第２号イ及びハ、同項第３号並びに同項第４号イ及びロの要件の判定については、上記に準じて取り扱う。

### ㉕　相続開始前３年以内に新たに貸付事業の用に供された宅地等の意義（その８：相続開始前３年以内に新たに貸付事業の用に供されたか否かの判定）（そのＨ：いわゆる『居抜き』で取得した場合）

質疑

被相続人甲に相続の開始（相続開始日：令和３年４月10日）がありました。同人が相続開始時において貸付事業の用に供しているのは一戸建住宅であるＸ物件のみで、いわゆる準事業に該当するものです。

このＸ物件は、令和２年６月15日に不動産業者であるＡ㈱から入居者αが入居（αの入居日は、平成15年２月25日です。）していることを前提とした現状有姿（いわゆる『居抜き』）で購入したものです。

そうすると、被相続人甲の貸付事業の規模は準事業に留まるものの、Ｘ物件の入居者αが入居したのは被相続人甲に係る相続開始前３年を超えていることから、Ｘ物件の敷地であるＸ宅地は相続開始前３年以内に新たに貸付事業の用に供された宅地等には該当しないと解して、Ｘ物件の敷地であるＸ宅地を貸付事業用宅地等に該当すると解釈することは可能となりますか。

なお、上記に掲げる事項以外の事項については、貸付事業用宅地等に係る適用要件を充足しているものとします。

## 応答

(1)　概要

平成30年度の税法改正では、貸付事業用宅地等について、(イ)相続開始前３年以内に新たに貸付事業の用に供された宅地等をその対象から除くこととされました。

なお、上記(イ)＿＿部分に掲げる『相続開始前３年以内に(ロ)新たに貸付事業の用に供された』の意義について、措置法通達69の４－24の３《新たに貸付事業の用に供されたか否かの判定》の前段で次に掲げるものをいうと定められています。

①　貸付事業の用以外の用に供されていた宅地等が貸付事業の用に供された場合

②　宅地又はその上にある建物等につき『何らの利用がされていない場合』の当該宅地等が貸付事業の用に供された場合

上記(ロ)＿＿部分に掲げる『新たに貸付事業の用に供された』の判定は、国税庁より平成30年10月５日付で公開された資産課税課情報第16号『相続税法基本通達等の一部改正について（法令解釈通達）のあらまし（情報）』の第３「租税特別措置法（相続税法の特例関係）の取扱いについて」（法令解釈通達）関係（以下「情報」といいます。）において、(ハ)被相続人等（被相続人又は当該被相続人と生計を一にしていた当該被相続人の親族）の利用状況により行う旨が定められています。

したがって、例えば、他の者が貸付けを行っている宅地等を被相続人等が取得し、当該被相続人等がその貸付けを継続したとしても、従前の貸付けは被相続人等が行っていたものではないため、その継続した貸付けは、上記①の場合に該当するものと定められています。

(2)　**質疑**　の事例の場合

**質疑**　の事例の場合、被相続人甲に係る相続開始日が令和３年４月10日、被相続人甲がＸ物件をA㈱から購入したことによるＸ宅地に係る新規貸付事業供用日が令和２年６月15日であることから、Ｘ宅地は、形式的には被相続人甲に係る相続開始前３年以内に新たに貸付事業の用に供した宅地等に該当することになります。

そして、上記(1)に掲げるとおり、『新たに貸付事業の用に供された』（上記(1)の(ロ)＿＿部分）の判定は、情報によれば、被相続人等の利用状況により行う（上記(1)の(ハ)＿＿部分）ものとされていることから、**質疑**　の事例では法令解釈上においても、被相続人甲がＸ宅地を新たに貸付事業の用に供したのは、令和２年６月15日とされます。

そうすると、Ｘ宅地は、被相続人甲に係る相続開始前３年以内に新たに貸付事業の用に供した宅地等に該当することになりますので、貸付事業用宅地等には該当しないものとされます。

なお、本件　**質疑**　の事例では、被相続人甲はA㈱から不動産貸付業の用に供されているX宅地を購入（売買により取得）したものとされていますが、もし仮に、当該不動産貸付事業の譲渡者がA㈱ではなく被相続人甲に係る親族であり、当該親族からX宅地を売買又は贈与により取得した場合であっても同様の取扱いとされます。

(3)　留意点

本件 **質疑** の事例の場合には該当しませんが、被相続人が相続開始前3年以内に開始した相続又はその相続に係る遺贈により貸付事業用宅地等に規定する事業の用に供されていた宅地等を取得し、かつ、その取得の日以後当該宅地等を引き続き当該事業の用に供していた場合における当該宅地等は、当該被相続人の相続開始前3年以内に新たに事業の用に供された宅地等に該当しないという取扱いが設けられており、本件 **質疑** の事例との差異を確認しておく必要があります。(この取扱いに関して、⒀の質疑応答を参照してください。)

**留意点**　本件 **質疑** の事例の場合には該当しませんが、平成30年4月1日から令和3年3月31日までの間に相続又は遺贈により取得した宅地等に係る貸付事業用宅地等の規定の適用については、一定の経過措置が設けられていることに留意する必要があります。この点に関して、⑹の質疑応答を参照してください。

### ㉖　相続開始前3年以内に新たに貸付事業の用に供された宅地等に対する貸付事業用宅地等の取扱いと相続開始前3年以内に新たに事業の用に供された宅地等に対する特定事業用宅地等の取扱いの差異比較

**質疑**　平成30年度の税法改正によって新設された貸付事業用宅地等の適用除外規定（相続開始前3年以内に新たに貸付事業の用に供された宅地等は、原則として、貸付事業用宅地等に該当しない旨の規定）と平成31年度の税法改正によって新設された特定事業用宅地等の適用除外規定（相続開始前3年以内に新たに事業の用に供された宅地等は、原則として、特定事業用宅地等に該当しない旨の規定）の両規定の差異について、下記に掲げる項目の区分ごとに説明してください。

(1)　両規定の概要

(2)　貸付事業用宅地等における『特定貸付宅地等』(注)と特定事業用宅地等における『特定事業の用に供された宅地等』の判定上の差異

（注）『特定貸付宅地等』とは、相続の開始の日まで3年を超えて引き続き特定貸付事業を行っていた被相続人等の当該貸付事業の用に供された宅地等をいいます。

(3)　旧来においては貸付事業又は事業を行っていなかった者が、被相続人に係る相続開始前3年以内に新規に『特定貸付事業』又は『特定事業』を開業した場合の取扱上の差異

(4)　被相続人に係る相続開始前3年を超えて引き続き『特定貸付事業』又は『事業』を営んでいた者が、相続開始前3年以内に別途、『特定貸付事業に該当しない貸付事業』(準事業）又は『特定事業に該当しない事業』を追加して開業した場合の取扱上の差異

## 応答

(1)　両規定の概要

①　貸付事業用宅地等の適用除外規定

平成30年度の税法改正では、貸付事業用宅地等について、相続開始前3年以内に新たに貸付事業の用に供された宅地等をその対象から除くこととされました。

ただし、相続開始の日まで3年を超えて引き続き特定貸付事業（注）を行っていた被相続人等の当該貸付事業の用に供されたもの（以下、本問において『特定貸付宅地等』といいます。）については、上記の相続開始前3年以内に貸付事業の用に供されたものであっても、その対象から除かれない（換言すれば、貸付事業用宅地等に該当する）ものとされています。

（注）『特定貸付事業』とは、貸付事業のうち準事業以外のものをいいます。また、『準事業』とは、事業と称するに至らない不動産の貸付けその他これらに類する行為で相当の対価を得て継続的に行うものとされています。

なお、平成30年4月1日から令和3年3月31日までの間に相続又は遺贈により取得した宅地等に係る貸付事業用宅地等の規定の適用については、一定の経過措置が設けられており、この点については、(6)の質疑応答を参照してください。

上記の特定貸付事業に該当するか否かの判定に当たっては、措置法通達69の4－24の4《特定貸付事業の意義》において、次に掲げるとおり実質基準及び形式基準の2つの基準が定められています。

(イ)　実質基準

特定貸付事業とは、貸付事業のうち準事業以外のものをいうものとされています。被相続人等の貸付事業が準事業以外の貸付事業に当たるかどうかについては、社会通念上事業と称するに至る程度の規模で当該貸付事業が行われていたかどうかにより判定するものとされています。

(ロ)　形式基準

㋑　被相続人等が行う貸付事業が不動産の貸付けである場合

(A)　当該不動産の貸付けが所得税法第26条《不動産所得》第1項に規定する不動産所得を生ずべき事業（事業的規模）として行われているとき

当該貸付事業は、特定貸付事業に該当

(B)　当該不動産の貸付けが上記(A)以外のもの（事業的規模以外）として行われているとき

当該貸付事業は、準事業に該当

上記の判定を行うに当たっては、所得税基本通達26－9《建物の貸付けが事業として行われているかどうかの判定》（下記 参考資料 を参照）の取扱いがあるものとされています。

**参考資料**　所得税基本通達26－９《建物の貸付けが事業として行われているかどうかの判定》

> 建物の貸付けが不動産所得を生ずべき事業として行われているかどうかは、社会通念上事業と称するに至る程度の規模で建物の貸付けを行っているかどうかにより判定すべきであるが、次に掲げる事実のいずれか一に該当する場合又は賃貸料の収入の状況、貸付資産の管理の状況等からみてこれらの場合に準ずる事情があると認められる場合には、特に反証がない限り、事業として行われているものとする。
> (1)　貸間、アパート等については、貸与することができる独立した室数がおおむね10以上であること。
> (2)　独立家屋の貸付けについては、おおむね５棟以上であること。

㋺　被相続人等が行う貸付事業の対象が駐車場又は自転車駐車場であって自己の責任において他人の物を保管するものである場合

(A)　当該貸付事業が所得税法第27条《事業所得》第１項に規定する事業所得を生ずべきものとして行われているとき

当該貸付事業は、特定貸付事業に該当

(B)　当該貸付事業が所得税法第35条《雑所得》第１項に規定する雑所得を生ずべきものとして行われているとき

当該貸付事業は、準事業に該当

上記の判定を行うに当たっては、所得税基本通達27－２《有料駐車場等の所得》（下記 参考資料 を参照）の取扱いがあるものとされています。

**参考資料**　所得税基本通達27－２《有料駐車場等の所得》

> いわゆる有料駐車場、有料自転車置場等の所得については、自己の責任において他人の物を保管する場合の所得は事業所得又は雑所得に該当し、そうでない場合の所得は不動産所得に該当する。

(ハ)　まとめ

上記(イ)及び(ロ)に掲げる貸付事業の態様（特定貸付事業、準事業）と所得税法に規定する各種所得の区分との関係をまとめると、次のとおりになります。

**図解**　**貸付事業の態様と所得区分**

| 貸付けの態様 | | 事業的規模 | 事業と称するに至らないもの |
|---|---|---|---|
| 不動産の貸付け | | 不動産貸付業<br>（不動産所得を生ずべき事業）<br>（特定貸付事業）に該当 | （不動産所得を生ずべき事業以外）<br>（準事業）に該当 |
| 駐車場・自転車駐車場 | （下記以外） | | |
| 駐車場・自転車駐車場 | 自己の責任において他人の物を保管 | 駐車場業<br>自転車駐車場業<br>【事業所得を生ずべきもの】<br>（特定貸付事業）に該当 | 【雑所得を生ずべきもの】<br>（準事業）に該当 |

②　特定事業用宅地等の適用除外規定

平成31年度の税法改正では、特定事業用宅地等について、相続開始前３年以内に新たに事業の用に供された宅地等をその対象から除くこととされました。

ただし、特定事業を行っていた被相続人等の当該事業の用に供された宅地等については、上記の相続開始前３年以内に事業の用に供されたものであっても、その対象から除かれない（換言すれば、特定事業用宅地等に該当する）ものとされています。

上記の特定事業に該当するか否かの判定に当たっては、措置法通達69の４－20の３《政令で定める規模以上の意義等》において、次に掲げる算式を充足する場合における当該事業をいうものと定められています。

また、特定事業に該当するか否かの判定は、当該算式に掲げる特定宅地等ごとに行うものと定められています。

（算式）

$$\frac{\text{分母に掲げる特定宅地等に係る被相続人等の事業の用に供されていた減価償却資産のうち当該被相続人等が有していたものの相続の開始の時における価額}}{\text{新たに事業の用に供された宅地等（以下、本問において『特定宅地等』といいます。）の相続の開始の時における価額}} \geqq \frac{15}{100}$$

そして、上記の改正は、平成31年４月１日以後に相続又は遺贈により取得した小規模宅地等の課税特例に規定する宅地等に係る相続税について適用するものとされています。

なお、平成31年４月１日から令和４年３月31日までの間に相続又は遺贈により取得した宅地等に係る特定事業用宅地等の規定の適用については、一定の経過措置が設けられています。

(2)　貸付事業用宅地等における『特定貸付宅地等』と特定事業用宅地等における『特定事業の用に供された宅地等』の判定上の差異

①　貸付事業用宅地等における『特定貸付宅地等』の判定

貸付事業用宅地等における特定貸付宅地等に該当するか否かの判定は、被相続人に係る相続の開始の日まで３年を超えて引き続き、当該被相続人（当該被相続人と生計を一にする親族を含みます。）に係る貸付事業のうち準事業以外のものに供されたもの（特定貸付宅地等）（上記(1)①の＿＿部分）に該当するか否かによって行うものとされています。

そうすると、貸付事業用宅地等における特定貸付宅地等の判定は、次に掲げる判定単位及び判定時点に基づくものであることが理解されます。

判定単位　被相続人又は当該被相続人と生計を一にする親族のそれぞれが営む貸付事業ごと

判定時点　被相続人に係る相続の開始の日まで３年を超えて継続しているかという一定の期間を対象

したがって、被相続人等に係る相続開始前３年以内に貸付事業の用に供されたある宅地等が貸付事業用宅地等に該当し小規模宅地等の課税特例の適用対象とされる特定貸付宅地等に該当するか否かの判断に当たっては、他の貸付事業用宅地等の存在によってその結果が異なるものとされています。

② 特定事業用宅地等における『特定事業の用に供された宅地等』の判定

特定事業用宅地等における特定事業の用に供された宅地等に該当するか否かの判定は、特定宅地等ごとに、上記(1)②の算式に掲げるとおり、被相続人に係る相続開始前３年以内に新たに事業の用に供された宅地等（特定宅地等）の相続の開始の時における価額（上記(1)②の＿＿部分）のうちに、当該特定宅地等に係る被相続人等の事業の用に供されていた減価償却資産のうち当該被相続人等が有していたものの相続の開始の時における価額の占める割合が15％以上であるか否かによって行うものとされています。

そうすると、特定事業用宅地等における特定事業の用に供された宅地等の判定は、次に掲げる判定単位及び判定時点に基づくものであることが理解されます。

判定単位　特定宅地等ごと

判定時点　被相続人に係る相続開始時の価額（相続税評価額）を基にするという一時点を対象

したがって、ある特定宅地等が特定事業用宅地等に該当し小規模宅地等の課税特例の適用対象とされる特定事業の用に供された宅地等に該当するか否かの判断に当たっては、他の特定宅地等又は特定宅地等に該当しない他の特定事業用宅地等の存在の有無は、上記の判定に何らの影響も与えないものとされています。

(3) 旧来においては『貸付事業』又は『事業』を行っていなかった者が、被相続人に係る相続開始前３年以内に新規に『特定貸付事業』又は『特定事業』を開業した場合の取扱上の差異

題記の件について、これを設例で確認すると、次のとおりとなります。

① 被相続人に係る相続開始前３年以内に新規に『特定貸付事業』を開業した場合の貸付事業用宅地等の取扱い

**設例**　令和３年８月29日に相続開始があった被相続人甲は、令和２年７月28日にその所有するＸ宅地を利用して新規に貸付事業（賃貸アパート（室数20室））を開始した。被相続人甲の貸付事業は、上記(1)①(ロ)(イ)(A)に掲げる形式基準から判断すると

特定貸付事業に該当するものと認められる。

なお、Ｘ宅地を承継した相続人は今後も末長く所有し、貸付事業（賃貸アパート）を継続する予定である。

回答　Ｘ宅地は、貸付事業用宅地等に該当しない。

解説　上記⑴①(ロ)(イ)(A)に掲げる形式基準から判断すると、被相続人甲の貸付事業は特定貸付事業に該当する。

しかしながら、上記⑵①に掲げるとおり、特定貸付宅地等に該当するか否かの判定は被相続人等の営む貸付事業ごとに（㊟被相続人又は当該被相続人と生計を一にする親族がそれぞれに営む貸付事業の両者を合算することはしないという意味である。）、当該被相続人に係る相続開始の日まで３年を超えて継続して特定貸付事業が営まれていたか否かの観点から行うものとされている。

そうすると、設例の前提より、Ｘ宅地は特定貸付宅地等に該当しないことになる。

（図解）

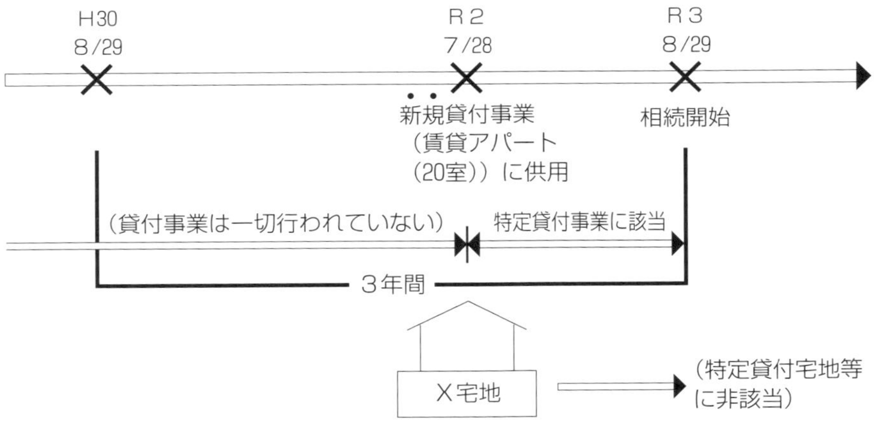


② 被相続人に係る相続開始前３年以内に新規に『特定事業』を開業した場合の特定事業用宅地等の取扱い

設例　令和３年８月29日に相続開始があった被相続人甲は、令和２年７月28日にその所有するＸ宅地を利用して新規に事業（小売店）を開始した。被相続人甲の事業は、上記⑴②に掲げる算式の要件を充足しており特定事業に該当するものと認められる。

なお、Ｘ宅地を承継した相続人は今後も末長く所有し、事業（小売店）を継続する予定である。

回答　Ｘ宅地は、特定事業用宅地等に該当する。

解説　上記⑵②に掲げるとおり、特定事業に該当するか否かの判定は特定宅地等ごとに、被相続人に係る相続の開始の時点の現況に基づいて行うものとされている。

そうすると、設例の前提より、Ｘ宅地は特定事業の用に供されていた宅地等に該当することになる。

（図解）

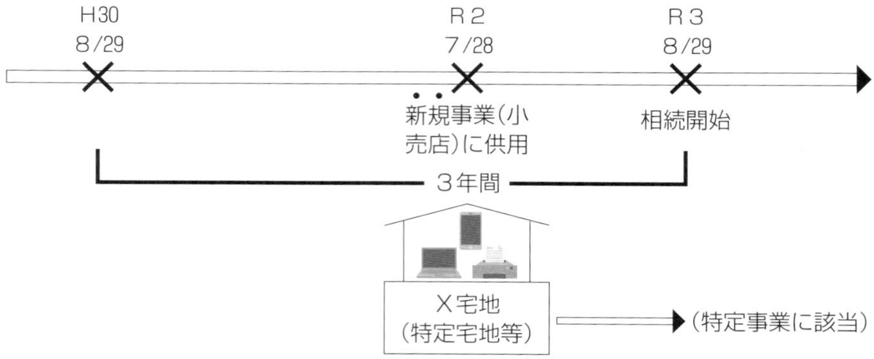


⑷　被相続人に係る相続開始前３年を超えて引き続き『特定貸付事業』又は『事業』を営んでいた者が、相続開始前３年以内に別途、『特定貸付事業に該当しない貸付事業』（準事業）又は『特定事業に該当しない事業』を追加開業した場合の取扱上の差異

題記の件について、これを設例で確認すると、次のとおりとなります。

①　被相続人に係る相続開始前３年を超えて引き続き『特定貸付事業』を営んでいた者が、相続開始前３年以内に、別途『特定貸付事業に該当しない貸付事業』（準事業）を追加開業した場合

**設例**　令和３年８月29日に相続開始があった被相続人甲は、その所有するＸ宅地及びＹ宅地を下記に掲げるとおりに同人の営む貸付事業の用に供していた。

㈠　平成21年２月４日にＸ宅地を利用して貸付事業（賃貸アパート（20室））を新規開業した。

㈡　令和２年７月28日にＹ宅地を利用して貸付事業（賃貸アパート（６室））を追加開業した。

㈢　上記⑴①㈡㈠(A)に掲げる形式基準から判断すると、被相続人甲の貸付事業は、上記㈠の貸付事業につき特定貸付事業に該当するものの、上記㈡の貸付事業はそれ自体を単体で判断すると特定貸付事業に該当しないものと認められる。

㈣　上記㈠に掲げるＸ宅地及び㈡に掲げるＹ宅地を承継した相続人は、両宅地を今後も末長く所有し、かつ、それぞれの貸付事業（賃貸アパート）を継続する予定である。

**回答**　Ｘ宅地及びＹ宅地は、双方ともに貸付事業用宅地等に該当する。

**解説**　上記 **設例** ㈢に掲げるとおり、それぞれを単体で判定すると、被相続人甲のＸ宅地上の貸付事業は特定貸付事業に該当し、Ｙ宅地上の貸付事業は特定貸付事業に該当しないものとなる。

しかしながら、上記⑵①に掲げるとおり、特定貸付宅地等に該当するか否かの判定は被相続人等の営む貸付事業ごとに（㊟被相続人又は当該被相続人と生計を一にする親族がそれぞれに営む貸付事業の両者を合算することはしないという意

味である。)、当該被相続人に係る相続開始の日まで３年を超えて継続して特定貸付事業が営まれていたか否かの観点から行うものとされている。

そうすると、設例の前提より、Ｘ宅地及びＹ宅地はその双方ともに特定貸付宅地等に該当することになる。

（図解）

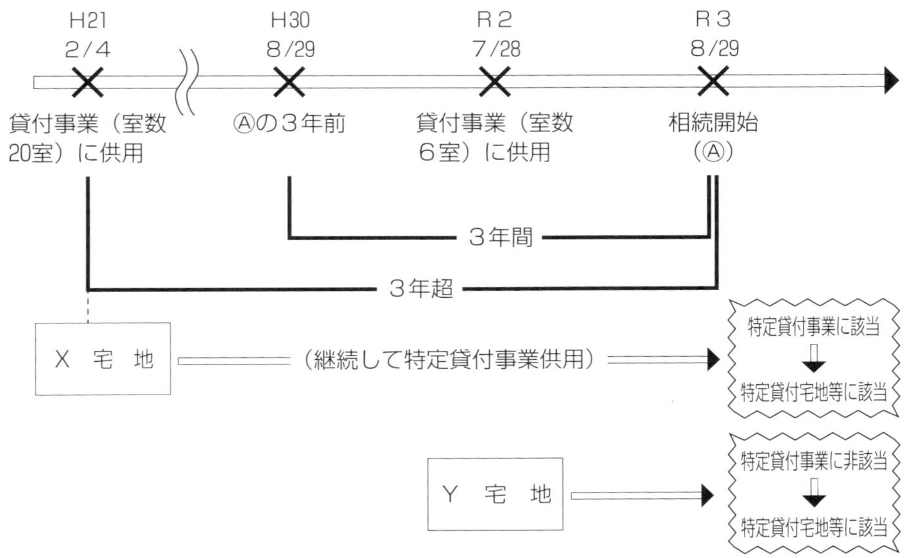


②　被相続人に係る相続開始前３年を超えて引き続き『事業』を営んでいた者が、相続開始前３年以内に別途、『特定事業に該当しない事業』を追加開業した場合

設例　令和３年８月29日に相続開始があった被相続人甲は、その所有するＸ宅地及びＹ宅地を下記に掲げるとおりに同人の営む事業の用に供していた。

(イ)　平成21年２月４日にＸ宅地を利用して事業（小売店）を新規開業した。

(ロ)　令和２年７月28日にＹ宅地を利用して事業（飲食店）を追加開業した。

(ハ)　上記(ロ)に係る事業は、上記(1)②に掲げる算式の要件を充足しておらず特定事業には該当しないものと認められる。

(ニ)　上記(イ)に掲げるＸ宅地及び(ロ)に掲げるＹ宅地を承継した相続人は、両宅地を今後も末長く所有し、それぞれの事業（小売店及び飲食店）を継続する予定である。

回答　Ｘ宅地は特定事業用宅地等に該当するが、Ｙ宅地は特定事業用宅地等に該当しない。

解説　上記(2)②に掲げるとおり、特定事業に該当するか否かの判定は特定宅地等ごとに、被相続人に係る相続の開始の時点の現況に基づいて行うものとされており、設例の前提より、Ｙ宅地は特定事業の用に供されていた宅地等には該当しないものとされている。

なお、Ｘ宅地が被相続人甲に係る相続開始前３年を超えて引き続き同人の事業（小売店）の用に供されていたという事実は、上掲のＹ宅地が特定事業の用に供されていた宅地等に該当するか否かの判断に何らの影響を与えないものとされる。

（図解）

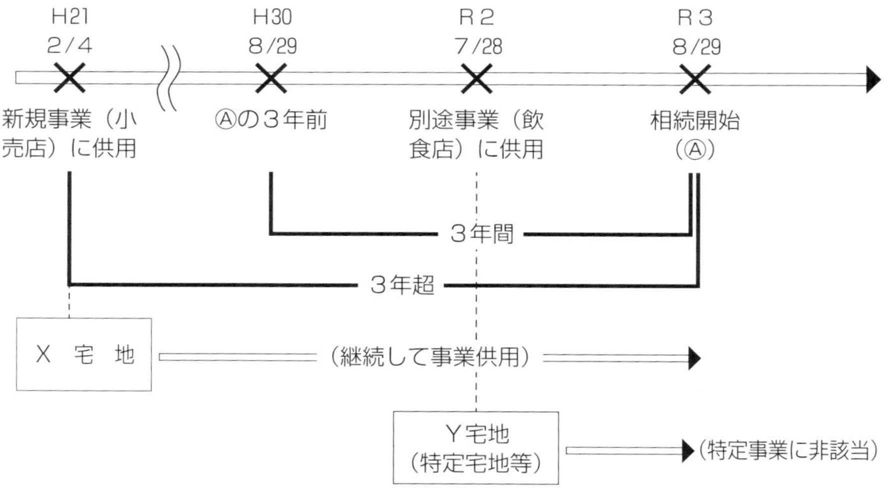


### ㉗　特定貸付事業に該当するか否かの判断基準（その１：基本的な判断基準）

**質疑**

被相続人甲に相続の開始（相続開始日：令和３年４月10日）がありました。同人は、その相続開始前の約20年以上前から賃貸マンションであるＸ物件（貸室数18室）の貸付けを行っていましたが、その規模拡大を図るために令和元年６月10日に都心に雑居ビルであるＹ物件（全５室）を新規に購入して、直ちに貸付事業の用に供しています。

平成30年度の税法改正では、貸付事業用宅地等について、相続開始前３年以内に新たに貸付事業の用に供された宅地等をその対象から除くこととされましたが、その一方で、相続開始の日まで３年を超えて引き続き特定貸付事業（貸付事業のうち準事業以外のものをいいます。）を行っていた被相続人等の当該貸付事業の用に供された宅地等（以下「特定貸付宅地等」といいます。）については、上記の相続開始前３年以内に貸付事業の用に供された宅地等であっても、その対象から除かれない（換言すれば、貸付事業用宅地等に該当する）ものとされました。

それでは、この『特定貸付宅地等』該当性の判断の基礎とされる特定貸付事業に該当するか否かは、どのようにして判断することになりますか。

また、事例のＹ物件の敷地であるＹ宅地を特定貸付宅地等に該当するものと解して、貸付事業用宅地等に該当すると解釈することは認められるのでしょうか。

なお、上記に掲げる事項以外の事項については、貸付事業用宅地等に係る適用要件を充足しているものとします。

**応答**

(1)　概要

上記 **質疑** の＝＝部分に掲げるとおり、特定貸付事業とは、貸付事業のうち準事業以外のものをいい、また、準事業とは、事業と称するに至らない不動産の貸付けその他これらに類する行為で相当の対価を得て継続的に行うものとされています。

この特定貸付事業に該当するか否かの判定に当たっては、措置法通達69の４－24の４《特定貸付事業の意義》において、次に掲げるとおり実質基準及び形式基準の２つの基準が定められています。

①　実質基準

特定貸付事業とは、貸付事業のうち準事業以外のものをいうものとされています。被相続人等の貸付事業が準事業以外の貸付事業に当たるかどうかについては、社会通念上事業と称するに至る程度の規模で当該貸付事業が行われていたかどうかにより判定するものとされています。

②　形式基準

(イ)　被相続人等が行う貸付事業が不動産の貸付けである場合

㋑　当該不動産の貸付けが所得税法第26条《不動産所得》第１項に規定する不動産所得を生ずべき事業（事業的規模）として行われているとき

当該貸付事業は、特定貸付事業に該当

㋺　当該不動産の貸付けが上記㋑以外のもの（事業的規模以外）として行われているとき

当該事業は、準事業に該当

上記の判定を行うに当たっては、所得税基本通達26－９《建物の貸付けが事業として行われているかどうかの判定》（下記 参考資料 を参照）の取扱いがあるものとされています。

**参考資料　所得税基本通達26－９《建物の貸付けが事業として行われているかどうかの判定》**

> 建物の貸付けが不動産所得を生ずべき事業として行われているかどうかは、社会通念上事業と称するに至る程度の規模で建物の貸付けを行っているかどうかにより判定すべきであるが、次に掲げる事実のいずれか一に該当する場合又は賃貸料の収入の状況、貸付資産の管理の状況等からみてこれらの場合に準ずる事情があると認められる場合には、特に反証がない限り、事業として行われているものとする。
> (1)　貸間、アパート等については、貸与することができる独立した室数がおおむね10以上であること。
> (2)　独立家屋の貸付けについては、おおむね５棟以上であること。

(ロ)　被相続人等が行う貸付事業の対象が駐車場又は自転車駐車場であって自己の責任において他人の物を保管するものである場合

㋑　当該貸付事業が所得税法第27条《事業所得》第１項に規定する事業所得を生ずべきものとして行われているとき

当該貸付事業は、特定貸付事業に該当

㋺　当該貸付事業が所得税法第35条《雑所得》第１項に規定する雑所得を生ずべきものとして行われているとき

当該貸付事業は、準事業に該当

上記の判定を行うに当たっては、所得税基本通達27－２《有料駐車場等の所得》（下記 参考資料 を参照）の取扱いがあるものとされています。

**参考資料　所得税基本通達27－２《有料駐車場等の所得》**

> いわゆる有料駐車場、有料自転車置場等の所得については、自己の責任において他人の物を保管する場合の所得は事業所得又は雑所得に該当し、そうでない場合の所得は不動産所得に該当する。

③　まとめ

上記①及び②に掲げる貸付事業の態様（特定貸付事業、準事業）と所得税法に規定する各種所得の区分との関係をまとめると、次のとおりとなります。

**図解　貸付事業の態様と所得区分**

<table>
<tr><th colspan="2">貸付けの態様</th><th>事業的規模</th><th>事業と称するに至らないもの</th></tr>
<tr><td colspan="2">不動産の貸付け</td><td rowspan="2">不動産貸付業<br>（不動産所得を生ずべき事業）<br>（特定貸付事業）に該当</td><td rowspan="2">（不動産所得を生ずべき事業以外）<br>（準事業）に該当</td></tr>
<tr><td rowspan="2">駐車場・自転車駐車場</td><td>（下記以外）</td></tr>
<tr><td>自己の責任において他人の物を保管</td><td>駐車場業<br>自転車駐車場業<br>【事業所得を生ずべきもの】<br>（特定貸付事業）に該当</td><td>【雑所得を生ずべきもの】<br>（準事業）に該当</td></tr>
</table>

(2)　**質疑** の事例の場合

**質疑** の事例の場合、被相続人甲がその相続開始の約20年以上前から不動産の貸付けの用に供しているＸ物件の貸室数は18室とされていることから、上記(1)②(イ)に掲げる形式基準に当てはめて判定すると、同人の不動産の貸付けは不動産所得を生ずべき事業（事業的規模）として行われているものであり、特定貸付事業に該当する（上記(1)②(イ)㋑に該当）と判断されます。したがって、Ｙ物件の敷地であるＹ宅地は特定貸付宅地等に該当することになります。

また、被相続人甲に係る相続開始日が令和３年４月10日、Ｙ物件の取得に伴うＹ宅地の新規貸付事業供用日が令和元年６月10日であることから、Ｙ宅地は、形式的には被相続人甲に係る相続開始前３年以内に新たに貸付事業の用に供した宅地等に該当し、平成30年度の税法改正による貸付事業用宅地等の適用除外対象と指摘されるかもしれませんが、上述のとおり、Ｙ宅地は特定貸付宅地等に該当することから当該指摘は当てはまらないことになります。

そうすると、Ｙ宅地は、小規模宅地等の課税特例の適用除外とされる被相続人甲に係る相続開始前３年以内に新たに貸付事業の用に供した宅地等に該当しないものとなり、他の要件も充足しているとのことですから、貸付事業用宅地等に該当することになります。

留意点　本件 **質疑** の事例の場合には該当しませんが、平成30年４月１日から令和３年３月31日までの間に相続又は遺贈により取得した宅地等に係る貸付事業用宅地等の規定の適用については、一定の経過措置が設けられていることに留意する必要があります。この点に関して、⑹の質疑応答を参照してください。

### ㉘　特定貸付事業に該当するか否かの判断基準（その２：建物の貸付けが共有で行われていた場合の判定）

**質疑**　前問㉗の **質疑** 事例において、賃貸マンションであるＸ物件（貸室数18室）について、被相続人甲が共有持分３分の１、被相続人甲の妻乙が共有持分３分の２の割合で所有していた場合に、Ｙ物件の敷地であるＹ宅地を特定貸付宅地等に該当するものと解して、貸付事業用宅地等に該当すると解釈することは認められるのでしょうか。

なお、上記に掲げる事項以外の事項については、前問㉗の **質疑** に掲げるものと同一の条件であるものとします。

**応答**

⑴　考え方

特定貸付事業の意義及び当該特定貸付事業に該当するか否かに関する判定基準（実質基準及び形式基準）については、前問㉗の **応答** の⑴に掲げるとおりとなっていますが、これらの措置法（政令及び規則を含みます。）の条文及び措置法通達をみても判定対象不動産を共有持分で所有している場合の取扱い（共有持分を乗ずる前の規模で判定するのか、又はその者の有する共有持分を乗じた後の規模で判定するのか）については、明確な規定や定めは設けられていません。

一方、小規模宅地等の課税特例の適用に関する措置法通達69の４－24の４《特定貸付事業の意義》において、被相続人等が行う貸付事業が不動産の貸付けである場合における形式基準の適用に当たってその取扱いがあるものとされている所得税基本通達26－９《建物の貸付けが事業として行われているかどうかの判定》の定め（前問㉗の **応答** の⑴②(イ)を参照）

においても、所得税法上の形式基準による事業的規模の判定（いわゆる『５棟10室基準』）に当たって、判定対象不動産（貸間、アパート又は独立家屋）が共有持分によって所有されている場合の取扱いは定められていません。（もちろん、所得税法及び所得税に関する措置法（以下、これらを「所得税法等」といいます。）においても、当該取扱いに関する規定は設けられていません。）

ところで、所得税法等の規定では、不動産所得を生ずべき業務が事業として行われているものであるか否かによって、次に掲げるような項目でその取扱いに差異が設けられています。

⑴　資産損失の必要経費を算入する範囲（所法51、所法72）

⑵　貸倒損失の帰属年分の判定（所法51、所法64）

⑶　貸倒引当金の計上の可否（所法52）

⑷　青色申告の事業専従者給与額又は白色申告の事業専従者控除額の必要経費算入の可否（所法57）

⑸　青色申告特別控除の適用可否（措法25の２）

⑹　延納した場合の利子税の必要経費算入の可否（所法45、所令97）

これは、あくまでも現行における課税実務上の一般論に過ぎませんが、上記に掲げる取扱い上の差異に直結する不動産所得を生ずべき業務の規模判断（事業的規模、事業的規模以外の業務としての規模）に当たっては、従来より、共有持分を乗ずる前の全体の規模で行われていたものと考えられます。

そうすると、上掲の措置法通達の定めにおいてその取扱いが適用されるものとされている所得税基本通達における課税実務上の一般論を準用されるべきであるという考え方に立脚するのであれば、ご照会の建物の貸付けが共有で行われていた場合の特定貸付事業に該当するか否かの判断に当たっても、判定対象者が有する共有持分を乗ずる前の全体の規模によって行われることが、一般的には相当であると考えられます。

⑵ **質疑** の事例の場合

上記⑴に掲げる考え方（特定貸付事業に該当するか否かの判断を判定対象者が有する共有持分を乗ずる前の全体の規模によって行うことを一般的に相当とするもの）に基づいて、**質疑** の事例をみると、賃貸マンションであるＸ物件の室数は被相続人甲が有する共有持分である３分の１を乗じる前の全体の室数たる18室とされ、上記⑴に掲げる所得税基本通達26－９《建物の貸付けが事業として行われているかどうかの判定》に定める判定基準たる『５棟10室基準』（**質疑** の事例はマンション（室数で判定されます。）なので、10室を基準とします。）を充足していることから所得税法上では、Ｘ物件の貸付けは不動産所得を生ずべき業務が事業として行われているものと認められます。

そして、措置法通達69の４－24の４《特定貸付事業の意義》において、上記の所得税基本通達の定めの取扱いがあるものとされていることから、Ｙ宅地は特定貸付宅地等に該当することになります。

そうすると、Ｙ宅地は、小規模宅地等の課税特例の適用除外とされる被相続人甲に係る相続開始前３年以内に新たに貸付事業の用に供した宅地等に該当しないものとなり、他の要件も充足しているとのことですから、貸付事業用宅地等に該当することになります。

留意点　本件 質疑 の事例の場合には該当しませんが、平成30年４月１日から令和３年３月31日までの間に相続又は遺贈により取得した宅地等に係る貸付事業用宅地等の規定の適用については、一定の経過措置が設けられていることに留意する必要があります。この点に関して、⑹の質疑応答を参照してください。

### ㉙　相続開始前３年を超えて引き続き貸付事業の用に供されていた宅地等の取扱い

**質疑**　被相続人甲に相続の開始（相続開始日：令和３年８月29日）がありました。同人が相続開始時において営む不動産貸付業（賃貸アパート）の用に供されていたＸ物件に関する状況等は、下記のとおりでした。

Ｘ物件の状況等

①　平成30年６月25日に、被相続人甲は新規に貸付事業を開始することになり、Ｘ物件（Ｘ家屋及びＸ宅地）を購入し、購入直後から直ちに貸付事業（ただし、Ｘ物件の事業規模は準事業とされます。）に供用しました。

②　被相続人甲に係る相続開始により、同人の長男ＡがＸ物件を相続により取得し、かつ、貸付事業を承継しました。また、長男Ａは今後も末長く、Ｘ物件を所有して貸付事業を継続していく予定です。

そうすると、被相続人甲に係る相続開始日が令和３年８月29日であり、かつ、Ｘ物件を取得して被相続人甲が営む不動産貸付への事業供用日が平成30年６月25日であることから、Ｘ宅地を相続開始前３年以内に新たに貸付事業の用に供された宅地等に該当しないと解して、Ｘ宅地を貸付事業用宅地等に該当するものとして取り扱うことは可能でしょうか。

また、上記の判断に当たっては、Ｘ物件の状況等 欄の①に掲げる被相続人甲が営む貸付事業が『準事業』に該当する（換言すれば、『特定貸付事業』に該当しない）という事項は、どのような影響を与えることになるのでしょうか。

**応答**

⑴　概要

平成30年度の税法改正では、貸付事業用宅地等について、相続開始前３年以内に新たに貸付事業の用に供された宅地等（特定貸付宅地等（注）を除きます。）をその対象から除くこととされました。

（注）『特定貸付宅地等』とは、相続開始の日まで３年を超えて引き続き特定貸付事業（貸付事業のうち準事業以外のものをいいます。）を行っていた被相続人等の当該貸付事業の用に供されたものをいいます。

上記の取扱いは、貸付事業用宅地等につき、相続開始前３年以内に新たに貸付事業の用に供された宅地等（上記(イ)部分）を適用対象外とするものの、当該宅地等が相続開始の日まで３年を超えて引き続き特定貸付事業を行っていた被相続人等の当該貸付事業の用に供されたもの（すなわち、『特定貸付宅地等』）であればこれを除くこと（上記(ロ)部分）（換言すれば、適用対象になること）とする例外的な規定を併せて設けたものといえます。

そうすると、上記(イ)及び(ロ)部分の各取扱いは、『相続開始前３年以内に新たに事業の用に供された宅地等』に該当するか否かの判断に関して用いられる原則的取扱いと例外的取扱いに関する要件であり、この要件に該当しない（換言すれば、相続開始前３年を超えて引き続き被相続人等の貸付事業の用に供されていた）宅地等については、当該宅地等の上で被相続人等が行っていた貸付事業が特定貸付事業であるか否かの区分を問わないものとされています。

上記の取扱いを確認するものとして、措置法通達69の４－24の７《相続開始前３年を超えて引き続き貸付事業の用に供されていた宅地等の取扱い》があり、「相続開始前３年を超えて引き続き被相続人等の貸付事業の用に供されていた宅地等については、措置法令第40条の２第19項に規定する特定貸付事業以外の貸付事業に係るものであっても、措置法第69条の４第３項第４号イ又はロに掲げる要件を満たす当該被相続人の親族が取得した場合には、同号に規定する貸付事業用宅地等に該当する。」と定められています。

⑵　**質疑**　の事例の場合

**質疑**　の事例の場合、被相続人甲に係る相続開始日が令和３年８月29日であり、かつ、Ｘ宅地を被相続人甲が経営する貸付事業に供用した日が平成30年６月25日であることから、Ｘ宅地は相続開始前３年以内に新たに貸付事業の用に供された宅地等に該当しないことになります。

上記　**質疑**　の　Ｘ物件の状況等　欄の①に掲げるとおりＸ物件の貸付は準事業であることから、Ｘ宅地は『特定貸付宅地等』に該当しないことになりますが、当該事項は上記⑴に掲げるとおり、『相続開始前３年以内に新たに貸付事業の用に供された宅地等』に係る取扱いに対する例外的な取扱いに関する要件であることから、Ｘ宅地の取扱いを判断するに当たっては、何らの影響も与えないことになります。

そうすると、Ｘ宅地は、貸付事業用宅地等に該当するものとして取り扱われることになります。

| |
|---|
| 留意点　本件 **質疑** の事例の場合には該当しませんが、平成30年４月１日から令和３年３月31日までの間に相続又は遺贈により取得した宅地等に係る貸付事業用宅地等の規定の適用については、一定の経過措置が設けられていることに留意する必要があります。この点に関して、⑹の質疑応答を参照してください。 |

### ⑽ 貸付建物（アパート）の一部が空室となっていた場合の取扱い

**質疑**　被相続人甲は貸付建物（アパート）２棟を所有しており、課税時期における当該アパートの状況は下表のとおりです。

この場合において、各アパートの敷地の用に供されている宅地等についてこれをすべて貸付事業用宅地等（減額割合50％）として取り扱うことができますか。

なお、これらのアパートの敷地である宅地等を取得した相続人は、被相続人甲に係る相続税の申告期限まで引き続いて被相続人甲の生前における貸付方針と同様の方針を維持して、アパートの貸付けを継続しているものと認められます。

また、被相続人甲は、同人に係る相続開始の10年以上前から事業的規模で不動産貸付業を営んでいることが確認されています。

| 区　分 | | 室　数 | 空室数 | アパートの利用状況等 |
|---|---|---|---|---|
| ⑴ | Ａ棟 | 10室 | ２室 | 空室の２室については、不動産仲介業者に依頼して新規の入居者を募集しており、常時入居可能な状態で整備されており、また、被相続人甲に係る相続開始前後の空室期間等からも総合的に判断して、一時的に賃貸されていなかったものと認められるものに該当します。 |
| ⑵ | Ｂ棟 | ８室 | ５室 | Ｂ棟は建物老朽化のため建替えを検討しており、旧来の入居者の退室後は新規の入居を停止しており、残りの入居者についても立退交渉に入っています。 |

**応答**

小規模宅地等の課税特例の適用対象とされる事業用宅地等とは、相続開始の直前において、被相続人等の事業の用に供されていた宅地等をいい、これらの宅地等のうちに被相続人等の事業の用に供されていない部分があるときは、当該部分については被相続人等の事業用宅地等には該当しません。

この基本的な考え方を基にして上記２棟の貸付建物（アパート）の敷地の用に供されている宅地等が被相続人等の事業用宅地等に該当するか否かを判断すると次のとおりです。

⑴　Ａ棟の敷地の用に供されていた宅地等

措置法通達69の４－24の２《被相続人等の貸付事業の用に供されていた宅地等》の定めでは、「宅地等が被相続人等の貸付事業の用に供されていた宅地等に該当するかどうかは、当該宅地等が相続開始の時において現実に貸付事業の用に供されていたかどうかで判定するのであるが、貸付事業の用に供されていた宅地等には、当該貸付事業に係る建物等のうちに相続開始の時において一時的に賃貸されていなかったと認められる部分がある場合における当該部分に係る宅地等の部分が含まれる。」とされています。

そうすると、**質疑**のＡ棟については、旧来において貸付けの用に供されていた貸付建物（アパート）の一部について相続開始時点でたまたま入居者が退室し空室となっていた場合においても、新規の入居者を募集しており、空室について常時入居可能な状態で整備されており、また、被相続人甲に係る相続開始前後の空室期間等からも総合的に判断して、一時的に賃貸されていなかったものと認められるとのことから、被相続人等の事業は継続されているものと考えられます。

したがって、上記のような状況であるならば、空室部分に対応する敷地部分も含めて、Ａ棟の敷地の用に供されている宅地等の全体が被相続人等の事業用宅地等（貸付事業用宅地等）に該当することとなります。

⑵　Ｂ棟の敷地の用に供されていた宅地等

上記⑴に掲げる措置法通達の定めは、課税時期において一時的に賃貸されていなかったと認められる部分（上記⑴の＿＿部分）に対する一種の緩和的な取扱いが示されているものと考えられます。

そうすると、**質疑** のＢ棟のように貸付建物（アパート）の建替え、譲渡又は貸付けを中止するため等の目的で、旧来の入居者の退室後空室となっている部分について新規の入居者の募集等が行われないままになっている場合には、当該空室となっている部分については被相続人等の事業が継続されていると考えるのは困難です。

したがって、空室（５室）部分に対応する敷地の用に供されている宅地等の部分については、被相続人等の事業用宅地等（貸付事業用宅地等）に該当しないこととなります。

(注)　⑴及び⑵の場合において、当該貸家建物の敷地の用に供されている宅地等の評価については、原則として、現に入居者が存している（借家権が認められる）部分に対応する部分についてのみ貸家建付地となります。

また、その他の部分（現に入居者が存在しない部分）については、貸家建付地として評価される場合と自用地として評価される場合とがありますので注意が必要です。（下記 参考資料 を参照）

## 参考資料　貸家及び貸家建付地評価の可否判断（貸家建付地評価等を可能とする要件）

**問い**

私の父は不動産賃貸業（主に貸家業）を営んでいましたが、この度相続の開始がありました。父の相続財産のなかには次のＡからＤに掲げる不動産（土地等及び建物等）が存しますが、これらの不動産についてはいずれも貸家事業の用に供することを目的として保有等をしているわけですから、その評価はすべてにつき、家屋は貸家、宅地は貸家建付地に該当するとして評価してもかまいませんか。また、これらの不動産の評価について、留意すべき事項があれば併せて説明してください。

| 区分 | 不動産の形態 | 不動産の貸付け等の状況 |
|---|---|---|
| Ａ不動産 | 賃貸用マンション及びその敷地 | • 従来より継続して貸し付けていた賃貸用マンション（12室で各室の床面積は同じ。）のうち課税時期において２室の空室がありましたが、１か月程度の空室期間で新規の借家人が入居しました。 |
| Ｂ不動産 | 賃貸用独立家屋及びその敷地 | • 従来の借家人が退去し、課税期間においては空家でした。ただし、家屋は新規入居可能な状態で整備され、入居者を募集中でした。 |

| | | |
|---|---|---|
| Ｃ不動産 | 賃貸用マンション及びその敷地 | •相当老朽化し建替えを予定している賃貸用マンション（15室で各室の床面積は同じ。）で新規入居者の募集は行っていないことから、課税時期においては３室のみ入居していました。 |
| Ｄ不動産 | 賃貸用マンション及びその敷地 | •新築した賃貸マンション（20室で各室の床面積は同じ。）のうち課税時期現在において８室の空室がありましたが、相続税の申告期限までにはすべて満室となりました。 |

答え

⑴　『貸家』とは、借家権（借地借家法に係る借家に対する保護規定の適用対象となる家屋の賃借人が有する賃借権）の目的となっている家屋をいい、また、『貸家建付地』とは、その貸家の敷地の用に供されている宅地をいいます。

⑵　貸家及び貸家建付地の評価を算式で表示しますと下記のとおりとなります。

**（算式）貸　　　家……自用家屋としての評価額×（１－借家権割合×賃貸割合）**

**貸家建付地……自用宅地としての評価額×（１－借地権割合×借家権割合×賃貸割合）**

⑶　現行の実務取扱いにおけるＡからＤまでの各不動産の評価態様はそれぞれ下記のとおりです。（そのように評価する理由については、解説の項を参照。）

| | |
|---|---|
| Ａ不動産 | •賃貸マンションのうち課税時期において空室である２室部分に対応（面積あん分）する家屋及びその敷地についても、『継続的に賃貸されていたマンション等に課税時期において一時的に空室であったと認められる部分』に該当する場合には、当該部分も含めて、賃貸マンションの全体を貸家及び貸家建付地として評価します。 |
| Ｂ不動産 | •家屋は自用家屋として、その敷地は自用宅地として評価します。 |
| Ｃ不動産 | •賃貸マンション15室のうち課税時期に入居している３室部分に対応（面積あん分）する家屋及びその敷地については貸家及び貸家建付地として、課税時期において空室である12室部分に対応する家屋及びその敷地については自用地として、それぞれに区分して評価します。 |
| Ｄ不動産 | •賃貸マンション20室のうち課税時期に入居している12室部分に対応（面積あん分）する家屋及びその敷地については貸家及び貸家建付地として、課税時期において空室である８室部分に対応する家屋及びその敷地については自用家屋及び自用地として、それぞれに区分して評価します。 |

解説

**⑴　Ａ不動産（継続的に賃貸されていたマンションの一部に空室がある場合）の評価**

『貸家建付地』とは、貸家の敷地の用に供されている宅地をいい、また、『貸家の目的に供されている』とは、⑷課税時期において、⑹現実に貸し付けられている（借家権の目的となっている）場合をいうものと解するのが原則的な取扱いとなります。（下線部⑷・⑹が重要ポイントです。）

そこで、この取扱いを厳格に解釈すると、不動産の評価実務において、貸家及び貸家建付地に該当するか否かの判定については、次のような判定基準により行うべきであると理論上考えざるを得なくなります。

| | |
|---|---|
| 判定時点 | •課税時期（相続、遺贈又は贈与のあった日）現在で判断すること |
| 判定要件 | •現実に貸し付けられている（借家権の目的となっている）ことが必要となること |

したがって、貸家事業用の不動産について、たとえ、次のような事実が存在していたとしても、課税時期において現実に貸し付けられていないものについては、貸家及び貸家建付地として取り扱うことにはならず、家屋については自用家屋、その敷地である宅地については、自用地として評価することが、理論上、要請されることとなります。

① 貸付用の家屋として建築されたことが建築図面、建築資金の借入申込書等により明確であること

② 旧来（課税時期前）において、実際に賃借人である入居者（借家人）が存していたこと

③ 課税時期において、入居者を広告募集中である等貸付の意思が客観的に確認できること

上記の取扱いによれば、アパート、賃貸マンション等のようにその貸家の用に供することを目的とする家屋に係る各独立部分（構造上区分された数個の部分の各部分をいう。）がある場合に、課税時期に、たまたま、従来の入居者が退室して一時的に空室となっていることも考えられますが、このような事例についても、上記の理論的な取扱い（現実に貸し付けられているか否かにより評価区分を判定する方法）に照らしあわせると、入居済みの部分と空室部分とに区分して評価（両者を床面積の比等の合理的な基準により区分し、前者を貸家及び貸家建付地、後者を自用家屋及び自用地評価）すべきであると考えられます。

しかしながら、賃貸アパート等について、たとえ、一室にでも現実に借家人が存在している場合には、その借家人の有する権利部分が物理的には敷地全体に及ぼす影響を考慮すると、上記の理論的な取扱いでは説明が困難な部分も生じることを否定することはできません。

従来（平成11年７月の財産評価基本通達の改正前）の実務においては、後述のＤ不動産（新築の賃貸マンションの一部に空室がある場合の評価）のような状況にある場合の不動産の評価態様（貸家建付地評価等の可否）が争点とされた判決（下記(4)を参照）もあり、実務上の取扱いにおいては、その解釈を巡って相当の混乱もあったようです。

そこで、課税庁では、財産評価基本通達を改正（平成11年７月19日付　課評２－12他）し、貸家及び貸家建付地の評価方法について、新たに『賃貸割合』という概念を採用（具体的な評価方法については、前記 答え (2)を参照）し、継続的に賃貸されていたアパート等に課税時期において一時的に空室であったと認められる部分がある場合、その部分を含めて全体を課税時期において賃貸されていたものとして、貸家及び貸家建付地として評価して差し支えないものとする緩和措置を通達において明示することにしました。

また、上記の『継続的に賃貸されていたアパート等で課税時期において一時的に空室であったと認められる部分』であるか否かについては、この通達改正後に国税庁から情報（資産評価企画官情報第２号　平成11年７月29日）が示されており、これによると、次のような事実関係から総合的に判断するものとされています。

① 各独立部分が課税時期前に継続的に賃貸されてきたものかどうか。

② 賃借人の退去後速やかに新たな賃借人の募集が行われたかどうか。

③ 空室の期間、他の用途に供されていないかどうか。

④ 空室の期間が、課税時期の前後の例えば１か月程度であるなど一時的な期間であるかどうか。

⑤ 課税時期前後の賃貸が一時的なものではないかどうか。

以上の取扱いに基づいて、事例のＡ不動産の取扱いを検討すると、たとえ、課税時期において２室の空室部分があったとしても、改正後の財産評価基本通達及び情報の定めにより判断した場合には、これらの部分は、課税時期において一時的に空室であったと認められる部分に該

当するものと考えられ、当該空室部分も含めて賃貸マンションの全体を貸家及び貸家建付地として評価することができるものと考えられます。

### ⑵　Ｂ不動産（課税時期において空き家（独立（一戸建て）家屋）となっている場合）の評価方法

財産評価基本通達の改正（平成11年７月19日付　課評２－12）及びこれに関する情報（資産評価企画官情報第２号　平成11年７月29日）の制定後における『貸家建付地』評価の可否判断基準の詳細は、前記⑴のとおりですが、これを図解にまとめると次のとおりになります。

図解　貸家建付地評価の可否判断基準

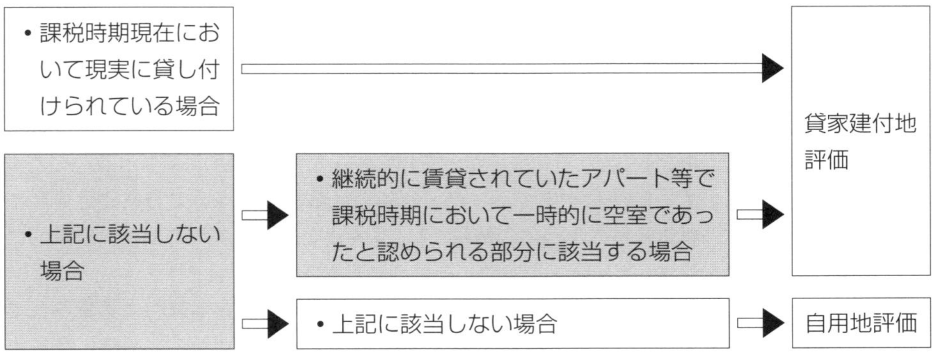


（注）　　部分が、通達の改正等により取扱いの緩和措置が明確化された部分です。

この取扱い（緩和基準）によれば、課税時期現在において現実に貸し付けられていない場合であっても、継続的に賃貸されていた(イ)アパート等で課税時期において一時的に空室であったと認められる部分について貸家建付地評価が可能になるものとされています。また、この判定に際して、情報の具体的な運用基準として、『(ロ)各独立部分が課税時期前に継続的に賃貸されてきたものかどうか。』（上記⑴①を参照）という判断基準が示されています。

それ故に、この緩和基準の適用対象とされるのは、賃貸マンション、アパート、貸ビル等のように構造上区分された数個の各独立部分からなる家屋であり（このことは、上記の下線部(イ)及び(ロ)からも明確に認識することができます。）、事例のＢ不動産のように、課税時期に独立（一戸建て）家屋が空室となっているものまで含める趣旨ではないと解釈すべきであると考えられます。

したがって、事例のＢ不動産については、家屋は自用家屋として、その敷地は自用地として評価することになります。なお、事例のＢ不動産について、家屋は新規入居可能な状態で整備され、入居者を募集中であったことは、上記の評価に対して何らの影響も与えないこととなります。

### ⑶　Ｃ不動産（課税時期において新規入居者の募集を中止している場合）の評価方法

上記⑴に掲げる通達の改正等による貸家建付地評価に係る取扱い（緩和基準）によれば、課税時期現在において現実に貸し付けられていない場合であっても、継続的に賃貸されていたアパート等で(イ)課税時期において一時的に空室であったと認められる部分について貸家建付地評価が可能になりますが、この判定基準の１つに、情報では、「(ロ)空室の期間が、課税時期の前後の例えば１か月程度であるなど一時的な期間であるかどうか。」（上記⑴④を参照）ということが示されています。

それ故に、この緩和基準の適用対象とされるのは、課税時期における空室の期間が一時的なものであると認められる家屋であり（このことは、上記の下線部(イ)及び(ロ)からも明確に認識することができます。）、事例のＣ不動産のように、老朽化し建替えを前提としているために新規の入居者を募集していないために空室が生じている場合における当該空室部分にまで拡張解釈して含める趣旨ではないものと考えられます。

したがって、事例のＣ不動産については、新規の入居者の募集を中止していることにより生じている空室部分については、家屋は自用家屋、これに対応する敷地部分については自用地として評価します。

なお、貸家及び貸家建付地と自用家屋及び自用地とに区分する基準として、原則として、それぞれの部分に係る専有部分（共用部分は除外して計算します。）の床面積の比率により計算することができるものと考えられます。

### (4)　Ｄ不動産（新築の賃貸マンションの一部に空室がある場合）の評価

上記(1)に掲げる通達の改正等による貸家建付地評価に係る取扱い（緩和基準）によれば、課税時期現在において現実に貸し付けられていない場合であっても、(イ)継続的に賃貸されていたアパート等で課税時期において一時的に空室であったと認められる部分について貸家建付地評価が可能になりますが、この判定基準の１つに、情報では、「各独立部分が(ロ)課税時期前に継続的に賃貸されてきたものかどうか。」（上記(1)①を参照）ということが示されています。

それ故に、この緩和基準の適用対象とされるのは、課税時期前から継続的に賃貸されてきた各独立部分からなる家屋であり（このことは、上記の下線部(イ)及び(ロ)からも明確に認識することができます。）、事例のＤ不動産のように、課税時期前から継続的に賃貸されてきたものには該当しない新規に貸付けを開始する新築の賃貸マンションの空室部分まで含める趣旨ではないと解釈すべきであると考えられます。

したがって、事例のＤ不動産については、新築の賃貸マンションに係る空室部分については、家屋は自用家屋、これに対応する敷地部分については自用地として評価します。

なお、貸家及び貸家建付地と自用家屋及び自用地とに区分する基準として、原則として、それぞれの部分に係る専有部分（共用部分は除外して計算します。）の床面積の比率により計算することができるものと考えられます。

**参考判例**

上記に掲げるＤ不動産の評価態様に関連して、相続開始時に賃貸されていない部屋のある新築賃貸用マンションについては、当該賃貸されていない部屋については借家権の支配が及ばないことを理由として、当該対応する部分の建物及び敷地の評価については、それぞれ自用家屋及び自用地により評価すべきであるとされた判決（注）があります。

（注）原　審　横浜地方裁判所（平成７年７月19日判決）
　　　　・平成４年（行ウ）第18号
　　控訴審　東京高等裁判所（平成８年４月18日判決）
　　　　・平成７年（行コ）第104号
　　上告審　最高裁判所〔第１小法廷〕（平成10年２月26日判決）
　　　　・平成８年（行ツ）第202号

(イ)　昭和61年８月25日に相続を開始した被相続人所有の賃貸用マンション及びその敷地の用に供されている宅地に関する評価資料は次のとおりでした。（課税時期現在）

| ㋑建物 | | ㋺宅地 | |
|---|---|---|---|
| 入居状況及び床面積 | 入居中４室（　229.80㎡） | 敷地面積 | 936.13㎡ |
| | 募集中17室（　963.51㎡） | 自用地評価額 | 129,732,639円 |
| | 合　計21室（1,193.31㎡） | （小規模宅地等の課税特例の適用前） | |
| 固定資産税評価額 | 128,602,202円 | 借地権割合 | 60％ |
| 借家権割合 | 30％ | | |

(ロ)　上記の被相続人に係る相続財産の申告に当たって、納税者は、次に掲げるような事由により、課税時期現在において実際に賃貸されていない部分も含めて、その全体が貸家及び貸家建付地に該当するものであるとして評価しました。

㋑　被相続人は本件建物全体を貸家の用に供することを目的とする建築計画を立案し、本件建物については、建築費用を借り受けた住宅金融公庫により全て管理され、賃貸目的以外の用に供することはできないこと

㋺　被相続人は不動産業者との間で賃貸人募集の委託契約を締結し、その募集は既に開始されており、相続人においてこれを一方的に解約することはできないこと

㋩　本件建物は、昭和63年３月（課税時期の約１年半後）には、１室を残して全てが賃貸されていること

㊁　本件建物全体を売買目的のものに変更するには、多額の費用と労力を要し、容易になし得ないこと

(ハ)　これに対して課税庁では、課税時期において実際に入居者のいない建物及びその敷地に対応する部分については、借家権の支配が及ばないことから当該部分に対応する建物及びその敷地については、それぞれ自用家屋及び自用地として評価すべきものであるとして、次の算式によりその評価額を計算しました。（宅地については、小規模宅地等の課税特例の適用前を表示しています。）

（建物）㋑　貸家建物部分　$128{,}602{,}202円\times\frac{229.80㎡}{1{,}193.31㎡}\times（1-30\%）$　＝17,335,772円

㋺　自用建物部分　$128{,}602{,}202円\times\frac{963.51㎡}{1{,}193.31㎡}$　＝103,836,813円

㋩　合計（㋑＋㋺）　121,172,585円

（宅地）㋑　貸家建付地部分　$129{,}732{,}639円\times\frac{229.80㎡}{1{,}193.31㎡}\times（1-60\%\times30\%）$＝20,486,127円

㋺　自用地部分　$129{,}732{,}639円\times\frac{963.51㎡}{1{,}193.31㎡}$　＝104,749,558円

㋩　合計（㋑＋㋺）　125,235,685円

(ニ)　上記(ロ)、(ハ)の争点に対して判決では、次のような判断に基づき課税庁による処分を支持して課税時期現在において賃貸されていない部分に対応する建物及びその敷地については、それぞれ自用家屋及び自用地として評価すべきであるとしています。

㋑　相続財産の評価原則を定めた相続税法第22条《評価の原則》の規定では、財産の評価は時価によるものとされており、また、相続開始時の時価とは、相続等により取得したとみなされた財産の取得日において、それぞれの財産の現況に応じて、不特定多数の当事者間において自由な取引がされた場合に通常成立すると認められる価額をい

うと解するのが相当であるから、相続開始時点に、いまだ賃貸されていない部屋が存在する場合は、当該部屋の客観的交換価値はそれが借家権の目的となっていないものとして評価するのが相当である。

㋺　㋑の判断は、㈺の㋑から㊁に掲げるような、住宅金融公庫又は不動産業者等との契約の内容及び相続開始時点の後に生じた事情等により左右されるものではない。

## ㉛　明渡猶予期間中の貸家建物の敷地に対する小規模宅地等の課税特例の適用の可否

**質疑**　被相続人甲の所有する貸家建物については、同人の相続開始前に賃貸借契約の存否について訴訟がなされ、その後において裁判所の斡旋により訴訟上の和解が成立しています。

| | |
|---|---|
| 建物賃貸借契約の内容 | （期間）　平成22年３月18日から平成24年３月17日まで<br>（注）当初の契約は平成12年３月18日に締結されたものであり、その後、更新がなされていました。<br>（賃料）　月額　132万円 |
| 訴訟に至る経緯 | ⑴　平成23年３月に賃貸人（甲）は、賃借人に対して書面により、建物賃貸借契約の更新を拒絶する旨を通知<br>⑵　賃借人は、法定更新を主張して、平成24年４月分からの賃料相当額を法務局へ供託<br>⑶　平成26年12月に賃貸人は、賃借人を被告として裁判所に建物明渡請求訴訟を提起<br>⑷　令和元年11月30日（以下「和解日」という。）に、賃貸人と賃借人との間で訴訟上の和解が成立 |
| 訴訟上の和解内容 | ⑴　賃貸人及び賃借人は、賃貸借契約が平成24年３月17日（以下「賃貸借契約終了日」という。）に終了し、和解日まで、建物の明渡しを猶予したものであることを確認する。<br>⑵　賃貸人は賃借人に対し、建物の明渡しを和解日から更に令和４年５月31日（以下「明渡期限日」という。）まで猶予し、賃借人は同日限り、引越料（2,200万円）の支払を受けることと引換えに建物を明け渡す。<br>⑶　賃貸借契約終了日から明渡しに至るまでの賃料相当額はこれを無償とし、賃借人が当時既に供託していた賃料額合計（約１億２千万円）の還付請求をしない。 |

被相続人甲は、明渡期限日前の令和３年１月15日に病死してしまいました。被相続人甲の相続に係る遺産分割協議については、相続税の申告期限（令和３年11月15日）以前である令和３年８月10日に成立し、相続人Ａが当該貸付不動産（貸家及びその敷地）を取得することになりました。

その後、当該建物の明渡しは、当該明渡期限日以前に該当する令和４年４月中に被相続人甲の相続人Aに対して適法になされました。

このような状況にある貸家建物の敷地の用に供されている宅地等について、小規模宅地等の課税特例（貸付事業用宅地等として50％減額）を適用することが可能でしょうか。

## 応答

**質疑** に係る建物賃貸借契約の状況、訴訟に至る経緯及び訴訟上の和解内容等を時系列的に示しますと下図のとおりになります。

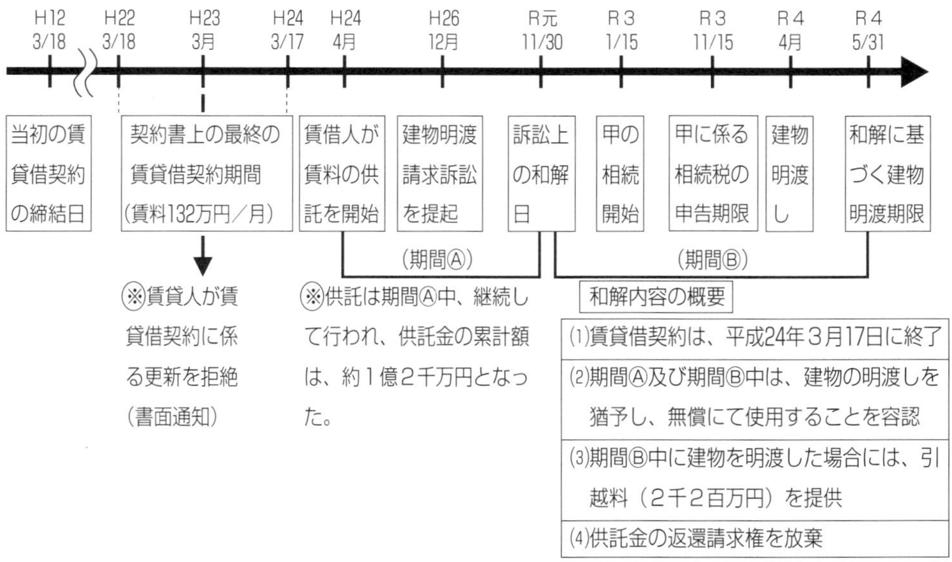


小規模宅地等の課税特例の適用趣旨から判断すると、課税特例の対象とされる事業用宅地等に該当するか否かは、相続開始の直前において、当該宅地が現実に被相続人等の事業の用に供されていたか否かという観点から決定されるべきであると考えられます。

そして、平成22年度の税法改正後（施行日：平成22年４月１日）における取扱いでは、被相続人の事業（不動産貸付業、駐車場業、自転車駐車場業及び準事業（以下「貸付事業」といいます。）に限られます。以下本問において同じ。）の用に供されていた宅地等が『貸付事業用宅地等』に該当することが更なる要件として付加されることになりました。

具体的には、**質疑** の事例の場合には、当該宅地等を相続又は遺贈により取得した当該被相続人の親族（当該親族から相続又は遺贈により当該宅地等を取得した当該親族の相続人を含みます。以下本問において同じ。）が、下記に掲げる要件を充足することが必要とされています。

| | |
|---|---|
| 貸付事業承継の要件 | 当該親族が、相続開始時から相続税の申告書の提出期限までの間に当該宅地等に係る被相続人の貸付事業を承継すること |

| | |
|---|---|
| 所有継続の要件 | 上記の貸付事業を承継した親族が相続開始時から相続税の申告期限まで引き続き当該宅地等を所有していること |
| 貸付事業継続の要件 | 上記の貸付事業を承継した親族が貸付事業承継後、相続税の申告期限まで引き続き当該貸付事業の用に供していること |

そうすると、**質疑** の事例の場合には、下記に掲げる事項を総合的に勘案して判断すると、当該貸家建物の敷地である宅地等は、被相続人等の事業の用に供されていた宅地等（貸付事業用宅地等）に該当し、小規模宅地等の課税特例が適用されるべきものであると考えられます。

(1) **質疑** に掲げる 建物賃貸借契約の内容 から判断すると、賃貸人が建物を賃借人に賃貸したことは、自己の計算と危険において営利を目的とし対価を得て継続的に行う経済活動であるから、事業と解することが相当であること

(2) **質疑** に掲げる 訴訟上の和解内容 から判断すると、賃借人は、賃貸人である被相続人甲に係る相続開始時において、当該建物を単なる不法占有又は使用貸借をしていたものではなく、平成12年3月18日から継続した建物賃貸借契約に関する明渡訴訟においてなされた訴訟上の和解における合意に基づいて建物を使用していたものであり、建物賃貸借契約の更新拒絶における正当事由の有無が争点となった明渡訴訟における民事訴訟上の和解として一般的に採用される法律構成及び当該和解内容（特に、賃借人に係る既供託金の還付請求権の放棄等）から判断すると、その使用関係は実質的に、『一時使用の賃貸借』と異ならないこと（換言すれば、事業の実態を有していること）

(3) たまたま、被相続人甲に係る相続開始の直前において、法律上の建物賃貸借契約が存在しなかったとしても、被相続人が相続開始直前において行っていた行為が(2)のとおり事業としての実態を有しているのであれば、当該特例が、被相続人の円滑な事業承継を目的とした優遇措置であることに注目すると、そのことのみをもって決定的な判断要素にはならないものと考えられること

(4) 上記(1)から(3)までに掲げるとおり、評価対象地は被相続人甲に係る相続開始の直前において現実に当該被相続人の事業の用（貸付事業）に供されていた宅地等に該当するものと認められます。そうすると、当該評価対象地を相続により取得した相続人Aは **質疑** に掲げる前提条件のとおり、被相続人甲に係る相続税の申告期限までに被相続人の貸付事業を承継し（ 貸付事業承継の要件 の充足）、当該期限まで引き続き当該宅地等を所有し（ 所有継続の要件 の充足）、かつ、当該期限まで引き続き当該貸付事業の用に供していること（ 貸付事業継続の要件 の充足）が認められることから、平成22年度の税法改正後の貸付事業用宅地等の要件を充足していると認められること

なお、上記の判断（ **質疑** の建物の敷地である宅地等が小規模宅地等の課税特例の適用対象地とされること）について、次に掲げる3点の疑義が生じるかもしれませんが、これらの疑義に対する解釈・判断等はそれぞれに掲げるとおりになります。

| 疑義の内容 | 疑義に対する解釈・判断等 |
|---|---|
| (1)　被相続人の事業の継続性について<br>当該建物の賃借人は相続開始後間もなく建物を明け渡しており、被相続人の事業の継続性の点で問題はないか。 | •小規模宅地等の課税特例は、その適用条文（措置法第69条の４）において、「個人が相続又は遺贈により取得した財産のうちに、当該相続の開始の直前において、当該相続若しくは遺贈に係る被相続人又は当該被相続人と生計を一にしていた当該被相続人の親族の事業の用又は居住の用に供されていた宅地等で……」と規定されているのみで、被相続人側に要求される課税要件の判断はあくまでも相続開始の直前（実質的には、相続開始時と同義）における当該宅地等の事業供用性であって、相続開始後もその後相当な期間にわたって被相続人の事業が継続していることをその適用要件とするものではない（宅地等の取得者側の事業承継及び継続性については、下記(2)で検討）と解されることから、左の疑義は、特例適用に対する妨げにはならないものと考えられます。 |
| (2)　相続人の事業承継及び継続性について<br>当該建物の賃借人は相続開始時に明渡しが想定されている者であり、また、実際に相続税の申告期限後に明渡しされていることから相続人の事業承継及び継続性の点で問題はないか。 | •平成22年度の税法改正後においては、被相続人の貸付事業の用に供されていた宅地等がこの課税特例の対象とされるためには当該宅地等が貸付事業用宅地等の要件を充足していることが適用要件として付加されました。<br>当該適用要件の１つである 貸付事業承継の要件 については、財産取得親族が相続税の申告期限までの間に当該宅地等に係る(イ)被相続人の貸付事業を承継することとしており、たとえ、明渡しが想定されるものであっても上記(1)より被相続人の貸付事業（上記(イ)＿＿部分）と認定されるものであれば、当該貸付事業を承継すればよく、これにこと更の拡張解釈を行うことは相当ではないと考えられます。<br>また、貸付事業継続の要件 についても(イ)被相続人の貸付事業を承継した親族が(ロ)相続税の申告期限まで引き続き(ハ)当該（被相続人の）貸付事業の用に供していることとされていることから、下記に掲げる２点の事項が確認されます。<br>①　当該承継親族が継続すべき貸付事業は、被相続人の貸付事業（上記(イ)＿＿部分）であればよく、その解釈として、上記 貸付事業承継の要件 と同様に解されるべきものと考えられること<br>②　貸付事業継続の要件 の判断として、事業承継親族による相続税の申告期限まで（上記(ロ)＿＿部分）の事業供用であればそれで事足りるのであり、当該親族による相続税の申告期限後における相当な期間にわたる事業継続を求めているものではないこと<br>したがって、左の疑義は、特例適用に対する妨げにはならないものと考えられます。 |

| | |
|---|---|
| ⑶　営利性・有償性について<br>当該建物の貸付けに係る使用料は、相続開始時に至るまでの約９年間（平成24年４月～令和３年１月）にわたって無償とされており、営利性・有償性の点で問題はないか。 | ・事業は、不確実性のもとに事業主の経営判断により行われる経済活動である以上、収益が上がらない状態の時期もあり得るのであるから、ある時期において収入がないからといって、直ちに営利性及び有償性に欠けるものとして事業ではなくなるものではなく、事業性の有無は、その事業の性質や経過、事業に対する事業主の経営判断などの要素も総合して判断することが重要であると考えられます。<br>そうすると、事例の場合、賃貸人が和解において平成24年４月分以降の賃料相当額の支払いを求めないこととしたのは、これを立退料の実質を有するとしたうえで、当該宅地を使用した事業を行うにはそれもやむを得ないとする経済的な判断のうえになされたものであることからすれば、この期間について、結果として形式的に賃料相当額の支払いがなかったことをもって、直ちに営利性及び有償性を欠くから事業に該当しないと解することは相当ではなく、左の疑義は、特例適用に対する妨げにはならないものと考えられます。 |

(注)　本件質疑応答は、裁判例（東京地方裁判所（平成13年１月31日判決、平成11年（行ウ）第204号））を基礎に構成（ただし、課税時期等の年分の異動及び内容の一部補正をしています。）しています。
　ただし、本件裁判例（第６章の⑩で紹介しています。）における相続開始年分は平成７年であり、被相続人の貸付事業の用に供されている宅地等について、平成22年度の税法改正による『貸付事業用宅地等』の規定が導入される前の税制を前提とした裁判例であることに留意してください。

## ㉜　１棟の貸家建物の敷地が貸家建付地に相当する部分と自用地に相当する部分から構成される場合の小規模宅地等の課税特例の計算（その１）

**質疑**　被相続人甲の所有する新築の賃貸ビル（課税時期の１月前に完成：25室）の敷地の用に供されている宅地（地積：250㎡）についての小規模宅地等の課税特例（減額金額）の計算は、下記のＡ案、Ｂ案又はＣ案のうちのいずれによりますか。

なお、賃貸ビル及びその敷地の利用状況、評価等に関する資料は次のとおりであり、被相続人甲は、同人に係る相続開始の10年以上前から事業的規模で不動産貸付業を営んでいることが確認されています。

また、当該賃貸ビルの敷地については、本問で論点とされる項目以外に係る貸付事業用宅地等の要件を充足しているものとします。

| | | |
|---|---|---|
| 賃貸ビル | ・入居状況 | ……入居15室、空室10室（各室とも同一間取り）<br>なお、空室部分について課税時期に広告により入居者を募集していました。 |
| | ・借家権割合 | ……30% |

ビルの敷地

- 自用地としての評価額　……500百万円
- 借地権割合　……70%
- 評価対象地の評価額　……500百万円×（１－70%×30%×60%（注））＝437百万円

（注）賃貸割合 ⇒ $\frac{15室}{15室+10室}$ ＝ 60%

**参考**　平成11年７月19日付けの『財産評価基本通達の一部改正について（法令解釈通達）』（課評２－12他）によって、貸家建付地の評価について、『賃貸割合』という概念を導入したことにともなって、事例の貸家建物の敷地である宅地の価額を評価する場合には、旧来（平成11年の通達改正前）のように、⑴賃貸の用に供されている家屋の部分に対応する部分の宅地（貸家建付地）と⑵賃貸の用に供されていない家屋の部分に対応する部分の宅地（自用地）に区別（下記算式を参照）して評価するのではなく、その宅地全体を貸家建付地として取り扱い、賃貸割合を適用することによってその評価額を求めるものとされています。（ただし、計算結果は平成11年の通達の改正前後において同一となります。）

平成11年の通達改正前の考え方に基づく評価方法

⑴ 貸家建付地部分の評価額……　500百万円×$\frac{15室}{15室+10室}$×（１－70%×30%）＝237百万円

⑵ 自用地部分の評価額…………　500百万円×$\frac{10室}{15室+10室}$　＝200百万円

⑶ ⑴＋⑵　437百万円

小規模宅地等の課税特例（減額金額）の計算

（Ａ案）　自用地に相当する部分から優先的に計算できるものと考えた場合

⑴　自用地部分

①　250㎡×$\frac{10室}{15室+10室}$＝100㎡≦200㎡　∴100㎡（少ない方）

②　200百万円×$\frac{100㎡}{100㎡}$×50%＝100百万円

⑵　貸家建付地部分

①　250㎡×$\frac{15室}{15室+10室}$＝150㎡≧200㎡－100㎡＝100㎡　∴100㎡（少ない方）

②　237百万円×$\frac{100㎡}{150㎡}$×50%＝79百万円

⑶　⑴＋⑵＝179百万円

（Ｂ案）　貸家建付地に相当する部分のみを対象に計算しなければならないと考えた場合

⑴　250㎡×$\frac{15室}{15室+10室}$＝150㎡≦200㎡　∴150㎡（少ない方）

⑵　237百万円×$\frac{150㎡}{150㎡}$×50%＝118.5百万円

（Ｃ案）　自用地に相当する部分及び貸家建付地に相当する部分から比例配分的に計算されるものと考えた場合

⑴　250㎡≧200㎡　∴200㎡（少ない方）

⑵　（200百万円＋237百万円）$\times\frac{200㎡}{250㎡}\times$50％＝174.8百万円

## 応答

被相続人の所有する新築の賃貸ビルの一部に空室がある場合には、当該ビルの敷地の用に供されている宅地等の評価単位は、当該空室の有無にかかわらずあくまでも１棟の敷地ごととされています。ただし、実際の評価に際しては、賃貸割合（ 質疑 の事例の場合は、60％ $\left(\frac{15室}{15室+10室}\right)$）を適用して算定するものとされています。

（注）　新築した賃貸用家屋の一部が課税時期において『空室』となっている場合の貸家建付地評価の取扱いについては、㉚の質疑応答に掲げる 参考資料 を参照。

次に、小規模宅地等の課税特例の対象とされる貸付事業用宅地等（課税価格算入割合50％、適用上限面積200㎡）に該当するか否かについては、新築の賃貸ビルにつき相続開始時において現実に賃貸されていない部屋がある場合における当該敷地の用に供されている宅地等の取扱いが論点とされます。

この点を検討するに当たって、平成30年度の税法改正（施行日：平成30年４月１日）によってその取扱いが見直された改正後の措置法通達69の４－24の２《被相続人等の貸付事業の用に供されていた宅地等》（下記 参考資料１ を参照）において、次のとおり定めています。

**参考資料１**　措置法通達69の４－24の２《被相続人等の貸付事業の用に供されていた宅地等》

宅地等が措置法第69条の４第３項第４号に規定する被相続人等の貸付事業（以下69の４－24の８までにおいて「貸付事業」という。）の用に供されていた宅地等に該当するかどうかは、当該宅地等が⑴相続開始の時において現実に貸付事業の用に供されていたかどうかで判定するのであるが、貸付事業の用に供されていた宅地等には、当該貸付事業に係る建物等のうちに⑵相続開始の時において一時的に賃貸されていなかったと認められる部分がある場合における当該部分に係る宅地等の部分が含まれることに留意する。

（注）　69の４－５の取扱いがある場合を除き、新たに貸付事業の用に供する建物等を建築中である場合や、⑶新たに建築した建物等に係る賃借人の募集その他の貸付事業の準備行為が行われているに過ぎない場合には、当該建物等に係る宅地等は貸付事業の用に供されていた宅地等に該当しないことに留意する。

上掲の措置法通達では、貸付事業用宅地等の該当性は、「相続開始の時において現実に貸付事業の用に供されていたかどうかで判定する」（上記⑴＿＿部分）ことを原則とするものの、当該建物が各独立部分を有していることに対する配慮から課税実務上の取扱いとして、「相続開始の時において(A)一時的に賃貸されていなかったと認められる部分がある場合における当該部分に係る宅地等の部分が含まれる。」（上記⑵＿＿部分）として、一種の緩和措置が定められています。

そして、上掲の緩和措置における『一時的に賃貸されていなかったと認められる部分』（上記(A)部分）の解釈については、財産評価基本通達26《貸家建付地の評価》に定める『賃貸割合』を算定する上での『継続的に賃貸されていたアパート等で課税時期において一時的に空室であったと認められる部分』に関する解釈基準（下記 参考資料２ に掲げる情報（平成11年７月29日、資産評価企画官情報第２号））を準用するものと考えられます。

参考資料２　資産評価企画官情報第２号　平成11年７月29日（要旨）

> 財産評価基本通達26《貸家建付地の評価》に定める『賃貸割合』を算定する場合における『継続的に賃貸されていたアパート等で課税時期において一時的に空室であったと認められる部分』であるか否かについては、次のような事実関係から総合的に判断するものとされています。
> ⑴　各独立部分が課税時期前に継続的に賃貸されてきたものかどうか。
> ⑵　賃借人の退去後速やかに新たな賃借人の募集が行われたかどうか。
> ⑶　空室の期間、他の用途に供されていないかどうか。
> ⑷　空室の期間が、課税時期の前後の例えば１か月程度であるなど一時的な期間であるかどうか。
> ⑸　課税時期前後の賃貸が一時的なものではないかどうか。

そうすると、上記 参考資料２ に掲げる⑴及び⑵の定めからすると、上掲の緩和措置における『一時的に賃貸されていなかったと認められる部分』（上記(A)部分）に該当するためには、各独立部分を有する貸家建物につき課税時期前から賃貸されてきたものであること、換言すれば、旧来（課税時期前）において賃借人が存していたことが要件と解されることになります。

上記の解釈に関しては、上記 参考資料１ に掲げる措置法通達において、「新たに建築した建物等に係る賃借人の募集その他の貸付事業の準備行為が行われているに過ぎない場合には、当該宅地等は貸付事業の用に供されていた宅地等に該当しない。」（上記(3)部分）と定められている（注）ことからも現行における課税実務上の基準として、明確なものであると考えられます。

（注）上記(3)部分を含む 参考資料１ に掲げる措置法通達の（注）書部分は、平成30年度の税法改正に伴って行われた措置法通達の改正によって、新たに追加されたものです。

また、上記の措置法通達の改正のあらましについて解説することを目的として公開された情報（資産課税課情報第16号、平成30年10月５日）において、次の 参考資料３ のとおりに説明されています。

参考資料３　租税特別措置法（相続税法の特例関係）の取扱いについて」等の一部改正について（法令解釈通達）のあらまし（情報）

> 措置法通達69の４－24の２《被相続人等の貸付事業の用に供されていた宅地等》
> （説明）小規模宅地等の特例の対象となる貸付事業用宅地等とは、被相続人等の貸付事業の用に供されていた宅地等をいうのであるが、これに該当するかどうかは、宅地等が相続開始の時において現実に貸付事業の用に供されていたかどうかで判定することとなる。
> ところで、69の４－５《事業用建物等の建築中等に相続が開始した場合》では、被相続人等の事業の用に供されている建物等（措置法第69条の４第１項に規定する建物又は構築物をいう。以下同

じ。）の移転又は建替えのため当該建物等を取り壊し、又は譲渡し、これらの建物等に代わるべき建物等の建築中に、又は当該建物等の取得後被相続人等が事業の用に供する前に被相続人について相続が開始した場合で、当該相続開始直前において当該被相続人等の当該建物等に係る事業の準備行為の状況からみて当該建物等を速やかにその事業の用に供することが確実であったと認められるときには、相続開始の時において従前から営んでいた事業が一時的に中断されたに過ぎず、被相続人等によって営まれていた事業が継続しているものとみることができることから、当該建物等の敷地の用に供されていた宅地等は、被相続人等の事業の用に供されていた宅地等に該当するものとされている。

ただし、この69の４－５の取扱いは、相続開始前から営んでいた被相続人等の事業の用に供されていた建物等について移転又は建替えが行われた場合のものであり、被相続人等が既に貸付事業の用に供している建物等とは別に、新たに貸付事業の用に供する建物等を建築中である場合や、その新たに建築した建物等の賃借人の募集その他の貸付事業の準備行為が行われているに過ぎない場合には、当該建物等に係る宅地等は、相続開始の時において現実に貸付事業の用には供されていないことから、貸付事業の用に供されていた宅地等には該当しないこととなる。

本通達の（注）は、このことを留意的に明らかにした。

以上から判断すると、**質疑** の事例は、被相続人甲に係る相続開始時において空室部分となっている新築の賃貸ビルの敷地の用に供されている宅地等に対する貸付事業用宅地等の該当性を問うものであるところ、上記 参考資料１ に掲げる措置法通達の(3)部分に掲げるとおり、当該新築の賃貸ビルの空室部分は、新たに新築した建物等に係る賃借人の募集その他の貸付事業の準備行為が行われている場合に過ぎないものと認められることから、当該建物等に係る宅地等は貸付事業用宅地等には該当しないものとして取り扱うことが現行の課税実務では相当であると考えられます。

したがって、**質疑** の事例における小規模宅地等の課税特例（減額金額）の計算は、現行の課税実務上の取扱いではＢ案によることが相当であると考えられます。

なお、本問に関しては、〔５〕の末尾に収録するコラム（794ページ）を併せて参照してください。

### ㉝　１棟の貸家建物の敷地が貸家建付地に相当する部分と自用地に相当する部分から構成される場合の小規模宅地等の課税特例の計算（その２）

**質疑**　被相続人甲が所有し、旧来から賃貸アパート（20室）の敷地の用に供されている宅地（地積：420㎡）についての小規模宅地等の課税特例（減額金額）の計算は、どのようにして算出することになりますか。

なお、被相続人甲は、同人に係る相続開始の10年以上前から事業的規模で不動産貸付業を営んでいることが確認されています。

また、賃貸アパート及びその敷地の利用状況、評価等に関する資料は次のとおりです。

賃貸アパート
- 入居状況……………入居７室、空室13室（各室とも同一間取り）

（注）建物が相当老朽化しているため、入居者が退去した後は新規入居者の募集は行っておらず、入居中の賃借人に対しても課税時期において立退交渉中でした。

- 借家権割合…………………30％
- 自用地としての評価額……210百万円
- 借地権割合…………………60％
- 評価対象地の評価額………210百万円×（１－60％×30％×35％（注））＝196,770千円

（注）賃貸割合 ⇒ $\frac{7室}{7室+13室}=35\%$

なお、当該賃貸アパート及びその敷地については、相続税の申告期限までに長男Ａが相続により取得し、被相続人甲と同様の経営方針で、賃貸アパートの経営を継続しています。

## 応答

被相続人の所有する継続的に賃貸されていたアパート等で課税時期において一時的に空室であったと認められる部分に該当する場合の取扱い（当該空室部分も含めて賃貸されている各独立部分として取り扱うものとし、賃貸割合の計算の基礎に算入（取扱いの詳細については、㉚の質疑応答に掲げる 参考資料 を参照））の適用を受けるためには、空室部分に係る旧来の賃借人の退去後速やかに新たな賃借人の募集が行われていることが少なくとも必要であると考えられるところ、 質疑 の事例の場合には、建物の老朽化を理由に新規の入居者の募集を行っておらず、この取扱いの適用を受けることはできないものと考えられます。

そうすると、当該賃貸アパートの敷地の用に供されている宅地等については、これを全体が貸家建付地に該当するものとして評価するものの、賃貸割合（35％）を適用して調整することが必要となります。（この場合においても、当該宅地等の評価単位はあくまでも１棟の敷地ごとに行うものとして取り扱われます。）

また、小規模宅地等の課税特例の適用については、空室部分は建物の老朽化にともなって新規入居者の募集を停止しており、当該部分に対して『相続開始の時において一時的に賃貸されていなかったと認められる部分がある場合における当該部分』（下記 参考資料 を参照）に該当すると認識することは困難であると考えられることから、空室（13室）部分に対応する敷地の用に供されている宅地等の部分は、被相続人等の事業用宅地等（貸付事業用宅地等：200㎡を限度面積として50％減額）に該当しないものとして取り扱われます。（この取扱いに関しては、㉚の質疑応答を参照）

**参考資料　措置法通達69の４－24の２《被相続人等の貸付事業の用に供されていた宅地等》**

宅地等が措置法第69条の４第３項第４号に規定する被相続人等の貸付事業（以下69の４－24の８までにおいて「貸付事業」という。）の用に供されていた宅地等に該当するかどうかは、当該宅地等が相続開始の時において現実に貸付事業の用に供されていたかどうかで判定するのであるが、貸

付事業の用に供されていた宅地等には、当該貸付事業に係る建物等のうちに相続開始の時において一時的に賃貸されていなかったと認められる部分がある場合における当該部分に係る宅地等の部分が含まれることに留意する。

（注）69の４－５の取扱いがある場合を除き、新たに貸付事業の用に供する建物等を建築中である場合や、新たに建築した建物等に係る賃借人の募集その他の貸付事業の準備行為が行われているに過ぎない場合には、当該建物等に係る宅地等は貸付事業の用に供されていた宅地等に該当しないことに留意する。

したがって、**質疑** の事例の場合には、小規模宅地等の課税特例は、入居（７室）部分である貸家建付地に相当する部分（換言すれば、賃貸割合の基礎に算入される部分）についてのみ適用され、自用地に相当する部分（換言すれば、賃貸割合の基礎に算入されない部分）についてはその適用がないものとして取り扱われます。

**質疑** の事例に係る小規模宅地等の課税特例による減額金額を計算すると下記のとおりになります。

(1)　貸家建付地に相当する部分の評価額

・$420㎡ \times \frac{7室}{7室+13室} = 147㎡$

・$210百万円 \times \frac{147㎡}{420㎡} \times （1-60\% \times 30\%） = 60{,}270千円$

(2)　小規模宅地等の減額金額

・$147㎡ \leqq 200㎡ \quad \therefore 147㎡$

・$60{,}270千円 \times \frac{147㎡}{147㎡} \times 50\% = 30{,}135千円$

なお、現行の課税実務上における貸家建付地評価における賃貸割合の適用及び小規模宅地等の課税特例の適用について、本問㉝と前問㉜の取扱いをまとめると下表のとおりになります。

| 質疑番号 | 評価対象地である貸家建付地の状況 | 貸家建付地評価における賃貸割合の適用 | | 小規模宅地等の課税特例の適用 | |
|---|---|---|---|---|---|
| | | 入居部分 | 空室部分 | 入居部分 | 空室部分 |
| ㉜ | 新築の賃貸ビルの敷地の用に供されている宅地等で、空室部分は課税時期において入居者を募集中 | 賃貸割合に算入 | 賃貸割合に不算入 | 特例の適用対象 | 特例の適用対象外 |
| ㉝ | 貸付け継続中の賃貸アパートの敷地の用に供されている宅地等で、空室部分は老朽化のため課税時期において入居者募集を未実施 | 賃貸割合に算入 | 賃貸割合に不算入 | 特例の適用対象 | 特例の適用対象外 |

### ㉞　貸付事業用宅地等に該当するか否かの判断（その１：被相続人の営む貸家事業の用に供されている宅地等が相続税の申告期限までに未分割である場合）

**質疑**　被相続人甲の相続財産のうちには、賃貸借契約に基づいて入居者Ａに貸し付けされている賃貸用不動産（貸家用の建物及びその敷地の用に供されている宅地）がありました。

当該相続財産に係る遺産分割については、相続人である長男Ｘと二男Ｙとの間で主張が異なり相続税の申告期限までに合意成立にはいたらなかったことから、相続税の期限内申告書は未分割財産として取り扱い、小規模宅地等の課税特例の適用はない（『申告期限後３年以内の分割見込書』は提出されています。）ものとして申告しています。

（注）　被相続人甲は、同人に係る相続開始の10年以上前から事業的規模で不動産貸付業を営んでいることが確認されています。

その後における遺産分割協議の結果、上記の賃貸用不動産は長男Ｘが相続することで合意が成立しました。長男Ｘは、当該賃貸用不動産の入居者Ａと新たに賃貸借契約を締結し、今後も貸付けを継続することになりました。

長男Ｘは、上記の遺産分割の成立を基因として相続税法第32条《更正の請求の特則》に規定する更正の請求に準じて、当該賃貸用不動産である貸家の敷地である宅地について小規模宅地等の課税特例の適用を受けたいと考えていますが、その一方で、下記に掲げる疑問点も生じており、課税特例の適用可否について判断をつけかねているところです。

疑問点　貸付事業用宅地等に該当するための要件の１つとして、「財産を取得した親族が、相続税の申告期限までの間に当該宅地等に係る被相続人の貸付事業（**質疑**の場合、入居者Ａに対する貸家事業）を引継ぐこと」が挙げられているが、遺産分割協議に基づいて長男Ｘが当該宅地等を取得し、入居者Ａと新たに賃貸借契約を締結したのは相続税の申告期限後のことであるから、上記＿＿部分の要件を充足していないことになり、本件宅地等は貸付事業用宅地等には該当せず、結果として、小規模宅地等の課税特例の適用は受けられないのではないか。

上記のような状況にある本件宅地について、小規模宅地等の課税特例の適用を更正の請求によって求めることは認められるのでしょうか。

**応答**

小規模宅地等の課税特例の対象とされる『貸付事業用宅地等』とは、被相続人等の事業（不動産貸付業、駐車場業、自転車駐車場業及び準事業の用に供されていたものに限られています。以下「貸付事業」といいます。）の用に供されていた宅地等で、次に掲げる要件のいずれかを満たす当該被相続人の親族が相続又は遺贈により取得したもの（特定同族会社事業用宅地等及び相続開始前３年以内に新たに貸付事業の用に供された宅地等（相続開始の日まで３年を超えて引き続き特定貸付事業（注）を行っていた被相続人等の当該貸付事業の用に供されたものを除きます。）に該当するものを除きます。）をいいます。

（注）『特定貸付事業』とは、貸付事業のうち準事業以外のものをいいます。

(1)　被相続人の貸付事業を相続開始後に事業承継する場合

①　当該宅地等を取得した当該被相続人の親族（当該親族から相続又は遺贈により当該宅地等を取得した当該親族の相続人を含みます。以下、②及び③において同じ。）が、相続開始時から相続税の申告期限までの間に当該宅地等に係る被相続人の貸付事業を引き継ぐこと

②　当該親族が相続税の申告期限まで引き続き当該宅地等を所有すること

③　当該親族が相続税の申告期限まで引き続き当該貸付事業の用に供していること

(2)　被相続人と生計を一にする親族の貸付事業の用に供されている場合

①　当該宅地等を取得した当該被相続人の親族が、当該被相続人と生計を一にしていた者であること

②　当該親族が相続開始時から相続税の申告期限（当該親族が相続税の申告期限前に死亡した場合には、その死亡の日。以下③において同じ。）まで引き続き当該宅地等を所有すること

③　当該親族が相続開始前から相続税の申告期限まで引き続き当該宅地等を自己の貸付事業の用に供していること

そうすると、**質疑**の事例は被相続人甲の相続開始時において同人の貸付事業の用に供されていた宅地等に該当する本件宅地に対する小規模宅地等の課税特例の適用の可否が論点とされていることから、上記(1)に掲げる①から③の３つの要件を充足しているか否かを検討することが必要とされます。

**質疑**に記載されている前提条件を一読すると、本件宅地は相続税の申告期限までに未分割であり具体的な個人の人格を特定した形態での相続承継者が確定していないことから、上記(1)に掲げる３要件（相続承継親族による相続税の申告期限までの①貸付事業承継要件、②宅地等の所有要件及び③貸付事業供用要件）を充足していないのではないかと判断して、**質疑**の疑問点に掲げるような疑義が生じることも無理なことではないと考えられます。

しかしながら、民法第896条《相続の一般的効力》で「相続人は、相続開始の時から、被相続人の財産に属した一切の権利義務を承継する。」と規定され、また、同法第898条及び第899条（いずれの条も、《共同相続の効力》）において「相続人が数人あるときは、相続財産は、その共有に属する。各共同相続人は、その相続分に応じて被相続人の権利義務を承継する。」と規定されています。そして、さらに同法第909条《遺産の分割の効力》では「遺産の分割は、相続開始の時にさかのぼってその効力を生ずる。」とされています。

そうすると、民法の規定に基づいて**質疑**の事例を検討すると、たとえ、相続税の申告

期限までに未分割で具体的な財産承継者が確定していない場合であっても、被相続人甲に係る共同相続人である長男Ｘは遺産分割が成立するまでの間は法定相続分に応じた共有で当該賃貸用不動産を承継し、また、当該承継は遺産分割の成立によって相続の効力として相続開始時に遡及して確定したと解釈することが相当であると考えられます。

換言すれば、長男Ｘは当該賃貸用不動産に関して生じる権利義務（入居者Ａに対する貸付業務に関して発生する権利義務）を当該申告期限までの間に引き継いだ（上記(1)①の貸付事業承継要件の充足）と解釈して差し支えないものと考えられます。

さらに **質疑** に掲げる前提条件から判断すると、上記(1)②の宅地等の所有要件及び(1)③の貸付事業供用要件についても、民法に規定する相続の一般的効力及び共同相続の効力並びに遺産の分割の効力の各規定を当てはめると、その各要件を充足しているものと考えられます。

したがって、**質疑** の事例の場合には、本件宅地について未分割財産が分割されたことを事由として小規模宅地等の課税特例を適用（貸付事業用宅地等に該当）して、相続税法第32条《更正の請求の特則》の規定に準じて、長男Ｘは未分割財産が分割されたことを知った日の翌日から４月以内に納税地の所轄税務署長に対して、相続税の更正の請求をすることができるものと考えられます。

### (35) 貸付事業用宅地等に該当するか否かの判断（その２：被相続人の営む貸家事業の用に供されている不動産について家屋の取得者と宅地等の取得者とが異なる場合）

**質疑**

被相続人甲の相続財産のうちには、賃貸借契約に基づいて入居者Ａに貸し付けられている不動産（貸家用の建物及びその敷地の用に供されている宅地）がありました。

当該相続財産に係る遺産分割については、相続人である長男Ｘと二男Ｙとの間で下記に掲げる２つの分割案が検討されています。

これらの両案のいずれを採用した場合であっても、この相続財産である貸家建物の敷地である宅地について貸付事業用宅地等に該当するものとして、小規模宅地等の課税特例の対象とすることは認められるのでしょうか。

なお、いずれの案によった場合でも、当該貸家建物を今後も長期間にわたって継続して入居者Ａに貸し続ける予定です。

（注）被相続人甲は、同人に係る相続開始の10年以上前から事業的規模で不動産貸付業を営んでいることが確認されています。

分割案α

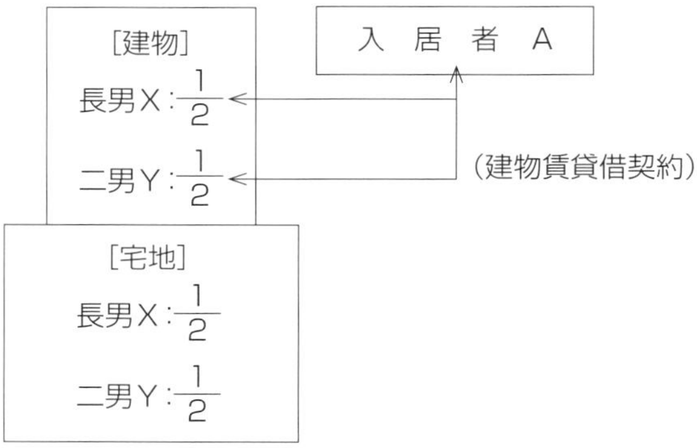


- 建物及び宅地ともに、長男X及び二男Yがそれぞれ共有持分2分の1ずつで相続します。
- 長男X及び二男Yの2名の連名で、入居者Aと新たに建物賃貸借契約を締結します。

分割案β

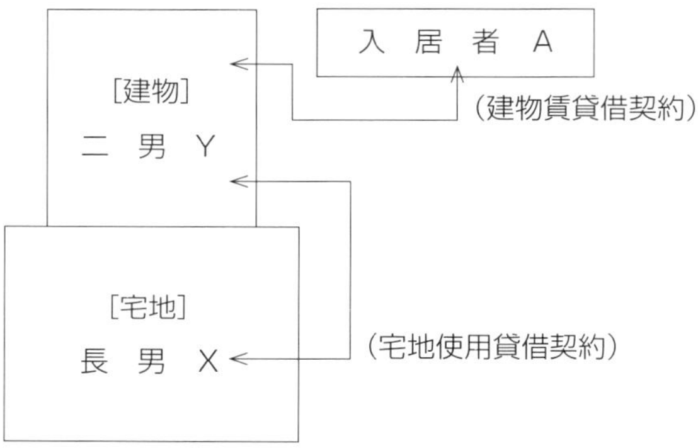


- 建物は二男Y、宅地は長男Xがそれぞれ単独で相続します。
- 二男Yは、入居者Aと新たに建物賃貸借契約を締結します。
- 長男Xと二男Yの宅地の貸借関係は使用貸借契約であるものとします。

## 応答

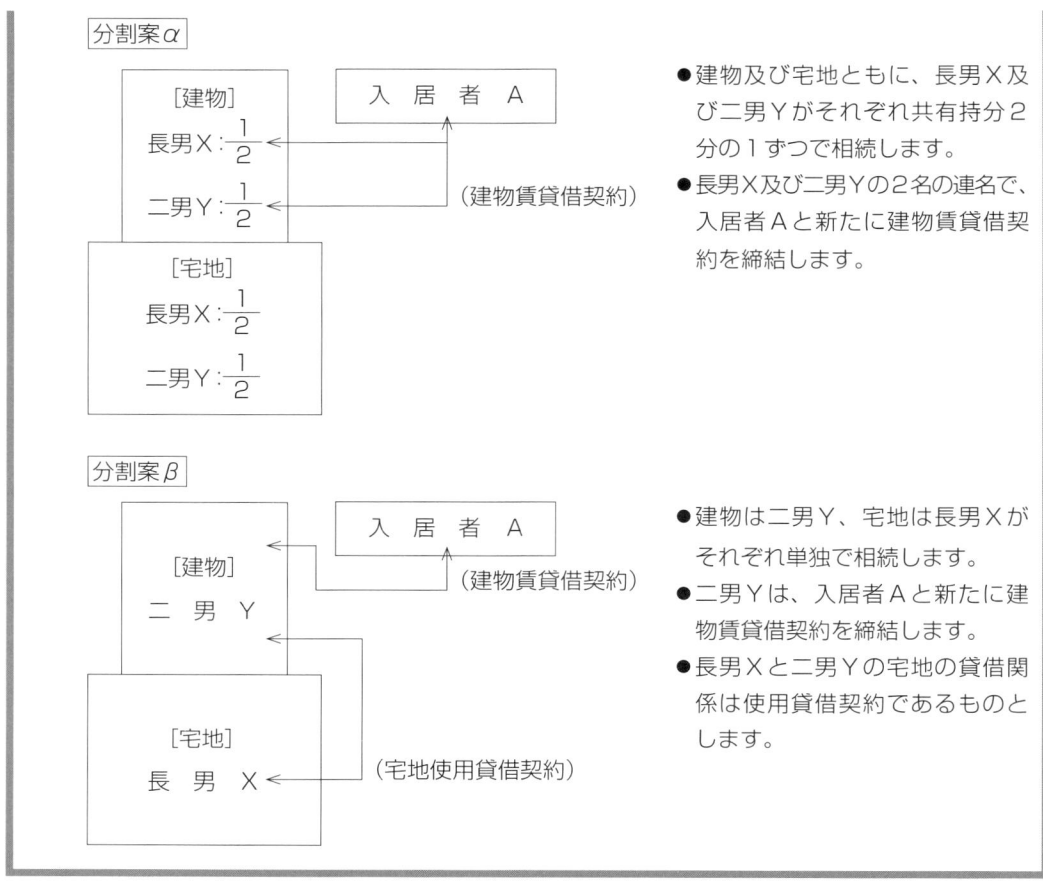

小規模宅地等の課税特例の対象とされる『貸付事業用宅地等』とは、被相続人等の事業（不動産貸付業、駐車場業、自転車駐車場業及び準事業（以下「貸付事業」といいます。）の用に供されていたものに限られます。）の用に供されていた宅地等で、次に掲げる要件のいずれかを満たす当該被相続人の親族が相続又は遺贈により取得したもの（特定同族会社事業用宅地等及び相続開始前3年以内に新たに貸付事業の用に供された宅地等（相続開始の日まで3年を超えて引き続き特定貸付事業（注）を行っていた被相続人等の当該貸付事業の用に供されたものを除きます。）に該当するものを除きます。）をいいます。

（注）『特定貸付事業』とは、貸付事業のうち準事業以外のものをいいます。

(1)　被相続人の貸付事業を相続開始後に事業承継する場合

①　当該宅地等を取得した当該被相続人の親族（当該親族から相続又は遺贈により当該宅地等を取得した当該親族の相続人を含みます。以下、②及び③において同じ。）が、相続開始時から相続税の申告期限までの間に当該宅地等に係る被相続人の貸付事業を引き継ぐこと

②　当該親族が相続税の申告期限まで引き続き当該宅地等を所有すること

③　当該親族が相続税の申告期限まで引き続き当該貸付事業の用に供していること

(2)　被相続人と生計を一にする親族の貸付事業の用に供されている場合

①　当該宅地等を取得した当該被相続人の親族が、当該被相続人と生計を一にしていた者であること

②　当該親族が相続開始時から相続税の申告期限（当該親族が相続税の申告期限前に死亡した場合には、その死亡の日。以下③において同じ。）まで引き続き当該宅地等を所有すること

③　当該親族が相続開始前から相続税の申告期限まで引き続き当該宅地等を自己の貸付事業の用に供していること

そうすると、**質疑**の事例は被相続人甲の相続開始時において同人の貸付事業の用に供されていた宅地等に該当する本件宅地に対する小規模宅地等の課税特例の適用可否が論点とされていることから、上記(1)に掲げる①から③の３つの要件を充足しているか否かを検討することが必要とされます。

以上の取扱いに基づいて、**質疑**に掲げる［分割案α］又は［分割案β］による遺産分割が実施された場合における本件宅地に対する小規模宅地等の課税特例の適用可否を検討すると、下記のとおりになります。

［分割案α］によった場合

長男Ｘ及び二男Ｙは共に被相続人の相続財産である貸家用建物及び当該敷地である宅地を相続により取得し、両者連名で入居者Ａとの間で新たに建物賃貸借契約を締結していることから、相続税の申告期限までに被相続人の貸付事業（入居者Ａに対する貸家事業）を引き継いだものと認められます。

また、**質疑**の前提条件から長男Ｘ及び二男Ｙは相続税の申告期限まで引き続き本件宅地を所有し、かつ、貸家家屋の敷地に供用される宅地として引き続き貸付事業の用に供されるものと認められます。

そうすると、［分割案α］によった場合には、本件宅地は貸付事業用宅地等に該当し、小規模宅地等の課税特例の適用対象になるものと考えられます。

［分割案β］によった場合

長男Ｘは、本件宅地を相続により取得しましたが建物は取得していません。（建物は二男Ｙが取得）

そうすると、本件宅地を取得した長男Ｘは相続税の申告期限までの間に本件宅地上で営まれていた被相続人の貸付事業（入居者Ａとの間における貸家事業）を引き継いだことにはならず（長男Ｘは取得後、単に使用貸借によって二男Ｙに対して本件宅地を貸し付けただけと解されます。）、また、当然に当該申告期限までの間、引き続き貸付事業の用に供することもできないものと認められます。

したがって、［分割案β］によった場合には、本件宅地は貸付事業用宅地等には該当せず、小規模宅地等の課税特例の適用対象にはならないものと考えられます。

なお、分割案β の遺産分割（長男Xが宅地を取得、二男Yが建物を取得）によった場合で、その前提条件にそれぞれ下記に掲げる異同があったときでも、本件宅地に対する小規模宅地等の課税特例の適用に関する判断はそれぞれに掲げる理由により変わることはないものと考えられます。

(1)　被相続人甲と二男Y（建物取得者）が生計一であった場合

理由　被相続人と生計を一にする親族の貸付事業の用に供されている宅地等が貸付事業用宅地等に該当し小規模宅地等の課税特例の対象とされるための要件として、「当該生計を一にする親族（二男Y）が当該宅地等を取得すること」が大前提とされていますが、分割案β では本件宅地を取得したのは長男Xであること（その他の要件についても、検討するまでもないことです。）

(2)　被相続人甲と長男X（宅地取得者）が生計一であった場合

理由　被相続人と生計を一にする親族の貸付事業の用に供されている宅地等が貸付事業用宅地等に該当し小規模宅地等の課税特例の対象とされるための要件として、「当該生計を一にする親族（長男X）が(A)相続開始前から相続税の申告期限まで引き続き当該宅地等を(B)自己の貸付事業の用に供していること」が大前提とされています。しかしながら、分割案β では下記に掲げる事項が指摘されること

①　長男Xは、被相続人甲に係る本件相続開始前には本件貸付事業（入居者Aに対する貸家事業）には何らの関与も認められないこと（上記(A)部分）

②　長男Xは、本件宅地を相続により取得した後において二男Yに対して使用貸借により貸し付けているのみで、財産承継者本人（自己）の貸付事業の用に供しているとは認められないこと（上記(B)部分）

(3)　長男X（宅地取得者）と二男Y（建物取得者）との間での土地の貸借関係が賃貸借契約である場合

理由　被相続人の貸付事業が相続開始後に事業承継されている場合に、当該宅地等が貸付事業用宅地等に該当し小規模宅地等の課税特例の対象とされるための要件として、「当該宅地等を取得した当該被相続人の親族が、相続開始時から相続税の申告期限までの間に当該宅地等に係る被相続人の貸付事業を引き継ぐこと」が大前提とされています。しかしながら、分割案β で、かつ、土地の賃貸借契約が締結された場合であっても、それは相続開始後に相続により本件宅地を取得した長男Xが本件相続により建物を取得した二男Yとの間において行ったものであり、被相続人の営んでいた貸付事業（入居者Aに対する貸家事業）を引き継いだことにはならないこと（上記＿＿部分）（その他の要件についても、検討するまでもないことです。）

## ㊱　貸付事業用宅地等に該当するか否かの判断（その３：被相続人の営む貸付事業（貸地、貸家事業）の用に供されていたものにつき、いわゆる『混同』により賃借権が消滅した場合）

**質疑**　被相続人甲の相続財産のうちには、下記(1)及び(2)に掲げるとおりに相続人に対して貸し付けている（賃貸借契約に基づいて世間相場程度の賃料を収受しています。）不動産があり、遺産分割協議においてはそれぞれに掲げる賃借人が相続により取得することになりました。

(1)　貸家型である場合

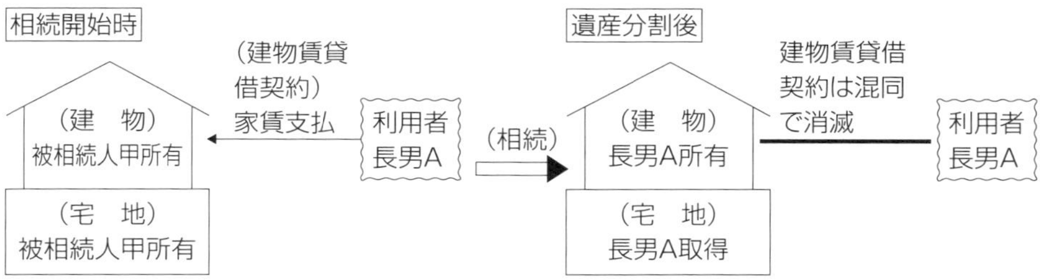


(2)　貸地型である場合

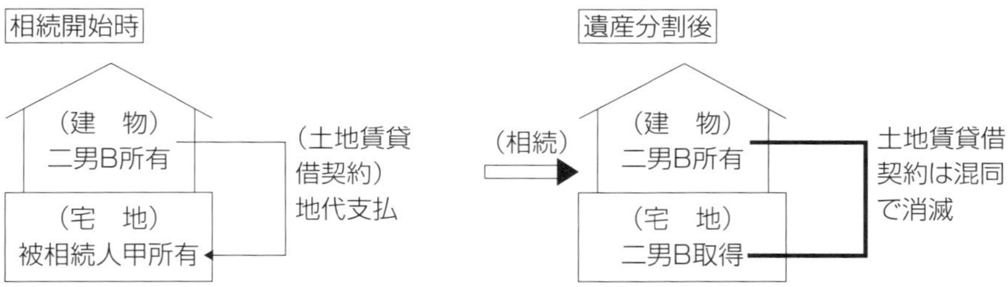


上記(1)及び(2)に掲げる各宅地については、被相続人甲に係る相続開始時において同人の貸付事業の用に供されていたことが認められることから、これらの各宅地について貸付事業用宅地等に該当するものとして小規模宅地等の課税特例の対象とすることは可能でしょうか。

なお、被相続人甲は、同人に係る相続開始の10年以上前から事業的規模で不動産貸付業を営んでいることが確認されています。

類題　上記(1)及び(2)に掲げる各宅地（(1)の場合には、建物も含みます。）について、それらの相続による取得者が長女Ｃであり、遺産分割後においても長男Ａは長女Ｃに対して従前と同一の契約内容に基づいて家賃を支払っている場合（(1)の場合）、二男Ｂは長女Ｃに対して従前と同一の契約内容に基づいて地代を支払っている場合（(2)の場合）には、これらの各宅地に対する小規模宅地等の課税特例の適用関係はどのようになりますか。

**応答**

被相続人の貸付事業の用に供されていた宅地等が小規模宅地等の課税特例の対象とされる『貸付事業用宅地等』に該当するためには、次に掲げる要件を満たす当該被相続人の親族が相続又は遺贈により取得したもの（特定同族会社事業用宅地等及び相続開始前３年以内に新たに貸付事業の用に供された宅地等（相続開始の日まで３年を超えて引き続き特定貸付事業（注）を行っていた被相続人等の当該貸付事業の用に供されたものを除きます。）に該当するものを除きます。）であることが必要とされています。

（注）『特定貸付事業』とは、貸付事業のうち準事業以外のものをいいます。

被相続人の貸付事業を相続開始後に事業承継したものと認められるための要件

(イ)　当該宅地等を取得した当該被相続人の親族（当該親族から相続又は遺贈により当該宅地等を取得した当該親族の相続人を含みます。以下、(ロ)及び(ハ)において同じ。）が、相続開始時から相続税の申告期限までの間に当該宅地等に係る被相続人の貸付事業を引き継ぐこと

(ロ)　当該親族が相続税の申告期限まで引き続き当該宅地等を所有すること

(ハ)　当該親族が相続税の申告期限まで引き続き当該貸付事業の用に供していること

民法第520条《混同》では「債権及び債務が同一人に帰属したときは、その債権は、消滅する。」（注）と規定されています。そうすると **質疑** の各事例においては、下表に掲げるとおり被相続人甲に係る遺産分割協議後においては、『混同』の規定により一切の債権及び債務が消滅することになります。

| 事　例 | 相続開始時の状況 | | 遺産分割後の状況 | |
|---|---|---|---|---|
| | 貸主側の債権債務 | 借主側の債権債務 | 貸主側の債権債務 | 借主側の債権債務 |
| (1)の事例<br>(貸家型) | 債権　家賃の収受権<br>債務　家屋の引渡義務 | 債権　家屋の引渡権<br>債務　家賃の支払義務 | 債権　――――<br>債務　―――― | 債権　――――<br>債務　―――― |
| (2)の事例<br>(貸地型) | 債権　地代の収受権<br>債務　土地の引渡義務 | 債権　土地の引渡権<br>債務　地代の支払義務 | 債権　――――<br>債務　―――― | 債権　――――<br>債務　―――― |

したがって、**質疑** の各事例においては、被相続人甲に係る遺産分割により相続財産を取得した長男Ａ及び二男Ｂはその取得後においては、建物に関する一切の債権債務（(1)の事例の場合）が、また、宅地に関する一切の債権債務（(2)の事例の場合）が混同により消滅することになり、相続税の申告期限までの間に当該各宅地等に係る被相続人の貸付事業（(1)の場合は長男Ａに対する貸家事業、(2)の場合は二男Ｂに対する貸地事業）を引き継いだ（上記(イ)＿＿部分）ことにはならず、また、当然に当該申告期限までの間、引き続き貸付事業の用に供する（上記(ハ)＿＿部分）こともできないものと認められます。

そうすると、**質疑** の各事例において被相続人甲の相続財産である各宅地は、貸付事業用宅地等に該当せず、小規模宅地等の課税特例の適用対象とすることはできないものと考えられます。

（注）『混同』とは、正反対に対立する２つの法律的立場（ 質疑 の事例の場合は、賃貸人と賃借人）がある法律行為（ 質疑 の事例の場合は、遺産分割）を経ることによって、同一人に帰属することをいいます。その結果として、当該法律的立場の実質的な存在意義はなくなることになります。

● 類題の場合

質疑 の各事例の宅地を被相続人甲に係る遺産分割により長女Ｃが取得し、従来どおりの賃貸借契約で長男Ａに対して貸家として貸し付けた場合（(1)の事例の場合）又は二男Ｂに対して貸地として貸し付けた場合（(2)の事例の場合）には、混同により債権債務の関係が消滅することなく長女Ｃは被相続人の貸付事業を相続開始後に事業承継したものと認められます。

そうすると、長女Ｃが取得した各宅地については、貸付事業用宅地等として小規模宅地等の課税特例の適用対象とすることが認められるものと考えられます。

### (37) 事業用建物等（賃貸アパート）の建築中等に第１次相続及び第２次相続が開始した場合における小規模宅地等の課税特例の適用の可否

質疑

被相続人甲は、その所有するX宅地上に賃貸アパートを建築し、同人に係る相続開始の40年以上前から貸家事業の用に供していましたが、老朽化に伴って危険なため、最後の入居者が退居したことを機会として、当該賃貸アパートを取り壊して、新築のアパートに建て替えるべく建築工事中でした。

ところが、建築工事中に急病により死亡した（第１次相続の発生）ために、当該建築中の建物及びその敷地の用に供されているX宅地は配偶者の乙が相続により取得しました。

さらに、配偶者乙についても、不幸が重なることとなり、被相続人甲の相続開始後４か月もたたないうちに不慮の事故により急死してしまい（第２次相続の発生）、配偶者乙が被相続人甲から相続により取得した当該建築中の建物及びその敷地の用に供されているX宅地は、配偶者乙の相続人である長男Aが相続により取得することとなりました。

この建築中の賃貸アパートについては、当初の予定どおり、被相続人甲の相続税の申告期限までに無事完成し、長男Ａ（注）の営む貸家事業の用に供することになりました。

また、被相続人甲は、この賃貸アパートの建築工事の開始と同時に不動産仲介業者を通じて入居者募集の広告を行い、入居を希望する者との間で、通常の貸室の賃貸借契約とほぼ同一の内容を有する『賃貸借予約契約』を締結していました。

（注）被相続人甲の相続開始直後では、配偶者乙が被相続人甲に係る賃貸不動産の経営を承継する予定であったため、建築中の建物の施工主名義及び不動産仲介業者との入居者募集等に係る不動産に関する諸管理契約の締結主名義もすべて配偶者乙としていました。

配偶者乙に係る相続開始後においては、これらの各種契約に係る契約名義はすべて、賃貸不動産の経営を再承継した長男Ａに書換えしています。

このような場合において、建築中の賃貸アパートの敷地の用に供されているX宅地に対する小規模宅地等の課税特例の適用の可否について、第１次相続開始時と第２次相続開始時とに区別して説明してください。

なお、この建築中の賃貸アパートに関する時間経過の詳細は次のとおりになります。

図解

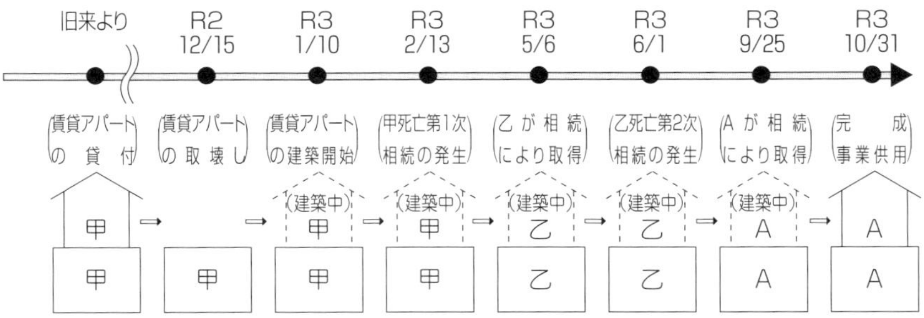


## 応答

(1)　第一次相続（被相続人甲に係る相続の開始）開始時における課税特例の適用の可否

措置法通達69の４－５《事業用建物等の建築中等に相続が開始した場合》の取扱いによると、被相続人等の事業の用に供されている建物又は構築物（以下、本問において「建物等」といいます。）（**質疑**の事例では賃貸アパート）の建替えに係る代替の建物等（被相続人又は被相続人の親族の所有に係るものに限る。）の建築中に、被相続人について相続が開始した場合においては、当該相続開始直前の当該被相続人等の当該建物等に係る事業の準備行為の状況からみて当該建物等を速やかにその事業の用に供することが確実であったと認められるときは、当該建物等の敷地の用に供されていた宅地等は、小規模宅地等の課税特例の適用対象とされる被相続人等の事業の用に供されていた宅地等に該当するものとされています。

また、上記の取扱いにおいて、当該建物等（**質疑**の事例では賃貸アパート）に係る事業の準備行為の状況から被相続人等に係る事業の継続性を判定する場合には、単に、被相続人等の事業継続の内心の意思のみでは足りず、具体的な準備行為の状況によって客観的に確認できるものであることが必要とされています。

**質疑**の事例の場合には、次に掲げるような事項から、被相続人等の事業継続の意思を具体的な準備行為の状況によって確認することができるものと考えられます。

①　建替えに係る賃貸アパートの着工と同時に、不動産仲介業者を通じて入居者募集の広告を行っていること

②　被相続人は、入居を希望する者との間で、通常の賃貸借契約に準ずる『賃貸借予約契約』を締結していること

したがって、第一次相続開始により、被相続人甲の相続財産である建築中の賃貸アパートの敷地の用に供されているX宅地については、被相続人甲に係る事業用宅地等に該当するも

のと考えられます。

また、措置法通達69の4－15《宅地等を取得した親族が申告期限までに死亡した場合》の取扱いによると、被相続人の事業用宅地等を相続又は遺贈により取得した被相続人の親族が当該相続に係る相続税の申告期限までに死亡した場合には、当該親族から相続又は遺贈により当該宅地等を取得した当該親族の相続人が、下記に掲げる3つの要件を充足した場合には、当該宅地等は『被相続人の貸付事業を相続開始後に事業承継する場合』に該当し、『貸付事業用宅地等』として取り扱われます。

| | |
|---|---|
| (イ)貸付事業承継の要件 | 被相続人の親族（当該親族から相続又は遺贈により当該宅地等を取得した当該親族の相続人を含みます。以下、(ロ)及び(ハ)において同じ。）から相続又は遺贈により当該宅地等を取得した当該親族の相続人が、相続開始時から相続税の申告期限（注）までの間に当該宅地等に係る被相続人の貸付事業を承継すること |
| (ロ)所有継続の要件 | 上記の貸付事業を承継した親族が、相続開始時から相続税の申告期限（注）まで引き続き当該宅地等を所有していること |
| (ハ)貸付事業継続の要件 | 上記の貸付事業を承継した親族が、貸付事業承継後、相続税の申告期限（注）まで引き続き当該貸付事業の用に供していること |

（注）　この場合における『相続税の申告期限』とは、相続税法第27条《相続税の申告書》第2項に規定する延長された申告期限（被相続人の貸付事業の用に供されていた宅地等を取得した親族が相続税の申告期限までに申告書を提出しないで死亡した場合には、当該宅地等を取得した当該親族の相続人は当該親族に係る相続の開始があったことを知った日の翌日から10か月以内に当該被相続人に係る相続税の申告書を提出する必要があります。）をいいます。

そうすると、**質疑** の事例の場合は、措置法通達69の4－5《事業用建物等の建築中等に相続が開始した場合》の取扱いから、X宅地は被相続人甲に係る事業用宅地等に該当するものと考えられること並びに被相続人甲に係る相続開始（第1次相続の発生）によりX宅地を相続により取得した親族（配偶者乙）が第1次相続に係る相続税の申告期限までに死亡した（第2次相続の発生）ため、当該第2次相続により財産を取得した配偶者乙の相続人である長男Aは上記に掲げる措置法通達69の4－15《宅地等を取得した親族が申告期限までに死亡した場合》の取扱いに定める3つの要件（(イ)貸付事業承継の要件、(ロ)所有継続の要件及び(ハ)貸付事業継続の要件）も充足しているものと考えられます。

したがって、被相続人甲に係る相続開始（第1次相続の発生）によって、X宅地を相続により取得した配偶者乙は、その取得したX宅地についてこれを貸付事業用宅地等（課税価格算入割合50％、限度面積200㎡）に該当するとして取り扱うことができるものと考えられます。

(2)　第2次相続（配偶者乙に係る相続の開始）開始時における課税特例の適用の可否

**質疑** の事例のように、事業用建物等の建築中等に当該建物等及びその敷地であるX宅地の所有者に相続が開始（ **質疑** の事例の場合は、被相続人甲の死亡（第1次相続の開始））して、これらの不動産に係る相続承継者が定まった後に、当該不動産の承継者についてもさらに相続の開始（**質疑** の事例の場合は、配偶者乙の死亡（第２次相続の開始））があった場合で、かつ、当該第２次相続の開始時点においても当該建築中等の事業用建物等（**質疑** の事例の場合は賃貸アパート）が完成していないときにおける当該第２次相続開始時点での建築中等の事業用建物等の敷地の用に供されているX宅地に対する小規模宅地等の課税特例の適用の可否については、法令、通達等において明文化されたものはありません。

（注）措置法通達69の４－５《事業用建物等の建築中等に相続が開始した場合》及び同通達69の４－15《宅地等を取得した親族が申告期限までに死亡した場合》の定めは、被相続人に係る相続財産である宅地等に関する取扱いであり、被相続人の相続人が当該被相続人に係る相続税の申告期限までに当該相続人に相続開始があった場合の当該相続財産である当該宅地等の取扱いについてまで直接的に言及しているものではないことに留意する必要があります。

さらに、第２次相続に係る被相続人（**質疑** の事例では、配偶者乙）は、第１次相続により被相続人甲から建築中等の建物等を相続により取得してから第２次相続の開始時までの期間において、借家人に賃貸した事実がなく（当然ながら、建物等が未完成であるため）、第２次相続に係る被相続人として事業の用に供していないのではないかという疑義さえ生じることも考えられます。（この場合には、当該建築中等の建物等の敷地の用に供されているX宅地については、小規模宅地等の課税特例の適用はないことになります。）

しかしながら、**質疑** の事例の場合には、第１次相続に係る被相続人甲の当該建築中等の建物等に係る事業の準備行為として、⑴の①及び②に掲げる具体的な事実により被相続人甲の相続開始直前における事業の継続性を客観的に確認できたことを準用して判断するべきであると思われます。

すなわち、第１次相続に係る被相続人甲から当該建築中の建物等を相続により取得した配偶者乙について、上記に掲げる建築中等の建物等に係る事業の準備行為を継承していることが確認できれば、第２次相続における被相続人である配偶者乙についても、相続開始直前における事業の継続性が客観的に確認できるものとして取り扱われるべきであると考えられます。

上記の考え方が認められた場合には、第２次相続開始により、被相続人である配偶者乙の相続財産である建築中の賃貸アパートの敷地の用に供されているX宅地についても、配偶者乙に係る事業用宅地等に該当するものと考えられます。

そして、配偶者乙から相続によりＸ宅地を取得した長男Ａは、『被相続人の貸付事業を相続開始後に事業承継する場合』に該当するための３つの要件（⑴貸付事業承継の要件、⑵所有継続の要件及び⑶貸付事業継続の要件）を充足しているものと考えられます。

そうすると、配偶者乙に係る相続開始（第２次相続の発生）によって、Ｘ宅地を相続により取得した長男Ａについても、その取得したＸ宅地についてこれを貸付事業用宅地等（課税価格算入割合50％、限度面積200㎡）に該当するとして取り扱うことができるものと考えられます。

## ㊳　個人の事業用資産についての納税猶予及び免除の適用がある場合における貸付事業用宅地等に対する小規模宅地等の課税特例の適用

**質疑**　被相続人甲に相続の開始がありました。同人の相続財産のうちには次に掲げる２か所の宅地等があり、これらの宅地等に関する資料は、下表のとおりでした。

| 区　分 | 面　積 | 取得者 | 備　考 |
|---|---|---|---|
| Ｘ宅地 | 260㎡ | 長男Ａ | 被相続人甲が30年前から経営しているスーパーマーケット店（被相続人甲所有で、長男Ａが取得）の敷地の用に供されていた宅地である。<br>長男Ａは適用要件を充足していることから、個人の事業用資産についての相続税の納税猶予及び免除の規定を受ける予定である。 |
| Ｙ宅地 | 180㎡ | 長女Ｂ | 被相続人甲が20年前から経営している月極駐車場（アスファルト舗装施工済）の敷地の用に供されていた土地（雑種地）である。<br>長女Ｂは相続税の申告期限までに月極駐車場の経営を承継し、今年も末長くＹ土地を所有し経営を継続する予定である。<br>長女Ｂは、貸付事業用宅地等として、小規模宅地等の課税特例の適用を受けたいと考えている。 |

上記のような状況において、長男Ａが『相続税の納税猶予及び免除』の規定の適用を受けた場合に、長女Ｂが適用を希望している『小規模宅地等の課税特例』の規定の適用関係について説明してください。なお、両規定の重複適用の可否に関する論点以外の両規定に係る適用要件は、すべて充足しているものとします。

**応答**

⑴　個人の事業用資産の納税猶予制度（概要）

令和元年度の税法改正において、新たに個人の事業用資産についての納税猶予及び免除の規定が設けられました。その概要は、次のとおりとされています。

概要　青色申告（正規の簿記の原則によるものに限ります。）に係る事業（不動産貸付業等を除きます。）を行っていた事業者の後継者（注１）として中小企業における経営の承継の円滑化に関する法律の認定を受けた者が、平成31年１月１日から令和10年12月31日まで（注２）の贈与又は相続等により、特定事業用資産を取得した場合には、次に掲げる取扱いが適用されることになります。

①　その青色申告に係る事業の継続等、一定の要件のもと、その特定事業用資産に係る贈与税・相続税の全額の納税が猶予されます。

②　後継者の死亡等、一定の事由により、納税が猶予されている贈与税・相続税の納税が免除されます。

（注１）平成31年４月１日から令和６年３月31日までに「個人事業承継計画」を都道府県知事に提出し、確認を受けた者に限ります。

（注２）先代事業者の生計一親族からの特定事業用資産の贈与・相続等については、上記の期間内で、先代事業者からの贈与・相続等の日から１年を経過する日までにされたものに限ります。

この制度の対象となる「特定事業用資産」とは、先代事業者（贈与者・被相続人）の事業の用に供されていた次の資産で、贈与又は相続等の日に属する年の前年分の事業所得に係る青色申告書の貸借対照表に計上されていたものをいいます。

① 宅地等（400㎡まで）

② 建物（床面積800㎡まで）

③ ②以外の減価償却資産で次のもの

(イ) 固定資産税の課税対象とされているもの

(ロ) 自動車税・軽自動車税の営業用の課税標準が適用されるもの（注）

注　令和３年度の税法改正によって、個人事業者の事業用資産に係る相続税・贈与税の納税猶予制度について、適用対象となる特定事業用資産の範囲に、被相続人又は贈与者の事業の用に供されていた乗用自動車で青色申告書に添付されている貸借対照表に計上されているもの（取得価額500万円以下の部分に対応する部分に限られます。）が加えられることになりました。

(ハ) その他一定のもの（貨物運送用など一定の自動車、乳牛・果樹等の生物、特許権等の無形固定資産）

（注１）先代事業者が、配偶者の所有する土地の上に建物を建て、事業を行っている場合における土地など、先代事業者と生計を一にする親族が所有する上記①から③までの資産も、特定事業用資産に該当します。

（注２）後継者が複数人の場合には、上記①及び②の面積は、各後継者が取得した面積の合計で判定します。

（注３）先代事業者からの相続等により取得した宅地等につき、小規模宅地等の課税特例の適用を受ける者がいる場合には、一定の制限があります。（下記(2)を参照）

(2) 両規定の重複適用関係

① 特定事業用宅地等である小規模宅地等に対する重複適用関係

(イ) 取扱い

被相続人が次に掲げる者のいずれかに該当する場合には、当該被相続人から相続又は遺贈により取得（注）したすべての『特定事業用宅地等』については、小規模宅地等の課税特例の適用対象にならないものとされています。

㋑ 措置法第70条の６の８《個人の事業用資産についての贈与税の納税猶予及び免除》の規定の適用を受けた特例事業受贈者に係る贈与者

㋺ 措置法第70条の６の10《個人の事業用資産についての相続税の納税猶予及び免除》の規定の適用を受ける特例事業相続人等に係る被相続人

（注）上記の『取得』には、措置法第70条の６の９《個人の事業用資産の贈与者が死亡した場合の相続税の課税の特例》第１項（同条第２項の規定により読み替えて適用する場合も含みます。）の規定により、相続又は遺贈により取得したものとみなされる場合における当該取得を含むものとされています。

⒝　留意点

被相続人からの相続又は遺贈により特定事業用宅地等を取得した者自身が個人の事業用資産の相続税の納税猶予の適用を受けない場合であっても、その者又はその者以外の者が次の㋑又は㋺に掲げるものに該当するときには、当該被相続人は、上記⒤の㋑又は㋺に掲げる者に該当することになります。

㋑　当該取得した者以外の者が個人の事業用資産の相続税の納税猶予の適用（注）を受けるとき

㋺　当該取得した者又はその者以外の者が既に被相続人からの贈与により取得した財産について個人の事業用資産の贈与税の納税猶予（措置法第70条の６の８《個人の事業用資産についての贈与税の納税猶予及び免除》の規定をいいます。）の適用（注）を受けていたとき

（注）　上記㋑及び㋺に掲げる個人の事業用資産の相続税・贈与税の納税猶予の適用については、建物及び減価償却資産など特定事業用宅地等に該当しない特定事業用資産（措置法第70条の６の10《個人の事業用資産についての相続税の納税猶予及び免除》第２項第１号又は第70条の６の８第２項第１号に規定する特定事業用資産をいいます。）についてのみ適用を受けていた場合であっても、同制度の適用を受けていたものとして取り扱われます。

したがって、上記の場合には、当該被相続人から相続又は遺贈により取得したすべての特定事業用宅地等について、小規模宅地等の課税特例の適用対象となりません。

②　特定事業用宅地等以外の特例対象宅地等に対する重複適用関係

⒤　取扱い

上記①に掲げるとおり、個人の事業用資産についての相続税・贈与税の納税猶予及び免除の規定の適用を受ける場合には、特定事業用宅地等を小規模宅地等の課税特例の課税特例の適用対象とすることは認められていません。

そうすると、下記に掲げる小規模宅地等の区分（特例対象宅地等）については、上記に掲げる個人の事業用資産についての相続税・贈与税の納税猶予及び免除の規定との重複適用が認められないとされる規定の適用はないことから、被相続人が上記の⑵①⒤㋑又は㋺に掲げる者に該当する場合であっても、これらの宅地等については、他の要件を満たすときには小規模宅地等の課税特例の適用対象とすることが認められています。

㋑　特定居住用宅地等

㋺　特定同族会社事業用宅地等

㋩　貸付事業用宅地等

⒝　留意点

上記⒤の後段の取扱いに関しては、下記に掲げる小規模宅地等の区分（特例対象宅地等）に応じて、個人の事業用資産についての相続税の納税猶予及び免除の対象とされる特定事業用資産である宅地等の面積との間で一定の調整（限度面積計算）に関する規定が設けられています。

㋑　『特定居住用宅地等』のみを選択特例対象宅地等とした場合

特定事業用資産である宅地等に対する適用面積（上限面積400㎡）にかかわらず、当該特定居住用宅地等の面積（上限面積330㎡）まで、小規模宅地等の課税特例を受けることが認められます。

すなわち、個人の事業用資産についての納税猶予及び免除の規定と特定居住用宅地等のみを選択特例対象宅地等とする小規模宅地等の課税特例の規定とは、両者の完全併用が認められるものとされています。

㋺　上記㋑以外の場合

上記㋑以外の場合として、次に掲げる組み合わせが考えられます。

(A)　『特定同族会社事業用宅地等』のみを選択特例対象宅地等とする場合

(B)　『貸付事業用宅地等』のみを選択特例対象宅地等とする場合

(C)　『特定居住用宅地等』、『特定同族会社事業用宅地等』又は『貸付事業用宅地等』のうちから複数を組み合わせて選択特例対象宅地等とする場合

（注）　特定居住用宅地等のみを選択特例対象宅地等とした場合には上記㋑の取扱いが適用されますが、特定居住用宅地等と他の特例対象宅地等（特定事業用宅地等を除きます。）を選択特例対象宅地等とした場合には、この(C)に該当することに留意する必要があります。

上記(A)ないし(C)に該当する場合には、特定事業用資産である宅地等に対する適用面積と小規模宅地等の課税特例の対象とする適用面積との間には、下記に掲げる算式を充足する必要があります。

算式　$A \times \frac{400㎡}{330㎡} + B + C \times \frac{400㎡}{200㎡} + D \leqq 400㎡$

A：特定居住用宅地等である選択特例対象宅地等の面積

B：特定同族会社事業用宅地等である選択特例対象宅地等の面積

C：貸付事業用宅地等である選択特例対象宅地等の面積

D：特例事業用資産（注）である宅地等の面積

（注）　特例事業用資産とは、特定事業用資産のうち、相続税の申告書に相続税の納税猶予の適用を受けようとする旨の記載があるものをいいます。

(3)　**質疑**　の場合

上記(2)②㋺㋺より、貸付事業用宅地等であるＹ宅地を選択特例対象宅地等とした場合には、特定事業用資産である宅地等に対する適用面積と小規模宅地等の課税特例の対象とする適用面積との間において、同欄に掲げる算式に示すとおりの調整が求められています。

したがって、**質疑**　の場合でＹ宅地（貸付事業用宅地等に該当）を選択特例対象宅地等とした場合における小規模宅地等の課税特例の適用面積は、下記計算のとおり、70㎡となります。

（計算）

①　400㎡（全体の換算面積）－260㎡（特定事業用資産である宅地等の面積）＝140㎡（小規模宅地等の課税特例に適用可能な面積（換算面積））

②
- (イ)　180㎡（Ｙ宅地の面積）
- (ロ)　140㎡（上記①）×$\frac{200㎡}{400㎡}$=70㎡（貸付事業用宅地等とした場合の上限適用面積）
- (ハ)　(イ)＞(ロ)　∴70㎡（いずれか少ない方）⇨貸付事業用宅地等の適用面積

## コラム　『小規模宅地等についての相続税の課税価格の計算の特例』の検証（課税要件法定主義とその解釈）

本章の〔５〕『貸付事業用宅地等』に関する項目の『㉜１棟の貸家建物の敷地が貸家建付地に相当する部分と自用地に相当する部分から構成される場合の小規模宅地等の課税特例の計算（その１）』（以下、「検討事案」といいます。）の現行における課税実務上の取扱いは、該当ページ（770ページから774ページまで）に記載されたとおりです。

本 コラム では、この課税実務上の取扱いについて、近代租税法の基本理念である租税法律主義の構成要件の１つである『課税要件法定主義』の観点から検証を加えてみたいと思います。

### (1)　『小規模宅地等についての相続税の課税価格の計算の特例』の適用要件

措置法第69条の４《小規模宅地等についての相続税の課税価格の計算の特例》第１項において、「個人が相続又は遺贈により取得した財産のうちに、当該相続の開始の直前において、当該相続若しくは遺贈に係る被相続人又は当該被相続人と生計を一にしていた当該被相続人の親族（以下「被相続人等」という。）の事業の用又は居住の用に供されていた宅地等で（以下略）」と規定されています。そうすると、措置法の条文上において小規模宅地等の課税特例の適用対象とされるのは、『被相続人等の事業の用に供されていた宅地等』（上記＿＿部分）であることが理解されます。

従前に入居者が存在しない新築の賃貸ビル等につき、被相続人等の事業の用に供した時点をいつに認識すべきかについて条文上に具体的な規定は存在しないものの、所得税における減価償却費の算出開始時期等を考慮した場合には、一般的には、これを入居者の募集開始時とすることにも相当性が認められるものと解すべきであると思われます。

一方、平成30年度の税法改正に伴ってその取扱いが見直された改正後の措置法通達69の４−24の２《被相続人等の貸付事業の用に供されていた宅地等》の定めは、下記のとおりとされています。

**資料**　措置法通達69の４−24の２《被相続人等の貸付事業の用に供されていた宅地等》

> 宅地等が措置法第69条の４第３項第４号に規定する被相続人等の貸付事業（以下69の４−24の８までにおいて「貸付事業」という。）の用に供されていた宅地等に該当するかどうかは、当該宅地等が相続開始の時において現実に貸付事業の用に供されていたかどうかで判定するのであるが、貸付事業の用に供されていた宅地等には、当該貸付事業に係る建物等のうちに相続開始の時において一時的に賃貸されていなかったと認められる部分がある場合における当該部分に係る宅地等の部分が含まれることに留意する。
>
> （注）　69の４−５の取扱いがある場合を除き、新たに貸付事業の用に供する建物等を建築中である場合や、新たに建築した建物等に係る賃借人の募集その他の貸付事業の準備行為が行われているに過ぎない場合には、当該建物等に係る宅地等は貸付事業の用に供されていた宅地等に該当しないことに留意する。
>
> **筆者注**　アンダーライン部分が平成30年度の改正部分です。

そうすると、上記通達のうち、平成30年度の改正で新設された（注）書において、要旨「69

の４－５《事業用建物等の建築中等に相続が開始した場合》の取扱いがある場合を除き、新たに建築した建物等に係る賃借人の募集その他の貸付事業の準備行為が行われているに過ぎない場合には、当該宅地等は貸付事業の用に供されていた宅地等に該当しないことに留意する。」と定められていることから、検討事案のような新築の賃貸ビル（課税時期の１月前に完成した同一間取りの全25室の建物で、課税時期において入居15室、空室（入居者募集中）10室であるもの）については、当該空室部分に対応する宅地等は、上記＿＿部分に該当し、被相続人の貸付事業用宅地等には該当しないものと考えられます。

この考え方の導入過程を推察するに、次のような思考があるものと思われます。

①　財産評価基本通達26《貸家建付地の評価》に定める貸家建付地に該当するためには、課税時期において当該貸付不動産が現実に貸し付けられていること（換言すれば、借家権を有する借家人が存在すること）が原則（原則的取扱い）とされます。その一方で、当該貸付不動産が各独立部分を有していることに対する評価上の配慮として、「継続的に賃貸されていた各独立部分で、課税時期において、一時的に賃貸されていなかったと認められるものを含むこととして差し支えない。」旨の一定の緩和的取扱いが定められています。

②　上記①の『一時的に賃貸されていなかったと認められるもの』（上記①の＿＿部分）に該当するか否かの判断に当たっては、次のような事実関係から総合的に判断するものと評価実務上ではされています。

(イ)　各独立部分が課税時期前に継続的に賃貸されてきたものかどうか。

(ロ)　賃借人の退去後速やかに新たな賃借人の募集が行われたかどうか。

(ハ)　空室の期間、他の用途に供されていないかどうか。

(ニ)　空室の期間が、課税時期の前後の例えば１か月程度であるなど一時的な期間であるかどうか。

(ホ)　課税時期前後の賃貸が一時的なものではないかどうか。

そうすると、上記①＿＿部分に該当すると判断されるためには、上記(イ)及び(ロ)に掲げるとおり、課税時期において空室である各独立部分に少なくとも旧来においては実際に賃借人が存在していたことが必要となり、新築の賃貸ビルの空室部分は全くこれに該当しないことになります。

③　上記①及び②より、検討事案のような新築の賃貸ビルの課税時期における空室部分については、課税時期に現実の入居者が存していないことから上掲の原則的取扱いの適用はなく、また、上記①の＿＿部分にも該当しないと判断されることから緩和的取扱いの適用対象にもなりません。

④　上記③より、検討事案のような新築の賃貸ビルの課税時期における空室部分については、財産評価基本通達26《貸家建付地の評価》に定める貸家建付地には該当せず、自用地として評価することが相当とされます。

⑤　上記④より、財産評価基本通達上において自用地として評価されるということは、当

該宅地等は、貸付事業の用に供されていた宅地等に該当しない（上記＝＝部分）と認識されるのであるから、当該宅地等は貸付事業用宅地等には該当せず、結果として、小規模宅地等の課税特例の適用対象とされないことになります。

⑵　検証事項

上記⑴の冒頭で摘示したとおり、条文上における小規模宅地等の課税特例の適用要件は、『被相続人等の事業の用に供されていた宅地等』であり、借家人の有する権利の存在が土地の使用収益に制約を加えることを原則的なしんしゃく要因として定められた財産評価基本通達26《貸家建付地の評価》の定めとは、その射程が自ら異なるものであると考えられるところ、近年の課税実務上の取扱いでは、両者が事実上同一視されて運用されているように思われます。

そして、上記⑴の資料に掲げた平成30年度の改正後における措置法通達69の４－24の２《被相続人等の貸付事業の用に供されていた宅地等》の（注）書の新設は、両者の事実上の同一視化に拍車をかけたものと位置付けられます。

わが国は言うまでもなく法治国家であり、法治国家における近代租税法の基本理念である租税法律主義の構成要件である『課税要件法定主義』（注１）の観点から、『小規模宅地等の課税特例における適用要件たる事業の用＝財産評価基本通達26《貸家建付地の評価》に定める貸家建付地の定義（注２）』となるのであれば、当該事項の法定化（少なくとも、その考え方に合理性が担保されていることに対する説明）が求められることになります。

（注１）『課税要件法定主義』とは、課税が成立する要件及び当該租税の申告納付・賦課徴収に関する手続の全部が法律によって定めなければならないことを意味しています。この場合、法律と行政立法（政令・省令）との関係については、法律の本来その有する趣旨から逸脱しない範囲内で具体的・個別的な事項を政令・省令に委任することは許されるものと解釈されています。

（注２）『貸家建付地』とは、貸家（財産評価基本通達94《借家権の評価》に定める借家権の目的となっている家屋をいいます。）の敷地の用に供されている宅地をいいます。

再度の指摘となりますが、現行の課税実務上の取扱いでは、新たに建築した建物等に係る賃借人の募集が行われているに過ぎない場合における当該建物等に係る宅地等は貸付事業の用に供されていた宅地等に該当しない（換言すれば、小規模宅地等の課税特例の適用対象地としない）とされていますが、次の⑶の参考でご紹介するとおり、過去の裁判例（横浜地方裁判所（平成７年７月19日判決、平成４年（行ウ）第18号他））では、新築の賃貸マンションで相続開始時点において入居者が存していない空室部分を有するものに係る小規模宅地等の課税特例の対象となる土地は、相続開始時において実際に賃貸されていた部分に対応する敷地のみに限られず、当該新築の賃貸マンションの敷地の全部となるとの判断（注）が示されています。

（注）　当該判断は、下記のとおり、その後の上級審においても原審と同様に支持されています。

控訴審　東京高等裁判所（平成８年４月18日判決、平成７年（行コ）第104号）

上告審　最高裁判所〔第一小法廷〕（平成10年２月26日判決、平成８年（行ツ）第202号）

⑶　『検討事案』について本来望まれるべき解釈

上記⑴及び⑵で確認したとおり、現行の課税実務上の取扱いでは新築の賃貸マンションで相続開始時点において入居者が存していない空室部分に対応する宅地等については、これを貸付事業用宅地等と認めず、小規模宅地等の課税特例の対象地から除外する取扱いとされていますが、旧来は、文理解釈に基づいて措置法の条文のとおり、『事業の用』に供された段階で小規模宅地等の課税特例の適用が認められていました。

この旧来の考え方に基づいて、『検討事案』の取扱いを示すと、次の 参考 のとおりとなります。

**参考　旧来の考え方による『検討事案』の取扱い**

**㉜　１棟の貸家建物の敷地が貸家建付地に相当する部分と自用地に相当する部分から構成される場合の小規模宅地等の課税特例の計算（その１）**

**質疑**　被相続人甲の所有する新築の賃貸ビル（課税時期の１月前に完成：25室）の敷地の用に供されている宅地（地積：500㎡）についての小規模宅地等の課税特例（減額金額）の計算は、下記のＡ案、Ｂ案又はＣ案のうちのいずれによりますか。

なお、賃貸ビル及びその敷地の利用状況、評価等に関する資料は次のとおりです。

また、当該賃貸ビルの敷地については、貸付事業用宅地等の要件を充足しているものとします。

賃貸ビル
- 入居状況　……入居15室、空室10室（各室とも同一間取り）
  なお、空室部分について課税時期に広告により入居者を募集していました。
- 借家権割合　……30%

ビルの敷地
- 自用地としての評価額　……500百万円
- 借地権割合　……70%
- 評価対象地の評価額　……500百万円×（１－70%×30%×60%（注））＝437百万円

（注）賃貸割合 ⇒ $\frac{15室}{15室＋10室}$ ＝ 60%

参考　平成11年７月19日付けの『財産評価基本通達の一部改正について（法令解釈通達）』（課評２－12他）によって、貸家建付地の評価について、『賃貸割合』という概念を導入したことにともなって、事例の貸家建物の敷地である宅地の価額を評価する場合には、旧来（平成11年の通達改正前）のように、⑴賃貸の用に供されている家屋の部分に対応する部分の宅地（貸家建付地）と⑵賃貸の用に供されていない家屋の部分に対応する部分の宅地（自用地）に区別（下記算式を参照）して評価するのではなく、その宅地全体を貸家建付地として取り扱い、賃貸割合を適用することによってその評価額を求めるものとされています。（ただし、計算結果は平成11年の通達の改正前後において同一となります。）

平成11年の通達改正前の考え方に基づく評価方法

(1) 貸家建付地部分の評価額…… $500百万円\times\frac{15室}{15室+10室}\times(1-70\%\times30\%)=237百万円$

(2) 自用地部分の評価額………… $500百万円\times\frac{10室}{15室+10室}=200百万円$

(3) (1)+(2)　437百万円

| 小規模宅地等の課税特例（減額金額）の計算 |
|---|
| （Ａ案）　自用地に相当する部分から優先的に計算できるものと考えた場合<br>$200百万円\times\frac{200m^2}{500m^2\times\frac{10室}{15室+10室}}\times50\%=100百万円$ |
| （Ｂ案）　貸家建付地に相当する部分から先に計算しなければならないと考えた場合<br>$237百万円\times\frac{200m^2}{500m^2\times\frac{15室}{15室+10室}}\times50\%=79百万円$ |
| （Ｃ案）　自用地に相当する部分及び貸家建付地に相当する部分から比例配分的に計算されるものと考えた場合<br>$(200百万円+237百万円)\times\frac{200m^2}{500m^2}\times50\%=87.4百万円$ |

**応答**

被相続人の所有する新築の賃貸ビルの一部に空室がある場合には、当該ビルの敷地の用に供されている宅地等については、これを全体が貸家建付地に該当するものとして評価（ただし、評価に際しては、賃貸割合（60％）を適用して調整）することが必要となりますが、この場合においても当該宅地等の評価単位はあくまでも１棟の敷地ごとに行うものとして取り扱われます。

**（注）** 新築した賃貸用家屋の一部が課税時期において『空室』となっている場合の貸家建付地評価の取扱いについては、本章の**〔５〕**『貸付事業用宅地等』に関する項目の(30)の質疑応答に掲げる 参考資料 を参照。

また、小規模宅地等の課税特例（事例の場合には、入居済み部分のビルの敷地に対応する宅地はもちろん、空室部分のビルの敷地に対応する宅地についても、課税時期において広告により入居者を募集中である（換言すれば、相続開始の直前において被相続人の貸付事業の用に供されている）ことから、当該賃貸ビルの敷地の用に供されている宅地全体が小規模宅地等の課税特例の適用対象になるものと考えられます。）の適用単位も、原則として宅地等の評価単位ごとに取り扱うこととされていますので、事例のような場合には、小規模宅地等の課税特例の対象となる面積の上限である200㎡の地積の構成は、理論的には、自用地部分及び貸家建付地部分から比例配分的に構成されているものとして取り扱うのが相当（この考え方では、小規模宅地等の課税特例（減額計算）の計算はＣ案を選択）と考えられます。

しかしながら一方で、小規模宅地等の課税特例の対象とすべき200㎡までの宅地等の選択は、相続人間の合意に基づく任意選択とされていること及び小規模宅地等の課税特例の対象となる宅地等が分散して複数ある場合とそうでない場合とに小規模宅地等の選択方法に差異を設ける合理的な理由が存するとは考えられないことから、相続人等の協議により上記のＣ案（理論的な取扱い）と異なる選択をした場合（例えば、Ａ案）にはその選択が認められるべきものと思われます。

なお、上記に掲げる取扱いに関しては、本章の〔５〕『貸付事業用宅地等』に関する項目の㉚の質疑応答に掲げる参考資料に掲げる参考判例（横浜地方裁判所（平成７年７月19日判決、平成４年（行ウ）第18号他））においても、下記に掲げる裁判所の判断に示すとおり、小規模宅地等の課税特例の適用対象となる土地は、相続開始時において実際に賃貸されていた部分に対応する敷地のみに限られず、当該賃貸マンションの敷地の全部となるとの判断が示されています。

**裁判所の判断**

本件土地の自用地としての評価額129,732,639円から、賃貸されていた４室に応ずる敷地の自用地としての評価額24,983,081円（129,732,639円×229.8㎡÷1193.31㎡）を控除すると、賃貸されていなかった17室に応ずる敷地の自用地としての評価額104,749,558円が算出されるから、これに賃貸されていた４室に応ずる敷地の貸家建付地としての評価額20,486,127円（24,983,081円－24,983,081円×0.6×0.3）を加算すると、本件特例適用前の本件土地の評価額125,235,685円が算出される。

なお、上記４室に応ずる敷地については、措置法第69条の３（筆者注）に規定する本件特例（小規模宅地等についての相続税の課税価格の計算の特例）が適用され、課税価格に算入する貸家建付地としての評価額は同特例の適用後の金額となる。その計算は、本件特例の適用対象となる本件土地の価額は、本件土地の敷地面積936.13㎡のうち、本件特例の適用の対象となる200㎡相当部分の評価額であるから、上記125,235,685円を936.13で除し、200を乗じて算出した26,756,045円に、措置法第69条の３（筆者注）１項１号に規定する割合100分の60を乗じて算出すると16,053,627円となり、一方、本件特例の適用対象とならない本件土地の価額は、本件土地の敷地面積のうち、本件特例の適用の対象とならない736.13㎡（936.13㎡から200㎡を控除したもの）相当分の価額であり、上記125,235,685円を936.13で除し、736.13を乗じて算出すると98,479,639円となる。したがって、本件特例適用後の本件土地の価額は、上記16,053,627円に98,479,639円を加算した114,533,266円ということになる。

（筆者注）措置法第69条の３は、平成12年度の税法改正により条文番号が繰り下がり、現行では措置法第69条の４となっています。

**算式での説明**

⑴　前提となる事実

①　本件土地の自用地価額……129,732,639円

②　本件家屋の床面積……1,193.31㎡（貸家家屋部分229.80㎡、自用家屋部分963.51㎡）

③　本件土地の面積……936.13㎡（貸家建付地部分及び自用地部分の合計）

④　借地権割合……60％

⑤　借家権割合……30％

⑵　計算

①　本件土地の相続税評価額（本件課税特例の適用前）

(イ)　貸家建付地評価部分　$129{,}732{,}639円 \times \frac{229.80㎡}{1{,}193.31㎡} \times (1-60\% \times 30\%) =$　20,486,127円

(ロ)　自用地評価部分　$129{,}732{,}639円 \times \frac{963.51㎡}{1{,}193.31㎡} =$　104,749,558円

(ハ)　合計（(イ)＋(ロ)）　125,235,685円

②　小規模宅地等の課税特例の適用後の相続税の課税価格への算入額

| | | | |
|---|---|---|---|
| (イ) | 課税特例の適用対象（限度面積範囲）部分 | $125,235,685円\times\frac{200㎡}{936.13㎡}\times60\%$ = | 16,053,627円 |
| (ロ) | 課税特例の適用対象外（限度面積超過）部分 | $125,235,685円\times\frac{936.13㎡-200㎡}{936.13㎡}$ = | 98,479,639円 |
| (ハ) | 合計（(イ)＋(ロ)） | | 114,533,266円 |

（注１）　上記(2)②(イ)の計算で示されている60％は、課税時期（昭和61年８月25日）における事業用の宅地等に対する課税価格への算入割合を示しています。

（注２）　貸家建付地評価部分に対応する本件土地の地積は、180.27㎡（$936.13㎡\times\frac{229.80㎡}{1,193.31㎡}$）と認められるところ、本件判決では小規模宅地等の課税特例の限度面積である200㎡まで当該課税特例の対象としていることからも、自用地評価部分についてもその適用が認められていることが確認できます。

（注３）　本件判決では、上記(2)②に掲げるとおり小規模宅地等の課税特例の計算対象地を貸家建付地に相当する部分（地積180.27㎡）及び自用地に相当する部分（地積755.86㎡（936.13㎡－180.27㎡））から比例配分的に計算する方法（上記 **質疑** に掲げる（Ｃ案））が採用されていますが、これは本件判決で裁判所が示した計算方法であることに留意する必要があります。

旧来の考え方に基づいた場合の参考質疑

**１棟の貸家建物の敷地が貸家建付地に相当する部分と自用地に相当する部分から構成される場合の小規模宅地等の課税特例の計算（その１の２）**

**質疑**　前問(32)では、新築の賃貸ビルにつき相続開始時において賃貸されていない部屋がある場合の当該敷地の用に供されている宅地等に係る相続税の課税価格への算入額の算定に当たって、小規模宅地等の課税特例の適用対象となる宅地等の範囲は、相続開始時において賃貸されていた部分に対応する敷地に限定されるのではなく、(イ)当該新築され入居者を募集中である賃貸ビルの全室に係る敷地部分の宅地であるとの説明を受けました。

一方、平成22年度の税法改正（施行日：平成22年４月１日）によって新設された措置法通達では、被相続人の貸付事業の用に供されている宅地等が貸付事業用宅地等に該当するものとして、「貸付事業に係る建物等のうちに相続開始の時において(ロ)一時的に賃貸されていなかったと認められる部分がある場合における当該部分に係る宅地等の部分が含まれる。」との定めが示されています。

そうすると、この措置法通達では、被相続人等に係る相続開始時に実際に入居者が存せず募集中である貸室部分（各独立部分）の敷地については、一時的に賃貸されていなかったと認められる部分（上記(ロ)＿＿部分）に該当するための判断基準として「各独立部分が課税時期前に継続的に賃貸されてきたものかどうか。」という項目があるため、これを基準に判断すると、新築の賃貸ビルで入居者を募集中（従前に入居者が一切存在しないもの）であるため課税時期において空室になっている部分の敷地については、本件課税特例の適用が認められないのではないかという疑問が新たに生じるところです。

しかしながら、当該新設された措置法通達について『一時的に賃貸されていなかったと認められる部分』（上記(ロ)＿＿部分）の解釈を上記に掲げるとおりと解すると、前問(32)で示された小規模宅地等の課税特例の適用対象地は「当該新築され入居者を募集中である賃貸ビルの全室に係る敷地部分の宅地である。」（上記(イ)部分）との判示事項と矛盾するとも考えられます。どのように理解すべきか説明してください。

**応答**

ご指摘の新設通達は、措置法通達69の４－24の２《被相続人等の貸付事業の用に供されていた宅地等》であり、その全文を掲げると下記のとおりです。

**参考資料**　**措置法通達69の４－24の２《被相続人等の貸付事業の用に供されていた宅地等》**

措置法第69条の４第３項第４号に規定する被相続人等の貸付事業の用に供されていた宅地等には、当該貸付事業に係る建物等のうちに相続開始の時において一時的に賃貸されていなかったと認められる部分がある場合における当該部分に係る宅地等の部分が含まれることに留意する。

また、上記通達のあらましについて解説することを目的として公開された情報（資産課税課情報第14号　平成22年７月２日）（以下本問では「情報」といいます。）では、下記のとおりに説明しています。

**参考資料**　**資産課税課情報第14号、平成22年７月２日、租税特別措置法（相続税法の特例関係）の取扱いについて（法令解釈通達）等の一部改正のあらまし（情報）**

**措置法通達69の４－24の２《被相続人等の貸付事業の用に供されていた宅地等》**

（説明）　個人が相続又は遺贈により取得した宅地等が措置法第69条の４第３項第４号に規定する「被相続人等の貸付事業の用に供されていた宅地等」であるか否かの判定は、(イ)課税時期において、その宅地等が現実に貸付事業の用に供されていたかにより行うのが原則である。

しかし、(ロ)課税時期において、従前から行ってきた貸付事業がたまたま一時的に中断されたに過ぎない場合にまで、同様の判定を行うことは、実情に即したものとはいえないものと考えられる。（参考：財産評価基本通達26）

そこで、69の４－24の２では、措置法第69条の４第３項第４号に規定する被相続人等の貸付事業の用に供されていた宅地等には、(ハ)貸付事業に係る建物等のうちに相続開始の時において一時的に賃貸されていなかったと認められる部分がある場合におけるその部分に係る宅地等の部分が含まれることを留意的に明らかにした。

上記に掲げる通達及び情報を外形的に考察すると、上記 **質疑** に掲げる疑問及び矛盾が生じることに懸念が寄せられることも想定されますが、本来的には下記のとおりに考察して取り扱うことが相当であると考えられます。

(1)　新築ビルで入居者を募集中に課税時期が到来した場合の取扱いが財産評価の態様と小規模宅地等の課税特例の適用の有無の判断とでは異なること

①　財産評価基本通達26《貸家建付地の評価》の定めは、課税時期（判断時点）において当該貸付不動産が現実に貸し付けられている（借家権を有する借家人が存在する）ことが原則とされています。

しかしながら、複数の入居者の存在を前提とする賃貸ビル等について従前から行ってきた貸付事業が、課税時期においてたまたま一時的に空室となっているにすぎないものにまで原則的な取扱い（借家権の存在の有無を基礎に判定する法律的な考え方）を適用することは実情に合わないことも考えられます。

そこで、平成11年の財産評価基本通達の改正時に、上記の原則的な取扱いに対する緩和基準として、「継続的に賃貸されていたビル等に課税時期において一時的に空室であったと認められる部分がある場合、その部分を含めて全体を課税時期において賃貸されていたものとして差し支えない。」とする取扱いが示されることになりました。

すなわち、財産評価基本通達26の取扱いは、相続税等の課税対象とされる財産の評価、すなわち評価対象地を貸家建付地として評価するための要件を定めたものであり、その判定の基礎に『借家人の有する借家権』の存在の有無があります。

② 措置法第69条の４《小規模宅地等についての相続税の課税価格の計算の特例》の規定は、相続財産に対する処分等に相当の制約が付されることに配慮して、一定の要件を充足する相続財産である宅地等について相続税の課税価格に算入する割合（通常は当該宅地等の相続税評価額として100％）に一定の配慮を加える（例えば、貸付事業用宅地等については相続税の課税価格算入割合50％（限度面積200㎡））ものです。

そして、上記課税特例の適用要件として、「当該相続開始の直前において、当該相続若しくは遺贈に係る被相続人又は当該被相続人と生計を一にしていた当該被相続人の親族（被相続人等）の事業の用又は居住の用に供されていた宅地等であること」とされています。

すなわち、小規模宅地等の課税特例の取扱いは、特定の権利の存在に対する評価減ではなく相続財産に対する処分制約性に配慮した相続税の課税価格計算上の優遇措置であり、その適用要件として被相続人等の貸付事業の用に供されている宅地等については、『相続開始の直前における被相続人等の事業供用』が挙げられています。

③ 上記①及び②より、財産評価の定めである貸家建付地評価と相続税の課税特例である小規模宅地等の課税特例の取扱いは、その趣旨及び適用要件等において相当の差異があるものであることが理解されます。これを表にまとめると下記のとおりです。

| 区分＼法令等 | 財産評価基本通達26《貸家建付地の評価》 | 措置法第69条の４《小規模宅地等についての相続税の課税価格の計算の特例》 |
|---|---|---|
| 分野等 | 財産評価基本通達（相続税における財産評価について適正な時価評価の解釈指針を明示） | 租税特別措置法（相続財産の処分制約性に配慮して設けられた相続税の課税価格算入額に対するしんしゃく規定） |
| 適用要件等 | 原則　課税時期（判断時点）における借家権を有する借家人の存在が適用の前提<br>特例　緩和基準として、『一時的に空室であったと認められる部分がある場合』の取扱いを明示<br>※　財産評価基本通達の定めは、原則として、借家権を有する借家人の存在の有無に注目した定めであることが理解される。 | 相続財産が被相続人等の貸付事業の用に供されている宅地等である場合には、『相続開始の直前における被相続人等の事業供用』が適用の前提<br>※　小規模宅地等の課税特例の規定は、相続開始直前における被相続人等の事業供用に注目した規定であることが理解される。 |

④ 上記③より、小規模宅地等の課税特例の適用対象とされるか否かの判断に当たって、被相続人等の貸付事業の用に供されていた宅地等については、本来的に『相続開始の直前における被相続人等の事業供用』が適用要件として判定されるべきものであると考えられます。

そうすると、従前に入居者が存在しない新築の賃貸ビル等で入居者を募集中であるものにつき課税時期において空室になっているものであっても、被相続人等における貸付事業への供用要件が充足されている（入居者を募集していることによって、事業供用と認識されます。）と認められることから、当該新築の賃貸ビル等で入居者を募集中である空室部分も含めて当該賃貸ビルの全室に係る敷地である宅地等について、小規模宅地等の課税特例の適用対象とされるべきものであると考えられます。

⑵　小規模宅地等の課税特例の適用範囲について判断された判例と異なる通達を創設することは容認されるべきでないこと

前問㉜の **応答** に掲げる参考裁判例（横浜地方裁判所（平成７年７月19日判決、平成４年（行ウ）第18号他））では、同様の事情にある宅地等に対する小規模宅地等の課税特例の適用範囲について「小規模宅地等の相続税の課税価格の計算の特例の適用対象となる土地は、相続開始時において実際に賃貸されていた部分に対応する敷地のみに限らず、当該賃貸マンションの敷地の全部となる。」との判断がされており、租税法律主義及び三権（立法、行政、司法）分立主義に立脚するわが国の制度では、先例（判例）(注)と異なる解釈を通達により明確化する（通達による限定解釈）ことは容認されるべきではないと考えられます。

そうすると、新築の賃貸ビル等で入居者を募集中に課税時期が到来したものについては、上記に掲げる判示のとおりの解釈によることが相当で、当該賃貸ビル等の敷地の全部を小規模宅地等の課税特例の対象とされるべきものであると考えられます。

(注)　上記の横浜地方裁判所の判断は、下記に掲げるその後の上級審でも支持されています。

控訴審　東京高等裁判所（平成８年４月18日判決）
・平成７年（行コ）第104号

上告審　最高裁判所〔第１小法廷〕（平成10年２月26日判決）
・平成８年（行ツ）第202号

⑷　まとめ

今一度、措置法第69条の４《小規模宅地等についての相続税の課税価格の計算の特例》に規定する『被相続人等の事業の用に供されていた宅地等』という文言中の『事業の用』という用語の意義について、租税法律主義において求められる基本（原点）に立ち返って文理解釈に基づく法令解釈等がどのようになされるべきかが再検討されるべきものと考えます。

## 〔6〕『配偶者居住権等』に対する小規模宅地等の課税特例の適用に関する項目

『配偶者居住権等』に対する小規模宅地等の課税特例の適用関係を理解するためには、その前提として、下記に掲げる事項について確認しておく必要があります。

・民法に規定する『配偶者短期居住権』

・民法に規定する『配偶者居住権』

・相続税法に規定する『配偶者居住権等』の評価方法

そこで、上記に掲げる各事項について、基本的な項目をＱ＆Ａ形式でまとめてみることにします。

### 民法に規定する『配偶者短期居住権』について

**Q1　配偶者短期居住権が新設された趣旨**

令和２年４月１日に施行された民法改正によって、『配偶者短期居住権』の制度が新設されることになりました。当該制度が新設される前には、どのような問題点があったのか説明してください。

**A1**

⑴　最高裁判例（平成８年12月17日）の出現

民法第898条《共同相続の効力》の規定では、「相続人が数人あるときは、相続財産は、その共有に属する。」とされています。

そうすると、下記のような事例では、被相続人甲に係る相続開始に伴って、残存配偶者である配偶者乙の自宅（被相続人甲所有の居住建物）の継続使用（従来どおり、配偶者乙が自宅を無償で使用している状況）が危ぶまれる事態も数多くあったと側聞されました。

事例

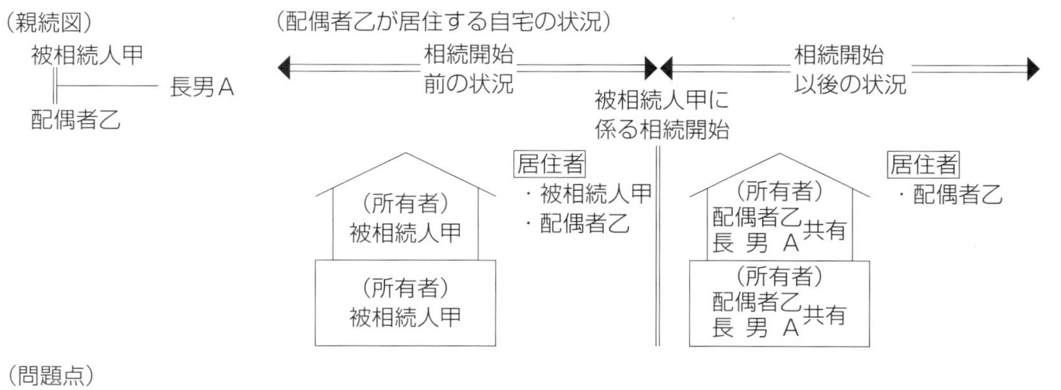


(問題点)

上記事例では、配偶者乙は、被相続人甲に係る相続開始前までは、被相続人甲の占有補助者として被相続人甲所有の居住建物を使用しているものと一般的には理解されます。

しかしながら、被相続人甲に係る相続開始とともに、配偶者乙は、被相続人甲の占有補助者としての地位を喪失することになります。

そして、被相続人甲に係る相続開始と同時に、民法第898条《共同相続の効力》の規定により、相続財産は相続人の共有とされることから、少なくとも、事例の場合には、残存配偶者である配偶者乙が遺産共有持分（２分の１）に基づいて居住建物を継続使用する場合には、同人は他の共同相続人である長男Ａに対して、同人が有するその遺産共有持分（２分の１）に対応する賃料相当額の不当利得返還義務等を負うものとされます。

事例に掲げる（問題点）について、平成８年12月17日付の最高裁判所第三小法廷判決（平成５年(オ)第1946号）では、次のとおりの判示をしています。

参考　最高裁判所第三小法廷（平成８年12月17日判決、平成５年(オ)第1946号）

> 共同相続人の一人が相続開始前から被相続人の許諾を得て遺産である建物において被相続人と同居してきたときは、特段の事情のない限り、被相続人と右同居の相続人との間において、被相続人が死亡し相続が開始した後も、遺産分割により右建物の所有関係が最終的に確定するまでの間は、引き続き右同居の相続人にこれを無償で使用させる旨の合意があったものと推認されるのであって、被相続人が死亡した場合は、この時から少なくとも遺産分割終了までの間は、被相続人の地位を承継した他の相続人等が貸主となり、右同居の相続人を借主とする右建物の使用貸借契約関係が存続することになるものというべきである。けだし、建物が右同居の相続人の居住の場であり、同人の居住が被相続人の許諾に基づくものであったことからすると、遺産分割までは同居の相続人に建物全部の使用権原を与えて相続開始前と同一の態様における無償による使用を認めることが、被相続人及び同居の相続人の通常の意思に合致するといえるからである。

そうすると、事例の場合では、「被相続人甲が死亡した場合は、この時から少なくとも遺産分割終了までの間は、被相続人甲の地位を承継した他の相続人（長男Ａ）が貸主となり、同居の相続人（配偶者乙）を借主とする居住建物の使用貸借契約関係が存続することになるものというべきである。」（上記判例の＝＝＝部分）とされ、少なくとも、被相続人甲に係る遺産分割終了までは継続して、残存配偶者である配偶者乙は、当該居住建物を原則として無償で使用することが可能となります。

#### ⑵　最高裁判例の出現後も残る問題点

上記の最高裁判決における解釈は、次に掲げるような各事案については、その射程には入っておらず、上記⑴の事例に掲げる（問題点）が従来どおり、残るものとされていました。

事案１　上記事例において、配偶者乙が被相続人甲に係る相続を放棄したため、共同相続人とならなかった場合

事案２　上記事例において、被相続人甲所有の居住建物が配偶者乙以外の者に遺贈されたため、遺産分割の対象財産から逸脱してしまった場合

事案３　上記事例において、被相続人甲に係る遺産分割協議が同人の相続開始後、比較的に早期（例えば、相続開始後６か月未満）に確定し、被相続人甲所有の居住建物が配偶者乙以外の者に帰属するものとされた場合

上記に掲げるような事案への対応も含めて、被相続人に係る相続開始に伴う残存配偶者の短期的な居住権の確保を目的として新設されたのが『配偶者短期居住権』です。その概要については、次の**Q2**を参照してください。

## Q2　配偶者短期居住権の概要

令和2年4月1日に施行された民法改正によって新設された『配偶者短期居住権』について、その概要を説明してください。

**A2**

令和2年4月1日に施行された民法改正によって、次に掲げる民法第1037条《配偶者短期居住権》の規定が新設されました。

参考　民法第1037条《配偶者短期居住権》

第1項　配偶者は、被相続人の財産に属した建物に相続開始の時に無償で居住していた場合には、次の各号に掲げる区分に応じてそれぞれ当該各号に定める日までの間、その居住していた建物（以下この節において「居住建物」という。）の所有権を相続又は遺贈により取得した者（以下この節において「居住建物取得者」という。）に対し、居住建物について無償で使用する権利（居住建物の一部のみを無償で使用していた場合にあっては、その部分について無償で使用する権利。以下この節において「配偶者短期居住権」という。）を有する。ただし、配偶者が、相続開始の時において居住建物に係る配偶者居住権を取得したとき、又は第891条の規定に該当し若しくは廃除によってその相続権を失ったときは、この限りでない。

一　居住建物について配偶者を含む共同相続人間で遺産の分割をすべき場合
　遺産の分割により居住建物の帰属が確定した日又は相続開始の時から6箇月を経過する日のいずれか遅い日

二　前号に掲げる場合以外の場合　第3項の申入れの日から6箇月を経過する日

第2項　前項本文の場合においては、居住建物取得者は、第三者に対する居住建物の譲渡その他の方法により配偶者の居住建物の使用を妨げてはならない。

第3項　居住建物取得者は、第1項第一号に掲げる場合を除くほか、いつでも配偶者短期居住権の消滅の申入れをすることができる。

### (1)　適用対象者

被相続人の財産に属した建物に相続開始の時に無償で居住していた当該被相続人に係る配偶者が存する場合における当該配偶者が適用対象者とされます。

（注1）『被相続人の財産に属した建物』とされていることから、建物所有者が被相続人以外の親族である場合又は第三者である場合（一般的な賃貸建物）は、これに該当しないことになります。

（注2）『被相続人の財産に属した建物』とは、居住建物につき被相続人が単独で所有者となる場合のほか、被相続人が共有持分権を有している場合にすぎないものであっても、当該共有持分権を相続又は遺贈により取得した者に対して、被相続人の配偶者は配偶者短期居住権を主張することが認められます。

なお、この場合において、当該配偶者は、当該共有持分権を相続又は遺贈により取得した者以外の他の共有持分権者に対して配偶者短期居住権を主張することはできないものとされています。

（注3）被相続人の配偶者が『無償で居住していた』ことは要件とされていますが、居住することについ

て被相続人の許可を得ていたことや、被相続人と同居していたことまでをも要件とはしていません。

（注４）『居住建物』とは、配偶者が生活の本拠として現に居住の用に供していた建物であることが必要と解釈されています。したがって、次に掲げる事項に留意する必要があります。

(イ) 被相続人に係る相続開始時に配偶者が入院等の事由によって、一時的に被相続人の財産に属した建物から離れていたとしても、当該事由が解消した場合には当該建物に復帰することが想定されており、それを前提として当該建物が維持管理されているときには、当該建物は、配偶者の生活の本拠としての居住建物に該当するものと考えられます。

(ロ) 被相続人に係る相続開始時に、相当旧来から配偶者が被相続人との同居を拒絶し借家に居住していたため、被相続人の財産に属した建物から離れているという状況では、たとえ、配偶者の住民票が当該建物の所在地に残っていたとしても、当該建物は、配偶者の生活の本拠としての居住建物には該当しないものと考えられます。

（注５）『居住建物』とは、建物全部を居住の用に供している状況を必ずしも求めるものではなく、建物の一部でも居住の用に供されている状況をいうものと解されています。

この場合において、配偶者短期居住権の対象とされるのは、当該建物のうち居住の用に供されている部分に限定されるものではなく、配偶者が無償で使用していた部分すべてに及びます。

したがって、例えば、被相続人の財産に属した建物（店舗兼住宅で、１階が配偶者の営む小売店、２階が被相続人及び配偶者の居住用）を被相続人に係る相続開始の時に配偶者が無償で利用していたというのであれば、当該建物の全部について配偶者短期居住権が成立することになります。

（注６）『配偶者』については、現行法が戸籍主義を採用していることからいわゆる『内縁の配偶者』はこれに含まれないものと解されます。

### (2) 適用対象物

上記(1)に掲げる配偶者は、下記(3)に掲げる日までの期間、その居住していた建物（居住建物）の所有権を相続又は遺贈により取得した者（居住建物取得者）に対し、居住建物について無償で使用する権利（注）（配偶者短期居住権）を取得するものとされています。

（注）居住建物の一部のみを無償で使用していた場合にあっては、その部分について無償で使用する権利とされます。

### (3) 配偶者短期居住権の存続期間

上記(1)に掲げる配偶者が有する配偶者短期居住権の存続期間は、その対象とされる居住建物の次に掲げる区分に応じて、それぞれに掲げる日までの期間とされています。

① 居住建物について配偶者を含む共同相続人間で遺産の分割をすべき場合

次に掲げる日のうち、いずれか遅い日

(イ) 遺産の分割により居住建物の帰属が確定した日

(ロ) 相続開始の時から６か月を経過する日

② 上記①に掲げる場合以外の場合

居住建物取得者（上記①により取得した者を除きます。）が配偶者短期居住権の消滅の申入れをした日から６か月を経過する日

（注）次に掲げる場合における配偶者短期居住権の存続期間は、上記②に掲げる取扱いとなりますので留意する必要があります。

(A) 相続人の配偶者が民法第915条《相続の承認又は放棄をすべき期間》の規定による相続の放棄を行った場合

(B) 民法第902条《遺言による相続分の指定》の規定による相続分の指定があった場合において、

配偶者の相続分がないとされたとき

⑷　**適用期日**

上記に掲げる民法改正後の取扱いは、令和２年４月１日を施行日として同日以後に開始した相続について適用するものとされています。したがって、同日前に開始した相続については、なお従前の例（前問 **Q1** の **A1** ⑵に掲げる最高裁判例の出現後も残る問題点を有する状況の取扱い）が適用されるものとされています。

## Q3　配偶者短期居住権に係る具体的な事例検討

次に掲げる 事例１ ないし 事例３ の各事例において、被相続人甲に係る残存配偶者である配偶者乙について、配偶者短期居住権は具体的にどのように適用されるのか説明してください。

各事例において共通とされる事項

⑴　被相続人甲に係る相続開始日（令和３年６月10日）において、被相続人甲所有の不動産（居住建物及びその敷地である宅地）に、被相続人甲及び配偶者乙が同居していました。

⑵　配偶者乙は、被相続人甲に対して、上記⑴の不動産の利用の対価として家賃を支払ったという事実はありません。

⑶　被相続人甲に係る共同相続人は、配偶者乙及び長男Ａの２名です。

事例１

被相続人甲に係る遺産分割協議が令和８年10月15日（被相続人甲に係る相続開始後の約５年４か月経過後）に成立し、上記⑴に掲げる不動産については長男Ａが取得することが確定した場合

事例２

被相続人甲に係る遺産分割協議が令和３年８月15日（被相続人甲に係る相続開始後の約２か月経過後）に成立し、上記⑴に掲げる不動産については長男Ａが取得することが確定した場合

事例３

被相続人甲は生前に公正証書遺言を作成しており、上記⑴に掲げる不動産については被相続人甲の知人Ｐに遺贈する旨の記載があり、知人Ｐが当該遺言内容を受諾した場合

## A3

前問 **Q2** の **A2** に掲げる取扱いに基づいて、**Q3** の 事例１ ないし 事例３ の各事例における配偶者乙が有する配偶者短期居住権の存続期間は、それぞれ次に掲げるとおりとなります。

⑴　**事例１ の場合**

事例１ は、居住建物について遺産分割の対象とすべき事案であることから、配偶者短期

居住権の存続期間の算定は、上記 **Q2** の **A2** (3)①により行うものとされています。

そうすると、遺産の分割により居住建物の帰属が確定した日が令和８年10月15日であり、一方、相続開始の時（令和３年６月10日）から６か月を経過する日が令和３年12月10日となることから、両者のうちいずれか遅い日として、前者の令和８年10月15日までが配偶者短期居住権の存続期間とされます。

**(2)　事例２ の場合**

事例２ は、居住建物について遺産分割の対象とすべき事案であることから、配偶者短期居住権の存続期間の算定は、前問 **Q2** の **A2** (3)①により行うものとされています。

そうすると、遺産の分割により居住建物の帰属が確定した日が令和３年８月15日であり、一方、相続開始の時（令和３年６月10日）から６か月を経過する日が令和３年12月10日となることから、両者のうちいずれか遅い日として、後者の令和３年12月10日までが配偶者短期居住権の存続期間とされます。

**(3)　事例３ の場合**

事例３ は、居住建物が遺贈され遺産分割の対象とすべき事案ではないことから、配偶者短期居住権の存続期間の算定は、前問 **Q2** の **A2** (3)②により行うものとされています。

そうすると、当該居住建物を遺贈により取得した居住建物取得者（被相続人甲の知人Ｐ）による配偶者乙に対する配偶者短期居住権の消滅の申入れの日から６か月を経過する日までが配偶者短期居住権の存続期間とされます。

## Q4　配偶者短期居住権に係る利益評価の必要性（その１：民法上の観点からの検討）

『配偶者短期居住権』が成立している場合、それによって被相続人に係る配偶者が受けていると考えられる利益の評価は民法上、どのように算定されますか。

また、被相続人に係る遺産分割に当たって、どのように反映させる必要があるのでしょうか。

**A4**

前々問 **Q2** でその概要を確認したとおり、配偶者短期居住権の成立によって、被相続人に係る配偶者は一定の期間（例えば、居住建物が当該配偶者を含む共同相続人間で遺産分割の対象とされるべき場合には、当該遺産分割による帰属確定日又は相続開始の時から６か月を経過する日のいずれか遅い日まで）、居住建物を無償で使用継続することができる利益を有することとなります。

しかしながら、次に掲げる事項等から総合的に判断すると、上記の配偶者短期居住権の成立による利益を評価する必要はないものと考えられ、被相続人に係る遺産分割において配偶者の具体的相続分を算定する場合でも、配偶者短期居住権に係る利益相当額を算定して、これを控除する必要はないものとされます。

①　配偶者居住権（内容については、次掲の **民法に規定する『配偶者居住権』について**

を参照）とは異なり、配偶者短期居住権の存続期間は原則として、被相続人に係る相続開始後の比較的短期間に限定されていること

② 民法第752条《同居、協力及び扶助の義務》において「夫婦は同居し、互いに協力し扶助しなければならない。」と規定されていることから、被相続人は自己に係る相続開始後も、配偶者が居住する建物についても一定の配慮を行うべきであるという考え方も成立すること

③ **Q1** の **A1** ⑴で紹介した最高裁判例（平成８年12月17日）では、被相続人が死亡した時から少なくとも遺産分割終了までの間、使用貸借契約が存続すると推認される場合における当該被相続人の配偶者が取得する当該使用による利益は特別受益には該当せず、その具体的相続分から控除する必要はないものと判示していること

## Q5 配偶者短期居住権に係る利益評価の必要性（その２：相続税法上の観点から検討）

『配偶者短期居住権』が成立している場合、それによって被相続人に係る配偶者が受けていると考えられる利益の評価は相続税法上、どのように算定されますか。

**A5**

前問 **Q4** で確認したとおり、民法上の取扱いでは、配偶者短期居住権の成立による利益を評価する必要はないものとされています。

そうすると、相続税等における財産評価においても、配偶者短期居住権の成立による利益を評価する必要はないと考えられ、現に、相続税法において、配偶者短期居住権を評価する旨の規定は設けられていません。

## 民法に規定する『配偶者居住権』について

### Q１　配偶者居住権が新設された趣旨

令和２年４月１日に施行された民法改正によって、『配偶者居住権』の制度が新設されることになりました。当該制度が新設される前には、どのような問題点があったのか説明してください。

### A１

(1)　配偶者居住権が新設される前の問題点

改正民法施行（令和２年４月１日）前の取扱いでは、被相続人に係る相続開始時に、被相続人所有の居住建物に被相続人と配偶者が同居していた場合であっても、当該事項は被相続人に係る遺産分割においては格別に考慮の対象とされる旨の規定は設けられていませんでした。

そうすると、下記のような事例では、被相続人甲に係る相続開始に伴って、残存配偶者である配偶者乙は居住建物の所有権は確保できたものの、その他の財産（現金預金等）を取得することとは叶わず、生活費の確保の観点からこれを不安視する向きも多くあったようです。

**事例**

（親続図）

被相続人甲
║――――――　長男Ａ
配偶者乙

（被相続人甲に係る相続開始時の財産）

・自宅（被相続人甲及び配偶者乙の居住用）……30,000千円
・現金預金等　……30,000千円

（注）　被相続人甲に係る相続について、特別受益（遺贈又は生前贈与）を考慮する必要はないものとする。

（問題点）

上記事例における各相続人の具体的な相続分を算定すると、下記に掲げる計算のとおり、配偶者乙は30,000千円となりますが、この30,000千円相当額として自宅（被相続人甲と配偶者乙の居住用）を充当すると、もはや、配偶者乙には現金預金等を取得する権利がなくなってしまいます。

各相続人の具体的な相続分の計算

①　相続開始時の財産
30,000千円（自宅）＋30,000千円（現金預金等）＝60,000千円

②　特別受益額
0千円

③　みなし相続財産
①＋②＝60,000千円

> ④　各相続人の具体的な相続分
>
> 配偶者乙　③× $\frac{1}{2}$＝30,000千円
>
> 長男Ａ　③× $\frac{1}{2}$＝30,000千円

### ⑵　配偶者居住権を新設することによる問題解決

上記⑴に掲げる問題点に対応するものとして、配偶者が相続開始時に居住していた被相続人所有の建物を対象として、終身又は一定の期間、当該配偶者に当該建物の使用を認めることを内容とする法定の権利（配偶者居住権）が、施行日を令和２年４月１日とする民法改正によって新設されました。

この配偶者居住権は所有権ではなく、居住建物に対する配偶者のために設けられた使用収益権であることから、その価額は居住建物が所有権とされる場合の価額に比して低額になることが想定され、配偶者に対する居住権を安価で確保させることによって、現金預金等の金融資産を当該配偶者に取得させる機会を増大させ、これによって生活費の確保を図り、生活の安定に資することが可能とされます。

上記⑴の事例において、自宅（被相続人甲及び配偶者乙の居住用）につき、次に掲げるとおりの遺産分割ができた場合における各相続人の現金預金等に対する具体的な取得金額（法定相続分で取得したものとして算定）は、下記計算のとおり、配偶者乙につき18,000千円となり、これにより同人の今後の生活費の確保が図られたことが確認できます。

**自宅に対する遺産分割の内容**

・配偶者居住権を配偶者乙が取得し、その価額は12,000千円と評価される。
・配偶者居住権の負担が付いた居住建物の所有権を長男Ａが取得し、その価額は18,000千円と評価される。

**各相続人の現金預金等に対する具体的な取得金額**

配偶者乙……30,000千円（配偶者乙の具体的な相続分）－12,000千円（配偶者居住権の価額）
＝18,000千円

長男Ａ……30,000千円（長男Ａの具体的な相続分）－18,000千円（配偶者居住権の負担が付いた居住建物の所有権の価額）＝12,000千円

### ⑶　配偶者居住権の応用的な活用方法

施行日を令和２年４月１日とする民法改正によって新設された配偶者居住権は遺贈の目的とすることも可能とされています。（詳細については、次問 **Q2** を参照）

そうすると、それぞれ子がいる高齢者同士が再婚した場合にも、自宅建物を所有する者（㊞夫）は、遺言によってその配偶者（㊞後妻）に配偶者居住権を取得させてその居住権を確保しつつ、自宅建物の所有権については、自分の子（㊞夫の長男）に取得させることができる

こととなり、この方法を採用することによって、相続人間における相続争いを未然に防ぐ効果が期待されます。（下記**（参考）**を参照してください。）

**（参考）**

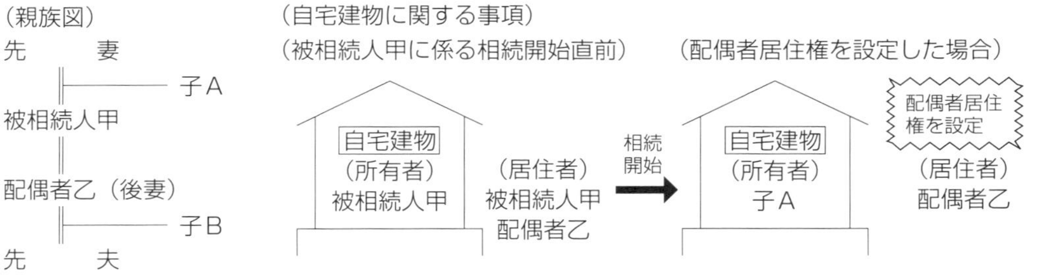


## Q2　配偶者居住権の概要

> 令和2年4月1日に施行された民法改正によって新設された『配偶者居住権』について、その概要を説明してください。

**A2**

令和2年4月1日に施行された民法改正によって、次に掲げる民法第1028条《配偶者居住権》及び同第1030条《配偶者居住権の存続期間》の各規定が新設されました。

参考　民法第1028条《配偶者居住権》

> 第1項　被相続人の配偶者（以下この章において単に「配偶者」という。）は、被相続人の財産に属した建物に相続開始の時に居住していた場合において、次の各号のいずれかに該当するときは、その居住していた建物（以下この節において「居住建物」という。）の全部について無償で使用及び収益をする権利（以下この章において「配偶者居住権」という。）を取得する。ただし、被相続人が相続開始の時に居住建物を配偶者以外の者と共有していた場合にあっては、この限りでない。
> 一　遺産の分割によって配偶者居住権を取得するものとされたとき。
> 二　配偶者居住権が遺贈の目的とされたとき。
>
> 第2項　居住建物が配偶者の財産に属することとなった場合であっても、他の者がその共有持分を有するときは、配偶者居住権は、消滅しない。
>
> 第3項　第903条第4項の規定は、配偶者居住権の遺贈について準用する。

参考　民法第1030条《配偶者居住権の存続期間》

> 配偶者居住権の存続期間は、配偶者の終身の間とする。ただし、遺産の分割の協議若しくは遺言に別段の定めがあるとき、又は家庭裁判所が遺産の分割の審判において別段の定めをしたときは、その定めるところによる。

### (1)　適用対象者

被相続人の配偶者が、被相続人の財産に属した建物に相続開始の時に居住していた場合において、次に掲げる①又は②のいずれかに該当するときにおける当該配偶者が適用対象者とされます

①　遺産の分割によって、配偶者居住権を取得するものとされたとき

②　配偶者居住権を遺贈の目的とされたとき

(注1)　上記①又は②に掲げるとおり、配偶者居住権の取得形態に死因贈与（贈与者の死亡によってその効力を生じる贈与）による取得は明文化されていませんが、次に掲げる事項からすると、死因贈与にすることも認められるものと解されています。

(イ)　死因贈与については、民法第554条《死因贈与》により、その性質に反しない限り遺贈に関する規定が準用されることとされていること

(ロ)　死因贈与による配偶者居住権の取得を否定する理由はないこと

(注2)　上記②に掲げるとおり、配偶者居住権の取得形態として『配偶者居住権が遺贈の目的とされたとき』と規定されており、条文上では特定財産承諾遺言（遺産分割の方法として遺産に属する特定の財産を共同相続人の一人又は数人に承継させる旨の遺言であり、いわゆる相続させる旨の遺言をいいます。）によっては、原則として配偶者居住権を取得することはできない（注①、注②）ものとされています。

注①　特定財産承継遺言による取得を認めると、配偶者が配偶者居住権の取得を望まない場合には当該相続全体の放棄を行う必要があり（遺贈の場合には、目的物（配偶者居住権）の受遺の拒絶のみで事足ります。）、かえって、配偶者の利益を侵害するおそれがあることに配慮したものであるとされています。

注②　仮に、『配偶者居住権を配偶者に相続させる。』旨の遺言書が作成されていた場合であっても、遺贈と解すべき特段の事情があると認められるとき（参考判例として、最高裁判所第二小法廷、平成３年４月19日判決、平成元年(オ)第174号事件があります。）には、配偶者居住権を遺贈したものとして取り扱う余地があるものと考えられます。

(注3)『被相続人の財産に属した建物』とされていることから、建物所有者が被相続人以外の親族である場合又は第三者である場合（一般的な賃貸建物）は、これに該当しないことになります。

(注4)　被相続人が居住建物を相続開始時に他の者と共有で所有している場合における『被相続人の財産に属した建物』に該当するか否か（換言すれば、配偶者居住権の対象となるか否か）の判定については、次のとおりに規定されています。

(イ)　共有者が当該被相続人の配偶者である場合

当該居住建物は、『被相続人の財産に属した建物』に該当し、配偶者居住権の対象とされます。

(ロ)　共有者が上記(イ)に掲げる者以外の者

当該居住建物は、『被相続人の財産に属した建物』には該当せず、配偶者居住権の対象とされません。

(注5)　被相続人の配偶者が『相続開始の時に居住していた』ことは要件とされていますが、居住することについて被相続人の許可を得ていたことや、被相続人と同居していたことまでをも要件とはしていません。

(注6)『居住建物』とは、配偶者が生活の本拠として現に居住の用に供していた建物であることが必要と解釈されています。したがって、次に掲げる事項に留意する必要があります。

(イ)　被相続人に係る相続開始時に配偶者が入院等の事由によって、一時的に被相続人の財産に属した建物から離れていたとしても、当該事由が解消した場合には当該建物に復帰することが想定されており、それを前提として当該建物が維持管理されているときには、当該建物は、配偶者の生活の本拠としての居住建物に該当するものと考えられます。

(ロ)　被相続人に係る相続開始時に、相当旧来から配偶者が被相続人との同居を拒絶し借家に居住していたため、被相続人の財産に属した建物から離れているという状況では、たとえ、配偶者の住民票が当該建物の所在地に残っていたとしても、当該建物は、配偶者の生活の本拠としての居住建物には該当しないものと考えられます。

(注7)『居住建物』とは、建物全部を居住の用に供している状況を必ずしも求めるものではなく、建物

の一部でも居住の用に供されている状況をいうものと解されています。

この場合において、配偶者居住権の対象とされるのは、当該建物のうち居住の用に供されている部分に限定されるものではなく、当該建物（居住建物）の全部について使用及び収益をすることができるようになります。

したがって、例えば、被相続人の財産に属した建物が、店舗兼住宅で１階が被相続人（被相続人から１階部分を無償で借り受けていた者（例えば、配偶者）である場合も含まれます。）の営む小売店、２階が被相続人及び配偶者の居住用であるのであれば、一定要件下に当該建物の全部について配偶者居住権を成立させることが可能となります。

（注８）『配偶者』については、現行法が戸籍主義を採用していることからいわゆる『内縁の配偶者』はこれに含まれないものと解されます。

⑵　適用対象物

上記⑴に掲げる配偶者は、下記⑶に掲げる日までの期間、その居住していた建物（居住建物）の全部について、これを適用対象物として無償で使用及び収益をする権利（配偶者居住権）を取得するものとされています。

⑶　配偶者居住権の存続期間

上記⑴に掲げる配偶者が有する配偶者居住権の存続期間は、次に掲げる区分に応じて、それぞれに掲げる日までの期間とされています。

①　下記②以外の場合……配偶者の終身の間

②　次に掲げる場合……次に掲げるものにおいて、それぞれに定めるまでの間

⒤　遺産の分割の協議において別段の定めがあるとき

(ロ)　遺言において別段の定めがあるとき

(ハ)　家庭裁判所が遺産の分割の審判において別段の定めをしたとき

（注）　家庭裁判所における遺産の分割の審判においても、一定の要件が成立した場合には、配偶者居住権の取得が認められるものとされています。

なお、配偶者居住権の存続期間については、併せて、次に掲げる点についても留意する必要があります。

㋑　抽象的な存続期間を定めることの可否

配偶者居住権の存続期間は、原則として、配偶者の終身の期間とし、一定の場合（遺産分割協議、遺言、家庭裁判所による審判）には<u>別段に定められた期間</u>までとされています。

この場合において、＿＿部分については、具体的な期間を定める必要があるものと解釈されることから、次に掲げるような期間の定めを設けることは認められないものとされています。

(A)　配偶者は、配偶者居住権を『同人が必要と認める期間』において取得する。

(B)　配偶者は、配偶者居住権を『各相続人間において別途再協議するまでの期間』取得する。

(C)　配偶者は、配偶者居住権を『当分の間』取得する。

㋺　配偶者居住権の更新（法定更新・合意更新）

配偶者居住権については、当初に約定した存続期間の満了によって当然に消滅するもの

とされており、更新（法定更新・合意更新）については、一切想定していないものとされています。

したがって、配偶者居住権の存続期間が配偶者の終身ではなく別段に定められた期間までとされていた場合において、当該期間が満了したときは、改めて当事者間において従前、配偶者居住権が設定されていた居住建物についての貸借契約（使用貸借契約又は賃貸借契約）を締結することになるものと考えられます。

㈧　配偶者居住権の存続期間を変更（配偶者居住権を譲渡又は放棄）することの可否

配偶者居住権を譲渡することは、民法第1032条《配偶者による使用及び収益》第2項の規定により禁止されていますが、配偶者居住権を放棄することによって配偶者居住権を消滅させて、結果として配偶者居住権の存続期間を短縮させることまで禁止されているものではありません。

**⑷　配偶者居住権の目的とされた建物をその後に当該配偶者が取得した場合**

配偶者が配偶者居住権を取得した場合において、その後に当該配偶者が居住建物の所有権を取得したときにおける当該配偶者居住権の取扱いは、次に掲げる区分に従って、それぞれ掲げるとおりとなります。

①　居住建物の所有権を取得した者が配偶者のみである場合

配偶者居住権は、その存立意義を失うことから消滅するものと考えられます。（下記 図1 を参照）

**図1　配偶者のみによる単独取得の場合**

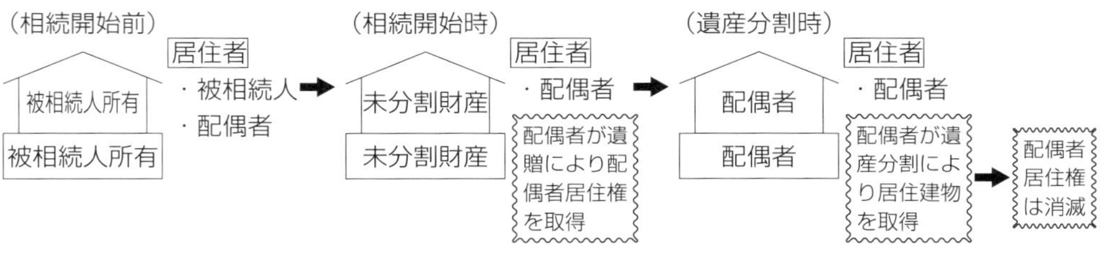


②　居住建物の所有権を取得した者が配偶者及び当該配偶者以外の者による共有持分によるものである場合

配偶者居住権は、消滅しないものと規定されています。これは、配偶者以外の者による配偶者に対する使用料相当額の不当利得返還請求権の行使、共有物分割の要求によって居住建物における配偶者による居住継続を阻害しないことを目的として設けられたものと考えられます。（下記 図2 を参照）

**（注）** 上記の規定は、借地借家法第15条《自己借地権》第2項の規定（「借地権が借地権設定者に帰した場合であっても、他の者と共にその借地権を有するときは、その借地権は、消滅しない。」）の考え方を準用しているものと思われます。

**図２**　**配偶者及び当該配偶者以外の者による共有持分取得の場合**

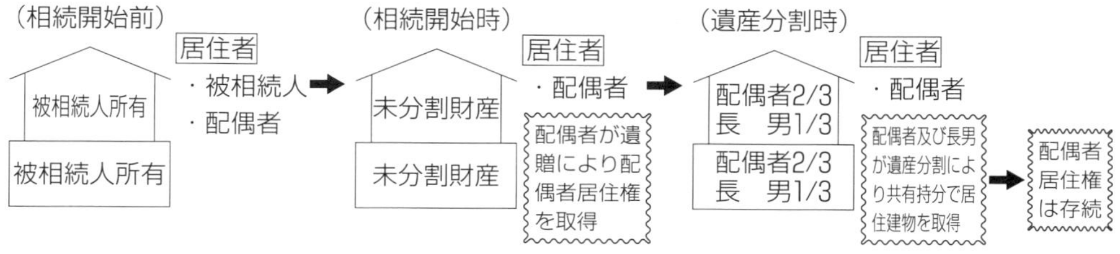


**⑸　配偶者居住権が遺贈の目的とされた場合における特戻し免除の意思表示の推定規定の適用**

令和元年７月１日に施行された民法改正によって新設された民法第903条《特別受益者の相続分》第４項の規定（「婚姻期間が20年以上の夫婦の一方である被相続人が、他の一方に対し、その居住の用に供する建物又はその敷地について遺贈又は贈与をしたときは、当該被相続人は、その遺贈又は贈与について第１項（筆者注 共同相続人中に特別受益者が存する場合の持戻しの取扱い）の規定を適用しない旨の意思を表示したものと推定する。」）は、配偶者が配偶者居住権を遺贈によって取得した場合について、準用するものとされています。

そうすると、婚姻期間が20年以上の夫婦の一方である被相続人が配偶者に対して、配偶者居住権を遺贈した場合には、当該被相続人はその遺贈について持戻し免除の意思表示をしたものと推定され、その結果、特に反証がなされない限り、各共同相続人の具体的相続分の計算においては、配偶者が遺贈により取得した配偶者居住権の価額を考慮しないで算定することになります。

なお、配偶者が、遺産の分割によって配偶者居住権を取得するものとされたときには、上記に掲げる持戻し免除の意思表示の推定規定は当然に適用されないことから、各共同相続人の具体的相続分の計算については、配偶者が取得した配偶者居住権の価額を考慮して算定することになります。

（注）上記＿＿＿部分に掲げる配偶者居住権の取得の態様の区分（遺贈又は遺産の分割）によって、持戻し免除の意思表示の推定規定の適用の有無が異なるものとされていることに留意する必要があります。

**⑹　配偶者による配偶者居住権の使用及び収益（居住建物の増改築又は第三者に居住建物を使用収益させる場合）**

①　居住建物の改築又は増築をする場合

民法第1032条《配偶者による使用及び収益》第３項において、配偶者は居住建物の所有者の承諾を得なければ、居住建物の改築又は増築をしてはならないと規定されています。換言すれば、居住建物の所有者の承諾を得れば、配偶者は居住建物の改築又は増築を行うことが可能とされます。

②　第三者に居住建物を使用又は収益させる場合

民法第1032条《配偶者による使用及び収益》第３項において、配偶者は居住建物の所有者の承諾を得なければ、第三者に居住建物の使用又は収益をさせることができないと規定されています。換言すれば、居住建物の所有者の承諾を得れば、配偶者は第三者に居住建物の使用又は収益をさせることが可能とされます。

③　居住建物の所有者による配偶者居住権の消滅請求

民法第1032条《配偶者による使用及び収益》第4項において、配偶者居住権を取得した配偶者が、上記①（居住建物の改築又は増築をする場合）又は②（第三者に居住建物を使用又は収益させる場合）の規定に違反した場合には、居住建物の所有者が相当の期間を定めてその是正の催告をし、その期間内に是正されないときは、居住建物の所有者は、当該配偶者に対する意思表示によって配偶者居住権を消滅させることができるものとされています。

⑺　**配偶者居住権の譲渡**

民法第1032条《配偶者による使用及び収益》第2項の規定において、配偶者居住権は、譲渡することができないものとされています。

そうすると、配偶者居住権についてはその財産性が認められる（次々問 **Q4** で確認するとおり、配偶者居住権に係る利益評価については、民法上の取扱いとして、相続財産として遺産分割の対象とされます。）ものの、譲渡性を有していない（法的に容認されていない）ことに留意する必要があります。

したがって、仮に、配偶者居住権の目的とされている居住建物を第三者に譲渡する場合には、一旦、配偶者が配偶者居住権を放棄すること等によって、居住建物の所有者が配偶者居住権の負担のない所有権を確保し、当該所有権を第三者に譲渡するという法形式が想定されます。

⑻　**適用期日**

上記に掲げる民法改正後の取扱いは、令和2年4月1日を施行日として同日以後に開始した相続について適用するものとされています。

## Q3　配偶者居住権に係る具体的な事例検討

次に掲げる **事例1** ないし **事例2** の各事例において、被相続人甲に係る残存配偶者である配偶者乙について、配偶者居住権は具体的にどのように適用されるのか説明してください。

各事例において共通とされる事項

⑴　被相続人甲に係る相続開始日（令和3年6月10日）において、被相続人甲所有の不動産（居住建物及びその敷地である宅地）に、被相続人甲及び配偶者乙が同居していました。

⑵　配偶者乙は、被相続人甲に対して、上記⑴の不動産の利用の対価として家賃を支払ったという事実はありません。

⑶　被相続人甲に係る共同相続人は、配偶者乙及び長男Aの2名です。

事例１

被相続人甲に係る遺産分割協議が令和５年８月25日（被相続人甲に係る相続開始後の約２年２か月経過後）に成立し、居住建物につき、配偶者乙が配偶者居住権を令和25年12月31日までの期間取得し、また、長男Ａが当該居住建物の所有権（前記の配偶者居住権の負担が付いた所有権）を取得することになった場合

事例２

被相続人甲に係る相続開始直後に発見された遺言書で、居住建物につき、その配偶者居住権を配偶者乙（被相続人甲との婚姻期間は30年間）に対して遺贈する旨の記載があり、配偶者乙が当該遺言の内容を承諾した場合（なお、配偶者居住権の存続期間については、特段の記載はされていませんでした。）

**A3**

前問**Q2**の**A2**に掲げる取扱いに基づいて、**Q3**の事例１ないし事例２の各事例において配偶者乙が有する配偶者居住権の存続期間及び持戻し免除の推定規定の適用関係を示すと、それぞれ次に掲げるとおりとなります。

(1)　事例１の場合

事例１は、遺産の分割によって配偶者居住権を取得するものとされた事案であり、配偶者居住権の存続期間は、前問**Q2**の**A2**(3)②(イ)より、当該遺産分割協議で定められた令和25年12月31日までの期間とされます。

なお、事例１の配偶者居住権の取得は遺産の分割によるものとされていることから、配偶者居住権は、前問**Q2**の**A2**(5)に掲げる持戻し免除の意思表示の推定規定の対象とはならず、各共同相続人の具体的相続分の計算において配偶者乙が取得した配偶者居住権の価額を考慮して算定することになります。

(2)　事例２の場合

事例２は、配偶者居住権が遺贈の目的とされた事案であり、配偶者居住権の存続期間は、遺言において別段の定めが記載されていないことから前問**Q2**の**A2**(3)①より、配偶者乙の終身までの期間とされます。

なお、事例２の配偶者居住権の取得は遺贈によるものとされていることから、配偶者居住権は、前問**Q2**の**A2**(5)に掲げる持戻し免除の意思表示の推定規定の対象となり（配偶者乙の被相続人甲との婚姻期間は、20年以上）、特に反証がなされない限り、各共同相続人の具体的相続分の計算において配偶者乙が取得した配偶者居住権の価額を考慮しないで算定することになります。

## Q4 配偶者居住権に係る利益評価の必要性（その１：民法上の観点からの検討）

『配偶者居住権』を取得した場合、それによって被相続人に係る配偶者が受けていると考えられる利益の評価は民法上、どのように算定されますか。
また、被相続人に係る遺産分割に当たって、どのように反映させる必要があるのでしょうか。

## A4

### (1) 考え方

前々問 Q2 でその概要を確認したとおり、配偶者居住権の成立によって、被相続人に係る配偶者は一定の期間、居住建物を無償で使用継続することができる利益を有することとなります。

この場合における一定の期間とは、原則として、配偶者の終身の間（ただし、遺産分割協議、遺言又は家庭裁判所による遺産分割の審判において別段の期間を定めた場合には、当該別段の期間）とされ、一般的には、相当長期間に及ぶことが想定されます。

そうすると、このような特徴を有する配偶者居住権については、当該成立による利益を評価して特別受益として取り扱い、配偶者居住権を取得しなかった他の共同相続人間との間での遺産分割の均衡が図られるべきものであると考えられることから、配偶者居住権の利益評価を必要とする旨の規定を設けたものと考えられます。

（注）ただし、前問 Q3 の A3 (5)に掲げるとおり、配偶者居住権が遺贈（実務上では、死因贈与を含みます。以下同じです。）された場合において、一定の要件を充足するときには、民法第1028条《配偶者居住権》第３項の規定により、同法第903条《特別受益者の相続分》第４項が準用されるものと規定されています。
すなわち、婚姻期間が20年以上の夫婦の一方である被相続人が、他の一方に対し、配偶者居住権を遺贈したときは、当該被相続人は、その遺贈について民法に規定する特別受益者の相続分の持戻しの規定を適用しない旨の意思を表示したものと推定するとされており、この要件に該当した場合には、配偶者居住権の利益評価は不要となります。

### (2) 利益評価の方法

配偶者居住権に係る利益評価の具体的な算定基準は、民法に規定されていません。当該利益評価が民法上必要とされる場合には、法務省民事局において検討された配偶者居住権の評価方法（下記 参考 を参照）も、１つの具体的な算定基準として尊重されるものと考えられます。

参考 『民法及び家事事件手続法の一部を改正する法律について（相続法の改正)』（平成30年７月13日法務省民事局）において示された配偶者居住権の評価方法に関する資料には、『配偶者居住権の価値評価について（簡易な評価方法)』として、簡易な評価方法の考え方及び評価の具体例が掲げられています。

なお、後掲において確認する相続税法に規定する配偶者居住権等の評価方法は、上記に掲げる『配偶者居住権の価値評価について（簡易な評価方法)』に基づいて法制化されたものです。

**Q5　配偶者居住権に係る利益評価の必要性（その２：相続税法上の観点からの検討）**

『配偶者居住権』を取得した場合、それによって被相続人に係る配偶者が受けていると考えられる利益の評価は相続税法上、どのように算定されますか。

**A5**

前問 **Q4** で確認したとおり、民法上の取扱いでは、配偶者居住権を取得による利益を評価する必要があるものとされています。

そうすると、このような態様にある財産については、相続税法上においても相続税の課税対象財産に含める必要があるものと考えられることから、令和２年４月１日に施行された税法改正において相続税法第23条の２《配偶者居住権等の評価》の規定が新設され、法定評価制度の下で、配偶者居住権等の評価方法が明示されています。

## 相続税法に規定する『配偶者居住権等』の評価方法について

### Q1　相続税法に規定する配偶者居住権等の評価

相続税法第23条の２《配偶者居住権等の評価》に規定する配偶者居住権等の特徴及び評価方法について説明してください。

### A1

#### ⑴　配偶者居住権に係る４つの評価区分（配偶者居住権等）

相続税法に規定する配偶者居住権の価額は、お尋ねのとおり相続税法第23条の２《配偶者居住権等の評価》の規定による法定評価制度が適用されています。

民法の規定では『配偶者居住権』という用語が使用されていますが、相続税法第23条の２の規定では、『配偶者居住権等』という用語が使用されているのが特徴です。同条では、配偶者居住権の評価について、当該配偶者居住権を次に掲げる図のとおり４つの区分に分けて（この４つを併せて『配偶者居住権等』といいます。）、その評価方法をそれぞれ、下記⑵ないし⑸に掲げるとおりに規定しています。

図　配偶者居住権に係る４つの区分（配偶者居住権等）

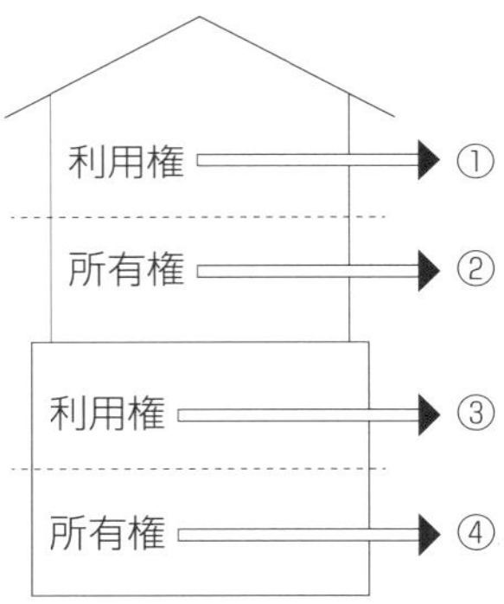


①　配偶者居住権の価額（建物の利用権の価額）

②　配偶者居住権の目的となっている建物の価額（建物の所有権の価額）

③　配偶者居住権の目的となっている建物の敷地の用に供される土地等を当該配偶者居住権に基づき使用する権利の価額（土地等の利用権の価額）

④　配偶者居住権の目的となっている建物の敷地の用に供される土地等の価額（土地等の所有権の価額）

#### ⑵　配偶者居住権の価額（建物の利用権の価額）

配偶者居住権の価額（建物の利用権の価額）は、相続税法第23条の２《配偶者居住権等の評価》第１項の規定によって評価するものとされています。当該規定を算式で示すと、次のとおりになります。

（算式⑴）

$$\text{建物の相続開始時における時価（注１）} - \text{建物の相続開始時における時価（注１）} \times \frac{\left(\text{建物の耐用年数（注２）} - \text{建物の建築後の経過年数（注３）}\right) - \text{配偶者居住権設定時における当該配偶者居住権の存続年数（注４）}}{\text{建物の耐用年数（注２）} - \text{建物の建築後の経過年数（注３）}} \times \text{配偶者居住権設定時における当該配偶者居住権の存続年数（注４）に応じた法定利率による複利現価率（注５）}$$

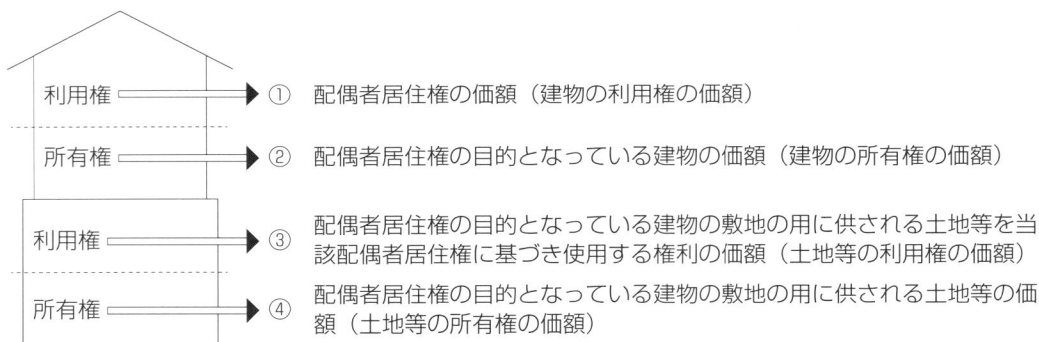

注１　算式中の分数式部分に係る分母又は分子の年数の値が０以下となる場合には、０とします。

注２　この算式により計算した金額（配偶者居住権の価額（建物の利用権の価額））に円未満の端数が生じ

た場合には、当該端数につき、円未満を四捨五入するものと定められています。（令和２年２月21日付、資産評価企画官情報第１号（相続税法基本通達の一部改正について（法令解釈通達）のあらまし（情報）より））

（注１）　建物の相続開始時における時価

建物の相続開始時における時価とは、当該配偶者居住権の目的となっている建物の相続開始の時における当該配偶者居住権が設定されていないものとした場合の時価（通常財産評価基本通達の定めにより評価した価額（固定資産税評価額相当額）とされます。）をいいます。

なお、相続税法基本通達23の２－１《一時的な空室がある場合の「賃貸の用に供されている部分」の範囲》の冒頭部分において、相続税法第23条の２《配偶者居住権等の評価》に規定する時価は、財産評価基本通達の定めにより算定した価額（相続税評価額）によるものであることに留意する旨を定めています。

（注２）　建物の耐用年数

建物の耐用年数とは、所得税法施行令第129条《減価償却資産の耐用年数、償却率等》に規定する耐用年数のうち居住建物に係るもの（参考１の(A)欄を参照）に1.5を乗じて計算した年数（６月以上の端数は１年とし、６月に満たない端数は切り捨てるものとされています。）（参考１の(B)欄を参照）をいいます。

参考１　建物の耐用年数（住宅用のもの）

| 構　　造 | | (A)所得税法施行令の計算 | (B)配偶者居住権の計算 |
|---|---|---|---|
| 鉄骨鉄筋コンクリート造又は鉄筋コンクリート造のもの | | 47年 | 71年 |
| れんが造、石造又はブロック造のもの | | 38年 | 57年 |
| 金属造のもの | 骨格材の肉厚が４㎜を超えるもの | 34年 | 51年 |
| | 骨格材の肉厚が３㎜を超え、４㎜以下のもの | 27年 | 41年 |
| | 骨格材の肉厚が３㎜以下のもの | 19年 | 29年 |
| 木造又は合成樹脂造のもの | | 22年 | 33年 |
| 木骨モルタル造のもの | | 20年 | 30年 |

（注３）　建物の建築後の経過年数

建物の建築後の経過年数の計算に当たっては、６月以上の端数は１年とし、６月に満たない端数は切り捨てるものとされています。また、次に掲げる事項にも留意する必要があります。

①　建物の建築後の経過年数の計算期間の起算日は建物の新築日とし、終算日は当該配偶者居住権の設定日（必ずしも被相続人に係る相続開始日ではありません。）とされていることに留意する必要があります。したがって、配偶者居住権が遺贈ではなく、遺産分割又は家庭裁判所の審判により設定されたものである場合には、この点に留意する必要があります。

なお、相続税法基本通達23の２－２《「配偶者居住権が設定された時」の意義》において、『配偶者居住権が設定された時』とは、民法第1028条《配偶者居住権》第１項の各号に掲げる区分に応じて、それぞれ下記に掲げる時をいうものであることに留意する旨を定めています。

(イ)　民法第1028条《配偶者居住権》第１項第１号の規定（遺産の分割によって配偶者居住権を取得するものとされたとき）に該当する場合

当該遺産の分割が行われた時

(ロ)　民法第1028条《配偶者居住権》第１項第２号の規定（配偶者居住権が遺贈の目的とされたとき）に該当する場合

当該相続開始の時

また、上記(イ)の取扱いについては、遺産の分割が複数回にわたって行われることも想定されますが、そのような場合における『遺産の分割が行われた時』とは、当該配偶者居住権の設定に係る遺産の分割が行われた時となることに留意する必要があります。

②　建物の建築後の経過年数の計算に当たって、当該建物の新築日以後に増築又は改築があった場合にお

いても、これらを区分することなくすべて新築日からの期間計算を行うものとされていることに留意する必要があります。

なお、相続税法基本通達23の２－３《相続開始前に増改築がされた場合の「建築後の経過年数」の取扱い》において、建物の建築後の『経過年数』は、相続開始前に増改築がされた場合であっても、増改築部分を区別することなく、新築時からの経過年数によるものであることに留意する旨を定めています。

このような取扱いが定められたのは、仮に、相続開始前に居住建物の増改築がされた場合には、理論的には旧来から存続する部分と当該増改築部分とに区分して配偶者居住権（建物の利用権）及び配偶者居住権の目的となっている建物の価額（建物の所有権の価額）を評価することが必要とされますが、当該建物の固定資産税評価額を上記に掲げる部分ごとに区分計算して求めるとすると相当複雑なものとなり、評価実務の簡便性になじまないことが考慮されたためであると考えられます。

（注４）　配偶者居住権設定時における当該配偶者居住権の存続年数

配偶者居住権設定時 注１ における当該配偶者居住権の存続年数の計算は、次に掲げる配偶者居住権の設定期間の区分に応じて、それぞれに定める年数（６月以上の端数は１年とし、６月に満たない端数は切り捨てるものとされています。）とされています。

①　配偶者居住権の存続期間が配偶者の終身とされている場合

当該配偶者居住権が設定された時における当該配偶者の平均余命（厚生労働省の作成に係る完全生命表 注２ 注３ に掲げる年齢（注１）及び性別に応じた平均余命（注２）をいいます。次の②(ロ)において同じです。）

（注１）　配偶者居住権が設定された時における当該配偶者の満年齢（出生時から該当時点までの時間を何年何月何日と示したもの）であり、この満年齢の年数の計算に当たっても、６月以上の端数は１年とし、６月に満たない端数は切り捨てるものとされていることに留意する必要があります。

（注２）　平均余命の年数の計算に当たっても、６月以上の端数は１年とし、６月に満たない端数は切り捨てるものとされていることに留意する必要があります。

②　上記①以外の場合（配偶者居住権の存続年数が具体的に定められている場合）

次の(イ)又は(ロ)に掲げる年数のうち、いずれか短い方の年数

(イ)　遺産の分割協議若しくは審判又は遺言により定められた配偶者居住権の存続期間の年数

(ロ)　当該配偶者居住権が設定された時における当該配偶者の平均余命

注１　配偶者居住権の存続期間の起算日は、当該配偶者居住権の設定日（必ずしも被相続人に係る相続開始日ではありません。）とされていることに留意する必要があります。したがって、配偶者居住権が遺贈ではなく、遺産分割又は家庭裁判所の審判により設定されたものである場合には、この点に留意する必要があります。

なお、相続税法基本通達23の２－２《「配偶者居住権が設定された時」の意義》において、『配偶者居住権が設定された時』とは、民法1028条《配偶者居住権》第１項の各号に掲げる場合の区分に応じてそれぞれ、下記に掲げる時をいうものであることに留意する旨を定めています。

(イ)　民法1028条《配偶者居住権》第１項第１号の規定（遺産の分割によって配偶者居住権を取得するものとされたとき）に該当する場合

当該遺産の分割が行われた時

(ロ)　民法1028条《配偶者居住権》第１項第２号の規定（配偶者居住権が遺贈の目的とされたとき）に該当する場合

当該相続開始の時

また、上記(イ)の取扱いについては、遺産の分割が複数回にわたって行われることも想定されますが、そのような場合における『遺産の分割が行われた時』とは、当該配偶者居住権の設定に係る遺産の分割が行われた時となることに留意する必要があります。

注２　相続税法基本通達23の２－５《完全生命表》の定めでは、『完全生命表』は、配偶者居住権が設定された時（筆者注 必ずしも被相続人に係る相続開始時ではありません。）の属する年の１月１日現在において公表されている最新のものによる旨の解釈が示されています。（下記 注３ を参照）

注３　完全生命表について（厚生労働省HPに基づき作成）

現在使用されている最新の第22回完全生命表は、平成27年の完全生命表（㊟完全生命表は５年毎に作成されます。）であり、平成27年国勢調査による日本人人口（確定数）、人口動態統計の確定数（平成27年死亡数、平成26年及び平成27年出生数）を基礎資料として作成（平成29年３月１日公表（厚生労働省））されています。

第22回完全生命表における年齢及び性別に応じた平均余命は、下表に掲げるとおりになります。

| 年齢 | 平均余命 | |
|---|---|---|
| （x歳） | 男 | 女 |
| 0週 | 80.75歳 | 86.99歳 |
| 1 | 80.79 | 87.02 |
| 2 | 80.78 | 87.01 |
| 3 | 80.77 | 87.00 |
| 4 | 80.75 | 86.99 |
| 2月 | 80.68 | 86.91 |
| 3 | 80.61 | 86.84 |
| 6 | 80.39 | 86.62 |
| 0年 | 80.75 | 86.99 |
| 1 | 79.92 | 86.14 |
| 2 | 78.94 | 85.17 |
| 3 | 77.96 | 84.19 |
| 4 | 76.97 | 83.20 |
| 5 | 75.98 | 82.20 |
| 6 | 74.99 | 81.21 |
| 7 | 74.00 | 80.22 |
| 8 | 73.00 | 79.22 |
| 9 | 72.01 | 78.23 |
| 10 | 71.02 | 77.23 |
| 11 | 70.02 | 76.24 |
| 12 | 69.03 | 75.24 |
| 13 | 68.03 | 74.25 |
| 14 | 67.04 | 73.25 |
| 15 | 66.05 | 72.26 |
| 16 | 65.06 | 71.27 |
| 17 | 64.07 | 70.28 |
| 18 | 63.09 | 69.29 |
| 19 | 62.11 | 68.30 |
| 20 | 61.13 | 67.31 |
| 21 | 60.16 | 66.32 |
| 22 | 59.19 | 65.33 |
| 23 | 58.22 | 64.34 |
| 24 | 57.25 | 63.36 |

| 年齢 | 平均余命 | |
|---|---|---|
| （x歳） | 男 | 女 |
| 25年 | 56.28歳 | 62.37歳 |
| 26 | 55.31 | 61.39 |
| 27 | 54.34 | 60.40 |
| 28 | 53.37 | 59.42 |
| 29 | 52.40 | 58.44 |
| 30 | 51.43 | 57.45 |
| 31 | 50.46 | 56.47 |
| 32 | 49.49 | 55.49 |
| 33 | 48.52 | 54.51 |
| 34 | 47.55 | 53.53 |
| 35 | 46.58 | 52.55 |
| 36 | 45.62 | 51.57 |
| 37 | 44.65 | 50.59 |
| 38 | 43.69 | 49.61 |
| 39 | 42.73 | 48.64 |
| 40 | 41.77 | 47.67 |
| 41 | 40.81 | 46.70 |
| 42 | 39.86 | 45.73 |
| 43 | 38.90 | 44.76 |
| 44 | 37.96 | 43.80 |
| 45 | 37.01 | 42.83 |
| 46 | 36.07 | 41.87 |
| 47 | 35.13 | 40.92 |
| 48 | 34.20 | 39.96 |
| 49 | 33.28 | 39.01 |
| 50 | 32.36 | 38.07 |
| 51 | 31.44 | 37.12 |
| 52 | 30.54 | 36.18 |
| 53 | 29.63 | 35.24 |
| 54 | 28.74 | 34.31 |

| 年齢 | 平均余命 | |
|---|---|---|
| （x歳） | 男 | 女 |
| 55年 | 27.85歳 | 33.38歳 |
| 56 | 26.97 | 32.45 |
| 57 | 26.09 | 31.53 |
| 58 | 25.23 | 30.61 |
| 59 | 24.36 | 29.68 |
| 60 | 23.51 | 28.77 |
| 61 | 22.67 | 27.85 |
| 62 | 21.83 | 26.94 |
| 63 | 21.01 | 26.04 |
| 64 | 20.20 | 25.14 |
| 65 | 19.41 | 24.24 |
| 66 | 18.62 | 23.35 |
| 67 | 17.85 | 22.47 |
| 68 | 17.08 | 21.59 |
| 69 | 16.33 | 20.72 |
| 70 | 15.59 | 19.85 |
| 71 | 14.85 | 18.99 |
| 72 | 14.13 | 18.14 |
| 73 | 13.43 | 17.30 |
| 74 | 12.73 | 16.46 |
| 75 | 12.03 | 15.64 |
| 76 | 11.36 | 14.82 |
| 77 | 10.69 | 14.02 |
| 78 | 10.05 | 13.23 |
| 79 | 9.43 | 12.46 |
| 80 | 8.83 | 11.71 |
| 81 | 8.25 | 10.99 |
| 82 | 7.70 | 10.28 |
| 83 | 7.18 | 9.59 |
| 84 | 6.69 | 8.94 |

| 年齢 | 平均余命 | |
|---|---|---|
| （x歳） | 男 | 女 |
| 85年 | 6.22歳 | 8.30歳 |
| 86 | 5.78 | 7.70 |
| 87 | 5.37 | 7.12 |
| 88 | 4.98 | 6.57 |
| 89 | 4.61 | 6.05 |
| 90 | 4.27 | 5.56 |
| 91 | 3.95 | 5.11 |
| 92 | 3.66 | 4.68 |
| 93 | 3.40 | 4.29 |
| 94 | 3.18 | 3.94 |
| 95 | 2.98 | 3.63 |
| 96 | 2.79 | 3.36 |
| 97 | 2.62 | 3.11 |
| 98 | 2.46 | 2.88 |
| 99 | 2.31 | 2.68 |
| 100 | 2.18 | 2.50 |
| 101 | 2.05 | 2.33 |
| 102 | 1.94 | 2.17 |
| 103 | 1.83 | 2.03 |
| 104 | 1.73 | 1.90 |
| 105 | 1.63 | 1.78 |
| 106 | 1.55 | 1.67 |
| 107 | 1.46 | 1.57 |
| 108 | 1.39 | 1.48 |
| 109 | 1.32 | 1.39 |
| 110 | 1.25 | 1.31 |
| 111 | 1.19 | 1.23 |
| 112 | 1.13 | 1.16 |
| 113 | — | 1.10 |
| 114 | — | 1.04 |
| 115 | — | 0.98 |

なお、第22回完全生命表における年齢（満年齢であり、端数処理があることに留意）及び性別に応じた平均余命は上表に掲げるとおりとなっていますが、相続税等における配偶者居住権等の計算に必要な平均余命の算定には端数処理が必要とされているところ、当該端数処理後の平均余命を示すと、次のとおりとなります。

| 満年齢 | 平均余命 | | 満年齢 | 平均余命 | | 満年齢 | 平均余命 | | 満年齢 | 平均余命 | | 満年齢 | 平均余命 | |
|---|---|---|---|---|---|---|---|---|---|---|---|---|---|---|
| | 男 | 女 | | 男 | 女 | | 男 | 女 | | 男 | 女 | | 男 | 女 |
| 16 | — | 71 | 36 | 46 | 52 | 56 | 27 | 32 | 76 | 11 | 15 | 96 | 3 | 3 |
| 17 | — | 70 | 37 | 45 | 51 | 57 | 26 | 32 | 77 | 11 | 14 | 97 | 3 | 3 |
| 18 | 63 | 69 | 38 | 44 | 50 | 58 | 25 | 31 | 78 | 10 | 13 | 98 | 2 | 3 |
| 19 | 62 | 68 | 39 | 43 | 49 | 59 | 24 | 30 | 79 | 9 | 12 | 99 | 2 | 3 |
| 20 | 61 | 67 | 40 | 42 | 48 | 60 | 24 | 29 | 80 | 9 | 12 | 100 | 2 | 3 |
| 21 | 60 | 66 | 41 | 41 | 47 | 61 | 23 | 28 | 81 | 8 | 11 | 101 | 2 | 2 |
| 22 | 59 | 65 | 42 | 40 | 46 | 62 | 22 | 27 | 82 | 8 | 10 | 102 | 2 | 2 |
| 23 | 58 | 64 | 43 | 39 | 45 | 63 | 21 | 26 | 83 | 7 | 10 | 103 | 2 | 2 |
| 24 | 57 | 63 | 44 | 38 | 44 | 64 | 20 | 25 | 84 | 7 | 9 | 104 | 2 | 2 |
| 25 | 56 | 62 | 45 | 37 | 43 | 65 | 19 | 24 | 85 | 6 | 8 | 105 | 2 | 2 |
| 26 | 55 | 61 | 46 | 36 | 42 | 66 | 19 | 23 | 86 | 6 | 8 | 106 | 2 | 2 |
| 27 | 54 | 60 | 47 | 35 | 41 | 67 | 18 | 22 | 87 | 5 | 7 | 107 | 1 | 2 |
| 28 | 53 | 59 | 48 | 34 | 40 | 68 | 17 | 22 | 88 | 5 | 7 | 108 | 1 | 1 |
| 29 | 52 | 58 | 49 | 33 | 39 | 69 | 16 | 21 | 89 | 5 | 6 | 109 | 1 | 1 |
| 30 | 51 | 57 | 50 | 32 | 38 | 70 | 16 | 20 | 90 | 4 | 6 | 110 | 1 | 1 |
| 31 | 50 | 56 | 51 | 31 | 37 | 71 | 15 | 19 | 91 | 4 | 5 | 111 | 1 | 1 |
| 32 | 49 | 55 | 52 | 31 | 36 | 72 | 14 | 18 | 92 | 4 | 5 | 112 | 1 | 1 |
| 33 | 49 | 55 | 53 | 30 | 35 | 73 | 13 | 17 | 93 | 3 | 4 | 113 | — | 1 |
| 34 | 48 | 54 | 54 | 29 | 34 | 74 | 13 | 16 | 94 | 3 | 4 | 114 | — | 1 |
| 35 | 47 | 53 | 55 | 28 | 33 | 75 | 12 | 16 | 95 | 3 | 4 | 115 | — | 1 |

（注５）　法定利率による複利現価率

法定利率［注１］［注２］による複利現価率とは、具体的に次に掲げる算式によって得た割合（この割合に小数点以下３位未満の端数があるときは、これを四捨五入するものとされています。）（［参考２］を参照）をいいます。

（算式）$\dfrac{1}{(1+r)^{n}}$　　r：民法の法定利率　n：配偶者居住権の存続年数

［注１］　相続税法基本通達23の２－４《法定利率》において、『法定利率』は、配偶者居住権が設定された時（［筆者注］必ずしも被相続人に係る相続開始時ではありません。）における民法第404条《法定利率》の規定に基づく利率をいうものであることに留意する旨を定めています。（下記［注２］を参照）

［注２］　平成29年６月の民法改正（施行日：令和２年４月１日）によって、民法第404条《法定利率》に規定する法定利率が改正前の５％から３％に引き下げられる等の大幅な見直しが行われました。

**［参考２］**　法定利率（年３％）による複利現価率

| 年数 | 複利現価率 | 年数 | 複利現価率 | 年数 | 複利現価率 | 年数 | 複利現価率 | 年数 | 複利現価率 |
|---|---|---|---|---|---|---|---|---|---|
| １年 | 0.971 | 16年 | 0.623 | 31年 | 0.400 | 46年 | 0.257 | 61年 | 0.165 |
| ２年 | 0.943 | 17年 | 0.605 | 32年 | 0.388 | 47年 | 0.249 | 62年 | 0.160 |
| ３年 | 0.915 | 18年 | 0.587 | 33年 | 0.377 | 48年 | 0.242 | 63年 | 0.155 |
| ４年 | 0.888 | 19年 | 0.570 | 34年 | 0.366 | 49年 | 0.235 | 64年 | 0.151 |
| ５年 | 0.863 | 20年 | 0.554 | 35年 | 0.355 | 50年 | 0.228 | 65年 | 0.146 |
| ６年 | 0.837 | 21年 | 0.538 | 36年 | 0.345 | 51年 | 0.221 | 66年 | 0.142 |
| ７年 | 0.813 | 22年 | 0.522 | 37年 | 0.335 | 52年 | 0.215 | 67年 | 0.138 |
| ８年 | 0.789 | 23年 | 0.507 | 38年 | 0.325 | 53年 | 0.209 | 68年 | 0.134 |
| ９年 | 0.766 | 24年 | 0.492 | 39年 | 0.316 | 54年 | 0.203 | 69年 | 0.130 |
| 10年 | 0.744 | 25年 | 0.478 | 40年 | 0.307 | 55年 | 0.197 | 70年 | 0.126 |
| 11年 | 0.722 | 26年 | 0.464 | 41年 | 0.298 | 56年 | 0.191 | | |
| 12年 | 0.701 | 27年 | 0.450 | 42年 | 0.289 | 57年 | 0.185 | | |
| 13年 | 0.681 | 28年 | 0.437 | 43年 | 0.281 | 58年 | 0.180 | | |
| 14年 | 0.661 | 29年 | 0.424 | 44年 | 0.272 | 59年 | 0.175 | | |
| 15年 | 0.642 | 30年 | 0.412 | 45年 | 0.264 | 60年 | 0.170 | | |

### (3)　配偶者居住権の目的となっている建物の価額（建物の所有権の価額）

配偶者居住権の目的となっている建物の価額（建物の所有権の価額）は、相続税法第23条の２《配偶者居住権等の評価》第２項の規定によって評価するものとされています。当該規定を算式で示すと、次のとおりになります。

（算式(2)）　建物の相続開始時における時価（注）　－　上記(2)により計算した配偶者居住権の価額

（注）　建物の相続開始時における時価
上記(2)に掲げる算式の（注１）を参照してください。

### (4)　配偶者居住権の目的となっている建物の敷地の用に供される土地等を当該配偶者居住権に基づき使用する権利の価額（土地等の利用権の価額）

配偶者居住権の目的となっている建物の敷地の用に供される土地等を当該配偶者居住権に基づき使用する権利の価額（土地等の利用権の価額）は、相続税法第23条の２《配偶者居住権等の評価》第３項の規定によって評価するものとされています。当該規定を算式で示すと、次のとおりになります。

（算式(3)）　土地等の相続開始時における時価（注１）　－　土地等の相続開始時における時価（注１）　×　配偶者居住権設定時における当該配偶者居住権の存続年数（注２）に応じた法定利率による複利現価率（注３）

注　この算式により計算した金額（配偶者居住権の目的となっている建物の敷地の用に供される土地等を当該配偶者居住権に基づき使用する権利の価額（土地等の利用権の価額））に円未満の端数が生じた場合には、当該端数につき、円未満を四捨五入するものと定められています。（令和２年２月21日付、資産評価企画官情報第１号（相続税法基本通達の一部改正について（法令解釈通達）のあらまし（情報）より））

（注１）　土地等の相続開始時における時価
土地等の相続開始時における時価とは、当該配偶者居住権が設定されていないものとした場合の時価（通常財産評価基本通達の定めにより評価した価額（路線価方式又は倍率方式によって算定した価額）とされます。）をいいます。
なお、相続税法基本通達23の２－１《一時な空室がある場合の「賃貸の用に供されている部分」の範囲》の冒頭部分において、相続税法第23条の２《配偶者居住権等の評価》に規定する時価は、財産評価基本通達の定めにより算定した価額（相続税評価額）によるものであることに留意する旨を定めています。

（注２）　配偶者居住権設定時における当該配偶者居住権の存続年数
上記(2)に掲げる算式の（注４）を参照してください。

（注３）　法定利率による複利現価率
上記(2)に掲げる算式の（注５）を参照してください。

### (5)　配偶者居住権の目的となっている建物の敷地の用に供される土地等の価額（土地等の所有権の価額）

配偶者居住権の目的となっている建物の敷地の用に供される土地等の価額（土地等の所有権の価額）は、相続税法第23条の２《配偶者居住権等の評価》第４項の規定によって評価するものとされています。当該規定を算式で示すと、次のとおりになります。

（算式(4)）　土地等の相続開始時における時価（注）　－　上記(4)により計算した権利の価額

（注）　土地等の相続開始時における時価
上記(4)に掲げる算式の（注１）を参照してください。

**ポイント** **配偶者居住権を求めるための算式をより理解するために!!**

上記(2)ないし(5)に掲げる配偶者居住権等を求めるために示されている（**算式(1)**）ないし（**算式(4)**）のそれぞれの計算構造及び各算式間の関係を示すと、次のとおりとなります。

これらの確認をすることによって、配偶者居住権等の評価方法に対する理解が深まるものと考えられます。

| 算式 | 区分 | 計算式の構造及び各算式間の関係 |
|---|---|---|
| **算式(1)** | 建物 | ・配偶者居住権の価額（建物の利用権の価額）<br>**建物の相続開始時における時価** － **建物の相続開始時における時価** × **〔（建物の耐用年数 － 建物の建築後の経過年数） － 配偶者居住権設定時における当該配偶者居住権の存続年数〕 ÷ （建物の耐用年数 － 建物の建築後の経過年数）** × **配偶者居住権設定時における当該配偶者居住権の存続年数に応じた法定利率による複利現価率**<br>・「建物の相続開始時における時価」（最初の項）→ 配偶者居住権が設定されていないものとした場合の建物の価額<br>・（建物の耐用年数－建物の建築後の経過年数）→ 建物の残存耐用年数を算定<br>・分子 → 配偶者居住権の存続年数を超過する建物の残存耐用年数を算定<br>・分子÷分母 → 配偶者居住権設定時における建物所有者に帰属する価値割合<br>・減算される項全体 → 配偶者居住権の目的となっている建物の価額（建物の所有権の価額） |
| **算式(2)** | 建物 | ・配偶者居住権の目的となっている建物の価額（建物の所有権の価額）<br>**建物の相続開始時における時価（配偶者居住権が設定されていないものとした場合の建物の価額）** － **上記の算式(1)により計算した配偶者居住権の価額**<br>➡ 理解ポイント　この**算式(2)**で計算した価額は、上記**算式(1)**に掲げる［二重枠］部分の価額と一致します。 |
| **算式(3)** | 土地等 | ・配偶者居住権の目的となっている建物の敷地の用に供される土地等を当該配偶者居住権に基づき使用する権利の価額（土地等の利用権の価額）<br>**土地等の相続開始時における時価** － **土地等の相続開始時における時価** × **配偶者居住権設定時における当該配偶者居住権の存続年数に応じた法定利率による複利現価率**<br>・「土地等の相続開始時における時価」（最初の項）→ 配偶者居住権が設定されていないものとした場合の土地等の価額<br>・減算される項全体 → 配偶者居住権の目的となっている建物の敷地の用に供される土地等の価額（土地等の所有権の価額） |
| **算式(4)** | 土地等 | ・配偶者居住権の目的となっている建物の敷地の用に供される土地等の価額（土地等の所有権の価額）<br>**土地等の相続開始時における時価（配偶者居住権が設定されていないものとした場合の土地等の価額）** － **上記の算式(3)により計算した権利の価額**<br>➡ 理解ポイント　この**算式(4)**で計算した価額は、上記**算式(3)**に掲げる［二重枠］部分の価額と一致します。 |

## Q2 配偶者居住権等の評価（その１：被相続人所有の居住建物に配偶者居住権が設定された場合）

被相続人甲は令和３年８月29日に相続の開始がありました。同人に係る相続開始日まで配偶者乙（女性）（生年月日：昭和14年６月19日）と共に居住の用に供していた建物（床面積150㎡）及びその敷地である宅地（いずれも、被相続人甲の所有です。以下「本件不動産」といいます。）の状況は、下記に掲げるとおりとなっていました。

承継者　被相続人甲の遺言によって、配偶者乙は当該居住建物に係る配偶者居住権を配偶者乙の終身にわたる期間、これを遺贈により取得し、また、本件不動産の所有権は、長男Ａが相続するものとされていました。

本件不動産　(1)　建物
- 固定資産税評価額……7,500,000円
- 構造及び法定耐用年数……木造（法定耐用年数22年）
- 新築年月日……平成29年１月25日

(2)　宅地
- 自用地としての価額（相続税評価額）……42,000,000円

その他　(1)　配偶者乙の被相続人甲に係る相続開始時における年齢……82歳２か月10日
(2)　完全生命表による配偶者乙の余命年数……10.28歳（女性：82歳の場合）
(3)　民法の法定利率（年３％）による期間10年の場合の複利現価率……0.744

上記のような状況にある本件不動産の相続税評価額はいくらになりますか。計算過程及びその評価上の留意点にも触れながら説明してください。

**〔類題〕**　上記に掲げる本題において、もし仮に、建物（床面積150㎡）の被相続人甲に係る相続開始の直前における利用状況が下記のとおりであったとしたならばどのようになりますか。なお、その他の条件は変動がないものとします。
- 被相続人甲及び配偶者乙が共に居住の用に供していた部分の床面積……100㎡
- 被相続人甲の長男Ａが無償で借り受けて同人が営む飲食店の事業の用に供していた部分の床面積……50㎡

## A2

### (1)　Q2の事例の場合

上記Q1のA1の(2)ないし(5)に掲げる取扱いに基づいて、Q2に掲げる本件不動産の相続税評価額を算定すると、下記のとおりとなります。

①　配偶者居住権の価額（建物の利用権の価額）

$$7{,}500{,}000\text{円}_{\left(\text{建物の時価}\right)} - 7{,}500{,}000\text{円}_{\left(\text{建物の時価}\right)} \times \frac{\left(33\text{年}\begin{pmatrix}\text{建物の耐用}\\\text{年数(注１)}\end{pmatrix} - 5\text{年}\begin{pmatrix}\text{建物の建築後の}\\\text{経過年数(注２)}\end{pmatrix}\right) - 10\text{年}\begin{pmatrix}\text{配偶者居住権の}\\\text{存続年数(注３)}\end{pmatrix}}{33\text{年}\begin{pmatrix}\text{建物の耐用}\\\text{年数(注１)}\end{pmatrix} - 5\text{年}\begin{pmatrix}\text{建物の建築後の}\\\text{経過年数(注２)}\end{pmatrix}}$$

$$\times 0.744 \begin{pmatrix}\text{年３％による期間10年}\\\text{の場合の複利現価率}\end{pmatrix}$$

＝7,500,000円 － 3,587,142.85…円
（建物の時価）（配偶者居住権の目的となっている建物の価額（建物の所有権の価額））

＝3,912,857.14…円 ➡ 3,912,857円（円未満四捨五入）（配偶者乙の取得財産）

（注１）　建物の耐用年数

22年（木造建物の法定耐用年数）×1.5＝33年

（注２）　建物の建築後の経過年数

H29.1/25（新築日）～R3.8/29（配偶者居住権設定日 注 ）⇒４年７月　∴５年（６月以上切上げ）

注　**Q2** の事例では、遺贈により配偶者居住権が設定されているので、配偶者居住権設定日は被相続人甲に係る相続開始日となります。

（注３）　配偶者居住権の存続年数

・配偶者乙の被相続人甲に係る相続開始時における年齢 ⇒ 82歳２か月10日　∴82歳（６月未満切捨て）

・82歳（女性）の完全生命表による余命年数 ⇒ 10.28歳　∴10年（６月未満切捨て）

②　配偶者居住権の目的となっている建物の価額（建物の所有権の価額）

7,500,000円 － 3,912,857円 ＝3,587,143円（長男Ａの取得財産）
（建物の時価）（上記①により計算した配偶者居住権の価額）

③　配偶者居住権の目的となっている建物の敷地の用に供される土地等を当該配偶者居住権に基づき使用する権利の価額（土地等の利用権の価額）

42,000,000円－42,000,000円× 0.744
（土地等の時価）（土地等の時価）（年３％による期間10年の場合の複利現価率）

＝42,000,000円 － 31,248,000円
（土地等の時価）（配偶者居住権の目的となっている建物の敷地の用に供される土地等の価額（土地等の所有権の価額））

＝10,752,000円（配偶者乙の取得財産）

④　配偶者居住権の目的となっている建物の敷地の用に供される土地等の価額（土地等の所有権の価額）

42,000,000円 － 10,752,000円 ＝31,248,000円（長男Ａの取得財産）
（土地等の時価）（上記③により計算した権利の価額）

⑵　**〔類題〕の事例の場合**

民法第1028条《配偶者居住権》第１項の規定では、要旨、被相続人の配偶者は、被相続人の財産に属した建物に相続開始の時に居住していた場合において、配偶者居住権が遺贈の目的とされたときは、その居住していた建物（居住建物）の全部について無償で使用及び収益をする権利（配偶者居住権）を取得するとされています。

そうすると、一定の要件を充足して配偶者居住権が設定された場合における当該配偶者居住権の設定範囲は、単に当該配偶者が居住の用に供していた部分に限定されるのではなく、当該建物（居住建物）の全部に及ぶものとされています。

したがって、**〔類題〕**の事例においても配偶者乙による配偶者居住権の及ぶ範囲は、本件不動産に係る建物（床面積150㎡）の全部と解されることとなり、この場合における配偶者居住権等の価額は、上記⑴の①ないし④に掲げる価額と同額となります。

**Q3** **配偶者居住権等の評価（その２：被相続人所有の居住建物でその一部が賃貸の用に供されているものに配偶者居住権が設定された場合）**

被相続人甲は令和３年12月30日に相続の開始がありました。同人に係る相続開始日まで、その一部を配偶者乙（女性）（生年月日：昭和19年３月16日）と共に居住の用に供し、また、残余部分を貸家の用に供していた建物及びその敷地である宅地（いずれも、被相続人甲の所有です。以下「本件不動産」といいます。）の状況は、下記に掲げるとおりとなっていました。

承継者　被相続人甲の遺言によって、配偶者乙は当該居住建物に係る自己の居住用部分について、配偶者居住権を同人の終身にわたる期間、これを遺贈により取得し、また、本件不動産の所有権は、長男Ａが相続するものとされていました。

本件不動産
(1)　建物
- 固定資産税評価額……40,000,000円
- 構造及び法定耐用年数……鉄筋コンクリート造（法定耐用年数47年）
- 床面積……100㎡（被相続人甲及び配偶者乙の居住用部分）
  150㎡（第三者に対する賃貸部分）
  250㎡（合計）
- 新築年月日……平成11年９月25日
- 借家権割合……30％
- 賃貸部分の賃貸割合……100％

(2)　宅地
- 自用地としての価額（相続税評価額）……120,000,000円
- 借地権割合……60％

その他
(1)　配偶者乙の被相続人甲に係る相続開始時における年齢……77歳９か月14日
(2)　完全生命表における配偶者乙の余命年数……13.23歳（女性：78歳の場合）
(3)　民法の法定利率（年３％）による期間13年の場合の複利現価率……0.681

上記のような状況にある本件不動産の相続税評価額はいくらになりますか。計算過程及びその評価上の留意点にも触れながら説明してください。

**A3**

**(1)　被相続人が所有する居住建物及びその敷地の一部が賃貸の用に供されていた場合の配偶者居住権等の評価**

①　評価方法

相続税法第23条の２《配偶者居住権等の評価》の規定を適用して、配偶者居住権が設定されている居住建物及びその敷地の用に供されている土地等の利用権の価額を求める場合において、当該居住建物の一部が被相続人に係る相続開始時において賃貸の用に供されていたときには、前々問 **Q1** の **A1** の(2)ないし(5)に掲げる配偶者居住権等の価額を求める

算式中において用いられている『建物の相続開始時における時価』及び『土地等の相続開始時における時価』は、当該居住建物（全体）の床面積のうちに当該賃貸の用に供されている部分以外の部分（換言すれば、**Q3** の場合では居住用部分）の床面積の占める割合を用いて算定するものとされています。（下記 参考 を参照）

具体的には、次に掲げる算式によるものとされています。

(イ)　配偶者居住権の価額（建物の利用権の価額）

（算式）

建物の相続開始時における時価 － 建物の相続開始時における時価 × {(建物の耐用年数 － 建物の建築後の経過年数) － 配偶者居住権設定時における当該配偶者居住権の存続年数} ÷ (建物の耐用年数 － 建物の建築後の経過年数) × 配偶者居住権設定時における当該配偶者居住権の存続年数に応じた法定利率による複利現価率

（読替）

建物の相続開始時における時価（配偶者居住権が設定されておらず、かつ、賃貸の用に供されていないものとした場合の時価（通常 建物の固定資産税評価額）） × 賃貸の用以外の用に供されている部分の床面積 ÷ 建物の床面積（全体）　注

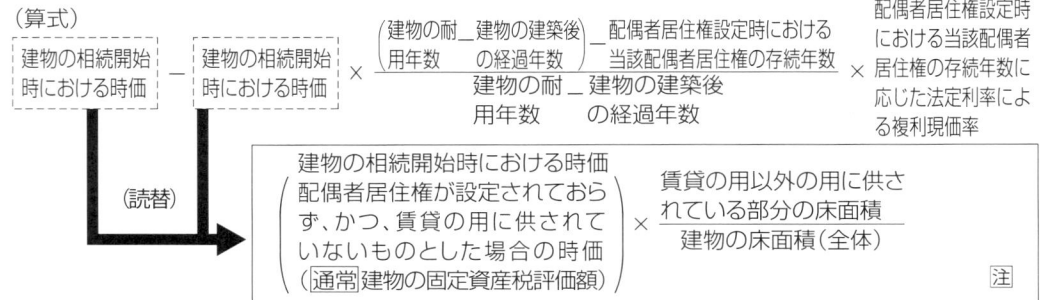

(ロ)　配偶者居住権の目的となっている建物の敷地の用に供される土地等を当該配偶者居住権に基づき使用する権利の価額（土地等の利用権の価額）

（算式）

土地等の相続開始時における時価 － 土地等の相続開始時における時価 × 配偶者居住権設定時における当該配偶者居住権の存続年数に応じた法定利率による複利現価率

（読替）

土地等の相続開始時における時価（配偶者居住権が設定されておらず、かつ、賃貸の用に供されていないものとした場合の時価（通常 路線価又は倍率方式によって算定した価額）） × 賃貸の用以外の用に供されている部分の床面積 ÷ 建物の床面積（全体）　注

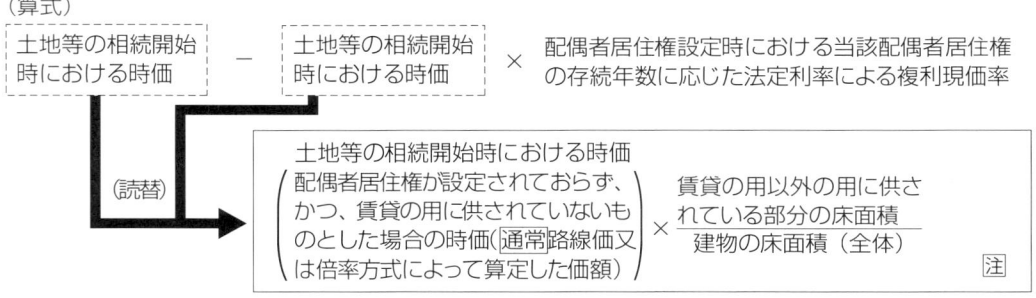

注　上記(イ)及び(ロ)の算式中の読替部分である□部分の算式により計算した金額（建物又は土地等の相続開始時の価額のうち賃貸の用以外の用に供されている部分の価額）に円未満の端数が生じた場合には、当該端数につき、円未満を四捨五入するものと定められています。（令和２年２月21日付、資産評価企画官情報第１号（相続税法基本通達の一部改正について（法令解釈通達）のあらまし（情報）より））

参考　前問 **Q2** の **A2** (2)①に掲げるとおり、配偶者居住権は、被相続人に係る配偶者が居住していた建物（居住建物）の全部について無償で使用及び収益する権利であることから、当該被相続人に係る相続開始時に当該居住建物の一部が賃貸の用に供されていた場合であっても、当該賃貸部分も含めて当該被相続人に係る配偶者は当該居住建物の全部について配偶者居住権を設定することが可能とされます。

しかしながら、通説として、当該居住建物に係る賃借人が有する賃借権は新規に設定された配偶者居住権よりも先順位の権利であることから、当該配偶者居住権は当該賃借権に対抗できない（権利を主張することができない）ものと解されます。

そうすると、相続税法に規定する配偶者居住権等の価額を求める場合においても、上記に掲げる事項を考慮する必要があり、所要の調整規定が設けられたものと考えられます。

② 評価上の留意点（一時的な空室がある場合の『賃貸の用に供されている部分』の範囲）

上記①(イ)及び(ロ)に掲げる算式に関して、相続税法基本通達23の２－１《一時的な空室がある場合の「賃貸の用に供されている部分」の範囲》において、要旨、次のとおりに定めています。

(イ) 上記①(イ)に掲げる『建物の相続開始時における時価』及び(ロ)に掲げる『土地等の相続開始時における時価』は、財産評価基本通達の定めにより算定した価額（相続税評価額）によるものであること

(ロ) 上記(イ)に掲げる『時価』を算定する場合において、財産評価基本通達26《貸家建付地の評価》(2)（注）２（下記注を参照）の定めにより、継続的に賃貸されていた各独立部分で、課税時期において一時的に賃貸されていなかったと認められるものを『賃貸されている各独立部分』に含むこととしたときは、上記①(イ)及び(ロ)の算式中の読替部分の分数式部分（建物の床面積（全体）のうちに賃貸の用以外の用（居住用）に供されている部分の床面積の占める割合）についても、当該各独立部分は『賃貸の用に供されている部分』に含めて（換言すれば、分数式のうちの分子部分の床面積には算入しないで）算定すること

注　財産評価基本通達26《貸家建付地の評価》の定めでは、貸家建付地の価額は、次の算式１により計算した価額によって評価するものとされています。

（算式１）　$\text{その宅地の自用地としての価額} \times \left(1 - \text{借地権割合} \times \text{借家権割合} \times \text{賃貸割合}\right)$

なお、上記に掲げる算式１の『賃貸割合』は、その貸家に係る各独立部分（構造上区分された数個の部分の各部分をいいます。）がある場合に、その各独立部分の賃貸の状況に基づいて、次の算式２により計算した割合によるものとされています。

（算式２）　$\dfrac{\text{Aのうち課税時期において賃貸されている各独立部分の床面積の合計}}{\text{当該家屋の各独立部分の床面積の合計（A）}}$

そして、上記に掲げる算式２の『賃貸されている各独立部分』には、継続的に賃貸されていた各独立部分で、課税時期において、一時的に賃貸されていなかったと認められるものを含むこととして差し支えないものとされています。

**ポイント**「一時的な空室がある場合の『賃貸の用に供されている部分』の範囲」を定める趣旨

相続税法基本通達23の２－１《一時的な空室がある場合の『賃貸の用に供されている部分』の範囲》の定めが設けられたのは、次に掲げる思考過程に基づくものであると考えられます。

(1)　民法第1028条《配偶者居住権》の規定において、被相続人の配偶者は一定の要件下において当該被相続人の財産に属した居住建物の全部について無償で使用及び収益をする権利（配偶者居住権）を取得するものとされていること

(2)　上記(1)にかかわらず、民法の特別法として位置付けられている借地借家法の規定を解釈すると、居住建物の一部が現実に貸し付けられている場合には、配偶者居住権を有する配偶者は当該被相続人に係る相続開始前からその居住建物につき賃借権を有している賃借人に対して対抗することができないものとされていること

(3)　上記(2)を換言すると、居住建物の一部が貸付用であったとしても、相続開始時において現実に貸し付けられていない（賃借権を有する賃借人が不存在である）場合には、当該状況にある貸付用部分に対しても配偶者居住権の目的部分に該当すると解されること

(4)　相続税等における財産評価の統一的基準を定めた財産評価基本通達26《貸家建付地の評価》(2)(注）２（上記 注 を参照）において、『賃貸されている各独立部分』には継続的に賃貸されていた各独立部分で、課税時期において、一時的に賃貸されていなかったと認められるものを含むこととして差し支えないものとする旨の拡張的な解釈が示されていること

(5)　上記(3)及び(4)からすると、居住建物の一部が貸付用であったとしても、相続開始時において現実に貸し付けられていない（貸借権を有する賃借人が不存在である）等の一定の要件を有する部分については、財産評価基本通達上の宅地の評価態様は貸家建付地に該当する可能性を有することとなり、その一方で、配偶者居住権等の評価上の取扱いでは『賃貸の用に供されている部分以外の部分』に該当するという矛盾が生じる状況になること

(6)　上記(5)に対応するものとして、上掲の相続税法基本通達23の２－１《一時的な空室がある場合の「賃貸の用に供されている部分」の範囲》の定めを制定し、被相続人に係る相続開始時において一時的に空室となっていたにすぎないと認められる部分については、財産評価基本通達の定めから当該部分を賃貸の用に供されている部分として取り扱うこととした場合には、配偶者居住権の評価においても同様に賃貸されている部分として取り扱うことを留意的に明確化し、両者の評価上の均衡を図るものとしたこと

(2)　**Q3**の事例の場合

上記(1)に掲げる取扱いに基づいて、**Q3**に掲げる本件不動産の相続税評価額を算定すると、下記のとおりとなります。

①　配偶者居住権の価額（建物の利用権の価額）

(イ)　建物（居住部分）の相続開始時における時価

$$\underset{\text{（建物（全体）の時価）}}{40{,}000{,}000\text{円}} \times \frac{100\text{m}^2\ \text{（賃貸以外の部分（居住用）の床面積）}}{250\text{m}^2\ \text{（建物（全体）の床面積）}} = 16{,}000{,}000\text{円}$$

(ロ)　相続税評価額

$$16{,}000{,}000円-16{,}000{,}000円\times\frac{71年\left(\begin{array}{l}建物の耐用\\年数(注1)\end{array}\right)-22年\left(\begin{array}{l}建物の建築後の\\経過年数(注2)\end{array}\right)-13年\left(\begin{array}{l}配偶者居住権の\\存続年数(注3)\end{array}\right)}{71年\left(\begin{array}{l}建物の耐用\\年数(注1)\end{array}\right)-22年\left(\begin{array}{l}建物の建築後の\\経過年数(注2)\end{array}\right)}$$

× 0.681
（年３％による期間13年の場合の複利現価率）

＝16,000,000円（上記(イ)）－ 8,005,224.48…円（配偶者居住権の目的となっている建物（配偶者居住権設定対応部分）の価額（建物の所有権の価額））

＝7,994,775.51…円 ➡ 7,994,776円（円未満四捨五入）（配偶者乙の取得財産）

（注１）　建物の耐用年数

47年（鉄筋コンクリート造建物の法定耐用年数）×1.5＝70年６月　∴71年（６月以上切上げ）

（注２）　建物の建築後の経過年数

H11.9/25（新築日）～R3.12/30（配偶者居住権設定日 注）⇒ 22年３月　∴22年（６月未満切捨て）

注　**Q3** の事例では、遺贈により配偶者居住権が設定されているので配偶者居住権設定日は、被相続人甲に係る相続開始日となります。

（注３）　配偶者居住権の存続年数

・配偶者乙の被相続人甲に係る相続開始時における年齢 ⇒ 77歳９か月14日　∴78歳（６月以上切上げ）

・78歳（女性）の完全生命表による余命年数 ⇒ 13.23歳　∴13年（６月未満切捨て）

② 建物の価額（建物の所有権の価額）

(イ)　配偶者居住権の目的となっている部分の価額

16,000,000円（上記①(イ)）－ 7,994,776円（上記①(ロ)により計算した配偶者居住権の価額）＝8,005,224円

(ロ)　賃貸の用に供されている部分の価額

$$40{,}000{,}000円\,(建物（全体）の時価)\times\frac{150m^2\,(賃貸部分の床面積)}{250m^2\,(建物（全体）の床面積)}\times\left(1-30\%\,(借家権割合)\times100\%\,(賃貸割合)\right)=16{,}800{,}000円$$

(ハ)　合計

8,005,224円（上記(イ)）＋16,800,000円（上記(ロ)）＝24,805,224円（長男Ａの取得財産）

③ 配偶者居住権の目的となっている建物の敷地の用に供される土地等を当該配偶者居住権に基づき使用する権利の価額（土地等の利用権の価額）

(イ)　土地等（居住部分の敷地対応部分）の相続開始時における時価

$$120{,}000{,}000円\,(土地等（全体）の時価)\times\frac{100m^2\,(賃貸以外の部分（居住用）の床面積)}{250m^2\,(建物（全体）の床面積)}=48{,}000{,}000円$$

(ロ)　相続税評価額

48,000,000円（上記(イ)）－48,000,000円（上記(イ)）× 0.681（年３％による期間13年の場合の複利現価率）

＝48,000,000円－32,688,000円（配偶者居住権の目的となっている建物の敷地の用に供される土地等（配偶者居住権設定対応部分）の価額（土地等の所有権の価額））
（上記(イ)）

＝<u>15,312,000円</u>（配偶者乙の取得財産）

④　土地等の価額（土地等の所有権の価額）

(イ)　配偶者居住権の目的となっている部分の敷地に対応する価額

48,000,000円（上記③(イ)）－15,312,000円（上記③(ロ)により計算した権利の価額）＝32,688,000円

(ロ)　賃貸の用に供されている部分の敷地に対応する価額

120,000,000円×150㎡（賃貸部分の床面積）／250㎡（建物（全体）の床面積）×（1－60%（借地権割合）×30%（借家権割合）×100%（賃貸割合））

＝59,040,000円

(ハ)　合計

32,688,000円（上記(イ)）＋59,040,000円（上記(ロ)）＝<u>91,728,000円</u>（長男Ａの取得財産）

参考　**Q3**の事例における概念図

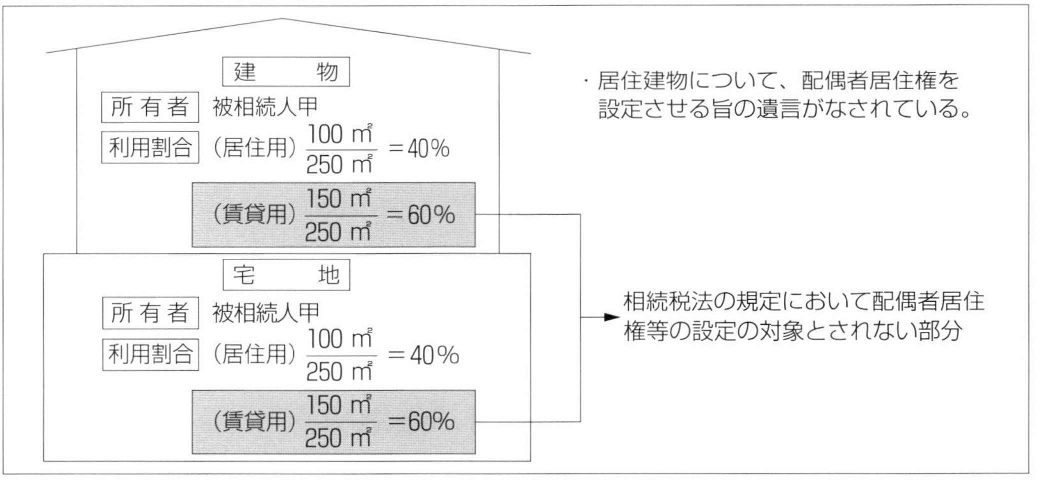

## Q4 配偶者居住権等の評価（その３：被相続人及びその配偶者で共有していた居住建物に配偶者居住権が設定された場合）

被相続人甲は、令和３年10月13日に相続の開始がありました。同人に係る相続開始まで配偶者乙（女性）（生年月日：昭和16年１月20日）と共に居住の用に供していた建物（床面積220㎡）及びその敷地である宅地（以下「本件不動産」といいます。）の状況は、下記に掲げるとおりとなっていました。

| | |
|---|---|
| 承継者 | 被相続人甲の遺言によって、配偶者乙は当該居住建物に係る被相続人甲の持分部分について配偶者居住権を配偶者乙の終身にわたる期間、これを遺贈により取得し、また、本件不動産に係る被相続人甲の持分部分についての所有権は、長男Ａが相続するものとされていました。 |
| 建物 | (1) 所有割合……被相続人甲：持分10分の６、配偶者乙：持分10分の４<br>(2) 固定資産税評価額……12,000,000円<br>(3) 構造及び法定耐用年数……木造（法定耐用年数22年）<br>(4) 新築年月日……平成19年２月21日 |
| 宅地 | (1) 所有割合……被相続人甲：持分10分の８、配偶者乙：持分10分の２<br>(2) 自用地としての価額（相続税評価額）……80,000,000円 |
| その他 | (1) 配偶者乙の被相続人甲に係る相続開始時における年齢……80歳８か月23日<br>(2) 完全生命表による配偶者乙の余命年数……10.99歳（女性：81歳の場合）<br>(3) 民法の法定利率（年３％）による期間11年の場合の複利現価率……0.722 |

上記のような状況にある本件不動産のうち、被相続人甲の所有する持分部分についての相続税評価額はいくらになりますか。計算過程及びその評価上の留意点にも触れながら説明してください。

## A4

### (1) 被相続人が所有する居住建物及びその敷地について被相続人が共有持分を有していた場合の配偶者居住権等の評価

① 評価方法

相続税法第23条の２《配偶者居住権等の評価》の規定を適用して、配偶者居住権が設定されている居住建物及びその敷地の用に供されている土地等の利用権の価額を求める場合において、これらの財産につき下表の左欄に掲げる状況にあるときには、Q1 の A1 の(2)ないし(5)に掲げる配偶者居住権等の価額を求める算式中において用いられている『建物の相続開始時における時価』及び『土地等の相続開始時における時価』は、同表の右欄に掲げる方式を用いて算定するものとされています。

| 該当する状況 | 適用する方式 |
|---|---|
| (イ) 配偶者居住権が設定されている居住建物の価額を求める場合において、当該居住建物が被相続人に係る相続開始時にその配偶者と共有していたものであるとき | 『建物の相続開始時における時価』は、当該被相続人が有していた当該居住建物の持分割合を用いて算定するものとされています。 |
| (ロ) 配偶者居住権の目的となっている建物の敷地の用に供される土地等を当該配偶者居住権に基づき使用する権利の価額を求める場合において、次に掲げるとき<br>㋑ 当該土地等につき、当該被相続人に係る相続開始時において他の者と共有しているとき<br>㋺ 当該居住建物につき、当該被相続人に係る相続開始時においてその配偶者と共有していたものであるとき | 『土地等の相続開始時における時価』は、当該被相続人が有していた当該土地等又は当該居住建物の持分割合（注）を用いて算定するものとされています。<br>（注） 被相続人が当該土地等又は当該居住建物の双方につき持分割合を有している場合には、これらの持分割合のうち、いずれか低い方の持分割合を用いて算定するものとされています。 |

具体的には、次に掲げる算式によるものとされています。

(イ) 配偶者居住権の価額（建物の利用権の価額）〔上表の(イ)に該当する場合〕

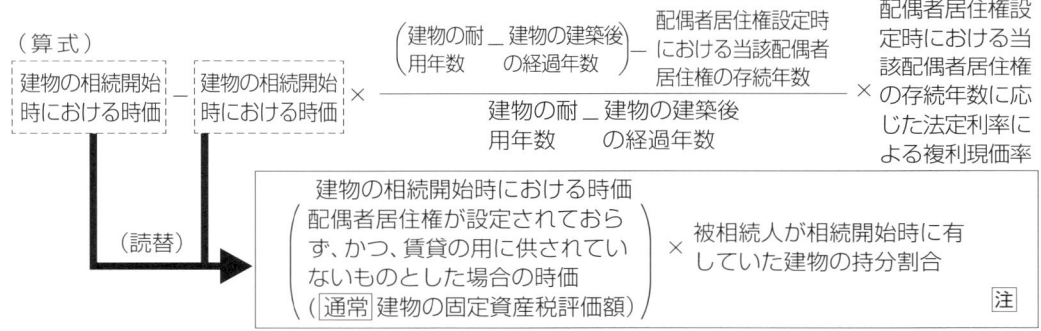

（算式）

建物の相続開始時における時価 － 建物の相続開始時における時価 × ｛（建物の耐用年数 － 建物の建築後の経過年数）－ 配偶者居住権設定時における当該配偶者居住権の存続年数｝ ／ （建物の耐用年数 － 建物の建築後の経過年数） × 配偶者居住権設定時における当該配偶者居住権の存続年数に応じた法定利率による複利現価率

（読替）↓

建物の相続開始時における時価
（配偶者居住権が設定されておらず、かつ、賃貸の用に供されていないものとした場合の時価（通常 建物の固定資産税評価額）） × 被相続人が相続開始時に有していた建物の持分割合　注

(ロ) 配偶者居住権の目的となっている建物の敷地の用に供される土地等を当該配偶者居住権に基づき使用する権利の価額（土地等の利用権の価額）〔上表の(ロ)に該当する場合〕

（算式）

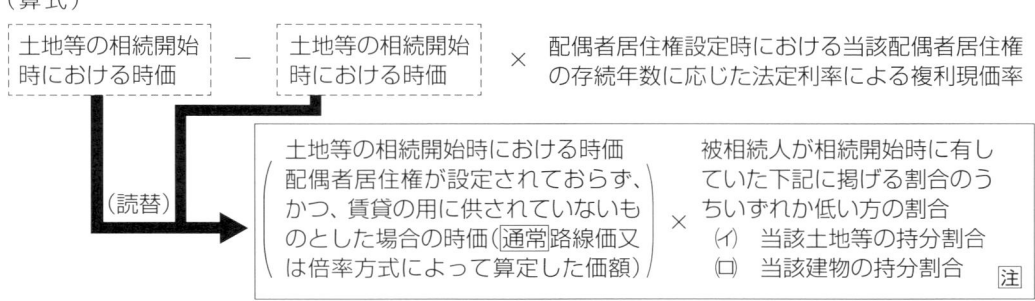

土地等の相続開始時における時価 － 土地等の相続開始時における時価 × 配偶者居住権設定時における当該配偶者居住権の存続年数に応じた法定利率による複利現価率

（読替）↓

土地等の相続開始時における時価
（配偶者居住権が設定されておらず、かつ、賃貸の用に供されていないものとした場合の時価（通常 路線価又は倍率方式によって算定した価額）） × 被相続人が相続開始時に有していた下記に掲げる割合のうちいずれか低い方の割合
(イ) 当該土地等の持分割合
(ロ) 当該建物の持分割合　注

注　上記(イ)及び(ロ)の算式中の読替部分である□部分の算式により計算した金額（建物又は土地等の相続開始時における価額のうち被相続人が相続開始時に有していた持分割合に対応するものとして一定の方法により計算した部分の価額）に円未満の端数が生じた場合には、当該端数につき、円未満を四捨五入するものと定められています。（令和２年２月21日付、資産評価企画官情報第１号（相続税法基本通達の一部改正について（法令解釈通達）のあらまし（情報）より））

② 評価上の留意点

上記①に掲げる表の(ロ)欄に該当する場合の具体的事例としては、次表に掲げる３区分が考えられます。各区分において『土地等の相続開始時における時価』を求める場合に適用すべき持分割合を示すと、それぞれに掲げるとおりとなります。

| | 建物の所有者 | 土地等の所有者 | 概念図 | 『土地等の相続開始時における時価』の求め方 |
|---|---|---|---|---|
| (A) | 被相続人甲 | 共有<br>被相続人甲<br>被相続人甲以外 | （建物）被相続人甲<br>（土地）被相続人甲 $\frac{2}{3}$<br>長　男　A $\frac{1}{3}$ | 通常の路線価又は倍率方式によって算定した土地等の相続開始時における自用地としての価額 $\times\frac{2}{3}$（注）<br>（注）Ⓐ 被相続人甲に係る建物の持分割合……1<br>Ⓑ 被相続人甲に係る土地等の持分割合……$\frac{2}{3}$<br>Ⓒ Ⓐ＞Ⓑ　∴ $\frac{2}{3}$（いずれか低い方） |
| (B) | 共有<br>被相続人甲<br>配偶者乙 | 被相続人甲 | （建物）被相続人甲 $\frac{2}{3}$<br>配 偶 者 乙 $\frac{1}{3}$<br>（土地）被相続人甲 | 通常の路線価又は倍率方式によって算定した土地等の相続開始時における自用地としての価額 $\times\frac{2}{3}$（注）<br>（注）Ⓐ 被相続人甲に係る建物の持分割合……$\frac{2}{3}$<br>Ⓑ 被相続人甲に係る土地等の持分割合……1<br>Ⓒ Ⓐ＜Ⓑ　∴ $\frac{2}{3}$（いずれか低い方） |
| (C) | 共有<br>被相続人甲<br>配偶者乙 | 共有<br>被相続人甲<br>被相続人甲以外 | （建物）被相続人甲 $\frac{2}{3}$<br>配 偶 者 乙 $\frac{1}{3}$<br>（土地）被相続人甲 $\frac{3}{4}$<br>長　男　A $\frac{1}{4}$ | 通常の路線価又は倍率方式によって算定した土地等の相続開始時における自用地としての価額 $\times\frac{2}{3}$（注）<br>（注）Ⓐ 被相続人甲に係る建物の持分割合……$\frac{2}{3}$<br>Ⓑ 被相続人甲に係る土地等の持分割合……$\frac{3}{4}$<br>Ⓒ Ⓐ＜Ⓑ　∴ $\frac{2}{3}$（いずれか低い方） |

（注）上表の(A)ないし(C)において、土地等の貸借が生じる場合における契約形態は、使用貸借契約であるものとします。

### (2) **Q4** の事例の場合

上記(1)に掲げる取扱いに基づいて、**Q4** に掲げる本件不動産のうち、被相続人甲が有する持分部分の相続税評価額を算定すると、下記のとおりとなります。

① 配偶者居住権の価額（建物の利用権の価額）

(イ) 建物（被相続人甲の持分対応部分）の相続開始時における時価

12,000,000円（建物（全体）の時価）　×　$\frac{6}{10}$（被相続人甲が有する建物の持分割合）　＝7,200,000円

(ロ)　相続税評価額

$$7{,}200{,}000円 - 7{,}200{,}000円 \times \frac{33年\left(\text{建物の耐用年数(注1)}\right) - 15年\left(\text{建物の建築後の経過年数(注2)}\right) - 11年\left(\text{配偶者居住権の残存年数(注3)}\right)}{33年\left(\text{建物の耐用年数(注1)}\right) - 15年\left(\text{建物の建築後の経過年数(注2)}\right)}$$

（上記(イ)）　（上記(イ)）

× 0.722
（年３％による期間11年の場合の複利現価率）

＝7,200,000円（上記(イ)）－ 2,021,600円（配偶者居住権の目的となっている建物（被相続人甲が有する持分割合対応部分）の価額（建物の所有権の価額））

＝5,178,400円（配偶者乙の取得財産）

（注１）　建物の耐用年数

22年（木造建物の法定耐用年数）×1.5＝33年

（注２）　建物の建築後の経過年数

H19.2/21（新築日）～R3.10/13（配偶者居住権設定日 注 ）⇒14年７月　∴15年（６月以上切上げ）

注　Q4 の事例では、遺贈により配偶者居住権が設定されているので配偶者居住権設定日は、被相続人甲に係る相続開始日となります。

（注３）　配偶者居住権の存続年数

・配偶者乙の被相続人甲に係る相続開始日における年齢⇒80歳８か月23日　∴81歳（６月以上切上げ）

・81歳（女性）の完全生命表による余命年数→10.99歳　∴11年（６月以上切上げ）

②　建物の価額（建物の所有権の価額）

配偶者居住権の目的となっている部分（被相続人甲が有する建物の持分割合部分）の価額

7,200,000円（上記①(イ)）－ 5,178,400円（上記①(ロ)により計算した配偶者居住権の価額）＝2,021,600円（長男Aの取得財産）

参考　上記以外の部分（配偶者乙が有する建物の持分割合部分）の価額

12,000,000円（建物（全体）の価額）× $\frac{4}{10}$（配偶者乙が有する建物の持分割合）＝4,800,000円

③　配偶者居住権の目的となっている建物の敷地の用に供される土地等を当該配偶者居住権に基づき使用する権利の価額（土地等の利用権の価額）

(イ)　土地等（被相続人甲の持分対応部分）の相続開始時における時価

80,000,000円（土地等（全体）の時価）× $\frac{6}{10}$（被相続人甲の有する土地等の割合のうち配偶者居住権の目的となっている建物の敷地の用に供される土地等の割合（注））＝48,000,000円

（注）　被相続人甲の有する土地等の割合のうち配偶者居住権の目的となっている建物の敷地の用に供される土地等の割合

㋑　被相続人甲が相続開始時において有していた土地等の持分割合……10分の８

㋺　被相続人甲が相続開始時において有していた建物の持分割合……10分の６

㋩　㋑＞㋺　∴いずれか少ない方（10分の６）

(ロ)　相続税評価額

48,000,000円（上記(イ)）－48,000,000円（上記(イ)）×0.722（３％による期間11年の場合の複利現価率）

＝48,000,000円（上記(イ)）－34,656,000円（配偶者居住権の目的となっている建物の敷地の用に供される土地等（被相続人甲が有する上記(イ)(注)に掲げる持分割合対応部分）の価額（土地等の所有権の価額））

＝13,344,000円（配偶者乙の取得財産）

④　土地等の価額（土地等の所有権の価額）

(イ)　配偶者居住権の目的となっている部分（被相続人甲が有する上記③(イ)（注）に掲げる土地等の持分割合部分）の敷地に対応する価額

48,000,000円（上記③(イ)）－13,344,000円（上記③(ロ)により計算した権利の価額）＝34,656,000円

(ロ)　被相続人甲が有する土地等の持分割合のうち上記(イ)以外の部分の敷地に対応する価額

80,000,000円（土地等（全体）の時価）×$\frac{2}{10}$（被相続人甲の土地等の持分のうち上記(イ)以外の持分割合（注））＝16,000,000円

（注）被相続人甲の土地等の持分のうち上記(イ)以外の持分割合

被相続人甲の有する土地等の割合（10分の8）のうち、配偶者居住権の目的となっている建物の敷地の用に供される土地等の割合（10分の6）を控除した残余の割合をいいます。（上記③(イ)（注）を参照）

(ハ)　合計

34,656,000円（上記(イ)）＋16,000,000円（上記(ロ)）＝50,656,000円（長男Ａの取得財産）

**参考**　上記以外の部分（配偶者乙が有する土地等の持分割合部分）の価額

80,000,000円（土地等（全体）の価額）×$\frac{2}{10}$（配偶者乙が有する土地等の持分割合）＝16,000,000円

**参考**　**Q4**の事例における概念図

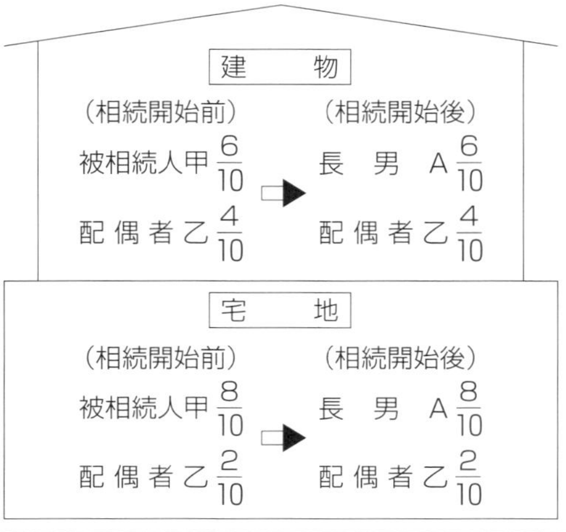


・居住建物について、配偶者居住権を設定させる旨の遺言がなされている。

**Q5　配偶者居住権等の評価（その４：被相続人及びその配偶者で共有していた居住建物でその一部が賃貸の用に供されているものに配偶者居住権が設定された場合）**

被相続人甲は、令和３年６月10日に相続の開始がありました。同人に係る相続開始日まで、その一部を配偶者乙（女性）（生年月日：昭和31年12月16日）と共に居住の用に供し、また、残余部分を貸家の用に供していた建物及びその敷地である宅地（以下「本件不動産」といいます。）の状況は、下記に掲げるとおりとなっていました。

本件不動産　(1)　建物
- 固定資産税評価額……60,000,000円
- 構造及び法定耐用年数……鉄筋コンクリート造（法定耐用年数47年）
- 床面積……140㎡（被相続人甲及び配偶者乙の居住用部分）
  260㎡（第三者に対する賃貸部分）
  400㎡（合計）
- 新築年月日……平成３年２月４日
- 所有割合……被相続人甲：持分10分の７、配偶者乙：10分の３
- 借家権割合……30％
- 賃貸部分の賃貸割合……100％

(2)　宅地
- 自用地としての価額（相続税評価額）……100,000,000円
- 所有割合……被相続人甲：持分10分の６、配偶者乙：10分の４
- 借地権割合……60％

承　継　者　被相続人甲に係る遺産分割協議（実施日：令和７年６月21日）において、配偶者乙は当該居住建物に係る被相続人甲の持分部分について、その設定期間を30年とする配偶者居住権を設定するものとし、また、本件不動産の所有権は、長男Ａが相続するものとされました。

そ　の　他　(1)　配偶者乙の被相続人甲に係る相続開始時の年齢……64歳５か月25日
(2)　配偶者乙の配偶者居住権設定日における年齢……68歳６か月５日
(3)　完全生命表における配偶者乙の余命年数……25.14歳（女性：64歳の場合）、20.72歳（女性：69歳の場合）
(4)　民法の法定利率（年３％）による複利現価率……0.538（期間21年）、0.478（期間25年）、0.412（期間30年）

上記のような状況にある本件不動産のうち、被相続人甲の所有する持分部分についての相続税評価額はいくらになりますか。計算過程及びその評価上の留意点にも触れながら説明してください。

**A5**

**(1)　被相続人が所有する居住建物及びその敷地の一部が賃貸の用に供されていた場合において被相続人が共有持分を有していたときの配偶者居住権等の評価**

①　評価方法

相続税法第23条の２《配偶者居住権等の評価》の規定を適用して、配偶者居住権が設定されている居住建物及びその敷地の用に供されている土地等の利用権の価額を求める場合において、これらの財産につき下表の左欄に掲げる状況にあるときには、**Q1** の **A1** の⑵ないし⑸に掲げる配偶者居住権等の価額を求める算式中において用いられている『建物の相続開始時における時価』及び『土地等の相続開始時における時価』は、同表の右欄に掲げる方式を用いて算定するものとされています。

| 該当する状況 | | 適用する方式 |
|---|---|---|
| 賃貸状況 | 被相続人と他者との共有状況 | |
| 配偶者居住権の目的となっている居住建物について、被相続人に係る相続開始時においてその一部が賃貸の用に供されている場合 | ⑴　配偶者居住権が設定されている居住建物の価額を求める場合において、当該居住建物が被相続人に係る相続開始時にその配偶者と共有していたものであるとき | 『建物の相続開始時における時価』は、当該居住建物（全体）の床面積のうちに当該賃貸の用に供されている部分以外の部分の床面積の占める割合及び当該被相続人が有していた当該居住建物の持分割合の双方を用いて算定するものとされています。 |
| | ⑵　配偶者居住権の目的となっている建物の敷地の用に供される土地等を当該配偶者居住権に基づき使用する権利の価額を求める場合において、次に掲げるとき<br>㋑　当該土地等につき、当該被相続人に係る相続開始時において他の者と共有しているとき<br>㋺　当該居住建物につき、当該被相続人に係る相続開始時においてその配偶者と共有していたものであるとき | 『土地等の相続開始時における時価』は、当該居住建物（全体）の床面積のうちに当該賃貸の用に供されている部分以外の部分の床面積の占める割合及び当該被相続人が有していた当該土地等又は当該居住建物の持分割合（注）を用いて算定するものとされています。<br>（注）　被相続人が当該土地等又は当該居住建物の双方につき持分割合を有している場合には、これらの持分割合のうち、いずれか低い方の持分割合を用いて算定するものとされています。 |

具体的には、次に掲げる算式によるものとされています。

⑴　配偶者居住権の価額（建物の利用権の価額）〔上表の⑴に該当する場合〕

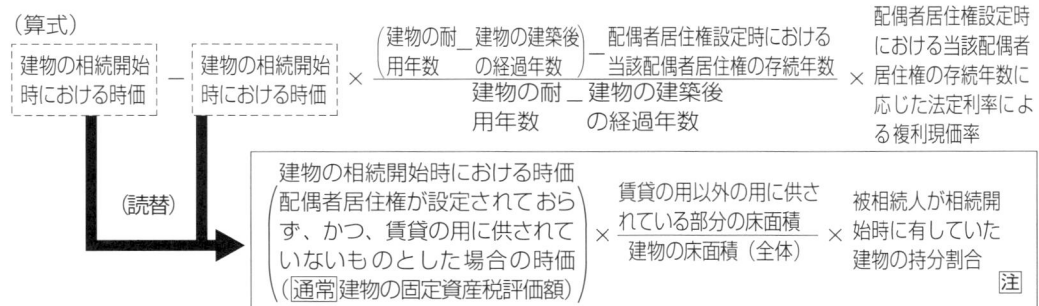

（算式）

$$\text{建物の相続開始時における時価} - \text{建物の相続開始時における時価} \times \frac{(\text{建物の耐用年数} - \text{建物の建築後の経過年数}) - \text{配偶者居住権設定時における当該配偶者居住権の存続年数}}{\text{建物の耐用年数} - \text{建物の建築後の経過年数}} \times \text{配偶者居住権設定時における当該配偶者居住権の存続年数に応じた法定利率による複利現価率}$$

（読替）

$$\text{建物の相続開始時における時価}\left(\text{配偶者居住権が設定されておらず、かつ、賃貸の用に供されていないものとした場合の時価（通常建物の固定資産税評価額）}\right) \times \frac{\text{賃貸の用以外の用に供されている部分の床面積}}{\text{建物の床面積（全体）}} \times \text{被相続人が相続開始時に有していた建物の持分割合}$$

注

(ロ)　配偶者居住権の目的となっている建物の敷地の用に供される土地等を当該配偶者居住権に基づき使用する権利の価額（土地等の利用権の価額）〔上表の(ロ)に該当する場合〕

（算式）

［土地等の相続開始時における時価］ － ［土地等の相続開始時における時価］ × 配偶者居住権設定時における当該配偶者居住権の存続年数に応じた法定利率による複利現価率

（読替）→

土地等の相続開始時における時価（配偶者居住権が設定されておらず、かつ、賃貸の用に供されていないものとした場合の時価（通常路線価又は倍率方式によって算定した価額）） × 賃貸の用以外の用に供されている部分の床面積／建物の床面積（全体） × 被相続人が相続開始時に有していた下記に掲げる割合のうちいずれか低い方の割合
(イ)　当該土地等の持分割合
(ロ)　当該建物の持分割合　注

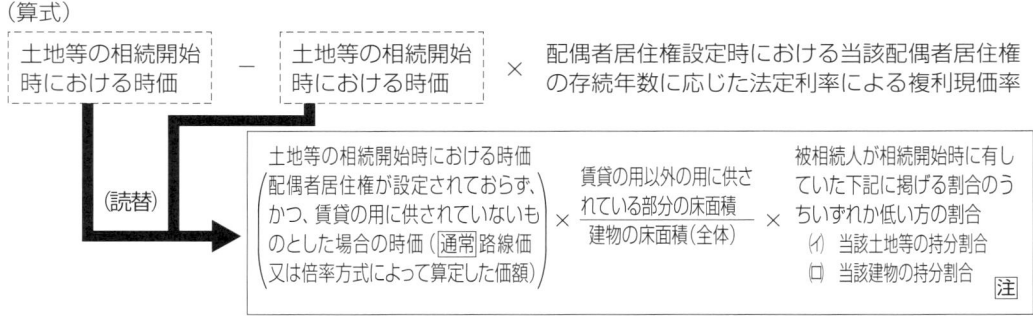

注　上記(イ)及び(ロ)の算式中の読替部分である［　　］部分の算式により計算した金額（建物又は土地等の相続開始時の価額のうち賃貸の用以外の用に供されている部分で、かつ、被相続人が相続開始時に有していた持分割合に対応するものとして一定の方法により計算した部分の価額）に円未満の端数が生じた場合には、当該端数につき、円未満を四捨五入するものと定められています。（令和２年２月21日付、資産評価企画官情報第１号（相続税法基本通達の一部改正について（法令解釈通達）のあらまし（情報）より））

②　評価上の留意点

(イ)　具体的事例の検討

上記①に掲げる表の(ロ)欄に該当する場合の具体的事例としては、次表に掲げる３区分が考えられます。各区分において『土地等の相続開始時における時価』の求め方を示すと、それぞれに掲げるとおりとなります。

| | 建物 | | 土地等の所有者 | 概念図 | 『土地等の相続開始時における時価』の求め方 |
|---|---|---|---|---|---|
| | 利用態様 | 所有者 | | | |
| (A) | 居住用　60%<br>貸付用　30%<br>未利用　10% | 被相続人甲 | 共有<br>被相続人甲<br>被相続人甲以外 | 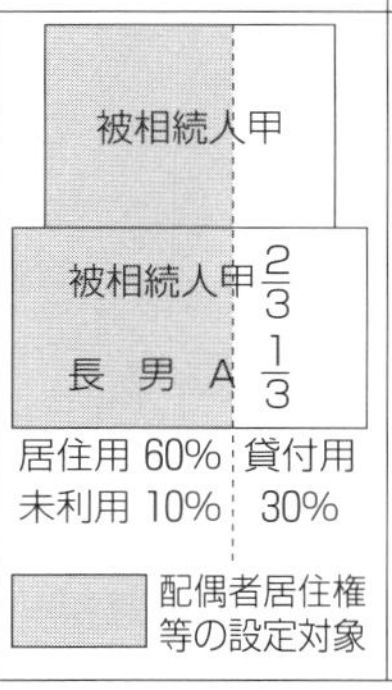 | 通常の路線価又は倍率方式によって算定した土地等の相続開始時における自用地としての価額 ×70%（注１）× 2/3（注２）<br>（注１）　１－30%（貸付用）＝70%<br>（注２）　Ⓐ　被相続人甲に係る建物の持分割合……１<br>Ⓑ　被相続人甲に係る土地等の持分割合……2/3<br>Ⓒ　Ⓐ＞Ⓑ　∴ 2/3（いずれか低い方） |

| | | | | | |
|---|---|---|---|---|---|
| Ⓑ | 居住用 60%<br>貸付用 30%<br>未利用 10% | 共有<br>被相続人甲<br>配偶者乙 | 被相続人甲 | 被相続人甲 $\frac{2}{3}$<br>配偶者乙 $\frac{1}{3}$<br>被相続人甲<br>居住用 60%　貸付用<br>未利用 10%　30%<br>配偶者居住権等の設定対象 | 通常の路線価又は倍率方式によって算定した土地等の相続開始時における自用地としての価額 ×70%（注１）×$\frac{2}{3}$（注２）<br>（注１）　１－30%（貸付用）＝70%<br>（注２）　Ⓐ　被相続人甲に係る建物の持分割合……$\frac{2}{3}$<br>Ⓑ　被相続人甲に係る土地等の持分割合……１<br>Ⓒ　Ⓐ＜Ⓑ　∴ $\frac{2}{3}$（いずれか低い方） |
| Ⓒ | 居住用 60%<br>貸付用 30%<br>未利用 10% | 共有<br>被相続人甲<br>配偶者乙 | 共有<br>被相続人甲<br>被相続人甲以外 | 被相続人甲 $\frac{2}{3}$<br>配偶者乙 $\frac{1}{3}$<br>被相続人甲 $\frac{3}{4}$<br>長男Ａ $\frac{1}{4}$<br>居住用 60%　貸付用<br>未利用 10%　30%<br>配偶者居住権等の設定対象 | 通常の路線価又は倍率方式によって算定した土地等の相続開始時における自用地としての価額 ×70%（注１）×$\frac{2}{3}$（注２）<br>（注１）　１－30%（貸付用）＝70%<br>（注２）　Ⓐ　被相続人甲に係る建物の持分割合……$\frac{2}{3}$<br>Ⓑ　被相続人甲に係る土地等の持分割合……$\frac{3}{4}$<br>Ⓒ　Ⓐ＜Ⓑ　∴ $\frac{2}{3}$（いずれか低い方） |

（注）　上表のⒶないしⒸにおいて、土地等の貸借が生じる場合における契約形態は、使用貸借契約であるものとします。

(ロ)　評価上の留意点（一時的な空室がある場合の『賃貸の用に供されている部分』の範囲）

題記の件については、**Q3** の **A3** (1)②を参照してください。

(2)　**Q5** の事例の場合

上記(1)に掲げる取扱いに基づいて、**Q5** に掲げる本件不動産のうち、被相続人甲が有する持分部分の相続税評価額を算定すると、下記のとおりとなります。

①　配偶者居住権の価額（建物の利用権の価額）

(イ)　建物（被相続人甲の持分部分）の相続開始時における時価

$$\underset{\text{（建物（全体）の時価）}}{60{,}000{,}000円} \times \frac{140㎡\left(\text{賃貸以外の部分（居住用）の床面積}\right)}{400㎡\left(\text{建物（全体）の床面積}\right)} \times \underset{\text{（被相続人甲が有する建物の持分割合）}}{\frac{7}{10}} = 14{,}700{,}000円$$

(ロ)　相続税評価額

$$\underset{\text{（上記(イ)）}}{14{,}700{,}000円} - \underset{\text{（上記(イ)）}}{14{,}700{,}000円} \times \frac{\left(71年\left(\text{建物の耐用年数(注１)}\right) - 34年\left(\text{建物の建築後の経過年数(注２)}\right)\right) - 21年\left(\text{配偶者居住権の残存年数(注３)}\right)}{71年\left(\text{建物の耐用年数(注１)}\right) - 34年\left(\text{建物の建築後の経過年数(注２)}\right)}$$

$$\times 0.538\left(\text{年３％による期間21年の場合の複利現価率}\right)$$

＝14,700,000円－3,419,935.13…円（配偶者居住権の目的となっている建物（配偶者居住権設定部分でかつ被相続人甲が有する持分割合対応部分）の価額（建物の所有権の価額））
（上記(イ)）

＝11,280,064.86…円 ⇒ 11,280,065円（円未満四捨五入）（配偶者乙の取得財産）

（注１）　建物の耐用年数

47年（鉄筋コンクリート造建物の法定耐用年数）×1.5＝70年６月　∴71年（６月以上切上げ）

（注２）　建物の建築後の経過年数

H3.2/4（新築日）～R7.6/21（配偶者居住権設定日 注）⇒ 34年４月　∴34年（６月未満切捨て）

注　**Q5** の事例では、遺産分割協議により配偶者居住権が設定されているので、配偶者居住権設定日は遺産分割協議成立日となり、被相続人甲に係る相続開始日とはなりません。

（注３）　配偶者居住権の存続年数

㋑(A)　配偶者乙の配偶者居住権設定日における年齢 ⇒ 68歳６か月５日　∴69歳（６月以上切上げ）

(B)　69歳（女性）の完全生命表による余命年数 ⇒ 20.72歳　∴21年（６月以上切上げ）

㋺　遺産分割協議による配偶者居住権の設定期間 ⇒ 30年

㋩　㋑(B)＜㋺　∴いずれか短い期間（21年）

② 建物の価額（建物の所有権の価額）

(イ)　配偶者居住権の目的となっている部分（被相続人甲が有する建物の持分割合部分）の価額

14,700,000円（上記①(イ)）－ 11,280,065円（上記①(ロ)により計算した配偶者居住権の価額）＝3,419,935円

(ロ)　賃貸の用に供されている部分（被相続人甲が有する建物の持分割合部分）の価額

60,000,000円（建物（全体）の時価）× 260㎡（賃貸部分の床面積）／400㎡（建物（全体）の床面積）× 7/10（被相続人甲が有する建物の持分割合）×（1 － 30%（借家権割合）× 100%（賃貸割合））

＝19,110,000円

(ハ)　合計

3,419,935円（上記(イ)）＋ 19,110,000円（上記(ロ)）＝22,529,935円（長男Aの取得財産）

参考　上記以外の部分（配偶者乙が有する建物の持分割合部分）

(イ)　自用部分（配偶者乙の居住用部分）の価額

60,000,000円（建物（全体）の時価）× 140㎡（賃貸以外の部分（居住用）の床面積）／400㎡（建物（全体）の床面積）× 3/10（配偶者乙が有する建物の持分割合）＝6,300,000円

(ロ)　賃貸の用に供されている部分（配偶者乙が有する建物の持分割合部分）の価額

60,000,000円（建物（全体）の時価）× 260㎡（賃貸部分の床面積）／400㎡（建物（全体）の床面積）× 3/10（配偶者乙が有する建物の持分割合）×（1 － 30%（借家権割合）× 100%（賃貸割合））

＝8,190,000円

(ハ)　合計

6,300,000円（上記(イ)）＋ 8,190,000円（上記(ロ)）＝14,490,000円

③　配偶者居住権の目的となっている建物の敷地の用に供される土地等を当該配偶者居住権に基づき使用する権利の価額（土地等の利用権の価額）

(イ)　土地等（居住用部分の敷地で被相続人甲の持分対応部分）の相続開始時における時価

100,000,000円（土地等（全体）の時価）× 140㎡（賃貸以外の部分（居住用）の床面積）／400㎡（建物（全体）の床面積）× 6／10（被相続人甲の有する土地等の割合のうち配偶者居住権の目的となっている建物の敷地の用に供される土地等の割合（注））

＝21,000,000円

（注）　被相続人甲の有する土地等の割合のうち配偶者居住権の目的となっている建物の敷地の用に供される土地等の割合

㋑　被相続人甲が相続開始時において有していた土地等の持分割合……10分の６

㋺　被相続人甲が相続開始時において有していた建物の持分割合……10分の７

㋩　㋑＜㋺　∴いずれか少ない方（10分の６）

(ロ)　相続税評価額

21,000,000円（上記(イ)）－ 21,000,000円（上記(イ)）× 0.538（年３％による期間21年の場合の複利現価率）

＝ 21,000,000円（上記(イ)）－ 11,298,000円（配偶者居住権の目的となっている建物の敷地の用に供される土地等（配偶者居住権設定部分でかつ被相続人甲が有する上記(イ)（注）に掲げる持分割合対応部分）の価額（土地等の所有権の価額））

＝9,702,000円（配偶者乙の取得財産）

④　土地等の価額（土地等の所有権の価額）

(イ)　配偶者居住権の目的となっている部分（被相続人甲が有する上記③(イ)（注）に掲げる土地等の持分割合部分）の敷地に対応する価額

21,000,0000円（上記③(イ)）＋ 9,702,000円（上記③(ロ)により計算した権利の価額）＝11,298,000円

（注）　上記③(イ)の（注）書より、被相続人甲の有する土地等の割合（10分の６）のうち、配偶者居住権の目的となっている建物の敷地の用に供される土地等の割合が10分の６となっていることから、**Q5**の事例では、被相続人甲の有する土地等の割合のうち配偶者居住権の目的となっている建物の敷地の用に供される土地等の割合を超える部分はないものとなります。

(ロ)　賃貸の用に供されている部分の敷地に対応する価額

100,000,000円（土地等（全体）の時価）× 260㎡（賃貸部分の床面積）／400㎡（建物（全体）の床面積）× 6／10（被相続人甲が有する土地等の持分割合）×（1－60%（借地権割合）× 30%（借家権割合）× 100%（賃貸割合））

＝31,980,000円

(ハ)　合計

11,298,000円（上記(イ)）＋31,980,000円（上記(ロ)）＝43,278,000円（長男Ａの取得財産）

**参考**　上記以外の部分（配偶者乙が有する土地等の持分割合部分）の価額

(イ)　居住の用に供されている部分の価額

100,000,000円（土地等（全体）の時価）×140㎡（居住部分の床面積）／400㎡（建物（全体）の床面積）×4/10（配偶者乙が有する居住の用に供されている土地等の持分割合）＝14,000,000円

(ロ)　貸家の用に供されている部分の価額

㋑　貸家建付地として評価される部分の価額

100,000,000円（土地等（全体）の時価）×260㎡（賃貸部分の床面積）／400㎡（建物（全体）の床面積）×3/10（配偶者乙が有する賃貸の用に供されている土地等の持分割合（注））

×（1－60％（借地権割合）×30％（借家権割合）×100％（賃貸割合））

＝15,990,000円

（注）　配偶者乙が有する賃貸の用に供されている土地等の持分割合

(A)　配偶者乙が相続開始時において有していた土地等の持分割合……10分の４

(B)　配偶者乙が相続開始時において有していた建物の持分割合……10分の３

(C)　(A)＞(B)　∴いずれか少ない方（10分の３）

㋺　自用地（使用貸借として供用）として評価される部分の価額

100,000,000円（土地等（全体）の時価）×260㎡（賃貸部分の床面積）／400㎡（建物（全体）の床面積）×1/10（配偶者乙が有する使用貸借の用に供されている土地等の持分割合（注））＝6,500,000円

（注）　配偶者乙が有する使用貸借の用に供されている土地等の持分割合

4/10（上記㋑（注）(A)）－3/10（上記㋑（注）(B)）＝1/10

㋩　小計

15,990,000円（上記㋑）＋6,500,000円（上記㋺）＝22,490,000円

(ハ)　合計

14,000,000円（上記(イ)）＋22,490,000円（上記(ロ)）＝36,490,000円

参考　**Q5**の事例における概念図

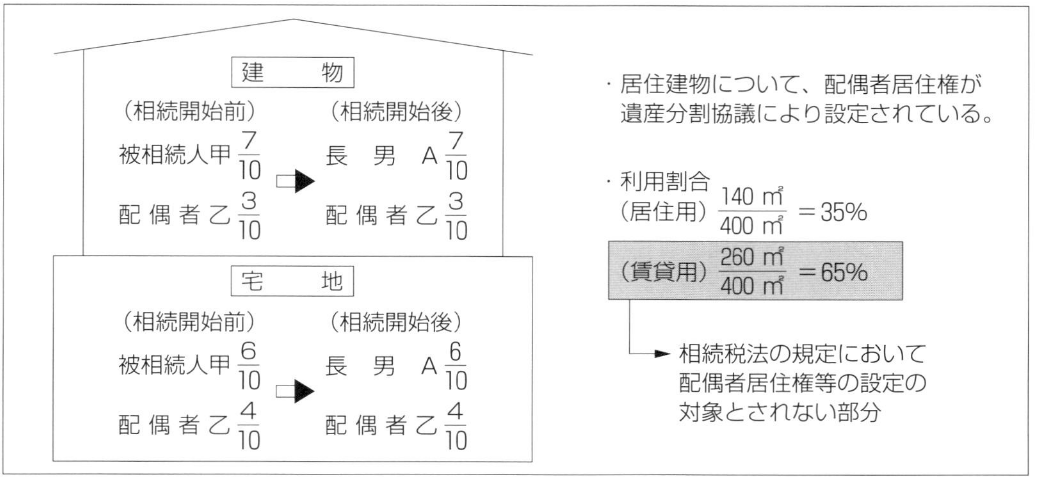

### (1)　配偶者居住権等に対する小規模宅地等の課税特例の適用関係

**質疑**　相続税法第23条の２《配偶者居住権等の評価》の規定に基づいて求めた配偶者居住権等の価額に対して、小規模宅地等の課税特例の適用関係はどのようになっていますか。

**応答**

相続税法第23条の２《配偶者居住権等の評価》の規定では、配偶者居住権の目的となっている建物及びその敷地の用に供される土地等を次に掲げる図の(1)ないし(4)に示すとおり、４つの区分に分けて（この４つを併せて『配偶者居住権等』といいます。）、その価額を求めるものとされています。

図　配偶者居住権に係る４つの評価区分（配偶者居住権等）

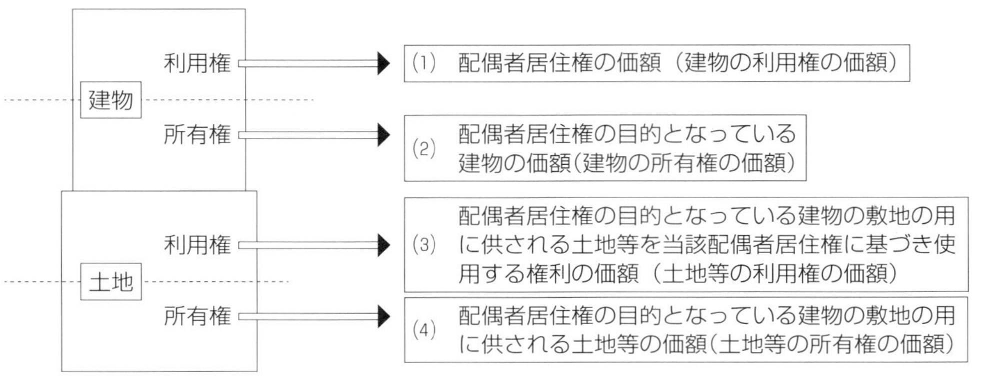


一方、措置法第69条の４《小規模宅地等についての相続税の課税価格の計算の特例》に規定する小規模宅地等の課税特例の適用を受ける場合には、その適用要件の一つとして、「個人が相続又は遺贈により取得した財産のうちに、当該相続の開始の直前において、当該相続若しくは遺贈に係る被相続人又は当該被相続人と生計を一にしていた当該被相続人の親族（以下『被相続人等』といいます。）の事業の用又は居住の用に供されていた宅地等（土地又は土地の上に存する権利をいいます。）であること」が挙げられています。

そうすると、上図の(4)（土地等の所有権の価額）に掲げる財産評価上の区分は土地に該当することは明確なものですが、(3)（土地等の利用権の価額）については厳密にいえば、借家権類似の建物についての利用権に附随する土地利用権（敷地利用権）にすぎず、財産評価基本通達31《借家人の有する宅地等に対する権利の評価》にも該当しないことから、財産評価の区分として土地の上に存する権利には該当しないとの考え方が成立します。

しかしながら、現行の課税実務上の取扱いでは、次の①ないし③に掲げる事項からすると、配偶者居住権に基づく敷地利用権についても、小規模宅地等の課税特例の適用要件を判定するに当たっての『土地の上に存する権利』に該当するものと解することが相当とされています。

①　当該敷地利用権が建物でなく土地を利用する権利であること

②　配偶者居住権が被相続人の配偶者の従前の居住環境での生活の継続を趣旨としていること

③　小規模宅地等の課税特例が事業又は居住の継続等への配慮を趣旨とするものであること

以上から、上図の(3)（土地等の利用権の価額）及び(4)（土地等の所有権の価額）に掲げる財産評価の区分は、小規模宅地等の課税特例の適用に当たって、土地又は土地の上に存する権利に該当し適用要件を充足していることとなり、その他の適用要件も充足するのであれば、一般的には、被相続人等の居住の用に供されていた宅地等として特定居住用宅地等（適用限度面積330㎡、課税価格算入割合20％）に該当するものとされます。

## (2)　土地等の利用権及び所有権に対する小規模宅地等の適用面積と相続税の課税価格算入額（その１：基本的な取扱い）

**質疑**　被相続人甲に相続開始があり、同人に係る相続開始日まで配偶者乙及び長男Ａと共に居住の用に供していた建物及びその敷地である宅地等（面積350㎡）（いずれも、被相続人甲の所有です。以下「本件不動産」といいます。）がありました。

被相続人甲の遺言によって、配偶者乙は当該居住建物に係る配偶者居住権を遺贈により取得し、また、本件不動産の所有権は、長男Ａが相続するものとされていました。

なお、相続税の申告期限までに、その所有状況及び居住状況に異動はありませんでした。

本件不動産について、相続税法第23条の２《配偶者居住権等の評価》の規定に基づく各態様別にその価額を算定すると、下記のとおりとなりました。

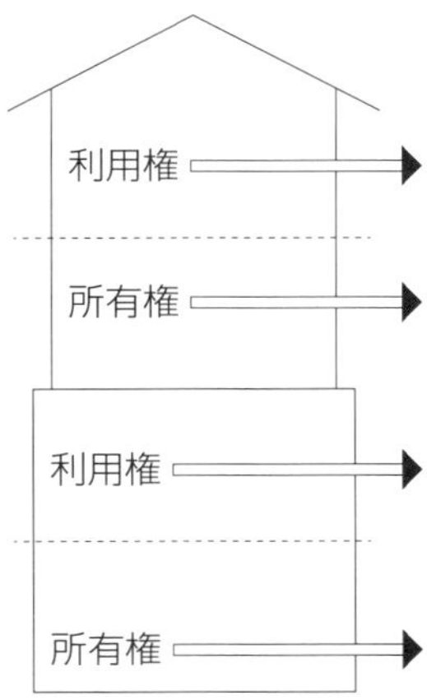

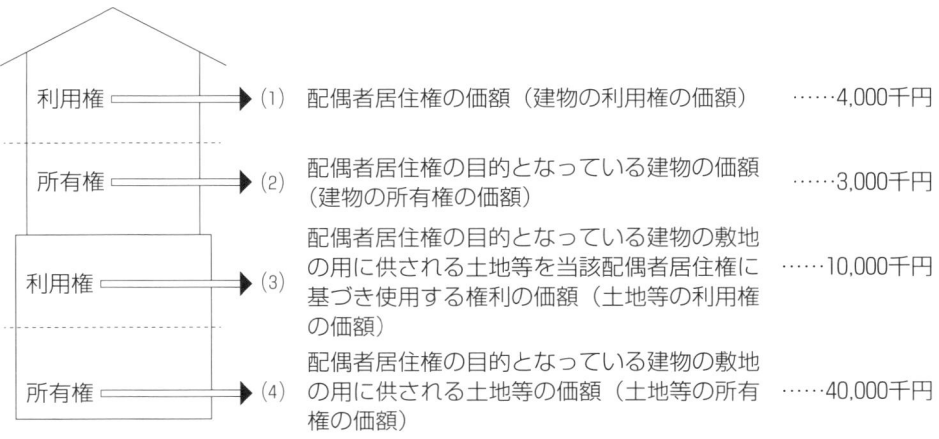

| | | |
|---|---|---|
| (1) | 配偶者居住権の価額（建物の利用権の価額） | ……4,000千円 |
| (2) | 配偶者居住権の目的となっている建物の価額（建物の所有権の価額） | ……3,000千円 |
| (3) | 配偶者居住権の目的となっている建物の敷地の用に供される土地等を当該配偶者居住権に基づき使用する権利の価額（土地等の利用権の価額） | ……10,000千円 |
| (4) | 配偶者居住権の目的となっている建物の敷地の用に供される土地等の価額（土地等の所有権の価額） | ……40,000千円 |

以上の前提において、上記(3)に掲げる土地等の利用権の価額及び(4)に掲げる土地等の所有権の価額に対して、小規模宅地等の課税特例（特定居住用宅地等）の適用

関係はどのようになりますか。もし仮に、選択肢が複数ある場合には、相続税の課税価格への算入額が最も少なくなる方法を選択するものとします。

**類題**　上記に掲げる設例中の(3)及び(4)に掲げる数値が下記に掲げるとおりであったとしたならば、どのようになりますか。なお、その他の条件は同一であるものとします。

●(3)の価額……100,000千円

●(4)の価額……40,000千円

## 応答

(1)　特定居住用宅地等の意義（概要のみ）と配偶者居住権等の適用関係

特定居住用宅地等とは、被相続人等の居住の用に供されていた宅地等で、次に掲げる者が相続又は遺贈により取得したものであることが必要とされています。

①　当該被相続人の配偶者が取得した場合

②　下記(イ)ないし(ハ)に掲げる要件のいずれかを満たす当該被相続人の親族（当該被相続人の配偶者を除きます。）

(イ)　被相続人の居住用家屋に居住（同居）していた者である場合

(ロ)　配偶者及び一定の同居親族が存せず非同居親族が取得した場合（いわゆる『家なき子』である場合）

(ハ)　被相続人と生計を一にする親族の居住の用に供されていた場合

そうすると、特定居住用宅地等に該当する形態は上記のとおり４区分となりますが、配偶者居住権等への適用関係の観点からすると上記②(ロ)の形態は想定外であり、理論上は３区分（上記①、②(イ)及び②(ハ)）となります。

そして、実務上の観点からすると、今後、特にその適用関係が多く生じると想定されるのが、上記①に掲げる被相続人の配偶者が取得した場合と②(イ)に掲げる被相続人の配偶者以外で被相続人の居住用家屋に居住（同居）していた者である親族が取得した場合の２区分になるものと考えられます。

以上の取扱いに基づいて、**質疑**の事例を検討すると、配偶者乙が取得した土地等の利用権の価額は上記①に、また、長男Aが取得した土地等の所有権の価額は上記②(イ)にそれぞれ該当することから、そのいずれについても、小規模宅地等の課税特例（特定居住用宅地等）の適用対象とすることが認められます。

(2)　小規模宅地等の課税特例の適用面積（土地等の利用権及び所有権に対する面積の配分）

措置法施行令第40条の２《小規模宅地等についての相続税の課税価格の計算の特例》第６項において、要旨、小規模宅地等の課税特例の規定の適用を受けるものとしてその全部又は一部の選択をしようとする特例対象宅地等が配偶者居住権の目的となっている建物の敷地の用に供される宅地等（土地等の所有権）又は当該宅地等を配偶者居住権に基づき使用する権利（土地等の利用権）の全部又は一部である場合には、当該特例対象宅地等の面積（適用面積）は、当該面積に、それぞれ当該敷地の用に供される宅地等の価額又は当該権利の価額がこれらの価額の合計額のうちに占める割合を乗じて得た面積であるものとみなされる旨が規定されています。この取扱いを算式で示すと、次のとおりになります。

（算式）

① 配偶者居住権に基づき使用する権利（土地等の利用権）に対応するとみなされる面積

$$\left(\begin{array}{l}\text{小規模宅地等の課税特例の適用を}\\\text{受けようとする土地（宅地）等の}\\\text{利用権及び所有権に係る面積}\end{array}\right)\times\frac{\text{土地（宅地）等の利用権の価額}}{\begin{array}{c}\text{土地（宅地）等}\\\text{の利用権の価額}\end{array}+\begin{array}{c}\text{土地（宅地）等}\\\text{の所有権の価額}\end{array}}$$

② 配偶者居住権の目的となっている建物の敷地である宅地等（土地等の所有権）に対応するとみなされる面積

$$\left(\begin{array}{l}\text{小規模宅地等の課税特例の適用を}\\\text{受けようとする土地（宅地）等の}\\\text{利用権及び所有権に係る面積}\end{array}\right)\times\frac{\text{土地（宅地）等の所有権の価額}}{\begin{array}{c}\text{土地（宅地）等}\\\text{の利用権の価額}\end{array}+\begin{array}{c}\text{土地（宅地）等}\\\text{の所有権の価額}\end{array}}$$

(3) **質疑** の事例の場合

① 小規模宅地等の適用面積

(イ) 宅地等の利用権の価額に係る適用面積

$$\underset{\text{（全体の面積）}}{350㎡}\times\frac{10{,}000\text{千円（利用権の価額）}}{10{,}000\text{千円（利用権の価額）}+40{,}000\text{千円（所有権の価額）}}=70㎡$$

(ロ) 宅地等の所有権の価額に係る適用面積

$$\underset{\text{（全体の面積）}}{350㎡}\times\frac{40{,}000\text{千円（所有権の価額）}}{10{,}000\text{千円（利用権の価額）}+40{,}000\text{千円（所有権の価額）}}=280㎡$$

(ハ) 適用面積の配分

㋑ 優先順位の決定

10,000千円（利用権の価額）＜40,000千円（所有権の価額）

∴所有権の価額から優先的に適用した方が有利と仮定して計算

㋺ 適用面積

（所有権の価額対応部分）　280㎡≦330㎡　∴280㎡（いずれか少ない方）

（利用権の価額対応部分）　70㎡≧330㎡－280㎡＝50㎡　∴50㎡（いずれか少ない方）

② 小規模宅地等の課税特例の適用後の価額（相続税の課税価格算入額）

(イ) 宅地等の利用権の価額（配偶者乙の相続税の課税価格算入額）

$$\underset{\text{（適用前の価額）}}{10{,}000\text{千円}}-\underset{\text{（小規模宅地等の課税特例の適用による減額金額）}}{\left(10{,}000\text{千円}\times\frac{50㎡}{70㎡}\times80\%\right)}=4{,}285{,}715\text{円}$$

(ロ) 宅地等の所有権の価額（長男Aの相続税の課税価格算入額）

$$\underset{\text{（適用前の価額）}}{40{,}000\text{千円}}-\underset{\text{（小規模宅地等の課税特例の適用による減額金額）}}{\left(40{,}000\text{千円}\times\frac{280㎡}{280㎡}\times80\%\right)}=8{,}000{,}000\text{円}$$

(ハ)　合計

4,285,715円（上記(イ)）＋8,000,000円（上記(ロ)）＝ 12,285,715円

参考　質疑 の事例において宅地等の利用権の価額から優先的に小規模宅地等の課税特例を適用した場合

① 小規模宅地等の適用面積

（利用権の価額対応部分）　70㎡≦330㎡　∴70㎡（いずれか少ない方）

（所有権の価額対応部分）　280㎡≧330㎡－70㎡＝260㎡　∴260㎡（いずれか少ない方）

② 小規模宅地等の課税特例の適用後の価額（相続税の課税価格算入額）

(イ)　宅地等の利用権の価額（配偶者乙の相続税の課税価格算入額）

$$10{,}000\text{千円}_{（適用前の価額）} - \underbrace{\left(10{,}000\text{千円}\times\frac{70㎡}{70㎡}\times 80\%\right)}_{（小規模宅地等の課税特例の適用による減額金額）} = 2{,}000{,}000\text{円}$$

(ロ)　宅地等の所有権の価額（長男Ａの相続税の課税価格算入額）

$$40{,}000\text{千円}_{（適用前の価額）} - \underbrace{\left(40{,}000\text{千円}\times\frac{260㎡}{280㎡}\times 80\%\right)}_{（小規模宅地等の課税特例の適用による減額金額）} = 10{,}285{,}715\text{円}$$

(ハ)　合計

2,000,000円（上記イ）＋10,285,715円（上記ロ）＝ 12,285,715円

注　上記の計算結果は、所有権の価額から優先的に適用した場合と同一額となります。

(4)　類題 の事例の場合

① 小規模宅地等の適用面積

(イ)　宅地等の利用権の価額に係る適用面積

$$350㎡_{（全体の面積）}\times\frac{100{,}000\text{千円（利用権の価額）}}{100{,}000\text{千円（利用権の価額）}+40{,}000\text{千円（所有権の価額）}}=250㎡$$

(ロ)　宅地等の所有権の価額に係る適用面積

$$350㎡_{（全体の面積）}\times\frac{40{,}000\text{千円（所有権の価額）}}{100{,}000\text{千円（利用権の価額）}+40{,}000\text{千円（所有権の価額）}}=100㎡$$

(ハ)　適用面積の配分

㋑ 優先順位の決定

100,000千円（利用権の価額）＞40,000千円（所有権の価額）

∴利用権の価額から優先的に適用した方が有利と仮定して計算

㋺ 適用面積

（利用権の価額対応部分）　250㎡≦330㎡　∴250㎡（いずれか少ない方）

（所有権の価額対応部分）　100㎡≧330㎡－250㎡＝80㎡　∴80㎡（いずれか少ない方）

② 小規模宅地等の課税特例の適用後の価額（相続税の課税価格算入額）

(イ)　宅地等の利用権の価額（配偶者乙の相続税の課税価格算入額）

$$\underset{\text{（適用前の価額）}}{100{,}000\text{千円}} - \underset{\text{（小規模宅地等の課税特例の適用による減額金額）}}{\left(100{,}000\text{千円}\times\frac{250\text{㎡}}{250\text{㎡}}\times 80\%\right)} = 20{,}000{,}000\text{円}$$

(ロ)　宅地等の所有権の価額（長男Aの相続税の課税価格算入額）

$$\underset{\text{（適用前の価額）}}{40{,}000\text{千円}} - \underset{\text{（小規模宅地等の課税特例の適用による減額金額）}}{\left(40{,}000\text{千円}\times\frac{80\text{㎡}}{100\text{㎡}}\times 80\%\right)} = 14{,}400{,}000\text{円}$$

(ハ)　合計

$$\underset{\text{（上記(イ)）}}{20{,}000{,}000\text{円}} + \underset{\text{（上記(ロ)）}}{14{,}400{,}000\text{円}} = \boxed{34{,}400{,}000\text{円}}$$

**参考**　**類題**の事例において宅地等の所有権の価額から優先的に小規模宅地等の課税特例を適用した場合

① 小規模宅地等の適用面積

（所有権の価額対応部分）　100㎡≦330㎡　∴100㎡（いずれか少ない方）

（利用権の価額対応部分）　250㎡≧330㎡－100㎡＝230㎡　∴230㎡（いずれか少ない方）

② 小規模宅地等の課税特例の適用後の価額（相続税の課税価格算入額）

(イ)　宅地等の利用権の価額（配偶者乙の相続税の課税価格算入額）

$$\underset{\text{（適用前の価額）}}{100{,}000\text{千円}} - \underset{\text{（小規模宅地等の課税特例の適用による減額金額）}}{\left(100{,}000\text{千円}\times\frac{230\text{㎡}}{250\text{㎡}}\times 80\%\right)} = 26{,}400{,}000\text{円}$$

(ロ)　宅地等の所有権の価額（長男Aの相続税の課税価格算入額）

$$\underset{\text{（適用前の価額）}}{40{,}000\text{千円}} - \underset{\text{（小規模宅地等の課税特例の適用による減額金額）}}{\left(40{,}000\text{千円}\times\frac{100\text{㎡}}{100\text{㎡}}\times 80\%\right)} = 8{,}000{,}000\text{円}$$

(ハ)　合計

$$\underset{\text{（上記(イ)）}}{26{,}400{,}000\text{円}} + \underset{\text{（上記(ロ)）}}{8{,}000{,}000\text{円}} = \boxed{34{,}400{,}000\text{円}}$$

注　上記の計算結果は、利用権の価額から優先的に適用した場合と同一額になります。

### (3)　土地等の利用権及び所有権に対する小規模宅地等の適用面積と相続税の課税価格算入額（その2：被相続人の配偶者が居住用宅地等の共有持分を取得した場合の取扱い）

**質疑**　前問(2)の**質疑**において、被相続人甲の遺言の内容が下記のとおりであったとしたならば、土地等の利用権の価額及び土地等の所有権の価額に対する小規模宅地等の課税特例（特定居住用宅地等）の適用関係はどのようになりますか。

被相続人甲の遺言内容

(1)　配偶者乙に対して、当該居住建物に係る配偶者居住権を遺贈する。

(2)　本件不動産のうち当該居住建物は長男Aが相続するものとし、その敷地である宅地等の所有権は、配偶者乙に対して持分$\frac{3}{7}$、長男Aに対して持分$\frac{4}{7}$の共有により相続させるものとする。

もし仮に、選択肢が複数ある場合には、配偶者乙に係る相続税の課税価格が最も低くなる方法を選択するものとし、その他の条件は、すべて前問(2)の **質疑** と同一であるものとします。

## 応答

(1)　特定居住用宅地等の意義（概要のみ）と配偶者居住権等の適用関係

当該項目については、前問(2)の **応答** (1)を参照してください。

(2)　小規模宅地等の適用面積（土地等の利用権及び所有権に対する面積の配分）

当該項目については、前問(2)の **応答** (2)及び下記に掲げる 留意点 を参照してください。

留意点　被相続人の配偶者及び当該被相続人の配偶者以外の者が居住建物の敷地の用に供される宅地等を相続又は遺贈により共有で取得した場合

配偶者居住権の設定に係る相続又は遺贈に係る被相続人の配偶者が、配偶者居住権及び居住建物の敷地の用に供される宅地等のいずれも取得した場合において、当該宅地等につき当該配偶者以外の他の者との共有となっているときには、これを敷地利用権と所有権に区分する必要があり（さらに、所有権については、共有者ごとの共有持分に応じて区分する必要があります。下記 図 を参照）、前問(2)の **応答** (2)の算式に掲げる小規模宅地等の適用面積の調整計算を行う必要があります。

図　被相続人の配偶者が居住建物の敷地の用に供される宅地等を共有で取得した場合

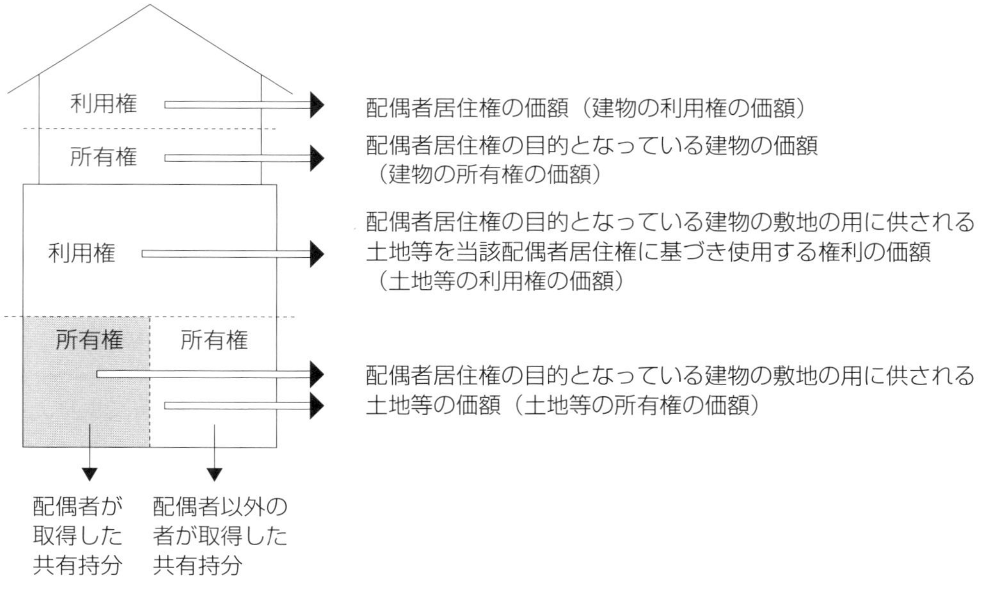


(3)　**質疑** の事例の場合

①　小規模宅地等の適用面積

(イ)　宅地等の利用権の価額に係る適用面積

$$\underset{(全体の面積)}{350m^2} \times \frac{10{,}000千円（利用権の価額）}{10{,}000千円（利用権の価額）+40{,}000千円（所有権の価額）} = 70m^2$$

(ロ)　宅地等の所有権の価額に係る適用面積

㋑　配偶者乙が取得した共有持分に対応する面積

$$\underset{(全体の面積)}{350m^2} \times \frac{40{,}000千円（所有権の価額）}{10{,}000千円（利用権の価額）+40{,}000千円（所有権の価額）} \times \frac{3}{7}\left(\begin{matrix}配偶者乙の\\共有持分\end{matrix}\right) = 120m^2$$

㋺　長男Aが取得した共有持分に対応する面積

$$\underset{(全体の面積)}{350m^2} \times \frac{40{,}000千円（所有権の価額）}{10{,}000千円（利用権の価額）+40{,}000千円（所有権の価額）} \times \frac{4}{7}\left(\begin{matrix}長男Aの\\共有持分\end{matrix}\right) = 160m^2$$

(ハ)　適用面積の配分

㋑　優先順位の決定

**質疑** の前提条件から、配偶者乙が取得した財産から優先的に適用

㋺　適用面積

(A)　配偶者乙が取得した財産に対応する部分

$70m^2$（上記(イ)）＋$120m^2$（上記(ロ)㋑）＝$190m^2 \leqq 330m^2$　∴$190m^2$（いずれか少ない方）

(B)　長男Aが取得した財産に対応する部分

$160m^2$（上記(ロ)㋺）$\geqq 330m^2 - 190m^2 = 140m^2$　∴$140m^2$（いずれか少ない方）

②　小規模宅地等の課税特例の適用後の価額（相続税の課税価格算入額）

(イ)　宅地等の利用権の価額（配偶者乙の相続税の課税価格算入額）

$$\underset{(適用前の価額)}{10{,}000千円} - \underset{(小規模宅地等の課税特例の適用による減額金額)}{\left(10{,}000千円 \times \frac{70m^2}{70m^2} \times 80\%\right)} = 2{,}000{,}000円$$

(ロ)　宅地等の所有権の価額（配偶者乙の取得持分対応分：配偶者乙の相続税の課税価格算入額）

$$\underset{(適用前の価額)}{40{,}000千円} \times \frac{3}{7} - \underset{(小規模宅地等の課税特例の適用による減額金額)}{\left(40{,}000千円 \times \frac{3}{7} \times \frac{120m^2}{120m^2} \times 80\%\right)} = 3{,}428{,}572円$$

(ハ)　宅地等の所有権の価額（長男Aの取得持分対応分：長男Aの相続税の課税価格算入額）

$$\underset{(適用前の価額)}{40{,}000千円} \times \frac{4}{7} - \underset{(小規模宅地等の課税特例の適用による減額金額)}{\left(40{,}000千円 \times \frac{4}{7} \times \frac{140m^2}{160m^2} \times 80\%\right)} = 6{,}857{,}143円$$

(ニ)　合計

$$\underset{(上記(イ))}{2{,}000{,}000円} + \underset{(上記(ロ))}{3{,}428{,}572円} + \underset{(上記(ハ))}{6{,}857{,}143円} = \boxed{12{,}285{,}715円}$$

**ポイント**　上記の計算結果は、前問(2)の本題における各設定（(A)小規模宅地等の課税特例を利用権の価額から優先的に適用する場合、(B)小規模宅地等の課税特例を所有権の価額から優先的に適用する場合）における回答と一致します。

### ⑷　土地等の利用権及び所有権に対する小規模宅地等の適用面積と相続税の課税価格算入額（その３：被相続人の配偶者が居住用宅地等を単独で取得した場合の取扱い）

**質疑**　前々問⑵の **質疑** において、被相続人甲の遺言の内容が下記のとおりであったとしたならば、土地等の利用権の価額及び土地等の所有権の価額に対する小規模宅地等の課税特例（特定居住用宅地等）の適用関係はどのようになりますか。

被相続人甲の遺言内容

(1)　配偶者乙に対して、当該居住建物に係る配偶者居住権を遺贈する。

(2)　本件不動産のうち当該居住建物は長男Aが相続するものとし、その敷地である宅地等（配偶者居住権が設定されていないとした場合の自用地としての価額：50,000千円）は配偶者乙が相続するものとする。

もし仮に、選択肢が複数ある場合には、配偶者乙に係る相続税の課税価格が最も低くなる方法を選択するものとし、その他の条件は、すべて前々問⑵の **質疑** と同一であるものとします。

**応答**

(1)　特定居住用宅地等の意義（概要のみ）と配偶者居住権等の適用関係

当該項目については、前々問⑵の **応答** (1)を参照してください。

(2)　小規模宅地等の適用面積（土地等の利用権及び所有権に対する面積の配分）

当該項目については、前々問⑵の **応答** (2)及び下記に掲げる留意点を参照してください。

留意点　被相続人の配偶者が居住建物の敷地の用に供される宅地等を相続又は遺贈により単独で取得した場合

配偶者居住権の設定に係る相続又は遺贈に係る被相続人の配偶者が、配偶者居住権及び居住建物の敷地の用に供される宅地等のいずれも取得（宅地等については、当該配偶者が単独で取得していることが前提となります。）していることから、当該宅地等についてはこれを敷地利用権と所有権に区分する必要がなく（下記図を参照）、前々問⑵の **応答** (2)の算式に掲げる小規模宅地等の適用面積の調整計算を行う必要はないものとされます。

図　被相続人の配偶者が居住建物の敷地の用に供される宅地等を単独で取得した場合

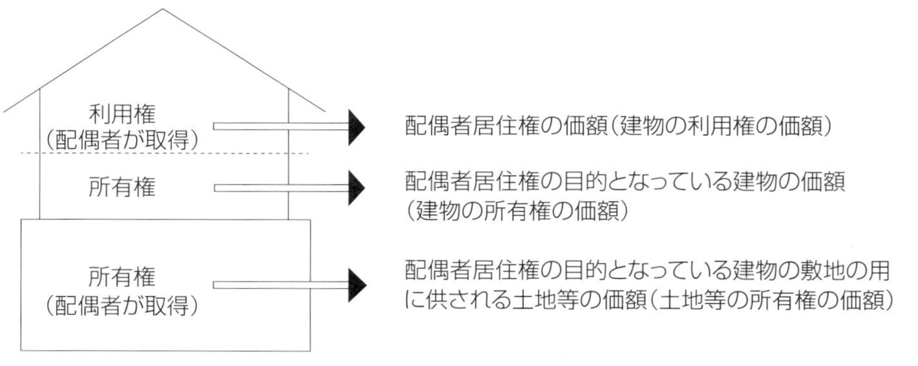

(3)　**質疑**　の事例の場合

①　小規模宅地等の適用面積

350㎡（配偶者乙が取得した宅地等の所有権の面積）≧330㎡

∴330㎡（いずれか少ない方）

②　小規模住宅地等の課税特例適用後の価額（相続税の課税価格算入額）

$$50{,}000\text{千円}_{（適用前の価額）} - \left(50{,}000\text{千円} \times \frac{330㎡}{350㎡} \times 80\%\right)_{（小規模宅地等の課税特例の適用による減額金額）} = \boxed{12{,}285{,}715\text{円}}$$

ポイント　上記の計算結果は、前問(3)及び前々問(2)の本題における各設定（(A) 小規模宅地等の課税特例を利用権の価額から優先的に適用する場合、(B) 小規模宅地等の課税特例を所有権の価額から優先的に適用する場合）における各回答と一致します。

### (5)　配偶者居住権等に対する小規模宅地等の課税特例の適用関係（その１：総合的な事例に対する実践的な検討）

**質疑**　被相続人甲は令和３年11月26日に相続の開始がありました。同人に係る相続開始日まで配偶者乙（女性）（生年月日：昭和52年４月16日）及び長男Ａと共に居住の用に供していた建物（床面積300㎡）及びその敷地である宅地等（以下「本件不動産」といいます。）の状況は、下記に掲げるとおりとなっていました。

継承者　被相続人甲の遺言によって、配偶者乙は当該居住建物に係る被相続人甲の持分部分について配偶者居住権を配偶者乙の終身にわたる期間、これを遺贈により取得し、また、本件不動産に係る被相続人甲の持分部分についての所有権は、長男Ａが相続するものとされていました。

なお、相続税の申告期限までに、その所有状況及び居住状況に異動はありませんでした。

建　物　(1)　所有割合……被相続人甲：持分10分の８、配偶者乙：持分10分の２
(2)　固定資産税評価額……25,000,000円
(3)　構造及び法定耐用年数……鉄筋コンクリート造（法定耐用年数47年）
(4)　新築年月日……平成８年４月20日

宅　地　(1)　所有割合……被相続人甲：持分10分の７、配偶者乙：持分10分の３
(2)　地積……600㎡
(3)　自用地としての価額（相続税評価額）……150,000,000円

その他　(1)　配偶者乙の被相続人甲に係る相続開始時における年齢
……44歳７か月10日
(2)　完全生命表による配偶者乙の余命年数……42.83歳（女性：45歳の場合）
(3)　民法の法定利率（年３％）による期間43年の場合の複利現価率
……0.281

上記のような状況にある本件不動産（被相続人甲が所有する持分割合対応部分）について、次に掲げる項目はどのように算定されることになりますか。その計算過程及び算定上の留意事項にも触れながら説明してください。

(1)　相続税法第23条の２《配偶者居住権等の評価》に規定する配偶者居住権等の価額

(2)　上記(1)に掲げる配偶者住居権等に対する小規模宅地等の課税特例の適用関係

なお、もし仮に、選択肢が複数ある場合には、相続税の課税価格算入額が最も少なくなる方法を選択するものとします。

## 応答

この 質疑 を検討するためには、下記に掲げる項目に関する理解が不可欠とされます。

・『配偶者居住権等』に対する小規模宅地等の課税特例の適用関係を理解するための前提として確認した 相続税法に規定する『配偶者居住権等』の評価方法について の **Q4**（配偶者居住権等の評価（その３：被相続人及びその配偶者で共有していた居住建物に配偶者居住権が設定された場合））

・質疑 の(2)（土地等の利用権及び所有権に対する小規模宅地等の適用面積と相続税の課税価格算入額（その１：基本的な取扱い）

具体的な計算は、次に掲げるとおりとなります。

(1)　本件不動産に係る配偶者居住権等の価額

①　配偶者住居権の価額（建物の利用権の価額）

(イ)　建物（被相続人甲の持分対応部分）の相続開始日における時価

$$\underset{\text{（建物（全体）の時価）}}{25{,}000{,}000\text{円}} \times \underset{\text{（被相続人甲が有する建物の持分割合）}}{\frac{8}{10}} = 20{,}000{,}000\text{円}$$

(ロ)　相続税評価額

$$\underset{\text{（上記(イ)）}}{20{,}000{,}000\text{円}} - \underset{\text{（上記(イ)）}}{20{,}000{,}000\text{円}} \times \frac{\left(71\text{年}\left(\text{建物の耐用年数(注１)}\right) - 26\text{年}\left(\text{建物の建築後の経過年数(注２)}\right)\right) - 43\text{年}\left(\text{配偶者居住権の存続年数(注３)}\right)}{71\text{年}\left(\text{建物の耐用年数(注１)}\right) - 26\text{年}\left(\text{建物の建築後の経過年数(注２)}\right)}$$

$$\times \underset{\text{（年３％による期間43年の場合の複利現価率）}}{0.281}$$

$$= \underset{\text{（上記(イ)）}}{20{,}000{,}000\text{円}} - \underset{\text{（配偶者居住権の目的となっている建物（被相続人甲が有する持分割合対応部分）の価額（建物の所有権の価額））}}{249{,}777.77\cdots\text{円}}$$

＝19,750,222.22…円⇨<u>19,750,222円</u>（円未満四捨五入）（配偶者乙の取得財産）

（注１）　建物の耐用年数

47年（鉄筋コンクリート造の法定耐用年数）×1.5＝70年６月　∴71年（6月以上切上げ）

（注２）　建物の建築後の経過年数

H8. 4／20（新築日）～R3. 11／26（配偶者居住権設定日 注 ）⇨25年7月　∴26年（6月以上切上げ）

注　質疑 の事例では、遺贈により配偶者居住権が設定されているので配偶者居住権設定日は、被相続人甲に係る相続開始日となります。

（注３）配偶者居住権の存続年数

- 配偶者乙の被相続人甲に係る相続開始日における年数⇨44歳７か月10日　∴45歳（6月以上切上げ）
- 45歳（女性）の完全生命表における余命年数⇨42.83歳　∴43年（６月以上切上げ）

② 建物の価額（建物の所有権の価額）

20,000,000円（上記①(イ)）－ 19,750,222円（上記①(ロ)により計算した配偶者居住権の価額）＝249,778円（長男Aの取得財産）

参考　上記以外の部分（配偶者乙が有する建物の持分割合部分）の価額

25,000,000円（建物（全体）の時価）× $\frac{2}{10}$（配偶者乙が有する建物の持分割合）＝5,000,000円

③ 配偶者居住権の目的となっている建物の敷地の用に供される土地等を当該配偶者居住権に基づき使用する権利の価額（土地等の利用権の価額）

(イ) 土地等（被相続人甲の持分対応部分）の相続開始時における時価

150,000,000円（土地等（全体）の時価）× $\frac{7}{10}$（被相続人甲の有する土地等の割合のうち配偶者居住権の目的となっている建物の敷地の用に供される土地等の割合（注））＝105,000,000円

（注）被相続人甲の有する土地等の割合のうち配偶者居住権の目的となっている建物の敷地の用に供される土地等の割合

㋑ 被相続人甲が相続開始時において有していた土地等の持分割合……10分の７

㋺ 被相続人甲が相続開始時において有していた建物の持分割合……10分の８

㋩ ㋑<㋺　∴いずれか少ない方（10分の７）

(ロ) 相続税評価額

105,000,000円（上記(イ)）－ 105,000,000円（上記(イ)）× 0.281（年３％による期間43年の場合の複利現価率）

＝105,000,000円（上記(イ)）－ 29,505,000円（配偶者居住権の目的となっている建物の敷地の用に供される土地等（被相続人甲が有する上記(イ)（注）に掲げる持分割合対応部分）の価額（土地等の所有権の価額））

＝75,495,000円（配偶者乙の取得財産）

④ 土地等の価額（土地等の所有権の価額）

105,000,000円（上記③(イ)の価額）－ 75,495,000円（上記③(ロ)により計算した権利の価額）＝29,505,000円（長男Aの取得財産）

参考　上記以外の部分（配偶者乙が有する土地等の持分割合部分）の価額

150,000,000円（土地（全体）の時価）× $\frac{3}{10}$（配偶者乙が有する土地等の持分割合）＝45,000,000円

**参考**　**質疑**　の事例における概念図

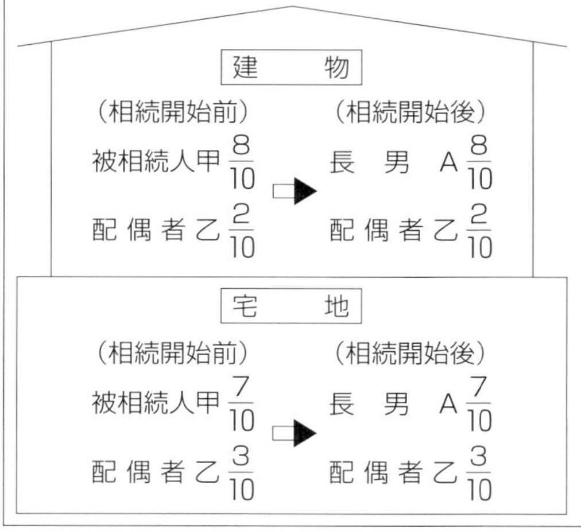


・居住建物について、配偶者居住権を設定させる旨の遺言がなされている。

⑵　本件不動産に係る小規模宅地等の課税特例

①　小規模宅地等の適用面積

(イ)　宅地等の利用権の価額に係る適用面積

$$\underset{（全体の地積）}{600㎡} \times \underset{（被相続人甲の持分割合）}{\frac{7}{10}} \times \frac{75{,}495{,}000円（利用権の価額）}{75{,}495{,}000円（利用権の価額）+29{,}505{,}000円（所有権の価額）}$$

＝301.98㎡

(ロ)　宅地等の所有権の価額に係る適用面積

$$\underset{（全体の地積）}{600㎡} \times \underset{（被相続人甲の持分割合）}{\frac{7}{10}} \times \frac{29{,}505{,}000円（所有権の価額）}{75{,}495{,}000円（利用権の価額）+29{,}505{,}000円（所有権の価額）}$$

＝118.02㎡

(ハ)　適用面積の配分

㋑　優先順位の決定

75,495,000円（利用権の価額）＞29,505,000円（所有権の価額）

∴利用権の価額から優先的に適用した方が有利と仮定して計算

㋺　適用面積

（利用権の価額対応部分）　301.98㎡≦330㎡　∴301.98㎡（いずれか少ない方）

（所有権の価額対応部分）　118.02㎡≧330㎡－301.98㎡＝28.02㎡

∴28.02㎡（いずれか少ない方）

②　小規模宅地等の課税特例の適用後の価額（相続税の課税価格算入額）

(イ)　宅地等の利用権の価額（配偶者乙の相続税の課税価格算入額）

$$\underset{（適用前の価額）}{75{,}495{,}000円} - \underset{（小規模宅地等の課税特例の適用による減額金額）}{\left(75{,}495{,}000円 \times \frac{301.98㎡}{301.98㎡} \times 80\%\right)} = 15{,}099{,}000円$$

(ロ)　宅地等の所有権の価額（長男Aの相続税の課税価格算入額）

$$\underset{\text{（適用前の価額）}}{29{,}505{,}000\text{円}} - \underset{\text{（小規模宅地等の課税特例の適用による減額金額）}}{\left(29{,}505{,}000\text{円} \times \frac{28.02\text{m}^2}{118.02\text{m}^2} \times 80\%\right)} = 23{,}901{,}000\text{円}$$

(ハ)　合計

$$\underset{\text{（上記(イ)）}}{15{,}099{,}000\text{円}} + \underset{\text{（上記(ロ)）}}{23{,}901{,}000\text{円}} = \boxed{39{,}000{,}000\text{円}}$$

**参考**　**質疑**の事例において宅地等の所有権の価額から優先的に小規模宅地等の課税特例を適用した場合

① 小規模宅地等の適用面積

（所有権の価額対応部分）　118.02㎡≦330㎡　∴118.02㎡（いずれか少ない方）

（利用権の価額対応部分）　301.98㎡≧330㎡－118.02㎡＝211.98㎡

∴211.98㎡（いずれか少ない方）

② 小規模宅地等の課税特例の適用後の価額（相続税の課税価格算入額）

(イ)　宅地等の利用権の価額（配偶者乙の相続税の課税価格算入額）

$$\underset{\text{（適用前の価額）}}{75{,}495{,}000\text{円}} - \underset{\text{（小規模宅地等の課税特例の適用による減額金額）}}{\left(75{,}495{,}000\text{円} \times \frac{211.98\text{m}^2}{301.98\text{m}^2} \times 80\%\right)} = 33{,}099{,}000\text{円}$$

(ロ)　宅地等の所有権の価額（長男Aの相続税の課税価格算入額）

$$\underset{\text{（適用前の価額）}}{29{,}505{,}000\text{円}} - \underset{\text{（小規模宅地等の課税特例の適用による減額金額）}}{\left(29{,}505{,}000\text{円} \times \frac{118.02\text{m}^2}{118.02\text{m}^2} \times 80\%\right)} = 5{,}901{,}000\text{円}$$

(ハ)　合計

$$\underset{\text{（上記(イ)）}}{33{,}099{,}000\text{円}} + \underset{\text{（上記(ロ)）}}{5{,}901{,}000\text{円}} = \boxed{39{,}000{,}000\text{円}}$$

注　上記の計算結果は、利用権の価額から優先的に適用した場合と同一額となります。

**ポイント**　**質疑**の事例における宅地の価額（相続税の課税価格算入額）について、小規模宅地等の課税特例を宅地等の利用権の価額から優先的に適用して算出すると39,000,000円（上記(2)②(ハ)）となります。その一方で、これを宅地等の所有権の価額から優先的に適用して算出しても39,000,000円（上記 参考 の②(ハ)）となります。

そうすると、両者の開差は生じないものとなり、配偶者居住権等に係る小規模宅地等の課税特例の適用面積の選択（宅地等の利用権の価額から適用するのか又は宅地等の所有権の価額から適用するのか）は、相続税の課税価格の合計額に対して中立であり、影響を与えないものであることが理解できます。

ただし、上記の場合においても、配偶者の税額軽減額への影響（有利不利）を考慮する必要があることは当然として、これ以外にも、相続税負担の公平性（特定の者から優先して小規模宅地等の課税特例を適用すると、当該者の相続税負担感は他の者と比較すると低下することになります。）も考慮して、総合的な立場に基づいた判断が実務では求められることになります。

### ⑹　配偶者居住権等に対する小規模宅地等の課税特例の適用関係（その２：宅地等の所有権を取得した者が被相続人と同居の親族に該当するか否かにより生ずる差異の確認Ⓐ）

**質疑**　被相続人甲に相続開始があり、同人に係る相続開始日まで配偶者乙及び長男Ａと共に居住の用に供していた建物及びその敷地である宅地等（面積300㎡）（いずれも、被相続人甲の所有です。以下、「本件不動産」といいます。）がありました。

被相続人甲に係る遺産分割に当たっては、配偶者乙は当該居住建物に係る配偶者居住権を取得し、また、本件不動産の所有権は、長男Ａが取得するものとされました。

なお、相続税の申告期限までに、その所有状況及び居住状況に異動はありませんでした。

本件不動産のうち宅地等について、相続税法第23条の２《配偶者居住権等の評価》の規定に基づいて、各態様別にその価額を算定すると、下記のとおりとなりました。

⑴　配偶者居住権の目的となっている建物の敷地の用に供される土地等を当該配偶者居住権に基づき使用する権利の価額（土地（宅地）等の利用権の価額）……30,000千円

⑵　配偶者居住権の目的となっている建物の敷地の用に供される土地等の価額（土地（宅地）等の所有権の価額）……120,000千円

以上の前提において、上記⑴に掲げる土地（宅地）等の利用権の価額及び⑵に掲げる土地（宅地）等の所有権の価額に対して、小規模宅地等の課税特例（特定居住用宅地等）の適用関係はどのようになりますか。

**類題**　上記に掲げる設例において、本件不動産が被相続人甲に係る相続開始日までに同人と配偶者乙のみの居住の用に供されており、長男Ａの居住の用には供されていなかった場合にはどのようになりますか。なお、その他の条件は同一であるものとします。

**応答**

⑴　**質疑** の事例の場合

**質疑** に掲げる被相続人甲の居住の用に供されていた宅地等に係る配偶者居住権等が小規模宅地等の課税特例（特定居住用宅地等）の適用対象とされるか否かについて検討すると、下記のとおりとなります。

●配偶者乙が取得した宅地等の利用権の価額

被相続人甲に係る配偶者乙が取得したことから、その他の事項にかかわらず、特定居住用宅地等に該当します。

●長男Ａが取得した宅地等の所有権の価額

被相続人甲に係る長男Ａが取得し、相続税の申告期限まで継続して所有し、かつ、本件不動産に居住したとのことですから、『被相続人の居住用家屋に居住（同居）していた親族が取得した場合』の要件を充足し、特定居住用宅地等に該当します。

以上の取扱いに基づいて、**質疑** の宅地等につき、小規模宅地等の課税特例を適用した後の相続税の課税価格算入額を算定すると、下記のとおりとなります。

① 小規模宅地等の適用面積

(イ) 宅地等の利用権の価額に係る適用面積

$$\underset{\text{(全体の面積)}}{300\text{㎡}} \times \frac{30{,}000\text{千円}\ \text{(利用権の価額)}}{30{,}000\text{千円}\ \text{(利用権の価額)} + 120{,}000\text{千円}\ \text{(所有権の価額)}} = 60\text{㎡}$$

(ロ) 宅地等の所有権の価額に係る適用面積

$$\underset{\text{(全体の面積)}}{300\text{㎡}} \times \frac{120{,}000\text{千円}\ \text{(所有権の価額)}}{30{,}000\text{千円}\ \text{(利用権の価額)} + 120{,}000\text{千円}\ \text{(所有権の価額)}} = 240\text{㎡}$$

② 小規模宅地等の課税特例の適用後の価額（相続税の課税価格算入額）

(イ) 宅地等の利用権の価額（配偶者乙の相続税の課税価格算入額）

$$\underset{\text{(適用前の価額)}}{30{,}000\text{千円}} - \underset{\text{(小規模宅地等の課税特例の適用による減額金額)}}{\left(30{,}000\text{千円} \times \frac{60\text{㎡(注)}}{60\text{㎡}} \times 80\%\right)} = 6{,}000\text{千円}$$

(ロ) 宅地等の所有権の価額（長男Aの相続税の課税価格算入額）

$$\underset{\text{(適用前の価額)}}{120{,}000\text{千円}} - \underset{\text{(小規模宅地等の課税特例の適用による減額金額)}}{\left(120{,}000\text{千円} \times \frac{240\text{㎡(注)}}{240\text{㎡}} \times 80\%\right)} = 24{,}000\text{千円}$$

(ハ) 合計

$$\underset{\text{(上記(イ))}}{6{,}000\text{千円}} + \underset{\text{(上記(ロ))}}{24{,}000\text{千円}} = \boxed{30{,}000\text{千円}}$$

(注) 小規模宅地等の課税特例の適用（限度面積要件）

- 60㎡（利用権の面積）＋240㎡（所有権の面積）＝300㎡
- 300㎡≦330㎡　∴300㎡（いずれか少ない方）➡本件不動産に係る宅地等のすべてが適用対象

(2) **類題** の事例の場合

**類題** に掲げる被相続人甲の居住の用に供されていた宅地等に係る配偶者居住権等が小規模宅地等の課税特例（特定居住用宅地等）の適用対象とされるか否かについて検討すると、下記のとおりとなります。

● 配偶者乙が取得した宅地等の利用権の価額

被相続人甲に係る配偶者乙が取得したことから、その他の事項にかかわらず、特定居住用宅地等に該当します。

● 長男Aが取得した宅地等の所有権の価額

前提条件から長男Aが取得した宅地等の所有権は、『被相続人の居住用家屋に居住（同居）していた親族が取得した場合』、『配偶者及び一定の同居親族が存せず非同居親族が取得した場合（いわゆる『家なき子』に該当する場合）』又は『被相続人と生計を一にする親族の居住の用に供されていた場合』のいずれにも該当しないことから、特定居住用宅地等には該当しないことになります。

以上の取扱いに基づいて、**質疑** の宅地等につき、小規模宅地等の課税特例を適用した後の相続税の課税価格算入額を算定すると、下記のとおりになります。

①　小規模宅地等の適用面積

(イ)　宅地等の利用権の価額に係る適用面積

$$\underset{\text{(全体の面積)}}{300㎡} \times \frac{30{,}000千円\text{(利用権の価額)}}{30{,}000千円\text{(利用権の価額)} + 120{,}000千円\text{(所有権の価額)}} = 60㎡$$

(ロ)　宅地等の所有権の価額に係る適用面積

0㎡（長男Aについては、小規模宅地等の課税特例の適用はなし）

②　小規模宅地等の課税特例の適用後の価額（相続税の課税価格算入額）

(イ)　宅地等の利用権の価額（配偶者乙の相続税の課税価格算入額）

$$\underset{\text{(適用前の価額)}}{30{,}000千円} - \underset{\text{(小規模宅地等の課税特例の適用による減額金額)}}{\left(30{,}000千円 \times \frac{60㎡}{60㎡} \times 80\%\right)} = 6{,}000千円$$

(ロ)　宅地等の所有権の価額（長男Aの相続税の課税価格算入額）

$$\underset{\text{(適用前の価額)}}{120{,}000千円} - \underset{\text{(小規模宅地等の課税特例の適用による減額金額)}}{0円} = 120{,}000千円$$

(ハ)　合計

$$\underset{\text{(上記(イ))}}{6{,}000千円} + \underset{\text{(上記(ロ))}}{120{,}000千円} = \boxed{126{,}000千円}$$

**ポイント**

被相続人の居住の用に供されていた宅地等について、配偶者居住権の設定を検討する場合には、小規模宅地等の課税特例（特定居住用宅地等）の適用に関して、次に掲げる観点からの検討が重要となります。この点について、上記の **質疑** と **類題** の各事例を比較検証してください。

(1)　配偶者居住権等の設定に当たって、土地等の所有権を取得する者（被相続人に係る配偶者以外の者を想定しています。）は、被相続人の居住の用に供されていた家屋に同居していた被相続人の親族に該当する者であるか否か。

(2)　土地等の利用権の価額及び土地等の所有権の価額（これらの価額の絶対額及び相対的割合）

(3)　上記(2)の価額を基に計算される小規模宅地等の適用面積（宅地等の利用権の価額に係る適用面積と宅地等の所有権の価額に係る適用面積）の配分

そうすると、上記に掲げる **類題** の事例のような場合には、小規模宅地等の課税特例の適用に係る有利不利のみで判断すると、当該居住建物に配偶者居住権を設定せずに、本件不動産のすべてを配偶者乙が遺産分割により取得する、又は、当該居住建物に配偶者居住権を設定するものの、当該宅地等のすべてを配偶者乙が遺産分割により取得する（いずれの場合においても、本件不動産のうち宅地等は配偶者乙が取得したことから、特定居住用宅地等に該当）という選択肢を考慮する必要性があるものと考えられます。

この分割方法を採用した場合における本件不動産のうち宅地等についての相続税の課税

価格算入額（小規模宅地等の課税特例の適用後の価額）は、次に掲げるとおりとなります。

$$\underset{（適用前の価額）}{150{,}000千円（注１）} - \underset{（小規模宅地等の課税特例の適用による減額金額）}{\left(150{,}000千円 \times \frac{300㎡（注２）}{300㎡} \times 80\%\right)} = \boxed{30{,}000千円}$$

（注１）30,000千円（ 質疑 (1)に掲げる価額）＋120,000千円（ 質疑 (2)に掲げる価額）

（注２）小規模宅地等の課税特例の適用（限度面積要件）

300㎡≦330㎡　∴300㎡（いずれか少ない方）

### (7) 配偶者居住権等に対する小規模宅地等の課税特例の適用関係（その２：宅地等の所有権を取得した者が被相続人と同居の親族に該当するか否かにより生ずる差異の確認(B)）

**質疑**

前問(6)の 類題 において、被相続人甲に係る相続開始日まで同人と配偶者乙が共に居住の用に供していた建物の敷地である宅地等の面積が1,650㎡であった場合には、当該宅地等に対する小規模宅地等の課税特例（特定居住用宅地等）の適用関係はどのようになりますか。なお、その他の条件は、前問(6)の 類題 に掲げるものと同一であるものとします。

**応答**

質疑 の事例の場合には、前問(6)の 応答 (2)に掲げるとおり、配偶者乙が取得した宅地等の利用権の価額については特定居住用宅地等に該当し、またその一方で、長男Aが取得した宅地等の所有権の価額については特定居住用宅地等には該当しないものとなります。

以上の取扱いに基づいて、 質疑 の宅地等につき、小規模宅地等の課税特例（特定居住用宅地等）を適用した後の相続税の課税価格算入額を算定すると、下記のとおりになります。

① 小規模宅地等の適用面積

(イ) 宅地等の利用権の価額に係る適用面積

$$\underset{（全体の面積）}{1{,}650㎡} \times \frac{30{,}000千円（利用権の価額）}{30{,}000千円（利用権の価額）+120{,}000千円（所有権の価額）} = 330㎡$$

(ロ) 宅地等の所有権の価額に係る適用面積

0㎡（長男Aについては、小規模宅地等の課税特例の適用はなし）

② 小規模宅地等の課税特例の適用後の価額（相続税の課税価格算入額）

(イ) 宅地等の利用権の価額（配偶者乙の相続税の課税価格算入額）

$$\underset{（適用前の価額）}{30{,}000千円} - \underset{（小規模宅地等の課税特例の適用による減額金額）}{\left(30{,}000千円 \times \frac{330㎡（注）}{330㎡} \times 80\%\right)} = 6{,}000千円$$

（注）小規模宅地等の課税特例の適用（限度面積要件）

330㎡（上記①(イ)）≦330㎡　∴330㎡（いずれか少ない方）

(ロ) 宅地等の所有権の価額（長男Aの相続税の課税価格算入額）

$$\underset{（適用前の価額）}{120{,}000千円} - \underset{（小規模宅地等の課税特例の適用による減額金額）}{0円} = 120{,}000千円$$

(ハ)　合計

$$\underset{(上記(イ))}{6{,}000千円} + \underset{(上記(ロ))}{120{,}000千円} = \boxed{126{,}000千円}$$

ポイント

本問(7)の **質疑** の事例において、配偶者乙が取得した宅地等の利用権に係る小規模宅地等の課税特例に係る適用面積は特定居住用宅地等に係る適用限度面積と同一である330㎡となっており、前問(6)の類題の事例における配偶者乙が取得した宅地等の利用権に係る小規模宅地等の課税特例に係る適用面積である60㎡に比して、格段に増加していますが、小規模宅地等の課税特例適用前の価額が、当該宅地等の地積が300㎡である場合であっても、また、1,650㎡である場合であっても同一の価額（30,000千円）であることから、配偶者乙の相続税の課税価格算入額はいずれも同一額（6,000千円）となることに留意してください。

なお、前問(6)のポイントに掲げるとおり、当該居住建物に配偶者居住権を設定せずに、本件不動産のすべてを配偶者乙が遺産分割により取得、又は、当該居住建物に配偶者居住権を設定するものの、当該宅地等のすべてを配偶者乙が遺産分割により取得したならば（いずれの場合においても、本件不動産のうち宅地等は配偶者乙が取得したことから、特定居住用宅地等に該当）、本件不動産のうち宅地等についての相続税の課税価格算入額（小規模宅地等の課税特例の適用後の価額）は、次に掲げるとおりとなります。

$$\underset{(適用前の価額)}{150{,}000千円} - \underset{(小規模宅地等の課税特例の適用による減額金額)}{\left(150{,}000千円 \times \frac{330㎡(注)}{1{,}650㎡} \times 80\%\right)} = \boxed{126{,}000千円}$$

⇨本問(7)の **応答** の②(ハ)の価額と同一額となります。

（注）　小規模宅地等の課税特例の適用（限度面積要件）
1,650㎡＞330㎡　∴330㎡（いずれか少ない方）

## (8)　配偶者居住権等に対する小規模宅地等の課税特例の適用関係（その３：被相続人が宅地等を共有持分によって所有していた場合の取扱い）

**質疑**　被相続人甲に相続開始があり、同人に係る相続開始日まで配偶者乙及び長男Ａと共に居住の用に供していた建物及びその敷地である宅地等（面積300㎡）（以下「本件不動産」といいます。）がありました。

被相続人甲の相続開始時における本件不動産の所有者は、被相続人甲（持分$\frac{2}{3}$）及び配偶者乙（持分$\frac{1}{3}$）による共有となっていました。

被相続人甲に係る遺産分割に当たっては、配偶者乙は当該居住建物に係る配偶者居住権を取得し、また、本件不動産の所有権のうち被相続人甲に帰属する共有持分$\frac{2}{3}$は、長男Ａが取得するものとされました。

なお、相続税の申告期限までに、その所有状況及び居住状況に異動はありませんでした。

本件不動産のうち宅地等について被相続人甲に帰属する共有持分$\frac{2}{3}$を対象として、相続税法第23条の２《配偶者居住権等の評価》の規定を適用して各態様別にその価額を算定すると、下記のとおりとなりました。

(1) 配偶者居住権の目的となっている建物の敷地の用に供される土地等を当該配偶者居住権に基づき使用する権利の価額（土地（宅地）等の利用権の価額）……35,000千円

(2) 配偶者居住権の目的となっている建物の敷地の用に供される土地等の価額（土地（宅地）等の所有権の価額）……45,000千円

以上の前提において、上記(1)に掲げる土地（宅地）等の利用権の価額及び(2)に掲げる土地（宅地）等の所有権の価額に対して、小規模宅地等の課税特例（特定居住用宅地等）の適用関係はどのようになりますか。

**参考**

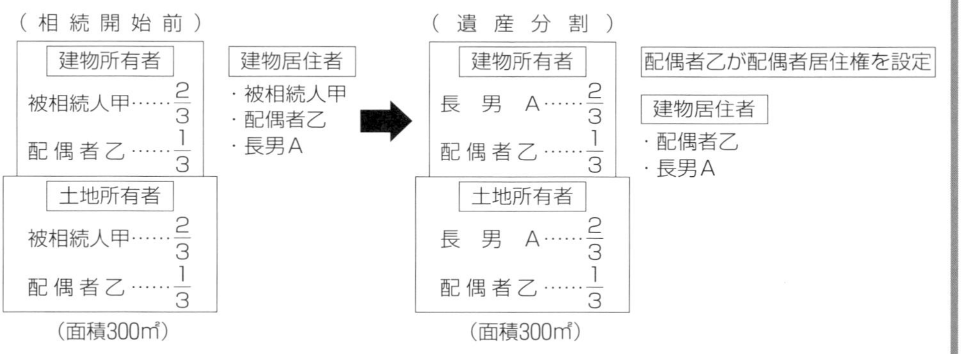


## 応答

(1)　配偶者居住権の設定について

民法第1028条《配偶者居住権》第１項の規定では、要旨、被相続人の配偶者は、被相続人の財産に属した建物に相続開始の時に居住していた場合において、遺産の分割によって配偶者居住権を取得するものとされたときは、その居住していた建物（以下、(8)において「居住建物」といいます。）の全部について配偶者居住権を取得するものとされています。

上記＿＿部分に掲げる『被相続人の財産に属した建物』に該当するか否か（換言すれば、配偶者居住権の対象となるか否か）を判定する場合において、被相続人が居住建物を相続開始時に他の者と共有で所有しているときは、次のとおりに取扱うものとされています。

①　共有者が当該被相続人の配偶者である場合

当該居住建物は、『被相続人の財産に属した建物』に該当し、配偶者居住権の対象とされます。

②　共有者が上記①に掲げる者以外の者である場合

当該居住建物は、『被相続人の財産に属した建物』には該当せず、配偶者居住権の対象

とされません。

そうすると、**質疑** の事例の場合、被相続人甲に係る相続開始時における本件不動産のうち建物の所有者は、被相続人甲及び同人の配偶者である配偶者乙の両名による共有であるとのことですから、上記①に区分され、当該建物は居住建物に該当することになります。したがって、当該居住建物は、配偶者居住権の対象とされることになります。

(2)　小規模宅地等の課税特例の適用関係

**質疑** に掲げる被相続人甲の居住の用に供されていた宅地等に係る配偶者居住権等が小規模宅地等の課税特例（特定居住用宅地等）の適用対象とされるか否かについて検討すると、下記のとおりになります。

①　配偶者乙が取得した宅地等の利用権の価額

被相続人甲に係る配偶者乙が取得したことから、その他の事項にかかわらず、特定居住用宅地等に該当します。

②　長男Ａが取得した宅地等の所有権の価額

被相続人甲に係る長男Ａが取得し、相続税の申告期限まで継続して所有し、かつ、本件不動産に居住したとのことですから、『被相続人の居住用家屋に居住（同居）していた親族が取得した場合』の要件を充足し、特定居住用宅地等に該当します。

(3)　相続税の課税価格算入額

上記(1)及び(2)の取扱いに基づいて、**質疑** の宅地等につき、小規模宅地等の課税特例を適用した後の相続税の課税価格算入額を算定すると、下記のとおりとなります。

①　小規模宅地等の適用面積

(イ)　宅地等の利用権の価額に係る適用面積

$$\underset{\text{(被相続人甲の宅地等の持分対応面積)}}{\left(300\text{㎡}\times\frac{2}{3}\right)}\times\frac{35{,}000\text{千円（利用権の価額）}}{35{,}000\text{千円（利用権の価額）}+45{,}000\text{千円（所有権の価額）}}=87.5\text{㎡}$$

(ロ)　宅地等の所有権の価額に係る適用面積

$$\underset{\text{(被相続人甲の宅地等の持分対応面積)}}{\left(300\text{㎡}\times\frac{2}{3}\right)}\times\frac{45{,}000\text{千円（所有権の価額）}}{35{,}000\text{千円（利用権の価額）}+45{,}000\text{千円（所有権の価額）}}=112.5\text{㎡}$$

②　小規模宅地等の課税特例の適用後の価額（相続税の課税価格算入額）

(イ)　宅地等の利用権の価額（配偶者乙の相続税の課税価格算入額）

$$\underset{\text{(適用前の価額)}}{35{,}000\text{千円}}-\underset{\text{(小規模宅地等の課税特例の適用による減額金額)}}{\left(35{,}000\text{千円}\times\frac{87.5\text{㎡（注）}}{87.5\text{㎡}}\times80\%\right)}=7{,}000\text{千円}$$

(ロ)　宅地等の所有権の価額（長男Ａの相続税の課税価格算入額）

$$\underset{\text{(適用前の価額)}}{45{,}000\text{千円}}-\underset{\text{(小規模宅地等の課税特例の適用による減額金額)}}{\left(45{,}000\text{千円}\times\frac{112.5\text{㎡（注）}}{112.5\text{㎡}}\times80\%\right)}=9{,}000\text{千円}$$

(ハ)　合計

7,000千円＋9,000千円＝ **16,000千円**
（上記(イ)）　（上記(ロ)）

（注）小規模宅地等の課税特例の適用（限度面積要件）
- 87.5㎡（利用権の面積）＋112.5㎡（所有権の面積）＝200㎡
- 200㎡≦330㎡ ∴200㎡（いずれか少ない方）⟹本件不動産のうち被相続人甲の持分に係る宅地等すべてが適用対象

## (9) 配偶者居住権等に対する小規模宅地等の課税特例の適用関係（その４：被相続人の居住建物の敷地の用に供されていた宅地等が借地権であった場合の取扱い）

**質疑**

被相続人甲に相続開始があり、同人に係る相続開始日まで配偶者乙及び長男Ａと共に居住の用に供していた被相続人甲所有の建物及びその敷地の用に供される宅地等（面積450㎡、自用地としての相続税評価額100,000千円）として他者から賃借していた借地権（借地権割合60％）（以下「本件不動産」といいます。）がありました。

被相続人甲に係る遺産分割に当たっては、配偶者乙は当該居住建物に係る配偶者居住権を取得し、また、当該居住建物の所有権及び借地権は、長男Ａが取得するものとされました。

なお、相続税の申告期限までに、その所有又は賃借に係る状況及び居住状況に異動はありませんでした。

また、本件不動産のうち借地権について、相続税法第23条の２《配偶者居住権等の評価》の規定を適用して各態様別にその価額を算定すると、下記のとおりとなりました。

| | | |
|---|---|---|
| (1) | 配偶者居住権の目的となっている建物の敷地の用に供される土地等を当該配偶者居住権に基づき使用する権利の価額（土地（宅地）等の利用権の価額） | ……40,000千円 |
| (2) | 配偶者居住権の目的となっている建物の敷地の用に供される土地等の価額（土地（宅地）等の所有権の価額） | ……20,000千円 |

以上の前提において、上記(1)に掲げる土地（宅地）等の利用権の価額及び(2)に掲げる土地（宅地）等の所有権の価額に対して、小規模宅地等の課税特例（特定居住用宅地等）の適用関係はどのようになりますか。

もし仮に、選択肢が複数ある場合には、配偶者乙の相続税の課税価格への算入額が最も少なくなる方法を選択するものとします。

参考

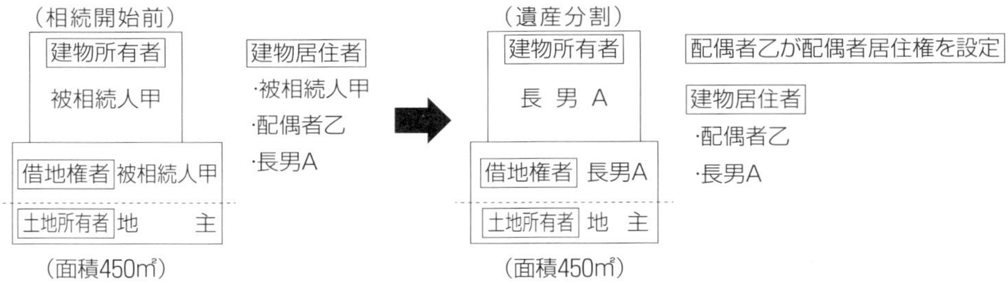


**応答**

⑴　土地（宅地）等の利用権の及ぶ範囲

被相続人に係る遺産分割等により設定された配偶者居住権の目的となっている建物の敷地の用に供される土地等を当該配偶者居住権に基づき使用する権利（土地（宅地）等の利用権）は、居住建物の所有者に帰属すると認められる敷地の利用権の範囲内においてのみ、行使されるものと解されます。

そうすると、**質疑**の事例の場合、居住建物に帰属すると認められる敷地の利用権は借地権であることから、配偶者乙が配偶者居住権の設定に基づいて土地（宅地）等を使用する権利（土地（宅地）等の利用権）についても、当該借地権の範囲内において行使されるにすぎないものと解するのが相当とされます。

⑵　小規模宅地等の課税特例の適用関係

**質疑**に掲げる被相続人甲の居住の用に供されていた宅地等に係る配偶者居住権等が小規模宅地等の課税特例（特定居住用宅地等）の適用対象とされるか否かについて検討すると、下記のとおりになります。

①　配偶者乙が取得した宅地等の利用権の価額

被相続人甲に係る配偶者乙が取得したことから、その他の事項にかかわらず、特定居住用宅地等に該当します。

②　長男Aが取得した宅地等の所有権の価額

被相続人甲に係る長男Aが取得し、相続税の申告期限まで継続して所有し、かつ、本件不動産に居住したとのことですから、『被相続人の居住用家屋に居住（同居）していた親族が取得した場合』の要件を充足し、特定居住用宅地等に該当します。

⑶　相続税の課税価格算入額

上記⑴及び⑵の取扱いに基づいて、**質疑**の借地権につき、小規模宅地等の課税特例を適用した後の相続税の課税価格算入額を算定すると、下記のとおりとなります。

①　小規模宅地等の適用面積

(ｲ)　宅地等の利用権の価額に係る適用面積

$$\underset{(借地権の面積)}{450㎡} \times \frac{40{,}000千円\ (利用権の価額)}{40{,}000千円\ (利用権の価額) + 20{,}000千円\ (所有権の価額)} = 300㎡$$

(ロ)　宅地等の所有権の価額に係る適用面積

$$\underset{(借地権の面積)}{450㎡} \times \frac{20{,}000千円\ (所有権の価額)}{40{,}000千円\ (利用権の価額) + 20{,}000千円\ (所有権の価額)} = 150㎡$$

②　小規模宅地等の課税特例の適用後の価額（相続税の課税価格算入額）

(イ)　宅地等の利用権の価額（配偶者乙の相続税の課税価格算入額）

$$\underset{(適用前の価額)}{40{,}000千円} - \underset{(小規模宅地等の課税特例の適用による減額金額)}{\left(40{,}000千円 \times \frac{300㎡\ (注)}{300㎡} \times 80\%\right)} = 8{,}000千円$$

**(注)**　小規模宅地等の課税特例の適用（限度面積要件）

300㎡≦330㎡　∴300㎡（いずれか少ない方）

注　**質疑** に掲げる前提条件より、小規模宅地等の課税特例は、配偶者乙が取得した宅地等の利用権の価額から優先的に適用しています。

(ロ)　宅地等の所有権の価額（長男Ａの相続税の課税価格算入額）

$$\underset{(適用前の価額)}{20{,}000千円} - \underset{(小規模宅地等の課税特例の適用による減額金額)}{\left(20{,}000千円 \times \frac{30㎡\ (注)}{150㎡} \times 80\%\right)} = 16{,}800千円$$

**(注)**　小規模宅地等の課税特例の適用（限度面積要件）

150㎡＞330㎡－300㎡＝30㎡　∴30㎡（いずれか少ない方）

(ハ)　合計

$$\underset{(上記(イ))}{8{,}000千円} + \underset{(上記(ロ))}{16{,}800千円} = \boxed{24{,}800千円}$$

**ポイント**

小規模宅地等の課税特例を適用する場合における適用面積について、次の点を確認しておく必要があります。

(1)　小規模宅地等の課税特例を『借地権』について適用する場合における適用面積は、当該借地権の設定対象とされた宅地の面積とされます。換言すれば、当該宅地の面積に借地権割合を乗じた後の面積（ **質疑** の事例の場合には、450㎡（宅地の面積）×60%（借地権割合）＝270㎡）とすることにはならないことに留意する必要があります。

(2)　小規模宅地等の課税特例を『配偶者居住権等』について適用する場合における適用面積は、当該配偶者居住権等を当該適用対象地に係る宅地等の利用権の価額と所有権の価額にそれぞれ区分して算出し、当該適用対象地の面積につきそれぞれの価額がそれぞれの価額の合計額のうちに占める割合を乗じて求めるものとされています。

換言すれば、当該宅地等の面積に、いわば、利用権割合又は所有権割合を乗じた後の面積を求めるものといえます。

### ⑽　配偶者居住権等に対する小規模宅地等の課税特例の適用関係（その５：被相続人の居住建物が店舗（自己経営）兼用住宅であった場合のその敷地の用に供されていた宅地等に対する取扱い(A)）

**質疑**

被相続人甲に相続開始があり、同人所有の財産として店舗（被相続人甲経営の飲食店）兼用住宅（被相続人甲、配偶者乙及び長男Ａの居住用）及びその敷地の用に供されていた宅地等（面積400㎡）（以下「本件不動産」といいます。その詳細については、参考を参照してください。）がありました。

被相続人甲に係る遺産分割に当たっては、配偶者乙は当該居住建物に係る配偶者居住権を取得し、また、本件不動産の所有権は、長男Ａが取得するものとされました。そして、飲食店の経営は、配偶者乙が承継することになりました。

なお、相続税の申告期限までに、その所有状況及び利用（居住・事業）状況に異動はありませんでした。

本件不動産のうち宅地等（自用地価額：40,000千円）について、相続税法第23条の２《配偶者居住権等の評価》の規定を適用して各態様別にその価額を算定すると、下記のとおりとなりました。

(1)　配偶者居住権の目的となっている建物の敷地の用に供される土地等を当該配偶者居住権に基づき使用する権利の価額（土地（宅地）等の利用権の価額）……12,000千円

(2)　配偶者居住権の目的となっている建物の敷地の用に供される土地等の価額（土地（宅地）等の所有権の価額）……28,000千円

以上の前提において、上記(1)に掲げる土地（宅地）等の利用権の価額及び(2)に掲げる土地（宅地）等の所有権の価額に対して、小規模宅地等の課税特例（特定居住用宅地等・特定事業用宅地等）の適用関係はどのようになりますか。

参考

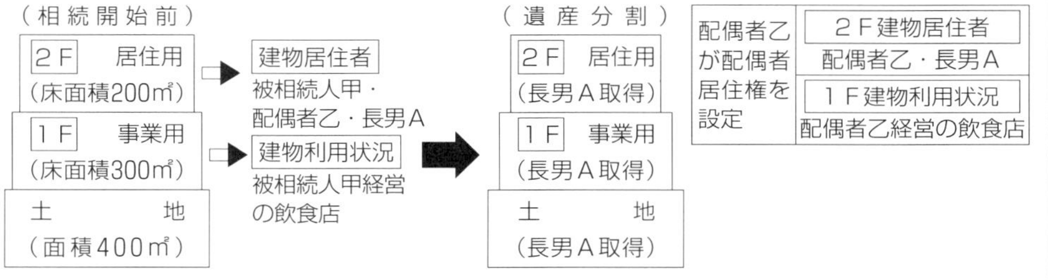


**応答**

(1)　配偶者居住権の設定について

民法第1028条《配偶者居住権》第１項の規定では、要旨、被相続人の配偶者は、被相続人の財産に属した建物に相続開始の時に居住していた場合において、遺産の分割によって配偶

者居住権を取得するものとされたときは、その居住していた建物（以下、⑽において「居住建物」といいます。）の全部について配偶者居住権を取得するものとされています。

上記＿＿部分に掲げる『居住建物』については、建物全部を居住の用に供している状況を必ずしも求めるものではなく、建物の一部でも居住の用に供されている状況をいうものと解されています。

この場合において、配偶者居住権の対象とされるのは、当該建物のうち居住の用に供されている部分に限定されるものではなく、当該建物（居住建物）の全部についての使用及び収益をすることができるようになります。

したがって、**質疑** の事例の場合のように、被相続人の財産に属した建物が店舗兼用住宅で1階が被相続人甲の営む飲食店、2階が配偶者乙の居住用であるのであれば、一定要件下に当該建物の全部について配偶者居住権を成立させることが可能となります。

⑵　小規模宅地等の課税特例の適用関係

**質疑** に掲げる被相続人甲の相続財産である宅地等に係る配偶者居住権等が、小規模宅地等の課税特例（特定居住用宅地等又は特定事業用宅地等）の適用対象とされるか否かについて検討すると、下表のとおりとなります。

| | 特定居住用宅地等 | 特定事業用宅地等 |
|---|---|---|
| 宅地等の利用権の価額<br>配偶者乙取得 | 判定　該当<br>理由　被相続人甲に係る配偶者乙が取得したことから、その他の事項を問われる必要はありません。 | 判定　該当<br>理由　配偶者乙（被相続人甲の親族）が取得し、相続税の申告期限までに被相続人甲の事業（飲食店）を承継し、相続税の申告期限まで継続して所有し、かつ、当該事業を継続していますので、『被相続人の事業を相続開始後に承継した場合』に該当します。 |
| 宅地等の所有権の価額<br>長男A取得 | 判定　該当<br>理由　長男A（被相続人甲の親族）が取得し、相続税の申告期限まで継続して所有し、かつ、本件不動産に居住していますので、『被相続人の居住用家屋に居住（同居）していた親族が取得した場合』に該当します。 | 判定　非該当<br>理由　長男Aは、相続税の申告期限までに被相続人甲の事業（飲食店）を承継していませんので、小規模宅地等の課税特例の適用要件を充足していません。 |

⑶　相続税の課税価格算入額

上記⑴及び⑵の取扱いに基づいて、**質疑** の宅地等につき、小規模宅地等の課税特例を適用した後の相続税の課税価格算入額を算定すると、下記のとおりとなります。

①　宅地等の利用区分（居住用部分・事業用部分）

㋑　相続税評価額

㋑　居住用部分

(X)　$\underset{\text{（全体の面積）}}{400\text{㎡}} \times \dfrac{200\text{㎡（居住用部分の床面積）}}{200\text{㎡（居住用部分の床面積）}+300\text{㎡（事業用部分の床面積）}} = 160\text{㎡}\left(\begin{array}{c}\text{居住用部分に}\\\text{対応する面積}\end{array}\right)$

(Y)　$\underset{\text{（自用地価額）}}{40{,}000\text{千円}} \times \dfrac{160\text{㎡（上記(X)）}}{400\text{㎡（全体の面積）}} = 16{,}000\text{千円}$

㋺　事業用部分

(X)　$\underset{\text{（全体の面積）}}{400\text{㎡}} \times \dfrac{300\text{㎡（事業用部分の床面積）}}{200\text{㎡（居住用部分の床面積）}+300\text{㎡（事業用部分の床面積）}} = 240\text{㎡}\left(\begin{array}{c}\text{事業用部分に}\\\text{対応する面積}\end{array}\right)$

(Y)　$\underset{\text{（自用地価額）}}{40{,}000\text{千円}} \times \dfrac{240\text{㎡（上記(X)）}}{400\text{㎡（全体の面積）}} = 24{,}000\text{千円}$

(ロ)　居住用部分の明細（利用権又は所有権に係る価額及び適用面積）

㋑　価額

(X)　宅地等の利用権の価額

$$\underset{\text{（利用権の全体の価額）}}{12{,}000\text{千円}} \times \frac{160\text{㎡（居住用部分に対応する面積）}}{400\text{㎡（全体の面積）}} = 4{,}800\text{千円}$$

(Y)　宅地等の所有権の価額

$$\underset{\text{（所有権の全体の価額）}}{28{,}000\text{千円}} \times \frac{160\text{㎡（居住用部分に対応する面積）}}{400\text{㎡（全体の面積）}} = 11{,}200\text{千円}$$

㋺　小規模宅地等の適用面積

(X)　宅地等の利用権部分に係る適用面積

$$\underset{\text{（上記(イ)㋑(X)）}}{160\text{㎡}} \times \frac{12{,}000\text{千円（利用権の価額）}}{12{,}000\text{千円（利用権の価額）}+28{,}000\text{千円（所有権の価額）}} = 48\text{㎡}$$

(Y)　宅地等の所有権部分に係る適用面積

$$\underset{\text{（上記(イ)㋑(X)）}}{160\text{㎡}} \times \frac{28{,}000\text{千円（所有権の価額）}}{12{,}000\text{千円（利用権の価額）}+28{,}000\text{千円（所有権の価額）}} = 112\text{㎡}$$

(ハ)　事業用部分の明細（利用権又は所有権に係る価額及び適用面積）

㋑　価額

(X)　宅地等の利用権の価額

$$\underset{\text{（利用権の全体の価額）}}{12{,}000\text{千円}} \times \frac{240\text{㎡（事業用部分に対応する面積）}}{400\text{㎡（全体の面積）}} = 7{,}200\text{千円}$$

(Y)　宅地等の所有権の価額

$$\underset{\text{（所有権の全体の価額）}}{28{,}000\text{千円}} \times \frac{240\text{㎡（事業用部分に対応する面積）}}{400\text{㎡（全体の面積）}} = 16{,}800\text{千円}$$

㋺　小規模宅地等の適用面積

(X)　宅地等の利用権部分に係る適用面積

$$\underset{\text{（上記(イ)㋺(X)）}}{240\text{㎡}} \times \frac{12{,}000\text{千円（利用権の価額）}}{12{,}000\text{千円（利用権の価額）}+28{,}000\text{千円（所有権の価額）}} = 72\text{㎡}$$

(Y)　宅地等の所有権部分に係る適用面積

$$\underset{(上記(イ)㋺(X))}{240㎡} \times \frac{28{,}000千円（所有権の価額）}{12{,}000千円（利用権の価額）+28{,}000千円（所有権の価額）} = 168㎡$$

② 小規模宅地等の課税特例の適用後の価額（相続税の課税価格算入額）

(イ)　宅地等の利用権の価額（配偶者乙の相続税の課税価格算入額）

㋑　居住用部分

$$\underset{(上記①(ロ)㋑(X))}{4{,}800千円} - \underset{(小規模宅地等の課税特例の適用による減額金額)}{\left(4{,}800千円 \times \frac{48㎡（注）}{48㎡（上記①(ロ)㋺(X)）} \times 80\%\right)} = 960千円$$

㋺　事業用部分

$$\underset{(上記①(ハ)㋑(X))}{7{,}200千円} - \underset{(小規模宅地等の課税特例の適用による減額金額)}{\left(7{,}200千円 \times \frac{72㎡（注）}{72㎡（上記①(ハ)㋺(X)）} \times 80\%\right)} = 1{,}440千円$$

㋩　合計

$$\underset{(上記㋑)}{960千円} + \underset{(上記㋺)}{1{,}440千円} = \underline{\underline{2{,}400千円}}$$

(ロ)　宅地等の所有権の価額（長男Aの相続税の課税価格算入額）

㋑　居住用部分

$$\underset{(上記①(ロ)㋑(Y))}{11{,}200千円} - \underset{(小規模宅地等の課税特例の適用による減額金額)}{\left(11{,}200千円 \times \frac{112㎡（注）}{112㎡（上記①(ロ)㋺(Y)）} \times 80\%\right)} = 2{,}240千円$$

㋺　事業用部分

16,800千円（上記①(ハ)㋑(Y)）：長男Aは小規模宅地等の課税特例（特定事業用宅地等）の適用要件を未充足）

㋩　合計

$$\underset{(上記㋑)}{2{,}240千円} + \underset{(上記㋺)}{16{,}800千円} = \underline{\underline{19{,}040千円}}$$

(ハ)　総合計

$$\underset{(上記(イ)㋩)}{2{,}400千円} + \underset{(上記(ロ)㋩)}{19{,}040千円} = \boxed{\underline{\underline{21{,}440千円}}}$$

（注）小規模宅地等の課税特例の適用（限度面積要件）

• 特定居住用宅地等に係る適用面積

48㎡（特定居住用宅地等の利用権の面積（配偶者乙取得）：上記①(ロ)㋺(X)）

112㎡（特定居住用宅地等の所有権の面積（長男A取得）：上記①(ロ)㋺(Y)）

160㎡（合計）⟹ 160㎡≦330㎡　∴160㎡（いずれか少ない方）

• 特定事業用宅地等に係る適用面積

72㎡（特定事業用宅地等の利用権の面積（配偶者乙取得）：上記①(ハ)㋺(X)）≦400㎡

∴72㎡（いずれか少ない方）

まとめ

| | | | 居住用部分（２階） | 事業用部分（１階） | 合計 |
|---|---|---|---|---|---|
| 利用権 | 財産取得者 | | 配偶者乙 | 配偶者乙 | |
| | 適用面積 | ① | 48㎡ | 72㎡ | 120㎡ |
| | 相続税評価額 | ② | 4,800千円 | 7,200千円 | 12,000千円 |
| | 小規模宅地等の減額金額 | ③ | ▲3,840千円 | ▲5,760千円 | ▲9,600千円 |
| | 相続税の課税価格（②－③） | ④ | 960千円 | 1,440千円 | 2,400千円 |
| 所有権 | 財産取得者 | | 長男Ａ | 長男Ａ | |
| | 適用面積 | ⑤ | 112㎡ | 168㎡ | 280㎡ |
| | 相続税評価額 | ⑥ | 11,200千円 | 16,800千円 | 28,000千円 |
| | 小規模宅地等の減額金額 | ⑦ | ▲8,960千円 | 適用不可 | ▲8,960千円 |
| | 相続税の課税価格（⑥－⑦） | ⑧ | 2,240千円 | 16,800千円 | 19,040千円 |
| 合　計 | 適用面積（①＋⑤） | ⑨ | 160㎡ | 240㎡ | 400㎡ |
| | 相続税評価額（②＋⑥） | ⑩ | 16,000千円 | 24,000千円 | 40,000千円 |
| | 小規模宅地等の減額金額（③＋⑦） | ⑪ | ▲12,800千円 | ▲5,760千円 | ▲18,560千円 |
| | 相続税の課税価格（④＋⑧） | ⑫ | 3,200千円 | 18,240千円 | 21,440千円 |

### ⑾　配偶者居住権等に対する小規模宅地等の課税特例の適用関係（その５：被相続人の居住建物が店舗（自己経営）兼用住宅であった場合のその敷地の用に供されていた宅地等に対する取扱いⒷ）

**質疑**　前問⑽の **質疑** において、被相続人甲所有の店舗兼用住宅に居住していたのは被相続人甲及び配偶者乙のみであり、長男Ａは被相続人甲と同居していなかった場合には、どのようになりますか。なお、その他の条件は同一であるものとします。

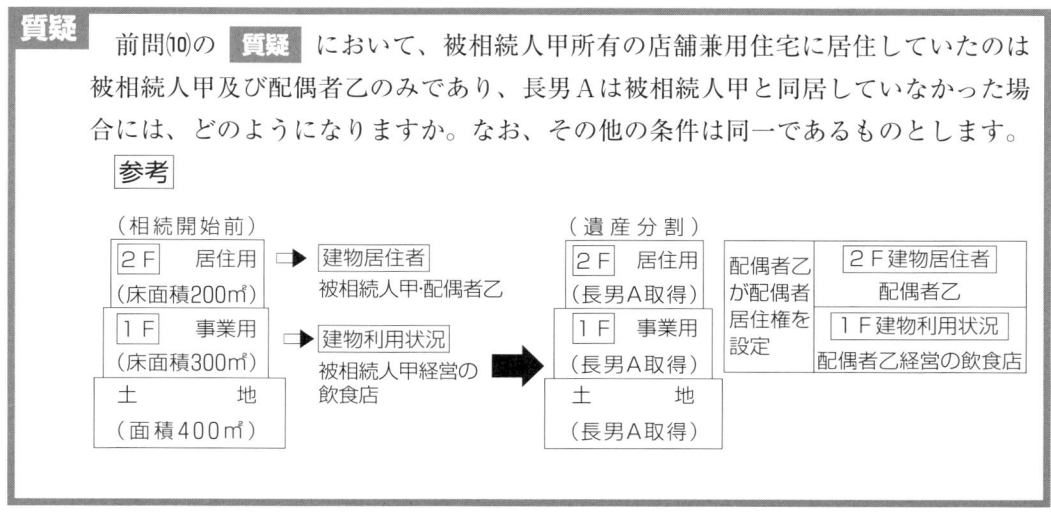

参考

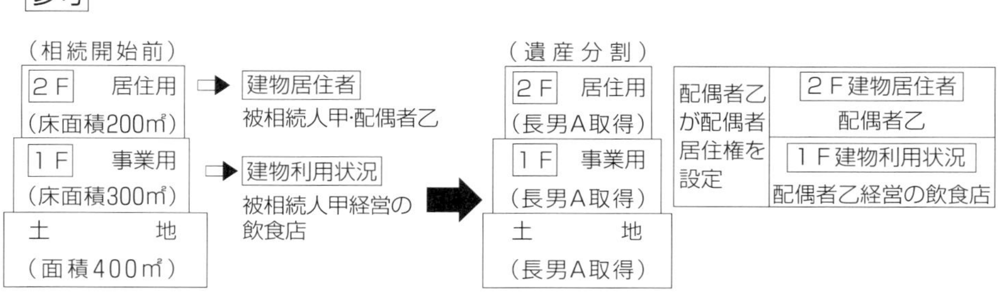

**応答**

⑴　配偶者居住権の設定について

前問⑽の **応答** ⑴を参照してください。

⑵　小規模宅地等の課税特例の適用関係について

**質疑** に掲げる被相続人甲の相続財産である宅地等に係る配偶者居住権等が、小規模宅地等の課税特例（特定居住用宅地等又は特定事業用宅地等）の適用対象とされるか否かについて検討すると、下表のとおりとなります。

| | 特定居住用宅地等 | 特定事業用宅地等 |
|---|---|---|
| 宅地等の利用権の価額<br>配偶者乙取得 | 判定　該当<br>理由　被相続人甲に係る配偶者乙が取得したことから、その他の事項を問われる必要はありません。 | 判定　該当<br>理由　配偶者乙（被相続人甲の親族）が取得し、相続税の申告期限までに被相続人甲の事業（飲食店）を承継し、相続税の申告期限まで継続して所有し、かつ、当該事業を継続していますので、『被相続人の事業を相続開始後に承継した場合』に該当します。 |
| 宅地等の所有権の価額<br>長男Ａ取得 | 判定　非該当<br>理由　長男Ａは、本件不動産について下記①ないし③に掲げる要件のいずれをも充足していないことから、小規模宅地等の課税特例の適用要件を充足していません。<br>①　被相続人の居住用家屋に居住（同居）していた親族が取得した場合<br>②　配偶者及び一定の同居親族が存せず非同居親族が取得した場合（いわゆる『家なき子』に該当する場合）<br>③　被相続人と生計を一にする親族の居住の用に供されていた場合 | 判定　非該当<br>理由　長男Ａは、相続税の申告期限までに被相続人甲の事業（飲食店）を承継していませんので、小規模宅地等の課税特例の適用要件を充足していません。 |

⑶　相続税の課税価格算入額

上記⑴及び⑵の取扱いに基づいて、**質疑** の宅地等につき、小規模宅地等の課税特例を適用した後の相続税の課税価格算入額を算定すると、下記のとおりとなります。

①　宅地等の利用区分（居住用部分・事業用部分）

前問⑽の **応答** ⑶①と同様です。

②　小規模宅地等の課税特例の適用後の価額（相続税の課税価格算入額）

(イ)　宅地等の利用権の価額（配偶者乙の相続税の課税価格算入額）

㋑　居住用部分

$$4{,}800\text{千円}\ \left(\begin{smallmatrix}\text{小規模宅地等の課税}\\\text{特例の適用前の価額}\end{smallmatrix}\right) - \left(4{,}800\text{千円}\times\frac{48\text{㎡(注)}}{48\text{㎡（宅地等の利用権部分の面積）}}\times 80\%\right) = 960\text{千円}$$

（小規模宅地等の課税特例の適用による減額金額）

㋺　事業用部分

$$7{,}200\text{千円}\ \left(\begin{smallmatrix}\text{小規模宅地等の課税}\\\text{特例の適用前の価額}\end{smallmatrix}\right) - \left(7{,}200\text{千円}\times\frac{72\text{㎡(注)}}{72\text{㎡（宅地等の所有権部分の面積）}}\times 80\%\right) = 1{,}440\text{千円}$$

（小規模宅地等の課税特例の適用による減額金額）

㋩　合計

960千円（上記㋑）＋1,440千円（上記㋺）＝2,400千円

(ロ)　宅地等の所有権の価額（長男Ａの相続税の課税価格算入額）

㋑　居住用部分

11,200千円（長男Ａは小規模宅地等の課税特例（特定居住用宅地等）の適用要件を未充足）

㋺　事業用部分

16,800千円（長男Ａは小規模宅地等の課税特例（特定事業用宅地等）の適用要件を未充足）

㋩　合計

11,200千円（上記㋑）＋16,800千円（上記㋺）＝28,000千円

(ハ)　総合計

2,400千円（上記(イ)㋩）＋28,000千円（上記(ロ)㋩）＝ **30,400千円**

（注）小規模宅地等の課税特例の適用（限度面積要件）

- 特定居住用宅地等に係る適用面積
  48㎡（特定居住用宅地等に係る利用権の面積（配偶者乙取得））≦330㎡　∴48㎡（いずれか少ない方）
- 特定事業用宅地等に係る適用面積
  72㎡（特定事業用宅地等に係る利用権の面積（配偶者乙取得））≦400㎡　∴72㎡（いずれか少ない方）

まとめ

| | | | 居住用部分（２階） | 事業用部分（１階） | 合計 |
|---|---|---|---|---|---|
| 利用権 | 財産取得者 | | 配偶者乙 | 配偶者乙 | |
| | 適用面積 | ① | 48㎡ | 72㎡ | 120㎡ |
| | 相続税評価額 | ② | 4,800千円 | 7,200千円 | 12,000千円 |
| | 小規模宅地等の減額金額 | ③ | ▲3,840千円 | ▲5,760千円 | ▲9,600千円 |
| | 相続税の課税価格（②－③） | ④ | 960千円 | 1,440千円 | 2,400千円 |
| 所有権 | 財産取得者 | | 長男Ａ | 長男Ａ | |
| | 適用面積 | ⑤ | 112㎡ | 168㎡ | 280㎡ |
| | 相続税評価額 | ⑥ | 11,200千円 | 16,800千円 | 28,000千円 |
| | 小規模宅地等の減額金額 | ⑦ | 適用不可 | 適用不可 | ▲０千円 |
| | 相続税の課税価格（⑥－⑦） | ⑧ | 11,200千円 | 16,800千円 | 28,000千円 |
| 合　計 | 適用面積（①＋⑤） | ⑨ | 160㎡ | 240㎡ | 400㎡ |
| | 相続税評価額（②＋⑥） | ⑩ | 16,000千円 | 24,000千円 | 40,000千円 |
| | 小規模宅地等の減額金額（③＋⑦） | ⑪ | ▲3,840千円 | ▲5,760千円 | ▲9,600千円 |
| | 相続税の課税価格（④＋⑧） | ⑫ | 12,160千円 | 18,240千円 | 30,400千円 |

### ⑿　配偶者居住権等に対する小規模宅地等の課税特例の適用関係（その５：被相続人の居住建物が店舗（自己経営）兼用住宅であった場合のその敷地の用に供されていた宅地等に対する取扱い(C)）

**質疑**　前々問⑽の **質疑** において、被相続人甲が経営していた飲食店を承継した者が配偶者乙ではなく、長男Ａであったとした場合にはどのようになりますか。なお、その他の条件は同一であるものとします。

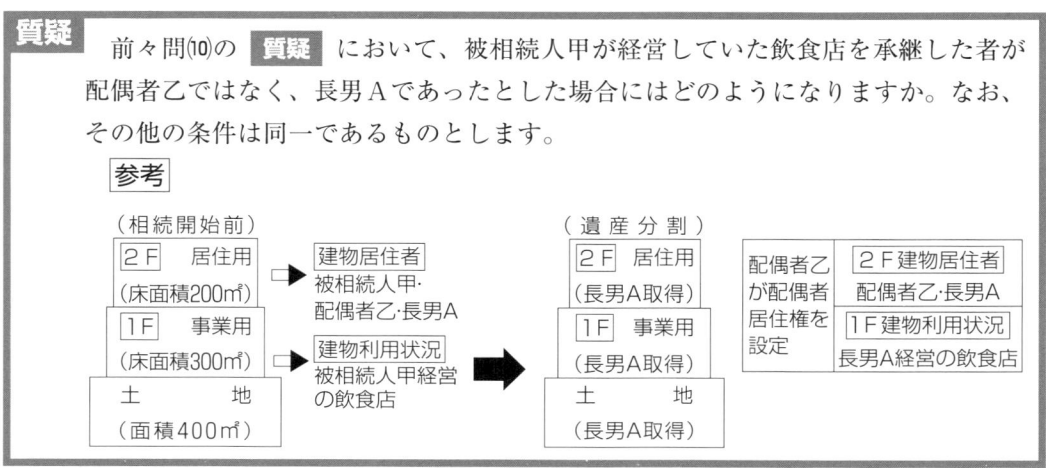

参考

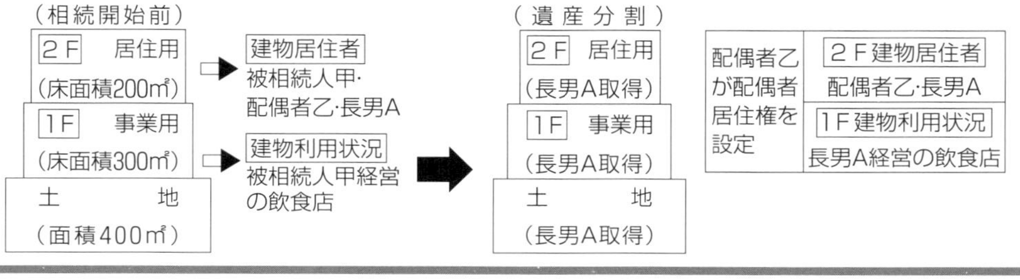


**応答**

(1)　配偶者居住権の設定について

前々問⑽の **応答** (1)を参照してください。

⑵　小規模宅地等の課税特例の適用関係について

**質疑** に掲げる被相続人甲の相続財産である宅地等に係る配偶者居住権等が、小規模宅地等の課税特例（特定居住用宅地等又は特定事業用宅地等）の適用対象とされるか否かについて検討すると、下表のとおりとなります。

| | 特定居住用宅地等 | 特定事業用宅地等 |
|---|---|---|
| 宅地等の利用権の価額 配偶者乙取得 | 判定　該当<br>理由　被相続人甲に係る配偶者乙が取得したことから、その他の事項を問われる必要はありません。 | 判定　非該当<br>理由　配偶者乙は、相続税の申告期限までに被相続人甲の事業（飲食店）を承継していませんので、小規模宅地等の課税特例の適用要件を充足していません。 |
| 宅地等の所有権の価額 長男Ａ取得 | 判定　該当<br>理由　長男Ａ（被相続人甲の親族）が取得し、相続税の申告期限まで継続して所有し、かつ、本件不動産に居住していますので、『被相続人の居住用家屋に居住（同居）していた親族が取得した場合』に該当します。 | 判定　該当<br>理由　長男Ａ（被相続人甲の親族）が取得し、相続税の申告期限までに被相続人甲の事業（飲食店）を承継し、相続税の申告期限まで継続して所有し、かつ、当該事業を継続していますので、『被相続人の事業を相続開始後に承継した場合』に該当します。 |

⑶　相続税の課税価格算入額

上記⑴及び⑵の取扱いに基づいて、**質疑** の宅地等につき、小規模宅地等の課税特例を適用した後の相続税の課税価格算入額を算定すると、下記のとおりとなります。

①　宅地等の利用区分（居住用部分・事業用部分）

前々問⑽の **応答** ⑶①と同様です。

②　小規模宅地等の課税特例の適用後の価額（相続税の課税価格算入額）

(イ)　宅地等の利用権の価額（配偶者乙の相続税の課税価格算入額）

㋑　居住用部分

$$\underset{\left(\substack{\text{小規模宅地等の課税}\\\text{特例の適用前の価額}}\right)}{4{,}800\text{千円}} - \underset{\text{（小規模宅地等の課税特例の適用による減額金額）}}{\left(4{,}800\text{千円} \times \frac{48\text{m}^2\text{（注）}}{48\text{m}^2\text{（宅地等の利用権部分の面積）}} \times 80\%\right)} = 960\text{千円}$$

㋺　事業用部分

7,200千円（配偶者乙は小規模宅地等の課税特例（特定事業用宅地等）の適用要件を未充足）

㋩　合計

$$\underset{\text{（上記㋑）}}{960\text{千円}} + \underset{\text{（上記㋺）}}{7{,}200\text{千円}} = \underline{\underline{8{,}160\text{千円}}}$$

(ロ)　宅地等の所有権の価額（長男Ａの相続税の課税価格算入額）

㋑　居住用部分

11,200千円（小規模宅地等の課税特例の適用前の価額）－（11,200千円×$\frac{112㎡（注）}{112㎡（宅地等の所有権部分の面積）}$×80%）（小規模宅地等の課税特例の適用による減額金額）＝2,240千円

㋺　事業用部分

16,800千円（小規模宅地等の課税特例の適用前の価額）－（16,800千円×$\frac{168㎡（注）}{168㎡（宅地等の所有権部分の面積）}$×80%）（小規模宅地等の課税特例の適用による減額金額）＝3,360千円

㋩　合計

2,240千円（上記㋑）＋3,360千円（上記㋺）＝5,600千円

(ハ)　総合計

8,160千円（上記(イ)㋩）＋5,600千円（上記(ロ)㋩）＝ 13,760千円

（注）　小規模宅地等の課税特例の適用（限度面積要件）

• 特定居住用宅地等に係る適用面積

48㎡（特定居住用宅地等に係る利用権の面積（配偶者乙取得））
112㎡（特定居住用宅地等に係る所有権の面積（長男Ａ取得））
160㎡（合計）→ 160㎡≦330㎡
∴160㎡（いずれか少ない方）

• 特定事業用宅地等に係る適用面積

168㎡（特定事業用宅地等に係る所有権の面積（長男Ａ取得））≦400㎡
∴168㎡（いずれか少ない方）

まとめ

| | | | 居住用部分（２階） | 事業用部分（１階） | 合計 |
|---|---|---|---|---|---|
| 利用権 | 財産取得者 | | 配偶者乙 | 配偶者乙 | |
| | 適用面積 | ① | 48㎡ | 72㎡ | 120㎡ |
| | 相続税評価額 | ② | 4,800千円 | 7,200千円 | 12,000千円 |
| | 小規模宅地等の減額金額 | ③ | ▲3,840千円 | 適用不可 | ▲3,840千円 |
| | 相続税の課税価格（②－③） | ④ | 960千円 | 7,200千円 | 8,160千円 |
| 所有権 | 財産取得者 | | 長男Ａ | 長男Ａ | |
| | 適用面積 | ⑤ | 112㎡ | 168㎡ | 280㎡ |
| | 相続税評価額 | ⑥ | 11,200千円 | 16,800千円 | 28,000千円 |
| | 小規模宅地等の減額金額 | ⑦ | ▲8,960千円 | ▲13,440千円 | ▲22,400千円 |
| | 相続税の課税価格（⑥－⑦） | ⑧ | 2,240千円 | 3,360千円 | 5,600千円 |

| | | | | | |
|---|---|---|---|---|---|
| 合　計 | 適用面積（①＋⑤） | ⑨ | 160㎡ | 240㎡ | 400㎡ |
| | 相続税評価額（②＋⑥） | ⑩ | 16,000千円 | 24,000千円 | 40,000千円 |
| | 小規模宅地等の減額金額（③＋⑦） | ⑪ | ▲12,800千円 | ▲13,440千円 | ▲26,240千円 |
| | 相続税の課税価格（④＋⑧） | ⑫ | 3,200千円 | 10,560千円 | 13,760千円 |

### ⒀　配偶者居住権等に対する小規模宅地等の課税特例の適用関係（その６：被相続人の居住建物が貸室兼用住宅であった場合のその敷地の用に供されていた宅地等に対する取扱い）（そのＡ：基本的な取扱い）

**質疑**　被相続人甲に相続開始があり、同人所有の財産として貸室（被相続人甲経営の貸事務所：１階部分）兼用住宅（被相続人甲、配偶者乙及び長男Ａの居住用：２階部分）及びその敷地の用に供されていた宅地等（面積200㎡）（以下「本件不動産」といいます。その詳細については、参考１を参照してください。）がありました。

被相続人甲に係る遺産分割に当たっては、配偶者乙は当該建物に係る配偶者居住権を取得し、また、本件不動産の所有権は、長男Ａが取得するものとされました。そして、貸室の経営は本件不動産の所有権を取得した長男Ａが承継することになりました。

なお、相続税の申告期限までに、その所有状況及び利用（居住・貸付）状況に異動はありませんでした。

本件不動産のうち宅地等（自用地価額50,000千円）について、相続税法第23条の２《配偶者居住権等の評価》の規定を適用して各態様別にその価額を算定すると、下記のとおりとなりました。

| | | |
|---|---|---|
| ⑴ | 配偶者居住権の目的となっている建物（２階部分）の敷地の用に供される土地等を当該配偶者居住権に基づき使用する権利の価額（土地（宅地）等の利用権の価額） | ……8,000千円 |
| ⑵ | 配偶者居住権の目的となっている建物（２階部分）の敷地の用に供される土地等の価額（土地（宅地）等の所有権の価額）及びこれに該当しない建物（１階部分）の敷地の用に供される土地等の価額の合計額 | ……36,600千円（注） |

（注）上記の内訳については、参考２を参照してください。

以上の前提において、上記⑴に掲げる土地（宅地）等の利用権の価額及び⑵に掲げる土地（宅地）等の所有権の価額に対して、小規模宅地等の課税特例（特定居住用宅地等・貸付事業用宅地等）の適用関係はどのようになりますか。

**参考1**

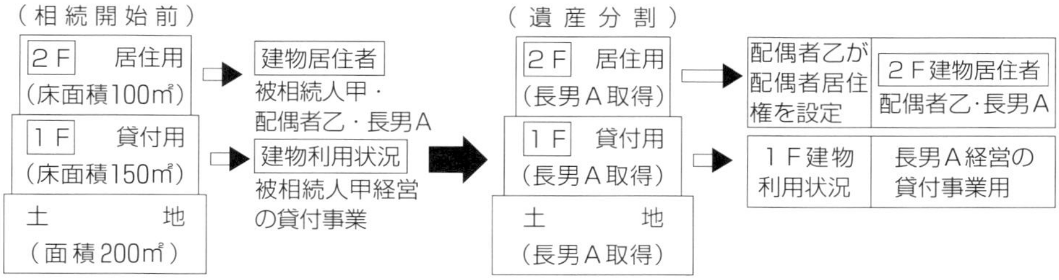


**参考2**

①　宅地等の相続税評価額（居住用部分・貸付事業用部分の別により計算）

(イ)　居住用部分

㋑　$200㎡_{（全体の面積）} \times \dfrac{100㎡（居住用部分の床面積）}{100㎡（居住用部分の床面積）+150㎡（貸付事業用部分の床面積）} = 80㎡\left(\begin{array}{l}居住用部分に\\対応する面積\end{array}\right)$

㋺　$50{,}000千円_{（自用地価額）} \times \dfrac{80㎡（上記㋑）}{200㎡（全体の面積）} = \underline{\underline{20{,}000千円}}$

(ロ)　貸付事業用部分

㋑　$200㎡_{（全体の面積）} \times \dfrac{150㎡（貸付事業用部分の床面積）}{100㎡（居住用部分の床面積）+150㎡（貸付事業用部分の床面積）} = 120㎡\left(\begin{array}{l}貸付事業用部分\\に対応する面積\end{array}\right)$

㋺　$50{,}000千円_{（自用地価額）} \times \dfrac{120㎡（上記㋑）}{200㎡（全体の面積）} = 30{,}000千円$

㋩　$30{,}000千円_{（上記㋺）} \times \left(1 - 60\%_{（借地権割合）} \times 30\%_{（借家権割合）} \times 100\%_{（賃貸割合）}\right) = 24{,}600千円$

(ハ)　合計

$20{,}000千円_{（上記(イ)㋺）} + 24{,}600千円_{（上記(ロ)㋩）} = \boxed{\underline{\underline{44{,}600千円}}}$

②　宅地等の相続税評価額（配偶者居住権等に基づく利用権又は所有権の価額の別により計算）

(イ)　宅地等の利用権の価額（配偶者乙の取得財産）

居住用部分　<u>8,000千円</u>（上記⑴より）

(ロ)　宅地等の所有権の価額（長男Aの取得財産）

㋑　居住用部分

$20{,}000千円_{（上記①(イ)㋺）} - 8{,}000千円_{（上記(イ)）} = 12{,}000千円$

㋺　貸付事業用部分

24,600千円（上記①(ロ)㋩）

㋩　合計

$12{,}000千円_{（上記㋑）} + 24{,}600千円_{（上記㋺）} = \underline{\underline{36{,}600千円}}$

(ハ)　合計

$8{,}000千円_{（上記(イ)）} + 36{,}600千円_{（上記(ロ)㋩）} = \boxed{\underline{\underline{44{,}600千円}}}$

## 応答

⑴　配偶者居住権の設定について

民法第1028条《配偶者居住権》第１項の規定では、要旨、被相続人の配偶者は、被相続人の財産に属した建物に相続開始の時に居住していた場合において、遺産の分割によって配偶者居住権を取得するものとされたときは、その居住していた建物（以下、⒀において「居住建物」といいます。）の全部について配偶者居住権を取得するものとされています。

上記＝＝部分に掲げる『居住建物』については、建物全部を居住の用に供している状況を必ずしも求めるものではなく、建物の一部でも居住の用に供されている状況をいうものと解されていることから、配偶者居住権の対象とされるのは、当該建物のうち居住の用に供されている部分に限定されるものではなく、当該建物（居住建物）の全部についての使用及び収益をすることができるようになります。

しかしながら、借地借家法第31条《建物賃貸借の対抗力》において、「建物の賃貸借は、その登記がなくても、建物の引渡しがあったときは、その後その建物について物権を取得した者に対し、その効力を生ずる。」と規定されていることから、配偶者居住権設定前に建物所有者（質疑の事例の場合は、被相続人甲）が当該建物（居住建物）の一部を建物賃貸借契約により貸し付けている場合には、配偶者居住権を設定した配偶者（質疑の事例の場合は、配偶者乙）は、当該建物の賃借人に対しては、当該配偶者居住権の設定による当該建物の使用収益権を行使することができないものと解されています。

（注）　上記に掲げる解釈から、質疑の事例の場合において、被相続人甲に係る相続開始により居住建物の取得者が確定したときは、建物賃借人は当該建物に係る賃借料を原則として、当該居住建物の取得者に対して支払うべきものと解されています。

⑵　相続税法に規定する配偶者居住権等の価額

①　考え方

上記⑴に掲げるとおり、配偶者居住権（建物の利用権）については、その設定に係る相続（これを「第一次相続」といいます。）に係る被相続人が、第一次相続開始時においてその所有する建物等の一部を他に賃貸していた場合には、当該被相続人の配偶者が設定した配偶者居住権は、当該建物の賃借人が有する権利（借家権）に対抗できないと解されています。

そうすると、配偶者居住権に基づく敷地利用権（土地等の利用権）については、当該敷地利用権が配偶者居住権に基づき建物等の使用・収益をする必要な限度で土地等を利用する権利であることを踏まえれば、当該敷地利用権に基づき使用・収益することができる範囲と基本的に同様の範囲であると解するのが相当とされます。

したがって、第一次相続に係る被相続人が建物等を貸付事業の用に供していた部分については、当該被相続人の配偶者が配偶者居住権（建物の利用権）を行使できない部分となるため、この場合における当該建物等のうち貸付事業の用に供されていた部分に対応する敷地部分についても、配偶者居住権に基づく敷地利用権（土地の利用権）を行使することは認められないことになります。

換言すれば、上記のような状況にある配偶者居住権に基づく敷地利用権（土地等の利用権）に相当する部分については、貸付事業の用に供されていた部分（宅地等）に該当しないことになります。

この点について、措置法通達69の4－24の２《被相続人の貸付事業の用に供されていた宅地等》の（注２）において、「配偶者居住権の設定に係る相続又は遺贈により当該貸付事業に係る建物等（当該配偶者居住権の目的とされたものに限る。）の敷地の用に供されていた宅地等を取得した場合には、当該宅地等のうち当該配偶者居住権に基づく敷地利用権に相当する部分については、当該貸付事業の用に供されていた宅地等に該当しないことに留意する。」と定めています。

②　評価方法

相続税法第23条の２《配偶者居住権等の評価》において、配偶者居住権が設定されている居住建物及びその敷地の用に供されている土地等の利用権の価額を求める場合において、当該居住建物の一部が被相続人に係る相続開始時において賃貸の用に供されているときの評価方法が規定されており、これを算式で示すと、次のとおりとなります。

(イ)　配偶者居住権の価額（建物の利用権の価額）

（算式）

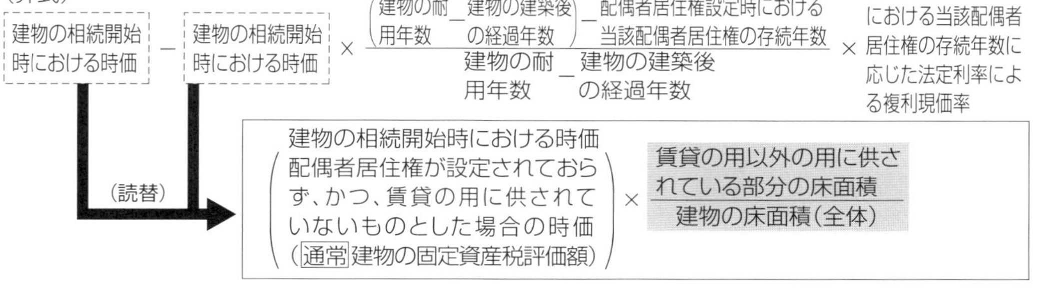


(ロ)　配偶者居住権の目的となっている建物の敷地の用に供される土地等を当該配偶者居住権に基づき使用する権利の価額（土地等の利用権の価額）

（算式）

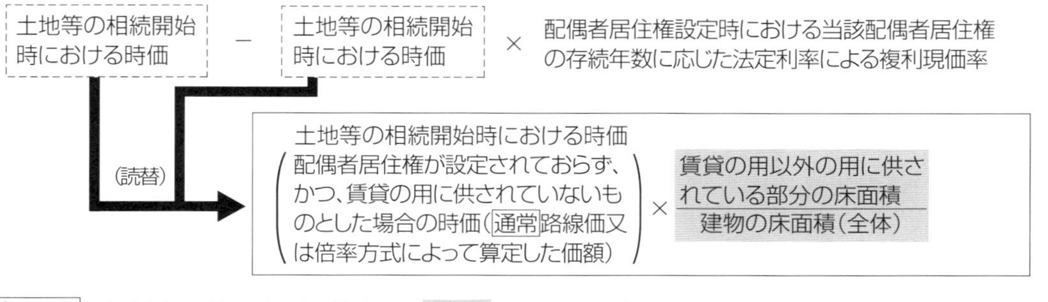


**ポイント**　上記(イ)及び(ロ)に掲げる算式中の　　部分からも確認できるとおり、相続税法における配偶者居住権等の評価においては、『賃貸の用以外の用に供されている部分』がその評価対象とされていることが理解されます。

(3)　小規模宅地等の課税特例の適用関係

**質疑** に掲げる被相続人甲の相続財産である宅地等に係る配偶者居住権等が、小規模宅地等の課税特例（特定居住用宅地等又は貸付事業用宅地等）の適用対象とされるか否かについて検討すると、下表のとおりとなります。

| | 特定居住用宅地等 | 貸付事業用宅地等 |
|---|---|---|
| 宅地等の利用権の価額<br>配偶者乙取得 | 判定　該当<br>理由　被相続人甲に係る配偶者乙が取得したことから、その他の事項を問われる必要はありません。 | 上記(2)①より、貸付事業用部分については、配偶者居住権の設定対象にはならず、宅地等の利用権の価額は算出されないことから、小規模宅地等の課税特例の適用対象の可否の検討対象外となります。 |
| 宅地等の所有権の価額<br>長男A取得 | 判定　該当<br>理由　長男A（被相続人甲の親族）が取得し、相続税の申告期限まで継続して所有し、かつ、本件不動産に居住していますので、『被相続人の居住用家屋に居住（同居）していた親族が取得した場合』に該当します。 | 判定　該当<br>理由　長男A（被相続人甲の親族）が取得し、相続税の申告期限までに被相続人甲の貸付事業（貸事務所）を承継し、相続税の申告期限まで継続して所有し、かつ、当該貸付事業を継続していますので、『被相続人の貸付事業を相続開始後に承継した場合』に該当します。 |

(4)　相続税の課税価格算入額

上記(1)ないし(3)の取扱いに基づいて、**質疑** の宅地等につき、小規模宅地等の課税特例を適用した後の相続税の課税価格算入額を算定すると、下記のとおりとなります。

①　宅地等の利用権の価額（配偶者乙の相続税の課税価格算入額）

居住用部分

$$8{,}000\text{千円}\left(\text{質疑の参考2 ②(イ)より}\right)-\left(8{,}000\text{千円}\times\frac{32\text{㎡}(\text{注2})}{32\text{㎡}(\text{宅地等の利用権部分の面積})(\text{注1})}\times 80\%\right)=\underline{\underline{1{,}600\text{千円}}}$$

（小規模宅地等の課税特例の適用前の価額）　（小規模宅地等の課税特例の適用による減額金額）

②　宅地等の所有権の価額（長男Aの相続税の課税価格算入額）

(イ)　居住用部分

$$12{,}000\text{千円}\left(\text{質疑の参考2 ②(ロ)(イ)より}\right)-\left(12{,}000\text{千円}\times\frac{48\text{㎡}(\text{注2})}{48\text{㎡}(\text{宅地等の所有権部分の面積})(\text{注1})}\times 80\%\right)=2{,}400\text{千円}$$

（小規模宅地等の課税特例の適用前の価額）　（小規模宅地等の課税特例の適用による減額金額）

(ロ)　貸付事業用部分

$$24{,}600\text{千円}\left(\text{質疑の参考2 ②(ロ)(ロ)より}\right)-\left(24{,}600\text{千円}\times\frac{120\text{㎡}(\text{注2})}{120\text{㎡}(\text{宅地等の所有権部分の面積})(\text{上記質疑の参考2 ①(ロ)(イ)})}\times 50\%\right)$$

（小規模宅地等の課税特例の適用前の価額）　（小規模宅地等の課税特例の適用による減額金額）

$$=12{,}300\text{千円}$$

(ハ)　合計

2,400千円（上記(イ)）＋12,300千円（上記(ロ)）＝14,700千円

③　総合計

1,600千円（上記①）＋14,700千円（上記②(ハ)）＝**16,300千円**

（注１）特定居住用宅地等に係る面積区分（利用権部分・所有権部分）

（利用権部分）80㎡（質疑の参考2①(イ)(イ)より）（居住用部分に対応する面積）× 8,000千円（宅地等の利用権の価額）／（8,000千円（宅地等の利用権の価額）＋12,000千円（宅地等の所有権の価額））＝32㎡

（所有権部分）80㎡（質疑の参考2①(イ)(イ)より）（居住用部分に対応する面積）× 12,000千円（宅地等の所有権の価額）／（8,000千円（宅地等の利用権の価額）＋12,000千円（宅地等の所有権の価額））＝48㎡

（注２）小規模宅地等の課税特例の適用に係る限度面積要件の確認

（32㎡＋48㎡）（特定居住用宅地等に対する適用面積）× 200㎡／330㎡ ＋ 120㎡（貸付事業用宅地等に対する適用面積）≒168.48㎡≦200㎡　∴限度面積要件を充足

注　上記(13)の 質疑 において、貸室部分が空室であった場合の取扱いについては、次問(14)及び次々問(15)を参照してください。

まとめ１

| | | 配偶者居住権（民法） | 相続税法上の取扱い | | |
|---|---|---|---|---|---|
| | | | 区　分 | 宅地の評価態様 | 小規模宅地等の課税特例 |
| ２階 | 居住用 | 配偶者居住権の設定対象 | 利用権 | 自　用　地 | 特定居住用宅地等に該当 |
| | | | 所有権 | 自　用　地 | 特定居住用宅地等に該当 |
| １階 | 貸付事業用 | 民法の配偶者居住権の規定では配偶者居住権の設定対象とされるが、借地借家法に規定する借家権に対する対抗力との関係から、結果的には設定の効果が及ばない | 利用権 | ― | ― |
| | | | 所有権 | 貸家建付地 | 貸付事業用宅地等に該当 |

まとめ２

| | | | 居住用部分（２階） | 貸付事業用部分（１階） | 合計 |
|---|---|---|---|---|---|
| 利用権 | 財産取得者 | | 配偶者乙 | ― | ― |
| | 適用面積 | ① | 32㎡ | ― | 32㎡ |
| | 相続税評価額 | ② | 8,000千円 | ― | 8,000千円 |
| | 小規模宅地等の減額金額 | ③ | ▲6,400千円 | ― | ▲6,400千円 |
| | 相続税の課税価格（②－③） | ④ | 1,600千円 | ― | 1,600千円 |

| | 財産取得者 | | 長男Ａ | 長男Ａ | |
|---|---|---|---|---|---|
| 所有権 | 適用面積 | ⑤ | 48㎡ | 120㎡ | 168㎡ |
| | 相続税評価額 | ⑥ | 12,000千円 | 24,600千円 | 36,600千円 |
| | 小規模宅地等の減額金額 | ⑦ | ▲9,600千円 | ▲12,300千円 | ▲21,900千円 |
| | 相続税の課税価格（⑥－⑦） | ⑧ | 2,400千円 | 12,300千円 | 14,700千円 |
| 合　計 | 適用面積（①＋⑤） | ⑨ | 80㎡ | 120㎡ | 200㎡ |
| | 相続税評価額（②＋⑥） | ⑩ | 20,000千円 | 24,600千円 | 44,600千円 |
| | 小規模宅地等の減額金額（③＋⑦） | ⑪ | ▲16,000千円 | ▲12,300千円 | ▲28,300千円 |
| | 相続税の課税価格（④＋⑧） | ⑫ | 4,000千円 | 12,300千円 | 16,300千円 |

### ⒁　配偶者居住権等に対する小規模宅地等の課税特例の適用関係（その６：被相続人の居住建物が貸室兼用住宅であった場合のその敷地の用に供されていた宅地等に対する取扱い）（そのＢ：貸室部分につき相続開始時において相当の期間にわたって空室であったと認められる場合の取扱い）

**質疑**　被相続人甲に相続開始があり、同人所有の財産として貸室（被相続人甲経営の貸事務所）兼用住宅（被相続人甲、配偶者乙及び長男Ａの居住用）及びその敷地の用に供されていた宅地等（面積200㎡）（以下「本件不動産」といいます。）がありました。

なお、貸室部分については周辺の商業利便性の低下等から被相続人甲に係る相続開始の１年前から空室状態が継続しており、入居者募集の努力は行われているものの今後も空室状態が継続することが想定される状況にあります。これらの詳細について、参考１を参照してください。

被相続人甲に係る遺産分割に当たっては、配偶者乙は当該居住建物に係る配偶者居住権を取得し、また、本件不動産の所有権は、長男Ａが取得するものとされました。そして、貸室の経営は本件不動産の所有権を取得した長男Ａが承継することになりました。

なお、相続税の申告期限までに、その所有状況及び利用（居住・貸付）状況に異動はありませんでした。

本件不動産のうち宅地等（自用地価額50,000千円）について、相続税法第23条の２《配偶者居住権等の評価》の規定を適用して各態様別にその価額を算定すると、下記のとおりとなりました。なお、これらの価額の計算に当たって、配偶者乙が取得した土地（宅地）等の利用権の価額と長男Ａが取得した土地（宅地）等の所有権の価額の比率は、２：３となりました。

(1) 配偶者居住権の目的となっている建物の敷地の用に供される土地等を当該配偶者居住権に基づき使用する権利の価額（土地（宅地）等の利用権の価額）……20,000千円

（内訳）２階（居住用）部分……8,000千円

１階（貸付用）部分〔ただし、相続開始時において空室〕……12,000千円

(2) 配偶者居住権の目的となっている建物の敷地の用に供される土地等の価額（土地（宅地）等の所有権の価額）……30,000千円

（内訳）２階（居住用）部分……12,000千円

１階（貸付用）部分〔ただし、相続開始時において空室〕……18,000千円

**（注）** 上記(1)及び(2)の計算の明細については、参考２を参照してください。

以上の前提において、上記(1)に掲げる土地（宅地）等の利用権の価額及び(2)に掲げる土地（宅地）等の所有権の価額に対して、小規模宅地等の課税特例（特定居住用宅地等・貸付事業用宅地等）の適用関係はどのようになりますか。

**参考１**

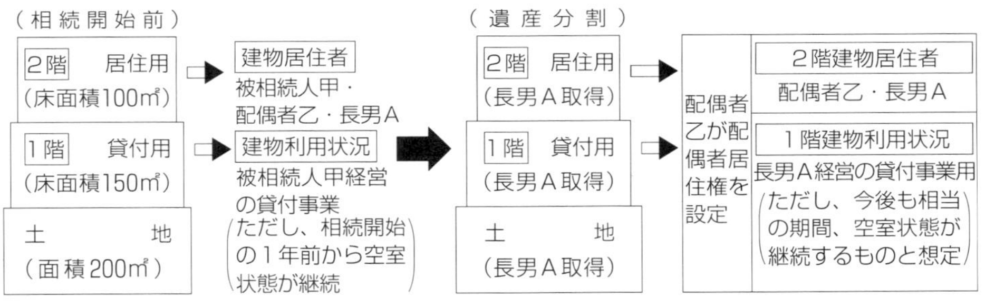


**参考２**

① 宅地等の相続税評価額（居住用部分・貸付事業用部分の別により計算）

(イ) 居住用部分

㋑ $$\underset{\text{（全体の面積）}}{200㎡}\times\frac{100㎡\text{（居住用部分の床面積）}}{100㎡\text{（居住用部分の床面積）}+150㎡\text{（貸付事業用部分の床面積）}}=80㎡\left(\begin{array}{l}\text{居住用部分に}\\\text{対応する面積}\end{array}\right)$$

㋺ $$\underset{\text{（自用地価額）}}{50,000千円}\times\frac{80㎡\text{（上記㋑）}}{200㎡\text{（全体の地積）}}=\underline{\underline{20,000千円}}$$

(ロ) 貸付事業用部分（ただし、相続開始時において空室）

㋑ $$\underset{\text{（全体の面積）}}{200㎡}\times\frac{150㎡\text{（貸付事業用部分の床面積）}}{100㎡\text{（居住用部分の床面積）}+150㎡\text{（貸付事業用部分の床面積）}}=120㎡\left(\begin{array}{l}\text{貸付事業用部分}\\\text{に対応する面積}\end{array}\right)$$

㋺ $$\underset{\text{（自用地価額）}}{50,000千円}\times\frac{120㎡\text{（上記㋑）}}{200㎡\text{（全体の地積）}}=\underline{\underline{30,000千円}}$$

**（注）** 貸付事業用部分（ただし、相続開始時において空室）については、その前提条件から『相続開始の時において一時的に賃貸されていなかったと認められる部分』に該当しないと認められることから、財産評価基本通達26《貸家建付地の評価》に定める貸家建付地には該当しないものと考えられ、自用地として評価する必要性があります。

(ハ) 合計

$$\underset{\text{（上記(イ)㋺）}}{20,000千円}+\underset{\text{（上記(ロ)㋺）}}{30,000千円}=\boxed{\underline{\underline{50,000千円}}}$$

② 宅地等の相続税評価額（配偶者居住権等に基づく利用権又は所有権の価額の別に計算）

(イ) 宅地等の利用権の価額（配偶者乙の取得財産）

㋑ 居住用部分

20,000千円（上記①(イ)㊁）× 2（宅地等の利用権の価額割合）／{2（宅地等の利用権の価額割合）＋3（宅地等の所有権の価額割合）}＝8,000千円

㋺ 貸付事業用部分（ただし、相続開始時において空室）

30,000千円（上記①(ロ)㊁）× 2（宅地等の利用権の価額割合）／{2（宅地等の利用権の価額割合）＋3（宅地等の所有権の価額割合）}＝12,000千円

㋩ 合計

8,000千円（上記㋑）＋12,000千円（上記㋺）＝20,000千円

(ロ) 宅地等の所有権の価額（長男Ａの取得財産）

㋑ 居住用部分

20,000千円（上記①(イ)㊁）× 3（宅地等の所有権の価額割合）／{2（宅地等の利用権の価額割合）＋3（宅地等の所有権の価額割合）}＝12,000千円

㋺ 貸付事業用部分（ただし、相続開始時において空室）

30,000千円（上記①(ロ)㊁）× 3（宅地等の所有権の価額割合）／{2（宅地等の利用権の価額割合）＋3（宅地等の所有権の価額割合）}＝18,000千円

㋩ 合計

12,000千円（上記㋑）＋18,000千円（上記㋺）＝30,000千円

(ハ) 合計

20,000千円（上記(イ)）＋30,000千円（上記(ロ)）＝50,000千円

**応答**

(1) 配偶者居住権の設定について

民法第1028条《配偶者居住権》第１項の規定では、要旨、被相続人の配偶者は、被相続人の財産に属した建物に相続開始の時に居住していた場合において、遺産の分割によって配偶者居住権を取得するものとされたときは、その居住していた建物（以下、⒁において「居住建物」といいます。）の全部について配偶者居住権を取得するものとされています。

上記＿＿部分に掲げる『居住建物』については、建物全部を居住の用に供している状況を必ずしも求めるものではなく、建物の一部でも居住の用に供されている状況をいうものと解されていることから、配偶者居住権の対象とされるのは、当該建物のうち居住の用に供されている部分に限定されるものではなく、当該建物（居住建物）の全部についての使用及び収益をすることができるようになります。

ただし、前問⒀の事例のように、配偶者居住権設定前に建物所有者が当該建物（居住建物）の一部を建物賃貸借契約に基づいて現実に貸し付けている場合には、建物賃貸借の対抗力から配偶者居住権を設定した配偶者は、当該建物の賃借人に対しては、当該配偶者居住権の設定による当該建物の使用収益権を行使することができないのものと解されています。

そうすると、本問の **質疑** の事例の場合では、本件不動産のうち建物の１階部分は貸付事業用（被相続人甲経営の貸事務所）ではあるものの、被相続人甲に係る相続開始の時点においては建物賃貸借契約に基づいて現実に貸し付けられている状況にあるとは認められないことから、上記のただし書の解釈の対象とはされないことになり、結果として、配偶者居住権を設定した配偶者は、当該配偶者居住権の設定により当該建物の全体（１階部分及び２階部分）の使用収益権を行使することが可能とされます。

⑵　相続税法に規定する配偶者居住権等の価額

①　考え方

上記⑴に掲げるとおり、配偶者居住権（建物利用権）については、その設定に係る相続（これを「第一次相続」といいます。）に係る被相続人が、第一次相続開始前においてその所有する建物等の一部を他に賃貸することを目的として所有していた場合であっても、当該第一次相続開始時において建物賃貸借契約に基づいて現実に貸し付けられている状況にあるとは認められないときには、当該空室部分に対しても、その設定の効力が及ぶものとされています。

そうすると、配偶者居住権に基づく敷地利用権（土地等の利用権）については、当該敷地利用権が配偶者居住権に基づき建物等の使用・収益をする必要な限度で土地等を利用する権利であることを踏まえれば、当該敷地利用権に基づき使用・収益することができる範囲と基本的に同様の範囲であると解するのが相当とされます。

したがって、第一次相続開始時において、たとえ、過去においては賃借人が存在していたことがあったとしても、建物賃貸借契約に基づいて現実に貸し付けられている状況にあるとは認められない部分（ **質疑** の事例の場合は、１階部分）に対応する敷地部分についても、配偶者居住権に基づく敷地利用権（土地等の利用権）を行使することが認められることになります。

なお、**質疑** の事例の場合には、貸付事業用部分（ただし、相続開始時において空室）については、その前提条件から『相続開始の時において一時的に賃貸されていなかったと認められる部分』に該当しないと認められることから、財産評価基本通達26《貸家建付地の評価》に定める貸家建付地には該当せず、自用地として評価することが相当であると考えられます。

②　評価方法

相続税法第23条の２《配偶者居住権等の評価》において、配偶者居住権が設定されている居住建物及びその敷地の用に供されている土地等の利用権の価額を求める場合において、当該居住建物の一部が被相続人に係る相続開始時において賃貸の用に供されているときの評価方法が、下記に掲げる算式のとおりに規定されています。

⑴　配偶者居住権の価額（建物の利用権の価額）

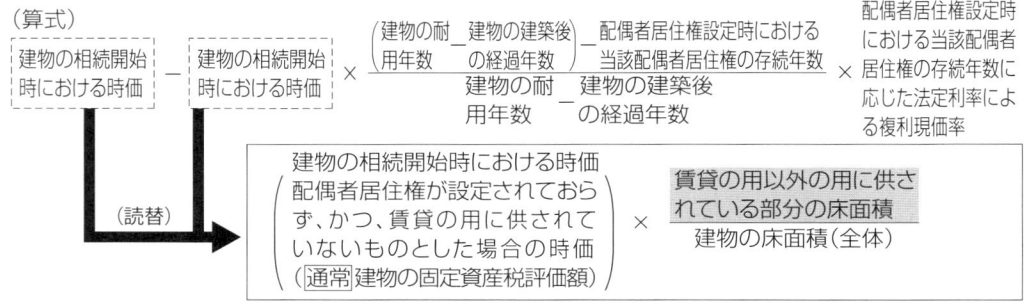

（算式）

建物の相続開始時における時価 − 建物の相続開始時における時価 × （建物の耐用年数 − 建物の建築後の経過年数）− 配偶者居住権設定時における当該配偶者居住権の存続年数 ／ 建物の耐用年数 − 建物の建築後の経過年数 × 配偶者居住権設定時における当該配偶者居住権の存続年数に応じた法定利率による複利現価率

（読替）

建物の相続開始時における時価（配偶者居住権が設定されておらず、かつ、賃貸の用に供されていないものとした場合の時価（通常建物の固定資産税評価額））× 賃貸の用以外の用に供されている部分の床面積 ／ 建物の床面積（全体）

⑵　配偶者居住権の目的となっている建物の敷地の用に供される土地等を当該配偶者居住権に基づき使用する権利の価額（土地等の利用権の価額）

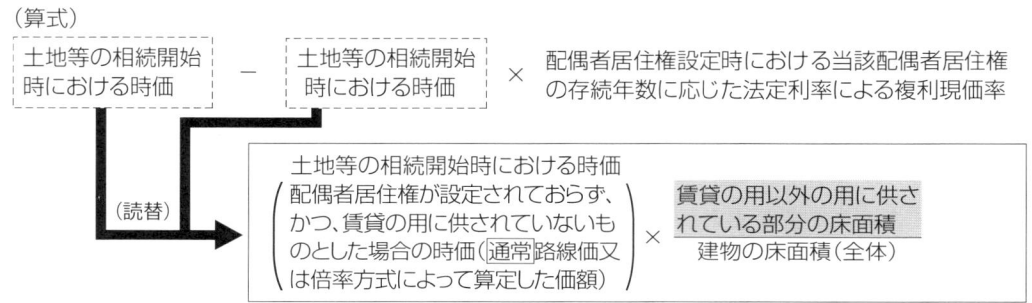

（算式）

土地等の相続開始時における時価 − 土地等の相続開始時における時価 × 配偶者居住権設定時における当該配偶者居住権の存続年数に応じた法定利率による複利現価率

（読替）

土地等の相続開始時における時価（配偶者居住権が設定されておらず、かつ、賃貸の用に供されていないものとした場合の時価（通常路線価又は倍率方式によって算定した価額））× 賃貸の用以外の用に供されている部分の床面積 ／ 建物の床面積（全体）

なお、上記⑴及び⑵の各算式における読替部分の分数式の分子部分である『賃貸の用以外の用に供されている部分の床面積』（上記各算式中の　　　部分）に該当する例として、次に掲げるようなものが想定されます。

㋑　被相続人及び当該被相続人の親族等の居住の用に供されている部分の床面積

㋺　被相続人の事業の用（貸付事業を除きます。）に供されている部分の床面積

㋩　被相続人から無償で貸し付けを受けて行われている当該被相続人の親族等の事業の用に供されている部分の床面積

㋥　被相続人の貸付事業の用に供されることを前提とするものの、被相続人に係る相続開始時において現実に貸し付けられていないものがある場合における当該部分の床面積

（注）ただし、この㋥に関して、当該空室部分が『一時的な空室である場合』に該当するときの取扱いについては、次問⒂を参照してください。

㋭　何らの用にも供されていない（未使用とされている）部分の床面積

そうすると、**質疑**の事例の場合、本件不動産のうち建物の１階部分（空室部分）については、上記㋥に該当するものと認められることから、上記⑴及び⑵の各算式における読替部分の分数式の分子部分である『賃貸の用以外の用に供されている部分の床面積』に該当することになり、結果として、当該分数式の割合は『１』となります。

(3)　小規模宅地等の課税特例の適用関係

**質疑** に掲げる被相続人甲の相続財産である宅地等に係る配偶者居住権等が、小規模宅地等の課税特例（特定居住用宅地等又は貸付事業用宅地等）の適用対象とされるか否かについて検討すると、下表のとおりとなります。

| | 特定居住用宅地等 | 貸付事業用宅地等 |
|---|---|---|
| 宅地等の利用権の価額<br>配偶者乙取得 | 判定　該当<br>理由　被相続人甲に係る配偶者乙が取得したことから、その他の事項を問われる必要はありません。 | 判定　非該当<br>理由　本件不動産のうち建物の１階部分（空室部分）については、相続開始の時において一時的に賃貸されていなかったと認められる部分に当たらないことから、貸付事業用宅地等に該当せず、小規模宅地等の課税特例の適用要件を充足していません。 |
| 宅地等の所有権の価額<br>長男Ａ取得 | 判定　該当<br>理由　長男Ａ（被相続人甲の親族）が取得し、相続税の申告期限まで継続して所有し、かつ、本件不動産に居住していますので、『被相続人の居住用家屋に居住（同居）していた親族が取得した場合』に該当します。 | 判定　非該当<br>理由　上記と同じ。 |

(4)　相続税の課税価格算入額

上記(1)ないし(3)の取扱いに基づいて、**質疑** の宅地等につき、小規模宅地等の課税特例を適用した後の相続税の課税価格算入額を算定すると、下記のとおりとなります。

①　宅地等の利用権の価額（配偶者乙の相続税の課税価格算入額）

(イ)　居住用部分

$$8{,}000\text{千円}\left(\text{質疑の参考2 ②(イ)(イ)より}\right) - \left(8{,}000\text{千円}\times\frac{32\text{m}^2\text{(注2)}}{32\text{m}^2\text{（宅地等の利用権部分の面積）(注1)}}\times 80\%\right) = 1{,}600\text{千円}$$

（小規模宅地等の課税特例の適用前の価額）　（小規模宅地等の課税特例の適用による減額金額）

(ロ)　貸付事業用部分

12,000千円（質疑の参考2 ②(ロ)(イ)より）（貸付事業用部分は小規模宅地等の課税特例（貸付事業用宅地等）の適用要件を未充足）

(ハ)　合計

1,600千円（上記(イ)）＋12,000千円（上記(ロ)）＝13,600千円

②　宅地等の所有権の価額（長男Ａの相続税の課税価格算入額）

(イ)　居住用部分

$$12{,}000\text{千円}\left(\begin{array}{c}\text{質疑の参考２}\\\text{②(イ)㋺より}\end{array}\right)-\left(12{,}000\text{千円}\times\frac{48㎡（注２）}{48㎡（宅地等の所有権部分の面積）（注１）}\times80\%\right)=2{,}400\text{千円}$$

（小規模宅地等の課税特例の適用前の価額）　（小規模宅地等の課税特例の適用による減額金額）

(ロ)　貸付事業用部分

18,000千円（質疑の参考２ ②(ロ)㋺より）（貸付事業用部分は小規模宅地等の課税特例（貸付事業用宅地等）の適用要件を未充足）

(ハ)　合計

2,400千円（上記(イ)）＋18,000千円（上記(ロ)）＝20,400千円

③　総合計

13,600千円（上記①(ハ)）＋20,400千円（上記②(ハ)）＝**34,000千円**

（注１）　特定居住用宅地等に係る面積区分（利用権部分・所有権部分）

$$（利用権部分）80㎡\left(\begin{array}{c}\text{質疑の参考２}\\\text{①(イ)㋑より}\end{array}\right)\times\frac{8{,}000\text{千円（宅地等の利用権の価額）}}{8{,}000\text{千円（宅地等の利用権の価額）}+12{,}000\text{千円（宅地等の所有権の価額）}}=32㎡$$

（居住用部分に対応する面積）

$$（所有権部分）80㎡\left(\begin{array}{c}\text{質疑の参考２}\\\text{①(イ)㋑より}\end{array}\right)\times\frac{12{,}000\text{千円（宅地等の所有権の価額）}}{8{,}000\text{千円（宅地等の利用権の価額）}+12{,}000\text{千円（宅地等の所有権の価額）}}=48㎡$$

（居住用部分に対応する面積）

（注２）　小規模宅地等の課税特例の適用に係る限度面積要件の確認

32㎡＋48㎡＝80㎡（特定居住用宅地等に対する適用面積）　≦330㎡　∴限度面積要件を充足

参考　貸付事業用部分（ただし、相続開始時において空室）の宅地等に係る地積区分（利用権部分・所有権部分）

$$（利用権部分）120㎡\left(\begin{array}{c}\text{質疑の参考２}\\\text{①(ロ)㋑より}\end{array}\right)\times\frac{12{,}000\text{千円（宅地等の利用権の価額）}}{12{,}000\text{千円（宅地等の利用権の価額）}+18{,}000\text{千円（宅地等の所有権の価額）}}=48㎡$$

（貸付事業用部分に対応する面積）

$$（所有権部分）120㎡\left(\begin{array}{c}\text{質疑の参考２}\\\text{①(ロ)㋑より}\end{array}\right)\times\frac{18{,}000\text{千円（宅地等の所有権の価額）}}{12{,}000\text{千円（宅地等の利用権の価額）}+18{,}000\text{千円（宅地等の所有権の価額）}}=72㎡$$

（貸付事業用部分に対応する面積）

まとめ１

| | | 配偶者居住権（民法） | 相続税法上の取扱い | | |
|---|---|---|---|---|---|
| | | | 区　分 | 宅地の評価態様 | 小規模宅地等の課税特例 |
| ２階 | 居　住　用 | 配偶者居住権の設定対象 | 利用権 | 自用地 | 特定居住用宅地等に該当 |
| | | | 所有権 | 自用地 | 特定居住用宅地等に該当 |

| | | | | | |
|---|---|---|---|---|---|
| １階 | 貸付事業用<br>（相続開始時において相当の期間空室である場合） | 配偶者居住権の設定対象<br>（民法の配偶者居住権の規定では配偶者居住権の設定対象とされ、借地借家法に規定する借家権に対する対抗力も生じないことから、設定可能） | 利用権 | 自用地 | 適用不可<br>（要件未充足） |
| | | | 所有権 | 自用地 | 適用不可<br>（要件未充足） |

まとめ２

| | | | 居住用部分<br>（２階） | 貸付事業用部分<br>（１階） | 合　　計 |
|---|---|---|---|---|---|
| 利用権 | 財産取得者 | | 配偶者乙 | 配偶者乙 | |
| | 適用面積 | ① | 32㎡ | 48㎡ | 80㎡ |
| | 相続税評価額 | ② | 8,000千円 | 12,000千円 | 20,000千円 |
| | 小規模宅地等の減額金額 | ③ | ▲6,400千円 | 適用不可 | ▲6,400千円 |
| | 相続税の課税価格（②－③） | ④ | 1,600千円 | 12,000千円 | 13,600千円 |
| 所有権 | 財産取得者 | | 長男Ａ | 長男Ａ | |
| | 適用面積 | ⑤ | 48㎡ | 72㎡ | 120㎡ |
| | 相続税評価額 | ⑥ | 12,000千円 | 18,000千円 | 30,000千円 |
| | 小規模宅地等の減額金額 | ⑦ | ▲9,600千円 | 適用不可 | ▲9,600千円 |
| | 相続税の課税価格（⑥－⑦） | ⑧ | 2,400千円 | 18,000千円 | 20,400千円 |
| 合　計 | 適用面積（①＋⑤） | ⑨ | 80㎡ | 120㎡ | 200㎡ |
| | 相続税評価額（②＋⑥） | ⑩ | 20,000千円 | 30,000千円 | 50,000千円 |
| | 小規模宅地等の減額金額（③＋⑦） | ⑪ | ▲16,000千円 | 適用不可 | ▲16,000千円 |
| | 相続税の課税価格（④＋⑧） | ⑫ | 4,000千円 | 30,000千円 | 34,000千円 |

### ⒂　配偶者居住権等に対する小規模宅地等の課税特例の適用関係（その６：被相続人の居住建物が貸室兼用住宅であった場合のその敷地の用に供されていた宅地等に対する取扱い）（そのＣ：貸室部分につき相続開始時において一時的に賃貸されていなかったと認められる場合の取扱い⑴）

**質疑**　被相続人甲に相続開始があり、同人所有の財産として貸室（被相続人甲経営の貸店舗３室（構造上区分されており、各室の床面積は同一））兼用住宅（被相続人甲、配偶者乙及び長男Ａの居住用）及びその敷地の用に供されていた宅地等（面積200㎡）（以下「本件不動産」といいます。）がありました。

なお、貸店舗のうちの１室は、被相続人甲に係る相続開始前後の約１か月は入居者の入替時期に当たり、借家人が存在していない、いわゆる『一時的な空室であった場合』に該当することが確認されています。これらの詳細については、下記参考を参照してください。

被相続人甲に係る遺産分割に当たっては、配偶者乙は当該居住建物に係る配偶者居住権を取得し、また、本件不動産の所有権は、長男Ａが取得するものとされました。そして、貸店舗の経営は本件不動産の所有権を取得した長男Ａが承継することになりました。

本件不動産のうち宅地等について、相続税法第23条の２《配偶者居住権等の評価》の規定を適用して算定した土地（宅地）等の利用権の価額、土地（宅地）等の所有権の価額及びこれらの価額に対する小規模宅地等の課税特例（特定居住用宅地等・貸付事業用宅地等）の適用関係はどのようになりますか。

なお、回答に当たっての前提事項は、下記のとおりであるものとします。

⑴　宅地等の自用地としての価額……50,000千円

⑵　借地権割合……60％

⑶　借家権割合……30％

⑷　配偶者乙が取得した土地（宅地）等の利用権の価額と長男Ａが取得した土地（宅地）等の所有権の価額の比率は、２：３になります。

⑸　複数の選択肢が想定される場合には、配偶者乙及び長男Ａの両者の相続税の課税価格算入額の合計額が最も少なくなる方法を選択するものとします。

参考

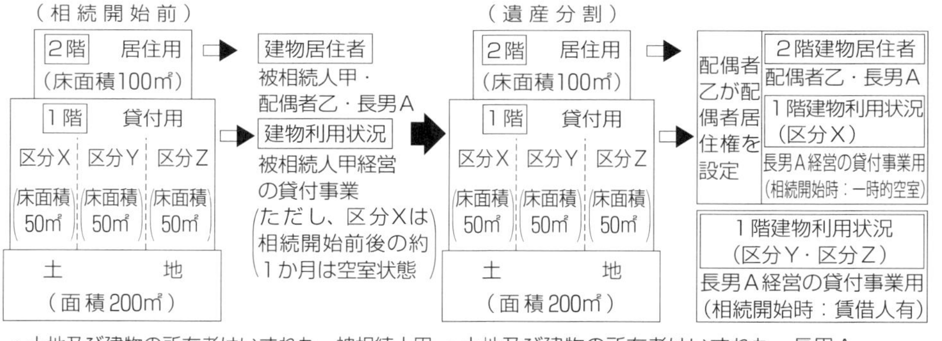


・土地及び建物の所有者はいずれも、被相続人甲　・土地及び建物の所有者はいずれも、長男Ａ

**応答**

⑴　配偶者居住権の設定について

民法第1028条《配偶者居住権》第１項の規定では、要旨、被相続人の配偶者は、被相続人の財産に属した建物に相続開始の時に居住していた場合において、遺産の分割によって配偶者居住権を取得するものとされたときは、その居住していた建物（以下、⒂において「居住建物」といいます。）の全部について配偶者居住権を取得するものとされています。

上記＿＿部分に掲げる『居住建物』については、建物全部を居住の用に供している状況を

必ずしも求めるものではなく、建物の一部でも居住の用に供されている状況をいうものと解されていることから、配偶者居住権の対象とされるのは、当該建物のうち居住の用に供されている部分に限定されるものではなく、当該建物（居住建物）の全部についての使用及び収益をすることができるようになります。

ただし、前々問⒀の事例のように、配偶者居住権設定前に建物所有者が当該建物（居住建物）の一部を建物賃貸借契約に基づいて現実に貸し付けている場合には、建物賃貸借の対抗力から配偶者居住権を設定した配偶者は、当該建物の賃借人に対しては、当該配偶者居住権の設定による当該建物の使用収益権を行使することができないものと解されています。

そうすると、本問の **質疑** の事例の場合では、本件不動産のうち建物の１階の区分Y及び区分Z部分は、被相続人甲に係る相続開始の時点において建物賃貸借契約に基づいて現実に貸し付けられている状況にあることから同人の貸付事業用（被相続人甲経営の貸店舗）と認められ、配偶者乙による配偶者居住権の設定があったとしても、上記のただし書に掲げる解釈から配偶者乙は、これらの部分に対する使用収益権を行使することができないものとされます。

一方、本件不動産のうち建物の１階の区分X部分は、貸付事業用（被相続人甲経営の貸店舗）ではあるものの、被相続人甲に係る相続開始の時点においては建物賃貸借契約に基づいて現実に貸し付けられている状況にあるとは認められないことから、上記のただし書の解釈の対象とはされないことになり、配偶者乙による配偶者居住権の設定により、当該部分についても使用収益権を行使することができるものとされます。

以上より、結果として、配偶者居住権を設定した配偶者乙は、当該配偶者居住権の設定により、当該建物の２階部分及び１階の区分X部分の使用収益権を行使することが可能とされます。

⑵　相続税法に規定する配偶者居住権等の価額

①　考え方

㈠　原則的な取扱い

上記⑴に掲げるとおり、配偶者居住権（建物利用権）については、その設定に係る相続（これを「第一次相続」といいます。）に係る被相続人が、第一次相続開始前においてその所有する建物等の一部を他に賃貸していた場合であっても、当該第一次相続開始時において建物賃貸借契約に基づいて現実に貸し付けられている状況にあるとは認められないときには、当該空室部分に対しても、その設定の効力が及ぶものとされています。

そうすると、配偶者居住権に基づく敷地利用権（土地等の利用権）については、当該敷地利用権が配偶者居住権に基づき建物等の使用・収益をする必要な限度で土地等を利用する権利であることを踏まえれば、当該敷地利用権に基づき使用・収益することができる範囲と基本的に同様の範囲であると解するのが相当とされます。

したがって、第一次相続開始時において、たとえ、過去においては賃借人が存在していたことがあったとしても、建物賃貸借契約に基づいて現実に貸し付けられている状況にあるとは認められない部分（ **質疑** の事例の場合は、１階の区分X部分）に対応する敷地部分についても、配偶者居住権に基づく敷地利用権（土地等の利用権）を行使することが認められることになります。

(ロ)　例外的な取扱い（評価実務における取扱い）

財産評価基本通達26《貸家建付地の評価》の定めでは、貸家建付地の価額は、次の算式１により計算した価額によって評価するものとされています。

（算式１）　その宅地の自用地としての価額 × $\left(1-\text{借地権割合}\times\text{借家権割合}\times\text{賃貸割合}\right)$

なお、上記に掲げる算式１の『賃貸割合』は、その貸家に係る各独立部分（構造上区分された数個の部分の各部分をいいます。）がある場合に、その各独立部分の賃貸の状況に基づいて、次の算式２により計算した割合によるものとされています。

（算式２）　$\dfrac{\text{Aのうち課税時期において『賃貸されている各独立部分』の床面積の合計}}{\text{当該家屋の各独立部分の床面積の合計(A)}}$

そして、上記に掲げる算式２の分子部分の『賃貸されている各独立部分』には、継続的に賃貸されていた各独立部分で、課税時期において、一時的に賃貸されていなかったと認められるものを含むこととして差し支えないものとされています。

そうすると、相続税等における財産評価では、一時的に賃貸されていなかったと認められるものについても現実に賃貸されている各独立部分と同様の取扱い（貸家建付地評価）を認める（「差し支えない」との表現であることから強制ではなく、任意の選択）ものとされています。

次に、上記に掲げる取扱いを採用した場合における配偶者居住権の設定による効力の及ぶ範囲が論点となりますが、配偶者居住権（建物利用権）の設定は民法に規定する法律行為であることから、相続税等における財産評価の方法を定めた財産評価基準通達の定めにかかわらず、民法に規定する配偶者の設定による効力の及ぶ範囲に変動は生じません。（上記(1)に掲げるとおりです。）

しかしながら、相続税等における財産評価において、一時的に賃貸されていなかったと認められるものについても貸家建付地として評価（換言すれば、建物賃借人の対抗力が生じていることを前提として評価）し、かつ、当該各独立部分にも配偶者居住権に基づく敷地利用権（土地等の利用権）が及ぶものとして評価することは、一種の矛盾であり相当性を欠くものと考えられます。

そこで、相続税法基本通達23の２－１《一時的な空室がある場合の「賃貸の用に供されている部分」の範囲》において、要旨、次のとおりの定めが設けられており、両者の均衡が図られるものとされています。

①　相続税法第23条の２《配偶者居住権等の評価》の規定を適用して、配偶者居住権が設定されている居住建物及びその敷地の用に供されている土地等の利用権の価額を求める場合における『建物の相続開始時における時価』及び『土地等の相続開始時における時価』は、財産評価基本通達の定めにより算定した価額（相続税評価額）によるものであること

㋺　上記㋑に掲げる『時価』を算定する場合において、上記に掲げる財産評価基本通達26《貸家建付地の評価》の定めにより、継続的に賃貸されていた各独立部分で、課税時期において一時的に賃貸されていなかったと認められるものを『賃貸されている各独立部分』に含むこととしたときは、上記㋑に掲げる時価を算定する算式（下記②を参照）中の読替部分の分数式部分（建物の床面積（全体）のうちに賃貸の用以外の用に供されている部分の床面積の占める割合）についても、当該各独立部分は『賃貸の用に供されている部分』に含めて（換言すれば、分数式の分子部分の床面積には算入しないで）算定すること

②　評価方法

相続税法第23条の２《配偶者居住権等の評価》において、配偶者居住権が設定されている居住建物及びその敷地の用に供されている土地等の利用権の価額を求める場合において、当該居住建物の一部が被相続人に係る相続開始時において賃貸の用に供されているときの評価方法が、下記に掲げる算式のとおりに規定されています。

(イ)　配偶者居住権の価額（建物の利用権の価額）

（算式）

建物の相続開始時における時価 － 建物の相続開始時における時価 × {（建物の耐用年数 － 建物の建築後の経過年数）－ 配偶者居住権設定時における当該配偶者居住権の存続年数} ／ {建物の耐用年数 － 建物の建築後の経過年数} × 配偶者居住権設定時における当該配偶者居住権の存続年数に応じた法定利率による複利現価率

（読替）→ 建物の相続開始時における時価（配偶者居住権が設定されておらず、かつ、賃貸の用に供されていないものとした場合の時価（通常建物の固定資産税評価額））× 賃貸の用以外の用に供されている部分の床面積 ／ 建物の床面積（全体）

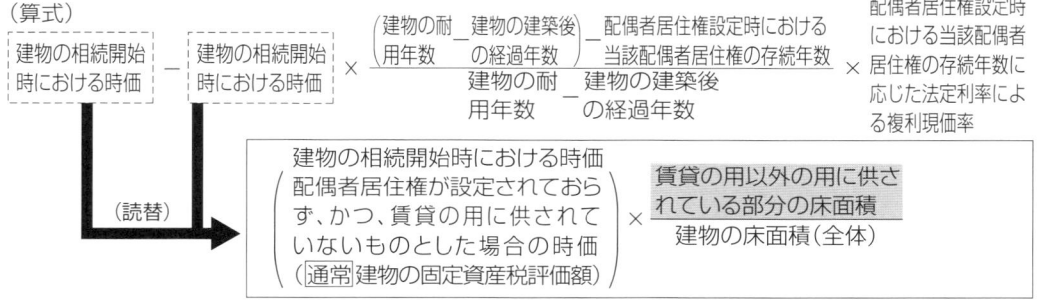

(ロ)　配偶者居住権の目的となっている建物の敷地の用に供される土地等を当該配偶者居住権に基づき使用する権利の価額（土地等の利用権の価額）

（算式）

土地等の相続開始時における時価 － 土地等の相続開始時における時価 × 配偶者居住権設定時における当該配偶者居住権の存続年数に応じた法定利率による複利現価率

（読替）→ 土地等の相続開始時における時価（配偶者居住権が設定されておらず、かつ、賃貸の用に供されていないものとした場合の時価（通常路線価又は倍率方式によって算定した価額））× 賃貸の用以外の用に供されている部分の床面積 ／ 建物の床面積（全体）

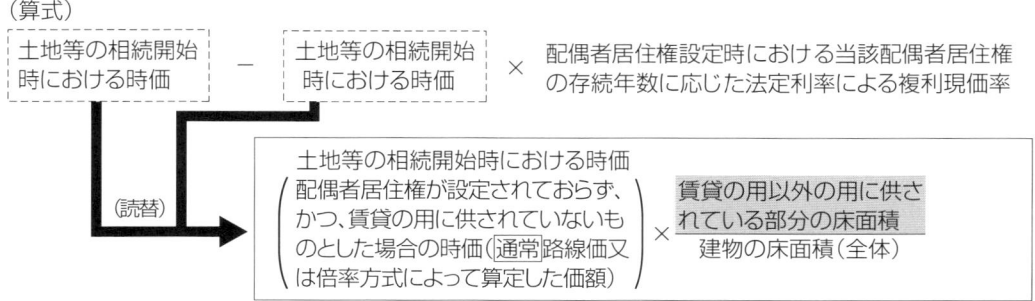

そうすると、上記(イ)及び(ロ)の各算式における読替部分の分数式の分子部分である『賃貸の用以外の用に供されている部分の床面積』（上記各算式中の　　　部分）の解釈につき、貸付事業の用に供されているものについては、上記①(ロ)㋺に掲げる取扱いが適用されることから、次の点に留意する必要があります。

(イ)『賃貸の用以外の用に供されている部分の床面積』に該当する例

被相続人の貸付事業の用に供されることを前提とするものの、被相続人に係る相続開始時において現実に貸し付けられていないものがある場合における当該部分の床面積（ただし、下記(ロ)に該当するものを除きます。）

(ロ)『賃貸の用以外の用に供されている部分の床面積』に該当しない例

上記(イ)に該当する場合において、当該空室が財産評価基本通達26《貸家建付地の評価》に定める『一時的な空室』に該当し、当該空室部分を同通達に定める『賃貸割合』の計算上、分子部分（課税時期において賃貸されている各独立部分の床面積の合計）に算入することを選択したときにおける当該部分の床面積

③　**質疑** の事例の場合

**質疑** の事例の場合、その **質疑** において示された前提事項(5)（複数の選択肢が想定される場合、配偶者乙及び長男Ａの両者の相続税の課税価格算入額の合計額の最少を選択）から判断すると、相続税法に規定する配偶者居住権等の価額の算定に当たっては、本件不動産のうち建物の１階のＸ部分については、上記②(ロ)の取扱いを適用して評価することが相当と判断されます。

(3)　小規模宅地等の課税特例の適用関係

**質疑** に掲げる被相続人甲の相続財産である宅地等に係る配偶者居住権等が、小規模宅地等の課税特例（特定居住用宅地等又は貸付事業用宅地等）の適用対象とされるか否かについて検討すると、下表のとおりとなります。

| | 特定居住用宅地等 | 貸付事業用宅地等 |
|---|---|---|
| 宅地等の利用権の価額<br>配偶者乙取得 | 判定　該当<br>理由　被相続人甲に係る配偶者乙が取得したことから、その他の事項を問われる必要はありません。 | 上記(2)より、１階の区分X部分も含めて貸付事業用部分については、配偶者居住権の設定対象にはならず、宅地等の利用権の価額は算出されないことから、小規模宅地等の課税特例の適用対象の可否の検討対象外となります。 |
| 宅地等の所有権の価額<br>長男Ａ取得 | 判定　該当<br>理由　長男Ａ（被相続人甲の親族）が取得し、相続税の申告期限まで継続して所有し、かつ、本件不動産に居住していますので、『被相続人の居住用家屋に居住（同居）していた親族が取得した場合』に該当します。 | 判定　該当<br>理由　長男Ａ（被相続人甲の親族）が取得し、相続税の申告期限までに被相続人甲の貸付事業（貸店舗）を承継し、相続税の申告期限まで継続して所有し、かつ、当該貸付事業を継続していますので、『被相続人の貸付事業を相続開始後に承継した場合』に該当します。 |

(4)　相続税の課税価格算入額

上記(1)ないし(3)の取扱いに基づいて、**質疑** の宅地等につき、小規模宅地等の課税特例を

適用した後の相続税の課税価額算入額を算定すると、下記のとおりとなります。

① 宅地等の相続税評価額（居住用部分・貸付事業用部分の別により計算）

(イ) 居住用部分

㋑ 200㎡（全体の面積）× 100㎡（居住用部分の床面積）／｛100㎡（居住用部分の床面積）＋150㎡（貸付事業用部分の床面積）｝＝80㎡（居住用部分に対応する面積）

㋺ 50,000千円（自用地価額）× 80㎡（上記㋑）／200㎡（全体の面積）＝<u>20,000千円</u>

(ロ) 貸付事業用部分

㋑ 200㎡（全体の面積）× 150㎡（貸付事業用部分の床面積）（注）／｛100㎡（居住用部分の床面積）＋150㎡（貸付事業用部分の床面積）｝＝120㎡（貸付事業用部分に対応する面積）

（注）・50㎡（各貸店舗の床面積）×３室（区分X・区分Y・区分Z）＝150㎡
・区分Xの部分は、一時的に賃貸されていなかったと認められる部分に該当することから、貸家建付地として評価（貸付事業用部分に算入）

㋺ 50,000千円（自用地価額）× 120㎡（上記㋑）／200㎡（全体の面積）＝30,000千円

㋩ 30,000千円（上記㋺）×（1 － 60%（借地権割合）× 30%（借家権割合）× 100%（賃貸割合））＝<u>24,600千円</u>

② 宅地等の相続税評価額（配偶者居住権等に基づく利用権又は所有権の価額の別により計算）

(イ) 宅地等の利用権の価額（配偶者乙の取得財産）

居住用部分

20,000千円（上記①(イ)㋺）× 2（宅地等の利用権の価額割合）／｛2（宅地等の利用権の価額割合）＋3（宅地等の所有権の価額割合）｝＝8,000千円

(ロ) 宅地等の所有権の価額（長男Aの取得財産）

㋑ 居住用部分

20,000千円（上記①(イ)㋺）× 3（宅地等の所有権の価額割合）／｛2（宅地等の利用権の価額割合）＋3（宅地等の所有権の価額割合）｝＝12,000千円

㋺ 貸付事業用部分

24,600千円（上記①(ロ)㋩）

③ 宅地等の相続税の課税価格算入額（配偶者居住権等に基づく利用権又は所有権の価額の別により計算）

(イ) 宅地等の利用権の価額（配偶者乙の相続税の課税価格算入額）

居住用部分

8,000千円（上記②(イ)）（小規模宅地等の課税特例の適用前の価額）－（8,000千円 × 32㎡（注２）／32㎡（宅地等の利用権部分の面積）（注１）× 80%）（小規模宅地等の課税特例の適用による減額金額）＝<u>1,600千円</u>

(ロ) 宅地等の所有権の価額（長男Aの相続税の課税価格算入額）

㋑ 居住用部分

$$12{,}000\text{千円}\ (\text{上記②㋺㋑}) - \left(12{,}000\text{千円} \times \frac{48\text{m}^2\ (\text{注２})}{48\text{m}^2\ (\text{宅地等の所有権部分の面積})\ (\text{注１})} \times 80\%\right) = 2{,}400\text{千円}$$

（小規模宅地等の課税特例の適用前の価額）　（小規模宅地等の課税特例の適用による減額金額）

㋺　貸付事業用部分

$$24{,}600\text{千円}\ (\text{上記②㋺㋺}) - \left(24{,}600\text{千円} \times \frac{120\text{m}^2\ (\text{注２})}{120\text{m}^2\ (\text{上記①㋺㋑})} \times 50\%\right) = 12{,}300\text{千円}$$

（小規模宅地等の課税特例の適用前の価額）

㋩　合計

2,400千円（上記㋑）＋12,300千円（上記㋺）＝14,700千円

(ハ)　総合計

1,600千円（上記(イ)）＋14,700千円（上記(ロ)㋩）＝**16,300千円**

（注１）　特定居住用宅地等に係る面積区分（利用権部分・所有権部分）

$$(\text{利用権部分})\quad 80\text{m}^2\ (\text{上記①(イ)㋑})\ (\text{居住用部分に対応する面積}) \times \frac{8{,}000\text{千円}\ (\text{宅地等の利用権の価額})}{8{,}000\text{千円}\ (\text{宅地等の利用権の価額}) + 12{,}000\text{千円}\ (\text{宅地等の所有権の価額})} = 32\text{m}^2$$

$$(\text{所有権部分})\quad 80\text{m}^2\ (\text{上記①(イ)㋑})\ (\text{居住用部分に対応する面積}) \times \frac{12{,}000\text{千円}\ (\text{宅地等の所有権の価額})}{8{,}000\text{千円}\ (\text{宅地等の利用権の価額}) + 12{,}000\text{千円}\ (\text{宅地等の所有権の価額})} = 48\text{m}^2$$

（注２）　小規模宅地等の課税特例の適用に係る限度面積要件の確認

$$(32\text{m}^2 + 48\text{m}^2) \times \frac{200\text{m}^2}{330\text{m}^2}\ (\text{特定居住用宅地等に対する適用面積}) + 120\text{m}^2\ (\text{貸付事業用宅地等に対する適用面積}) \fallingdotseq 168.48\text{m}^2 \leqq 200\text{m}^2$$

∴限度面積要件を充足

**まとめ１**

<table>
<tr><td colspan="3" rowspan="2"></td><td rowspan="2">配偶者居住権（民法）</td><td colspan="3">相続税法上の取扱い</td></tr>
<tr><td>区分</td><td>宅地の評価態様</td><td>小規模宅地等の課税特例</td></tr>
<tr><td rowspan="2">２階</td><td colspan="2" rowspan="2">居　住　用</td><td rowspan="2">配偶者居住権の設定対象</td><td>利用権</td><td>自用地</td><td>特定居住用宅地等に該当</td></tr>
<tr><td>所有権</td><td>自用地</td><td>特定居住用宅地等に該当</td></tr>
<tr><td rowspan="4">１階</td><td rowspan="4">貸付事業用</td><td rowspan="2">相続開始時において『一時的に空室であった』と認められる部分を『賃貸割合』を求める算式の分子に算入した場合（区分Ｘ）</td><td rowspan="2">配偶者居住権の設定対象<br>（民法の配偶者居住権の規定では配偶者居住権の設定対象とされ、借地借家法に規定する借家権に対する対抗力も生じないことから、設定可能）</td><td>利用権</td><td>×</td><td>×</td></tr>
<tr><td>所有権</td><td>貸家建付地</td><td>貸付事業用宅地等に該当</td></tr>
<tr><td rowspan="2">貸付継続中（区分Ｙ・区分Ｚ）</td><td rowspan="2">配偶者居住権の設定効果なし<br>（民法の配偶者居住権の規定では配偶者居住権の設定対象とされるが、借地借家法に規定する借家権に対する対抗力との関係から、結果的には設定の効果が及ばない）</td><td>利用権</td><td>×</td><td>×</td></tr>
<tr><td>所有権</td><td>貸家建付地</td><td>貸付事業用宅地等に該当</td></tr>
</table>

まとめ2

| | | | 居住用部分（2階） | 貸付事業用部分（1階） | 合　計 |
|---|---|---|---|---|---|
| 利用権 | 財産取得者 | | 配偶者乙 | | |
| | 適用面積 | ① | 32㎡ | | 32㎡ |
| | 相続税評価額 | ② | 8,000千円 | | 8,000千円 |
| | 小規模宅地等の減額金額 | ③ | ▲6,400千円 | | ▲6,400千円 |
| | 相続税の課税価格（②−③） | ④ | 1,600千円 | | 1,600千円 |
| 所有権 | 財産取得者 | | 長男A | 長男A | |
| | 適用面積 | ⑤ | 48㎡ | 120㎡ | 168㎡ |
| | 相続税評価額 | ⑥ | 12,000千円 | 24,600千円 | 36,600千円 |
| | 小規模宅地等の減額金額 | ⑦ | ▲9,600千円 | ▲12,300千円 | ▲21,900千円 |
| | 相続税の課税価格（⑥−⑦） | ⑧ | 2,400千円 | 12,300千円 | 14,700千円 |
| 合　計 | 適用面積（①＋⑤） | ⑨ | 80㎡ | 120㎡ | 200㎡ |
| | 相続税評価額（②＋⑥） | ⑩ | 20,000千円 | 24,600千円 | 44,600千円 |
| | 小規模宅地等の減額金額（③＋⑦） | ⑪ | ▲16,000千円 | ▲12,300千円 | ▲28,300千円 |
| | 相続税の課税価格（④＋⑧） | ⑫ | 4,000千円 | 12,300千円 | 16,300千円 |

ポイント

相続税法基本通達23の2－1《一時的な空室がある場合の「賃貸の用に供されている部分」の範囲》の定めが設けられたのは、次に掲げる思考過程があると思われます。

(1)　民法第1028条《配偶者居住権》の規定において、被相続人の配偶者は一定の要件下において当該被相続人の財産に属した居住建物の全部について無償で使用及び収益をする権利（配偶者居住権）を取得するものとされていること

(2)　上記(1)にかかわらず、民法の特別法として位置付けられている借地借家法の規定を解釈すると、居住建物の一部が現実に貸し付けられている場合には、配偶者居住権を有する配偶者は当該被相続人に係る相続開始前からその居住建物につき賃借権を有している賃借人に対して対抗することができないものとされていること

(3)　上記(2)を換言すると、居住建物の一部が貸付用であったとしても、相続開始時において現実に貸し付けられていない（賃借権を有する賃借人が不存在である）場合には、当該状況にある貸付用部分に対しても配偶者居住権の目的部分に該当すると解されること

(4)　相続税等における財産評価の統一的基準を定めた財産評価基本通達26《貸家建付地の評価》(2)（注）2において、『賃貸されている各独立部分』には継続的に賃貸されていた各独立部分で、課税時期において、一時的に賃貸されていなかったと認められるものを含むこととして差し支えないものとする旨の拡張的な解釈が示されていること

(5)　上記(3)及び(4)からすると、居住建物の一部が貸付用であったとしても、相続開始時において現実に貸し付けられていない（賃借権を有する賃借人が不存在である）等の一定の要件を有する部

分については、財産評価基本通達上の宅地の評価態様は貸家建付地に該当する可能性を有することとなり、その一方で、配偶者居住権等の評価上の取扱いでは『賃貸の用に供されている部分以外の部分』に該当するという矛盾が生じる状況になること

(6)　上記(5)に対応するものとして、上掲の相続税法基本通達23の２－１《一時的な空室がある場合の「賃貸の用に供されている部分」の範囲》の定めを制定し、被相続人に係る相続開始時において一時的に空室となっていたにすぎないと認められる部分については、財産評価基本通達の定めから当該部分を賃貸の用に供されている部分として取り扱うこととした場合には、配偶者居住権の評価においても同様に賃貸されている部分として取り扱うことを留意的に明確化し、両者の評価上の均衡を図るものとしたこと

## (16)　配偶者居住権等に対する小規模宅地等の課税特例の適用関係（その６：被相続人の居住建物が貸室兼用住宅であった場合のその敷地の用に供されていた宅地等に対する取扱い）（そのＣ：貸室部分について課税時期において一時的に賃貸されていなかったと認められる場合の取扱い(2)）

**質疑**　前問(15)の **質疑** においては、その回答に当たっての前提事項（複数の選択肢が想定される場合、配偶者乙及び長男Ａの両者の相続税の課税価格算入額の合計額の最少を選択）から、本件不動産のうち建物の１階の区分X部分（被相続人甲に係る相続開始時において一時的に空室となっていたにすぎないと認められる部分）に係る敷地である宅地等につき、財産評価基本通達26《貸家建付地の評価》(2)（注２）の定めを適用して貸家建付地評価の対象とすることとし、これに伴って、相続税法基本通達23の２－１《一時的な空室がある場合の「賃貸の用に供されている部分」の範囲》の定めに基づいて、当該空室部分に対応する敷地部分は配偶者居住権に基づく敷地利用権（土地の利用権）の対象とされない旨の取扱いによって、配偶者乙及び長男Ａのそれぞれの相続税の課税価格算入額が算定されています。

それでは、前問(15)の **質疑** において、本件不動産のうち建物の１階の区分Ｘ部分に係る敷地である宅地等を貸家建付地評価の対象とするのではなく、被相続人甲に係る相続開始時において現実に賃借人が存在していないことから評価の原則である自用地として評価した場合における相続税法第23条の２《配偶者居住権等の評価》の規定を適用して算定した土地（宅地）等の利用権の価額、土地（宅地）等の所有権の価額及びこれらの価額に対する小規模宅地等の課税特例（特定居住用宅地等・貸付事業用宅地等）の適用関係はどのようになりますか。なお、その他の条件は、すべて前問(15)の質疑に掲げるものと同一であるものとします。

**応答**

(1)　配偶者居住権の設定について

前問(16)の **応答** (1)を参照してください。

(2)　相続税法に規定する配偶者居住権等の価額

①　考え方

前問⒃の **応答** (2)①(イ)（原則的な取扱い）を参照してください。

②　評価方法

相続税法第23条の２《配偶者居住権等の評価》において、配偶者居住権が設定されている居住建物及びその敷地の用に供されている土地等の利用権の価額を求める場合において、当該居住建物の一部が被相続人に係る相続開始時において賃貸の用に供されているときの評価方法が、下記に掲げる算式のとおりに規定されています。

(イ)　配偶者居住権の価額（建物の利用権の価額）

（算式）

建物の相続開始時における時価 － 建物の相続開始時における時価 × {（建物の耐用年数 － 建物の建築後の経過年数）－ 配偶者居住権設定時における当該配偶者居住権の存続年数} ／ （建物の耐用年数 － 建物の建築後の経過年数） × 配偶者居住権設定時における当該配偶者居住権の存続年数に応じた法定利率による複利現価率

（読替）→ 建物の相続開始時における時価（配偶者居住権が設定されておらず、かつ、賃貸の用に供されていないものとした場合の時価（通常建物の固定資産税評価額）） × 賃貸の用以外の用に供されている部分の床面積 ／ 建物の床面積（全体）

(ロ)　配偶者居住権の目的となっている建物の敷地の用に供される土地等を当該配偶者居住権に基づき使用する権利の価額（土地等の利用権の価額）

（算式）

土地等の相続開始時における時価 － 土地等の相続開始時における時価 × 配偶者居住権設定時における当該配偶者居住権の存続年数に応じた法定利率による複利現価率

（読替）→ 土地等の相続開始時における時価（配偶者居住権が設定されておらず、かつ、賃貸の用に供されていないものとした場合の時価（通常路線価又は倍率方式によって算定した価額）） × 賃貸の用以外の用に供されている部分の床面積 ／ 建物の床面積（全体）

③　**質疑** の事例の場合

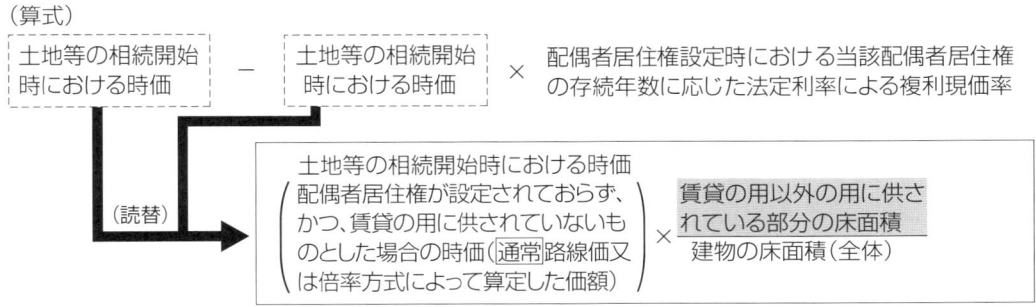

**質疑** の事例の場合、その前提条件（本件不動産のうち建物の１階の区分X部分（一時的な空室であると認められる部分）に係る敷地である宅地等を貸家建付地ではなく自用地として評価することを選択）からすると、上記②に掲げる配偶者居住権が設定されている居住建物及びその敷地の用に供されている土地等の利用権の価額を求めるに当たって、相続税法基本通達23の２－１《一時的な空室がある場合の「賃貸の用に供されている部分」の範囲》の定めの適用はないことになります。

そうすると、本件不動産のうち建物の１階の区分X部分（一時的な空室であると認められる部分）の床面積は、上記②(イ)及び(ロ)の各算式における読替部分の分数式の分子部分である『賃貸の用以外の用に供されている部分の床面積』（上記各算式中の　　　部分）に該当するものとして、取り扱うことが相当と判断されます。

⑶　小規模宅地等の課税特例の適用関係

**質疑** に掲げる被相続人甲の相続財産である宅地等に係る配偶者居住権等が、小規模宅地等の課税特例（特定居住用宅地等又は貸付事業用宅地等）の適用対象とされるか否かについて検討すると、下表のとおりとなります。

| | 特定居住用宅地等（２階部分対応敷地） | 貸付事業用宅地等（１階部分対応敷地） | |
|---|---|---|---|
| | | 相続開始時において『一時的な空室であると認められる部分』を自用地評価とする選択をした部分（区分X部分） | 相続開始時において現実に借家人が存することから貸家建付地として評価する部分（区分Y・区分Z部分） |
| 宅地等の利用権の価額 配偶者乙取得 | 判定　該当<br>理由　被相続人甲に係る配偶者乙が取得したことから、その他の事項を問われる必要はありません。 | 判定　非該当<br>理由　配偶者乙は、相続税の申告期限までに被相続人甲の貸付事業を承継していませんので、小規模宅地等の課税特例の適用要件を充足していません。 | 該当部分は、配偶者居住権の設定対象にはならず、宅地等の利用権の価額は算出されないことから、小規模宅地等の課税特例の適用対象の可否の検討対象外となります。 |
| 宅地等の所有権の価額 長男A取得 | 判定　該当<br>理由　長男Ａ（被相続人甲の親族）が取得し、相続税の申告期限まで継続して所有し、かつ、本件不動産に居住していますので、『被相続人の居住用家屋に同居（居住）していた親族が取得した場合』に該当します。 | 判定　該当<br>理由　長男Ａ（被相続人甲の親族）が取得し、相続税の申告期限までに被相続人甲の貸付事業を承継し、相続税の申告期限まで継続して所有し、かつ、当該貸付事業を継続していますので、『被相続人の貸付事業を相続開始後に承継した場合』に該当します。 | 判定　該当<br>理由　長男Ａ（被相続人甲の親族）が取得し、相続税の申告期限までに被相続人甲の貸付事業を承継し、相続税の申告期限まで継続して所有し、かつ、当該貸付事業を継続していますので、『被相続人の貸付事業を相続開始後に承継した場合』に該当します。 |

⑷　相続税の課税価格算入額

上記⑴ないし⑶の取扱いに基づいて、**質疑** の宅地等につき、小規模宅地等の課税特例を適用した後の相続税の課税価格算入額を算定すると、下記のとおりとなります。

①　宅地等の相続税評価額（居住用部分・貸付事業用部分の別により計算）

㈠　居住用部分

㋑ $\underset{\text{(全体の面積)}}{200\text{㎡}} \times \dfrac{100\text{㎡}\text{(居住用部分の床面積)}}{100\text{㎡}\text{(居住用部分の床面積)} + 150\text{㎡}\text{(貸付事業用部分の床面積)}} = 80\text{㎡}\left(\begin{array}{l}\text{居住用部分に}\\\text{対応する面積}\end{array}\right)$

㋺ $\underset{\text{(自用地価額)}}{50{,}000\text{千円}} \times \dfrac{80\text{㎡}\text{(上記㋑)}}{200\text{㎡}\text{(全体の面積)}} = 20{,}000\text{千円}$

(ロ)　貸付事業用部分

㋑　１階の区分Ｘ部分対応敷地（一時的な空室であると認められる部分で自用地評価とするもの）

(α) $\underset{\text{(全体の面積)}}{200\text{㎡}} \times \dfrac{50\text{㎡}\text{(区分X部分の床面積)}}{100\text{㎡}\text{(居住用部分の床面積)} + 150\text{㎡}\text{(貸付事業用部分の床面積)}} = 40\text{㎡}\left(\begin{array}{l}\text{貸付事業用のうち区分}\\\text{X部分に対応する面積}\end{array}\right)$

(β) $\underset{\text{(自用地価額)}}{50{,}000\text{千円}} \times \dfrac{40\text{㎡}\text{(上記(α))}}{200\text{㎡}\text{(全体の面積)}} = 10{,}000\text{千円}$

㋺　１階の区分Ｙ及び区分Ｚ部分対応敷地（現実に賃借中で貸家建付地評価とするもの）

(α) $\underset{\text{(全体の面積)}}{200\text{㎡}} \times \dfrac{50\text{㎡}\text{(区分Y部分の床面積)} + 50\text{㎡}\text{(区分Z部分の床面積)}}{100\text{㎡}\text{(居住用部分の床面積)} + 150\text{㎡}\text{(貸付事業用部分の床面積)}} = 80\text{㎡}\left(\begin{array}{l}\text{貸付事業用のうち区分Y及び}\\\text{区分Z部分に対応する面積}\end{array}\right)$

(β) $\underset{\text{(自用地価額)}}{50{,}000\text{千円}} \times \dfrac{80\text{㎡}\text{(上記(α))}}{200\text{㎡}\text{(全体の面積)}} = 20{,}000\text{千円}$

(γ) $\underset{\text{(上記(β))}}{20{,}000\text{千円}} \times \left(1 - \underset{\text{(借地権割合)}}{60\%} \times \underset{\text{(借家権割合)}}{30\%}\right) = 16{,}400\text{千円}$

②　宅地等の相続税評価額（配偶者居住権等に基づく利用権又は所有権の価額の別により計算）

(イ)　宅地等の利用権の価額（配偶者乙の取得財産）

㋑　居住用部分

$\underset{\text{(上記①(イ)㋺)}}{20{,}000\text{千円}} \times \dfrac{2\text{(宅地等の利用権の価額割合)}}{2\text{(宅地等の利用権の価額割合)} + 3\text{(宅地等の所有権の価額割合)}} = 8{,}000\text{千円}$

㋺　貸付事業用部分（区分Ｘ部分に対応する敷地部分）

$\underset{\text{(上記①(ロ)㋑(β))}}{10{,}000\text{千円}} \times \dfrac{2\text{(宅地等の利用権の価額割合)}}{2\text{(宅地等の利用権の価額割合)} + 3\text{(宅地等の所有権の価額割合)}} = 4{,}000\text{千円}$

(ロ)　宅地等の所有権の価額（長男Ａの取得財産）

㋑　居住用部分

$\underset{\text{(上記①(イ)㋺)}}{20{,}000\text{千円}} \times \dfrac{3\text{(宅地等の所有権の価額割合)}}{2\text{(宅地等の利用権の価額割合)} + 3\text{(宅地等の所有権の価額割合)}} = 12{,}000\text{千円}$

㋺　貸付事業用部分（区分Ｘ部分に対応する敷地部分）

$\underset{\text{(上記①(ロ)㋑(β))}}{10{,}000\text{千円}} \times \dfrac{3\text{(宅地等の所有権の価額割合)}}{2\text{(宅地等の利用権の価額割合)} + 3\text{(宅地等の所有権の価額割合)}} = 6{,}000\text{千円}$

㋩　貸付事業用部分（区分Ｙ及び区分Ｚ部分に対応する敷地部分）

16,400千円（上記①(ロ)㋺(γ)）

③　宅地等の相続税の課税価格算入額（配偶者居住権に基づく利用権又は所有権の価額の別により計算）

(イ)　宅地等の利用権の価額（配偶者乙の相続税の課税価格算入額）

㋑　居住用部分

$$8{,}000\text{千円}\ \text{（上記②(イ)㋑）}\ \left(\begin{array}{l}\text{小規模宅地等の課税}\\\text{特例の適用前の価額}\end{array}\right) - \underbrace{\left(8{,}000\text{千円}\times\frac{32\text{㎡（注３）}}{32\text{㎡（宅地等の利用権部分の面積）（注１）}}\times 80\%\right)}_{\text{（小規模宅地等の課税特例の適用による減額金額）}} = 1{,}600\text{千円}$$

㋺　貸付事業用部分（区分Ｘ部分に対応する敷地部分）

4,000千円（配偶者乙は小規模宅地等の課税特例（貸付事業用宅地等）の適用要件を未充足）

㋩　合計

$$\underset{\text{（上記㋑）}}{1{,}600\text{千円}} + \underset{\text{（上記㋺）}}{4{,}000\text{千円}} = \underline{\underline{5{,}600\text{千円}}}$$

(ロ)　宅地等の所有権の価額（長男Ａの相続税の課税価格算入額）

㋑　居住用部分

$$12{,}000\text{千円}\ \text{（上記②(ロ)㋑）}\ \left(\begin{array}{l}\text{小規模宅地等の課税}\\\text{特例の適用前の価額}\end{array}\right) - \underbrace{\left(12{,}000\text{千円}\times\frac{48\text{㎡（注３）}}{48\text{㎡（宅地等の所有権部分の面積）（注１）}}\times 80\%\right)}_{\text{（小規模宅地等の課税特例の適用による減額金額）}} = 2{,}400\text{千円}$$

㋺　貸付事業用部分（区分Ｘ部分に対応する敷地部分）

$$6{,}000\text{千円}\ \text{（上記②(ロ)㋺）}\ \left(\begin{array}{l}\text{小規模宅地等の課税}\\\text{特例の適用前の価額}\end{array}\right) - \underbrace{\left(6{,}000\text{千円}\times\frac{24\text{㎡（注３）}}{24\text{㎡（宅地等の所有権部分の面積）（注２）}}\times 50\%\right)}_{\text{（小規模宅地等の課税特例の適用による減額金額）}} = 3{,}000\text{千円}$$

㋩　貸付事業用部分（区分Ｙ及び区分Ｚ部分に対応する敷地部分）

$$16{,}400\text{千円}\ \text{（上記②(ロ)㋩）}\ \left(\begin{array}{l}\text{小規模宅地等の課税}\\\text{特例の適用前の価額}\end{array}\right) - \left(16{,}400\text{千円}\times\frac{80\text{㎡（注３）}}{80\text{㎡（上記①(ロ)㋺(a)）}}\times 50\%\right) = 8{,}200\text{千円}$$

㊁　合計

$$\underset{\text{（上記㋑）}}{2{,}400\text{千円}} + \underset{\text{（上記㋺）}}{3{,}000\text{千円}} + \underset{\text{（上記㋩）}}{8{,}200\text{千円}} = \underline{\underline{13{,}600\text{千円}}}$$

(ハ)　総合計

$$\underset{\text{（上記(イ)㋩）}}{5{,}600\text{千円}} + \underset{\text{（上記(ロ)㊁）}}{13{,}600\text{千円}} = \boxed{\underline{\underline{19{,}200\text{千円}}}}$$

（注１）　特定居住用宅地等に係る面積区分（利用権部分・所有権部分）

$$\text{（利用権部分）}\quad 80\text{㎡（上記①(イ)㋑）}\left(\begin{array}{l}\text{居住用部分に}\\\text{対応する面積}\end{array}\right)\times\frac{8{,}000\text{千円（宅地等の利用権の価額）}}{8{,}000\text{千円（宅地等の利用権の価額）}+12{,}000\text{千円（宅地等の所有権の価額）}} = 32\text{㎡}$$

$$\text{（所有権部分）}\quad 80\text{㎡（上記①(イ)㋑）}\left(\begin{array}{l}\text{居住用部分に}\\\text{対応する面積}\end{array}\right)\times\frac{12{,}000\text{千円（宅地等の所有権の価額）}}{8{,}000\text{千円（宅地等の利用権の価額）}+12{,}000\text{千円（宅地等の所有権の価額）}} = 48\text{㎡}$$

（注２）　貸付事業用部分（相続開始時において空室である区分Ｘ部分）の宅地等に係る面積区分（利用権部分・所有権部分）

$$\text{（利用権部分）}\quad 40\text{㎡（上記①(ロ)㋑(a)）}\left(\begin{array}{l}\text{区分Ｘ部分に}\\\text{対応する面積}\end{array}\right)\times\frac{4{,}000\text{千円（宅地等の利用権の価額）}}{4{,}000\text{千円（宅地等の利用権の価額）}+6{,}000\text{千円（宅地等の所有権の価額）}} = 16\text{㎡}$$

$$\text{（所有権部分）}\ 40㎡\underset{\left(\substack{\text{区分X部分に}\\\text{対応する面積}}\right)}{\text{（上記①(ロ)(イ)(a)）}}\times\frac{6{,}000\text{千円（宅地等の所有権の価額）}}{4{,}000\text{千円（宅地等の利用権の価額）}+6{,}000\text{千円（宅地等の所有権の価額）}}=24㎡$$

（注３）　小規模宅地の課税特例の適用に係る限度面積要件の確認

$$\underset{\text{（特定居住用宅地等に対する適用面積）}}{(32㎡+48㎡)\times\frac{200㎡}{330㎡}}+\underset{\text{（貸付事業用宅地等に対する適用面積）}}{(24㎡+80㎡)}\fallingdotseq152.48㎡\leqq200㎡$$

∴限度面積要件を充足

まとめ１

<table>
<tr><td colspan="3" rowspan="2"></td><td rowspan="2">配偶者居住権（民法）</td><td colspan="3">相続税法上の取扱い</td></tr>
<tr><td>区分</td><td>宅地の評価態様</td><td>小規模宅地等の課税特例</td></tr>
<tr><td rowspan="2">２階</td><td colspan="2" rowspan="2">居　住　用</td><td rowspan="2">配偶者居住権の設定対象</td><td>利用権</td><td>自用地</td><td>特定居住用宅地等に該当</td></tr>
<tr><td>所有権</td><td>自用地</td><td>特定居住用宅地等に該当</td></tr>
<tr><td rowspan="4">１階</td><td rowspan="4">貸付事業用</td><td rowspan="2">相続開始時において『一時的に空室であった』と認められる部分を『賃貸割合』を求める算式の分子に算入しなかった場合<br>（区分X）</td><td rowspan="2">配偶者居住権の設定対象<br>（民法の配偶者居住権の規定では配偶者居住権の設定対象とされ、借地借家法に規定する借家権に対する対抗力も生じないことから、設定可能）</td><td>利用権</td><td>自用地</td><td>適用不可<br>（要件未充足）</td></tr>
<tr><td>所有権</td><td>自用地</td><td>貸付事業用宅地等に該当</td></tr>
<tr><td rowspan="2">貸付継続中<br>（区分Y・区分Z）</td><td rowspan="2">配偶者居住権の設定効果なし<br>（民法の配偶者居住権の規定では配偶者居住権の設定対象とされるが、借地借家法に規定する借家権に対する対抗力との関係から、結果的には設定の効果が及ばない）</td><td>利用権</td><td></td><td></td></tr>
<tr><td>所有権</td><td>貸家建付地</td><td>貸付事業用宅地等に該当</td></tr>
</table>

まとめ２

| | | | 居住用部分（２階） | 貸付事業用部分（１階） 区分X敷地 | 貸付事業用部分（１階） 区分Y・区分Z敷地 | 合　　計 |
|---|---|---|---|---|---|---|
| 利用権 | 財産取得者 | | 配偶者乙 | 配偶者乙 | | |
| | 適用面積 | ① | 32㎡ | 16㎡ | | 48㎡ |
| | 相続税評価額 | ② | 8,000千円 | 4,000千円 | | 12,000千円 |
| | 小規模宅地等の減額金額 | ③ | ▲6,400千円 | 適用不可 | | ▲6,400千円 |
| | 相続税の課税価格（②－③） | ④ | 1,600千円 | 4,000千円 | | 5,600千円 |
| 所有権 | 財産取得者 | | 長男Ａ | 長男Ａ | 長男Ａ | |
| | 適用面積 | ⑤ | 48㎡ | 24㎡ | 80㎡ | 152㎡ |
| | 相続税評価額 | ⑥ | 12,000千円 | 6,000千円 | 16,400千円 | 34,400千円 |
| | 小規模宅地等の減額金額 | ⑦ | ▲9,600千円 | ▲3,000千円 | ▲8,200千円 | ▲20,800千円 |
| | 相続税の課税価格（⑥－⑦） | ⑧ | 2,400千円 | 3,000千円 | 8,200千円 | 13,600千円 |
| 合計 | 適用面積（①＋⑤） | ⑨ | 80㎡ | 40㎡ | 80㎡ | 200㎡ |
| | 相続税評価額（②＋⑥） | ⑩ | 20,000千円 | 10,000千円 | 16,400千円 | 46,400千円 |
| | 小規模宅地等の減額金額（③＋⑦） | ⑪ | ▲16,000千円 | ▲3,000千円 | ▲8,200千円 | ▲27,200千円 |
| | 相続税の課税価格（④＋⑧） | ⑫ | 4,000千円 | 7,000千円 | 8,200千円 | 19,200千円 |

ポイント

本件不動産のうち建物の１階の区分X部分（相続開始時において一時的に空室であったと認められる部分）に対応する敷地部分の宅地等について、前問⒂に掲げるとおり貸家建付地評価を選択した場合（財産評価基本通達上では例外的な評価方法に位置付けられているが、評価実務上では一般的なものとして、採用されている。）と本問⒃のとおり自用地評価を選択した場合（原則的な評価方法に位置付けられているが、評価実務上では通常採用していない。）の両者を比較すると、次に掲げる事項が確認されます。

⑴　相続税法基本通達23の２－１《一時的な空室がある場合の「賃貸の用に供されている部分」の範囲》の定めの適用から、貸家建付地評価を選択した場合には、その対象とされた部分（１階の区分X部分の敷地部分）は、相続税法に規定する配偶者居住権に基づく敷地利用権（土地等の利用権）の設定対象にはなりません。

一方、自用地評価を選択した場合には、当該部分は相続税法に規定する配偶者居住権に基づく敷地利用権（土地等の利用権）の設定対象とされます。

⑵　小規模宅地等の課税特例につき、上記の自用地評価を選択した場合に生ずる配偶者乙が取得する配偶者居住権に基づく敷地利用権（土地等の利用権）は貸付事業用宅地等の要件を充足していないことから、その適用対象とされません。

⑶　前問⒂（貸家建付地評価を選択した場合）の まとめ２ と本問⒃（自用地評価を選択した場合）の まとめ２ を比較すると、配偶者乙及び長男Ａの合計の相続税の課税価格算入額は、前者が

16,300千円、後者が19,200千円となっており、後者（自用地評価を選択した場合）の方が前者（貸家建付地評価を選択した場合）よりも結果として、2,900千円高くなっています。その内訳を分析すると下記のとおりとなります。

（内訳）

① 配偶者が取得した１階の区分Ｘ部分に係る土地等の利用権の価額に係るもの

(イ) 貸家建付地評価ではなく自用地評価とされたことによる差異

4,000千円（利用権の価額）× 60%（借地権割合）× 30%（借家権割合）＝720千円

(ロ) 小規模宅地等の課税特例が適用要件未充足のため適用不可とされたことによる差異

（4,000千円（利用権の価額）－720千円（上記(イ)））×（1－50%（貸付事業用宅地等の課税割合））＝1,640千円

(ハ) 合計

720千円（上記(イ)）＋1,640千円（上記(ロ)）＝2,360千円

② 長男Ａが取得した１階の区分Ｘ部分に係る土地等の所有権の価額に係るもの

・貸家建付地評価ではなく自用地評価とされたことによる差異

6,000千円（利用権の価額）× 60%（借地権割合）× 30%（借家権割合）×（1－50%（貸付事業用宅地等の課税割合））＝540千円

③ 総合計

2,360千円（上記①）＋540千円（上記②）＝**2,900千円**

## ⒄ 配偶者居住権等に対する小規模宅地等の課税特例の適用関係（その７：区分所有建物の敷地である宅地等に対する取扱い）（そのＡ：区分所有登記が行われている場合の取扱い）

**質疑**　被相続人甲に相続開始があり、同人所有の相続財産として建物の区分所有等に関する法律第１条《建物の区分所有》の規定に基づいて区分所有建物である旨の登記がされている完全分離型の２世帯住宅である建物の１階部分（被相続人甲、配偶者乙の居住用）及びその敷地の用に供されていた宅地等（面積320㎡）（以下「本件不動産」といいます。）がありました。なお、上記建物の２階部分の所有者は、長男Ａとなっていました。詳細については、下表のとおりとなり、また、併せてこれらの事項をまとめたものとして 参考１ を参照してください。

| 階 | 床面積 | 居住者 | その他の事項等 |
|---|---|---|---|
| ２階 | 160㎡ | 長男Ａ夫婦が居住（長男Ａは被相続人甲と生計別） | (1) 長男Ａは、被相続人甲に係る相続開始時において、上記建物の２階部分に対応する敷地部分の土地等を被相続人甲から使用貸借により借り受けて利用しています。<br>(2) 被相続人甲に係る遺産分割により、配偶者乙は当該居住建物に係る配偶者居住権を取得し、また、本件不動産の所有権は、長男Ａが取得するものとされました。 |

| | | | |
|---|---|---|---|
| １階 | 240㎡ | 被相続人甲及び配偶者乙が居住 | (3)　本件不動産につき、配偶者乙が取得した配偶者居住権等及び長男Ａが取得した所有権については、相続税の申告期限までに、その所有状況及び居住状況に異動はありませんでした。 |

参考１

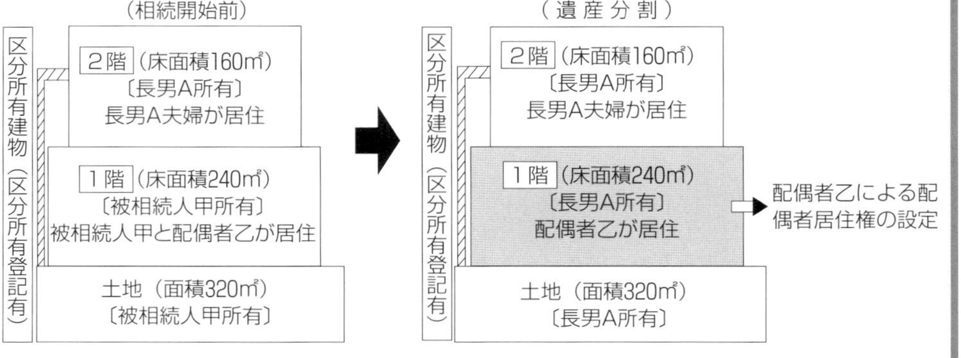


また、本件不動産のうち宅地等（自用地価額100,000千円）のうち、配偶者居住権の目的となっている建物（１階部分）の敷地の用に供される土地等について、相続税法第23条の２《配偶者居住権等の評価》の規定を適用して各態様別にその価額を算定すると、下記のとおりとなりました。

| | | |
|---|---|---|
| ① | 配偶者居住権の目的となっている建物（１階部分）の敷地の用に供される土地等を当該配偶者居住権に基づき使用する権利の価額（土地（宅地）等の利用権の価額） | ……36,000千円 |
| ② | 配偶者居住権の目的となっている建物（１階部分）の敷地の用に供される土地等の価額（土地（宅地）等の所有権の価額） | ……24,000千円 |

（注）　上記①及び②の計算の明細については、参考２を参照してください。

参考２

(イ)　宅地等の相続税評価額（１階部分・２階部分の別により計算）

㋑　１階部分

(X)　$\underset{\text{（全体の面積）}}{320㎡} \times \dfrac{240㎡\text{（１階部分の床面積）}}{240㎡\text{（１階部分の床面積）}+160㎡\text{（２階部分の床面積）}} = 192㎡\left(\text{１階部分に対応する面積}\right)$

(Y)　$\underset{\text{（自用地価額）}}{100{,}000千円} \times \dfrac{192㎡\text{（上記(X)）}}{320㎡\text{（全体の面積）}} = \underline{\underline{60{,}000千円}}$

㋺　２階部分

(X)　$\underset{\text{（全体の面積）}}{320㎡} \times \dfrac{160㎡\text{（２階部分の床面積）}}{240㎡\text{（１階部分の床面積）}+160㎡\text{（２階部分の床面積）}} = 128㎡\left(\text{２階部分に対応する面積}\right)$

(Y)　$\underset{\text{（自用地価額）}}{100{,}000千円} \times \dfrac{128㎡\text{（上記(X)）}}{320㎡\text{（全体の面積）}} = \underline{\underline{40{,}000千円}}$

㋩　合計

$$60{,}000\text{千円}_{(\text{上記㋑(Y)})} + 40{,}000\text{千円}_{(\text{上記㋺(Y)})} = \boxed{100{,}000\text{千円}}$$

(ロ)　1階部分の敷地に対応する宅地等の相続税評価額（配偶者居住権に基づく利用権又は所有権の価額の別に計算）

㋑　宅地等の利用権の価額（配偶者乙の取得財産）

$$60{,}000\text{千円}_{(\text{上記(イ)㋑(Y)})} \times \frac{6\ (\text{宅地等の利用権の価額割合})}{6\ (\text{宅地等の利用権の価額割合}) + 4\ (\text{宅地等の所有権の価額割合})} (\text{注1}) = \underline{\underline{36{,}000\text{千円}}}$$

㋺　宅地等の所有権の価額（長男Aの取得財産）

$$60{,}000\text{千円}_{(\text{上記(イ)㋑(Y)})} \times \frac{4\ (\text{宅地等の所有権の価額割合})}{6\ (\text{宅地等の利用権の価額割合}) + 4\ (\text{宅地等の所有権の価額割合})} (\text{注1}) = \underline{\underline{24{,}000\text{千円}}}$$

（注1）　配偶者乙が取得した土地（宅地）等の利用権の価額と長男Aが取得した土地（宅地）等の所有権の価額の比率は、6：4であることを前提とします。

（注2）　2階部分の敷地等に対応する宅地等は、当該建物（区分所有建物）の2階部分の所有者が長男Aであるため、配偶者居住権に基づく利用権の設定対象とはされません。

㋩　合計

$$36{,}000\text{千円}_{(\text{上記㋑})} + 24{,}000\text{千円}_{(\text{上記㋺})} = \boxed{60{,}000\text{千円}}$$

以上の前提において、上記①に掲げる土地（宅地）等の利用権の価額及び②に掲げる土地（宅地）等の所有権の価額に対して、小規模宅地等の課税特例（特定居住用宅地等）の適用関係はどのようになりますか。

**類題**　被相続人甲に係る相続開始時において、長男Aが被相続人甲と生計を一にする親族に該当していた場合にはどのように取り扱われることになりますか。（その他の条件は、本題と同一であるものとします。）

**応答**

(1)　配偶者居住権の設定について

民法第1028条《配偶者居住権》第1項の規定では、要旨、被相続人の配偶者は、被相続人の財産に属した建物に相続開始の時に居住していた場合において、遺産の分割によって配偶者居住権を取得するものとされたときは、その居住していた建物の全部について配偶者居住権を取得するものとされています。

そうすると、配偶者居住権は、上記＿＿部分に掲げるとおり『被相続人の財産に属した建物』をその設定対象とするものとされており、その解釈に当たっては次のとおりとされています。

①　『被相続人の財産に属した建物』とされていることから、建物所有者が被相続人以外の親族である場合又は第三者である場合（一般的な賃貸建物）は、これに該当しないことになります。

②　被相続人が居住建物を相続開始時に他の者と共有で所有している場合における『被相

続人の財産に属した建物』に該当するか否か（換言すれば、配偶者居住権の対象となるか否か）の判定については、下記のとおりとなります。

⑴　共有者が当該被相続人の配偶者である場合

当該居住建物は、『被相続人の財産に属した建物』に該当し、配偶者居住権の対象とされます。

⑵　共有者が上記⑴に掲げる者以外の者である場合

当該居住建物は、『被相続人の財産に属した建物』には該当せず、配偶者居住権の対象とされません。

そうすると、本問の **質疑** の事例の場合では、建物が建物の区分所有等に関する法律第１条《建物の区分所有》の規定に基づいて区分所有建物である旨の登記がされているとのことですから、上記に掲げる『被相続人の財産に属した建物』に該当するのは当該建物のうち被相続人甲が所有するものとされる１階部分とされ、長男Ａが所有する２階部分は上記①に該当することからこれ（被相続人の財産に属した建物）に該当しないものとされます。

⑵　小規模宅地等の課税特例の適用関係

上記⑴より、上記建物のうち１階部分及び当該１階部分の敷地に対応する宅地等の部分が、相続税法第23条の２《配偶者居住権等の評価》に規定する配偶者居住権が設定されている居住建物及びその敷地の用に供されている土地等の利用権の価額の算定対象とされることになります。

そして、上記建物の１階部分の敷地に対応する宅地等に係る配偶者居住権等及び２階部分の敷地に対応する宅地等が、小規模宅地等の課税特例（特定居住用宅地等）の適用対象とされるか否かについて検討すると、下表のとおりとなります。

<table>
<tr><th rowspan="2"></th><th colspan="2">特　定　居　住　用　宅　地　等</th></tr>
<tr><th>１階部分の敷地に対応する宅地等（192㎡）</th><th>２階部分の敷地に対応する宅地等（128㎡）</th></tr>
<tr><td>宅地等の利用権の価額<br>配偶者乙取得</td><td>判定　該当<br>理由　被相続人甲に係る配偶者乙が取得したことから、その他の事項を問われる必要はありません。</td><td>２階部分の敷地に対応する宅地等の部分については、配偶者居住権の設定対象にはならず、宅地等の利用権の価額は算出されないことから、小規模宅地等の課税特例の適用対象の可否の検討対象外となります。</td></tr>
<tr><td>宅地等の所有権の価額<br>長男Ａ取得</td><td colspan="2">判定　非該当<br>理由　長男Ａが小規模宅地等の課税特例（特定居住用宅地等）の適用を受けることが可能とされる適用要件を当てはめると次に掲げるとおりとなり、そのいずれにも該当しないことになります。<br>①　『被相続人の居住用家屋に居住（同居）していた親族が取得した場合』に該当するか否かの検討<br>上記の建物は区分所有登記されたものであるため、被相続人甲の居住の用に供されていた部分は、『被相続人の居住の用に供されていた部分』（欄外の</td></tr>
</table>

資料の図の(A)Ⓑ部分に該当）とされ、具体的には１階の部分とされます。

一方、長男Ａは２階に居住しており１階には居住していないことから同人は『被相続人の居住用家屋に居住（同居）していた親族が取得した場合』に該当しないものとされます。

② 配偶者及び一定の同居親族が存せず非同居親族が取得した場合（いわゆる『家なき子』である場合）に該当するか否かの検討

質疑に掲げる前提条件（被相続人甲に係る配偶者乙が存在すること）から、長男Ａは、『家なき子』に該当しないものとされます。

③ 『被相続人と生計を一にしていた親族の居住の用に供されていた場合』に該当するか否かの検討

質疑に掲げる前提条件（長男Ａは、被相続人甲と生計を別）から、長男Ａは『被相続人と生計を一にしていた親族の居住の用に供されていた場合』に該当しないものとされます。

資料　被相続人等の居住の用に供されていた宅地等のうちに当該被相続人等の居住の用以外の用に供されていた部分がある場合の取扱い

被相続人等の居住の用に供されていた宅地等のうちに当該被相続人等の居住の用以外の用に供されていた部分があるときは、当該被相続人等の居住の用に供されていた部分（当該居住の用に供されていた部分が被相続人の居住の用に供されていた１棟の建物（建物の区分所有等に関する法律第１条《建物の区分所有》の規定に該当する建物を除きます。）に係るものである場合には、当該１棟の建物の敷地の用に供されていた宅地等のうち当該被相続人の親族の居住の用に供されていた部分を含みます。）に限るものとされています。この取扱いを図示すると、下記に掲げるとおりとなります。

<table>
<tr><th colspan="3">区　　　分</th><th>『居住の用に供されていた部分』の解釈</th></tr>
<tr><td rowspan="2">(A)</td><td rowspan="2">被相続人の居住の用に供されていた１棟の建物である場合</td><td>Ⓐ 下記Ⓑ以外の建物である場合</td><td>・被相続人の居住の用に供されていた部分<br>・被相続人の親族（注）の居住の用に供されていた部分</td></tr>
<tr><td>Ⓑ 建物の区分所有等に関する法律第１条《建物の区分所有》の規定に該当する建物である場合</td><td>・被相続人の居住の用に供されていた部分</td></tr>
<tr><td>(B)</td><td colspan="2">被相続人と生計を一にする親族の居住の用に供されていた１棟の建物である場合</td><td>・被相続人と生計を一にする親族の居住の用に供されていた部分</td></tr>
</table>

（注）当該親族は、被相続人と生計を一にするか又は別にするかは問われていません。

(3) 相続税の課税価格算入額

上記(1)及び(2)の取扱いに基づいて、質疑の宅地等につき、小規模宅地等の課税特例を適用した後の相続税の課税価格算入額を算定すると、下記のとおりとなります。

① 宅地等の利用権の価額（配偶者乙の相続税の課税価格算入額）

$$36{,}000\text{千円}\left(\text{質疑の参考２(ロ)(イ)より}\right) - \left(36{,}000\text{千円} \times \frac{115.2\text{㎡(注２)}}{115.2\text{㎡(宅地等の利用権部分の面積)(注１)}} \times 80\%\right) = \underline{\underline{7{,}200\text{千円}}}$$

（小規模宅地等の課税特例の適用前の価額）　（小規模宅地等の課税特例の適用による減額金額）

② 宅地等の所有権の価額（長男Ａの相続税の課税価格算入額）

(イ) １階部分（被相続人甲及び配偶者乙の居住用部分）の敷地に対応する部分

24,000千円（質疑の参考２ (ロ)(ロ)より）（１階部分の敷地に対応する部分は小規模宅地等の課税特例（特定居住用宅地等）の適用要件を未充足）

(ロ) ２階部分（長男Ａ夫婦の居住用部分）の敷地に対応する部分

40,000千円（質疑の参考２ (イ)(ロ)(Y)より）（２階部分の敷地に対応する部分は小規模宅地等の課税特例（特定居住用宅地等）の適用要件を未充足）

(ハ) 合計

24,000千円（上記(イ)）＋ 40,000千円（上記(ロ)）＝ 64,000千円

③ 総合計

7,200千円（上記①）＋64,000千円（上記②(ハ)）＝ **71,200千円**

（注１） 居住用宅地等（１階部分）に係る面積区分（利用権部分・所有権部分）

（利用権部分） 192㎡（質疑の参考２ (イ)(イ)(X)より）（１階部分に対応する面積）× $\frac{36{,}000\text{千円（利用権の価額）}}{36{,}000\text{千円（利用権の価額）}+24{,}000\text{千円（所有権の価額）}}$ ＝115.2㎡

（所有権部分） 192㎡（質疑の参考２ (イ)(イ)(X)より）（１階部分に対応する面積）× $\frac{24{,}000\text{千円（所有権の価額）}}{36{,}000\text{千円（利用権の価額）}+24{,}000\text{千円（所有権の価額）}}$ ＝76.8㎡

（注２） 小規模宅地等の課税特例の適用に係る限度面積要件の確認

115.2㎡（特定居住用宅地等に対する適用面積） ≦ 330㎡ ∴限度面積要件を充足

まとめ１

| | | 配偶者居住権（民法） | 相続税法上の取扱い | | |
|---|---|---|---|---|---|
| | | | 区　分 | 宅地の評価態様 | 小規模宅地等の課税特例 |
| ２階 | 居住用（区分所有建物の２階部分の所有者は長男Ａ） | 配偶者居住権の設定不可（２階部分の所有者は長男Ａであり『被相続人の財産に属した建物』に該当しないことから、配偶者居住権の設定は不可） | 利用権 | ╳ | ╳ |
| | | | 所有権 | 自用地 | 適用不可（要件未充足） |
| １階 | 居住用（区分所有建物の１階部分の所有者は被相続人甲） | 配偶者居住権の設定対象 | 利用権 | 自用地 | 特定居住用宅地等に該当 |
| | | | 所有権 | 自用地 | 適用不可（要件未充足） |

まとめ２

| | | | 居住用部分 | | 合　計 |
|---|---|---|---|---|---|
| | | | １階の床面積対応部分 | ２階の床面積対応部分 | |
| 利用権 | 財産取得者 | | 配偶者乙 | | |
| | 適用面積 | ① | 115.2㎡ | | 115.2㎡ |
| | 相続税評価額 | ② | 36,000千円 | | 36,000千円 |
| | 小規模宅地等の減額金額 | ③ | ▲28,800千円 | | ▲28,800千円 |
| | 相続税の課税価格（②－③） | ④ | 7,200千円 | | 7,200千円 |
| 所有権 | 財産取得者 | | 長男Ａ | 長男Ａ | |
| | 適用面積 | ⑤ | 76.8㎡ | 128㎡ | 204.8㎡ |
| | 相続税評価額 | ⑥ | 24,000千円 | 40,000千円 | 64,000千円 |
| | 小規模宅地等の減額金額 | ⑦ | 適用不可 | 適用不可 | ▲０千円 |
| | 相続税の課税価格 | ⑧ | 24,000千円 | 40,000千円 | 64,000千円 |
| 合　計 | 適用面積（①＋⑤） | ⑨ | 192㎡ | 128㎡ | 320㎡ |
| | 相続税評価額（②＋⑥） | ⑩ | 60,000千円 | 40,000千円 | 100,000千円 |
| | 小規模宅地等の減額金額（③＋⑦） | ⑪ | ▲28,800千円 | ▲０千円 | ▲28,800千円 |
| | 相続税の課税価格（④＋⑧） | ⑫ | 31,200千円 | 40,000千円 | 71,200千円 |

(4)　類題の場合

①　小規模宅地等の課税特例の適用関係

類題の場合（被相続人甲に係る相続開始時において、長男Ａが被相続人甲と生計を一にする親族である場合）において、上記建物の１階部分の敷地に対応する宅地等に係る配偶者居住権等及び２階部分の敷地に対応する宅地等が、小規模宅地等の課税特例（特定居住用宅地等）の適用対象とされるか否かについて検討すると、下表のとおりとなります。

| | 特定居住用宅地等 | |
|---|---|---|
| | １階部分の敷地に対応する宅地等（192㎡） | ２階部分の敷地に対応する宅地等（128㎡） |
| 宅地等の利用権の価額 配偶者乙取得 | 判定　該当<br>理由　被相続人甲に係る配偶者乙が取得したことから、その他の事項を問われる必要はありません。 | ２階部分の敷地に対応する宅地等の部分については、配偶者居住権の設定対象にはならず、宅地等の利用権の価額は算出されないことから、小規模宅地等の課税特例の適用対象の可否の検討対象外となります。 |
| | 判定　非該当<br>理由　長男Ａが小規模宅地等の課税特例（特定居住用宅地等）の適用を受ける | 判定　該当<br>理由　被相続人甲と生計を一にしていた親族である長男Ａが取得し、相 |

| | | |
|---|---|---|
| 宅地等の所有権の価額<br>長男Ａ取得 | ことが可能とされる適用要件を当てはめると次に掲げるとおりとなり、そのいずれにも該当しないことになります。<br>①　『被相続人の居住用家屋に居住（同居）していた親族が取得した場合』に該当するか否かの検討<br>上記の建物は区分所有登記されたものであるため、被相続人甲の居住の用に供されていた部分は、『被相続人の居住の用に供されていた部分』（上記(2)に掲げる 資料 の図のⒶⒷ部分に該当）とされ、具体的には１階の部分とされます。<br>一方、長男Ａは２階に居住しており１階には居住していないことから同人は『被相続人の居住用家屋に居住（同居）していた親族が取得した場合』に該当しないものとされます。<br>②　配偶者及び一定の同居親族が存せず非同居親族が取得した場合（いわゆる『家なき子』である場合）に該当するか否かの検討<br>質疑 に掲げる前提条件（被相続人甲に係る配偶者乙が存在すること）から、長男Ａは、『家なき子』に該当しないものとされます。<br>③　『被相続人と生計を一にしていた親族の居住の用に供されていた場合』に該当するか否かの検討<br>質疑 に掲げる前提条件（上記の建物が区分所有建物に該当し、長男Ａは当該建物の２階部分に居住していたこと）から、１階部分は『被相続人と生計を一にしていた親族の居住の用に供されていた場合』に該当しないものとされます。 | 続税の申告期限まで継続して所有し、かつ、引き続き長男Ａの居住の用に供されていますので、『被相続人と生計を一にしていた親族の居住の用に供されていた場合』に該当します。 |

②　相続税の課税価格算入額

上記①の取扱いに基づいて、類題 の宅地等につき、小規模宅地等の課税特例を適用した後の相続税の課税価格算入額を算定すると、下記のとおりとなります。

(イ)　宅地等の利用権の価額（配偶者乙の相続税の課税価格算入額）

36,000千円（質疑の参考２(ロ)㋑より）（小規模宅地等の課税特例の適用前の価額） − （36,000千円 × $\dfrac{115.2㎡（注２）}{115.2㎡（宅地等の利用権部分の面積）（注１）}$ × 80％）（小規模宅地等の課税特例の適用による減額金額） ＝ 7,200千円

(ロ)　宅地等の所有権の価額（長男Ａの相続税の課税価格算入額）

㋑　１階部分（被相続人甲及び配偶者乙の居住用部分）の敷地に対応する部分

24,000千円（質疑の参考２(ロ)㋺より）（１階部分の敷地に対応する部分は小規模宅地等の課税特例（特定居住用宅地等）の適用要件を未充足）

㋺　２階部分（長男Ａ夫婦の居住用部分）の敷地に対応する部分

40,000千円（質疑の参考２(イ)㋺(Y)より）（小規模宅地等の課税特例の適用前の価額） − （40,000千円 × $\dfrac{128㎡（注２）}{128㎡（宅地等の所有権部分の面積）（質疑の参考２(イ)㋺(X)より）}$ × 80％）（小規模宅地等の課税特例の適用による減額金額） ＝ 8,000千円

㋩　合計

24,000千円（上記㋑） ＋ 8,000千円（上記㋺） ＝ <u>32,000千円</u>

(ハ)　総合計

7,200千円（上記(イ)） ＋ 32,000千円（上記(ロ)㋩） ＝ **39,200千円**

（注１）　居住用宅地等（１階部分）に係る面積区分（利用権部分・所有権部分）

（利用権部分）　192㎡（質疑の参考２(イ)㋑(X)より）（１階部分に対応する面積） × $\dfrac{36,000千円（利用権の価額）}{36,000千円（利用権の価額）+24,000千円（所有権の価額）}$ ＝ 115.2㎡

（所有権部分）　192㎡（質疑の参考２(イ)㋑(X)より）（１階部分に対応する面積） × $\dfrac{24,000千円（所有権の価額）}{36,000千円（利用権の価額）+24,000千円（所有権の価額）}$ ＝ 76.8㎡

（注２）　小規模宅地等の課税特例の適用に係る限度面積要件の確認

115.2㎡ ＋ 128㎡ ＝ 243.2㎡（特定居住用宅地等に対する適用面積）　≦330㎡　∴限度面積要件を充足

**まとめ１**

<table>
<tr><td colspan="2" rowspan="2"></td><td rowspan="2">配偶者居住権（民法）</td><td colspan="3">相続税法上の取扱い</td></tr>
<tr><td>区　分</td><td>宅地の評価態様</td><td>小規模宅地等の課税特例</td></tr>
<tr><td rowspan="2">２階</td><td rowspan="2">居住用<br>（区分所有建物の２階部分の所有者は長男Ａ）</td><td rowspan="2">配偶者居住権の設定不可<br>（２階部分の所有者は長男Ａであり『被相続人の財産に属した建物』に該当しないことから、配偶者居住権の設定は不可）</td><td>利用権</td><td>×</td><td>×</td></tr>
<tr><td>所有権</td><td>自用地</td><td>特定居住用宅地等に該当</td></tr>
<tr><td rowspan="2">１階</td><td rowspan="2">居住用<br>（区分所有建物の１階部分の所有者は被相続人甲）</td><td rowspan="2">配偶者居住権の設定対象</td><td>利用権</td><td>自用地</td><td>特定居住用宅地等に該当</td></tr>
<tr><td>所有権</td><td>自用地</td><td>適用不可<br>（要件未充足）</td></tr>
</table>

まとめ２

| | | | 居住用部分 | | 合　　計 |
|---|---|---|---|---|---|
| | | | １階の床面積対応部分 | ２階の床面積対応部分 | |
| 利用権 | 財産取得者 | | 配偶者乙 | | |
| | 適用面積 | ① | 115.2㎡ | | 115.2㎡ |
| | 相続税評価額 | ② | 36,000千円 | | 36,000千円 |
| | 小規模宅地等の減額金額 | ③ | ▲28,800千円 | | ▲28,800千円 |
| | 相続税の課税価格（②－③） | ④ | 7,200千円 | | 7,200千円 |
| 所有権 | 財産取得者 | | 長男Ａ | 長男Ａ | |
| | 適用面積 | ⑤ | 76.8㎡ | 128㎡ | 204.8㎡ |
| | 相続税評価額 | ⑥ | 24,000千円 | 40,000千円 | 64,000千円 |
| | 小規模宅地等の減額金額 | ⑦ | 適用不可 | ▲32,000千円 | ▲32,000千円 |
| | 相続税の課税価格 | ⑧ | 24,000千円 | 8,000千円 | 32,000千円 |
| 合　計 | 適用面積（①＋⑤） | ⑨ | 192㎡ | 128㎡ | 320㎡ |
| | 相続税評価額（②＋⑥） | ⑩ | 60,000千円 | 40,000千円 | 100,000千円 |
| | 小規模宅地等の減額金額（③＋⑦） | ⑪ | ▲28,800千円 | ▲32,000千円 | ▲60,800千円 |
| | 相続税の課税価格（④＋⑧） | ⑫ | 31,200千円 | 8,000千円 | 39,200千円 |

### ⒅　配偶者居住権等に対する小規模宅地等の課税特例の適用関係（その８：区分所有建物である宅地等に対する取扱い）（そのＢ：区分所有登記が行われていない場合の取扱い）

**質疑**　被相続人甲に相続開始があり、同人所有の相続財産として完全分離型の２世帯住宅である建物（被相続人甲、配偶者乙及び長男Ａの居住の用に供用。建物の区分所有等に関する法律第１条《建物の区分所有》の規定に基づく区分所有建物である旨の登記は未実施）及びその敷地の用に供されている宅地等（面積320㎡）（以下「本件不動産」といいます。）がありました。本件不動産の詳細については、下表のとおりとなり、また、併せてこれらの事項をまとめたものとして参考１を参照してください。

| 階 | 床面積 | 居住者 | その他の事項 |
|---|---|---|---|
| ２階 | 160㎡ | 長男Ａ夫婦が居住（長男Ａは被相続人甲と生計別） | ⑴　長男Ａは、被相続人甲に係る相続開始時において、上記建物の２階部分を被相続人甲から使用貸借により借り受けて利用しています。<br>⑵　被相続人甲に係る遺産分割により、配偶者乙は当該居住建物に係る配偶者居住権を取得し、また、本件不動産の所有権は、長男Ａが取得するものとされました。 |

| | | | |
|---|---|---|---|
| １階 | 240㎡ | 被相続人甲及び配偶者乙が居住 | (3)　本件不動産につき、配偶者乙が取得した配偶者居住権等及び長男Ａが取得した所有権については、相続税の申告期限までに、その所有状況及び居住状況に異動はありませんでした。 |

**参考１**

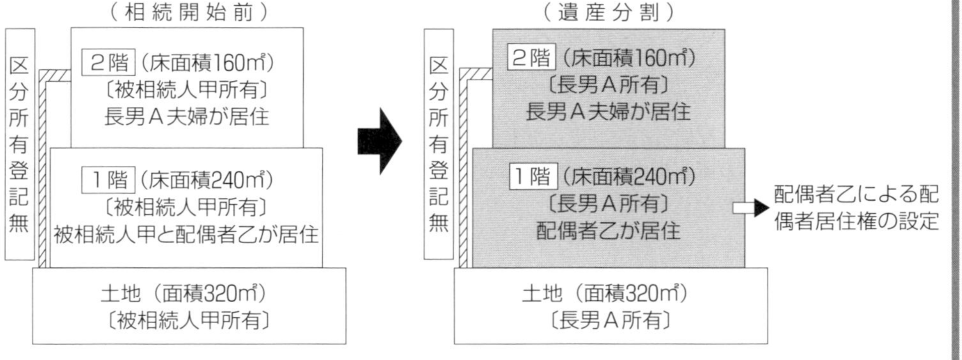


また、本件不動産のうち宅地等（自用地価額100,000千円）について、相続税法第23条の２《配偶者居住権等の評価》の規定を適用して各態様別にその価額を算定すると、下記のとおりとなりました。

①　配偶者居住権の目的となっている建物（１階及び２階部分）の敷地の用に供される土地等を当該配偶者居住権に基づき使用する権利の価額（土地（宅地）等の利用権の価額）……60,000千円

②　配偶者居住権の目的となっている建物（１階及び２階部分）の敷地の用に供される土地等の価額（土地（宅地）等の所有権の価額）……40,000千円

（注）　上記①及び②の計算の明細については、**参考２**を参照してください。

**参考２**

(イ)　宅地等の相続税評価額（１階部分・２階部分の別により計算）

㋑　１階部分

(X)
$$\underset{\text{（全体の面積）}}{320㎡} \times \frac{240㎡\text{（１階部分の床面積）}}{240㎡\text{（１階部分の床面積）}+160㎡\text{（２階部分の床面積）}} = 192㎡\left(\text{１階部分に対応する面積}\right)$$

(Y)
$$\underset{\text{（自用地価額）}}{100,000千円} \times \frac{192㎡\text{（上記(X)）}}{320㎡\text{（全体の面積）}} = \underline{\underline{60,000千円}}$$

㋺　２階部分

(X)
$$\underset{\text{（全体の面積）}}{320㎡} \times \frac{160㎡\text{（２階部分の床面積）}}{240㎡\text{（１階部分の床面積）}+160㎡\text{（２階部分の床面積）}} = 128㎡\left(\text{２階部分に対応する面積}\right)$$

(Y)
$$\underset{\text{（自用地価額）}}{100,000千円} \times \frac{128㎡\text{（上記(X)）}}{320㎡\text{（全体の面積）}} = \underline{\underline{40,000千円}}$$

㋩　合計

$$\underset{\text{（上記㋑(Y)）}}{60,000千円} + \underset{\text{（上記㋺(Y)）}}{40,000千円} = \boxed{\underline{\underline{100,000千円}}}$$

(ロ)　宅地等の相続税評価額（配偶者居住権に基づく利用権又は所有権の価額の別に計算）

①　１階部分の敷地に対応する部分

(A)　宅地等の利用権の価額（配偶者乙の取得財産）

60,000千円（上記(イ)①(Y)）×6（宅地等の利用権の価額割合）／｛6（宅地等の利用権の価額割合）＋4（宅地等の所有権の価額割合）｝（注）＝36,000千円

(B)　宅地等の所有権の価額（長男Ａの取得財産）

60,000千円（上記(イ)①(Y)）×4（宅地等の所有権の価額割合）／｛6（宅地等の利用権の価額割合）＋4（宅地等の所有権の価額割合）｝（注）＝24,000千円

**（注）**　配偶者乙が取得した土地（宅地）等の利用権の価額と長男Ａが取得した土地（宅地）の所有権の価額の比率は、６：４であるものとします。（下記㋺についても、同様となります。）

(C)　合計

36,000千円（上記(A)）＋24,000千円（上記(B)）＝60,000千円

㋺　２階部分の敷地に対応する部分

(A)　宅地等の利用権の価額（配偶者乙の取得財産）

40,000千円（上記(イ)㋺(Y)）×6（宅地等の利用権の価額割合）／｛6（宅地等の利用権の価額割合）＋4（宅地等の所有権の価額割合）｝＝24,000千円

**（注）**　２階部分の敷地等に対応する宅地等についても、当該建物の所有者が被相続人甲であるため、配偶者居住権の設定対象とされます。

(B)　宅地等の所有権の価額（長男Ａの取得財産）

40,000千円（上記(イ)㋺(Y)）×4（宅地等の所有権の価額割合）／｛6（宅地等の利用権の価額割合）＋4（宅地等の所有権の価額割合）｝＝16,000千円

(C)　合計

24,000千円（上記(A)）＋16,000千円（上記(B)）＝40,000千円

㋩　総合計

60,000千円（上記①(C)）＋40,000千円（上記㋺(C)）＝**100,000千円**

以上の前提において、上記①に掲げる土地（宅地）等の利用権の価額及び②に掲げる土地（宅地）等の所有権の価額に対して、小規模宅地等の課税特例（特定居住用宅地等）の適用関係はどのようになりますか。

**類題**　被相続人甲に係る相続開始時において、長男Ａが被相続人甲と生計を一にする親族に該当していた場合にはどのように取り扱われることになりますか。（その他の条件は、本題と同一であるものとします。）

**応答**

(1)　配偶者居住権の設定について

民法第1028条《配偶者居住権》第１項の規定では、要旨、被相続人の配偶者は、被相続人

の財産に属した建物に相続開始の時に居住していた場合において、遺産の分割によって配偶者居住権を取得するものとされたときは、その居住していた建物（以下、⒅において「居住建物」といいます。）の全部について配偶者居住権を取得するものとされています。

上記＿＿部分に掲げる『居住建物』については、建物全部を被相続人の配偶者の居住の用に供している状況を必ずしも求めるものではなく、建物の一部でも同人の居住の用に供されている状況をいうものと解されていることから、配偶者居住権の対象とされるのは、当該建物のうち被相続人の配偶者の居住の用に供されている部分に限定されるものではなく、当該建物（居住建物）の全部についての使用及び収益をすることができるようになります。

そうすると、本問の **質疑** の事例の場合では、上記建物の所有者が被相続人甲であり、かつ、当該建物の１階部分に被相続人甲に係る配偶者乙が居住していることから、配偶者乙による配偶者居住権の設定の対象とされるのは、当該建物の全体（１階部分及び２階部分）とされます。

⑵　小規模宅地等の課税特例の適用関係

上記⑴より、本件不動産のすべてが、相続税法第23条の２《配偶者居住権等の評価》に規定する配偶者居住権が設定されている居住建物及びその敷地の用に供されている土地（宅地）等に該当することになります。

そして、この宅地等に係る配偶者居住権等が、小規模宅地等の課税特例（特定居住用宅地等）の適用対象とされるか否かについて検討すると、下表のとおりとなります。

<table>
<tr><td rowspan="2"></td><td colspan="2">特定居住用宅地等</td></tr>
<tr><td>１階部分の敷地に対応する宅地等（192㎡）</td><td>２階部分の敷地に対応する宅地等（128㎡）</td></tr>
<tr><td>⑴<br>宅地等の利用権の価額<br>配偶者乙取得</td><td colspan="2">判定　該当<br>理由　被相続人甲に係る配偶者乙が取得したことから、その他の事項を問われる必要はありません。<br>（注）上記の建物は区分所有登記されたものではないため、被相続人甲の居住の用に供されていた部分は、『被相続人甲の居住の用に供されていた部分』及び『被相続人甲の親族の居住の用に供されていた部分』の両方（欄外の 資料 の図のⒶⒶ部分に該当）とされ、具体的には、１階及び２階部分のすべてに及ぶものとされます。</td></tr>
<tr><td>⑵<br>宅地等の所有権の価額<br>長男Ａ取得</td><td colspan="2">判定　該当<br>理由　長男Ａが小規模宅地等の課税特例（特定居住用宅地等）の適用を受けることが可能とされる適用要件を当てはめると次に掲げるとおりとなり、そのうちの①の適用要件を充足しています。<br>①『被相続人の居住用家屋に居住（同居）していた親族が取得した場合』に該当するか否かの検討<br>上記⑴（注）より、上記建物のすべて（１階及び２階部分）が『被相続人の居住の用に供されていた部分』に該当することになります。そして、長男Ａはそのうちの２階部分に居住しているとのことですから、同人は『被相続人の居住用家屋に居住（同居）していた親族が取得した場合』に該当することになります。</td></tr>
</table>

② 配偶者及び一定の同居親族が存せず非同居親族が取得した場合（いわゆる『家なき子』）に該当するか否かの検討

**質疑** に掲げる前提条件（被相続人甲に係る配偶者乙が存在すること）から、長男Ａは、いわゆる『家なき子』に該当しないものとされます。

③ 『被相続人と生計を一にしていた親族の居住の用に供されていた場合』に該当するか否かの検討

(イ) １階部分の敷地に対応する宅地等

長男Ａは上記建物の２階部分に居住していることから、１階部分は『被相続人と生計を一にしていた親族の居住の用に供されていた場合』に該当しないことになります。また、そもそも長男Ａは、被相続人甲と生計を別にする親族に該当しています。

(ロ) ２階部分の敷地に対応する宅地等

長男Ａは上記建物の２階部分に居住していますが、被相続人甲と生計を別にする親族に該当するため、２階部分は『被相続人と生計を一にしていた親族の居住の用に供されていた場合』に該当しないことになります。

**資料** 被相続人等の居住の用に供されていた宅地等のうちに当該被相続人等の居住の用以外の用に供されていた部分がある場合の取扱い

被相続人等の居住の用に供されていた宅地等のうちに当該被相続人等の居住の用以外の用に供されていた部分があるときは、当該被相続人等の居住の用に供されていた部分（当該居住の用に供されていた部分が被相続人の居住の用に供されていた１棟の建物（建物の区分所有等に関する法律第１条《建物の区分所有》の規定に該当する建物を除きます。）に係るものである場合には、当該１棟の建物の敷地の用に供されていた宅地等のうち当該被相続人の親族の居住の用に供されていた部分を含みます。）に限るものとされています。この取扱いを図示すると、下記に掲げるとおりとなります。

<table>
<tr><th colspan="3">区　　分</th><th>『居住の用に供されていた部分』の解釈</th></tr>
<tr><td rowspan="2">(A)</td><td rowspan="2">被相続人の居住の用に供されていた１棟の建物である場合</td><td>Ⓐ 下記Ⓑ以外の建物である場合</td><td>・被相続人の居住の用に供されていた部分<br>・被相続人の親族（注）の居住の用に供されていた部分</td></tr>
<tr><td>Ⓑ 建物の区分所有等に関する法律第１条《建物の区分所有》の規定に該当する建物である場合</td><td>・被相続人の居住の用に供されていた部分</td></tr>
<tr><td>(B)</td><td colspan="2">被相続人と生計を一にする親族の居住の用に供されていた１棟の建物である場合</td><td>・被相続人と生計を一にする親族の居住の用に供されていた部分</td></tr>
</table>

（注）当該親族は、被相続人と生計を一にするか又は別にするかは問われていません。

(3) 相続税の課税価格算入額

上記(1)及び(2)の取扱いに基づいて、**質疑** の宅地等につき、小規模宅地等の課税特例を適用した後の相続税の課税価格算入額を算定すると、下記のとおりとなります。

① 宅地等の利用権の価額（配偶者乙の相続税の課税価格算入額）

(イ)　１階部分（被相続人甲及び配偶者乙の居住用部分）の敷地に対応する部分

$$36{,}000\text{千円}\left(\text{質疑の参考2 ㋑(A)より}\right)-\left(36{,}000\text{千円}\times\frac{115.2\text{㎡（注3）}}{115.2\text{㎡（宅地等の利用権部分の面積）（注1）}}\times 80\%\right)=7{,}200\text{千円}$$

（小規模宅地等の課税特例の適用前の価額）　（小規模宅地等の課税特例の適用による減額金額）

(ロ)　２階部分（長男Ａ夫婦の居住用部分）の敷地に対応する部分

$$24{,}000\text{千円}\left(\text{質疑の参考2 ㋺(A)より}\right)-\left(24{,}000\text{千円}\times\frac{76.8\text{㎡（注3）}}{76.8\text{㎡（宅地等の利用権部分の面積）（注2）}}\times 80\%\right)=4{,}800\text{千円}$$

（小規模宅地等の課税特例の適用前の価額）　（小規模宅地等の課税特例の適用による減額金額）

(ハ)　合計

$$\underset{\text{（上記(イ)）}}{7{,}200\text{千円}}+\underset{\text{（上記(ロ)）}}{4{,}800\text{千円}}=\underline{\underline{12{,}000\text{千円}}}$$

②　宅地等の所有権の価額（長男Ａの相続税の課税価格算入額）

(イ)　１階部分（被相続人甲及び配偶者乙の居住用部分）の敷地に対応する部分

$$24{,}000\text{千円}\left(\text{質疑の参考2 ㋑(B)より}\right)-\left(24{,}000\text{千円}\times\frac{76.8\text{㎡（注3）}}{76.8\text{㎡（宅地等の所有権部分の面積）（注1）}}\times 80\%\right)=4{,}800\text{千円}$$

（小規模宅地等の課税特例の適用前の価額）　（小規模宅地等の課税特例の適用による減額金額）

(ロ)　２階部分（長男Ａ夫婦の居住用部分）の敷地に対応する部分

$$16{,}000\text{千円}\left(\text{質疑の参考2 ㋺(B)より}\right)-\left(16{,}000\text{千円}\times\frac{51.2\text{㎡（注3）}}{51.2\text{㎡（宅地等の所有権部分の面積）（注2）}}\times 80\%\right)=3{,}200\text{千円}$$

（小規模宅地等の課税特例の適用前の価額）　（小規模宅地等の課税特例の適用による減額金額）

(ハ)　合計

$$\underset{\text{（上記(イ)）}}{4{,}800\text{千円}}+\underset{\text{（上記(ロ)）}}{3{,}200\text{千円}}=\underline{\underline{8{,}000\text{千円}}}$$

③　総合計

$$\underset{\text{（上記①(ハ)）}}{12{,}000\text{千円}}+\underset{\text{（上記②(ハ)）}}{8{,}000\text{千円}}=\boxed{\underline{\underline{20{,}000\text{千円}}}}$$

（注１）　居住用宅地等（１階部分）に係る面積区分（利用権部分・所有権部分）

$$\text{（利用権部分）}\ \underset{\text{（１階部分に対応する面積）}}{192\text{㎡}\left(\text{質疑の参考2 (イ)㋑(X)より}\right)}\times\frac{36{,}000\text{千円（利用権の価額）}}{36{,}000\text{千円（利用権の価額）}+24{,}000\text{千円（所有権の価額）}}=115.2\text{㎡}$$

$$\text{（所有権部分）}\ \underset{\text{（１階部分に対応する面積）}}{192\text{㎡}\left(\text{質疑の参考2 (イ)㋑(X)より}\right)}\times\frac{24{,}000\text{千円（所有権の価額）}}{36{,}000\text{千円（利用権の価額）}+24{,}000\text{千円（所有権の価額）}}=76.8\text{㎡}$$

（注２）　居住用宅地等（２階部分）に係る面積区分（利用権部分・所有権部分）

$$\text{（利用権部分）}\ \underset{\text{（２階部分に対応する面積）}}{128\text{㎡}\left(\text{質疑の参考2 (イ)㋺(X)より}\right)}\times\frac{24{,}000\text{千円（利用権の価額）}}{24{,}000\text{千円（利用権の価額）}+16{,}000\text{千円（所有権の価額）}}=76.8\text{㎡}$$

$$\text{（所有権部分）}\ \underset{\text{（２階部分に対応する面積）}}{128\text{㎡}\left(\text{質疑の参考2 (イ)㋺(X)より}\right)}\times\frac{16{,}000\text{千円（所有権の価額）}}{24{,}000\text{千円（利用権の価額）}+16{,}000\text{千円（所有権の価額）}}=51.2\text{㎡}$$

（注３）　小規模宅地等の課税特例の適用に係る限度面積要件の確認

$$\underbrace{115.2\text{㎡}\boxed{\text{１階部分 利用権}}+76.8\text{㎡}\boxed{\text{１階部分 所有権}}+76.8\text{㎡}\boxed{\text{２階部分 利用権}}+51.2\text{㎡}\boxed{\text{２階部分 所有権}}}_{\text{（特定居住用宅地等に対する適用面積）}}=320\text{㎡}\leqq 330\text{㎡}$$

∴限度面積要件を充足

まとめ１

| 建物は区分所有建物に非該当 | | 配偶者居住権（民法） | 相続税法上の取扱い | | |
|---|---|---|---|---|---|
| | | | 区　分 | 宅地の評価態様 | 小規模宅地等の課税特例 |
| ２階 | 居住用（長男Ａ（生計別親族）の居住用） | 配偶者居住権の設定対象 | 利用権 | 自用地 | 特定居住用宅地等に該当 |
| | | | 所有権 | 自用地 | 特定居住用宅地等に該当 |
| １階 | 居住用（被相続人甲及び配偶者乙の居住用） | 配偶者居住権の設定対象 | 利用権 | 自用地 | 特定居住用宅地等に該当 |
| | | | 所有権 | 自用地 | 特定居住用宅地等に該当 |

まとめ２

| | | | 居住用部分 | | 合　計 |
|---|---|---|---|---|---|
| | | | １階の床面積対応部分 | ２階の床面積対応部分 | |
| 利用権 | 財産取得者 | | 配偶者乙 | 配偶者乙 | |
| | 適用面積 | ① | 115.2㎡ | 76.8㎡ | 192㎡ |
| | 相続税評価額 | ② | 36,000千円 | 24,000千円 | 60,000千円 |
| | 小規模宅地等の減額金額 | ③ | ▲28,800千円 | ▲19,200千円 | ▲48,000千円 |
| | 相続税の課税価格（②－③） | ④ | 7,200千円 | 4,800千円 | 12,000千円 |
| 所有権 | 財産取得者 | | 長男Ａ | 長男Ａ | |
| | 適用面積 | ⑤ | 76.8㎡ | 51.2㎡ | 128㎡ |
| | 相続税評価額 | ⑥ | 24,000千円 | 16,000千円 | 40,000千円 |
| | 小規模宅地等の減額金額 | ⑦ | ▲19,200千円 | ▲12,800千円 | ▲32,000千円 |
| | 相続税の課税価格（⑤－⑥） | ⑧ | 4,800千円 | 3,200千円 | 8,000千円 |
| 合　計 | 適用面積（①＋⑤） | ⑨ | 192㎡ | 128㎡ | 320㎡ |
| | 相続税評価額（②＋⑥） | ⑩ | 60,000千円 | 40,000千円 | 100,000千円 |
| | 小規模宅地等の減額金額（③＋⑦） | ⑪ | ▲48,000千円 | ▲32,000千円 | ▲80,000千円 |
| | 相続税の課税価格（④＋⑧） | ⑫ | 12,000千円 | 8,000千円 | 20,000千円 |

(4)　類題の場合

類題の場合（被相続人甲に係る相続開始時において、長男Ａが被相続人甲と生計を一にする親族である場合）、上記建物の敷地に対応する宅地等に係る配偶者居住権等が、小規模宅地等の課税特例（特定居住用宅地等）の適用対象とされるか否かについて検討すると、次のとおりとなります。

① 上記の建物は区分所有登記されたものではないため、被相続人甲の居住の用に供されていた部分は、『被相続人甲の居住の用に供されていた部分』及び『被相続人甲の親族の居住の用に供されていた部分』の両方（上記(2)の**資料**の図の(A)Ⓐ部分に該当）とされています。

② 上記①の＿＿部分に掲げる『被相続人甲の親族の居住の用に供されていた部分』につき、当該親族が被相続人甲と生計を一にする親族であるのか又は別にする親族であるのかは問われていないものとされています。

③ 上記①及び②より、**類題**の場合においても、上記建物の敷地に対応する宅地等に係る配偶者居住権等の相続税評価額及びこれらに対する小規模宅地等の課税特例（特定居住用宅地等）については、本題（被相続人甲に係る相続開始時において、長男Ａが被相続人甲と生計を別にする親族である場合）の場合と同様となります。（この点について、上記(3)を参照してください。）

④ 上記③に附言して、長男Ａが被相続人甲と生計を一にする親族である場合においては、本件不動産のうち２階部分の敷地に対応する宅地等については、『被相続人甲の居住の用に供されていた部分』に該当するほか、『被相続人甲と生計を一にしていた親族（長男Ａ）の居住の用に供されていた家屋』の敷地部分にも該当します。

### ⒆ 配偶者居住権等に対する小規模宅地等の課税特例の適用関係（その９：被相続人の居住建物の敷地の用に供されていた宅地等が使用借権であった場合の取扱い）

**質疑**

被相続人甲に相続開始があり、同人に係る相続開始日まで配偶者乙及び長男Ａと共に居住の用に供していた被相続人甲所有の建物がありました。

当該居住建物の敷地の用に供されている宅地等（面積200㎡）は、平成２年（当該居住建物の建築年）以来、被相続人甲の親族Ｘの所有地を同人の厚意により使用貸借により借り受けている状況にありました。

被相続人甲に係る遺産分割に当たっては、配偶者乙は当該居住建物に係る配偶者居住権を取得し、また、当該居住建物の所有権は、長男Ａが取得するものとされました。そして、長男Ａは親族Ｘの厚意により当該居住建物の敷地の用に供されている宅地等（自用地としての相続税評価額50,000千円、借地権割合60％）を今後も継続して、使用貸借により借り受けるものとされています。

なお、被相続人甲に係る相続税の申告期限までに、当該居住建物の所有状況及び居住状況に異動はありませんでした。

このように被相続人の居住建物の敷地の用に供されていた宅地等に係る権利が使用貸借契約に基づく使用借権であった場合における土地等を配偶者居住権に基づき使用する権利の価額（土地（宅地）等の利用権の価額）は、どのように算定することになりますか。

また、当該利用権の価額に対して、小規模宅地等の課税特例（特定居住用宅地等）の適用関係はどのようになりますか。

**参考**

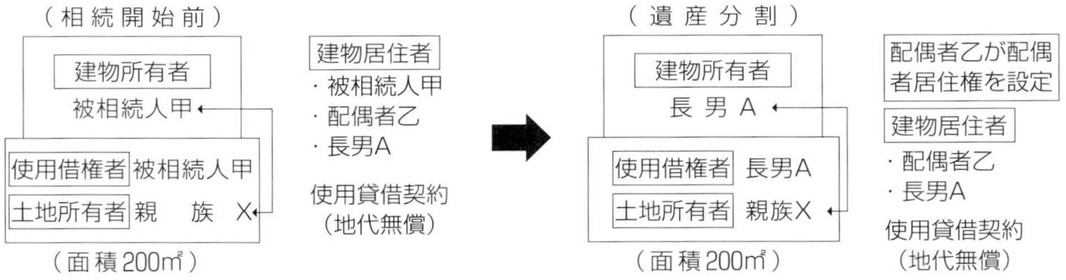


**応答**

⑴　土地の使用貸借契約があった場合の取扱い

民法第593条《使用貸借》において、「使用貸借は、当事者の一方がある物を引き渡すことを約し、相手方がその受け取った物について無償で使用及び収益をして契約を終了したときに返還をすることを約することによって、その効力を生ずる。」と規定しています。

また、民法第597条《期間満了等による使用貸借の終了》第３項において、「使用貸借は、借主の死亡によって終了する。」と規定しており、賃借権とは異なり一代限り（換言すれば、相続性を認めない）とされています。

さらに、上記の使用貸借による土地の利用権（使用借権）の相続税等における評価上の取扱いについては、昭和48年11月１日付で国税庁より公開された個別通達（使用貸借に係る土地についての相続税及び贈与税の取扱いについて）において、「建物又は構築物（以下「建物等」という。）の所有を目的として使用貸借による土地の借受けがあった場合においては、借地権（建物等の所有を目的とする地上権又は賃借権をいう。）の設定に際し、その設定の対価として通常権利金その他の一時金を支払う取引上の慣行がある地域においても、当該土地の使用貸借に係る使用権の価額は、零として取り扱う。」と定められています。

そうすると、土地所有者から使用貸借契約により土地を借り受けていた使用借権者に相続開始があった場合には、当該使用借権者が有していた使用借権には相続性が認められず（注）、併せて、当該使用借権の価額も認められないことから当該使用借権は評価すべき相続財産には該当しないものとされます。

（注）　被相続人甲と親族Xの土地使用貸借契約は、借主である被相続人甲に係る相続開始によって終了するものとされていることから、居住建物を相続により取得した長男Aは、土地所有者である親族Xとの間で新たな土地貸借契約（使用貸借契約又は賃貸借契約）を締結する必要があります。

⑵　土地（宅地）等の利用権の及ぶ範囲とその価額

被相続人に係る遺産分割等により設定された配偶者居住権の目的となっている建物の敷地

の用に供される土地等を当該配偶者居住権に基づき使用する権利（土地（宅地）等の利用権）は、居住建物の所有者に帰属すると認められる敷地の利用権の範囲内においてのみ、行使されるものと解されます。

そうすると、質疑の事例の場合、居住建物に帰属すると認められる敷地の利用権は、上記(1)の取扱いから被相続人甲からの相続により居住建物を取得した長男Aが被相続人甲の親族Xとの間で新たに締結した親族X所有の宅地等に係る使用借権であることから、配偶者乙が配偶者居住権の設定に基づいて土地（宅地）等を利用する権利（土地（宅地）等の利用権）についても、当該使用借権の範囲内において行使されるにすぎないものと解するのが相当とされます。

換言すれば、配偶者乙は配偶者居住権の設定に基づいて土地（宅地）等を利用する権利（土地（宅地）等の利用権）については、被相続人甲に帰属する土地（宅地）等に対して設定されたものでない（被相続人甲は、宅地の所有者ではなく、また、当該宅地に係る借地権者にも該当していません）ことになります。

以上の取扱いから、質疑の事例の場合、配偶者居住権の目的となっている建物の敷地の用に供される土地等を当該配偶者居住権に基づき使用する権利の価額（土地（宅地）等の利用権の価額）は、0円となります。

(3)　小規模宅地等の課税特例の適用関係

質疑に掲げる被相続人甲の居住の用に供されていた宅地等に係る配偶者居住権等は、上記(2)に掲げるとおり、被相続人甲に帰属する土地（宅地）等に対して設定されたものでない（被相続人甲は、宅地の所有者ではなく、また、当該宅地に係る借地権者にも該当しません。）ことから、小規模宅地等の課税特例（特定居住用宅地等）の適用対象にはなりません。

### ⒇　配偶者居住権等に対する小規模宅地等の課税特例の適用関係（その10：相続税の申告期限までに配偶者居住権が設定されていた宅地等の一部の譲渡が行われた場合の取扱い）

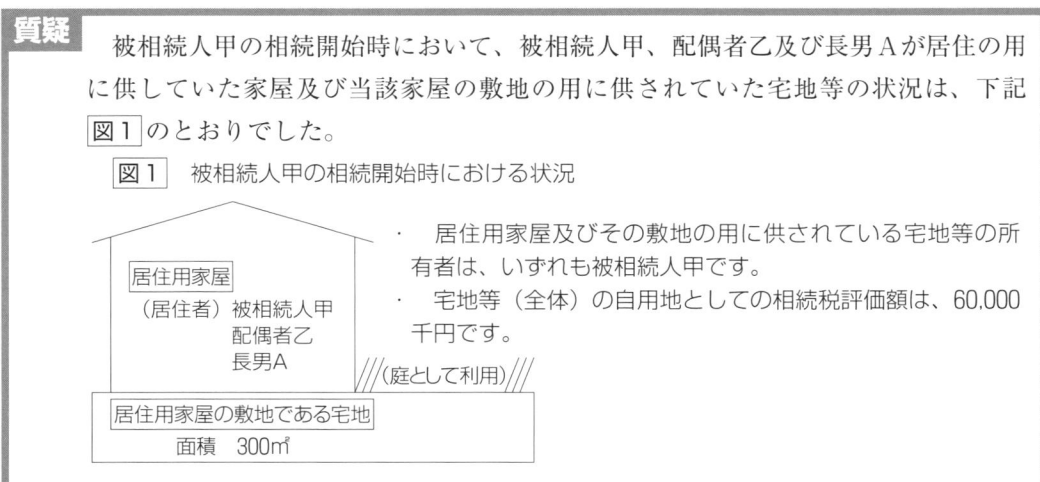

**質疑**　被相続人甲の相続開始時において、被相続人甲、配偶者乙及び長男Aが居住の用に供していた家屋及び当該家屋の敷地の用に供されていた宅地等の状況は、下記図1のとおりでした。

図1　被相続人甲の相続開始時における状況

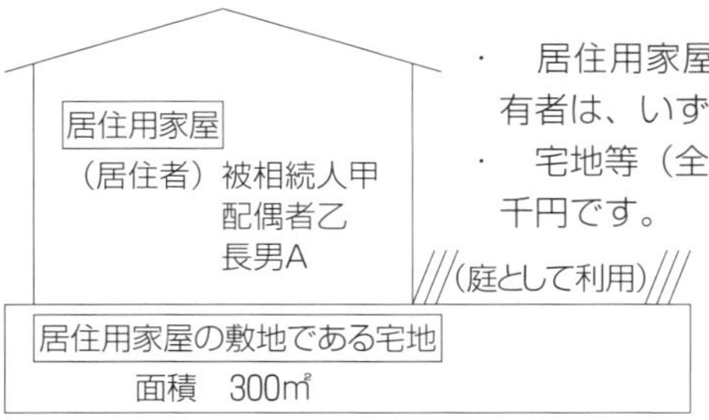


・　居住用家屋及びその敷地の用に供されている宅地等の所有者は、いずれも被相続人甲です。
・　宅地等（全体）の自用地としての相続税評価額は、60,000千円です。

相続税の申告期限までに実施された遺産分割協議の結果、居住用家屋については配偶者乙が配偶者居住権を取得し、所有権については長男Aが取得するものとされました。

また、居住用家屋の敷地である宅地等については、配偶者乙が$\frac{3}{6}$、長男Aが$\frac{2}{6}$及び長女B（上記の家屋には居住していません。）が$\frac{1}{6}$のそれぞれ共有持分で承継することが確定しました。（図2を参照）（配偶者乙及び長男Aの居住は、相続税の申告期限を経過後も継続しています。）

上記に掲げる共有持分による宅地等を承継した3人の者に対して、隣地の所有者から図1に示されている庭として利用している部分の一部（60㎡（宅地全体の面積に占める割合$\frac{60㎡}{300㎡}=\frac{1}{5}$））を買い取りたいとの申出がなされ、配偶者乙、長男A及び長女Bはこれに応じて該当部分を分筆して譲渡することとなり、相続税の申告期限までに引き渡しも完了しています。（図3を参照）

図2　遺産分割協議による財産の取得

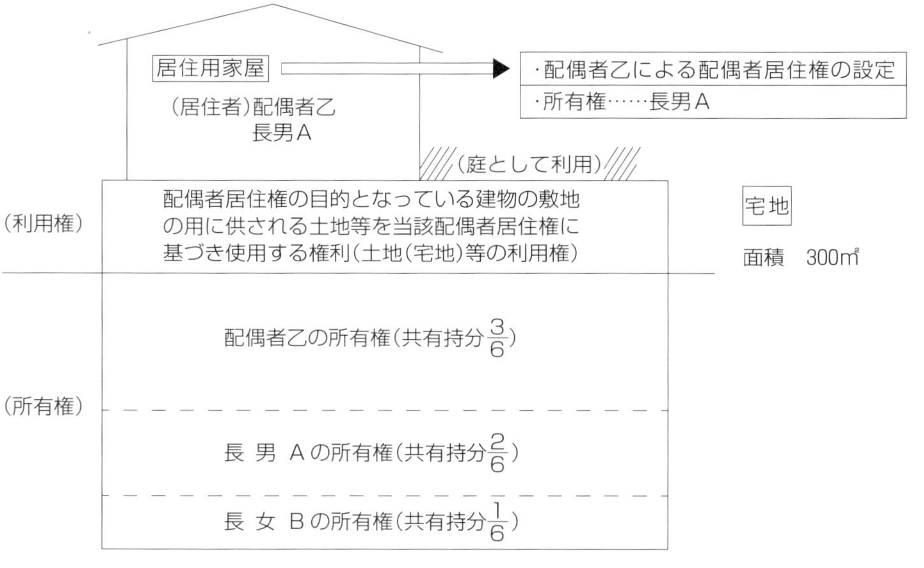

図３　相続税の申告期限までに行われた宅地等の一部譲渡

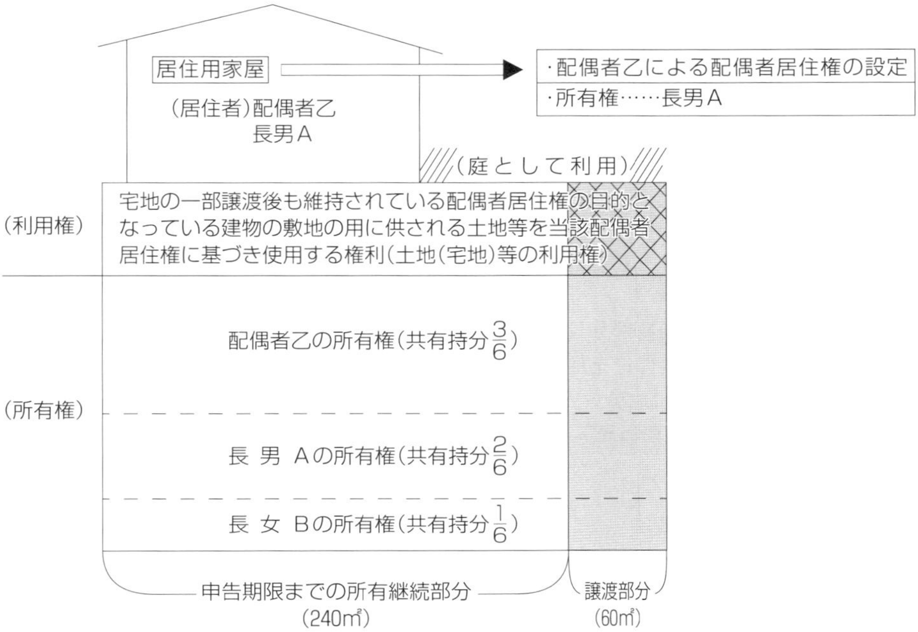


上記に掲げるような状況において、相続財産である宅地等に係る配偶者乙が取得した土地（宅地）等の利用権の価額並びに配偶者乙、長男Ａ及び長女Ｂがそれぞれ共有持分で取得した土地（宅地）等の所有権の価額に対して、小規模宅地等の課税特例（特定居住用宅地等）の適用関係はどのようになりますか。

なお、回答に当たっては、次に掲げる事項を前提とします。

前提　相続財産である宅地等（自用地価額60,000千円）について、相続税法第23条の２《配偶者居住権等の評価》の規定を適用して各態様別に被相続人甲に係る相続開始時におけるその価額を算定すると、下記のとおりとなりました。

| | | |
|---|---|---|
| (1) | 配偶者居住権の目的となっている建物の敷地の用に供される土地等を当該配偶者居住権に基づき使用する権利の価額（土地（宅地）等の利用権の価額） | ……15,000千円 |
| (2) | 配偶者居住権の目的となっている建物の敷地の用に供される土地等の価額（土地（宅地）等の所有権の価額） | ……45,000千円 |

**応答**

(1)　小規模宅地等の課税特例の適用関係について

**質疑**に掲げる被相続人甲の相続財産である宅地等に係る配偶者居住権等が、小規模宅地等の課税特例（特定居住用宅地等）の適用対象とされるか否かについて検討すると、下表のとおりとなります。

<table>
<tr><th colspan="2" rowspan="2"></th><th colspan="2">特　定　居　住　用　宅　地　等</th></tr>
<tr><th>申告期限までの所有継続部分（240㎡）</th><th>譲渡部分（60㎡）</th></tr>
<tr><td colspan="2">宅地等の利用権の価額<br>配偶者乙取得</td><td>判定　該当<br>理由　被相続人甲に係る配偶者乙が取得したことから、その他の事項を問われる必要はありません。</td><td>判定　該当<br>理由　左欄と同一</td></tr>
<tr><td rowspan="3">宅地等の所有権の価額</td><td>配偶者乙取　得</td><td>判定　該当<br>理由　被相続人甲に係る配偶者乙が取得したことから、その他の事項を問われる必要はありません。</td><td>判定　該当<br>理由　左欄と同一</td></tr>
<tr><td>長男Ａ取　得</td><td>判定　該当<br>理由　当該部分について、長男Ａは、下記①ないし③に掲げる要件を充足しているため、『被相続人の居住用家屋に居住（同居）していた親族が取得した場合』に該当します。<br>①　同居親族の要件　当該親族が相続開始の直前において当該宅地等の上に存する被相続人の居住の用に供されていた家屋に居住していた者であること<br>②　所有継続の要件　相続開始時から相続税の申告期限（当該親族が相続税の申告期限前に死亡した場合には、その死亡の日。以下③において同じ。）まで引き続き当該宅地等を所有していること<br>③　居住継続の要件　相続税の申告期限まで当該家屋に居住していること</td><td>判定　非該当<br>理由　当該部分について、長男Ａは、左欄の②（所有継続の要件）を充足していないため、『被相続人の居住用家屋に居住（同居）していた親族が取得した場合』に該当しません。</td></tr>
<tr><td>長女Ｂ取　得</td><td>判定　非該当<br>理由　当該部分について、長女Ｂは、下記①ないし③に掲げる要件のいずれをも充足していないことから、小規模宅地等の課税特例の適用要件を充足していません。<br>①　被相続人の居住用家屋に居住（同居）していた親族が取得した場合<br>②　配偶者及び一定の同居親族が存せず非同居親族が取得した場合（いわゆる『家なき子』に該当する場合）<br>③　被相続人と生計を一にする親族の居住の用に供されていた場合</td><td>判定　非該当<br>理由　左欄と同一</td></tr>
</table>

(2)　相続税の課税価格算入額

上記(1)の取扱いに基づいて、質疑の宅地等につき、小規模宅地等の課税特例を適用した後の相続税の課税価格算入額を算定すると、下記のとおりとなります。

①　宅地等の利用区分（申告期限までの継続所有部分・譲渡部分）

(イ)　相続税評価額

㋑　申告期限までの継続所有部分

$$\underset{(自用地価額)}{60{,}000千円} \times \frac{240㎡（継続所有部分の面積）}{240㎡（継続所有部分の面積）+60㎡（譲渡部分の面積）} = 48{,}000千円$$

㋺　譲渡部分

$$\underset{(自用地価額)}{60{,}000千円} \times \frac{60㎡（譲渡部分の面積）}{240㎡（継続所有部分の面積）+60㎡（譲渡部分の面積）} = 12{,}000千円$$

(ロ)　申告期限までの継続所有部分の明細（利用権又は所有権に係る価額及び適用面積）

㋑　価額

(X)　宅地等の利用権の価額

$$\underset{(上記(イ)㋑)}{48{,}000千円} \times \frac{15{,}000千円（利用権の価額）}{15{,}000千円（利用権の価額）+45{,}000千円（所有権の価額）} = 12{,}000千円$$

(Y)　宅地等の所有権の価額

Ⓧ　全体の価額

$$\underset{(上記(イ)㋑)}{48{,}000千円} \times \frac{45{,}000千円（所有権の価額）}{15{,}000千円（利用権の価額）+45{,}000千円（所有権の価額）} = 36{,}000千円$$

Ⓨ　各共有持分者の共有持分に対応する価額

(A)　配偶者乙 ➡ 36,000千円（上記Ⓧ）$\times \frac{3}{6}$（配偶者乙の共有持分）＝18,000千円

(B)　長男Ａ ➡ 36,000千円（上記Ⓧ）$\times \frac{2}{6}$（長男Ａの共有持分）＝12,000千円

(C)　長女Ｂ ➡ 36,000千円（上記Ⓧ）$\times \frac{1}{6}$（長女Ｂの共有持分）＝ 6,000千円

㋺　小規模宅地等の適用面積

(X)　宅地等の利用権部分に係る適用面積

$$\underset{(継続所有部分の面積)}{240㎡} \times \frac{15{,}000千円（利用権の価額）}{15{,}000千円（利用権の価額）+45{,}000千円（所有権の価額）} = 60㎡$$

(Y)　宅地等の所有権部分に係る適用面積

Ⓧ　全体の適用面積

$$\underset{(継続所有部分の面積)}{240㎡} \times \frac{45{,}000千円（所有権の価額）}{15{,}000千円（利用権の価額）+45{,}000千円（所有権の価額）} = 180㎡$$

Ⓨ　各共有持分者の共有持分に対応する適用面積

(A)　配偶者乙 ➡ 180㎡（上記Ⓧ）$\times \frac{3}{6}$（配偶者乙の共有持分）＝90㎡

(B)　長男Ａ ➡ 180㎡（上記Ⓧ）$\times \frac{2}{6}$（長男Ａの共有持分）＝60㎡

(C)　長女Ｂ ➡ 180㎡（上記Ⓧ）$\times \frac{1}{6}$（長女Ｂの共有持分）＝30㎡

(ハ)　譲渡部分の明細（利用権又は所有権に係る価額及び適用面積）

㋑　価額

(X)　宅地等の利用権の価額

$$\underset{(上記(イ)㋺)}{12{,}000千円} \times \frac{15{,}000千円（利用権の価額）}{15{,}000千円（利用権の価額）+45{,}000千円（所有権の価額）} = 3{,}000千円$$

(Y)　宅地等の所有権の価額

Ⓧ　全体の価額

$$\underset{\text{（上記(イ)㋺）}}{12{,}000\text{千円}} \times \frac{45{,}000\text{千円（所有権の価額）}}{15{,}000\text{千円（利用権の価額）}+45{,}000\text{千円（所有権の価額）}} = 9{,}000\text{千円}$$

Ⓨ　各共有持分者の共有持分に対応する価額

(A)　配偶者乙 ➡ 9,000千円（上記Ⓧ）× $\frac{3}{6}$（配偶者乙の共有持分）＝4,500千円

(B)　長男Ａ　➡ 9,000千円（上記Ⓧ）× $\frac{2}{6}$（長男Ａの共有持分）　＝3,000千円

(C)　長女Ｂ　➡ 9,000千円（上記Ⓧ）× $\frac{1}{6}$（長女Ｂの共有持分）　＝1,500千円

㋺　小規模宅地等の適用面積

(X)　宅地等の利用権部分に係る適用面積

$$\underset{\text{（譲渡部分の面積）}}{60\text{㎡}} \times \frac{15{,}000\text{千円（利用権の価額）}}{15{,}000\text{千円（利用権の価額）}+45{,}000\text{千円（所有権の価額）}} = 15\text{㎡}$$

(Y)　宅地等の所有権部分に係る適用面積

Ⓧ　全体の適用面積

$$\underset{\text{（譲渡部分の面積）}}{60\text{㎡}} \times \frac{45{,}000\text{千円（所有権の価額）}}{15{,}000\text{千円（利用権の価額）}+45{,}000\text{千円（所有権の価額）}} = 45\text{㎡}$$

Ⓨ　各共有持分者の共有持分に対応する適用面積

(A)　配偶者乙 ➡ 45㎡（上記Ⓧ）× $\frac{3}{6}$（配偶者乙の共有持分）＝22.5㎡

(B)　長男Ａ　➡ 45㎡（上記Ⓧ）× $\frac{2}{6}$（長男Ａの共有持分）　＝15㎡

(C)　長女Ｂ　➡ 45㎡（上記Ⓧ）× $\frac{1}{6}$（長女Ｂの共有持分）　＝ 7.5㎡

②　小規模宅地等の課税特例適用後の価額（相続税の課税価格算入額）

(イ)　宅地等の利用権の価額（配偶者乙の相続税の課税価格算入額）

㋑　申告期限までの継続所有部分

$$\underset{\text{（上記①(ロ)㋑(X)）}}{12{,}000\text{千円}} - \underset{\text{（小規模宅地等の課税特例の適用による減額金額）}}{\left(12{,}000\text{千円} \times \frac{60\text{㎡（注）}}{60\text{㎡（上記①(ロ)㋺(X)）}} \times 80\%\right)} = 2{,}400\text{千円}$$

㋺　譲渡部分

$$\underset{\text{（上記①(ハ)㋑(X)）}}{3{,}000\text{千円}} - \underset{\text{（小規模宅地等の課税特例の適用による減額金額）}}{\left(3{,}000\text{千円} \times \frac{15\text{㎡（注）}}{15\text{㎡（上記①(ハ)㋺(X)）}} \times 80\%\right)} = 600\text{千円}$$

㋩　合計

$$\underset{\text{（上記㋑）}}{2{,}400\text{千円}} + \underset{\text{（上記㋺）}}{600\text{千円}} = \underline{\underline{3{,}000\text{千円}}}$$

(ロ)　宅地等の所有権の価額（その１：配偶者乙の相続税の課税価格算入額）

㋑　申告期限までの継続所有部分

$$\underset{\text{(上記①(ロ)㋑(Y)Ⓨ(A))}}{18{,}000\text{千円}} - \underset{\text{(小規模宅地等の課税特例の適用による減額金額)}}{\left(18{,}000\text{千円} \times \frac{90\text{m}^2\text{(注)}}{90\text{m}^2\ \text{(上記①(ロ)㋺(Y)Ⓨ(A))}} \times 80\%\right)} = 3{,}600\text{千円}$$

㋺　譲渡部分

$$\underset{\text{(上記①(ハ)㋑(Y)Ⓨ(A))}}{4{,}500\text{千円}} - \underset{\text{(小規模宅地等の課税特例の適用による減額金額)}}{\left(4{,}500\text{千円} \times \frac{22.5\text{m}^2\text{(注)}}{22.5\text{m}^2\ \text{(上記①(ハ)㋺(Y)Ⓨ(A))}} \times 80\%\right)} = 900\text{千円}$$

㋩　合計

$$\underset{\text{(上記㋑)}}{3{,}600\text{千円}} + \underset{\text{(上記㋺)}}{900\text{千円}} = \underline{\underline{4{,}500\text{千円}}}$$

(ハ)　宅地等の所有権の価額（その２：長男Ａの相続税の課税価格算入額）

㋑　申告期限までの継続所有部分

$$\underset{\text{(上記①(ロ)㋑(Y)Ⓨ(B))}}{12{,}000\text{千円}} - \underset{\text{(小規模宅地等の課税特例の適用による減額金額)}}{\left(12{,}000\text{千円} \times \frac{60\text{m}^2\text{(注)}}{60\text{m}^2\ \text{(上記①(ロ)㋺(Y)Ⓨ(B))}} \times 80\%\right)} = 2{,}400\text{千円}$$

㋺　譲渡部分

3,000千円（上記①(ハ)㋑(Y)Ⓨ(B)：長男Ａは小規模宅地等の課税特例の適用要件を未充足）

㋩　合計

$$\underset{\text{(上記㋑)}}{2{,}400\text{千円}} + \underset{\text{(上記㋺)}}{3{,}000\text{千円}} = \underline{\underline{5{,}400\text{千円}}}$$

(ニ)　宅地等の所有権の価額（その３：長女Ｂの相続税の課税価格算入額）

㋑　申告期限までの継続所有部分

6,000千円（上記①(ロ)㋑(Y)Ⓨ(C)：長女Ｂは小規模宅地等の課税特例の適用要件を未充足）

㋺　譲渡部分

1,500千円（上記①(ハ)㋑(Y)Ⓨ(C)：長女Ｂは小規模宅地等の課税特例の適用要件を未充足）

㋩　合計

$$\underset{\text{(上記㋑)}}{6{,}000\text{千円}} + \underset{\text{(上記㋺)}}{1{,}500\text{千円}} = \underline{\underline{7{,}500\text{千円}}}$$

(ホ)　宅地等の所有権の価額の合計（相続税の課税価格算入額）

$$\underset{\text{(上記(ロ)㋩)}}{4{,}500\text{千円}} + \underset{\text{(上記(ハ)㋩)}}{5{,}400\text{千円}} + \underset{\text{(上記(ニ)㋩)}}{7{,}500\text{千円}} = \underline{\underline{17{,}400\text{千円}}}$$

(ヘ)　総合計

$$\underset{\text{(上記(イ)㋩)}}{3{,}000\text{千円}} + \underset{\text{(上記(ホ))}}{17{,}400\text{千円}} = \boxed{\underline{\underline{20{,}400\text{千円}}}}$$

（注）　小規模宅地等の課税特例の適用に係る限度面積要件の確認

$$\underset{\text{(特定居住用宅地等に対する適用面積)}}{\underset{\text{(上記(イ)㋑)}}{60\text{m}^2} + \underset{\text{(上記(イ)㋺)}}{15\text{m}^2} + \underset{\text{(上記(ロ)㋑)}}{90\text{m}^2} + \underset{\text{(上記(ロ)㋺)}}{22.5\text{m}^2} + \underset{\text{(上記(ハ)㋑)}}{60\text{m}^2}} = 247.5\text{m}^2 \leqq 330\text{m}^2$$

∴限度面積要件を充足

まとめ

| | | | | 居住用部分 | | 合計 |
|---|---|---|---|---|---|---|
| | | | | 継続所有部分 | 譲渡部分 | |
| 利用権 | | 財産取得者 | | 配偶者乙 | 配偶者乙 | |
| 利用権 | | 適用面積 | ① | 60㎡ | 15㎡ | 75㎡ |
| 利用権 | | 相続税評価額 | ② | 12,000千円 | 3,000千円 | 15,000千円 |
| 利用権 | | 小規模宅地等の減額金額 | ③ | ▲9,600千円 | ▲2,400千円 | ▲12,000千円 |
| 利用権 | | 相続税の課税価格（②－③） | ④ | 2,400千円 | 600千円 | 3,000千円 |
| 所有権 | 配偶者乙取得分 | 適用面積 | ⑤ | 90㎡ | 22.5㎡ | 112.5㎡ |
| 所有権 | 配偶者乙取得分 | 相続税評価額 | ⑥ | 18,000千円 | 4,500千円 | 22,500千円 |
| 所有権 | 配偶者乙取得分 | 小規模宅地等の減額金額 | ⑦ | ▲14,400千円 | ▲3,600千円 | ▲18,000千円 |
| 所有権 | 配偶者乙取得分 | 相続税の課税価格（⑥－⑦） | ⑧ | 3,600千円 | 900千円 | 4,500千円 |
| 所有権 | 長男Ａ取得分 | 適用面積 | ⑨ | 60㎡ | 15㎡ | 75㎡ |
| 所有権 | 長男Ａ取得分 | 相続税評価額 | ⑩ | 12,000千円 | 3,000千円 | 15,000千円 |
| 所有権 | 長男Ａ取得分 | 小規模宅地等の減額金額 | ⑪ | ▲9,600千円 | 適用不可 | ▲9,600千円 |
| 所有権 | 長男Ａ取得分 | 相続税の課税価格（⑩－⑪） | ⑫ | 2,400千円 | 3,000千円 | 5,400千円 |
| 所有権 | 長女Ｂ取得分 | 適用面積 | ⑬ | 30㎡ | 7.5㎡ | 37.5㎡ |
| 所有権 | 長女Ｂ取得分 | 相続税評価額 | ⑭ | 6,000千円 | 1,500千円 | 7,500千円 |
| 所有権 | 長女Ｂ取得分 | 小規模宅地等の減額金額 | ⑮ | 適用なし | 適用なし | ▲0千円 |
| 所有権 | 長女Ｂ取得分 | 相続税の課税価格（⑭－⑮） | ⑯ | 6,000千円 | 1,500千円 | 7,500千円 |
| 所有権 | 所有権合計 | 適用面積（⑤＋⑨＋⑬） | ⑰ | 180㎡ | 45㎡ | 225㎡ |
| 所有権 | 所有権合計 | 相続税評価額（⑥＋⑩＋⑭） | ⑱ | 36,000千円 | 9,000千円 | 45,000千円 |
| 所有権 | 所有権合計 | 小規模宅地等の減額金額（⑦＋⑪＋⑮） | ⑲ | ▲24,000千円 | ▲3,600千円 | ▲27,600千円 |
| 所有権 | 所有権合計 | 相続税の課税価格（⑧＋⑫＋⑯） | ⑳ | 12,000千円 | 5,400千円 | 17,400千円 |
| 合計 | | 適用面積（①＋⑰） | ㉑ | 240㎡ | 60㎡ | 300㎡ |
| 合計 | | 相続税評価額（②＋⑱） | ㉒ | 48,000千円 | 12,000千円 | 60,000千円 |
| 合計 | | 小規模宅地等の減額金額（③＋⑲） | ㉓ | ▲33,600千円 | ▲6,000千円 | ▲39,600千円 |
| 合計 | | 相続税の課税価格（④＋⑳） | ㉔ | 14,400千円 | 6,000千円 | 20,400千円 |

**ポイント**

(1)　配偶者居住権の譲渡禁止について（民法上の取扱い）

民法第1032条《配偶者による使用及び収益》第２項の規定において、「配偶者居住権は、譲渡することができない。」と規定されています。そうすると、配偶者居住権についてはその財産性が認められる（配偶者居住権に係る利益評価については、民法上の取扱いとして、相続財産として遺産分割の対象とされます。）ものの、譲渡性を有していない（法的に容認されていない）ことに留意する必要があります。

したがって、仮に、配偶者居住権の目的とされている居住建物を第三者に譲渡する場合には、一旦、配偶者が配偶者居住権を放棄すること等によって、居住建物の所有者が配偶者居住権の負担のない所有権を確保し、当該所有権を第三者に譲渡するという法形式が想定されます。

(2)　配偶者居住権が放棄等により消滅した場合の相続税法上の取扱い

配偶者居住権の放棄等による消滅に伴って、その消滅の直前まで当該配偶者居住権の目的となっていた建物及び当該建物の敷地の用に供される土地等の所有者（以下「建物等所有者」といいます。）は、当該所有する建物及び土地等の価額が上昇（利用権の存在を前提とした制限のある所有権の価額から何らの制限のない所有権の価額に変動します。）することが想定されることになります。

したがって、相続税法上の取扱いでは、配偶者居住権の放棄等による消滅があった場合において、建物等所有者が、当該配偶者居住権の放棄による消滅の対価を支払わなかったとき、又は著しく低い価額の対価を支払ったときは、原則として、当該建物所有者等が、その放棄による消滅直前に、当該配偶者が有していた当該配偶者居住権の価額（建物の利用権の価額）に相当する利益又は当該土地等を当該配偶者居住権に基づき使用する権利の価額（土地等の利用権の価額）に相当する利益に相当する金額（対価の支払があった場合には、その価額を控除した金額）を、当該配偶者から贈与によって取得したものとみなされる（みなし贈与）ことになります。（相続税法基本通達９－13の２《配偶者居住権が合意により消滅した場合》）

**参考**　相続税法基本通達９－13の２《配偶者居住権が合意等により消滅した場合》

配偶者居住権が、被相続人から配偶者居住権を取得した配偶者と当該配偶者居住権の目的となっている建物の所有者との間の合意若しくは当該配偶者による配偶者居住権の放棄により消滅した場合又は民法第1032条第４項《建物所有者による消滅の意思表示》の規定により消滅した場合において、当該建物の所有者又は当該建物の敷地の用に供される土地（土地の上に存する権利を含む。）の所有者（以下９－13の２において「建物等所有者」という。）が、対価を支払わなかったとき、又は著しく低い価額の対価を支払ったときは、原則として、当該建物等所有者が、その消滅直前に、当該配偶者が有していた当該配偶者居住権の価額に相当する利益又は当該土地を当該配偶者居住権に基づき使用する権利の価額に相当する利益に相当する金額（対価の支払があった場合には、その価額を控除した金額）を、当該配偶者から贈与によって取得したものとして取り扱うものとする。

（注）　民法第1036条《使用貸借及び賃貸借の規定の準用》において準用する同法第597条第１項及び第３項《期間満了及び借主の死亡による使用貸借の終了》並びに第616条の２《賃借物の全部滅失等による賃貸借の終了》の規定により配偶者居住権が消滅した場合には、上記の取り扱いはないことに留意する。

(3)　**質疑**の事例の場合（その１：みなし贈与課税に係る論点）

**質疑**の事例は、被相続人甲からの相続で取得した宅地等のうち居住建物に隣接して利用されている庭部分の土地等の一部を隣地の所有者からの要請により譲渡したものであって、『配偶者居住権の目的とされている居住建物を第三者に譲渡する場合』（上記(1)の＿＿部分）には該当しないことになり、当該土地譲渡に当たっては、配偶者居住権を消滅させるという法形式を整える必要性はないものと考えられます。

そうすると、**質疑**の事例の場合には、上記(2)で確認した相続税法上の取扱い（配偶者居住権が放棄等により消滅した場合において当該放棄等の適正な対価の支払がなかったときにおける経済的な利益に対するみなし贈与に係る課税関係）は、生じないものと考えられます。

(4)　**質疑**の事例の場合（その２：土地の譲渡収入の帰属に係る論点）

**質疑**の事例において、隣地の所有者から受領する土地等の譲渡収入の配分について、これを単純に譲渡した土地等の所有権（共有持分）の比によるものとして、『配偶者乙$\frac{3}{6}$、長男Ａ$\frac{2}{6}$、長女Ｂ$\frac{1}{6}$』とすることは、税務上、問題があるものと考えられます。その理由及びこの場合における理論的な対応方法（私論）を示すと、次のとおりとなります。

理　由　**質疑**の図３を再度、参照してください。**質疑**の事例の場合には、上記(3)に掲げるとおり、居住建物に係る配偶者居住権が消滅していないことから、今回の譲渡対象となった土地等の部分についても『当該土地等を当該配偶者居住権に基づき使用する権利の価額（土地等の利用権の価額）（**質疑**の図３の▨部分で、配偶者乙に帰属する部分）が存することになり、当該部分の存在を土地等の譲渡収入の配分に反映させる必要があると考えられるためです。

理論的な対応方法（私論）　**質疑**の事例の場合、土地等の譲渡収入の配分について、税務上適正と考えられる計算事例（私論）を示すと、次のとおりとなります。

（前提）

①　今回の譲渡の対象となった土地等（60㎡）の譲渡収入は、15,000千円であるものとします。

②　相続財産である宅地等（自用地価額60,000千円）について、相続税法第23条の２《配偶者居住権等の評価》の規定を適用して各態様別に当該土地等の譲渡時における（注）その価額を算定すると、下記のとおりとなりました。

(イ)　配偶者居住権の目的となっている建物の敷地の用に供される土地等を当該配偶者居住権に基づき使用する権利の価額（土地（宅地）等の利用権）の価額　……14,400千円

(ロ)　配偶者居住権の目的となっている建物の敷地の用に供される土地等の価額（土地（宅地）等の所有権の価額）　……45,600千円

（注）　譲渡収入の配分に当たって配偶者居住権等の価額を算定する必要がある場合には、当該価額時点は当該土地譲渡時（上記＿＿部分）である必要があり、被相続人に係る相続開始時ではないことに留意する必要があります。

（計算）

①　土地等の譲渡収入のうち利用権の価額に対応する部分

$$\underset{\text{(譲渡収入)}}{15{,}000\text{千円}} \times \frac{14{,}400\text{千円（利用権の価額）}}{14{,}400\text{千円（利用権の価額）}+45{,}600\text{千円（所有権の価額）}} = \underline{\underline{3{,}600\text{千円（配偶者乙に帰属）}}}$$

②　土地等の譲渡収入のうち所有権の価額に対応する部分

(イ)　全体の価額

$$\underset{\text{(譲渡収入)}}{15{,}000\text{千円}} \times \frac{45{,}600\text{千円（所有権の価額）}}{14{,}400\text{千円（利用権の価額）}+45{,}600\text{千円（所有権の価額）}} = 11{,}400\text{千円}$$

(ロ)　各共有持分者の共有持分に対応する価額

㋑　配偶者乙に帰属 ➡ 11,400千円（上記(イ)）× $\frac{3}{6}$（配偶者乙の共有持分）＝5,700千円

㋺　長男Ａに帰属 ➡ 11,400千円（上記(イ)）× $\frac{2}{6}$（長男Ａの共有持分）＝3,800千円

㋩　長女Ｂに帰属 ➡ 11,400千円（上記(イ)）× $\frac{1}{6}$（長女Ｂの共有持分）＝1,900千円

③　譲渡者ごとの土地等の譲渡収入

(イ)　配偶者乙 ➡ 3,600千円（利用権部分（上記①））＋5,700千円（所有権部分（上記②(ロ)㋑））＝9,300千円

(ロ)　長男Ａ ➡ 3,800千円

(ハ)　長女Ｂ ➡ 1,900千円

(ニ)　合計 ➡ (イ)＋(ロ)＋(ハ)＝15,000千円

参考　もし仮に、土地等の譲渡収入の配分を単純に譲渡した土地等の所有権（共有持分）の比によるものとして算定すると次のとおりとなり、両者に相当の格差があることが認識されます。

(イ)　配偶者乙 ➡ 15,000千円（譲渡収入）× $\frac{3}{6}$（共有持分）＝7,500千円

(ロ)　長男Ａ ➡ 15,000千円（譲渡収入）× $\frac{2}{6}$（共有持分）＝5,000千円

(ハ)　長女Ｂ ➡ 15,000千円（譲渡収入）× $\frac{1}{6}$（共有持分）＝2,500千円

### (21)　配偶者居住権等に対する小規模宅地等の課税特例の適用関係（その11：既に配偶者居住権が設定されている場合における第２次相続の開始）（そのＡ：配偶者居住権者である配偶者に相続開始があった場合の取扱い）

**質疑**　被相続人甲に相続開始（以下、この相続を「第２次相続」といいます。）がありました。被相続人甲が第２次相続開始の直前において居住の用に供していた建物は、もともとは同人の亡夫の所有であったものですが、亡夫に係る相続（以下、この相続を「第１次相続」といいます。）の遺産分割協議により、被相続人甲が配偶者居住権を終身にわたって設定し、長男Ａが当該居住建物及びその敷地の用に供されている宅地等（面積200㎡）の所有権を取得するという状況にあったものです。

今回の第２次相続においては、被相続人甲のすべての相続財産は同人の唯一の相続人である長男Ａが取得することになりますが、この第２次相続の開始の直前において被相続人甲が有していたと認められる『配属者居住権の目的となっている建物の敷地の用に供される土地等を当該配偶者居住権に基づき使用する権利の価額（土地等の利用権の価額）』に対する小規模宅地等の課税特例の適用関係は、どのようになりますか。

なお、長男Ａは、被相続人甲が居住していた建物に同人と共に居住しており、今後も当該建物に末長く居住する予定です。

**参考**

（親族図）

被相続人甲の亡夫（第１次相続）

――長男Ａ

被相続人甲（第２次相続）

（居住建物及びその敷地について）

(1)　第１次相続開始前　(2)　第１次相続（遺産分割後）　(3)　第２次相続開始時

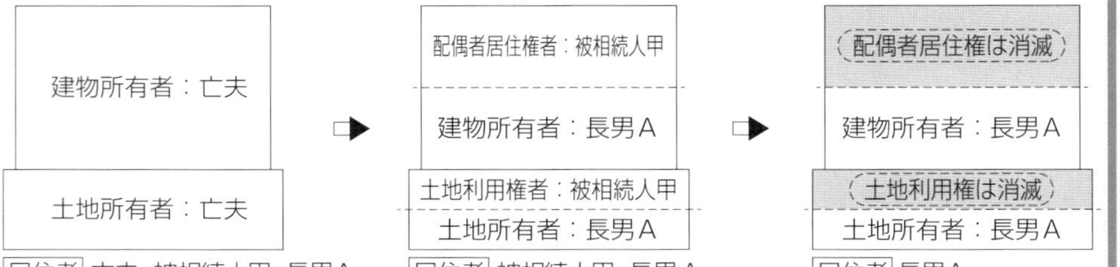


居住者　亡夫、被相続人甲、長男Ａ　／　居住者　被相続人甲、長男Ａ　／　居住者　長男Ａ

**応答**

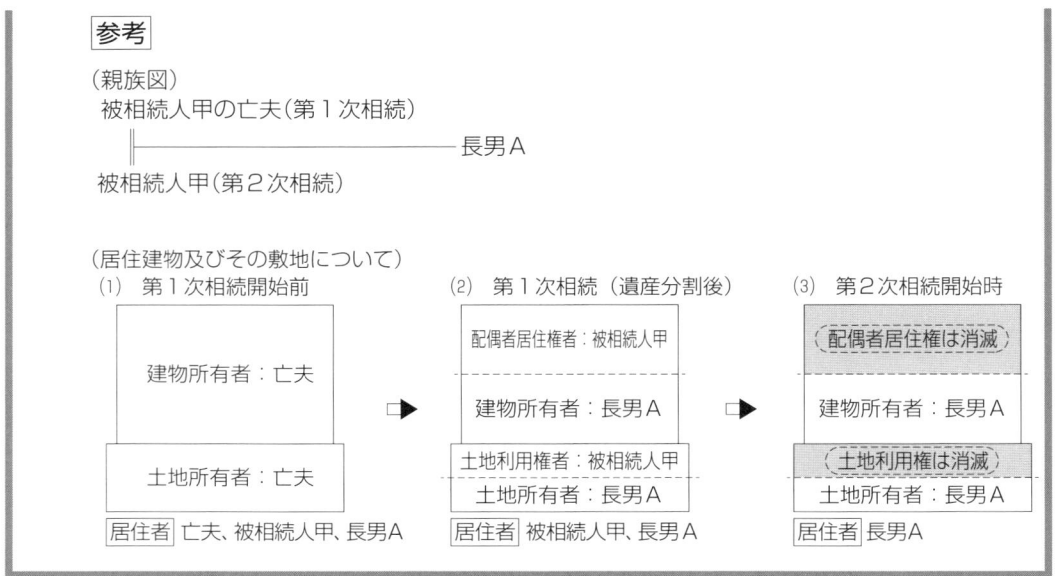

(1)　民法に規定する配偶者居住権の消滅事由

配偶者居住権が設定されると、配偶者居住権者である配偶者は終身にわたる期間（設定期間が定められている場合には、当該設定期間）、当該居住建物に無償で居住することが認められています。

しかしながら、下記に掲げる事項に該当した場合には、民法の各規定に基づいて当該配偶者が有する配偶者居住権は消滅するものとされています。

①　合意による消滅

被相続人から配偶者居住権を取得した配偶者と当該配偶者居住権の目的となっている建物の所有者との間で当該配偶者居住権を消滅させる旨の合意があった場合

②　放棄による消滅

被相続人から配偶者居住権を取得した配偶者による当該配偶者居住権の放棄があった場合

③　配偶者による使用及び収益の用法違反による消滅

被相続人から配偶者居住権を取得した配偶者が民法第1032条《配偶者による使用及び収益》第１項又は第３項の規定に違反した場合において、居住建物の所有者が相当の期間を定めてその是正の催告をし、その期間内に是正がされないときは、居住建物の所有者は、当該配偶者に対する意思表示によって配偶者居住権を消滅させることができると規定されているところ、当該規定に基づく居住建物の所有者による当該意思表示があった場合

④　配偶者居住権の設定期間満了による消滅

被相続人から配偶者居住権を取得した配偶者と当該配偶者居住権の目的となっている建物の所有者との間で当該配偶者居住権の設定期間を定めた場合（遺言書による設定期間の

定めがある場合又は家庭裁判所の審判によって設定期間が定められた場合を含みます。）において、当該設定期間が満了したとき

⑤　配偶者の死亡による消滅

被相続人から配偶者居住権を取得した配偶者が死亡した場合

⑥　居住建物の全部滅失等による消滅

配偶者居住権の目的となっている建物（居住建物）の全部が滅失その他の事由により使用及び収益をすることができなくなった場合

⑵　配偶者居住権の消滅に対する相続税法上の取扱い

民法の各規定に基づいて配偶者居住権が消滅する事由は、上記⑴に掲げるとおりとなります。

配偶者居住権が消滅すると、その消滅の直前まで当該配偶者居住権の目的となっていた建物及び当該建物の敷地の用に供される土地等の所有者は、当該所有する建物及び土地等の価額が上昇（利用権の存在を前提とした制限のある所有権の価額から何らの制限のない所有権の価額に変動します。）することが想定されます。

上記に掲げる価額上昇に相当する利益の相続税法上の取扱いについては、相続税法基本通達９－13の２《配偶者居住権が合意等により消滅した場合》の定め（下記**参考**を参照）が設けられており、次に掲げる配偶者居住権の消滅事由の別に、それぞれに示すとおりとなります。

①　配偶者居住権の消滅事由が下記に掲げるものである場合

㈠　合意による消滅（上記⑴①を参照）

㈡　放棄による消滅（上記⑴②を参照）

㈢　配偶者による使用及び収益の用法違反による消滅（上記⑴③を参照）

当該配偶者居住権の目的となっていた建物の所有者又は当該建物の敷地の用に供される土地等の所有者（以下「建物等所有者」といいます。）が、当該配偶者居住権の消滅の対価を支払わなかったとき、又は著しく低い価額の対価を支払ったときは、原則として、当該建物等所有者が、その消滅直前に、当該配偶者が有していた当該配偶者居住権の価額（建物の利用権の価額）に相当する収益又は当該土地等を当該配偶者居住権に基づき使用する権利の価額（土地等の利用権の価額）に相当する利益に相当する金額（対価の支払があった場合には、その価額を控除した金額）を、当該配偶者から贈与によって取得したものとみなされる（みなし贈与）ことになります。

（注）　課税対象となる利益相当額（建物の利用権の価額+土地等の利用権の価額－対価の支払額）の計算は、消滅した配偶者居住権の当該消滅直前の価額とされていること（換言すれば、被相続人に係る相続開始時の価額ではないこと）に留意する必要があります。

②　配偶者居住権の消滅事由が下記に掲げるものである場合

㈠　配偶者居住権の設定期間満了による消滅（上記⑴④を参照）

㈡　配偶者の死亡による消滅（上記⑴⑤を参照）

(ハ)　居住建物の全部滅失等による消滅（上記(1)⑥を参照）

上記(イ)ないし(ハ)に掲げる事由によって配偶者居住権が消滅した場合には、原則として、上記①に掲げる利益に相当する金額に対するみなし贈与課税の適用はないものとなります。

上記のような取扱い（みなし贈与課税の適用なし）とされるのは、上記(イ)ないし(ハ)に掲げる事由による配偶者居住権の消滅は、上記の①の(イ)ないし(ハ)に掲げるもの（みなし贈与課税の適用あり）とは異なる下記に掲げる特徴があるためであると考えられます。

㋑　配偶者居住権の制度の趣旨に合致した配偶者居住権が本来的に終了すべき事由であること（上記(イ)及び(ロ)の場合）又は物理的に不存在となるものに配偶者居住権が設定されているという不合理に対応するための合理性を有する事由であること（上記(ハ)の場合）

㋺　上記(イ)ないし(ハ)の事由は、配偶者居住権を有する配偶者と建物所有者等の二者間において、作為的に創出させることができる事由には該当しないこと

**参考**　相続税法基本通達9－13の2《配偶者居住権が合意等により消滅した場合》

| |
|---|
| 配偶者居住権が、被相続人から配偶者居住権を取得した配偶者と当該配偶者居住権の目的となっている建物の所有者との間の合意若しくは当該配偶者による配偶者居住権の放棄により消滅した場合又は民法第1032条第4項《建物所有者による消滅の意思表示》の規定により消滅した場合において、当該建物の所有者又は当該建物の敷地の用に供される土地（土地の上に存する権利を含む。）の所有者（以下9－13の2において「建物等所有者」という。）が、対価を支払わなかったとき、又は著しく低い価額の対価を支払ったときは、原則として、当該建物等所有者が、その消滅直前に、当該配偶者が有していた当該配偶者居住権の価額に相当する利益又は当該土地を当該配偶者居住権に基づき使用する権利の価額に相当する利益に相当する金額（対価の支払があった場合には、その価額を控除した金額）を、当該配偶者から贈与によって取得したものとして取り扱うものとする。<br>（注）　民法第1036条《使用貸借及び賃貸借の規定の準用》において準用する同法第597条第1項及び第3項《期間満了及び借主の死亡による使用貸借の終了》並びに第616条の2《賃借物の全部滅失等による賃貸借の終了》の規定により配偶者居住権が消滅した場合には、上記の取り扱いはないことに留意する。 |

(3)　**質疑**の事例の場合

**質疑**の事例は、第1次相続に伴って居住建物（当該居住建物及びその敷地である宅地等の相続承継者は長男A）に配偶者居住権を設定した被相続人甲に第2次相続が発生したというものであり、民法上では、上記(1)（民法に規定する配偶者居住権の消滅事由）の⑤（配偶者の死亡による消滅）に該当します。そうすると、第2次相続の開始に伴って、被相続人甲が有していた配偶者居住権は消滅するものとされます。

また、相続税法上の取扱いでは、上記(2)（配偶者居住権の消滅に対する相続税法上の取扱い）の②(ロ)（配偶者の死亡による消滅）に該当します。そうすると、第2次相続の開始に伴って、被相続人甲が有していた配偶者居住権は相続財産として存在する（又は存在するとみなされる）ことはなく(注)、この点に関して、相続税の課税関係が生じることはないものとさ

れます。

（注）　あわせて、上記⑵の参考に掲げる相続税法基本通達９－13の２《配偶者居住権が合意等により消滅した場合》の（注）書（＿＿部分）を参照してください。

そして、質疑の事例の場合、被相続人甲は当該居住建物の敷地である宅地等の所有権を一切有していない（所有者は長男Ａ）ため、小規模宅地等の課税特例（特定居住用宅地等）の適用を考慮する所有権の価額もないことになります。

したがって、第２次相続の開始に伴って、被相続人甲に関して小規模宅地等の課税特例の適用の可否を検討する必要性は存在しないものとされます。

### ㉒　配偶者居住権等に対する小規模宅地等の課税特例の適用関係（その11：既に配偶者居住権が設定されている場合における第２次相続の開始）（そのＢ：居住建物の敷地の用に供されていた宅地等の所有者に相続開始があった場合の取扱い⑴（被相続人に係る同居親族が居住建物の所有者である場合））

**質疑**　被相続人甲に相続開始（以下、この相続を「第２次相続」といいます。）がありました。被相続人甲が第２次相続開始の直前において居住の用に供していた建物（居住建物）は、もともとは同人の亡父の所有であったものですが、亡父に係る相続（以下、この相続を「第１次相続」といいます。）の遺産分割協議により、母（亡父の配偶者、被相続人甲の母）が配偶者居住権を終身にわたって設定し、被相続人甲が当該居住建物及びその敷地の用に供される宅地等（面積400㎡）の所有権を取得するという状況にあったものです。

今回の第２次相続においては、被相続人甲の相続財産は、同人の相続人である配偶者乙及び長男Ａの両名による遺産分割協議により取得者が確定することになりますが、この第２次相続開始の直前において被相続人甲が有していたと認められる『配偶者居住権の目的となっている建物の敷地の用に供される土地等の価額（土地等の所有権の価額）』に対する小規模宅地等の課税特例の適用関係は、当該財産の取得者の別に応じてどのようになりますか。

なお、回答に当たっては、次に掲げる事項を前提とします。

前提事項

⑴　第２次相続開始時における当該宅地等の自用地価額……80,000千円

⑵　上記⑴の宅地等について、第２次相続開始時を評価時点として、相続税法第23条の２《配偶者居住権等の評価》の規定を適用して各態様別に算定した価額

| | | |
|---|---|---|
| ① | 配偶者居住権の目的となっている建物の敷地の用に供される土地等を当該配偶者居住権に基づき使用する権利の価額（土地（宅地）等の利用権の価額） | ……20,000千円 |
| ② | 配偶者居住権の目的となっている建物の敷地の用に供される土地等の価額（土地（宅地）等の所有権の価額） | ……60,000千円 |

(3)　第２次相続開始の直前において、当該居住建物に居住していた者は、母、被相続人甲及び同人の配偶者である配偶者乙の３人（これらの者はいずれも、生計を一にするものとします。）でした。（なお、長男Ａは、他所で同人の持家に居住していました。）

(4)　被相続人甲及び配偶者乙は、母による配偶者居住権が設定されていた当該居住建物に居住するに当たって、母に対して利用の対価に相当する家賃の支払はありませんでした。

**類題**　第２次相続において、被相続人甲が遺言書を作成しており、当該遺言書には上記に掲げる居住建物及びその敷地の用に供されている宅地等の所有権を母に遺贈する旨の記載がなされており、母も当該遺言書の内容を受諾した場合にはどのようになりますか。なお、その他の条件は、本題と同一であるものとします。

**参考**

（親族図）

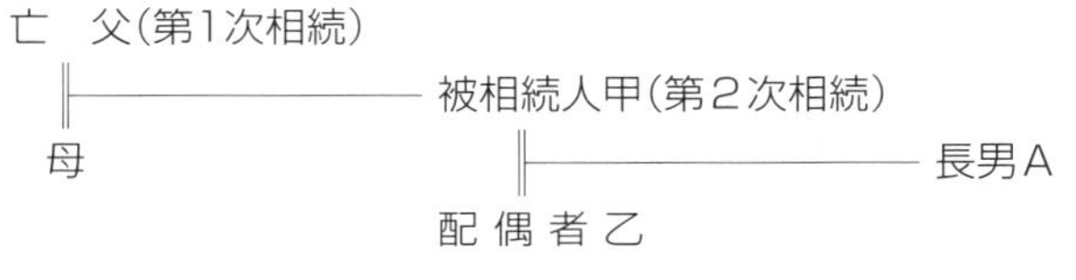


（居住建物及びその敷地について）

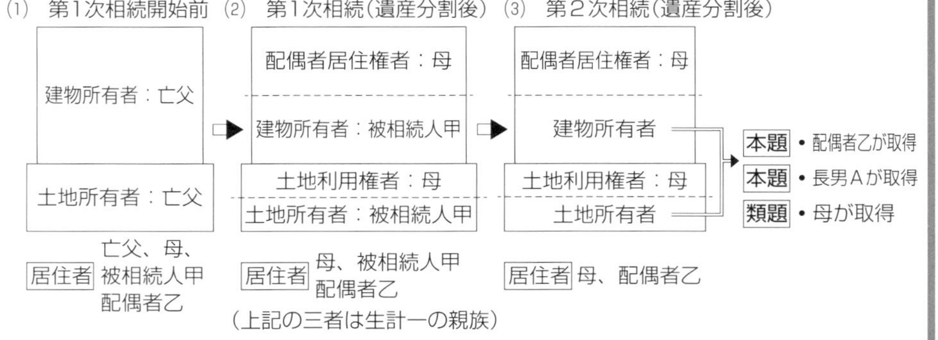


## 応答

(1)　第１次相続により宅地等が配偶者居住権の目的となっている家屋の敷地である場合における第２次相続に係る被相続人等の居住の用に供されていた宅地等の範囲

措置法通達69の４－７の２《宅地等が配偶者居住権の目的となっている家屋の敷地である場合の被相続人等の居住の用に供されていた宅地等の範囲》において、『相続又は遺贈により取得した宅地等が、当該相続の開始の直前において配偶者居住権に基づき使用又は収益されていた家屋の敷地の用に供されていたものである場合には、当該宅地等のうち、次に掲げる宅地等（ 筆者注 同通達では、(1)と(2)の２つの態様が示されています。）が居住用宅地等に該当するものとする。』と定められており、そのうちの(1)は、次のとおりとされています。

(1)の内容　相続の開始の直前において、被相続人等（筆者注1）の居住の用に供されていた家屋（被相続人又は被相続人の親族（筆者注2）が配偶者居住権者である場合のその配偶者居住権の目的となっている家屋をいう。以下(1)において同じ。）で、被相続人が所有していたもの（当該被相続人等が当該家屋を当該配偶者居住権者から借り受けていた場合には、無償で借り受けていたときにおける当該家屋に限る。）又は被相続人の親族が所有していたもの（当該家屋を所有していた被相続人の親族が当該家屋の敷地を被相続人から無償で借り受けており、かつ、当該被相続人等が当該家屋を当該配偶者居住権者から借り受けていた場合には、無償で借り受けていたときにおける当該家屋に限る。）の敷地の用に供されていた宅地等

筆者注1　『被相続人等』とは、被相続人又は当該被相続人と生計を一にしていた当該被相続人の親族をいいます。

筆者注2　『被相続人の親族』については、当該被相続人と生計を一にするか、又は生計を別にするかは問われていません。

(2)　**質疑**の事例の場合

**質疑**の事例の場合、上記(1)に掲げる措置法通達の定めを当てはめると、次に掲げる判断基準から事例の宅地等は『被相続人等の居住の用に供されていた家屋の敷地の用に供されていた宅地等（被相続人等の居住用宅地等）』に該当することになります。

判断基準

① 第2次相続開始の直前において、被相続人甲並びに同人と生計を一にする親族である母及び配偶者乙の居住の用に供されていた家屋であること

② 上記①に掲げる家屋は、被相続人甲の親族である母が配偶者居住権者である場合のその配偶者居住権の目的となっている家屋であること

③ 上記①及び②に掲げる家屋は、被相続人甲が所有していたものであること

④ 被相続人甲及び同人と生計を一にする親族である配偶者乙が、上記①ないし③に掲げる家屋を配偶者居住権者である母から無償で借り受けていること

次に、上記の被相続人等の居住用宅地等を取得した者の別に、当該宅地等に対する小規模宅地等の課税特例（特定居住用宅地等）の適用可否を判断すると、次のとおりになります。

(イ)　配偶者乙が取得した場合

被相続人の配偶者が被相続人等の居住用宅地等を取得すれば、それのみで要件を充足し、他の要件（相続税の申告期限までにおける所有継続要件、居住継続要件等）は問われないものとされています。

したがって、**質疑**の事例の宅地等を配偶者乙が取得した場合には、当該宅地等を小規模宅地等の課税特例（特定居住用宅地等）の適用対象とすることが認められます。

(ロ)　長男Aが取得した場合

被相続人の配偶者以外の親族が被相続人等の居住用宅地等を取得した場合に、当該居住用宅地等が特定居住用宅地等に該当するためには、次に掲げる㋑ないし㋩の区分のうちいずれかを充足する必要があるものとされています。

㋑　被相続人の居住用家屋に居住（同居）していた者である場合

㋺　配偶者及び一定の同居親族が存せず非同居親族が取得した場合（いわゆる『家なき子』である場合）

㋩　被相続人と生計を一にしていた親族の居住の用に供されていた場合

そうすると、**質疑** に掲げる事項から、長男Ａは上記㋑ないし㋩に掲げる区分のいずれにも該当しないものと判断されます。

したがって、**質疑** の事例の宅地等を長男Ａが取得した場合には、当該宅地等を小規模宅地等の課税特例（特定居住用宅地等）の適用対象とすることは認められないことになります。

⑶　**類題** の事例の場合（母が取得した場合）

母が取得した場合には、母は被相続人甲の配偶者以外の親族に該当することから、上記⑵㋺に掲げる㋑ないし㋩の区分のいずれかを充足する必要があるものとされます。

そうすると、**質疑** に掲げる事項から、母は上記⑵㋺に掲げる㋑及び㋩の区分に該当するものと判断されます。

したがって、**質疑** の事例の宅地等を母が取得した場合には、当該宅地等を小規模宅地等の課税特例（特定居住用宅地等）の適用対象とすることが認められます。

⑷　小規模宅地等の課税特例の適用が認められる場合の相続税の課税価格算入額

上記⑴ないし⑶の取扱いに基づいて、**質疑** の宅地等について小規模宅地等の課税特例の適用が認められる場合（当該宅地等の取得者が配偶者乙又は母である場合）に、当該課税特例を適用した後の相続税の課税価格算入額を算定すると、下記のとおりとなります。

①　小規模宅地等の課税特例を適用する前の価額

60,000千円（配偶者居住権の目的となっている建物の敷地の用に供される土地等の価額（土地（宅地）等の所有権の価額））（**質疑** の⑵②より）

②　小規模宅地等の課税特例の適用による減額金額

(イ)　小規模宅地の課税特例の適用面積（土地等の利用権及び所有権に対応する面積の配分）

小規模宅地等の課税特例の規定の適用を受けるものとして、その全部又は一部の選択しようとする特例対象宅地等が配偶者居住権の目的となっている建物の敷地の用に供される宅地等（土地等の所有権）又は当該宅地等を配偶者居住権に基づき使用する権利（土地等の利用権）の全部又は一部である場合には、当該特例対象宅地等の面積（適用面積）は、次に掲げる算式により計算された面積であるものとみなされています。

（算式）

㋑　配偶者居住権に基づき使用する権利（土地等の利用権）に対応するとみなされる面積

$$\left(\begin{array}{l}\text{小規模宅地等の課税特例の適用を}\\\text{受けようとする土地（宅地）等の}\\\text{利用権及び所有権に係る面積}\end{array}\right)\times\frac{\text{土地（宅地）等の利用権の価額}}{\text{土地（宅地）等の利用権の価額}+\text{土地（宅地）等の所有権の価額}}$$

㋺　配偶者居住権の目的となっている建物の敷地である宅地等（土地の所有権）に対応するとみなされる面積

$$\left(\begin{array}{l}\text{小規模宅地等の課税特例の適用を}\\\text{受けようとする土地（宅地）等の}\\\text{利用権及び所有権に係る面積}\end{array}\right)\times\frac{\text{土地（宅地）等の所有権の価額}}{\text{土地（宅地）等の利用権の価額＋土地（宅地）等の所有権の価額}}$$

そうすると、**質疑** の事例の場合、第２次相続に係る被相続人甲の相続財産である宅地等の面積が400㎡であったとしても直ちに当該面積を採用するのではなく、当該宅地等は第１次相続により既に配偶者居住権の目的となっている建物の敷地の用に供される土地等に該当することから、小規模宅地等の課税特例の適用に当たっては上記算式㋺に基づいて算定した面積とみなして取り扱う必要があることになります。

したがって、**質疑** の事例の場合における小規模宅地等の課税特例の適用面積は、次に掲げる計算より、300㎡とされます。

（計算）

$$\underset{\text{（宅地等の面積）}}{400㎡}\times\frac{60{,}000\text{千円（所有権の価額）}}{20{,}000\text{千円（利用権の価額）}+60{,}000\text{千円（所有権の価額）}}=300㎡$$

㈺　減額金額

$$\underset{\text{（上記①）}}{60{,}000\text{千円}}\times\frac{300㎡\text{（注）}}{300㎡\text{（上記㈠（計算））}}\times 80\%=48{,}000\text{千円}$$

（注）小規模宅地等の課税特例の適用に係る限度面積要件の確認

300㎡≦330㎡　∴限度面積要件を充足

③　相続税の課税価格算入額（小規模宅地等の課税特例の適用後）

$$\underset{\text{（上記①）}}{60{,}000\text{千円}}-\underset{\text{（上記②㈺）}}{48{,}000\text{千円}}=\underline{\underline{12{,}000\text{千円}}}$$

**㉓　配偶者居住権等に対する小規模宅地等の課税特例の適用関係（その11：既に配偶者居住権が設定されている場合における第２次相続の開始）（そのＢ：居住建物の敷地の用に供されていた宅地等の所有者に相続開始があった場合の取扱い⑵（被相続人と別居しているが生計を一にする親族が居住建物の所有者である場合））**

**質疑**　被相続人甲に相続開始（以下、この相続を「第２次相続」といいます。）がありました。第２次相続開始の直前において被相続人甲の母（亡父の配偶者）が居住の用に供していた建物は、もともとは亡父の所有であったものですが、亡父に係る相続（以下、この相続を「第１次相続」といいます。）の遺産分割協議により、母が配偶者居住権を終身にわたって設定し、被相続人甲が当該居住建物及びその敷地の用に供される宅地等（面積400㎡）の所有権を取得するという状況にあったものです。

今回の第２次相続においては、被相続人甲の相続財産は、同人の相続人である配偶者乙及び長男Ａの両名による遺産分割協議により取得者が確定することになりますが、この第２次相続開始の直前において被相続人甲が有していたと認められる『配偶者居住権の目的となっている建物の敷地の用に供される土地等の価額（土地等の所有権の価額）』に対する小規模宅地等の課税特例の適用関係は、当該財産の取得者の別に応じてどのようになりますか。

なお、回答に当たっては、次に掲げる事項を前提とします。

前提事項

(1)　第２次相続開始時における当該宅地等の自用地価額……80,000千円

(2)　上記(1)の宅地等について、第２次相続開始時を評価時点として、相続税法第23条の２《配偶者居住権等の評価》の規定を適用して各態様別に算定した価額

| | | |
|---|---|---|
| ① | 配偶者居住権の目的となっている建物の敷地の用に供される土地等を当該配偶者居住権に基づき使用する権利の価額（土地（宅地）等の利用権の価額） | ……20,000千円 |
| ② | 配偶者居住権の目的となっている建物の敷地の用に供される土地等の価額（土地（宅地）等の所有権の価額） | ……60,000千円 |

(3)　第２次相続開始の直前において、当該居住建物に居住していた者は、母のみでした。

(4)　被相続人甲、配偶者乙及び長男Ａの３名は、当該居住建物以外の建物（被相続人甲所有）に旧来から居住していました。

(5)　第２次相続開始の直前において、被相続人甲と母は生計を一にする（母の生計費の大部分を被相続人甲が負担）ものと認められます。

**類題**　第２次相続において、被相続人甲が遺言書を作成しており、当該遺言書には上記に掲げる居住建物及びその敷地の用に供されている宅地等の所有権を母に遺贈する旨の記載がなされており、母も当該遺言書の内容を受諾した場合にはどのようになりますか。なお、その他の条件は、本題と同一であるものとします。

**参考**

（親族図）

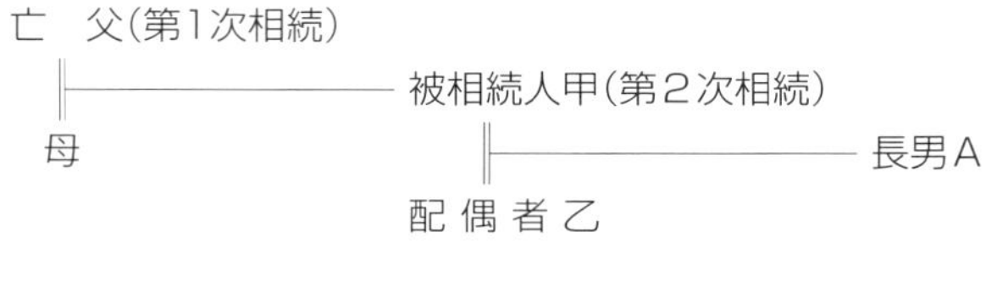


（居住建物及びその敷地について）

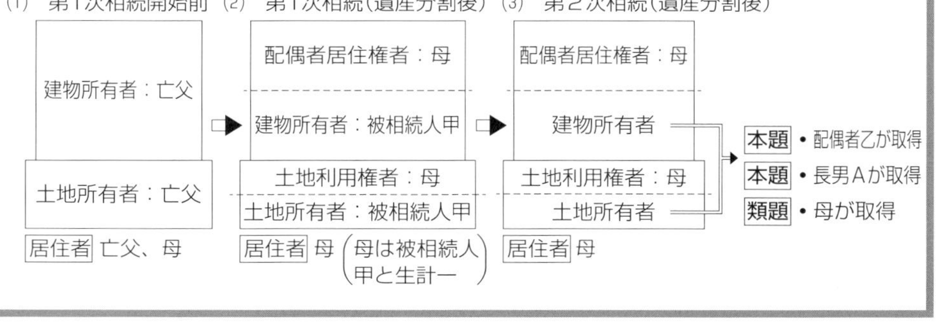

**応答**

本問㉓は、前問㉒（母による配偶者居住権が認定された居住建物に被相続人甲が同居していた場合）とは異なり、母による配偶者居住権が認定された居住建物に被相続人甲は同居していないものの、母は被相続人甲と生計を一にする親族に該当するという事例です。

⑴　第１次相続により宅地等が配偶者居住権の目的となっている家屋の敷地である場合における第２次相続に係る被相続人等の居住の用に供されていた宅地等の範囲

措置法通達69の４－７の２《宅地等が配偶者居住権の目的となっている家屋の敷地である場合の被相続人等の居住の用に供されていた宅地等の範囲》において、『相続又は遺贈により取得した宅地等が、当該相続の開始の直前において配偶者居住権に基づき使用又は収益されていた家屋の敷地の用に供されていたものである場合には、当該宅地等のうち、次に掲げる宅地等（筆者注 同通達では、⑴と⑵の２つの態様が示されています。）が居住用宅地等に該当するものとする。』と定められており、そのうちの⑴は、次のとおりとされています。

⑴の内容　相続の開始の直前において、被相続人等（筆者注１）の居住の用に供されていた家屋（被相続人又は被相続人の親族（筆者注２）が配偶者居住権者である場合のその配偶者居住権の目的となっている家屋をいう。以下⑴において同じ。）で、被相続人が所有していたもの（当該被相続人等が当該家屋を当該配偶者居住権者から借り受けていた場合には、無償で借り受けていたときにおける当該家屋に限る。）又は被相続人の親族が所有していたもの（当該家屋を所有していた被相続人の親族が当該家屋の敷地を被相続人から無償で借り受けており、かつ、当該被相続人等が当該家屋を当該配偶者居住権者から借り受けていた場合には、無償で借り受けていたときにおける当該家屋に限る。）の敷地の用に供されていた宅地等

筆者注１　『被相続人等』とは、被相続人又は当該被相続人と生計を一にしていた当該被相続人の親族をいいます。

筆者注２　『被相続人の親族』については、当該被相続人と生計を一にするか、又は生計を別にするかは問われていません。

⑵　**質疑**の事例の場合

**質疑**の事例の場合、上記⑴に掲げる措置法通達の定めを当てはめると、次に掲げる判断基準から事例の宅地等は『被相続人等の居住の用に供されていた家屋の敷地の用に供されていた宅地等（被相続人等の居住用宅地等）』に該当することになります。

判断基準

①　第２次相続開始の直前において、被相続人甲と生計を一にする親族である母の居住の用に供されていた家屋であること

②　上記①に掲げる家屋は、被相続人甲の親族である母が配偶者居住権者である場合のその配偶者居住権の目的となっている家屋であること

③　上記①及び②に掲げる家屋は、被相続人甲が所有していたものであること

次に、上記の被相続人等の居住用宅地等を取得した者の別に、当該宅地等に対する小規模宅地等の課税特例（特定居住用宅地等）の適用可否を判断すると、次のとおりになります。

(イ)　配偶者乙が取得した場合

被相続人の配偶者が被相続人等（**質疑**の事例の場合は、被相続人甲と生計を一にする親族である母）の居住用宅地等を取得すれば、それのみで要件を充足し、他の要件（相続税の申告期限までにおける所有継続要件、居住継続要件等）は問われないものとされています。

したがって、**質疑**の事例の宅地等を配偶者乙が取得した場合には、当該宅地等を小規模宅地等の課税特例（特定居住用宅地等）の適用対象とすることが認められます。

(ロ)　長男Ａが取得した場合

被相続人の配偶者以外の親族が被相続人等の居住用宅地等を取得した場合に、当該居住用宅地等が特定居住用宅地等に該当するためには、次に掲げる㋑ないし㋩の区分のうちいずれかを充足する必要があるものとされています。

㋑　被相続人の居住用家屋に居住（同居）していた者である場合

㋺　配偶者及び一定の同居親族が存せず非同居親族が取得した場合（いわゆる『家なき子』である場合）

㋩　被相続人と生計を一にしていた親族の居住の用に供されていた場合

そうすると、**質疑**に掲げる事項から、長男Ａは上記㋑ないし㋩に掲げる区分のいずれにも該当しないものと判断されます。

したがって、**質疑**の事例の宅地等を長男Ａが取得した場合には、当該宅地等を小規模宅地等の課税特例（特定居住用宅地等）の適用対象とすることは認められないことになります。

(3)　**類題**の事例の場合（母が取得した場合）

母が取得した場合には、母は被相続人甲の配偶者以外の親族に該当することから、上記(2)(ロ)に掲げる㋑ないし㋩の区分のいずれかを充足する必要があるものとされます。

そうすると、**質疑**に掲げる事項から、母は上記(2)(ロ)に掲げる㋩の区分に該当するものと判断されます。

したがって、**質疑**の事例の宅地等を母が取得した場合には、当該宅地等を小規模宅地等の課税特例（特定居住用宅地等）の適用対象とすることが認められます。

(4)　小規模宅地等の課税特例の適用が認められる場合の相続税の課税価格算入額

上記(1)ないし(3)の取扱いに基づいて、**質疑**の宅地等について小規模宅地等の課税特例の適用が認められる場合（当該宅地等の取得者が配偶者乙又は母である場合）に、当該課税特例を適用した後の相続税の課税価格算入額を算定すると、12,000千円となります。なお、計算過程については、前問㉒の**応答**の(4)と同様となります。

### ㉔　配偶者居住権等に対する小規模宅地等の課税特例の適用関係（その11：既に配偶者居住権が設定されている場合における第２次相続の開始）（そのＢ：居住建物の敷地の用に供されていた宅地等の所有者に相続開始があった場合の取扱い⑶（被相続人と別居し、かつ、生計を別にする親族が居住建物の所有者である場合））

**質疑**　被相続人甲に相続開始（以下、この相続を「第２次相続」といいます。）がありました。第２次相続開始の直前において被相続人甲の母（亡父の配偶者）が居住の用に供していた建物は、もともとは亡父の所有であったものですが、亡父に係る相続（以下、この相続を「第１次相続」といいます。）の遺産分割協議により、母が配偶者居住権を終身にわたって設定し、被相続人甲が当該居住建物及びその敷地の用に供される宅地等（面積400㎡）の所有権を取得するという状況にあったものです。

今回の第２次相続においては、被相続人甲の相続財産は、同人の相続人である配偶者乙及び長男Ａの両名による遺産分割協議による取得者が確定することになりますが、この第２次相続開始の直前において被相続人甲が有していたと認められる『配偶者居住権の目的となっている建物の敷地の用に供される土地等の価額（土地等の所有権の価額）』に対する小規模宅地等の課税特例の適用関係は、当該財産の取得者の別に応じてどのようになりますか。

なお、回答に当たっては、次に掲げる事項を前提とします。

前提事項

⑴　第２次相続開始時における当該宅地等の自用地価額……80,000千円

⑵　上記⑴の宅地等について、第２次相続開始時を評価時点として、相続税法第23条の２《配偶者居住権等の評価》の規定を適用して各態様別に算定した価額

| | | |
|---|---|---|
| ① | 配偶者居住権の目的となっている建物の敷地の用に供される土地等を当該配偶者居住権に基づき使用する権利の価額（土地（宅地）等の利用権の価額） | ……20,000千円 |
| ② | 配偶者居住権の目的となっている建物の敷地の用に供される土地等の価額（土地（宅地）等の所有権の価額） | ……60,000千円 |

⑶　第２次相続開始の直前において、当該居住建物に居住していた者は、母のみでした。

⑷　被相続人甲、配偶者乙及び長男Ａの３名は、当該居住建物以外の建物（被相続人甲所有）に旧来から居住していました。

⑸　第２次相続開始の直前において、被相続人甲と母は生計を別にする（各人の生計費は、それぞれ各人ごとに調達可能）ものと認められます。

類題　第２次相続において、被相続人甲が遺言書を作成しており、当該遺言書には上記に掲げる居住建物及びその敷地の用に供されている宅地等の所有権を母に遺贈する旨の記載がなされており、母も当該遺言書の内容を受諾した場合にはどのようになりますか。なお、その他の条件は、同一であるものとします。

参考

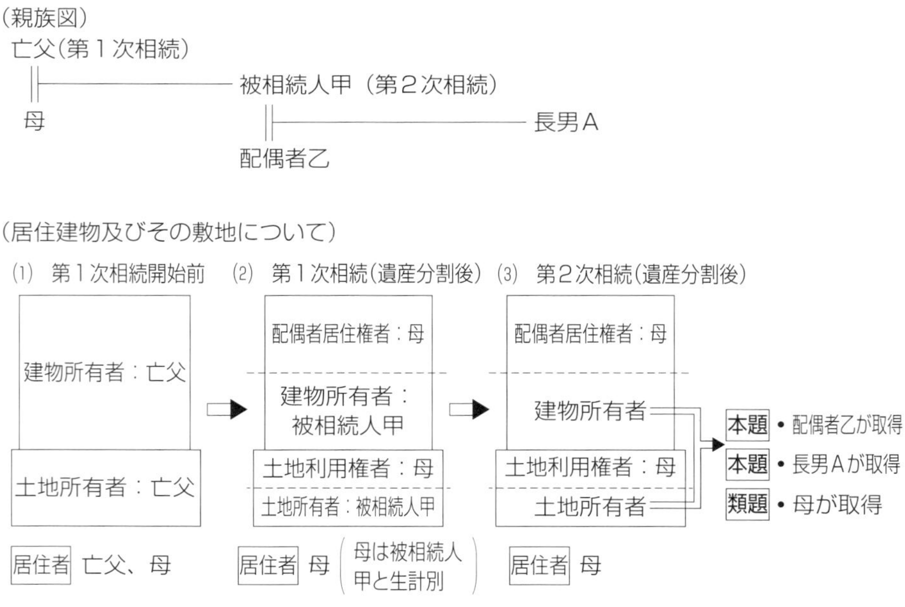


## 応答

本問㉔は、前々問㉒（母による配偶者居住権が設定された居住建物に被相続人甲が同居していた場合）及び前問㉓（母による配偶者居住権が設定された居住建物に被相続人甲は同居していないものの、母は被相続人甲と生計を一にする親族に該当する場合）とは異なり、母による配偶者居住権が設定された居住建物に被相続人甲は同居せず、かつ、母は被相続人甲と生計を別にする親族に該当するという事例です。

⑴　第１次相続により宅地等が配偶者居住権の目的となっている家屋の敷地である場合における第２次相続に係る被相続人等の居住の用に供されていた宅地等の範囲

措置法通達69の４－７の２《宅地等が配偶者居住権の目的となっている家屋の敷地である場合の被相続人等の居住の用に供されていた宅地等の範囲》において、『相続又は遺贈により取得した宅地等が、当該相続の開始の直前において配偶者居住権に基づき使用又は収益されていた家屋の敷地の用に供されていたものである場合には、当該宅地等のうち、次に掲げる宅地等（筆者注 同通達では、⑴と⑵の２つの態様が示されています。）が居住用宅地等に該当するものとする。』と定められており、そのうちの⑴は、次のとおりとされています。

⑴の内容　相続の開始の直前において、被相続人等（筆者注１）の居住の用に供されていた家屋（被相続人又は被相続人の親族（筆者注２）が配偶者居住権者である場合のその配偶者居住権の目的となっている家屋をいう。以下⑴において同じ。）で、被相続人が所有していたもの（当該被相続人等が当該家屋を当該配偶者居住権者から借り受けていた場合には、無償で借り受けていたときにおける当該家屋に限

る。）又は被相続人の親族が所有していたもの（当該家屋を所有していた被相続人の親族が当該家屋の敷地を被相続人から無償で借り受けており、かつ、当該被相続人等が当該家屋を当該配偶者居住権者から借り受けていた場合には、無償で借り受けていたときにおける当該家屋に限る。）の敷地の用に供されていた宅地等

筆者注１　『被相続人等』とは、被相続人又は当該被相続人と生計を一にしていた当該被相続人の親族をいいます。

筆者注２　『被相続人の親族』については、当該被相続人と生計を一にするか、又は生計を別にするかは問われていません。

(2)　質疑 の事例の場合

質疑 の事例の場合、上記(1)に掲げる措置法通達の定めを当てはめると、次に掲げる 判断基準 から事例の宅地等は『被相続人等の居住の用に供されていた家屋の敷地の用に供されていた宅地等（被相続人等の居住用宅地等）』には該当しないことになります。

判断基準

①　第２次相続開始の直前において、被相続人甲の居住の用に供されていた家屋ではないこと

②　第２次相続開始の直前において、母は被相続人甲と生計を別にしており、被相続人甲と生計を一にする親族である者の居住の用に供されていた家屋ではないこと

したがって、上記の宅地等の取得者の別に応ずる適用要件を検討するまでもなく、当該宅地等に対する小規模宅地等の課税特例（特定居住用宅地等）の適用は認められないものとされます。

(3)　類題 の事例の場合（母が取得した場合）

母が取得した場合であっても、上記(2)の 判断基準 に掲げるとおりであり、事例の宅地等は『被相続人等の居住の用に供されていた家屋の敷地の用に供されていた宅地等（被相続人等の居住用宅地等）』に該当しないこととなり、当該宅地等に対する小規模宅地等の課税特例（特定居住用宅地等）の適用は認められないものとされます。

（注）類題 の事例の場合、母が配偶者居住権を設定して居住している居住建物の敷地である宅地等を取得したものであることから、一見すると小規模宅地等の課税特例（特定居住用宅地等）の適用が可能と考えられるかもしれませんが、『被相続人と生計を別にする親族（被相続人と非同居であることを前提）の居住の用に供される宅地等』を適用対象とすることは認められませんので留意する必要があります。

(4)　当該宅地等の相続税の課税価格算入額

60,000千円（配偶者居住権の目的となっている建物の敷地の用に供される土地等の価額（土地（宅地）等の所有権の価額））（ 質疑 の(2)②より）

## ㉕　配偶者居住権等に対する小規模宅地等の課税特例の適用関係（その11：既に配偶者居住権が設定されている場合における第２次相続の開始）（そのＢ：居住建物の敷地の用に供されていた宅地等の所有者に相続開始があった場合の取扱い⑷（第１次相続において居住建物の取得者とその敷地である宅地等の取得者が異なる者となる事例①））

**質疑**　被相続人甲に相続開始（以下、この相続を「第２次相続」といいます。）がありました。被相続人甲が第２次相続開始の直前において居住の用に供していた建物は、もともとは同人の亡夫の所有であったものですが、亡夫に係る相続（以下、この相続を「第１次相続」といいます。）の遺産分割協議により、被相続人甲が配偶者居住権を終身にわたって設定し、長男Ａが当該建物の所有権を取得するという状況にあったものです。また、当該建物の敷地の用に供されていた宅地等の所有権は、被相続人甲が取得していました。

今回の第２次相続においては、被相続人甲の相続財産は、同人の相続人である長男Ａ及び長女Ｂの両名による遺産分割協議により取得者が確定することになりますが、この第２次相続開始の直前において被相続人甲が有していた宅地等に対する小規模宅地等の課税特例の適用関係は、当該資産の取得者の別に応じてどのようになりますか。

なお、回答に当たっては、次に掲げる事項を前提とします。

**前提事項**

⑴　第２次相続開始の直前において、当該居住建物に居住していた者は、被相続人甲及び長男Ａの２名であり、長女Ｂは同人の夫の所有する家屋に居住していました。

⑵　長男Ａは、当該居住建物の敷地の用に供する宅地等の利用の対価としての地代を被相続人甲に支払ったことはありません。（土地は使用貸借契約）

⑶　長男Ａは、被相続人甲による配偶者居住権の設定された当該居住建物に居住するに当たって、被相続人甲に対して利用の対価を支払ったことはありません。

**参考**

（親族図）

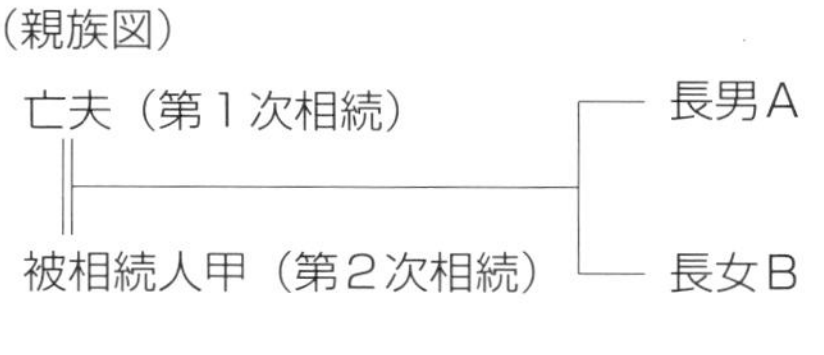

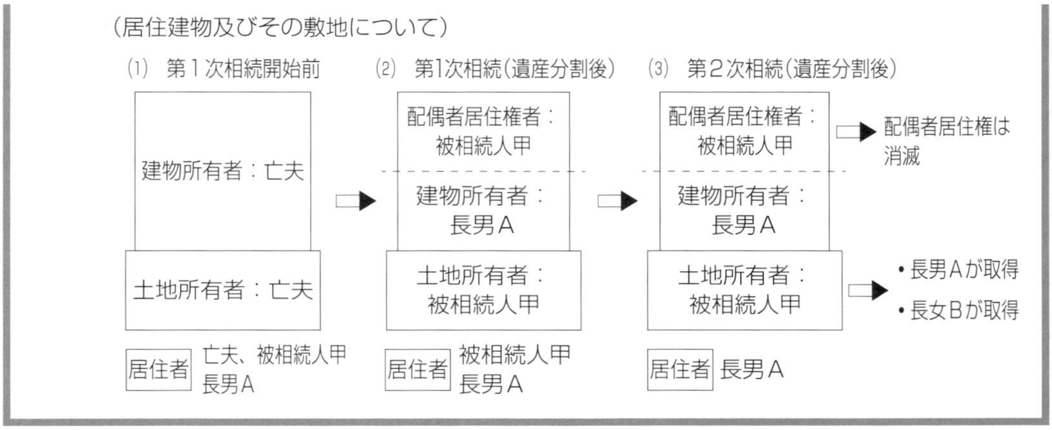


## 応答

(1)　第１次相続により宅地等が配偶者居住権の目的となっている家屋の敷地である場合における第２次相続に係る被相続人等の居住の用に供されていた宅地等の範囲

措置法通達69の４－７の２《宅地等が配偶者居住権の目的となっている家屋の敷地である場合の被相続人等の居住の用に供されていた宅地等の範囲》において、『相続又は遺贈により取得した宅地等が、当該相続の開始の直前において配偶者居住権に基づき使用又は収益されていた家屋の敷地の用に供されていたものである場合には、当該宅地等のうち、次に掲げる宅地等（筆者注 同通達では、(1)と(2)の２つの態様が示されています。）が居住用宅地等に該当するものとする。』と定められており、そのうちの(1)は、次のとおりとされています。

(1)の内容　相続の開始の直前において、被相続人等（筆者注１）の居住の用に供されていた家屋（被相続人又は被相続人の親族（筆者注２）が配偶者居住権者である場合のその配偶者居住権の目的となっている家屋をいう。以下(1)において同じ。）で、被相続人が所有していたもの（当該被相続人等が当該家屋を当該配偶者居住権者から借り受けていた場合には、無償で借り受けていたときにおける当該家屋に限る。）又は被相続人の親族が所有していたもの（当該家屋を所有していた被相続人の親族が当該家屋の敷地を被相続人から無償で借り受けており、かつ、当該被相続人等が当該家屋を当該配偶者居住権者から借り受けていた場合には、無償で借り受けていたときにおける当該家屋に限る。）の敷地の用に供されていた宅地等

筆者注１　『被相続人等』とは、被相続人又は当該被相続人と生計を一にしていた当該被相続人の親族をいいます。

筆者注２　『被相続人の親族』については、当該被相続人と生計を一にするか、又は生計を別にするかは問われていません。

(2)　質疑 の事例の場合

質疑 の事例の場合、上記(1)に掲げる措置法通達の定めを当てはめると、次に掲げる 判断基準 から事例の宅地等は『被相続人等の居住の用に供されていた家屋の敷地の用に供

されていた宅地等（被相続人等の居住用宅地等）』に該当することになります。

判断基準

① 第２次相続開始の直前において、被相続人甲の居住の用に供されていた家屋であること

② 上記①に掲げる家屋は、被相続人甲が配偶者居住権者である場合のその配偶者居住権の目的となっている家屋であること

③ 上記①及び②に掲げる家屋は、被相続人の親族である長男Ａが所有していたものであること

④ 上記③に掲げる長男Ａは、当該家屋の敷地を被相続人甲から無償で借り受けていること

次に、上記の被相続人等の居住用宅地等を取得した者の別に、当該宅地等に対する小規模宅地等の課税特例（特定居住用宅地等）の適用可否を判断すると、次のとおりになります。

(イ) 長男Ａが取得した場合

被相続人の配偶者以外の親族が被相続人等（ **質疑** の事例の場合は、被相続人甲）の居住用宅地等を取得した場合に、当該居住用宅地等が特定居住用宅地等に該当するためには、次に掲げる㋑ないし㋩の区分のうちいずれかを充足する必要があるものとされています。

㋑ 被相続人の居住用家屋に居住（同居）していた者である場合

㋺ 配偶者及び一定の同居親族が存せず非同居親族が取得した場合（いわゆる『家なき子』である場合）

㋩ 被相続人と生計を一にしていた親族の居住の用に供されていた場合

そうすると、 **質疑** に掲げる事項から、長男Ａが上記㋑の区分に該当するものと判断されます。

したがって、 **質疑** の事例の宅地等を長男Ａは取得した場合には、当該宅地等を小規模宅地等の課税特例（特定居住用宅地等）の適用対象とすることが認められます。

(ロ) 長女Ｂが取得した場合

長女Ｂが取得した場合には、長女Ｂは被相続人甲の配偶者以外の親族に該当することから、上記(イ)に掲げる㋑ないし㋩の区分のいずれかを充足する必要があるものとされます。

そうすると、 **質疑** に掲げる事項から、長女Ｂは上記(イ)に掲げる㋑ないし㋩に掲げる区分のいずれにも該当しないものと判断されます。

したがって、 **質疑** の事例の宅地を長女Ｂが取得した場合には、当該宅地等を小規模宅地等の課税特例（特定居住用宅地等）の適用対象とすることは認められないことになります。

## ㉖ 配偶者居住権等に対する小規模宅地等の課税特例の適用関係（その11：既に配偶者居住権が設定されている場合における第２次相続の開始）（そのＢ：居住建物の敷地の用に供されていた宅地等の所有者に相続開始があった場合の取扱い⑷（第１次相続において居住建物の取得者とその敷地である宅地等の取得者が異なる者となる事例②））

**質疑**　被相続人甲に相続開始（以下、この相続を「第２次相続」といいます。）がありました。被相続人甲が第２次相続開始の直前において居住の用に供していた建物は、もともとは同人の亡夫の所有であったものですが、亡夫に係る相続（以下、この相続を「第１次相続」といいます。）の遺産分割協議により、被相続人甲が配偶者居住権を終身にわたって設定し、長女Ｂが当該建物の所有権を取得するという状況にあったものです。また、当該建物の敷地の用に供されていた宅地等の所有権は、被相続人甲が取得していました。

今回の第２次相続においては、被相続人甲の相続財産は、同人の相続人である長男Ａ及び長女Ｂの両名による遺産分割協議により取得者が確定することになりますが、この第２次相続開始直前において被相続人甲が有していた宅地等に対する小規模宅地等の課税特例の適用関係は、当該資産の取得者の別に応じてどのようになりますか。

なお、回答に当たっては、次に掲げる事項を前提とします。

前提事項

⑴　第２次相続開始の直前において、当該居住建物に居住していた者は、被相続人甲及び長男Ａの２名でした。

⑵　長女Ｂは、同人の夫の所有する家屋に居住しており、被相続人甲及び長男Ａとは生計を一にはしていませんでした。

⑶　長女Ｂは、当該居住建物の敷地の用に供する宅地等の利用の対価としての地代を被相続人甲に支払ったことはありません。（土地は使用貸借契約）

⑷　長男Ａは、被相続人甲による配偶者居住権の設定された当該居住建物に居住するに当たって、被相続人甲に対して利用の対価を支払ったことはありません。

参考

（親族図）

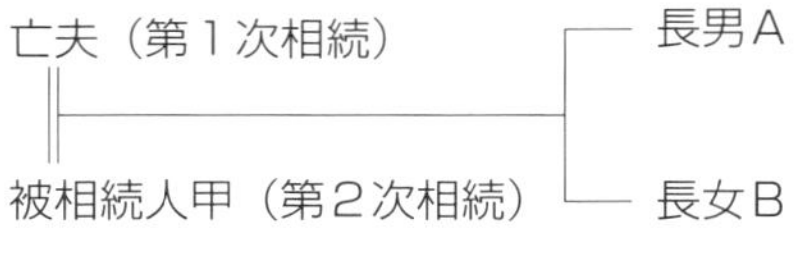

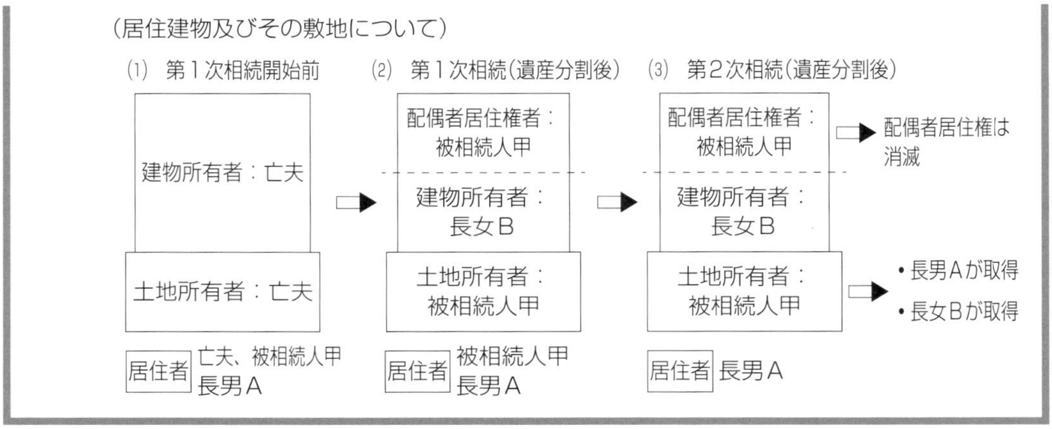


## 応答

⑴　第１次相続により宅地等が配偶者居住権の目的となっている家屋の敷地である場合における第２次相続に係る被相続人等の居住の用に供されていた宅地等の範囲

措置法通達69の４－７の２《宅地等が配偶者居住権の目的となっている家屋の敷地である場合の被相続人等の居住の用に供されていた宅地等の範囲》において、『相続又は遺贈により取得した宅地等が、当該相続の開始の直前において配偶者居住権に基づき使用又は収益されていた家屋の敷地の用に供されていたものである場合には、当該宅地等のうち、次に掲げる宅地等（筆者注 同通達では、⑴と⑵の２つの態様が示されています。）が居住用宅地等に該当するものとする。』と定められており、そのうちの⑴は、次のとおりとされています。

⑴の内容　相続の開始の直前において、被相続人等（筆者注１）の居住の用に供されていた家屋（被相続人又は被相続人の親族（筆者注２）が配偶者居住権者である場合のその配偶者居住権の目的となっている家屋をいう。以下⑴において同じ。）で、被相続人が所有していたもの（当該被相続人等が当該家屋を当該配偶者居住権者から借り受けていた場合には、無償で借り受けていたときにおける当該家屋に限る。）又は被相続人の親族が所有していたもの（当該家屋を所有していた被相続人の親族が当該家屋の敷地を被相続人から無償で借り受けており、かつ、当該被相続人等が当該家屋を当該配偶者居住権者から借り受けていた場合には、無償で借り受けていたときにおける当該家屋に限る。）の敷地の用に供されていた宅地等

筆者注１　『被相続人等』とは、被相続人又は当該被相続人と生計を一にしていた当該被相続人の親族をいいます。

筆者注２　『被相続人の親族』については、当該被相続人と生計を一にするか、又は生計を別にするかは問われていません。

⑵　質疑 の事例の場合

質疑 の事例の場合、上記⑴に掲げる措置法通達の定めを当てはめると、次に掲げる 判断基準 から事例の宅地等は『被相続人等の居住の用に供されていた家屋の敷地の用に供

されていた宅地等（被相続人等の居住用宅地等）』に該当することになります。

判断基準

① 第２次相続開始の直前において、被相続人甲の居住の用に供されていた家屋であること

② 上記①に掲げる家屋は、被相続人甲が配偶者居住権者である場合のその配偶者居住権の目的となっている家屋であること

③ 上記①及び②に掲げる家屋は、被相続人の親族である長女Ｂが所有していたものであること

④ 上記③に掲げる長女Ｂは、当該家屋の敷地を被相続人甲から無償で借り受けていること

次に、上記の被相続人等の居住用宅地等を取得した者の別に、当該宅地等に対する小規模宅地等の課税特例（特定居住用宅地等）の適用可否を判断すると、次のとおりになります。

⑴ 長男Ａが取得した場合

被相続人の配偶者以外の親族が被相続人等（ 質疑 の事例の場合は、被相続人甲）の居住用宅地等を取得した場合に、当該居住用宅地等が特定居住用宅地等に該当するためには、次に掲げる㋑ないし㋩の区分のうちいずれかを充足する必要があるものとされています。

㋑ 被相続人の居住用家屋に居住（同居）していた者である場合

㋺ 配偶者及び一定の同居親族が存せず非同居親族が取得した場合（いわゆる『家なき子』である場合）

㋩ 被相続人と生計を一にしていた親族の居住の用に供されていた場合

そうすると、 質疑 に掲げる事項から、長男Ａは上記㋑の区分に該当するものと判断されます。

したがって、 質疑 の事例の宅地等を長男Ａが取得した場合には、当該宅地等を小規模宅地等の課税特例（特定居住用宅地等）の適用対象とすることが認められます。

⑵ 長女Ｂが取得した場合

長女Ｂが取得した場合には、長女Ｂは被相続人甲の配偶者以外の親族に該当することから、上記⑴に掲げる㋑ないし㋩の区分のいずれかを充足する必要があるものとされます。

そうすると、 質疑 に掲げる事項から、長女Ｂは上記⑴に掲げる㋑ないし㋩に掲げる区分のいずれにも該当しないものと判断されます。

したがって、 質疑 の事例の宅地を長女Ｂが取得した場合には、当該宅地等を小規模宅地等の課税特例（特定居住用宅地等）の適用対象とすることは認められないことになります。

### ㉗ 配偶者居住権等に対する小規模宅地等の課税特例の適用関係（その11：既に配偶者居住権が設定されている場合における第２次相続の開始）（そのＢ：居住建物の敷地の用に供されていた宅地等の所有者に相続開始があった場合の取扱い⑷（第１次相続において居住建物の取得者とその敷地である宅地等の取得者が異なる者となる事例③））

**質疑**　被相続人甲に相続開始（以下、この相続を「第２次相続」といいます。）がありました。被相続人甲の相続財産である宅地等は、もともとは同人の亡父の所有であったものですが、亡父に係る相続（以下、この相続を「第１次相続」といいます。）の遺産分割協議により、被相続人甲が取得したものです。また、当該宅地等の上に存する建物（居住建物）についても第１次相続の対象とされ、母（亡父の配偶者、被相続人甲の母）が配偶者居住権を終身にわたって設定し、所有権については被相続人甲の兄Ｘが取得しています。

今回の第２次相続においては、被相続人甲の相続財産は、同人の相続人である配偶者乙及び長男Ａの両名による遺産分割協議により取得者が確定することになりますが、この第２次相続開始の直前において被相続人甲が有していたと認められる『配偶者居住権の目的となっている建物の敷地の用に供される土地等の価額（土地等の所有権の価額）』に対する小規模宅地等の課税特例の適用関係は、当該財産の取得者の別に応じてどのようになりますか。

なお、回答に当たっては、次に掲げる事項を前提とします。

前提事項

⑴　第２次相続開始の直前において、当該居住建物に居住していた者は、母、被相続人甲及び配偶者乙の３名（これらの者はいずれも、生計を一にするものとします。）でした。

⑵　長男Ａ及び兄Ｘは、それぞれ各自が所有する家屋に居住しており、他者と生計を一にしていたという事実は認められていません。

⑶　兄Ｘは、当該居住建物の敷地の用に供する宅地等の利用の対価として地代を被相続人甲に支払ったことはありません。（土地は使用貸借契約）

⑷　被相続人甲及び配偶者乙は、母による配偶者居住権の設定された当該居住建物に居住するに当たって、母に対して利用の対価を支払ったことはありません。

**類題**　第２次相続において、被相続人甲が遺言書を作成しており、当該遺言書には上記に掲げる居住建物及びその敷地の用に供されている宅地等の所有権を母に遺贈する旨の記載がなされており、母も当該遺言書の内容を受諾した場合にはどのようになりますか。なお、その他の条件は、本題と同一であるものとします。

参考

（親族図）

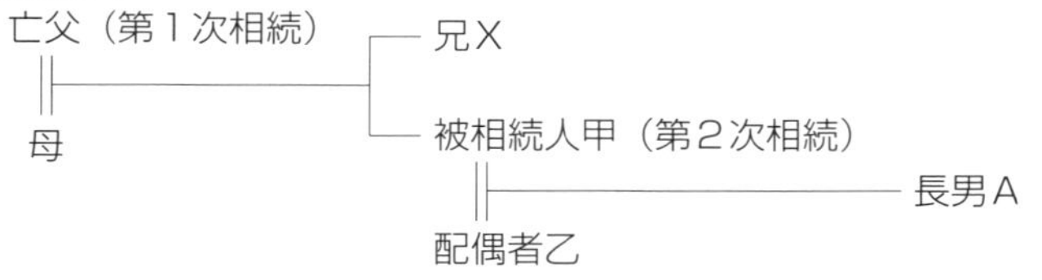


（居住建物及びその敷地について）

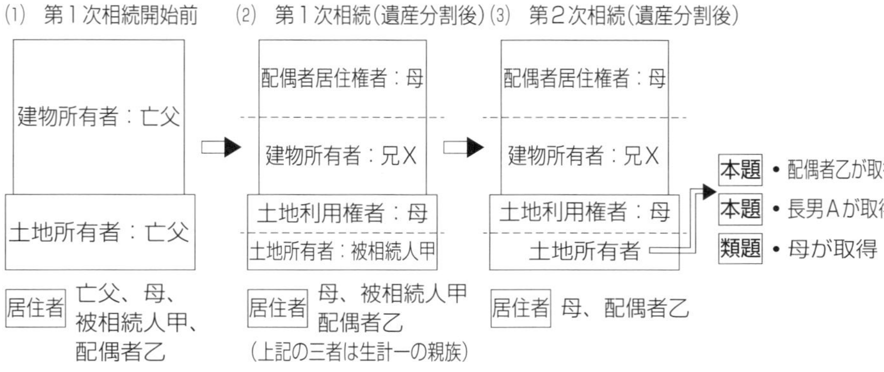


## 応答

(1)　第１次相続により宅地等が配偶者居住権の目的となっている家屋の敷地である場合における第２次相続に係る被相続人等の居住の用に供されていた宅地等の範囲

措置法通達69の４－７の２《宅地等が配偶者居住権の目的となっている家屋の敷地である場合の被相続人等の居住の用に供されていた宅地等の範囲》において、『相続又は遺贈により取得した宅地等が、当該相続の開始の直前において配偶者居住権に基づき使用又は収益されていた家屋の敷地の用に供されていたものである場合には、当該宅地等のうち、次に掲げる宅地等（筆者注 同通達では、(1)と(2)の２つの態様が示されています。）が居住用宅地等に該当するものとする。』と定められており、そのうちの(1)は、次のとおりとされています。

(1)の内容　相続の開始の直前において、被相続人等（筆者注１）の居住の用に供されていた家屋（被相続人又は被相続人の親族（筆者注２）が配偶者居住権者である場合のその配偶者居住権の目的となっている家屋をいう。以下(1)において同じ。）で、被相続人が所有していたもの（当該被相続人等が当該家屋を当該配偶者居住権者から借り受けていた場合には、無償で借り受けていたときにおける当該家屋に限る。）又は被相続人の親族が所有していたもの（当該家屋を所有していた被相続人の親族が当該家屋の敷地を被相続人から無償で借り受けており、かつ、当該被相続人等が当該家屋を当該配偶者居住権者から借り受けていた場合には、無償で借り受けていたときにおける当該家屋に限る。）の敷地の用に供されていた宅地等

筆者注１　『被相続人等』とは、被相続人又は当該被相続人と生計を一にしていた当該被相続人の親族をいいます。

筆者注２　『被相続人の親族』については、当該被相続人と生計を一にするか、又は生計を別にするかは問われていません。

(2)　質疑　の事例の場合

質疑　の事例の場合、上記(1)に掲げる措置法通達の定めを当てはめると、次に掲げる 判断基準 から事例の宅地等は『被相続人等の居住の用に供されていた家屋の敷地の用に供されていた宅地等（被相続人等の居住用宅地等）』に該当することになります。

判断基準
① 第２次相続開始の直前において、被相続人甲の居住の用に供されていた家屋であること
② 上記①に掲げる家屋は、被相続人甲の親族である母が配偶者居住権者である場合のその配偶者居住権の目的となっている家屋であること
③ 上記①及び②に掲げる家屋は、被相続人甲の親族である兄Ｘが所有していたものであること
④ 上記③に掲げる兄Ｘは、当該家屋の敷地を被相続人甲から無償で借り受けていること
⑤ 被相続人甲が当該家屋を配偶者居住権者である母から無償で借り受けていること

次に、被相続人等の居住用宅地等を取得した者の別に、当該宅地等に対する小規模宅地等の課税特例（特定居住用宅地等）の適用可否を判断すると、次のとおりとなります。

(イ)　配偶者乙が取得した場合

被相続人の配偶者が被相続人等の居住用宅地等を取得すれば、それのみで要件を充足し、他の要件（相続税の申告期限までにおける所有継続要件、居住継続要件等）は問われないものとされています。

したがって、質疑　の事例の宅地等を配偶者乙が取得した場合には、当該宅地等を小規模宅地等の課税特例（特定居住用宅地等）の適用対象とすることが認められます。

(ロ)　長男Ａが取得した場合

被相続人の配偶者以外の親族が被相続人等の居住用宅地等を取得した場合に、当該居住用宅地等が特定居住用宅地等に該当するためには、次に掲げる㋑ないし㋩の区分のうちいずれかを充足する必要があるものとされています。

㋑　被相続人の居住用家屋に居住（同居）していた者である場合

㋺　配偶者及び一定の同居親族が存せず非同居親族が取得した場合（いわゆる『家なき子』である場合）

㋩　被相続人と生計を一にしていた親族の居住の用に供されていた場合

そうすると、質疑　に掲げる事項から、長男Ａは上記㋑ないし㋩に掲げる区分のいずれにも該当しないものと判断されます。

したがって、質疑　の事例の宅地等を長男Ａが取得した場合には、当該宅地等を小規

模宅地等の課税特例（特定居住用宅地等）の適用対象とすることは認められないことになります。

⑶　類題の事例の場合（母が取得した場合）

母が取得した場合には、母が被相続人甲の配偶者以外の親族に該当することから、上記⑵㈺に掲げる㋑ないし㋩の区分のいずれかを充足する必要があるものとされます。

そうすると、質疑に掲げる事項から、母は上記⑵㈺に掲げる㋑及び㋩の区分に該当するものと判断されます。

したがって、質疑の事例の宅地等を母が取得した場合には、当該宅地等を小規模宅地等の課税特例（特定居住用宅地等）の適用対象とすることが認められます。

### ㉘　配偶者居住権等に対する小規模宅地等の課税特例の適用関係（その11：既に配偶者居住権が設定されている場合における第２次相続の開始）（そのＢ：居住建物の敷地の用に供されていた宅地等の所有者に相続開始があった場合の取扱い⑷（第１次相続において居住建物の取得者とその敷地である宅地等の取得者が異なる者となる事例④））

質疑　被相続人甲に相続開始（以下、この相続を「第２次相続」といいます。）がありました。被相続人甲の相続財産である宅地等は、もともとは同人の亡父の所有であったものですが、亡父に係る相続（以下、この相続を「第１次相続」といいます。）の遺産分割協議により、被相続人甲が取得したものです。

また、当該宅地等の上に存する建物（居住建物）についても第１次相続の対象とされ、母（亡父の配偶者、被相続人甲の母）が配偶者居住権を終身にわたって設定し、所有権については被相続人甲の兄Ｘが取得しています。

今回の第２次相続においては、被相続人甲の相続財産は、同人の相続人である配偶者乙及び長男Ａの両名による遺産分割協議により取得者が確定することになりますが、この第２次相続開始の直前において被相続人甲が有していたと認められる『配偶者居住権の目的となっている建物の敷地の用に供される土地等の価額（土地等の所有権の価額）』に対する小規模宅地等の課税特例の適用関係は、当該財産の取得者の別に応じてどのようになりますか。

なお、回答に当たっては、次に掲げる事項を前提とします。

前提事項

⑴　第２次相続開始の直前において、当該居住建物に居住していた者は、母及び兄Ｘの２名でした。

⑵　被相続人甲及び配偶者乙の両名は、生計を一にする親族に該当しますが、その他の者は、それぞれ独立して生計を維持しているものと認められます。

⑶　兄Ｘは、当該居住建物の敷地の用に供する宅地等の利用の対価として地代を被相続人甲に支払ったことはありません。（土地は使用貸借契約）

**類題**　第2次相続において、被相続人甲が遺言書を作成しており、当該遺言書には上記に掲げる居住建物の敷地の用に供されている宅地等の所有権を母に遺贈する旨の記載がなされており、母も当該遺言書の内容を受諾した場合にはどのようになりますか。なお、その他の条件は、本題と同一であるものとします。

**参考**

（親族図）

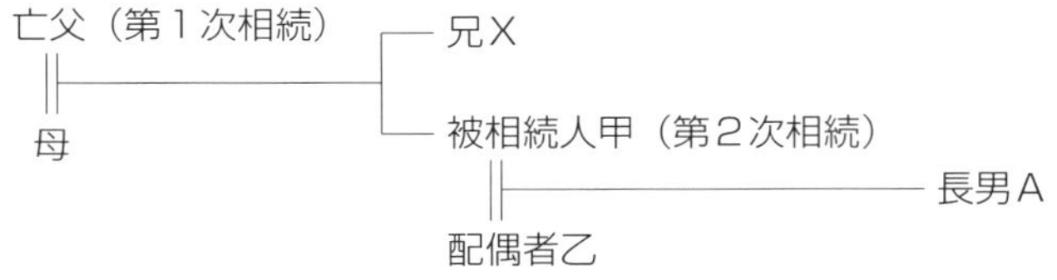


（居住建物及びその敷地について）

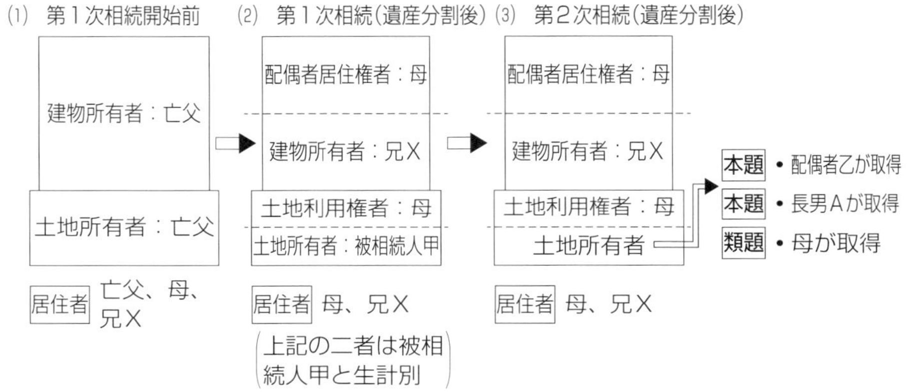


## 応答

⑴　第１次相続により宅地等が配偶者居住権の目的となっている家屋の敷地である場合における第２次相続に係る被相続人等の居住の用に供されていた宅地等の範囲

措置法通達69の４－７の２《宅地等が配偶者居住権の目的となっている家屋の敷地である場合の被相続人等の居住の用に供されていた宅地等の範囲》において、『相続又は遺贈により取得した宅地等が、当該相続の開始の直前において配偶者居住権に基づき使用又は収益されていた家屋の敷地の用に供されていたものである場合には、当該宅地等のうち、次に掲げる宅地等（筆者注 同通達では、⑴と⑵の２つの態様が示されています。）が居住用宅地等に該当するものとする。』と定められており、そのうちの⑴は、次のとおりとされています。

⑴の内容　相続の開始の直前において、被相続人等（筆者注１）の居住の用に供されていた家屋（被相続人又は被相続人の親族（筆者注２）が配偶者居住権者である場合のその配偶者居住権の目的となっている家屋をいう。以下⑴において同じ。）で、被相続人が所有していたもの（当該被相続人等が当該家屋を当該配偶者居住権者

から借り受けていた場合には、無償で借り受けていたときにおける当該家屋に限る。）又は被相続人の親族が所有していたもの（当該家屋を所有していた被相続人の親族が当該家屋の敷地を被相続人から無償で借り受けており、かつ、当該被相続人等が当該家屋を当該配偶者居住権者から借り受けていた場合には、無償で借り受けていたときにおける当該家屋に限る。）の敷地の用に供されていた宅地等

筆者注１　『被相続人等』とは、被相続人又は当該被相続人と生計を一にしていた当該被相続人の親族をいいます。

筆者注２　『被相続人の親族』については、当該被相続人と生計を一にするか、又は生計を別にするかは問われていません。

(2)　質疑 の事例の場合

質疑 の事例の場合、上記(1)に掲げる措置法通達の定めを当てはめると、次に掲げる 判断基準 から事例の宅地等は『被相続人等の居住の用に供されていた家屋の敷地の用に供されていた宅地等（被相続人等の居住用宅地等）』に該当しないことになります。

判断基準　第２次相続開始の直前において、質疑 に掲げる居住建物に居住していた者は母及び兄Xであり、両名はいずれも、下記①及び②に該当する者ではないことから、当該居住建物は、『相続開始の直前において、被相続人等の居住の用に供されていた家屋』に該当しないこと

①　第２次相続に係る被相続人（第２次相続に係る被相続人は、被相続人甲です。）

②　第２次相続に係る被相続人と生計を一にする親族（第２次相続に係る被相続人である被相続人甲と生計を一にする親族は、配偶者乙のみです。）

そうすると、質疑 の事例の宅地等については、その取得者が配偶者乙である場合、又は長男Aである場合のいずれの区分にかかわらず、当該宅地等を小規模宅地等の課税特例（特定居住用宅地等）の適用対象とすることは適用要件を充足していないことから認められないことになります。

(3)　類題 の事例の場合（母が取得した場合）

母が取得した場合であっても、上記(2)の 判断基準 に掲げるとおり、母は第２次相続に係る被相続人ではなく（これに該当するのは、被相続人甲）、また、当該第２次相続に係る被相続人と生計を一にする親族でもない（これに該当するのは、配偶者乙のみです。）ことから、当該居住建物は、『相続開始の直前において、被相続人等の居住の用に供されていた家屋』に該当しないことになります。

そうすると、類題 の事例の宅地等については、これを小規模宅地等の課税特例（特定居住用宅地等）の適用対象とすることは適用要件を充足していないことから認められないことになります。

なお、上記の判断に当たっては、母が当該居住建物に居住しているという事実はしんしゃく事項にならないことに留意する必要があります。

### ㉙　配偶者居住権等に対する小規模宅地等の課税特例の適用関係（その11：既に配偶者居住権が設定されている場合における第２次相続の開始）（そのＣ：被相続人が老人ホーム等に入居又は入所していた場合の留守宅の敷地の用に供されていた宅地等の所有者に相続開始があった場合の取扱い⑴（被相続人が配偶者居住権者である事例①））

**質疑**　被相続人甲に相続開始（以下、この相続を「第２次相続」といいます。）がありました。被相続人甲が第２次相続開始の直前において居住の用に供していた建物は、もともとは同人の亡夫の所有であったものですが、亡夫に係る相続（以下、この相続を「第１次相続」といいます。）の遺産分割協議により、被相続人甲が配偶者居住権を終身にわたって設定し、長男Ａが当該建物の所有権を取得するという状況にあったものです。

また、当該建物の敷地の用に供されていた宅地等の所有権は、被相続人甲が取得していました。

そして、上記に掲げる配偶者居住権を設定した被相続人甲は、しばらくは当該建物を自己の居住の用に供していましたが、その後、単身では生活が困難な状態で介護保険法第19条第１項に規定する要介護認定（要介護度４と認定されています。）を受けたことから老人福祉法第29条第１項に規定する有料老人ホームに入居することとなり、第２次相続開始時には、被相続人甲は当該建物には居住しておらず、当該建物は未利用の状況にありました。

今回の第２次相続においては、被相続人甲の相続財産は、同人の相続人である長男Ａ及び長女Ｂの両名による遺産分割協議により取得者が確定することになりますが、この第２次相続開始の直前において被相続人甲が有していた宅地等に対する小規模宅地等の課税特例の適用関係は、当該資産の取得者の別に応じてどのようになりますか。

なお、回答に当たっては、次に掲げる事項を前提とします。

前提事項

⑴　長男Ａは、当該居住建物の敷地の用に供する宅地等の利用の対価としての地代を被相続人甲に支払ったことはありません。（土地は使用貸借契約）

⑵　第２次相続開始前３年以内に、長男Ａが居住の用に供していた家屋は市営の賃貸住宅でした。

⑶　第２次相続開始前３年以内に、長女Ｂが居住の用に供していた家屋は同人の夫所有の住宅でした。

**参考**

（親族図）

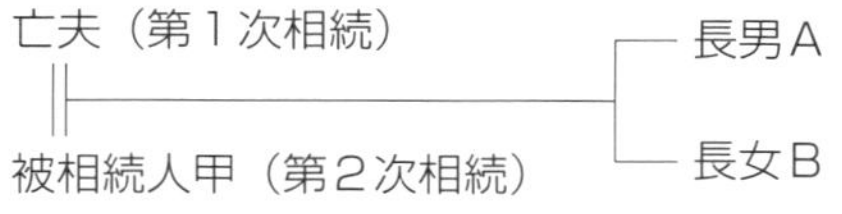


（居住建物及びその敷地について）

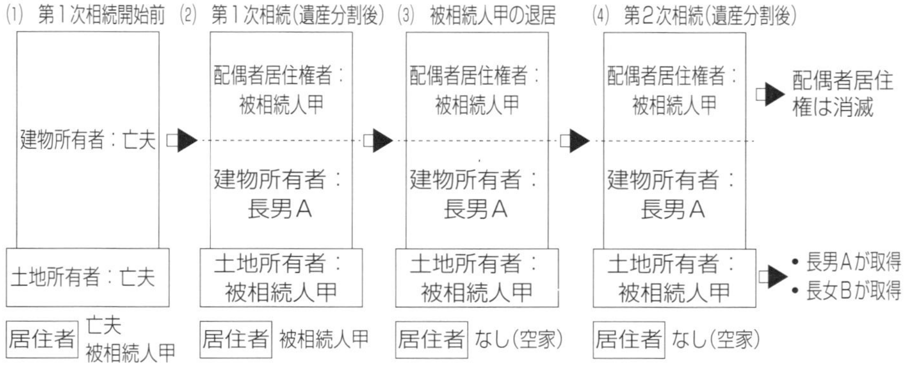


**類題１**　上記の **質疑** において、被相続人甲が有料老人ホームに入居後、新たに当該建物に被相続人甲の妹Ｘ（妹Ｘは、被相続人甲と生計を一にする親族に該当します。）が次に掲げる条件で入居した場合の取扱いはどのようになりますか。

① 妹Ｘが使用収益を行うに当たって、配偶者居住権である被相続人甲は、建物所有者である長男Ａの承諾を得ています。

② 妹Ｘは、被相続人甲による配偶者居住権の設定された当該居住建物に居住するに当たって、被相続人甲に対して利用の対価を支払ったことはありません。

なお、上記 **類題１** の場合には、被相続人甲が所有する宅地等は、長男Ａが取得するものとし、その他の条件は、本題と同一であるものとします。

**類題２**　上記 **類題１** において、新たに当該建物に入居した被相続人の妹Ｘが被相続人甲と生計を別にする親族に該当した場合にはどのようになりますか。なお、その他の条件は、**類題１** と同一であるものとします。

## 応答

(1) 第１次相続により宅地等が配偶者居住権の目的となっている家屋の敷地である場合における第２次相続に係る被相続人等の居住の用に供されていた宅地等の範囲

措置法通達69の４－７の２《宅地等が配偶者居住権の目的となっている家屋の敷地である場合の被相続人等の居住の用に供されていた宅地等の範囲》において、『相続又は遺贈により取得した宅地等が、当該相続の開始の直前において配偶者居住権に基づき使用又は収益されていた家屋の敷地の用に供されていたものである場合には、当該宅地等のうち、次に掲げる宅地等（筆者注 同通達では、⑴と⑵の２つの態様が示されています。）が居住用宅地等に該当するものとする。』と定められており、そのうちの⑵は、次のとおりとされています。

⑵の内容　措置法令第40条の２第２項に定める事由（筆者注１）により被相続人（筆者注２）の居住の用に供されなくなる直前まで、被相続人（筆者注２）の居住の用に供されていた家屋（被相続人又は被相続人の親族（筆者注３）が配偶者居住権者である場合のその配偶者居住権の目的となっている家屋をいう。以下⑵において同じ。）で、被相続人が所有していたもの（当該被相続人が当該家屋を当該配偶者居住権者から借り受けていた場合には、無償で借り受けていたときにおける当該家屋に限る。）又は被相続人の親族が所有していたもの（当該家屋を所有していた被相続人の親族が当該家屋の敷地を被相続人から無償で借り受けており、かつ、当該被相続人が当該家屋を当該配偶者居住権者から借り受けていた場合には、無償で借り受けていたときにおける当該家屋に限る。）の敷地の用に供されていた宅地等（被相続人の居住の用に供されなくなった後、措置法第69条の４第１項に規定する事業の用又は新たに被相続人等（筆者注４）以外の者の居住の用に供された宅地等を除く。）

筆者注１　措置法令第40条の２第２項に定める事由とは、『被相続人の居住の用に供することができない事由』をいいます。当該事由は、次の①又は②に掲げる被相続人の態様の別に応じて、それぞれに掲げるとおりに限定列挙されています。

⑴　被相続人の居住の用に供することができない事由（限定列挙）

㋐　被相続人が要介護認定等を受けていた場合

次の(A)に掲げる被相続人が、(B)に掲げる住居又は施設に入居又は入所していたこと

(A)　被相続人の要件

Ⓐ　介護保険法第19条第１項に規定する要介護認定を受けていた被相続人

Ⓑ　介護保険法第19条第２項に規定する要支援認定を受けていた被相続人

Ⓒ　相続開始の直前において、介護保険法施行規則第140条の62の４第２号に該当していた被相続人

（注）介護保険法施行規則第140条の62の４第２号に該当する者とは、厚生労働大臣が定める基準に該当する第１号被保険者（２回以上にわたり当該基準の該当の有無を判断した場合においては、直近の当該基準の該当の有無の判断の際に当該基準に該当した第１号被保険者）（要介護認定を受けた第１号被保険者においては、当該要介護認定による介護給付に係る居宅サービス、地域密着型サービス及び施設サービス並びにこれらに相当するサービスを受けた日から当該要介護認定の有効期間の満了の日までの期間を除きます。）をいう（通称：チェックリスト該当者）ものとされています。

(B)　入居住居又は入所施設の要件

Ⓐ　老人福祉法第５条の２第６項に規定する認知症対応型老人共同生活援助事業が行われる住居

Ⓑ　老人福祉法第20条の４に規定する養護老人ホーム

Ⓒ　老人福祉法第20条の５に規定する特別養護老人ホーム

Ⓓ　老人福祉法第20条の６に規定する軽費老人ホーム

Ⓔ　老人福祉法第29条第１項に規定する有料老人ホーム

Ⓕ　介護保険法第８条第28項に規定する介護老人保健施設

Ⓖ　介護保険法第８条第29項に規定する介護医療院（注）

Ⓗ　高齢者の居住の安定確保に関する法律第５条第１項に規定するサービス付き高齢者向け住宅（上記Ⓔに規定する有料老人ホームを除きます。）

（注）介護医療院とは、要介護者であって、主として長期にわたり療養が必要である者に対し、施設サービス計画に基づいて、療養上の管理、看護、医学的管理の下における介護及び機能訓練その他必要な医療並びに日常生活上の世話を行うことを目的とする施設をいいます。

㋺　被相続人が障害支援区分の認定を受けていた場合

次の(A)に掲げる被相続人が、(B)に掲げる施設又は住居に入所又は入居していたこと

(A)　被相続人の要件

障害者の日常生活及び社会生活を総合的に支援するための法律第21条第１項に規定する障害支援区分の認定を受けていた被相続人

(B)　入所施設又は入居住居の要件

Ⓐ　障害者の日常生活及び社会生活を総合的に支援するための法律第５条第11項に規定する障害者支援施設（同条第10項に規定する施設入所支援が行われるものに限られます。）

Ⓑ　障害者の日常生活及び社会生活を総合的に支援するための法律第５条第17項に規定する共同生活援助を行う住居

（注）要介護認定等の判定時期

措置法通達69の４－７の３《要介護認定等の判定時期》の定めでは、被相続人が、上記(イ)㋑(A)に規定する要介護認定若しくは要支援認定又は上記(イ)㋺(A)に規定する障害支援区分の認定を受けていたかどうかは、当該被相続人が、当該被相続人の相続の開始の直前において当該認定を受けていたかにより判定するものとされています。

(ロ)　適用除外（被相続人の居住の用とは認められなくなる）用途転用〔限定列挙〕

㋑　事業（事業と称するに至らない不動産の貸付けその他これに類する行為で相当の対価を得て継続的に行うもの（準事業）を含みます。）の用

㋺　被相続人等（被相続人と上記(イ)㋑又は㋺の入居又は入所の直前において生計を一にし、かつ、居住の用に供することができない事由として上記(イ)㋑又は㋺に掲げる事由により相続開始の直前において当該被相続人の居住の用に供されていなかった建物に引き続き居住している当該被相続人の親族を含みます。）以外の者の居住の用

筆者注２　『被相続人』とされており、『被相続人等』とはされていないことに留意する必要があります。

筆者注３　『被相続人の親族』については、当該被相続人と生計を一にするか、又は生計を別にするかは問われていません。

筆者注４　『被相続人等』とは、被相続人又は当該被相続人と生計を一にしていた当該被相続人の親族をいいます。

(2)　**質疑** の事例の場合

**質疑** の事例の場合、上記(1)に掲げる措置法通達の定めを当てはめると、次に掲げる 判断基準 から事例の宅地等は『被相続人等の居住の用に供されていた家屋の敷地の用に供されていた宅地等（被相続人等の居住用宅地等）』に該当することになります。

判断基準

①　被相続人甲は、介護保険法第19条第１項に規定する要介護認定を受けて、老人福祉法第29条第１項に規定する有料老人ホームに入居したものであることから、措置法令第40条の２第２項に定める事由に該当すること

②　上記①の事由により、被相続人甲の居住の用に供されなくなる直前まで、被

相続人甲の居住の用に供されていた家屋であること

③　上記②に掲げる家屋は、被相続人甲が配偶者居住権者である場合のその配偶者居住権の目的となっている家屋であること

④　上記②及び③に掲げる家屋は、被相続人甲の親族である長男Ａが所有していたものであること

⑤　上記④に掲げる長男Ａは、当該家屋の敷地を被相続人甲から無償で借り受けていること

⑥　被相続人甲に係る有料老人ホームへの入居に伴って、被相続人甲の居住の用に供されなくなった後に、小規模宅地等の課税特例に規定する事業の用又は新たに被相続人等以外の者の居住の用に供された宅地等に該当しないこと

（注）**質疑**の事例の場合には、当該宅地等は未利用とされています。

次に、上記の被相続人等の居住用宅地等を取得した者の別に、当該宅地等に対する小規模宅地等の課税特例（特定居住用宅地等）の適用可否を判断すると、次のとおりとなります。

(イ)　長男Ａが取得した場合

被相続人の配偶者以外の親族が被相続人等（**質疑**の事例の場合は、被相続人甲）の居住用宅地等を取得した場合に、当該居住用宅地等が特定居住用宅地等に該当するためには、次に掲げる㋑ないし㋩の区分のうちいずれかを充足する必要があるものとされています。

㋑　被相続人の居住用家屋に居住（同居）していた者である場合

㋺　配偶者及び一定の同居親族が存せず非同居親族が取得した場合（いわゆる『家なき子』である場合）

㋩　被相続人と生計を一にしていた親族の居住の用に供されていた場合

そうすると、**質疑**に掲げる事項から、長男Ａは上記㋺の区分に該当するものと判断されます。

したがって、**質疑**の事例の宅地等を長男Ａが取得した場合には、当該宅地等を小規模宅地等の課税特例（特定居住用宅地等）の適用対象とすることが認められます。

(ロ)　長女Ｂが取得した場合

長女Ｂが取得した場合には、長女Ｂは被相続人甲の配偶者以外の親族に該当することから、上記(イ)に掲げる㋑ないし㋩の区分のいずれかを充足する必要があるものとされます。

そうすると、**質疑**に掲げる事項から、長女Ｂは上記(イ)に掲げる㋑ないし㋩に掲げる区分のいずれにも該当しないものと判断されます。

したがって、**質疑**の事例の宅地等を長女Ｂが取得した場合には、当該宅地等を小規模宅地等の課税特例（特定居住用宅地等）の適用対象とすることは認められないことになります。

(3)　**類題１**の事例の場合

①　被相続人の居住供用停止後の利用状況

措置法通達69の４－７の２《宅地等が配偶者居住権の目的となっている家屋の敷地である場合の被相続人等の居住の用に供されていた宅地等の範囲》の⑵において、「措置法令第40条の２第２項に定める事由により被相続人の居住の用に供されなくなる直前まで、被相続人の居住の用に供されていた家屋（被相続人又は被相続人の親族が配偶者居住権者である場合のその配偶者居住権の目的となっている家屋をいう。以下⑵において同じ。）で、被相続人が所有していたもの（当該被相続人が当該家屋を当該配偶者居住権者から借り受けていた場合には、無償で借り受けていたときにおける当該家屋に限る。）又は被相続人の親族が所有していたもの（当該家屋を所有していた被相続人の親族が当該家屋の敷地を被相続人から無償で借り受けており、かつ、当該被相続人が当該家屋を配偶者居住権者から借り受けていた場合には、無償で借り受けていたときにおける当該家屋に限る。）の敷地の用に供されていた宅地等（被相続人の居住の用に供されなくなった後、措置法第69条の４第１項に規定する事業の用又は新たに被相続人等以外の者の居住の用に供された宅地等を除く。）」が被相続人の居住用宅地等に該当するものと定められています。

この定めの中で宅地等に係る（　）書の取扱い（上記＿＿＿部分）の対象に係る判断事例を示して、被相続人の居住用宅地等に該当するか否かを示すと、次のとおりになります。

| 被相続人の居住用宅地等に該当しない場合<br>（特定居住用宅地等の可能性無） | 被相続人の居住用宅地等に該当する場合<br>（特定居住用宅地等の可能性有） |
|---|---|
| 被相続人の居住の用に供されなくなった後、当該居住の用に供されていた宅地等が、次に掲げる用に供された場合<br>(イ)　事業の用<br>(ロ)　準事業の用（事業と称するに至らない不動産の貸付けその他これに類する行為で相当の対価を得て継続的に行うものをいいます。）<br>(ハ)　被相続人と生計を一にしていなかった親族の居住の用<br>(ニ)　被相続人の親族に該当しない者の居住の用 | 被相続人の居住の用に供されなくなった後、当該居住の用に供されていた宅地等が、次に掲げる用に供された（又は状況にある）場合<br>(イ)　被相続人と生計を一にしていた親族の居住の用<br>(ロ)　未利用<br>（注）　上記の措置法通達69の４－７の２の⑵の＿＿部分において『新たに』という用語の記載があることから、例えば、被相続人の居住の用に供されなくなる以前から同居の親族が継続して居住している場合には、たとえ、被相続人の居住の用に供されなくなった後に当該親族が被相続人と生計を一にしていないときであっても、これ（『新たに』という用語）には該当せず、当該通達の適用対象とされることに留意する必要があります。 |

②　判断（特定居住用宅地等の該当性）

**類題１** の事例は、被相続人甲が要介護認定を受け有料老人ホームに入居後、被相続人の居住の用に供されていた建物に被相続人甲の妹Ｘが新たに入居したというものですが、妹Ｘについては次に掲げる事項が認められることから、被相続人甲が所有する宅地等は上記①に掲げる表の右欄(イ)に該当することになります。

(イ)　被相続人甲と妹Ｘは、被相続人甲が有料老人ホームに入居後も、生計を一にする親族であること

(ロ)　妹Ｘは、被相続人甲による配偶者居住権の設定された当該居住建物に居住するに当たって、被相続人甲に対して利用の対価を支払っていないこと。

そうすると、被相続人甲が所有する宅地等は、『被相続人の居住用宅地等』に該当することになります。

また、上記の宅地等を取得した長男Ａは、上記(2)(イ)㋺に掲げるいわゆる『家なき子』に該当するものと認められることから、当該居住用宅地等は特定居住用宅地等に該当することになります。

したがって、類題１の事例の宅地等を長男Ａが取得した場合には、当該宅地等を小規模宅地等の課税特例（特定居住用宅地等）の適用対象とすることが認められます。

(4)　類題２の事例の場合

類題２の事例の場合、被相続人甲が要介護認定を受け有料老人ホームに入居後、新たに被相続人甲の居住の用に供されていた建物に入居した被相続人甲の妹Ｘは、被相続人甲と生計を一にしていた親族には該当しないとのことですから、被相続人甲が所有する宅地等は上記(3)①に掲げる表の左欄(ハ)に該当することになります。

そうすると、被相続人甲が所有する宅地等は、『被相続人の居住用宅地等』に該当しないことになります。

したがって、類題２の事例の宅地等を長男Ａが取得した場合には、当該宅地等を小規模宅地等の課税特例（特定居住用宅地等）の適用対象とすることは認められません。

## (30)　配偶者居住権等に対する小規模宅地等の課税特例の適用関係（その11：既に配偶者居住権が設定されている場合における第２次相続の開始）（そのＣ：被相続人が老人ホーム等に入居又は入所していた場合の留守宅の敷地の用に供されていた宅地等の所有者に相続開始があった場合の取扱い(1)（被相続人が配偶者居住権者である事例②））

**質疑**　被相続人甲に相続開始（以下、この相続を「第２次相続」といいます。）がありました。被相続人甲が第２次相続開始の直前において居住の用に供していた建物は、もともとは同人の亡夫の所有であったものですが、亡夫に係る相続（以下、この相続を「第１次相続」といいます。）の遺産分割協議により、被相続人甲が配偶者居住権を終身にわたって設定し、長男Ａが当該建物の所有権を取得するという状況にあったものです。また、当該建物の敷地の用に供されていた宅地等の所有権は、被相続人甲が取得していました。

そして、上記に掲げる配偶者居住権を設定した被相続人甲は、しばらくは当該建物を自己の居住の用に供していましたが、その後、単身では生活が困難な状態となり介護保険法第19条第１項に規定する要介護認定（要介護度４と認定されています。）を受けたことから老人福祉法第29条１項に規定する有料老人ホームに入居すること

となり、第２次相続開始時には、被相続人甲は当該建物には居住していませんでした。

今回の第２次相続においては、被相続人甲の相続財産は、同人の相続人である長男Ａ及び長女Ｂの両名による遺産分割協議により取得者が確定することになりますが、この第２次相続開始の直前において被相続人甲が有していた宅地等に対する小規模宅地等の課税特例の適用関係は、当該資産の取得者の別に応じてどのようになりますか。

なお、回答に当たっては、次に掲げる事項を前提とします。

前提事項

⑴　下記参考の（居住建物及びその敷地について）に掲げるとおり、旧来から被相続人甲と長男Ａは当該居住建物に同居し、両者は生計を一にしていました。なお、被相続人甲が有料老人ホームに入居した後も両者は生計を一にしています。

⑵　第２次相続開始前３年以内に、長女Ｂが居住の用に供していた家屋は同人の夫所有の住宅でした。

⑶　長男Ａは、当該居住建物の敷地の用に供する宅地等の利用の対価として地代を被相続人甲に支払ったことはありません。（土地は使用貸借契約）

⑷　長男Ａは被相続人甲による配偶者居住権の設定された当該居住建物に居住するに当たって、被相続人甲に対して利用の対価を支払ったことはありません。

参考

（親族図）

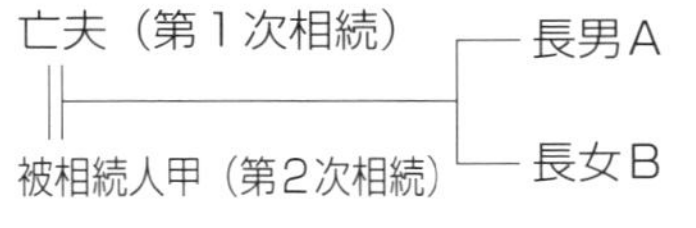


（居住建物及びその敷地について）

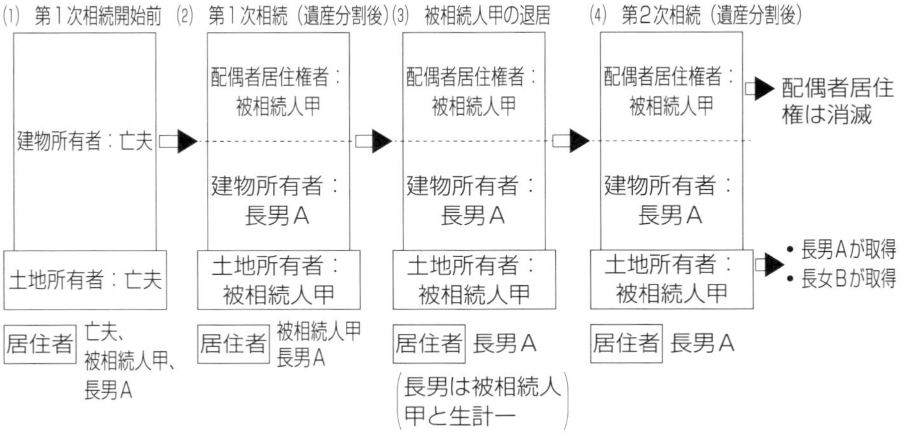

類題　上記の 質疑 に掲げる 前提事項 (1)が、下記に掲げるとおりであったならばどのようになりますか。

・　上記 参考 の（居住建物及びその敷地について）に掲げるとおり、旧来から被相続人甲と長男Ａは当該居住建物に同居し、両者は生計を一にしていました。ただし、被相続人甲が有料老人ホームに入居した後は、両者は生計を別にすることとなりました。

なお、上記の 類題 の場合には、被相続人甲が所有する宅地等は、長男Ａが取得するものとし、その他の条件は、本題と同一であるものとします。

## 応答

(1)　第１次相続により宅地等が配偶者居住権の目的となっている家屋の敷地である場合における第２次相続に係る被相続人等の居住の用に供されていた宅地等の範囲

措置法通達69の４－７の２《宅地等が配偶者居住権の目的となっている家屋の敷地である場合の被相続人等の居住の用に供されていた宅地等の範囲》において、『相続又は遺贈により取得した宅地等が、当該相続の開始の直前において配偶者居住権に基づき使用又は収益されていた家屋の敷地の用に供されていたものである場合には、当該宅地等のうち、次に掲げる宅地等（ 筆者注 同通達では、(1)と(2)の２つの態様が示されています。）が居住用宅地等に該当するものとする。』と定められており、そのうちの(2)は、次のとおりとされています。

(2)の内容　措置法令第40条の２第２項に定める事由により被相続人の居住の用に供されなくなる直前まで、被相続人の居住の用に供されていた家屋（被相続人又は被相続人の親族が配偶者居住権者である場合のその配偶者居住権の目的となっている家屋をいう。以下(2)において同じ。）で、被相続人が所有していたもの（当該被相続人が当該家屋を当該配偶者居住権者から借り受けていた場合には、無償で借り受けていたときにおける当該家屋に限る。）又は被相続人の親族が所有していたもの（当該家屋を所有していた被相続人の親族が当該家屋の敷地を被相続人から無償で借り受けており、かつ、当該被相続人が当該家屋を当該配偶者居住権者から借り受けていた場合には、無償で借り受けていたときにおける当該家屋に限る。）の敷地の用に供されていた宅地等（被相続人の居住の用に供されなくなった後、措置法第69条の４第１項に規定する事業の用又は新たに被相続人等以外の者の居住の用に供された宅地等を除く。）

(2)　質疑 の事例の場合

質疑 の事例の場合、上記(1)に掲げる措置法通達の定めを当てはめると、次に掲げる 判断基準 から事例の宅地等は『被相続人等の居住の用に供されていた家屋の敷地の用に供されていた宅地等（被相続人等の居住用宅地等）』に該当することになります。

判断基準　①　被相続人甲は、介護保険法第19条第１項に規定する要介護認定を受けて、老人福祉法第29条第１項に規定する有料老人ホームに入居したものであることか

ら、措置法令第40条の２第２項に定める事由に該当すること

② 上記①の事由により、被相続人甲の居住の用に供されなくなる直前まで、被相続人甲の居住の用に供されていた家屋であること

③ 上記②に掲げる家屋は、被相続人甲が配偶者居住権者である場合のその配偶者居住権の目的となっている家屋であること

④ 上記②及び③に掲げる家屋は、被相続人甲の親族である長男Ａが所有していたものであること

⑤ 上記④に掲げる長男Ａは、当該家屋の敷地を被相続人甲から無償で借り受けていること

⑥ 被相続人甲に係る有料老人ホームへの入居に伴って、被相続人甲の居住の用に供されなくなった後に、小規模宅地等の課税特例に規定する事業の用又は新たに被相続人等以外の者の居住の用に供された宅地等に該当しないこと

（注） **質疑** の事例の場合には、当該宅地等は被相続人甲と生計を一にする親族である長男Ａの居住の用に供された宅地等に該当します。

次に、上記の被相続人等の居住用宅地等を取得した者の別に、当該宅地等に対する小規模宅地等の課税特例（特定居住用宅地等）の適用可否を判断すると、次のとおりとなります。

(イ) 長男Ａが取得した場合

被相続人の配偶者以外の親族が被相続人等（ **質疑** の事例の場合は、被相続人甲）の居住用宅地等を取得した場合に、当該居住用宅地等が特定居住用宅地等に該当するためには、次に掲げる㋑ないし㋩の区分のうちいずれかを充足する必要があるものとされています。

㋑ 被相続人の居住用家屋に居住（同居）していた者である場合

㋺ 配偶者及び一定の同居親族が存せず非同居親族が取得した場合（いわゆる『家なき子』である場合）

㋩ 被相続人と生計を一にしていた親族の居住の用に供されていた場合

そうすると、 **質疑** に掲げる事項から、長男Ａは上記㋑及び㋩の区分に該当するものと判断されます。

したがって、 **質疑** の事例の宅地等を長男Ａが取得した場合には、当該宅地等を小規模宅地等の課税特例（特定居住用宅地等）の適用対象とすることが認められます

(ロ) 長女Ｂが取得した場合

長女Ｂが取得した場合には、長女Ｂは被相続人甲の配偶者以外の親族に該当することから、上記(イ)に掲げる㋑ないし㋩の区分のいずれかを充足する必要があるものとされます。

そうすると、 **質疑** に掲げる事項から、長女Ｂは上記(イ)に掲げる㋑ないし㋩に掲げる区分のいずれにも該当しないものと判断されます。

したがって、 **質疑** の事例の宅地等を長女Ｂが取得した場合には、当該宅地等を小規模宅地等の課税特例（特定居住用宅地等）の適用対象とすることは認められないことにな

ります。

(3)　類題の事例の場合

①　被相続人の居住供用停止後の利用状況

上記(1)で確認したとおり、措置法通達69の４－７の２《宅地等が配偶者居住権の目的となっている家屋の敷地である場合の被相続人等の居住の用に供されていた宅地等の範囲》の(2)に掲げる『宅地等』（上記(1)の＿＿＿部分）には（　）書が設けられており、「被相続人の居住の用に供されなくなった後、措置法第69条の４第１項に規定する事業の用又は新たに被相続人等以外の者の居住の用に供された宅地等を除く。」と定められています。

そうすると、当該通達では『新たに』（上記～～～部分）という用語が用いられていることから、例えば、被相続人の居住の用に供されなくなる以前から同居（同居の場合は、特に反証がない限り生計一であるものと推認されます。）の親族が継続して居住している場合には、たとえ、被相続人の居住の用に供されなくなった後に当該親族が被相続人と生計を一にしていない場合であっても、『新たに被相続人等以外の者の居住の用に供された宅地等』（適用除外とされる宅地等）には該当せず、当該通達の適用対象とされることに留意する必要があります。

②　判断（特定居住用宅地等の該当性）

類題の事例は、被相続人甲が要介護認定を受け有料老人ホームに入居後においても被相続人甲の居住の用に供されていた建物に旧来から継続して長男Ａが入居しており、かつ、被相続人甲が老人ホームに入居後においては両人は生計を別にするというものですが、長男Ａについて次に掲げる事項が認められることから、被相続人甲が所有する宅地等は上記①に掲げる『新たに被相続人等以外の者の居住の用に供された宅地等』（適用除外とされる宅地等）には該当しないことになります。

(イ)　被相続人甲が老人ホームに入居する前に居住の用に供されていた建物に居住していた時から、被相続人甲は長男Ａと同居していたこと

(ロ)　長男Ａは、被相続人甲による配偶者居住権の設定された当該居住建物に居住するに当たって、被相続人甲に対して利用の対価を支払っていないこと

そうすると、被相続人甲が所有する宅地等は、『被相続人等の居住用宅地等』に該当することになります。

また、上記の宅地等を取得した長男Ａは、上記(2)(イ)㋑に掲げる被相続人の居住用家屋に居住（同居）していた者に該当することになります。

したがって、類題の事例の宅地等を長男Ａが取得した場合には、当該宅地等を小規模宅地等の課税特例（特定居住用宅地等）の適用対象とすることが認められます。

### ⑶ 配偶者居住権等に対する小規模宅地等の課税特例の適用関係（その11：既に配偶者居住権が設定されている場合における第２次相続の開始）（そのC：被相続人が老人ホーム等に入居又は入所していた場合の留守宅の敷地の用に供されていた宅地等の所有者に相続開始があった場合の取扱い⑵（被相続人が配偶者居住権者ではない事例①））

**質疑**　被相続人甲に相続開始（以下、この相続を「第２次相続」といいます。）がありました。被相続人甲が第２次相続開始の６年前まで居住の用に供していた建物は、もともとは同人の亡父の所有であったものですが、亡父に係る相続（以下、この相続を「第１次相続」といいます。）の遺産分割協議により、母（亡父の配偶者、被相続人甲の母）が配偶者居住権を終身にわたって設定し、被相続人甲が当該居住建物及びその敷地の用に供される宅地等の所有権を取得し、当該居住建物には、被相続人甲、配偶者乙及び母の３名が居住（同居）していました。

そして、第２次相続開始の６年前に被相続人甲は、単身では生活が困難な状態となり介護保険法第19条第１項に規定する要介護認定（要介護度４と認定されます。）を受けたことから老人福祉法第29条第１項に規定する有料老人ホームに単身で入居することとなり（配偶者乙は同行していません。）、第２次相続開始時には、被相続人甲は当該建物には居住していませんでした。

今回の第２次相続においては、被相続人甲の相続財産は、同人の相続人である配偶者乙及び長男Ａの両名による遺産分割協議により取得者が確定することになりますが、この第２次相続開始の直前において被相続人甲が有していた宅地等に対する小規模宅地等の課税特例の適用関係は、当該資産の取得者の別に応じてどのようになりますか。

なお、回答に当たっては、次に掲げる事項を前提とします。

前提事項

⑴　被相続人甲、配偶者乙及び母の３名の当該建物に関する入居状況は、下記参考（居住建物及びその敷地について）に掲げるとおりですが、これらの３名は被相続人甲に係る有料老人ホームへの入居前から第２次相続開始時まで、継続して生計を一にしていました。

⑵　長男Ａは、旧来から他所で同人の持家に居住していました。

⑶　被相続人甲及び配偶者乙は、母による配偶者居住権が設定されていた当該居住建物に居住するに当たって、母に対して利用の対価に相当する家賃の支払はありませんでした。

**類題**　第２次相続において、被相続人甲が遺言書を作成しており、当該遺言書には上記に掲げる居住建物及びその敷地の用に供されている宅地等の所有権を母に遺贈する旨の記載がなされており、母も当該遺言書の内容を受諾した場合にはどのようになりますか。なお、その他の条件は、本題と同一であるものとします。

**参考**

（親族図）

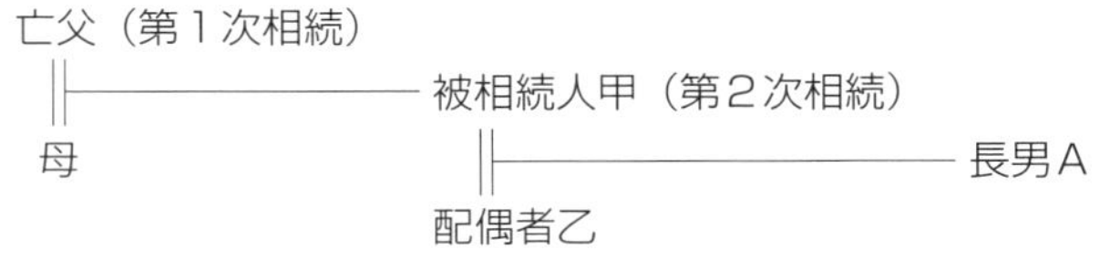


（居住建物及びその敷地について）

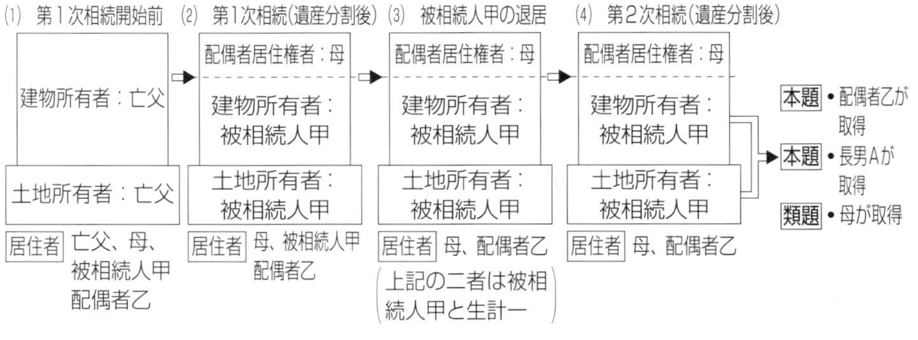


## 応答

⑴　第１次相続により宅地等が配偶者居住権の目的となっている家屋の敷地である場合における第２次相続に係る被相続人等の居住の用に供されていた宅地等の範囲

措置法通達69の４－７の２《宅地等が配偶者居住権の目的となっている家屋の敷地である場合の被相続人等の居住の用に供されていた宅地等の範囲》において、『相続又は遺贈により取得した宅地等が、当該相続の開始の直前において配偶者居住権に基づき使用又は収益されていた家屋の敷地の用に供されていたものである場合には、当該宅地等のうち、次に掲げる宅地等（**筆者注** 同通達では、⑴と⑵の２つの態様が示されています。）が居住用宅地等に該当するものとする。』と定められており、そのうちの⑵は、次のとおりとされています。

**⑵の内容**　措置法令第40条の２第２項に定める事由により被相続人の居住の用に供されなくなる直前まで、被相続人の居住の用に供されていた家屋（被相続人又は被相続人の親族が配偶者居住権者である場合のその配偶者居住権の目的となっている家屋をいう。以下⑵において同じ。）で、被相続人が所有していたもの（当該被相続人が当該家屋を当該配偶者居住権者から借り受けていた場合には、無償で借り受けていたときにおける当該家屋に限る。）又は被相続人の親族が所有していたもの（当該家屋を所有していた被相続人の親族が当該家屋の敷地を被相続人から無償で借り受けており、かつ、当該被相続人が当該家屋を当該配偶者居住権者から借り受けていた場合には、無償で借り受けていたときにおける当該家屋に限る。）

の敷地の用に供されていた宅地等（被相続人の居住の用に供されなくなった後、措置法第69条の４第１項に規定する事業の用又は新たに被相続人等以外の者の居住の用に供された宅地等を除く。）

(2)　**質疑** の事例の場合

**質疑** の事例の場合、上記(1)に掲げる措置法通達の定めを当てはめると、次に掲げる 判断基準 から事例の宅地等は『被相続人等の居住の用に供されていた家屋の敷地の用に供されていた宅地等（被相続人等の居住用宅地等）』に該当することになります。

判断基準

①　被相続人甲は、介護保険法第19条第１項に規定する要介護認定を受けて、老人福祉法第29条第１項に規定する有料老人ホームに入居したものであることから、措置法令第40条の２第２項に定める事由に該当すること

②　上記①の事由により、被相続人甲の居住の用に供されなくなる直前まで、被相続人甲の居住の用に供されていた家屋であること

③　上記②に掲げる家屋は、被相続人甲の親族である母が配偶者居住権者である場合のその配偶者居住権の目的となっている家屋であること

④　上記②及び③に掲げる家屋は、被相続人甲が所有していたものであること

⑤　上記④に掲げる被相続人甲は、当該家屋を配偶者居住権者である母から無償で借り受けていること

⑥　被相続人甲に係る有料老人ホームへの入居に伴って、被相続人甲の居住の用に供されなくなった後に、小規模宅地等の課税特例に規定する事業の用又は新たに被相続人等以外の者の居住の用に供された宅地等に該当しないこと

（注）　**質疑** の事例の場合には、当該宅地等は被相続人甲と生計を一にする親族である配偶者乙及び母の居住の用に供された宅地等に該当します。

次に、上記の被相続人等の居住用宅地等を取得した者の別に、当該宅地等に対する小規模宅地等の課税特例（特定居住用宅地等）の適用可否を判断すると、次のとおりとなります。

(イ)　配偶者乙が取得した場合

被相続人の配偶者が被相続人等の居住用宅地等を取得すれば、それのみで要件を充足し、他の要件（相続税の申告期限までにおける所有継続要件、居住継続要件等）は問われないものとされています。

したがって、**質疑** の事例の宅地等を配偶者乙が取得した場合には、当該宅地等を小規模宅地等の課税特例（特定居住用宅地等）の適用対象とすることが認められます。

(ロ)　長男Ａが取得した場合

被相続人の配偶者以外の親族が被相続人等の居住用宅地等を取得した場合に、当該居住用宅地等が特定居住用宅地等に該当するためには、次に掲げる㋑ないし㋩の区分のうちいずれかを充足する必要があるものとされています。

㋑　被相続人の居住用家屋に居住（同居）していた者である場合

㋺　配偶者及び一定の同居親族が存せず非同居親族が取得した場合（いわゆる『家なき

子』である場合）

㋩　被相続人と生計を一にしていた親族の居住の用に供されていた場合

そうすると、**質疑** に掲げる事項から、長男Ａは上記㋑ないし㋩に掲げる区分のいずれにも該当しないものと判断されます。

したがって、**質疑** の事例の宅地等を長男Ａが取得した場合には、当該宅地等を小規模宅地等の課税特例（特定居住用宅地等）の適用対象とすることが認められないことになります。

⑶　類題の事例の場合（母が取得した場合）

母が取得した場合には、母は被相続人甲の配偶者以外の親族に該当することから、上記⑵㈺に掲げる㋑ないし㋩の区分のいずれかを充足する必要があるものとされます。

そうすると、**質疑** に掲げる事項から、母は上記⑵㈺に掲げる㋑及び㋩の区分に該当するものと判断されます。

したがって、**質疑** の事例の宅地等を母が取得した場合には、当該宅地等を小規模宅地等の課税特例（特定居住用宅地等）の適用対象とすることが認められます。

### ㉜　配偶者居住権等に対する小規模宅地等の課税特例の適用関係（その11：既に配偶者居住権が設定されている場合における第２次相続の開始）（そのＣ：被相続人が老人ホーム等に入居又は入所していた場合の留守宅の敷地の用に供されていた宅地等の所有者に相続開始があった場合の取扱い⑵（被相続人が配偶者居住権者ではない事例②））

**質疑**　被相続人甲に相続開始（以下、この相続を「第２次相続」といいます。）がありました。被相続人甲が第２次相続開始の６年前まで居住の用に供していた建物は、もともとは同人の亡父の所有であったものですが、亡父に係る相続（以下、この相続を「第１次相続」といいます。）の遺産分割協議により、母（亡父の配偶者、被相続人甲の母）が配偶者居住権を終身にわたって設定し、被相続人甲が当該居住建物及びその敷地の用に供される宅地等の所有権を取得し、当該建物には、被相続人甲、配偶者乙及び母の３名が居住（同居し、生計を一にするものと認められます。）していました。

そして、第２次相続開始の６年前に被相続人甲は、単身では生活が困難な状態となり介護保険法第19条第１項に規定する要介護認定（要介護度４と認定されます。）を受けたことから老人福祉法第29条第１項に規定する有料老人ホームに配偶者乙とともに入居することとなり、第２次相続開始時には、当該建物に居住していたのは母のみでした。

今回の第２次相続においては、被相続人甲の相続財産は、同人の相続人である配偶者乙及び長男Ａの両名による遺産分割協議により取得者が確定することになりますが、この第２次相続開始の直前において被相続人甲が有していた宅地等に対する小規模宅地等の課税特例の適用関係は、当該資産の取得者の別に応じてどのようになりますか。

なお、回答に当たっては、次に掲げる事項を前提とします。

前提事項

(1) 被相続人甲、配偶者乙及び母の３名の当該建物に関する入居状況は、下記参考（居住建物及びその敷地について）に掲げるとおりですが、被相続人甲に係る有料老人ホーム入居後においても、被相続人甲と母は生計を一にしていました。

(2) 長男Ａは、旧来から他所で同人の持家に居住していました。

(3) 被相続人甲及び配偶者乙は、母による配偶者居住権が設定されていた当該居住建物に居住していた期間中に、母に対して利用の対価に相当する家賃の支払はありませんでした。

類題　第２次相続において、被相続人甲が遺言書を作成しており、当該遺言書には上記に掲げる居住建物及びその敷地の用に供されている宅地等の所有権を母に遺贈する旨の記載がなされており、母も当該遺言書の内容を受諾した場合にはどのようになりますか。なお、その他の条件は、本題と同一であるものとします。

参考

（親族図）

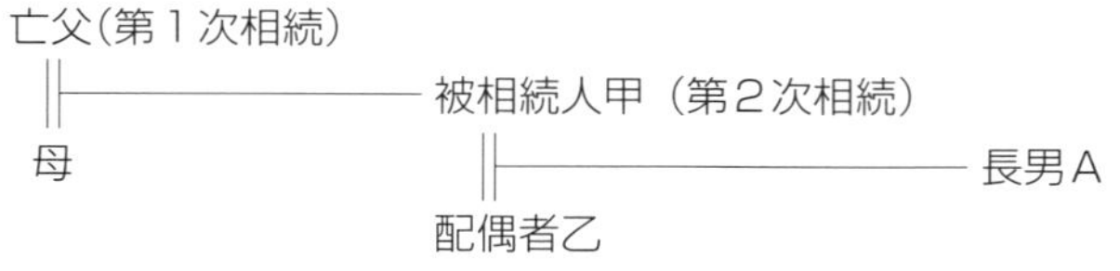


（居住建物及びその敷地について）

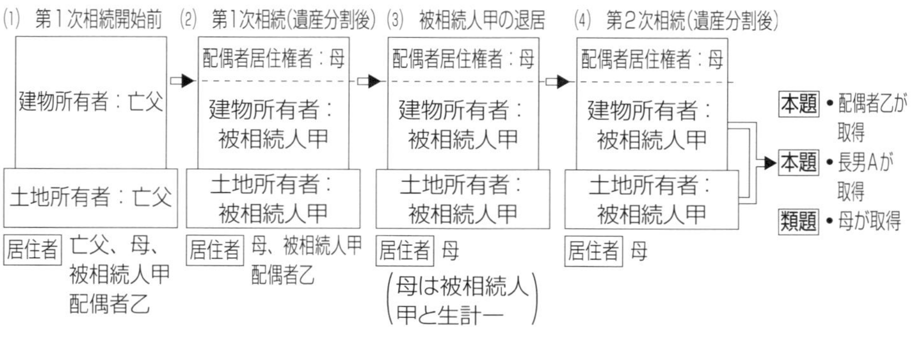


## 応答

(1) 第１次相続により宅地等が配偶者居住権の目的となっている家屋の敷地である場合にお

ける第２次相続に係る被相続人等の居住の用に供されていた宅地等の範囲

措置法通達69の４－７の２《宅地等が配偶者居住権の目的となっている家屋の敷地である場合の被相続人等の居住の用に供されていた宅地等の範囲》において、『相続又は遺贈により取得した宅地等が、当該相続の開始の直前において配偶者居住権に基づき使用又は収益されていた家屋の敷地の用に供されていたものである場合には、当該宅地等のうち、次に掲げる宅地等（筆者注 同通達では、⑴と⑵の２つの態様が示されています。）が居住用宅地等に該当するものとする。』と定められており、そのうちの⑵は、次のとおりとされています。

⑵の内容　措置法令第40条の２第２項に定める事由により被相続人の居住の用に供されなくなる直前まで、被相続人の居住の用に供されていた家屋（被相続人又は被相続人の親族が配偶者居住権者である場合のその配偶者居住権の目的となっている家屋をいう。以下⑵において同じ。）で、被相続人が所有していたもの（当該被相続人が当該家屋を当該配偶者居住権者から借り受けていた場合には、無償で借り受けていたときにおける当該家屋に限る。）又は被相続人の親族が所有していたもの（当該家屋を所有していた被相続人の親族が当該家屋の敷地を被相続人から無償で借り受けており、かつ、当該被相続人が当該家屋を当該配偶者居住権者から借り受けていた場合には、無償で借り受けていたときにおける当該家屋に限る。）の敷地の用に供されていた宅地等（被相続人の居住の用に供されなくなった後、措置法第69条の４第１項に規定する事業の用又は新たに被相続人等以外の者の居住の用に供された宅地等を除く。）

⑵　質疑 の事例の場合

質疑 の事例の場合、上記⑴に掲げる措置法通達の定めを当てはめると、次に掲げる 判断基準 から事例の宅地等は『被相続人等の居住の用に供されていた家屋の敷地の用に供されていた宅地等（被相続人等の居住用宅地等）』に該当することになります。

判断基準

①　被相続人甲は、介護保険法第19条第１項に規定する要介護認定を受けて、老人福祉法第29条第１項に規定する有料老人ホームに入居したものであることから、措置法令第40条の２第２項に定める事由に該当すること

②　上記①の事由により、被相続人甲の居住の用に供されなくなる直前まで、被相続人甲の居住の用に供されていた家屋であること

③　上記②に掲げる家屋は、被相続人甲の親族である母が配偶者居住権者である場合のその配偶者居住権の目的となっている家屋であること

④　上記②及び③に掲げる家屋は、被相続人甲が所有していたものであること

⑤　上記④に掲げる被相続人甲は、当該家屋を同人が有料老人ホームに入居するまでの間、配偶者居住権者である母から無償で借り受けていたこと

⑥　被相続人甲に係る有料老人ホームへの入居に伴って、被相続人甲の居住の用に供されなくなった後に、小規模宅地等の課税特例に規定する事業の用又は新たに被相続人等以外の者の居住の用に供された宅地等に該当しないこと

（注）　**質疑** の事例の場合には、母は当該居住建物に第１次相続開始前から居住しており、被相続人甲の退居後も被相続人甲と生計を一にするものとされており、新たに被相続人等以外の者の居住の用に供用したことにはなりません。

次に、上記の被相続人等の居住用宅地等を取得した者の別に、当該宅地等に対する小規模宅地等の課税特例（特定居住用宅地等）の適用可否を判断すると、次のとおりとなります。

(イ)　配偶者乙が取得した場合

被相続人の配偶者が被相続人等の居住用宅地等を取得すれば、それのみで要件を充足し、他の要件（相続税の申告期限までにおける所有継続要件、居住継続要件等）は問われないものとされています。

したがって、**質疑** の事例の宅地等を配偶者乙が取得した場合には、当該宅地等を小規模宅地等の課税特例（特定居住用宅地等）の適用対象とすることが認められます。

(ロ)　長男Ａが取得した場合

被相続人の配偶者以外の親族が被相続人等の居住用宅地等を取得した場合に、当該居住用宅地等が特定居住用宅地等に該当するためには、次に掲げる㋑ないし㋩の区分のうちいずれかを充足する必要があるものとされています。

㋑　被相続人の居住用家屋に居住（同居）していた者である場合

㋺　配偶者及び一定の同居親族が存せず非同居親族が取得した場合（いわゆる『家なき子』である場合）

㋩　被相続人と生計を一にしていた親族の居住の用に供されていた場合

そうすると、**質疑** に掲げる事項から、長男Ａは上記㋑ないし㋩に掲げる区分のいずれにも該当しないものと判断されます。

したがって、**質疑** の事例の宅地等を長男Ａが取得した場合には、当該宅地等を小規模宅地等の課税特例（特定居住用宅地等）の適用対象とすることは認められないことになります。

(3)　**類題**の事例の場合（母が取得した場合）

母が取得した場合には、母は被相続人甲の配偶者以外の親族に該当することから、上記(2)(ロ)に掲げる㋑ないし㋩の区分のいずれかを充足する必要があるものとされます。

そうすると、**質疑** に掲げる事項から、母は上記(2)(ロ)に掲げる㋑及び㋩の区分に該当するものと判断されます。

したがって、**質疑** の事例の宅地等を母が取得した場合には、当該宅地等を小規模宅地等の課税特例（特定居住用宅地等）の適用対象とすることが認められます。

### ㉝　配偶者居住権等に対する小規模宅地等の課税特例の適用関係（その11：既に配偶者居住権が設定されている場合における第２次相続の開始）（そのＣ：被相続人が老人ホーム等に入居又は入所していた場合の留守宅の敷地の用に供されていた宅地等の所有者に相続開始があった場合の取扱い⑵（被相続人が配偶者居住権者ではない事例③））

**質疑**　被相続人甲に相続開始（以下、この相続を「第２次相続」といいます。）がありました。被相続人甲が第２次相続開始の６年前まで居住の用に供していた建物は、もともとは同人の亡父の所有であったものですが、亡父に係る相続（以下、この相続を「第１次相続」といいます。）の遺産分割協議により、母（亡父の配偶者、被相続人甲の母）が配偶者居住権を終身にわたって設定し、被相続人甲が当該居住建物及びその敷地の用に供される宅地等の所有権を取得するという状況にあったものです。

当該建物には、第１次相続開始後においては、被相続人甲、配偶者乙及び母の３名が居住（同居）していましたが、被相続人甲は配偶者乙と生計を一にしていたものの、母とは生計を別にしていました。

そして、第２次相続開始の６年前に被相続人甲は、単身では生活が困難な状態となり介護保険法第19条第１項に規定する要介護認定（要介護度４と認定されます。）を受けたことから老人福祉法第29条第１項に規定する有料老人ホームに配偶者乙とともに入居することとなり、第２次相続開始時には、当該建物に居住していたのは母のみでした。

今回の第２次相続においては、被相続人甲の相続財産は、同人の相続人である配偶者乙及び長男Ａの両名による遺産分割協議により取得者が確定することになりますが、この第２次相続開始の直前において被相続人甲が有していた宅地等に対する小規模宅地等の課税特例の適用関係は、当該資産の取得者の別に応じてどのようになりますか。

なお、回答に当たっては、次に掲げる事項を前提とします。

前提事項

⑴　被相続人甲、配偶者乙及び母の３名の当該建物に関する入居状況は、下記参考（居住建物及びその敷地について）に掲げるとおりです。被相続人甲に係る有料老人ホーム入居後においても、被相続人甲と母は生計を別にしていました。

⑵　長男Ａは、旧来から他所で同人の持家に入居していました。

⑶　被相続人甲及び配偶者乙は、母による配偶者居住権が設定されていた当該居住建物に居住していた期間中に、母に対して利用の対価に相当する家賃の支払はありませんでした。

類題　第２次相続において、被相続人甲が遺言書を作成しており、当該遺言書には上記に掲げる居住建物及びその敷地の用に供されている宅地等の所有権を母に遺贈する旨の記載がなされており、母も当該遺言書の内容を受諾した場合にはどのようになりますか。なお、その他の条件は、本題と同一であるものとします。

参考

（親族図）

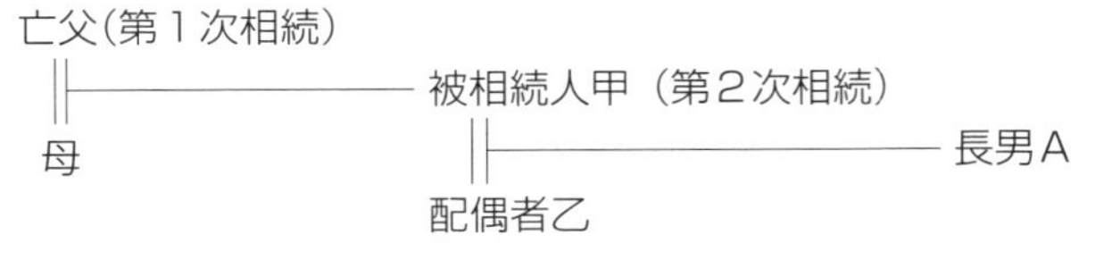


（居住建物及びその敷地について）

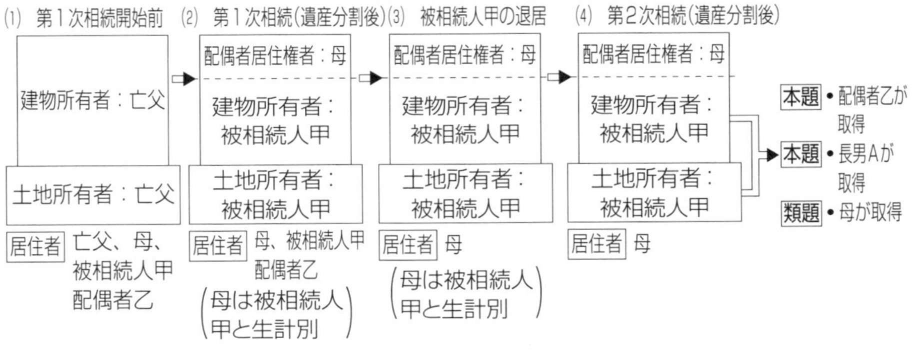


## 応答

(1)　第１次相続により宅地等が配偶者居住権の目的となっている家屋の敷地である場合における第２次相続に係る被相続人等の居住の用に供されていた宅地等の範囲

措置法通達69の４－７の２《宅地等が配偶者居住権の目的となっている家屋の敷地である場合の被相続人等の居住の用に供されていた宅地等の範囲》において、『相続又は遺贈により取得した宅地等が、当該相続の開始の直前において配偶者居住権に基づき使用又は収益されていた家屋の敷地の用に供されていたものである場合には、当該宅地等のうち、次に掲げる宅地等（筆者注 同通達では、(1)と(2)の２つの態様が示されています。）が居住用宅地等に該当するものとする。』と定められており、そのうちの(2)は、次のとおりとされています。

(2)の内容　措置法令第40条の２第２項に定める事由により被相続人の居住の用に供されなくなる直前まで、被相続人の居住の用に供されていた家屋（被相続人又は被相続人の親族が配偶者居住権者である場合のその配偶者居住権の目的となっている家屋をいう。以下(2)において同じ。）で、被相続人が所有していたもの（当該被相続人が当該家屋を当該配偶者居住権者から借り受けていた場合には、無償で借り受けていたときにおける当該家屋に限る。）又は被相続人の親族が所有していたもの（当該家屋を所有していた被相続人の親族が当該家屋の敷地を被相続人から無償で借り受けており、かつ、当該被相続人が当該家屋を当該配偶者居住権者から借り受けていた場合には、無償で借り受けていたときにおける当該家屋に限る。）の敷地の用に供されていた宅地等（被相続人の居住の用に供されなくなった後、措置法第69条の4第1項に規定する事業の用又は新たに被相続人等以外の者の居住の用に供された宅地等を除く。）

(2)　**質疑** の事例の場合

**質疑** の事例の場合、上記(1)に掲げる措置法通達の定めを当てはめると、次に掲げる 判断基準 から事例の宅地等は『被相続人等の居住の用に供されていた家屋の敷地の用に供されていた宅地等（被相続人等の居住用宅地等）』に該当することになります。

判断基準

①　被相続人甲は、介護保険法第19条第1項に規定する要介護認定を受けて、老人福祉法第29条第1項に規定する有料老人ホームに入居したものであることから、措置法令第40条の2第2項に定める事由に該当すること

②　上記①の事由により、被相続人甲の居住の用に供されなくなる直前まで、被相続人甲の居住の用に供されていた家屋であること

③　上記②に掲げる家屋は、被相続人甲の親族である母が配偶者居住権者である場合のその配偶者居住権の目的となっている家屋であること

④　上記②及び③に掲げる家屋は、被相続人甲が所有していたものであること

⑤　上記④に掲げる被相続人甲は、当該家屋を同人が有料老人ホームに入居するまでの間、配偶者居住権者である母から無償で借り受けていたこと

⑥　被相続人甲に係る有料老人ホームへの入居に伴って、被相続人甲の居住の用に供されなくなった後に、小規模宅地等の課税特例に規定する事業の用又は新たに被相続人等以外の者の居住の用に供された宅地等に該当しないこと

（注）　**質疑** の事例の場合には、母は当該居住建物に第1次相続開始前から居住しており、被相続人甲と生計を別にするものであっても、新たに被相続人等以外の者の居住の用に供用したことにはなりません。

次に、上記の被相続人等の居住用宅地等を取得した者の別に、当該宅地等に対する小規模宅地等の課税特例（特定居住用宅地等）の適用可否を判断すると、次のとおりとなります。

(イ)　配偶者乙が取得した場合

被相続人の配偶者が被相続人等の居住用宅地等を取得すれば、それのみで要件を充足し、他の要件（相続税の申告期限までにおける所有継続要件、居住継続要件等）は問われないものとされています。

したがって、**質疑** の事例の宅地等を配偶者乙が取得した場合には、当該宅地等を小規模宅地等の課税特例（特定居住用宅地等）の適用対象とすることが認められます。

(ロ)　長男Aが取得した場合

被相続人の配偶者以外の親族が被相続人等の居住用宅地等を取得した場合に、当該居住

用宅地等が特定居住用宅地等に該当するためには、次に掲げる㋑ないし㋩の区分のうちいずれかを充足する必要があるものとされています。

㋑　被相続人の居住用家屋に居住（同居）していた者である場合

㋺　配偶者及び一定の同居親族が存せず非同居親族が取得した場合（いわゆる『家なき子』である場合）

㋩　被相続人と生計を一にしていた親族の居住の用に供されていた場合

そうすると、**質疑** に掲げる事項から、長男Ａは上記㋑ないし㋩に掲げる区分のいずれにも該当しないものと判断されます。

したがって、**質疑** の事例の宅地等を長男Ａが取得した場合には、当該宅地等を小規模宅地等の課税特例（特定居住用宅地等）の適用対象とすることは認められないことになります。

⑶　**類題**の事例の場合（母が取得した場合）

母が取得した場合には、母は被相続人甲の配偶者以外の親族に該当することから、上記⑵㋺に掲げる㋑ないし㋩の区分のいずれかを充足する必要があるものとされます。

そうすると、**質疑** に掲げる事項から、母は上記⑵㋺に掲げる㋑の区分に該当するものと判断されます。

したがって、**質疑** の事例の宅地等を母が取得した場合には、当該宅地等を小規模宅地等の課税特例（特定居住用宅地等）の適用対象とすることが認められます。

### ㉞　配偶者居住権等に対する小規模宅地等の課税特例の適用関係（その11：既に配偶者居住権が設定されている場合における第２次相続の開始）（そのＣ：被相続人が老人ホーム等に入居又は入所していた場合の留守宅の敷地の用に供されていた宅地等の所有者に相続開始があった場合の取扱い⑵（被相続人が配偶者居住権者ではない事例④））

**質疑**　被相続人甲に相続開始（以下、この相続を「第２次相続」といいます。）がありました。被相続人甲が第２次相続開始の６年前まで居住の用に供していた建物は、もともとは同人の亡父の所有であったものですが、亡父に係る相続（以下、この相続を「第１次相続」といいます。）の遺産分割協議により、母（亡父の配偶者、被相続人甲の母）が配偶者居住権を終身にわたって設定し、被相続人甲の兄Ｘが所有権を取得しました。

また、当該居住建物の敷地の用に供される宅地等も亡父の所有でしたが、当該宅地等は、遺産分割協議により被相続人甲が取得することになりました。

そして、第２次相続開始の６年前に被相続人甲は、単身では生活が困難な状態となり介護保険法第19条第１項に規定する要介護認定（要介護度４と認定されます。）を受けたことから老人福祉法第29条第１項に規定する有料老人ホームに配偶者乙とともに入居することとなり、第２次相続開始時には、当該建物に居住していたのは母のみでした。

今回の第２次相続においては、被相続人甲の相続財産は、同人の相続人である配偶者乙及び長男Ａの両名による遺産分割協議により取得者が確定することになりますが、この第２次相続開始の直前において被相続人甲が有していた宅地等に対する小規模宅地等の課税特例の適用関係は、当該資産の取得者の別に応じてどのようになりますか。

なお、回答に当たっては、次に掲げる事項を前提とします。

前提事項

⑴　被相続人甲、配偶者乙及び母の３名の当該建物に関する入居状況は、下記 参考 (居住建物及びその敷地について）に掲げるとおりです。被相続人甲に係る有料老人ホーム入居後においては、被相続人甲と母は生計を別にしていました。

⑵　長男Ａは、旧来から他所で同人の持家に入居していました。

⑶　被相続人甲と兄Ｘは生計を別にしており、兄Ｘは第１次相続以後、被相続人甲の所有となった宅地等の利用の対価に相当する地代の支払はありませんでした。(土地は使用貸借契約)

⑷　被相続人甲及び配偶者乙は、母による配偶者居住権が設定されていた当該居住建物に居住していた期間中に、母に対して利用の対価に相当する家賃の支払はありませんでした。

**類題**　第２次相続において、被相続人甲が遺言書を作成しており、当該遺言書には上記に掲げる居住建物及びその敷地の用に供されている宅地等の所有権を母に遺贈する旨の記載がなされており、母も当該遺言書の内容を受諾した場合にはどのようになりますか。なお、その他の条件は、本題と同一であるものとします。

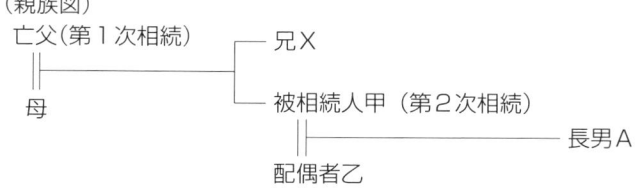

**参考**

(親族図)

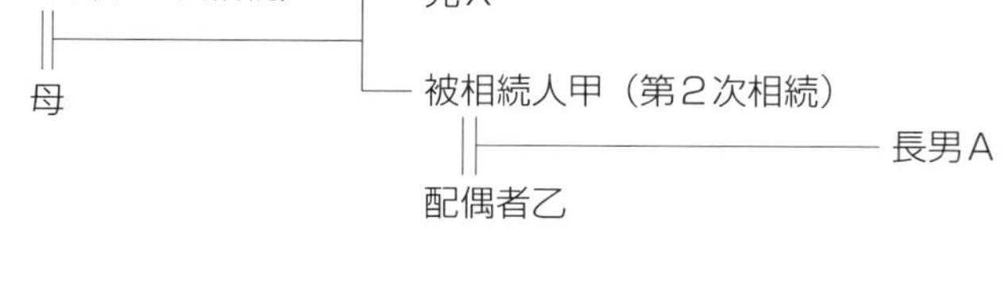

(居住建物及びその敷地について)

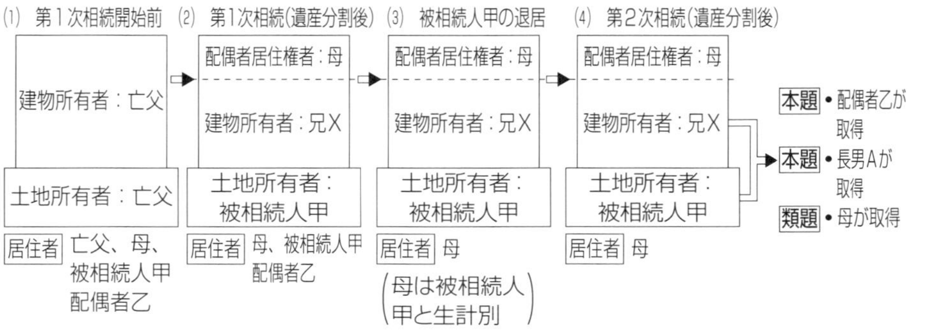


## 応答

⑴　第１次相続により宅地等が配偶者居住権の目的となっている家屋の敷地である場合における第２次相続に係る被相続人等の居住の用に供されていた宅地等の範囲

措置法通達69の４－７の２《宅地等が配偶者居住権の目的となっている家屋の敷地である場合の被相続人等の居住の用に供されていた宅地等の範囲》において、『相続又は遺贈により取得した宅地等が、当該相続の開始の直前において配偶者居住権に基づき使用又は収益されていた家屋の敷地の用に供されていたものである場合には、当該宅地等のうち、次に掲げる宅地等（筆者注 同通達では、⑴と⑵の２つの態様が示されています。）が居住用宅地等に該当するものとする。』と定められており、そのうちの⑵は、次のとおりとされています。

⑵の内容　措置法令第40条の２第２項に定める事由により被相続人の居住の用に供されなくなる直前まで、被相続人の居住の用に供されていた家屋（被相続人又は被相続人の親族が配偶者居住権者である場合のその配偶者居住権の目的となっている家屋をいう。以下⑵において同じ。）で、被相続人が所有していたもの（当該被相続人が当該家屋を当該配偶者居住権者から借り受けていた場合には、無償で借り受けていたときにおける当該家屋に限る。）又は被相続人の親族が所有していたもの（当該家屋を所有していた被相続人の親族が当該家屋の敷地を被相続人から無償で借り受けており、かつ、当該被相続人が当該家屋を当該配偶者居住権者から借り受けていた場合には、無償で借り受けていたときにおける当該家屋に限る。）の敷地の用に供されていた宅地等（被相続人の居住の用に供されなくなった後、措置法第69条の４第１項に規定する事業の用又は新たに被相続人等以外の者の居住の用に供された宅地等を除く。）

⑵　**質疑** の事例の場合

**質疑** の事例の場合、上記⑴に掲げる措置法通達の定めを当てはめると、次に掲げる 判断基準 から事例の宅地等は『被相続人等の居住の用に供されていた家屋の敷地の用に供されていた宅地等（被相続人等の居住用宅地等）』に該当することになります。

判断基準

① 被相続人甲は、介護保険法第19条第1項に規定する要介護認定を受けて、老人福祉法第29条第1項に規定する有料老人ホームに入居したものであることから、措置法令第40条の2第2項に定める事由に該当すること

② 上記①の事由により、被相続人甲の居住の用に供されなくなる直前まで、被相続人甲の居住の用に供されていた家屋であること

③ 上記②に掲げる家屋は、被相続人甲の親族である母が配偶者居住権者である場合のその配偶者居住権の目的となっている家屋であること

④ 上記②及び③に掲げる家屋は、被相続人甲の親族である兄Xが所有していたものであること

⑤ 上記④に掲げる兄Xは、当該家屋の敷地を被相続人甲から無償で借り受けていること

⑥ 上記③に掲げる家屋につき、被相続人甲は当該家屋を同人が有料老人ホームに入居するまでの間、配偶者居住権者である母から無償で借り受けていたこと

⑦ 被相続人甲に係る有料老人ホームへの入居に伴って、被相続人甲の居住の用に供されなくなった後に、小規模宅地等の課税特例に規定する事業の用又は新たに被相続人等以外の者の居住の用に供された宅地等に該当しないこと

（注）**質疑** の事例の場合には、母は当該居住建物に第1次相続開始前から居住しており、被相続人甲と生計を別にするものであっても、新たに被相続人等以外の者の居住の用に供用したことにはなりません。

次に、上記の被相続人等の居住用宅地等を取得した者の別に、当該宅地等に対する小規模宅地等の課税特例（特定居住用宅地等）の適用可否を判断すると、次のとおりとなります。

(イ) 配偶者乙が取得した場合

被相続人の配偶者が被相続人等の居住用宅地等を取得すれば、それのみで要件を充足し、他の要件（相続税の申告期限までにおける所有継続要件、居住継続要件等）は問われないものとされています。

したがって、**質疑** の事例の宅地等を配偶者乙が取得した場合には、当該宅地等を小規模宅地等の課税特例（特定居住用宅地等）の適用対象とすることが認められます。

(ロ) 長男Aが取得した場合

被相続人の配偶者以外の親族が被相続人等の居住用宅地等を取得した場合に、当該居住用宅地等に該当するためには、次に掲げる㋑ないし㋩の区分のうちいずれかを充足する必要があるものとされています。

㋑ 被相続人の居住用家屋に居住（同居）していた者である場合

㋺ 配偶者及び一定の同居親族が存せず非同居親族が取得した場合（いわゆる『家なき子』である場合）

㋩ 被相続人と生計を一にしていた親族の居住の用に供されていた場合

そうすると、**質疑** に掲げる事項から、長男Aは上記㋑ないし㋩に掲げる区分のいず

れにも該当しないものと判断されます。

したがって、**質疑** の事例の宅地等を長男Ａが取得した場合には、当該宅地等を小規模宅地等の課税特例（特定居住用宅地等）の適用対象とすることは認められないことになります。

(3)　類題の事例の場合（母が取得した場合）

母が取得した場合には、母は被相続人甲の配偶者以外の親族に該当することから、上記(2)(ロ)に掲げる㋑ないし㋩の区分のいずれかを充足する必要があるものとされます。

そうすると、**質疑** に掲げる事項から、母は上記(2)(ロ)に掲げる㋑の区分に該当するものと判断されます。

したがって、類題の事例の宅地等を母が取得した場合には、当該宅地等を小規模宅地等の課税特例（特定居住用宅地等）の適用対象とすることが認められます。

### (35)　配偶者居住権等に対する小規模宅地等の課税特例の適用関係（その11：既に配偶者居住権が設定されている場合における第２次相続の開始）（そのＤ：宅地等が配偶者居住権の目的となっている建物の敷地である場合における被相続人等の事業用宅地等の範囲(1)（貸付事業用宅地等に係る有償貸付型で判定する場合①））

**質疑**

被相続人甲に相続開始（以下、この相続を「第２次相続」といいます。）がありました。被相続人甲が第２次相続開始の直前において居住の用に供していた建物は、もともとは同人の亡夫の所有であったものですが、亡夫に係る相続（以下、この相続を「第１次相続」といいます。）の遺産分割協議により、被相続人甲が配偶者居住権を終身にわたって設定し、長男Ａが当該建物の所有権を取得するという状況にあったものです。また、当該建物の敷地の用に供されていた宅地等の所有権は、被相続人甲が取得していました。

第１次相続開始後、長男Ａは、当該居住建物の敷地の用に供する宅地等の利用の対価として相当と認められる地代を継続して被相続人甲に支払っていました。（土地は賃貸借契約）

今回の第２次相続においては、当該宅地等を被相続人甲の長女Ｂが取得して、今後も末長く長男Ａとの土地賃貸借契約が継続することが想定されています。

上記の場合において、第２次相続開始の直前において被相続人甲が有していた宅地等に対する小規模宅地等の課税特例の適用関係は、どのようになりますか。

参考

（親族図）

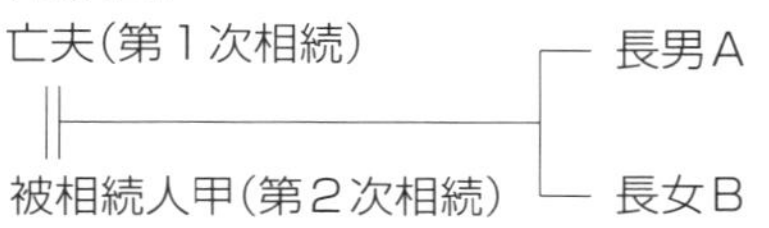

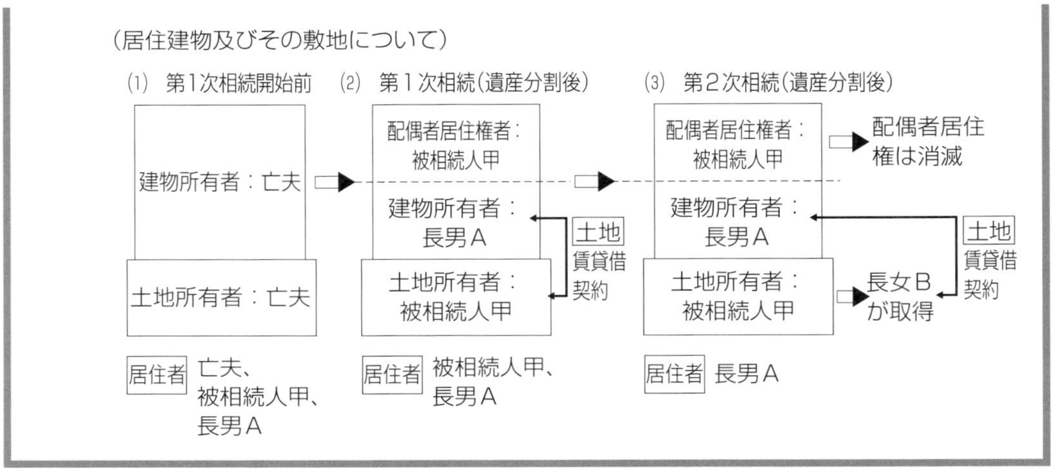


**応答**

(1)　第１次相続により宅地等が配偶者居住権の目的となっている家屋の敷地である場合における第２次相続に係る被相続人等の事業の用に供されていた宅地等の範囲

措置法通達69の４－４の２《宅地等が配偶者居住権の目的となっている建物等の敷地である場合の被相続人等の事業の用に供されていた宅地等の範囲》において、『相続又は遺贈により取得した宅地等が、当該相続の開始の直前において配偶者居住権に基づき使用又は収益されていた建物等の敷地の用に供されていたものである場合には、当該宅地等のうち、次に掲げる宅地等（筆者注 同通達では、(1)と(2)の２つの態様が示されています。）が事業用宅地等に該当するものとする。』と定められており、そのうちの(1)は、次のとおりとされています。

(1)の内容　他に貸し付けられていた宅地等（当該貸付け（筆者注１）が事業（筆者注２）に該当する場合に限る。）

筆者注１　『貸付け』とは、相当の対価を得て継続的に貸し付けていることをいいます。したがって、当該貸借の条件が無償である場合や、固定資産税その他の必要経費を回収する程度の相当の対価を得ていないものについては、借主の如何（第三者、生計一の親族、同族会社等）を問わず、本通達に定める『貸付け』の要件には該当しません。

筆者注２　『事業』には、『事業に準ずるもの』が含まれます。

(2)　**質疑** の事例の場合

**質疑** の事例の場合、上記(1)に掲げる措置法通達の定めを当てはめると、次に掲げる判断基準から事例の宅地等は『被相続人等の事業用宅地等（他に貸し付けられていた宅地等）』に該当することになります。

判断基準　第２次相続開始の直前において、被相続人甲は当該宅地等を長男Aに対して、相当の対価を得て継続的に貸し付けていること

次に、上記の被相続人等の事業用宅地等を取得した長女Bについては、**質疑** に掲げる前提より次に掲げる①ないし③に掲げる事項を充足しているものと認められます。

| | |
|---|---|
| ①　貸付事業承継の要件 | 被相続人の親族（長女B）が、相続開始時から相続税の申告期限までの間に当該宅地等に係る被相続人の貸付事業を承継すること |
| ②　所有継続の要件 | 上記①の貸付事業を承継した親族（長女B）が、相続開始時から相続税の申告期限まで引き続き当該宅地等を所有していること |
| ③　貸付事業継続の要件 | 上記①の貸付事業を承継した親族（長女B）が、貸付事業承継後、相続税の申告期限まで引き続き当該貸付事業の用に供していること |

そうすると、**質疑**の事例の宅地等を取得した長女Bは、当該宅地等を小規模宅地等の課税特例（貸付事業用宅地等：被相続人の貸付事業を相続開始後に事業承継する場合）の適用対象とすることが認められます。

なお、上記に掲げる判断は、宅地等の賃貸人である被相続人甲と賃借人である長男Aとの関係が生計一である親族か、又は、生計を別にする親族であるかによって左右されるものではないことに留意する必要があります。

### ㊱　配偶者居住権等に対する小規模宅地等の課税特例の適用関係（その11：既に配偶者居住権が設定されている場合における第２次相続の開始）（そのD：宅地等が配偶者居住権の目的となっている建物の敷地である場合における被相続人等の事業用宅地等の範囲⑴（貸付事業用宅地等に係る有償貸付型で判定する場合②））

**質疑**　被相続人甲に相続開始（以下、この相続を「第２次相続」といいます。）がありました。第２次相続開始の直前において被相続人甲の母が居住の用に供していた建物は、もともとは被相続人甲の亡父の所有であったものですが、亡父に係る相続（以下、この相続を「第１次相続」といいます。）の遺産分割協議により、母が配偶者居住権を終身にわたって設定し、被相続人甲の兄Xが当該建物の所有権を取得するという状況にあったものです。また、当該建物の敷地の用に供されていた宅地等の所有権は、被相続人甲が取得していました。

第１次相続開始後は、兄Xは、当該居住建物の敷地の用に供する宅地等の利用の対価として相当と認められる地代を継続して被相続人甲に支払っていました。（土地は賃貸借契約）

今回の第２次相続においては、当該宅地等を被相続人甲の相続人である長男Aが取得して、今後とも末長く兄Xとの土地賃貸借契約が継続することが想定されています。

上記の場合において、第２次相続開始の直前において被相続人甲が有していた宅地等に対する小規模宅地等の課税特例の適用関係は、どのようになりますか。

参考

（親族図）

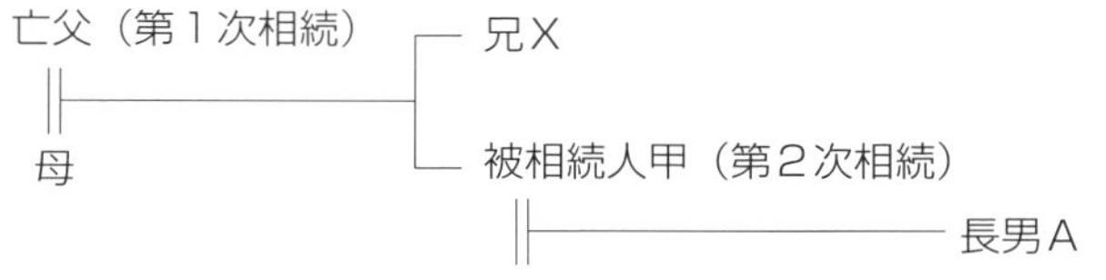


（居住建物及びその敷地について）

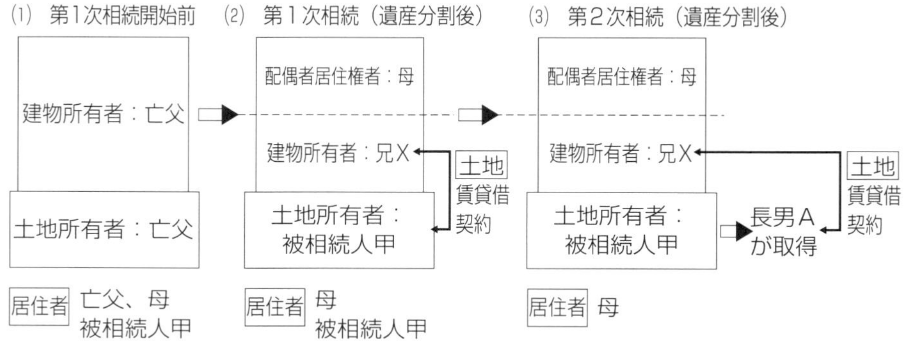


## 応答

(1)　第１次相続により宅地等が配偶者居住権の目的となっている家屋の敷地である場合における第２次相続に係る被相続人等の事業の用に供されていた宅地等の範囲

措置法通達69の４－４の２《宅地等が配偶者居住権の目的となっている建物等の敷地である場合の被相続人等の事業の用に供されていた宅地等の範囲》において、『相続又は遺贈により取得した宅地等が、当該相続の開始の直前において配偶者居住権に基づき使用又は収益されていた建物等の敷地の用に供されていたものである場合には、当該宅地等のうち、次に掲げる宅地等（筆者注 同通達では、(1)と(2)の２つの態様が示されています。）が事業用宅地等に該当するものとする。』と定められており、そのうちの(1)は、次のとおりとされています。

(1)の内容　他に貸し付けられていた宅地等（当該貸付け（筆者注１）が事業（筆者注２））に該当する場合に限る。）

筆者注１　『貸付け』とは、相当の対価を得て継続的に貸し付けていることをいいます。したがって、当該貸借の条件が無償である場合や、固定資産税その他の必要経費を回収する程度の相当の対価を得ていないものについては、借主の如何（第三者、生計一の親族、同族会社等）を問わず、本通達に定める『貸付け』の要件には該当しません。

筆者注２　『事業』には、『事業に準ずるもの』が含まれます。

(2)　質疑 の事例の場合

質疑 の事例の場合、上記(1)に掲げる措置法通達の定めを当てはめると、次に掲げる判断基準から事例の宅地等は『被相続人等の事業用宅地等（他に貸し付けられていた宅地等）』に該当することになります。

判断基準　第２次相続開始の直前において、被相続人甲は当該宅地等を兄Ｘに対して、相当の対価を得て継続的に貸し付けていること

次に、上記の被相続人等の事業用宅地等を取得した長男Ａについては、質疑に掲げる前提より次に示す①ないし③の事項を充足しているものと認められます。

① 貸付事業承継の要件　被相続人の親族（長男Ａ）が、相続開始時から相続税の申告期限までの間に当該宅地等に係る被相続人の貸付事業を承継すること

② 所有継続の要件　上記①の貸付事業を承継した親族（長男Ａ）が、相続開始時から相続税の申告期限まで引き続き当該宅地等を所有していること

③ 貸付事業継続の要件　上記①の貸付事業を承継した親族（長男Ａ）が、貸付事業承継後、相続税の申告期限まで引き続き当該貸付事業の用に供していること

そうすると、質疑の事例の宅地等を取得した長男Ａは、当該宅地等を小規模宅地等の課税特例（貸付事業用宅地等：被相続人の貸付事業を相続開始後に事業承継する場合）の適用対象とすることが認められます。

なお、上記に掲げる判断は、宅地等の賃貸人である被相続人甲と賃借人である兄Ｘとの関係が生計一である親族か、又は、生計を別にする親族であるかによって左右されるものではないことに留意する必要があります。

### ㊲ 配偶者居住権等に対する小規模宅地等の課税特例の適用関係（その11：既に配偶者居住権が設定されている場合における第２次相続の開始）（そのＤ：宅地等が配偶者居住権の目的となっている建物の敷地である場合における被相続人等の事業用宅地等の範囲⑵（配偶者居住権者が自己の事業の用に供していた場合①））

質疑　被相続人甲に相続開始（以下、この相続を「第２次相続」といいます。）がありました。被相続人甲が第２次相続開始の直前において同人が営む事業（飲食業）の用に供していた建物は、もともとは同人の亡夫の所有の居住建物（被相続人甲及び亡夫が居住）であったもので、亡夫に係る相続（以下、この相続を「第１次相続」といいます。）の遺産分割協議により、被相続人甲が配偶者居住権を終身にわたって設定し、長男Ａが当該居住建物の所有権を取得するという状況にありましたが、当該配偶者居住権の設定後に当該配偶者居住権者である被相続人甲が当該居住建物所有者である長男Ａの承諾を得て被相続人甲が営む事業（飲食業）に転用したという経緯が確認されています。また、当該居住建物の敷地の用に供されていた宅地等

の所有権は、被相続人甲が取得していました。

今回の第２次相続においては、当該宅地等を長男Ａが取得し、また、被相続人甲が営んでいた事業（飲食業）も長男Ａが承継して、今後も末長く継続することが想定されています。

上記の場合において、第２次相続開始の直前において被相続人甲が有していた宅地等に対する小規模宅地等の課税特例の適用関係は、どのようになりますか。

なお、回答に当たっては、次に掲げる事項を前提とします。

前提事項

(1)　第２次相続開始の直前において、被相続人甲（土地所有者）と長男Ａ（建物所有者）は生計を一にしていました。

(2)　長男Ａは、当該建物の敷地の用に供する宅地等の利用の対価としての地代を被相続人甲に支払ったことはありません。（土地は使用貸借契約）

参考

（親族図）

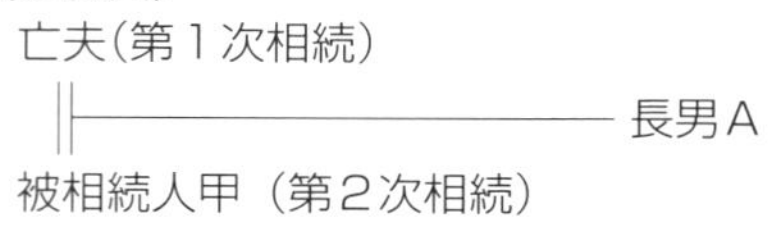


（配偶者居住権の目的となっている建物及びその敷地について）

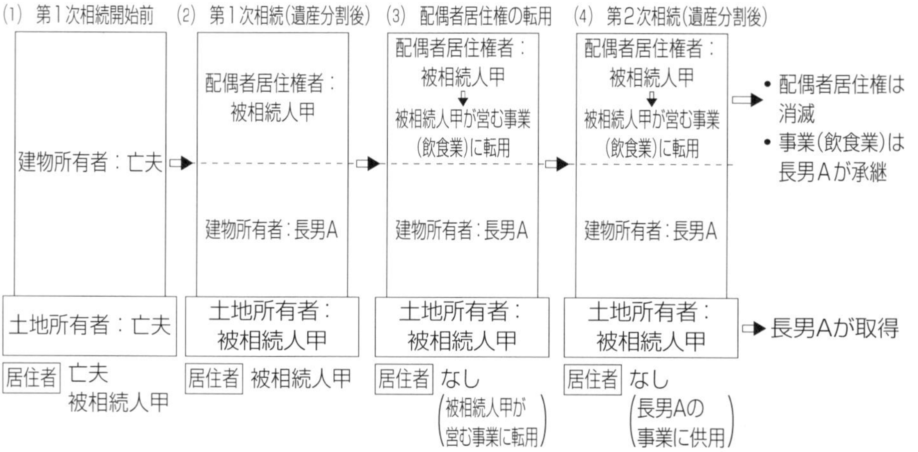


**類題**　上記の **質疑** に掲げる 前提事項 (1)では、第２次相続開始の直前において、被相続人甲（土地所有者）と長男Ａ（建物所有者）は生計を一にしていたとの設定でしたが、これがもし仮に、生計を別にしていたとしたならば、どのようになりますか。なお、その他の条件はすべて同一であるものとします。

## 応答

⑴　第１次相続により宅地等が配偶者居住権の目的となっている家屋の敷地である場合における第２次相続に係る被相続人等の事業の用に供されていた宅地等の範囲

措置法通達69の４－４の２《宅地等が配偶者居住権の目的となっている建物等の敷地である場合の被相続人等の事業の用に供されていた宅地等の範囲》において、『相続又は遺贈により取得した宅地等が、当該相続の開始の直前において配偶者居住権に基づき使用又は収益されていた建物等の敷地の用に供されていたものである場合には、当該宅地等のうち、次に掲げる宅地等（筆者注 同通達では⑴と⑵の２つの態様が示されています。）が事業用宅地等に該当する。』と定められており、そのうちの⑵は、次のとおりとされています。

⑵の内容　⑴に掲げる宅地等（筆者注１）を除き、被相続人等（筆者注２）の事業（筆者注３）の用に供されていた建物等（被相続人等又はその他親族（筆者注４）が所有していた建物等をいう。以下⑵において同じ。）で、被相続人等が配偶者居住権者（当該配偶者居住権を有する者をいう。以下69の４－23まで同じ。）であるもの又はその他親族が配偶者居住権者であるもの（被相続人等が当該建物等を配偶者居住権者である当該その他親族から無償で借り受けていた場合における当該建物等に限る。）の敷地の用に供されていたもの

筆者注１　『他に貸し付けられていた宅地等（当該貸付けが事業に該当する場合に限る。）』をいいます。

筆者注２　『被相続人等』とは、被相続人又は当該被相続人と生計を一にしていた当該被相続人の親族をいいます。

筆者注３　『事業』には、『事業に準ずるもの』が含まれます。

筆者注４　『その他親族』とは、被相続人と生計を別にする親族をいいます。

⑵　質疑 の事例の場合

質疑 の事例の場合、上記⑴に掲げる措置法通達の定めを当てはめると、次に掲げる 判断基準 から事例の宅地等は『被相続人等の事業用宅地等（被相続人等の事業の用に供されていた建物等で配偶者居住権の目的とされていたものの敷地である宅地等）』に該当することになります。

判断基準

①　被相続人甲（土地所有者）と長男Ａ（建物所有者）との間における土地等の貸借は使用貸借契約とされていることから、当該貸借は上記⑴に掲げる措置法通達に定める『他に貸し付けられていた宅地等（当該貸付けが事業に該当する場合に限る。）』（いわゆる『有償貸地型』）には該当しないこと

②　被相続人甲の事業（被相続人甲が営む飲食業）の用に供されていた建物等であること

③　上記②の建物等は、被相続人甲と生計を一にする親族である長男Ａが所有していたものであること

④　上記②及び③の建物等は、被相続人甲が配偶者居住権者である場合のその配偶者居住権の目的となっているものであること

次に、上記の被相続人等の事業用宅地等を取得した長男Ａについては、**質疑** に掲げる前提より次に示す①ないし③の事項を充足しているものと認められます。

①　事業承継の要件　被相続人の親族（長男Ａ）が、相続開始時から相続税の申告期限までの間に当該宅地等の上で営まれていた被相続人の事業を承継すること

②　所有継続の要件　上記①の事業を承継した親族（長男Ａ）が、相続開始時から相続税の申告期限まで引き続き当該宅地等を所有していること

③　事業継続の要件　上記①の事業を承継した親族（長男Ａ）が、事業承継後、相続税の申告期限まで引き続き当該事業を営んでいること

そうすると、**質疑** の事例の宅地等を取得した長男Ａは、当該宅地等を小規模宅地等の課税特例（特定事業用宅地等：被相続人の事業を相続開始後に事業承継する場合）の適用対象とすることが認められます。

⑶　**類題** の事例の場合

**類題** の事例（第２次相続開始の直前において、被相続人甲（土地所有者）と長男Ａ（建物所有者）が生計を別にしていた事例）の場合においても、上記⑴に掲げる措置法通達中に『建物等（被相続人等又はその親族が所有していた建物等をいう。）』という定めが設けられていることから、被相続人甲（土地所有者）と長男Ａ（建物所有者）の両者の関係が生計一であるのか、又は、生計別であるのかは、その判断結果を左右することにはならず、結論として、上記⑵と同様に、長男Ａが取得した宅地等は小規模宅地等の課税特例（特定事業用宅地等：被相続人の事業を相続開始後に事業承継する場合）の適用対象とすることが認められます。

### ㊳　配偶者居住権等に対する小規模宅地等の課税特例の適用関係（その11：既に配偶者居住権が設定されている場合における第２次相続の開始）（そのＤ：宅地等が配偶者居住権の目的となっている建物の敷地である場合における被相続人等の事業用宅地等の範囲⑵（配偶者居住権者が自己の事業の用に供していた場合②））

**質疑**　被相続人甲に相続開始（以下、この相続を「第２次相続」といいます。）がありました。被相続人甲の母が第２次相続開始の直前において自己の営む事業（飲食業）の用に供していた建物は、もともとは相続人甲の亡父の所有の居住建物（亡父及び母が居住）であったものですが、亡父に係る相続（以下、この相続を「第１次相続」といいます。）の遺産分割協議により、母（亡父の配偶者）が配偶者居住権を終身にわたって設定し、被相続人甲が当該居住建物及びその敷地の用に供される宅地等の所有権を取得するという状況にあり、当該配偶者居住権の設定後に当該配偶者居住者である母と当該居住建物所有者である被相続人甲のとの合意に基づいて、母が営む事業（飲食業）に転用したという経緯が確認されています。

今回の第２次相続においては、当該宅地等を母が取得（建物は配偶者乙が取得）します。また、母が営んでいた事業（飲食業）については従前と同様に、今後も末長く母が継続することが想定されています。

上記の場合において、第２次相続開始直前において被相続人甲が有していた宅地等に対する小規模宅地等の課税特例の適用関係は、どのようになりますか。

なお、回答に当たっては、次に掲げる事項を前提とします。

前提事項

第２次相続開始の直前において、被相続人甲（土地等及び建物の所有者）と母（配偶者居住権者）は生計を一にしていました。

参考

（親族図）

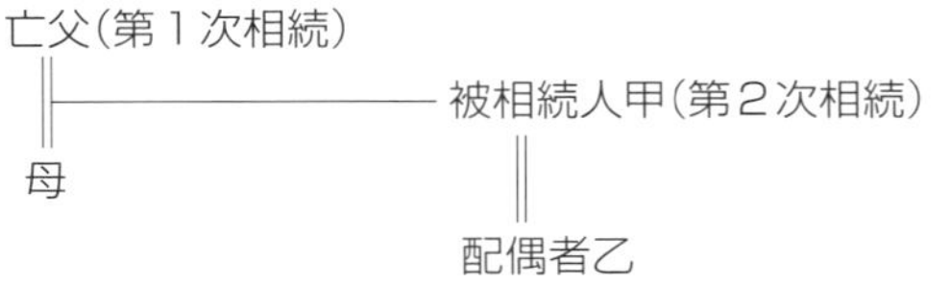


（配偶者居住権の目的となっている建物及びその敷地について）

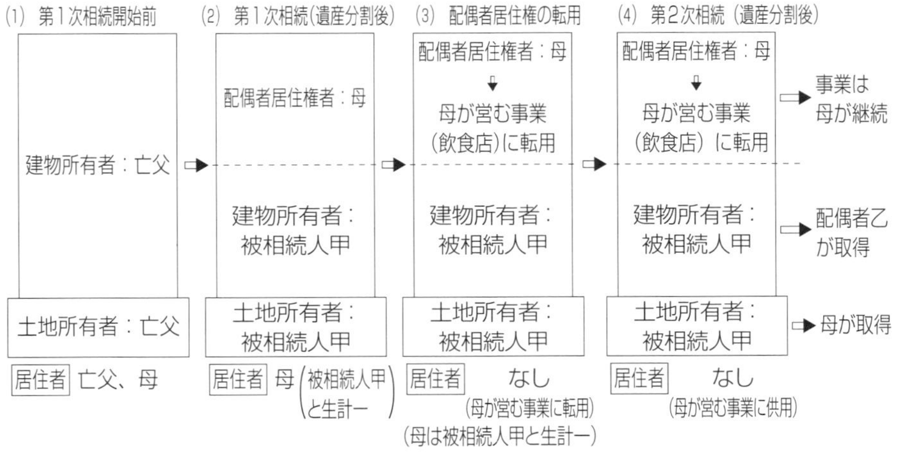


類題　上記の 質疑 に掲げる 前提事項 では、第２次相続開始の直前において、被相続人甲（土地等及び建物の所有者）と母（配偶者居住権者）は生計を一にしていたとの設定でしたが、これがもし仮に、生計を別にしていたとしたならば、どのようになりますか。なお、その他の条件はすべて同一であるものとします。

## 応答

(1)　第１次相続により宅地等が配偶者居住権の目的となっている家屋の敷地である場合における第２次相続に係る被相続人等の事業の用に供されていた宅地等の範囲

措置法通達69の４－４の２《宅地等が配偶者居住権の目的となっている建物等の敷地である場合の被相続人等の事業の用に供されていた宅地等の範囲》において、『相続又は遺贈により取得した宅地等が、当該相続の開始の直前において配偶者居住権に基づき使用又は収益されていた建物等の敷地の用に供されていたものである場合には、当該宅地等のうち、次に掲げる宅地等（筆者注 同通達では、(1)と(2)の２つの態様が示されています。）が事業用宅地等に該当する。』と定められており、そのうちの(2)は、次のとおりとされています。

(2)の内容　(1)に掲げる宅地等を除き、被相続人等の事業の用に供されていた建物等（被相続人等又はその他親族が所有していた建物等をいう。以下(2)において同じ。）で、被相続人等が配偶者居住権者（当該配偶者居住権を有する者をいう。以下69の４－23まで同じ。）であるもの又はその他親族が配偶者居住権者であるもの（被相続人等が当該建物等を配偶者居住権者である当該その他親族から無償で借り受けていた場合における当該建物等に限る。）の敷地の用に供されていたもの

(2)　質疑 の事例の場合

質疑 の事例の場合、上記(1)に掲げる措置法通達の定めを当てはめると、次に掲げる 判断基準 から事例の宅地等は『被相続人等の事業用宅地等（被相続人等の事業の用に供されていた建物等で配偶者居住権の目的とされていたものの敷地である宅地等)』に該当することになります。

判断基準

①　土地所有者及び建物所有者が同一人（いずれも、被相続人甲）であることから、質疑 の事例は、上記(1)に掲げる措置法通達に定める『他に貸し付けられていた宅地等（当該貸付け事業に該当する場合に限る。)』（いわゆる『有償貸地型』）には該当しないこと

②　被相続人甲と生計を一にする親族である母の事業（母が営む飲食業）の用に供されていた建物等であること

③　上記②の建物等は、被相続人甲が所有していたものであること

④　上記②及び③の建物等は、被相続人甲と生計を一にする親族である母が配偶者居住権者である場合のその配偶者居住権の目的となっているものであること

次に、上記の被相続人等の事業用宅地等を取得した母については、質疑 に掲げる前提より次に示す①ないし③の事項を充足しているものと認められます。

①　生計一親族の要件　被相続人から相続又は遺贈により財産を取得した親族（母）が、当該被相続人と生計を一にしていた者であること

②　所有継続の要件　上記①の親族（母）が、相続開始時から相続税の申告期限まで引き続き当該宅地等を所有していること

③　事業継続の要件　上記①の親族（母）が、相続開始前から相続税の申告期限まで引

き続き当該宅地等を自己の事業の用（母が営む飲食業）の用に供していること

そうすると、質疑の事例の宅地等を取得した母は、当該宅地等を小規模宅地等の課税特例（特定事業用宅地等：被相続人と生計を一にする親族の事業の用に供されていた場合）の適用対象とすることが認められます。

ポイント

上記の質疑の事例において、もし仮に被相続人甲の相続財産である宅地等の取得者が母ではなく配偶者乙（被相続人甲と生計を一にしています。）で、今後も末長く取得した宅地等を継続して所有することが想定されるというものであった場合における当該宅地等に対する小規模宅地等の課税特例の適用関係はどのようになるのでしょうか。

この場合には、結論として、配偶者乙に対して小規模宅地等の課税特例（特定事業用宅地等）の適用は認められないことになります。その理由は、次のとおりです。

①　質疑の事例の場合、事業（飲食業）を営んでいるのは母（被相続人と生計を一にする親族）であり被相続人甲ではないことから、特定事業用宅地等に該当する形態としての『被相続人の事業を相続開始後に承継する場合』に該当しないこと

②　仮定論において当該宅地等を取得した配偶者乙は、たとえ、被相続人甲と生計を一にする親族に該当し、当該宅地等を継続して所有するとしても、当該宅地上で営まれていた事業（母の営む飲食業）に係る事業主ではないことから、特定事業用宅地等に該当する形態としての『被相続人と生計を一にする親族の事業の用に供されていた場合』に該当しないこと

(3)　類題の事例の場合

類題の事例（第２次相続開始の直前において、被相続人甲（土地所有者）と母（配偶者居住権者）が生計を別にしていた事例）の場合について検討すると、上記(1)に掲げる措置法通達中に『被相続人等の事業の用に供されていた建物等』という定めが設けられていることから、適用要件を充足させるためには、当該建物等は次に掲げる①又は②のいずれかに該当する必要があります。

①　被相続人の事業の用に供されていた建物等

②　被相続人と生計を一にする親族の事業の用に供されていた建物等

そうすると、類題の事例では、事業を営んでいたのは被相続人甲ではなく母であり、また、母は被相続人甲と生計を別にしていたという設定ですから、上記①又は②のいずれにも該当しないことになります。

以上より、類題の事例の場合には、たとえ、当該宅地等の取得者が母であったとしても、当該宅地等を小規模宅地等の課税特例（特定事業用宅地等）の適用対象とすることは認められないことになります。

## ㊴　配偶者居住権等に対する小規模宅地等の課税特例の適用関係（その11：既に配偶者居住権が設定されている場合における第２次相続の開始）（そのＤ：宅地等が配偶者居住権の目的となっている建物の敷地である場合における被相続人等の事業用宅地等の範囲⑵（配偶者居住権者が自己の事業の用に供していた場合③））

**質疑**　被相続人甲に相続開始（以下、この相続を「第２次相続」といいます。）がありました。被相続人甲の母が第２次相続開始の直前において自己の営む事業（飲食業）の用に供していた建物は、もともとは被相続人甲の亡父の所有の居住建物（亡父及び母が居住）であったものですが、亡父に係る相続（以下、この相続を「第１次相続」といいます。）の遺産分割協議により、母（亡父の配偶者）が配偶者居住権を終身にわたって設定し、被相続人甲の兄Ｘが当該居住建物の所有権を取得（当該居住建物の敷地の用に供されている宅地等の所有権は、被相続人甲が取得）するという状況にあり、当該配偶者居住権の設定後に当該配偶者居住権者である母と当該居住建物所有者である被相続人甲の兄Ｘとの合意に基づいて、母が営む事業（飲食業）に転用したという経緯が確認されています。

今回の第２次相続においては、当該宅地等を母が取得します。また、母が営んでいた事業（飲食業）については従前と同様に、今後も末長く母が継続することが想定されています。

上記の場合において、第２次相続開始の直前において被相続人甲が有していた宅地等に対する小規模宅地等の課税特例の適用関係は、どのようになりますか。

なお、回答に当たっては、次に掲げる事項を前提とします。

前提事項

⑴　第２次相続開始の直前において、被相続人甲（土地所有者）と母（配偶者居住権者）は生計を一にしていました。

⑵　第２次相続開始の直前において、被相続人甲（土地所有者）と兄Ｘ（建物所有者）は生計を一にしていました。

⑶　兄Ｘは、当該建物の敷地の用に供する宅地等の利用の対価としての地代を被相続人甲に支払ったことはありません。（土地は使用貸借契約）

参考

（親族図）

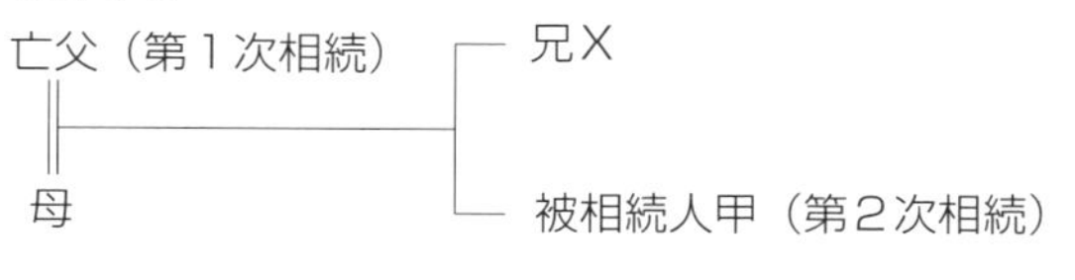

（配偶者居住権の目的となっている建物及びその敷地について）

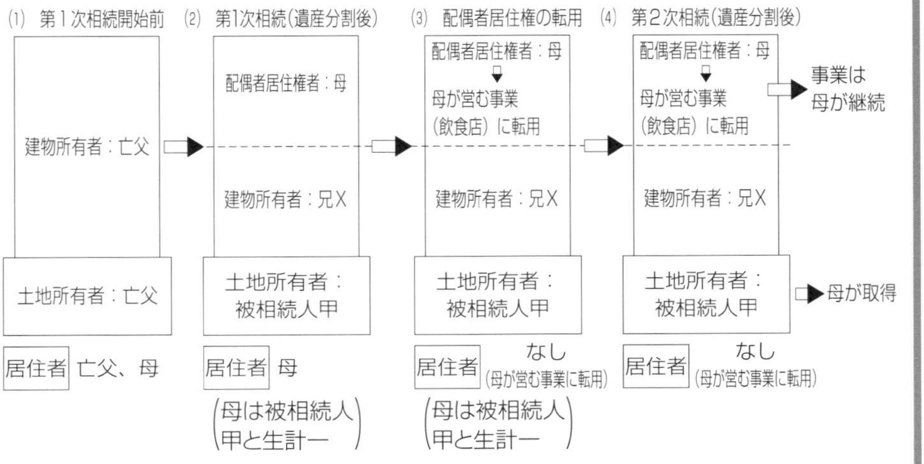


**類題**　上記の **質疑** に掲げる 前提事項 ⑴及び⑵では、第２次相続開始の直前において、『被相続人甲（土地所有者）と母（配偶者居住権者）』及び『被相続人甲（土地所有者）と兄Ｘ（建物所有者）』はそれぞれ生計を一にしていたとの設定でしたが、これがもし仮に、下記に掲げるとおりの区分であったとしたならば、どのようになりますか。なお、その他の条件はすべて同一であるものとします。

**類題１**　⑴　第２次相続開始の直前において、被相続人甲（土地所有者）と母（配偶者居住権者）は生計を一にしていました。

⑵　第２次相続開始の直前において、被相続人甲（土地所有者）と兄Ｘ（建物所有者）は生計を別にしていました。

**類題２**　⑴　第２次相続開始の直前において、被相続人甲（土地所有者）と母（配偶者居住権者）は生計を別にしていました。

⑵　第２次相続開始の直前において、被相続人甲（土地所有者）と兄Ｘ（建物所有者）は生計を一にしていました。

**類題３**　⑴　第２次相続開始の直前において、被相続人甲（土地所有者）と母（配偶者居住権者）は生計を別にしていました。

⑵　第２次相続開始の直前において、被相続人甲（土地所有者）と兄Ｘ（建物所有者）は生計を別にしていました。

(まとめ)

| | | 被相続人甲（土地所有者）と兄Ｘ（建物所有者）との関係 | |
|---|---|---|---|
| | | 『生計一』の場合 | 「生計別』の場合 |
| 被相続人甲（土地所有者）と母（配偶者居住権者）との関係 | 『生計一』の場合 | 質疑 | 類題１ |
| | 「生計別』の場合 | 類題２ | 類題３ |

## 応答

⑴　第１次相続により宅地等が配偶者居住権の目的となっている家屋の敷地である場合における第２次相続に係る被相続人等の事業の用に供されていた宅地等の範囲

措置法通達69の４－４の２《宅地等が配偶者居住権の目的となっている建物等の敷地である場合の被相続人等の事業の用に供されていた宅地等の範囲》において、『相続又は遺贈により取得した宅地等が、当該相続の開始の直前において配偶者居住権に基づき使用又は収益されていた建物等の敷地の用に供されていたものである場合には、当該宅地等のうち、次に掲げる宅地等（筆者注 同通達では、⑴と⑵の２つの態様が示されています。）が事業用宅地等に該当する。』と定められており、そのうちの⑵は、次のとおりとされています。

⑵の内容　⑴に掲げる宅地等を除き、被相続人等の事業の用に供されていた建物等（被相続人等又はその他親族が所有していた建物等をいう。以下⑵において同じ。）で、被相続人等が配偶者居住権者（当該配偶者居住権を有する者をいう。以下69の４－23まで同じ。）であるもの又はその他親族が配偶者居住権者であるもの（被相続人等が当該建物等を配偶者居住権者である当該その他親族から無償で借り受けていた場合における当該建物等に限る。）の敷地の用に供されていたもの

⑵　質疑 の事例の場合

質疑 の事例の場合、上記⑴に掲げる措置法通達の定めを当てはめると、次に掲げる 判断基準 から事例の宅地等は『被相続人等の事業用宅地等（被相続人等の事業の用に供されていた建物等で配偶者居住権の目的とされていたものの敷地である宅地等）』に該当することになります。

判断基準

①　被相続人甲（土地所有者）と兄Ｘ（建物所有者）との間における土地等の貸借は使用貸借契約とされていることから、当該貸借は上記⑴に掲げる措置法通達に定める『⑴に掲げる宅地等（注『他に貸し付けられていた宅地等（当該貸付けが事業に該当する場合に限る。）』）』（いわゆる『有償貸地型』）には該当しないこと

②　被相続人甲と生計を一にする親族である母の事業（母が営む飲食業）の用に供されていた建物等であること

③　上記②の建物等は、被相続人甲と生計を一にする親族である兄Ｘが所有していたものであること

④　上記②及び③の建物等は、被相続人甲と生計を一にする親族である母が配偶者居住権者である場合のその配偶者居住権の目的となっているものであること

次に、上記の被相続人等の事業用宅地等を取得した母については、**質疑** に掲げる前提より次に示す①ないし③の要件を充足しているものと認められます。

① 生計一親族の要件　被相続人からの相続又は遺贈により財産を取得した親族（母）が、当該被相続人と生計を一にしていた者であること

② 所有継続の要件　上記①の親族（母）が、相続開始時から相続税の申告期限まで引き続き当該宅地等を所有していること

③ 事業継続の要件　上記①の親族（母）が、相続開始前から相続税の申告期限まで引き続き当該宅地等を自己の事業の用（母が営む飲食業）の用に供していること

そうすると、**質疑** の事例の宅地等を取得した母は、当該宅地等を小規模宅地等の課税特例（特定事業用宅地等：被相続人と生計を一にする親族の事業の用に供されていた場合）の適用対象とすることが認められます。

(3)　類題１の事例の場合

類題１の事例（①被相続人甲（土地所有者）と母（配偶者居住権者）は生計一、②被相続人甲（土地所有者）と兄Ｘ（建物所有者）は生計別）の場合についても、次に掲げる判断基準から事例の宅地等は『被相続人等の事業用宅地等（被相続人等の事業の用に供されていた建物等で配偶者居住権の目的とされたものの敷地である宅地等）』に該当することになります。

判断基準

①　被相続人甲（土地所有者）と兄Ｘ（建物所有者）との間における土地等の貸借は使用貸借契約とされていることから、当該貸借は上記(1)に掲げる措置法通達に定める『(1)に掲げる宅地等（注『他に貸し付けられていた宅地等（当該貸付けが事業に該当する場合に限る。)』)』（いわゆる『有償貸地型』）には該当しないこと

②　被相続人甲と生計を一にする親族である母の事業（母が営む飲食業）の用に供されていた建物等であること

③　上記②の建物等は、被相続人甲と生計を別にする親族である兄Ｘが所有していたものであること

④　上記②及び③の建物等は、被相続人甲と生計を一にする親族である母が配偶者居住権者である場合のその配偶者居住権の目的となっているものであること

そして、上記の被相続人等の事業用宅地等を取得した母については、上記(2)に掲げるとおり、三つの要件を充足していることが認めれらます。

そうすると、類題１の事例の宅地等を取得した母は、当該宅地等を小規模宅地等の課税特例（特定事業用宅地等：被相続人と生計を一にする親族の事業の用に供されていた場合）の適用対象とすることが認められます。

(4)　類題２及び類題３の事例の場合

類題２の事例（①被相続人甲（土地所有者）と母（配偶者居住権者）は生計別、②被相続人甲（土地所有者）と兄Ｘ（建物所有者）は生計一）及び類題３（①被相続人甲（土地所有者）と母（配偶者居住権者）は生計別、②被相続人甲（土地所有者）と兄Ｘ（建物所有者）は生計別）の場合について検討すると、上記(1)に掲げる措置法通達中に『被相続人等の事業の用に供されていた建物等』という定めが設けられていることから、適用要件を充足させるためには、当該建物等は次に掲げる①又は②のいずれかに該当する必要があります。

①　被相続人の事業の用に供されていた建物等

②　被相続人と生計を一にする親族の事業の用に供されていた建物等

そうすると、類題２及び類題３の事例では、いずれも事業を営んでいたのは被相続人甲ではなく母であり、また母は被相続人甲と生計を別にしていたという設定ですから、上記①又は②のいずれにも該当しないことになります。

以上より、類題２及び類題３の事例の場合には、たとえ、当該宅地等の取得者が母であったとしても、当該宅地等を小規模宅地等（特定事業用宅地等）の適用対象とすることは認められないことになります。

### (40)　配偶者居住権等に対する小規模宅地等の課税特例の適用関係（その11：既に配偶者居住権が設定されている場合における第２次相続の開始）（そのＤ：宅地等が配偶者居住権の目的となっている建物の敷地である場合における被相続人等の事業用宅地等の範囲(3)（配偶者居住権者から無償貸付（又は有償貸付）を受けた親族が自己の事業の用に供していた場合①））

**質疑**　被相続人甲に相続開始（以下、この相続を「第２次相続」といいます。）がありました。第２次相続開始の直前において被相続人甲の長男Ａが営む事業（飲食業）の用に供していた建物は、もともとは被相続人甲の亡夫の所有の居住建物（被相続人甲及び亡夫が居住）であったもので、亡夫に係る相続（以下、この相続を「第１次相続」といいます。）の遺産分割協議により、被相続人甲が配偶者居住権を終身にわたって設定し、長女Ｂが当該居住建物の所有権を取得するという状況にあり、当該配偶者居住権の設定後に当該配偶者居住権者である被相続人甲が、当該建物所有者である長女Ｂの承諾を得て、当該配偶者居住権を長男Ａに対して使用収益させることを認めたことにより、長男Ａが営む事業（飲食業）に転用されたという経緯が確認されています。また、当該居住建物の敷地の用に供されていた宅地等の所有権は、被相続人甲が取得していました。

今回の第２次相続においては、当該宅地等を長男Ａが取得します。また、長男Ａが営んでいた事業（飲食業）については従前と同様に、今後も末長く長男Ａが継続することが想定されます。

上記の場合において、第２次相続開始の直前において被相続人甲が有していた宅地等に対する小規模宅地等の課税特例の適用関係は、どのようになりますか。

なお、回答に当たっては、次に掲げる事項を前提とします。

前提事項

(1)　第２次相続開始の直前において、被相続人甲（土地所有者）と長女Ｂ（建物所有者）は生計を別にしていました。

(2)　第２次相続開始の直前において、被相続人甲（土地所有者であり配偶者居住権者である者）と長男Ａ（配偶者居住権に係る使用収益者）は生計を一にしていました。

(3)　長女Ｂは、当該建物の敷地の用に供する宅地等の利用の対価として地代を被相続人甲に支払ったことはありません。（土地は使用貸借契約）

(4)　長男Ａは、配偶者居住権に係る使用収益の対価を配偶者居住権者である被相続人甲に支払ったことはありません。

参考

（親族図）

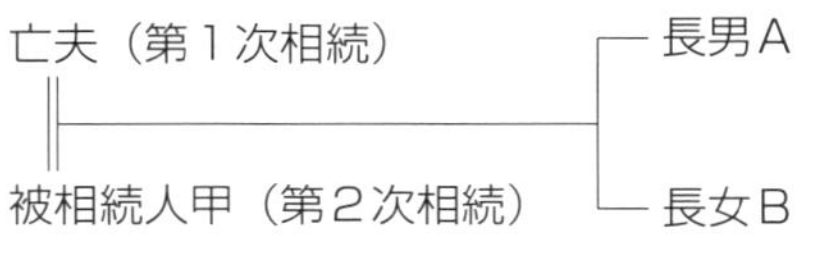


（配偶者居住権の目的となっている建物及びその敷地について）

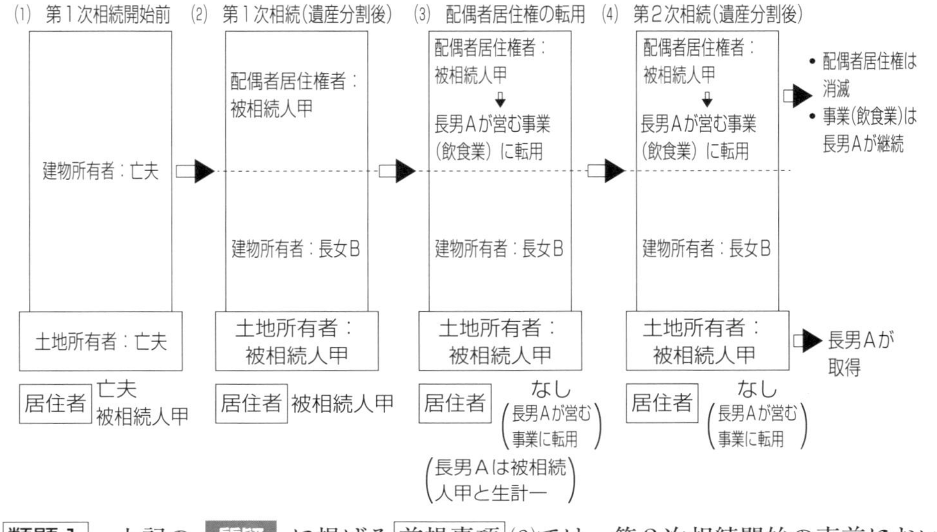


**類題１**　上記の **質疑** に掲げる 前提事項 (2)では、第２次相続開始の直前において、被相続人甲（土地所有者）と長男Ａ（配偶者居住権に係る使用収益者）は生計を一にしていたとの設定でしたが、これがもし仮に、生計を別にし

ていたとしたならば、どのようになりますか。なお、その他の条件はすべて同一であるものとします。

類題２　上記の 質疑 に掲げる 前提事項 (4)では、第２次相続開始の直前において、長男Ａは、配偶者居住権に係る使用収益の対価（相当の対価）を配偶者居住権者である被相続人甲に支払ったことはないとの設定でしたが、これがもし仮に、使用収益の対価として相当の対価を支払っていたとし、かつ、当該宅地等の第２次相続による取得者が長女Ｂであったとしたならば、どのようになりますか。なお、その他の条件はすべて同一であるものとします。

## 応答

(1)　第１次相続により宅地等が配偶者居住権の目的となっている家屋の敷地である場合における第２次相続に係る被相続人等の事業の用に供されていた宅地等の範囲

措置法通達69の４－４の２《宅地等が配偶者居住権の目的となっている建物等の敷地である場合の被相続人等の事業の用に供されていた宅地等の範囲》において、『相続又は遺贈により取得した宅地等が、当該相続の開始の直前において配偶者居住権に基づき使用又は収益されていた建物等の敷地の用に供されていたものである場合には、当該宅地等のうち、次に掲げる宅地等（ 筆者注 同通達では、(1)と(2)の２つの態様が示されています。）が事業用宅地等に該当する。』と定められており、そのうちの(2)は、次のとおりとされています。

(2)の内容　(1)に掲げる宅地等を除き、被相続人等の事業の用に供されていた建物等（被相続人等又はその他親族が所有していた建物等をいう。以下(2)において同じ。）で、被相続人等が配偶者居住権者（当該配偶者居住権を有する者をいう。以下69の４－23まで同じ。）であるもの又はその他親族が配偶者居住権者であるもの（被相続人等が当該建物等を配偶者居住権者である当該その他親族から無償で借り受けていた場合における当該建物等に限る。）の敷地の用に供されていたもの

(2)　質疑 の事例の場合

質疑 の事例の場合、上記(1)に掲げる措置法通達の定めを当てはめると、次に掲げる 判断基準 から事例の宅地等は『被相続人等の事業用宅地等（被相続人等の事業の用に供されていた建物等で配偶者居住権の目的とされていたものの敷地である宅地等）』に該当することになります。

判断基準

①　被相続人甲（土地所有者）と長女Ｂ（建物所有者）との間における土地等の貸借は使用貸借とされていることから、当該貸借は上記(1)に掲げる措置法通達に定める『他に貸し付けられていた宅地等（当該貸付けが事業に該当する場合に限る。）』（いわゆる『有償貸地型』）には該当しないこと

②　被相続人甲と生計を一にする親族である長男Ａの事業（長男Ａが営む飲食業）の用に供されていた建物であること

③　上記②の建物等は、被相続人甲と生計を別にする親族である長女Ｂが所有していたものであること

④　上記②及び③の建物等は、被相続人甲が配偶者居住権者である場合のその配偶者居住権の目的となっているものであること

次に、上記の被相続人等の事業用宅地等を取得した長男Ａについては、**質疑**に掲げる前提より次に示す①ないし③の事項を充足しているものと認められます。

①　生計一親族の要件　被相続人からの相続又は遺贈により財産を取得した親族（長男Ａ）が、当該被相続人と生計を一にしていた者であること

②　所有継続の要件　上記①の親族（長男Ａ）が、相続開始時から相続税の申告期限まで引き続き当該宅地等を所有していること

③　事業継続の要件　上記①の親族（長男Ａ）が、相続開始前から相続税の申告期限まで引き続き当該宅地等を自己の事業の用（長男Ａが営む飲食業）の用に供していること

そうすると、**質疑**の事例の宅地等を取得した長男Ａは、当該宅地等を小規模宅地等の課税特例（特定事業用宅地等：被相続人と生計を一にする親族の事業の用に供されていた場合）の適用対象とすることが認められます。

(3)　類題１の事例の場合

類題１の事例（第２次相続開始の直前において、被相続人甲（土地所有者）と長男Ａ（配偶者居住権に係る使用収益者）が生計を別にしていた事例）の場合について検討すると、上記(1)に掲げる措置法通達中に『被相続人等の事業の用に供されていた建物等』という定めが設けられていることから、適用要件を充足させるためには、当該建物等は次に掲げる①又は②のいずれかに該当する必要があります。

①　被相続人の事業の用に供されてた建物等

②　被相続人と生計を一にする親族の事業の用に供されていた建物等

そうすると、類題１の事例では、事業を営んでいたのは被相続人甲ではなく長男Ａであり、また、長男Ａは被相続人甲と生計を別にしていたという設定ですから、上記①又は②のいずれにも該当しないことになります。

以上より、類題１の事例の場合には、たとえ、当該宅地等の取得者が長男Ａであったとしても、当該宅地等を小規模宅地等の課税特例（特定事業用宅地等）の適用対象とすることは認められないことになります。

(4)　類題２の事例の場合

類題２の事例（第２次相続開始の直前において、長男Ａ（配偶者居住権に係る使用収益者）が被相続人甲（配偶者居住権者）に対して、配偶者居住権に係る使用収益の対価（相当の対価）を支払っていた場合で、当該宅地等の取得者が長女Ｂであったとき）の場合、上記(1)に掲げる措置法通達の定めを当てはめると、次に掲げる判断基準から事例の宅地等は『被相続人等の事業用宅地等（被相続人等の事業の用に供されていた建物等で配偶者居住権の目的

とされていたものの敷地等)』に該当することになります。

判断基準

① 被相続人甲（土地所有者）と長女Ｂ（建物所有者）との間における土地等の貸借は使用貸借とされていることから、当該貸借は上記(1)に掲げる措置法通達に定める『他に貸し付けられていた宅地等（当該貸付けが事業に該当する場合に限る。)』(いわゆる『有償貸地型』）には該当しないこと

② 被相続人甲の事業（被相続人甲が営む貸付事業）の用に供されていた建物等であること

③ 上記②の建物等は、被相続人甲と生計を別にする親族である長女Ｂが所有していたものであること

④ 上記②及び③の建物等は、被相続人甲が配偶者居住権者である場合のその配偶者居住権の目的となっているものであること

次に、上記の被相続人等の事業用宅地等を取得した長女Ｂについては、質疑 に掲げる前提より次に示す①ないし③の事項を充足しているものと認められます。

① 貸付事業承継の要件　被相続人の親族（長女Ｂ）が、相続開始時から相続税の申告期限までの間に当該宅地等に係る被相続人の貸付事業を承継すること

② 所有継続の要件　上記①の貸付事業を承継した親族（長女Ｂ）が、相続開始時から相続税の申告期限まで引き続き当該宅地等を所有していること

③ 貸付事業継続の要件　上記①の貸付事業を承継した親族（長女Ｂ）が、貸付事業承継後、相続税の申告期限まで引き続き当該貸付事業の用に供していること

以上より、類題２ の事例の宅地等を取得した長女Ｂは、当該宅地等を小規模宅地等の課税特例（貸付事業用宅地等：被相続人の貸付事業を相続開始時に事業承継する場合）の適用対象とすることが認められます。

### (41) 配偶者居住権等に対する小規模宅地等の課税特例の適用関係（その11：既に配偶者居住権が設定されている場合における第２次相続の開始）（そのＤ：宅地等が配偶者居住権の目的となっている建物の敷地である場合における被相続人等の事業用宅地等の範囲(3)（配偶者居住権者から無償貸付（又は有償貸付）を受けた親族が自己の事業の用に供していた場合②)）

質疑　被相続人甲に相続開始（以下、この相続を「第２次相続」といいます。）がありました。第２次相続開始の直前において被相続人甲の長男Ａが営む事業（飲食業）の用に供していた建物は、もともとは被相続人甲の亡父の所有の居住建物（亡父及び母（亡父の配偶者、被相続人甲の母）が居住）であったもので、亡父に係る相続

（以下、この相続を「第１次相続」といいます。）の遺産分割協議により、母が配偶者居住権を終身にわたって設定し、被相続人甲が当該居住建物の所有権を取得するという状況にあり、当該配偶者居住権の設定後に当該配偶者居住権者である母が当該居住建物所有者である被相続人甲の承諾を得て、当該配偶者居住権を長男Ａに対して使用収益させることを認めたことにより、長男Ａが営む事業（飲食業）に転用されたという経緯が確認されています。また、当該居住建物の敷地の用に供されていた宅地等の所有権は、被相続人甲が取得していました。

今回の第２次相続においては、当該建物及びその敷地である宅地等を長男Ａが取得します。また、長男Ａが営んでいた事業（飲食業）については従前と同様に、今後も末長く長男Ａが継続することが想定されます。

上記の場合において、第２次相続開始の直前において被相続人甲が有していた宅地等に対する小規模宅地等の課税特例の適用関係は、どのようになりますか。

なお、回答に当たっては、次に掲げる事項を前提とします。

前提事項

⑴　第２次相続開始の直前において、被相続人甲（土地所有者）と母（配偶者居住権者）は生計を別にしていました。

⑵　第２次相続開始の直前において、被相続人甲（土地所有者）と長男Ａ（配偶者居住権に係る使用収益者）は生計を一にしていました。

⑶　長男Ａは、配偶者居住権に係る使用収益の対価を配偶者居住権者である母に支払ったことはありません。

参考

（親族図）

（配偶者居住権の目的となっている建物及びその敷地について）

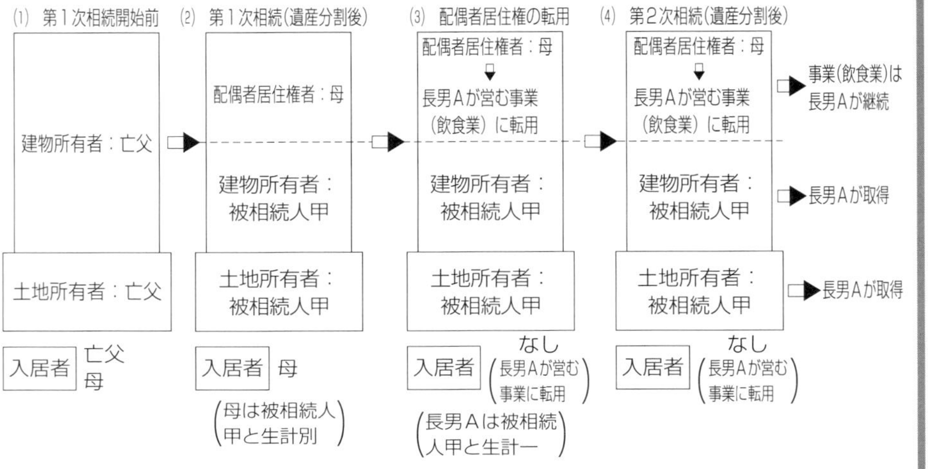


**類題１**　上記の **質疑** に掲げる 前提事項 (2)では、第２次相続開始の直前において、被相続人甲（土地所有者）と長男Ａ（配偶者居住権に係る使用収益者）は生計を一にしていたとの設定でしたが、これがもし仮に、生計を別にしていたとしたならば、どのようになりますか。なお、その他の条件はすべて同一であるものとします。

**類題２**　上記の **質疑** に掲げる 前提事項 (3)では、第２次相続開始の直前において、長男Ａは、配偶者居住権に係る使用収益の対価（相当の対価）を配偶者居住権者である母に支払ったことはないとの設定でしたが、これがもし仮に、使用収益の対価として相当の対価を支払っていたとし、かつ、当該建物等及びその敷地の用に供されている宅地等の第２次相続による取得者が長女Ｂであったとしたならば、どのようになりますか。なお、その他の条件はすべて同一であるものとします。

**類題３**　上記の **質疑** では、母（配偶者居住権者）から配偶者居住権に係る使用収益権を無償で取得した者は長男Ａであるとの設定でしたが、これがもし仮に、被相続人甲であり、かつ、第２次相続開始後において同人の営んでいた事業（飲食業）を長男Ａが直ちに承継して、今後も末長く継続することが想定されているとしたならば、どのようになりますか。なお、その他の条件はすべて同一であるものとします。

## 応答

(1)　第１次相続により宅地等が配偶者居住権の目的となっている家屋の敷地である場合における第２次相続に係る被相続人等の事業の用に供されていた宅地等の範囲

措置法通達69の４－４の２《宅地等が配偶者居住権の目的となっている建物等の敷地である場合の被相続人等の事業の用に供されていた宅地等の範囲》において、『相続又は遺贈により取得した宅地等が、当該相続の開始の直前において配偶者居住権に基づき使用又は収益されていた建物等の敷地の用に供されていたものである場合には、当該宅地等のうち、次に掲げる宅地等（筆者注 同通達では、(1)と(2)の２つの態様が示されています。）が事業用宅地等に該当する。』と定められており、そのうちの(2)は、次のとおりとされています。

(2)の内容　(1)に掲げる宅地等を除き、被相続人等の事業の用に供されていた建物等（被相続人等又はその他親族が所有していた建物等をいう。以下(2)において同じ。）で、被相続人等が配偶者居住権者（当該配偶者居住権を有する者をいう。以下69の４－23まで同じ。）であるもの又はその他親族が配偶者居住権者であるもの（被相続人等が当該建物等を配偶者居住権者である当該その他親族から無償で借り受けていた場合における当該建物等に限る。）の敷地の用に供されていたもの

(2)　**質疑**の事例の場合

**質疑**の事例の場合、上記(1)に掲げる措置法通達の定めを当てはめると、次に掲げる判断基準から事例の宅地等は『被相続人等の事業用宅地等（被相続人等の事業の用に供されていた建物等で配偶者居住権の目的とされていたものの敷地である宅地等）』に該当することになります。

判断基準
① 土地所有者（被相続人甲）と建物所有者（被相続人甲）が同一人であることから、当該形態は上記(1)に掲げる措置法通達に定める『(1)に掲げる宅地等（注『他に貸し付けられていた宅地等（当該貸付けが事業に該当する場合に限る。）』）』（いわゆる『有償貸地型』）には該当しないこと
② 被相続人甲と生計を一にする親族である長男Ａの事業（長男Ａが営む飲食業）の用に供されていた建物等であること
③ 上記②の建物等は、被相続人甲が所有していたものであること
④ 上記②及び③の建物等は、被相続人甲と生計を別にする親族である母が配偶者居住権者である場合のその配偶者居住権の目的となっているものであること
⑤ 上記④の建物等は、被相続人甲と生計を一にする親族である長男Ａが、配偶者居住権者である被相続人甲と生計を別にする親族である母から無償で借り受けていたものであること

次に上記の被相続人等の事業用宅地等を取得した長男Ａについては、**質疑**に掲げる前提より次に示す①ないし③の事項を充足しているものと認められます。

① 生計一親族の要件　被相続人からの相続又は遺贈により財産を取得した親族（長男Ａ）が、当該被相続人と生計を一にしていた者であること

② 所有継続の要件　上記①の親族（長男Ａ）が、相続開始時から相続税の申告期限まで引き続き当該宅地等を所有していること

③ 事業継続の要件　上記①の親族（長男Ａ）が、相続開始前から相続税の申告期限まで引き続き当該宅地等を自己の事業（長男Ａが営む飲食業）の用に供していること

そうすると、**質疑** の事例の宅地等を取得した長男Ａは、当該宅地等を小規模宅地等の課税特例（特定事業用宅地等：被相続人と生計を一にする親族の事業の用に供されていた場合）の適用対象とすることが認められます。

⑶　類題１の事例の場合

類題１の事例（第２次相続開始の直前において、被相続人甲（土地所有者）と長男Ａ（配偶者居住権に係る使用収益者）が生計を別にしていた事例）の場合について検討すると、上記⑴に掲げる措置法通達中に『被相続人等の事業の用に供されていた建物等』という要件が設けられていることから、適用要件を充足させるためには、当該建物等は次に掲げる①又は②のいずれかに該当する必要があります。

①　被相続人の事業の用に供されていた建物等

②　被相続人と生計を一にする親族の事業の用に供されていた建物等

そうすると、類題１の事例では、事業を営んでいたのは被相続人甲ではなく長男Ａであり、また、長男Ａは被相続人甲と生計を別にしていたという設定ですから、上記①又は②のいずれにも該当しないことになります。

以上より、類題１の事例の場合には、たとえ、当該宅地等の取得者が長男Ａであったとしても、当該宅地等を小規模宅地等の課税特例（特定事業用宅地等）の適用対象とすることは認められないことになります。

⑷　類題２の事例の場合

類題２の事例（第２次相続開始の直前において、長男Ａ（配偶者居住権に係る使用収益者）が母（配偶者居住権者）に対して、配偶者居住権に係る使用収益の対価（相当の対価）を支払っていた場合で、当該宅地等の取得者が長女Ｂであったとき）の場合について検討すると、上記⑴に掲げる措置法通達中に『被相続人等の事業の用（類題２の場合には、『貸付事業の用』の意となります。）に供されていた建物等』という要件が設けられていることから、適用要件を充足させるためには、当該建物等は次に掲げる①又は②のいずれかに該当する必要があります。

①　被相続人の貸付事業の用に供されていた建物等

②　被相続人と生計を一にする親族の貸付事業の用に供されていた建物等（この場合には、当該建物等の敷地である宅地等の取得者は、当該被相続人と生計を一にする親族であることが必要とされます。）

そうすると、類題２の事例では、貸付事業を営んでいたのは被相続人甲ではなく母（配偶者居住権者）であり、また、母は被相続人甲と生計を別にしており、かつ、当該宅地等の取得者が長女Ｂであったという設定ですから、上記①又は②のいずれにも該当しないことになります。

以上より、類題２の事例の場合には、当該宅地等を小規模宅地等の課税特例（貸付事業用宅地等）の適用対象とすることは認められないことになります。

ポイント

類題２について、条件を一部（２点）変更し、下記に掲げるとおりであったものとします。

（変更条件①）　第２次相続開始の直前において、被相続人甲（土地所有者）と母（配偶者居住権者）は生計を一にしていました。

（変更条件②）　第２次相続において、当該建物及びその敷地である宅地等は被相続人甲の遺言で、いずれも母が遺贈により取得しました。

上記に掲げる条件を一部（２点）変更した事例について検討すると、次のとおりになります。

変更後の事例の場合、上記(1)に掲げる措置法通達の定めを当てはめると、次に掲げる判断基準から事例の宅地等は『被相続人等の事業用宅地等（被相続人等の事業の用（『貸付事業の用』の意となります。）に供されていた建物等で配偶者居住権の目的とされていたものの敷地である宅地等）』に該当することになります。

判断基準

①　土地所有者（被相続人甲）と建物所有者（被相続人甲）が同一人であることから、当該形態は上記(1)に掲げる措置法通達に定める『(1)に掲げる宅地等（注『他に貸し付けられていた宅地等（当該貸付けが事業に該当する場合に限る。）』）』（いわゆる『有償貸地型』）には該当しないこと

②　被相続人甲と生計を一にする親族である母の事業（母が営む貸付事業）の用に供されていた建物等であること

③　上記②の建物等は、被相続人甲が所有していたものであること

④　上記②及び③の建物等は、被相続人甲と生計を一にする親族である母が配偶者居住権者である場合のその配偶者居住権の目的となっているものであること

次に、上記の被相続人等の事業用宅地等を取得した母については、その示された前提より次に示す①ないし③の事項を充足しているものと認められます。

①　生計一親族の要件　被相続人からの相続又は遺贈により財産を取得した親族（母）が、当該被相続人と生計を一にしていた者であること

②　所有継続の要件　上記①の親族（母）が、相続開始時から相続税の申告期限まで引き続き当該宅地等を所有していること

③　貸付事業継続の要件　上記①の親族（母）が、相続開始前から相続税の申告期限まで引き続き当該宅地等を自己の貸付事業（母が営む貸付事業）の用に供していること

そうすると、条件を一部（２点）変更した事例の宅地等を取得した母は、当該宅地等を小規模宅地等の課税特例（貸付事業用宅地等：被相続人と生計を一にする親族の貸付事業の用に供されていた場合）の適用対象とすることが認められます。

(5)　類題３の事例の場合

類題３の事例（配偶者居住権者である母から当該配偶者居住権に係る使用収益権を無償で取得した者が被相続人甲であり、かつ、第２次相続により被相続人甲の事業（飲食業）を承継した者が長男Ａである場合）については、上記(1)に掲げる措置法通達に定める要件の充足の可否を検討する必要があります。

そうすると、次に掲げる判断基準から事例の宅地等は『被相続人等の事業用宅地等（被相続人等の事業の用に供されていた建物等で配偶者居住権の目的とされていたものの敷地で

ある宅地等)』に該当することになります。

判断基準
① 土地所有者（被相続人甲）と建物所有者（被相続人甲）が同一人であることから、当該形態は上記(1)に掲げる措置法通達に定める『(1)に掲げる宅地等（注『他に貸し付けられていた宅地等（当該貸付けが事業に該当する場合に限る。)』)』（いわゆる『有償貸地型』）には該当しないこと
② 被相続人甲の事業（被相続人甲が営む飲食業）の用に供されていた建物等であること
③ 上記②の建物等は、被相続人甲が所有していたものであること
④ 上記②及び③の建物等は、被相続人甲と生計を別にする親族である母が配偶者居住権者である場合のその配偶者居住権の目的となっているものであること
⑤ 上記④の建物等は、被相続人甲が、配偶者居住権者である被相続人甲と生計を別にする親族である母から無償で借り受けているものであること

次に、上記の被相続人等の事業用宅地等を取得した長男Ａについては、その示された前提より次に示す①ないし③の事項を充足しているものと認められます。

① 事業承継の要件　被相続人の親族（長男Ａ）が、相続開始時から相続税の申告期限までの間に当該宅地等の上で営まれていた被相続人の事業を承継すること

② 所有継続の要件　上記①の事業を承継した親族（長男Ａ）が、相続開始時から相続税の申告期限まで引き続き当該宅地等を所有していること

③ 事業継続の要件　上記①の事業を承継した親族（長男Ａ）が、事業承継後、相続税の申告期限まで引き続き当該事業を営んでいること

そうすると、**質疑**の事例の宅地等を取得した長男Ａは、当該宅地等を小規模宅地等の課税特例（特定事業用宅地等：被相続人の事業を相続開始後に事業承継する場合）の適用対象とすることが認められます。

### (42) 配偶者居住権等に対する小規模宅地等の課税特例の適用関係（その11：既に配偶者居住権が設定されている場合における第２次相続の開始）（そのＤ：宅地等が配偶者居住権の目的となっている建物の敷地である場合における被相続人等の事業用宅地等の範囲(3)（配偶者居住権者から無償貸付（又は有償貸付）を受けた親族が自己の事業の用に供していた場合③））

**質疑**　被相続人甲に相続開始（以下、この相続を「第２次相続」といいます。）がありました。第２次相続開始の直前において被相続人甲の長男Ａが営む事業（飲食業）の用に供していた建物は、もともとは被相続人甲の亡父の所有の居住建物（亡父及び母（亡父の配偶者、被相続人甲の母）が居住）であったもので、亡父に係る相続（以下、この相続を「第１次相続」といいます。）の遺産分割協議により、母が配偶

者居住権を終身にわたって設定し、被相続人甲の兄Ｘが当該居住建物の所有権を取得するという状況にあり、当該配偶者居住権の設定後に当該配偶者居住権者である母が当該居住建物所有者である兄Ｘの承諾を得て、当該配偶者居住権を被相続人甲の長男Ａに対して使用収益させることを認めたことにより、被相続人甲の長男Ａが営む事業（飲食業）に転用されたという経緯が確認されています。また、当該居住建物の敷地の用に供されていた宅地等の所有権は、被相続人甲が取得していました。

今回の第２次相続においては、当該宅地を長男Ａが取得します。また、被相続人甲の長男Ａが営んでいた事業（飲食業）については、従前と同様に、今後も末長く長男Ａが継続することが想定されます。

上記の場合において、第２次相続開始の直前において被相続人甲が有していた宅地等に対する小規模宅地等の課税特例の適用関係は、どのようになりますか。

なお、回答に当たっては、次に掲げる事項を前提とします。

前提事項

⑴　第２次相続開始の直前において、被相続人甲（土地所有者）と兄Ｘ（建物所有者）は生計を別にしていました。

⑵　第２次相続開始の直前において、被相続人甲（土地所有者）と母（配偶者居住権者）及び長男Ａ（配偶者居住権に係る使用収益者）は生計を一にしていました。

⑶　兄Ｘは、当該建物の敷地の用に供する宅地等の利用の対価としての地代を被相続人甲に支払ったことはありません。（土地は使用貸借契約）

⑷　長男Ａは、配偶者居住権に係る使用収益の対価を配偶者居住権者である母に支払ったことはありません。

参考

（親族図）

（配偶者居住権の目的となっている建物及びその敷地について）

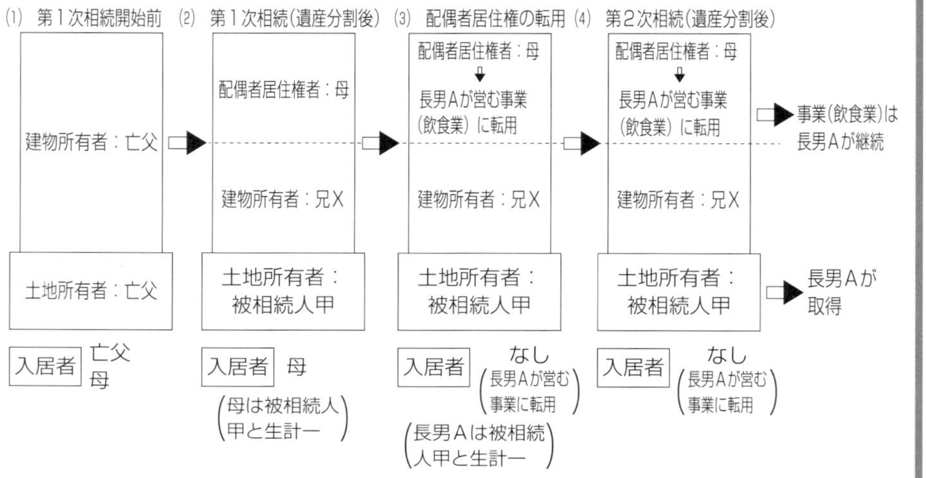


**類題１**　上記の **質疑** に掲げる 前提事項 (2)では、第２次相続開始の直前において、被相続人甲（土地所有者）と長男Ａ（配偶者居住権に係る使用収益者）は生計を一にしていたとの設定でしたが、これがもし仮に、生計を別にしていたとしたならば、どのようになりますか。なお、その他の条件はすべて同一であるものとします。

**類題２**　上記の **質疑** に掲げる 前提事項 (4)では、第２次相続開始の直前において、長男Ａは、配偶者居住権に係る使用収益の対価（相当の対価）を配偶者居住権者である母に支払ったことはないとの設定でしたが、これがもし仮に、使用収益の対価としての相当の対価を支払っていたとし、かつ、当該宅地等の第２次相続による取得者が母（被相続人甲の遺言により、遺贈により取得）であったとしたならば、どのようになりますか。なお、その他の条件はすべて同一であるものとします。

**類題３**　上記の **質疑** では、母（配偶者居住権者）から配偶者居住権に係る使用収益権を無償で取得した者は長男Ａであるとの設定でしたが、これがもし仮に、被相続人甲であり、かつ、第２次相続開始後において同人の営んでいた事業（飲食業）を長男Ａが直ちに承継して、今後も末長く継続することが想定されているとしたならば、どのようになりますか。なお、その他の条件はすべて同一であるものとします。

## 応答

(1)　第１次相続により宅地等が配偶者居住権の目的となっている家屋の敷地である場合における第２次相続に係る被相続人等の事業の用に供されていた宅地等の範囲

措置法通達69の４－４の２《宅地等が配偶者居住権の目的となっている建物等の敷地であ

る場合の被相続人等の事業の用に供されていた宅地等の範囲》において、『相続又は遺贈により取得した宅地等が、当該相続の開始の直前において配偶者居住権に基づき使用又は収益されていた建物等の敷地の用に供されていたものである場合には、当該宅地等のうち、次に掲げる宅地等（筆者注 同通達では、(1)と(2)の２つの態様が示されています。）が事業用宅地等に該当する。』と定められており、そのうちの(2)は、次のとおりとされています。

(2)の内容　(1)に掲げる宅地等を除き、被相続人等の事業の用に供されていた建物等（被相続人等又はその他親族が所有していた建物等をいう。以下(2)において同じ。）で、被相続人等が配偶者居住権者（当該配偶者居住権を有する者をいう。以下69の４－23まで同じ。）であるもの又はその他親族が配偶者居住権者であるもの（被相続人等が当該建物等を配偶者居住権者である当該その他親族から無償で借り受けていた場合における当該建物等に限る。）の敷地の用に供されていたもの

(2)　**質疑**の事例の場合

**質疑**の事例の場合、上記(1)に掲げる措置法通達の定めを当てはめると、次に掲げる判断基準から事例の宅地等は『被相続人等の事業用宅地等（被相続人等の事業の用に供されていた建物等で配偶者居住権の目的とされていたものの敷地である宅地等)』に該当することになります。

判断基準
① 被相続人甲（土地所有者）と兄X（建物所有者）との間における土地等の貸借は使用貸借とされていることから、当該貸借は上記(1)に掲げる措置法通達に定める『他に貸し付けられていた宅地等（当該貸付けが事業に該当する場合に限る。)』（いわゆる『有償貸地型』）には該当しないこと
② 被相続人甲と生計を一にする親族である長男Aの事業（長男Aが営む飲食業）の用に供されていた建物等であること
③ 上記②の建物等は、被相続人甲と生計を別にする親族である兄Xが所有していたものであること
④ 上記②及び③の建物等は、被相続人甲と生計を一にする親族である母が配偶者居住権者である場合のその配偶者居住権の目的となっているものであること

次に、上記の被相続人等の事業用宅地等を取得した長男Aについては、**質疑**に掲げる前提より次に示す①ないし③の事項を充足しているものと認められます。

① 生計一親族の要件　被相続人からの相続又は遺贈により財産を取得した親族（長男A）が、当該被相続人と生計を一にしていた者であること

② 所有継続の要件　上記①の親族（長男A）が、相続開始時から相続税の申告期限まで引き続き当該宅地等を所有していること

③ 事業継続の要件　上記①の親族（長男A）が、相続開始前から相続税の申告期限まで引き続き当該宅地等を自己の事業（長男Aが営む飲食業）の用に供していること

そうすると、**質疑**の事例の宅地等を取得した長男Aは、当該宅地等を小規模宅地等の

課税特例（特定事業用宅地等：被相続人と生計を一にする親族の事業の用に供されていた場合）の適用対象とすることが認められます。

⑶　類題１の事例の場合

類題１の事例（第２次相続開始の直前において、被相続人甲（土地所有者）と長男Ａ（配偶者居住権に係る使用収益者）が生計を別にしていた事例）の場合について検討すると、上記⑴に掲げる措置法通達中に『被相続人等の事業の用に供されていた建物等』という要件が設けられていることから、適用要件を充足させるためには、当該建物等は次に掲げる①又は②のいずれかに該当する必要があります。

①　被相続人の事業の用に供されていた建物等

②　被相続人と生計を一にする親族の事業の用に供されていた建物等

そうすると、類題１の事例では、事業を営んでいたのは被相続人甲ではなく長男Ａであり、また、長男Ａは被相続人甲と生計を別にしていたとの設定ですから、上記①又は②のいずれにも該当しないことになります。

以上より、類題１の事例の場合には、たとえ、当該宅地等の取得者が長男Ａであったとしても、当該宅地等を小規模宅地等の課税特例（特定事業用宅地等）の適用とすることは認められないことになります。

⑷　類題２の場合

類題２の事例（第２次相続開始の直前において、長男Ａ（配偶者居住権に係る使用収益者）が母（配偶者居住権者）に対して、配偶者居住権に係る使用収益の対価（相当な対価）を支払っていた場合で、当該宅地等の取得者が母であったとき）の場合、上記⑴に掲げる措置法通達の定めを当てはめると、次に掲げる判断基準から事例の宅地等は『被相続人等の事業用宅地等（被相続人等の事業の用に供されていた建物等で配偶者居住権の目的とされていたものの敷地である宅地等）』に該当することになります。

判断基準

①　被相続人甲（土地所有者）と兄Ｘ（建物所有者）との間における土地等の貸借は使用貸借とされていることから、当該貸借は上記⑴に掲げる措置法通達に定める『他に貸し付けられていた宅地等（当該貸付けが事業に該当する場合に限る。）』（いわゆる『有償貸地型』）には該当しないこと

②　被相続人甲と生計を一にする親族である母の事業（母が営む貸付事業）の用に供されていた建物等であること

③　上記②の建物等は、被相続人甲と生計を別にする親族である兄Ｘが所有していたものであること

④　上記②及び③の建物等は、被相続人甲と生計を一にする親族である母が配偶者居住権者である場合のその配偶者居住権の目的となっているものであること

次に、上記の被相続人等の事業用宅地等を取得した母については、質疑に掲げる前提より次に示す①ないし③の事項を充足しているものと認められます。

①　生計一親族の要件　被相続人からの相続又は遺贈により財産を取得した親族（母）

が、当該被相続人と生計を一にしていた者であること

② 所有継続の要件　上記①の親族（母）が、相続開始時から相続税の申告期限まで引き続き当該宅地等を所有していること

③ 貸付事業継続の要件　上記①の親族（母）が、相続開始前から相続税の申告期限まで引き続き当該宅地等を自己の貸付事業（母が営む貸付事業）の用に供していること

そうすると、類題２の事例の宅地等を取得した母は、当該宅地等を小規模宅地等の課税特例（貸付事業用宅地等：被相続人と生計を一にする親族の貸付事業の用に供されていた場合）の適用対象とすることが認められます。

(5) 類題３の事例の場合

類題３の事例（配偶者居住権者である母から当該配偶者居住権に係る使用収益権を無償で取得した者が被相続人甲であり、かつ、第２次相続により被相続人甲の事業（飲食業）を承継した者が長男Ａである場合）については、上記(1)に掲げる措置法通達に定める要件の充足の可否を検討する必要があります。

そうすると、次に掲げる判断基準から事例の宅地等は『被相続人等の事業用宅地等（被相続人等の事業の用に供されていた建物等で配偶者居住権の目的とされていたものの敷地である宅地等）』に該当することになります。

判断基準

① 被相続人甲（土地所有者）と兄Ｘ（建物所有者）との間における土地等の貸借は使用貸借とされていることから、当該貸借は上記(1)に掲げる措置法通達に定める『他に貸し付けられていた宅地等（当該貸付けが事業に該当する場合に限る。）』（いわゆる『有償貸地型』）には該当しないこと

② 被相続人甲の事業（被相続人甲が営む飲食業）の用に供されていた建物等であること

③ 上記②の建物等は、被相続人甲と生計を別にする親族である兄Ｘが所有していたものであること

④ 上記②及び③の建物等は、被相続人甲と生計を一にする親族である母が配偶者居住権者である場合のその配偶者居住権の目的となっているものであること

次に、上記の被相続人等の事業用宅地等を取得した長男Ａについては、質疑に掲げる前提より次に示す①ないし③の事項を充足しているものと認められます。

① 事業承継の要件　被相続人の親族（長男Ａ）が、相続開始時から相続税の申告期限までの間に当該宅地等の上で営まれていた被相続人の事業（被相続人甲が営む飲食業）を承継すること

② 所有継続の要件　上記①の事業を承継した親族（長男Ａ）が、相続開始時から相続税の申告期限まで引き続き当該宅地等を所有していること

③ 事業継続の要件　上記①の事業を承継した親族（長男Ａ）が、事業承継後、相続税の申告期限まで引き続き当該事業を営んでいること

そうすると、類題３の事例の宅地等を取得した長男Ａは、当該宅地等を小規模宅地等の課税特例（特定事業用宅地等：被相続人の事業を相続開始後に事業承継する場合）の適用対象とすることが認められます。

### ㊸　配偶者居住権等に対する小規模宅地等の課税特例の適用関係（その11：既に配偶者居住権が設定されている場合における第２次相続の開始）（そのＥ：宅地等が配偶者居住権の目的となっている建物の敷地である場合で複数の利用区分から構成されているとき⑴（第１次相続開始後に事業の用に供した部分がある場合の取扱い①））

**質疑**　被相続人甲に相続開始（以下、この相続を「第２次相続」といいます。）がありました。第２次相続開始の直前において被相続人甲が居住及び事業（被相続人甲が営む飲食業）の用に供していた建物は、もともとは同人の亡父が所有する２階建ての居住専用として利用されていたもので、亡父に係る相続（以下、この相続を「第１次相続」といいます。）の遺産分割協議により、母（亡父の配偶者）が配偶者居住権を終身にわたって設定し、被相続人甲が当該建物の所有権を取得するという状況になったものですが、当該配偶者居住権の設定後に当該配偶者居住権者である母との合意により、当該配偶者居住権に基づく１階部分の使用収益権を無償で借り受けることによって、被相続人甲が営む事業（飲食業）に転用されたという経緯が確認されています。また、当該建物の敷地の用に供されていた宅地等の所有権は、被相続人甲が取得していました。

今回の第２次相続においては、当該建物及びその敷地の用を供されていた宅地等については長男Ａが取得します。また、被相続人甲が営んでいた事業（飲食業）についても、直ちに長男Ａがこれを承継して今後も末長く継続することが想定されます。

上記の場合において、第２次相続開始の直前において被相続人甲が有していた宅地等に対する小規模宅地等の課税特例の適用関係は、どのようになりますか。

なお、回答にあたっては、次に掲げる事項を前提とします。

前提事項

⑴　宅地等（面積400㎡）の第２次相続開始時における自用地としての価額は、80,000千円です。

⑵　建物に係る第２次相続開始直前における利用状況等は、次のとおりです。

①　１階（床面積300㎡）は、被相続人甲の営む事業（飲食業）に供用されていました。

②　２階（床面積200㎡）は、母、被相続人甲及び長男Ａの居住の用に供用されていました。

⑶　第２次相続開始の直前において、母、被相続人甲及び長男Ａの三者は、相互

に生計を一にする親族に該当します。

(4)　被相続人甲及び長男Ａは、２階部分に係る配偶者居住権の使用収益の対価を配偶者居住権者である母に支払ったことはありません。なお、第２次相続開始後は、長男Ａが同様の状況で今後も末長く継続して２階部分に母と共に居住することが想定されます。

(5)　上記(1)の宅地等について、第２次相続開始時を評価時点として相続税法第23条２《配偶者居住権等の評価》の規定を適用する場合において必要とされる『第１次相続で設定された配偶者居住権につき、第２次相続開始時における当該配偶者居住権の残存存続年数に応じた法定利率による複利現価率』は、0.375であるものとします。

**参考**

（親族図）

（配偶者居住権の目的となっている建物及びその敷地について）

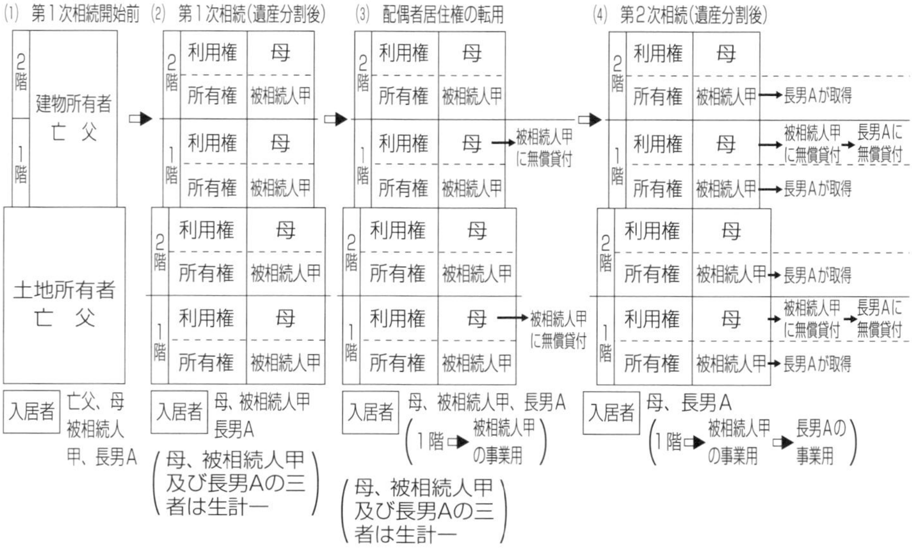


## 応答

(1)　宅地等のうち２階部分の敷地の用に供されている部分の取扱い

①　考え方

措置法通達69の４－７の２《宅地等が配偶者居住権の目的となっている家屋の敷地であ

る場合の被相続人等の居住の用に供されていた宅地等の範囲》において、要旨、『相続又は遺贈により取得した宅地等が、当該相続の開始の直前において配偶者居住権に基づき使用又は収益されていた家屋の敷地の用に供されていたものである場合には、当該宅地等のうち、『相続の開始の直前において、被相続人等の居住の用に供されていた家屋（被相続人又は被相続人の親族が配偶者居住権者である場合のその配偶者居住権の目的となっている家屋をいう。）で、被相続人が所有していたもの（当該被相続人等が当該家屋を当該配偶者居住権者から借り受けていた場合には、無償で借り受けていたときにおける当該家屋に限る。）又は被相続人の親族が所有していたもの（当該家屋を所有していた被相続人の親族が当該家屋の敷地を被相続人から無償で借り受けており、かつ、当該被相続人等が当該家屋を当該配偶者居住権者から借り受けていた場合には、無償で借り受けていたときにおける当該家屋に限る。）の敷地の用に供されていたもの』が居住用宅地等に該当する。』と定められています。

②　当てはめ

**質疑** の事例の宅地等のうち２階部分の敷地の用に供されている部分について、上記①に掲げる措置法通達の定めを当てはめると、次に掲げる判断基準から該当部分は『被相続人等の居住の用に供されていた家屋の敷地の用に供されていた宅地等（被相続人等の居住用宅地等）』に該当することになります。

**判断基準**

(イ)　第２次相続開始の直前において、被相続人甲並びに同人と生計を一にする親族である母及び長男Ａの居住の用に供されていた家屋であること

(ロ)　上記(イ)に掲げる家屋は、被相続人甲の親族である母が配偶者居住権者である場合のその配偶者居住権の目的となっている家屋であること

(ハ)　上記(イ)及び(ロ)に掲げる家屋は、被相続人甲が所有していたものであること

(ニ)　被相続人甲及び同人と生計を一にする親族である長男Ａが、上記(イ)ないし(ハ)に掲げる家屋を配偶者居住権者である母から無償で借り受けていること

次に、上記の被相続人等の居住用宅地等を取得した長男Ａについて、当該宅地等に対する小規模宅地等の課税特例（特定居住用宅地等）の適用可否を判断すると、次のとおりになります。

被相続人甲の配偶者以外の親族である長男Ａが被相続人等の居住用宅地等を取得した場合に、当該居住用宅地等が特定居住用宅地等に該当するためには、次に掲げる(イ)ないし(ハ)の区分のうちいずれかを充足する必要があるものとされています。

(イ)　被相続人甲の居住用家屋に居住（同居）していた者である場合

(ロ)　配偶者及び一定の同居親族が存せず非同居親族が取得した場合（いわゆる『家なき子』に該当する場合）

(ハ)　被相続人甲と生計を一にしていた親族の居住の用に供されていた場合

そうすると、**質疑** に掲げる事項から判断すると、長男Ａが取得した宅地等のうち２階部分の敷地の用に供されている部分は、上記(イ)及び(ハ)に該当することになります。

したがって、**質疑** の事例の宅地等（配偶者居住権の目的となっている建物の敷地の用に供される土地等（土地（宅地）等の所有権））のうち、２階部分の敷地に対応するものについては、小規模宅地等の課税特例（特定居住用宅地等）の適用対象とすることが認められます。

⑵　宅地等のうち１階部分の敷地の用に供されている部分の取扱い

①　配偶者居住権者による居住建物の使用収益の範囲

民法第1028条《配偶者居住権》第１項の本文の規定では、被相続人の配偶者は、被相続人の財産に属した建物に相続開始の時に居住していた場合において、遺産の分割によって配偶者居住権を取得するものとされたとき又は配偶者居住権が遺贈の目的とされたときは、その居住していた建物（居住建物）の全部について無償で使用及び収益をする権利（配偶者居住権）を取得するとされています。

また、民法1032条《配偶者による使用及び収益》第３項の規定では、配偶者は居住建物の所有者の承諾を得なければ、第三者に居住建物の使用又は収益をさせることができないとされています。換言すれば、居住建物の所有者の承諾を得れば、配偶者は第三者に居住建物の使用又は収益をさせることが可能とされています。

そうすると、**質疑** の事例では、第１次相続による遺産分割協議後において、居住建物を使用して飲食業を行うこととしたのは被相続人甲であり、同人は第１次相続により亡父からの相続により居住建物を取得した所有者自身に該当する者で、『第三者』（上記＿＿部分）に該当するものではないことに留意する必要があります。

したがって、**質疑** の事例では上記に掲げる民法1032条第３項に規定する居住建物の所有者の承諾という要件は、条文上無関係とされることになります。

②　考え方

措置法通達69の４－４の２《宅地等が配偶者居住権の目的となっている建物等の敷地である場合の被相続人等の事業の用に供されていた宅地等の範囲》において、要旨、『相続又は遺贈により取得した宅地等が、当該相続の開始の直前において配偶者居住権に基づき使用又は収益されていた建物等の敷地の用に供されていたものである場合には、当該宅地等のうち、『他に貸し付けられていた宅地等（当該貸付けが事業に該当する場合に限る。）を除き、被相続人等の事業の用に供されていた建物等（被相続人等又はその他親族が所有していた建物等をいう。）で、被相続人等が配偶者居住権者（当該配偶者居住権を有する者をいう。）であるもの又はその他親族が配偶者居住権者であるもの（被相続人等が当該建物等を配偶者居住権者である当該その他親族から無償で借り受けていた場合における当該建物等に限る。）の敷地の用に供されていたもの』が事業用宅地等に該当する。』と定められています。

③　当てはめ

**質疑** の事例の宅地等のうち１階部分の敷地の用に供されている部分について、上記②に掲げる措置法通達の定めを当てはめると、次に掲げる［判断基準］から該当部分は『被相続人等の事業の用に供されていた家屋の敷地の用に供されていた宅地等（被相続人等の事業用宅地等)』に該当することになります。

判断基準

(イ)　土地所有者（被相続人甲）と建物所有者（被相続人甲）が同一人であることから、当該形態は上記②に掲げる措置法通達に定める『他に貸し付けられていた宅地等（当該貸付けが事業に該当する場合に限る。)』（いわゆる『有償貸地型』）には該当しないこと

(ロ)　被相続人甲の事業（被相続人甲が営む飲食業）の用に供されていた建物等であること

(ハ)　上記(ロ)の建物等は、被相続人甲が所有していたものであること

(ニ)　上記(ロ)及び(ハ)の建物等は、被相続人甲と生計を一にする親族である母が配偶者居住権者である場合のその配偶者居住権の目的となっているものであること

次に、上記の被相続人等の事業用宅地等を取得した長男Ａについて、当該宅地等に対する小規模宅地等の課税特例（特例事業用宅地等）の適用可否を判断すると、次のとおりになります。

被相続人甲の親族である長男Ａが被相続人等の事業用宅地等を取得した場合に、当該事業用宅地等が特定事業用宅地等に該当するためには、次に掲げる(イ)又は(ロ)の区分のうちいずれかを充足する必要があるものとされています。

(イ)　被相続人の事業を相続開始後に事業承継する場合

(ロ)　被相続人と生計を一にする親族の事業の用に供されていた場合

そうすると、質疑に掲げる事項から判断すると、長男Ａが取得した宅地のうち１階部分の敷地の用に供されている部分は、上記(イ)に該当することになります。

したがって、質疑の事例の宅地等（配偶者居住権の目的となっている建物の敷地の用に供される土地等（土地（宅地）等の所有権））のうち、１階部分の敷地に対応するものについては、小規模宅地等の課税特例（特定事業用宅地等）の適用対象とすることが認められます。

(3)　第２次相続開始時における配偶者居住権の目的となっている建物の敷地の用に供される土地等の価額（土地（宅地）等の所有権の価額）

①　２階部分（被相続人等の居住用部分）の価額

(イ)　２階部分に対応する面積

$$\underset{\text{(全体の面積)}}{400㎡} \times \frac{200㎡\text{（２階の床面積）}}{300㎡\text{（１階の床面積）}+200㎡\text{（２階の床面積）}} = 160㎡$$

(ロ)　２階部分に対応する宅地全体（配偶者居住権及び所有権）の価額

$$\underset{\text{(全体の価額)}}{80{,}000千円} \times \frac{160㎡\text{（上記(イ)）}}{400㎡\text{（全体の面積）}} = 32{,}000千円$$

(ハ)　土地（宅地）等の利用権の価額

32,000千円（上記(ロ)）－（32,000千円（上記(ロ)）× 0.375（配偶者居住権に係る複利現価率））＝20,000千円

(ニ)　土地（宅地）等の所有権の価額

32,000千円（上記(ロ)）－ 20,000千円（上記(ハ)）＝12,000千円

②　１階（被相続人等の事業用部分）の価額

(イ)　１階部分に対応する面積

400㎡（全体の面積）× 300㎡（１階の床面積）／（300㎡（１階の床面積）＋200㎡（２階の床面積））＝240㎡

(ロ)　１階部分に対応する宅地全体（配偶者居住権及び所有権）の価額

80,000千円（全体の価額）× 240㎡（上記(イ)）／400㎡（全体の面積）＝48,000千円

(ハ)　土地（宅地）等の利用権の価額

48,000千円（上記(ロ)）－（48,000千円（上記(ロ)）× 0.375（配偶者居住権に係る複利現価率））＝30,000千円

(ニ)　土地（宅地）等の所有権の価額

48,000千円（上記(ロ)）－ 30,000千円（上記(ハ)）＝18,000千円

③　合計

12,000千円（上記①(ニ)）＋ 18,000千円（上記②(ニ)）＝ 30,000千円

(4)　上記(3)に係る小規模宅地等の課税特例の適用後の価額（相続税の課税価格算入額）

①　２階（被相続人等の居住用部分）の価額

(イ)　土地（宅地）等の所有権に係る小規模宅地等の課税特例適用上の面積

160㎡（２階部分の面積 上記(3)①(イ)）× 12,000千円（所有権の価額（上記(3)①(ニ)））／（20,000千円（利用権の価額（上記(3)①(ハ)））＋12,000千円（所有権の価額（上記(3)①(ニ)）））＝60㎡

(ロ)　土地（宅地）等の所有権の価額（相続税の課税価格算入額）

12,000千円（小規模宅地等の課税特例の適用前の価額 上記(3)①(ニ)）－（12,000千円 × 60㎡（注）／60㎡（上記(イ)）× 80％）（小規模宅地等の課税特例の適用による減額金額）＝2,400千円

②　１階（被相続人等の事業用部分）の価額

(イ)　土地（宅地）等の所有権に係る小規模宅地等の課税特例適用上の面積

240㎡（１階部分の面積 上記(3)②(イ)）× 18,000千円（所有権の価額（上記(3)②(ニ)））／（30,000千円（利用権の価額（上記(3)②(ハ)））＋18,000千円（所有権の価額（上記(3)②(ニ)）））＝90㎡

(ロ)　土地（宅地）等の所有権の価額（相続税の課税価格算入額）

18,000千円（小規模宅地等の課税特例の適用前の価額 上記(3)②(ニ)）－（18,000千円×90㎡(注)／90㎡（上記(イ)）×80％）＝3,600千円

（小規模宅地等の課税特例の適用による減額金額）

③　合計

2,400千円（上記①(ロ)）＋3,600千円（上記②(ロ)）＝6,000千円

（注）　小規模宅地等の課税特例の適用（限度面積要件）
- 特定居住用宅地等に係る適用面積
  60㎡（特定居住用宅地等の所有権の面積：上記①(イ)≦　330㎡　∴60㎡（いずれか少ない方）
- 特定事業用宅地等に係る適用面積
  90㎡（特定事業用宅地等の所有権の面積：上記②(イ)≦　400㎡　∴90㎡（いずれか少ない方）

**ポイント**

**質疑** の事例は、既に過去の相続（第１次相続）において宅地等が配偶者居住権の目的となっている建物の敷地の用に供されている状況で、当該宅地等の所有者に相続開始（第２次相続）があったというもの（ **質疑** の**参考**（配偶者居住権の目的となっている建物及びその敷地について）を参照）です。

この第２次相続に係る被相続人甲に帰属していた相続財産は、当該宅地等の所有権のみである（当該宅地等の利用権は、従前どおり第１次相続において設定された配偶者居住権に基づいて配偶者居住権者である母に帰属）ことに留意する必要があります。

ただし、上記のような状況にある場合においても、その要旨を下記に掲げるとおりとする措置法施行令第40条の２《小規模宅地等についての相続税の課税価格の計算の特例》第６項の規定が適用されることから、小規模宅地等の課税特例の適用面積の算定については、十分に留意する必要があります。

**（小規模宅地等の課税特例の適用面積：土地等の利用権及び所有権に対する面積の配分）**

小規模宅地等の課税特例の規定の適用を受けるものとしてその全部又は一部の選択をしようとする特例対象宅地等が配偶者居住権の目的となっている建物の敷地の用に供される宅地等（土地等の所有権）又は当該宅地等を配偶者居住権に基づき使用する権利（土地等の利用権）の全部又は一部である場合には、当該特例対象宅地等の面積（適用面積）は、当該面積に、それぞれ当該敷地の用に供される宅地等の価額又は当該権利の価額がこれらの価額の合計額のうちに占める割合を乗じて得た面積であるものとみなされます。この扱いを算式で示すと、次のとおりになります。

（算式）

①　配偶者居住権に基づき使用する権利（土地等の利用権）に対応するとみなされる面積

（小規模宅地等の課税特例の適用を受けようとする土地（宅地）等の利用権及び所有権に係る面積）×土地（宅地）等の利用権の価額／土地(宅地)等の利用権の価額＋土地(宅地)等の所有権の価額

②　配偶者居住権の目的となっている建物の敷地である宅地等（土地の所有権）に対応するとみなされる面積

（小規模宅地等の課税特例の適用を受けようとする土地（宅地）等の利用権及び所有権に係る面積）×土地（宅地）等の所有権の価額／土地(宅地)等の利用権の価額＋土地(宅地)等の所有権の価額

## ㈵ 配偶者居住権等に対する小規模宅地等の課税特例の適用関係（その11：既に配偶者居住権が設定されている場合における第２次相続の開始）（そのＥ：宅地等が配偶者居住権の目的となっている建物の敷地である場合で複数の利用区分から構成されているとき⑴（第１次相続開始後に事業の用に供した部分がある場合の取扱い②））

**質疑**　被相続人甲に相続開始（以下、この相続を「第２次相続」といいます。）がありました。第２次相続開始の直前において被相続人甲の母が居住及び事業（母が営む貸付事業）の用に供していた建物は、もともとは母の亡夫（被相続人甲の父）が所有する２階建ての居住専用として利用されていたもので、亡夫に係る相続（以下、この相続を「第１次相続」といいます。）の遺産分割協議により、母が配偶者居住権を終身にわたって設定し、被相続人甲が当該居住建物の所有権を取得するという状況にあり、当該配偶者居住権の設定後に当該配偶者居住権者である母は当該居住建物の所有権者である被相続人甲の承諾を得て、当該居住建物の１階部分を賃貸借契約によりＸ氏に対する貸付事業の用に転用されたという経緯が確認されています。また、当該建物の敷地の用に供されていた宅地等の所有権は、被相続人甲が取得していました。

今回の第２次相続開始においては、当該建物及びその敷地の用に供されていた宅地等については母が取得します。また、母が営んでいた事業（１階部分の貸付事業）については、従前と同様に今後も末長く母が継続して貸し付けることが想定されます。

上記の場合において第２次相続開始の直前において被相続人甲が有していた宅地等に対する小規模宅地等の課税特例の適用関係はどのようになりますか。

なお、回答に当たっては、次に掲げる事項を前提とします。

前提事項

⑴　宅地等（面積400㎡）の第２次相続開始時における自用地としての価額は、80,000千円です。

⑵　建物に係る第２次相続開始直前における利用状況等は、次のとおりです。

①　１階（床面積300㎡）は、母の営む事業（賃借人Ｘ氏に対する貸付事業）に供用されていました。

②　２階（床面積200㎡）は母及び被相続人甲の居住の用に供されていました。

⑶　第２次相続開始の直前において、母及び被相続人甲は、生計を一にする親族に該当します。

⑷　被相続人甲は、２階部分に係る配偶者居住権の使用収益の対価を配偶者居住権者である母に支払ったことはありません。

⑸　上記⑴の宅地等について、第２次相続開始時を評価時点として相続税法第23条の２《配偶者居住権等の評価》の規定を適用する場合において必要とされる

『第１次相続で設定された配偶者居住権につき、第２次相続開始時における当該配偶者居住権の残存存続年数に応じた法定利率による複利現価率』は、0.375であるものとします。

(6)　上記(1)の宅地等が所在する地域における借地権割合は60％、借家権割合は30％となっています。

参考

（親族図）

亡父（第１次相続）
║───────── 被相続人甲（第２次相続）
母

（配偶者居住権の目的となっている建物及びその敷地について）

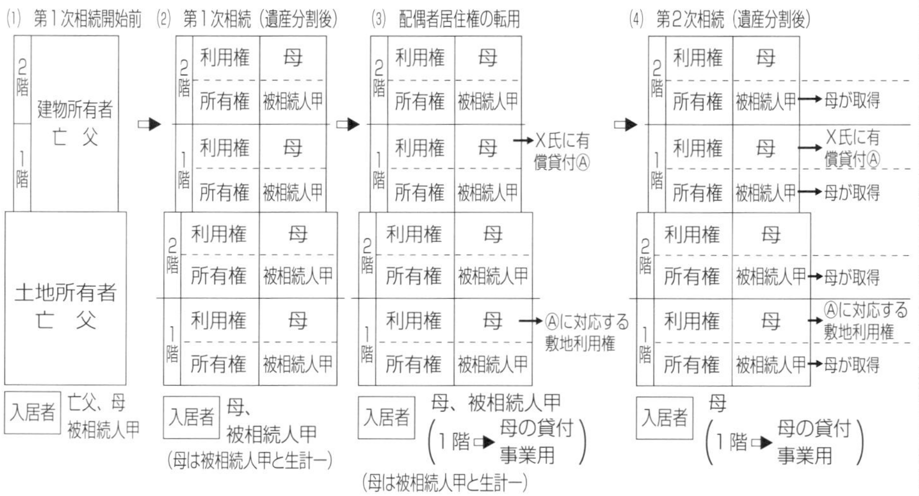


## 応答

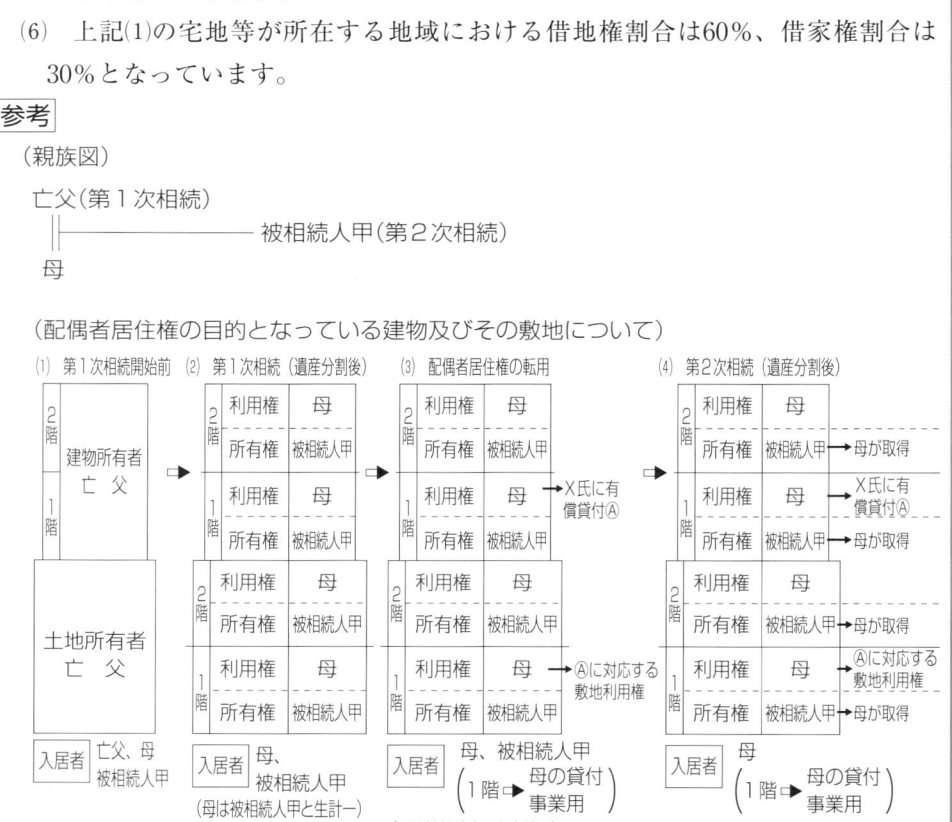

(1)　宅地等のうち２階部分の敷地の用に供している部分の取扱い

①　考え方

措置法通達69の４－７の２《宅地等が配偶者居住権の目的となっている家屋の敷地である場合の被相続人等の居住の用に供されていた宅地等の範囲》において、要旨、『相続又は遺贈により取得した宅地等が、当該相続の開始の直前において配偶者居住権に基づき使用又は収益されていた家屋の敷地の用に供していたものである場合には、当該宅地等のうち、『相続の開始の直前において、被相続人等の居住の用に供されていた家屋（被相続人又は被相続人の親族が配偶者居住権者である場合のその配偶者居住権の目的となっている家屋をいう。）で、被相続人が所有していたもの（当該被相続人等が当該家屋を当該配偶者居住権者から借り受けていた場合には、無償で借り受けていたときにおける当該家屋に限る。）又は被相続人の親族が所有していたもの（当該家屋を所有していた被相続人の親族が当該家屋の敷地を被相続人から無償で借り受けており、かつ、当該被相続人等が当該家屋を当該配偶者居住権者から借り受けていた場合には、無償で借り受けていたときにおける当該家屋に限る。）の敷地の用に供されていたもの』が居住用宅地等に該当する。』と定められています。

②　当てはめ

**質疑** の事例の宅地等のうち2階部分の敷地の用に供さている部分について、上記①に掲げる措置法通達の定めを当てはめると、次に掲げる判断基準から該当部分は『被相続人等の居住の用に供されていた家屋の敷地の用に供されていた宅地等（被相続人等の居住用宅地等)』に該当することになります。

判断基準

(イ)　第2次相続開始の直前において、被相続人甲及び同人と生計を一にする親族である母の居住の用に供されていた家屋であること

(ロ)　上記(イ)に掲げる家屋は、被相続人甲の親族である母が配偶者居住権者である場合のその配偶者居住権の目的となっている家屋であること

(ハ)　上記(イ)及び(ロ)に掲げる家屋は、被相続人甲が所有していたものであること

(ニ)　被相続人甲が、上記(イ)ないし(ハ)に掲げる家屋を配偶者居住権者である母から無償で借り受けていること

次に、上記の被相続人等の居住用宅地等を取得した母について、当該宅地等に対する小規模宅地等の課税特例（特定居住用宅地等）の適用可否を判断すると、次のとおりとなります。

被相続人甲の配偶者以外の親族である母が被相続人等の居住用宅地を取得した場合に、当該居住宅地等が特定居住用宅地等に該当するためには、次に掲げる(イ)ないし(ハ)の区分のうちいずれかを充足する必要があるものとされています。

(イ)　被相続人甲の居住用家屋に居住（同居）していた者である場合

(ロ)　配偶者及び一定の同居親族が存せず非同居親族が取得した場合（いわゆる『家なき子』に該当する場合）

(ハ)　被相続人甲と生計を一にしていた親族の居住の用に供されていた場合

そうすると、**質疑** に掲げる事項から判断すると、母が取得した宅地等のうち2階部分の敷地の用に供されている部分は、上記(イ)及び(ハ)に該当することになります。

したがって、**質疑** の事例の宅地等（配偶者居住権の目的となっている建物の敷地の用に供される土地等（土地（宅地）等の所有権））のうち、2階部分の敷地に対応するものについては、小規模宅地等の課税特例（特定居住用宅地等）の適用対象とすることが認められます。

(2)　宅地等のうち1階部分の敷地の用に供されている部分の取扱い

①　配偶者居住権者による居住建物の使用収益の範囲

民法第1028条《配偶者居住権》第1項の本文の規定では、被相続人の配偶者は、被相続人の財産に属した建物に相続開始の時に居住していた場合において、遺産の分割によって

配偶者居住権を取得するものとされたとき又は配偶者居住権が遺贈の目的とされたときは、その居住していた建物（居住建物）の全部について無償で使用及び収益をする権利（配偶者居住権）を取得するとされています。

また、民法第1032条《配偶者による使用及び収益》第３項の規定では、配偶者は居住建物の所有者の承諾を得なければ、第三者に居住建物の使用又は収益をさせることができないとされています。換言すれば、居住建物の所有者の承諾を得れば、配偶者は第三者に居住建物の使用又は収益をさせることが可能とされています。

そうすると、**質疑** の事例では、配偶者居住権者である母はＸ氏（同氏は、配偶者居住権又は建物所有者のいずれにも該当しないことから第三者（上記＿＿部分）に該当します。）に対して当該居住建物の１階部分を賃貸させて収益を得ようとするものであることから、上記に掲げる民法第1032条《配偶者による使用及び収益》第３項の規定の対象となり、配偶者居住権者である母は、Ｘ氏に対する建物の賃貸に当たっては当該居住建物の所有者である被相続人甲の承諾が必要とされます。

②　考え方

措置法通達69の４－４の２《宅地等が配偶者居住権の目的となっている建物等の敷地である場合の被相続人等の事業の用に供されていた宅地等の範囲》において、要旨、『相続又は遺贈により取得した宅地等が、当該相続の開始の直前において配偶者居住権に基づき使用又は収益されていた建物の敷地等の用に供されていたものである場合には、当該宅地等のうち、『他に貸し付けられていた宅地等（当該貸付けが事業に該当する場合に限る。）を除き、被相続人等の事業の用に供されていた建物等（被相続人等又はその他親族が所有していた建物等をいう。）で、被相続人等が配偶者居住権者（当該配偶者居住権を有する者をいう。）であるもの又はその他親族が配偶者居住権者であるもの（被相続人等が当該建物等を配偶者居住権者である当該その他親族から無償で借り受けていた場合における当該建物等に限る）の敷地の用に供されていたもの』が事業用宅地等に該当する。』と定められています。

③　当てはめ

**質疑** の事例の宅地等のうち１階部分の敷地の用に供されている部分について、上記②に掲げる措置法通達の定めを当てはめると、次に掲げる判断基準から該当部分は『被相続人等の事業の用に供されていた家屋の敷地の用に供されていた宅地等（被相続人等の事業用宅地等)』に該当することになります。

**判断基準**

(イ)　土地所有者（被相続人甲）と建物所有者（被相続人甲）が同一人であることから、当該形態は上記②に掲げる措置法通達に定める『他に貸し付けられていた宅地等（当該貸付けが事業に該当する場合に限る)』(いわゆる『有償貸地型』）には該当しないこと

(ロ)　被相続人甲と生計を一にする親族である母の事業（母が営む貸付事業）の用に供されていた建物等であること

(ハ)　上記(ロ)及び(ハ)の建物等は、被相続人甲と生計を一にする親族である母が配偶者居住権者である場合のその配偶者居住権の目的となっているものであること

次に、上記の被相続人等の事業用宅地等を取得した母について、当該宅地等に対する小規模宅地等の課税特例（貸付事業用宅地等）の適用可否を判断すると、次のとおりになります。

被相続人甲の親族である母が被相続人等の事業用宅地等を取得した場合に、当該事業用宅地等が貸付事業用宅地等に該当するためには、次に掲げる(イ)又は(ロ)の区分のうちいずれかを充足する必要があるものとされています。

(イ)　被相続人の貸付事業を相続開始後に事業承継する場合

(ロ)　被相続人と生計を一にする親族の貸付事業の用に供されていた場合

そうすると、**質疑** に掲げる事項から判断すると、母が取得した宅地のうち１階部分の敷地の用に供されている部分は、上記(ロ)に該当することになります。

したがって、**質疑** の事例の宅地等（配偶者居住権の目的となっている建物の敷地の用に供される土地等（土地（宅地）等の所有権））のうち、１階部分の敷地に対応するものについては、小規模宅地等の課税特例（貸付事業宅地等）の適用対象とすることが認められます。

(3)　第２次相続開始時における配偶者居住権の目的となっている建物の敷地の用に供される土地等の価額（土地（宅地）等の所有権の価額）

①　２階部分（被相続人等の居住用部分）の価額

(イ)　２階部分に対応する面積

$$\underset{\text{（全体の面積）}}{400\text{m}^2} \times \frac{200\text{m}^2\text{（２階の床面積）}}{300\text{m}^2\text{（１階の床面積）}+200\text{m}^2\text{（２階の床面積）}} = 160\text{m}^2$$

(ロ)　２階部分に対応する宅地全体（配偶者居住権及び所有権）の価額

$$\underset{\text{（全体の価額）}}{80{,}000\text{千円}} \times \frac{160\text{m}^2\text{（上記(イ)）}}{400\text{m}^2\text{（全体の面積）}} = 32{,}000\text{千円}$$

(ハ)　土地（宅地）等の利用権の価額

$$\underset{\text{（上記(ロ)）}}{32{,}000\text{千円}} - (\underset{\text{（上記(ロ)）}}{32{,}000\text{千円}} \times \underset{\text{（配偶者居住権に係る複利現価率）}}{0.375}) = 20{,}000\text{千円}$$

(ニ)　土地（宅地）等の所有権の価額

$$\underset{\text{（上記(ロ)）}}{32{,}000\text{千円}} - \underset{\text{（上記(ハ)）}}{20{,}000\text{千円}} = \underline{\underline{12{,}000\text{千円}}}$$

②　１階部分（被相続人等の貸付事業用部分）の価額

(イ)　1階部分に対応する面積

$$\underset{\text{（全体の面積）}}{400\text{m}^2} \times \frac{300\text{m}^2\text{（1階の床面積）}}{300\text{m}^2\text{（1階の床面積）}+200\text{m}^2\text{（2階の床面積）}} = 240\text{m}^2$$

(ロ)　１階部分に対応する宅地全体（配偶者居住権及び所有権）の価額

$$\underset{\text{（全体の価額）}}{80{,}000\text{千円}}\times\frac{240\text{㎡（上記(イ)）}}{400\text{㎡（全体の面積）}}=48{,}000\text{千円}$$

留意点　本件建物の１階部分の賃借人であるＸ氏は、賃貸人である母（配偶者居住権者）と建物賃貸借契約を締結しています。

一方、配偶者居住権者が有する配偶者居住権は、居住建物を無償で使用及び収益することができる権利であるところ、当該配偶者居住権が設定されたことによって当該居住建物の敷地の用に供されている宅地等の権利関係に借地借家法上の変動が生じるものとは認められません。

したがって、配偶者居住権が設定された居住建物につき、事後、配偶者居住権者が当該居住建物の所有者の承諾を得てこれを第三者に賃貸したとしても、当該賃貸建物の価額は貸家ではなく自用家屋として、また、当該賃貸建物の敷地の用に供されている宅地等の価額についても、貸家建付地ではなく自用地として評価する必要があります。

(ハ)　土地（宅地）等の利用権の価額

$$\underset{\text{（上記(ロ)）}}{48{,}000\text{千円}}-(\underset{\text{（上記(ロ)）}}{48{,}000\text{千円}}\times\underset{\text{（配偶者居住権に係る複利現価率）}}{0.375})=30{,}000\text{千円}$$

(ニ)　土地（宅地）等の所有権の価額

$$\underset{\text{（上記(ロ)）}}{48{,}000\text{千円}}-\underset{\text{（上記(ハ)）}}{30{,}000\text{千円}}=\underline{\underline{18{,}000\text{千円}}}$$

③　合計

$$\underset{\text{（上記①(ニ)）}}{12{,}000\text{千円}}+\underset{\text{（上記②(ニ)）}}{18{,}000\text{千円}}=\boxed{\underline{\underline{30{,}000\text{千円}}}}$$

(4)　上記(3)に係る小規模宅地等の課税特例の適用後の価額（相続税の課税価格算入額）

①　２階部分（被相続人等の居住部分）の価額

(イ)　土地（宅地）等の所有権に係る小規模宅地等の課税特例適用上の面積

$$\underset{\text{（２階部分の面積 上記(3)①(イ)）}}{160\text{㎡}}\times\frac{12{,}000\text{千円（所有権の価額（上記(3)①(ニ)））}}{20{,}000\text{千円（利用権の価額（上記(3)①(ハ)））}+12{,}000\text{千円（所有権の価額（上記(3)①(ニ)））}}=60\text{㎡}$$

(ロ)　土地（宅地）等の所有権の価額（相続税の課税価格算入額）

$$\underset{\text{（小規模宅地等の課税特例の適用前の価額 上記(3)①(ニ)）}}{12{,}000\text{千円}}-\underset{\text{（小規模宅地等の課税特例の適用による減額金額）}}{\left(12{,}000\text{千円}\times\frac{60\text{㎡（注）}}{60\text{㎡（上記(イ)）}}\times80\%\right)}=\underline{\underline{2{,}400\text{千円}}}$$

②　１階部分（被相続人等の貸付事業用部分）の価額

(イ)　土地（宅地）等の所有権に係る小規模宅地等の課税特例適用上の面積

$$\underset{\text{（１階部分の面積 上記(3)②(イ)）}}{240\text{㎡}}\times\frac{18{,}000\text{千円（所有権の価額（上記(3)②(ニ)））}}{30{,}000\text{千円（利用権の価額（上記(3)②(ハ)））}+18{,}000\text{千円（所有権の価額（上記(3)②(ニ)））}}=90\text{㎡}$$

(ロ)　土地（宅地）等の所有権に価額（相続税の課税価格算入額）

18,000千円（小規模宅地等の課税特例の適用前の価額　上記(3)②(ニ)）－（18,000千円×$\frac{90㎡(注)}{90㎡(上記(イ))}$×50％）（小規模宅地等の課税特例の適用による減額金額）＝9,000千円

③　合計

2,400千円（上記①(ロ)）＋9,000千円（上記②(ロ)）＝**11,400千円**

（注）　小規模宅地等の課税特例の適用（限度面積要件）

60㎡（特定居住用宅地等に対する適用面積）×$\frac{200㎡}{330㎡}$＋90㎡（貸付事業用宅地等に対する適用面積）≒126.36㎡≦200㎡　∴限度面積要件を充足

**(45)　配偶者居住権等に対する小規模宅地等の課税特例の適用関係（その11：既に配偶者居住権が設定されている場合における第２次相続の開始）（そのＥ：宅地等が配偶者居住権の目的となっている建物の敷地である場合で複数の利用区分から構成されているとき(2)（第１次相続開始前から継続して事業の用に供されていた部分がある場合の取扱い①））**

**質疑**　被相続人甲に相続開始（以下、この相続を「第２次相続」といいます。）がありました。第２次相続開始の直前において被相続人甲が居住及び事業（被相続人甲が営む飲食業）の用に供していた建物は、もともとは同人の亡父が所有する２階建ての店舗兼用住宅（１階：亡父が営んでいた飲食業に供用、２階：亡父及びその家族の居住用）として利用されていたもので、亡父に係る相続（以下、この相続を「第１次相続」といいます。）の遺産分割協議により、母（亡父の配偶者）が配偶者居住権を終身にわたって設定し、被相続人甲が当該店舗兼用住宅である建物の所有権を取得するという状況にあったものです。なお、当該店舗兼用住宅である建物の敷地の用に供されていた宅地等の所有権についても、被相続人甲が取得していました。また、亡父が営んでいた事業（飲食業）については、第１次相続開始後、直ちに被相続人甲がこれを承継して、第２次相続開始時まで引き続き事業が継続されていました。

今回の第２次相続においては、当該建物及びその敷地の用に供されていた宅地等については長男Ａが取得します。また、被相続人甲が亡父から引き継いできた事業（飲食業）についても、直ちに長男Ａがこれを承継して今後も末長く継続することが想定されます。

上記の場合において、第２次相続開始の直前において被相続人甲が有していた宅地等に対する小規模宅地等の課税特例の適用関係は、どのようになりますか。

なお、回答に当たっては、次に掲げる事項を前提とします。

前提事項

⑴　宅地等（面積400㎡）の第２次相続開始時における自用地としての価額は、80,000千円です。

⑵　建物に係る第２次相続開始直前における利用状況等は、次のとおりです。

①　１階（床面積300㎡）は、被相続人甲の営む事業（飲食業）に供用されていました。

②　２階（床面積200㎡）は、母、被相続人甲及び長男Ａの居住の用に供用されていました。

⑶　第２次相続開始の直前において、母、被相続人甲及び長男Ａの三者は、相互に生計を一にする親族に該当します。

⑷　被相続人甲は、１階部分に係る配偶者居住権の使用収益の対価を配偶者居住権者である母に支払ったことはありません。

⑸　被相続人甲及び長男Ａは、２階部分に係る配偶者居住権の使用収益の対価を配偶者居住権者である母に支払ったことはありません。なお、第２次相続開始後は、長男Ａが同様の状況で今後も末長く継続して２階部分に母と共に居住することが想定されます。

⑹　上記⑴の宅地等について、第２次相続開始時を評価時点として相続税法第23条の２《配偶者居住権等の評価》の規定を適用する場合において必要とされる『第１次相続で設定された配偶者居住権につき、第２次相続開始時における当該配偶者居住権の残存年数に応じた法定利率による複利現価率』は0.375であるものとします。

参考

（親族図）

亡父（第１次相続）
‖――――――――被相続人甲（第２次相続）
母　　　　　　　　‖――――――――長男Ａ

（配偶者居住権の目的となっている建物及びその敷地について）

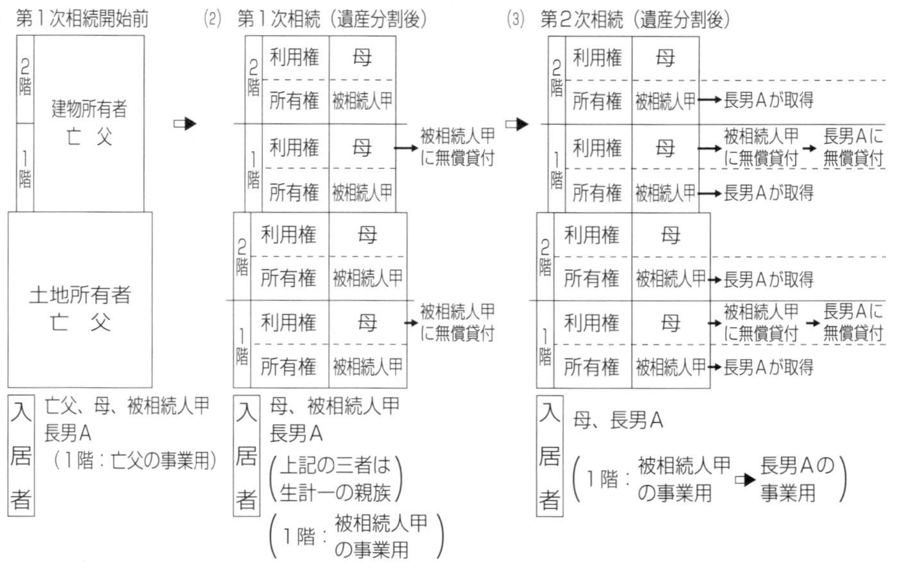


## 応答

⑴　宅地のうち２階部分の敷地の用に供されている部分の取扱い

①　考え方

措置法通達69の４－７の２《宅地等が配偶者居住権の目的となっている家屋の敷地である場合の被相続人等の居住の用に供されていた宅地等の範囲》において、要旨、『相続又は遺贈により取得した宅地等が、当該相続の開始の直前において配偶者居住権に基づき使用又は収益されていた家屋の敷地の用に供されていたものである場合には、当該宅地等のうち、『相続の開始の直前において、被相続人等の居住の用に供されていた家屋（被相続人又は被相続人の親族が配偶者居住権者である場合のその配偶者居住権の目的となっている家屋をいう。）で、被相続人が所有していたもの（当該被相続人等が当該家屋を当該配偶者居住権者から借り受けていた場合には、無償で借り受けていたときにおける当該家屋に限る。）又は被相続人の親族が所有していたもの（当該家屋を所有していた被相続人の親族が当該家屋の敷地を被相続人から無償で借り受けており、かつ、当該被相続人等が当該家屋を当該配偶者居住権者から借り受けていた場合には、無償で借り受けていたときにおける当該家屋に限る。）の敷地の用に供されていたもの』が居住用宅地等に該当する。』と定められています。

②　当てはめ

**質疑**の事例の宅地等のうち２階部分の敷地の用に供されている部分について、上記①に掲げる措置法通達の定めを当てはめると、次に掲げる判断基準から該当部分は『被相続人等の居住の用に供されていた家屋の敷地の用に供されていた宅地等（被相続人等の居住用宅地等)』に該当することになります。

判断基準
(イ)　第２次相続開始の直前において、被相続人甲並びに同人と生計を一にする親族である母及び長男Ａの居住の用に供されていた家屋であること
(ロ)　上記(イ)に掲げる家屋は、被相続人甲の親族である母が配偶者居住権者である場合のその配偶者居住権の目的となっている家屋であること
(ハ)　上記(イ)及び(ロ)に掲げる家屋は、被相続人甲が所有していたものであること
(ニ)　被相続人甲及び同人と生計を一にする親族である長男Ａが、上記(イ)ないし(ハ)に掲げる家屋を配偶者居住権者である母から無償で借り受けていること

次に、上記の被相続人等の居住用宅地等を取得した長男Ａについて、当該宅地等に対する小規模宅地等の課税特例（特定居住用宅地等）の適用可否を判断すると、次のとおりになります。

被相続人甲の配偶者以外の親族である長男Ａが被相続人等の居住用宅地等を取得した場合に、当該居住用宅地等が特定居住用宅地等に該当するためには、次に掲げる(イ)ないし(ハ)の区分のうちいずれかを充足する必要があるものとされています。

(イ)　被相続人甲の居住用家屋に居住（同居）していた者である場合
(ロ)　配偶者及び一定の同居親族が存せず非同居親族が取得した場合（いわゆる『家なき子』に該当する場合）
(ハ)　被相続人甲と生計を一にしていた親族の居住の用に供されていた場合

そうすると、**質疑** に掲げる事項から判断すると、長男Ａが取得した宅地等のうち２階部分の敷地の用に供されている部分は、上記(イ)及び(ハ)に該当することになります。

したがって、**質疑** の事例の宅地等（配偶者居住権の目的となっている建物の敷地の用に供される土地等（土地（宅地）等の所有権））のうち、２階部分の敷地に対応するものについては、小規模宅地等の課税特例（特定居住用宅地等）の適用対象とすることが認められます。

(2)　宅地のうち１階部分の敷地の用に供されている部分の取扱い

①　配偶者居住権者による居住建物の使用収益の範囲

民法第1028条《配偶者居住権》第１項の本文の規定では、被相続人の配偶者は、被相続人の財産に属した建物に相続開始の時に居住していた場合において、遺産の分割によって配偶者居住権を取得するものとされたとき又は配偶者居住権が遺贈の目的とされたときは、その居住していた建物（居住建物）の全部について無償で使用及び収益をする権利（配偶者居住権）を取得するとされています。

また、民法第1032条《配偶者による使用及び収益》第３項の規定では、配偶者は居住建物の所有者の承諾を得なければ、第三者に居住建物の使用又は収益をさせることができないとされています。換言すれば、居住建物の所有者の承諾を得れば、配偶者は第三者に居住建物の使用又は収益をさせることが可能とされています。

そうすると、**質疑** の事例では、第１次相続による遺産分割協議によって亡父がその

生前から当該店舗兼住宅の１階部分で営んでいた事業（飲食業）を承継したのは被相続人甲であり、同人は第１次相続により亡父からの相続により当該店舗兼用住宅を取得した所有者自身に該当する者で、『第三者』（上記＝部分）に該当するものではないことに留意する必要があります。

したがって、**質疑** の事例では上記に掲げる民法第1032条第３項に規定する居住建物の所有者の承諾という要件は、無関係とされることになります。

② 考え方

措置法通達69の４－４の２《宅地等が配偶者居住権の目的となっている建物等の敷地である場合の被相続人等の事業の用に供されていた宅地等の範囲》において、要旨、『相続又は遺贈により取得した宅地等が、当該相続の開始の直前において配偶者居住権に基づき使用又は収益されていた建物等の敷地の用に供されていたものである場合には、当該宅地等のうち、『他に貸し付けられていた宅地等（当該貸付けが事業に該当する場合に限る。）を除き、被相続人等の事業の用に供されていた建物等（被相続人等又はその他親族が所有していた建物等をいう。）で、被相続人等が配偶者居住権者（当該配偶者居住権を有する者をいう。）であるもの又はその他親族が配偶者居住権者であるもの（被相続人等が当該建物等を配偶者居住権者である当該その他親族から無償で借り受けていた場合における当該建物等に限る。）の敷地の用に供されていたもの』が事業用宅地等に該当する。』と定められています。

③ 当てはめ

**質疑** の事例の宅地等のうち１階部分の敷地の用に供されている部分について、上記②に掲げる措置法通達の定めを当てはめると、次に掲げる 判断基準 から該当部分は『被相続人等の事業の用に供されていた家屋の敷地の用に供されていた宅地等（被相続人等の事業用宅地等）』に該当することになります。

判断基準

(イ) 土地所有者（被相続人甲）と建物所有者（被相続人甲）が同一人であることから、当該形態は上記②に掲げる措置法通達に定める『他に貸し付けられていた宅地等（当該貸付けが事業に該当する場合に限る。）』（いわゆる『有償貸地型』）には該当しないこと

(ロ) 被相続人甲の事業（被相続人甲が営む飲食業）の用に供されていた建物等であること

(ハ) 上記(ロ)の建物等は、被相続人甲が所有していたものであること

(ニ) 上記(ロ)及び(ハ)の建物等は、被相続人甲と生計を一にする親族である母が配偶者居住権者である場合のその配偶者居住権の目的となっているものであること

次に、上記の被相続人等の事業用宅地等を取得した長男Ａについて、当該宅地等に対する小規模宅地等の課税特例（特定事業用宅地等）の適用可否を判断すると、次のとおりになります。

被相続人甲の親族である長男Ａが被相続人等の事業用宅地等を取得した場合に、当該事業

用宅地等が特定事業用宅地等に該当するためには、次に掲げる(イ)又は(ロ)の区分のうちいずれかを充足する必要があるものとされています。

(イ)　被相続人の事業を相続開始後に事業承継する場合

(ロ)　被相続人と生計を一にする親族の事業の用に供されていた場合

そうすると、**質疑** に掲げる事項から判断すると、長男Ａが取得した宅地のうち１階部分の敷地の用に供されている部分は、上記(イ)に該当することになります。

したがって、**質疑** の事例の宅地等（配偶者居住権の目的となっている建物の敷地の用に供される土地等（土地（宅地）等の所有権））のうち、１階部分の敷地に対応するものについては、小規模宅地等の課税特例（特定事業用宅地等）の適用対象とすることが認められます。

(3)　第２次相続開始時における配偶者居住権の目的となっている建物の敷地の用に供される土地等の価額（土地（宅地）等の所有権の価額）

①　２階部分（被相続人等の居住用部分）の価額

(イ)　２階部分に対応する面積

$$\underset{\text{（全体の面積）}}{400\text{㎡}} \times \frac{200\text{㎡（２階の床面積）}}{300\text{㎡（１階の床面積）}+200\text{㎡（２階の床面積）}} = 160\text{㎡}$$

(ロ)　２階部分に対応する宅地全体（配偶者居住権及び所有権）の価額

$$\underset{\text{（全体の価額）}}{80{,}000\text{千円}} \times \frac{160\text{㎡（上記(イ)）}}{400\text{㎡（全体の面積）}} = 32{,}000\text{千円}$$

(ハ)　土地（宅地）等の利用権の価額

$$\underset{\text{（上記(ロ)）}}{32{,}000\text{千円}} - (\underset{\text{（上記(ロ)）}}{32{,}000\text{千円}} \times \underset{\text{（配偶者居住権に係る複利現価率）}}{0.375}) = 20{,}000\text{千円}$$

(ニ)　土地（宅地）等の所有権の価額

$$\underset{\text{（上記(ロ)）}}{32{,}000\text{千円}} - \underset{\text{（上記(ハ)）}}{20{,}000\text{千円}} = \underline{\underline{12{,}000\text{千円}}}$$

②　１階部分（被相続人等の事業用部分）の価額

(イ)　１階部分に対応する面積

$$\underset{\text{（全体の面積）}}{400\text{㎡}} \times \frac{300\text{㎡（１階の床面積）}}{300\text{㎡（１階の床面積）}+200\text{㎡（２階の床面積）}} = 240\text{㎡}$$

(ロ)　１階部分に対応する宅地全体（配偶者居住権及び所有権）の価額

$$\underset{\text{（全体の価額）}}{80{,}000\text{千円}} \times \frac{240\text{㎡（上記(イ)）}}{400\text{㎡（全体の面積）}} = 48{,}000\text{千円}$$

(ハ)　土地（宅地）等の利用権の価額

$$\underset{\text{（上記(ロ)）}}{48{,}000\text{千円}} - (\underset{\text{（上記(ロ)）}}{48{,}000\text{千円}} \times \underset{\text{（配偶者居住権に係る複利現価率）}}{0.375}) = 30{,}000\text{千円}$$

(ニ)　土地（宅地）等の所有権の価額

$$\underset{\text{（上記(ロ)）}}{48{,}000\text{千円}} - \underset{\text{（上記(ハ)）}}{30{,}000\text{千円}} = \underline{\underline{18{,}000\text{千円}}}$$

③　合計

12,000千円（上記①(ニ)）＋18,000千円（上記②(ニ)）＝30,000千円

(4)　上記(3)に係る小規模宅地等の課税特例の適用後の価額（相続税の課税価格算入額）

①　２階部分（被相続人等の居住用部分）の価額

(イ)　土地（宅地）等の所有権に係る小規模宅地等の課税特例適用上の面積

$$160㎡\left(\begin{array}{c}２階部分の面積\\上記(3)①(イ)\end{array}\right) \times \frac{12,000千円（所有権の価額（上記(3)①(ニ)））}{20,000千円（利用権の価額（上記(3)①(ハ)））+12,000千円（所有権の価額（上記(3)①(ニ)））} = 60㎡$$

(ロ)　土地（宅地）等の所有権の価額（相続税の課税価格算入額）

$$12,000千円\left(\begin{array}{c}小規模宅地等の課税\\特例の適用前の価額\\上記(3)①(ニ)\end{array}\right) - \left(12,000千円 \times \frac{60㎡（注）}{60㎡（上記(イ)）} \times 80\%\right) = 2,400千円$$

（小規模宅地等の課税特例の適用による減額金額）

②　１階部分（被相続人等の事業用部分）の価額

(イ)　土地（宅地）等の所有権に係る小規模宅地等の課税特例適用上の面積

$$240㎡\left(\begin{array}{c}１階部分の面積\\上記(3)②(イ)\end{array}\right) \times \frac{18,000千円（所有権の価額（上記(3)②(ニ)））}{30,000千円（利用権の価額（上記(3)②(ハ)））+18,000千円（所有権の価額（上記(3)②(ニ)））} = 90㎡$$

(ロ)　土地（宅地）等の所有権の価額（相続税の課税価格算入額）

$$18,000千円\left(\begin{array}{c}小規模宅地等の課税\\特例の適用前の価額\\上記(3)②(ニ)\end{array}\right) - \left(18,000千円 \times \frac{90㎡（注）}{90㎡（上記(イ)）} \times 80\%\right) = 3,600千円$$

（小規模宅地等の課税特例の適用による減額金額）

③　合計

2,400千円（上記①(ロ)）＋3,600千円（上記②(ロ)）＝6,000千円

(注)　小規模宅地等の課税特例の適用（限度面積要件）

- 特定居住用宅地等に係る適用面積
  60㎡（特定居住用宅地等の所有権の面積：上記①(イ)）≦330㎡　∴60㎡（いずれか少ない方）
- 特定事業用宅地等に係る適用面積
  90㎡（特定事業用宅地等の所有権の面積：上記②(イ)）≦400㎡　∴90㎡（いずれか少ない方）

## (46)　配偶者居住権等に対する小規模宅地等の課税特例の適用関係（その11：既に配偶者居住権が設定されている場合における第２次相続の開始）（そのＥ：宅地等が配偶者居住権の目的となっている建物の敷地である場合で複数の利用区分から構成されているとき(2)（第１次相続開始前から継続して事業の用に供されていた部分がある場合の取扱い②））

**質疑**　被相続人甲に相続開始（以下、この相続を「第２次相続」といいます。）がありました。第２次相続開始の直前において被相続人甲が居住及び事業（被相続人甲が営む貸付事業）の用に供していた建物は、もともとは同人の亡父が所有する２階建ての貸室兼用住宅（１階：亡父が営んでいた貸室事業に供用（賃借人Ｘ氏）、２階：亡父及びその家族の居住用）として利用されていたもので、亡父に係る相続（以下、

この相続を「第１次相続」といいます。）の遺産分割協議により、母（亡父の配偶者）が配偶者居住権を終身にわたって設定し、被相続人甲が当該建物の所有権を取得するという状況にあったものです。なお、当該建物の敷地の用に供されていた宅地等の所有権についても、被相続人甲が取得していました。また、亡父が営んでいた貸付事業については、第１次相続開始後、直ちに被相続人甲がこれを承継して、第２次相続開始時まで引き続き賃借人Ｘ氏に対する貸付事業が継続されていました。

今回の第２次相続においては、当該建物及びその敷地の用に供されていた宅地等については長男Ａが取得します。また、被相続人甲が亡父から引き継いできた賃借人Ｘ氏に対する貸付事業についても、直ちに長男Ａがこれを承継して今後も末長く継続することが想定されます。

上記の場合において、第２次相続開始の直前において被相続人甲が有していた宅地等に対する小規模宅地等の課税特例の適用関係は、どのようになりますか。

なお、回答に当たっては、次に掲げる事項を前提とします。

前提事項

⑴　宅地等（面積400㎡）の第２次相続開始時における自用地としての価額は、80,000千円です。

⑵　建物に係る第２次相続開始直前における利用状況等は、次のとおりです。

①　１階（床面積300㎡）は、被相続人甲の営む事業（賃借人Ｘ氏に対する貸付事業）に供用されていました。

②　２階（床面積200㎡）は、母、被相続人甲及び長男Ａの居住の用に供用されていました。

⑶　上記⑴の宅地等が所在する地域における借地権割合は60％、借家権割合は30％となっています。

⑷　第２次相続開始の直前において、母、被相続人甲及び長男Ａの三者は、相互に生計を一にする親族に該当します。

⑸　被相続人甲及び長男Ａは、２階部分に係る配偶者居住権の使用収益の対価を配偶者居住権者である母に支払ったことはありません。なお、第２次相続開始後は、長男Ａが同様の状況で今後も末長く継続して２階部分に母と共に居住することが想定されます。

⑹　上記⑴の宅地等について、第２次相続開始時を評価時点として相続税法第23条の２《配偶者居住権等の評価》の規定を適用する場合において必要とされる『第１次相続で設定された配偶者居住権につき、第２次相続開始時における当該配偶者居住権の残存年数に応じた法定利率による複利現価率』は、0.375であるものとします。

(7)　小規模宅地等の課税特例の適用に当たって複数の選択肢がある場合には、第２次相続に係る相続税の課税価格の合計額が最も少なくなる方法を採用するものとします。

**参考**

（親族図）

（配偶者居住権の目的となっている建物及びその敷地について）

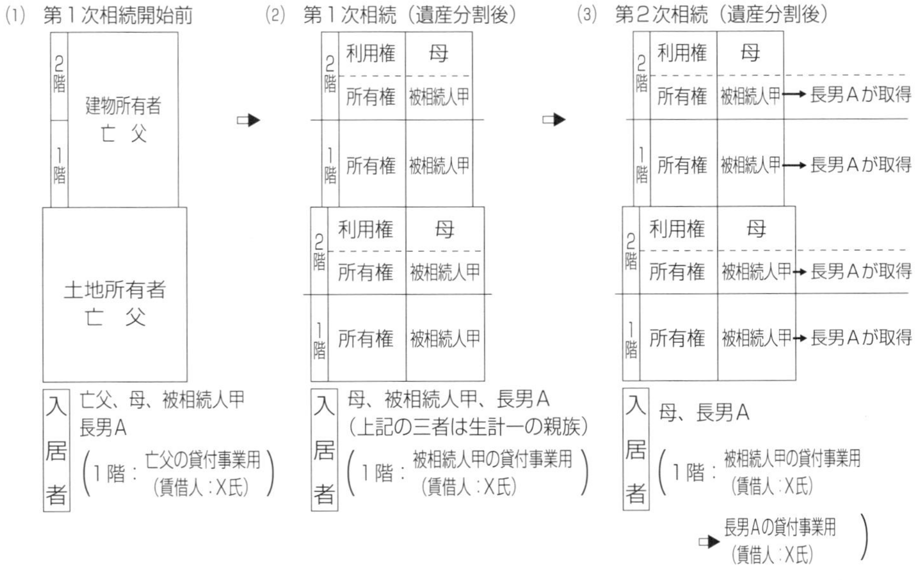


**(注)**　上記(2)の『第１次相続（遺産分割後）』及び(3)の『第２次相続（遺産分割後）』の各図における建物及びその敷地の１階部分について、所有権のみの表示がされ利用権の表示がされていませんが、これに関しては、**応答** (2)①の解説を参照してください。

## 応答

(1)　宅地等のうち２階部分の敷地の用に供されている部分の取扱い

①　考え方

措置法通達69の４－７の２《宅地等が配偶者居住権の目的となっている家屋の敷地である場合の被相続人等の居住の用に供されていた宅地等の範囲》において、要旨、『相続又は遺贈により取得した宅地等が、当該相続の開始の直前において配偶者居住権に基づき使用又は収益されていた家屋の敷地の用に供されていたものである場合には、当該宅地等のうち、『相続の開始の直前において、被相続人等の居住の用に供されていた家屋（被相続人又は被相続人の親族が配偶者居住権者である場合のその配偶者居住権の目的となっている家屋をいう。）で、被相続人が所有していたもの（当該被相続人等が当該家屋を当該配偶者居住権者から借り受けていた場合には、無償で借り受けていたときにおける当該家屋に限る。）又は被相続人の親族が所有していたもの（当該家屋を所有していた被相続人の親族が当該家屋の敷地を被相続人から無償で借り受けており、かつ、当該被相続人等が当該家屋を当該配偶者居住権者から借り受けていた場合には、無償で借り受けていたときにおける当該家屋に限る。）の敷地の用に供されていたもの』が居住用宅地等に該当する。』と定められています。

②　当てはめ

**質疑** の事例の宅地等のうち2階部分の敷地の用に供されている部分について、上記①に掲げる措置法通達の定めを当てはめると、次に掲げる 判断基準 から該当部分は『被相続人等の居住の用に供されていた家屋の敷地の用に供されていた宅地等（被相続人等の居住用宅地等）』に該当することになります。

判断基準

(イ)　第2次相続開始の直前において、被相続人甲並びに同人と生計を一にする親族である母及び長男Aの居住の用に供されていた家屋であること

(ロ)　上記(イ)に掲げる家屋は、被相続人甲の親族である母が配偶者居住権者である場合のその配偶者居住権の目的となっている家屋であること

(ハ)　上記(イ)及び(ロ)に掲げる家屋は、被相続人甲が所有していたものであること

(ニ)　被相続人甲及び同人と生計を一にする親族である長男Aが、上記(イ)ないし(ハ)に掲げる家屋を配偶者居住権者である母から無償で借り受けていること

次に、上記の被相続人等の居住用宅地等を取得した長男Aについて、当該宅地等に対する小規模宅地等の課税特例（特定居住用宅地等）の適用可否を判断すると、次のとおりになります。

被相続人甲の配偶者以外の親族である長男Aが被相続人等の居住用宅地等を取得した場合に、当該居住用宅地等が特定居住用宅地等に該当するためには、次に掲げる(イ)ないし(ハ)の区分のうちいずれかを充足する必要があるものとされています。

(イ)　被相続人甲の居住用家屋に居住（同居）していた者である場合

(ロ)　配偶者及び一定の同居親族が存せず非同居親族が取得した場合（いわゆる『家なき子』に該当する場合）

(ハ)　被相続人甲と生計を一にしていた親族の居住の用に供されていた場合

そうすると、**質疑** に掲げる事項から判断すると、長男Aが取得した宅地のうち2階部分の敷地の用に供されている部分は、上記(イ)及び(ハ)に該当することになります。

したがって、**質疑** の事例の宅地等（配偶者居住権の目的となっている建物の敷地の用に供される土地等（土地（宅地）等の所有権））のうち、2階部分の敷地に対応するものについては、小規模宅地等の課税特例（特定居住用宅地等）の適用対象とすることが認められます。

⑵　宅地等のうち１階部分の敷地の用に供されている部分の取扱い

①　第１次相続開始時における配偶者居住権の取扱い

(イ)　配偶者居住権の設定について

民法第1028条《配偶者居住権》第１項の規定では、要旨、被相続人の配偶者は、被相続人の財産に属した建物に相続開始の時に居住していた場合において、遺産の分割によって配偶者居住権を取得するものとされたときは、その居住していた建物（居住建物）の全部について配偶者居住権を取得するものとされています。

上記＝＝部分に掲げる『居住建物』については、建物全部を居住の用に供している状況を必ずしも求めるものではなく、建物の一部でも居住の用に供されている状況をいうものと解されていることから、配偶者居住権の対象とされるのは、当該建物のうち居住の用に供されている部分に限定されるものではなく、当該建物（居住建物）の全部についての使用及び収益をすることができるようになります。

しかしながら、借地借家法第31条《建物賃貸借の対抗力》において、「建物の賃貸借は、その登記がなくても、建物の引渡しがあったときは、その後その建物について物権を取得した者に対し、その効力を生ずる。」と規定されていることから、配偶者居住権設定前に建物所有者（ **質疑** の事例の場合は、亡父）が当該建物（居住建物）の一部を賃貸借契約により貸し付けている場合には、配偶者居住権を設定した配偶者（ **質疑** の事例の場合は、母）は、当該建物の賃借人（ **質疑** の事例の場合は、賃借人Ｘ氏）に対しては、当該配偶者居住権の設定による当該建物の使用収益権を行使することができないものと解されています。

（注）　上記に掲げる解釈から、 **質疑** の事例の場合には、当該建物の１階部分の賃借人であるＸ氏は、第１次相続により当該建物の取得者が確定した後に支払うべき賃借料については、原則として、当該建物の取得者（ **質疑** の事例の場合は、被相続人甲）に対して支払うことが必要と解されます。

(ロ)　相続税法に規定する配偶者居住権の価額

上記(イ)より、配偶者居住権（建物の利用権）については、第１次相続に係る被相続人が、第１次相続開始時においてその所有する建物等の一部を他に賃貸していた場合には、当該被相続人の配偶者が設定した配偶者居住権は、当該建物の賃借人が有する権利（借家権）に対抗できないと解されています。

そうすると、配偶者居住権に基づく敷地利用権（土地等の利用権）については、当該敷地利用権が配偶者居住権に基づき建物等の使用・収益をする必要な限度で土地等を利用する権利であることを踏まえれば、当該敷地利用権に基づき使用・収益することができる範囲と基本的に同様の範囲であると解するのが相当とされます。

したがって、第１次相続に係る被相続人が建物等を貸付事業の用に供していた部分については、当該被相続人の配偶者が配偶者居住権（建物の利用権）を行使できない部分となるため、この場合における当該建物等のうち貸付事業の用に供されていた部分に対応する敷地部分についても、配偶者居住権に基づく敷地利用権（土地等の利用権）を行使することは認められないことになります。換言すれば、上記のような状況にある配偶者居住権に基づく敷地利用権（土地等の利用権）に相当する部分については、貸付事業の用に供されていた部分（宅地等）に該当しないことになります。

この点について、措置法通達69の４－24の２《被相続人等の貸付事業の用に供されていた宅地等》の（注２）において、「配偶者居住権の設定に係る相続又は遺贈により当該貸付事業に係る建物等（当該配偶者居住権の目的とされたものに限る。）の敷地の用に供されていた宅地等を取得した場合には、当該宅地等のうち当該配偶者居住権に基づく敷地利用権に相当する部分については、当該貸付事業の用に供されていた宅地等には該当しないことに留意する。」と定められています。

②　考え方

措置法通達69の４－４の２《宅地等が配偶者居住権の目的となっている建物の敷地である場合の被相続人等の事業の用に供されていた宅地等の範囲》において、要旨、『相続又は遺贈により取得した宅地等が、当該相続の開始の直前において配偶者居住権に基づき使用又は収益されていた建物等の敷地の用に供されていたものである場合には、当該宅地等のうち、『他に貸し付けられていた宅地等（当該貸付け事業に該当する場合に限る。）を除き、被相続人等の事業の用に供されていた建物等（被相続人等又はその他親族が所有していた建物等をいう。）で、被相続人等が配偶者居住権者（当該配偶者居住権を有する者をいう。）であるもの又はその他親族が配偶者居住権者であるもの（被相続人等が当該建物等を配偶者居住権者である当該その他親族から無償で借り受けていた場合における当該建物等に限る。）の敷地の用に供されていたもの』が事業用宅地等に該当する。』と定められています。

③　当てはめ

**質疑** の事例の宅地等のうち１階部分の敷地の用に供されている部分について、上記②に掲げる措置法通達の定めを当てはめると、次に掲げる判断基準から該当部分は『被相続人等の事業の用に供されていた家屋の敷地の用に供されていた宅地等（被相続人等の事業用宅地等）』に該当することになります。

判断基準

(イ)　土地所有者（被相続人甲）と建物所有者（被相続人甲）が同一人であることから、当該形態は上記②に掲げる措置法通達に定める『他に貸し付けられていた宅地等（当該貸付けが事業に該当する場合に限る。）』（いわゆる『有償貸地型』）には該当しないこと

(ロ)　被相続人甲の事業（被相続人甲が営む貸付事業）の用に供されていた建物等であること

(ハ)　上記(ロ)の建物等は、被相続人甲が所有していたものであること

(ニ)　上記(ロ)及び(ハ)の建物等は、被相続人甲と生計を一にする親族である母が配偶者居住権者である場合のその配偶者居住権の目的となっているものであること

次に、上記の事業用宅地等を取得した長男Ａについて、当該宅地等に対する小規模宅地等の課税特例（貸付事業用宅地等）の適用可否を判断すると、次のとおりとなります。

被相続人甲の親族である長男Ａが被相続人等の事業用宅地等を取得した場合に、当該事業用宅地等が貸付事業用宅地等に該当するためには、次に掲げる(イ)又は(ロ)の区分のうちいずれかを充足する必要があるものとされています。

(イ)　被相続人の貸付事業を相続開始後に事業承継する場合

(ロ)　被相続人と生計を一にする親族の貸付事業の用に供されていた場合

そうすると、**質疑** に掲げる事項から判断すると、長男Ａが取得した宅地等のうち１階部分の敷地の用に供されている部分は、上記(イ)に該当することになります。

したがって、**質疑** の事例の宅地等（配偶者居住権の目的となっている建物の敷地の用に供される土地等（土地（宅地）等の所有権））のうち、１階部分の敷地に対応するものについては、小規模宅地等の課税特例（貸付事業用宅地等）の適用対象とすることが認められます。

(3)　第２次相続開始時における配偶者居住権の目的となっている建物の敷地の用に供される土地等の価額（土地（宅地）等の所有権の価額）

①　２階部分（被相続人等の居住用部分）の価額

(イ)　２階部分に対応する面積

$$\underset{\text{（全体の面積）}}{400㎡} \times \frac{200㎡\text{（２階の床面積）}}{300㎡\text{（１階の床面積）}+200㎡\text{（２階の床面積）}} = 160㎡$$

(ロ)　２階部分に対応する宅地全体（配偶者居住権及び所有権）の価額

$$\underset{\text{（全体の価額）}}{80{,}000千円} \times \frac{160㎡\text{（上記(イ)）}}{400㎡\text{（全体の面積）}} = 32{,}000千円$$

(ハ)　土地（宅地）等の利用権の価額

$$\underset{\text{（上記(ロ)）}}{32{,}000千円} - (\underset{\text{（上記(ロ)）}}{32{,}000千円} \times \underset{\text{（配偶者居住権に係る複利現価率）}}{0.375}) = 20{,}000千円$$

(ニ)　土地（宅地）等の所有権の価額

$$\underset{\text{（上記(ロ)）}}{32{,}000千円} - \underset{\text{（上記(ハ)）}}{20{,}000千円} = \underline{\underline{12{,}000千円}}$$

②　１階部分（被相続人等の貸付事業用部分）の価額

(イ)　１階部分に対応する面積

$$\underset{\text{（全体の面積）}}{400㎡} \times \frac{300㎡\text{（１階の床面積）}}{300㎡\text{（１階の床面積）}+200㎡\text{（２階の床面積）}} = 240㎡$$

(ロ)　１階部分に対応する宅地全体（配偶者居住権及び所有権）の価額

$$\underset{\text{（全体の価額）}}{80{,}000千円} \times \frac{240㎡\text{（上記(イ)）}}{400㎡\text{（全体の面積）}} = 48{,}000千円$$

(ハ)　土地（宅地）等の利用権の価額

０円（上記(2)①を参照）

(ニ)　土地（宅地）等の所有権の価額

（48,000千円（上記(ロ)） － ０円（上記(ハ)））×（１ － 60%（借地権割合） × 30%（借家権割合））＝39,360千円

留意点　質疑 の事例は、亡父が所有してＸ氏に貸していた不動産（建物及びその敷地の用に供されている宅地等のうち１階部分に対応する部分）を被相続人甲が相続により取得し、その後、特段の異動事項もない状況で被相続人甲に相続開始があったというものですから、この場合における土地（宅地）等の価額は、財産評価基本通達26《貸家建付地の評価》の定めを適用して、貸家建付地として求めた金額で評価されます。

なお、当該不動産には第１次相続により配偶者居住権が設定されています（設定対象は、建物全体（１階及び２階部分）とされます。）が、上記(2)①に掲げるとおり、当該配偶者居住権の設定があったことによっても、当該不動産に係る１階部分に対応する土地（宅地）等の利用権の価額は認識しない（０円）とされていることから、当該事項は、上記の土地（宅地）等の所有権の価額の算定に当たっては何らの影響も与えないことに留意する必要があります。

③　合計

12,000千円（上記①(ニ)）＋39,360千円（上記②(ニ)）＝ 51,360千円

(4)　上記(3)に係る小規模宅地等の課税特例の適用後の価額（相続税の課税価格算入額）

①　土地（宅地）等の所有権に係る小規模宅地等の課税特例適用上の面積

(イ)　２階部分（被相続人等の居住用部分）

$$160㎡\left(\begin{array}{c}\text{２階部分の面積}\\\text{上記(3)①(イ)}\end{array}\right)\times\frac{12{,}000\text{千円（所有権の価額（上記(3)①(ニ)））}}{20{,}000\text{千円（利用権の価額（上記(3)①(ハ)））}+12{,}000\text{千円（所有権の価額（上記(3)①(ニ)））}}=60㎡$$

(ロ)　１階部分（被相続人等の貸付事業用部分）

240㎡（上記(3)②(イ)を参照）

留意点　上記(3)②(ニ) 留意点 に掲げるとおり、第１次相続により配偶者居住権の設定があったことによっても、当該不動産に係る１階部分に対応する土地（宅地）等の利用権の価額は認識しない（０円）とされていることから、これに対応する１階部分の土地（宅地）等の利用権の面積は認識しない（０㎡）とされ、結果として、１階部分の土地（宅地）等の所有権の面積は240㎡となることに留意する必要があります。

②　具体的な計算（特定居住用宅地等から優先的に適用した場合）

(イ)　２階（特定居住用宅地等）部分の土地（宅地）等の所有権の価額

$$12{,}000\text{千円（上記(3)①(ニ)）}-\left(12{,}000\text{千円}\times\frac{60㎡\text{（上記①(イ)）}}{60㎡\text{（上記①(イ)）}}\times80\%\right)=2{,}400{,}000\text{円}$$

（小規模宅地等の課税特例の適用による減額金額）

(ロ)　１階（貸付事業用宅地等）部分の土地（宅地）等の所有権の価額

39,360千円（上記(3)②(ニ)）－$\left(39{,}360千円\times\dfrac{163.63㎡（注）}{240㎡（上記①(ロ)）}\times 50\%\right)$（小規模宅地等の課税特例の適用による減額金額）＝25,942,340円

（注）　小規模宅地等の課税特例の適用（貸付事業用宅地等）

200㎡－60㎡（特定居住用宅地等の換算面積）×$\dfrac{200㎡}{330㎡}$≒163.63㎡≦200㎡　∴163.63㎡（いずれか少ない方）

注　小規模宅地等の課税特例の適用（限度面積要件）

60㎡×$\dfrac{200㎡}{330㎡}$＋163.63㎡≒199.99㎡≦200㎡　∴限度面積要件を充足

(ハ)　合計

2,400,000円（上記(イ)）＋25,942,340円（上記(ロ)）＝28,342,340円

③　具体的な計算（貸付事業用宅地等から優先的に適用した場合）

(イ)　１階（貸付事業用宅地等）部分の土地（宅地）等の所有権の価額

39,360千円（上記(3)②(ニ)）－$\left(39{,}360千円\times\dfrac{200㎡（注）}{240㎡（上記①(ロ)）}\times 50\%\right)$（小規模宅地等の課税特例の適用による減額金額）＝22,960千円

(ロ)　２階（特定居住用宅地等）部分の土地（宅地）等の所有権の価額

12,000千円（上記(3)①(ニ)）－$\left(12{,}000千円\times\dfrac{0㎡（注）}{60㎡（上記①(イ)）}\times 80\%\right)$＝12,000千円

(ハ)　合計

22,960千円（上記(イ)）＋12,000千円（上記(ロ)）＝34,960千円

（注）　小規模宅地等の課税特例の適用（限度面積要件）

０㎡×$\dfrac{200㎡}{330㎡}$＋200㎡＝200㎡≦200㎡　∴限度面積要件を充足

④　判定

28,342,340円（上記②(ハ)）＜34,960千円（上記③(ハ)）　∴28,342,340円（いずれか低い方）

### (47)　配偶者居住権等に対する小規模宅地等の課税特例の適用関係（その11：既に配偶者居住権が設定されている場合における第２次相続の開始）（そのＥ：宅地等が配偶者居住権の目的となっている建物の敷地である場合で複数の利用区分から構成されているとき(3)（利用区分が居住用、自己の事業及び貸付事業用からなる場合の取扱い））

**質疑**　被相続人甲に相続開始（以下、この相続を「第２次相続」といいます。）がありました。第２次相続開始の直前において被相続人甲が所有していた建物及びその敷地の用に供されていた宅地等は、もともとは同人の亡父が所有する３階建ての居住専用住宅（建物の所有権が建物の区分所有等に関する法律第１条《建物の区分所有》

の規定により区分所有登記されていました。）として利用されていたもので、亡父に係る相続（以下、この相続を「第１次相続」といいます。）の遺産分割協議により、母（亡父の配偶者）が配偶者居住権を終身にわたって設定し、被相続人甲が当該建物及びその敷地の用に供されていた宅地等の所有権を取得するという状況にあったものです。

当該配偶者居住権の設定後に当該配偶者居住権者である母は当該建物の所有権者である被相続人甲の承諾を得て、当該建物の一部を次のとおりの用途に転用したという経緯が確認されています。

⑴　１階部分は、使用貸借契約により被相続人甲の長男Ａに貸し付けていました。

⑵　２階部分は、賃貸借契約によりＸ氏に貸し付けていました。

今回の第２次相続においては、被相続人甲の遺言に基づいて各人が当該建物及びその敷地の用に供されていた宅地等を下記のとおり、取得することになりました。

⑴　１階部分の建物とこれに対応する敷地権は、長男Ａが相続により取得

⑵　２階部分の建物とこれに対応する敷地権は、母が遺贈により取得

⑶　３階部分の建物とこれに対応する敷地権は、被相続人甲の配偶者乙が相続により取得

上記の場合において、第２次相続開始の直前において被相続人甲が有していた宅地等に対する小規模宅地等の課税特例の適用関係はどのようになりますか。

なお、回答に当たっては、次に掲げる事項を前提とします。

前提事項

⑴　宅地等（面積800㎡）の第２次相続開始時における自用地としての価額は、80,000千円です。

⑵　建物等に係る第２次相続開始直前における利用状況等は、次のとおりです。なお、第２次相続開始以後においても従前と同様の利用状況が末長く継続するものと想定されます。

①　１階（床面積400㎡）は、長男Ａの営む事業（飲食業）に供用されていました。

②　２階（床面積350㎡）は、母の営む事業（賃借人Ｘ氏に対する貸付事業）に供用されていました。

③　３階（床面積250㎡）は、母、被相続人甲、配偶者乙及び長男Ａの居住の用に供用されていました。

⑶　第２次相続開始の直前において、母、被相続人甲、配偶者乙及び長男Ａの四者は、生計を一にする親族に該当します。

⑷　被相続人甲、配偶者乙及び長男Ａは、３階部分に係る配偶者居住権の使用収益の対価を配偶者居住権者である母に支払ったことはありません。

⑸　上記⑴の宅地等について、第２次相続開始時を評価時点として相続税第23条

の２《配偶者居住権等の評価》の規定を適用する場合において必要とされる『第１次相続で設定された配偶者居住権につき、第２次相続開始時における当該配偶者居住権の残存存続年数に応じた法定利率による複利現価率』は0.375であるものとします。

(6)　上記(1)の宅地等が所在する地域における借地権割合は60％、借家権割合は30％となっています。

(7)　小規模宅地等の課税特例の適用に当たって複数の選択肢がある場合には、第２次相続に係る相続税の課税価格の合計額が最も少なくなる方法を採用するものとします。

参考

（親族図）

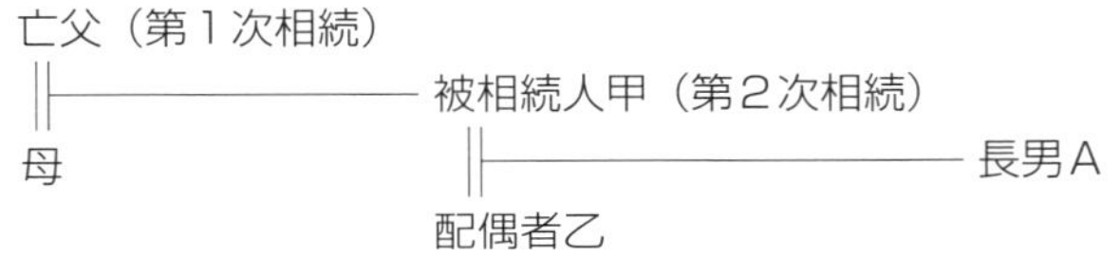


（配偶者居住権の目的となっている建物及びその敷地について）

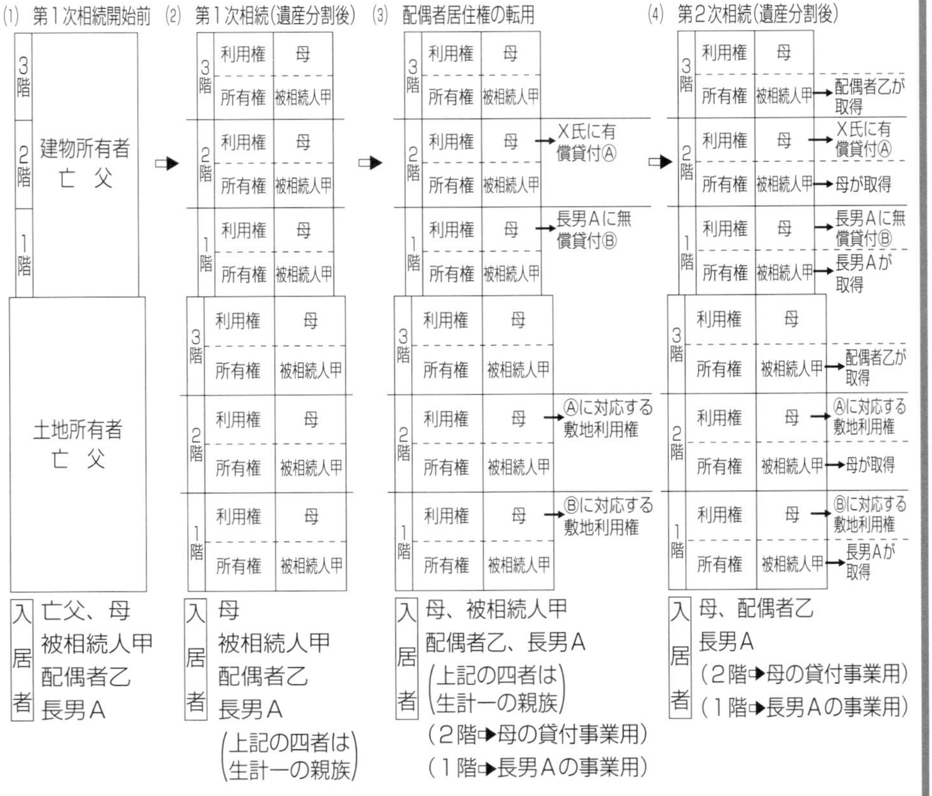

## 応答

(1)　宅地等のうち３階部分の敷地の用に供されている部分の取扱い

①　考え方

措置法通達69の４－７の２《宅地等が配偶者居住権の目的となっている家屋の敷地である場合の被相続人等の居住の用に供されていた宅地等の範囲》において、要旨、『相続又は遺贈により取得した宅地等が、当該相続の開始の直前において配偶者居住権に基づき使用又は収益されていた家屋の敷地の用に供されていたものである場合には、当該宅地等のうち、『相続の開始の直前において、被相続人等の居住の用に供されていた家屋（被相続人又は被相続人の親族が配偶者居住権者である場合のその配偶者居住権の目的となっている家屋をいう。）で、被相続人が所有していたもの（当該被相続人等が当該家屋を当該配偶者居住権者から借り受けていた場合には、無償で借り受けていたときにおける当該家屋に限る。）又は被相続人の親族が所有していたもの（当該家屋を所有していた被相続人の親族が当該家屋の敷地を被相続人から無償で借り受けており、かつ、当該被相続人等が当該家屋を当該配偶者居住権者から借り受けていた場合には、無償で借り受けていたときにおける当該家屋に限る。）の敷地の用に供されていたもの』が居住用宅地等に該当する。』と定められています。

②　当てはめ

**質疑**の事例の宅地等のうち３階部分の敷地の用に供されている部分について、上記①に掲げる措置法通達の定めを当てはめると、次に掲げる判断基準から該当部分は『被相続人等の居住の用に供されていた家屋の敷地の用に供されていた宅地等（被相続人等の居住用宅地等）』に該当することになります。

**判断基準**

(イ)　第２次相続開始の直前において、被相続人甲並びに同人と生計を一にする親族である母、配偶者乙及び長男Ａの居住の用に供されていた家屋であること

(ロ)　上記(イ)に掲げる家屋は、被相続人甲の親族である母が配偶者居住権者である場合のその配偶者居住権の目的となっている家屋であること

(ハ)　上記(イ)及び(ロ)に掲げる家屋は、被相続人甲が所有していたものであること

(ニ)　被相続人甲並びに同人と生計を一にする親族である配偶者乙及び長男Ａが、上記(イ)ないし(ハ)に掲げる家屋を配偶者居住権者である母から無償で借り受けていること

次に、上記の被相続人等の居住用宅地等を取得した配偶者乙について、当該宅地等に対する小規模宅地等の課税特例（特定居住用宅地等）の適用可否を判断すると、次のとおりとなります。

被相続人の配偶者が被相続人等の居住用宅地等を取得すれば、それのみで要件を充足し、他の要件（相続税の申告期限までにおける所有継続要件、居住継続要件等）は問われない

ものとされています。

したがって、**質疑** の事例の宅地等（配偶者居住権の目的となっている建物の敷地の用に供される土地等（土地（宅地）等の所有権）のうち、3階部分の敷地に対応するものについては、小規模宅地等の課税特例（特定居住用宅地等）の適用対象とすることが認められます。

(2)　宅地等のうち2階及び1階部分の敷地の用に供されている部分の取扱い

①　配偶者居住権者による居住建物の使用収益の範囲

民法第1028条《配偶者居住権》第1項の本文の規定では、被相続人の配偶者は、被相続人の財産に属した建物に相続開始の時に居住していた場合において、遺産の分割によって配偶者居住権を取得するものとされたとき又は配偶者居住権が遺贈の目的とされたときは、その居住していた建物（居住建物）の全部について無償で使用及び収益をする権利（配偶者居住権）を取得するとされています。

また、民法第1032条《配偶者による使用及び収益》第3項の規定では、配偶者は居住建物の所有者の承諾を得なければ、第三者に居住建物の使用又は収益をさせることができないとされています。換言すれば、居住建物の所有権の承諾を得れば、配偶者は第三者に居住建物の使用又は収益をさせることが可能とされています。

そうすると、**質疑** の事例では、配偶者居住権者である母は次の(イ)及び(ロ)に掲げるとおり、X氏及び長男A（これらの者は、配偶者居住権者又は建物所有者のいずれにも該当しないことから第三者（上記＿＿部分）に該当します。）に対して、当該居住建物の一部を使用(A)又は収益(B)させるものであることから、上記に掲げる民法第1032条《配偶者による使用及び収益》第3項の規定の対象となり、配偶者居住権者である母は、X氏及び長男Aに対する建物の貸し付けに当たっては、当該居住建物の所有者である被相続人甲の承諾が必要とされます。

(イ)　当該居住建物の2階部分をX氏に対して賃貸するものとされていること

(ロ)　当該居住建物の1階部分を長男Aに対して使用貸借させるものとされていること

（注）『使用』（上記(A)＿＿部分）とは、利益を得ること目的として居住建物を利用（**質疑** の事例の場合では、飲食業を営むこと）することをいいます。

また、『収益』（上記(B)＿＿部分）とは、賃貸料を得ることを目的として居住建物を他者（**質疑** の事例の場合では、X氏）に貸し付けることをいいます。

②　考え方

措置法通達69の4－4の2《宅地等が配偶者居住権の目的となっている建物等の敷地である場合の被相続人等の事業の用に供されていた宅地等の範囲》において、要旨、『相続又は遺贈により取得した宅地等が、当該相続の開始の直前において配偶者居住権に基づき使用又は収益されていた建物等の敷地の用に供されていたものである場合には、当該宅地等のうち、『他に貸し付けられていた宅地等（当該貸付け事業に該当する場合に限る。）を除き、被相続人等の事業の用に供されていた建物等（被相続人等又はその他親族が所有していた建物等をいう。）で、被相続人等が配偶者居住権者（当該配偶者居住権を有する者をいう。）であるもの又はその他親族が配偶者居住権者であるもの（被相続人等が当該建物等を配偶者居住権者である当該その他親族から無償で借り受けていた場合における当該建物等に限る。）の敷地の用に供されていたもの』が事業用宅地等に該当する。』と定められています。

③　当てはめ

(イ)　宅地等のうち２階部分の敷地の用に供されている部分の取扱い

**質疑**の事例の宅地等のうち２階部分の敷地の用に供されている部分について、上記②に掲げる措置法通達の定めを当てはめると、次に掲げる判断基準から該当部分は『被相続人等の事業の用に供されていた家屋の敷地の用に供されていた宅地等（被相続人等の事業用宅地等）』に該当することになります。

判断基準

㋑　土地所有者（被相続人甲）と建物所有者（被相続人甲）が同一人であることから、当該形態は上記②に掲げる措置法通達に定める『他に貸し付けられていた宅地等（当該貸付けが事業に該当する場合に限る。）』（いわゆる『有償貸地型』）には該当しないこと

㋺　被相続人甲と生計を一にする親族である母の事業（母が営む貸付事業）の用に供されていた建物等であること

㋩　上記㋑及び㋺の建物等は、被相続人甲と生計を一にする親族である母が配偶者居住権者である場合のその配偶者居住権の目的となっているものであること

次に、上記の被相続人等の事業用宅地等を取得した母について、当該宅地等に対する小規模宅地等の課税特例（貸付事業用宅地等）の適用可否を判断すると、次のとおりになります。

被相続人甲の親族である母が被相続人等の事業用宅地等を取得した場合に、当該事業用宅地等が貸付事業用宅地等に該当するためには、次に掲げる(A)又は(B)の区分のうちいずれかを充足する必要があるものとされています。

(A)　被相続人の貸付事業を相続開始後に事業承継する場合

(B)　被相続人と生計を一にする親族の貸付事業の用に供されていた場合

そうすると、**質疑**に掲げる事項から判断すると、母が取得した宅地等のうち２階部分の敷地の用に供されている部分は、上記(B)に該当することになります。

したがって、**質疑**の事例の宅地等（配偶者居住権の目的となっている建物の敷地の用に供される土地等（土地（宅地）等の所有権））のうち、２階部分の敷地に対応するものについては、小規模宅地等の課税特例（貸付事業用宅地等）の適用対象とすることが認められます。

(ロ)　宅地等のうち１階部分の敷地の用に供されている部分の取扱い

**質疑**の事例の宅地等のうち１階部分の敷地の用に供されている部分について、上記②に掲げる措置法通達の定めを当てはめると、次に掲げる判断基準から該当部分は『被

相続人等の事業の用に供されていた家屋の敷地の用に供されていた宅地等（被相続人等の事業用宅地等)』に該当することになります。

**判断基準**

㋑　土地所有者（被相続人甲）と建物所有者（被相続人甲）が同一人であることから、当該形態は上記②に掲げる措置法通達に定める『他に貸し付けられていた宅地等（当該貸付けが事業に該当する場合に限る。)』（いわゆる『有償貸地型』）には該当しないこと

㋺　被相続人甲と生計を一にする親族である長男Ａの事業（長男Ａが営む飲食業）の用に供されていた建物等であること

㋩　上記㋑及び㋺の建物等は、被相続人甲と生計を一にする親族である母が配偶者居住権者である場合のその配偶者居住権の目的となっているものであること

次に、上記の被相続人等の事業用宅地等を取得した長男Ａについて、当該宅地等に対する小規模宅地等の課税特例（特定事業用宅地等）の適用可否を判断すると、次のとおりになります。

被相続人甲の親族である長男Ａが被相続人等の事業用宅地等を取得した場合に、当該事業用宅地等が特定事業用宅地等に該当するためには、次に掲げる(A)又は(B)の区分のうちいずれかを充足する必要があるものとされています。

(A)　被相続人の事業を相続開始後に事業承継する場合

(B)　被相続人と生計を一にする親族の事業の用に供されていた場合

そうすると、**質疑** に掲げる事項から判断すると、長男Ａが取得した宅地等のうち１階部分の敷地の用に供されている部分は、上記(B)に該当することになります。

したがって、**質疑** の事例の宅地等（配偶者居住権の目的となっている建物の敷地の用に供される土地等（土地（宅地）等の所有権))のうち、１階部分の敷地に対応するものについては、小規模宅地等の課税特例（特定事業用宅地等）の適用対象とすることが認められます。

(3)　第２次相続開始時における配偶者居住権の目的となっている建物の敷地の用に供される土地等の価額（土地（宅地）等の所有権の価額）

①　３階部分（被相続人等の居住用部分）の価額

(イ)　３階部分に対応する面積

$$\underset{\text{(全体の面積)}}{800\text{m}^2} \times \frac{250\text{m}^2\ \text{(3階の床面積)}}{400\text{m}^2\ \text{(1階の床面積)} + 350\text{m}^2\ \text{(2階の床面積)} + 250\text{m}^2\ \text{(3階の床面積)}} = 200\text{m}^2$$

(ロ)　３階部分に対応する宅地全体（配偶者居住権及び所有権）の価額

$$\underset{\text{(全体の価額)}}{80{,}000\text{千円}} \times \frac{200\text{m}^2\ \text{(上記(イ))}}{800\text{m}^2\ \text{(全体の面積)}} = 20{,}000\text{千円}$$

(ハ)　土地（宅地）等の利用権の価額

20,000千円（上記(ロ)）－（20,000千円（上記(ロ)）×0.375（配偶者居住権に係る複利現価率））＝12,500千円

(ニ)　土地（宅地）等の所有権の価額

20,000千円（上記(ロ)）－12,500千円（上記(ハ)）＝7,500千円

②　２階部分（被相続人等の貸付事業用部分）の価額

(イ)　１階部分に対応する面積

$$800\text{㎡}（全体の面積）\times \frac{350\text{㎡}（２階の床面積）}{400\text{㎡}（１階の床面積）+350\text{㎡}（２階の床面積）+250\text{㎡}（３階の床面積）}=280\text{㎡}$$

(ロ)　２階部分に対応する宅地全体（配偶者居住権及び所有権）の価額

$$80{,}000千円（全体の価額）\times \frac{280\text{㎡}（上記(イ)）}{800\text{㎡}（全体の面積）}=28{,}000千円$$

**留意点**　本件建物の２階部分の賃借人であるＸ氏は、賃貸人である母（配偶者居住権者）と建物賃貸借契約を締結しています。

一方、配偶者居住権は、居住建物を無償で使用及び収益することができる権利であるところ、当該配偶者居住権が設定されたことによって当該居住建物の敷地の用に供されている宅地等の権利関係に借地借家法上の変動が生じるものとは認められません。

したがって、配偶者居住権が設定された居住建物につき、事後、配偶者居住権が当該居住建物の所有者の承諾を得てこれを第三者に賃貸したとしても、当該賃貸建物の価額は貸家ではなく自用家屋として、また、当該賃貸建物の敷地の用に供されている宅地等の価額についても、貸家建付地ではなく自用地として評価する必要があります。

(ハ)　土地（宅地）等の利用権の価額

28,000千円（上記(ロ)）－（28,000千円（上記(ロ)）×0.375（配偶者居住権に係る複利現価率））＝17,500千円

(ニ)　土地（宅地）等の所有権の価額

28,000千円（上記(ロ)）－17,500千円（上記(ハ)）＝10,500千円

③　１階部分（被相続人等の事業用部分）の価額

(イ)　１階部分に対応する面積

$$800\text{㎡}（全体の面積）\times \frac{400\text{㎡}（１階の床面積）}{400\text{㎡}（１階の床面積）+350\text{㎡}（２階の床面積）+250\text{㎡}（３階の床面積）}=320\text{㎡}$$

(ロ)　１階部分に対応する宅地全体（配偶者居住権及び所有権）の価額

$$80{,}000千円（全体の価額）\times \frac{320\text{㎡}（上記(イ)）}{800\text{㎡}（全体の面積）}=32{,}000千円$$

(ハ)　土地（宅地）等の利用権の価額

32,000千円（上記(ロ)）－（32,000千円（上記(ロ)）× 0.375（配偶者居住権に係る複利現価率））＝20,000千円

(ニ)　土地（宅地）等の所有権の価額

32,000千円（上記(ロ)）－ 20,000千円（上記(ハ)）＝ 12,000千円

④　合計

7,500千円（上記①(ニ)）＋10,500千円（上記②(ニ)）＋12,000千円（上記③(ニ)）＝ 30,000千円

(4)　上記(3)に係る小規模宅地等の課税特例の適用後の価額（相続税の課税価格算入額）

①　土地（宅地）等の所有権に係る小規模宅地等の課税特例適用上の面積

(イ)　３階部分（被相続人等の居住用部分）に対応する面積

200㎡（３階部分の面積 上記(3)①(イ)）× 7,500千円（所有権の価額（上記(3)①(ニ)））／｛12,500千円（利用権の価額（上記(3)①(ハ)））＋7,500千円（所有権の価額（上記(3)①(ニ)））｝＝75㎡

(ロ)　２階部分（被相続人等の貸付事業用部分）に対応する面積

280㎡（２階部分の面積 上記(3)②(イ)）× 10,500千円（所有権の価額（上記(3)②(ニ)））／｛17,500千円（利用権の価額（上記(3)②(ハ)））＋10,500千円（所有権の価額（上記(3)②(ニ)））｝＝105㎡

(ハ)　１階部分（被相続人等の事業用部分）に対応する面積

320㎡（３階部分の面積 上記(3)③(イ)）× 12,000千円（所有権の価額（上記(3)③(ニ)））／｛20,000千円（利用権の価額（上記(3)③(ハ)））＋12,000千円（所有権の価額（上記(3)③(ニ)））｝＝120㎡

②　小規模宅地等の課税特例の選択と相続税の課税価格算入額

**質疑** の事例の宅地等の場合、前提事項(7)より、小規模宅地等の課税特例の適用を『特定事業用宅地等 ⇨ 特定居住用宅地等 ⇨ 貸付事業用宅地等』の順により選択することが最も有利となります。具体的には、次に掲げるとおりとなります。

(イ)　１階部分（被相続人等の事業用部分）に対応する価額

12,000千円（小規模宅地等の課税特例の適用前の価額 上記(3)③(ニ)）－（12,000千円 × 120㎡(注)／120㎡（上記①(ハ)）× 80％）（小規模宅地等の課税特例の適用による減額金額）＝ 2,400千円

(注)　小規模宅地等の課税特例の適用（特定事業用宅地等）

120㎡≦400㎡　∴120㎡（いずれか少ない方）

(ロ)　３階部分（被相続人等の居住用部分）に対応する価額

7,500千円（小規模宅地等の課税特例の適用前の価額 上記(3)①(ニ)）－（7,500千円 × 75㎡(注)／75㎡（上記①(イ)）× 80％）（小規模宅地等の課税特例の適用による減額金額）＝ 1,500千円

（注）　小規模宅地等の課税特例の適用（特定居住用宅地等）

㋑　75㎡

㋺　$330㎡-120㎡\times\frac{330㎡}{400㎡}=231㎡$

㋩　㋑≦㋺　∴75㎡（いずれか少ない方）

(ハ)　２階部分（被相続人等の貸付事業用部分）に対応する価額

$$10{,}500千円 - \left(10{,}500千円\times\frac{94.54㎡(注)}{105㎡\ (上記①(ロ))}\times 50\%\right)=\underline{\underline{5{,}773千円}}$$

10,500千円：（小規模宅地等の課税特例の適用前の価額 上記(3)②(ニ)）

括弧内：（小規模宅地等の課税特例の適用による減額金額）

（注）　小規模宅地等の課税特例の適用（貸付事業用宅地等）

㋑　105㎡

㋺　$200㎡-\left(120㎡\times\frac{200㎡}{400㎡}+75㎡\times\frac{200㎡}{330㎡}\right)\fallingdotseq 94.54㎡$

㋩　㋑＞㋺　∴94.54㎡（いずれか少ない方）

注　小規模宅地等の課税特例の適用（限度面積要件）

$120㎡\times\frac{200㎡}{400㎡}+75㎡\times\frac{200㎡}{330㎡}+94.54㎡\fallingdotseq 199.99㎡\leqq 200㎡$　∴限度面積要件を充足

(ニ)　合計

2,400千円（上記(イ)）＋ 1,500千円（上記(ロ)）＋ 5,773千円（上記(ロ)）＝ **9,673千円**

### (48)　配偶者居住権等に対する小規模宅地等の課税特例の適用関係（その11：既に配偶者居住権が設定されている場合における第２次相続の開始）（そのＦ：第１次相続において配偶者居住権が設定された建物の敷地である宅地等が当該第１次相続に係る被相続人により使用貸借契約で借り受けられていたものである場合の取扱い）

**質疑**　被相続人甲に相続開始（以下、この相続を「第２次相続」といいます。）がありました。被相続人甲の母が第２次相続開始の直前において居住の用に供していた建物（居住建物）は、もともとは被相続人甲の亡父（母の夫）の所有であったものですが、亡父に係る相続（以下、この相続を「第１次相続」といいます。）の遺産分割協議により、母が配偶者居住権を終身にわたって設定し、被相続人甲の兄Ｘが当該建物の所有権を取得するという状況にあったものです。

上記の居住建物の敷地の用に供されていた宅地等は、旧来（第１次相続開始の約30年前）から被相続人甲が所有していたものであり、当該居住建物の建築時（昭和55年）には、亡父との間で土地の使用貸借契約が締結されていたことが認められます。

今回の第２次相続においては、被相続人甲の財産は遺産分割協議に基づいてすべて母が相続することとなります。（母は、今後も末長く従前と同様に上記の居住建物に居住することが想定されています。）が、このような場合、第２次相続開始の直前において被相続人甲が有していた宅地等に対する小規模宅地等の課税特例の適用関係は、どのようになりますか。

なお、回答に当たっては、次に掲げる事項を前提とします。

前提事項

⑴　第２次相続開始の直前において、被相続人甲と母は、生計を一にする親族に該当します。

⑵　宅地等（面積300㎡）の第２次相続開始時における自用地としての価額は、60,000千円です。

⑶　第１次相続に係る遺産分割協議で当該建物の取得者となった兄Ｘと当該建物の敷地の用に供されている宅地等の第１次相続開始前からの所有者である被相続人甲との間における土地の貸借も、使用貸借契約とされていました。

⑷　第２次相続開始時を評価時点として相続税法第23条の２《配偶者居住権等の評価》の規定を適用する場合において必要とされる『第１次相続で設定された配偶者居住権につき、第２次相続開始時における当該配偶者居住権の残存存続年数に応じた法定利率による複利現価率』は、0.375であるものとします。

参考

（親族図）

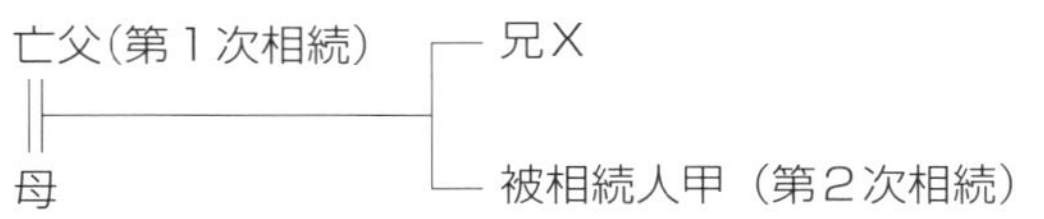


（配偶者居住権の目的となっている居住建物及びその敷地について）

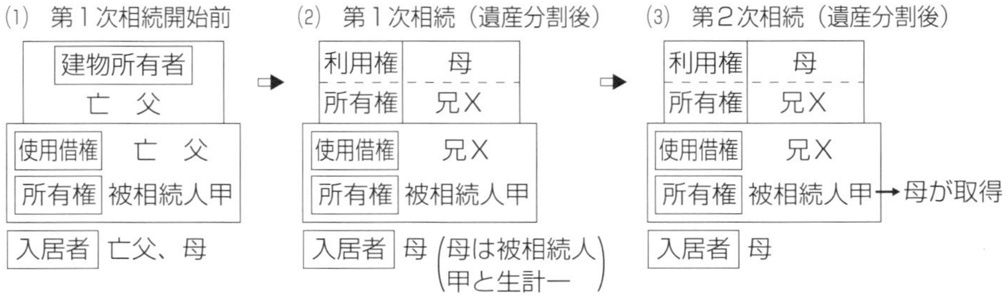


## 応答

⑴　土地の使用貸借契約があった場合（第１次相続開始前）の取扱い

民法第593条《使用貸借》において、「使用貸借は、当事者の一方がある物を引き渡すことを約し、相手方がその受け取った物について無償で使用及び収益をして契約を終了したときに返還をすることを約することによって、その効力を生ずる。」と規定しています。

また、民法第597条《期間満了等による使用貸借の終了》第３項において、「使用貸借は、借主の死亡によって終了する。」と規定しており、賃借権とは異なり一代限り（換言すれば、相続性を認めない）とされています。

一方、上記の使用貸借による土地の利用権（使用借権）の相続税等における評価上の取扱いについては、昭和48年11月1日付で国税庁より公開された個別通達（使用貸借に係る土地についての相続税及び贈与税の取扱いについて）において、「建物又は構築物（以下、「建物等」という。）の所有を目的として使用貸借による土地の借受けがあった場合においては、借地権（建物等の所有を目的とする地上権又は賃借権をいう。）の設定に際し、その設定の対価として通常権利金その他の一時金を支払う取引上の慣行がある地域においても、当該土地の使用貸借に係る使用権の価額は、零として取り扱う。」と定められています。

そうすると、土地所有者から使用貸借契約により土地を借り受けていた使用借権者に相続開始があった場合には、当該使用借権者が有していた使用借権には相続性が認められず(注)、併せて、当該使用借権の価額も認められないことから当該使用借権は評価すべき相続財産には該当しないものとされます。

（注）　亡父と被相続人甲との土地使用貸借契約は、借主である亡父に係る相続開始（第1次相続）によって終了するものとされていることから、当該居住建物を相続により取得した兄Xは、土地所有者である被相続人甲との間で新たな土地貸借契約（使用貸借契約又は賃貸借契約）を締結する必要があります。そして、**質疑** の事例では、被相続人甲（貸主）と兄X（借主）との間で、新たに、土地使用貸借契約が締結されたことが認められます。

⑵　土地（宅地）等の利用権の及ぶ範囲とその価額（第1次相続開始時の取扱い）

被相続人に係る遺産分割等により設定された配偶者居住権の目的となっている建物の敷地の用に供される土地等を当該配偶者居住権に基づき使用する権利（土地（宅地）等の利用権）は、居住建物の所有者に帰属すると認められる敷地の利用権の範囲内においてのみ、行使されるものと解されます。

そうすると、**質疑** の事例における第1次相続において、居住建物に帰属すると認められる敷地の利用権は、上記⑴の取扱いから亡父からの相続により居住建物を取得した兄Xが被相続人甲との間で新たに締結した被相続人甲所有の宅地等に係る使用借権であることから、母が配偶者居住権の設定に基づいて土地（宅地）等を利用する権利（土地（宅地）等の利用権）についても、当該使用借権の範囲内において行使されるにすぎないものと解するのが相当とされます。

換言すれば、母が配偶者居住権の設定に基づいて土地（宅地）等を利用する権利（土地（宅地）等の利用権）については、亡父に帰属する土地（宅地）等に対して設定されたものではない（亡父は、宅地の所有者ではなく、また、当該宅地等に係る借地権者にも該当していません。）ことになります。

以上の取扱いから、**質疑** の事例における第1次相続では、配偶者居住権の目的となっている建物の敷地の用に供される土地等を当該配偶者居住権に基づき使用する権利の価額（土地（宅地）等の利用権の価額）は0円となります。

⑶　第2次相続開始時の取扱い（宅地等の価額）

上記⑵に掲げるとおり、第1次相続において配偶者居住権者である母が設定したことにより認識される配偶者居住権の目的となっている建物の敷地の用に供される宅地等を当該配偶者居住権に基づき使用する権利の価額（土地（宅地）等の利用権の価額）は、０円とされています。

そうすると、上記の状況がそのまま継続して今回の第２次相続が開始したと考えられることから第２次相続開始時においても、上記の土地（宅地）等の利用権の価額は、０円とされます。

したがって、第２次相続開始時において被相続人甲が所有する当該宅地等の価額は、何らの負担のない自用地としての価額である60,000千円として取り扱うことが相当とされます。

⑷　第２次相続開始時の取扱い（小規模宅地等の課税特例の適用関係）

①　考え方

措置法通達69の４－７の２《宅地等が配偶者居住権の目的となっている家屋の敷地である場合の被相続人等の居住の用に供されていた宅地等の範囲》において、要旨、『相続又は遺贈により取得した宅地等が、当該相続の開始の直前において配偶者居住権に基づき使用又は収益されていた家屋の敷地の用に供されていたものである場合には、当該宅地等のうち、『相続の開始の直前において、被相続人等の居住の用に供されていた家屋（被相続人又は被相続人の親族が配偶者居住権者である場合のその配偶者居住権の目的となっている家屋をいう。）で、被相続人が所有していたもの（当該被相続人等が当該家屋を当該配偶者居住権者から借り受けていた場合には、無償で借り受けていたときにおける当該家屋に限る。）又は被相続人の親族が所有していたもの（当該家屋を所有していた被相続人の親族が当該家屋の敷地を被相続人から無償で借り受けており、かつ、当該被相続人等が当該家屋を当該配偶者居住権者から借り受けていた場合には、無償で借り受けていたときにおける当該家屋に限る。）の敷地の用に供されていたもの』が居住用宅地等に該当する。』と定められています。

②　当てはめ

**質疑** の事例の宅地等について、上記①に掲げる措置法通達の定めを適用すると、次に掲げる 判断基準 から該当部分は『被相続人等の居住の用に供されていた家屋の敷地の用に供されていた宅地等（被相続人等の居住用宅地等）』に該当することになります。

判断基準

⑴　第２次相続開始の直前において、被相続人甲と生計を一にする親族である母の居住の用に供されていた家屋であること

⑵　上記⑴に掲げる家屋は、被相続人甲の親族である母が配偶者居住権者である場合のその配偶者居住権の目的となっている家屋であること

⑶　上記⑴及び⑵に掲げる家屋は、被相続人甲が所有していたものであること

次に、上記の被相続人甲の居住用宅地等を取得した母について、当該宅地等に対する小規模宅地等の課税特例（特定居住用宅地等）の適用可否を判断すると、次のとおりになります。

被相続人甲の配偶者以外の親族である母が被相続人等の居住用宅地等を取得した場合に

は、当該居住用宅地等が特定居住用宅地等に該当するためには、次に掲げる(イ)ないし(ハ)の区分のうちいずれかを充足する必要があるものとされています。

(イ)　被相続人甲の居住用家屋に居住（同居）していた者である場合

(ロ)　配偶者及び一定の同居親族が存せず非同居親族が取得した場合（いわゆる『家なき子』に該当する場合）

(ハ)　被相続人甲と生計を一にしていた親族の居住の用に供されていた場合

そうすると、**質疑** に掲げる事項から判断すると、母が取得した宅地等は上記(ハ)に該当することになります。

③　相続税の課税価格算入額（小規模宅地等の課税特例の適用後）

上記①及び②より、第２次相続において母が取得した **質疑** の事例の宅地等は、小規模宅地等の課税特例（特定居住用宅地等）の適用対象とされ、その相続税の課税価格算入額（小規模宅地等の課税特例の適用後）は、次の計算のとおりとなります。

（計算）

$$\underset{\text{（上記(3)）}}{60{,}000\text{千円}} - \underbrace{\left(60{,}000\text{千円} \times \frac{300\text{m}^2\text{（注）}}{300\text{m}^2} \times 80\%\right)}_{\text{（小規模宅地等の課税特例の適用による減額金額）}} = \underline{\underline{12{,}000\text{千円}}}$$

（注）　小規模宅地等の課税特例の適用（限度面積要件）

300㎡≦330㎡　∴300㎡（いずれか少ない方）

## (49)　配偶者居住権等に対する小規模宅地等の課税特例の適用関係（その12：既に配偶者居住権が設定されている場合における第２次相続の開始による承継事例と配偶者居住権が設定されていない場合における第２次相続の開始による承継事例の比較）

**質疑**

被相続人甲に相続開始（以下、この相続を「第２次相続」といいます。）がありました。被相続人甲並びに同人の配偶者乙及び母が第２次相続開始の直前において居住の用に供していた建物（居住建物）及びその敷地の用に供されていた宅地は、いずれも、もともとは被相続人甲の亡父（母の夫）の所有であったものですが、亡父に係る相続（以下、この相続を「第１次相続」といいます。）の遺産分割協議により、被相続人甲が当該居住建物及びその敷地である宅地等の所有権を取得するという状況にあったものです。

今回の第２次相続においては、当該居住建物及びその敷地である宅地等を配偶者乙が相続することとなり、今後も末長く従前と同様に上記の居住建物に居住することが想定されています。

上記のような状況にある場合、第２次相続開始の直前において被相続人甲が有していた宅地等に対する小規模宅地等の課税特例の適用関係は、どのようになりますか。次に掲げる事例別に説明してください。

事例１　第１次相続に係る遺産分割協議において、母が当該居住建物に配偶者居住権を終身にわたって設定していた場合（下記参考の事例１の図解を参照）

事例２　第１次相続に係る遺産分割協議において、母が当該居住建物に配偶者居住権を設定することなく、相続により取得者が被相続人甲となった当該居住建物に継続して同居（家賃の支払はなし）するものとされた場合（下記参考の事例２の図解を参照）

なお、回答に当たっては、次に掲げる事項を前提とします。

前提事項

(1)　宅地等（面積480㎡）の第２次相続開始時における自用地として価額は、96,000千円です。

(2)　第２次相続開始の直前において、母、被相続人甲及び配偶者乙は、生計を一にする親族に該当します。

(3)　事例１につき、第２次相続開始時を評価時点として相続税法第23条の２《配偶者居住権等の評価》の規定を適用する場合において必要とされる『第１次相続で設定された配偶者居住権につき、第２次相続開始時における当該配偶者居住権の残存存続年数に応じた法定利率による複利現価率』は、0.375であるものとします。

参考

（親族図）

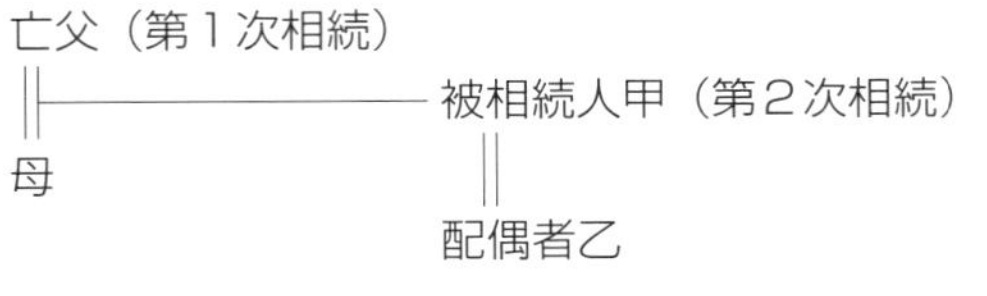


（配偶者居住権の目的となっている居住建物及びその敷地について）

事例１　第１次相続において配偶者居住権が設定されていた場合

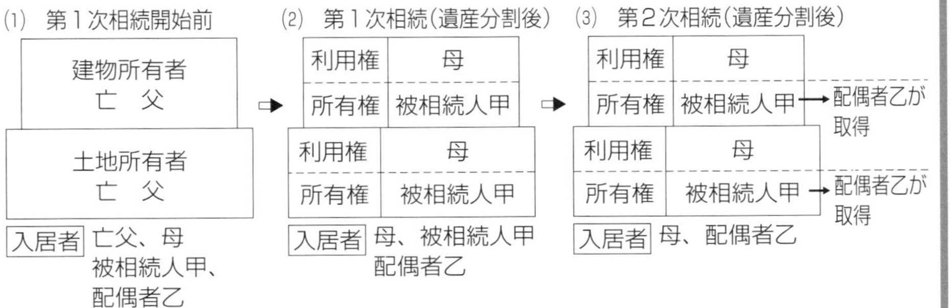

事例2　第1次相続において配偶者居住権が設定されていなかった場合
（単なる使用貸借により当該居住建物が母に貸し付けられていた場合）

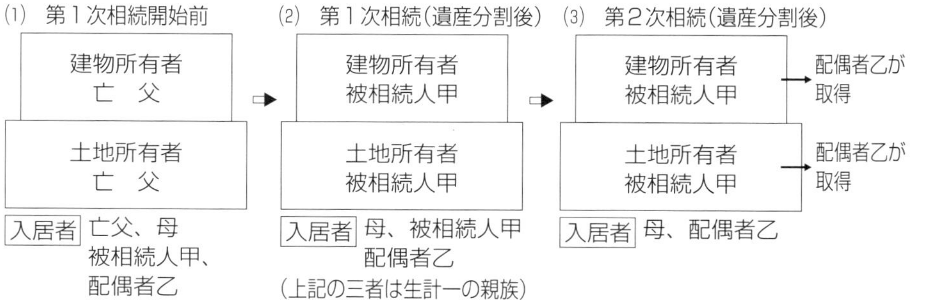


## 応答

(1)　事例1（第1次相続において配偶者居住権が設定されていた場合）の取扱い

①　考え方

措置法通達69の4－7の2《宅地等が配偶者居住権の目的となっている家屋の敷地である場合の被相続人等の居住の用に供されていた宅地等の範囲》において、要旨、『相続又は遺贈により取得した宅地等が、当該相続の開始の直前において配偶者居住権に基づき使用又は収益されていた家屋の敷地の用に供されていたものである場合には、当該宅地等のうち、『相続の開始の直前において、被相続人等の居住の用に供されていた家屋（被相続人又は被相続人の親族が配偶者居住権者である場合のその配偶者居住権の目的となっている家屋をいう。）で、被相続人が所有していたもの（当該被相続人等が当該家屋を当該配偶者居住権者から借り受けていた場合には、無償で借り受けていたときにおける当該家屋に限る。）又は被相続人の親族が所有していたもの（当該家屋を所有していた被相続人の親族が当該家屋の敷地を被相続人から無償で借り受けており、かつ、当該被相続人等が当該家屋を当該配偶者居住権者から借り受けていた場合には、無償で借り受けていたときにおける当該家屋に限る。）の敷地の用に供されていたもの』が居住用宅地等に該当する。』と定められています。

②　当てはめ

事例1の宅地等について、上記①に掲げる措置法通達の定めを当てはめると、次に掲げる判断基準から該当部分は『被相続人等の居住の用に供されていた家屋の敷地の用に供されていた宅地等（被相続人等の居住用宅地等）』に該当することになります。

判断基準

(イ)　第2次相続開始の直前において、被相続人甲並びに同人と生計を一にする親族である母、配偶者乙の居住の用に供されていた家屋であること

(ロ)　上記(イ)に掲げる家屋は、被相続人甲の親族である母が配偶者居住権者である場合のその配偶者居住権の目的となっている家屋であること

(ハ)　上記(イ)及び(ロ)に掲げる家屋は、被相続人甲が所有していたものであること

㈡　被相続人甲及び同人と生計を一にする親族である配偶者乙が、上記(イ)ないし(ハ)に掲げる家屋を配偶者居住権者である母から無償で借り受けていること

次に、上記の被相続人等の居住用宅地等を取得した配偶者乙について、当該宅地等に対する小規模宅地等の課税特例（特定居住用宅地等）の適用可否を判断すると、次のとおりとなります。

被相続人の配偶者が被相続人等の居住用宅地等を取得すれば、それのみで要件を充足し、他の要件（相続税の申告期限までにおける所有継続要件、居住継続要件等）は問われないものとされています。

したがって、事例１の宅地等（配偶者居住権の目的となっている建物の敷地の用に供される土地等（土地（宅地）等の所有権））については、小規模宅地等の課税特例（特定居住用宅地等）の適用対象とすることが認められます。

③　小規模宅地等の課税特例の適用後の価額（相続税の課税価格算入額）

(イ)　土地（宅地）等の利用権の価額

96,000千円（自用地の価額）－（96,000千円（自用地の価額）×0.375（配偶者居住権に係る複利現価率））＝60,000千円

(ロ)　土地（宅地）等の所有権の価額

96,000千円（自用地の価額）－60,000千円（上記(イ)）＝36,000千円

(ハ)　相続税の課税価格算入額

36,000千円（上記(ロ)）－（36,000千円×180㎡（注２）／180㎡（注１）×80％）（小規模宅地等の課税特例の適用による減額金額）＝7,200千円

（注１）　土地（宅地）等の所有権に係る小規模宅地等の課税特例適用上の面積

480㎡（全体の面積）×36,000千円（所有権の価額（上記(ロ)））／（60,000千円（利用権の価額（上記(イ)）＋36,000千円（所有権の価額（上記(ロ)））＝180㎡

（注２）　小規模宅地等の課税特例の適用（限度面積要件）

180㎡（上記（注１））≦330㎡　∴180㎡（いずれか少ない方）

(2)　事例２（第１次相続において配偶者居住権が設定されていなかった場合（単なる使用貸借により当該居住建物が母に貸し付けられていた場合））の取扱い

①　考え方及び当てはめ

事例２の宅地等については、第１次相続において配偶者居住権が設定されておらず亡父の相続財産であった居住建物及びその敷地の用に供されていた宅地等を取得した被相続人甲が、当該居住建物を母に使用貸借により利用させているとのことですから、第２次相続開始時における当該居住建物の敷地の用に供されている宅地等の価額は、何らの負担もない自用地としての価額（利用権の価額を認識しない完全なる所有権の価額）（事例２の場合は、96,000千円）を求める必要があります。

また、この被相続人等の居住用宅地等（事例２の場合には、(イ)被相続人甲の居住用宅

地等、(ロ)被相続人甲と生計を一にする親族である配偶者乙の居住用宅地等のいずれにも該当します。）を取得した配偶者乙について、当該宅地等に対する小規模宅地等の課税特例（特定居住用宅地等）の適用可否を判断すると、次のとおりとなります。

被相続人の配偶者が被相続人等の居住用宅地等を取得すれば、それのみで要件を充足し、他の要件（相続税の申告期限までにおける所有継続要件、居住継続要件等）は問われないものとされています。

したがって、事例２の宅地等（配偶者居住権の目的となっている建物の敷地の用に供される土地等（土地（宅地）等の所有権））については、小規模宅地等の課税特例（特定居住用宅地等）の適用対象とすることが認められます。

②　小規模宅地等の課税特例適用後の価額（相続税の課税価格算入額）

$$\underset{\text{(自用地の価額)}}{96{,}000\text{千円}} - \underbrace{\left(96{,}000\text{千円} \times \frac{330\text{m}^2\text{(注)}}{480\text{m}^2\text{(全体の面積)}} \times 80\%\right)}_{\text{(小規模宅地等の課税特例の適用による減額金額)}} = \boxed{43{,}200\text{千円}}$$

（注）小規模宅地等の課税特例の適用（限度面積要件）
480㎡＞330㎡　∴330㎡（いずれか少ない方）

ポイント

● 事例１と事例２の両事例の見分け方について

質疑の参考に掲げる事例１及び事例２の両事例の図解を参照してみてください。両事例ともに、第２次相続開始直前の状況では、居住建物及びその敷地の用に供されている宅地等の所有者はいずれも被相続人甲であり、当該居住建物に被相続人甲、配偶者乙及び母が同居している（母は、被相続人甲に対して家賃を支払っていない）という点で、全く同一となっています。

しかしながら、応答の(1)及び(2)に示すとおり、両事例における宅地等の価額及び当該宅地等に対する小規模宅地等の課税特例（特定居住用宅地等）の取扱いは大きく変動しており、これを見誤まると大変なこととなります。（たかが、居住用不動産の親族に対する使用貸借の事例と考えては、ダメということになります。）

両事例の見分け方として、配偶者居住権の登記が被相続人甲所有の居住建物の登記簿の乙区欄に登記されている可能性が高い（理由配偶者居住権は、登記をしなければ第三者に対抗できないものと規定されています。）と考えられることから、当該登記簿の登記内容の確認は不可欠となります。

もし万が一に、配偶者居住権の登記が行われていない場合（配偶者居住権の登記は第三者対抗要件であっても、成立要件（そもそも法律関係が成立するための法律行為自体が成立するための要件をいいます。）ではありません。）には、第２次相続開始前に開始した相続（質疑の事例の場合では、第１次相続となります。）に関係する諸資料（遺産分割協議書、遺言書、家庭裁判所における審判、相続税の申告書等）から、当該居住建物に既に配偶者居住権が設定されているか否かの確認が求められることになります。

今後の相続税の申告実務では、上記に掲げる事項は必須項目になると考えられます。

## ㈶　配偶者居住権等に対する小規模宅地等の課税特例の適用関係（その13：既に配偶者居住権が設定されている場合における第３次相続の開始）

**質疑**　被相続人甲に相続開始（以下、この相続を「第３次相続」といいます。）がありました。被相続人甲、長男Ａ及び義母の３人が第３次相続開始の直前において居住の用に供していた建物（居住建物）は、当初の新築時においては被相続人甲の亡義父の所有であったものですが、亡義父に係る相続（以下、この相続を「第１次相続」といいます。）の遺産分割協議により、義母（亡義父の配偶者、被相続人甲の義母）が配偶者居住権を終身にわたって設定し、被相続人甲の配偶者である配偶者乙（亡義父の長女）が当該居住建物及びその敷地の用に供される宅地等（面積600㎡）の所有権を取得するという状況にあったものです。

そして、上記の第１次相続開始後に、配偶者乙に相続開始（以下、この相続を「第２次相続」といいます。）があり、当該第２次相続に係る遺産分割協議により、被相続人甲が当該居住建物及びその敷地の用に供される宅地等の所有権を取得しました。

今回の第３次相続においては、被相続人甲の相続財産は同人の相続人である長男Ａが取得することになりますが、この第３次相続開始の直前において被相続人甲が有していたと認められる『配偶者居住権の目的となっている建物の敷地の用に供される土地等の価額（土地等の所有権の価額）』に対する小規模宅地等の課税特例の適用関係は、どのようになりますか。

なお、回答に当たっては、次に掲げる事項を前提とします。

前提事項

⑴　宅地等（面積600㎡）の第３次相続開始時における自用地としての価額は、132,000千円です。

⑵　第３次相続開始の直前において、義母、被相続人甲及び長男Ａは、生計を一にする親族に該当します。

⑶　義母による配偶者居住権の設定以来、当該居住建物に居住している者は、配偶者居住権に係る使用収益の対価を配偶者居住権者である義母に支払ったことはありません。

⑷　第３次相続開始時を評価時点として相続税法第23条の２《配偶者居住権等の評価》の規定を適用する場合において必要とされる『第１次相続で設定された配偶者居住権につき、第３次相続開始時における当該配偶者居住権の残存存続年数に応じた法定利率による複利現価率』は、0.495であるものとします。

**参考**

（親族図）

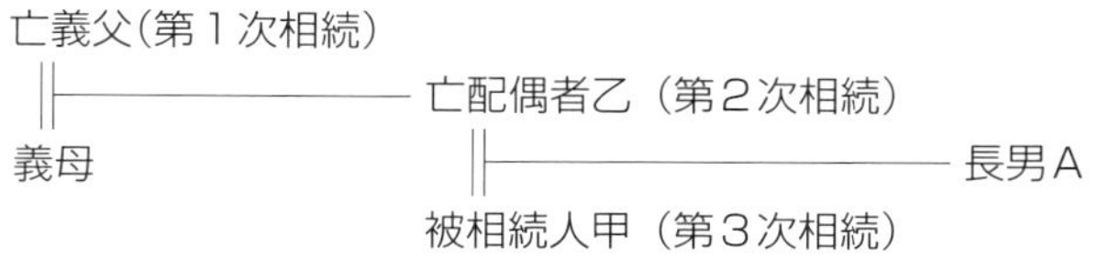


（配偶者居住権の目的となっている居住建物及びその敷地について）

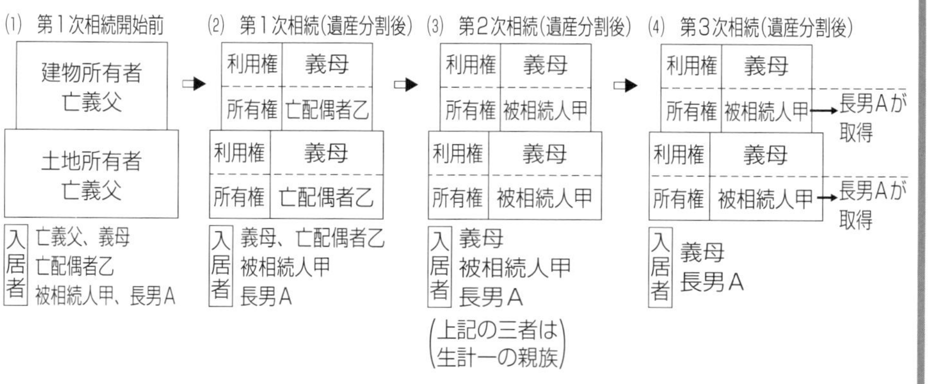


**応答**

本問㊿は、第１次相続に係る被相続人（亡義父）の配偶者（義母）が当該第１次相続において設定し、その後有効なものとして継続されてきた配偶者居住権の目的となっている建物の敷地の用に供される土地等の価額（土地等の所有権の価額）を第３次相続開始時において求めようとする事例です。

上記の事例における取扱いについても、既設の **質疑** で検討した既に配偶者居住権が設定されている場合における第２次相続の開始があった場合の取扱いと同様となります。具体的には、次の(1)及び(2)に掲げるとおりとなります。

(1)　第１次相続により宅地等が配偶者居住権の目的となっている家屋の敷地である場合における第３次相続に係る被相続人等の居住の用に供されていた宅地等の範囲

①　考え方

措置法通達69の４－７の２《宅地等が配偶者居住権の目的となっている家屋の敷地である場合の被相続人等の居住の用に供されていた宅地等の範囲》において、要旨、『相続又は遺贈により取得した宅地等が、当該相続の開始の直前において配偶者居住権に基づき使用又は収益されていた家屋の敷地の用に供されていたものである場合には、当該宅地等のうち、『相続の開始の直前において、被相続人等の居住の用に供されていた家屋（被相続人又は被相続人の親族が配偶者居住権者である場合のその配偶者居住権の目的となっている家屋をいう。）で、被相続人が所有していたもの（当該被相続人等が当該家屋を当該配偶者居住権者から借り受けていた場合には、無償で借り受けていたときにおける当該家屋に限る。）又は被相続人の親族が所有していたもの（当該家屋を所有していた被相続人の親族が当該家屋の敷地を被相続人から無償で借り受けており、かつ、当該被相続人等が当該家屋を当該配偶者居住権者から借り受けていた場合には、無償で借り受けていたときにおける当該家屋に限る。）の敷地の用に供されていたもの』が居住用宅地等に該当する。』と定められています。

② 当てはめ

**質疑** の事例の宅地について、上記①に掲げる措置法通達の定めを適用すると、次に掲げる判断基準から該当部分は『被相続人等の居住の用に供されていた家屋の敷地の用に供されていた宅地等（被相続人等の居住用宅地等）』に該当することになります。

判断基準

(イ) 第３次相続開始の直前において、被相続人甲並びに被相続人甲と生計を一にする親族である義母及び長男Ａの居住の用に供されていた家屋であること

(ロ) 上記(イ)に掲げる家屋は、被相続人甲の親族である義母が配偶者居住権者である場合のその配偶者居住権の目的となっている家屋であること

(ハ) 上記(イ)及び(ロ)に掲げる家屋は、被相続人甲が所有していたものであること

(ニ) 被相続人甲及び同人と生計を一にする親族である長男Ａが、上記(イ)ないし(ハ)に掲げる家屋を配偶者居住権者である義母から無償で借り受けていること

次に、上記の被相続人等の居住用宅地等を取得した長男Ａについて、当該宅地等に対する小規模宅地等の課税特例（特定居住用宅地等）の適用可否を判断すると、次のとおりになります。

被相続人甲の配偶者以外の親族である長男Ａが被相続人等の居住用宅地等を取得した場合には、当該居住用宅地等が特定居住用宅地等に該当するためには、次に掲げる(イ)ないし(ハ)の区分のうちいずれかを充足する必要があるものとされています。

(イ) 被相続人甲の居住用家屋に居住（同居）していた者である場合

(ロ) 配偶者及び一定の同居親族が存せず非同居親族が取得した場合（いわゆる『家なき子』に該当する場合）

(ハ) 被相続人甲と生計を一にしていた親族の居住の用に供されていた場合

そうすると、**質疑** に掲げる事項から判断すると、長男Ａが取得した宅地等は上記(イ)及び(ハ)に該当することになります。

(2) 小規模宅地等の課税特例の適用後の価額（相続税の課税価格算入額）

① 土地（宅地）等の利用権の価額

132,000千円（自用地の価額）－（132,000千円（自用地の価額）× 0.495（配偶者居住権に係る複利現価率））＝66,660千円

② 土地（宅地）等の所有権の価額

132,000千円（自用地の価額）－ 66,660千円（上記①）＝<u>65,340千円</u>

③　相続税の課税価格算入額

$$65{,}340\text{千円}_{(\text{上記②})} - \left(65{,}340\text{千円} \times \frac{297\text{㎡}（\text{注２}）}{297\text{㎡}（\text{注１}）} \times 80\%\right) = \boxed{13{,}068\text{千円}}$$

（小規模宅地等の課税特例の適用による減額金額）

（注１）　土地（宅地）等の所有権に係る小規模宅地等の課税特例適用上の面積

$$600\text{㎡}_{(\text{全体の面積})} \times \frac{65{,}340\text{千円（所有権の価額（上記②））}}{66{,}660\text{千円（利用権の価額（上記①））}+65{,}340\text{千円（所有権の価額（上記②））}} = 297\text{㎡}$$

（注２）　小規模宅地等の課税特例の適用（限度面積要件）

297㎡（上記（注１））　≦330㎡　∴297㎡（いずれか少ない方）

ポイント

●　第３次相続の段階で配偶者居住権が設定されていたことを見落としてしまった場合

本問㊿における被相続人甲に係る課税時期は第３次相続開始時であり、義母により居住建物に配偶者居住権が設定された第１次相続との間には相当の期間の経過が想定され、また、他の相続（第２次相続）もこの間に発生していることから、場合によっては第３次相続の段階で配偶者居住権が設定されていることの認識を欠落させてしまうことがあるかもしれません。

もし仮に、上記のような状況となった場合における 質疑 の宅地等に係る小規模宅地等の課税特例の適用後の価額（相続税の課税価格算入額）を算定すると、次の計算のとおりとなり、両者に相当の差異が生じていることが確認されます。

計算

$$132{,}000\text{千円}_{(\text{自用地の価額})} - \left(132{,}000\text{千円} \times \frac{330\text{㎡（注）}}{600\text{㎡（全体の地積）}} \times 80\%\right) = \boxed{73{,}920\text{千円}}$$

（小規模宅地等の課税特例の適用による減額金額）

（注）　小規模宅地等の課税特例の適用（限度面積要件）

600㎡＞330㎡　∴330㎡（いずれか少ない方）

なお、上記に掲げるような誤りを生ぜしめないようにするための対策として、前問㊾に掲げる ポイント を併せて参照してください。

## 〔7〕 複数の小規模宅地等に関する項目

### (1)　１棟の建物の敷地の一部に特定居住用宅地等及び特定事業用等宅地等並びに貸付事業用宅地等に該当する部分がある場合の小規模宅地等の課税特例の具体的な計算

**質疑**　被相続人甲は、本年５月に死亡しましたが、同人の相続財産である建物及びその敷地の用に供されている宅地等の状況は下記のとおりとなっています。

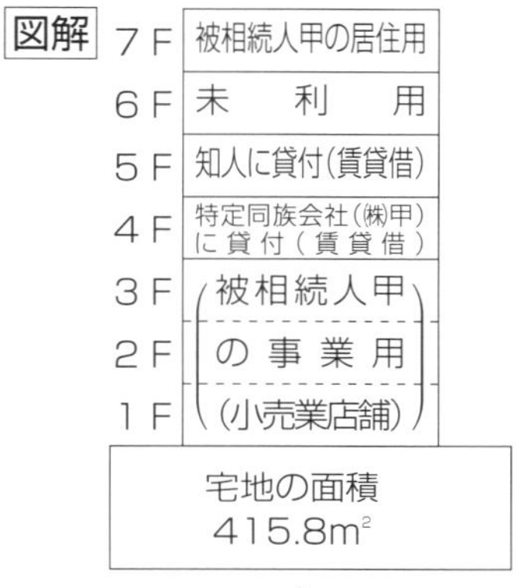


・建物の各階の床面積はいずれも同一です。
・宅地の自用地としての評価額は、207,900千円（１㎡当たり500千円）です。
・左の宅地等は、被相続人の配偶者が相続により取得しています。
・特定事業用等宅地等（注）及び貸付事業用宅地等の要件はすべて充足しているものとします。
・借地権割合は60%、借家権割合は30%です。

（注）『特定事業用等宅地等』とは、選択特例対象宅地等とした特定事業用宅地等及び特定同族会社事業用宅地等をいいます。

上記の建物の敷地の用に供されている宅地等について、その相続税評価額（小規模宅地等の課税特例の適用前）の計算及び小規模宅地等の課税特例の最も有利な適用についてどのようにすればよいのでしょうか。

**応答**

(1)　宅地等の相続税評価額（小規模宅地等の課税特例の適用前）の計算

| 区分 | 宅地等の利用状況 | 評価区分 | 宅地等の相続税評価額(小規模宅地等の課税特例の適用前) |
|---|---|---|---|
| 7F | 被相続人甲の居住用敷地 | 自用地 | 207,900千円×$\frac{1}{7}$　＝　29,700千円 |
| 6F | 未利用 | 自用地 | 207,900千円×$\frac{1}{7}$　＝　29,700千円 |
| 5F | 貸家の敷地 | 貸家建付地 | 207,900千円×$\frac{1}{7}$×(1−60%×30%)　＝　24,354千円 |
| 4F | 貸家の敷地 | 貸家建付地 | 207,900千円×$\frac{1}{7}$×(1−60%×30%)　＝　24,354千円 |
| 3F<br>2F<br>1F | 被相続人甲の店舗用敷地 | 自用地 | 207,900千円×$\frac{3}{7}$　＝　89,100千円 |
| (合　計) | | | 197,208千円 |

(2)　小規模宅地等の課税特例の最も有利な計算

**質疑** の事例のような宅地等に対する小規模宅地等の課税特例の適用については、現行（課税時期が平成27年１月１日以後である場合）の取扱いでは下記に掲げる過程に基づいて処理することが最も有利になるものと考えられます。

①　特定事業用等宅地等、特定居住用宅地等及び貸付事業用宅地等に対する限度面積要件

| 小規模宅地等の一般的な区分 | 限度面積要件上の区分 | 限度面積 | 減額割合 |
|---|---|---|---|
| （イ）特定事業用宅地等である小規模宅地等 | 特定事業用等小規模宅地等 | 400㎡ | 80% |
| （ロ）特定同族会社事業用宅地等である小規模宅地 | 特定事業用等小規模宅地等 | 400㎡ | 80% |
| （ハ）特定居住用宅地等である小規模宅地等 | 特定居住用小規模宅地等 | 330㎡ | 80% |
| （ニ）貸付事業用宅地等である小規模宅地等 | 貸付事業用小規模宅地等 | 200㎡ | 50% |

②　１棟の建物の敷地に複数の区分にまたがる特例対象宅地等が存する場合

上記に掲げる **質疑** の事例の建物の敷地の用に供されている宅地等に対する小規模宅地等の課税特例の適用は下記のとおりになります。

| 区分 | 宅地等の利用状況 | 小規模宅地等の区分 | 対応する部分の宅地の面積の計算 |
|---|---|---|---|
| 7F | 被相続人甲の居住用建物の敷地 | 特定居住用宅地等 | 415.8㎡×$\frac{1}{7}$=59.4㎡ |
| 6F | 未利用 | 適用対象外 | 0㎡ |
| 5F | 知人が借家人である貸家の敷地 | 貸付事業用宅地等 | 415.8㎡×$\frac{1}{7}$=59.4㎡ |
| 4F | 特定同族会社が借家人である貸家の敷地 | 特定事業用等宅地等 | 415.8㎡×$\frac{1}{7}$=59.4㎡ |
| 3F<br>2F<br>1F | 被相続人甲の店舗用敷地 | 特定事業用等宅地等 | 415.8㎡×$\frac{3}{7}$=178.2㎡ |

③　特例対象宅地等が複数の区分にまたがる場合の調整計算（平成25年度改正項目）

平成25年度の税法改正（平成27年１月１日より施行）による見直しでは、小規模宅地等の課税特例の対象とする選択特例対象宅地等が『特定事業用等宅地等』（特定事業用宅地等及び特定同族会社事業用宅地等をいいます。以下本問において同じです。）及び『特定居住用宅地等』のみから成る場合には、それぞれの適用対象面積の上限（特定事業用等宅地等400㎡、特定居住用宅地等330㎡）まで、完全併用適用が可能（この場合の適用面積は最大730㎡）とされることになりました。

一方、貸付事業用宅地等を選択する場合には、改正前の取扱いに準ずるものとして、一定の方法で計算した面積（調整面積）が200㎡以下となるようにしなければならないという限度面積要件が残されています。これらの取扱いをまとめると、下記のとおりになります。

①　適用対象地が『特定事業用等宅地等』と『特定居住用宅地等』のみである場合
　１．特定事業用等宅地等の面積（400㎡を限度）
　２．特定居住用宅地等の面積（330㎡を限度）
　３．１＋２（最大：730㎡）

②　適用対象地に『貸付事業用宅地等』が存する場合

$$\text{特定事業用等宅地等の適用面積}\times\frac{200㎡}{400㎡}+\text{特定居住用宅地等の適用面積}\times\frac{200㎡}{330㎡}+\text{貸付事業用宅地等の適用面積}\leqq 200㎡$$

以上の取扱いより、**質疑** の事例における小規模宅地等の課税特例の適用後における当該建物等の敷地の用に供されている宅地等の評価額（相続税の課税価格に算入すべき金額）は次のとおりになります。

⑴　適用対象地が『特定事業用等宅地等』と『特定居住用宅地等』のみである場合

㋑　小規模宅地等の課税特例による減額金額

⒜　限度面積の計算

- 特定事業用等宅地等　59.4㎡×４（１Ｆ～４Ｆ）＝237.6㎡≦400㎡　∴237.6㎡
- 特定居住用宅地等　59.4㎡×１（７Ｆ）＝59.4㎡≦330㎡　∴59.4㎡

⒝　具体的な減額金額の計算

Ⓐ　特定事業用等宅地等に係る減額金額

（１Ｆ～３Ｆ：自用地）　89,100千円×$\frac{178.2㎡}{178.2㎡}$×80％＝71,280,000円

（４Ｆ：貸家建付地）　24,354千円×$\frac{59.4㎡}{59.4㎡}$×80％＝19,483,200円

（合計）　90,763,200円

Ⓑ　特定居住用宅地等に係る減額金額

（７Ｆ：自用地）　29,700千円×$\frac{59.4㎡}{59.4㎡}$×80％＝23,760,000円

Ⓒ　Ⓐ＋Ⓑ＝114,523,200円

㋺　小規模宅地等の課税特例の適用後の宅地等の評価額（相続税の課税価格に算入すべき金額）

197,208千円（⑴参照）－114,523,200円（㋑⒝Ⓒ参照）＝82,684,800円

⑵　適用対象地に『貸付事業用宅地等』が存する場合

㋑　小規模宅地等の課税特例による減額金額

⒜　限度面積の計算

- 特定事業用等宅地等　59.4㎡×４（１Ｆ～４Ｆ）＝237.6㎡≦400㎡　∴237.6㎡
- 特定居住用宅地等
  - ①　330㎡－237.6㎡×$\frac{330㎡}{400㎡}$＝133.98㎡
  - ②　59.4㎡×１（７Ｆ）＝59.4㎡
  - ③　①≧②　∴59.4㎡
- 貸付事業用宅地等
  - ①　200㎡－（237.6㎡×$\frac{200㎡}{400㎡}$＋59.4㎡×$\frac{200㎡}{330㎡}$）＝45.2㎡
  - ②　59.4㎡×１（５Ｆ）＝59.4㎡
  - ③　①＜②　∴45.2㎡

（注）小規模宅地等の課税特例の対象となる宅地等が１棟の建物に係るものである場合には、『貸付事業用宅地等』をその適用対象地として選択する場合であっても、限度面積要件との関連で、原則として、『特定事業用等宅地等➡特定居住用宅地等➡貸付事業用宅地等』の順番で優先的に選択する方が有利になります。

⒝　具体的な減額金額の計算

Ⓐ　特定事業用等宅地等に係る減額金額

（１Ｆ～３Ｆ：自用地）　89,100千円×$\frac{178.2㎡}{178.2㎡}$×80％＝71,280,000円

（４Ｆ：貸家建付地）　24,354千円×$\frac{59.4㎡}{59.4㎡}$×80％＝19,483,200円

（合計）　90,763,200円

Ⓑ　特定居住用宅地等に係る減額金額

（７Ｆ：自用地）　29,700千円×$\frac{59.4㎡}{59.4㎡}$×80％＝23,760,000円

Ⓒ　貸付事業用宅地等に係る減額金額

（５Ｆ：貸付建付地）　24,354千円×$\frac{45.2㎡}{59.4㎡}$×50％＝9,266,000円

参考　質疑 の事例の場合には、下記に掲げる計算より、小規模宅地等の課税特例の限度面積（一定の方法により算定した上限面積200㎡換算基準）の上限に達していることが理解できます。

計算　（178.2㎡〔特定事業用宅地等〕＋59.4㎡〔特定同族会社事業用宅地等〕）×$\frac{200㎡}{400㎡}$＋59.4㎡〔特定居住用宅地等〕×$\frac{200㎡}{330㎡}$＋45.2㎡〔貸付事業用宅地等〕≦200㎡

（特定事業用宅地等＋特定同族会社事業用宅地等→特定事業用等宅地等）

↓

200㎡≦200㎡

Ⓓ　Ⓐ＋Ⓑ＋Ⓒ＝123,789,200円

㋺　小規模宅地等の課税特例の適用後の宅地等の評価額（相続税の課税価格に算入すべき金額）

197,208千円（(1)参照）－123,789,200円（㋑(B)Ⓓ参照）＝73,418,800円

(ハ)　(イ)＞(ロ)　∴(ロ)（73,418,800円）

（注）　質疑 の事例の場合には、課税特例の適用対象地を『特定事業用等宅地等』と『特定居住用宅地等』のみであるとして選択するよりも、適用対象地に『貸付事業用宅地等』も存するものとして取り扱い、その適用順序（選択特例対象宅地等の選択）について、『特定事業用等宅地等➡特定居住用宅地等➡貸付事業用宅地等』として取り扱うことが最も有利になります。

類題　上記の 質疑 において、その前提条件が下記に掲げるとおり（それ以外の条件については変更はありません。）であったとしたならば、小規模宅地等の課税特例の最も有利な適用はどのようになりますか。

- 宅地の面積は、1,386㎡です。
- 宅地の自用地としての評価額は、207,900千円（１㎡当たり150千円）です。

回答　(1)　建物の各階ごとの利用状況と小規模宅地等の課税特例

| 区分 | 宅地等の利用状況 | 小規模宅地等の区分 | 対応する部分の宅地の面積の計算 |
|---|---|---|---|
| ７Ｆ | 被相続人甲の居住用建物の敷地 | 特定居住用宅地等 | 1,386㎡×$\frac{1}{7}$＝198㎡ |
| ６Ｆ | 未利用 | 適用対象外 | ０㎡ |
| ５Ｆ | 知人が借家人である貸家の敷地 | 貸付事業用宅地等 | 1,386㎡×$\frac{1}{7}$＝198㎡ |

| | | | |
|---|---|---|---|
| ４Ｆ | 特定同族会社が借家人である貸家の敷地 | 特定事業用等宅地等 | 1,386㎡×$\frac{1}{7}$＝198㎡ |
| ３Ｆ<br>２Ｆ<br>１Ｆ | 被相続人甲の店舗用敷地 | 特定事業用等宅地等 | 1,386㎡×$\frac{3}{7}$＝594㎡ |

⑵　小規模宅地等の課税特例の適用関係

①　適用対象地が『特定事業用等宅地等』と『特定居住用宅地等』のみである場合

(イ)　小規模宅地等の課税特例による減額金額

㋑　限度面積の計算

• 特定事業用等宅地等　198㎡×４（１Ｆ～４Ｆ）＝792㎡＞400㎡　∴400㎡
• 特定居住用宅地等　198㎡×１（７Ｆ）＝198㎡≦330㎡　∴198㎡

㋺　具体的な減額金額の計算

(A)　特定事業用等宅地等に係る減額金額

（１Ｆから３Ｆ（自用地）までの部分のうち400㎡）

89,100千円×$\frac{400㎡}{594㎡}$×80％＝48,000,000円

**（注）**　１Ｆから３Ｆ（自用地）までの部分に対応する宅地の面積（198㎡×３＝594㎡）で、特定事業用等宅地等の限度面積（400㎡）を超過しているので、選択特例対象宅地等として、貸家建付地評価となる特定同族会社事業用宅地等（４Ｆに対応する部分）よりも、自用地評価となる特定事業用宅地等（１Ｆから３Ｆに対応する部分）を選択しました。

(B)　特定居住用宅地等に係る減額金額

（７Ｆ：自用地）　29,700千円×$\frac{198㎡}{198㎡}$×80％＝23,760,000円

(C)　(A)＋(B)＝71,760,000円

㋩　小規模宅地等の課税特例の適用後の宅地の評価額（相続税の課税価格に算入すべき金額）

197,208千円（小規模宅地等の課税特例の適用前の宅地等の評価額）－71,760,000円（㋺(C)参照）
＝125,448,000円

②　適用対象地に『貸付事業用宅地等』が存する場合

(イ)　小規模宅地等の課税特例による減額金額

㋑　限度面積の計算

小規模宅地等の課税特例の対象となる宅地等が１棟の建物に係るものである場合には、『貸付事業用宅地等』をその適用対象地として選択する場合であっても、限度面積要件との関連で、原則として、『特定事業用等宅地等➡特定居住用宅地等➡貸付事業用宅地等』の順番で優先的に選択する方が有利になります。

- 特定事業用等宅地等　198㎡×４（１Ｆ～４Ｆ）＝792㎡＞400㎡　∴400㎡
- 特定居住用宅地等　０㎡
- 貸付事業用宅地等　０㎡

参考 $400㎡ \times \frac{200㎡}{400㎡} + 0㎡ \times \frac{200㎡}{330㎡} + 0㎡ \leqq 200㎡$

そうすると、質疑の場合には、特定事業用等宅地等で400㎡を選択してしまうと、上記参考に掲げるとおり、貸付事業用宅地等から選択する面積はなく、この区分（適用対象地に『貸付事業用宅地等』が存する場合）を選択する実質的な意義がないことが理解されます。

③　まとめ

類題の場合には、上記①の取扱いを適用することになります。

### ⑵　建物が区分所有されている場合の建物所有者と小規模宅地等の課税特例の取扱い（その１）

**質疑**

下図のような状況にある建物（建物の区分所有等に関する法律第１条《建物の区分所有》に規定する区分所有建物に該当し、各階の床面積は同一です。）の敷地である宅地等（被相続人甲所有）に対する小規模宅地等の課税特例の取扱いはどのようになりますか。

次に掲げる建物の区分ごとに説明してください。

⑴　当該建物について、区分所有建物である旨の登記がされている場合

⑵　当該建物について、区分所有建物である旨の登記がされていない場合

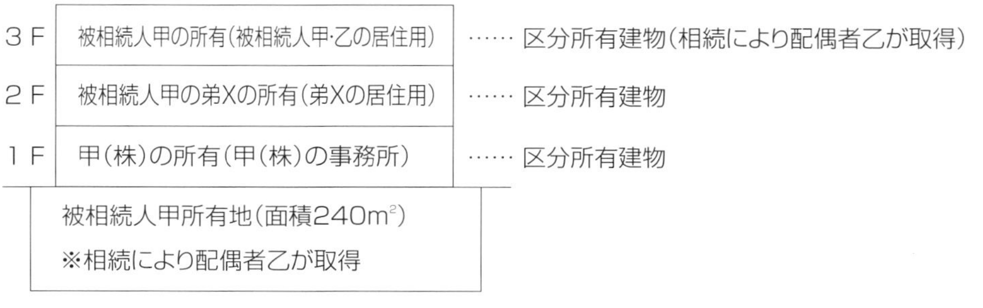


（注１）　被相続人甲と弟Ｘとの生計は別であり、弟Ｘは被相続人甲に対して地代を支払っていません。

（注２）　甲㈱（被相続人甲が発行済株式の全てを所有）は配偶者乙が代表取締役に就任している小売業を営む法人です。なお、甲㈱は被相続人甲に対して地代を支払っていません。

**応答**

小規模宅地等の課税特例の適用を受けるためには、個人が相続又は遺贈により取得した財産のうちに、当該相続の開始の直前において、当該相続若しくは遺贈に係る被相続人又は当該被相続人と生計を一にしていた当該被相続人の親族（被相続人等）の事業の用又は居住の用（居住の用に供することができない一定の事由により、相続開始の直前において当該被相

続人の居住の用に供されていなかった場合（一定の用途に供されている場合を除きます。）における当該事由により居住の用に供されなくなる直前の当該被相続人の居住の用を含みます。）に供されていた宅地等であることが、適用要件の１つとして規定されています。

そして、措置法第69条の４第３項第２号イにおいて、「当該親族が相続開始の直前において当該宅地等の上に存する当該被相続人の居住の用に供されていた(A)１棟の建物（当該被相続人、当該被相続人の配偶者又は当該親族の居住の用に供されていた部分として政令で定める部分に限る。）に居住していた者であって、相続開始時から申告期限まで引き続き当該宅地等を有し、かつ、当該建物に居住していること」と規定されています。

また、上記(A)＿＿部分の『１棟の建物』の意義については、措置法施行令第40条の２第13項において、次に掲げる場合の区分に応じてそれぞれ定める部分が該当するものと規定しています。

(イ)　被相続人の居住の用に供されていた１棟の建物が(B)建物の区分所有等に関する法律第１条《建物の区分所有》の規定に該当する建物である場合

当該被相続人の居住の用に供されていた部分

(ロ)　上記(イ)に掲げる場合以外の場合

被相続人又は当該被相続人の親族（注）の居住の用に供されていた部分

（注）　当該被相続人の親族は、当該被相続人と生計を一にするか、又は生計を別にするかは問われていません。

**参考資料１**　**建物の区分所有等に関する法律第１条《建物の区分所有》**

> １棟の建物に構造上区分された数個の部分で独立して住居、店舗、事務所又は倉庫その他建物としての用途に供することができるものがあるときは、その各部分は、この法律の定めるところにより、それぞれ所有権の目的とすることができる。

なお、上記(B)＿＿部分の『建物の区分所有等に関する法律第１条の規定に該当する建物』とは、措置法通達69の４－７の４《建物の区分所有等に関する法律第１条の規定に該当する建物》の定めでは、実際に区分所有建物である旨の登記がされている建物をいうものとされています。

**参考資料２**　**措置法通達69の４－７の４《建物の区分所有等に関する法律第１条の規定に該当する建物》**

> 措置法令第40条の２第４項及び第13項に規定する「建物の区分所有等に関する法律第１条の規定に該当する建物」とは、区分所有建物である旨の登記がされている建物をいうことに留意する。
>
> （注）　上記の区分所有建物とは、被災区分所有建物の再建等に関する特別措置法（平成７年３月24日法律第43号）第２条（筆者注１を参照）に規定する区分所有建物をいうことに留意する。
>
> 筆者注１　被災区分所有建物の再建等に関する特別措置法第２条《敷地共有者等集会等》において、区分所有建物とは、大規模な火災、震災その他の災害で政令で定めるものにより建物の区分所有等に関する法律第２条《定義》第３項（筆者注２を参照）に規定する専有部分が属する１棟の建物をいうものと規定されている。

> 筆者注２　建物の区分所有等に関する法律第２条《定義》第３項において、専有部分とは、区分所有権の目的たる建物の部分をいうものと規定されている。

以上の取扱いに従って、質疑の事例の取扱いを検討すると次のとおりとなります。

(1)　当該建物について、区分所有建物である旨の登記がされている場合

質疑に掲げる建物が区分所有建物である旨の登記がされている場合には、上掲の参考資料２より、当該建物は、『建物の区分所有等に関する法律第１条の規定に該当する建物』になります。

そうすると、被相続人の居住の用に供されていた１棟の建物に該当するのは、上記(イ)（被相続人の居住の用に供されていた１棟の建物が建物の区分所有等に関する法律第１条の規定に該当する建物である場合）より、当該被相続人（質疑の場合は、被相続人甲）の居住の用に供されていた部分となります。

以上の考え方に基づいて、被相続人甲からの相続により質疑の事例の宅地等を相続により取得した配偶者乙の当該宅地等に対する小規模宅地等の課税特例の適用関係をまとめると、下表のとおりになります。

| 区分 | 宅地等の面積（対応部分） | 宅地等の利用状況 | 小規模宅地等の区分 | 備考（判定上の留意事項等） |
|---|---|---|---|---|
| ３Ｆ | $240㎡\times\frac{1}{3}=80㎡$ | 被相続人甲の居住用建物の敷地 | 特定居住用宅地等 | ・区分所有登記が行われているので、被相続人甲の居住の用に供されていた部分のみが被相続人甲の居住の用に供されていた部分となります。<br>・被相続人甲の配偶者乙が相続により取得 |
| ２Ｆ | $240㎡\times\frac{1}{3}=80㎡$ | 被相続人甲と生計別親族の居住用建物の敷地（土地の貸借関係は使用貸借契約） | 特例適用対象外 | ・被相続人甲と生計別の親族の居住用<br>・土地の貸借関係が使用貸借契約 |
| １Ｆ | $240㎡\times\frac{1}{3}=80㎡$ | 被相続人甲が主宰する同族会社の事業用建物の敷地（土地の貸借関係は使用貸借契約） | 特例適用対象外 | ・土地の貸借関係が使用貸借契約 |

（特定居住用宅地等に該当する面積）

80㎡（３Ｆ対応部分）

(2)　当該建物について、区分所有建物である旨の登記がされていない場合

質疑に掲げる建物が区分所有建物である旨の登記がされていない場合には、上掲の参考資料２より、当該建物は、たとえ１棟の建物で構造上区分された数個の各独立部分を有していたとしても、『建物の区分所有等に関する法律第１条の規定に該当する建物』に該当しないものとされます。

そうすると、被相続人の居住の用に供されていた１棟の建物に該当するのは、上記(ロ)（上記(イ)に掲げる場合以外の場合）より、被相続人又は当該被相続人の親族（ **質疑** の場合は、被相続人甲又は被相続人甲の弟Ｘ（被相続人甲と生計別の親族））の居住の用に供されていた部分となります。

以上の考え方に基づいて、被相続人甲からの相続により **質疑** の事例の宅地等を相続により取得した配偶者乙の当該宅地等に対する小規模宅地等の課税特例の適用関係をまとめると、下表のとおりになります。

| 区分 | 宅地等の面積（対応部分） | 宅地等の利用状況 | 小規模宅地等の区分 | 備考（判定上の留意事項等） |
|---|---|---|---|---|
| ３Ｆ | $240㎡\times\frac{1}{3}=80㎡$ | 被相続人甲の居住用建物の敷地 | 特定居住用宅地等 | ・被相続人甲の居住の用<br>・区分所有登記が行われていないので、２Ｆ対応部分についても判定対象に含めることに留意<br>・被相続人甲の配偶者乙が相続により取得 |
| ２Ｆ | $240㎡\times\frac{1}{3}=80㎡$ | 被相続人甲と生計別親族の居住用建物の敷地<br>（土地の貸借関係は使用貸借契約） | 特定居住用宅地等 | ・区分所有登記が行われていないので、被相続人甲の親族（この場合、被相続人甲と当該親族との間における生計の一又は別は問われない）の居住用部分についても、被相続人甲の居住の用に供されていた部分となる。<br>・被相続人甲の配偶者乙が相続により取得<br>・土地の貸借関係が使用貸借契約 |
| １Ｆ | $240㎡\times\frac{1}{3}=80㎡$ | 被相続人甲が主宰する同族会社の事業用建物の敷地<br>（土地の貸借関係は使用貸借契約） | 特例適用対象外 | ・土地の貸借関係が使用貸借契約 |

（特定居住用宅地等に該当する面積）

80㎡（３Ｆ対応部分）＋80㎡（２Ｆ対応部分）＝160㎡

### (3)　建物が区分所有されている場合の建物所有者と小規模宅地等の課税特例の取扱い（その２）

**質疑**　被相続人甲は、１棟の建物（マンション形態で全20戸）のうち５戸を区分所有（これ以外の15戸は他人が所有）しています。そして、その利用状況は、被相続人甲に係る相続開始前10年以上にわたって不変であり下図のようなものとなっています。

このような場合における建物の敷地である宅地等（敷地権の目的として登記されている）に対する小規模宅地等の課税特例の取扱いはどのようになりますか。

（被相続人甲が区分所有する建物の状況等）

401号……甲及び配偶者乙の居住用

304号……甲と生計を別にする親族Ａの居住用（建物の貸借関係は使用貸借契約）

202号……未利用

201号……貸家用（相続税の申告期限まで貸付けを継続）

101号……甲の営む事業店舗（相続開始直後に廃業）

上記のマンション（区分所有している５戸）は、相続により配偶者乙が承継し、相続税の申告期限まで所有しています。

**応答**

前問(2)に掲げる **質疑** の **応答** で確認したとおり、課税時期が平成26年１月１日以降に到来した場合において、小規模宅地等の課税特例の適用対象が被相続人の居住の用に供されていた１棟の建物の敷地である宅地等であるときは、当該１棟の建物に係る次に掲げる区分に応じて、それぞれに掲げる部分が被相続人の居住の用に供されていた部分に該当するものとして取り扱われることになりました。

(1)　被相続人の居住の用に供されていた１棟の建物が建物の区分所有等に関する法律第１条《建物の区分所有》の規定に該当する建物である場合

当該被相続人の居住の用に供されていた部分

(2)　上記(1)に掲げる場合以外の場合

被相続人又は当該被相続人の親族（注）の居住の用に供されていた部分

（注）　当該被相続人の親族は、当該被相続人と生計を一にするか、又は生計を別にするかは問われていません。

そして、上記(1)に掲げる『建物の区分所有等に関する法律第１条《建物の区分所有》の規定に該当する建物』とは、措置法通達69の４－７の４《建物の区分所有等に関する法律第１条の規定に該当する建物》の定めから、実際に区分所有建物である旨の登記がされている建物をいうものとされています。

そうすると、**質疑** に掲げる建物は区分所有建物である旨の登記がされていることから、当該建物は、『建物の区分所有等に関する法律第１条の規定に該当する建物』になります。

したがって、**質疑** の建物については、被相続人の居住の用に供されていた１棟の建物に該当するのは、上記(1)（被相続人の居住の用に供されていた１棟の建物が建物の区分所有等に関する法律第１条の規定に該当する建物である場合）より、当該被相続人（ **質疑** の場合は、被相続人甲）の居住の用に供されていた部分となります。

以上の取扱いに基づいて、被相続人甲からの相続により **質疑** の事例の宅地等を相続により取得した配偶者乙の当該宅地等に対する小規模宅地等の課税特例の適用関係をまとめると、下表のとおりになります。

| 号室 | 号室に対応する宅地等の利用状況 | 小規模宅地等の区分 | 備考（判定上の留意事項等） |
|---|---|---|---|
| 401号 | 被相続人甲の居住用建物の敷地 | 特定居住用宅地等 | ・被相続人甲の配偶者乙が相続により取得 |
| 304号 | 被相続人甲と生計を別にする親族Ａの居住用建物の敷地 | 特例適用対象外 | ・区分所有登記がされている建物<br>・被相続人甲と生計を別にする親族Ａの居住の用に供用 |
| 202号 | 未利用である建物の敷地 | 特例適用対象外 | ・未利用 |
| 201号 | 被相続人甲の貸付用建物の敷地 | 貸付事業用宅地等 | ・相続税の申告期限までに貸付事業を承継<br>・相続税の申告期限まで宅地等を所有<br>・相続税の申告期限まで宅地等を貸付事業の用に供用 |
| 101号 | 被相続人甲の事業用建物の敷地 | 特例適用対象外 | ・相続税の申告期限までに被相続人の事業を未承継 |

### (4)　建物が区分所有されている場合の建物所有者と小規模宅地等の課税特例の取扱い（その３）

**質疑**　被相続人甲は、１棟の建物（マンション形態で全20戸）のすべてを所有しています。そして、その利用状況は、被相続人甲に係る相続開始前10年以上にわたって不変であり下図のようなものとなっています。

このような場合における建物（区分所有建物である旨の登記はされていません。）の敷地である宅地等に対する小規模宅地等の課税特例の取扱いはどのようになりますか。

| | | | | |
|---|---|---|---|---|
| 401号 | 402号 | 403号 | 404号 | 405号 |
| 301号 | 302号 | 303号 | 304号 | 305号 |
| 201号 | 202号 | 203号 | 204号 | 205号 |
| 101号 | 102号 | 103号 | 104号 | 105号 |
| 被相続人甲が所有 | | | | |

（被相続人甲が区分所有する建物の状況等）

401号……甲及び配偶者乙の居住用

304号……甲と生計を別にする親族Ａの居住用（建物の貸借関係は使用貸借契約）

202号……未使用

101号……甲の営む事業店舗（相続開始直後に廃業）

その他の号……貸家用（相続税の申告期限まで貸付けを継続）

上記のマンションは、相続により配偶者乙が承継し、相続税の申告期限まで所有し、利用状況に異動はありません。

## 応答

前々問(2)に掲げる **質疑** の **応答** で確認したとおり、課税時期が平成26年１月１日以降に到来した場合において、小規模宅地等の課税特例の適用対象が被相続人の居住の用に供されていた１棟の建物の敷地である宅地等であるときは、当該１棟の建物に係る次に掲げる区分に応じて、それぞれに掲げる部分が被相続人の居住の用に供されていた部分に該当するものとして取り扱われることになりました。

(1)　被相続人の居住の用に供されていた１棟の建物が建物の区分所有等に関する法律第１条《建物の区分所有》の規定に該当する建物である場合
　当該被相続人の居住の用に供されていた部分

(2)　上記(1)に掲げる場合以外の場合
　被相続人又は当該相続人の親族（注）の居住の用に供されていた部分

（注）　当該被相続人の親族は、当該被相続人と生計を一にするか、又は生計を別にするかは問われていません。

そして、上記(1)に掲げる『建物の区分所有等に関する法律第１条《建物の区分所有》の規定に該当する建物』とは、措置法通達69の４－７の４《建物の区分所有等に関する法律第１条の規定に該当する建物》の定めから、実際に区分所有建物である旨の登記がされている建物をいうものとされています。

そうすると、**質疑** に掲げる建物は区分所有建物である旨の登記がされていないことから、当該建物は、『建物の区分所有等に関する法律第１条の規定に該当する建物』には当たらないものとなります。

したがって、**質疑** の建物については、被相続人の居住の用に供されていた１棟の建物に該当するのは、上記(2)（上記(1)に掲げる場合以外の場合）より、当該被相続人又は当該被相続人の親族（注）（ **質疑** の場合は、被相続人甲又は被相続人甲の親族A）の居住の用に供されていた部分となります。

（注）　被相続人の親族については、当該被相続人と生計一であるか又は生計別であるかは問われていないことに留意する必要があります。

以上の取扱いに基づいて、被相続人甲から相続により **質疑** の事例の宅地等を相続により取得した配偶者乙の当該宅地等に対する小規模宅地等の課税特例の適用関係をまとめると、下表のとおりになります。

| 号室 | 号室に対応する宅地等の利用状況 | 小規模宅地等の区分 | 備考（判定上の留意事項等） |
|---|---|---|---|
| 401号<br>304号 | 被相続人甲の居住用建物の敷地 | 特定居住用宅地等 | ・被相続人甲の配偶者乙が相続により取得<br>・区分所有登記がされていない建物であるため、被相続人甲の居住の用に供されていた部分に該当するのは、被相続人甲又は当該被相続人の親族（この場合、被相続人甲と当該親族との間における生計一又は生計別は問われない）の居住の用に供されていた部分となる。 |
| 202号 | 未利用である建物の敷地 | 特例適用対象外 | ・未利用 |
| 101号 | 被相続人甲の事業用建物の敷地 | 特例適用対象外 | ・相続税の申告期限までに被相続人の事業を未承継 |
| その他の号 | 被相続人甲の貸付用建物の敷地 | 貸付事業用宅地等 | ・相続税の申告期限までに貸付事業を承継<br>・相続税の申告期限まで宅地等を所有<br>・相続税の申告期限まで宅地等を貸付事業の用に供用 |

## (5)　併用住宅及びその敷地が被相続人及び被相続人と生計を一にする親族とで共有されている場合

**質疑**　被相続人甲及び甲の親族（長男Ａ）は、下図のような併用住宅及びその敷地である宅地等を被相続人甲に係る相続開始の10年以上前から共有（持分は土地、建物ともに各２分の１ずつ）で所有しており、その状況に変動はありませんでした。

この場合における被相続人甲の所有する持分（配偶者乙が相続により承継）に対応する小規模宅地等の課税特例の適用（選択が可能な場合には、納税者に最も有利になるように計算するものとします。）についてはどのように取り扱われますか。

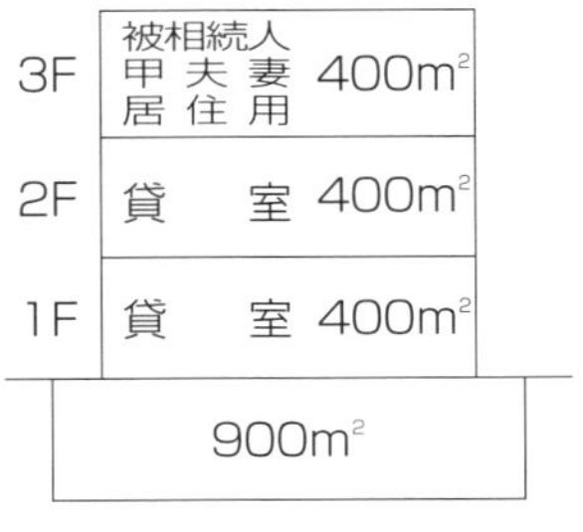


（注１）　被相続人甲に係る相続開始により、同人の所有する土地及び建物に対する共有持分は配偶者乙が取得しています。

（注２）　配偶者乙は、相続により承継した土地及び建物について、相続税の申告期限までは従前と全く同一の用途で利用しています。

（注３）　・宅地全体の相続税評価額（自用地）…90,000千円
・借地権割合…　60％
・借家権割合…　30％
・賃貸割合……100％（２Ｆ及び１Ｆ部分について）

## 応答

**質疑**　の事例の場合、配偶者乙が取得した被相続人甲に係る相続財産である宅地の共有持分２分の１に対する小規模宅地等の課税特例の適用関係をまとめると下記のとおりになります。

(1)　小規模宅地等の適用部分

①　１階及び２階（貸室）部分の床面積に対応する宅地部分

$$\underset{\left(\text{宅地全体の面積}\right)}{900\text{m}^2} \times \overset{\left(\text{1階及び2階部分の床面積の合計}\right)}{\frac{400\text{m}^2 \times 2}{400\text{m}^2 \times 3}} \times \underset{\left(\text{被相続人甲の共有持分}\right)}{\frac{1}{2}} = 300\text{m}^2$$

（分母：建物全体の床面積）

⇒『貸付事業用宅地等』に該当（下記（注１）を参照）

②　３階（被相続人甲夫妻の居住用）部分の床面積に対応する宅地部分

$$\underset{\left(\text{宅地全体の面積}\right)}{900\text{m}^2} \times \overset{\left(\text{3階部分の床面積の合計}\right)}{\frac{400\text{m}^2 \times 1}{400\text{m}^2 \times 3}} \times \underset{\left(\text{被相続人甲の共有持分}\right)}{\frac{1}{2}} = 150\text{m}^2$$

（分母：建物全体の床面積）

⇒『特定居住用宅地等』に該当（下記（注２）を参照）

（注１）　下記に掲げる３つの要件を充足した場合には、当該宅地等は『被相続人の貸付事業を相続開始後に事業承継する場合』に該当し、『貸付事業用宅地等』として取り扱われます。

| | |
|---|---|
| (イ)貸付事業承継の要件 | 被相続人の親族（当該親族から相続又は遺贈により当該宅地等を取得した当該親族の相続人を含みます。以下、(ロ)及び(ハ)において同じ。）が、相続開始時から相続税の申告期限までの間に当該宅地等に係る被相続人の貸付事業を承継すること |
| (ロ)所有継続の要件 | 上記の貸付事業を承継した親族が、相続開始時から相続税の申告期限まで引き続き当該宅地等を所有していること |
| (ハ)貸付事業継続の要件 | 上記の貸付事業を承継した親族が、貸付事業承継後、相続税の申告期限まで引き続き当該貸付事業の用に供していること |

（注２）　被相続人等の居住の用に供されていた宅地等で、当該被相続人の配偶者が相続又は遺贈により取得したもの（㊟）は、『特定居住用宅地等』として取り扱われます。

㊟１　当該宅地等を複数で共同相続（遺贈）により取得した場合には、当該被相続人の配偶者が相続又は遺贈により取得した持分の割合に応ずる部分に限られています。

２　当該被相続人の配偶者が取得した場合には、相続税の申告期限までにおける所有継続要件及び居住継続要件は付されていないことに留意する必要があります。

(2)　小規模宅地等の選択

小規模宅地等の課税特例は、適用要件を充足した小規模宅地等について、下表に掲げるとおり当該小規模宅地等の区分に応じて、相続税の課税価格に算入すべき割合及び適用限度面積が規定されています。

| 番号 | 小規模宅地等の区分 | 課税価格算入割合 | 適用限度面積 |
|---|---|---|---|
| ① | 特定事業用宅地等である小規模宅地等 | 20% | 400㎡ |
| ② | 特定居住用宅地等である小規模宅地等 | 20% | 330㎡ |
| ③ | 特定同族会社事業用宅地等である小規模宅地等 | 20% | 400㎡ |
| ④ | 貸付事業用宅地等である小規模宅地等 | 50% | 200㎡ |

また、上表①から④に掲げる異なる２以上の区分の小規模宅地等を選択する場合における適用限度面積要件は、選択特例対象宅地等の区分に応じて、それぞれ下記に掲げるとおりと

されています。

⑴　選択特例対象宅地等が『特定事業用等宅地等』と『特定居住用宅地等』のみである場合

㋑　特定事業用等宅地等の面積（400㎡を限度とします。）

㋺　特定居住用宅地等の面積（330㎡を限度とします。）

㋩　㋑＋㋺（最大で730㎡となります。）

（注）特定事業用等宅地等とは、特定事業用宅地等及び特定同族会社事業用宅地等をいいます。次の⑵において同じです。

⑵　選択特例対象宅地等に『貸付事業用宅地等』が存する場合

下記に掲げる算式により計算した面積の合計が200㎡以下であることが必要となります。

（算式）$\text{特定事業用等宅地等の適用面積} \times \frac{200㎡}{400㎡} + \text{特定居住用宅地等の適用面積} \times \frac{200㎡}{330㎡} + \text{貸付事業用宅地等の適用面積} \leqq 200㎡$

そうすると、上表に掲げる小規模宅地等の課税価格算入割合及び適用限度面積から判断すると、**質疑** の事例の場合には、選択特例対象宅地等の区分として上記⑵に掲げる取扱いを適用して、上表に掲げる番号で『②➡④』の適用順序で小規模宅地等の課税特例を受けることが納税者に最も有利になるものと考えられます。

この取扱いを計算過程を交えながら示すと、下記のとおりになります。

①　特定居住用宅地等（上記⑴②より、配偶者乙が取得した150㎡）に対応する部分

（特例適用面積）150㎡≦330㎡　∴150㎡

（特例の適用による減額金額）

㈠　$90{,}000\text{千円} \times \frac{150㎡}{900㎡} = 15{,}000\text{千円}$

㈡　$15{,}000\text{千円} \times \frac{150㎡}{150㎡} \times (1-20\%) = 12{,}000\text{千円}$

②　貸付事業用宅地等（上記⑴①より、配偶者乙が取得した300㎡）に対応する部分

（特例適用面積）$300㎡ \leqq 200㎡ - 150㎡ \times \frac{200㎡}{330㎡} \fallingdotseq 109.09㎡$　∴109.09㎡

（特例の適用による減額金額）

㈠　$90{,}000\text{千円} \times \frac{300㎡}{900㎡} \times (1 - 60\% \times 30\% \times 100\%) = 24{,}600\text{千円}$

㈡　$24{,}600\text{千円} \times \frac{109.09㎡}{300㎡} \times (1-50\%) = 4{,}472{,}690\text{円}$

**参考**　小規模宅地等に係る適用限度面積

$\underset{(\text{上記①})}{150㎡} \times \frac{200㎡}{330㎡} + \underset{(\text{上記②})}{109.09㎡} \fallingdotseq 199.99㎡ \leqq 200㎡$

⑶　まとめ

上記⑴及び⑵より、**質疑** に掲げる宅地について、小規模宅地等の課税特例の適用後の相続税の課税価格に算入すべき金額を掲げると、下記のとおりになります。

①　評価対象地の相続税評価額

15,000千円（居住用部分（上記(2)①(ア)））＋24,600千円（貸付事業用部分（上記(2)②(ア)））＝39,600千円

②　小規模宅地等の課税特例の適用による減額金額

12,000千円（居住用部分（上記(2)①イ））＋4,472,690円（貸付事業用部分（上記(2)②イ））＝16,472,690円

③　相続税の課税価格算入額（小規模宅地等の課税特例の適用後）

①－②＝23,127,310円

## ⑹　被相続人が共有持分を有する宅地等が限度面積要件等の異なる複数の家屋の敷地の用に供されていた場合における小規模宅地等の課税特例の適用関係

**質疑**　被相続人の相続財産のうちに、被相続人が他の者と共有持分（被相続人の共有持分10分の８）で所有する状況（当該状況は、被相続人に係る財産取得時から相続開始時までの20年間に変動はありませんでした。）にある下記⑴及び⑵に掲げる宅地（いずれも、１筆の宅地）がありました。

被相続人の当該共有持分を相続により承継した相続人は、それぞれに掲げる［選択］欄に示された取扱いによって小規模宅地等を選択して、小規模宅地等の課税特例の規定の適用を受けたいと考えていますが、認められるでしょうか。

なお、被相続人が所有する宅地の持分を取得した相続人は、当該特例の適用を受けるための要件は充足しているものとします。また、いずれの設例においても、家屋の所有者は被相続人であるものとします。

⑴　特定事業用宅地等と特定同族会社事業用宅地等

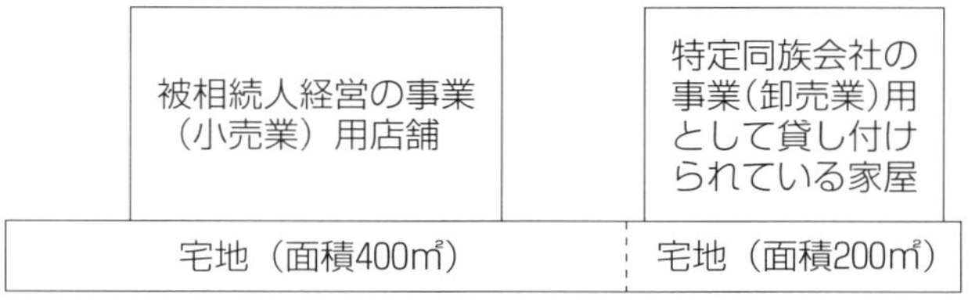


・全体の面積……600㎡

・利用の内訳……
- ①　事業用店舗の敷地　400㎡
- ②　特定同族会社の事業用家屋の敷地　200㎡

［選択］　相続税の課税価格算入割合は同一（20％）で、また、限度面積要件も同一（400㎡）であるが、小規模宅地等の課税特例の適用前の評価対象地の評価単価が異なる(特定事業用宅地等として自用地の評価額＞特定同族会社事業用宅地等として貸家建付地の評価額)ので、下記算式に基づいて、小規模宅地等は特定事業用宅地等から優先的に構成されているものとして計算

（算式）　$600\text{m}^2 \times \frac{8}{10} = 480\text{m}^2 > 400\text{m}^2$

（全体の面積）（被相続人の共有持分）（被相続人の持分対応面積）（事業用店舗の敷地の面積）

∴いずれか少ない方　400㎡

⑵　特定事業用宅地等と貸付事業用宅地等

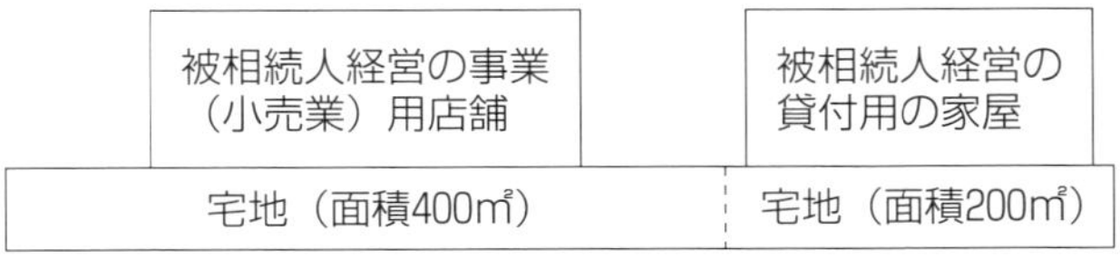


・全体の面積……600㎡

・利用の内訳……｛①　事業用店舗の敷地　400㎡／②　貸付事業用家屋の敷地　200㎡｝

選択　相続税の課税価格算入割合が異なり（特定事業用宅地等20％、貸付事業用宅地等50％）、また、限度面積要件も異なり（特定事業用宅地等400㎡、貸付事業用宅地等200㎡）、さらには、小規模宅地等の課税特例の適用前の評価対象地の評価単価も異なる（特定事業用宅地等として自用地の評価額＞貸付事業用宅地等として貸家建付地の評価額）ので、下記算式に基づいて、小規模宅地等は特定事業用宅地等から優先的に構成されているものとして計算

（算式）　$600\text{m}^2 \times \frac{8}{10} = 480\text{m}^2 > 400\text{m}^2$

（全体の面積）（被相続人の共有持分）（被相続人の持分対応面積）（事業用店舗の敷地の面積）

∴いずれか少ない方　400㎡

## 応答

『共有』及び共有状態における各共有者が有する『共有持分』の法律上の位置付けについては、判例（大審院判決、大正８年11月３日）において、下記に掲げる２通りの考え方が示されています。

⑴　各共有者の制限された所有権という考え方

この考え方によると、共有は数人が共同して一の所有権を有する状態であって、共有者は物を分割してその一部を所有するのではなく、各共有者は物の全部につき所有権を有し、他の共有者の同一の権利によって縮減させられているに過ぎないと解される。

⑵　一個の所有権の分量的一部分という考え方

この考え方によると、各共有者の持分は一の所有権の一分子として存在を有すると理解される範囲に止まるものであり、別個に独立の存在を有するものではないと解される。

そうすると、共有について上記⑴又は⑵に掲げる判示のいずれの考え方を採用した場合においても、土地の所有者が共有持分によっているときには、各共有者が保持する当該土地に対する権利はその分量に制限が加えられた状態であるという制約は付されるものの、単独所有の場合と同様の性質内容と同じ状況でその土地全部に対して及ぶものであると民法上では解釈されます。

上記の解釈に基づくと、**質疑** の(1)及び(2)において、被相続人の共有持分に対応する評価対象地（１筆の宅地）の面積480㎡（600㎡×$\frac{8}{10}$）が当該１筆の宅地の特定の区分された部分（㊞被相続人経営の事業（小売業）用店舗の敷地部分、特定同族会社の事業（卸売業）用として貸し付けられている家屋の敷地部分）に存すると理解することは困難であり、評価対象地に係る被相続人の共有持分は、当該１筆の宅地全体に対して均分に持分を通じて及んでいることになります。

したがって、**質疑** の(1)及び(2)の場合には、被相続人の小規模宅地等の課税特例の選択は、最も有利な方法（相続税の課税価格算入額が最も少なくなるもの）で示すと下記のとおりになります。

(1)　**質疑** の(1)の場合

①　特定事業用宅地等の適用対象面積

(イ)　400㎡（被相続人経営の事業（小売業）用店舗の敷地部分の面積）×$\frac{8}{10}$（被相続人の共有持分）＝320㎡

(ロ)　400㎡（特定事業用宅地等の適用上限面積）

(ハ)　(イ)≦(ロ)　∴いずれか少ない方　320㎡

②　特定同族会社事業用宅地等の適用対象面積

(イ)　200㎡（特定同族会社の事業（卸売業）の用として貸し付けられている家屋の敷地部分の面積）×$\frac{8}{10}$（被相続人の共有持分）＝160㎡

(ロ)　400㎡（限度面積）－320㎡（上記①(ハ)）＝80㎡（特定同族会社事業用宅地等の適用上限面積）

(ハ)　(イ)≧(ロ)　∴いずれか少ない方　80㎡

(2)　**質疑** の(2)の場合

①　特定事業用宅地等の適用対象面積

(イ)　400㎡（被相続人経営の事業（小売業）用店舗の敷地部分の面積）×$\frac{8}{10}$（被相続人の共有持分）＝320㎡

(ロ)　400㎡（特定事業用宅地等の適用上限面積）

(ハ)　(イ)≦(ロ)　∴いずれか少ない方　320㎡

②　貸付事業用宅地等の適用対象面積

(イ)　200㎡（被相続人経営の貸付用家屋の敷地部分の面積）×$\frac{8}{10}$（被相続人の共有部分）＝160㎡

(ロ)　$(400m^2 - 320m^2) \times \dfrac{200m^2}{400m^2} = 40m^2$

（限度面積）（上記①(ハ)）

(ハ)　(イ)≧(ロ)　∴いずれか少ない方　40㎡

参考　$320m^2 \times \dfrac{200m^2}{400m^2} + 0\,m^2 \times \dfrac{200m^2}{330m^2} + 40m^2 = 200m^2 \leqq 200m^2$

## (7)　被相続人が共有持分を有する宅地等が特定同族会社事業用宅地等と特定居住用宅地等に該当する異なる複数の家屋の敷地の用に供されていた場合における小規模宅地等の課税の特例の適用関係

**質疑**　被相続人の相続財産のうちに、被相続人が他の者と共有持分（被相続人の共有持分10分の８）で所有する状況にある下記に掲げる宅地（１筆の宅地）がありました。

被相続人の当該共有持分を相続により承継した相続人は、選択 欄に示された取扱いによって小規模宅地等を選択して、小規模宅地等の課税特例の規定の適用を受けたいと考えていますが、認められるでしょうか。

なお、被相続人が所有する宅地の持分を取得した相続人は、当該特例の適用を受けるための要件は充足しているものとします。また、家屋の所有者は被相続人であるものとします。

特定同族会社事業用宅地等と特定居住用宅地等

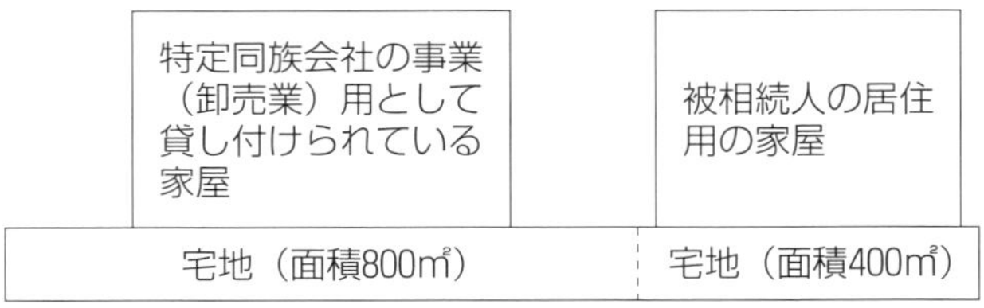


・全体の面積……1,200㎡

・利用の内訳……
　① 特定同族会社の事業用店舗の敷地　800㎡
　② 居住用家屋の敷地　400㎡

・自用地としての価額（全体）……180,000千円

（注）利用区分（評価単位）による１㎡当たりの価額に差異はありません。

・借地権割合…… 60％

・借家権割合…… 30％

・賃貸割合………100％

選択　相続税の課税価格算入割合は同一（20％）であるが、小規模宅地等の課税特例の適用前の評価対象地の評価単価が異なる（特定同族会社事業用宅地等として貸家建付地の評価額＜特定居住用宅地等として自用地の評価額）ので、下記算式に基づいて、小規模宅地等は特定居住用宅地等から優先的に構成されているものとして下記のとおりに計算

⑴　特定居住用宅地等

（算式）　1,200㎡ × $\frac{8}{10}$ ＝ 960㎡ ＞ 330㎡

（全体の面積）（被相続人の共有持分）（被相続人の持分対応面積）（特定居住用宅地等の限度面積）

∴いずれか少ない方　330㎡が特定居住用宅地等に該当

⑵　特定同族会社事業用宅地等

（算式）　①　1,200㎡ × $\frac{8}{10}$ ＝ 960㎡

（全体の面積）（被相続人の共有持分）（被相続人の持分対応面積）

②　960㎡ － 330㎡ ＝ 630㎡ ＞ 400㎡

（上記①）（上記⑴）（被相続人の持分対応面積のうち特定同族会社事業用宅地等からなる部分の面積）（特定同族会社の事業用家屋の敷地の面積）

∴いずれか少ない方　400㎡が特定同族会社事業用宅地に該当

⑶　適用面積

⑴＋⑵＝730㎡

## 応答

平成25年度の税法改正によって小規模宅地等の課税特例については大幅な見直しが行われています。本問に関係する見直し項目は次に掲げる２点で、いずれも、平成27年１月１日以後に開始した相続又は遺贈により取得する財産に係る相続税について適用するものとされています。

⑴　特定居住用宅地等に対する適用上限面積の見直し

小規模宅地等の課税特例の適用対象区分の１つである特定居住用宅地等に係る特例の適用対象面積（上限面積）が改正前の240㎡から改正後は330㎡に引き上げられることになりました。

⑵　特例対象宅地等が複数の区分にまたがる場合の調整計算

小規模宅地等の課税特例の適用対象地として選択する宅地等が『特定事業用等宅地等』(特定事業用宅地等及び特定同族会社事業用宅地等をいいます。以下、本問において同じです。)、『特定居住用宅地等』及び『貸付事業用宅地等』から成る場合の適用上限面積の計算方法が、次に掲げる区分（２区分）に応じて、それぞれに示すとおりとされました。

①　適用対象地が『特定事業用等宅地等』と『特定居住用宅地等』のみである場合（『貸付事業用宅地等』を選択しなかった場合）

㈠　特定事業用等宅地等の面積（400㎡を限度）

㈡　特定居住用宅地等の面積（330㎡を限度）

㈢　㈠＋㈡（最大で730㎡）

②　適用対象地に『貸付事業用宅地等』が存する場合（『貸付事業用宅地等』を選択した場合）

$$\text{特定事業用等宅地等の適用面積} \times \frac{200㎡}{400㎡} + \text{特定居住用宅地等の適用面積} \times \frac{200㎡}{330㎡} + \text{貸付事業用宅地等の適用面積} \leqq 200㎡$$

上記より、平成25年度の税法改正後においては、小規模宅地等の課税特例の対象とする選択特例対象宅地等が『特定事業用等宅地等』及び『特定居住用宅地等』のみから成る場合には、それぞれの適用対象面積の上限（特定事業用等宅地等400㎡、特定居住用宅地等330㎡）まで、すなわち、最大で合計730㎡まで完全併用適用が可能となります。

一方、共有及び共有持分に関する法律上の位置付けは、前問(6)のとおりであることから、土地の所有者が共有持分によっているときには、各共有者が保持する当該土地に対する権利はその分量に制限が加えられた状態であるという制約は付されるものの、単独所有の場合と同様の性質内容と同じ状況でその土地全部に対して及ぶものであると民法上では解釈されています。

そうすると、**質疑** の事例では、被相続人の共有持分に対応する評価対象地（１筆の宅地）の地積960㎡（$1{,}200㎡ \times \frac{8}{10}$）が当該１筆の宅地の特定の区分された部分から構成される（特定同族会社の事業（卸売業）用として貸し付けられている家屋の敷地部分から優先して存在する又は被相続人の居住用の家屋の敷地部分から優先して存在する）と理解することは困難であり、評価対象地に係る被相続人の共有持分は、当該１筆の宅地全体に対して均分に持分を通じて及んでいることになります。

したがって、**質疑** の事例の場合には、被相続人の小規模宅地等の課税特例の選択は、最も有利な方法（相続税の課税価格算入額が最も少なくなるもの）で示すと下記のとおりになります。

(1)　特定居住用宅地等の適用対象地積

①　$\underset{\left(\text{被相続人の居住用家屋の敷地部分の面積}\right)}{400㎡} \times \underset{\left(\text{被相続人の共有持分}\right)}{\frac{8}{10}} = 320㎡$

②　330㎡（特定居住用宅地等の適用上限面積）

③　①≦②　∴いずれか少ない方　320㎡

(2)　特定同族会社事業用宅地等の適用対象面積

①　$\underset{\left(\text{特定同族会社の事業（卸売業）用として貸し付けられている家屋の敷地部分の面積}\right)}{800㎡} \times \underset{\left(\text{被相続人の共有持分}\right)}{\frac{8}{10}} = 640㎡$

②　400㎡（特定同族会社事業用宅地等の適用上限面積）

③　①＞②　∴いずれか少ない方　400㎡

参考　選択特例対象宅地等の面積

・特定居住用宅地等に係る面積………………320㎡

・特定同族会社事業用宅地等に係る面積……400㎡

（合　　計）　720㎡

(3)　相続税の課税価格算入額（小規模宅地等の課税特例の適用後の価額）

(イ)　特定居住用宅地等に係る部分

㋑　$180{,}000千円 \times \frac{400㎡}{1{,}200㎡} = 60{,}000千円$

㋺　$㋑ \times \frac{8}{10} = 48{,}000千円$

㋩　$㋺ \times \frac{320㎡}{400㎡ \times \frac{8}{10}} \times 80\% = 38{,}400千円$

㋥　$㋺ - ㋩ = 9{,}600千円$

(ロ)　特定同族会社事業用宅地等に係る部分

㋑　$180{,}000千円 \times \frac{800㎡}{1{,}200㎡} \times (1 - 60\% \times 30\% \times 100\%) = 98{,}400千円$

㋺　$㋑ \times \frac{8}{10} = 78{,}720千円$

㋩　$㋺ \times \frac{400㎡}{800㎡ \times \frac{8}{10}} \times 80\% = 39{,}360千円$

㋥　$㋺ - ㋩ = 39{,}360千円$

(ハ)　(イ)＋(ロ)＝48,960千円

## (8)　１棟の建物の敷地である宅地等が複数の用途に供されている場合に当該宅地等を共有持分で取得したときにおける小規模宅地等の課税特例の適用（その１：特定事業用宅地等、特定居住用宅地等、貸付事業用宅地等が混在する事例）

**質疑**　被相続人甲は、本年６月に相続の開始がありました。同人の相続財産のうちには、当該相続開始の30年以上前からその利用方法が不変である下記に掲げる複数の利用用途に供されている建物及びその敷地である宅地（面積450㎡）がありました。

そして、被相続人甲の相続人である長男Ａ及び長女Ｂがこの建物及び宅地をそれぞれ共有持分２分の１ずつの割合で取得する内容の遺産分割協議が成立し、相続税の申告期限まで継続して所有していました。

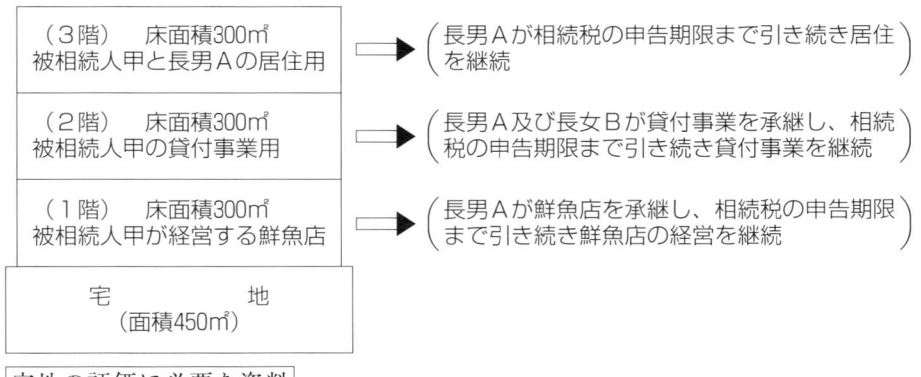

相続財産の態様とその取得後の状況

| | |
|---|---|
| （３階）　床面積300㎡<br>被相続人甲と長男Ａの居住用 | ⇒ （長男Ａが相続税の申告期限まで引き続き居住を継続） |
| （２階）　床面積300㎡<br>被相続人甲の貸付事業用 | ⇒ （長男Ａ及び長女Ｂが貸付事業を承継し、相続税の申告期限まで引き続き貸付事業を継続） |
| （１階）　床面積300㎡<br>被相続人甲が経営する鮮魚店 | ⇒ （長男Ａが鮮魚店を承継し、相続税の申告期限まで引き続き鮮魚店の経営を継続） |
| 宅　　地<br>（面積450㎡） | |

宅地の評価に必要な資料

- 自用地としての宅地全体の相続税評価額……90,000千円
- 借地権割合……60％
- 借家権割合……30％
- 貸室である２階部分の賃貸割合……100％

上記の場合において、小規模宅地等の課税特例の適用対象とすることができる部分の宅地はどれでしょうか。

また、選択基準を下記のとおりとして条件付けをした場合に、当該宅地の小規模宅地等の課税特例の適用後の相続税の課税価格に算入すべき金額は、各相続人の別にそれぞれいくらの金額になりますか。

選択基準

⑴　小規模宅地等の課税特例の適用による減額金額が最大額となるように選択すること

⑵　長男Ａ及び長女Ｂに対する小規模宅地等の課税特例の適用による減額効果が同一である場合には、長男Ａから優先的に適用を受けるものとして選択すること

## 応答

**質疑** の事例の場合、長男Ａ及び長女Ｂが共有持分、各２分の１で取得した宅地に対する小規模宅地等の課税特例の適用関係をまとめると下記のとおりになります。

⑴　小規模宅地等の適用区分

①　１階（被相続人甲が経営する鮮魚店）部分の床面積に対応する宅地（面積150㎡）部分

㈠　長男Ａが取得した持分に対応する部分

$$450㎡\left(\begin{smallmatrix}宅地全体\\の面積\end{smallmatrix}\right)\times\frac{300㎡}{900㎡}\frac{(１階部分の床面積)}{(建物全体の床面積)}\times\frac{1}{2}\left(\begin{smallmatrix}長男Ａの\\共有持分\end{smallmatrix}\right)=75㎡$$

⇒『特定事業用宅地等』に該当（下記（注１）を参照）

(ロ)　長女Ｂが取得した持分に対応する部分

$$450\text{m}^2\left(\text{宅地全体の面積}\right)\times\frac{300\text{m}^2\,(\text{１階部分の床面積})}{900\text{m}^2\,(\text{建物全体の床面積})}\times\frac{1}{2}\left(\text{長女Ｂの共有持分}\right)=75\text{m}^2$$

⇒ 小規模宅地等の課税特例の適用対象外（下記（注２）を参照）

（注１）　下記に掲げる３つの要件を充足した場合には、当該宅地等は『被相続人の事業を相続開始後に事業承継する場合』に該当し、『特定事業用宅地等』として取り扱われます。

| | |
|---|---|
| ㋑事業承継の要件 | 被相続人の親族（当該親族から相続又は遺贈により当該宅地等を取得した当該親族の相続人を含みます。以下、㋺及び㋩において同じです。）が相続開始時から相続税の申告書の提出期限までの間に当該宅地等の上で営まれていた被相続人の事業を承継すること |
| ㋺所有継続の要件 | 上記の事業を承継した親族が相続開始時から相続税の申告期限まで引き続き当該宅地等を所有していること |
| ㋩事業継続の要件 | 上記の事業を承継した親族が事業承継後、相続税の申告期限まで引き続き当該事業を営んでいること |

（注２）　長女Ｂは、長男Ａとは異なり鮮魚店を承継していないため、その取得した持分に対応する部分は『特定事業用宅地等』には該当しません。

②　２階（被相続人甲の貸付事業用）部分の床面積に対応する宅地（面積150m²）部分

(イ)　長男Ａが取得した持分に対応する部分

$$450\text{m}^2\left(\text{宅地全体の面積}\right)\times\frac{300\text{m}^2\,(\text{２階部分の床面積})}{900\text{m}^2\,(\text{建物全体の床面積})}\times\frac{1}{2}\left(\text{長男Ａの共有持分}\right)=75\text{m}^2$$

⇒ 『貸付事業用宅地等』に該当（下記（注）を参照）

(ロ)　長女Ｂが取得した持分に対応する部分

$$450\text{m}^2\left(\text{宅地全体の面積}\right)\times\frac{300\text{m}^2\,(\text{２階部分の床面積})}{900\text{m}^2\,(\text{建物全体の床面積})}\times\frac{1}{2}\left(\text{長女Ｂの共有持分}\right)=75\text{m}^2$$

⇒ 『貸付事業用宅地等』に該当（下記（注）を参照）

（注）　下記に掲げる３つの要件を充足した場合には、当該宅地等は『被相続人の貸付事業を相続開始後に事業承継する場合』に該当し、『貸付事業用宅地等』として取り扱われます。

| | |
|---|---|
| ㋑貸付事業承継の要件 | 被相続人の親族（当該親族から相続又は遺贈により当該宅地等を取得した当該親族の相続人を含みます。以下、㋺及び㋩において同じです。）が、相続開始時から相続税の申告期限までの間に当該宅地等に係る被相続人の貸付事業を承継すること |
| ㋺所有継続の要件 | 上記の貸付事業を承継した親族が、相続開始時から相続税の申告期限まで引き続き当該宅地等を所有していること |
| ㋩貸付事業継続の要件 | 上記の貸付事業を承継した親族が、貸付事業承継後、相続税の申告期限まで引き続き当該貸付事業の用に供していること |

③　３階（被相続人甲と長男Ａの居住用）部分の床面積に対応する宅地（面積150m²）部分

(イ)　長男Ａが取得した持分に対応する部分

$$450\text{m}^2\left(\text{宅地全体の面積}\right)\times\frac{300\text{m}^2\,(\text{３階部分の床面積})}{900\text{m}^2\,(\text{建物全体の床面積})}\times\frac{1}{2}\left(\text{長男Ａの共有持分}\right)=75\text{m}^2$$

⇒ 『特定居住用宅地等』に該当（下記（注１）を参照）

⑵ 長女Ｂが取得した持分に対応する部分

450㎡（宅地全体の面積）×300㎡（３階部分の床面積）/900㎡（建物全体の床面積）×1/2（長女Ｂの共有持分）＝75㎡⇒小規模宅地等の課税特例の適用対象外（下記（注２）を参照）

（注１） 下記に掲げる３つの要件を充足した場合には、当該宅地等は『被相続人の居住用家屋に居住していた親族（当該被相続人の配偶者を除きます。以下（注１）において同じ。）が取得する場合』に該当し、『特定居住用宅地等』として取り扱われます。

［㋑同居親族の要件］ 当該親族が相続開始の直前において当該宅地等の上に存する当該被相続人の居住の用に供されていた家屋に居住していた者であること

［㋺所有継続の要件］ 相続開始から相続税の申告期限（当該親族が申告期限前に死亡した場合には、その死亡の日。以下㋩において同じです。）まで引き続き当該宅地等を所有していること

［㋩居住継続の要件］ 相続税の申告期限まで当該家屋に居住していること

（注２） 長女Ｂは、長男Ａと異なり被相続人の居住用家屋に居住していた親族には該当しないため、その取得した持分に対応する部分は『特定居住用宅地等』には該当しません。

⑵ 小規模宅地等の選択

小規模宅地等の課税特例は、適用要件を充足した小規模宅地等について、下表に掲げるとおり当該小規模宅地等の区分に応じて、相続税の課税価格に算入すべき割合及び適用限度面積が規定されています。

| 番号 | 小規模宅地等の区分 | 課税価格算入割合 | 適用限度面積 |
|---|---|---|---|
| ① | 特定事業用宅地等である小規模宅地等 | 20% | 400㎡ |
| ② | 特定居住用宅地等である小規模宅地等 | 20% | 330㎡ |
| ③ | 特定同族会社事業用宅地等である小規模宅地等 | 20% | 400㎡ |
| ④ | 貸付事業用宅地等である小規模宅地等 | 50% | 200㎡ |

また、上表①から④に掲げる異なる２以上の区分の小規模宅地等を選択する場合における適用限度面積要件は、選択特例対象宅地等の区分に応じて、それぞれ下記に掲げるとおりとされています。

⑴ 選択特例対象宅地等が『特定事業用等宅地等』と『特定居住用宅地等』のみである場合

㋑ 特定事業用等宅地等の面積（400㎡を限度とします。）

㋺ 特定居住用宅地等の面積（330㎡を限度とします。）

㋩ ㋑＋㋺（最大で730㎡となります。）

（注） 特定事業用等宅地等とは、特定事業用宅地等及び特定同族会社事業用宅地等をいいます。以下、本問において同じです。

⑵ 選択特例対象宅地等に『貸付事業用宅地等』が存する場合

下記に掲げる算式により計算した面積の合計が200㎡以下であることが必要となります。

（算式）特定事業用等宅地等の適用面積×200㎡/400㎡＋特定居住用宅地等の適用面積×200㎡/330㎡＋貸付事業用宅地等の適用面積≦200㎡

そうすると、上表に掲げる小規模宅地等の課税価格算入割合及び適用限度面積並びに **質疑** に掲げる 選択基準 (1)及び(2)から判断すると、**質疑** の事例の場合には、上記(ロ)（選択特例対象宅地等に『貸付事業用宅地等』が存する場合）を選択し、かつ、上表に掲げる番号で『①⇒②⇒④』の適用順序で小規模宅地等の課税特例を受けることが相当であると考えられます。

この取扱いを計算過程を交えながら示すと、下記のとおりになります。

①　特定事業用宅地等（前記(1)①(イ)より、長男Ａが取得した75㎡）に対応する部分

（特例適用面積）　75㎡≦400㎡　∴75㎡

（特例の適用による減額金額）
●$90,000千円\times\frac{75㎡}{450㎡}=15,000千円$
●$15,000千円\times\frac{75㎡}{75㎡}\times（1-20\%）=12,000千円$

②　特定居住用宅地等（前記(1)③(イ)より、長男Ａが取得した75㎡）に対応する部分

（特例適用面積）　$75㎡\leqq（200㎡-75㎡\times\frac{200㎡}{400㎡}）\times\frac{330㎡}{200㎡}=268.125㎡$　∴75㎡

（特例の適用による減額金額）
●$90,000千円\times\frac{75㎡}{450㎡}=15,000千円$
●$15,000千円\times\frac{75㎡}{75㎡}\times（1-20\%）=12,000千円$

③　貸付事業用宅地等（前記(1)②(イ)より、長男Ａが取得した75㎡）に対応する部分

（特例適用面積）　$75㎡\leqq200㎡-75㎡\times\frac{200㎡}{400㎡}-75㎡\times\frac{200㎡}{330㎡}=117.05㎡$　∴75㎡

（特例の適用による減額金額）
●$90,000千円\times\frac{75㎡}{450㎡}\times（1-60\%\times30\%\times100\%）=12,300千円$
●$12,300千円\times\frac{75㎡}{75㎡}\times（1-50\%）=6,150千円$

④　貸付事業用宅地等（前記(1)②(ロ)より、長女Ｂが取得した75㎡のうち、42.05㎡）に対応する部分

（特例適用面積）　$75㎡>200㎡-75㎡\times\frac{200㎡}{400㎡}-75㎡\times\frac{200㎡}{330㎡}-75㎡=42.05㎡$　∴42.05㎡

（特例の適用による減額金額）
●$90,000千円\times\frac{75㎡}{450㎡}\times（1-60\%\times30\%\times100\%）=12,300千円$
●$12,300千円\times\frac{42.05㎡}{75㎡}\times（1-50\%）=3,448,100円$

参考　小規模宅地等に係る適用限度面積

$\underset{（上記①）}{75㎡}\times\frac{200㎡}{400㎡}+\underset{（上記②）}{75㎡}\times\frac{200㎡}{330㎡}+（\underset{（上記③）}{75㎡}+\underset{（上記④）}{42.05㎡}）=200㎡\leqq200㎡$

留意点　**質疑** の事例の場合には、特例対象宅地等の地積から判断すると、上記(ロ)に掲げる取扱い（選択特例対象宅地等に『貸付事業用宅地等』が存する場合）を選択する方が有利となります。

(3)　まとめ

上記(1)及び(2)より、**質疑** に掲げる宅地について、小規模宅地等の課税特例の適用後の相続税の課税価格に算入すべき金額を各相続人の別に表形式でまとめると、下記のとおりになります。

| 区分 | | 取得者 | 長男Ａ | 長女Ｂ |
|---|---|---|---|---|
| (1) 3階部分<br>用途：被相続人甲と長男Aの居住用部分に供用<br>面積：150㎡ | ①　宅地の評価 | 宅地の面積 | 75㎡ | 75㎡ |
| | | 評価態様 | 自用地 | 自用地 |
| | | 評価額（相続税評価額） | 15,000千円 | 15,000千円 |
| | ②　小規模宅地等の課税特例（減額） | 小規模宅地等の区分 | 特定居住用宅地等 | ―――― |
| | | 課税特例の適用面積 | 75㎡ | ―――― |
| | | 特例適用による減額金額 | ▲12,000千円 | ―――― |
| | ③　相続税の課税価格に算入する金額（①－②） | | 3,000千円 | 15,000千円 |
| (2) 2階部分<br>用途：被相続人甲の貸付事業の用に供用<br>面積：150㎡ | ①　宅地の評価 | 宅地の面積 | 75㎡ | 75㎡ |
| | | 評価態様 | 貸家建付地 | 貸家建付地 |
| | | 評価額（相続税評価額） | 12,300千円 | 12,300千円 |
| | ②　小規模宅地等の課税特例（減額） | 小規模宅地等の区分 | 貸付事業用宅地等 | 貸付事業用宅地等 |
| | | 課税特例の適用面積 | 75㎡ | 42.05㎡ |
| | | 特例適用による減額金額 | ▲6,150千円 | ▲3,448,100円 |
| | ③　相続税の課税価格に算入する金額（①－②） | | 6,150千円 | 8,851,900円 |
| (3) 1階部分<br>用途：被相続人甲が経営する鮮魚店（事業用）に供用<br>面積：150㎡ | ①　宅地の評価 | 宅地の面積 | 75㎡ | 75㎡ |
| | | 評価態様 | 自用地 | 自用地 |
| | | 評価額（相続税評価額） | 15,000千円 | 15,000千円 |
| | ②　小規模宅地等の課税特例（減額） | 小規模宅地等の区分 | 特定事業用宅地等 | ―――― |
| | | 課税特例の適用面積 | 75㎡ | ―――― |
| | | 特例適用による減額金額 | ▲12,000千円 | ―――― |
| | ③　相続税の課税価格に算入する金額（①－②） | | 3,000千円 | 15,000千円 |
| 相続税の課税価格に算入する金額の合計額（(1)③＋(2)③＋(3)③） | | | 12,150千円 | 38,851,900円 |

### (9)　１棟の建物の敷地である宅地等が複数の用途に供されている場合に当該宅地等を共有持分で取得したときにおける小規模宅地等の課税特例の適用（その２：特定同族会社事業用宅地等、貸付事業用宅地等が混在する事例）

**質疑**　被相続人甲は、本年６月に相続の開始がありました。同人の相続財産のうちには、下記に掲げる甲㈱（被相続人甲が発行済株式総数のすべてを所有）に当該相続開始の20年以上前から継続して、相当の対価を得て貸し付けている不動産（建物及びその敷地である宅地（面積600㎡）がありました。

そして、被相続人甲の相続人である長男Ａ（甲㈱の役員である）及び長女Ｂ（甲㈱の役員ではない）がこの建物及び宅地をそれぞれ共有持分２分の１ずつの割合で取得する内容の遺産分割協議が成立し、相続税の申告期限まで継続して所有していました。

相続財産の態様とその取得後の状況

長男Ａ及び長女Ｂが甲㈱に対する貸付を承継し、相続税の申告期限まで引き続き貸付事業を継続している。
また、甲㈱は、相続税の申告期限まで当該不動産を左図のとおりの利用形態で事業の用に供している。

宅地の評価に必要な資料

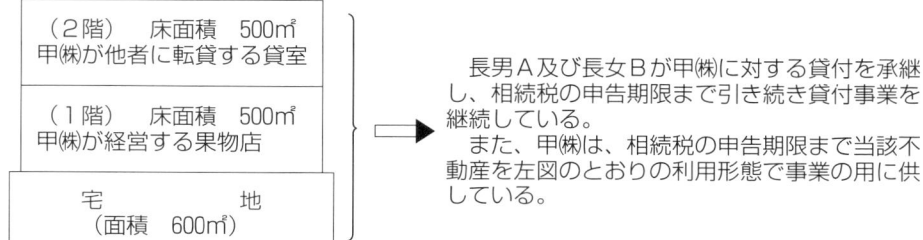

- 自用地としての宅地全体の相続税評価額……60,000千円
- 借地権割合……60％
- 借家権割合……30％
- 貸室である２階部分の賃貸割合……100％

上記の場合において、小規模宅地等の課税特例の適用対象とすることができる部分の宅地はどれでしょうか。

また、選択基準を下記のとおりとして条件付けをした場合に、当該宅地の小規模宅地等の課税特例の適用後の相続税の課税価格に算入すべき金額は、各相続人の別にそれぞれいくらの金額になりますか。

選択基準

(1)　小規模宅地等の課税特例の適用による減額金額が最大額となるように選択すること

(2)　長男Ａ及び長女Ｂに対する小規模宅地等の課税特例の適用による減額効果が同一である場合には、長男Ａから優先的に適用を受けるものとして選択すること

## 応答

**質疑** の事例の場合、長男Ａ及び長女Ｂが共有持分、各２分の１で取得した宅地に対する小規模宅地等の課税特例の適用関係をまとめると下記のとおりになります。

(1)　小規模宅地等の適用区分

①　１階（甲㈱が経営する果物店）部分の床面積に対応する宅地（面積300㎡）部分

(イ)　長男Ａが取得した持分に対応する部分

$$600㎡\left(\text{宅地全体の面積}\right)\times\frac{500㎡\text{（１階部分の床面積）}}{1{,}000㎡\text{（建物全体の床面積）}}\times\frac{1}{2}\left(\text{長男Ａの共有持分}\right)=150㎡\Rightarrow$$

『特定同族会社事業用宅地等』に該当（下記（注１）を参照）

(ロ)　長女Ｂが取得した持分に対応する部分

$$600㎡\left(\text{宅地全体の面積}\right)\times\frac{500㎡\text{（１階部分の床面積）}}{1{,}000㎡\text{（建物全体の床面積）}}\times\frac{1}{2}\left(\text{長女Ｂの共有持分}\right)=150㎡\Rightarrow$$

『貸付事業用宅地等』に該当（下記（注２）を参照）

（注１）　相続開始の直前に被相続人及び当該被相続人の親族その他当該被相続人と一定の特別の関係がある者が有する株式又は出資の金額の合計額が当該株式又は出資に係る法人の発行済株式の総数又は出資金額の10分の５を超える法人の事業（貸付事業を除きます。以下本問において同じ。）の用に供されていた宅地等を取得した当該被相続人の親族が下記に掲げる３つの要件を充足した場合には、当該宅地等は、『特定同族会社事業用宅地等』として取り扱われます。

| | |
|---|---|
| ㋑被相続人の親族の要件 | 相続税の申告期限（当該親族が当該申告期限前に死亡した場合にはその死亡の日。以下、㋺及び㋩において同じです。）において、当該法人（当該申告期限において、清算中の法人を除きます。）の法人税法第２条《定義》第15号に規定する役員（清算人を除きます。）であること |
| ㋺所有継続の要件 | 当該宅地等を取得した当該親族が相続開始時から相続税の申告期限まで引き続き当該宅地等を所有していること |
| ㋩事業供用の要件 | 当該宅地等を相続税の申告期限まで引き続き当該法人の事業の用に供していること |

（注２）　長女Ｂは、長男Ａとは異なり相続税の申告期限までに甲㈱の役員に就任していないためその取得した持分に対応する部分は『特定同族会社事業用宅地等』には該当せず、当該適用区分による小規模宅地等の課税特例の対象とすることは認められません。

しかしながら、長女Ｂが下記に掲げる３つの要件を充足した場合には、当該宅地等は『被相続人の貸付事業を相続開始後に事業承継する場合』に該当し、その取得した持分に対応する部分は『貸付事業用宅地等』として取り扱われます。

| | |
|---|---|
| ㋑貸付事業承継の要件 | 被相続人の親族（当該親族から相続又は遺贈により当該宅地等を取得した当該親族の相続人を含みます。以下、㋺及び㋩において同じです。）が、相続開始時から相続税の申告期限までの間に当該宅地等に係る被相続人の貸付事業を承継すること |
| ㋺所有継続の要件 | 上記の貸付事業を承継した親族が、相続開始時から相続税の申告期限まで引き続き当該宅地等を所有していること |
| ㋩貸付事業継続の要件 | 上記の貸付事業を承継した親族が、貸付事業承継後、相続税の申告期限まで引き続き当該貸付事業の用に供していること |

②　２階（甲㈱が他者に転貸する貸室）部分の床面積に対応する宅地（面積300㎡）部分

(イ)　長男Ａが取得した持分に対応する部分

$$600㎡\left(\begin{array}{c}宅地全体\\の面積\end{array}\right)\times\frac{500㎡\,(2階部分の床面積)}{1{,}000㎡\,(建物全体の床面積)}\times\frac{1}{2}\left(\begin{array}{c}長男Ａの\\共有持分\end{array}\right)=150㎡\Rightarrow$$

『貸付事業用宅地等』に該当（下記（注）を参照）

(ロ)　長女Ｂが取得した持分に対応する部分

$$600㎡\left(\begin{array}{c}宅地全体\\の面積\end{array}\right)\times\frac{500㎡\,(2階部分の床面積)}{1{,}000㎡\,(建物全体の床面積)}\times\frac{1}{2}\left(\begin{array}{c}長女Ｂの\\共有持分\end{array}\right)=150㎡\Rightarrow$$

『貸付事業用宅地等』に該当（下記（注）を参照）

（注）　被相続人の所有する宅地等が特定同族会社事業宅地等に該当するための要件として、当該法人の事業が不動産貸付業、駐車場業、自転車駐車場業及び準事業（事業と称するに至らない不動産の貸付けその他これらに類する行為で相当の対価を得て継続的に行うものをいいます。）（以下「貸付事業」といいます。）に該当するものは除かれるものとされています。

そうすると、**質疑**の事例の甲㈱に対する貸付用建物の２階部分は、甲㈱がさらに他者に貸し付けているとのことですから、当該部分は甲㈱にとって上記に掲げる貸付事業に該当することとなり、当該２階部分の床面積に対応する宅地（面積300㎡）部分は、『特定同族会社事業用宅地等』には該当しないことになります。

㊟　なお、長女Ｂは、相続税の申告期限までに甲㈱の役員に就任していないため、その取得した持分に対応する部分が本来的に『特定同族会社事業用宅地等』に該当すると判定される余地はありません。

その一方で、長男Ａ及び長女Ｂが取得した２階部分の床面積に対応する宅地（面積300㎡）部分は、上記①（注２）に掲げる３つの要件（㋑貸付事業承継の要件、㋺所有継続の要件、㋩貸付事業継続の要件）を充足した場合には、当該宅地等は『被相続人の貸付事業を相続開始後に事業承継する場合』に該当し、『貸付事業用宅地等』として取り扱われます。

⑵　小規模宅地等の選択

小規模宅地等の課税特例は、適用要件を充足した小規模宅地等について、下表に掲げるとおり当該小規模宅地等の区分に応じて、相続税の課税価格に算入すべき割合及び適用限度面積が規定されています。

| 番号 | 小規模宅地等の区分 | 課税価格算入割合 | 適用限度面積 |
|---|---|---|---|
| ① | 特定事業用宅地等である小規模宅地等 | 20% | 400㎡ |
| ② | 特定居住用宅地等である小規模宅地等 | 20% | 330㎡ |
| ③ | 特定同族会社事業用宅地等である小規模宅地等 | 20% | 400㎡ |
| ④ | 貸付事業用宅地等である小規模宅地等 | 50% | 200㎡ |

また、上表①から④に掲げる異なる２以上の区分の小規模宅地等を選択する場合における適用限度面積要件は、選択特例対象宅地等の区分に応じて、それぞれ下記に掲げるとおりとされています。

(イ)　選択特例対象宅地等が『特定事業用等宅地等』と『特定居住用宅地等』のみである場合

㋑　特定事業用等宅地等の面積（400㎡を限度とします。）

㋺　特定居住用宅地等の面積（330㎡を限度とします。）

㋩　㋑＋㋺（最大で730㎡となります。）

（注）特定事業用等宅地等とは、特定事業用宅地等及び特定同族会社事業用宅地等をいいます。以下、本問において同じです。

(ロ)　選択特例対象宅地等に『貸付事業用宅地等』が存する場合

下記に掲げる算式により計算した面積の合計が200㎡以下であることが必要となります。

（算式）特定事業用等宅地等の適用面積 × $\frac{200㎡}{400㎡}$ ＋ 特定居住用宅地等の適用面積 × $\frac{200㎡}{330㎡}$ ＋ 貸付事業用宅地等の適用面積 ≦200㎡

そうすると、上表に掲げる小規模宅地等の課税価格算入割合及び適用限度面積並びに **質疑** に掲げる 選択基準 (1)及び(2)から判断すると、**質疑** の事例の場合には、上記(ロ)（選択特例対象宅地等に『貸付事業用宅地等』が存する場合）を選択し、かつ、上表に掲げる番号で『③⇒④』の適用順序で小規模宅地等の課税特例を受けることが相当であると考えられます。

この取扱いを計算過程を交えながら示すと、下記のとおりになります。

①　特定同族会社事業用宅地等（上記(1)①(イ)より、長男Ａが取得した150㎡）に対応する部分

（特例適用面積）　150㎡≦400㎡　∴150㎡

（特例の適用による減額金額）
●60,000千円 × $\frac{150㎡}{600㎡}$ ×（１－60％×30％×100％）＝12,300千円
●12,300千円 × $\frac{150㎡}{150㎡}$ ×（１－20％）＝9,840千円

②　貸付事業用宅地等（上記(1)②(イ)より、長男Ａが取得した150㎡）に対応する部分

（特例適用面積）　150㎡＞200㎡－150㎡ × $\frac{200㎡}{400㎡}$ ＝125㎡　∴125㎡

（特例の適用による減額金額）
●60,000千円 × $\frac{150㎡}{600㎡}$ ×（１－60％×30％×100％）＝12,300千円
●12,300千円 × $\frac{125㎡}{150㎡}$ ×（１－50％）＝5,125千円

③　貸付事業用宅地等（上記(1)①(ロ)及び同②(ロ)より、長女Ｂが取得した300㎡のうち、０㎡）に対応する部分

（特例適用面積）　300㎡＞200㎡－150㎡ × $\frac{200㎡}{400㎡}$ －125㎡＝０㎡　∴０㎡

（特例の適用による減額金額）
●60,000千円 × $\frac{300㎡}{600㎡}$ ×（１－60％×30％×100％）＝24,600千円
●24,600千円 × $\frac{0㎡}{300㎡}$ ×（１－50％）＝０千円

**参考**　小規模宅地等に係る適用限度面積

$$\underset{（上記①）}{150㎡} \times \frac{200㎡}{400㎡} + \left(\underset{（上記②）}{125㎡} + \underset{（上記③）}{0㎡}\right) = 200㎡ \leqq 200㎡$$

**留意点**　**質疑** の事例の場合には、特例対象宅地等の面積から判断すると、上記(ロ)に掲げる取扱い（選択特例対象宅地等に『貸付事業用宅地等』が存する場合）を選択する方が有利となります。

(3)　まとめ

上記(1)及び(2)より、**質疑** に掲げる宅地について、小規模宅地等の課税特例の適用後の相続税の課税価格に算入すべき金額を各相続人の別に表形式でまとめると下記のとおりになります。

| 区分 | | 取得者 | 長男Ａ | 長女Ｂ |
|---|---|---|---|---|
| (1)　２階部分<br>用途：甲㈱が他者に転貸する貸室部分に供用<br>面積：300㎡ | ①　宅地の評価 | 宅地の面積 | 150㎡ | 150㎡ |
| | | 評価態様 | 貸家建付地 | 貸家建付地 |
| | | 評価額（相続税評価額） | 12,300千円 | 12,300千円 |
| | ②　小規模宅地等の課税特例（減額） | 小規模宅地等の区分 | 貸付事業用宅地等 | ―――― |
| | | 課税特例の適用面積 | 125㎡ | ―――― |
| | | 特例適用による減額金額 | ▲　5,125千円 | ―――― |
| | ③　相続税の課税価格に算入する金額（①－②） | | 7,175千円 | 12,300千円 |
| (2)　１階部分<br>用途：甲㈱が経営する果物店（事業用）に供用<br>面積：300㎡ | ①　宅地の評価 | 宅地の面積 | 150㎡ | 150㎡ |
| | | 評価態様 | 貸家建付地 | 貸家建付地 |
| | | 評価額（相続税評価額） | 12,300千円 | 12,300千円 |
| | ②　小規模宅地等の課税特例（減額） | 小規模宅地等の区分 | 特定同族会社事業用宅地等 | ―――― |
| | | 課税特例の適用面積 | 150㎡ | ―――― |
| | | 特例適用による減額金額 | ▲　9,840千円 | ―――― |
| | ③　相続税の課税価格に算入する金額（①－②） | | 2,460千円 | 12,300千円 |
| 相続税の課税価格に算入する金額の合計額（(1)③＋(2)③） | | | 9,635千円 | 24,600千円 |

## 〔８〕 手続き等に関する項目

### ⑴ 相続税の申告書に添付する書類

**質疑** 『小規模宅地等の課税特例』制度の適用について、相続税の申告書の提出が要件とされ、かつ、当該申告書に所定の書類を添付することが必要であるとされていますが、具体的にはどのような書類を添付する必要があるのでしょうか。

**応答**

『小規模宅地等の課税特例』制度の適用について、相続税の申告書に添付する必要のある書類は、その特例の適用を受けようとする当該小規模宅地等の次に掲げる区分に応じて、それぞれに掲載する書類となります。

⑴ 『特定事業用宅地等』として適用を受ける場合

① 小規模宅地等に係る相続税法第11条の２《相続税の課税価格》に規定する相続税の課税価格に算入すべき価額の計算に関する明細書

② 下記㈠から㈢に掲げる書類

㈠ 特例対象宅地等を取得した個人がそれぞれ小規模宅地等の課税特例の適用を受けるものとして選択をしようとする当該特例対象宅地等又はその一部について小規模宅地等の区分（注）その他の明細を記載した書類

（注）『小規模宅地等の区分』とは、特定事業用宅地等、特定居住用宅地等、特定同族会社事業用宅地等又は貸付事業用宅地等の別をいいます。

㈡ 特例対象宅地等を取得したすべての個人に係る上記㈠の選択をしようとする当該特例対象宅地等又はその一部のすべてが小規模宅地等の課税特例に規定する限度面積要件のうちいずれか一の要件を満たすものである旨を記載した書類

㈢ 特例対象宅地等、特例対象山林若しくは特例対象受贈山林又は猶予対象宅地等若しくは猶予対象受贈宅地等を取得したすべての個人の上記㈠の選択についての同意を証する書類

ただし、当該相続若しくは遺贈又は贈与（当該相続に係る被相続人からの贈与（贈与をした者の死亡により効力を生ずる贈与を除きます。）であって当該贈与により取得した財産につき、相続時精算課税の選択の規定の適用を受けるものに係る贈与に限られます。）により、次に掲げる㋑ないし㋭のすべてを取得した個人が１人である場合には、上記㈠及び㈡に掲げる書類のみが必要とされ、㈢に掲げる書類は不要とされています。

㋑ 特例対象宅地等

㋺ 措置法第69条の５《特定計画山林についての相続税の課税価格の計算の特例》に規定する特定計画山林のうち特例対象山林に該当するもの

㋩ 措置法第69条の５《特定計画山林についての相続税の課税価格の計算の特例》に

規定する特定計画山林のうち特例対象受贈山林に該当するもの

㊁　措置法第70条の６の10《個人の事業用資産についての相続税の納税猶予及び免除》第２項第１号に規定する特定事業用資産のうち猶予対象宅地等に該当するもの

㋭　措置法第70条の６の９《個人の事業用資産の贈与者が死亡した場合の相続税の課税の特例》第１項（同条第２項の規定により読み替えて適用する場合を含みます。）の規定により相続又は遺贈により取得したものとみなされた措置法第70条の６の８《個人の事業用資産についての贈与税の納税猶予及び免除》に規定する特例受贈事業用資産のうち猶予対象受贈宅地等

参考　上記①の明細書及び②の書類については、実務上の取扱いでは相続税の申告書の付表を用いるものとされています。

（注）　上記①の明細書及び②の書類について、参考資料１ 相続税の申告書（1113ページから1126ページまで）を参照してください。

③　遺言書の写し、財産の分割の協議に関する書類（注１）の写し（注２）その他の財産の取得の状況を証する書類

（注１）　当該書類に当該相続に係るすべての共同相続人及び包括受遺者が自署し、自己の印（いわゆる実印）を押しているものに限られます。

（注２）　当該自己の印に係る印鑑証明書が添付されているものに限られます。

④　当該事業用宅地等である小規模宅地等が相続開始前３年以内に新たに被相続人等（注）の事業の用に供されたもの（特定宅地等）である場合には、当該事業の用に供されていた下記に掲げる資産（減価償却資産）の当該相続開始の時における種類、数量、価格及びその所在場所その他の明細を記載した書類で当該事業が特定事業に該当するものであることを明らかにするもの

⑴　当該特定宅地等の上に存する建物（その附属設備を含みます。）又は構築物

⑵　所得税法第２条《定義》第１項第19号に規定する減価償却資産で、当該特定宅地等の上で行われる当該事業に係る業務の用に供されていたもの（上記⑴に掲げるものを除きます。）

（注）「被相続人等」とは、当該相続の開始の直前において、当該相続若しくは遺贈に係る被相続人又は当該被相続人と生計を一にしていた当該被相続人の親族をいいます。

⑤　次のいずれかの書類

⑴　被相続人のすべての相続人を明らかにする戸籍の謄本（相続開始の日から10日を経過した日以後に作成されたもの）

⑵　図形式の法定相続情報一覧図の写し（子の続柄が実子又は養子のいずれかであるかが分かるように記載されたものに限ります。）

なお、被相続人に養子がいる場合には、その養子の戸籍の謄本又は抄本の提出も必要となります。

⑶　⑴又は⑵をコピー機で複写したもの

（注）　上記⑤に掲げる書類は、措置法第69条の４《小規模宅地等についての相続税の課税価格の

計算の特例』の規定により必要とされるものではありませんが、実務上の取扱いとして提出が求められています。

⑵『特定居住用宅地等』として適用を受ける場合

(α) 下記(β)に掲げる場合以外の場合

被相続人の配偶者が適用を受ける場合

• 上記⑴の①から③及び⑤に掲げる書類

被相続人の親族（被相続人の配偶者を除きます。以下、本欄において同じ。）が適用を受ける場合

(X)『被相続人の居住用家屋に居住していた親族が取得する場合』又は『被相続人と生計を一にする親族の居住の用に供されていた場合』に該当するものとして適用を受ける場合

① 上記⑴の①から③及び⑤に掲げる書類

② この特例の適用を受けようとする親族が個人番号（行政手続における特定の個人を識別するための番号の利用等に関する法律第２条第５項に規定する個人番号をいいます。以下本問において同じです。）を有しない場合にあっては、当該親族が当該特定居住用宅地等である小規模宅地等を自己の居住の用に供していることを明らかにする書類

(Y)『配偶者及び一定の同居親族が存せず非同居親族が取得した場合』（いわゆる『家なき子』に該当する場合）に該当するものとして適用を受ける場合

① 上記⑴の①から③及び⑤に掲げる書類

② この特例の適用を受けようとする親族が個人番号を有しない場合にあっては、相続の開始の日の３年前の日から当該相続の開始の日までの間における当該親族の住所又は居所を明らかにする書類

③ 相続の開始の日の３年前の日から当該相続の開始の直前までの間にこの特例の適用を受けようとする親族が居住の用に供していた家屋が相続開始前３年以内に相続税法の施行地内にある当該親族、当該親族の配偶者、当該親族の３親等内の親族又は当該親族と一定の特別の関係がある法人が所有する家屋（相続開始の直前において当該被相続人の居住の用に供されていた家屋を除きます。）以外の家屋である旨を証する書類

④ 相続の開始の時においてこの特例の適用を受けようとする親族が居住している家屋を当該親族が相続開始前のいずれの時においても所有していたことがないことを証する書類

(β) 下表に掲げる 事由 により相続の開始の直前において当該相続に係る被相続人の居住の用に供されていなかった場合における当該事由により居住の用に供されなくなる直前の当該被相続人の居住の用に供されていた宅地等について小規模宅地等の課税特例の適用を受けようとする場合

事由

<table>
<tr><td rowspan="2">①</td><td>被相続人の要件</td><td>(イ)　介護保険法第19条第１項に規定する要介護認定を受けていた被相続人<br>(ロ)　介護保険法第19条第２項に規定する要支援認定を受けていた被相続人<br>(ハ)　相続開始の直前において、介護保険法施行規則第140条の62の４第２号に該当していた被相続人</td></tr>
<tr><td>入居住居又は入所施設の要件</td><td>(イ)　老人福祉法第５条の２第６項に規定する認知症対応型老人共同生活援助事業が行われる住居<br>(ロ)　老人福祉法第20条の４に規定する養護老人ホーム<br>(ハ)　老人福祉法第20条の５に規定する特別養護老人ホーム<br>(ニ)　老人福祉法第20条の６に規定する軽費老人ホーム<br>(ホ)　老人福祉法第29条第１項に規定する有料老人ホーム<br>(ヘ)　介護保険法第８条第28項に規定する介護老人保健施設<br>(ト)　介護保険法第８条第29項に規定する介護医療院<br>（注）　上記(ト)については、平成30年４月１日以降に課税時期が到来するものから適用されるものとされています。<br>(チ)　高齢者の居住の安定確保に関する法律第５条第１項に規定するサービス付き高齢者向け住宅（(ホ)に規定する有料老人ホームを除く。）</td></tr>
<tr><td rowspan="2">②</td><td>被相続人の要件</td><td>障害者の日常生活及び社会生活を総合的に支援するための法律第21条第１項に規定する障害支援区分の認定を受けていた被相続人</td></tr>
<tr><td>入居住居又は入所施設の要件</td><td>(イ)　障害者の日常生活及び社会生活を総合的に支援するための法律第５条第11項に規定する障害者支援施設（同条第10項に規定する施設入所支援が行われるものに限る。）<br>(ロ)　障害者の日常生活及び社会生活を総合的に支援するための法律第５条第17項に規定する共同生活援助を行う住居</td></tr>
</table>

被相続人の配偶者が適用を受ける場合

①　上記(1)の①から③及び⑤に掲げる書類

②　当該相続の開始の日以後に作成された当該被相続人の戸籍の附票の写し

③　介護保険の被保険者証の写し又は障害者の日常生活及び社会生活を総合的に支援するための法律第22条第８項に規定する障害福祉サービス受給者証の写しその他の書類で、当該被相続人が当該相続の開始の直前において介護保険法第19条第１項に規定する要介護認定若しくは同条第２項に規定する要支援認定を受けていたこと若しくは介護保険法施行規則第140条の62の４第２号に該当していたこと又は障害者の日常生活及び社会生活を総合的に支援するための法律第21条第１項に規定する障害者支援区分の認定を受けていたことを明らかにするもの

④　当該被相続人が当該相続の開始の直前において入居又は入所していた上記の 事由 ①に掲げる住居若しくは施設又は上記の 事由 ②に掲げる施設若しくは住居の名称及び所在地並びにこれらの住居又は施設がこれらの規定のいずれの住居又は施設に該当するかを明らかにする書類

被相続人の親族（被相続人の配偶者を除きます。以下、本欄において同じ。）が適用を受ける場合

(X)　『被相続人の居住用家屋に居住していた親族が取得する場合』又は『被相続人と生計を一にする親族の居住の用に供されていた場合』に該当するものとして適用を受ける場合

①　上記(1)の①から③及び⑤に掲げる書類

②　この特例の適用を受けようとする親族が個人番号を有しない場合にあっては、当該親族が当該特定居住用宅地等である小規模宅地等を自己の居住の用に供していることを明らかにする書類

③　当該相続の開始の日以後に作成された当該被相続人の戸籍の附票の写し

④　介護保険の被保険者証の写し又は障害者の日常生活及び社会生活を総合的に支援するための法律第22条第８項に規定する障害福祉サービス受給者証の写しその他の書類で、当該被相続人が当該相続の開始の直前において介護保険法第19条第１項に規定する要介護認定若しくは同条第２項に規定する要支援認定を受けていたこと若しくは介護保険法施行規則第140条の62の４第２号に該当していたこと又は障害者の日常生活及び社会生活を総合的に支援するための法律第21条第１項に規定する障害者支援区分の認定を受けていたことを明らかにするもの

⑤　当該被相続人が当該相続の開始の直前において入居又は入所していた上記の 事由 ①に掲げる住居若しくは施設又は上記の 事由 ②に掲げる施設若しくは住居の名称及び所在地並びにこれらの住居又は施設がこれらの規定のいずれの住居又は施設に該当するかを明らかにする書類

(Y)　『配偶者及び一定の同居親族が存せず非同居親族が取得した場合』（いわゆる『家なき子』に該当する場合）に該当するものとして適用を受ける場合

①　上記(1)の①から④までに掲げる書類

②　この特例の適用を受けようとする親族が個人番号を有しない場合にあっては、相続の開始の日の３年前の日から当該相続の開始の日までの間における当該親族の住所又は居所を明らかにする書類

③　相続の開始の日の３年前の日から当該相続の開始の直前までの間にこの特例の適用を受けようとする親族が居住の用に供していた家屋が相続開始前３年以内に相続税法の施行地内にある当該親族、当該親族の配偶者、当該親族の３親等内の親族又は当該親族と一定の特別の関係がある法人が所有する家屋（相続開始の直前において当該被相続人の居住の用に供されていた家屋を除きます。）以外の家屋である旨を証する書類

④　相続の開始の時においてこの特例の適用を受けようとする親族が居住している家屋を当該親族が相続開始前のいずれの時においても所有していたことがないことを証する書類

⑤　当該相続の開始の日以後に作成された当該被相続人の戸籍の附票の写し

⑥　介護保険の被保険者証の写し又は障害者の日常生活及び社会生活を総合的に支援するための法律第22条第８項に規定する障害福祉サービス受給者証の写しその他の書類で、当該被相続人が当該相続の開始の直前において介護保険法第19条第１項に規定する要介護認定若しくは同条第２項に規定する要支援認定を受けていたこと若しくは介護保険法施行規則第140条の62の４第２号に該当していたこと又は障害者の日常生活及び社会生活を総合的に支援するための法律第21条第１項に規定する障害者支援区分の認定を受けていたことを明らかにするもの

⑦　当該被相続人が当該相続の開始の直前において入居又は入所していた上記の事由①に掲げる住居若しくは施設又は上記の事由②に掲げる施設若しくは住居の名称及び所在地並びにこれらの住居又は施設がこれらの規定のいずれの住居又は施設に該当するかを明らかにする書類

⑶　『特定同族会社事業用宅地等』として適用を受ける場合

①　上記⑴の①から③及び⑤に掲げる書類

②　相続開始の直前に被相続人及び当該被相続人の親族その他当該被相続人と一定の特別の関係がある者が有する株式の総数又は出資の総額が当該株式又は出資に係る法人の発行済株式の総数又は出資の総額の10分の５を超える法人（以下、本問において「特定同族法人」といいます。）の定款（注）の写し

（注）　相続の開始の時に効力を有するものに限ります。

③　相続の開始の直前において、特定同族法人の発行済株式の総数又は出資の総額並びに被相続人及び当該被相続人の親族その他当該被相続人と特別の関係がある者が有する当該法人の株式の総数又は出資の総額を記した書類

（注）　当該特定同族法人が証明したものに限ります。

⑷　『貸付事業用宅地等』として適用を受ける場合

①　上記⑴の①から③及び⑤に掲げる書類

②　当該貸付事業用宅地等である小規模宅地等が相続開始前３年以内に新たに被相続人等（注１）の貸付事業（注２）の用に供されたものである場合には、当該被相続人等（注３）が当該相続開始の日まで３年を超えて特定貸付事業（注４）を行っていたことを明らかにする書類

（注１）『被相続人等』とは、当該相続の開始の直前において、当該相続若しくは遺贈に係る被相続人又は当該被相続人と生計を一にしていた当該被相続人の親族をいいます。

（注２）『貸付事業』とは、不動産の貸付業、駐車場業、自転車駐車場業及び準事業（事業と称するに至らない不動産の貸付けその他これに類する行為で相当の対価を得て継続的に行うものをいいます。）をいいます。

（注３）『当該被相続人等』には、措置法施行令第40条の２第21項㊟に規定する第一次相続に係る被相続人を含みます。

㊟　措置法施行令第40条の２第21項においては、特定貸付事業を行っていた被相続人（この者を『第一次相続人』といいます。）が、当該第一次相続人の死亡に係る相続開始前３年以内に相続又は遺贈（これを『第一次相続』といいます。）により当該第一次相続に係る被相続人の特定貸付事業の用に供されていた宅地等を取得していた場合には、当該第一次相続人の特定貸付事業の用に供されていた宅地等に係る貸付事業用宅地等の規定の適用については、当該第一次相続に係る被相続人が当該第一次相続があった日まで引き続き特定貸付事業を行っていた期間は、当該第一次相続人が特定貸付事業を行っていた期間に該当するものとみなす旨が規定されています。

（注４）『特定貸付事業』とは、貸付事業のうち準事業以外のものをいいます。

(5)　相続税の申告期限までに特例対象宅地等の全部又は一部が共同相続人又は包括受遺者によって分割されていない当該特例対象宅地等について当該申告期限後に当該特例対象宅地等の全部又は一部が分割されることにより小規模宅地等の課税特例の規定の適用を受けようとする場合

• その旨並びに分割されていない理由及び分割の見込みの詳細を明らかにした書類

**参考**　実務上の取扱いでは、『申告期限後３年以内の分割見込書』（**参考資料２**（1127ページ・1128ページ）を参照）を用いるものとされています。

**備考**　相続税の申告期限後３年を経過する日までに当該特例対象宅地等が分割されなかったことにつき、相続又は遺贈につき訴えの提起がされたことその他のやむを得ない事情がある場合には当該申告期限後３年を経過する日の翌日から２か月を経過する日までに『遺産が未分割であることについてやむを得ない事由がある旨の承認申請書』（**参考資料３**（1129ページ・1130ページ）を参照）を提出するとともに所定のやむを得ない事由を証する書類の添付が必要とされています。

(6)　相続税の申告期限までに特定計画山林の課税特例の対象とされる特例対象山林の全部又は一部が共同相続人又は包括受遺者によって分割されなかったことにより、小規模宅地等の選択がされず小規模宅地等の課税特例の規定の適用を受けなかった場合で、当該申告期限後に当該特例対象山林の全部又は一部が分割されることにより当該申告期限において既に分割された特例対象宅地等について小規模宅地等の課税特例の規定の適用を受けようとする場合

• その旨並びに分割されていない理由及び分割の見込みの詳細を明らかにした書類

**参考**　実務上の取扱いでは、『申告期限後３年以内の分割見込書』（**参考資料２**（1127ページ・1128ページ）を参照）を用いるものとされています。

**備考**　相続税の申告期限後３年を経過する日までに当該特例対象山林が分割されなかったことにつき、相続又は遺贈につき訴えの提起がされたことその他のやむを得ない事情がある場合には当該申告期限後３年を経過する日の翌日から２か月を経過する日までに『遺産が未分割であることについてやむを得ない事由がある旨の承認申請書』（**参考資料３**（1129ページ・1130ページ）を参照）を提出するとともに所定のやむを得ない事由を証する書類の添付が必要とされています。

なお、上記(イ)から(ヘ)までに掲げる各区分において、相続税の申告書の提出がなかった場合又はそれぞれに掲げる記載若しくは添付がない相続税の申告書の提出があった場合においても、その提出又は記載若しくは添付がなかったことについてやむを得ない事情があると税務署長が認めるときは、当該記載をした書類及び上記の各区分に掲げるそれぞれの書類の提出があった場合に限り、小規模宅地等の課税特例の規定を適用することができるものとされています。

(注)　上記のなお書きはいわゆる『ゆう恕規定』と呼ばれるものですが、その適用要件として「やむを得ない事情があると認めるとき」とあり、単なる不知や失念はこれに該当しないものと考えられます。

## 参考資料１　相続税の申告書（課税時期が令和２年４月１日以降に到来した場合）

### 小規模宅地等についての課税価格の計算明細書

ＦＤ３５４９

第11・11の２表の付表１（令和２年４月分以降用）

○この申告書は機械で読み取りますので、黒ボールペンで記入してください。

| 被相続人 | |
|---|---|

この表は、小規模宅地等の特例（租税特別措置法第69条の４第１項）の適用を受ける場合に記入します。
なお、被相続人から、相続、遺贈又は相続時精算課税に係る贈与により取得した財産のうちに、「特定計画山林の特例」の対象となり得る財産又は「個人の事業用資産についての相続税の納税猶予及び免除」の対象となり得る宅地等その他一定の財産がある場合には、第11・11の２表の付表２を、「特定事業用資産の特例」の対象となり得る財産がある場合には、第11・11の２表の付表２の２を作成します（第11・11の２表の付表２又は付表２の２を作成する場合には、この表の「１ **特例の適用にあたっての同意**」欄の記入を要しません。）。
（注）この表の１又は２の各欄に記入しきれない場合には、第11・11の２表の付表１(続）を使用します。

**１　特例の適用にあたっての同意**
この欄は、小規模宅地等の特例の対象となり得る宅地等を取得した全ての人が次の内容に同意する場合に、その宅地等を取得した全ての人の氏名を記入します。

私(私たち)は、「２ 小規模宅地等の明細」の①欄の取得者が、小規模宅地等の特例の適用を受けるものとして選択した宅地等又はその一部(「２ 小規模宅地等の明細」の⑤欄で選択した宅地等)の全てが限度面積要件を満たすものであることを確認の上、その取得者が小規模宅地等の特例の適用を受けることに同意します。

| 氏名 | | | |
|---|---|---|---|
| | | | |

（注）小規模宅地等の特例の対象となり得る宅地等を取得した全ての人の同意がなければ、この特例の適用を受けることはできません。

**２　小規模宅地等の明細**
この欄は、小規模宅地等の特例の対象となり得る宅地等を取得した人のうち、その特例の適用を受ける人が選択した小規模宅地等の明細等を記載し、相続税の課税価格に算入する価額を計算します。
**「小規模宅地等の種類」欄は、選択した小規模宅地等の種類に応じて次の１～４の番号を記入します。**
小規模宅地等の種類：[1] 特定居住用宅地等、[2] 特定事業用宅地等、[3] 特定同族会社事業用宅地等、[4] 貸付事業用宅地等

| 選択した小規模宅地等 | 小規模宅地等の種類（１～４の番号を記入します。） | | |
|---|---|---|---|
| | | ① 特例の適用を受ける取得者の氏名〔事業内容〕 | ⑤ ③のうち小規模宅地等(「**限度面積要件**」を満たす宅地等)の面積 |
| | | ② 所在地番 | ⑥ ④のうち小規模宅地等(④×⑤/③)の価額 |
| | | ③ 取得者の持分に応ずる宅地等の面積 | ⑦ 課税価格の計算に当たって減額される金額(⑥×⑨) |
| | | ④ 取得者の持分に応ずる宅地等の価額 | ⑧ 課税価格に算入する価額(④－⑦) |
| | □ | ①〔　〕 | ⑤ ㎡ |
| | | ② | ⑥ 円 |
| | | ③ ㎡ | ⑦ 円 |
| | | ④ 円 | ⑧ 円 |
| | □ | ①〔　〕 | ⑤ ㎡ |
| | | ② | ⑥ 円 |
| | | ③ ㎡ | ⑦ 円 |
| | | ④ 円 | ⑧ 円 |
| | □ | ①〔　〕 | ⑤ ㎡ |
| | | ② | ⑥ 円 |
| | | ③ ㎡ | ⑦ 円 |
| | | ④ 円 | ⑧ 円 |

(注)１　①欄の「〔　〕」は、選択した小規模宅地等が被相続人等の事業用宅地等([2]、[3]又は[4])である場合に、相続開始の直前にその宅地等の上で行われていた被相続人等の事業について、例えば、飲食サービス業、法律事務所、貸家などのように具体的に記入します。
２　小規模宅地等を選択する一の宅地等が共有である場合又は一の宅地等が貸家建付地である場合において、その評価額の計算上「賃貸割合」が１でないときには、第11・11の２表の付表１（別表１）を作成します。
３　小規模宅地等を選択する宅地等が、配偶者居住権に基づく敷地利用権又は配偶者居住権の目的となっている建物の敷地の用に供される宅地等である場合には、第11・11の２表の付表１（別表１の２）を作成します。
４　⑧欄の金額を第11表の「財産の明細」の「価額」欄に転記します。

**○　「限度面積要件」の判定**
上記「２ 小規模宅地等の明細」の⑤欄で選択した宅地等の全てが限度面積要件を満たすものであることを、この表の各欄を記入することにより判定します。

※の項目は記入する必要がありません。

| 小規模宅地等の区分 | | 被相続人等の居住用宅地等 | 被相続人等の事業用宅地等 | | |
|---|---|---|---|---|---|
| 小規模宅地等の種類 | | [1] 特定居住用宅地等 | [2] 特定事業用宅地等 | [3] 特定同族会社事業用宅地等 | [4] 貸付事業用宅地等 |
| ⑨ 減額割合 | | 80/100 | 80/100 | 80/100 | 50/100 |
| ⑩ ⑤の小規模宅地等の面積の合計 | | ㎡ | ㎡ | ㎡ | ㎡ |
| ⑪ 限度面積 | イ 小規模宅地等のうちに[4]貸付事業用宅地等がない場合 | 〔[1]の⑩の面積〕 ≦330㎡ | 〔[2]の⑩及び[3]の⑩の面積の合計〕 ㎡ ≦ 400㎡ | | |
| | ロ 小規模宅地等のうちに[4]貸付事業用宅地等がある場合 | 〔[1]の⑩の面積〕 ㎡ × 200/330 ＋ | 〔[2]の⑩及び[3]の⑩の面積の合計〕 ㎡ × 200/400 ＋ | 〔[4]の⑩の面積〕 ㎡ ≦ 200㎡ | |

(注)　限度面積は、小規模宅地等の種類(「[4] 貸付事業用宅地等」の選択の有無)に応じて、⑪欄(イ又はロ)により判定を行います。「限度面積要件」を満たす場合に限り、この特例の適用を受けることができます。

| ※税務署整理欄 | 年分 | | 名簿番号 | | 申告年月日 | | 一連番号 | | グループ番号 | | 補完 | |
|---|---|---|---|---|---|---|---|---|---|---|---|---|

第11・11の２表の付表１（令2.7）　　（資４－20－12－３－１－Ａ４統一）

# 小規模宅地等についての課税価格の計算明細書（続）

ＦＤ３５５０

第11・11の2表の付表1（続）（令和2年4月分以降用）

○この申告書は機械で読み取りますので、黒ボールペンで記入してください。

| 被相続人 | |
|---|---|

## 1　特例の適用にあたっての同意

この欄は、小規模宅地等の特例の対象となり得る宅地等を取得した全ての人が次の内容に同意する場合に、その宅地等を取得した全ての人の氏名を記入します。

私（私たち）は、「2 小規模宅地等の明細」の①欄の取得者が、小規模宅地等の特例の適用を受けるものとして選択した宅地等又はその一部（「2 小規模宅地等の明細」の⑤欄で選択した宅地等）の全てが限度面積要件を満たすものであることを確認の上、その取得者が小規模宅地等の特例の適用を受けることに同意します。

| 氏名 | | | |
|---|---|---|---|
| | | | |

（注）小規模宅地等の特例の対象となり得る宅地等を取得した全ての人の同意がなければ、この特例の適用を受けることはできません。

## 2　小規模宅地等の明細

この欄は、小規模宅地等の特例の対象となり得る宅地等を取得した人のうち、その特例の適用を受ける人が選択した小規模宅地等の明細等を記載し、相続税の課税価格に算入する価額を計算します。

「小規模宅地等の種類」欄は、選択した小規模宅地等の種類に応じて次の1～4の番号を記入します。

小規模宅地等の種類：1 特定居住用宅地等、2 特定事業用宅地等、3 特定同族会社事業用宅地等、4 貸付事業用宅地等

| | 小規模宅地等の種類<br>1～4の番号を記入します。 | ① 特例の適用を受ける取得者の氏名〔事業内容〕<br>② 所在地番<br>③ 取得者の持分に応ずる宅地等の面積<br>④ 取得者の持分に応ずる宅地等の価額 | ⑤ ③のうち小規模宅地等（「限度面積要件」を満たす宅地等）の面積<br>⑥ ④のうち小規模宅地等（④×$\frac{⑤}{③}$）の価額<br>⑦ 課税価格の計算に当たって減額される金額（⑥×⑨）<br>⑧ 課税価格に算入する価額（④－⑦） |
|---|---|---|---|
| 選択した小規模宅地等 | | ①〔　〕<br>②<br>③ ㎡<br>④ 円 | ⑤ ㎡<br>⑥ 円<br>⑦ 円<br>⑧ 円 |
| | | ①〔　〕<br>②<br>③ ㎡<br>④ 円 | ⑤ ㎡<br>⑥ 円<br>⑦ 円<br>⑧ 円 |
| | | ①〔　〕<br>②<br>③ ㎡<br>④ 円 | ⑤ ㎡<br>⑥ 円<br>⑦ 円<br>⑧ 円 |
| | | ①〔　〕<br>②<br>③ ㎡<br>④ 円 | ⑤ ㎡<br>⑥ 円<br>⑦ 円<br>⑧ 円 |
| | | ①〔　〕<br>②<br>③ ㎡<br>④ 円 | ⑤ ㎡<br>⑥ 円<br>⑦ 円<br>⑧ 円 |

（注）1　①欄の「〔　〕」は、選択した小規模宅地等が被相続人等の事業用宅地等（2、3又は4）である場合に、相続開始の直前にその宅地等の上で行われていた被相続人等の事業について、例えば、飲食サービス業、法律事務所、貸家などのように具体的に記入します。

2　小規模宅地等を選択する一の宅地等が共有である場合又は一の宅地等が貸家建付地である場合において、その評価額の計算上「賃貸割合」が1でないときには、第11・11の2表の付表1（別表1）を作成します。

3　小規模宅地等を選択する宅地等が、配偶者居住権に基づく敷地利用権又は配偶者居住権の目的となっている建物の敷地の用に供される宅地等である場合には、第11・11の2表の付表1（別表1の2）を作成します。

4　⑧欄の金額を第11表の「財産の明細」の「価額」欄に転記します。

※の項目は記入する必要がありません。

| ※税務署整理欄 | 年分 | | 名簿番号 | | 申告年月日 | | 一連番号 | | グループ番号 | | 補完 | |
|---|---|---|---|---|---|---|---|---|---|---|---|---|

第11・11の2表の付表1（続）（令2.7）　（資4－20－12－3－2－A4統一）

# 小規模宅地等についての課税価格の計算明細書（別表１）

| 被相続人 | |
|---|---|

第11・11の２表の付表１（別表１）（令和２年４月分以降用）

この計算明細書は、特例の対象として小規模宅地等を選択する一の宅地等（注１）が、次のいずれかに該当する場合に一の宅地等ごとに作成します（注２）。

1　相続又は遺贈により一の宅地等を２人以上の相続人又は受遺者が取得している場合

2　一の宅地等の全部又は一部が、貸家建付地である場合において、貸家建付地の評価額の計算上「賃貸割合」が「1」でない場合

（注）1　一の宅地等とは、一棟の建物又は構築物の敷地をいいます。ただし、マンションなどの区分所有建物の場合には、区分所有された建物の部分に係る敷地をいいます。

2　一の宅地等が、配偶者居住権に基づく敷地利用権又は配偶者居住権の目的となっている建物の敷地の用の供される宅地等である場合には、この計算明細書によらず、第11・11の２表の付表１（別表１の２）を使用してください。

## 1　一の宅地等の所在地、面積及び評価額

一の宅地等について、宅地等の「所在地」、「面積」及び相続開始の直前における宅地等の利用区分に応じて「面積」及び「評価額」を記入します。

(1)　「①宅地等の面積」欄は、一の宅地等が持分である場合には、持分に応ずる面積を記入してください。

(2)　上記２に該当する場合には、⑪欄については、⑤欄の面積を基に自用地として評価した金額を記入してください。

| | | | |
|---|---|---|---|
| 宅地等の所在地 | | ①宅地等の面積 | ㎡ |
| | 相続開始の直前における宅地等の利用区分 | 面積（㎡） | 評価額（円） |
| A | ①のうち被相続人等の事業の用に供されていた宅地等<br>（B、C及びDに該当するものを除きます。） | ② | ⑧ |
| B | ①のうち特定同族会社の事業（貸付事業を除きます。）の用に供されていた宅地等 | ③ | ⑨ |
| C | ①のうち被相続人等の貸付事業の用に供されていた宅地等<br>（相続開始の時において継続的に貸付事業の用に供されていると認められる部分の敷地） | ④ | ⑩ |
| D | ①のうち被相続人等の貸付事業の用に供されていた宅地等<br>（Cに該当する部分以外の部分の敷地） | ⑤ | ⑪ |
| E | ①のうち被相続人等の居住の用に供されていた宅地等 | ⑥ | ⑫ |
| F | ①のうちAからEの宅地等に該当しない宅地等 | ⑦ | ⑬ |

## 2　一の宅地等の取得者ごとの面積及び評価額

上記のAからFまでの宅地等の「面積」及び「評価額」を、宅地等の取得者ごとに記入します。

(1)　「持分割合」欄は、宅地等の取得者が相続又は遺贈により取得した持分割合を記入します。一の宅地等を１人で取得した場合には、「1／1」と記入します。

(2)　「1　持分に応じた宅地等」は、上記のAからFまでに記入した一の宅地等の「面積」及び「評価額」を「持分割合」を用いてあん分して計算した「面積」及び「評価額」を記入します。

(3)　「2　左記の宅地等のうち選択特例対象宅地等」は、「1　持分に応じた宅地等」に記入した「面積」及び「評価額」のうち、特例の対象として選択する部分を記入します。なお、Bの宅地等の場合は、上段に「特定同族会社事業用宅地等」として選択する部分の、下段に「貸付事業用宅地等」として選択する部分の「面積」及び「評価額」をそれぞれ記入します。

「2　左記の宅地等のうち選択特例対象宅地等」に記入した宅地等の「面積」及び「評価額」は、「申告書第11・11の２表の付表１」の「2小規模宅地等の明細」の「③取得者の持分に応ずる宅地等の面積」欄及び「④取得者の持分に応ずる宅地等の価額」欄に転記します。

(4)　「3　特例の対象とならない宅地等（1－2）」には、「1　持分に応じた宅地等」のうち「2　左記の宅地等のうち選択特例対象宅地等」欄に記入した以外の宅地等について記入します。この欄に記入した「面積」及び「評価額」は、申告書第11表に転記します。

| | | | | | | |
|---|---|---|---|---|---|---|
| 宅地等の取得者氏名 | | | ⑭持分割合 | ／ | | |
| | 1　持分に応じた宅地等 | | 2　左記の宅地等のうち選択特例対象宅地等 | | 3　特例の対象とならない宅地等（1－2） | |
| | 面積（㎡） | 評価額（円） | 面積（㎡） | 評価額（円） | 面積（㎡） | 評価額（円） |
| A | ②×⑭ | ⑧×⑭ | | | | |
| B | ③×⑭ | ⑨×⑭ | | | | |
| C | ④×⑭ | ⑩×⑭ | | | | |
| D | ⑤×⑭ | ⑪×⑭ | | | | |
| E | ⑥×⑭ | ⑫×⑭ | | | | |
| F | ⑦×⑭ | ⑬×⑭ | | | | |

| | | | | | | |
|---|---|---|---|---|---|---|
| 宅地等の取得者氏名 | | | ⑮持分割合 | ／ | | |
| | 1　持分に応じた宅地等 | | 2　左記の宅地等のうち選択特例対象宅地等 | | 3　特例の対象とならない宅地等（1－2） | |
| | 面積（㎡） | 評価額（円） | 面積（㎡） | 評価額（円） | 面積（㎡） | 評価額（円） |
| A | ②×⑮ | ⑧×⑮ | | | | |
| B | ③×⑮ | ⑨×⑮ | | | | |
| C | ④×⑮ | ⑩×⑮ | | | | |
| D | ⑤×⑮ | ⑪×⑮ | | | | |
| E | ⑥×⑮ | ⑫×⑮ | | | | |
| F | ⑦×⑮ | ⑬×⑮ | | | | |

第11・11の２表の付表１（別表１）（令2.7）　　（資４－20－12－３－５－Ａ４統一）

# 小規模宅地等についての課税価格の計算明細書（別表１の２）

| 被相続人 | |
|---|---|

第11・11の2表の付表1（別表1の2）（令和2年4月分以降用）

この計算明細書は、特例の対象として小規模宅地等を選択する一の宅地等（注）が配偶者居住権の目的となっている建物の敷地の用に供される宅地等（以下「居住建物の敷地の用に供される土地」といいます。）又はその宅地等を配偶者居住権に基づき使用する権利（以下「配偶者居住権に基づく敷地利用権」といいます。）の全部又は一部である場合に作成します。
なお、この計算明細書の書きかた等については、裏面をご覧ください。
（注）一の宅地等とは、一棟の建物又は構築物の敷地をいいます。ただし、マンションなどの区分所有建物の場合には、区分所有された建物の部分に係る敷地をいいます。

## 1　一の宅地等の所在地、面積及び評価額

| 宅地等の所在地 | | ①宅地等の面積 | ㎡ |
|---|---|---|---|

| | 相続開始の直前における宅地等の利用区分 | 面積（㎡） | 評価額（円） | |
|---|---|---|---|---|
| | | | 配偶者居住権に基づく敷地利用権 | 居住建物の敷地の用に供される土地 |
| A | ①のうち被相続人等の事業の用に供されていた宅地等（B、C及びDに該当するものを除きます。） | ② | ⑧ | ⑭ |
| B | ①のうち特定同族会社の事業（貸付事業を除きます。）の用に供されていた宅地等 | ③ | ⑨（１次相続の場合は０としてください。） | ⑮ |
| C | ①のうち被相続人等の貸付事業の用に供されていた宅地等（相続開始の時において継続的に貸付事業の用に供されていると認められる部分の敷地） | ④ | ⑩（１次相続の場合は０としてください。） | ⑯ |
| D | ①のうち被相続人等の貸付事業の用に供されていた宅地等（Cに該当する部分以外の部分の敷地） | ⑤ | ⑪ | ⑰ |
| E | ①のうち被相続人等の居住の用に供されていた宅地等 | ⑥ | ⑫ | ⑱ |
| F | ①のうちAからEの宅地等に該当しない宅地等 | ⑦ | ⑬ | ⑲ |

## 2　一の宅地等の取得者ごとの面積及び評価額

| ⅰ 配偶者居住権に基づく敷地利用権の取得者氏名 | | | | | | |
|---|---|---|---|---|---|---|
| | 1　利用区分に応じた宅地等 | | 2　左記の宅地等のうち選択特例対象宅地等 | | 3　特例の対象とならない宅地等（1－2） | |
| | 面積（㎡） | 評価額（円） | 面積（㎡） | 評価額（円） | 面積（㎡） | 評価額（円） |
| A | ②×⑧/(⑧+⑭) | ⑧ | | | | |
| B | ③×⑨/(⑨+⑮) | ⑨ | | | | |
| C | ④×⑩/(⑩+⑯) | ⑩ | | | | |
| D | ⑤×⑪/(⑪+⑰) | ⑪ | | | | |
| E | ⑥×⑫/(⑫+⑱) | ⑫ | | | | |
| F | ⑦×⑬/(⑬+⑲) | ⑬ | | | | |

| ⅱ 居住建物の敷地の用に供される土地の取得者氏名 | | | | ⑳持分割合 | ／ | |
|---|---|---|---|---|---|---|
| | 1　持分に応じた宅地等 | | 2　左記の宅地等のうち選択特例対象宅地等 | | 3　特例の対象とならない宅地等（1－2） | |
| | 面積（㎡） | 評価額（円） | 面積（㎡） | 評価額（円） | 面積（㎡） | 評価額（円） |
| A | ②×⑭/(⑧+⑭)×⑳ | ⑭×⑳ | | | | |
| B | ③×⑮/(⑨+⑮)×⑳ | ⑮×⑳ | | | | |
| C | ④×⑯/(⑩+⑯)×⑳ | ⑯×⑳ | | | | |
| D | ⑤×⑰/(⑪+⑰)×⑳ | ⑰×⑳ | | | | |
| E | ⑥×⑱/(⑫+⑱)×⑳ | ⑱×⑳ | | | | |
| F | ⑦×⑲/(⑬+⑲)×⑳ | ⑲×⑳ | | | | |

| ⅲ 居住建物の敷地の用に供される土地の取得者氏名 | | | | ㉑持分割合 | ／ | |
|---|---|---|---|---|---|---|
| | 1　持分に応じた宅地等 | | 2　左記の宅地等のうち選択特例対象宅地等 | | 3　特例の対象とならない宅地等（1－2） | |
| | 面積（㎡） | 評価額（円） | 面積（㎡） | 評価額（円） | 面積（㎡） | 評価額（円） |
| A | ②×⑭/(⑧+⑭)×㉑ | ⑭×㉑ | | | | |
| B | ③×⑮/(⑨+⑮)×㉑ | ⑮×㉑ | | | | |
| C | ④×⑯/(⑩+⑯)×㉑ | ⑯×㉑ | | | | |
| D | ⑤×⑰/(⑪+⑰)×㉑ | ⑰×㉑ | | | | |
| E | ⑥×⑱/(⑫+⑱)×㉑ | ⑱×㉑ | | | | |
| F | ⑦×⑲/(⑬+⑲)×㉑ | ⑲×㉑ | | | | |

第11・11の2表の付表1（別表1の2）（令2．7）

（資4－20－12－3－9－A4統一）

# 特定事業用宅地等についての事業規模の判定明細

| 被相続人 | |
|---|---|

第11・11の２表の付表１（別表２）（平成31年４月分以降用）

○　この表は、特定事業用宅地等として小規模宅地等の特例（租税特別措置法第69条の４第１項）の適用を受けようとする宅地等のうちに特定宅地等（相続開始前３年以内に新たに被相続人等（注1）の事業（注2）の用に供されたものをいいます。以下同じです。）（注3）が含まれる場合に、その特定宅地等に係る事業が租税特別措置法施行令第40条の２第８項に規定する規模以上のものであることを判定するために使用します。
○　特定宅地等が複数ある場合には、特定宅地等ごとに作成します。
（注）１　被相続人又はその被相続人と生計を一にしていたその被相続人の親族をいいます。
　２　租税特別措置法第69条の４第３項第１号に規定する事業をいいます。
　３　平成31年３月31日以前に新たに被相続人等の事業の用に供された宅地等は、特定宅地等には含まれません。

## １　相続開始前３年以内に新たに被相続人等の事業の用に供された宅地等の明細

（注）「②①の宅地等の面積」欄は、その宅地等が数人の共有に属していた場合には、被相続人が有していた持分に応ずる面積を記入してください。

| | | | |
|---|---|---|---|
| ①特定宅地等を含む一の宅地等の所在地 | | ②①の宅地等の面積 | ㎡ |
| ③事業主宰者の氏名 | 被相続人・生計一親族（いずれかに○） | ④③の特定宅地等に係る事業内容 | |

| 相続開始の直前における宅地等の利用区分 | | 面積（㎡） | 相続開始時の価額（円） |
|---|---|---|---|
| ⑤ | ②のうち④の事業の用に供されていた宅地等 | | |
| ⑥ | ⑤のうち相続開始前３年以内に新たに事業の用に供された宅地等（特定宅地等）［事業の用に供された日：平成・令和　　年　　月　　日］ | | A |

## ２　１④の事業の用に供されていた減価償却資産の明細等

（注）１　記入の対象となる減価償却資産は、１④の事業の用に供されていた次に掲げるもののうち１③の事業主宰者が有していたものに限ります。
　⑴　１⑥の宅地等の上に存する建物（その附属設備を含む。）又は構築物
　⑵　所得税法第２条第１項第19号に規定する減価償却資産で１⑥の宅地等の上で行われる１④の事業に係る業務の用に供されていたもの（⑴を除きます。）
２　「①相続開始時における価額」欄は、減価償却資産が数人の共有に属していた場合には、１③の事業主宰者が有していた持分に応ずる価額を記入してください。
３　「②事業専用割合」欄は、減価償却資産のうちに１④の事業の用以外の用に供されていた部分がある場合には、１④の事業の用に供されていた部分の割合を記入してください（それ以外の場合には、「$\frac{1}{1}$」と記入してください。）。

| 種類 | 細目 | 利用区分等 | 所在場所等 | 数量／固定資産税評価額 | 単価／倍数 | ①相続開始時における価額 | ②事業専用割合 | ③（①×②） |
|---|---|---|---|---|---|---|---|---|
| | | | | | | 円 | ―― | 円 |
| | | | | | | | ―― | |
| | | | | | | | ―― | |
| | | | | | | | ―― | |
| | | | | | | | ―― | |
| | | | | | | | ―― | |
| | | | | | | | ―― | |
| | | | | | | | ―― | |
| | | | | | | | ―― | |
| 計 | | | | | | | | B |

## ３　１④の事業が租税特別措置法施行令第40条の２第８項に規定する規模以上の事業であることの判定

（B＿＿＿＿＿円　÷　A＿＿＿＿＿円）×100　＝　［　　．　　％］← 15%未満になった場合には、1⑥については特例適用不可

（令２．７）　　（資４－20－12－３－８－Ａ４統一）

## 小規模宅地等の特例、特定計画山林の特例又は個人の事業用資産の納税猶予の適用にあたっての同意及び特定計画山林についての課税価格の計算明細書

| 被相続人 | |
|---|---|

第11・11の2表の付表2（令和2年4月分以降用）

### 1　特例の適用にあたっての同意

この表は、被相続人から相続、遺贈又は相続時精算課税に係る贈与により取得した財産のうちに、①「小規模宅地等の特例」の対象となり得る宅地等及び「個人の事業用資産の納税猶予」の対象となり得る宅地等その他一定の財産がある場合、又は②「特定計画山林の特例」の対象となり得る山林がある場合に記入します。

なお、「特定事業用資産の特例」の対象となり得る財産がある場合（「個人の事業用資産の納税猶予」の対象となり得る宅地等その他一定の財産がある場合を除きます。）には、第11・11の2表の付表2の2を作成します（この場合には、この表の記入を要しません。）。

#### (1)　特例の適用にあたっての同意

（注）「小規模宅地等の特例」若しくは「特定計画山林の特例」の対象となり得る財産又は「個人の事業用資産の納税猶予」の対象となり得る宅地等その他一定の財産を取得した全ての人の同意が必要です。

| 私（私たち）は下記の「(2) 特例の適用を受ける財産の明細」の①から③までの明細において選択した財産の全てが、租税特別措置法第69条の4第1項に規定する小規模宅地等、同法第69条の5第1項に規定する選択特定計画山林又は同法第70条の6の10第1項に規定する特例事業用資産のうち同条第2項第1号イに掲げるものに該当することを確認の上、その財産の取得者が租税特別措置法第69条の4第1項、第69条の5第1項又は第70条の6の10第1項に規定する特例の適用を受けることに同意します。 | 特例の対象となり得る財産を取得した全ての人の氏名 | |
|---|---|---|
| | | |
| | | |
| | | |

#### (2)　特例の適用を受ける財産の明細

（注）特例の適用を受ける財産の明細の番号を○で囲んでください。

① 小規模宅地等の明細
　第11・11の2表の付表1の「2 小規模宅地等の明細」のとおり。

② 特定（受贈）森林経営計画対象山林である選択特定計画山林の明細
　第11・11の2表の付表4の「1 特定森林経営計画対象山林である選択特定計画山林の明細」又は「2 特定受贈森林経営計画対象山林である選択特定計画山林の明細」のとおり。

③ 特例事業用資産のうち租税特別措置法第70条の6の10第2項第1号イに掲げるものの明細
　第8の6表の付表3の「2　この特例の適用を受ける宅地等に係る限度面積の判定」の(2)及び(3)のとおり。

### 2　特定計画山林の特例の対象となる特定計画山林等の調整限度額の計算

この表は、「特定計画山林の特例」を適用し、かつ、「小規模宅地等の特例」又は「個人の事業用資産の納税猶予」を適用する場合に記入します。

なお、「特定事業用資産の特例」の適用を受ける場合の「特定計画山林の対象となる特定（受贈）森林経営計画対象山林の調整限度額等の計算」については、第11・11の2表の付表2の2で計算します。

#### (1)　小規模宅地等の特例及び個人の事業用資産の納税猶予の適用を受ける面積

| ① 限度面積 | ② 小規模宅地等の特例等の適用を受ける面積（裏面2参照） | ③ 特例適用残面積（①－②） |
|---|---|---|
| 200㎡ | ㎡ | ㎡ |

#### (2)　特定計画山林の特例の対象となる特定（受贈）森林経営計画対象山林の調整限度額等の計算

| ④ 特定計画山林の特例の対象として選択することのできる特定（受贈）森林経営計画対象山林である立木又は土地等の価額の合計額 | ⑤ 特例の対象となる特定（受贈）森林経営計画対象山林の調整限度額（④×$\frac{③}{①}$） | ⑥ ⑤のうち特例の適用を受ける価額（第11・11の2表の付表4の「3 特定（受贈）森林経営計画対象山林である選択特定計画山林の価額の合計額」の「A＋B」欄の金額） | |
|---|---|---|---|
| 円 | 円 | 円 | |

（注）③欄が0となる場合には、特定（受贈）森林経営計画対象山林について特定計画山林の特例の適用を受けることはできません。

第11・11の2表の付表2（令2.7）　　（資4－20－12－3－6－A4統一）

# 特定事業用資産等についての課税価格の計算明細書

| 被相続人 | |
|---|---|

第11・11の２表の付表２の２（平成31年１月分以降用）

この表は、被相続人から相続、遺贈又は相続時精算課税に係る贈与により取得した財産のうちに、「特定事業用資産の特例」の対象となり得る財産がある場合に記入します(裏面1参照)。

## 1　特例の適用にあたっての同意

（注）「小規模宅地等の特例」、「特定計画山林の特例」又は「特定事業用資産の特例」の対象となり得る財産を取得した全ての人の同意が必要です。

| 私（私たち）は下記の「２　特例の適用を受ける財産の明細」の(1)から(3)までの明細において選択した財産の全てが、租税特別措置法第69条の４第１項に規定する小規模宅地等、同法第69条の５第１項に規定する選択特定計画山林又は旧租税特別措置法第69条の５第１項に規定する選択特定事業用資産に該当することを確認の上、その財産の取得者が租税特別措置法第69条の４第１項、第69条の５第１項又は旧租税特別措置法第69条の５第１項に規定する特例の適用を受けることに同意します。 | 特例の対象となり得る財産を取得した全ての人の氏名 | |
|---|---|---|
| | | |
| | | |
| | | |

## 2　特例の適用を受ける財産の明細

（注）特例の適用を受ける財産の明細の番号を○で囲んでください。

(1)　小規模宅地等の明細
　第11・11の２表の付表１の「２　小規模宅地等の明細」のとおり。
(2)　特定受贈同族会社株式等である選択特定事業用資産の明細
　第11・11の２表の付表３のとおり。
(3)　特定（受贈）森林経営計画対象山林である選択特定計画山林の明細
　第11・11の２表の付表４の「１　特定森林経営計画対象山林である選択特定計画山林の明細」又は「２　特定受贈森林経営計画対象山林である選択特定計画山林の明細」のとおり。

## 3　特定計画山林の特例の対象となる特定計画山林等の調整限度額の計算

この欄は、「特定事業用資産の特例」を適用し、かつ、「小規模宅地等の特例」又は「特定計画山林の特例」を適用する場合に記入します。

### (1)　小規模宅地等の特例の適用を受ける面積

| | ① 限度面積 | ② 特例の適用を受ける面積（裏面2参照） | ③ 特例適用残面積（①−②） |
|---|---|---|---|
| | 400㎡ | ㎡ | ㎡ |

### (2)　特定事業用資産の特例の対象となる特定受贈同族会社株式等の調整限度額等の計算

| ④ 特定事業用資産の特例の対象として選択することのできる特定受贈同族会社株式等に係る各法人の株式（出資）の時価総額の$\frac{2}{3}$に相当する金額の合計額<br>※　10億円を超える場合は10億円となります。 | ⑤ 特例の対象となる特定受贈同族会社株式等の調整限度額<br>（④×$\frac{③}{①}$） | ⑥ ⑤のうち特例の適用を受ける価額（第11・11の２表の付表３の特定受贈同族会社株式等である選択特定事業用資産の価額の合計額（⑧欄の金額）） | ⑦ 特例適用残価額<br>（⑤−⑥） |
|---|---|---|---|
| 円 | 円 | 円 | 円 |

（注）１　③欄が０となる場合には、特定受贈同族会社株式等について特定事業用資産の特例の適用を受けることはできません。
　　２　小規模宅地等の特例の適用がない場合には、⑤欄には④欄の金額を転記します。
　　３　被相続人が生前に特定受贈同族会社株式等の贈与をしている場合の④欄の金額については、税務署にお尋ねください。

### (3)　特定計画山林の特例の対象となる特定（受贈）森林経営計画対象山林の調整限度額等の計算

| ⑧ 特定計画山林の特例の対象として選択することのできる特定（受贈）森林経営計画対象山林である立木又は土地等の価額の合計額 | ⑨ 特例の対象となる特定（受贈）森林経営計画対象山林の調整限度額<br>（⑧×$\frac{⑦}{④}$） | ⑩ ⑨のうち特例の適用を受ける価額（第11・11の２表の付表４の「３　特定（受贈）森林経営計画対象山林である選択特定計画山林の価額の合計額」の「Ａ＋Ｂ」欄の金額） | |
|---|---|---|---|
| 円 | 円 | 円 | |

（注）　③欄が０となる場合又は⑦欄が０となる場合には、特定（受贈）森林経営計画対象山林について特定計画山林の特例の適用を受けることはできません。

第11・11の２表の付表２の２（令2.7）　　（資４−20−12−３−７−Ａ４統一）

## 特定受贈同族会社株式等である選択特定事業用資産についての課税価格の計算明細

| 被相続人 | |
|---|---|

第11・11の２表の付表３（平成31年１月分以降用）

この欄は、特例の対象として特定受贈同族会社株式等である特定事業用資産を選択する場合に記入します。

| | 贈与年月日／届け出た税務署名 | 法人名 | 特例の適用を受ける取得者の氏名／役員であった期間（その期間における役職名） | ① 1単位当たりの時価 | ② 相続時精算課税に係る贈与によって取得した株式（出資）の単位数／③ 価額（①×②） | ④ ②のうち特例の対象として選択した株式（出資）の単位数／⑤ 価額（①×④） | ⑥ 課税価格の計算に当たって減額される金額（⑤×$\frac{10}{100}$） | ⑦ 課税価格に算入する価額（③－⑥） |
|---|---|---|---|---|---|---|---|---|
| 選択した特定受贈同族会社株式等 | | | | 円 | 株・円・口 | 株・円・口 | 円 | 円 |
| | | | （　　　） | | 円 | 円 | | |
| | | | | | | | | |
| | | | （　　　） | | | | | |
| | | | | | | | | |
| | | | （　　　） | | | | | |
| | | | | | | | | |
| | | | （　　　） | | | | | |
| | | | | | | | | |
| | | | （　　　） | | | | | |
| 合計 | | | | | | | | |
| | | | 10億円を超える場合は特例適用不可 ➡ | | | ⑧ | | |

（注）１　①欄は、贈与時の価額を記入します。ただし、選択した特定受贈同族会社株式等について租税特別措置法施行令等の一部を改正する政令（平成21年政令第108号）による改正前の租税特別措置法施行令第40条の２の２第10項に規定する会社分割等があった場合には、第11・11の２表の付表３の２の⑰欄又は⑱欄の金額を記入します。

２　⑦欄の金額と⑦欄の金額に係る第11・11の２表の付表３の２の⑲欄の金額の合計額を第11の２表の「２　相続時精算課税適用財産（１の④）の明細」の③の「価額」欄に記入します。

３　上記に記入しきれないときは、適宜の用紙に特定受贈同族会社株式等である選択特定事業用資産の明細を記載して添付してください。

４　小規模宅地等の特例を適用した場合には、第11・11の２表の付表２の２の「３　特定計画山林の対象となる特定計画山林等の調整限度額の計算」の⑤欄の価額を上記「⑧」の金額を限度として、特定受贈同族会社株式等を特定事業用資産の特例の対象として選択することができます。

第11・11の２表の付表３（令２.７）　　（資４－20－12－５－１－Ａ４統一）

## 特定受贈同族会社株式等について会社分割等があった場合の特例の対象となる価額等の計算明細

第11・11の２表の付表３の２（平成21年４月分以降用）

| 被相続人 | |
|---|---|
| 特定事業用資産相続人等 | |

この表は、相続税の申告期限までに特定事業用資産相続人等が有する特定受贈同族会社株式等について旧租税特別措置法施行令第40条の２の２第10項に規定する会社分割等があった場合に記入します。
なお、この表は、会社分割等があった都度、特定事業用資産相続人等ごとに記入します。

| | | | | |
|---|---|---|---|---|
| ア　会社分割等があった特定受贈同族会社株式等（以下「分割等対象株式等」といいます。）に係る法人の名称、会社分割等の事由等<br>（「会社分割等」には、資本金の額若しくは資本剰余金の額の減少を伴わない剰余金の配当（法人税法第２条第12号の９に規定する分割型分割を除きます。）又は利益の配当、自己株式の取得、一定の要件を満たさない法人の合併、株式交換及び株式移転などは含まれません。） | 法人名 | | 法人の整理番号 | |
| | | | 所轄税務署名 | 署 |
| | 会社分割等の日 | ・　・ | 会社分割等の事由 | |
| | 贈与年月日 | ・　・ | | |
| イ　対応株式に係る法人の名称等<br>（会社分割等により旧租税特別措置法施行令第40条の２の２第11項に規定する対応株式（以下「対応株式」といいます。）を取得している場合には、その対応株式に係る法人について記入します。） | 法人名 | | 法人の整理番号 | |
| | | | 所轄税務署名 | 署 |
| ウ　非対応株式に係る法人の名称等<br>（会社分割等によりイに掲げる対応株式以外の特定受贈同族会社株式等に対応する株式又は出資（以下「非対応株式」といいます。）を取得している場合には、その非対応株式に係る法人について記入します。） | 法人名 | | 法人の整理番号 | |
| | | | 所轄税務署名 | 署 |

### 1　会社分割等前株式等総額の計算

| ①アの法人の分割等対象株式等の1単位当たりの価額 | ②会社分割等時前に特定事業用資産相続人等が有していたアの法人に係る分割等対象株式等の数又は額 | ③会社分割等前株式等総額（①×②） |
|---|---|---|
| 円 | 株・口 | 円 |

### 2　旧租税特別措置法施行令第40条の２の２第10項第１号の金額の計算

| ④会社分割等時後におけるアの法人の資本金等の額 | ⑤会社分割等時後におけるアの法人の発行済株式の総数又は出資の総額 | ⑥会社分割等時後に特定事業用資産相続人等が有するアの法人に係る分割等対象株式等の数又は額 | ⑦旧租税特別措置法施行令第40条の２の２第10項第１号の金額（$\frac{④}{⑤}$×⑥） |
|---|---|---|---|
| 円 | 株・口 | 株・口 | 円 |

### 3　旧租税特別措置法施行令第40条の２の２第10項第２号の金額の計算

| ⑧会社分割等時後におけるイの法人の資本金等の額 | ⑨会社分割等時後におけるイの法人の発行済株式の総数又は出資の総額 | ⑩会社分割等により特定事業用資産相続人等が取得したイの法人の対応株式の数又は額 | ⑪旧租税特別措置法施行令第40条の２の２第10項第２号の金額（$\frac{⑧}{⑨}$×⑩） |
|---|---|---|---|
| 円 | 株・口 | 株・口 | 円 |

### 4　旧租税特別措置法施行令第40条の２の２第10項第３号の金額の合計額の計算

| ⑫旧租税特別措置法施行令第40条の２の２第10項第３号イの金額 | ⑬会社分割等時後におけるウの法人の資本金等の額 | ⑭会社分割等時後におけるウの法人の発行済株式の総数又は出資の総額 | ⑮会社分割等により特定事業用資産相続人等が取得したウの法人の非対応株式の数又は額 | ⑯旧租税特別措置法施行令第40条の２の２第10項第３号の金額の合計額（⑫＋$\frac{⑬}{⑭}$×⑮） |
|---|---|---|---|---|
| 円 | 円 | 株・口 | 株・口 | 円 |

| | | | |
|---|---|---|---|
| 5　アの法人の分割等対象株式等の１単位当たりの時価 | （③×$\frac{⑦}{(⑦+⑪+⑯)}$÷⑥） | ⑰ | 円 |
| 6　イの法人の対応株式の１単位当たりの時価 | （③×$\frac{⑪}{(⑦+⑪+⑯)}$÷⑩） | ⑱ | 円 |
| 7　特定事業用資産の特例の対象とならない金額 | （③×$\frac{⑯}{(⑦+⑪+⑯)}$） | ⑲ | 円 |

（注）１　この表における「特定事業用資産相続人等」とは、所得税法等の一部を改正する法律（平成21年法律第13号）による改正前の租税特別措置法第69条の５第２項第11号に規定する特定事業用資産相続人をいいます。
２　①欄の価額は、会社分割等が初めてあった場合には、分割等対象株式等の贈与時の１単位当たりの価額を記入します。
なお、既にこの表により計算した⑰欄又は⑱欄の金額がある場合には、その金額を記入します。
３　④欄、⑧欄、⑬欄の資本金等の額は、法人税法第２条第16号に規定する資本金等の額を記入します。
４　⑤欄、⑨欄、⑭欄の発行済株式の総数には、それぞれア、イ、ウの法人が有する自己株式の数は含まれません。
５　⑦欄、⑪欄、⑯欄の金額は、各欄の金額に小数点第３位未満の端数がある場合には、その端数を原則切り捨てます。
６　⑰欄、⑱欄、⑲欄の金額は、各欄の金額に１円未満の端数がある場合には、その端数を原則切り捨てます。
７　⑰欄、⑱欄の金額を第11・11の２表の付表３の①欄に転記します。
８　特定受贈同族会社株式等について⑲欄の金額がある場合には、⑲欄の金額と当該特定受贈同族会社株式等に係る第11・11の２表の付表３の⑦欄の金額の合計額を第11の２表の「２　相続時精算課税適用財産（１の④）の明細」の③の「価額」欄に記入します。
９　「旧租税特別措置法施行令」は租税特別措置法施行令等の一部を改正する政令（平成21年政令第108号）による改正前の租税特別措置法施行令をいいます。

第11・11の２表の付表３の２（令２.７）　　（資４－20－12－５－２－Ａ４統一）

## 特定森林経営計画対象山林又は特定受贈森林経営計画対象山林である選択特定計画山林についての課税価格の計算明細

| 被相続人 | |
|---|---|

第11・11の２表の付表４（令和２年４月分以降用）

### 1　特定森林経営計画対象山林である選択特定計画山林の明細

この欄は、特例の対象として特定森林経営計画対象山林である特定計画山林を選択する場合に記入します。

| | 特例の適用を受ける取得者の氏名 | 森林経営計画の認定年月日（認定番号） | 所在場所 | 立木・土地等の別 | 面積 | ①立木・土地等の価額 | ②①のうち特例の対象として選択した立木又は土地等の価額 | ③課税価格の計算に当たって減額される金額（②× $\frac{5}{100}$ ） | ④課税価格に算入する価額（①－③） |
|---|---|---|---|---|---|---|---|---|---|
| 選択した特定森林経営計画対象山林 | | （　　） | | | ha | 円 | 円 | 円 | 円 |
| | | （　　） | | | | | | | |
| | | （　　） | | | | | | | |
| | | （　　） | | | | | | | |
| 合計 | | | | 立木 | | | | | |
| | | | | 土地等 | | | | | |
| | | | | 合計 | | | A | | |

（注）１　①欄は、相続開始時の価額を記入します。
２　④欄の金額を第11表の「財産の明細」の「価額」欄に転記します。
３　上記の「森林経営計画の認定年月日（認定番号）」は、直近の森林経営計画に係る認定年月日及び認定番号を記入してください。
４　上記に記入しきれないときは、適宜の用紙に特定森林経営計画対象山林である選択特定計画山林の明細を記載して添付してください。

### 2　特定受贈森林経営計画対象山林である選択特定計画山林の明細

この欄は、特例の対象として特定受贈森林経営計画対象山林である特定計画山林を選択する場合に記入します。

| | 贈与年月日／届け出た税務署名 | 特例の適用を受ける取得者の氏名 | 森林経営計画の認定年月日（認定番号） | 所在場所 | 立木・土地等の別 | 面積 | ①立木・土地等の価額 | ②①のうち特例の対象として選択した立木又は土地等の価額 | ③課税価格の計算に当たって減額される金額（②× $\frac{5}{100}$ ） | ④課税価格に算入する価額（①－③） |
|---|---|---|---|---|---|---|---|---|---|---|
| 選択した特定受贈森林経営計画対象山林 | | | （　　） | | | ha | 円 | 円 | 円 | 円 |
| | | | （　　） | | | | | | | |
| | | | （　　） | | | | | | | |
| | | | （　　） | | | | | | | |
| 合計 | | | | | 立木 | | | | | |
| | | | | | 土地等 | | | | | |
| | | | | | 合計 | | | B | | |

（注）１　①欄は、贈与時の価額を記入します。
２　④欄の金額を第11の２表の「２　相続時精算課税適用財産（１の④）の明細」の③の「価額」欄に転記します。
３　上記の「森林経営計画の認定年月日（認定番号）」は、直近の森林経営計画に係る認定年月日及び認定番号を記入してください。
４　上記に記入しきれないときは、適宜の用紙に特定受贈森林経営計画対象山林である選択特定計画山林の明細を記載して添付してください。

### 3　特定（受贈）森林経営計画対象山林である選択特定計画山林の価額の合計額

この欄は、「１のA」の金額と「２のB」の金額の合計額を記入してください。

| A＋B |
|---|
| 円 |

（注）　小規模宅地等の特例等を適用した場合には、第11・11の２表の付表２の「２　特定計画山林の特例の対象となる特定計画山林等の調整限度額の計算」の⑤欄の価額又は第11・11の２表の付表２の２の「３　特定計画山林の特例の対象となる特定計画山林等の調整限度額の計算」の⑨欄の価額を上記「A＋B」の金額を限度として、特定（受贈）森林経営計画対象山林を特定計画山林の特例の対象として選択することができます。

第11・11の２表の付表４（令2.7）　　（資４－20－12－６－Ａ４統一）

**第11・11の2表の付表1　小規模宅地等についての課税価格の計算明細書**

この表は、相続や遺贈によって財産を取得した人が、「小規模宅地等についての相続税の課税価格の計算の特例」の適用を受ける場合に記入します。

⑴「1　特例の適用にあたっての同意」欄

この欄は、小規模宅地等の特例の対象となり得る宅地等を取得した全ての人の氏名を記入します。その全ての人の同意がなければ特例の適用を受けることができません。

⑵「2　小規模宅地等の明細」欄

「選択した小規模宅地等」の各欄はその宅地等の利用区分ごとに記入します。

イ「小規模宅地等の種類」欄は、この特例の適用を受ける宅地等（利用の単位となっている1区画の宅地等）ごとに1番から記入します。

なお、この特例の適用を受ける宅地等を2人以上で共有取得した場合には、取得者ごとに記入しますが、「宅地等の番号」欄には、同じ番号を記入します。

ロ「⑤　③のうち小規模宅地等（「限度面積要件」を満たす宅地等）の面積」欄は、この特例の適用を受ける宅地等の面積（③欄）のうち特例の対象として選択した宅地等の面積を記入します。

⑶「○　限度面積要件の判定」欄

「2　小規模宅地等の明細」の「⑤　③のうち小規模宅地等（「限度面積要件」を満たす宅地等）の面積」欄で選択した宅地等の全てが、限度面積要件を満たすものであることを判定するために、該当する小規模宅地等の種類ごとの面積の合計を記入し、計算します。

⑷　小規模宅地等についての課税価格の計算明細書（別表1）

イ　この計算明細書は、特例の対象として小規模宅地等を選択する一の宅地等（注）が、次のいずれかに該当する場合に一の宅地等ごとに作成します。

(イ)　相続又は遺贈により一の宅地等を2人以上の相続人又は受遺者が取得している場合

(ロ)　一の宅地等の全部又は一部が、貸家建付地である場合において、貸家建付地の評価額の計算上「賃貸割合」が「1」でない場合

（注）　一の宅地等とは、一棟の建物又は構築物の敷地をいいます。ただし、マンションなどの区分所有建物の場合には、区分所有された建物の部分に係る敷地をいいます。

ロ「1　一の宅地等の所在地、面積及び評価額」

一の宅地等について、宅地等の「所在地」、「面積」及び相続開始の直前における宅地等の利用区分に応じて「面積」及び「評価額」を記入します。

(イ)「①宅地等の面積」欄は、一の宅地等が持分である場合には、持分に応ずる面積を記入してください。

(ロ)　上記イの(ロ)に該当する場合には、⑪欄については、⑤欄の面積を基に自用地として評価した金額を記入してください。

ハ「2　一の宅地等の取得者ごとの面積及び評価額」

「1　一の宅地等の所在地、面積及び評価額」の「相続開始の直前における宅地等の利用区分」欄のAからFの宅地等の「面積」及び「評価額」を、宅地等の取得者ごとに記入します。

(イ)「持分割合」欄は、宅地等の取得者が相続又は遺贈により取得した持分割合を記入します。一の宅地等を1人で取得した場合には、「1／1」と記入します。

(ロ)「1　持分に応じた宅地等」は、上記のAからFに記入した一の宅地等の「面積」及び「評価額」を「持分割合」を用いて按分して計算した「面積」及び「評価額」を記入します。

(ハ)「2　左記の宅地等のうち選択特例対象宅地等」は、「1　持分に応じた宅地等」に記入した

「面積」及び「評価額」のうち、特例の対象として選択する部分を記入します。なおＢの宅地等の場合は、上段に「特定同族会社事業用宅地等」として選択する部分の、下段に「貸付事業用宅地等」として選択する部分の「面積」及び「評価額」をそれぞれ記入します。

「２　左記の宅地等のうち選択特例対象宅地等」に記入した宅地等の「面積」及び「評価額」は、「申告書11・11の２表の付表１」の「２　小規模宅地等の明細」の「③取得者の持分に応ずる面積」欄及び「④取得者の持分に応ずる宅地等の価額」欄に転記します。

(ニ)「３　特例の対象とならない宅地等（１－２)」には、「１　持分に応じた宅地等」のうち「２　左記の宅地等のうち選択特例対象宅地等」欄に記入した以外の宅地等について記入します。

この欄に記入した「面積」及び「評価額」は、申告書第11表に転記します。

(5) 小規模宅地等についての課税価格の計算明細書（別表１の２）

イ　この計算明細書は、特例の対象として小規模宅地等を選択する一の宅地等（注）が配偶者居住権の目的となっている建物の敷地の用に供される宅地等（以下「居住建物の敷地の用に供される土地」といいます。）又はその宅地等を配偶者居住権に基づき使用する権利（以下「配偶者居住権に基づく敷地利用権」といいます。）の全部又は一部である場合に作成します。

（注）一の宅地等とは、一棟の建物又は構築物の敷地をいいます。ただし、マンションなどの区分所有建物の場合には、区分所有された建物の部分に係る敷地をいいます。

ロ「１　一の宅地等の所在地、面積及び評価額」欄

(イ) 一の宅地等について、宅地等の「所在地」、「面積」並びに相続開始の直前における宅地等の利用区分に応じて「面積」及び配偶者居住権に基づく敷地利用権と居住建物の敷地の用に供される土地の「評価額」を記入します。

(ロ)「①宅地等の面積」欄は、一の宅地等が持分である場合には、持分に応ずる面積を記入してください。

(ハ) ⑨欄及び⑩欄は、１次相続（配偶者居住権の設定に係る相続をいいます。以下同じです。）の場合には原則として「０」と記入してください。

ハ「２　一の宅地等の取得者ごとの面積及び評価額」欄

「１　一の宅地等の所在地、面積及び評価額」欄のＡからＦまでの宅地等の「面積」及び「評価額」を、宅地等の取得者ごとに記入します。

なお、配偶者居住権に基づく敷地利用権を取得した人の欄（ｉ）と居住建物の敷地の用に供される土地を取得した人の欄（ⅱ、ⅲ）で記載方法が異なります。それぞれの記載方法は、次のとおりです。

(イ) 配偶者居住権に基づく敷地利用権を取得した人の欄（ｉ）

①「２　左記の宅地等のうち選択特例対象宅地等」は、「１　利用区分に応じた宅地等」に記入した「面積」及び「評価額」のうち、特例の対象として選択する部分を記入します。

「２　左記の宅地等のうち選択特例対象宅地等」に記入した宅地等の「面積」及び「評価額」は、「申告書第11・11の２表の付表１」の「２　小規模宅地等の明細」の「③取得者の持分に応ずる宅地等の面積」欄及び「④取得者の持分に応ずる宅地等の価額」欄に転記します。

②「３　特例の対象とならない宅地等（１－２)」には、「１　利用区分に応じた宅地等」のうち「２　左記の宅地等のうち選択特例対象宅地等」欄に記入した以外の宅地等について記入します。

この欄に記入した「面積」及び「評価額」は、申告書第11表に転記します。

③　１次相続の場合には、Ｂ及びＣの各欄への記入は不要です。

(ロ) 居住建物の敷地の用に供される土地を取得した人の欄(ⅱ、ⅲ)

① 「持分割合」欄は、宅地等の取得者が相続又は遺贈により取得した持分割合を記入します。一の宅地等を１人で取得した場合には、「１／１」と記入します。

② 「１　持分に応じた宅地等」は、「１　一の宅地等の所在地、面積及び評価額」欄のＡからＦまでに記入した一の宅地等の「面積」及び「評価額」を「持分割合」を用いてあん分して計算 した「面積」及び「評価額」を記入します。

③ 「２　左記の宅地等のうち選択特例対象宅地等」は、「１　持分に応じた宅地等」に記入した「面積」及び「評価額」のうち、特例の対象として選択する部分を記入します。なお、Ｂの宅地等の場合は、上段に「特定同族会社事業用宅地等」として選択する部分の、下段に「貸付事業用宅地等」として選択する部分の「面積」及び「評価額」をそれぞれ記入します。

「２　左記の宅地等のうち選択特例対象宅地等」に記入した宅地等の「面積」及び「評価額」は、「申告書第11・11の２表の付表１」の「２　小規模宅地等の明細」の「③取得者の持分に応ずる宅地等の面積」欄及び「④取得者の持分に応ずる宅地等の価額」欄に転記します。

④ 「３　特例の対象とならない宅地等（１－２)」には、「１　持分に応じた宅地等」のうち「２　左記の宅地等のうち選択特例対象宅地等」欄に記入した以外の宅地等について記入します。この欄に記入した「面積」及び「評価額」は、申告書第11表に転記します。

### 第11・11の２表の付表２　小規模宅地等の特例、特定計画山林の特例又は個人の事業用資産の納税猶予の適用にあたっての同意及び特定計画山林についての課税価格の計算明細書

この表は、被相続人から相続、遺贈又は相続時精算課税に係る贈与によって取得した財産のうちに次の①～③が２以上ある場合に記入します。

① 「小規模宅地等の特例」の対象となり得る宅地等

② 「特定計画山林の特例」の対象となり得る山林

③ 「個人の事業用資産の納税猶予」の対象となり得る宅地等

(1) 「(1)　特例の適用にあたっての同意」欄

「特例の対象となる財産を取得した全ての人の氏名」欄には、特例の対象となり得る財産を取得した人全員の氏名を記入します。特例の適用を受けない人の氏名も必ず記入してください。

(2) 「(2)　特例の適用を受ける財産の明細」欄

特例の適用に当たり該当する明細の番号（①～③）を○で囲んでください。

(3) 「２　特定計画山林の特例の対象となる特定計画山林等の調整限度額の計算」欄

この欄は、「特定計画山林の特例」を適用し、かつ、「小規模宅地等の特例」又は「個人の事業用資産の納税猶予」を適用する場合に記入します。

・「③　特例適用残面積」欄が０になる場合には特定事業用資産の特例の適用を受けることはできません。

### 第11・11の２表の付表３　特定受贈同族会社株式等である選択特定事業用資産についての課税価格の計算明細

この表は、特例の対象として特定受贈同族会社株式等である特定事業用資産を選択する場合に記入します。

(1) 「①　１単位当たりの時価」欄は、贈与の時の価額を記入します。(ただし、選択した特定受贈同族会社株式等について平21改正前の租税特別措置法施行令第40条の２の２第10項に規定する会社分

割等があった場合には、第11・11の２表の付表３の２の⑰欄又は⑱欄の金額を記入します。)
⑵　⑦欄の金額と⑦欄の金額に係る第11・11の２表の付表３の２の⑲欄の金額の合計額を第11の２表の「２　相続時精算課税適用財産（１の④）の明細」の③の「価額」欄に記入します。
⑶　上記に記入しきれないときは、適宜の用紙に特定受贈同族会社株式等である選択特定事業用資産の明細を記載して添付してください。
⑷　小規模宅地等の特例を適用した場合には、第11・11の２表の付表２の「３　特定計画山林の対象となる特定計画山林等の調整限度額の計算」の⑤欄の価額を上記「⑧」の金額を限度として、特定受贈同族会社株式等を特定事業用資産の特例の対象として選択することができます。

**第11·11の２表の付表３の２　特定受贈同族会社株式等について会社分割等があった場合の特例の対象となる価額等の計算明細**

この表は、特定事業用資産相続人等が有する特定受贈同族会社株式等について平21改正前の租税特別措置法施行令第40条の２の２第10項に規定する会社分割、株式分割、株式無償割当て、株式交換、剰余金の配当その他の事由があった場合に記入します。

なお、この表は、会社分割等があったつど、特定事業用資産相続人等ごとに記入します。

**第11・11の２表の付表４　特定森林経営計画対象山林又は特定受贈森林経営計画対象山林である選択特定計画山林についての課税価格の計算明細**

この表は、特定森林経営計画対象山林又は特定受贈森林経営計画対象山林である選択特定計画山林について、「特定計画山林の特例」の適用を受ける場合に記入します。
「１　特定森林経営計画対象山林である選択特定計画山林の明細」及び「２　特定受贈森林経営計画対象山林である選択特定計画山林の明細」の「①　立木・土地等の価額」欄は、相続人や包括受遺者が取得した立木については、標準価額を基として計算した価額の85％相当額の価額を記入します。

## 参考資料２ 申告期限後３年以内の分割見込書

| 通信日付印の年月日 | （確　認） | | 番　　号 |
|---|---|---|---|
| 年　月　日 | | | |

被相続人の氏名 ＿＿＿＿＿＿＿＿＿＿

### 申告期限後３年以内の分割見込書

相続税の申告書「第11表（相続税がかかる財産の明細書）」に記載されている財産のうち、まだ分割されていない財産については、申告書の提出期限後３年以内に分割する見込みです。

なお、分割されていない理由及び分割の見込みの詳細は、次のとおりです。

１　分割されていない理由

２　分割の見込みの詳細

３　適用を受けようとする特例等

⑴　配偶者に対する相続税額の軽減（相続税法第19条の２第１項）

⑵　小規模宅地等についての相続税の課税価格の計算の特例（租税特別措置法第69条の４第１項）

⑶　特定計画山林についての相続税の課税価格の計算の特例（租税特別措置法第69条の５第１項）

⑷　特定事業用資産についての相続税の課税価格の計算の特例（所得税法等の一部を改正する法律(平成21年法律第13号)による改正前の租税特別措置法第69条の５第１項）

（資４－21－Ａ４統一）

（裏）

## 記載方法等

この書類は、相続税の申告書の提出期限までに相続又は遺贈により取得した財産の全部又は一部が分割されていない場合において、その分割されていない財産を申告書の提出期限から３年以内に分割し、①相続税法第19条の２の規定による配偶者の相続税の軽減、②租税特別措置法第69条の４の規定による小規模宅地等についての相続税の課税価格の計算の特例又は③租税特別措置法第69条の５の規定による特定事業用資産についての相続税の課税価格の計算の特例の適用を受けようとする場合に使用してください。

1　この書類は、相続税の申告書に添付してください。

2　「1　分割されていない理由」欄及び「2　分割の見込みの詳細」欄には、相続税の申告期限までに財産が分割されていない理由及び分割の見込みの詳細を記載してください。

3　「3　適用を受けようとする特例等」欄は、該当する番号にすべて○を付してください。

4　遺産が分割された結果、納め過ぎの税金が生じた場合には、分割の日の翌日から４か月以内に更正の請求をして、納め過ぎの税金の還付を受けることができます。また、納付した税金に不足が生じた場合には、修正申告書を提出することができます。

5　申告書の提出期限から３年以内に遺産が分割できない場合には、「遺産が未分割であることについてやむを得ない事由がある旨の承認申請書」をその提出期限後３年を経過する日の翌日から２か月以内に相続税の申告書を提出した税務署長に対して提出する必要があります。

この承認申請書の提出が期間内になかった場合には、相続税法第19条の２の規定による配偶者の相続税の軽減、租税特別措置法第69条の４の規定による小規模宅地等についての相続税の課税価格の計算の特例及び租税特別措置法第69条の５の規定による特定事業用資産についての相続税の課税価格の計算の特例の適用を受けることはできません。

## 参考資料３ 遺産が未分割であることについてやむを得ない事由がある旨の承認申請書

税務署受付印

# 遺産が未分割であることについてやむを得ない事由がある旨の承認申請書

＿＿年＿＿月＿＿日提出

※欄は記入しないでください。

〒
住　所
（居所）＿＿＿＿＿＿＿＿

＿＿＿＿＿＿税務署長

申請者　　氏　名＿＿＿＿＿＿＿＿

（電話番号　　－　　－　　）

遺産の分割後、
- ・配偶者に対する相続税額の軽減（相続税法第19条の２第１項）
- ・小規模宅地等についての相続税の課税価格の計算の特例（租税特別措置法第69条の４第１項）
- ・特定計画山林についての相続税の課税価格の計算の特例（租税特別措置法第69条の５第１項）
- ・特定事業用資産についての相続税の課税価格の計算の特例（所得税法等の一部を改正する法律（平成21年法律第13号）による改正前の租税特別措置法第69条の５第１項）

の適用を受けたいので、

遺産が未分割であることについて、
- ・相続税法施行令第４条の２第２項
- ・租税特別措置法施行令第40条の２第23項又は第25項
- ・租税特別措置法施行令第40条の２の２第８項又は第11項
- ・租税特別措置法施行令等の一部を改正する政令（平成21年政令第108号）による改正前の租税特別措置法施行令第40条の２の２第19項又は第22項

に規定する

やむを得ない事由がある旨の承認申請をいたします。

1　被相続人の住所・氏名

住　所＿＿＿＿＿＿＿＿　氏　名＿＿＿＿＿＿＿＿

2　被相続人の相続開始の日　平成／令和＿＿年＿＿月＿＿日

3　相続税の申告書を提出した日　平成／令和＿＿年＿＿月＿＿日

4　遺産が未分割であることについてのやむを得ない理由

（注）やむを得ない事由に応じてこの申請書に添付すべき書類
① 相続又は遺贈に関し訴えの提起がなされていることを証する書類
② 相続又は遺贈に関し和解、調停又は審判の申立てがされていることを証する書類
③ 相続又は遺贈に関し遺産分割の禁止、相続の承認若しくは放棄の期間が伸長されていることを証する書類
④ ①から③までの書類以外の書類で財産の分割がされなかった場合におけるその事情の明細を記載した書類

○　相続人等申請者の住所・氏名等

| 住　所　（　居　所　） | 氏　　名 | 続　　柄 |
|---|---|---|
| | | |
| | | |
| | | |
| | | |

○　相続人等の代表者の指定　　代表者の氏名＿＿＿＿＿＿＿＿

| 関与税理士 | | 電話番号 | |
|---|---|---|---|

| ※ | 通信日付印の年月日 | （確認） | 名簿番号 |
|---|---|---|---|
| | 年　月　日 | | |

（資４－22－１－Ａ４統一）　（令 3.3）

（裏）

**記 載 方 法 等**

この承認申請書は、相続税の申告書の提出期限後３年を経過する日までに、相続又は遺贈により取得した財産の全部又は一部が相続又は遺贈に関する訴えの提起などのやむを得ない事由により分割されていない場合において、その遺産の分割後に①相続税法第19条の２の規定による配偶者に対する相続税額の軽減、②租税特別措置法第69条の４の規定による小規模宅地等についての相続税の課税価格の計算の特例、③租税特別措置法第69条の５の規定による特定計画山林についての相続税の課税価格の計算の特例又は④所得税法等の一部を改正する法律（平成21年法律第13号）による改正前の租税特別措置法第69条の５の規定による特定事業用資産についての相続税の課税価格の計算の特例の適用を受けるために税務署長の承認を受けようとするとき、次により使用してください。

なお、小規模宅地等についての相続税の課税価格の計算の特例、特定計画山林についての相続税の課税価格の計算の特例又は特定事業用資産についての相続税の課税価格の計算の特例の適用を受けるためにこの申請書を提出する場合において、その特例の適用を受ける相続人等が２人以上のときは各相続人等が「○相続人等申請者の住所・氏名等」欄に連署し申請してください。ただし、他の相続人等と共同して提出することができない場合は、各相続人等が別々に申請書を提出することもできます。

1　この承認申請書は、遺産分割後に配偶者に対する相続税額の軽減、小規模宅地等についての相続税の課税価格の計算の特例、特定計画山林についての相続税の課税価格の計算の特例又は特定事業用資産についての相続税の課税価格の計算の特例の適用を受けようとする人が納税地（被相続人の相続開始時の住所地）を所轄する税務署長に対して、申告期限後３年を経過する日の翌日から２か月を経過する日までに提出してください。

このため、提出先の「＿＿＿＿税務署長」の空欄には、申請者の住所地（居所）地を所轄する税務署名ではなく、被相続人の相続開始時の住所地を所轄する税務署名を記載してください。

なお、この承認申請書は、適用を受けようとする特例の種類（配偶者に対する相続税額の軽減・小規模宅地等についての相続税の課税価格の計算の特例・特定計画山林についての相続税の課税価格の計算の特例・特定事業用資産についての相続税の課税価格の計算の特例）ごとに提出してください。このとき｛　｝内の該当しない特例の文言及び条項を二重線で抹消してください。

2　「４　遺産が未分割であることについてのやむを得ない理由」欄には、遺産が分割できないやむを得ない理由を具体的に記載してください。

3　「（注）やむを得ない事由に応じてこの申請書に添付すべき書類」欄は、遺産が分割できないやむを得ない事由に応じて該当する番号を○で囲んで表示するとともに、その書類の写し等を添付してください。

## (2) 相続税の申告期限から３年以内に分割されなかったことについてのやむを得ない事情の解釈

**質疑**　小規模宅地等の課税特例の制度は、相続税の申告期限までに当該適用対象宅地等が分割されていることをその適用要件としますが、申告期限において未分割であっても申告期限から３年以内に分割がなされた場合にはその適用があるものとされています。

また、申告期限から３年以内に分割されなかった場合においても、当該分割されなかったことについてやむを得ない事情がある場合には、その後において分割された時点でその適用を受けることが可能であるとされています。

この場合に、この『やむを得ない事情』（上記＿＿部分）の解釈及びこの規定の適用を受けるために必要な手続について説明してください。

なお、租税特別措置法第69条の５《特定計画山林についての相続税の課税価格の計算の特例》の適用対象となる資産はないものとします。

また、相続税の期限内申告書の提出に当たっては、『申告期限後３年以内の分割見込書』が適正に添付されていたものとします。

**応答**

小規模宅地等の課税特例の制度は、相続税の申告期限から３年以内に分割されなかった宅地等であっても、その宅地等が分割されなかったことについてやむを得ない事情がある場合において納税地の所轄税務署長の承認を受けたときは、その分割ができることとなった日の翌日から４か月以内に分割された場合にその適用がなされます。

この場合に『やむを得ない事情がある場合』及び『その分割ができることとなった日』とは、次に掲げる区分に従って、それぞれ次に掲げるところとなります。

(1) 相続税の申告期限の翌日から３年を経過する日において、その相続等に関する訴えが提起されている場合（相続等に関する和解又は調停の申立てがされている場合において、これらの申立ての時に訴えの提起がされたものとみなされるときも含まれます。）…………判決の確定又は訴えの取下げの日等、その訴訟の完結の日

(2) 相続税の申告期限の翌日から３年を経過する日において、その相続等に関する和解、調停又は審判の申立てがされている場合（上記(1)又は下記(4)に掲げる場合に該当することとなった場合を除きます。）…………和解若しくは調停の成立、審判の確定又はこれらの申立ての取下げの日その他これらの申立てに係る事件の終了の日

(3) 相続税の申告期限の翌日から３年を経過する日において、その相続等に関して、民法第907条《遺産の分割の協議又は審判等》第３項若しくは民法第908条《遺産の分割の方法の指定及び遺産の分割の禁止》の規定により遺産の分割が禁止されている場合、又は民法第915条《相続の承認又は放棄をすべき期間》第１項の規定により相続の承認又は放棄の期

間が伸長されている場合（その相続等に関する調停又は審判の申立てがされている場合において、その分割を禁止する旨の審判若しくはこれにかわる裁判が確定したときを含みます。）…………その分割が禁止されている期間又はその承認若しくは放棄の期間が伸長されている期間を経過した日

(4)　相続等に係る財産がその相続等に係る申告期限の翌日から３年を経過する日までに分割されなかったこと及びその財産の分割が遅延したことにつき税務署長においてやむを得ない事情があると認められる場合…………その事情の消滅の日

なお、『税務署長においてやむを得ない事情があると認められる場合』とは、次のような事情があることにより客観的に遺産の分割ができないと認められる場合をいうものと定められています。

①　相続税の申告期限の翌日から３年を経過する日において、共同相続人又は包括受遺者の一人又は数人が行方不明等であり、かつ、その者に係る不在者財産管理人が選任されていない場合

②　相続税の申告期限の翌日から３年を経過する日において、共同相続人又は包括受遺者の一人又は数人が精神又は身体の重度の障害疾病のため加療中である場合

③　相続税の申告期限の翌日から３年を経過する日前において、共同相続人又は包括受遺者の一人又は数人が海外にある事務所等に勤務している場合又は長期間の航海等に従事している場合において、その職務の内容などに照らして、相続税の申告期限の翌日から３年を経過する日までに帰国できない場合

④　相続税の申告期限の翌日から３年を経過する日において、上記(1)から(3)の事情又は①から③の事情がある場合において、その当初の事情は相続税の申告期限の翌日から３年を経過する日後に消滅したが、その当初の事情の消滅の前後に新たに上記(1)から(3)の事情又は①から③の事情が生じた場合

そして、相続税の申告期限から３年以内にやむを得ない事情があるため分割できない場合における分割の制限期間を延長するためには、相続税の申告期限から３年を経過する日の翌日から２か月を経過する日までに、やむを得ない事情の詳細等を記載した申請書（1129ページ・1130ページの 参考資料３ 『遺産が未分割であることについてやむを得ない事由がある旨の承認申請書』を参照）を納税地の所轄税務署長に提出し、その承認を受けることが必要となります。

### (3)　『遺産が未分割であることについてやむを得ない事由がある旨の承認申請書』の提出期限を徒過した後に当該申請書を提出することの可否

**質疑**

前問(2)において、小規模宅地等の課税特例の適用対象地が相続税の申告期限から３年以内に分割されなかった場合においても、当該分割されなかったことについてやむを得ない事情がある場合には、一定の手続きを経ることによって、その後に分割された時点でその適用を受けることが可能であるとされています。

そして、一定の手続きとして、前問(2)の **応答** のなお書に掲げるとおり、相続税の申告期限から３年を経過する日の翌日から２か月を経過する日までに、やむを得ない事情の詳細等を記載した申請書（『遺産が未分割であることについてやむを得ない事由がある旨の承認申請書』）を納税地の所轄税務署長に提出するものとされています。

上記の申請書の提出期限について、『何らかのやむを得ない事情』があると認められる場合にはこれを柔軟に解釈して、適宜延長される等の解釈をすることは認められないのでしょうか。

なお、相続税の期限内申告書の提出に当たっては、『申告期限後３年以内の分割見込書』が適正に添付されていたものとします。

**応答**

上記 **質疑** に掲げる一定の手続き（上記 **質疑** の＿＿部分）を求める条文は、措置法施行令第40条の２《小規模宅地等についての相続税の課税価格の計算の特例》第23項において準用する相続税法施行令第４条の２《配偶者に対する相続税額の軽減の場合の財産分割の特例》において、要旨「相続又は遺贈に関しやむを得ない事情があることにより税務署長の承認を受けようとする者は、当該相続又は遺贈に係る申告期限後３年を経過する日の翌日から２か月を経過する日までに、その事情の詳細その他一定の事項を記載した申請書（『遺産が未分割であることについてやむを得ない事由がある旨の承認申請書』）を納税地の所轄税務署長に提出しなければならない。」と規定しています。そして、当該政令の規定には、いわゆる『ゆう恕』規定は設けられていません。

そうすると、上記の申請書は、相続税の申告期限から３年を経過する日の翌日から２か月を経過する日後においてはその提出をすることは認められないことになります。

もし仮に、上記の申請書が相続税の申告期限から３年を経過する日の翌日から２か月を経過する日までに提出されない場合には、特例対象宅地等が相続税の申告期限から３年経過後に分割されたとしても、小規模宅地等の課税特例の適用は認められないものとされていますので、提出期限については失念がないように留意する必要があります。

### (4)　小規模宅地等の課税特例と特定計画山林の課税特例の両規定の具体的な選択適用とその実務上の留意点について

**質疑**

下記に掲げる 設例 に示すとおり、令和３年２月10日に相続開始があった被相続人甲に係る相続財産のうちには、相続税の申告期限までに未分割財産であったことを除いては、小規模宅地等の課税特例の適用要件を充足した特例対象宅地等Ａ及びＢ、並びに特定計画山林の課税特例の適用要件を充足した特例対象山林Ｃがありました。

そのいずれの財産についても、相続税の申告期限（令和３年12月10日）において分割が確定していなかったために相続税の課税特例の適用を受けられないままで相続税の期限内申告書を提出しました。（相続税の申告書の提出時に『申告期限後３年以内の分割見込書』を添付しています。）

上記に掲げる特例対象宅地等Aについては、本日（令和４年５月10日）、相続人間における遺産分割協議が成立し、その取得者が確定しました。（なお、他の特例対象宅地等B及び特例対象山林Cに対する分割等の見込みは **設例** に示すとおりに推移することが想定されるものとします。）

このような状況において、本日（令和４年５月10日）、特例対象宅地等Aについての遺産分割が確定したことを念頭において、**質疑** の事例の場合に対する小規模宅地等の課税特例と特定計画山林の課税特例の両規定の具体的な適用方法とその実務上の留意点について説明してください。（特に、特例対象資産が相続税の申告期限後に分割確定した場合の相続税の更正の請求期間に一定の制限が付されていること及び実務においてはこの２つの課税特例を適用して相続税額が最少となるような選択適用が要求されることとの関係に重点を置いて説明してください。）

**設例**

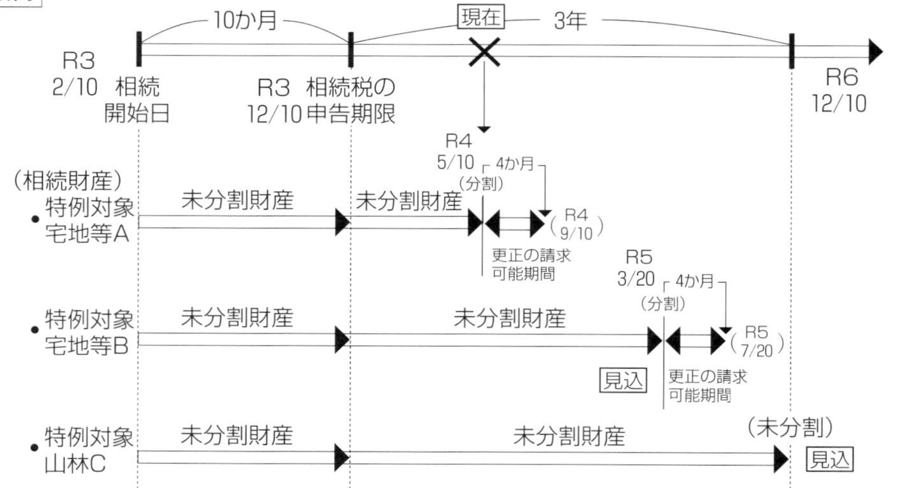


**計算条件**

(1)　特例対象宅地等Ａ（貸付事業用宅地等）
　　地積……60㎡、評価単価……60千円/㎡

(2)　特例対象宅地等Ｂ（貸付事業用宅地等）
　　地積……175㎡、評価単価……80千円/㎡

(3)　特例対象山林Ｃ
　　評価額……10億円

（注１）　小規模宅地等の課税特例については、B宅地等から優先的に適用した方が有利（上記(1)(2)の評価単価を比較）です。

（注２）　設例 の場合には、下記に掲げる計算から、小規模宅地等の課税特例より、特定計画山林の課税特例の適用を受ける方が有利になることが確認できます。

⑴　小規模宅地等の課税特例の適用による減額総額（最大）

｛(80千円×175㎡）＋（60千円×25㎡)｝×（１－50％）＝7,750千円

⑵　特定計画山林の課税特例の適用による減額総額

10億円×（１－95％）＝50,000千円

⑶　⑴＜⑵　　∴50,000千円

## 応答

上記の 質疑 に掲げる前提を基礎として、特例対象宅地等A及びB並びに特例対象山林Cに係る小規模宅地等の課税特例又は特定計画山林の課税特例の適用関係についてまとめますと下記のとおりになります。

⑴　特例対象宅地等Aに係る分割確定時（本日（令和４年５月10日））の取扱い

特例対象宅地等Aについては、当該宅地等を選択特例対象宅地等とすることにより、小規模宅地等の課税特例の適用対象とするためには、必ず、当該宅地等について分割された日の翌日から４か月以内（最終期限：令和４年９月10日）に、相続税について更正の請求を行う必要があります。

したがって、下記に掲げる事項を理由として、上記の手続きを行わなかった場合には、当該特例対象宅地等Aを小規模宅地等の課税特例の対象とすることは一切認められないことになりますので注意をする必要があります。

①　小規模宅地等の課税特例の適用を受けることを前提としているものの、特例対象宅地等Bの分割が相続税の申告期限から３年以内に確定する見込であり、その際には、当該特例対象宅地等Bを優先的に選択特例対象宅地等とする旨を考慮していた場合

②　小規模宅地等の課税特例の適用を受けるのか又は特定計画山林の課税特例の適用を受けるのかについての判断が未確定であった場合

なお、特例対象宅地等Aを小規模宅地等の課税特例の適用対象とした場合には、設例 の場合には該当しませんが、仮定論として、特例対象山林Cについて、相続税の申告期限から３年以内に分割されたときにおいては、特定計画山林の課税特例の適用対象とされるのは下記に掲げる計算のとおりとなり、特定計画山林の課税特例の規定のみを適用する場合の最大適用可能額（10億円）未満となることに留意する必要があります。

①　特例対象宅地等Aのみに小規模宅地等の課税特例を適用していた場合

$$7億円\left(10億円\times\frac{200㎡-60㎡}{200㎡}\right)$$

②　特例対象宅地等A及びBの両方に小規模宅地等の課税特例を適用していた場合

$$0円\left(10億円\times\frac{200㎡-200㎡}{200㎡}\right)$$

**(注)**　上記の仮定論の状況において、特定計画山林の課税特例の規定を最大限適用（特例対象山林Cについて10億円）するために、既に受けていた小規模宅地等の課税特例の規定につき、その適用を受けないものとして、相続税の更正の請求額が最大となるような適用規定の変更を申請することは認められませんので留意する必要があります。

※　平成15年度の税法改正によって、平成15年１月１日以降に開始した相続等については、一定要件のもとで、両特例規定の重複適用が認められることになりました。

(2)　特例対象宅地等Bに係る分割確定時（予定（令和５年３月20日））の取扱い

特例対象宅地等Bについても、当該宅地等を選択特例対象宅地等とすることにより、小規模宅地等の課税特例の適用対象とするためには、必ず、当該宅地等について分割された日の翌日から４か月以内（最終期限：令和５年７月20日）に、相続税について更正の請求を行う必要があります。

なお、**設例**の場合には、特例対象宅地等Bについての分割が確定する前に、特例対象宅地等Aについての分割が確定していますが、この点を踏まえて特例対象宅地等Bに係る小規模宅地等の課税特例の適用関係は下記のとおりとなります。

①　特例対象宅地等Aを小規模宅地等の課税特例の対象とせず、相続税について更正の請求を行っていなかった場合

取扱い　特例対象宅地等B（地積175㎡）全体を選択特例対象宅地等として、小規模宅地等の課税特例を適用することが認められます。

留意点　貸付事業用宅地等の限度面積（200㎡）にまだ満たない部分の面積25㎡（200㎡－175㎡（特例対象宅地等Bの面積））について、これを特例対象宅地等Aから適用するものとして、特例対象宅地等Bに係る相続税についての更正の請求時に、合わせて、この特例対象宅地等A部分に係る相続税の更正の請求を行うことは認められません。

②　特例対象宅地等Aを小規模宅地等の課税特例の対象として、相続税について更正の請求を行っていた場合

取扱い　特例対象宅地等B（面積175㎡）のうち、140㎡部分（200㎡（限度面積）－60㎡（特例対象宅地等Aの面積））を選択特例対象宅地等として、小規模宅地等の課税特例を適用することが認められます。

留意点　選択特例対象宅地等の組み合わせとして、特例対象宅地等Bの面積を175㎡（優先的に充当）、特例対象宅地等Aの面積を25㎡（200㎡－175㎡）として、特定計画山林の課税特例の適用は考慮しないで小規模宅地等の課税特例の適用だけで判断して、相続税の更正の請求額が最大となるような小規模宅地等の課税特例に係る選択特例対象宅地等の変更申請は認められません。（一度、相続税の申告において適法に選択された選択特例対象宅地等については、その後の変更は認められませんので、その選択に際しては十分に留意をする必要があります。）

(3)　特例対象山林Cについて申告期限から３年経過時（令和６年12月10日）の取扱い

**設例**の場合には、相続税の申告期限から３年を経過した日（令和６年12月10日）にお

いて、特例対象山林Cについては相続人又は包括受遺者によってまだ分割されていない状況（未分割）であることから、当該財産を特定計画山林の課税特例の適用対象とすることはこの時点では認められません。

（注）申告期限後３年を経過する日までに特定計画山林が分割されなかったことにつき、相続又は遺贈につき訴えの提起がされたことその他のやむを得ない事情がある場合には、申告期限後３年を経過する日の翌日から２か月を経過する日までに『遺産が未分割であることについてやむを得ない事由がある旨の承認申請書』を提出（所定のやむを得ない事由を証明する書類を添付）する方法による対応が考えられます。

また、特定計画山林の課税特例の適用を受けることを想定していた（相続税の課税価格から減額される金額が最大となる。）ために、特例対象宅地等A及び特例対象宅地等Bについて、それぞれ、当該各宅地等に係る分割の日の翌日から４か月以内に小規模宅地等の課税特例の適用を受けるための選択特例対象宅地等に該当するものとしての相続税に係る更正の請求も行われていなかったものと考えられます。

このような状況にある場合には、相続税の申告期限から３年を経過した日（令和６年12月10日）においては、特定計画山林の課税特例の適用対象とすることは認められず（未分割財産であるため）、また、小規模宅地等の課税特例の適用対象とすることも認められません（相続税についての更正の請求の期限を経過済みであるため）ので十分に留意をする必要があります。

（注）上記の **応答** は、**質疑** において、本日（令和４年５月10日）現在における特例対象宅地等Aに係る分割確定に際して、他の特例対象財産の分割見込み等について所与の条件を付して回答したものですが、実務においては、通常、将来における遺産分割の動向を想定することは著しく困難なものであると言わざるを得ず、この点について十分かつ慎重な判断に基づいて、各時点における対応（当該各時点で相続税の更正の請求を行うか否か）を決定することが重要とされることに留意する必要があります。

### (5)　相続税の期限後申告書を提出することにより小規模宅地等の課税特例の適用を受けることの可否（その１：相続税の申告期限までに相続財産の分割が確定していた場合）

**質疑**　被相続人甲に相続開始があり、同人の相続財産のすべてを長男Aが相続することが、相続税の申告期限までに行われた遺産分割協議により確定しています。

なお、長男Aは、本来、相続税の期限内申告書を提出すべき者に該当しますが、相続税の申告期限までに被相続人甲に係る相続税の申告書を提出していません。

長男Aは、今から被相続人甲に係る相続税の期限後申告書を提出しようと考えていますが、当該申告書の提出において被相続人甲から相続により取得した貸付事業用宅地等の適用要件を充足したX宅地（賃貸マンションの敷地の用に供されていた宅地）について、小規模宅地等の課税特例の適用を受けることが可能とされるのでしょうか。

## 応答

(1)　概要

小規模宅地等の課税特例の規定は、当該相続又は遺贈に係る相続税法第27条《相続税の申告書》の規定による申告書（いわゆる『相続税の期限内申告書』と呼称されるものです。）の提出期限（以下、本問において「申告期限」といいます。）までに共同相続人又は包括受遺者によって分割されていない特例対象宅地等については、適用しないものとされています。換言すれば、申告期限までに分割されていることが適用要件とされています。

また、小規模宅地等の課税特例の規定は、当該規定の適用を受けようとする者の当該相続又は遺贈に係る相続税法第27条《相続税の申告書》又は第29条《相続財産法人に係る財産を与えられた者等に係る相続税の申告書》（いずれも、いわゆる『相続税の期限内申告書』と呼称されるものです。）（これらの申告書に係る期限後申告書及びこれらの申告書に係る修正申告書を含みます。以下「相続税の申告書」といいます。）に、当該規定の適用を受けようとする旨を記載し、当該規定による計算の明細書その他の一定の書類の添付がある場合に限り適用するものとされています。

（注）　ただし、上記に掲げる相続税の申告書の提出をその適用要件とする規定については、いわゆる『ゆう恕』規定（税務署長は、相続税の申告書の提出がなかった場合又は小規模宅地等の課税特例の適用を受けようとする旨の記載若しくは添付がない相続税の申告書の提出があった場合においても、その提出又は記載若しくは添付がなかったことについてやむを得ない事情があると認めるときは、当該記載をした書類及び一定の書類の提出があった場合に限り、小規模宅地等の課税特例を適用することができる旨の規定）が設けられています。

なお、国税通則法第18条《期限後申告》第１項において、「期限内申告書を提出すべきであった者は、その提出期限後においても、第25条《決定》の規定による決定があるまでは、納税申告書（**筆者注** 当該納税申告書を『期限後申告書』といいます。）を税務署長に提出することができる。」と規定されています。

(2)　**質疑** の事例の場合

**質疑** の事例の場合は、その前提条件から被相続人甲に係る相続税の申告期限までに特例対象宅地等であるＸ宅地について、その相続による取得者が確定しているものであり、いわゆる分割要件を充足していることになります。

そして、上記(1)のまた書にあるとおり、小規模宅地等の課税特例の規定の適用は、相続税の申告書（このなかに、相続税の期限後申告書が含まれていることに留意する必要があります。）を介して行うことが前提とされているものであり、さらに、上記(1)のなお書にあるとおり、国税通則法の規定では、相続税の期限内申告書を提出すべきであった者は、その提出期限が徒過してしまった場合であっても税務署長による相続税の決定があるまでは相続税の期限後申告書を税務署長に提出することができる（任意）とされています。

そうすると、長男Ａが現在考慮している被相続人甲に係る相続税の期限後申告書の提出において、上記(1)のまた書に掲げるとおりの所定の手続きを行うことによって、賃貸マンションの敷地の用に供されているＸ宅地を貸付事業用宅地等に該当するものとして、小規模宅地等の課税特例の適用対象とすることが認められるものとされます。

### ⑹　相続税の期限後申告書を提出することにより小規模宅地等の課税特例の適用を受けることの可否（その２：相続税の申告期限までに相続財産が未分割であった場合）

**質疑**　被相続人甲に相続開始（相続開始日：令和３年１月10日）があり、同人の共同相続人である長男Ａ及び長女Ｂとの間で遺産分割協議が行われましたが、相続税の申告期限（令和３年11月10日）までに協議は成立せず、被相続人甲に係る相続財産は未分割のままでした。

なお、長男Ａ及び長女Ｂの両名は、本来、相続税の期限内申告書を提出すべき者に該当しますが、相続税の申告期限までに被相続人甲に係る相続税の申告書を提出していません。

令和５年６月15日に、両名による遺産分割協議が成立し、両名は、被相続人甲に係る相続財産の全てを長男Ａが相続により取得することで合意（このような結果になったのは、長女Ｂに対する特別受益（生前贈与）が考慮されたためです。）しました。

長男Ａは、上記の合意の成立を機会に被相続人甲に係る相続税の期限後申告書を提出しようと考えていますが、当該申告書の提出において被相続人甲から相続により取得した貸付事業用宅地等の適用要件を充足したＸ宅地（賃貸マンションの敷地の用に供されていた宅地）について、小規模宅地等の課税特例の適用を受けることが可能とされるのでしょうか。

**応答**

⑴　概要

小規模宅地等の課税特例の規定は、当該相続又は遺贈に係る相続税法第27条《相続税の申告書》の規定による申告書（いわゆる『相続税の期限内申告書』と呼称されるものです。）の提出期限（以下、本問において「申告期限」といいます。）までに共同相続人又は包括受遺者によって分割されていない特例対象宅地等については、適用しないものとされています。

ただし、その分割されていない特例対象宅地等が申告期限から３年以内に分割された場合には、その分割された当該特例対象宅地等については、この限りではないとされています。

また、小規模宅地等の課税特例の規定は、当該規定の適用を受けようとする者の当該相続又は遺贈に係る相続税法第27条《相続税の申告書》又は第29条《相続財産法人に係る財産を与えられた者等に係る相続税の申告書》（いずれも、いわゆる『相続税の期限内申告書』と呼称されるものです。）（これらの申告書に係る期限後申告書及びこれらの申告書に係る修正申告書を含みます。以下「相続税の申告書」といいます。）に、当該規定の適用を受けようとする旨を記載し、当該規定による計算の明細書その他の一定の書類の添付がある場合に限り適用するものとされています。

（注）　ただし、上記に掲げる相続税の申告書の提出をその適用要件とする規定については、いわゆる『ゆう恕』規定（税務署長は、相続税の申告書の提出がなかった場合又は当該課税特例の適用を受けようとする旨の記載若しくは添付がない相続税の申告書の提出があった場合においても、その提出又は記載若しくは添付がなかったことについてやむを得ない事情があると認めるときは、当該記載をした書類及び一定の書類の提出があった場合に限り、小規模宅地等の課税特例を適用することができる旨の規定）が設けられています。

そして、相続税の申告期限までに特例対象宅地等の全部又は一部が共同相続人又は包括受遺者によって分割されていない当該特例対象宅地等について当該申告期限後に当該特例対象宅地等の全部又は一部が分割されることにより小規模宅地等の課税特例の適用を受けようとする場合には、その旨並びに分割されていない理由及び分割の見込みの詳細を明らかにした書類（注）の添付が必要とされています。

（注）　実務上の取扱いでは、『申告期限後３年以内の分割見込書』（1127ページ・1128ページを参照）を用いるものとされています。

なお、国税通則法第18条《期限後申告》第１項において、「期限内申告書を提出すべきであった者は、その提出期限後においても、第25条《決定》の規定による決定があるまでは、納税申告書（筆者注　当該納税申告書を『期限後申告書』といいます。）を税務署長に提出することができる。」と規定されています。

⑵　**質疑**　の事例の場合

**質疑**　の事例は、その前提条件から被相続人甲に係る相続税の申告期限までに特例対象宅地等であるＸ宅地について、その相続による取得者が確定しておらず、かつ、被相続人甲に係る相続税の期限内申告書を提出していないものの、当該申告期限後に遺産分割協議が成立し、Ｘ宅地について長男Ａが取得したというものです。

そして、上記⑴のまた書にあるとおり、小規模宅地等の課税特例の規定の適用は、相続税の申告書（このなかに、相続税の期限後申告書が含まれていることに留意する必要があります。）を介して行うことが前提とされているものであり、さらに、上記⑴のなお書にあるとおり、国税通則法の規定では、相続税の期限内申告書を提出すべきであった者は、その提出期限が徒過してしまった場合であっても税務署長による相続税の決定があるまでは相続税の期限後申告書を税務署長に提出することができる（任意）とされています。

そうすると、長男Ａが現在考慮している被相続人甲に係る相続税の期限後申告書の提出において、上記⑴のまた書に掲げるとおりの所定の手続きを行うことによって、賃貸マンションの敷地の用に供されているＸ宅地を貸付事業用宅地等に該当するものとして、小規模宅地等の課税特例の適用対象とすることが認められるものとされます。（なお、下記のただし書に留意してください。）

ただし、**質疑**　の事例は、前問⑸の事例（被相続人に係る相続税の申告期限までに遺産分割協議が成立）とは異なり、相続税の申告期限までに特例対象宅地等であるＸ宅地が未分割財産とされていることから、上記⑴のそして以下に記載のとおりの書類（実務上では、(注)

書に掲げるとおりの『申告期限後３年以内の分割見込書』）の添付が当該相続税の期限後申告書の提出に併せて求められることに留意する必要があります。

### (7)　遺産分割により特例対象宅地等の取得者は確定したものの小規模宅地等の課税特例の適用対象に係る選択合意が成立していない場合の取扱い（その１：相続税の申告期限までに遺産分割協議が成立した場合）

**質疑**　被相続人甲に係る相続開始（相続開始日：令和３年１月４日）があり、同人の遺産については相続税の申告期限（令和３年11月４日）までに遺産分割協議が成立し、いずれも貸付事業用宅地等の適用要件を充足するＸ宅地（面積300㎡）を長男Ａ、Ｙ宅地（面積250㎡）を長女Ｂがそれぞれ取得することになりました。

ただし、相続税の期限内申告においては、長男Ａ及び長女Ｂとの間で、小規模宅地等の課税特例の適用対象に係る選択合意（**質疑**の事例では、限度面積は200㎡となります。）が成立しなかったことから、長男Ａ及び長女Ｂはともに、小規模宅地等の課税特例を適用しないで申告書を提出しています。

上記のような状況において、相続税の申告期限後に長男Ａ及び長女Ｂとの間で小規模宅地等の課税特例の適用対象に係る選択合意が成立した場合には、当該課税特例を適用して両者は相続税の更正の請求をすることが認められますか。

**応答**

(1)　概要

小規模宅地等の課税特例の規定は、当該相続又は遺贈に係る相続税法第27条《相続税の申告書》の規定による申告書（いわゆる『相続税の期限内申告書』と呼称されるものです。）の提出期限（以下、本問において「申告期限」といいます。）までに共同相続人又は包括受遺者によって分割されていない特例対象宅地等については、適用しないものとされています。換言すれば、申告期限までに分割されていることが原則的な適用要件とされています。

また、小規模宅地等の課税特例の規定は、当該規定の適用を受けようとする者の当該相続又は遺贈に係る相続税法第27条《相続税の申告書》又は第29条《相続財産法人に係る財産を与えられた者等に係る相続税の申告書》（いずれも、いわゆる『相続税の期限内申告書』と呼称されるものです。）（これらの申告書に係る期限後申告書及びこれらの申告書に係る修正申告書を含みます。以下「相続税の申告書」といいます。）に、当該規定の適用を受けようとする旨を記載し、当該規定による計算の明細書その他の一定の書類の添付がある場合に限り適用するものとされています。

(2)　**質疑**の事例の場合

**質疑**の事例は、その前提条件から被相続人甲に係る相続税の申告期限までに貸付事業用宅地等の要件を充足した特例対象宅地等であるＸ宅地については長男Ａが、また、Ｙ宅地については長女Ｂがそれぞれ相続により取得することが遺産分割協議によって確定し、かつ、両者によって被相続人甲に係る相続税の期限内申告書が提出されているものの、当該申告書には小規模宅地等の課税特例が適用されていない（選択合意が不成立であるため）というものです。

上記(1)の前段に掲げる申告期限までにおける分割要件については、**質疑** の事例はこれを充足していることになりますが、一方で、上記(1)のまた書に掲げるとおり、小規模宅地等の課税特例の適用を受けるためには相続税の申告書（**質疑** の事例の場合は、相続税の期限内申告書）に当該規定の適用を受けようとする旨を記載し、当該規定による計算の明細書その他の一定の書類の添付があることを要件としているところ、**質疑** の事例では当該要件を充足していないことになります。

したがって、**質疑** の事例の場合には、相続税の申告期限後に長男Ａ及び長女Ｂとの間で小規模宅地等の課税特例に係る選択合意が成立したとしても、両名はこれを理由として小規模宅地等の課税特例を適用して相続税の更正の請求をすることは認められないものとなります。

**ワンポイント**

**質疑** の事例において、相続税の更正の請求の法源性を国税通則法第23条《更正の請求》第１項の規定（注）に求める旨が主張されるかもしれません。

（注）国税通則法第23条《更正の請求》第１項において、要旨「納税申告書を提出した者は、当該申告書に記載した(イ)課税標準等若しくは税額等の計算が国税に関する法律の規定に従っていなかったこと又は(ロ)当該計算に誤りがあったことにより、当該申告書の提出により納付すべき税額が過大である場合には、当該申告書に係る国税の法定申告期限から５年以内に限り、税務署長に対し、その申告に係る課税標準等又は税額等につき更正をすべき旨の請求をすることができる。」と規定しています。

そうすると、上記より、国税通則法第23条第１項に規定する更正の請求を発動する理由は、次に掲げる２点のいずれかに該当する場合に限られることになります。

①　課税標準等若しくは税額等の計算が国税に関する法律の規定に従っていなかったこと（上記(イ)部分）

②　課税標準等若しくは税額等の計算に誤りがあったこと（上記(ロ)部分）

ところで、**質疑** の事例の場合は、相続税の申告期限において遺産分割協議が成立したものの特例対象宅地等に対する選択合意が成立していないというものであることから、上記①又は②のいずれにも該当していません。

したがって、**質疑** の事例について、相続税の更正の請求の法源性を国税通則法第23条《更正の請求》第１項に求めることは認められないものとされます。

## ⑻　遺産分割により特例対象宅地等の取得者は確定したものの小規模宅地等の課税特例の適用対象に係る選択合意が成立していない場合の取扱い（その２：相続税の申告期限後に遺産分割協議が成立した場合）

**質疑**　被相続人甲に係る相続開始（相続開始日：令和３年１月４日）がありました。同人の遺産は、いずれも貸付事業用宅地等の適用要件を充足するＸ宅地（面積300㎡、評価額150百万円）及びＹ宅地（面積200㎡、評価額50百万円）のみでしたが、相続税の申告期限（令和３年11月４日）までに共同相続人である長男Ａ及び長女Ｂの両者間で遺産分割協議が成立しませんでした。

そこで、相続税法第55条《未分割遺産に対する課税》の規定に基づいて、両者がそれぞれの宅地につき共有持分２分の１を取得したものとして、被相続人甲に係る相続税の申告書（期限内申告書）（注）を提出しました。

（注）　当該申告書には、小規模宅地等の課税特例に関して、『申告期限後３年以内の分割見込書』が添付されています。

相続税の申告期限後に、遺産分割協議が成立し、長男ＡがＸ宅地を、また、長女ＢがＹ宅地を取得することが確定したものの、小規模宅地等の課税特例の適用対象に係る選択合意は成立しませんでした。

このため、当該遺産分割協議の成立に伴って、小規模宅地等の課税特例を適用しないで長男Ａは相続税法第31条《修正申告の特則》の規定に基づいて相続税の修正申告書を提出し、また、長女Ｂは相続税法第32条《更正の請求の特則》の規定に基づいて相続税の更正の請求をする予定でいます。（下表を参照）

| | 相続税の期限内申告書 | | 申告期限後の異動 | |
|---|---|---|---|---|
| | 長男Ａ | 長女Ｂ | 長男Ａ | 長女Ｂ |
| Ｘ　宅　地 | 75百万円 | 75百万円 | 150百万円 | － |
| Ｙ　宅　地 | 25百万円 | 25百万円 | － | 50百万円 |
| （　合　計　） | 100百万円 | 100百万円 | 150百万円 | 50百万円 |
| 採用する手続き | | | 修正申告 | 更正の請求 |

上記のような状況において、被相続人甲に係る申告期限後の手続（修正申告書の提出又は更正の請求）後に、別途長男Ａ及び長女Ｂとの間で小規模宅地等の課税特例の適用対象に係る選択合意が新たに成立した場合には、小規模宅地等の課税特例を適用して両者は再度の手続きとして相続税の更正の請求をすることが認められますか。

**応答**

⑴　概要

小規模宅地等の課税特例の規定は、当該相続又は遺贈に係る相続税法第27条《相続税の申告書》の規定による申告書（いわゆる『相続税の期限内申告書』と呼称されるものです。）の提出期限（以下、本問において「申告期限」といいます。）までに共同相続人又は包括受遺者によって分割されていない特例対象宅地等については、適用しないものとされています。ただし、その分割されていない特例対象宅地等が申告期限から原則として３年以内に分割された場合には、その分割された特例対象宅地等については、この限りではないとされています。

また、小規模宅地等の課税特例の規定は、当該規定の適用を受けようとする者の当該相続又は遺贈に係る相続税法第27条《相続税の申告書》又は第29条《相続財産法人に係る財産を与えられた者等に係る相続税の申告書》（いずれも、いわゆる『相続税の期限内申告書』と呼称されるものです。）（これらの申告書に係る期限後申告書及びこれらの申告書に係る修正申告書を含みます。以下「相続税の申告書」といいます。）に、当該規定の適用を受けようとする旨を記載し、当該規定による計算の明細書その他の一定の書類の添付がある場合に限り適用するものとされています。

（注）　ただし、上記に掲げる相続税の申告書の提出をその適用要件とする規定については、いわゆる『ゆう恕』規定（税務署長は、相続税の申告書の提出がなかった場合又は当該課税特例の適用を受けようとする旨の記載若しくは添付がない相続税の申告書の提出があった場合においても、その提出又は記載若しくは添付がなかったことについてやむを得ない事情があると認めるときは、当該記載をした書類及び一定の書類の提出があった場合に限り、小規模宅地等の課税特例を適用することができる旨の規定）が設けられています。

そして、相続税の申告期限までに特例対象宅地等の全部又は一部が共同相続人又は包括受遺者によって分割されていない当該特例対象宅地等について当該申告期限後に当該特例対象宅地等の全部又は一部が分割されることにより小規模宅地等の課税特例の規定の適用を受けようとする場合には、その旨並びに分割されていない理由及び分割の見込みの詳細を明らかにした書類（注）の添付が必要とされています。

（注）　実務上の取扱いでは、『申告期限後３年以内の分割見込書』（1127ページ・1128ページを参照）を用いるものとされています。

なお、相続税法第32条《更正の請求の特則》第１項において、要旨「相続税について申告書を提出した者は、相続税法第55条《未分割遺産に対する課税》の規定により分割されていない財産について民法の規定による相続分又は包括遺贈の割合に従って課税価格が計算されていた場合において、その後当該財産の分割が行われ、共同相続人又は包括受遺者が当該分割により取得した財産に係る課税価格が当該相続分又は包括遺贈の割合に従って計算された課税価格と異なることとなったことにより当該申告に係る課税価格及び相続税額が過大となったとき（以下、本問においてこれを「当該事由」といいます。）は、当該事由が生じたことを知った日の翌日から４月以内に限り、納税地の所轄税務署長に対し、その課税価格及び相続税額につき更正の請求をすることができる。」と規定しています。

そして、この相続税法第32条《更正の請求の特則》第１項の規定は、小規模宅地等の相続税の課税特例の適用に関して、分割されていない特例対象宅地等が申告期限から３年以内に分割された場合におけるその分割された特例対象宅地等について準用するものとされており、一定の読替を行うものとされています。

さらに、相続税法第31条《修正申告の特則》第１項において、要旨「相続税法第27条《相続税の申告書》を提出した者は、当該事由が生じたため既に確定した相続税額に不足を生じた場合には、修正申告書を提出することができる。」と規定しています。

(2)　**質疑** の事例の場合

**質疑** の事例は、その前提条件から被相続人甲に係る相続税の申告期限までには、貸付事業用宅地等の要件を充足した特例対象宅地等であるＸ宅地及びＹ宅地について共同相続人間における分割が確定せず（相続税の申告書は相続税法に規定する未分割遺産に対する課税方法が適用され、小規模宅地等の課税特例の適用に当たっては所定の手続きが行われています。）、当該相続税の申告期限後において共同相続人間において遺産分割協議が成立したものの、小規模宅地等の課税特例に係る選択合意は成立していないというものです。

**質疑** の事例では、被相続人甲に係る相続税の申告期限までに同人の遺産は共同相続人間において分割されていないものの『申告期限後３年以内の分割見込書』が提出され、かつ、相続税の申告期限後３年以内に遺産分割協議の成立により長男Ａについては相続税の修正申告書が提出され、また、長女Ｂについては相続税の更正の請求を行う予定であることが確認されます。

しかしながら、上記(1)のまた書に掲げるとおり、小規模宅地等の課税特例の適用を受けるためには相続税の申告書（ **質疑** の事例の場合は、相続税の修正申告書（長男Ａ）、相続税の更正の請求（注）（長女Ｂ））に当該適用を受けようとする旨を記載し、当該規定による計算の明細書その他の一定の書類の添付があることを要件としているところ、 **質疑** の事例では当該要件を充足していないことになります。

（注）　相続税の更正の請求は、本来的には相続税の申告書に該当しませんが、上記(1)のなお書の後段に掲げるそして以下の読替規定によって読み替えるものとなっています。

したがって、 **質疑** の事例の場合には、被相続人甲に係る申告期限後の手続（修正申告書の提出又は更正の請求）後に、小規模宅地等の課税特例の適用対象に係る選択合意が新たに成立したとしても、これを理由として長男Ａ及び長女Ｂは、再度の手続きとして相続税の更正の請求をすることは認められないものとなります。

**ワンポイント**

**質疑** の事例において、相続税の更正の請求の法源性を国税通則法第23条《更正の請求》第１項の規定（注）に求める旨が主張されるかもしれません。

（注）　国税通則法第23条《更正の請求》第１項において、要旨「納税申告書を提出した者は、当該申告書に記載した(イ)課税標準等若しくは税額等の計算が国税に関する法律の規定に従っていなかったこと又は(ロ)当該計算に誤りがあったことにより、当該申告書の提出により納付すべき税額が過大である場合には、当該申告書に係る国税の法定申告期限から５年以内に限り、税務署長に対し、その申告に係る課税標準等又は税額等につき更正をすべき旨の請求をすることができる。」と規定しています。

そうすると、上記より、国税通則法第23条第１項に規定する更正の請求を発動する理由は、次に掲げる２点のいずれかに該当する場合に限られることになります。

①　課税標準等若しくは税額等の計算が国税に関する法律の規定に従っていなかったこと（上記(イ)部分）

②　課税標準等若しくは税額等の計算に誤りがあったこと（上記(ロ)部分）

ところで、**質疑** の事例の場合は、相続税の申告期限後において遺産分割協議が成立したものの特例対象宅地等に対する選択合意が成立していないというものであることから、上記①又は②のいずれにも該当していません。

したがって、**質疑** の事例について、相続税の更正の請求の法源性を国税通則法第23条《更正の請求》第１項に求めることは認められないものとされます。

### ⑼　小規模宅地等の課税特例の適用要件である『土地の選択同意書』の添付がない場合でも合理的に限度面積要件を充足していると認められるときにおける小規模宅地等の課税特例の適用可否

**質疑**

被相続人甲に相続の開始があり、同人の遺産中の土地については、長男ＡにＸ宅地（面積300㎡）、長女ＢにＹ宅地（面積80㎡）を相続させる旨の遺言に基づいて両者が取得することになりました。

これらの宅地はいずれも小規模宅地等の課税特例に規定する特例対象宅地等である貸付事業用宅地等の要件を充足しているものの、長男Ａ及び長女Ｂとの間の協議は不調で、選択特例対象宅地等を明確にするために作成が求められる『土地の選択同意書』を相続税の申告期限までに作成することは、現状では困難な状況にあるものと認められます。

そこで、長男Ａは一計を案じて、同人が相続したＸ宅地（面積300㎡）に係る本件課税特例の適用面積を120㎡とすること（算定根拠 200㎡（貸付事業用宅地等の限度面積）－80㎡（長女Ｂが取得した貸付事業用宅地等の要件を充足したＹ宅地の面積）＝120㎡）を考えています。

この面積で長男Ａが本件課税特例の適用を受けるのであれば、『土地の選択同意書』の添付がない場合でも実質的に課税の公平が担保され問題はないと考えられるのですが、この長男Ａの考え方は相当とされるのでしょうか。

## 応答

⑴　概要

小規模宅地等の課税特例の規定は、当該規定の適用を受けようとする者の当該相続又は遺贈に係る相続税法第27条《相続税の申告書》又は第29条《相続財産法人に係る財産を与えられた者等に係る相続税の申告書》（いずれも、いわゆる『相続税の期限内申告書』と呼称されるものです。）（これらの申告書に係る期限後申告書及びこれらの申告書に係る修正申告書を含みます。以下「相続税の申告書」といいます。）に、当該規定の適用を受けようとする旨を記載し、当該規定による計算の明細書その他の一定の書類の添付がある場合に限り適用するものとされています。

（注）ただし、上記に掲げる相続税の申告書の提出をその適用要件とする規定については、いわゆる『ゆう恕』規定（税務署長は、相続税の申告書の提出がなかった場合又は当該課税特例の適用を受けようとする旨の記載若しくは添付がない相続税の申告書の提出があった場合においても、その提出又は記載若しくは添付がなかったことについてやむを得ない事情があると認めるときは、当該記載をした書類及び一定の書類の提出があった場合に限り、小規模宅地等の課税特例を適用することができる旨の規定）が設けられています。

そして、措置法施行令第40条の２《小規模宅地等についての相続税の課税価格の計算の特例》第５項においては、要旨「被相続人からの相続又は遺贈により特例対象宅地等の全てを取得した個人が２人以上存する場合には、当該特例対象宅地等を取得した全ての個人について、小規模宅地等の課税特例の適用対象地に関する選択（選択特例対象宅地等）についての同意を証する書類（注）を相続税の申告書に添付することが必要」と規定されています。

（注）当該同意を証する書類を、一般的に『土地の選択同意書』と呼称しています。

(2)　**質疑** の事例の場合

**質疑** の事例の場合は、その前提条件から特例対象宅地等である貸付事業用宅地等を取得した個人が２人以上存する場合に該当し、この場合には、上記(1)のそして以下に記載のあるとおり、措置法施行令の規定により相続税の申告書に『土地の選択同意書』の添付が必要とされています。

そうすると、**質疑** の事例では、上記に掲げる要件を充足していないものとされることから、長男Ａが一計を案じるところの考え方によって、長男Ａが遺言により取得した特例対象宅地等である貸付事業用宅地等の要件を充足したＸ宅地（面積300㎡）のうち120㎡についてのみを選択特例対象宅地等に該当するものとして、小規模宅地等の課税特例の適用対象とすることは認められないものとされます。

**ワンポイント**

本問については **質疑** に掲げる長男Ａの指摘のとおり、長男Ａが選択特例対象宅地等の面積を120㎡とするならば、本件相続税申告に係る本件課税特例の適用上限面積は最大でも200㎡となり、貸付事業用宅地等に係る限度面積要件（200㎡）を超えないことから、事実上の問題は生じないと考えることに賛意を表する向きもあるかもしれません。

しかしながら、租税法律主義に基づく条文解釈、とりわけ、小規模宅地等の課税特例のように納税者を優遇する規定に関しては厳格的な解釈を求める文理解釈によるべきであるとするのが通説であり、みだりに論理解釈や拡張解釈を行うべきではないと考えられますので、上記の見解に対しては否定的とならざるを得ません。

なお、本問に関しては、第６章（判例・裁決事例の確認）の⑮の徳島地方裁判所（平成15年10月31日判決、平成14年（行ウ）第25号）（確定）の裁判例（1374ページ）を併せて参照してください。

### ⑽　相続税の申告期限後における小規模宅地等の選択替えの可否（その１：当初の選択が適法に行われていた場合）

**質疑**　被相続人甲の所有していたＡ宅地（面積250㎡：長男が取得）とＢ宅地（面積300㎡：次男が取得）はいずれも小規模宅地等の課税特例の適用を受ける要件を充足しています（貸付事業用宅地等に該当）が、相続税の期限内申告においてはＡ宅地をその特例対象宅地等として小規模宅地等の課税特例の適用を受けました。

しかしながら、その後の事情もあって相続税の申告期限後において小規模宅地等の課税特例の適用対象地を期限内申告時に選択したＡ宅地からＢ宅地に変更したいと考えていますが、このような小規模宅地等の選択替えをすることは可能ですか。

なお、租税特別措置法第69条の５《特定計画山林についての相続税の課税価格の計算の特例》の適用対象となる資産はないものとします。

**応答**

小規模宅地等の課税特例の適用を受けるためには、相続税の申告書に当該特例の適用を受ける旨の記載があり、その計算に関する明細書その他一定の書類（限度面積要件を充足するものである旨を記載した書類等）の添付をすることが必要です。

また、貸付事業用宅地等に該当する小規模宅地等の200㎡までの選択は、小規模宅地等の要件を満たす宅地等を相続又は遺贈により取得した者が２人以上ある場合でそれらの宅地等の面積の合計が200㎡を超えるときには、その選択しようとする宅地等の明細書及びその要件を満たす宅地等を取得した者の選択についての同意を証する書類を相続税の申告書に添付して行うものとされています。

このように、小規模宅地等の課税特例の適用を受けるか否か、又は小規模宅地等の課税特例の適用要件を充足する宅地等が複数ある場合にどの宅地等を小規模宅地等の課税特例の対象とするのかの選択は、相続税の期限内申告の時点での納税者の選択の結果とされています。

したがって、その選択により適法に小規模宅地等の課税特例の適用が行われ、有効な相続税の申告書の提出がなされている場合には、たとえ他に小規模宅地等の課税特例の要件を充足する他の宅地等があったとしてもその選択替えをすることは認められません。

### ⑾　相続税の申告期限後における小規模宅地等の選択替えの可否（その２：当初の選択において特例対象宅地等に該当しないものに小規模宅地等の課税特例を適用していた場合）

**質疑**　被相続人甲の所有していたA宅地（面積250㎡）とB宅地（面積300㎡）は相続により長男が取得しましたが、いずれも小規模宅地等の課税特例の適用を受ける要件を充足しているものと考えて、当初の相続税の期限内申告においては選択によりＡ宅地をその特例対象宅地等として小規模宅地等の課税特例の適用を受けました。

しかしながら、その後の資料の再検討の結果、A宅地は小規模宅地等の課税特例の適用要件を充足していないことが判明しました。

このような状況において、A宅地に代替してB宅地（貸付事業用宅地等に該当）を小規模宅地等の課税特例の適用対象地に該当するとして申告等のやり直しをすることが認められますか。

なお、A宅地及びB宅地に関する評価等の資料は下記のとおりであったものとし、被相続人甲から相続等により財産を取得した者は長男のみであったものとします。

| 区　分 | 自用地としての評価額（特例適用前） | 期限内申告による相続税の課税価格算入額 |
|---|---|---|
| A宅地 | 50,000千円Ⓐ | 30,000千円（Ⓐ－Ⓐ×$\frac{200㎡}{250㎡}$×50%） |
| B宅地 | 27,000千円 | 27,000千円 |
| 合　計 | | 57,000千円 |

また、被相続人甲の相続財産のうちには、租税特別措置法第69条の5《特定計画山林についての相続税の課税価格の計算の特例》の適用対象となる資産はないものとします。

**応答**

前問⑽にも掲げるとおり、(イ)小規模宅地等の課税特例の適用を受けるためには、相続税の申告書に当該特例の適用を受ける旨の記載があり、その計算に関する明細書その他一定の書類（限度面積要件を充足するものである旨を記載した書類等）を添付することが必要であるとされています。（特例対象宅地等を取得した個人が1人である場合）

また、小規模宅地等の課税の特例の適用を受けるか否か又は(ロ)小規模宅地等の課税特例の適用要件を充足する宅地等が複数ある場合にどの宅地等を小規模宅地等の課税特例の適用対象地とするのかの選択は、相続税の期限内申告の時点での納税者の選択の結果とされています。

しかしながら、**質疑** の事例の場合には、当初は小規模宅地等の課税特例の対象になると判断していたA宅地が当該適用要件を充足していないことから、当該A宅地について小規模宅地等の課税特例の適用を受けること自体が失当（上記(イ)＿＿部分の要件が欠落）となり、結果的には、小規模宅地等の課税特例の適用対象宅地を選択していないことと同様の状況にあるものと考えられます。（上記(ロ)＿＿部分の要件も欠落していることになります。なぜならば、当初の相続税の期限内申告において、小規模宅地等の課税特例の適用対象宅地等に該当するとして選択したA宅地はこれに該当しないこととされたため、結果的には、納税者による選択がなされていない状況であると考えられます。）

一方、小規模宅地等の課税特例の適用を受けるためには、上記(イ)＿＿のとおり、相続税の申告書（相続税の期限内申告書、期限後申告書及びこれらの申告書に係る修正申告書をいいます。）にその適用を受ける旨の記載及びその計算に関する明細書等一定の書類の添付が必要とされています。

したがって、**質疑**の事例において、A宅地に代替してB宅地（貸付事業用宅地等に該当：200㎡を上限に50％減額）を小規模宅地等の課税特例の適用対象地に該当するものとして手続きをすることが一定の要件のもとに認められるものと考えられます。この取扱いを受けるためには、少くとも次に掲げる要件を充足する必要があるものと考えられます。

(1)　A宅地に係る小規模宅地等の課税特例の適用が認められないものとして、相続税の修正申告書等の提出がなされること（下表を参照）

| 区　分 | 期限内申告による相続税の課税価格算入額 | 修正申告による相続税の課税価格算入額 | 修正申告による増減額 |
|---|---|---|---|
| A宅地 | 30,000千円（50,000千円－50,000千円×$\frac{200㎡}{250㎡}$×50%） | 50,000千円 | ＋20,000千円 |
| B宅地 | 27,000千円 | 18,000千円（27,000千円－27,000千円×$\frac{200㎡}{300㎡}$×50%） | ▲ 9,000千円 |
| 合　計 | 57,000千円 | 68,000千円 | ＋11,000千円 |

(2)　B宅地について、相続税の修正申告書において、小規模宅地等の課税特例の適用を受ける旨の記載があり、その計算に関する明細書（選択する特例対象宅地等の区分に応じた計算の明細）その他一定の書類（限度面積要件を充足するものである旨を記載した書類等）の提出がなされること

### ⑿　遺留分の減殺請求による財産取得者の異動と小規模宅地等の課税特例の適用対象地の選択替えの可否（相続開始日が令和元年６月30日までである場合）

**質疑**　被相続人甲（相続開始日：令和元年５月10日）の相続財産のうち、不動産（家屋及びその敷地である宅地）は下記に掲げる２か所に存しており、その利用状況等はそれぞれに掲げるとおりでした。

(1)　不動産X

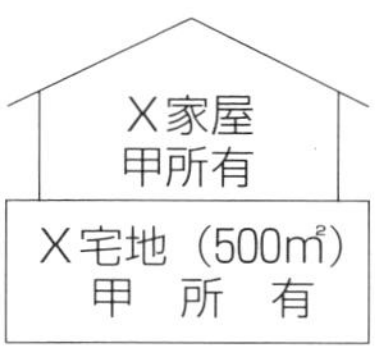


● 当該家屋は、相続開始の直前において、被相続人甲の営む小売店舗に供用されていました。当該事業は長男Aが直ちに承継し、その後も当該事業は継続されています。
● 自用地としてのX宅地の評価額……50,000千円

(2)　不動産Y

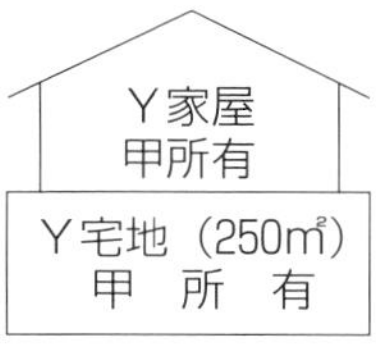


● 当該家屋（戸建住宅）は、相続開始の直前において賃借人に対して貸し付けられていました。相続税の申告期限においても当該貸付の状況に異動はありませんでした。
● 自用地としてのY宅地の評価額……200,000千円
● 借地権割合……60%
● 借家権割合……30%
● 賃貸割合………100%

被相続人甲は遺言書を作成しており、当該遺言書によれば不動産X及び不動産Y

はいずれも長男Ａが相続する（配偶者乙は、金融資産を中心に相続する。）との記載があり、相続税の期限内申告においては当該遺言書の内容に基づいて相続税の申告と納付が行われました。

なお、期限内申告時には長男Ａのみが小規模宅地等の課税特例の適用要件を充足する宅地を取得していることから、長男ＡはＹ宅地（面積250㎡）を貸付事業用宅地等として選択し、その適用上限面積である200㎡について、課税特例の適用を受けています。（相続税の課税価格算入額が最小となる方法を選択しています。）

しかし、相続税の申告直後に、配偶者乙から長男Ａに対して遺留分減殺請求権を行使する旨の通告があり、その後の家庭裁判所における調停で下記に掲げる事項をもって両者は合意することとなりました。

合意事項

(1)　遺留分の減殺請求対象財産として、長男Ａは配偶者乙に対して不動産Ｙを引き渡すこと

(2)　課税庁に対して相続税に係る税務手続きの見直しを行う場合には、小規模宅地等の課税特例の適用を受ける面積として、Ｘ宅地（長男Ａが取得）から200㎡、Ｙ宅地（配偶者乙が取得）から100㎡（下記 計算 を参照）を選択することで同意すること

計算

$$\underset{\left(\substack{\text{特定事業用宅}\\\text{地等の面積}}\right)}{200\text{㎡}} \times \frac{200\text{㎡}}{400\text{㎡}} + \underset{\left(\substack{\text{貸付事業用宅}\\\text{地等の面積}}\right)}{100\text{㎡}} = 200\text{㎡} \leqq 200\text{㎡}$$

上記の調停の成立に伴って、長男Ａは更正の請求をし、配偶者乙は修正申告書の提出をしようと考えています。

その際には、遺留分の減殺請求権を行使したことによって結果的に相続税の期限内申告時における財産取得者との間に変更が生じたことから、上記 合意事項 (2)に掲げる小規模宅地等の課税特例の適用対象地について選択替えを行ってそれぞれの税務手続きを採ることは認められますか。

## 応答

小規模宅地等の課税特例の適用を受けるためには、相続税の申告書に当該特例の適用を受ける旨の記載があり、その計算に関する明細書その他一定の書類の添付をすることが必要（申告要件）とされています。

また、特例対象宅地等について、当該相続又は遺贈により財産を取得した２人以上の者が特例対象宅地等を有するものである場合には、当該特例の適用を受けようとする者についてその選択しようとする宅地等の明細書及び限度面積要件を充足している宅地等を取得した者の当該小規模宅地等の選択について、全ての特例対象宅地等を相続又は遺贈により取得した

者の同意を証する書類（以下、「同意書」といいます。実務上では、相続税の申告書の付表を使用します。）を相続税の申告書に添付することが必要とされています。

また、小規模宅地等の課税特例の適用対象地の選択は特例対象宅地等のうちから納税者が一定の手続きに従って任意に決定するものとされていることから、相続税の期限内申告の時点で何らの瑕疵もなく合法的に選択されたものを事後的に変更することは認められないものと解されています。

**質疑** の事例の場合には、相続税の期限内申告の時点では被相続人甲の遺言により特例対象宅地等に該当する２か所の宅地等はいずれも長男Ａが取得するものとされ、この点に不合理性は認められないことから結果として特例対象宅地等を取得した者は１人となり、同意書の添付を要することなく長男Ａが小規模宅地等の課税特例の適用を受けることが可能となります。

そうすると、相続税の期限内申告の時点で適法に選択された小規模宅地等の課税特例の適用対象地について、その後における選択替えは上記に掲げる基本的な解釈から許されないのではないかという考え方が成立するかも知れません。

しかしながら、**質疑** の事例の場合には、配偶者乙が遺贈により取得した財産が同人の民法（平成元年６月30日までに開始した相続又は遺贈に適用される改正前の旧民法）で規定された遺留分相当額に満たなかったために遺留分減殺請求権を行使した結果としての調停合意によってＹ宅地を取得したものであり、相続税の申告期限後に生じた被相続人の財産承継に係る相続固有の後発的事情に基づくものであると理解されます。

それ故に、**質疑** の事例における遺留分減殺請求に伴う小規模宅地等の課税特例に係る適用対象地の変更は、下記のとおりに解釈することが相当であると考えられます。

⑴　長男Ａに係る手続き（更正の請求）

長男Ａは、配偶者乙から合法的に遺留分減殺請求権を行使され、当初申告において遺贈により取得したとされたＹ宅地を結果として（合法的な後発的事由に基づいて）取得できなくなったものであり、当初申告の相当性が当該後発的事由の出現によって担保されなくなったことから、その代替としてＸ宅地を選択したものと理解されます。

そうすると、これを単なる任意の事由に基づく小規模宅地等の選択替えと同視することは相当ではなく、長男Ａについては、更正の請求においてＸ宅地を小規模宅地等の課税特例（特定事業用宅地等）の対象とすることは、添付書類等の一定の要件を充足する限り容認されるべきであること

⑵　配偶者乙に係る手続き（修正申告）

配偶者乙は、当初申告においては特例対象宅地等を取得していないことから、小規模宅地等の課税特例については何らの手続きもされていませんが、上記⑴に掲げるとおりＹ宅地の取得は遺留分減殺請求権に基づく後発的事由による合法的な取得であると理解されます。

そうすると、配偶者乙についても、修正申告においてＹ宅地を小規模宅地等の課税特例

（貸付事業用宅地等）の対象とすることは、添付書類等の一定の要件を充足する限り容認されるべきであること

**参考**　**質疑**　の事例の場合の異動（Ｘ宅地・Ｙ宅地に関する事項のみを掲記）

| 区分 | Ｘ宅地・Ｙ宅地（相続税の課税価格算入額） | 財産の取得者等 | | |
|---|---|---|---|---|
| | | 配偶者乙 | 長男Ａ | 合計 |
| (A)相続税の期限内申告時 | ⑴　Ｘ宅地<br>50,000千円 | ０千円 | 50,000千円 | 50,000千円 |
| | ⑵　Ｙ宅地<br>200,000千円×（１－60％×30％×100％）<br>＝164,000千円<br>164,000千円－164,000千円×$\frac{200m^2}{250m^2}$×（１－50％）<br>＝98,400千円 | ０千円 | 98,400千円 | 98,400千円 |
| | ⑶　合計<br>⑴＋⑵＝148,400千円 | ０千円 | 148,400千円 | 148,400千円 |
| (B)遺留分減殺請求後 | ⑴　Ｘ宅地<br>50,000千円－50,000千円×$\frac{200m^2}{500m^2}$×（１－20％）<br>＝34,000千円 | ０千円 | 34,000千円 | 34,000千円 |
| | ⑵　Ｙ宅地<br>200,000千円×（１－60％×30％×100％）<br>＝164,000千円<br>164,000千円－164,000千円×$\frac{100m^2}{250m^2}$×（１－50％）<br>＝131,200千円 | 131,200千円 | ０千円 | 131,200千円 |
| | ⑶　合計<br>⑴＋⑵＝165,200千円 | 131,200千円 | 34,000千円 | 165,200千円 |
| 相続税の期限内申告時と遺留分の減殺請求後の異動<br>（(B)⑶－(A)⑶） | | ＋131,200千円 | ▲114,400千円 | ＋16,800千円 |

⑶　参考

上記⑴及び⑵について、国税庁のＨＰにおいて、『遺留分減殺に伴う修正申告及び更正の請求における小規模宅地等の選択替えの可否（令和元年７月１日前に開始した相続）』（下記 **資料** を参照）の取扱いが公開されています。

**資料**

**遺留分減殺に伴う修正申告及び更正の請求における小規模宅地等の選択替えの可否（令和元年７月１日前に開始した相続）**

**【照会要旨】**

被相続人甲（平成31年３月10日相続開始）の相続人は、長男乙と長女丙の２名です。乙は甲の遺産のうちＡ宅地（特定居住用宅地等）及びＢ宅地（特定事業用宅地等）を遺贈により取得し、相続税の申告に当たってＢ宅地について小規模宅地等の特例を適用して期限内に申告しました。

その後、丙から遺留分減殺請求がなされ、家庭裁判所の調停の結果Ｂ宅地は丙が取得することになりました。

そこで、小規模宅地等の対象地を、乙は更正の請求においてＡ宅地と、丙は修正申告においてＢ宅地とすることができますか（限度面積要件は満たしています。）。なお、甲の遺産の内小規模宅地等の特例の対象となる宅地等は、Ａ宅地及びＢ宅地のみです。

**【回答要旨】**

当初申告におけるその宅地に係る小規模宅地等の特例の適用について何らかの瑕疵がない場合には、その後、その適用対象宅地の選択換えをすることは許されないこととされていますが、照会の場合は遺留分減殺請求という相続固有の後発的事由に基づいて、当初申告に係る土地を遺贈により取得できなかったものですから、更正の請求においてＡ宅地について同条を適用することを、いわゆる選択換えというのは相当ではありません。

したがって、乙の小規模宅地等の対象地をＡ宅地とする変更は、更正の請求において添付書類等の要件を満たす限り認められると考えられます。また、当初申告において小規模宅地等の対象地を選択しなかった丙についても同様に取り扱って差し支えないと考えられます。

**【関係法令通達】**

租税特別措置法第69条の４

### ⒀　遺留分の侵害額請求権を代物弁済したことによる財産取得者の異動と小規模宅地等の課税特例の適用対象地の選択替えの可否（相続開始日が令和元年７月１日以後である場合）

**質疑**　被相続人甲（相続開始日：令和３年８月29日）の相続財産のうち、不動産（家屋及びその敷地である宅地）は下記に掲げる２か所に存しており、その利用状況等はそれぞれに掲げるとおりでした。

⑴　不動産Ｘ

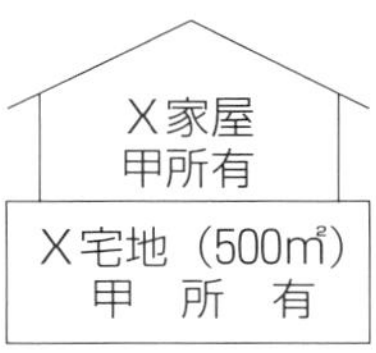


●当該家屋は、相続開始の直前において、被相続人甲の営む小売店舗に供用されていました。当該事業は長男Ａが直ちに承継し、その後も当該事業は継続されています。
●自用地としてのＸ宅地の評価額……50,000千円

⑵　不動産Ｙ

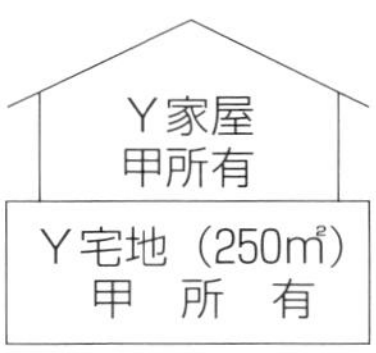


●当該家屋（戸建住宅）は、相続開始の直前において賃借人に対して貸し付けられていました。相続税の申告期限においても当該貸付の状況に異動はありませんでした。
●自用地としてのＹ宅地の評価額……200,000千円
●借地権割合……60%
●借家権割合……30%
●賃貸割合………100%

被相続人甲は遺言書を作成しており、当該遺言書によれば不動産Ｘ及び不動産Ｙはいずれも長男Ａが相続する（配偶者乙は、金融資産を中心に相続する。）との記

載があり、相続税の期限内申告においては当該遺言書の内容に基づいて相続税の申告と納付が行われました。

なお、期限内申告時には長男Ａのみが小規模宅地等の課税特例の適用要件を充足する宅地を取得していることから、長男ＡはＹ宅地（面積250㎡）を貸付事業用宅地等として選択し、その適用上限面積である200㎡について、課税特例の適用を受けています。（相続税の課税価格算入額が最小となる方法を選択しています。）

しかし、相続税の申告直後に、配偶者乙から長男Ａに対して遺留分侵害額請求権（債権）を行使する旨の通告があり、その後の家庭裁判所における調停（相続税の申告期限後に成立）で下記に掲げる事項をもって両者は合意することとなりました。

合意事項

① 遺留分侵害額請求権を算定するに当たってのＸ宅地及びＹ宅地の通常の取引価額は、それぞれ、50,000千円（Ｘ宅地）、164,000千円（Ｙ宅地）であるものとする。

② 遺留分侵害額に相当する債権（この価額を164,000千円と算定する。）を金銭で支弁することが困難であると認められることから、金銭での支払に代えて当該遺留分侵害額請求権の価額に相当するものとして、不動産Ｙを長男Ａは配偶者乙に対して引き渡すものとする。

上記の調停の成立に伴って、長男Ａは更正の請求をし、配偶者乙は修正申告書の提出をしようと考えています。

その際には、遺留分侵害額請求権を行使したことによって結果的に相続税の期限内申告時における財産取得者との間に変更が生じたことから、小規模宅地等の課税特例の適用対象地について下記記載のとおりに選択替えを行ってそれぞれの税務手続きを採ることは認められますか。

小規模宅地等の課税特例の適用対象地（選択替え後）

小規模宅地等の課税特例の適用を受ける面積として、Ｘ宅地（長男Ａが取得）から200㎡、Ｙ宅地（配偶者乙が取得）から100㎡（下記計算を参照）を選択

計算　200㎡（特定事業用宅地等の面積）× $\frac{200㎡}{400㎡}$ ＋ 100㎡（貸付事業用宅地等の面積）＝ 200㎡ ≦ 200㎡

なお、上記に掲げる自用地としてのＸ宅地及びＹ宅地の評価額（相続税評価額）は、これらの宅地に係るいわゆる時価（客観的な交換価値）に等しいものであることが確認されています。

## 応答

(1) 民法改正（『遺留分減殺請求権』から『遺留分侵害額請求権』への変更）の概要

平成30年７月の民法改正（施行日：令和元年７月１日）前後における遺留分に関する取扱

いを示すと、下記のとおりとなります。

①　民法改正前の取扱い

旧民法（令和元年６月30日まで適用）の取扱いでは、最高裁第二小法廷昭和51年８月30日判決（昭和50年(オ)第920号）に基づく法令解釈等から、遺留分減殺請求権が行使されるとその法的効果として当然に物権的効果が生じるものとされ、遺贈又は一定の生前贈与については当該遺留分減殺請求権者が有する遺留分を侵害する限度において失効し、当該受遺者又は受贈者に帰属した所有権等は当該侵害する限度において当該遺留分減殺請求権者に帰属するものとされていました。

その結果、遺贈又は贈与の対象とされた財産は、当該受益者（受遺者又は受贈者）と当該遺留分減殺請求権者との間で共有関係が生じるものとされていました。

ポイント　前問⑿では、長男Ａに対する遺贈の対象とされた財産（不動産Ｘ及び不動産Ｙ）につき、遺留分減殺請求権が行使されたことにより、当該受益者（受遺者たるＡ）と当該遺留分減殺請求権者（配偶者乙）との間で共有関係が生じるものとされたところ、調停によって長男Ａが不動産Ｘ、配偶者乙が不動産Ｙをそれぞれ単独で取得することが確定したというものです。

すなわち、上記＿＿部分の行為は、『共有物（共有状態にある相続財産）の分割』に該当するものであり、当該行為は、まだなお、被相続人甲に係る相続手続きの範囲内にあるものと理解されていました。

②　民法改正後の取扱い

上記①に掲げるとおり、民法改正前の取扱いでは、遺留分減殺請求権が行使されると、遺贈又は贈与の目的とされた財産が、結果的に受益者（受遺者又受贈者）と遺留分減殺請求権者との共有とされることが多く、その使用収益及び処分に関して、さまざまな弊害が生じることも実務上では多々、見受けられました。

本来の遺留分制度の趣旨は、遺留分権利者の生活保障や遺産の形成に貢献した遺留分権利者の潜在的持分の清算等を目的とする制度とされていることから、当該目的を果たすためには、民法改正前の取扱いである物権的効果まで付与する必要性はないとの考え方も成立するところです。

そこで、このような状況の変化に対応するものとして平成30年７月の民法改正（施行日：令和元年７月１日）によって、民法第1046条《遺留分侵害額の請求》第１項（下記 参考 を参照）の規定が新設され、遺留分が確保されていないと認められる場合には、遺留分減殺請求権によって当然に物権的効果が生じるものとされた旧来の取扱いから、遺留分侵害額に相当する遺留分侵害額請求権（金銭債権）が遺留分権利者に帰属するという取扱い（物権的効果から金銭債権への変更）に見直されることになりました。

参考　民法第1046条《遺留分侵害額の請求》

| |
|---|
| 第１項　遺留分権利者及びその承継人は、受遺者（特定財産承継遺言により財産を承継し又は相続分の指定を受けた相続人を含む。以下この章において同じ。）又は受贈者に対し、遺留分侵害額に相当する金銭の支払を請求することができる。 |

（注）上記の改正によって、使用される用語も改正前の『遺留分減殺請求権』から『遺留分侵害額請求権』に変更されていますので留意する必要があります。

(2) 質疑 の事例の取扱い

① 相続税の期限内申告の時点における取扱い

小規模宅地等の課税特例の適用を受けるためには、相続税の申告書にその適用を受ける旨の記載があり、その計算に関する明細書その他一定の書類の添付をすることが必要（申告要件）とされています。

また、特例対象宅地等について、当該相続又は遺贈により財産を取得した２人以上の者が特例対象宅地等を有するものである場合には、小規模宅地等の課税特例の適用を受けようとする者についてその選択しようとする宅地等の明細書及び限度面積要件を充足している宅地等を取得した者の当該小規模宅地等の選択について、すべての特例対象宅地等を相続又は遺贈により取得した者の同意を証する書類（以下、「同意書」といいます。実務上では、相続税の申告書の付表を使用します。）を相続税の申告書に添付することが必要とされています。

また、小規模宅地等の課税特例の適用対象地の選択は特例対象宅地等のうちから納税者が一定の手続きに従って任意に決定するものとされていることから、相続税の期限内申告の時点で何らの瑕疵もなく合法的に選択されたものを事後的に変更することは認められないものと解されています。

質疑 の事例の場合には、相続税の期限内申告の時点では被相続人甲の遺言により特例対象宅地等に該当する２か所の宅地等はいずれも長男Ａが取得するものとされ、この点に不合理性は認められないことから結果として特例対象宅地等を取得した者は１人となり、同意書の添付を要することなく長男Ａが小規模宅地等の課税特例の適用を受けることが可能となります。

② 遺留分侵害額請求権（債権）を宅地等で支弁した場合の取扱い

上記(1)②に掲げるとおり、民法改正後は遺留分侵害額は債権とされることから遺留分侵害額は金銭で支払わなければならないものとされています。しかしながら、事例によっては金銭での支払が困難であり当事者の同意によって、民法改正前と同様に、相続財産である不動産の全部又は一部を供与するという形態も想定されるものと考えられます。

民法改正後では、質疑 の事例のように長男Ａに対する遺贈の対象とされた財産（不動産Ｘ及び不動産Ｙ）につき、遺留分侵害額請求権が行使されたとしても、当該遺留分侵害額請求権は債権とされていることから、当該受益者（受遺者たるＡ）と当該遺留分侵害額請求権者（配偶者乙）との間に共有関係が生じるものとは解されません。（換言すれば、長男Ａが遺贈により取得した財産（不動産Ｘ及び不動産Ｙ）の所有権には、何らの影響も与えないことになります。）

そして、長男Ａが遺留分侵害額に相当する債権を金銭で支弁することが困難であるとして、金銭での支払に代えて当該遺留分侵害額請求権の価額に相当するものとして、不動産Ｙを配偶者乙に対して引き渡す旨の調停が成立したとのことですが、上記＿＿部分の行為は、『代物弁済』（本来的には金銭で支払うべきところを金銭以外の資産をもって支払に充当する方法をいいます。）に該当するものです。

そうすると、上記＿＿部分の行為は、もはや当該段階では、被相続人甲に係る相続手続きの範囲内（共有物の分割）にあるとはいえず、相続後における別途の法律行為（代物弁済）が遂行されたものと理解されます。

以上の解釈に基づいて、**質疑** の事例における遺留分侵害請求に伴う小規模宅地等の課税特例に係る適用対象地の変更は、下記のとおりに解釈することが相当であると考えられます。

(イ)　長男Ａに係る手続き（更正の請求）

長男Ａは、配偶者乙から合法的に遺留分侵害額請求権（請求額164,000千円）を行使され、これを支弁（ただし、支弁の方法として代物弁済を採用し、長男Ａは配偶者乙に対してＹ不動産の所有権を移転）したとのことですから、相続税法第32条《更正の請求の特則》第１項第３号（遺留分侵害額の請求に基づき支払うべき金銭の額が確定したこと）の規定の適用により、更正の請求をすることが認められます。

ただし、この場合においても、長男ＡがＸ宅地及びＹ宅地を被相続人甲からの遺贈により取得したという事実には何ら異動はないことから、小規模宅地等の課税特例に係る適用対象地についても変動はない（相続税の期限内申告で選択されたＹ宅地（面積250㎡）のうち200㎡に対応する部分を貸付事業用宅地等として選択した状況を維持する）ものとして、取り扱うことが相当されます。

(ロ)　配偶者乙に係る手続き（修正申告）

配偶者乙は、長男Ａに対して合法的に遺留分侵害額請求権（請求額164,000千円）を行使して、これを受領（ただし、支弁の方法として代物弁済を採用し、配偶者乙は長男ＡからＹ不動産の所有権を取得）したとのことですから、一般的には配偶者乙に係る相続税の期限内申告書の提出により納付すべきものとしてこれに記載した税額に不足額がある場合に該当するものと考えられます。

そうすると、配偶者乙は、国税通則法第19条《修正申告》第１項第１号の規定に基づいて、修正申告書を提出することができるものとされます。

ただし、この場合においても、配偶者乙が相続によって取得したものはあくまでも『遺留分侵害額請求権』（ **質疑** の事例の場合における相続税の課税価格算入額は、164,000千円）であって、宅地等を取得したことにはならないことから、小規模宅地等の課税特例の規定は無関係であるものとされます。

参考　質疑　の事例の場合の異動（Ｘ宅地・Ｙ宅地・遺留分侵害額に関する事項のみを掲記）

| 区分 | Ｘ宅地・Ｙ宅地（相続税の課税価格算入額） | 財産の取得者等 | | |
|---|---|---|---|---|
| | | 配偶者乙 | 長男Ａ | 合計 |
| (A)相続税の期限内申告時 | (1)　Ｘ宅地<br>50,000千円 | ０千円 | 50,000千円 | 50,000千円 |
| | (2)　Ｙ宅地<br>200,000千円×（１－60％×30％×100％）<br>＝164,000千円<br>164,000千円－164,000千円×$\frac{200㎡}{250㎡}$×（１－50％）<br>＝98,400千円 | ０千円 | 98,400千円 | 98,400千円 |
| | (3)　合計<br>(1)＋(2)＝148,400千円 | ０千円 | 148,400千円 | 148,400千円 |
| (B)遺留分の侵害額請求後 | (1)　Ｘ宅地<br>50,000千円 | ０千円 | 50,000千円 | 50,000千円 |
| | (2)　Ｙ宅地<br>200,000千円×（１－60％×30％×100％）<br>＝164,000千円<br>164,000千円－164,000千円×$\frac{200㎡}{250㎡}$×（１－50％）<br>＝98,400千円 | ０千円 | 98,400千円 | 98,400千円 |
| | (3)　遺留分侵害額<br>・遺留分侵害額請求権……164,000千円<br>・遺留分侵害額請求権による引渡義務<br>………▲164,000千円 | 164,000千円 | ▲164,000千円 | 164,000千円<br>▲164,000千円 |
| | (4)　合計<br>(1)＋(2)＋(3)＝198,400千円 | 164,000千円 | ▲15,600千円 | 148,400千円 |
| 相続税の期限内申告時と遺留分の侵害額請求後の異動<br>((B)(4)－(A)(3)) | | ＋164,000千円 | ▲164,000千円 | ０千円 |

ポイント　遺留分の侵害額請求権（債権）の行使があった場合においては、当該遺留分侵害額請求権者とその対象とされた受益者（受遺者又は受贈者）との間で、遺留分の侵害額に相当する債権の授受があったものと取り扱われることから、当該債権の価額に相当する金額(注)が相続税の課税価格に加算（遺留分侵害額請求権者側）され、又は、減算（受益者側）されることになり、全体の相続税の課税価格には、原則として、変動はないものとされます。

(注)　遺留分の侵害額請求権（債権）の価額に相当する金額

本件　質疑　の事例の場合には、その前提条件から該当しませんが、遺留分の侵害額請求権（債権）の価額が、遺留分の侵害額請求の対象となった遺贈に係る財産が特定され、かつ、当該財産の相続開始の時における通常の取引価額を基として決定されている（換言すれば、当該遺贈に係る財産の通常の取引価額（時価）と相続税評価額との間に乖離があると認められる）ときには、『遺留分の侵害額請求権（債権）の価額に相当する金額』は、相続税法基本通達11の２－10《代償財産の価額》の価額に準じて、次に掲げる算式により計算した金額によることが相当と考えられます。

（算式）

遺留分侵害額 × （遺留分侵害額の支払の請求の基因となった遺贈に係る財産の相続開始の時における価額（相続税評価額）㊟）／（遺留分侵害額の支払の請求の基因となった遺贈に係る財産の遺留分侵害額の決定の基となった相続開始の時における価額（時価））

㊟　遺留分の侵害額請求の対象となった遺贈に係る財産が小規模宅地等の課税特例の規定の適用を受けるものである場合には、当該規定の適用を受ける前の金額とされることに留意する必要があります。

（計算例）

設例　上記の 質疑 の事例における 合意事項 が、下記に掲げるとおりであったとしたならば、どのようになりますか。

合意事項

①　遺留分侵害額請求権を算定するに当たってのＸ宅地及びＹ宅地の通常の取引価額は、それぞれ、62,500千円（Ｘ宅地）、205,000千円（Ｙ宅地）であるものとする。

参考　(イ)　Ｘ宅地

50,000千円÷0.8＝62,500千円

(ロ)　Ｙ宅地

200,000千円×（１－60％×30％×100％）÷0.8＝205,000千円

②　遺留分侵害額に相当する債権（この価額を205,000千円と算定する。）を金銭で支弁することが困難であると認められることから、金銭での支払に代えて当該遺留分侵害額請求権の価額に相当するものとして、不動産Ｙを長男Ａは配偶者乙に対して引き渡すものとする。

**回答**　**設例**　の事例の場合の異動（Ｘ宅地・Ｙ宅地・遺留分侵害額に関する事項のみを掲記）

| 区分 | Ｘ宅地・Ｙ宅地（相続税の課税価格算入額） | 財産の取得者等 | | |
|---|---|---|---|---|
| | | 配偶者乙 | 長男Ａ | 合計 |
| (A)相続税の期限内申告時 | (1)　Ｘ宅地<br>50,000千円 | ０千円 | 50,000千円 | 50,000千円 |
| | (2)　Ｙ宅地<br>200,000千円×（１－60％×30％×100％）<br>＝164,000千円<br>164,000千円－164,000千円×$\frac{200m^2}{250m^2}$×（１－50％）<br>＝98,400千円 | ０千円 | 98,400千円 | 98,400千円 |
| | (3)　合計<br>(1)＋(2)＝148,400千円 | ０千円 | 148,400千円 | 148,400千円 |
| (B)遺留分の侵害額請求後 | (1)　Ｘ宅地<br>50,000千円 | ０千円 | 50,000千円 | 50,000千円 |
| | (2)　Ｙ宅地<br>200,000千円×（１－60％×30％×100％）<br>＝164,000千円<br>164,000千円－164,000千円×$\frac{200m^2}{250m^2}$×（１－50％）<br>＝98,400千円 | ０千円 | 98,400千円 | 98,400千円 |
| | (3)　遺留分侵害額<br>・遺留分侵害額請求権……164,000千円<br>・遺留分侵害額請求権による引渡義務<br>………▲164,000千円<br>計算<br>205,000千円（遺留分侵害額）×$\frac{50,000千円（X宅地の相続税評価額）+164,000千円（Y宅地の相続税評価額）}{62,500千円（X宅地の時価）+205,000千円（Y宅地の時価）}$<br>＝164,000千円 | 164,000千円 | ▲164,000千円 | 164,000千円<br>▲164,000千円 |
| | (4)　合計<br>(1)＋(2)＋(3)＝148,400千円 | 164,000千円 | ▲15,600千円 | 148,400千円 |
| 相続税の期限内申告時と遺留分の侵害額請求後の異動<br>((B)(4)－(A)(3)) | | ＋164,000千円 | ▲164,000千円 | ０千円 |

なお、上記（注）に掲げる取扱いに関しては、令和２年７月７日付で国税庁資産課税課から公開された資産課情報第17号『相続税及び贈与税等に関する質疑応答事例（民法（相続法）改正関係）について（情報）』中の『Ⅱ　遺留分関係　（事

例２－１）遺贈が遺留分を侵害するものとして遺留分侵害額の支払の請求があった場合における相続税の計算』（下記 資料１ を参照）において、その考え方が示されています。

資料１

Ⅱ　遺留分制度関係

（事例２－１）遺贈が遺留分を侵害するものとして遺留分侵害額の支払の請求があった場合における相続税の計算

問　遺贈が遺留分を侵害するものとして遺留分侵害額の支払の請求が行われた場合において、その金額が確定したときにおける相続税の計算はどのように行うのか。

答

１　遺贈が遺留分を侵害するものとして遺留分侵害額の支払の請求が行われた場合において、その金額が確定したときの相続税法第11条の２の規定による相続税の計算は、次に掲げる者の区分に応じ、それぞれに定める課税価格の合計額により行う。

⑴　金銭の支払を受ける相続人（遺留分権利者）

…相続又は遺贈により取得した現物の財産の価額＋遺留分侵害額に相当する価額

⑵　金銭を支払う受遺者（遺留分義務者）

…相続又は遺贈により取得した現物の財産の価額－遺留分侵害額に相当する価額

２　この場合の「遺留分侵害額に相当する価額」は、相続開始の時における時価であることを要するが（相法22）、その金額については、代償分割が行われた場合（相通11の２－10）に準じて計算することとして差し支えない。この場合、遺留分侵害額の支払の請求の基因となった遺贈に係る財産が特定され、かつ、その財産の相続開始の時における通常の取引価額を基として当該遺留分侵害額が決定されているときの「遺留分侵害額に相当する価額」は、次の算式により計算した金額となる。

（算式）

$$\text{遺留分侵害額} \times \frac{\text{遺留分侵害額の支払の請求の基因となった遺贈に係る財産の相続開始の時における価額（相続税評価額）}}{\text{遺留分侵害額の支払の請求の基因となった遺贈に係る財産の遺留分侵害額の決定の基となった相続開始の時における価額（時価）}}$$

（注）　共同相続人及び包括受遺者（遺留分義務者を含む。）の全員の協議に基づいて、上記の方法に準じた方法又は他の合理的と認められる方法により遺留分侵害額に相当する価額を計算して申告する場合は、その申告した額として差し支えない。

３　なお、遺留分侵害額に相当する金銭の支払に代えて、その債務の履行として資産（遺留分侵害額の支払の請求の基因となった遺贈により取得した財産を含む。）を交付する場合においても、相続税の計算は上記と同様である。

（注）　上記の資産の交付は、遺留分侵害額に係る金銭債務を履行するための資産の移転（代物弁済）に該当するため、その履行をした者については、原則として、その履行により消滅した金銭債務の額に相当する価額によりその資産を譲渡したとして、所得税が課税される（所法33、所通33－１の６）。

(3)　参考

上記(1)及び(2)について、国税庁のＨＰにおいて、『遺留分侵害額の請求に伴い取得した宅地に係る小規模宅地等の特例の適用の可否（令和元年７月１日以後に開始した相続）』（下記 資料２ を参照）の取扱いが公開されています。

資料２

**遺留分侵害額の請求に伴い取得した宅地に係る小規模宅地等の特例の適用の可否（令和元年７月１日以後に開始した相続）**

**【照会要旨】**

被相続人甲(令和元年８月１日相続開始)の相続人は、長男乙と長女丙の２名です。乙は甲の遺産のうちＡ宅地(特定居住用宅地等)及びＢ宅地(特定事業用宅地等)を遺贈により取得し、相続税の申告に当たってこれらの宅地について小規模宅地等の特例を適用して期限内に申告しました(小規模宅地等の特例の適用要件はすべて満たしています。)。

その後、丙から遺留分侵害額の請求がなされ、家庭裁判所の調停の結果、乙は丙に対し遺留分侵害額に相当する金銭を支払うこととなりましたが、乙はこれに代えてＢ宅地の所有権を丙に移転させました(移転は相続税の申告期限後に行われました。)。

丙は修正申告の際にＢ宅地について小規模宅地等の特例の適用を受けることができますか。

**【回答要旨】**

民法及び家事事件手続法の一部を改正する法律（平成30年法律第72号）による改正により、令和元年７月１日以後に開始した相続から適用される民法第1046条《遺留分侵害額の請求》に規定する遺留分侵害額の請求においては、改正前の遺留分減殺請求権の行使によって当然に物権的効力が生じるとされていた（遺贈又は過去の贈与が無効となり、遺贈又は贈与をされていた財産に関する権利が請求者に移転することとされていた）規定が見直され、遺留分に関する権利の行使によって遺留分侵害額に相当する金銭債権が生じることとされました。

照会の場合、遺留分侵害額の請求を受けて乙はＢ宅地の所有権を丙に移転していますが、これは、乙が遺留分侵害額に相当する金銭を支払うために丙に対し遺贈により取得したＢ宅地を譲渡（代物弁済）したものと考えられ、丙はＢ宅地を相続又は遺贈により取得したわけではありませんので、小規模宅地等の特例の適用を受けることはできません。なお、丙は、遺留分侵害額に相当する金銭を取得したものとして、相続税の修正申告をすることになります。

(注)　乙がＢ宅地を遺贈により取得した事実に異動は生じず、また、乙がＢ宅地を保有しなくなったのは相続税の申告期限後であることから、遺留分侵害額の請求を受けてＢ宅地の所有権を丙に移転させたとしても、乙はＢ宅地についての小規模宅地等の特例の適用を受けることができなくなるということはありません。なお、乙は、遺留分侵害額の請求に基づき支払うべき金銭の額が確定したことにより、これが生じたことを知った日の翌日から４月以内に、更正の請求をすることができます。

**【関係法令通達】**

相続税法第31条、第32条

租税特別措置法第69条の４

所得税基本通達33－１の６

民法第1046条

## 〔９〕 その他の論点（過去に実施された重要な改正事項等）に関する項目

### (1) 過去（平成６年度）に実施された重要な改正事項の確認（改正の概要）

**質疑**　『小規模宅地等の課税特例』制度については、平成６年度の税法改正でその取扱いに旧来と相当の変更があったようですが、その要旨を簡単に示してください。

**応答**

『小規模宅地等の課税特例』制度は、平成６年度の税法改正により大幅に改正され、原則として平成６年１月１日以降に相続又は遺贈により取得した財産から適用されました。（注）従前の取扱いに変更があった部分（重要事項）をまとめると、次表のとおりです。

（注）　平成６年度の税法改正項目に関するその後の取扱いの変更は、下記のとおりとなっています。

- 平成19年度の税法改正
  下表の区分欄の『国営用』の取扱いが、一定の経過措置が設けられたうえで、平成19年10月１日以後に課税時期が到来したものから廃止されました。
- 平成22年度の税法改正
  下表の区分欄の『居住用』、『事業用』及び『同族会社の事業用』においてそれぞれ特定要件を充足しないもの並びに『貸付用』において事業継続要件等を充足しないものは、平成22年４月１日以後に課税時期が到来したものからその適用対象から除外されることになりました。

<table>
<tr><th>項目</th><th>平成６年の改正前の取扱い</th><th>平成６年改正以後の取扱い</th></tr>
<tr><td>適用対象地</td><td>・事業用宅地等については貸付規模が事業的規模でないものはその適用が除外されていました。<br>（例）形式基準による事業的規模の判定<br>貸家・貸室の場合…５棟10室基準<br>貸地の場合……　10件2,000㎡基準</td><td>・事業用宅地等については貸付規模が事業的規模でないものについても、事業に準ずるもの（相当の対価を得て継続的に貸し付けているもの）であればその適用対象とされました。</td></tr>
<tr><td>適用区分と減額割合</td><td>
<table>
<tr><th>区　分</th><th>区分の細目</th><th>評価減額割合</th></tr>
<tr><td>居住用</td><td>……</td><td>60％減額</td></tr>
<tr><td>国営用</td><td>……</td><td>70％減額</td></tr>
<tr><td rowspan="2">業務用</td><td>事業的規模</td><td>70％減額</td></tr>
<tr><td>事業的規模以外</td><td>減額適用無</td></tr>
</table>
</td><td>
<table>
<tr><th>区　分</th><th>区分の細目</th><th>評価減額割合</th></tr>
<tr><td rowspan="2">居住用</td><td>特定居住用宅地等に該当</td><td>80％減額</td></tr>
<tr><td>特定居住用宅地等に非該当</td><td>50％減額</td></tr>
<tr><td rowspan="2">事業用</td><td>特定事業用宅地等に該当</td><td>80％減額</td></tr>
<tr><td>特定事業用宅地等に非該当</td><td>50％減額</td></tr>
<tr><td rowspan="2">国営用</td><td>国営事業用宅地等に該当</td><td>80％減額</td></tr>
<tr><td>国営事業用宅地等に非該当</td><td>50％減額</td></tr>
<tr><td rowspan="2">同族会社の事業用</td><td>特定同族会社事業用宅地等に該当</td><td>80％減額</td></tr>
<tr><td>特定同族会社事業用宅地等に非該当</td><td>50％減額</td></tr>
</table>
</td></tr>
</table>

| | | | |
|---|---|---|---|
| | | | 貸付用：事業的規模　50％減額<br>貸付用：事業的規模以外　50％減額 |
| 不動産貸付業等の用に供されている宅地等の取扱い | 取扱い | ・不動産貸付業（駐車場業を除く。）は事業的規模で営まれている場合に限り、小規模事業用宅地等としての取扱いが適用されました。（減額割合70％）<br>・駐車場業については、自己の責任において他人のものを預かる（物品預り業）形態の場合に限り、小規模事業用宅地等としての取扱いが適用されました。（減額割合70％） | ・不動産貸付業（駐車場業を含む。）の用に供されている宅地等は『特定事業用宅地等』に該当しないものとし、貸付規模の大小にかかわらず50％の減額割合となりました。 |
| | 具体例 | ①貸家５棟の敷地……減額割合70％<br>②貸家４棟の敷地……減額割合０％<br>③時間極駐車場敷地…減額割合70％<br>④月極駐車場敷地……減額割合０％ | ①貸家５棟の敷地……減額割合50％<br>②貸家４棟の敷地……減額割合50％<br>③時間極駐車場敷地…減額割合50％<br>④月極駐車場敷地……減額割合50％ |
| 未分割財産に対する適用 | | ・相続税の申告期限までに当該宅地等が分割されているか又は未分割であるかは小規模宅地等の課税の特例に影響を与えないものとされていました。 | ・相続税の申告期限までに共同相続人間において分割がされていない宅地等は、小規模宅地等の課税の特例の対象にならないとされました。（ただし、申告期限から原則として３年以内に分割がなされた場合には更正の請求により特例計算の対象とすることができます。） |

また、平成６年度の改正の前後における取扱いを計算例で確認しますと次のとおりです。

**(例)** 次により、改正前後におけるそれぞれの小規模宅地等の減額金額を算出してください。（地積はいずれも200㎡）

| ケース | 相続評価額（特例適用前） | 備　　考 |
|---|---|---|
| 1 | 100,000千円 | 貸アパートの敷地（６室） |
| 2 | 100,000千円 | 貸アパートの敷地（12室） |
| 3 | 100,000千円 | 月極駐車場の敷地 |
| 4 | 100,000千円 | 被相続人の居住用家屋敷地（配偶者以外が取得・申告期限までに売却） |
| 5 | 100,000千円 | 被相続人の事業用家屋敷地（特定事業要件充足） |
| 6 | 100,000千円 | 貸アパートの敷地（12室）未分割 |

**(答)**

| ケース | 平成６年度の改正前 | 平成６年度の改正後 |
|---|---|---|
| 1 | 0円<br>※事業的規模でないため適用なし | 100,000千円×50％＝50,000千円<br>※貸付用 |

| | | |
|---|---|---|
| 2 | 100,000千円×70%＝70,000千円<br>※事業用宅地 | 100,000千円×50%＝50,000千円<br>※貸付用 |
| 3 | 0円<br>※事業の概念に該当しないので適用なし | 100,000千円×50%＝50,000千円<br>※貸付用 |
| 4 | 100,000千円×60%＝60,000千円<br>※居住用宅地 | 100,000千円×50%＝50,000千円<br>※特定居住用要件非充足 |
| 5 | 100,000千円×70%＝70,000千円<br>※事業用宅地 | 100,000千円×80%＝80,000千円<br>※特定事業用要件充足 |
| 6 | 100,000千円×70%＝70,000千円<br>※事業用宅地 | 0円<br>※未分割財産適用除外 |

なお、改正後の取扱いは平成6年1月1日以降開始した相続又は遺贈により取得した小規模宅地等について適用されることとなりますが、平成6年1月1日から改正規定の施行日（平成6年4月1日）までの間に開始した相続については、小規模宅地等の取得者の全員が旧法（改正前における取扱い）を選択した場合には、旧法の規定が適用されます。

### ⑵　過去（平成6年度）に実施された重要な改正事項の確認（同族会社の事業の用に供される宅地等及び生計を一にする親族の事業の用に供される宅地等に対する改正前後における取扱いの対比）

**質疑**　（図1）に掲げる同族会社の事業の用に供される宅地等における（例1）（例2）及び（図2）に掲げる生計を一にする親族の事業の用に供される宅地等における（例3）（例4）について、それぞれ平成6年度の税法改正前後における小規模宅地等の課税特例の適用関係（減額割合）はどのようになりますか。（平成6年度の改正における『特定同族会社事業用宅地等』・『特定事業用宅地等』としての他の要件を充足しているものとします。）

（図1）同族会社の事業の用に供される宅地等

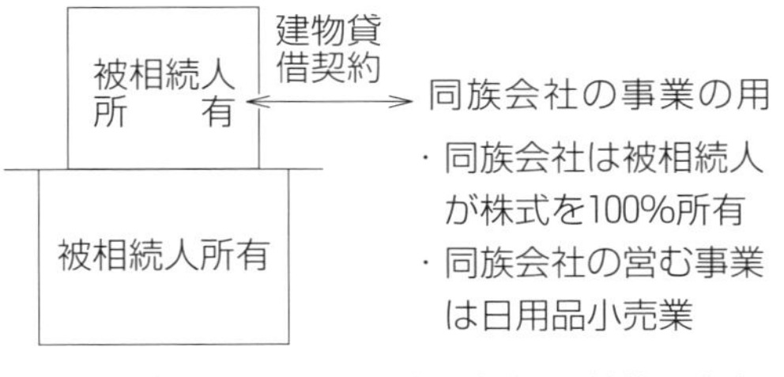


（例1）　上記の建物貸借契約が賃貸借契約である場合
（例2）　上記の建物貸借契約が使用貸借契約である場合

（図2）生計を一にする親族の事業の用に供される宅地等

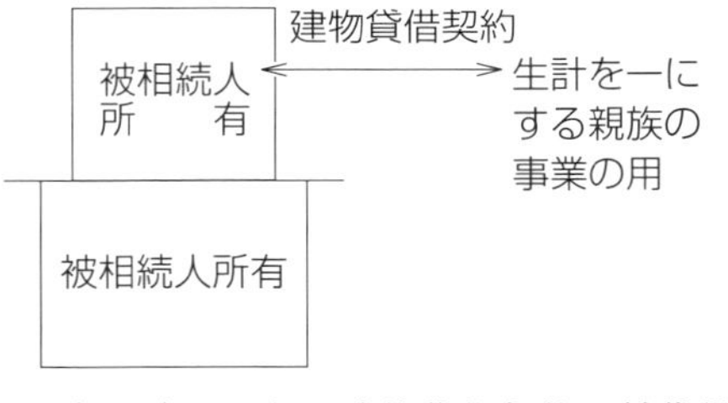


（例3）　上記の建物貸借契約が賃貸借契約である場合
（例4）　上記の建物貸借契約が使用貸借契約である場合

## 応答

次表のとおりに取り扱われます。

| （図１） | 平成６年度改正前 | | 平成６年度改正以後 | |
|---|---|---|---|---|
| （例１）賃貸借 | 減額割合70% | 同族会社に貸し付けている場合には賃貸借であるか使用貸借であるかによる差異はなし | 減額割合80% | 使用貸借は事業の用に供しているとは認められないので特例の適用なし |
| （例２）使用貸借 | 減額割合70% | | 減額割合０% | |

| （図２） | 平成６年度改正前 | | 平成６年度改正以後 | |
|---|---|---|---|---|
| （例３）賃貸借 | 減額割合70% | 生計を一にする親族に貸し付けている場合には賃貸借であるか使用貸借であるかによる差異なし | 減額割合50% | ・賃貸借の場合は生計一の親族の場合であっても貸付事業として取扱い<br>・使用貸借の場合に限り被相続人にとっても事業用と認定 |
| （例５）使用貸借 | 減額割合70% | | 減額割合80% | |

（注）　この取扱い（平成６年度改正以後分）は、現行においても適用されています。

### ⑶　過去（平成６年度）に実施された重要な改正事項の確認（いわゆる『２世帯住宅』の敷地の用に供されている宅地等）

**質疑**　平成６年度の税法改正後において、下図のようないわゆる『２世帯住宅』の敷地の用に供されている宅地等に係る小規模宅地等の課税特例の取扱いはどのようになりますか。

- 建物の所有者は子Ａであり、土地の貸借は使用貸借契約
- 建物の所有者である子Ａは、当該建物のうち甲のみが居住する部分を使用貸借契約により甲に貸付け
- 被相続人甲の相続開始に伴って当該土地を子Ａが相続し、建物の全てを子Ａの家族が居住用として継続して使用
- この２世帯住宅はいわゆる完全独立区分タイプのもの
- この２世帯住宅について、建物の区分所有等に関する法律に規定する区分所有建物である旨の登記は行われていません。

## 応答

**《平成25年度の税法改正により影響を受ける質疑応答》**

**Ⓐ　課税時期が平成26年１月１日以降に到来した場合**

平成25年度の税法改正後における措置法第69条の４《小規模宅地等についての相続税の課

税価格の計算の特例》第３項第二号イ（ただし、施行日が平成26年１月１日であるもの）においては、特定居住用宅地等に該当するものの一つの要件として、「当該親族が相続開始の直前において当該宅地等の上に存する当該被相続人の居住の用に供されていた(A)１棟の建物（当該被相続人、当該被相続人の配偶者又は当該親族の居住の用に供されていた部分として政令で定める部分に限る。）に居住していた者であって、相続開始時から申告期限まで引き続き当該宅地等を有し、かつ、当該建物に居住していること」と規定されています。

そして、上記(A)＿＿部分の『１棟の建物』の解釈に当たっては、措置法施行令第40条の２《小規模宅地等についての相続税の課税価格の計算の特例》第13項第一号及び第二号（ただし、施行日が平成26年１月１日であるもの）において、下記に掲げる区分に応じて、それぞれに示されているとおりに規定されています。

| | 区　　分 | １棟の建物の範囲に含まれる部分 |
|---|---|---|
| (1) | 被相続人の居住の用に供されていた１棟の建物が(B)建物の区分所有等に関する法律第１条《建物の区分所有》の規定に該当する建物である場合 | 当該被相続人の居住の用に供されていた部分 |
| (2) | 上記(1)に掲げる場合以外の場合 | 被相続人又は当該被相続人の親族（注）の居住の用に供されていた部分 |

（注）当該被相続人の親族は、当該被相続人と生計を一にするか、又は生計を別にするかは問われていません。

**参考資料１** 建物の区分所有等に関する法律第１条《建物の区分所有》

> １棟の建物に構造上区分された数個の部分で独立して住居、店舗、事務所又は倉庫その他建物としての用途に供することができるものがあるときは、その各部分は、この法律の定めるところにより、それぞれ所有権の目的とすることができる。

そうすると、上表から、平成25年度の税法改正後においても、被相続人の居住の用に供されていた１棟の建物が、建物の区分所有等に関する法律第１条《建物の区分所有》（上記参考資料１を参照）の規定に該当する建物である場合には、特定居住用宅地等に該当する被相続人の居住の用に供されていた部分に該当すると認定されるのは、当該被相続人の居住の用に供されていた部分に限定される（換言すれば、当該被相続人の親族の居住の用に供されていた部分は、これに該当しないものとなる。）ものであると措置法施行令では規定しています。

しかしながら、平成25年11月29日付けで国税庁から公開された措置法通達69の４－７の４《建物の区分所有等に関する法律第１条の規定に該当する建物》（下記参考資料２を参照）の定めにおいて、上掲の措置法施行令40条の２第13項第一号の解釈として、『建物の区分所有等に関する法律第１条の規定に該当する建物』（上表の(1)に掲げる(B)＿＿部分）とは、建物の区分所有等に関する法律の規定により実際に区分所有建物である旨の登記が行われている建物をいうものとされています。

**参考資料２**　**措置法通達69の４－７の４《建物の区分所有等に関する法律第１条の規定に該当する建物》**

> 措置法令第40条の２第４項及び第13項に規定する「建物の区分所有等に関する法律第１条の規定に該当する建物」とは、区分所有建物である旨の登記がされている建物をいうことに留意する。
>
> （注）　上記の区分所有建物とは、被災区分所有建物の再建等に関する特別措置法（平成７年３月24日法律第43号）第２条（筆者注１を参照）に規定する区分所有建物をいうことに留意する。
>
> 筆者注１　被災区分所有建物の再建等に関する特別措置法第２条《敷地共有者等集会等》において、区分所有建物とは、大規模な火災、震災その他の災害で政令で定めるものにより建物の区分所有等に関する法律第２条第３項（筆者注２を参照）に規定する専有部分が属する１棟の建物をいうものと規定されている。
>
> 筆者注２　建物の区分所有等に関する法律第２条《定義》第３項において、専有部分とは、区分所有権の目的たる建物の部分をいうものと規定されている。

以上から、**質疑**の２世帯住宅については、その前提において区分所有建物である旨の登記はされていないとなっていることから、平成25年度の税法改正（課税時期が平成26年１月１日以降に到来した場合に適用）後の取扱いでは、上表の(2)に該当し、１棟の建物の範囲に含まれる部分は、被相続人甲又は当該被相続人甲の親族（子Ａ（重要点子Ａについては、被相続人甲と生計を一にするか、又は生計を別にするかは問われていません。）の居住の用に供されていた部分となります。

したがって、１棟の建物の範囲に含まれる部分は、**質疑**の事例の場合、子Ａが所有する家屋（２世帯住宅）の全体となり、その敷地の用に供されている被相続人甲が所有する宅地等（面積200㎡）の全体が特例適用対象宅地等である特定居住用宅地等に該当することになります。

**Ⓑ　課税時期が平成25年12月31日までに到来した場合**

措置法第69条の４に規定する小規模宅地等の課税特例の規定の適用対象として、下記に掲げる３つの要件を充足した場合には、当該宅地等は『被相続人と同居の親族（当該被相続人の配偶者を除きます。）が取得する場合』に該当し、『特定居住用宅地等』として取り扱われるものとされています。

**同居親族の要件**　当該親族が相続開始の直前において当該宅地等の上に存する当該被相続人の居住の用に供されていた家屋に居住していた者であること

**所有継続の要件**　相続開始時から相続税の申告期限（当該親族が申告期限前に死亡した場合には、その死亡の日。以下**居住継続の要件**において同じ。）まで引き続き当該宅地等を所有していること

**居住継続の要件**　相続税の申告期限まで当該家屋に居住していること

上記の**同居親族の要件**に掲げる『当該被相続人の居住の用に供されていた家屋に居住していた者』（上記＝＝＝部分）とは、下記に掲げる要件を充足することが必要であると解されています。

①　当該被相続人に係る相続の開始の直前において当該家屋で被相続人と共に起居してい

たものをいうこと

② 上記①において、当該被相続人の居住の用に供されていた家屋については、当該被相続人が建物でその構造上区分された数個の部分の各部分（以下『独立部分』といいます。）を独立して住居その他の用途に供することができるもの（以下『共同住宅』といいます。）の独立部分の一に居住していたときは、当該独立部分をいうものとすること

そうすると、平成６年度の税法改正前の取扱いでは、質疑 に示されるような完全独立区分タイプの２世帯住宅の場合には、子Ａは上記①に掲げる『被相続人と共に起居していたもの』と取り扱うことはできないものとされていました。

しかしながら、上記の取扱いは近年における２世帯住宅の実態から判断した場合に世情に合致しない部分も生じていると考えられることもあり、平成６年度の税法改正により新設された措置法通達69の４－21《被相続人の居住用家屋に居住していた者の範囲》の定め（注 当時のもの）において、下記に掲げる一定の要件を充足するときには、当該要件に該当する親族を当該被相続人の居住の用に供されていた家屋に居住していた者に当たる者であるものとして申告があったときには、当該申告を認めるものとしています。

(イ) 被相続人の親族で、当該被相続人の居住に係る共同住宅の独立部分のうち被相続人が当該相続の開始の直前において居住の用に供していた独立部分以外の独立部分に居住していた者がいること

(ロ) 上記(イ)に掲げる共同住宅の全部を被相続人又は被相続人の親族が所有するものであること

(ハ) 当該被相続人の配偶者又は当該被相続人が居住の用に供していた独立部分に共に起居していた当該被相続人の法定相続人（相続の放棄があった場合には、その放棄がなかったものとした場合における相続人をいいます。）がいないこと

そうすると、質疑 に掲げる事例の子Ａは、上記(イ)から(ハ)に掲げる要件のすべてを充足しているものと認められることから、平成６年度の税法改正以後の取扱いでは子Ａを被相続人甲に係る相続税申告において、その選択により被相続人甲の居住の用に供されていた家屋に居住していた者に該当するものとして取り扱うことが認められることになります。（これにより、上記の 同居親族の要件 が充足されることになります。）

そして、この同居親族の要件以外の他の要件（上記に掲げる 所有継続の要件 及び 居住継続の要件 ）を充足する場合には、質疑 に掲げる宅地等は、特定居住用宅地等に該当することになります。

### (4)　平成15年度の税法改正に基づく『特定同族会社事業用宅地等』の意義の変更と実務上への影響

**質疑**　平成15年度の税法改正によって、『特定同族会社事業用宅地等』の意義に変更があり実務上においても相当の影響を与えるものとなったとのことですが、これらの事項について具体的に説明してください。

**応答**

①　改正点

特定同族会社事業用宅地等に該当するか否かの判断基準となる特定同族会社について、その定義に係る下記２点の改正（変更）が平成15年度の税法改正でなされました。

(イ)　株式等の所有者の判定範囲の変更

特定同族会社に該当するか否かの判断基準である株式等の所有者の判定範囲が次のとおりに改正されました。

［改正前］被相続人等（当該相続若しくは遺贈に係る被相続人若しくは当該被相続人と生計を一にしていた当該被相続人の親族）

［改正後］被相続人若しくは当該被相続人の親族その他当該被相続人と一定の特別の関係がある者

［影　響］被相続人以外の者については、改正前の被相続人との生計一要件が削除され、改正後では被相続人の親族等であれば無条件に判定範囲に算入されることになり、納税者に有利な改正と理解されます。

［適用日］平成15年１月１日以降に開始した相続、遺贈に係る相続税について適用

(ロ)　株式等の持株割合要件の変更

特定同族会社に該当するか否かの判断基準である上記（イ）に掲げる一定範囲の者に係る株式等の持株割合要件が次のとおりに改正されました。

［改正前］10分の５以上である法人の事業の用

［改正後］10分の５を超える法人の事業の用

［影　響］株式等の持株割合が10分の５である場合には、改正前では要件を充足しているものとして取り扱われましたが、改正後においては、10分の５超とされたことから10分の５では要件を充足しなくなります。

したがって、持株割合が10分の５となっている事例については、早急に対応策（株式の売買・贈与等による異動、増資等）を検討することが望ましいものと考えられます。

［適用日］平成15年４月１日以降に開始した相続、遺贈に係る相続税について適用

**参考資料** 特定同族会社事業用宅地等の意義に係る改正点

| | 改正前の取扱い | 改正後の取扱い |
|---|---|---|
| 意　義（改正部分のみ記載） | ・相続開始直前に(イ)被相続人等（被相続人又は当該被相続人と生計を一にする親族）が有する株式の総数又は出資の金額の合計額が当該株式又は出資に係る法人の発行済株式の総数又は出資金額の(ロ)10分の5以上である法人の事業（貸付事業を除きます。）の用に供されていた宅地等で、…（以下略） | ・相続開始直前に(イ)被相続人及び当該被相続人の親族その他当該被相続人と一定の特別の関係がある者が有する株式の総数又は出資の金額の合計額が当該株式又は出資に係る法人の発行済株式の総数又は出資金額の(ロ)10分の5を超える法人の事業（貸付事業を除きます。）の用に供されていた宅地等で、…（以下略） |

② 具体事例による検討

**(設例)**『特定同族会社事業用宅地等』に該当するか否かの判定

＊ 甲㈱（発行済株式数：200株）の株式所有状況と当該株主の親族関係図はそれぞれ下記に掲げるとおりとなっていますが、この場合に、被相続人甲が甲㈱（物品販売業）に賃貸借により貸し付けている本社建物の敷地の用に供されている宅地等は、特定同族会社事業用宅地等に該当するか否かについて、各事例ごとに平成15年度の税法改正の前後に区分して判定してください。（この設例で検討する要件以外の要件は全て充足しているものとします。）

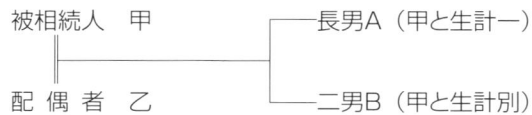

被相続人　甲 ―― 長男A（甲と生計一）
‖
配偶者　乙 ―― 二男B（甲と生計別）

| 株主／事例 | 被相続人甲（生計一の親族グループ） | 配偶者　乙 | 長　男　A | 二　男　B | 甲の友人X (注)甲と特殊関係無 |
|---|---|---|---|---|---|
| 事例1 | 30株 | 20株 | 10株 | 90株 | 50株 |
| 事例2 | 30株 | 20株 | 50株 | 0株 | 100株 |

**(解答)**

| 検討項目＼課税時期 | | | H14.12/31以前（改　正　前） | H15.1/1～H15.3/31（(イ)の要件のみの改正期間） | H15.4/1以降（(イ)・(ロ)の両要件の改正後） |
|---|---|---|---|---|---|
| 事例1 | 判定要件 | (イ)株式所有者の判定範囲 | 被相続人甲、配偶者乙、長男A | 被相続人甲、配偶者乙、長男A、二男B | 被相続人甲、配偶者乙、長男A、二男B |
| | | (ロ)一定範囲者の持株割合 | $\frac{30\text{株}+20\text{株}+10\text{株}}{200\text{株}}=30\%<50\%$ | $\frac{30\text{株}+20\text{株}+10\text{株}+90\text{株}}{200\text{株}}=75\%\geqq50\%$ | $\frac{30\text{株}+20\text{株}+10\text{株}+90\text{株}}{200\text{株}}=75\%>50\%$ |
| | 判　定　結　果 | | 非該当(50%未満) | 該当(50%以上) | 該当(50%超) |
| 事例2 | 判定要件 | (イ)株式所有者の判定範囲 | 被相続人甲、配偶者乙、長男A | 被相続人甲、配偶者乙、長男A、二男B | 被相続人甲、配偶者乙、長男A、二男B |
| | | (ロ)一定範囲者の持株割合 | $\frac{30\text{株}+20\text{株}+50\text{株}}{200\text{株}}=50\%\geqq50\%$ | $\frac{30\text{株}+20\text{株}+50\text{株}+0\text{株}}{200\text{株}}=50\%\geqq50\%$ | $\frac{30\text{株}+20\text{株}+50\text{株}+0\text{株}}{200\text{株}}=50\%\leqq50\%$ |
| | 判　定　結　果 | | 該当(50%以上) | 該当(50%以上) | 非該当(50%以下) |

### (5) 平成22年度に実施された重要な改正事項の確認

**質疑**　『小規模宅地等の課税特例』制度については、平成22年度の税法改正でその取扱いに旧来と相当の変更があったようですが、その要旨を簡単に示してください。

**応答**

(1)　改正の内容

本章では、平成22年度の税法改正の項目のみを掲記します。（詳細については、第３章（315～326ページ）で確認してください。）

①　事業又は居住要件を充足しない場合の適用除外

②　被相続人の親族以外の者が取得した場合の適用除外

③　一の宅地等に共同相続があった場合の適用要件の判定単位

④　１棟の建物の敷地である宅地等のうちに特定居住用宅地等がある場合の取扱い

⑤　特定居住用宅地等の意義の明確化

(2)　適用時期

上記(1)に掲げる平成22年度の税法改正後の取扱いは、平成22年４月１日以後に開始した相続又は遺贈により取得した財産に対する小規模宅地等に係る相続税について適用するものとされました。

### (6) 平成25年度に実施された重要な改正事項の確認

**質疑**　『小規模宅地等の課税特例』制度については、平成25年度の税法改正でその取扱いに旧来と相当の変更があったようですが、その要旨を簡単に示してください。

**応答**

(1)　改正の内容

本章では、平成25年度の税法改正の項目のみを掲記します。（詳細については、第３章（327～336ページ）で確認してください。）

①　特定居住用宅地等に対する適用上限面積の見直し

②　特例対象宅地等が複数の区分にまたがる場合の調整計算

③　１棟の２世帯住宅で構造上区分のあるものに対する特定居住用宅地等の判定

④　被相続人が老人ホームに入所していた場合における空家となった家屋の敷地に対する特定居住用宅地等の判定

(2)　適用時期

①　上記(1)①に掲げる取扱い（特定居住用宅地等に対する適用上限面積の見直し）及び(1)②に掲げる取扱い（特例対象宅地等が複数の区分にまたがる場合の調整計算）は、平成

27年１月１日以後に開始した相続又は遺贈により取得した財産に対する小規模宅地等に係る相続税について適用するものとされました。

② 上記(1)③に掲げる取扱い（１棟の２世帯住宅で構造上区分のあるものに対する特定居住用宅地等の判定）及び(1)④に掲げる取扱い（被相続人が老人ホームに入所していた場合における空家となった家屋の敷地に対する特定居住用宅地等の判定）は、平成26年１月１日以後に開始した相続又は遺贈により取得した財産に対する小規模宅地等に係る相続税について適用するものとされました。

### (7) 平成30年度に実施された重要な改正事項の確認

**質疑**
『小規模宅地等の課税特例』制度については、平成30年度の税法改正でその取扱いに旧来と相当の変更があったようですが、その要旨を簡単に示してください。

**応答**

(1) 特定居住用宅地等に対する改正点

① 特定居住用宅地等の範囲の厳格化（『家なき子型』に対する適用要件の付加）

(イ) 改正の内容

小規模宅地等の課税特例の対象とされる特定居住用宅地等のうち配偶者及び一定の同居親族が存せず非同居親族が取得した場合（一般的に『家なき子型』と称しています。）には、当該被相続人の居住の用に供されていた宅地等を取得した親族に対して、当該親族等（当該親族及び当該親族に係る一定の者をいいます。）の所有する家屋に居住したことがないとされる次に掲げる一定の要件を充足していることが求められることになりました。

㋑ 当該親族が被相続人に係る相続開始前３年以内に相続税法の施行地にある当該親族、当該親族の配偶者、当該親族の３親等内の親族又は当該親族と特別の関係がある法人が所有する家屋（当該相続の開始の直前において当該被相続人の居住の用に供されていた家屋を除きます。）に居住したことがないこと

（注）＿＿部分が平成30年度の税法改正で新設された部分に該当します。

㋺ 当該被相続人の相続開始時に当該親族が居住している家屋を相続開始前のいずれの時においても所有していたことがないこと

（注） 上記㋺が平成30年度の税法改正で新設されました。

(ロ) 適用時期

上記(イ)に掲げる取扱いは、原則として、平成30年４月１日以後に開始した相続又は遺贈により取得した財産に対する小規模宅地等に係る相続税について適用するものとされました。

ただし、上記の原則的な取扱いに対して、次に掲げる経過的な取扱いが設けられてお

り、この経過的な取扱いの要件を充足すれば、当該宅地等は特定居住用宅地等に該当するものとされました。

㋑　適用対象地

平成30年３月31日に相続又は遺贈があったものとした場合に、平成30年改正法による改正前の措置法第69条の４第１項に規定する特例対象宅地等（同条第３項第２号に規定する特定居住用宅地等のうち同号ロ（『家なき子型』）に掲げる要件を満たすものに限られます。）に該当することとなる宅地等（以下「経過措置対象宅地等」といいます。）

㋺　経過的な取扱いの内容

(A)　経過措置対象宅地等を個人が平成30年４月１日から令和２年３月31日までの間に相続又は遺贈により取得した場合

親族要件　措置法第69条の４第３項第２号《特定居住用宅地等》に規定する親族要件は、下記Ⓐないし Ⓓに掲げる４つの要件のうちいずれかとされていました。

Ⓐ　措置法第69条の４第３項第２号イに規定する要件（被相続人と同居の親族が取得する場合）

Ⓑ　措置法第69条の４第３項第２号ロに規定する要件（配偶者及び一定の同居親族が存せず非同居親族が取得した場合（『家なき子型』））

Ⓒ　措置法第69条の４第３項第２号ハに規定する要件（被相続人と生計を一にする親族の居住の用に供されていた場合）

Ⓓ　平成30年改正法による改正前の措置法第69条の４第３項第２号ロに規定する要件（配偶者及び一定の同居親族が存せず非同居親族が取得した場合（『家なき子型』））

(B)　経過措置対象宅地等を個人が令和２年４月１日以後に相続又は遺贈により取得した場合

居住要件　次に掲げるⒶないしⒸに掲げる要件を充足している場合には、当該経過措置対象宅地等は、相続開始の直前において、当該相続又は遺贈に係る被相続人の居住の用に供されていたものとみなされます。

Ⓐ　令和２年３月31日において、当該経過措置対象宅地等の上に存する建物の新築又は増築の工事が行われていること

Ⓑ　上記Ⓐに係る工事の完了（注）前に当該被相続人に係る相続又は遺贈があったこと

（注）『工事の完了』とは、新築又は増築その他の工事に係る請負人から新築された建物の引渡しを受けたこと又は増築その他の工事に係る部分につき引渡しを受けたことをいいます。

Ⓒ　当該相続又は遺贈に係る相続税の申告期限までに当該財産を取得した個人が当該建物を自己の居住の用に供したとき

親族要件　親族要件は、平成30年改正法による改正前の措置法第69条の４第３項第２号ロに規定する要件（配偶者及び一定の同居親族が存せず非同居親族が取得した場合（『家なき子型』））とされ、当該 親族要件 及び上記に掲げる 居住要件 を充足した場合には、当該相続又は遺贈により経過措置対象宅地等を取得した個人は、措置法第69条の４第３項第２号イに規定する要件（被相続人と同居の親族が取得する場合）を満たす親族とみなされます。

②　被相続人の居住の用に供されていたものとして取り扱われる被相続人の居住の用に供することができない事由（入所施設の要件）の拡充

(イ)　改正の内容

小規模宅地等の課税特例の適用要件の１つとして、個人が相続又は遺贈により取得した財産のうちに当該相続の開始の直前において、被相続人等の事業の用又は居住の用に供されていた宅地等であることが挙げられています。

上記＿＿部分の『居住の用』については、居住の用に供することができない一定の事由により一定の入居住居又は入所施設に居住していたために相続開始の直前において当該被相続人の居住の用に供されていなかった場合における居住の用に供されなくなる直前の当該被相続人の居住の用を含むものとされています。

平成30年度の税法改正では、被相続人に係る相続開始の直前において被相続人の居住の用に供されていたものとして取り扱う入所施設の範囲に介護保険法第８条第29項に規定する『介護医療院』(注) が新たに加えられることになりました。

(注)　『介護医療院』とは、要介護者であって、主として長期にわたり療養が必要である者に対し、施設サービス計画に基づいて、療養上の管理、看護、医学的管理の下における介護及び機能訓練その他必要な医療並びに日常生活上の世話を行うことを目的とする施設をいいます。

(ロ)　適用時期

上記(イ)に掲げる取扱いは、平成30年４月１日以後に開始した相続又は遺贈により取得した財産に対する小規模宅地等に係る相続税について適用するものとされました。

(2)　貸付事業用宅地等に対する改正点（貸付事業用宅地等の範囲の厳格化（いわゆる『３年以内縛り』の導入））

①　改正の内容

平成30年度の税法改正では、貸付事業用宅地等について、相続開始前３年以内に新たに貸付事業の用に供された宅地等をその対象から除くこととされました。

ただし、相続開始の日まで３年を超えて引き続き特定貸付事業（貸付事業のうち準事業以外のものをいいます。）を行っていた被相続人等の当該貸付事業の用に供された宅地等（特定貸付宅地等）については、上記の相続開始前３年以内に貸付事業の用に供された宅地等であっても、その対象から除かれない（換言すれば、貸付事業用宅地等に該当する）ものとされました。

②　適用時期

上記①に掲げる取扱いは、原則として、平成30年４月１日以後に相続又は遺贈により取得した財産に対する小規模宅地等に係る相続税について適用するものとされました。

ただし、上記の原則的な取扱いに対しては経過措置が設けられており、平成30年４月１日から令和３年３月31日までの間に相続又は遺贈により取得する宅地等に係る貸付事業用宅地等の規定の適用については、上記改正について『相続開始前３年以内に新たに貸付事業の用に供された宅地等』（上記①の＿＿部分）とあるのは、『平成30年４月１日以後に新たに貸付事業の用に供された宅地等』と読み替えて適用する（換言すれば、『平成30年３月31日以前に新たに貸付事業の用に供された宅地等』については、平成30年度の改正は適用しない）ものとされました。

### (8)　平成31年度に実施された重要な改正事項の確認

**質疑**　『小規模宅地等の課税特例』制度については、平成31年度の税法改正でその取扱いに旧来と相当の変更があったようですが、その要旨を簡単に示してください。

**応答**

平成31年度の税法改正では、特定事業用宅地等の範囲の厳格化（いわゆる『３年以内縛り』の導入）及び配偶者居住権が設定されている宅地等に対する小規模宅地等の課税特例の適用関係の法制化が行われるものとされました。

(1)　特定事業用宅地等に対する改正点（特定事業用宅地等の範囲の厳格化（いわゆる『３年以内縛り』の導入））

①　改正の内容

平成30年度の税法改正では、特定事業用宅地等について、相続開始前３年以内に新たに事業の用に供された宅地等をその対象から除くこととされました。

ただし、相続開始前３年以内に新たに事業の用に供された宅地等（以下「特定宅地等」といいます。）であっても、次に掲げる算式を満たす場合における事業（以下「特定事業」といいます。）を行っていた被相続人等の当該事業の用に供された宅地等については、その対象から除かれない（換言すれば、特定事業用宅地等に該当する）ものとされました。

（算式）
$$\frac{\text{事業の用に供されていた減価償却資産のうち被相続人等が有していたものの相続の開始の時における価額の合計額}}{\text{特定宅地等の相続の開始の時における価額}}$$

（注）　特定事業に該当するか否かの判定は、上記の特定宅地等ごとに行うものとされました。

②　適用時期

上記①に掲げる取扱いは、原則として、平成31年４月１日以後に相続又は遺贈により取得した財産に対する小規模宅地等に係る相続税について適用するものとされました。

ただし、上記の原則的な取扱いに対しては経過措置が設けられており、平成31年４月１

日から令和４年３月31日までの間に相続又は遺贈により取得する宅地等に係る特定事業用宅地等の規定の適用については、上記改正について『相続開始前３年以内に新たに事業の用に供された宅地等』（上記①の＿＿部分）とあるのは、『平成31年４月１日以後に新たに事業の用に供された宅地等』と読み替えて適用する（換言すれば、『平成31年３月31日以前に新たに事業の用に供された宅地等』については、平成31年度の改正は適用しない）ものとされました。

(2)　配偶者居住権が設定されている宅地等に対する小規模宅地等の課税特例の適用関係の明確化及び法制化

①　配偶者居住権に基づく敷地利用権が適用対象とされることの明確化

(イ)　改正の内容

民法改正（施行日：令和２年４月１日）によって配偶者居住権の制度が創設されたことに伴って、相続税法第23条の２《配偶者居住権等の評価》の規定が新設されました。当該規定では、配偶者居住権の目的となっている建物及びその敷地の用に供される土地等を次の図に掲げるとおり、４つに区分して、それぞれの価額を求めるものとされています。

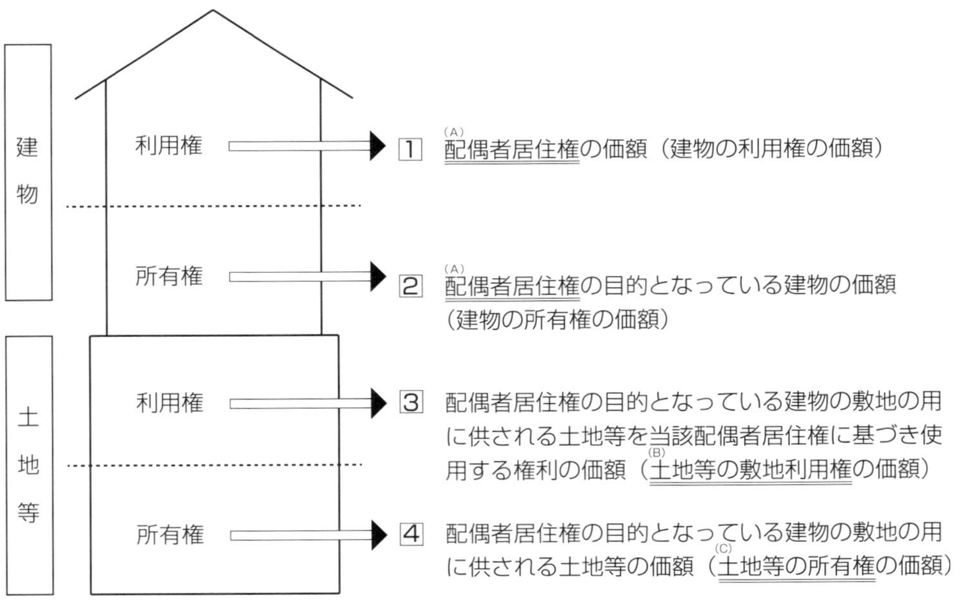


そして、上記3の(B)＿＿部分に掲げる『土地等の敷地利用権の価額』及び4の(C)＿＿部分に掲げる『土地等の所有権の価額』については、これらを小規模宅地等の課税特例の対象とする旨が明確化されました。

この点を確認するものとして、措置法通達69の４－１の２《配偶者居住権等》の定めにおいて、要旨「特例対象宅地等には、配偶者居住権（筆者注 上記1及び2の(A)＿＿部分）は含まれないが、配偶者居住権に基づく敷地利用権（筆者注 上記3の(B)＿＿部分）

及び配偶者居住権の目的となっている建物等の敷地の用に供される宅地等（筆者注 上記 4 の(C)部分）が含まれることに留意する。」とされています。

(ロ)　適用時期

上記(イ)に掲げる取扱いは、令和２年４月１日以後に相続又は遺贈により取得した財産に対する小規模宅地等に係る相続税について適用するものとされました。

②　小規模宅地等の課税特例の適用対象が『土地等の敷地利用権の価額』又は『土地等の所有権の価額』である場合における特例対象宅地等の面積の算出方法

(イ)　改正の内容

上記①に伴って、小規模宅地等の課税特例の規定の適用を受けるものとしてその全部又は一部の選択をしようとする特例対象宅地等が配偶者居住権に基づく敷地利用権（上記 3 の(B)部分）又は当該敷地の用に供される宅地等（上記 4 の(C)部分）である場合の当該特例対象宅地等の面積の算出方法を、下記に掲げる算式のとおりとする旨が、措置法施行令に規定されました。

（算式）　㋑　配偶者居住権に基づく敷地利用権（上記 3 の(B)部分）の面積

$$\text{特例対象宅地等の面積} \times \frac{\text{当該敷地利用権の価額}}{\text{当該敷地利用権の価額及び当該敷地の用に供される宅地等の価額の合計額}}$$

㋺　当該敷地の用に供される宅地等（上記 4 の(C)部分）の面積

$$\text{特例対象宅地等の面積} \times \frac{\text{当該敷地の用に供される宅地等の価額}}{\text{当該敷地利用権の価額及び当該敷地の用に供される宅地等の価額の合計額}}$$

(ロ)　適用時期

上記(イ)に掲げる取扱いは、令和２年４月１日以後に相続又は遺贈により取得した財産に対する小規模宅地等に係る相続税について適用するものとされました。

# 第５章

# 制度の創設と改正経緯

## 第１節　この章のポイント

現行の租税特別措置法第69条の４に規定する小規模宅地等の課税特例の制度は、昭和50年度に制定された個別通達（昭和50年６月20日、直資５－17）がその前身となっています。当該通達は昭和58年度に租税特別措置法の規定として法律化され、その後における数次の措置法の改正を経て現行の取扱いに至っています。

次の第６章（裁判例（判例）・裁決事例の確認）を理解するためには、過去の取扱いを確認しておくことは不可欠な事項であると考えられますので、本章で整理してみることにします。

# 第２節　制度の創設と今日に至る主な改正経緯（昭和50年～令和３年）

## 〔1〕 個別通達による制度の創設（昭和50年度）

### (1) 制度の概要

被相続人の相続財産である事業の用又は居住の用に供されていた宅地等のうち最小限必要な部分に対するしんしゃく配慮（処分について相当の制約を受けることに対する配慮）の必要性から、これらの宅地等のうち、一定のもの（適用上限面積200㎡）については、相続税の課税価格に算入すべき価額は、評価通達の定めにより評価した価額の80％に相当する金額によって評価するという個別通達（昭和50年６月20日付　直資５－17「事業又は居住の用に供されていた宅地の評価について」下記 参考資料 を参照）が新設されました。

**参考資料**　事業又は居住の用に供されていた宅地の評価について（個別通達　昭和50年６月20日直資５－17）

標題のことについては、下記により取扱うこととしたから、昭和50年１月１日以後に相続又は遺贈（贈与者の死亡により効力を生ずる贈与を含む。以下同じ。）により取得した事業又は居住の用に供されていた宅地の評価については、これによられたい。

（趣旨）事業又は居住の用に供されていた宅地のうち最小限必要な部分については、相続人等の生活基盤維持のため欠くことのできないものであって、その処分について相当の制約を受けるのが通常である。このような処分に制約のある財産について通常の取引価格を基とする評価額をそのまま適用することは、必ずしも実情に合致しない向きがあるので、これについて評価上、所要のしんしゃくを加えることとしたものである。

記

**１　事業又は居住の用に供されていた宅地の評価**

相続又は遺贈により取得した宅地（宅地の上に存する権利を含む。以下同じ。）で、その相続又は遺贈に係る被相続人（遺贈者を含む。以下同じ。）の事業又は居住の用に供されていたものの価額（その宅地の地積が３に掲げる地積を超える場合には、３に掲げる地積に対応する部分の価額）は、昭和39年４月25日付直資56、直審㈾17「相続税財産評価に関する基本通達」第２章第２節の定めにかかわらず、同節の定めにより評価したその宅地の価額の100分の80に相当する金額によって評価する。

**２「事業又は居住の用に供されていた宅地」の範囲**

１により評価する「事業又は居住の用に供されていた宅地」の範囲は、次による。

(1)　事業の用に供されていた宅地

事業の用に供されていた宅地とは、相続開始時において被相続人がその営む事業の用に供していた宅地をいい貸付けていた宅地及び貸付けていた建物の存する宅地は、これに該当しないものとする。

(2)　居住の用に供されていた宅地

居住の用に供されていた宅地とは、相続開始時において被相続人が居住の用に供していた宅地をいい、これに該当する宅地が２以上ある場合には、相続開始時において被相続人が主として居住の用に供していた宅地をいうものとする。

(3)　事業又は居住の用とそれら以外の用との双方の用途に供されていた宅地の事業又は居住の用に供されていた部分の判定

事業又は居住の用に供する建物の一部が貸付けられている場合のように、その宅地が事業又は居住の用とそれら以外の用との双方の用途に供されていたものである場合には、原則としてそれぞれの用途に供されていた建物の床面積に応じてあん分して算出した宅地の地積に対応する部分がそれぞれの用途に供されていたものとする。ただし、事業又は居住の用以外の用に供されていた部分の地積がその宅地の地積の10分の１以下であるときは、その宅地の全部が事業又は居住の用に供されていたものとすることができるものとする。

**3　宅地の地積**

１により評価する事業又は居住の用に供されていた宅地の地積は、それらの土地の地積の合計数が200㎡を超える場合には、そのうち200㎡までのものとする。

この場合において、２による事業の用に供されていた宅地と居住の用に供されていた宅地との双方がある場合又は事業の用に供されていた宅地が２以上ある場合には、それらの宅地のうち納税者が選択した宅地の200㎡までの地積によるものとし、納税者の選択がない場合には、単位地積当りの評価額が高い宅地から順次選定した宅地の200㎡までの地積によるものとする。

上記に掲げる個別通達で定められた主な内容及び留意点をまとめると下記のとおりです。

①　小規模宅地等の区分と課税価格算入割合及び適用限度面積

| 小規模宅地等の区分 | 課税価格算入割合 | 適用上限面積 |
|---|---|---|
| (イ)　被相続人の事業の用に供されていた宅地等である小規模宅地等 | 80% | 200㎡ |
| (ロ)　被相続人の居住の用に供されていた宅地等である小規模宅地等 | 80% | 200㎡ |

②　課税特例適用上の留意点

(イ)　『事業の用に供されていた宅地等』の範囲

個別通達当時は『事業の用に供されていた宅地等』の範囲は、被相続人の営む（自己営業）事業の用に供していた宅地等をいうものとされていましたから、下記に掲げる宅地等はその適用対象から除外されるものとされていました。

　㋑　被相続人と生計を一にする親族の事業の用に供していた宅地等

　㋺　被相続人の貸付事業（貸地、貸家等）の用に供していた宅地等

(ロ)　『居住の用に供されていた宅地等』の範囲

個別通達当時は『居住の用に供されていた宅地等』の範囲は、被相続人の居住の用に供していた宅地等をいうものとされていましたから、被相続人と生計を一にする親族の居住の用に供していた宅地等はその適用対象から除外されるものとされていました。

(ハ)　被相続人の居住用宅地等が２以上ある場合

個別通達当時は被相続人の居住の用に供されていた宅地等が２以上ある場合には、「相

続開始時において被相続人が主として居住の用に供していた宅地等をいうものとする。」として、その取扱いが明文化されていました。

(ニ)　宅地等の地積の選択

個別通達当時は、課税特例の適用対象地が２以上存在する場合における当該宅地等の地積の選択に関する定めが下記のとおり、明文化されていました。

㋑　納税者が選択した宅地等の200㎡までの面積によります。

㋺　上記㋑に掲げる選択がない場合には、単位面積当たりの評価額が高い宅地から順次選定した宅地等の200㎡までの面積によります。

**(2)　適用時期**

上記(1)に掲げる取扱いは、昭和50年１月１日以後に開始した相続又は遺贈により取得した財産に対する小規模宅地等に係る相続税について適用するものとされました。

## 〔２〕　租税特別措置法による制度の法律化（昭和58年度）

昭和50年度に個別通達で制定された小規模宅地等の課税特例の制度について、昭和58年度にその内容が大幅に見直され（適用の拡大）て、新たに租税特別措置法の規定として法律化されることになりました。

**(1)　制度の概要**

個人が相続又は遺贈により取得した財産のうちに、当該相続の開始の直前において、当該相続若しくは遺贈に係る被相続人又は当該被相続人と生計を一にしていた当該被相続人の親族（被相続人等）の事業（準事業を含みます。）の用又は居住の用に供されていた宅地等（土地又は土地の上に存する権利で建物又は構築物の敷地の用に供されているものをいいます。）がある場合には、当該相続又は遺贈により財産を取得した者に係るすべての当該宅地等のうち、当該個人が取得した宅地等で一定のもの（小規模宅地等：限度面積200㎡）については、相続税の課税価格に算入すべき価額は、当該小規模宅地等の価額に下表に掲げる場合の区分に応じて、それぞれに掲げる割合を乗じて計算した金額によるものとされました。

| 小規模宅地等の区分 | | | | 課税価格算入割合 | 参考 適用上限面積 |
|---|---|---|---|---|---|
| ① | 小規模宅地等（限度面積200㎡）の全部が被相続人等の事業の用に供されていた宅地等である場合 | | | 60% | 200㎡ |
| ② | 小規模宅地等（限度面積200㎡）の全部が被相続人等の居住の用に供されていた宅地等である場合 | | | 70% | 200㎡ |
| ③ | 小規模宅地等（限度面積200㎡）の一部が被相続人等の事業の用に供されていた宅地等である場合 | (イ) | 被相続人等の事業の用に供されていた宅地等に係る部分 | 60% | 200㎡（合計） |
| | | (ロ) | 被相続人等の居住の用に供されていた宅地等に係る部分 | 80% | |

（注）上記③において、その計算された小規模宅地等の課税特例の適用後の金額が当該小規模宅地等の価額（課税特例の適用前）に70％を乗じて計算した金額を超えるときには、下記のとおりに計算するものとされていました。

(イ)　被相続人等の事業の用に供されていた宅地等に係る部分の金額

当該小規模宅地等で被相続人等の事業の用に供されていた宅地等の価額 ×60％

(ロ)　被相続人等の居住の用に供されていた宅地等に係る部分の金額

当該小規模宅地等の価額×70％－上記(イ)の金額

## (2)　小規模宅地等の課税特例の適用上の留意点

①　被相続人と生計を一にする親族への適用

小規模宅地等の課税特例の適用対象者は、個別通達による運用時代には被相続人に限定されていましたが、租税特別措置法による制定（法律化）に伴って、被相続人又は当該被相続人と生計を一にしていた当該被相続人の親族に適用が拡大されました。

②　貸付事業（準事業を含む）への適用

小規模宅地等の課税特例の適用対象とされる事業の用に供されていた宅地等は、個別通達による運用時代には被相続人の営む（自己営業）事業の用に供していた宅地等に限定されていましたが、法律化に伴って、相当の対価を得て継続的に行われる被相続人等の貸付事業（準事業を含みます。）の用に供されている宅地等も含まれることになりました。

③　被相続人の居住用宅地等が２以上ある場合

上記〔**1**〕(1)②(ハ)に掲げる取扱い（被相続人の居住の用に供されていた宅地等が２以上ある場合の取扱い）は、法律化に当たっては明文化されませんでした。

④　手続き

法律化に伴ってこの小規模宅地等の課税特例の適用を受けるための手続規定が設けられました。すなわち、小規模宅地等の課税特例の規定の適用を受けようとする者は、当該相続又は遺贈に係る相続税の期限内申告書（当該申告書に係る期限後申告書及び修正申告書を含みます。）にこの規定の適用を受けようとする旨を記載し、これらの規定による計算に関する明細書その他の必要な書類の添付がある場合に限り適用するものとされました。（ただし、やむを得ない事情があると認められるときに適用されるいわゆる『ゆう恕』規定も設けられました。）

## (3)　適用時期

上記(1)に掲げる租税特別措置法による法定化された取扱いは、昭和58年１月１日以後に開始した相続又は遺贈により取得した財産に対する小規模宅地等に係る相続税について適用するものとされました。

## 〔3〕 租税特別措置法の改正（昭和63年度）

### (1) 改正の内容

① 適用対象である宅地等の範囲の見直し

(イ) 国の事業の用に供されていた宅地等

小規模宅地等の課税特例の適用対象である宅地等に、『国の事業の用に供されていた宅地等』（特定郵便局の敷地の用に供されていた宅地等）が含まれることになりました。

(ロ) 準事業への適用の廃止

昭和58年度の法律化に伴って認められることになった事業と称するに至らない不動産の貸付けその他これに類する行為で相当の対価を得て継続的に行われる被相続人等の貸付事業（準事業）の用に供されている宅地等が、小規模宅地等の課税特例の適用対象である事業の用に供されていた宅地等から除外されることになりました。

この結果、被相続人等に係る不動産の貸付事業は事業的規模で営まれているもの（㊐５棟10室基準）に限り、小規模宅地等の課税特例の適用対象とされました。

② 課税特例の適用による課税価格算入割合の引下げ

昭和63年度の税法改正の前後における取扱いを示すと、下表のとおりになります。

<table>
<tr><th colspan="4" rowspan="2">小規模宅地等の区分</th><th colspan="2">改正前</th><th colspan="2">改正後</th></tr>
<tr><th>課税価格算入割合</th><th>参考 適用上限面積</th><th>課税価格算入割合</th><th>参考 適用上限面積</th></tr>
<tr><td>①</td><td colspan="3">小規模宅地等（限度面積200㎡）の全部が被相続人等の事業の用に供されていた宅地等である場合</td><td>60%</td><td>200㎡</td><td>40%</td><td>200㎡</td></tr>
<tr><td>②</td><td colspan="3">小規模宅地等（限度面積200㎡）の全部が被相続人等の居住の用に供されていた宅地等である場合</td><td>70%</td><td>200㎡</td><td>50%</td><td>200㎡</td></tr>
<tr><td>③</td><td colspan="3">小規模宅地等（限度面積200㎡）の全部が国の事業の用に供されていた宅地等である場合</td><td>－</td><td>－</td><td>40%</td><td>200㎡</td></tr>
<tr><td rowspan="2">④</td><td rowspan="2">小規模宅地等（限度面積200㎡）が被相続人等の事業の用又は居住の用若しくは国の事業の用に供されていた宅地等である場合</td><td>(イ)</td><td>被相続人等又は国の事業の用に供されていた宅地等である場合</td><td>60%（国の事業の用部分は不適用）</td><td rowspan="2">200㎡（合計）</td><td>40%</td><td rowspan="2">200㎡（合計）</td></tr>
<tr><td>(ロ)</td><td>被相続人等の居住の用に供されていた宅地等である場合</td><td>80%</td><td>60%</td></tr>
</table>

**（注）** 上記④において、その計算された小規模宅地等の課税特例の適用後の金額が当該小規模宅地等の価額（課税特例の適用前）に50％を乗じて計算した金額を超えるときには、下記のとおりに計算するものとされていました。

⑴ 被相続人等又は国の事業の用に供されていた宅地等に係る部分の金額

当該小規模宅地等で被相続人等又は国の事業の用に供されていた宅地等の価額 ×40％

⑵ 被相続人等の居住の用に供されていた宅地等に係る部分の金額

当該小規模宅地等の価額×50％－上記⑴の金額

### ⑵ 適用時期

① 上記⑴①⑴に掲げる取扱い（国営事業用宅地等を適用対象地とする改正）及び⑴②に掲げる取扱い（課税価格算入割合を引き下げる改正）は、昭和63年１月１日以後に開始した相続又は遺贈により取得した財産に対する小規模宅地等に係る相続税について適用するものとされました。

② 上記⑴①⑵に掲げる取扱い（準事業の用に供されていた宅地等の適用除外）は、昭和63年12月31日以後に開始した相続又は遺贈により取得した財産に対する小規模宅地等に係る相続税について適用するものとされました。

## 〔４〕 租税特別措置法の改正（平成４年度）

### ⑴ 改正の内容

小規模宅地等の課税特例の適用による課税価格算入割合が引き下げられました。平成４年度の税法改正の前後における取扱いを示すと、下表のとおりになります。

<table>
<tr><th colspan="3" rowspan="2">小規模宅地等の区分</th><th colspan="2">改正前</th><th colspan="2">改正後</th></tr>
<tr><th>課税価格算入割合</th><th>参考 適用上限面積</th><th>課税価格算入割合</th><th>参考 適用上限面積</th></tr>
<tr><td>①</td><td colspan="2">小規模宅地等（限度面積200㎡）の全部が被相続人等の事業の用に供されていた宅地等である場合</td><td>40％</td><td>200㎡</td><td>30％</td><td>200㎡</td></tr>
<tr><td>②</td><td colspan="2">小規模宅地等（限度面積200㎡）の全部が被相続人等の居住の用に供されていた宅地等である場合</td><td>50％</td><td>200㎡</td><td>40％</td><td>200㎡</td></tr>
<tr><td>③</td><td colspan="2">小規模宅地等（限度面積200㎡）の全部が国の事業の用に供されていた宅地等である場合</td><td>40％</td><td>200㎡</td><td>30％</td><td>200㎡</td></tr>
<tr><td rowspan="2">④</td><td rowspan="2">小規模宅地等（限度面積200㎡）が被相続人等の事業の用又は居住の用若しくは国の事業の用に供されていた宅地等である場合</td><td>⑴ 被相続人等又は国の事業の用に供されていた宅地等である場合</td><td>40％</td><td rowspan="2">200㎡（合計）</td><td>30％</td><td rowspan="2">200㎡（合計）</td></tr>
<tr><td>⑵ 被相続人等の居住の用に供されていた宅地等である場合</td><td>60％</td><td>50％</td></tr>
</table>

(注)　上記④において、その計算された小規模宅地等の課税特例の適用後の金額が当該小規模宅地等の価額（課税特例の適用前）に40％を乗じて計算した金額を超えるときには、下記のとおりに計算するものとされていました。

(イ)　被相続人等又は国の事業の用に供されていた宅地等に係る部分の金額

当該小規模宅地等で被相続人等又は国の事業の用に供されていた宅地等の価額 ×30％

(ロ)　被相続人等の居住の用に供されていた宅地等に係る部分の金額

当該小規模宅地等の価額×40％－上記(イ)の金額

### (2)　適用時期

上記(1)に掲げる取扱い（課税価格算入割合を引き下げる改正）は、平成４年１月１日以後に開始した相続又は遺贈により取得した財産に対する小規模宅地等に係る相続税について適用するものとされました。

## 〔5〕　租税特別措置法の改正（平成６年度）

### (1)　改正の内容

①　適用対象である宅地等の範囲の見直し

(イ)　準事業への適用の復活

昭和63年度の改正で適用対象から除外された被相続人等の事業と称するに至らない不動産の貸付けその他これに類する行為で相当の対価を得て継続的に行われるもの（準事業）の用に供されている宅地等が、再び、小規模宅地等の課税特例の適用対象である事業の用に供されていた宅地等に含まれることになりました。

この結果、被相続人等に係る不動産の貸付事業は事業的規模で営まれていないものでも課税特例の対象とされることになりました。（５棟10室基準の廃止）

(ロ)　適用区分の細分化

課税特例の適用対象である宅地等の範囲を改正前の３区分（㋑被相続人等の事業用宅地等、㋺被相続人等の居住用宅地等、㋩国の事業用宅地等）から改正後は５区分（㋑特定事業用宅地等、㋺特定居住用宅地等、㋩国営事業用宅地等、㊁特定同族会社事業用宅地等、㋭㋑から㊁以外の小規模宅地等）に再編成されることになりました。

(ハ)　未分割財産に対する適用除外規定の創設

小規模宅地等の課税特例の適用対象である宅地等の範囲から未分割財産が除外されることになりました。すなわち、小規模宅地等の課税特例の規定は、相続又は遺贈に係る相続税の期限内申告書の提出期限（申告期限）までに共同相続人又は包括受遺者によって分割されていない宅地等には適用しないものとされました。(注)

(注)　ただし、一定の手続き（『申告期限後３年以内の分割見込書』の提出）が行われている場合には、その分割されていない宅地等が申告期限から３年以内（注）に分割された場合には、その分割された宅地等については、小規模宅地等の課税特例の適用が認められるものとされました。

注　この３年間が経過するまでの間に当該宅地等が分割されなかったことにつき、当該相続又は遺贈に関し訴えの提起がされたことその他のやむを得ない事情がある場合において、納税地の所轄税務署長の承認を受けたときは、当該宅地等の分割ができることとなった日の翌日から４月以内とされました。

②　小規模宅地等の課税特例の適用による課税価格算入割合の見直し

上記①(ロ)に掲げる課税特例の適用対象である宅地等の範囲の細区分化と共に小規模宅地等の課税特例の適用による課税価格算入割合の見直しが行われました。

③　課税価格算入額の調整（減額の最低保証制度）の廃止

昭和58年度の小規模宅地等の課税特例の法律化以来適用されていた小規模宅地等（限度面積200㎡）が課税価格の算入割合の異なる複数の区分（被相続人等の事業の用又は居住の用若しくは国の事業の用）から成る場合の小規模宅地等の課税特例の適用による相続税の課税価格の算入額の調整計算（減額の最低保証制度）が廃止されることになりました。

### (2)　改正前後における小規模宅地等の区分と課税価格算入割合

平成６年度の税法改正の前後における小規模宅地等の区分と課税価格への算入割合の取扱いを示すと、下表のとおりになります。

(注)　平成６年度の税法改正は小規模宅地等の区分に関する抜本的な改正と位置付けられています。したがって、対比表は条文に基づく形式的な表と実務上の観点から作成した表の両方を掲記することにします。

## （条文に基づく対比表）

改正前の取扱い

| 小規模宅地等の区分 | | | 課税価格算入割合 | 参考 適用上限面積 |
|---|---|---|---|---|
| ① | 小規模宅地等の全部が被相続人等の事業の用に供されていた宅地等である場合（注１） | | 30% | 200㎡ |
| ② | 小規模宅地等の全部が被相続人等の居住の用に供されていた宅地等である場合 | | 40% | 200㎡ |
| ③ | 小規模宅地等の全部が国の事業の用に供されていた宅地等である場合 | | 30% | 200㎡ |
| ④ | 小規模宅地等が被相続人等の事業の用又は居住の用若しくは国の事業の用に供されていた宅地等である場合 | (イ) 被相続人等又は国の事業の用に供されていた宅地等 | 30%（注２） | 200㎡（合計） |
| | | (ロ) 被相続人等の居住の用に供されていた宅地等 | 50%（注２） | |

→

改正後の取扱い

| 小規模宅地等の区分 | | 課税価格算入割合 | 参考 適用上限面積 |
|---|---|---|---|
| ① | 特定事業用宅地等 | 20% | 200㎡ |
| ② | 特定居住用宅地等 | 20% | 200㎡ |
| ③ | 国営事業用宅地等 | 20% | 200㎡ |
| ④ | 特定同族会社事業用宅地等 | 20% | 200㎡ |
| ⑤ | 上記①から④に該当しない小規模宅地等 | 50% | 200㎡ |

（注１）　準事業の用に供されている宅地等については、課税特例の適用はないものとされています。
（注２）　一定の場合には、課税価格算入割合を調整する措置（最低保証制度）が設けられています。

## （実務上の観点に基づく対比表）

<table>
<tr><th colspan="5" rowspan="2">小規模宅地等の区分</th><th colspan="2">改正前</th><th colspan="2">改正後</th></tr>
<tr><th>課税価格算入割合</th><th>参考 適用上限面積</th><th>課税価格算入割合</th><th>参考 適用上限面積</th></tr>
<tr><td rowspan="8">被相続人等の事業の用に供されていた宅地等</td><td rowspan="2">自己の事業の用に供する宅地等</td><td colspan="3">改正後の特定事業用宅地等の要件を充足</td><td rowspan="5">30%（改正前は区分概念なし）</td><td rowspan="5">200㎡（改正前は区分概念なし）</td><td>20%</td><td>200㎡</td></tr>
<tr><td colspan="3">改正後の特定事業用宅地等の要件を非充足</td><td>50%</td><td>200㎡</td></tr>
<tr><td rowspan="6">貸付事業の用に供する宅地等</td><td rowspan="3">貸付事業が事業的規模である場合</td><td rowspan="2">貸付先が改正後の特定同族会社である場合</td><td>改正後の特定同族会社事業用宅地等の要件を充足</td><td>20%</td><td>200㎡</td></tr>
<tr><td>改正後の特定同族会社事業用宅地等の要件を非充足</td><td>50%</td><td>200㎡</td></tr>
<tr><td colspan="2">貸付先が上記以外の場合</td><td>50%</td><td>200㎡</td></tr>
<tr><td rowspan="3">貸付事業が準事業と認められる場合</td><td rowspan="2">貸付先が改正後の特定同族会社である場合</td><td>改正後の特定同族会社事業用宅地等の要件を充足</td><td rowspan="3">100%（改正前は適用対象外）</td><td rowspan="3">－</td><td>20%</td><td>200㎡</td></tr>
<tr><td>改正後の特定同族会社事業用宅地等の要件を非充足</td><td>50%</td><td>200㎡</td></tr>
<tr><td colspan="2">貸付先が上記以外の場合</td><td>50%</td><td>200㎡</td></tr>
</table>

| | | | | | |
|---|---|---|---|---|---|
| 被相続人等の居住の用に供されていた宅地等 | 改正後の特定居住用宅地等の要件を充足 | 40%（改正前は区分概念なし） | 200㎡（改正前は区分概念なし） | 20% | 200㎡ |
| 被相続人等の居住の用に供されていた宅地等 | 改正後の特定居住用宅地等の要件を非充足 | 40%（改正前は区分概念なし） | 200㎡（改正前は区分概念なし） | 50% | 200㎡ |
| 国の事業の用に供されていた宅地等 | 改正後の国営事業用宅地等の要件を充足 | 30%（改正前は区分概念なし） | 200㎡（改正前は区分概念なし） | 20% | 200㎡ |
| 国の事業の用に供されていた宅地等 | 改正後の国営事業用宅地等の要件を非充足 | 30%（改正前は区分概念なし） | 200㎡（改正前は区分概念なし） | 50% | 200㎡ |

（注）　上記の表は、改正前の取扱いとして規定されていた小規模宅地等（限度面積200㎡）が被相続人等の事業の用又は居住の用若しくは国の事業の用に供されていた場合（小規模宅地等の区分が混在していた場合）の取扱い（課税価格算入割合：事業用部分30%、居住用部分50%を原則とし、一定の場合には課税価格算入割合を調整する措置（最低保証制度）を適用）については考慮されていません。

### ⑶　改正のポイント

この平成６年度の改正で初めて、①特定事業用宅地等、②特定居住用宅地等、③国営事業用宅地等及び④特定同族会社事業用宅地等の４つの定義が定められ、被相続人等の事業の用又は居住の用若しくは国の事業の用に供されていた宅地等について一定の付加要件（原則として、相続税の申告期限までの承継要件、所有要件及び供用要件等）を充足している場合には、当該要件を充足しない宅地等より相続税の課税価格の算入割合を更に引き下げようとする取扱いとなっています。この取扱いが、平成22年度の税法改正前（課税時期が平成22年３月31日までである場合）まで継続して適用されることになります。

なお、上記の取扱い（相続開始後、相続税の申告期限までの状況が考慮され相続税の課税価格算入割合に差異が発生）は、わが国の相続税の課税体系が原則として遺産取得税体系を採用しており、相続財産を取得後の状況にしんしゃく配慮して一定の場合には、より一層の課税上の優遇措置を設けることが相当であると考えられたためと思われます。

### ⑷　適用時期

上記⑴及び⑵に掲げる平成６年度の税法改正後の取扱いは、平成６年１月１日以後に開始した相続又は遺贈により取得した財産に対する小規模宅地等に係る相続税について適用するものとされました。

なお、経過措置として、平成６年１月１日から平成６年４月１日までの間に開始した相続又は遺贈により取得した財産に対する小規模宅地等については、選択により当該小規模宅地等を取得したすべての者が平成６年度の税法改正前の小規模宅地等の課税特例の取扱いを適用して申告することも認められるものとされました。

## 〔6〕 租税特別措置法の改正（平成11年度）

### ⑴ 改正の内容

① 適用上限面積の引上げ

特定事業用宅地等、国営事業用宅地等及び特定同族会社事業用宅地等に対する特例の適用上限面積が200㎡から330㎡に引き上げられました。平成11年度の税法改正の前後における取扱いを示すと、下表のとおりになります。

| 小規模宅地等の区分 | 改正前 | | 改正後 | |
|---|---|---|---|---|
| | 課税価格算入割合 | 適用上限面　積 | 課税価格算入割合 | 適用上限面　積 |
| ① 特定事業用宅地等 | 20% | 200㎡ | 20% | 330㎡ |
| ② 特定居住用宅地等 | 20% | 200㎡ | 20% | 200㎡ |
| ③ 国営事業用宅地等 | 20% | 200㎡ | 20% | 330㎡ |
| ④ 特定同族会社事業用宅地等 | 20% | 200㎡ | 20% | 330㎡ |
| ⑤ 上記①から④に該当しない小規模宅地等（特定特例小規模宅地等） | 50% | 200㎡ | 50% | 200㎡ |

② 『家なき子（特定居住用宅地等）』の判定における同居親族の範囲の見直し

平成６年度の税法改正で新設された特定居住用宅地等の１つの形態であるいわゆる『家なき子』に該当するか否かの判定要件として、改正前は「相続開始の直前において当該宅地等の上に存する当該被相続人の居住の用に供されていた家屋に居住していた親族がいない場合に限る。」と規定されていました。

今回の改正では、当該親族（上記＿＿部分）の範囲が『法定相続人（相続の放棄があった場合には、その放棄がなかったものとした場合における相続人）』に限定されるものとされました。

### ⑵ 課税特例適用上の留意点

上記⑴①の改正に伴って、改正後は小規模宅地等の区分に応じて適用上限面積が異なる（330㎡と200㎡）ものとなりました。そこで、改正後においては相続又は遺贈により財産を取得した者に係る小規模宅地等として選択する宅地等（選択特例対象宅地等）が、適用上限面積の異なるものからなる場合には、下記に掲げる算式を充足していることが必要要件とされました。

（算式）選択特例対象宅地等とした特定事業用宅地等（上表①）、国営事業用宅地等（上表③）及び特定同族会社事業用宅地等（上表④）の面積の合計 ＋ 選択特例対象宅地等とした特定居住用宅地等（上表②）及び特定特例小規模宅地等（上表⑤）の面積の合計 × $\frac{330}{200}$ ≦ 330㎡

### ⑶ 適用時期

上記⑴及び⑵に掲げる平成11年度の税法改正後の取扱いは、平成11年１月１日以後に開始した相続又は遺贈により取得した財産に対する小規模宅地等に係る相続税について適用するものとされました。

## 〔７〕 租税特別措置法の改正（平成13年度）

### (1) 改正の内容

特定事業用宅地等、国営事業用宅地等及び特定同族会社事業用宅地等に対する特例の適用上限面積が330㎡から400㎡に引き上げられました。また、特定居住用宅地等についても特例適用上限面積が200㎡から240㎡に引き上げられました。平成13年度の税法改正の前後における取扱いを示すと、下表のとおりになります。

| 小規模宅地等の区分 | 改正前 | | 改正後 | |
|---|---|---|---|---|
| | 課税価格算入割合 | 適用上限面積 | 課税価格算入割合 | 適用上限面積 |
| ①　特定事業用宅地等 | 20% | 330㎡ | 20% | 400㎡ |
| ②　特定居住用宅地等 | 20% | 200㎡ | 20% | 240㎡ |
| ③　国営事業用宅地等 | 20% | 330㎡ | 20% | 400㎡ |
| ④　特定同族会社事業用宅地等 | 20% | 330㎡ | 20% | 400㎡ |
| ⑤　上記①から④に該当しない小規模宅地等（特定特例対象宅地等） | 50% | 200㎡ | 20% | 200㎡ |

### (2) 課税特例適用上の留意点

上記(1)の改正に伴って、改正後では相続又は遺贈により財産を取得した者に係る選択特例対象宅地等について適用上限面積が異なる場合には、下記に掲げる算式を充足していることが必要要件とされました。

（算式）

$$\text{選択特例対象宅地等とした特定事業用宅地等（上表①）、国営事業用宅地等（上表③）及び特定同族会社事業用宅地等（上表④）の面積の合計} + \text{選択特例対象宅地等とした特定居住用宅地等（上表②）の面積} \times \frac{5}{3} + \text{選択特例対象宅地等とした特定特例対象宅地等（上表⑤）の面積} \times 2 \leqq 400\text{㎡}$$

### (3) 適用時期

上記(1)及び(2)に掲げる平成13年度の税法改正の取扱いは、平成13年１月１日以後に開始した相続又は遺贈により取得した財産に対する小規模宅地等に係る相続税について適用するものとされました。

## 〔８〕 租税特別措置法の改正（平成14年度）

### (1) 改正の内容

①　特定事業用資産の課税特例との併用適用の禁止

平成14年度の税法改正において、『特定事業用資産についての相続税の課税価格の計算の特例』（措法69の５）の規定が新設されました。この新設された特定事業用資産の課税特例（特例対象株式等又は特例対象山林について適用）と小規模宅地等の課税特例はいずれか一方の選択適用とされたため、小規模宅地等の課税特例を選択した場合には、特定事業用資産の課税特例の適用を受けることはできないものとされました。

② 小規模宅地等の課税特例の適用手続き（同意者の範囲）

上記①に掲げる特定事業用資産の課税特例の規定の新設に伴って、小規模宅地等の課税特例の適用を受けるための手続きとして規定された適用要件を充足する者の同意手続きに、改正前の特例対象宅地等を取得した者以外に新たに同一の被相続人から相続又は遺贈により特例対象株式等又は特例対象山林を取得した者が加えられることになりました。

③ 小規模宅地等の課税特例を更正の請求により適用できる取扱いの新設

上記①に掲げる特定事業用資産の課税特例の規定の新設に伴って、相続税の申告期限までに小規模宅地等については遺産分割等により取得者が確定したものの特定事業用資産については遺産分割等による取得者が確定しなかったため、小規模宅地等の課税特例の適用を受けなかった場合における事後の更正の請求に関する規定が設けられることになりました。

**⑵ 適用時期**

上記⑴に掲げる平成14年度の税法改正の取扱いは、平成14年１月１日以後に開始した相続又は遺贈により取得した財産に対する小規模宅地等に係る相続税について適用するものとされました。

## 〔９〕 租税特別措置法の改正（平成15年度）

**⑴ 改正の内容**

① 特定同族会社事業用宅地等の定義の見直し

㈠ 所有株式等の集計対象者の範囲

所有株式等の集計対象者の範囲が改正前は『被相続人等（被相続人又は当該被相続人と生計を一にする親族）』とされていたものが、改正後は『被相続人及び当該被相続人の親族その他当該被相続人と一定の特別の関係がある者』とされ、下記２点の改正項目が確認されます。（下記 参考資料 ㈠部分を参照）

㋑ 改正後は、集計対象者となる親族に被相続人との生計の一又は別を問う必要はなくなりました。

㋺ 改正後は、集計対象者に被相続人と一定の特別の関係がある者（㋫愛人、一定の法人）が加えられることになりました。

㈡ 所有株式等の割合要件

特定同族会社の判定の基礎とされる所有株式等の割合要件が改正前は『10分の５以上』とされていたものが、改正後は『10分の５を超える』とされました。また、株式若しくは出資又は発行済株式若しくは出資金額については、議決権に制限のある株式又は出資として規定された一定のものは除くものとされました。（下記 参考資料 ㈡部分を参照）

参考資料　平成15年度の税法改正による特定同族会社事業用宅地等の意義

| | 改正前の取扱い | 改正後の取扱い |
|---|---|---|
| 意　義（改正部分のみ記載） | ・相続開始直前に(イ)被相続人等（被相続人又は当該被相続人と生計を一にする親族）が有する株式の総数又は出資の金額の合計額が当該株式又は出資に係る法人の発行済株式の総数又は出資金額の(ロ)10分の５以上である法人の事業（貸付事業を除きます。）の用に供されていた宅地等で、…（以下略） | ・相続開始直前に(イ)被相続人及び当該被相続人の親族その他当該被相続人と一定の特別の関係がある者が有する株式の総数又は出資の金額の合計額が当該株式又は出資に係る法人の発行済株式の総数又は出資金額の(ロ)10分の５を超える法人の事業（貸付事業を除きます。）の用に供されていた宅地等で、…（以下略） |

②　特定事業用資産の課税特例との併用適用の容認

平成14年度の税法改正による特定事業用資産の課税特例の新設時には容認されていなかった小規模宅地等の課税特例との併用適用について、改正後は一定の要件を充足する場合には当該併用適用を認めるものとされました。

⑵　**適用時期**

①　上記⑴①(イ)に掲げる取扱い（特定同族会社の判定における所有株式等の集計対象者の範囲の見直しをする改正）及び⑴②に掲げる取扱い（特定事業用資産の課税特例との併用適用を容認する改正）は、平成15年１月１日以後に開始した相続又は遺贈により取得した財産に対する小規模宅地等に係る相続税について適用するものとされました。

②　上記⑴①(ロ)に掲げる取扱い（特定同族会社の判定における所有株式等の割合要件に係る改正）は、平成15年４月１日以後に開始した相続又は遺贈により取得した財産に対する小規模宅地等に係る相続税について適用するものとされました。

## 〔10〕　租税特別措置法の改正（平成18年度）

⑴　**改正の内容**

①　特定物納を適用する場合の特定物納財産に該当しない財産

平成18年度の税法改正によって新たに特定物納制度（注）が創設され、平成18年４月１日以後に開始した相続又は遺贈により取得した財産に係る相続税について適用するものとされました。

（注）　特定物納制度の概要

税務署長は、延納の許可を受けた者について、当該延納税額からその納期限が到来している分納税額を控除した残額（特定物納対象税額）を相続税法の規定に基づく延納手続きの規定により変更された条件による延納によっても金銭で納付することを困難とする事由が生じた場合においては、その者の申請により、特定物納対象税額のうちその納付を困難とする金額として一定の方法で計算した金額を限度として、物納を許可することができるものとされています。

この新設された特定物納制度を適用する場合においても、当該特定物納の対象とする財産が小規模宅地等の課税特例の規定の適用を受けた宅地等であるときには、当該財産（小規模宅地等である宅地等）は特定物納の対象とされる財産には該当しないものとされました。

②　特定同族会社の範囲の見直し

改正後は特定同族会社事業用宅地等の判定の基になる法人の範囲から相続税の申告期限において清算中の法人が除外されることになりました。

**(2)　適用時期**

①　上記(1)①に掲げる取扱い（特定物納を適用する場合の特定物納財産からの除外）は、平成18年４月１日以後に開始した相続又は遺贈により取得した財産に対する小規模宅地等に係る相続税について適用するものとされました。

②　上記(1)②に掲げる取扱い（清算中の法人を適用除外とする改正）は、平成18年５月１日（会社法の施行日）以後に開始した相続又は遺贈により取得した財産に対する小規模宅地等に係る相続税について適用するものとされました。

## 〔11〕　租税特別措置法の改正（平成19年度）

**(1)　改正の内容**

①　特定同族株式等の贈与に係る相続時精算課税の特例規定を受けた場合の小規模宅地等の課税特例規定の不適用

平成19年度の税法改正によって特定同族株式等の贈与を受けた場合の相続時精算課税の特例として、新たに下記に掲げる２つの規定が設けられました。

(イ)　旧措置法第70条の３の３《特定の贈与者から特定同族株式等の贈与を受けた場合の相続時精算課税の特例》

概要　平成19年１月１日から平成20年12月31日までの間に特定同族株式等の贈与を受けた場合には、贈与者の年齢が60歳以上であれば（原則的な年齢要件は65歳以上）、相続時精算課税の特例の適用を受けることができるものとされました。

(ロ)　旧措置法第70条の３の４《特定同族株式等の贈与を受けた場合の相続時精算課税に係る贈与税の特別控除の特例》

概要　平成19年１月１日から平成20年12月31日までの間に特定同族株式等の贈与を受けた場合には、相続時精算課税の特別控除額（2,500万円）に、特定同族株式特別控除額として500万円が加算されるものとされました。

上記の規定の適用を受けている場合には、当該特定贈与者である被相続人から相続若しくは遺贈又は相続時精算課税に係る贈与により財産を取得したすべての者について、小規模宅地等の課税特例の適用はないものとされました。

②　郵政民営化法の施行に伴う国営事業用宅地等の廃止と一定の経過措置の創設

(イ)　原則的な取扱い（国営事業用宅地等の廃止）

郵政民営化法の施行日（平成19年10月１日）以後においては、特定郵便局の敷地の用に供されている宅地等を国営事業用宅地等として小規模宅地等の課税特例（課税価格算入割合：20％、適用上限面積：400㎡）の対象とすることは民間の同種事業との比較均衡の観点から相当ではなく、原則として、小規模宅地等の課税特例の適用が廃止されることになりました。

(ロ)　特例的な取扱い（経過措置の創設）

郵政民営化法の施行日（平成19年10月１日）前に当該相続若しくは遺贈に係る被相続人又は当該被相続人の相続人と旧公社（日本郵政公社）との間の賃貸借契約に基づき旧公社法に規定する郵便局の用に供するため旧公社に貸し付けられていた建物で一定のものの敷地の用に供されていた宅地等については、特定事業用宅地等（課税価格算入割合：20％、適用上限面積400㎡）に該当する特例対象宅地等とみなして、小規模宅地等の課税特例の対象とするという一定の経過措置が規定されました。

### (2)　適用時期

①　上記(1)①に掲げる取扱い（特定同族株式等の贈与に係る相続時精算課税の特例規定を受けた場合の小規模宅地等の課税特例規定の不適用）は、平成19年１月１日以後に開始した相続又は遺贈により取得した財産に対する小規模宅地等に係る相続税について適用するものとされました。

②　上記(1)②に掲げる取扱い（郵政民営化法の施行に伴う国営事業用宅地等の廃止と一定の経過措置の創設）は、平成19年10月１日以後に開始した相続又は遺贈により取得した財産に対する小規模宅地等に係る相続税について適用するものとされました。

## 〔12〕　租税特別措置法の改正（平成21年度）

### (1)　改正の内容

| |
|---|
| 特定事業用資産についての相続税の課税価格の計算の特例の見直し（特定（受贈）同族会社株式等に係る課税特例の廃止） |

平成21年度の税法改正によって、平成14年に新設された『特定事業用資産についての相続税の課税価格の計算の特例』（措法69の５）の規定に、下表のとおりの大幅な見直しが加えられました。

| 項　　目 | 改正前の取扱い | 改正後の取扱い |
|---|---|---|
| 条　文　名 | 特定事業用資産についての相続税の課税価格の計算の特例（措法69の５） | 特定計画山林についての相続税の課税価格の計算の特例（措法69の５） |
| 適用対象資産 | ①　特定同族会社株式等<br>②　特定受贈同族会社株式等<br>③　特定森林施業計画対象山林<br>④　特定受贈森林施業計画対象山林 | ①　特定森林施業計画対象山林<br>②　特定受贈森林施業計画対象山林 |
| 相続税の課税価格算入割合 | 90%⇨上記①及び②<br>95%⇨上記③及び④ | 95%⇨上記①及び② |

今回の改正では、特定（受贈）同族会社株式等に係る部分の課税特例が一定の経過措置の適用を受けるものを除いて平成21年３月31日までの適用をもって廃止されました。

そして、改正後においては、小規模宅地等の課税特例と特定計画山林の課税特例との併用適用が一定の要件下で認められるものとされました。

**⑵　適用時期**

上記⑴に掲げる平成21年度の税法改正後の取扱いは、平成21年４月１日以後に開始した相続又は遺贈により取得した財産に対する小規模宅地等に係る相続税について適用するものとされました。

## 〔13〕　租税特別措置法の改正（平成22年度）

**⑴　改正の内容**

本章では、平成22年度の税法改正の項目のみを掲記します。（詳細については、第３章（315～326ページ）で確認してください。）

①　事業又は居住要件を充足しない場合の適用除外

②　被相続人の親族以外の者が取得した場合の適用除外

③　一の宅地等に共同相続があった場合の適用要件の判定単位

④　１棟の建物の敷地である宅地等のうちに特定居住用宅地等がある場合の取扱い

⑤　特定居住用宅地等の意義の明確化

**⑵　適用時期**

上記⑴に掲げる平成22年度の税法改正後の取扱いは、平成22年４月１日以後に開始した相続又は遺贈により取得した財産に対する小規模宅地等に係る相続税について適用するものとされました。

## 〔14〕　租税特別措置法の改正（平成25年度）

### ⑴　改正の内容

本章では、平成25年度の税法改正の項目のみを掲記します。（詳細については、第３章（327～336ページ）で確認してください。）

①　特定居住用宅地等に対する適用上限面積の見直し

②　特例対象宅地等が複数の区分にまたがる場合の調整計算

③　１棟の２世帯住宅で構造上区分のあるものに対する特定居住用宅地等の判定

④　被相続人が老人ホームに入所していた場合における空家となった家屋の敷地に対する特定居住用宅地等の判定

### ⑵　適用時期

①　上記⑴①に掲げる取扱い（特定居住用宅地等に対する適用上限面積の見直し）及び⑴②に掲げる取扱い（特例対象宅地等が複数の区分にまたがる場合の調整計算）は、平成27年１月１日以後に開始した相続又は遺贈により取得した財産に対する小規模宅地等に係る相続税について適用するものとされました。

②　上記⑴③に掲げる取扱い（１棟の２世帯住宅で構造上区分のあるものに対する特定居住用宅地等の判定）及び⑴④に掲げる取扱い（被相続人が老人ホームに入所していた場合における空家となった家屋の敷地に対する特定居住用宅地等の判定）は、平成26年１月１日以後に開始した相続又は遺贈により取得した財産に対する小規模宅地等に係る相続税について適用するものとされました。

## 〔15〕　租税特別措置法の改正（平成30年度）

### ⑴　改正の内容

#### ①　いわゆる「家なき子」に対する適用要件の見直し（厳格化）

小規模宅地等の課税特例（特定居住用宅地等：配偶者及び一定の同居親族が存せず非同居親族が取得した場合（いわゆる『家なき子』））について、持ち家に居住していない者に係る特定居住用宅地等の特例の対象者の範囲から、次に掲げる者を除外する改正が行われることになりました。

(イ)　相続開始前３年以内に、その者の３親等内の親族又はその者と特別の関係のある法人が所有する国内にある家屋に居住したことがある者

(ロ)　相続開始時において居住の用に供していた家屋を過去に所有していたことがある者

#### ②　相続開始の直前において被相続人の居住の用に供することができない事由の拡充

小規模宅地等の課税特例（特定居住用宅地等：一定の事由により相続開始の直前において居住の用に供されていなかった場合の被相続人の居住の用に供することができない事由）について、介護医療院に入所したことにより被相続人の居住の用に供されなくなった家屋

の敷地の用に供されていた宅地等についても、相続の開始の直前において被相続人の居住の用に供されていたものとして取扱う改正が行われることになりました。

③　**貸付事業用宅地等の範囲の見直し（厳格化）**

小規模宅地等の課税特例（貸付事業用宅地等）について、貸付事業用宅地等の範囲から、相続開始前３年以内に新たに貸付事業の用に供された宅地等を除外するものとして取扱う改正が行われることになりました。

ただし、上記の改正は、相続開始前３年を超えて事業的規模で引き続き貸付事業を行っている者が当該貸付事業の用に供しているものには適用されないものとされました。

⑵　**適用時期**

①　上記⑴①に掲げる取扱い（いわゆる『家なき子』に対する適用要件の見直し（厳格化））は、平成30年４月１日以後に相続又は遺贈により取得した財産に対する小規模宅地等に係る相続税について適用するものとされました。

ただし、令和２年３月31日までに、平成30年３月31日において、上記⑴①の見直し前の特定居住用宅地等の要件を満たしていた宅地等を相続又は遺贈により取得する場合には、当該宅地等は上記⑴①の見直し後の要件を満たしているものとする等の経過措置を講ずるものとされました。

②　上記⑴②に掲げる取扱い（相続開始の直前において被相続人の居住の用に供することができない事由の拡充）は、平成30年４月１日以後に相続又は遺贈により取得した財産に対する小規模宅地等に係る相続税について適用するものとされました。

③　上記⑴③に掲げる取扱い（貸付事業用宅地等の範囲の見直し（厳格化））は、平成30年４月１日以後に相続又は遺贈により取得した財産に対する小規模宅地等に係る相続税について適用するものとされました。

ただし、平成30年４月１日前から貸付事業の用に供されている宅地等については、適用しないものとされました。

## 〔16〕　租税特別措置法の改正（平成31年（令和元年）度）

⑴　**改正の内容**

①　**特定事業用宅地等の範囲の見直し（厳格化）**

小規模宅地等の課税特例（特定事業用宅地等）について、特定事業用宅地等の範囲から、相続開始前３年以内に新たに事業の用に供された宅地等を除外するものとして取り扱う改正が行われることになりました。

ただし、上記の改正は、特定事業（注）を行っていた被相続人等の当該事業の用に供された宅地等については適用されないものとされました。

（注）『特定事業』とは、次に掲げる算式を充足する場合における当該事業をいいます。

（算式）
$$\frac{\text{分母に掲げる特定宅地等に係る被相続人等の事業の用に供されていた減価償却資産のうち当該被相続人等が有していたものの相続の開始の時における価額}}{\text{新たに事業の用に供された宅地等（特定宅地等）の相続の開始の時における価額}} \geqq \frac{15}{100}$$

② 個人の事業用資産についての納税猶予制度の適用を受ける場合の小規模宅地等の課税特例の適用関係

平成31年度の税法改正によって、個人の事業用資産についての納税猶予制度の規定が創設されました。この個人の事業用資産についての納税猶予制度の規定と小規模宅地等の課税特例（特定事業用宅地等）の規定は、その併用適用が認められておらず、いずれか一方の選択適用とされました。

したがって、被相続人が次に掲げる者のいずれかに該当する場合には、当該被相続人から相続又は遺贈により取得（注）をしたすべての特定事業用宅地等について、小規模宅地等の課税特例の適用がないものとされました。

(イ) 措置法第70条の６の８《個人の事業用資産についての贈与税の納税猶予及び免除》第１項の規定の適用を受けた特例事業受贈者に係る贈与者である場合

(ロ) 措置法第70条の６の10《個人の事業用資産についての相続税の納税猶予及び免除》第１項の規定の適用を受ける特例事業相続人に係る被相続人である場合

（注） 上記＿＿部分の『取得』には、措置法第70条の６の９《個人の事業用資産の贈与者が死亡した場合の相続税の課税の特例》の規定により、相続又は遺贈により取得したものとみなされる場合における当該取得が含まれるものとされました。

③ 配偶者居住権に基づく敷地利用権に対する小規模宅地等の課税特例の適用関係

民法改正（平成30年７月改正、令和２年４月１日施行）によって配偶者居住権の規定が創設されました。この配偶者居住権に基づく敷地利用権については、当該敷地利用権が建物ではなく土地を利用する権利であることから、当該敷地利用権は、小規模宅地等の課税特例に規定する土地の上に存する権利に該当するものとして、居住建物の敷地の用に供される土地も含めて小規模宅地等の課税特例の対象となるものと解されることになりました。

この場合において、小規模宅地等の課税特例の適用を受けるものとしてその全部又は一部の選択をしようとする特例対象宅地等が、配偶者居住権に基づく敷地利用権又は居住建物の敷地の用に供される宅地等の全部又は一部であるときには、当該特例対象宅地等の面積は、次の宅地等の区分に応じてそれぞれ次の算式により算出した面積であるものとみなされることになりました。

（算式） ① 配偶者居住権に基づく敷地利用権の面積

$$\text{特例対象宅地等の面積} \times \frac{\text{配偶者居住権に基づく敷地利用権の価額}}{\text{配偶者居住権に基づく敷地利用権の価額及び居住建物の敷地の用に供される宅地等の価額の合計額}}$$

② 居住建物の敷地の用に供される宅地等の面積

$$\text{特例対象宅地等の面積} \times \frac{\text{居住建物の敷地の用に供される宅地等の価額}}{\text{配偶者居住権に基づく敷地利用権の価額及び居住建物の敷地の用に供される宅地等の価額の合計額}}$$

### ⑵　適用時期

①　上記⑴①に掲げる取扱い（特定事業用宅地等の範囲の見直し（厳格化））は、平成31年４月１日以後に相続又は遺贈により取得した財産に対する小規模宅地等に係る相続税について適用するものとされました。

ただし、平成31年４月１日前から事業の用に供されている宅地等については、適用しないものとされました。

②　上記⑴②に掲げる取扱い（個人の事業用資産についての納税猶予制度の適用を受ける場合の小規模宅地等の課税特例の適用関係）は、平成31年４月１日以後に相続又は遺贈により取得した財産に対する小規模宅地等に係る相続税について適用するものとされました。

③　上記⑴③に掲げる取扱い（配偶者居住権に基づく敷地利用権に対する小規模宅地等の課税特例の適用関係）は、令和２年４月１日以後に相続又は遺贈により取得した財産に対する小規模宅地等に係る相続税について適用するものとされました。

参考　⑴　令和２年度については、小規模宅地等の課税特例の適用につき、租税特別措置法の改正はありませんでした。

⑵　令和３年度については、小規模宅地等の課税特例の適用につき、租税特別措置法の改正はありませんでした。

# 第６章
# 裁判例（判例）・裁決事例の確認

## 1　賃貸用の青空駐車場に使用されている土地の評価方法と当該土地上の物的施設が構築物に該当するか否かが争点とされた事例

**検討裁決事例**　国税不服審判所裁決事例（平成17年12月16日裁決、札裁（諸）平17第９号、平成13年相続開始分）

### 〔1〕　事案の概要・基礎事実

(1)　平成13年○月○日に死亡した○○○○（以下「被相続人」という。）の相続（以下「本件相続」という。）に係る相続財産のうち、甲土地については、請求人○○○○が取得した。

(2)　甲土地は、被相続人と請求人○○○○がそれぞれ持分の２分の１で共有していた○○○○○○○○○○○○○及び同所○○○の土地（以下、これらを併せて「○○○○○○の土地」という。）の被相続人の持分に係る部分である。

(3)　○○○○○○の土地の合計面積は、○○○○○であり、平成13年９月までは、○○○が所有する甲土地隣接地の面積○○○○○と併せて○○○○○の土地を共同でいわゆる青空駐車場として賃貸している。

(4)　○○○○○○の土地には、通路の一部にアスファルト舗装がされ、駐車スペースに砂利が敷設されているところ、○○○○○○の土地に係るアスファルト舗装の面積は○○○○○○の土地の面積の約８％程度である。

(5)　○○○○○○の土地のフェンスは、金属製のパイプを組み合わせただけのものである。

### 〔2〕　事案のポイント・争点

(1)　甲土地（賃貸用の青空駐車場に使用されている土地）の評価方法はどのようになるのか。（具体的には、甲土地隣接地の売買取引事例を基に評価することは認められるのか。又は評価通達に基づいて評価することが相当とされるのか。）また、甲土地の相続税評価額はいくらになるのか。

(2)　賃貸用の青空駐車場として利用されている甲土地上に存する物的施設は、構築物に該当し、当該構築物の敷地の用に供されている宅地であることから、当該甲土地に小規模宅地等の課税特例を適用することは認められるのか。（賃貸用の青空駐車場の敷地を小規模宅地等の課税特例の適用対象とするために必要とされる物的施設（構築物）の状況として、どの程度のものであることが必要とされるのか。）

## 〔３〕　争点に対する双方の主張

| 争　　点 | 請求人（納税者）の主張 | 原処分庁（課税庁）の主張 |
|---|---|---|
| (1)　甲土地の評価方法及びその相続税評価額 | ①　甲土地の価額は、甲土地所在地の北側隣接地（以下「甲土地隣接地」という。）の売買取引事例による１坪当たり300,000円を時価として算出すべきである。<br>②　上記①に基づいて甲土地の価額を算出すると下記に掲げる計算より、129,631,830円となる。<br>（計算）300,000円（１坪当たりの価額）×○○○坪（地積 単位：坪）× $\frac{1}{2}$（持分）＝129,631,830円<br>筆者注　本件裁決では、甲土地の地積は非公開情報とされているが、推定で算出すると2,856.90㎡（約864.2122坪）になると考えられる。 | ①　請求人の主張する甲土地の価額の算定方法は、下記に掲げる 事由 のとおり、合理性があるとは認めることはできず、評価通達に定める方式以外の方法によってその評価を行うべき特別の事情があるとは認められないから、甲土地の価額は評価通達に定める方式によるべきこととなる。<br>事由<br>請求人が甲土地の時価とすべきであるとする甲土地隣接地の売買取引事例には、下記(イ)から(ニ)に掲げる事情が認められるが、請求人は、これらの事情を一切考慮せずに、単に取引価格と路線価とを比較して、路線価より低廉である売買取引事例に係る売買価額が時価である旨主張しているにすぎないものであり、請求人の算定した甲土地の価額の評価方法に合理性を認めることはできない。<br>(イ)　譲渡人の売り申し込みであったこと<br>(ロ)　譲渡人の土地の売買希望価額は、当初１坪当たり40万円であったこと<br>(ハ)　譲渡人が不動産取引業者と締結した専任媒介契約書における売買価額は、「平成12年分の路線価の価格を基に売却予定である」旨記載されていたこと<br>(ニ)　譲受人との度重なる交渉の結果、最終的に、１坪当たり30万円で譲渡したこと |

| | | |
|---|---|---|
| | | ②　上記①に基づいて甲土地の価額を算出すると下記に掲げる計算より、135,045,663円となる。<br>（計算）<br>(イ)　110,000円×　0.77　＝84,700円<br>（正面路線価）　（広大地補正率）(注)<br>(ロ)　84,700円＋（91,000円　×　0.77<br>（側方路線価）　（広大地補正率）(注)<br>×　0.08）＝90,305円<br>（側方路線影響加算率）<br>(ハ)　90,305円＋（110,000円×　0.77<br>（裏面路線価）　（広大地補正率）(注)<br>×　0.05）＝94,540円<br>（二方路線影響加算率）<br>(ニ)　94,540円×（（○○○○＋○○○○）<br>（１㎡当たりの価額）　（面積：２筆）<br>×　$\frac{1}{2}$）＝135,045,663円<br>（持分）<br>**(注)**　広大地補正率の計算<br>（○○○○－668.88㎡）÷○○○○<br>＝0.77（広大地補正率）<br>(1)　奥行価格補正率に代えて適用する広大地の補正率は上記のとおり算出し、小数点以下２位未満を四捨五入している。<br>(2)　668.88㎡（公共公益的施設用地となる地積）は、甲土地に幅員８ｍの道路を付すと想定した場合の面積である。 |
| (2)　甲土地に対する小規模宅地等の課税特例の適用 | 甲土地は、平成５年８月１日に整地工事、通路舗装及びフェンス等の設置を行い駐車場として賃貸しているものであるから、租税特別措置法施行規則第23条の２に定める構築物のある土地に該当するので、本件特例の適用を否認される根拠はない。 | ①　甲土地について、次の事実が認められる。<br>(イ)　被相続人に係る平成13年分所得税の確定申告書に添付して提出された収支内訳書（不動産所得用）には、減価償却資産等として、駐車場整地工事、通路舗装、フェンス等（以下「本件減価償却資産等」という。）の記載がされている。<br>(ロ)　本件減価償却資産等に係る工事は平成５年８月に行われている。<br>(ハ)　本件減価償却資産等の価額は、本 |

| | | |
|---|---|---|
| | | 件相続税の申告書に構築物637,246円と記載され、相続税の課税価格に算入されている。<br>㈡　本件減価償却資産等の状況は次のとおりである。<br>㋑　駐車場の路面は、本件相続の約８年前に施工した駐車場整地工事の際に、砂利を敷設したと推認されるところ、砂利の量は少なく、石敷路面と認められる状態にない。<br>㋺　フェンスは、簡易なもので容易に撤去できるものである。<br>㋩　入口付近のアスファルト舗装は、簡易で極めて狭小である。<br>㋥　甲土地は、上記㋑ないし㋩のとおり、容易に宅地等の用に供することが可能である。<br>②　ところで、本件特例の対象となる宅地等は、相続又は遺贈により取得した宅地等で、相続開始直前において被相続人又は被相続人と生計を一にする親族の事業の用又は居住の用に供されていた宅地等で建物又は構築物の敷地の用に供されていたものとされている。<br>③　上記①の㈧のとおり、請求人らは、本件減価償却資産等を本件相続税の申告書に構築物として記載のうえ、相続税の課税価格に637,246円を算入している事実は認められる。<br>　しかしながら、本件減価償却資産等の状況は上記①の㈡のとおり、いずれも構築物として認識できる程度のものではなく、また、容易に撤去できるものであることからすると、甲土地は構築物の敷地の用に供していた宅地等とは認められないので、本件特例を適用することはできない。 |

## 〔４〕 国税不服審判所の判断

### (1) 甲土地の評価方法

① 認定事実等

(イ) 請求人ら提出資料、原処分関係資料及び当審判所の調査の結果によれば、次の事実が認められる。

㋑ 請求人らが主張する売買取引事例は、甲土地隣接地の１件のみである。

㋺ 甲土地隣接地は○○○○○○○○○を仲介者として、平成13年８月24日に売買契約が締結されている。

㋩ 上記㋺の売買契約における１坪当たりの金額は、300,000円である。

㊁ 評価通達に定められた評価方式によって算定される甲土地の価額は、原処分庁が主張する価額（135,045,663円：上記〔３〕の 原処分庁（課税庁）の主張 欄(1)②を参照）と同額となる。

(ロ) ○○○○○○○○○の代表取締役は、当審判所に対し要旨次のとおり答述した。

㋑ 甲土地隣接地の売主の○○○の売却希望価額は、当初１坪当たり400,000円であったが、当時の土地の値動きについて検討した結果、平成12年分の路線価相当額（三方路線の平均値による１坪当たり約380,000円）をもって買主を探し折衝することで平成13年４月23日付で専任媒介契約を締結した。

以前の○○○であれば、路線価相当額をもって売却するということに、了解する方ではなかったが、今回は了解してくれたところに売り急いでいる状況が見受けられた。

㋺ 売却する理由については、○○○の兄の○○の相続で、土地の路線価が高いことで、自らの相続開始のことを考え、不動産を現金化しておけば相続税や譲渡に係る所得税の納税のことで相続人が困らないだろうとの相続対策の一環であるといっていた。

㋩ 最終的に１坪当たり300,000円の価額で売却することで、売主から了解を得られ、平成13年８月24日付で売買契約となったが、売り急いでいる姿勢が感じられた。

② 甲土地の評価方法（評価通達によらないことが相当と認められる特別の事情の有無）

(イ) 請求人は、上記〔３〕の 請求人（納税者）の主張 欄(1)のとおり主張する。

しかしながら、相続税法第22条の時価は、相続開始の時におけるそれぞれの財産の現況に応じ、不特定多数の当事者間で自由な取引が行われる場合に通常成立すると認められる価額、すなわち、客観的な交換価額をいうのであるから、売り急ぎや買い進みなどの特殊事情のない状況で取引されたものであることが、その前提となるべきであるところ、上記①の(イ)からすると、請求人らが主張する甲土地隣接地の売買取引事例は、売り急ぎなどの特殊事情がない状況で取引されたものと認めることはできず、また、同(イ)の㋺及び㋩からすると、本件相続開始の時点と甲土地隣接地の売買の時点が相違しているにもかかわらず、時点修正が行われていないことが認められる。

そうすると、甲土地隣接地の売買取引事例の価額をもって、評価通達に定められた評価方式によって算定される上記①の(イ)の㊁のとおりの価額が客観的な交換価額を上回っていることが明らかであると認めることはできない。

したがって、この点に関する請求人らの主張を採用することはできない。

(ロ)　ちなみに、当審判所において、○○○○○○に所在する土地で、甲土地と交通・接近条件、環境条件、行政的条件などが類似すると認められるものを、売買取引事例及び国土利用計画法施行令第９条《基準地の標準価格》第１項の規定により選定された基準地から選定し、当審判所においても相当と認められる土地価格比準表（昭和50年１月20日付国土地第４号国土庁土地局地価調査課長通達『国土利用計画法の施行に伴う土地価格の評定等について』をいう。）に準じて格差補正を行って本件相続開始時における１㎡当たりの価額を算定したところ、次のとおりとなり、これらの価額のいずれによっても評価通達に基づき算定される上記①の(イ)の㊁の価額を下回ることはない。

㋑　甲土地と同じ行政的条件である建ぺい率が80％、容積率400％で、かつ、準防火地域にある600㎡程度の画地を標準的画地とし、この標準的画地の価額を算定すると、別表（略）のとおり100,517円となる。

㋺　また、甲土地が三方路線であるという個別的要因の格差が認められるので、個別格差（1.07）の補正をすると107,553円となる。

(ハ)　上記(イ)及び(ロ)より、甲土地については、評価通達に定められた評価方法により算定した価額がその客観的な交換価額を超えることが明らかであると認められる特別の事情があるとは認められない。

③　甲土地の相続税評価額

上記①及び②より、甲土地の価額を評価通達に定められた評価方式によって算定することに違法はなく、また、上記①の(イ)の㊁のとおり、その価額は原処分庁主張額（135,045,663円）のとおりであると認めるのが相当である。

**(2)　甲土地に対する小規模宅地等の課税特例の適用可否**

①　考え方

(イ)　本件特例の適用に当たって、租税特別措置法第69条の４第１項は、当該宅地等が、当該被相続人等の事業の用に供されていたものであり、かつ、建物又は構築物の敷地の用に供されているものであることをその要件に掲げている。

ところで、本件特例により相続税の軽減を図っている趣旨は、事業の用に供されていた宅地等の必要最小限の部分については、相続人等の生活基盤の維持や個人事業の承継に欠くことができないこと、事業が雇用の場であり取引先等と密接に関連していることなど、処分面での制約があることを考慮したものと解される。

(ロ)　上記(イ)より、本件特例の適用に当たっては、当該宅地等が事業性を認識し得る程度の資本投下がされたある程度堅固な施設である建物又は構築物の敷地として利用されているものであることが必要であり、かつ、その敷地の利用目的となっている当該施設を利用した事業が行われていることが必要であると解される。

したがって、構築物といっても、物的施設に乏しく、その宅地等の転用に際し、その撤去や除去が容易な場合や特段の撤去や除去を要しない場合には、処分面の制約への配慮の必要性は非常に少ないということができるのであるから、そのような場合にまで、当該宅地等が構築物の敷地の用に供されているとして、本件特例により相続税の軽減を図ることを認めることは、その趣旨を逸脱するものであり、相当と認めることはできないというべきである。

② 甲土地に対する本件特例の適用の可否

(イ) 上記①に掲げる考え方を○○○○○○の土地についてみると、前記〔１〕の(2)から(5)に掲げる事実からすれば、○○○○○○の土地はいわゆる青空駐車場であり、アスファルト舗装、金属製パイプを組み合わせたフェンスや看板があるほかは、特段、建造物があるわけではないところ、アスファルト舗装は○○○○○○の土地全体の面積の８％にされたにとどまるものであること、また、金属製パイプを組み合わせたフェンスや看板は構造が簡易であることから、これらの撤去は容易にできる程度のものであることが認められ、さらには、当審判所の調査の結果によれば、平成５年の駐車場施設を整備する際に、駐車スペースの整地と砂利を敷設していることが認められるものの、本件相続開始時においては、当該砂利は地中に埋没し土地の一部と見られる状態になっていることが認められる。

そうすると、前記〔１〕(2)に掲げるとおり、甲土地は、○○○○○○の土地の被相続人の持分に係る部分であるところ、○○○○○○の土地は物的施設に乏しく、処分面の制約への配慮の必要性は非常に少ないと認めるのが相当であるから、構築物の敷地の用に供されている宅地等に該当するとは認められず、この点に関する請求人らの主張を採用することはできない。

## 〔５〕 裁決事例から確認する実務における留意点

### (1) 本件裁決事例の位置付け

小規模宅地等の課税特例の適用対象とされる要件として、「相続開始の直前において、当該相続等に係る被相続人等の事業の用若しくは居住の用に供されていた宅地等で一定の建物又は構築物の敷地の用に供されているもの」であることとなっている。

また、この『一定の建物又は構築物の敷地』とは、措置法の施行規則では、下記に掲げる建物又は構築物以外の建物又は構築物の敷地をいうものとされている。

① 温室その他の建物で、その敷地が耕作（農地法第43条《農作物栽培高度化施設に関する特例》第１項の規定により耕作に該当するものとみなされる農作物の栽培を含む。次の②において同じ。）の用に供されているもの

② 暗きょその他の構築物で、その敷地が耕作の用又は耕作若しくは養畜のための採草若

しくは家畜の放牧の用に供されるもの

法令及び通達等の取扱いについては、上記以外に建物又は構築物の敷地について言及したものはなく、実務上では、特に、構築物、わけても、本件裁決事例における甲土地のような簡易な施設に留まる駐車場（一般に、このような形態は月極駐車場に多く見受けられる。）上に存する物的施設が、小規模宅地等の課税特例の適用上の要件とされる『構築物』に該当するか否かが争点とされる事例は多数あり、本件裁決はその典型例であると考えられる。

### ⑵　本件裁決事例のポイント及び実務上の留意点

国税不服審判所の判断として、特に下記に掲げる３点が重要であると考えられ、相続税の申告実務において貸付用の駐車場用地を小規模宅地等の課税特例の適用対象とするか否かを検討するうえで留意すべきものと考えられる。

①　アスファルト舗装（構築物に該当）は土地全体の面積の８％にされたに留まるものであるという事実から物的施設に乏しいと判断されていること。換言すれば、駐車場が構築物の敷地の用に供されている土地に該当すると認定されるためには、当該敷地の相当広範な部分がアスファルト舗装等の構築物の敷地として供用されることが必要と判断されること

②「平成５年（課税時期の８年前）の駐車場施設の整備時に、駐車スペースの整地と砂利を敷設しているが、相続開始時（平成13年）においては、当該砂利は地中に埋没し土地の一部と見られる状態になっていることが認められる。」と判断されており、相続財産の評価（小規模宅地等の課税特例の適用可否も含めて）に関しては、現況確認が最重要事項であると判断されること

③　前記〔３〕の 原処分庁（課税庁）の主張 欄⑵①(イ)及び(ハ)に掲げるとおり、「被相続人の所得税申告において、本件駐車場に係る駐車場整地工事、通路舗装、フェンス等の本件減価償却資産等が資産計上されており、当該減価償却資産は、当該被相続人に係る相続税の申告書に構築物（評価額637,246円）として計上されている。」という所得税及び相続税を通じての外形は認められるが、小規模宅地等の課税特例の適用上の構築物の認識は当該外形で判断するのではなく、上記②に掲げるとおり、課税時期における現況確認が最重要事項であると判断されること

（注）　駐車場等の施設は非堅固なものが多く、比較的短期間と考えられる年月の経過においても当初の状況と異なる状態となっている場合が想定されることから、課税時期における現況を確認することの意義は非常に大きいものと考えられる。

### ⑶　類似裁判例（判例）の確認

本件裁決事例と類似する裁判例（判例）として、下記に掲げるものがある。

判例　①　静岡地方裁判所（平成20年11月27日判決、平成19年（行ウ）第28号）

②　東京高等裁判所（平成21年６月25日判決、平成20年（行コ）第○○号）

〔上記①の控訴審判決〕

③　最高裁判所第二小法廷（平成21年11月27日決定、平成21年（行ツ）第○○号）

〔上記②の上告審決定〕

**要旨**　本件土地はＡ社に賃貸され、同社により従業員専用の駐車場として利用されているが、その土地上には、地面に駐車位置を指定するためのロープが敷設され、看板が設置されているのみでそれ以外に設置物はなく、いわゆる青空駐車場として利用されているにすぎないのであり、本件土地に何らかの構築物を設置し、その上で事業が行われているものでもない。

このことからすると、『財務省令で定める建物若しくは構築物の敷地の用に供されているもの』という要件を満たさないことから、同土地については、小規模宅地等の特例を適用することはできないというべきである。

## 2　被相続人等の居住用宅地等に該当するか否かについて、『相続開始の直前』の意義が争点とされた事例

**検討裁決事例**　国税不服審判所裁決事例（平成14年12月５日裁決、大裁（諸）平14第36号、平成11年相続開始分）

### 〔1〕 事案の概要・基礎事実

⑴　本件は、「被相続人の住民票上の住所は、相続の開始の約１年前に被相続人の長女の住所地に変更しているものの、被相続人の生活の本拠は、本件宅地上の建物に被相続人の備品等が残されているなど、相続が開始するまで当該建物にあったのであるから、本件宅地に対して小規模宅地等の課税特例の規定が適用されるべきである。」との請求人の主張の相当性が争点とされた事例である。

⑵　被相続人の共同相続人は、長男のＧ（以下「Ｇ」という。）、二男のＨ（以下「Ｈ」という。）及び長女のＬ（以下「Ｌ」という。）の３名である。

⑶　本件宅地上には、家屋１棟（250.32㎡。以下「本件建物」という。）がある。

⑷　被相続人は、平成10年７月18日、Ｐ市Ｒ町○○所在の総合病院Ｍ病院（以下「Ｍ病院」という。）に入院し、平成10年８月７日に同病院を退院した。

⑸　被相続人は、平成10年８月７日（以下、この日を「本件転居日」という。）に、本件建物からＰ市Ｓ町○○番地に所在するＬ宅に引っ越し（以下「本件引っ越し」という。）をした。

⑹　被相続人の住所は、住民票上、本件転居日に、本件建物の所在地でＧの住所でもあるＰ市Ｑ町○○番地から上記⑸のＬ宅の所在地に変更されている。

### 〔2〕 事案のポイント・争点

⑴　小規模宅地等の課税特例の規定の適用要件である『相続開始の直前において被相続人等の居住の用に供されていた宅地等』に該当するか否かの判断に当たって、『相続開始の直前』の意義とその実務上の解釈基準はどのようになっているのか。

⑵　上記⑴を判断するに当たって（換言すれば、課税要件を充足するか否かの判断に際して）、小規模宅地等の課税特例の規定の創設趣旨（処分に相当の制約があると認められる宅地等に対する相続税の課税価格の計算上の減額配慮）を考慮する必要があるのか。

⑶　本件宅地について、小規模宅地等の課税特例の規定の適用は認められるのか。

## 〔3〕 争点に対する双方の主張

| 争　　点 | 請求人（納税者）の主張 | 原処分庁（課税庁）の主張 |
|---|---|---|
| (1)『相続開始の直前』の意義とその判断基準 | ①　本件特例が、相続の開始の直前において居住の用に供されていたという要件を課している趣旨は、死亡する直前に被相続人の使用していた物件について本件特例の適用を認めることが相続人等の生活基盤の維持に最も適するとの価値判断の下に、複数所有する土地のうち一つの土地のみに本件特例の適用を認め、実際に使用されなかった土地への適用を防止したものである。<br>②　本件について見ると、被相続人は、平成10年８月７日に本件引っ越しをし、住民票上の住所も変更しているものの、次のとおり、その生活の本拠は、相続が開始するまで本件建物にあったといえるから、本件特例が適用されるべきである。<br>(イ)　被相続人は、大正14年４月１日から平成10年８月７日の本件引っ越しまでの間、約70年以上も本件建物に住み続けていた。<br>(ロ)　本件引っ越しは、相続問題も絡んで、Ｌが同人宅に強引に連れ出したものであり、被相続人が自発的にＬ宅に行ったものではない。<br>(ハ)　本件建物には、本件転居日以降も、被相続人の衣類備品等の生活必需品が多数残されており、また、被相続人は、本件建物内にある仏壇を拝むため、Ｌ宅から本件建物を再三訪れていた。<br>(ニ)　被相続人の葬儀は、Ｇが喪主となり、本件建物で行われた。<br>(ホ)　被相続人は、本件建物において、長年にわたりＧ及びその妻子と同居しており、本件建物には、現在もＧらが居住している。 | ①　本件特例は、当該相続の開始の直前において被相続人等の居住の用に供されていた一定の宅地等について、適用されるものである。<br>　そして、被相続人等の居住の用に供されていたか否かについては、原則として、当該被相続人等がその宅地の上に存する建物に生活の拠点を置いていたか否かにより判定され、例えば、下記に掲げる建物は、生活の拠点を置いていた建物とはいえないことになる。<br>(イ)　居住用建物の建築期間中の仮住まいのための建物<br>(ロ)　一時的な目的で入居した建物<br>(ハ)　主として趣味、娯楽又は保養の目的で所有する建物<br>②『当該相続の開始の直前において』とは、法令上において、それについて定義付けたものはないものの、当該文言を解釈すると、相続の開始の直前、すなわち、その瞬間において現に居住の用に供していることと解するのが相当である。<br>③　請求人らは、下記に掲げる事項を理由に、被相続人の生活の本拠が、相続が開始するまで本件建物にあった旨主張する。<br>(イ)　被相続人が仏壇を拝みに本件建物を再三訪れていたこと<br>(ロ)　被相続人の生活の基礎となる衣類備品等が本件建物に残されていたこと<br>(ハ)　被相続人の葬儀が本件建物で行われたこと<br>(ニ)　本件引っ越しはＬが半強制的に被相続人を同人宅に転居させたものであること |

| | | |
|---|---|---|
| | | しかしながら、下記に掲げる事項からすると、被相続人は、Ｌの夫であるＮ（以下「Ｎ」という。）の扶養を受け、Ｌ宅を生活の拠点としていたものであり、Ｌ宅への転居は単なる仮住まいや一時的な入居とは認められない。<br>(イ)　被相続人の住民登録が、本件転居日に、本件建物の所在地からＬ宅の所在地に変更され、変更後の世帯主がＮとなっていること<br>(ロ)　Ｎが、平成10年に、被相続人についてＮの扶養家族になった旨の社会保険の届出をしていること<br>(ハ)　Ｎが、平成10年及び平成11年の所得税の確定申告において、被相続人をＮの扶養親族及び同居老親等に該当するとしていること<br>(ニ)　Ｍ病院の職員及びＬの申述を総合すると、被相続人の転居は、Ｌが希望したものではなく、Ｇ夫婦の希望をＬが聞き入れて行われたものであると認められること |
| (2)　課税要件の充足を判断するに当たって規定の創設趣旨を考慮する必要性 | ①　本件特例の趣旨は、事業又は住居の用に供されていた宅地のうち最小限必要な部分については、相続人等の生活基盤を維持するために欠くことのできないものであって、その処分については相当の制約を受けるのが通常であり、このような制約のある財産に通常の取引価格を基とした評価額の適用することは、実情に即さないことから、評価において所要のしんしゃくを加えることとしたものである。<br>②　本件宅地及び本件建物は、被相続人の唯一の財産で、その生活の基盤となっていたものであり、さらに、本件建物には、Ｇ及びその家族が現在も居住し、同人らの生活の基盤ともなっているものであるため、同人らの生活基盤の確保について配慮するという観点からも、本件宅地について、本件特例 | 請求人らは、Ｇらの生活基盤の確保について配慮するという観点から、本件特例の適用を認めるべきである旨主張するが、当該特例は、そのような規定をしていない。 |

| | | |
|---|---|---|
| | の適用を認めるべきである。 | |
| (3) 本件宅地に対する本件特例の適用可否 | 上記(1)及び(2)のとおり、本件宅地は、本件相続の開始の直前において被相続人の居住の用に供されていた宅地等に該当し、本件宅地について、本件特例が適用されるべきである。 | 上記(1)及び(2)のとおり、本件宅地は、本件相続の開始の直前において被相続人の居住の用に供されていた宅地等に該当せず、また、被相続人と生計を一にしていた親族の居住の用に供されていた宅地とも認められないから、本件宅地について、本件特例を適用することはできない。 |

## 〔４〕 国税不服審判所の判断

### (1) 認定事実

① Ｇは、平成14年３月６日、異議審理庁の職員に対し、要旨次のとおり申述した。

(イ) 被相続人の所有に係る貯金通帳及び印鑑は、本件相続の開始時にはＬ宅にあった。

(ロ) 本件転居日以降、Ｌ及びＮから被相続人の生活費の支払を請求されたことはない。

(ハ) 所得税の申告において、被相続人を私の扶養親族としていなかったのは、被相続人は、10年くらい前まで、家賃収入等について所得税の申告をしていた時期があり、そのままにしていたためである。

(ニ) 国民健康保険において、被相続人を私の扶養家族としていたが、Ｌ宅に転居した後は、Ｎの希望で同人の扶養家族になった。

② Ｌは、平成14年３月18日、異議審理庁の職員に対し、要旨次のとおり申述した。

(イ) Ｍ病院入院中における被相続人との話し合いでは、被相続人は、同病院退院後、私の家で生活した方が良いとの意思を示していた。

(ロ) 被相続人の退院後の住居について、Ｇと話し合ったことはないが、同人の意向については、Ｍ病院の職員を通じて聞いており、私の家への転居をＧは了解しているものと思っていた。

(ハ) 被相続人が私の家に継続して住むということであったため、布団は、夏用と冬用を一緒に本件建物から運んできた。

(ニ) 被相続人の生活費については、被相続人の年金の中から一部を負担してもらっていた。

(ホ) 被相続人をＮの国民健康保険に入れるため、被相続人の住民票上の住所を変更させるとともに、社会保険事務所を通じてＧの同意を得た。

③ Ｍ病院の職員は、平成14年３月26日、異議審理庁の職員に対し、医療福祉相談室での相談記録に基づいて、要旨次のとおり申述した。

(イ) 平成10年７月23日に主治医から「嫁姑の折り合いが悪く、Ｇの妻が、退院後は、被相続人を引き取れないと言っているため、今後のことも含めて聞いてほしい。」旨の指示を受けた。

(ロ)　Ｌ夫婦は、平成10年７月24日に主治医に対して、また、同年７月28日に私に対して、「被相続人を引き取る。」旨を申し入れた。

(ハ)　平成10年７月29日にＧ夫婦と話し合い、Ｌ夫婦の意向を伝えたところ、「Ｌ宅で引き取ってほしい。」との話があり、「今後はＬ夫婦をキーパーソンとして、退院の話を進めてほしい。」旨の申立てを受けた。

④　Ｎの平成10年分及び平成11年分の所得税の確定申告書においては、被相続人がＮの扶養控除対象とされている。

**(2)　『相続開始の直前』の意義**

本件特例は、相続税の課税価格に算入されるべき相続財産の価額についての特例であり、当該財産が、①当該相続の開始の直前において、②被相続人又は当該被相続人と生計を一にしていた当該被相続人の親族の事業の用又は居住の用に供されていた宅地等であることが適用要件とされている。

そして、ここにいう『居住の用に供する』とは、被相続人等が生活の本拠を置いていた場所をいい、生活の本拠については、被相続人等の日常生活の状況、例えば、継続的に真に居住する意思をもって起居するなど、実質的に生活の拠点として利用していた場所であったかどうか等の事情を総合勘案して、社会通念に照らして客観的に判断すべきであると解される。

また、『相続の開始の直前』とは、その文言を通常意味するところに沿って解釈すると、相続の開始時点のすぐ前を意味し、実質的には、当該相続の開始当時という意味と同義であると解するのが相当である。

**(3)　本件宅地が相続開始の直前において被相続人の居住の用に供されていた宅地等に該当するか否かの判断**

①　前記〔１〕に掲げる基礎事実及び上記(1)に掲げる認定事実、特に、下記(イ)から(ニ)に掲げる事項等から総合的に判断すると、Ｍ病院を退院した平成10年８月７日以降、被相続人の生活の本拠はＬ宅にあったと認めるのが相当である。

(イ)　被相続人がＭ病院に入院中、Ｇ夫婦は、Ｌ夫婦が被相続人を引き取ることを望んでおり、Ｌ夫婦は、被相続人を引き取る意向であったこと

(ロ)　被相続人は、Ｍ病院を退院した平成10年８月７日から死亡するまで、Ｌ宅で日常生活を送っていたこと

(ハ)　被相続人の住民票の住所も、平成10年８月７日を転居日として、本件建物の所在地からＬ宅の所在地に変更されていること

(ニ)　被相続人は、本件転居日以降、国民健康保険及び所得税の申告において、Ｎの扶養親族となっていること

そうすると、本件相続の開始の直前において、被相続人は本件宅地を居住の用に供しているとは認められない。

②　これに対して、請求人らは、被相続人が本件建物に70年以上住み続け、本件建物に生

活必需品や仏壇等も残され、被相続人の葬儀も本件建物で行われたといった事実を指摘して、被相続人の生活の本拠は、被相続人が死亡するまで本件建物にあった旨主張する。

しかしながら、これらの事実は、本件転居日まで被相続人の生活の本拠が本件建物にあったこと及び兄弟姉妹間におけるＧの長男としての立場を示すものではあっても、本件相続の開始の直前における被相続人の生活の本拠がＬ宅にあったという上記①の認定を覆すものとは認められない。

また、請求人らは、被相続人はＬ宅に強制的に転居させられた旨主張するが、当審判所の調査によっても、このことを裏付ける事実は認められない。

したがって、これらの点に関する請求人らの主張は採用できない。

**⑷　課税要件の充足を判断するに当たって規定の創設趣旨を考慮する必要性**

請求人らは、本件宅地及び本件建物は被相続人の唯一の財産であり、本件建物にはＧ及びその家族が現在も居住していることから、請求人らの生活基盤を確保するという観点から、本件特例の適用を認めるべきである旨主張する。

①　確かに、請求人らが主張するように、本件特例は、相続人等の生活基盤を維持するための相続税の課税上の特例であるが、その目的を前提としつつも、一定の要件を定め、それに該当する場合に限って税負担を軽減して、特別に利益を与える租税優遇措置であるから、その適用に当たっては、要件をみだりに拡張して解釈することは許されないと解される。

すなわち、本件特例は、その要件上、被相続人自身の居住等の用に供されていた宅地等を除くと、相続の開始の直前に、被相続人と『生計を一にする』被相続人の親族の居住等の用に供されていた宅地等に限り適用されるのであり、本件特例にいう『生計を一にする』とは、同一の生活単位に属し、相助けて共同の生活を営み、ないしは日常生活の資を共通にしている場合をいうものと解されることから、それ以外の場合について、本件特例を適用することは許されない。

②　本件においては、前記①のとおり、相続の開始の直前において、被相続人の生活の本拠はＬ宅であり、Ｇは被相続人と同居しておらず、また、前記⑴の①及び②によれば、被相続人は、Ｌ宅へ転居した後、国民健康保険等において、Ｎの扶養家族になっていることが認められ、Ｇからの経済的支援も受けていないのであるから、Ｇと被相続人は、同一の生活単位に属するとはいえず、日常生活の資を共通にしていないことも明らかである。

そうすると、Ｇは、本件相続の開始の直前において、本件特例に定める『生計を一にする』親族という要件に該当しないこととなり、また、上記①のとおり、この要件を拡張して解釈することはできないから、本件宅地に本件特例を適用することはできない。

したがって、この点に関する請求人らの主張は採用できない。

**⑸　本件宅地に対する本件特例の適用可否**

上記⑴から⑷に掲げる認定事実及び判断のとおり、請求人らの主張はいずれも理由がなく、本件宅地について本件特例を適用することはできない。

## 〔５〕 裁決事例から確認する実務における留意点

### (1) 実務上における『相続開始の直前』の意義とその解釈基準

本件裁決事例に係る事実関係を図示すると、下記図解のとおりとなる。

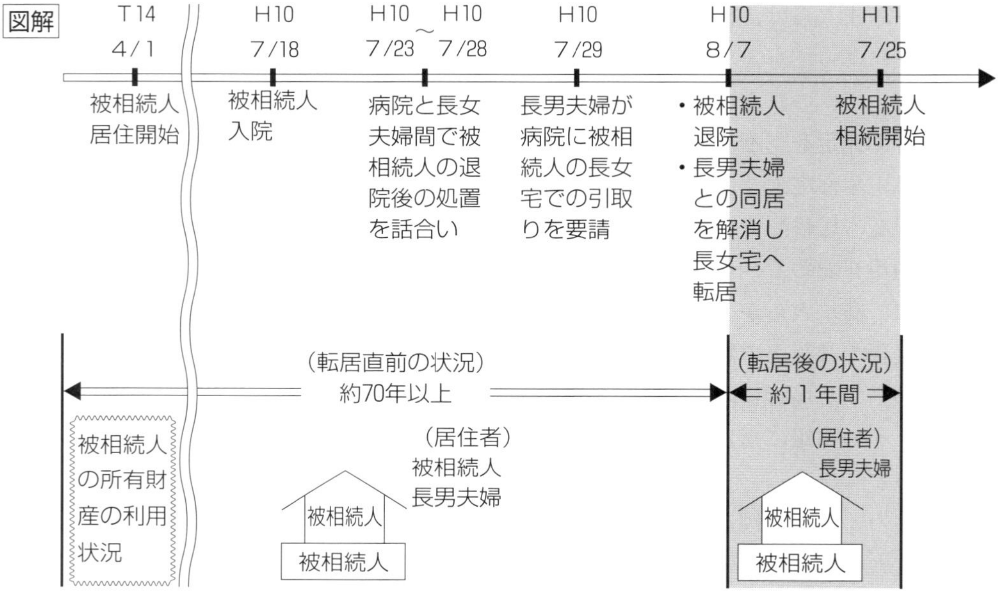


小規模宅地等の課税特例の規定では、「個人が相続又は遺贈により取得した財産のうちに、当該相続の開始の直前において、被相続人等の居住の用に供されていた宅地等で一定の建物又は構築物の敷地の用に供されているものがある場合（以下（略））」（㊟居住の用に関する部分のみを抜粋）と明記されており、被相続人等の居住用宅地等に該当するか否かの判断時点を『相続の開始の直前』（上記＿＿部分）に求めていることが理解できるが、当該『相続の開始の直前』という用語について定義したものは法令（規則を含む。）及び通達等に存在しない。

そうすると、当該『相続の開始の直前』の解釈については、通常の一般的な理解に基づくことになると考えられるが、これに関して、「『相続の開始の直前』とは、その文言を通常意味するところに沿って解釈すると、相続の開始時点のすぐ前を意味し、実質的には、当該相続の開始当時という意味と同義であると解するのが相当である。」（本件裁決事例）としており、本件裁決事例は、その意義及び実務上における解釈基準を明確にしたものとして注視すべきものと考えられる。

### ⑵　課税要件の充足を判断するに当たって規定の創設趣旨を考慮することの可否（文理解釈と論理解釈、拡張解釈を行うことの可否）

本件裁決事例において、「『小規模宅地等の課税特例』規定は、相続人の生活基盤の確保の観点から考慮してその適用が認められるべきものである。」と請求人が主張していることに対して、国税不服審判所では、「本件特例は、相続人等の生活基盤を維持するための相続税の課税上の特例であるが、その目的を前提としつつも、一定の要件を定め、それに該当する場合に限って税負担を軽減して、特別に利益を与える租税優遇措置であるから、その適用に当たっては、要件をみだりに拡張して解釈することは許されないと解される。」として、請求人の主張を棄却している。

法律解釈には一般的に、下記に掲げる２つの解釈方法がある。

①　文理解釈

法文の文章の意味するところを文法に従って明確に解釈することをいい、原則として一字一句について、その字義どおりに厳格に解することが必要とされるとする解釈方法である。

②　論理解釈

法文の文章の意味するところを法文の創設趣旨、背景から社会経済的な実際の運用までにいたる総合的な取扱いに則して、一切の論理を用いて合理的に法の解釈を試みようとする解釈方法をいい、この論理解釈のもとでは、一定の拡張解釈（法文の文章の意味するところを通常一般に用いられている意味よりも、広げて解釈することをいう。）は容認されるものと解されている。

ところで、租税法律主義における法律解釈について、不用意にその適用要件を拡張解釈することを戒めており、租税法の基礎原理としてこの点に留意しておく必要がある。

なお、本件は、拡張解釈が認められたと仮定したら、納税者有利となる取扱いであるが、逆に、拡張解釈をすることによって納税者不利となる取扱いも想定されるところであり、このような事案に対する対応については、実務上、より一層の慎重な配慮が必要になるものと考えられる。

また、納税者有利に法の拡張解釈を課税庁において容認する事項については、その取扱いを公開通達等によって、広く一般に周知されるような手続きが採られることが『納税者の課税予測性の観点』から求められるものと考えられる。

本件裁決事例は、租税優遇措置の典型例である小規模宅地等の課税特例の適用要件（課税要件）を充足しているか否かの判断に当たっては、拡張解釈を戒め租税法における法律解釈の基礎である文理解釈（注）によることが相当であることを確認した基本的な裁決事例であると考えられる。

（注）　租税法においては、租税は強行的侵害法規であり、その法解釈及び執行に当たっては、法的安定性及び説得性を保持することが重要であると解されているところに文理解釈を求める支持基盤があるものと考えられる。

### (3) 類似裁判例（判例）の確認

本件裁決事例と類似する裁判例（判例）として、下記に掲げるものがある。

①『相続開始の直前』において被相続人の居住の用に供されていた宅地に該当するか否かが判断された事例

判例　福岡高等裁判所（平成21年２月４日判決、平成20年（行コ）第27号）

要旨　本件マンションには、生活の拠点として使用するに足りる設備が整えられていたことが認められるが、他方で、本件マンションの面積や間取りは、被相続人が１人で居住するには不必要なほど広く、電気もその使用量に比べて契約容量が極めて大きい。家具や電化製品も世帯用の製品が購入されており、被相続人は運転免許を持たないにもかかわらず、駐車場契約を締結している。したがって、本件マンションの入居目的が、専ら被相続人１人が仕入れ等の便宜のために居住するためのものであったかどうかについては疑問がある。

本件マンションの利用状況等からすれば、被相続人が病気等の事情から利用できなかったことを考慮しても、被相続人は本件マンションにおいてほとんど生活していなかったのであり、その利用も散発的であって、本件マンションが生活の拠点として使用されていたとは認められない。

②『建築中の家屋』の意義について文理解釈に基づいて厳格に解釈されるべきであると判断された事例

判例　東京地方裁判所（平成８年３月22日判決、平成６年（行ウ）第339号）

（注）上記の地裁判決に係る下記記載の控訴審判決及び上告審判決においても同様の判断が維持されている。

・東京高等裁判所（平成９年２月26日判決、平成８年（行コ）第36号）
・最高裁判所第一小法廷（平成10年６月25日判決、平成９年（行ツ）第130号）

要旨　相続開始時に建築工事に着手していなくても、工事請負契約を締結し居住用建物の敷地として使用されることが客観的に明らかである場合には、居住用宅地に該当するとすべきであるとの納税者らの主張が、本件特例のような例外的な措置として定められた規定の解釈は、租税負担公平の観点からも厳格に行われるべきであるところ、相続開始時においてその土地上に居住用建物の建築計画があることや建築請負契約を締結しているだけで、未だ建物の建築工事すら着手されておらず更地のまま具体的に使用されていない土地についてまで本件特例の居住用宅地に当たると解することは、小規模宅地等の相続税の課税特例の規定の文言に照らし困難であるといわざるを得ない。

参考　本件裁判例については、7を参照

## 3　特定居住用宅地等の判定について、『財産取得親族が相続開始の直前において被相続人の居住の用に供されていた家屋に居住していた者であって、相続開始時から相続税の申告期限まで引き続き当該宅地等を有し、かつ、当該家屋に居住していた場合』に該当するか否かが争点とされた事例

**検討裁決事例**　国税不服審判所裁決事例（平成28年６月６日裁決、東裁（諸）平27第142号、平成24年相続開始分）

### 〔１〕　事案の概要・基礎事実

(1)　本件は、請求人が、被相続人の居住していたマンションの敷地権を相続により取得し、小規模宅地等の課税特例（以下「本件特例」という。）を適用して相続税の申告をしたところ、原処分庁が、請求人は、当該マンションに被相続人と同居しておらず、また、相続開始時から相続税の申告期限まで当該マンションに居住していたとは認められないから、本件特例を適用することはできないとして相続税の更正処分及び過少申告加算税の賦課決定処分をしたのに対し、請求人が、これらの処分の全部の取消しを求めた事案である。

(2)　請求人の養母である○○○○（以下「本件被相続人」という。）は、平成24年３月○○日に死亡し、その相続（以下「本件相続」という。）が開始した。本件相続に係る相続人は、請求人のみであり、本件相続の開始直前において、本件被相続人と請求人は、生計が別であった。

(3)　本件被相続人の相続財産には、図表１の１の(2)の建物（以下「Ａ建物」という。）及びその敷地権（図表１の２。以下、当該敷地権の目的である土地の持分431,898分の7,019を「本件宅地」という。）があり、本件被相続人は、本件相続の開始直前において、Ａ建物に居住していた。

**図表１　Ａ建物及びその敷地権**

１　建物

(1)　一棟の建物

| | |
|---|---|
| 所　　在 | ○○○○ |
| 建物の名称 | ○○○○ |
| 構　　造 | 鉄骨鉄筋コンクリート造陸屋根14階建 |
| 床 面 積 | 合計4,869.82㎡ |

(2)　専有部分（○○○○）

| | |
|---|---|
| 家屋番号 | ○○○○ |
| 建物の名称 | 1103 |
| 種　　類 | 居宅 |
| 床 面 積 | 11階部分　66.30㎡ |

２　敷地権（本件宅地）

⑴　敷地権の目的である土地

所在及び地番　○○○○

地　　　目　宅地

地　　　積　796.87㎡

⑵　敷地権の種類　　所有権

⑶　敷地権の割合　　431,898分の7,019

⑷　請求人は、本件相続により本件宅地を取得し、本件相続に係る相続税（以下「本件相続税」という。）の申告期限である平成25年１月○○日（以下「本件申告期限」という）まで引き続き、本件宅地を有していた。

⑸　請求人は、本件申告期限において、Ａ建物及び本件宅地のほか、平成13年11月５日に売買により取得した 図表２ の１の⑵の建物（以下「Ｂ建物」という。）及びその敷地権（ 図表２ の２）を有していた。そして、請求人の住民票上の住所は、平成13年12月１日以降、Ｂ建物が存在する○○○○（ 筆者注 住居表示）であった。

図表２　Ｂ建物及びその敷地権

１　建物

⑴　一棟の建物

所　　　在　○○○○

建物の名称　○○○○

構　　　造　鉄骨鉄筋コンクリート・鉄筋コンクリート造ルーフィング葺10階建

床　面　積　合計1,083.45㎡

⑵　専有部分（○○○○）

家屋番号　○○○○

建物の名称　901

種　　　類　居宅

床　面　積　９階部分　47.68㎡

２　敷地権

⑴　敷地権の目的である土地

所在及び地番　○○○○

地　　　目　宅地

地　　　積　253.66㎡

⑵　敷地権の種類　　所有権

⑶　敷地権の割合　　101,007分の5,129

## 〔２〕　事案のポイント・争点

請求人は、措置法第69条の４《小規模宅地等についての相続税の課税価格の計算の特例》第３項第２号イに規定（注）する、相続開始時から申告期限まで引き続き被相続人の居住の用に供されていた家屋に居住している者（いわゆる『被相続人と同居の親族』）であるとして、本件宅地について、本件特例を適用することができるか否か。

（注）　措置法第69条の４第３項第２号は、特定居住用宅地等とは、被相続人等の居住の用に供されていた宅地等で、当該被相続人の配偶者又は同号イないしハに掲げる要件のいずれかを満たす当該被相続人の親族（当該被相続人の配偶者を除く。以下同じ。）が相続により取得したものをいう旨規定し、同号イは、当該親族につき、次に掲げる(1)ないし(3)の要件の全てを充足するものであることを掲げている。

(1)　同居親族の要件

当該親族が相続開始の直前において当該宅地等の上に存する当該被相続人の居住の用に供されていた家屋の居住していた者であること

(2)　所有継続の要件

相続開始時から相続税の申告期限（当該親族が相続税の申告期限前に死亡した場合には、その死亡の日。(3)において同じ。）まで引き続き当該宅地等を所有していること

(3)　居住継続の要件

相続税の申告期限まで当該建物に居住していること

## 〔3〕　争点に対する双方の主張

| 争　　点 | 請求人（納税者）の主張 | 原処分庁（課税庁）の主張 |
|---|---|---|
| 請求人は被相続人の同居親族に該当し本件特例の適用対象者とされるのか | 次の事実等から、請求人は、本件相続の開始前から本件申告期限まで引き続きＡ建物に居住している者であるから、本件宅地は措置法第69条の４《小規模宅地等についての相続税の課税価格の計算の特例》第３項第２号に規定する特定居住用宅地等に該当し、本件特例を適用することができる。<br>(1)　請求人は、平成23年４月13日から本件申告期限（筆者注 平成25年１月○○日）まで、生活の根幹というべき起居及び食事等をＡ建物で行っていた。<br>(2)　請求人は、本件被相続人が、体調を悪化させたことなどにより、１人で生活できる状況になく介護を必要としたこと、また、医師からも同居を強く勧められたことから、本件被相続人との同居を開始した。<br>(3)　その後、本件被相続人は死亡したが、請求人は、次に掲げる事由から、本件相続の開始以後もＡ建物に居住し続けた。<br>①　少なくとも本件被相続人の一周忌までは来客や電話も多く、Ａ建物で生活 | 次の事実等から、請求人は、本件相続の開始時から本件申告期限まで引き続きＡ建物に居住している者とは認められないから、本件宅地は措置法第69条の４《小規模宅地等についての相続税の課税価格の計算の特例》第３項第２号に規定する特定居住用宅地等に該当せず、本件特例を適用することはできない。<br>(1)　本件相続の開始（筆者注 平成24年３月○○日）後から本件申告期限（筆者注 平成25年１月○○日）までのＡ建物及びＢ建物の電気、ガス及び水道の各使用量を比較すると、Ｂ建物での各使用量がＡ建物での各使用量を大きく上回っており、このことからすれば、請求人はＢ建物に居住していたと認められる。<br>(2)　請求人がＢ建物からＡ建物へ転居した理由は、本件被相続人の介護であったことからすれば、本件相続開始後において、請求人がＡ建物での居住を継続する合理的な理由はない。<br>(3)　請求人に係る住民票には、平成13年12月１日にＢ建物に住所を定めて以来、 |

| | | |
|---|---|---|
| | する必要があったこと<br>②　Ｂ建物は、来客の対応ができる仕様になっていないこと<br>③　Ｂ建物は食事をするスペースが狭く、住環境は明らかにＡ建物の方が優れていること | 一貫してＢ建物が住所地である旨記載されている。 |

## 〔４〕 国税不服審判所の判断

### ⑴ 認定事実

①　請求人は、平成13年11月にＢ建物を購入し、その頃から平成23年４月頃までの少なくとも10年弱の間、Ｂ建物に居住していた。Ｂ建物は、図表２のとおり、鉄骨鉄筋コンクリート造の10階建てマンションの１室で、間取りは２ＬＤＫであり、生活を営むのに十分な構造及び設備を有している。また、Ａ建物との距離は約550ｍで、徒歩約７分で行き来することができる。

②　請求人は、上記〔１〕⑸のとおり、平成13年12月１日以降、住民票上の住所をＢ建物に定め続けており、Ａ建物の存する○○○○（筆者注 Ａ建物の所在する住居表示名と推定される。）へ異動していない。また、金融機関への住所変更の届出も行っていない。

③　本件被相続人は、上記〔１〕⑶のとおり、生前、Ａ建物に居住していたところ、平成23年３月頃から同年８月頃までは、○○○○（筆者注 本件被相続人に係る病状の説明と推定される。）をしており、同年４月頃から本件相続の開始までの要介護度は○○○○（筆者注 本件被相続人に係る要介護度の説明と推定される。）であった。なお、本件被相続人の夫である○○○○は、○○○○（筆者注 本件相続の開始前の年月日を示している。）に死亡している。

④　電気、ガス及び水道の各使用量等について

⒤　平成23年１月から平成25年２月まで（筆者注 本件相続の開始日は、平成24年３月）のＡ建物の電気、ガス及び水道の各使用量は、図表３の『Ａ建物』欄のとおりであった。

ガスの使用量は、本件相続が開始した日の属する平成24年３月から本件申告期限の日の属する平成25年１月までは０㎥ないし56㎥（ただし、本件相続の開始前を含む平成24年３月を除けば０㎥ないし20㎥）であり、このうち、平成24年６月から同年11月までは０㎥又は１㎥である。

水道の使用量は、平成24年３月から平成25年２月までは、２㎥ないし４㎥であるところ、○○○○（筆者注 Ａ建物の所在地に係る水道運営事業者名と推定される。）の水道料金の計算において基本料金となる使用量は○㎥（筆者注 ４から９までの１桁の数値と推定される。）以下である。

## 図表３　Ａ建物及びＢ建物の電気、ガス及び水道の各使用量

| 年月＼項目 | | 電気（単位：kWh） | | ガス（単位：$m^3$） | | 水道（単位：$m^3$） | |
|---|---|---|---|---|---|---|---|
| | | Ａ建物 | Ｂ建物 | Ａ建物 | Ｂ建物 | Ａ建物 | Ｂ建物 |
| 平成23年 | １月 | 477 | 402 | 18 | 42 | 17 | 23 |
| | ２月 | 391 | 314 | 11 | 34 | | |
| | ３月 | 391 | 305 | 12 | 36 | 13 | 21 |
| | ４月 | 370 | 284 | 36 | 35 | | |
| | ５月 | 352 | 319 | 32 | 21 | 20 | 21 |
| | ６月 | 340 | 294 | 9 | 14 | | |
| | ７月 | 524 | 610 | 7 | 13 | 18 | 26 |
| | ８月 | 443 | 576 | 5 | 8 | | |
| | ９月 | 421 | 531 | 5 | 8 | 16 | 19 |
| | 10月 | 358 | 245 | 6 | 10 | | |
| | 11月 | 311 | 309 | 4 | 10 | 15 | 21 |
| | 12月 | 372 | 286 | 11 | 21 | | |
| 平成24年 | １月 | 511 | 370 | 20 | 41 | 17 | 23 |
| | ２月 | 428 | 258 | 34 | 33 | | |
| | ３月 | 258 | 253 | 56 | 40 | 4 | 21 |
| | ４月 | 117 | 236 | 19 | 39 | | |
| | ５月 | 92 | 313 | 2 | 29 | 2 | 21 |
| | ６月 | 112 | 259 | 0 | 14 | | |
| | ７月 | 179 | 426 | 1 | 11 | 4 | 18 |
| | ８月 | 235 | 390 | 0 | 9 | | |
| | ９月 | 266 | 381 | 1 | 7 | 3 | 20 |
| | 10月 | 145 | 248 | 0 | 7 | | |
| | 11月 | 116 | 242 | 0 | 17 | 3 | 20 |
| | 12月 | 113 | 335 | 10 | 28 | | |
| 平成25年 | １月 | 106 | 395 | 20 | 42 | 3 | 21 |
| | ２月 | 134 | 363 | 22 | 33 | | |

（注）　本件相続が開始した日は平成24年３月○○日であり、本件申告期限は平成25年１月○○日である。
なお、請求人が主張するＡ建物に居住し始めた日は、平成23年４月13日である。

(ロ)　平成23年１月から平成25年２月まで（ 筆者注 本件相続の開始日の属する月は、平成24年３月）のＢ建物の電気、ガス及び水道の各使用量は、図表３ の『Ｂ建物』欄のとおりであった。

なお、Ｂ建物とＡ建物の各使用量を比較すると、平成24年４月から平成25年１月（ 筆者注 本件申告期限の属する月は、平成25年１月）までの電気及びガスの各使用量並びに平成24年３月から平成25年２月までの水道の使用量は、いずれもＢ建物が上回っており、電気については約1.5倍ないし約3.5倍、ガスの使用量についてはいずれの月も２倍以上であり多い月は約15倍、水道の使用量については4.5倍ないし10.5倍である。

⑤　本件申告期限（ 筆者注 平成25年１月○○日）の後である平成25年10月以降、請求人の実父、実母及び兄がＡ建物に転居したが、本件相続の開始時から本件申告期限までの間、請求人以外にＡ建物及びＢ建物で生活する者はいなかった。

**(2)　法令解釈等**

①　措置法第69条の４《小規模宅地等についての相続税の課税価格の計算の特例》第１項及び第３項第２号イは、被相続人の居住の用に供されていた宅地等を取得した当該被相続人の親族が、次に掲げる全ての要件を満たした場合に、当該宅地等は特定居住用宅地等に該当し、限度面積要件等を満たす場合に限り、相続税の課税価格に算入すべき当該宅地等の価額を80％減額するというものである。

(イ)　相続開始の直前において当該宅地等の上に存する当該被相続人の居住の用に供されていた家屋に居住していた者であること

(ロ)　相続開始時から申告期限まで引き続き当該宅地等を有していること

(ハ)　相続税の申告期限まで当該家屋に居住している者であること

②　措置法第69条の４第３項第２号イの規定は、租税特別措置法の一部を改正する法律により設けられた規定であるところ、立法担当者の解説（『平成６年度版改正税法のすべて』財団法人大蔵財務協会発行）を踏まえると、その趣旨は以下のとおりと解される。

すなわち、当時、小規模な宅地等を所有する一般の人においても、相続税が相続人による居住の継続を困難にしているとの指摘が依然としてされる状況にあったところ、居住用資産は生活の基盤そのものであって、その他の資産とは異なった扱いをすることも正当化されると考えられるため、政策的観点から、当該宅地等の価額の減額割合をそれまでの60％から80％へ引き上げるとともに、居住の継続を保護するという趣旨に沿うべく、相続人により居住が継続される場合に限って本件特例の適用を認めることとしたものである。

③　上記①及び②より、措置法第69条の４第３項第２号イに規定する、相続開始時から申告期限まで引き続き被相続人の居住の用に供されていた家屋に居住している者（上記①(ハ)）という要件を満たし、本件特例を適用し得るか否かについては、(A)当該家屋を生活の基盤そのものとしていたといえるか、言い換えれば、当該家屋に生活の拠点を置いてい

たといえるか否かにより判断すべきであり、(B)具体的には、その者の日常生活の状況、その建物への入居目的、その建物の構造及び設備の状況並びに生活の拠点となるべき他の建物の有無その他の事実を総合勘案して判断すべきものと解される。

### (3)　当てはめ

①　請求人は、生活を営むのに十分な構造及び設備を有しているＢ建物を所有し、本件相続の開始前の少くとも10年弱にわたって居住していた上、その後も住民票上の住所地をＢ建物に置き続け、金融機関への届出住所もＢ建物のままにしている。

さらに、本件相続の開始時から本件申告期限までの間は、Ｂ建物で請求人以外の者は生活していないところ、同期間におけるＢ建物とＡ建物の電気、ガス及び水道の各使用量を比較すると、電気については約1.5倍ないし約3.5倍、ガスの使用量については２倍以上であり多い月は約15倍、水道の使用量については4.5倍ないし10.5倍と、いずれもＢ建物の使用量がＡ建物の使用量を大きく上回っている上、同期間のＡ建物における水道及びガスの各使用量をみると、水道は、通じて２$m^3$ないし４$m^3$と基本料金となる使用量の範囲内であり、ガスも多くの期間で０$m^3$又は１$m^3$と僅少である。

これらのことからすれば、本件相続の開始時から本件申告期限までにおける請求人の生活の拠点は、Ｂ建物にあったと認められる。

②　本件相続の開始前は、一定の介護を要する本件被相続人がＡ建物に居住していたものの、本件相続の開始後においては、本件被相続人が死亡している以上、請求人がＡ建物で介護を目的として居住する必要はない。

(C)請求人は、本件相続の開始後もＡ建物に居住していた理由として、一周忌までは来客や電話が多かったことを挙げるが、通常、徒歩圏内に居住し得る環境を別途備えている状況においては、弔問客の対応等のためだけに被相続人の生前の居住地に住み続ける必要性は乏しい。

また、(D)電気の使用量等に鑑みれば、当時、請求人がＡ建物にそれなりの頻度で訪れていたとはいえるものの、それを超えて、Ａ建物を生活の拠点としていたことをうかがわせるほどに、切れ目なく来客等があったと認めるに足りる証拠もない。

なお、請求人は、寝食はＡ建物で行い、夜間、インターネットオークションをするためにＢ建物に戻っていたなどと、当時のＢ建物及びＡ建物における生活状況について申述及び答述をするが、裏付けのないものであるから、これらを採用することはできない。

③　上記①及び②のことから、Ａ建物に生活の拠点があったことを裏付ける客観的事実に乏しいといわざるを得ず、上記①のとおり、本件相続の開始時から本件申告期限までにおける請求人の生活の拠点は、Ｂ建物にあったと認められる。かかる認定は、請求人の親族が、本件申告期限により後に請求人宛の年賀状をＡ建物に送っていることなど、当審判所の調査の結果等により認められる一切の事情を踏まえても覆らない。

以上のとおりであるから、請求人は、措置法第69条の４第３項第２号イに規定する、相続開始時から申告期限まで引き続き被相続人の居住の用に供されていた家屋に居住している者に該当しない。

### ⑷　まとめ

上記⑴ないし⑶より、本件宅地は、措置法第69条の４第３項第２号イに規定する特定居住用宅地等には該当せず、請求人は本件特例を適用することができない。

## 〔５〕　裁決事例から確認する実務における留意点

### ⑴　特定居住用宅地等の該当性（本件裁決事例の場合）

本件裁決事例に係る相続開始年月は平成24年３月とされていることから、当時の規定では、請求人（本件被相続人の養子）が本件宅地を相続により取得して、これを特定居住用宅地等として、小規模宅地等の課税特例の適用を受けるためには、請求人につき、被相続人といわゆる『同居親族』の状況にあると認められることが必要とされる。この取扱いをまとめると、図表４ のとおりとなる。

**図表４**　**特定居住用宅地等の該当要件（被相続人と同居の親族が取得する場合）**

| 番 | 要　件 | 内　　容 |
|---|---|---|
| ① | 同居親族の要件 | 当該親族が相続開始の直前において当該宅地等の上に存する当該被相続人の居住の用に供されていた家屋に(X)居住していた者であること |
| ② | 所有継続の要件 | 相続開始時から相続税の申告期限（当該親族が相続税の申告期限前に死亡した場合には、その死亡の日。③において同じ。）まで引き続き当該宅地等を所有していること |
| ③ | 居住継続の要件 | 相続税の申告期限まで当該家屋に(Y)居住していること |

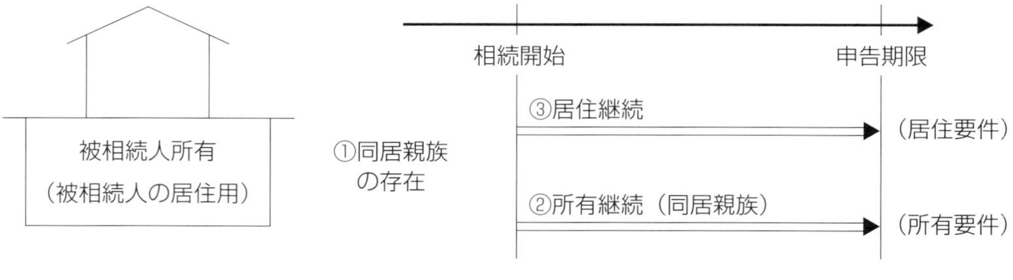


そうすると、上記の『同居親族』に該当するか否かの判定に当たっては、財産取得親族（本件裁決事例の場合では、請求人（本件被相続人の養子））が被相続人の居住用家屋に、相続開始の直前において居住していた者であること（上記 図表４ ①の(X)＿＿部分）及び相続開始時から相続税の申告期限まで居住していること（上記 図表４ ③の(Y)＿＿部分）の２つの要件の充足の可否を確認することが重要になるものと考えられる。この２つの要件中に掲げられている『居住』の意義については、次の⑵で確認する。

### ⑵　『居住』の意義

措置法第69条の４《小規模宅地等についての相続税の課税価格の計算の特例》においては、

直接的に上記(1)に掲げる居住の意義を規定したものは存在しない。しかしながら、実務上の通説としては、次に掲げる判断基準に照らして解釈することが相当と考えられている。

① 当該家屋を生活の基盤そのものとしていたといえるか、言い換えれば、当該家屋に生活の拠点を置いていたといえるか否か。（上記〔4〕(2)③の(A)＿＿部分）

② 具体的には、その者の日常生活の状況、その建物への入居目的、その建物の構造及び設備の状況並びに生活の拠点となるべき他の建物の有無その他の事実を総合勘案（上記〔4〕(2)③の(B)＿＿部分）

なお、小規模宅地等の課税特例の規定とは税法分野が全く異なるが、同じく居住用財産に対する課税特例である措置法第31条の３《居住用財産を譲渡した場合の長期譲渡所得の課税の特例》に規定する居住用財産の定義として定められた措置法通達31の３－２《居住用家屋の範囲》（資料を参照）がある。

**資料　措置法通達31の３－２《居住用家屋の範囲》**

措置法第31条の３第２項に規定する(甲)「その居住の用に供している家屋」とは、その者が生活の拠点として利用している家屋（一時的な利用を目的とする家屋を除く。）をいい、これに該当するかどうかは、その者及び配偶者等（社会通念に照らしその者と同居することが通常であると認められる配偶者その他の者をいう。以下この項において同じ。）の日常生活の状況、その家屋への入居目的、その家屋の構造及び設備の状況その他の事情を総合勘案して判定する。この場合、この判定に当たっては、次の点に留意する。

(1) 転勤、転地療養等の事情のため、配偶者等と離れ単身で他に起居している場合であっても、当該事情が解消したときは当該配偶者等と起居を共にすることとなると認められるときは、当該配偶者等が居住の用に供している家屋は、その者にとっても、その居住の用に供している家屋に該当する。

(注) これにより、その者が、その居住の用に供している家屋を２以上所有することとなる場合には、措置法令第20条の３第２項の規定により、その者が主としてその居住の用に供していると認められる一の家屋のみが、措置法第31条の３第１項の規定の対象となる家屋に該当することに留意する。

(2) (乙)次に掲げるような家屋は、その居住の用に供している家屋には該当しない。

イ　措置法第31条の３第１項の規定の適用を受けるためのみの目的で入居したと認められる家屋、その居住の用に供するための家屋の新築期間中だけの仮住いである家屋その他(丙)一時的な目的で入居したと認められる家屋

(注) 譲渡した家屋に(丁)居住していた期間が短期間であっても、当該家屋への入居目的が一時的なものでない場合には、当該家屋は上記に掲げる家屋には該当しない。

ロ　主として趣味、娯楽又は保養の用に供する目的で有する家屋

筆者注　＿＿部分は、筆者が付設

上記の措置法通達では、居住用家屋の意義として、「その者が生活の拠点として利用している家屋（一時的な利用を目的とする家屋を除く。）」と定めており（上記資料の(甲)＿＿部分）、また、これに該当するか否かに係る留意事項として、一時的な目的で入居したと認められる家屋は、その居住の用に供している家屋には該当しない旨（上記資料の(乙)＿＿及び(丙)＿＿部

分）が示され、さらに、この『一時的』という用語の解釈に当たっては、単に結果としての居住期間のみで判断するのではなく、入居開始時における入居目的を判断基準とするもの（上記 資料 の(ア)＿＿部分）とされている。

### (3)　本件裁決事例への当てはめ

上記(2)の措置法通達は、所得税における居住用財産の課税特例における居住用家屋の範囲を定めた法令解釈通達等であるが、当該通達に定める内容を相続税の課税特例である小規模宅地等の課税特例に規定する『居住の用に供されていた家屋』における居住用家屋の解釈と、ことさらに別異に解することの必然性は認められないものと考えられる。

そうすると、上記の措置法通達に法令解釈等を本件裁決事例に当てはめると、次の事項から請求人はＡ建物を入居開始時より同人の居住用家屋として利用していた者には該当しないものと考えられる。

①　本件被相続人に係る相続開始前の請求人によるＡ建物への居住は、善解したとしても、本件被相続人を介護するために必要であるとして、一時的な利用を目的としたものであると考えられること

②　本件被相続人に係る相続開始後においては、上記〔4〕(3)②の(C)＿＿部分及び(D)＿＿部分の当てはめからも、請求人は、Ａ建物を自己の居住用家屋としていたとは認められないこと

③　上記②の認定（本件被相続人に係る相続開始後に、請求人がＡ建物を自己の居住用家屋としていない旨の認定）は、上記の措置法通達に定める除外項目（居住していた期間が短期間であっても、当該家屋への入居目的が一時的なものでない場合）には該当せず、結果的にも、上記①に係る摘示（本件被相続人を介護するための一時的な利用目的）を確認したものとなったこと

### (4)　同居者の意義及び具体的な判定方法

①　被相続人の居住用家屋に居住している者（同居者）の意義（考え方）

特定居住用宅地等に該当するとして、小規模宅地等の課税特例の適用を受けるための要件の１つとして、財産を取得した親族（被相続人の配偶者を除く。以下同じ。）が相続開始の直前において当該宅地等の上に存する当該被相続人の居住の用に供されていた家屋に居住していた者（以下「同居者」という。）であることが必要とされている。

被相続人の親族（財産取得親族）が上掲の同居者に該当するか否かの判定に当たっては、次に掲げる事項に基づいて総合的に判断することが相当とされている。

(イ)　当該親族の日常の生活状況

(ロ)　当該建物への入居目的

(ハ)　当該建物の構造及び設備

(ニ)　当該親族に係る生活の拠点となるべき他の建物の保有の有無

上記の考え方に基づいて判断すると、財産取得親族について、たとえ、被相続人が居住する家屋に居所があったとしても、当該家屋に真に居住の意思をもって起居していた

と認識するのが困難であり、単に、被相続人の療養介護等のために必要な期間中のみ当該家屋に居住していたものと認定された場合には、当該財産取得親族は、同居者に該当しないことになる。

② 同居者に該当するか否かの具体的な判定方法

本件裁決事例でも、請求人が本件被相続人の同居者に該当するか否かの判定に当たって、上記①(イ)ないし(ニ)に掲げる諸項目が検討の対象とされていることが理解される。

なかでも、(イ)（当該親族の日常の生活状況）につき、電気、ガス及び水道（いわゆる「公共料金」と呼称されるもの）の使用量を確認することにより客観的な数値資料に基づく判断という観点からも、実務上では重視される。

（注） 本件裁決事例では、請求人はＢ建物を所有していることから、(ニ)（当該親族に係る生活の拠点となるべき他の建物の保有の有無）の該当性を確認するものとして、Ｂ建物の公共料金の使用量についても併せて検証の対象とされていることが注目される。

本件裁決事例につき、これを時系列に示し、各時間的経過の別に上記〔４〕(1)④の 図表３ （Ａ建物及びＢ建物の電気、ガス及び水道の各使用量）を数値資料を当てはめると、次の 図表４ のとおりとなる。

図表４　本件裁決事例における時系列別の公共料金使用状況

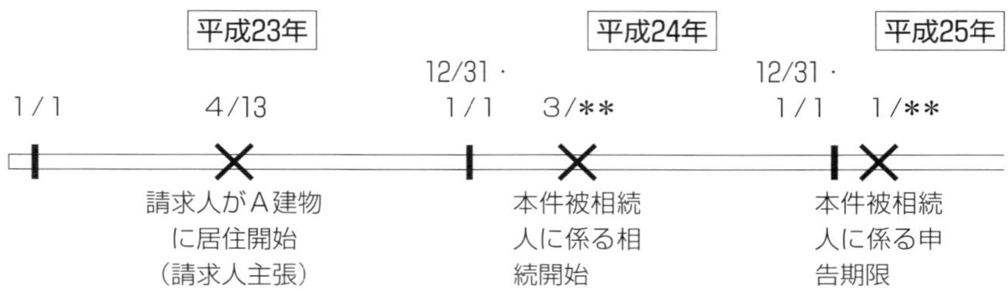


| | | | |
|---|---|---|---|
| 本件被相続人 | A建物に居住 | | （×） |
| 請　求　人 | B建物に居住 | A建物に居住（請求人の主張） | |

| 公共料金（期間中の月間平均） | | | X期 | Y期 | Z期 |
|---|---|---|---|---|---|
| | 電気 | A建物 | 420kwh | 391kwh | 147kwh |
| | | B建物 | 340kwh | 361kwh | 326kwh |
| | ガス | A建物 | 14㎥ | 19㎥ | 7㎥ |
| | | B建物 | 37㎥ | 21㎥ | 21㎥ |
| | 水道 | A建物 | 8㎥ | 8㎥ | 2㎥ |
| | | B建物 | 11㎥ | 11㎥ | 10㎥ |

（注１）「Ｘ期」は、請求人がＡ建物に居住開始（請求人主張）をする直前月までの期間（具体的には、平成23年１月から平成23年３月までの期間）をいう。
（注２）「Ｙ期」は、請求人がＡ建物に居住開始（請求人主張）をした月以後、本件被相続人に係る相続開始の属する月までの期間（具体的には、平成23年４月から平成24年３月までの期間）をいう。
（注３）「Ｚ期」は、本件被相続人に係る相続開始日の属する月後の期間（具体的には、平成24年４月から平成25年２月までの期間）をいう。
（注４）水道料金は２か月に１回の検針なので、１月当たりの使用量については平均値を算定した。

上記の図表４からも、請求人は、Ａ建物に真に居住の意思をもって起居していたと認定することは困難と理解せざるを得ない数値資料が示されていることが理解される。

なお、本件裁決事例では、財産取得親族が被相続人の同居者に該当するか否かの判定に当たって、当該親族の日常の生活状況につき公共料金の使用量が最重要視されたが、これ以外にも、実務として、次に掲げるような項目についても併せて確認しておく必要がある。

(イ) 近隣住民（場合によっては、民生委員）からの事情聴取
(ロ) 町内会、老人会等の地域コミュニティにおける入会（登録）状況
(ハ) 新聞の購読状況
(ニ) 郵便物（特に、近親者からのもの）の配送状況
(ホ) 公共交通機関利用である場合には、通勤（通学）定期券の購入区間
(ヘ) 調査対象者の周辺地理（どのような場所にどのような施設が存在する等）の認知状況

### (5) 相続実務における留意点

本件裁決事例のように、被相続人に係る相続開始前に同人の介護を主たる目的として、相続人等（いわゆる『家なき子』の要件には該当していない。）が当該被相続人が居住の用に供している家屋に同居し、その後、当該被相続人に係る相続開始により、当該居住の用に供していた宅地等を当該相続人等が取得して相続税の申告期限まで所有し、かつ、同申告期限まで当該家屋に居住していたものであるとして、いわゆる『被相続人と同居の親族が取得した場合』に該当するとして、小規模宅地等の課税特例を適用して申告する事例が、近年では多くなっていると側聞する。

しかしながら、本件裁決事例で確認したとおり、『居住の用に供していた家屋』の意義、これに該当するか否かの判断の基礎とされる事実認定及び先例等から確認する法令解釈等を慎重に行って対応する必要があるものと考えられる。

## 4　居住の用に供していた家屋を遺産分割により取得した者は特定居住用宅地等（いわゆる『家なき子』）の該当要件たる『自己又は一定の親族等が所有する家屋に居住したことがない者』に該当するか否かが争点とされた事例

**検討裁決事例**　国税不服審判所裁決事例（平成13年12月25日裁決、東裁（評）平13第116号、平成10年相続開始分）

### 〔1〕 事案の概要・基礎事実

#### (1) 事案の概要

本件は、請求人が本件相続により取得した本件土地につき、小規模宅地等の課税特例に規定する特定居住用宅地等（いわゆる『家なき子』）に該当するものとして相続税の期限内申告を行ったところ、原処分庁が本件のように、被相続人と同居していた相続人がいない場合に同特例の適用を受けるには、本件土地を取得した相続人が『相続開始前３年以内に相続税法の施行地内にあるその者又はその者の配偶者の所有する家屋に居住したことがない者』であることが要件となる（筆者注 平成30年度の税法改正前における適用要件）ところ、請求人は、同期間において、前回の相続に係る未分割財産であった本件マンションに配偶者と共に居住し、その後、それに係る遺産分割によって同マンションを取得したもので、民法第896条《相続の一般的効力》及び第898条《共同相続の効力》の規定により、請求人は上記要件に該当しないことになるため、本件土地は特定居住用宅地等に該当しないとして本件更正処分及び過少申告過算税の賦課決定処分を行ったところ、請求人がこれらの処分の全部の取消しを求めたものである。

#### (2) 基礎事実

① 審査請求人Ａ、同Ｂ（Ａの配偶者）、同Ｃ（以下、３名を併わせて「請求人ら」という。）は、平成10年４月18日（以下「本件相続開始日」という。）に死亡した甲（以下「本件被相続人」という。）の共同相続人であるが、この相続（以下「本件相続」という。）に係る相続税についての申告書（以下「本件当初申告書」という。）を法定申告期限までに共同で提出した。

② 請求人らは、本件当初申告書の第11表の付表『小規模宅地等に係る課税価格の計算明細書』に、本件被相続人が居住の用に供していた宅地である○○○○に所在する土地（以下「本件土地」という。）を、措置法第69条の３《小規模宅地等についての相続税の課税価格の計算の特例》（筆者注）第１項第１号の適用を受ける特定居住用宅地等として選択する旨及び『特例の適用を受ける取得者の氏名』欄に、Ａと記載した。

筆者注　現行の規定では、措置法第69条の４と条文番号が繰り下がっている。

③ 請求人らの間で、平成10年12月14日に本件被相続人の亡夫（平成６年12月２日死亡。以下、この相続を「前回の相続」という。）の遺産の分割の協議が成立し、その遺産で

ある○○○○に所在するマンション『203号室』（以下「本件マンション」という。）については、Ａ及びＢが各々２分の１ずつ相続により取得することとした。

筆者注　Ａは、同人の配偶者Ｂと共に本件被相続人に係る相続開始前３年以内に、本件マンションに居住していたものである。

## 〔２〕　事案のポイント・争点

(1)　Ａは、措置法第69条の３第２項第２号のロに規定する者（筆者注 いわゆる『家なき子』）に該当するのか。

(2)　Ａが取得した本件土地は、特定居住用宅地等に該当するのか。

## 〔３〕　争点に対する双方の主張

| 争　点 | 請求人（納税者）の主張 | 原処分庁（課税庁）の主張 |
|---|---|---|
| (1)　Ａはいわゆる『家なき子』に該当するのか | 遺産の分割は、共同相続による各相続人の観念的な相続分を具体的な権利関係として確定させるための制度である。そうすると、相続の開始によってもたらされた遺産の共同所有状態と、そこにおける各相続人の持分（法定相続分）とは、いわば一時的、経過的なものにすぎず、相続人は、遺産の分割によって初めて特定財産上の所有権を取得すると考えられる。<br>本件の場合、前回の相続に係る遺産が本件相続開始日（筆者注 平成10年４月18日）以降である平成10年12月14日に分割されるまで未分割であった理由は、本件被相続人が、亡夫の死亡後に、本件マンションに係る借入金の残債務等を支払っていたから、同マンションを相続により取得する権利を主張していたためである。本件相続が開始してようやく遺産の分割が可能となり分割をしたことから、Ａ及びＢは同マンションの所有権を取得したのであり、たとえ、民法909条《遺産の分割の効力》で、遺産の分割は、相続開始の時にさかのぼってその効力を生じる旨規定されているとはいえ、それに | 民法第896条《相続の一般的効力》及び同法第898条《共同相続の効力》の規定により、本件マンションを含む前回の相続に係る相続財産の一切の権利義務は、当該相続の開始の時に、亡夫の共同相続人４名（本件被相続人及び請求人ら（筆者注 Ａ、Ｂ及びＣ））に承継されており、前記〔１〕(2)③のとおり、遺産の分割が確定するまでの間、当該共同相続人４名の共有に属するものと認めることができる。<br>以上のとおり、本件土地を本件相続により取得したＡは、本件マンションを共有で所有していたのであるから、本件土地は措置法第69条の３第２項第２号のロの規定に該当しないことになるので、同号に掲げる要件（筆者注 いわゆる『家なき子』）を充足しないことになる。 |

| | | |
|---|---|---|
| | よって分割以前のこのような共同所有状態の存在までも否定できるものではない。<br>以上のとおり、Ａは、本件相続開始日において、本件マンションの所有権を前回の相続により取得しておらず、措置法第69条の３第２項第２号のロに規定する『当該親族が相続開始前３年以内に相続税法の施行地内にあるその者又はその者の配偶者の所有する家屋に居住したことがない者』に該当することになるので、同号に掲げる要件（筆者注 いわゆる『家なき子』）を充足することになる。 | |
| (2)　Ａが取得した本件土地は特定居住用宅地等に該当するのか | 上記(1)より、Ａが取得した本件土地は、措置法第69条の３第２項第２号に規定する特定居住用宅地等に該当する。 | 上記(1)より、Ａが取得した本件土地は、措置法第69条の３第２項第２号に規定する特定居住用宅地等に該当しない。 |

## 〔４〕　国税不服審判所の判断

### ⑴　認定事実

①　請求人らは、本件相続開始日の直前において、本件土地の上に存する本件被相続人の居住の用に供されていた家屋に居住しておらず、本件被相続人と生計を一にしていない。

②　Ａは、平成３年３月31日から平成11年２月４日までの間、本件マンションに配偶者であるＢと共に居住していた。

### ⑵　法令解釈等

①　措置法第69条の３第１項は、個人が相続又は遺贈により取得した財産のうちに、当該相続の開始直前において、当該相続又は遺贈に係る被相続人の居住の用に供されていた宅地等で一定の要件を満たすものがある場合には、当該相続又は遺贈により財産を取得した者に係る全てのこれらの宅地等の200㎡までの部分のうち、当該個人が取得した宅地等で一定の要件を満たすもの（小規模宅地等）については、相続税の課税価格に算入すべき価額は、当該小規模宅地等の価額に同宅地等が特定居住用宅地等である場合には100分の20を乗じて計算した金額とする旨規定している。

②　措置法第69条の３第２項第２号は、特定居住用宅地等とは、被相続人等の居住の用に供されていた宅地等で、当該相続又は遺贈により当該宅地等を取得した個人のうちに次に掲げる(イ)から(ハ)までの要件のいずれかを満たす当該被相続人の親族がいる場合の当該宅地等をいう旨規定している。

(イ)　当該親族が、相続開始の直前において当該宅地等の上に存する当該被相続人の居住の用に供されていた家屋に居住していた者であって、相続開始時から申告期限まで引き続き当該宅地等を有し、かつ、当該家屋に居住していること

(ロ)　当該親族が、相続開始前３年以内に相続税法の施行地内にあるその者（当該被相続人の居住の用に供されていた宅地等を取得した者）又はその者の配偶者の所有する家屋に居住したことがない者であり、かつ、相続開始時から申告期限まで引き続き当該宅地等を有していること（相続開始の直前において、上記(イ)の家屋に居住していた親族がいない場合に限る。）

(ハ)　当該親族が、当該被相続人と生計を一にしていた者であって、相続開始時から申告期限まで引き続き当該宅地等を有し、かつ、相続開始前から申告期限まで引き続き当該宅地等を自己の居住の用に供していること

**(3)　当てはめ**

①　本件の場合、上記〔１〕(2)②に掲げるとおり、請求人らが特定居住用宅地等として選択した本件土地が本件被相続人の居住の用に供されていたことについては、請求人ら及び原処分庁の双方に争いはなく、また、上記(1)①のとおり、請求人らは、本件被相続人の居住の用に供されていた家屋に同居していないし、生計を一にしておらず、そうすると、上記(2)②の(イ)及び(ハ)の親族には該当しないものである。

②　本件土地を取得したＡが、上記(2)②の(ロ)に掲げた要件の親族として本件土地を取得したことに該当するか否かについて、以下検討する。

(イ)　民法第896条《相続の一般的効力》は、相続人は相続開始の時から被相続人に属した一切の権利義務を承継する旨規定し、同法第898条《共同相続の効力》は、相続人が複数あるときは、相続財産は、遺産の分割まで、その共有に属する旨規定している。

(ロ)　本件マンションは、上記〔１〕(2)③に掲げるとおり、平成10年12月14日に前回の相続に係る遺産の分割が成立していることから、前回の相続開始日である平成６年12月２日からその遺産の分割が成立するまでの間、亡夫の共同相続人４名（本件被相続人及び請求人ら（筆者注 Ａ、Ｂ及びＣ））の共有に属していたことが認められ、さらに、当該遺産の分割によりＡ及びＢが本件マンションを各々２分の１ずつ前回の相続により取得していることが認められる。

そうすると、本件土地を本件相続により取得したＡは、上記(1)②に掲げるとおり、本件相続開始日前３年以内に、同人が共有者として所有する家屋に居住していた者であるから、上記(2)②(ロ)に掲げる要件（筆者注 いわゆる『家なき子』）を充足しないこととなる。

**(4)　結論**

上記(1)ないし(3)より、本件土地は、措置法第69条の３第２項第２号に規定する特定居住用宅地等には該当しないのであり、この点に関する請求人らの主張には理由がない。

## 〔5〕 裁決事例から確認する実務における留意点

### (1) 『自己又は自己の配偶者の所有する家屋に居住したことがない者』の意義

本件裁決事例に係る相続開始年分は、平成10年とされている。この当時では、いわゆる『家なき子』として特定居住用宅地等に該当するための要件の1つとして、「当該親族（被相続人の居住の用に供されていた宅地等を取得した者）が、相続開始前3年以内に相続税法の施行地内にあるその者又はその者の配偶者の所有する家屋に居住したことがない者であること」が挙げられている。

本件裁決事例の理解を深めるために、本件裁決事例に係る事実関係を図示（相続関係図及び時系列図は一部推定部分がある。）すると、次のとおりとなる。

相続関係図

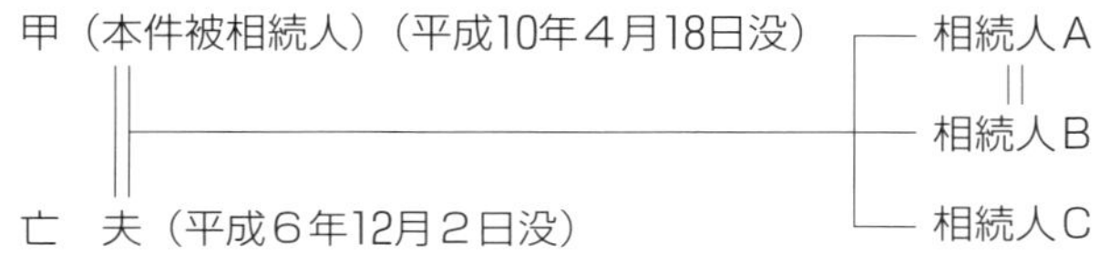


筆者注　相続人A又は相続人B（場合によってはその2名とも）は、本件被相続人及び亡夫との間で養子縁組みをしたものと推定される。

時系列図

（本　件　土　地）

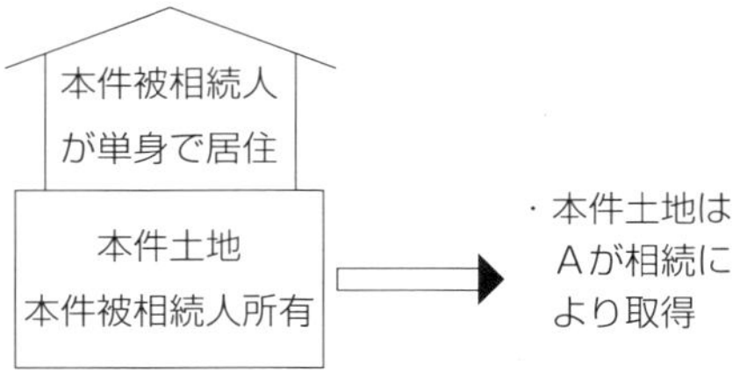


（本件マンション）

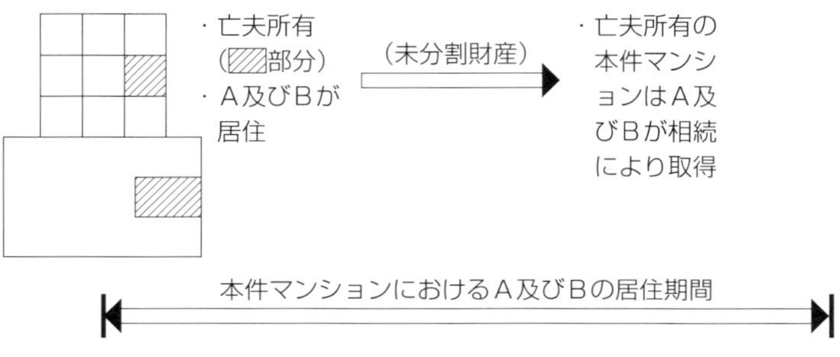

そうすると、本件裁決事例では、具体的に本件被相続人から本件土地を相続により取得したＡが、本件被相続人に係る相続開始前３年以内（平成７年４月18日から平成10年４月18日までの間）に、その者（Ａ）又はその者の配偶者（Ｂ）の所有する家屋（上記＿＿部分）に居住したことがない者であることが適用要件として必要となる。本件裁決事例では、本件土地を取得したＡは上記の期間中、亡夫所有の本件マンションに居住しており、一見すると上掲の適用要件を充足しているように思われる。

しかしながら、亡夫に係る相続開始日（平成６年12月２日）以後、同人に係る遺産分割協議の成立日（平成10年12月14日）までの間は、本件マンションは民法第896条《相続の一般的効力》及び同法第898条《共同相続の効力》の規定により、亡夫に係る共同相続人間で共有持分（本件被相続人$\frac{1}{2}$、Ａ、Ｂ及びＣが各人$\frac{1}{6}$）による共有の状況にあるものと認められ、結果として、長男Ａは本件被相続人に係る相続開始前３年以内（平成７年４月18日から平成10年４月18日までの間）に、その者（Ａ）又はその者の配偶者（Ｂ）の所有する家屋（上記＿＿部分）に居住していた者と判定され、適用要件を充足しないものと判断される。

相続税の申告実務に当たり、いわゆる『家なき子』として特定居住用宅地等を適用する場合において、被相続人の居住の用に供されていた宅地を取得した者の居住用家屋の保有の有無を確認するときは、単に家屋の登記簿謄本や固定資産評価証明書等に記載されている名義人のみで形式的に判定するのではなく、相続等を原因とする所有権の移転の有無等にも配慮する必要がある。（相続財産が未分割とされている場合は、特に留意する必要がある。）

**⑵　相続税の申告実務で相当注意したい事例**

本件裁決事例も上記⑴に掲げるとおり、本件土地を相続により取得したＡに係る一定の期間の自己の居住用家屋の所有者名義が制限されていることとなる適用要件の確認には注意が必要になると考えられる。

それでは、下記に掲げる［設例］を検討してみることにする。この事例は、本件裁決事例以上に上記に掲げる適用要件の確認には手間が必要になるものと考えられ、相続税の申告実務では相当な注意を伴うものと考えられる。（ただし、この［設例］は、平成30年度の税法改正前の取扱いに基づいて設定されていることに留意していただきたい。）

［設例］

（親族図）

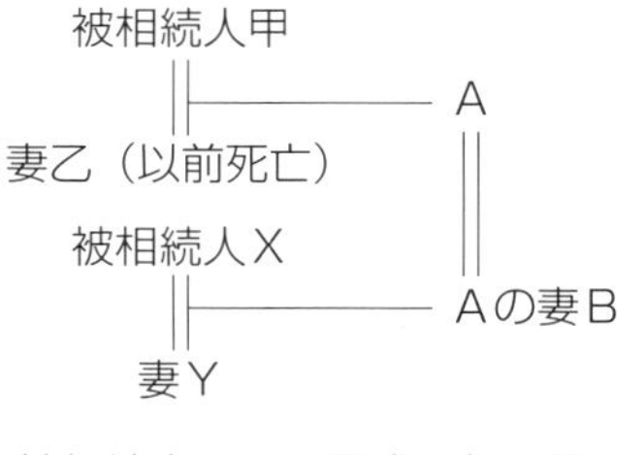


（状　況）⑴　被相続人甲は、平成10年４月18日に相続の開始があった。同人が居住（妻乙は既に他界しているため単身で居住）の用に供する不動産（宅地・建物）は、唯一の相続人であるＡが相続により取得した。

⑵　被相続人甲に係る相続開始前３年以内（平成７年４月18日から平成10年４月18日）に、

Ａが居住の用に供していた家屋は、Ａの妻Ｂの父（被相続人Ｘ）名義となっている。

⑶　被相続人Ｘは、平成６年12月２日に相続の開始があった。同人の相続財産は、平成10年12月14日に遺産分割協議が成立し、上記⑵の家屋はＡの妻Ｂが相続により取得した。

⑷　上記⑴によりＡが取得した財産は、当分の間は未利用のままであるが、今後も末長く所有を継続する予定でいる。

（検　討）　結論　Ａが相続により取得した被相続人甲が居住の用に供していた宅地を、いわゆる『家なき子』に該当する特定居住用宅地等として取り扱うことは認められない。

理由　被相続人甲に係る相続開始前３年以内（平成７年４月18日から平成10年４月18日）に、Ａが居住の用に供していた家屋の名義上の所有者はＡの妻Ｂの父（被相続人Ｘ）となっているものの、被相続人Ｘは平成６年12月２日に相続の開始があり、当該時点から当該家屋は同人に係る共同相続人による共有持分（妻Ｙ$\frac{1}{2}$、Ａの妻Ｂ$\frac{1}{2}$）での所有となり、この状況が被相続人甲に係る相続開始時（平成10年４月18日）まで継続しており、また、実際の遺産分割でもＡの妻Ｂが相続したものとされている。

そうすると、Ａは、被相続人甲に係る相続開始前３年以内にその者又はその者の配偶者の所有する家屋に居住したことがない者に該当しないことになるためである。

### ⑶　試論　本件裁決事例で本件マンションをＡ及びＢが相続により取得しなかった場合

上記〔４〕⑶②(ロ)では、本件裁決事例における当てはめとして、要旨、「本件マンションは、平成10年12月14日に前回の相続に係る遺産の分割が成立していることから、①前回の相続開始日である平成６年12月２日からその遺産の分割が成立するまでの間、亡夫の共同相続人４名（本件被相続人並びにＡ、Ｂ及びＣ）の共有に属していたことが認められ、さらに、②当該遺産の分割によりＡ及びＢが本件マンションを各々２分の１ずつ前回の相続により取得していることが認められる。」としている。

そうすると、本件裁決事例ではその当てはめとして、上記①＿＿部分及び②＿＿部分が認められることを前提としている。

これは試論であるが、もし仮に、本件裁決事例において上記②＿＿部分が欠落した場合（例えば、本件マンションをＣが相続により取得した場合）には、本件裁決事例における結論（Ａが相続により取得した本件土地に対する特定居住用宅地等の該当性）はどのようになるのであろうか。

上記の問いを争点とした事例を筆者は了知していないが、本件裁決事例がその後において訴訟となった東京地方裁判所の判決（平成15年８月29日判決、平成14年（行ウ）第154号相続税更正処分取消請求事件、請求棄却（原告敗訴）（確定））において、裁判所の判示部分として、「原告Ａは、平成３年３月31日から平成11年７月ころまで、原告Ｂとともに本件マンションに居住していたところ、平成６年12月２日に亡夫が死亡したことにより、本件被相続人、原告Ｂ及びＣとともに本件マンションを相続し、平成10年12月14日に原告Ａ及び原告Ｂ並びにＣの間において亡夫の遺産に関する遺産分割協議が成立するまで、本件被相続人、原告Ｂ及びＣとともに本件マンションを共同して所有していたと認めるのが相当である。したがって、原告らは、法69条の３第２項第２号ロ所定の「相続開始前３年以内に……（中略）……その者又はその者の配偶者の所有する家屋（……（中略）……）に居住したことがない者」

に該当しないというほかない。よって、本件土地は、同号所定の『特定居住用宅地等』に当たらないというべきである。」とあり、上記①部分のみをもって結論付けが行われている。

そうすると、民法第909条《遺産分割の効力》の規定では遺産分割協議の効力は原則として、相続開始時にさかのぼるものと規定しているものの、いわゆる『家なき子』の該当要件である被相続人の居住用宅地等を取得した者に係る一定の期間の自己の居住用家屋の所有者名義が制限されていることの判定に当たっては、民法に規定する遺産分割の遡及効力の適用は及ばないものと解釈することが相当と考えられる。

以上の考え方に基づいて判断すると、本件裁決事例の試論としての例示の場合（本件マンションをＣが相続により取得した場合）でも、上記①部分のみを考慮の対象として取り扱えば事足り、②部分については考慮外とされることから、結果として、Ａが取得した本件土地は特定居住用宅地等には該当しないことになるとの結論となろう。

参考

●民法第896条《相続の一般的効力》

相続人は、相続開始の時から、被相続人の財産に属した一切の権利義務を承継する。ただし、被相続人の一身に専属したものは、この限りではない。

●民法第898条《共同相続の効力》

相続人が数人あるときは、相続財産は、その共有に属する。

●民法第899条《共同相続の効力》

各共同相続人は、その相続分に応じて被相続人の権利義務を承継する。

●民法第909条《遺産の分割の効力》

遺産の分割は、相続開始の時にさかのぼってその効力を生ずる。ただし、第三者の権利を害することはできない。

## 5　被相続人等の特定居住用宅地等に該当するか否かについて、『被相続人と生計を一にしていた親族』の意義が争点とされた事例

**検討裁決事例**　国税不服審判所裁決事例（平成20年６月26日裁決、東裁（諸）平19第219号、平成17年相続開始分）

### 〔１〕　事案の概要・基礎事実

(1)　本件は、請求人が、相続により取得した宅地について、被相続人と生計を一にしていた親族の居住の用に供されていた特定居住用宅地等に該当するとして、小規模宅地等の課税特例を適用して相続税の申告をしたところ、原処分庁が、請求人は被相続人と生計を一にしていた親族には該当せず、当該宅地に小規模宅地等の課税特例の適用は認められないとして相続税の更正処分等をしたのに対し、請求人が同処分等の一部の取消しを求めた事案である。

(2)　請求人は、平成17年２月○○日（以下「本件相続開始日」という。）に死亡した本件被相続人の共同相続人の一人であり、本件被相続人の相続（以下「本件相続」という。）に係る相続税（以下「本件相続税」という。）の申告書に記載し、法定申告期限までに原処分庁へ提出した（以下、この申告書を「本件申告書」という。）。

(3)　本件申告書には、租税特別措置法第69条の４《小規模宅地等についての相続税の課税価格の計算の特例》（以下「本件特例」という。）の対象として選択した小規模宅地等の明細について、要旨 図表１ のとおり記載がある。

**図表１**　本件特例の対象として請求人が選択した小規模宅地等の明細

| 順号 | 所在地番（住居表示） | 面積 | 取得者氏名 | 選択した宅地等の面積 | 小規模宅地等の種類 | 減額割合 |
|---|---|---|---|---|---|---|
| 1 | Ｘ市Ｙ町Ｚ１番 | 180.61㎡ | 請求人 | 180.61㎡ | 特定居住用宅地等 | 80% |
| 2 | Ｘ市Ｙ町Ｚ２番 | 177.25㎡ | 他の相続人（兄Ａ） | 49.00㎡ | 上記以外の小規模宅地等 | 50% |

**筆者注**　請求人及び他の相続人（兄Ａ）が選択した本件特例に係る限度面積は、次のとおりと推定される。

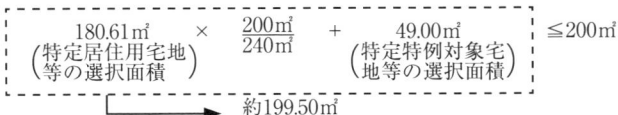

$$\underset{\left(\text{特定居住用宅地等の選択面積}\right)}{180.61\text{m}^2} \times \frac{200\text{m}^2}{240\text{m}^2} + \underset{\left(\text{特定特例対象宅地等の選択面積}\right)}{49.00\text{m}^2} \leqq 200\text{m}^2$$

→ 約199.50㎡

(4)　原処分庁は、原処分庁所属の調査担当職員（以下「本件調査担当職員」という。）の調査に基づき、平成19年６月27日付で、本件相続税について、更正処分（以下「本件更正処分」という。）及び過少申告加算税の賦課決定処分をした。

(5)　原処分庁は、郵便定額貯金の既経過利息が申告もれであること等を理由として、本件相

続税について、平成19年12月25日付で再更正処分（以下「本件再更正処分」といい、本件更正処分と併せて「本件再更正処分等」という。）及び過少申告加算税の賦課決定処分をした。

(6)　原処分庁は、図表１の順号１の宅地（以下「本件宅地」という。）について本件特例の適用を否認し、本件被相続人の居住用宅地で同順号２の宅地177.25㎡のすべてを本件特例の適用対象（減額割合50％）とし、本件相続に係る相続税の課税価格を計算して本件再更正処分等をした。

筆者注　原処分庁は、本件宅地は「特定居住用宅地等（生計を一にする親族の居住用）」には該当しないと判断している。なお、図表１の順号２の宅地については「特定特例対象宅地等（特定居住用宅地等の要件を充足しない居住用宅地等）」に該当するものと判断している。

(7)　本件被相続人は、昭和61年６月３日、Ｘ市長に対し、住所地を本件被相続人が居住する家屋（以下「本件被相続人居宅」という。）の所在地であるＸ市Ｙ町Ｚ２番とし、世帯主を本件被相続人本人とする旨の届出をした。本件相続開始日までの間、当該届出内容は変更されなかった。

(8)　請求人は、昭和62年５月31日、本件被相続人が所有する本件宅地上に家屋（以下「請求人居宅」という。）を建築し、同年６月○○日、所有者を請求人として所有権の保存の登記を経由した。

(9)　請求人は、平成９年６月30日、Ｘ市長に対し、住所地をＸ市Ｙ町Ｚ１番とし、世帯主を請求人本人とする旨の届出をした。請求人の住民票には、請求人の配偶者が、昭和62年６月７日、Ｘ市Ｙ町Ｚ２番から転居した旨の記載がある。請求人は、当該届出をした日から審査請求日（筆者注　平成20年２月８日）まで、請求人居宅に引き続き居住していた。

## 〔2〕　事案のポイント・争点

(1)　請求人は、本件特例の適用要件である本件被相続人の「生計を一にしていた」親族に該当するのか。

(2)　本件宅地について、特定居住用宅地等に該当するとして本件特例の適用は認められるのか。

## 〔3〕　争点に対する双方の主張

| 争　点 | 請求人（納税者）の主張 | 原処分庁（課税庁）の主張 |
|---|---|---|
| (1)　請求人は本件被相続人と生計を一にしていた親族に該当するのか | ①　請求人は、次のとおり、本件被相続人の「生計を一にしていた」親族である。<br>(イ)　生計とは、「暮らし」、「生活」を意味し、生計が一であるとは費用を負担し合うことだけではない。本件 | ①　請求人は、次のとおり、本件被相続人の「生計を一にしていた」親族とは認められない。<br>(イ)　本件特例にいう「生計を一にしていた」とは、日常生活の資を共通に |

| | | |
|---|---|---|
| | 被相続人は死亡する３年前に○○病で入院し、その後一度も本件被相続人居宅に帰ることなく死亡した。<br>本件被相続人は病院のベッドで寝たきりであり、自分で預金を引き出すことも病院の支払もできず、独立して暮らせなかった。<br>(ロ)　上記(イ)より、請求人が本件被相続人の預貯金のキャッシュカードを保管し、本件被相続人の口座から出金した現金を請求人の生活費と合算して管理し、請求人と本件被相続人の生活に係るすべての入出金を請求人が決定していた。<br>そして、本件被相続人の入院費もこの合算した生活費から支払っていた。<br>(ハ)　請求人は、本件被相続人の入院中、毎日のように植木の面倒、郵便物の確認等、本件被相続人居宅の管理を行っており、生活は一体であった。 | していることと解され、また、これについては社会通念により判断すべきところ、請求人は、本件被相続人と同居しておらず、また、請求人と本件被相続人との間で日常生活のために費用を負担し合う状況にはなかったと認められ、両者が日常生活の資を共通にしていたとは認められない。<br>(ロ)　仮に、請求人が本件被相続人の財産を管理していたとしても、そのことと日常生活の資を共通にしていることとは直接的には関係はない。 |
| | ②　本件調査担当職員は、生計を一でないと判断した基準を明確にせず、平成19年５月10日、生計を一にしていない理由を探すのが税務署の仕事であり、生計を一にしている理由を探すのが納税者の仕事であると請求人に述べていることからすれば、本件再更正処分等は、本来課すべき税であるかどうかの公正な判断が加えられていない徴税ありきの前提で行われた違法な処分である。 | ②　請求人が本件被相続人の「生計を一にしていた」親族に該当しない理由については、平成19年10月18日付の異議決定書（**筆者注** 現行制度の再調査決定書に該当する。）に記載したとおりであって、請求人の「判断した基準を明確にしていない」との主張及び「徴税ありきの前提で行われた違法な処分」であるとの主張は失当である。 |
| | ③　平成19年５月28日、本件調査担当職員は、請求人と本件被相続人は生計が別であるかどうか分からないと請求人に述べており、これは本件更正処分の理由と反する解釈である。<br>したがって、本件再更正処分等は原処分庁も判断に迷うような法律を適用した違法な処分である。<br>相続税法等に「生計を一にしていた」 | ③　平成19年５月28日、本件調査担当職員は、請求人に対し、本件宅地は「本件特例の適用対象外」である旨の説明をしており、請求人が主張するような発言をした事実は見当たらないことから、請求人の主張には理由がない。<br>なお、法令上定義規定が置かれていない文言が使用されている条文が存する場合には、その規定の趣旨目的に照 |

| | | |
|---|---|---|
| | という用語の定義も準用規定も示されていないことは法の不備であって、法の不備による不利益は課税庁側が負うべきである。 | らしてその文言の意味を明らかにするという法令解釈が必要になることはいうまでもなく、「定義規定のない法の不備による不利益は課税庁側が負うべきである」旨の主張は請求人の独自の見解であり、理由がない。 |
| (2)　本件宅地に本件特例の適用は認められるのか | 上記(1)より、本件宅地は被相続人と生計を一にしていた親族の居住の用に供されていた宅地等とされ、租税特別措置法第69条の４《小規模宅地等についての相続税の課税価格の計算の特例》第３項第２号に規定する特定居住用宅地等に該当することから、本件特例を適用することができる。 | 上記(1)より、本件宅地は被相続人と生計を一にしていた親族の居住の用に供されていた宅地等とされず、租税特別措置法第69条の４《小規模宅地等についての相続税の課税価格の計算の特例》第３項第２号に規定する特定居住用宅地等に該当しないことから、本件特例を適用することはできない。 |

## 〔４〕 国税不服審判所の判断

### (1)　認定事実

①　請求人は、当審判所に対し、要旨次のとおり答述した。

(イ)　請求人は、昭和62年に本件宅地上に請求人居宅を建築して以来、本件被相続人とは別居していた。

(ロ)　請求人は本件被相続人の生活費を負担することはなく、また、本件被相続人が請求人の生活費を負担することもなかった。なお、本件宅地の固定資産税に相当する額は請求人が負担していた。

(ハ)　請求人は、自己の判断で本件被相続人の預貯金の中から同人の入院費を支払っていた。

(ニ)　請求人は、兄のＡと相談の上で本件被相続人の預貯金の通帳とカードを保管し、同人の預貯金は請求人の意思で自由に入出金できる状態にあったが、本件被相続人の預貯金は同人の財産であって、勝手に処分したら窃盗になるので、自己の一存で処分したことはない。

②　本件被相続人は、平成14年３月９日、Ｐ病院に入院後、本件相続開始日までの間、図表２のとおり転入院した。

**図表２**　本件被相続人に係る転入院の状況

| 入院期間 | 入院先 |
|---|---|
| 平成14年３月９日から平成14年５月30日まで | Ｐ病院 |
| 平成14年５月30日から平成16年６月18日まで | Ｑ病院 |

| | |
|---|---|
| 平成16年６月18日から平成16年６月22日まで | Ｒ病院 |
| 平成16年６月22日から平成17年１月15日まで | Ｑ病院 |
| 平成17年１月15日から本件相続開始日まで | Ｐ病院 |

③　本件被相続人の入院に係る本件相続開始日前１年間の入院費の請求金額及び支払日並びに支払金額は、図表３のとおりである。

図表３　本件被相続人に係る入院費の請求金額と支払状況

| Ｑ病院 | | | |
|---|---|---|---|
| 月分 | 請求金額 | 支払日 | 支払金額 |
| 平成16年２月分 | 146,060円 | 平成16年３月13日 | 146,060円 |
| 平成16年３月分 | 151,908円 | 平成16年４月10日 | 151,908円 |
| 平成16年４月分 | 152,052円 | 平成16年５月15日 | 152,052円 |
| 平成16年５月分 | 154,152円 | 平成16年６月19日 | 154,152円 |
| 平成16年６月分 | 134,200円 | 平成16年７月10日 | 134,200円 |
| 平成16年７月分 | 155,042円 | 平成16年８月13日 | 155,042円 |
| 平成16年８月前半分 | 74,611円 | 平成16年９月４日 | 74,611円 |
| 平成16年８月後半分 | 79,876円 | 平成16年９月18日 | 79,876円 |
| 平成16年９月分 | 149,222円 | 平成16年10月16日 | 149,222円 |
| 平成16年10月分 | 155,467円 | 平成16年11月13日 | 155,467円 |
| 平成16年11月分 | 148,747円 | 平成16年12月11日 | 148,747円 |
| 平成16年12月分 | 152,912円 | 平成17年１月15日 | 152,912円 |
| 平成17年１月分 | 74,061円 | 本件相続開始日現在未払 | |

| Ｒ病院 | | | |
|---|---|---|---|
| 月分 | 請求金額 | 支払日 | 支払金額 |
| 平成16年６月分 | 67,860円 | 平成16年６月22日 | 67,860円 |

| Ｐ病院 | | | |
|---|---|---|---|
| 月分 | 請求金額 | 支払日 | 支払金額 |
| 平成17年１月分 | 24,600円 | 本件相続開始日現在未払 | |
| 平成17年２月分 | 8,270円 | 本件相続開始日現在未払 | |

④　本件被相続人名義の○○銀行○○支店普通預金口座（口座番号○○○○）の本件相続開始日前１年間の支出状況は、図表４のとおりである。

## 図表４　本件被相続人名義の普通預金口座からの出金状況

| ○○銀行○○支店　口座番号○○○○ | | |
|---|---|---|
| 出金日 | 金額 | 備考 |
| 平成16年２月14日 | 160,000円 | Ｈ銀行ATM |
| | 210円 | － |
| 平成16年３月13日 | 160,000円 | Ｈ銀行ATM |
| | 210円 | － |
| 平成16年４月10日 | 160,000円 | Ｈ銀行ATM |
| | 210円 | － |
| 平成16年５月15日 | 165,000円 | Ｈ銀行ATM |
| | 210円 | － |
| 平成16年６月19日 | 50,000円 | － |
| | 105円 | － |
| | 175,000円 | － |
| | 105円 | － |
| 平成16年６月21日 | 100,000円 | － |
| | 105円 | － |
| 平成16年７月９日 | 100,000円 | Ｊ銀行 |
| | 210円 | － |
| | 90,000円 | Ｊ銀行 |
| | 210円 | － |
| 平成16年８月13日 | 150,000円 | － |
| | 105円 | － |
| 平成16年９月４日 | 150,000円 | Ｈ銀行ATM |
| | 210円 | － |
| 平成16年10月２日 | 60,000円 | Ｋ銀行 |
| | 210円 | － |
| 平成16年10月16日 | 160,000円 | Ｈ銀行ATM |
| | 210円 | － |
| 平成16年11月13日 | 160,000円 | Ｈ銀行ATM |
| | 210円 | － |
| 平成16年12月11日 | 170,000円 | Ｈ銀行ATM |
| | 210円 | － |

| | | |
|---|---|---|
| 平成17年１月15日 | 160,000円 | Ｈ銀行ATM |
| | 210円 | － |
| 平成17年１月18日 | 1,000,000円 | － |
| | 105円 | － |
| | 1,000,000円 | － |
| | 105円 | － |
| 平成17年２月４日 | 500,000円 | － |

⑤　本件被相続人居宅に係るガス料金、電気料金、水道料金及び電話料金は、本件相続開始日まで、本件被相続人名義の預貯金口座からそれぞれ引き落とされている。

⑥　本件調査担当職員は、次の各日において、請求人に対し、本件特例の適用に関し、要旨次のとおり説明した。

(イ)　平成19年４月24日

生計を一にしていた親族とは、被相続人と同一の生活共同体に属し、必ずしも同一の家屋内で起居を共にする必要はないが、少なくとも日常生活に係る費用やその他生活の糧を支弁し合うような親族を指すのであって、本件被相続人と請求人においては、生計を別にしていたものと認められる。

(ロ)　平成19年５月10日

「生計を一」の意義について、相続税法及び措置法上の解釈が明確にされていなくとも、所得税法等他の法律で定義された解釈と別異に解釈されるのは相当ではない。

(ハ)　平成19年５月28日

請求人が相続した本件宅地は、本件特例の適用対象外である。

**(2)　法令解釈等**

本件特例は、被相続人等の事業の用又は居住の用に供されていた宅地のうち、一定面積以下のいわゆる小規模宅地等は、相続人等の生活基盤の維持のために欠くことのできないものであって、相続人において事業の用又は居住の用を廃してこれを処分することに相当の制約を受けることが通常であることから、相続税の課税上特例の配慮を加えることとしたものであり、このような本件特例の立法趣旨からすれば、本件特例の対象となる居住の用に供されていた宅地等は、被相続人又は被相続人と生計を一にしていた相続人の生活基盤の維持に必要なものに限定されるべきであると解される。

そして、本件特例にいう「生計を一にしていた」とは、同一の生活単位に属し、相助けて共同の生活を営み、ないしは日常生活の資を共通にしている場合をいい、「生計」とは、暮らしを立てるための手立てであって、通常、日常生活の経済的側面を指すものと解される。

したがって、被相続人と同居していた親族は、明らかにお互いに独立した生活を営んでいると認められる場合を除き、一般に「生計を一にしていた」ものと推認されるが、別居していた親族が「生計を一にしていた」ものとされるためには、その親族が被相続人と日常生活の資を共通にしていたことを要し、その判断は社会通念に照らして個々になされるところ、少なくとも居住費、食費、光熱費その他日常の生活に係る費用の全部又は主要な部分を共通にしていた関係にあったことを要すると解される。

筆者注　上記＿＿部分は、筆者が付線したものである。

### (3)　当てはめ

上記〔1〕(7)ないし(9)のとおり、本件被相続人の生活の本拠は本件被相続人居宅であり、また、請求人は請求人居宅を建築した後は請求人居宅に居住しており、請求人の答述（上記(1)①(イ)及び(ロ)）のとおり、請求人と本件被相続人は、請求人居宅を建築した後は別居し、それぞれ独立した生活を営んでいたと認められることから、請求人が本件被相続人と別居してから同人がＰ病院に入院するまでの間（筆者注 昭和62年６月ころから平成14年３月９日までの間となる）、請求人と本件被相続人が生計を一にしていたと認めることはできない。

そして、本件被相続人は、上記(1)②のとおり、Ｐ病院に入院後は複数の病院を転院しながら入院生活を継続しており、本件相続の開始の直前においても、請求人と本件被相続人は別居していたものと認められるところ、同人に係る入院費の支払状況（図表３）及び同人名義の普通預金口座の出金状況（図表４）に照らせば、請求人の答述（上記(1)①(ハ)及び(ニ)）のとおり、本件被相続人に係る入院費は同人名義の普通預金口座から出金された金員で支払われたものと推認することができ、また、本件被相続人居宅に係るガス料金等は、上記(1)⑤のとおり、同人名義の預貯金口座から引き落とされていることからすれば、請求人と本件被相続人は、本件相続の開始の直前において、日常生活に係る費用の全部又は主要な部分を共通にしている関係にはなく、請求人が本件被相続人の「生計を一にしていた」親族であると認めることはできない。

### (4)　請求人の主張について

①　生計を一にするとは費用を負担し合うことだけではない旨の主張について

(イ)　請求人は、生計とは、「暮らし」、「生活」を意味し、生計を一であるとは費用を負担し合うことだけではない旨主張する。

しかしながら、本件特例にいう「生計を一にしていた」とは、同一の生活単位に属し、相助けて共同生活を営み、日常生活の資を共通にしている場合をいうと解されることは、上記(2)のとおりである。

(ロ)　請求人は、本件被相続人の預貯金のキャッシュカードを保管し、同人の預貯金口座から出金した現金を請求人の生活費と合算して管理し、請求人と本件被相続人の生活に係るすべての入出金を請求人が決定し、本件被相続人の入院費もこの合算した生活費から支払っていたのであるから、生計を一にしていたものである旨主張する。

しかしながら、上記(3)のとおり、本件被相続人名義の普通預金口座からの出金は同人の入院費支払のためにされたものと認めるのが相当であり、また、同人の預貯金は同人の財産であって自己の一存で処分したことはない旨の請求人の答述（上記(1)①(ニ)）からすれば、本件被相続人名義の普通預金口座から出金した現金をいったん請求人手持ちの現金と合わせ、その後に入院費を支払っていたとしても、それをもって日常生活に係る費用の全部又は主要な部分を共通にしている関係にあったと認めることはできない。

(ハ)　請求人は、本件被相続人の入院中、毎日のように植木の面倒、郵便物の確認等、本件被相続人居宅の管理を行っていたのであるから、生活は一体であった旨主張する。

しかしながら、請求人が主張する事実は、生活の場を別にしている親子間の通常の助け合いであって、必ずしも生計を一にしているかどうかの判断に直接結びつく行為とは認められないから、このことだけをもって請求人が本件被相続人の「生計を一にしていた」親族と認めることはできない。

(ニ)　上記(イ)ないし(ハ)より、これらの点に関する請求人の主張にはいずれも理由がない。

②　本件再更正処分等が徴税ありきの前提の違法な処分等である旨の主張について

請求人は、本件調査担当職員は、生計を一にしていないと判断した基準を明確にせず、平成19年５月10日、生計を一にしていない理由を探すのが税務署の仕事であり、生計を一にしている理由を探すのが納税者の仕事であると請求人に述べていることからすれば、本件再更正処分等は、本来課すべき税であるかどうかの公正な判断が加えられていない徴税ありきの前提で行われた違法な処分である旨、また、本件調査担当職員は、平成19年５月28日、請求人と本件被相続人は生計が別であるかどうか分からないと述べており、これは本件更正処分の理由と反する解釈であって、本件再更正処分等は原処分庁も判断に迷うような法律を適用した違法な処分である旨主張する。

しかしながら、別居していた親族の事業の用又は居住の用に供されていた宅地等が本件特例の対象とされるためには、上記(2)のとおり、別居していた親族が被相続人と日常生活の資を共通にしていたことを要し、その判断は社会通念に照らして個々になされるものであるところ、原処分庁は、上記(1)⑥のとおり、請求人に対し、一貫して、請求人は本件被相続人の「生計を一にしていた」親族に当たらない旨、事実関係に基づいて具体的に説明していることが認められ、当審判所の調査によっても請求人の主張するような事実があったと認定することはできない。

また、仮に請求人が主張するとおりの事実が存在したとしても、本件調査担当職員の説明ぶりによって、上記(3)の認定の基礎となる事実が否定されるものではなく、判断に影響を与えるものではない。

したがって、この点に関する請求人の主張には理由がない。

③　法の不備による不利益は課税庁側が負うべきである旨の主張について

請求人は、相続税法等に「生計を一にしていた」という用語の定義も示されていないことは法の不備であって、法の不備による不利益は課税庁側が負うべきである旨主張する。

しかしながら、法令の適用に当たっては、当該法令の趣旨に従って解釈し適用すべきであって、「生計を一にしていた」との文言について、相続税法及び措置法に定義又は準用規定がないとしても、当該文言は上記⑵のとおりに解することができ、「生計を一にしていた」親族に該当するか否かについては社会通念に照らして個々に判断できるので、この点に関する請求人の主張には理由がない。

**⑸　本件宅地に対する本件特例の適用可否**

上記⑴ないし⑷のとおり、請求人は本件被相続人の「生計を一にしていた」親族とは認められないから、請求人が本件相続により取得した本件宅地について本件特例を適用することはできない。

## 〔５〕　裁決事例から確認する実務における留意点

**⑴　被相続人と生計を一にしていた親族の意義**

特定居住用宅地等に該当するとして、小規模宅地等の課税特例の適用を受けるための要件の１つとして、個人が相続等により取得した財産のうちに、当該相続開始の直前において、当該相続等に係る被相続人と生計を一にしていた当該被相続人の親族の居住の用に供されていた宅地等であることが必要とされている。

上記＿＿部分の「生計を一にしていた」という用語は、相続税法に関する法令及び通達にその定義はなく、専ら解釈に頼らざるを得ないものとされ、かつ、当該解釈に当たっては、次の所得税基本通達２－47《生計を一にするの意義》が参考とされていた。

参考　**所得税基本通達２－47《生計を一にするの意義》**

法に規定する「生計を一にする」とは、必ずしも同一の家屋に起居していることをいうものではないから、次のような場合には、それぞれ次による。

⑴　勤務、修学、療養等の都合上他の親族と日常の起居を共にしていない親族がいる場合であっても、次に掲げる場合に該当するときは、これらの親族は生計を一にするものとする。

イ　当該他の親族と日常の起居を共にしていない親族が、勤務、修学等の余暇には当該他の親族のもとで起居を共にすることを常例としている場合

ロ　これらの親族間において、常に生活費、学資金、療養費等の送金が行われている場合

⑵　親族が同一の家屋に起居している場合には、明らかに互いに独立した生活を営んでいると認められる場合を除き、これらの親族は生計を一にするものとする。

上記の所得税基本通達より、「生計を一にする」又は「生計を一にしていた」とは、同一の生活単位に所属して日常生活の資を共通にしている状況にあることをいい、必ずしも一方が他方を扶養する関係にあることや同居していることを絶対的要件とするものではないものと解されるところである。

本件裁決事例では、上記の解釈につき、上記〔４〕⑵に掲げるとおり、国税不服審判所における法令解釈等としてこれを明確に示したものであり、小規模宅地等の課税特例の実務上の取扱いとして注目されるものである。下記にその要旨を再掲しておきたい。

①　「生計を一にしていた」とは、同一の生活単位に属し、相助けて共同の生活を営み、ないしは日常生活の資（筆者注１　ここで、「資」とは、もとで（財産）という意味で使

用されている。）を共通にしている場合をいう。

② 「生計」とは、暮らしを立てるための手立てであって、通常、日常生活の経済的側面（筆者注２ 資金面を示している。）を指すものと解される。

③ 「生計を一にしていた」の具体的な判定基準

(イ) 被相続人と同居していた親族である場合

明らかにお互いに独立した生活を営んでいると認められる場合を除き、一般に「生計を一にしていた」ものと推認される。

(ロ) 被相続人と別居していた親族である場合

別居親族が被相続人と日常生活の資を共通にしていたことを要し、その判断は社会通念に照らして個々になされるところ、少なくとも居住費、食費、光熱費その他日常の生活に係る費用の全部又は主要な部分を共通にしていた関係にあったことを要する。

（注） 上記①ないし③より、「生計」とは、もとで（財産）であり、具体的には資金（金銭）を指すと考えられることから、上記③(イ)（被相続人と同居していた親族である場合）を除き、「生計を一にしていた」と主張する場合には、当該主張者に対して、金銭の流れをポイントとする立証挙証手段が求められることになるのであろう。

そして、本件裁決事例において請求人（納税者）が主張しているような次に掲げる事項は、単なる親族間における生活上の相互扶助にすぎないものであり、「生計を一にしていた」の判定に当たっては考慮の対象とされないことに併せて留意する必要がある。

・被相続人の居宅の管理（例植木の面倒、郵便物の確認等）

**(2) 「生計を一にしていた」を実務上立証するための望ましい方法**

上記(1)からすると、「生計を一にしていた」か否かの判断で疑義が生じやすいのが、被相続人と別居していた親族について判定する場合であると考えられる。

別居している場合には、一般的に、いずれか一方の者（被相続人又は当該被相続人の親族）の生計を維持するために当該者に対し生計費の送金等が行われるものと考えられることから、当該生計費の送金等の事実が確認できるのであれば、原則として、生計を一にすると判断して差し支えないと考えられる。

その一方で、課税実務上の取扱いでは、次に掲げる点にも留意しておく必要がある。

① 送金等の履歴の保存

上記に掲げる送金等を行ったことが、後日において立証挙証されることが求められる場面が想定される。これに備えて、たとえ、被相続人と当該被相続人に係る親族が近在であったとしても金銭の交付手段は、手交ではなく、金融機関等を介在させての振り込みを実行することによって、履歴を保存することが可能となり望ましいものと考えられる。

② 送金等の額について

送金等の額が極めて少なく、生計費（日常生活の『資（もとで）』）の額に満たないと認められる場合には、扶養関係の有無が問題とされることが想定されるので、送金等の額については、社会通念等にも照らし合わせて、慎重な配慮が求められるものと考えられる。

参考　本件裁決事例の概念図（一部推定を含む）

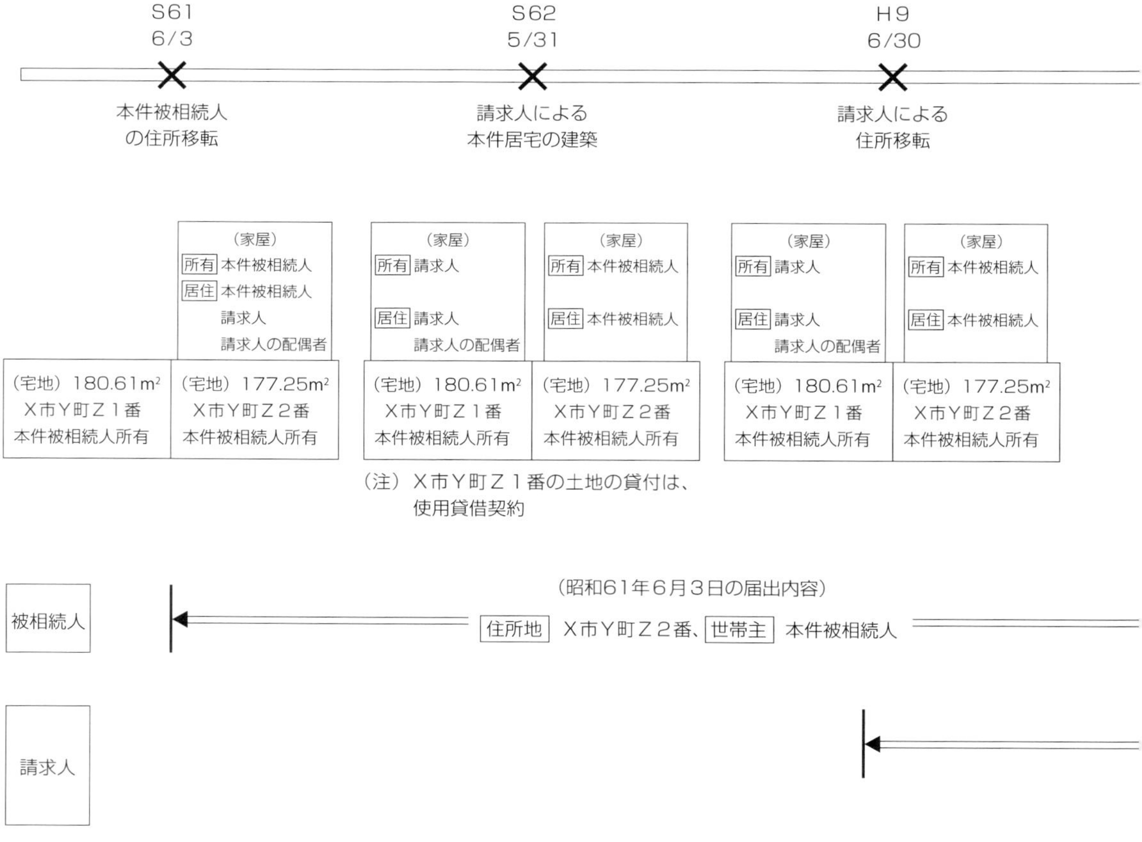

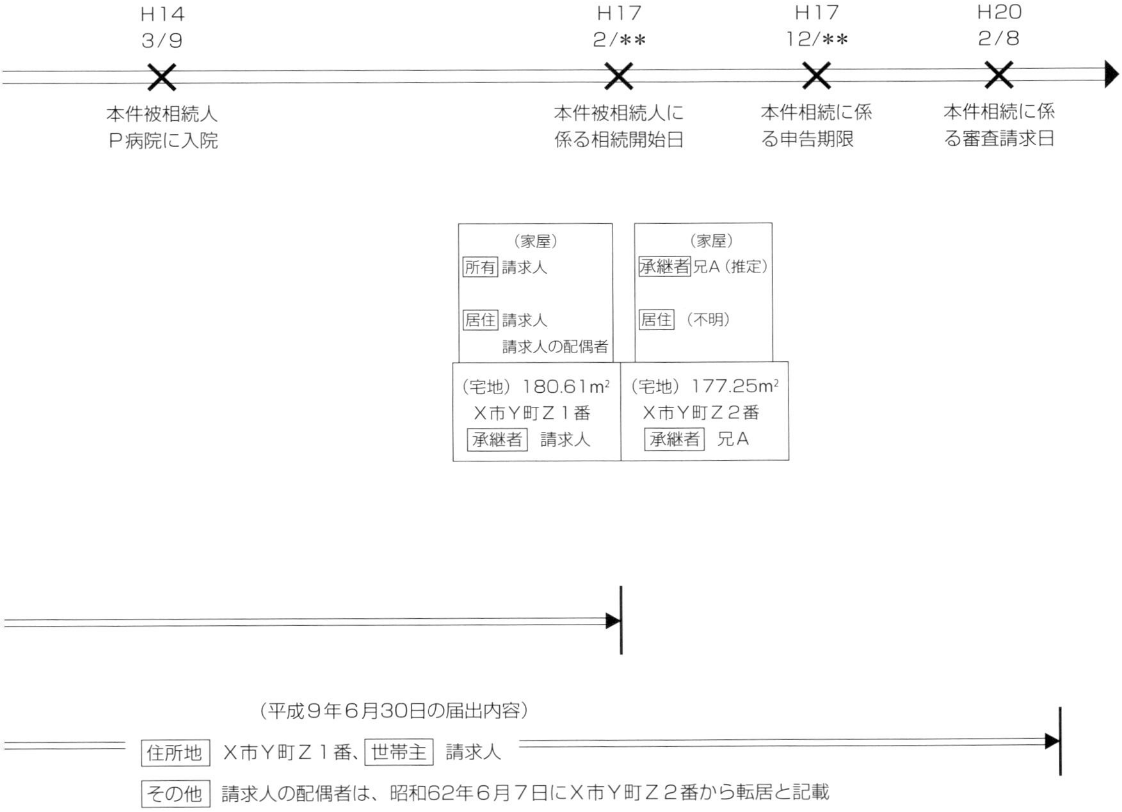
H14
3/9
本件被相続人
P病院に入院
H17
2/**
本件被相続人に
係る相続開始日
H17
12/**
本件相続に係
る申告期限
H20
2/8
本件相続に係
る審査請求日
（家屋）
所有 請求人
居住 請求人
請求人の配偶者
（家屋）
承継者 兄A（推定）
居住 （不明）
（宅地）180.61m²
X市Y町Z１番
承継者 請求人
（宅地）177.25m²
X市Y町Z２番
承継者 兄A
（平成９年６月30日の届出内容）
住所地 X市Y町Z１番、世帯主 請求人
その他 請求人の配偶者は、昭和62年６月７日にX市Y町Z２番から転居と記載

## 6　被相続人等の特定事業用宅地等に該当するか否かについて、『被相続人と生計を一にしていた親族』の意義が争点とされた事例

**検討裁決事例**　国税不服審判所裁決事例（平成30年8月22日裁決、東裁（諸）平30第28号、平成26年相続開始分）

### 〔1〕 事案の概要・基礎事実

(1)　本件は、請求人Ａ及び請求人Ｂ（以下、両名を併せて「請求人ら」という。）が、相続により取得した宅地について、小規模宅地等の課税特例を適用して相続税の申告をしたところ、原処分庁が、請求人Ａは被相続人と生計を一にしていた親族に該当せず、当該宅地に小規模宅地等の課税特例の適用はないとして相続税の更正処分等をしたのに対し、請求人らがその全部の取消しを求めた事案である。

(2)　○○○○（筆者注 家庭裁判所の名称）は、請求人らの母である本件被相続人について後見を開始し、請求人Ａを成年後見人に、○○○○（筆者注 弁護士の氏名と推定される。）（以下「本件監督人」という。）を成年後見監督人（筆者注 欄外参照）にそれぞれ選任する審判をし、同審判は平成○○年○○月○○日に確定した。

筆者注　成年後見監督人は、成年後見人が行う後見の事務を監督する役割を担う者であり、家庭裁判所によって選任されるもので、弁護士、司法書士、税理士等が就任する事例が多くなっている。一般的には被後見人の親族等からの申立てにより選任されるが、当該申立てによることなく、家庭裁判所の職権で選任することも認められている。

成年後見監督人の具体的な役割として主なものは、次に掲げるとおりである。

①　成年後見人による後見人の財産調査及び財産目録の調整に際しての立会
②　成年後見人に対する後見事務の報告又は財産目録の提出要求
③　成年後見人に対する後見事務又は被後見人の財産状況に関する調査
④　成年後見人が後見人に代替して、資金の借入、所有する不動産の処分等の重要行為を実施しようとする場合における当該行為に対する同意

(3)　本件被相続人は、平成26年○○月○○日に死亡し、その相続（以下「本件相続」という。）が開始した。本件相続に係る相続人は、本件被相続人の子らである請求人らである。

(4)　本件被相続人及び請求人Ｂの住所は、○○○○（以下、同住所に存する家屋を「本件居宅」という。）である。他方、請求人Ａの住所は、○○○○であり、請求人Ａは、遅くとも上記(2)の成年後見人に選任された平成○○年○○月から本件相続の開始までの間、本件被相続人と別居していた。

なお、請求人Ａは、平成26年分の所得税及び復興特別所得税の確定申告において、本件被相続人を扶養親族としていなかった。

(5)　請求人Ａは、本件被相続人の成年後見人として、毎年、３月から翌年２月までの間に行ったとする後見事務の内容を記載した後見事務経過一覧表並びに本件被相続人に係る食事（食

材及び宅配の弁当の購入)、訪問介護費、日用品費及び医療費等の支出を日別に記載した金銭出納帳を本件監督人を介して○○○○（筆者注 家庭裁判所の名称）に提出し、後見事務経過一覧表及び金銭出納帳に記載された費用を本件被相続人名義の預貯金口座から出金した金銭等から支払っていた。

なお、請求人Ａは、上記の後見事務経過一覧表に、本件被相続人の成年後見人として行った財産管理のほか、本件被相続人に係る病院等への付添い、食材の搬入、年末年始の食事づくり、体調の管理、安否確認、トラブルの仲裁、本件居宅内の物品紛失の対応等の成年後見事務には含まれない内容も記載していた。

(6)　本件居宅に係るガス、水道及び電気の使用料金については、○○○○（筆者注 金融機関の名称）の本件被相続人名義の普通預金口座（口座番号○○○○）から支払われていた。

(7)　請求人らは、平成27年６月24日付遺産分割協議書を作成し、請求人Ａは、本件相続により、○○○○の土地（面積969.53㎡のうち450.628㎡。以下「本件宅地」という。）を取得した。

請求人Ａは、本件相続の開始時から本件相続に係る相続税の申告期限まで引き続き本件宅地を所有していた。

(8)　請求人Ａは、本件相続開始の前に本件被相続人から本件宅地を無償で借り受けた。

本件宅地の上には、請求人Ａが営む建設業の作業場として使用する昭和40年頃に建てられた建物が存し、本件宅地は、本件相続の開始前から本件相続に係る相続税の申告期限まで引き続き、請求人Ａが営む建設業のために使用されていた。

筆者注　本件宅地の本件相続開始直前の利用状況を示すと、図表１のとおりとなる。

図表１　本件宅地の本件相続開始直前の利用状況

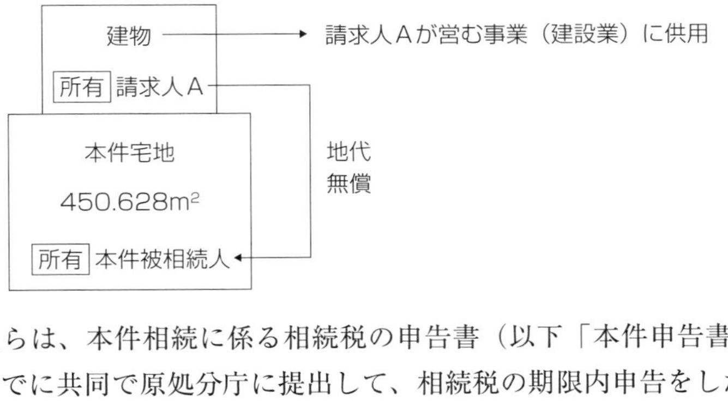


(9)　請求人らは、本件相続に係る相続税の申告書（以下「本件申告書」という。）を法定申告期限までに共同で原処分庁に提出して、相続税の期限内申告をした。

請求人らは、本件申告書において、本件宅地について租税特別措置法（以下「措置法」という。）第69条の４《小規模宅地等についての相続税の課税価格の計算の特例》に規定による小規模宅地等の特例（以下「本件特例」という。）を適用し、課税価格に算入する価額を14,328,810円とした。

(10)　原処分庁は、請求人らに対し、請求人Ａは本件被相続人と生計を一にしておらず、本件特例の適用は認められないから、本件宅地について課税価格に算入する価額は54,720,809

円であるとして、平成29年９月27日付で相続税の各更正処分（以下「本件各更正処分」という。）及び過少申告加算税の各賦課決定処分をした。

## 〔2〕 事案のポイント・争点

(1)　請求人Ａは、本件特例の適用要件である本件被相続人と「生計を一にしていた」親族に該当するか否か。

(2)　本件宅地について、特定事業用宅地等に該当するとして本件特例の適用は認められるのか。

## 〔3〕 争点に対する双方の主張

| 争　点 | 請求人ら（納税者）の主張 | 原処分庁（課税庁）の主張 |
|---|---|---|
| (1)　請求人は本件被相続人と生計を一にしていた親族に該当するのか | 請求人Ａは、次のとおり、本件被相続人と「生計を一にしていた」親族に該当する。<br>①　「生計を一にしていた」ということについては、法律として明文化されていないものの国税通則法基本通達第46条関係９《生計を一にする》には、「納税者と有無相助けて日常生活の資を共通にしていること」、法人税基本通達１－３－４《生計を一にすること》には、「有無相助けて日常生活の資を共通にしていることをいうのであるから、必ずしも同居していることを必要としない」と定められており、ここでいう「日常生活」とは、「食事、排泄、着脱衣、入浴移動などの日常生活、動作を行う日々のこと」と、「資」とは、「もとで、もと、財貨、財産、力などを与えて助けること」とされている（広辞苑）。<br>そうすると、生計を一にするということは、単に納税者と相手方が生活するための金銭を負担し合う関係にあるかどうかということでなく、納税者と相手方が日常生活において相手に力 | 請求人Ａは、次のとおり、本件被相続人と「生計を一にしていた」親族に該当しない。<br>①　本件特例にいう「生計を一にしていた」とは、同一の生活単位に属し、相助けて共同の生活を営み、ないしは日常生活の資を共通にしている場合をいい、「生計」とは、暮らしを立てるための手立てであって、通常、日常生活の経済的側面を指すものと解される。<br>したがって、別居していた親族が「生計を一にしていた」ものとされるためには、その親族が被相続人と日常生活の資を共通にしていたことを要し、その判断は社会通念に照らして個々になされるところ、請求人が本件被相続人と「生計を一にしていた」というためには、請求人Ａと本件被相続人が日常生活の資を共通にしていたことを要し、少なくとも居住費、食費、光熱費その他日常の生活に係る費用の全部又は主要な部分を共通にしていた関係にあったことを要することとなる。 |

| | | |
|---|---|---|
| | を与え助けることを経常的に行っているかどうかに判断基準を置くべきである。 | |
| | ②　請求人Ａは、本件被相続人と別居していたものの、本件被相続人が高齢、病弱及び○○○○であり、本件被相続人と同居していた請求人Ｂも○○○○されていることから、本件被相続人及び請求人Ｂの日常生活を担っていかなければならず、成年後見人の通常業務である財産管理等の業務のほか、本件被相続人の病院等への付添い、食材の購入・搬入等の本件被相続人の身の回りの世話を行っている。<br>筆者注　上記の「○○○○」（２箇所）は、いずれも自助が困難な事由と推定される。<br>さらに、請求人Ａは、成年後見人に選任されたことを契機として、本件被相続人と第三者との間で発生した諸問題にも対応することとなった。<br>また、請求人Ａは、お互いに助け合うという観点から、本件宅地について、本件被相続人から無償で使用させてもらっていた。 | ②　これを本件についてみると、請求人Ａは、本件被相続人の日常生活に関する費用である食費、日用品費及び医療費等の支払を本件被相続人名義の預貯金口座から出金して行い、さらに、本件居宅に係る水道、ガス及び電気の使用料金も本件被相続人名義の預金口座から引き落とされており、請求人Ａと本件被相続人は、少なくとも居住費、食費、光熱費その他日常の生活に係る費用の全部又は主要な部分を共通にしていた関係にあったとはいえないから、「生計を一にしていた」とは認められない。 |
| | ③　したがって、請求人Ａと本件被相続人は、日常生活において相手に力を与え助けることを経常的に行っており、日常生活の資を共通にしていたと認められるから、請求人Ａは、本件被相続人と「生計を一にしていた」親族に該当する。<br>筆者注　上記＿＿部分は、筆者が付線したものである。 | ③　請求人Ａが行った本件被相続人の日常生活の支援は、生活の場を別にしている親子間の助け合いであって、必ずしも生計を一にしているかどうかの判断に直接結びつくものとは認められない。<br>筆者注　上記＿＿部分は、筆者が付線したものである。 |
| (2)　本件宅地に本件特例の適用は認められるのか | 上記(1)より、本件宅地は被相続人と生計を一にしていた親族の事業の用に供されていた宅地等とされ、本件特例に規定する特定事業用宅地等に該当することから、本件特例を適用することができる。 | 上記(1)より、本件宅地は被相続人と生計を一にしていた親族の事業の用に供されていた宅地等とされず、本件特例に規定する特定事業用宅地等に該当しないことから、本件特例を適用することはできない。 |

## 〔4〕 国税不服審判所の判断

### (1) 法令解釈等

本件特例は、被相続人等の事業又は居住の用に供されていた宅地のうち、一定面積以下のいわゆる小規模宅地等は、相続人等の生活基盤の維持のために欠くことのできないものであって、相続人等において事業の用又は居住の用を廃してこれを処分することに相当の制約があるのが通常であることに鑑み、相続税の課税上特別の配慮を加えることとしたものであると解される。

かかる趣旨から、措置法第69条の４《小規模宅地等についての相続税の課税価格の計算の特例》第３項第１号ロは、本件特例が適用される「特定事業用宅地等」を、被相続人と「生計を一にしていた」当該被相続人の親族が取得した宅地等に限定しているところ、ここにいう「生計を一にしていた」とは、同一の生活単位に属し、相助けて共同の生活を営み、あるいは日常生活の資を共通にしていたことをいい、また、「生計」とは、暮らしを立てるための手立てであって、通常、日常生活の経済的側面を指すものと解される。

これによれば、被相続人と同居していた親族は、明らかにそれぞれが独立した生活を営んでいると認められる場合を除き、通常は、「生計を一にしていた」と認められるものと考えられるが、他方、被相続人と同居していなかった親族が「生計を一にしていた」と認められるためには、当該親族が被相続人と日常生活の資を共通にしていたと認められることを要し、そのように認められるためには、少なくとも、居住費、食費、光熱費その他日常の生活に係る費用の主要な部分を共通にしていた関係にあったことを要するものと解するのが相当である。

筆者注　上記＿＿部分は、筆者が付線したものである。

### (2) 当てはめ

本件の場合、上記〔1〕(4)のとおり、請求人Ａと本件被相続人は同居しておらず、「生計を一にしていた」と認められるためには、上記(1)のとおり、請求人Ａが本件被相続人と日常生活の資を共通にしていたことを要するところ、請求人Ａは、上記〔1〕(5)及び(6)のとおり、下記に掲げる事項が認められることからすれば、請求人Ａと本件被相続人の間で、居住費、食費、光熱費その他日常の生活に係る費用の主要な部分を共通にしていた関係にはなかったといわざるを得ず、他に日常生活に係る費用の主要な部分を共通にしていたことを示す事実も認められない。

① 本件被相続人に係る食費、訪問介護費、日用品費及び医療費等について、本件被相続人名義の預貯金口座から出金した金銭等により支払っていること

② 本件居宅に係るガス、水道及び電気の使用料金も本件被相続人名義の預金口座から支払われていること

したがって、請求人Ａは、本件被相続人と「生計を一にしていた」親族ではないと認められる。

### ⑶　請求人の主張について

請求人らは、措置法第69条の４《小規模宅地等についての相続税の課税価格の計算の特例》第１項の「生計を一にしていた」の意義とそれと同一の文言を定める国税通則法基本通達第46条関係９《生計を一にする》及び法人税基本通達１－３－４《生計を一にすること》と同一に解すべきとした上で、生計を一にするということは、単に納税者と相手方が生活するための金銭を負担し合う関係にあったかどうかということでなく、納税者と相手方が日常生活において相手に力を与え助けることを経常的に行っていたかどうかに判断基準を置くべきであるところ、請求人Ａは、成年後見人の通常業務のほか本件被相続人及び請求人Ｂの身の回りの世話を行い、さらに、本件宅地を無償で使用させてもらっており、日常生活において相手に力を与え助けることを経常的に行い、生活の資を共通にしていたといえるから、生計を一にしていた親族に該当する旨主張する。

しかしながら、被相続人と同居していないことが明らかな親族がその被相続人と生計を一にしていたか否かについては、上記⑴のとおり判断すべきである。

請求人らが指摘する各通達の記載のうち、国税通則法基本通達第46条関係９は国税通則法第46条《納税の猶予の要件等》第２項第２号の納税の猶予ができる場合の要件に関するものであり、また、法人税基本通達１－３－４は法人税法第２条《定義》第10号及び法人税法施行令第４条《同族関係者の範囲》第１項第５号の同族会社の判定のための同族関係者の範囲に画する基準に関するものであって、いずれも本件特例とはその趣旨（上記⑴）や適用場面を異にするから、それぞれにおける「生計を一」の意義についても直ちに同一に解すべきとは認められない。

したがって、請求人らの主張は採用することができない。

### ⑷　本件宅地に対する本件特例の適用可否

上記⑵のとおり、請求人Ａは本件被相続人と「生計を一にしていた」親族に該当しないから、本件宅地について本件特例を適用することはできない。

### ⑸　本件各更正処分の適法性

上記⑷を前提とする本件宅地について課税価格に算入すべき価額は54,720,809円となり、当該価額に基づき計算した請求人らの課税価格及び納付すべき税額は、いずれも本件各更正処分におけるそれぞれの金額と同額となる。

なお、本件各更正処分のその他の部分については、請求人らは争わず、当審判所に提出された証拠資料等によっても、これを不相当とする理由は認められない。

したがって、本件各更正処分はいずれも適法である。

## 〔5〕 裁決事例から確認する実務における留意点

### (1) 被相続人と生計を一にしていた親族の意義

① 請求人らが主張の拠り所とする通達

請求人らは、「生計を一にしていた」の意義につき、「生計を一にする」ということは、単に納税者と相手方が生活するための金銭を負担し合う関係にあるかどうかということでなく、納税者と相手方が日常生活において相手に力を与え助けることを経常的に行っているかどうかに判断基準を置くべきである（上記〔3〕の争点(1)に係る「請求人ら（納税者）の主張」欄の①の＿＿部分）と主張し、その拠り所として、次に掲げる２つの通達を掲げている。

**資料１　国税通則法基本通達第46条関係９《生計を一にする》**

> この条（筆者注 国税通則法第46条《納税の猶予の要件等》）第２項第２号の「生計を一にする」とは、納税者と(A)有無相助けて(B)日常生活の資を共通にしていることをいい、納税者がその親族と起居を共にしていない場合においても、(C)常に生活費、学資金、療養費等を支出して扶養している場合が含まれる。
> なお、親族が同一の家屋に起居している場合には、明らかに互いに独立した生活を営んでいると認められる場合を除き、これらの親族は生計を一にするものとする。
> 筆者注　上記＿＿部分は、筆者が付線したものである。

**資料２　法人税基本通達１－３－４《生計を一にすること》**

> 令第４条第１項第５号《同族関係者の範囲》に規定する「生計を一にする」ことは、(A)有無相助けて(B)日常生活の資を共通にしていることをいうのであるから、必ずしも同居していることを必要としない。

上記資料１及び資料２に掲げる両通達の定めでは、「有無相助けて」（各資料に掲げる(A)＿＿部分）という文言があり、この点が資料３に掲げる所得税基本通達２－47《生計を一にするの意義》の定めと異なる（同通達には「有無相助けて」という表現は見当たらない）点である。

**資料３　所得税基本通達２－47《生計を一にするの意義》**

> 法に規定する「生計を一にする」とは、必ずしも同一の家屋に起居していることをいうものではないから、次のような場合には、それぞれ次による。
> (1) 勤務、修学、療養等の都合上他の親族と日常の起居を共にしていない親族がいる場合であっても、次に掲げる場合に該当するときは、これらの親族は生計を一にするものとする。
> イ　当該他の親族と日常の起居を共にしていない親族が、勤務、修学等の余暇には当該他の親族のもとで起居を共にすることを常例としている場合
> ロ　これらの親族間において、(C)常に生活費、学資金、療養費等の送金が行われている場合
> (2) 親族が同一の家屋に起居している場合には、明らかに互いに独立した生活を営んでいると認められる場合を除き、これらの親族は生計を一にするものとする。

② 上記通達に対する解釈

これは単なる筆者の推論にすぎないが、請求人ら（納税者）は「有無相助けて」（各

資料に掲げる(A)＿＿部分）という用語を過度に重視してその手段として単なる相手方に対する日常生活のお手伝いさえもこれに含まれると理解したと考えられる。

しかしながら、資料１及び資料２に掲げる両通達においても生計を一にすると認定する要件として、「日常生活の資を共通にしていること」（各資料に掲げる(B)＿＿部分）が挙げられており、このうち「資」とは「もとで（財産）」という意味で使用されていることから金銭等の経済的価値に換算されるものを想定していると考えられる。さらに、これは読み方の問題であるが「有無相助けて」という用語は、その直後の「日常生活の資を共通にしていること」に係る補助的用語であって、当該用語のみでは、単独で独立した意味を有さないとの解釈もあろう。

そして、何よりも課税実務上において重視すべき事項は、本件裁決事例においても上記〔4〕⑴において国税不服審判所がその法令解釈等として相当と判断したとおり、生計を一にしていたと認定されるためには「経済的側面」からの金銭の交流が確認されなければならない（上記資料１及び資料３に掲げる(C)＿＿部分を併せて参照）と明確化されている点（筆者も、当該法令解釈等は相当と理解している）である。

したがって、本件裁決事例において請求人（納税者）が主張しているような次に掲げる事項は、単なる親族間における生活上の相互扶助にすぎないものであり、「生計を一にしていた」の判定に当たっては考慮の対象とされないことに併せて留意する必要がある。

㈠　被相続人の財産管理業務

㈡　被相続人の病院等への付添い、食材の購入・搬入等の身の回りの世話

㈢　被相続人と第三者の間で発生した諸問題への対応

**⑵　本件裁決事例の位置付け**

本件裁決事例（平成30年８月22日裁決、東裁（諸）平30第28号、平成26年相続開始分）は、被相続人と生計を一にしていた親族の特定事業用宅地等に該当するのか否かが争点とされたものである。また、前問５の裁決事例（平成20年６月26日裁決、東裁（諸）平19第219号、平成17年相続開始分）（以下「前問裁決事例」という。）は、被相続人と生計を一にしていた親族の特定居住用宅地等に該当するのか否かが争点とされたものであった。

前問裁決事例の〔4〕⑵部分（すなわち、国税不服審判所における法令解釈等の部分）を再見されたい。同部分中の＿＿部分において、国税不服審判所は次の３点につき明確な解釈基準を示している。

①　「生計を一にしていた」の意義

②　「生計」の意義

③　被相続人と別居していた親族が「生計を一にしていた」と認定されるための要件

そして、上記の３点が、ほぼ100％そのまま、本件裁決事例における原処分庁（課税庁）の主張及び国税不服審判所の判断において援用されている（この点につき、上記〔3〕の争点⑴に係る「原処分庁（課税庁）の主張」欄の①の＿＿部分及び〔4〕⑴の＿＿部分を参照）。

すなわち、本件裁決事例は、前問裁決事例の法令解釈等を踏襲したものといえる。

## 7　被相続人の居住用宅地等に該当するか否かについて、『居住用建物の建築中』の意義が争点とされた事例

**検討裁判例（判例）**　①　東京地方裁判所（平成８年３月22日判決、平成６年（行ウ）第339号）

②　東京高等裁判所（平成９年２月26日判決、平成８年（行コ）第36号）〔上記①の控訴審判決〕

③　最高裁判所第一小法廷（平成10年６月25日判決、平成９年（行ツ）第130号）〔上記②の上告審判決〕

（注）相続開始年分は、平成３年です。

### 〔1〕　事案の概要・基礎事実

(1)　本件は、相続開始時点において自己及び相続人の居住の用に供する建物を建築するためその請負契約を締結していたが、当該建物の建築工事に実際に着手したのは相続開始の日から２か月以上経過した後であり、相続開始時点においては当該建物の建築確認の申請も建築工事の着手もされておらず、更地の状態にあった本件宅地に対して居住用小規模宅地等の課税特例の適用の可否が争点とされた事例である。

(2)　被相続人は、平成３年５月25日死亡し、その子である原告Ａ及び原告Ｂが被相続人の遺産を相続した（以下「本件相続」という。）。

(3)　本件相続に係る相続税（以下「本件相続税」という。）につき、原告Ａ及び原告Ｂは、それぞれ、確定申告及び修正申告をした。

上記の各申告は、いずれも相続財産である東京都○○市○○○○２丁目16番２　宅地217.12㎡（以下「本件宅地」という。）について小規模宅地等についての相続税の課税価格の計算の特例（以下「本件特例」という。）を適用し、本件相続税の課税価格を計算して行われた。

(4)　これに対し、被告は、本件宅地が居住の用に供されていた宅地（以下「居住用宅地」という。）に該当しないとして本件特例の適用を否認し、原告らに対して課税処分（相続税の更正処分）をした。

(5)　本件宅地を購入した経緯及びその後の利用状況

①　被相続人は、旧自宅敷地上の老朽化した住宅を建て替えることにし、これを取り壊してアパートに仮住まいをしていたが、前立腺癌のために入院することとなり、その入院中に妻の亡○○○（以下「亡妻」という。）が死亡したことから、旧自宅敷地上の新居の建築を取り止め、東京都○○市で歯科医を開業していた二男の原告Ａ一家と暮らすことを決意し、自己及び原告Ａ一家が同居できる住宅を建築するつもりで、宅地造成済みの本件宅地を購入したものである。

②　被相続人は、病気で入院中の平成３年４月26日、その所有に係る東京都○○○区○○

２丁目1306番29外３筆の自宅敷地（以下「旧自宅敷地」という。）を売却したうえ、住宅建築用地として本件宅地を購入し、同年５月６日、○○○○株式会社（以下「建築業者」という。）に対し、申込金10万円を支払って建築工事の申込みを行い、同年５月21日には仮契約金等として206万円（印紙代２万円を含む。）を同社に支払った。

被相続人及び原告Ａは、平成３年５月23日、建築業者との間において、本件宅地上に木造２階建の住宅（以下「本件建物」という。）を建築する工事請負契約を締結したが、被相続人は同月25日死亡した。

建築業者は、平成３年８月11日、本件建物の建築に着工し、原告Ａは建築業者に対し、同年９月10日着工金として1,000万円を、平成４年２月10日完成金として3,224万1,332円をそれぞれ支払い、同月13日本件建築物の引渡しを受け、同月27日妻子とともに本件建物に入居した。

## 〔2〕 事案のポイント・争点

⑴　課税時期において居住用建物の建築工事請負契約は締結されていたが、実際の建築工事に未着手であった本件宅地について、『居住用建物の建築中』の敷地であるとして本件特例の適用が認められるのか。

⑵　上記⑴を判断するに当たって（換言すれば、課税要件を充足するか否かの判断に際して）、小規模宅地等の課税特例規定の創設趣旨（処分に相当の制約があると認められる宅地等に対する相続税の課税価格の計算上の減額配慮）を考慮する必要があるのか。

## 〔3〕 争点に対する双方の主張

| 争　点 | 原告（納税者）の主張 | 被告（課税庁）の主張 |
|---|---|---|
| ⑴『居住用建物の建築中』の意義とその判断基準 | 前記〔1〕⑸に掲げる本件宅地のように、相続開始の直前において、未だ土地上に建物が建築されてはいないものの、既に被相続人が当該土地に居住用建物を建築するための工事請負契約を締結し、建築の準備行為が進んでおり、当該土地が居住用建物の敷地として使用されることが客観的に明らかである場合には、当該土地の交換価値が顕在化することはありえないのであるから、当該宅地について本件特例を適用すべきである。<br>現に、居住用建物の建築中にその敷地の相続が開始された場合に本件特例の適用を認めるとする通達も存在するのであ | 居住用宅地かどうかの判定を相続開始直前の一時点だけで行うことは、本件特例の制度が設けられている趣旨に必ずしも合致したものとはいえないことから、措置法通達69の３－７の通達（以下「本件通達」という。）（筆者注）は、相続開始時において、居住用建物が建築中であって、当該建物を相続した者が相続税の申告書の提出期限までに当該建物を居住の用に供しているとき、あるいは当該建物の完成後速やかに居住の用に供することが確実であると認められるときは、その敷地を居住用宅地に当たるものとして取り扱うとしているが、本件宅地は、 |

| | | |
|---|---|---|
| | り、本件宅地について本件特例の適用を拒む理由は何もないというべきである。 | 本件相続開始直前において被相続人の居宅の建築予定地であったにすぎず、このような居住用の敷地として物理的に使用されていない更地の場合にまで本件特例を適用することはできない。<br>筆者注　現行では、措置法通達69の４－８《居住用建物の建築中等に相続が開始した場合》に該当する。 |
| (2)　課税要件の充足を判断するに当たって規定の創設趣旨を考慮する必要性 | 本件特例は、急激な地価の上昇という社会的な背景に加え、相続宅地が居住用であってこれを容易に処分できず、殊に、相続人が引き続いてこれを居住用に使用し続けなければならない場合には、相続時の交換価値が顕在化することがありえないにもかかわらず、交換価値の金額を基礎として相続税の課税価格の計算がされると、相続人が担税力をはるかに超える苛酷な税負担を強いられるおそれがあることから、居住に必要な200㎡までの宅地につき相続税の負担を軽減するために設けられたものである。<br>本件特例の創設趣旨に照らせば、本件宅地は居住用宅地に該当し、本件特例の適用が認められるべきである。 | 注　この争点に関しては、判決文には被告（課税庁）の具体的な主張は明記されていないが、本件特例のような租税優遇措置の適用については納税者間の公平の観点から租税法の基礎理念としての法律解釈である文理解釈が求められ、本件特例規定の創設趣旨を過度にしんしゃく配慮して、その解釈に拡張解釈が行われることは不当であり容認されないと主張したものと推定される。 |

## 〔４〕　裁判所の判断

### (1)　認定事実

①　被相続人は、旧自宅敷地上の老朽化した建物（歯科診療所兼居宅）の建替えを計画していたが、平成２年６月体調を崩して入院し、さらに同年10月には妻に先立たれたことから、前記計画を取り止め、原告Ａと話し合ったうえ、原告Ａが歯科医を開業している東京都○○市に住宅を新築して原告Ａ一家と同居することとし、旧自宅敷地の売却及び○○市内の適当な宅地の購入を原告Ａに委ね、平成３年４月26日、旧自宅敷地を売却するとともに、住宅建設用地として宅地造成が完了していた分譲住宅地である本件宅地を１億9,157万5,000円（仲介手数料を含む。）で購入した。

なお、旧自宅敷地を売却した時点では、老朽化した被相続人の自宅は既に取り壊されており、旧自宅敷地は更地であった。

②　被相続人及び原告Ａは、平成３年５月23日、建築業者との間において、本件建物の工

事請負契約（代金4,599万9,800円）を締結したが、その時点では、既に建築申込金など214万円（ほかに印紙代２万円）が支払われていたものの、建築図面としては「○」という銘柄の住宅の標準仕様による100分の１の平面図や立面図が作成されているだけで、50分の１の図面は未だ作成されていなかった。前記契約時点での予定では、建築確認申請を同年５月30日に行い、同年８月15日に着工ということであったが、実際には、被相続人が同年５月25日に死亡した後、同年７月11日に本件建物の建築確認の申請がされ、同年８月７日に建築確認があり、同年11日に本件建物の建築工事が着手された。したがって、本件宅地は、被相続人の死亡時において更地であり、その約２か月半後に建築工事が着工されるまで、具体的な利用はされていなかった。

③　原告Ａは、建築業者に対し、平成３年９月10日に着工金1,000万円、平成４年２月10日に完成金として3,224万1,332円を支払い、同月13日本件建物の引渡しを受け、同月27日妻子とともに本件建物に入居した。なお、本件相続税の申告期限は平成３年11月25日であった。

④　本件通達によれば、被相続人等の居住の用に供されると認められる建物の建築中に、相続が開始した場合において、当該建築中の建物を相続により取得した者が、当該相続に係る相続税の申告書の提出期限までに当該建物を居住の用に供しているときは、当該建物の敷地に供されていた宅地等は、居住用宅地に当たるものとして取り扱うものとし、また、相続税の申告書の提出期限までに当該建物を居住の用に供していない場合であっても、それが当該建物の規模等からみて建築に相当の期間を要するため建物が完成していないことによるものであるときは、当該建物の完成後速やかに居住の用に供されることが確実であると認められるときに限り、当該建物の敷地の用に供されていた宅地等は、居住用宅地に当たるものとして取り扱うものとされている。

**⑵　『居住の用に供されていた宅地等』の意義（原則的な取扱い）**

本件特例は、個人が相続又は遺贈により取得した財産のうちに、相続開始の直前において、被相続人等の事業の用又は居住の用に供されていた宅地等がある場合には、そのうち200㎡までの部分について、相続税の課税価格に算入すべき価額の計算上、一定の割合を減額するというものであるが、これは、事業又は居住の用に供されていた小規模な宅地等については、一般にそれが相続人等の生活基盤の維持のために欠くことのできないものであって、相続人において事業又は居住の用を廃してこれを処分することに相当の制約があるのが通常であることから、相続税の課税上特別の配慮を加えることとしたものということができる。

ところで、本件特例の適用要件として「居住の用に供されていた宅地等で……建物若しくは構築物の敷地の用に供されているもの」と規定していることからすれば、本件特例が適用される居住用宅地は、相続開始直前において、被相続人等が現に居住の用に供していた宅地を意味し、通常は、当該土地を敷地とする建物が現に存在しこれを居住用として使用している場合がこれに当たるといえる。

### ⑶　本件通達の合理性と実務上の解釈基準（上記⑵に対する特例的な取扱い）

①　上記⑵に掲げる解釈基準が原則論として相当性を有するものの、建物の建築にはある程度の期間が必要であり、居住用建物の建築途中で偶然に土地所有者につき相続が開始することもありうることを考えると、相続開始当時、未だ建物が完成していないとしても、その土地上で既に居住用建物の建築工事が行われており、居住用建物の敷地としての土地の使用が具体化ないし現実化しているとみることができるような場合についてまで、本件特例の適用を否定することは必ずしも当を得た解釈ということはできない。その意味で、相続開始時には建築途上にあった居住用建物の敷地を一定の条件のもとで居住用宅地として扱うものとした本件通達は、本件特例の解釈としてそれなりの合理性を有しているということができる。

②　本件通達が合理性を有するものとして、建築中の居住用建物の敷地を居住用宅地として扱うのは、居住用建物が建築中であることにより、当該土地について、既に居住用建物の敷地としての使用が具体化ないし現実化しているとみることができることによるものというべきであるから、そのためには少なくとも相続開始時に当該土地上において現実に居住用建物の建築工事が着手され、当該土地が居住用建物の敷地として使用されることが外形的・客観的に明らかになっている状態にあるといえることが必要であると解すべきであり、相続開始時において、単に当該土地上に居住用建物を建築する計画があるとか、居住用建物の建築請負契約を締結しているというだけで、現実には未だその建築工事に着手していない場合には、その土地は単なる建築予定地でしかなく（居住用建物の敷地としての土地の使用が未だ具体化ないし現実化しているということができない。）、これを居住用宅地として扱うことはできないというべきである。

### ⑷　本件通達を本件宅地に適用することの可否

これを本件についてみるに、前記に認定したところからすれば、本件相続開始の時点において、被相続人は、自己及び原告Aの居住の用に供する本件建物を本件宅地上に建築するため、その請負契約を締結していたが、未だ本件建物の建築確認の申請も建築工事の着手もされておらず（本件建物の建築工事に着手したのは相続開始の日から２か月以上経過した後である。）、本件宅地は更地の状態にあったものであるから、本件宅地が居住用宅地に該当しないことは明らかである。

### ⑸　本件特例の適用要件を拡張解釈することの可否

原告らは、建築工事に着手していなくても、工事請負契約を締結し居住用建物の敷地として使用されることが客観的に明らかである場合には、当該土地の交換価値が顕在化することはありえないのであるから、そのような土地も居住用宅地に該当するというべきである旨主張するが、一般に、租税法規についてその規定の文言を離れてみだりに拡張解釈することは、租税法律主義の見地に照らし相当でなく、殊に本件特例のような例外的な措置として定められた規定の解釈は、租税負担の公平の観点からも厳格に行われるべきであるところ、相続開始時において、その土地上に居住用建物の建築計画があることや建築請負契約を締結しているだけで、未だ建物の建築工事すら着手されておらず更地のまま具体的に使用されていない土地についてまで、本件特例の適用要件である「居住の用に供されていた宅地等で……建物若しくは構築物の敷地の用に供されているもの」に当たると解することは、その規定の文言に照らし困難であるといわざるをえず、原告らの主張は採用することができない。

（注）　上記に掲げる東京地裁の判断は、その後の控訴審及び上告審においても支持されている。

## 〔5〕　裁判例（判例）から確認する実務における留意点

### ⑴　実務上における『居住用建物の建築中』の意義とその解釈基準

本件判決について、前記〔4〕⑴に掲げる認定事実を時間的経過に即してまとめると下記のとおりになる。

本件の時間的経過

平成２年６月　　……被相続人は体調を崩して入院

平成２年10月　　……• 被相続人の妻に相続開始

• 被相続人は東京都○○○区における自宅新築（建替）工事を断念して、原告Ａ（被相続人の子）と同居することを決意

平成３年４月26日……• 東京都○○○区所在の旧自宅敷地を売却

• 東京都○○市に、原告Ａと同居するために新築する居住用建物の敷地の用に供する宅地（本件宅地）を購入

平成３年５月23日……住宅建築業者との間で工事請負契約（代金45,999,800円）を締結

（当初予定）平成３年５月30日⇒建築確認の申請

平成３年８月15日⇒建築工事に着工

**平成３年５月25日……被相続人に相続開始**

平成３年７月11日……建築確認の申請

平成３年８月７日……建築確認

平成３年８月11日……建築工事に着工

平成３年９月10日……原告Ａは、住宅建築業者に対し、着工金10,000,000円を支払い

**平成３年11月25日……被相続人に係る相続税の申告期限**

（注）　平成３年当時の相続税の申告期限は、相続開始があったことを知った日の翌日から６か月を経過した日と規定されていた。

平成４年２月10日……原告Ａは、住宅建築業者に対し、完成金32,241,332円を支払い

平成４年２月13日……原告Ａは、住宅建築業者より建物の引渡しを受ける。

平成４年２月27日……原告Ａは、妻子とともに建物に入居

### ①　本件通達の内容等

本件判決でその適用の可否が争点とされた本件通達（現行では、措置法通達69の４－８《居住用建物の建築中等に相続が開始した場合》）の内容及びその取扱い上の留意点をまとめると下記のとおりになる。

参考資料

**措置法通達69の４－８《居住用建物の建築中等に相続が開始した場合》**

被相続人等の居住の用に供されると認められる建物（被相続人又は被相続人の親族の所有に係るものに限る。）の建築中に、又は当該建物の取得後被相続人等が居住の用に供する前に被相続人について相続が開始した場合には、当該建物の敷地の用に供されていた宅地等が居住用宅地等に当たるかどうか及び居住用宅地等の部分については、69の４－５《事業用建物等の建築中等に相続が開始した場合》に準じて取り扱う。

(注)　上記の取扱いは、相続の開始の直前において被相続人等が自己の居住の用に供している建物（被相続人等の居住の用に供されると認められる建物の建築中等に限り一時的に居住の用に供していたにすぎないと認められる建物を除く。）を所有していなかった場合に限り適用があるのであるから留意する。

**措置法通達69の４－５《事業用建物等の建築中等に相続が開始した場合》**

被相続人等の事業の用に供されている建物等の移転又は建替えのため当該建物等を取り壊し、又は譲渡し、これらの建物等に代わるべき建物等（被相続人又は被相続人の親族の所有に係るものに限る。）の建築中に、又は当該建物等の取得後被相続人等が事業の用に供する前に被相続人について相続が開始した場合で、当該相続開始直前において当該被相続人等の当該建物等に係る事業の準備行為の状況からみて当該建物等を速やかにその事業の用に供することが確実であったと認められるときは、当該建物等の敷地の用に供されていた宅地等は、事業用宅地等に該当するものとして取り扱う。

なお、当該被相続人と生計を一にしていたその被相続人の親族又は当該建物等若しくは当該建物等の敷地の用に供されていた宅地等を相続若しくは遺贈により取得した当該被相続人の親族が、当該建物等を相続税の申告期限までに事業の用に供しているとき（申告期限において当該建物等を事業の用に供していない場合であっても、それが当該建物等の規模等からみて建築に相当の期間を要することによるものであるときは、当該建物等の完成後速やかに事業の用に供することが確実であると認められるときを含む。）は、当該相続開始直前において当該被相続人等が当該建物等を速やかにその事業の用に供することが確実であったものとして差し支えない。

(注)　当該建築中又は取得に係る建物等のうちに被相続人等の事業の用に供されると認められる部分以外の部分があるときは、事業用宅地等の部分は、当該建物等の敷地のうち被相続人等の事業の用に供されると認められる当該建物等の部分に対応する部分に限られる。

## まとめ　居住用建物の建築中等に相続が開始した場合の具体的な取扱い

居住用建物等の建築中等に被相続人に係る相続が開始した場合には、当該建築中等の建物等の敷地の用に供されている宅地等が、被相続人等の居住の用に供されていた宅地等に該当するか否かの判定は、次に掲げる基準（形式基準又は実質基準）のいずれかを充足するか否かにより判定される。

⑴　**形式基準（被相続人に代って一定の親族が居住供用する場合）**

①　居住供用期限

（原則）相続税の申告書の提出期限まで

（特則）相続税の申告期限までに当該建物等を居住の用に供していない場合の特則

建物等の規模等から判定して建築に相当の期間を要するための建物が完成していない場合や、法令の規制等により建築工事が遅延している場合等には、当該建物の完成後速やかに居住の用に供することが確実であると認められるときに限り居住用宅地等に該当するものとして取り扱われる。

②　居住供用者

イ．当該被相続人と生計を一にしていたその被相続人の親族

ロ．当該建物等若しくは当該建物等の敷地の用に供されていた宅地等を相続若しくは遺贈により取得した当該被相続人の親族（生計別の親族は当該建物等又は宅地等の取得が要件とされる。）

⑵　**実質基準（相続開始直前における居住継続性を基に判断する場合）**

相続開始直前において当該被相続人等の当該建物等に係る居住の準備行為の状況からみて当該建物等を速やかにその居住の用に供することが確実であったと認められるときは、当該建物等の敷地の用に供されていた宅地等は、居住用宅地等に該当するものとして取り扱われる。

（注）　この実質基準による取扱いでは、相続開始直前における被相続人等に係る居住継続の意思が確実であっこたとが確認できれば居住用宅地等として取り扱われ、その後における状況（例えば、相続開始後における相続人等の事情により又は不可抗力により居住が再開されなかった場合等）は、この判断に影響を与えないものとされるので留意する必要がある。

⑶　**措置法通達適用上の留意点**

①　建築中の建物の所有権予定者

被相続人又は被相続人の親族（㊟被相続人との生計一又は生計別を問いません。）の所有に係るものに限られる。

②　建築中又は取得に係る建物等のうちに被相続人等の居住の用に供されると認められる部分以外の部分があるときの特例配慮規定

上記に掲げる取扱いについては、当該建築中又は取得に係る建物等のうち被相続人等の居住の用に供されると認められる部分以外の部分があるときは、居住用宅地等の部分は、当該建物等の敷地のうち被相続人等の居住の用に供されると認められる当該建物等の部分に対応する部分に限られることになる。

③　別途の被相続人等に係る自己の居住用家屋の未保有要件

本通達の取扱いは、相続の開始の直前において現に被相続人等が居住の用に供していた建物（被相続人等が居住の用に供するための建物の建築中だけの仮住いである建物その他一時的な目的で入居していたと認められる建物を除く。）を所有していた場合には、当該建築中等の建物等の敷地の用に供されている宅地等についてはその適用がないこととされている。

本件通達は、居住用建物の建築中に相続開始があった場合においても、一定要件を充足する当該建築中の建物の敷地の用に供されていた宅地等は、被相続人等の居住用宅地等に該当するという納税者に有利な拡張解釈が示された公的解釈（執行通達）という位置付けにある。

本件通達は、小規模宅地等の課税特例の規定の創設趣旨から判断すると、措置法に規定する硬直的な取扱い（注）のみに固執することには合理性を有し難いとの異論も想定されるところであり、納税者有利となる公的解釈が示されたものとして相当の妥当性が認められるものと考えられる。

（注）　措置法第69条の４《小規模宅地等についての相続税の課税価格の計算の特例》第１項の規定では、「個人が相続又は遺贈により取得した財産のうちに、当該相続の開始の直前において、被相続人等の居住の用に供されていた宅地等で一定の建物又は構築物の敷地の用に供されているものがある場合（以下（略））」（㊟居住の用に関する部分のみを抜粋）と明記されており、小規模宅地等の課税特例の適用対象とされる居住用宅地等に該当するためには、相続開始直前において、現実に被相続人等の居住の用に供していた宅地等であること（上記＿＿部分）が適用要件となっているものと考えられる。

上記に掲げる適用要件を唯一無二のものとして絶対視した場合には、被相続人等の居宅を相続開始の直前において建築中である事案については、当該建築中の家屋の敷地の用に供されていた宅地等は現実に被相続人等の居住の用に供していた宅地等には該当しないこととなり、小規模宅地等の課税特例の適用が受けられないこととなる。

### ②　『建築中』の実務解釈と本件判決の相当性

ただし、措置法通達69の４－８《居住用建物の建築中等に相続が開始した場合》（現行）の取扱いの適用を受ける場合においても、同通達に規定する『居住用建物の建築中』（①の 参考資料 の同通達中に＿＿で示す部分）の『建築中』という用語について、これを具体的に定義したものを法令（規則を含む。）及び通達等に求めることはできない。

そうすると、当該『建築中』の解釈については、通常の一般的な理解に基づくことになると考えられるが、原則的に、建物の建築中の解釈概念として、当該建築予定の建物の敷地に対して、当該建築予定の建物と直接的一体性を有することとなる物理的な作業がなされていることが必要であり、この『物理的な作業』とは、通常、『鍬入式』を指すものと解するのが相当であると考えられる。

上記の解釈に関しては、「小規模宅地等の相続税の課税特例の適用対象とされる居住用宅地等に該当するというためには、相続開始時において居住用建物の敷地としての土地の使用が具体化ないし現実化していることが必要であり、そのためには少なくともその土地上において現実に居住用建物の建築工事が着手されていることが必要であり、被相続人の居住用建物の建築計画があることや建築請負契約が締結されているだけでは足りないと判断すべきである。」（本件判決）として、その意義及び実務上の解釈基準を明確にしたものとして注視すべき裁判例（判例）であると考えられる。

### ⑵　課税要件の充足を判断するに当たって規定の創設趣旨を考慮することの可否（文理解釈と論理解釈、拡張解釈を行うことの可否）

本件判決において、「建築工事に着手していなくても、工事請負契約を締結し居住用建物の敷地として使用されることが客観的に明らかである場合には、当該土地の交換価値が顕在化することはありえないのであるから、そのような土地も居住用宅地に該当するというべきである。」と原告が主張していることに対して、「一般に、租税法規についてその規定の文言を離れてみだりに拡張解釈することは、租税法律主義の見地に照らし相当でなく、殊に本件特例のような例外的な措置として定められた規定の解釈は、租税負担の公平の観点からも厳格に行われるべきである。」として、原告の主張を棄却している。

すなわち、租税法律主義における法律解釈について、そのなかでも特に、措置法等に規定する課税特例規定の適用については当該規定の適用要件に厳格に従って、無闇な拡張解釈はこれを厳重に慎まなければならないとされていることに留意する必要がある。

(注)　法律解釈（文理解釈、論理解釈）、租税法における拡張解釈の可否等については、2の〔5〕⑵を参照していただきたい。

## 8　被相続人等の居住用宅地が土地区画整理事業施行中により使用収益が禁止されている場合に小規模宅地等の課税特例の適用の可否が争点とされた事例

**検討裁判例（判例）**　①　福岡地方裁判所（平成16年１月20日判決、平成14年（行ウ）第26号）

②　福岡高等裁判所（平成16年11月26日判決、平成16年（行コ）第７号）〔上記①の控訴審判決〕

③　最高裁判所第三小法廷（平成19年１月23日判決、平成17年（行ヒ）第91号）〔上記②の上告審判決〕

④　福岡高等裁判所（平成19年７月19日判決、平成19年（行コ）第６号）〔上記③の差戻後控訴審判決〕

（注）相続開始年分は、平成10年です。

### 〔１〕　事案の概要・前提事実

(1)　本件は、相続財産である土地（相続開始前には被相続人の居住用宅地等に該当していたが、土地区画整理事業の施行に伴い、仮換地指定〔ただし、仮換地については課税時期において使用収益が不可〕がなされ、従前地上の建物は取り壊され更地となっていた。）について、居住用小規模宅地等の課税特例の適用の可否が争点とされた事例である。

(2)　当事者及び土地の所有関係

①　原告ら（原告Ｘ及び原告Ｙ）は、昭和51年７月12日、Ａ（明治39年生まれ、昭和63年２月６日死亡）、Ｂ（明治41年生まれ、平成10年10月18日死亡）夫婦と養子縁組をした夫婦であり、Ｂの共同相続人である。

②　Ｂは、昭和63年２月６日、相続により、下記記載の２筆の土地（以下、それぞれ「甲土地」、「乙土地」といい、両者を総称して「本件土地」という。）及び甲土地上の建物（以下「甲建物」という。）を取得した。

所　　在　　福岡市○区○○
地　　番　　○○番
地　　目　　宅地
地　　積　　552.46㎡
所　　在　　福岡市○区○○
地　　番　　○○番
地　　目　　宅地
地　　積　　68.53㎡

原告Ｘは、乙土地上の建物（以下「乙建物」という。）を昭和57年４月14日に新築して、所有していた。

③　平成９年３月ころ、Ｂは、義理の妹（原告Ｘの実母）であるＣとともに甲建物に居住し、原告らは、乙建物に居住していた。

⑶　本件仮換地の指定等

①　福岡都市計画事業○○土地区画整理事業（以下「本件事業」という。）の施行者である福岡市は、本件事業施行地区内にある本件土地の所有者Ｂに対し、土地区画整理法に基づき、平成９年３月18日付けで、下記に掲げる事項等を通知した。

㈠　本件土地の仮換地を福岡市○区○○街区の土地523㎡（以下「本件仮換地」という。）に指定すること

㈡　仮換地指定の効力発生の日は平成９年３月19日であること

㈢　仮換地指定の効力発生の日から本件土地については使用収益することができないこと

㈣　別に定めて通知する『仮換地について使用または収益を開始することができる日』までは、本件仮換地を使用収益することができないこと

②　Ｂ及び原告Ｘは、平成９年６月４日付けで、福岡市との間で、平成９年12月30日までに本件土地に存する物件の全てを本件事業の支障にならないように移転又は除去するなどの内容の物件移転等補償契約を締結した。

③　Ｂは、前記①の仮換地指定通知に伴い、平成９年11月７日付けで、福岡市に対し、『仮設住宅等使用願』を提出し、同年11月18日ころ、甲建物から仮設住宅である福岡市○区○○～301号にＣと共に転居し、原告らも同じころ、乙建物からＢの転居先と同じ仮設住宅の隣室である302号に転居した。

④　甲建物及び乙建物は、平成９年12月18日ころ、取り壊された。

⑤　Ｂは、平成10年10月18日死亡した。本件土地は、原告Ｘが相続した。

⑥　福岡市は、原告Ｘに対し、土地区画整理法に基づき、平成12年３月27日付けで、本件仮換地について使用または収益を開始することができる日を平成12年４月１日と定める旨通知した。

⑦　原告らは、平成12年５月21日、株式会社丙工務店との間で、本件仮換地上の建物（以下「本件ビル」という。）の新築工事にかかる請負契約を締結した。

⑧　本件ビルの新築工事は、平成12年６月５日に着工され、原告らは、平成13年３月20日に本件ビルの引渡しを受け（不動産登記簿上は平成13年３月22日新築）、同月27日、本件ビルに入居した。

上記(2)及び(3)に掲げる事実関係及び経過状況をまとめると、下記のとおりになる。

［推定される親族関係図］

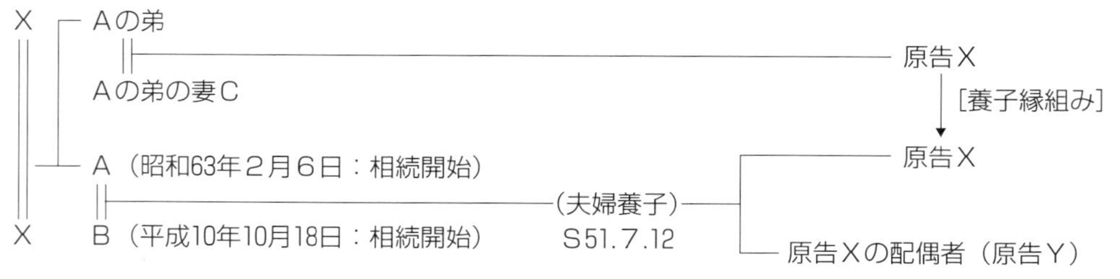


［不動産の利用状況］平成９年３月ころの状況

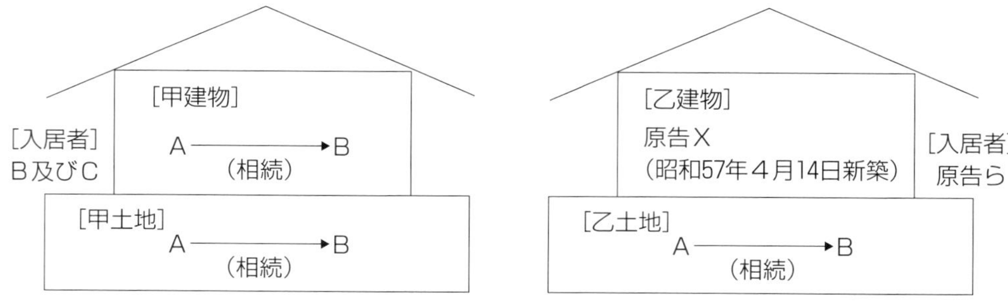

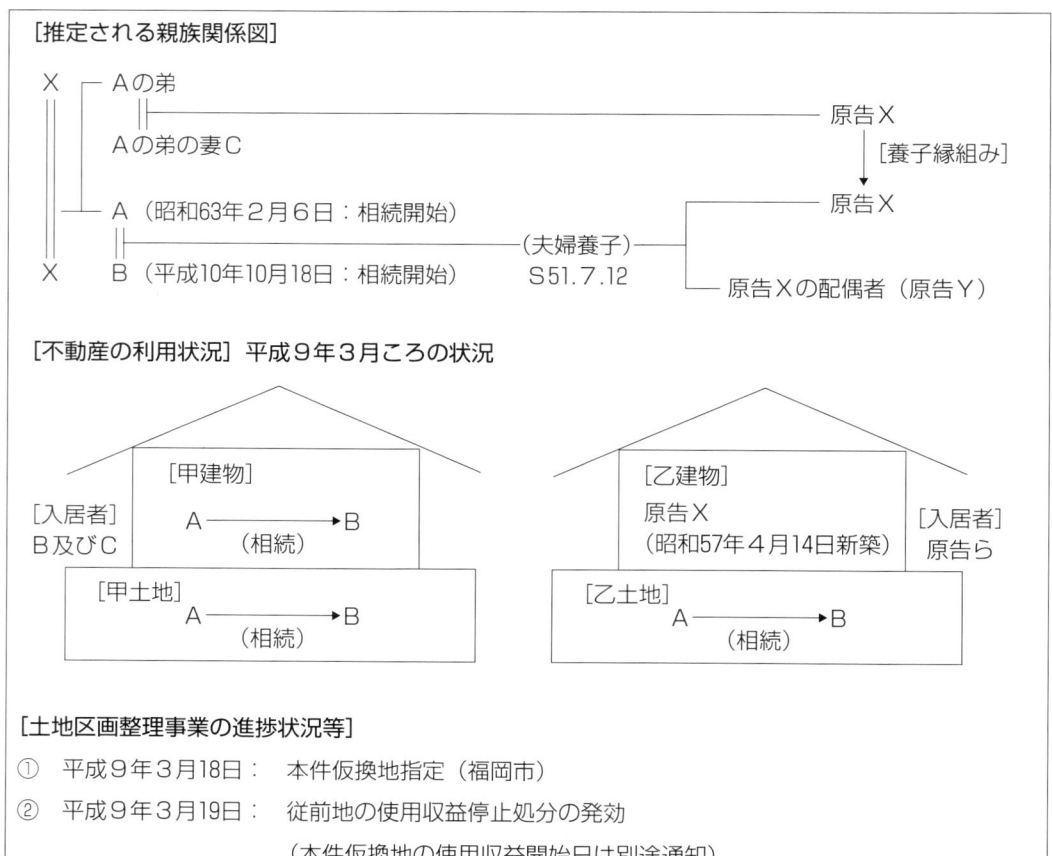

［土地区画整理事業の進捗状況等］

① 平成９年３月18日：　本件仮換地指定（福岡市）

② 平成９年３月19日：　従前地の使用収益停止処分の発効
（本件仮換地の使用収益開始日は別途通知）

③ 平成９年６月４日：　福岡市との間で『物件移転等補償契約』を締結
（物件の移転又は除去期限：平成９年12月30日）

④ 平成９年11月７日：　福岡市に対して、『仮設住宅等使用願』を提出

⑤ 平成９年11月18日頃：仮設住宅に転居

⑥ 平成９年12月18日頃：本件建物は取り壊され、本件土地は更地化

⑦ 平成10年10月18日：　『被相続人B』に相続開始

⑧ 平成12年３月27日：　福岡市は本件仮換地の使用収益開始日（平成12年４月１日）を原告Xに通知

⑨ 平成12年５月21日：　原告らは建築請負業者との間で、本件土地上に建築される本件ビルの工事請負契約を締結

⑩ 平成12年６月５日：　本件ビルの新築工事着工

⑪ 平成13年３月20日：　原告らは本件ビルの引渡しを受ける。

⑫ 平成13年３月27日：　原告らは本件ビルに入居

(4)　課税の経過等

①　原告らは、法定申告期限内である平成11年８月11日、本件土地につき小規模宅地等の課税特例の規定を適用して、相続税の申告書を被告に提出した。

②　被告は、原告らに対する相続税の調査の結果、原告らに対して、本件土地ないし本件仮換地について小規模宅地等の課税特例の適用が認められないとして修正申告の慫慂を行ったが受け入れられなかったため、平成12年６月30日付けで、更正処分を行った。

## 〔2〕　事案のポイント・争点

本件は、原告Ｘが相続により取得した土地（本件仮換地の従前地である本件土地）が小規模宅地等の課税特例に規定する『特定居住用宅地等』に該当するか否かが争われたものであるが、具体的には下記の２点が争点となる。

(1)　本件土地が『被相続人等の居住の用に供されていた宅地等』といえるか否か。すなわち、本件土地が『被相続人等の居住の用に供されていた宅地等』に該当する根拠として、措置法通達69の３－２《事業用建物等の建築中等に相続が開始した場合》（筆者注１）を準用している同通達69の３－５《居住用建物の建築中等に相続が開始した場合》（以下「本件通達」という。概要は下記のとおり）（筆者注２）の取扱いを拡張的に解釈して本件事案に適用すべきであるという主張は相当であるのか否か。

概要　被相続人等の居住の用に供されると認められる建物の建築中に相続が開始した場合において、建築中の当該建物を相続により取得した者が、当該相続に係る相続税の申告書の提出期限までに当該建物を居住の用に供しているときは、当該建物の敷地に供されていた宅地等は、居住用宅地等に当たるものとして取り扱うものとし、また、相続税の申告書の提出期限において当該建物を居住の用に供していない場合であっても、それが当該建物の規模等から見て建築に相当の期間を要するため建物が完成していないことによるものであるときは、当該建物の完成後速やかに居住の用に供されることが確実であると認められるときに限り、当該建物の敷地の用に供されていた宅地等は、居住用宅地等に当たるものとして扱うものとされている。

筆者注１　現行では、措置法通達69の４－５《事業用建物等の建築中等に相続が開始した場合》に該当する。

筆者注２　現行では、措置法通達69の４－８《居住用建物の建築中等に相続が開始した場合》に該当する。

(2)　原告らが『被相続人と生計を一にしていた親族』に当たるか否か。

## 〔3〕争点に対する双方の主張

| 争点 | 原告（納税者）の主張 | 被告（課税庁）の主張 |
|---|---|---|
| (1)　本件土地が『被相続人等の居住の用に供されていた宅地等』に該当するか否かの判断 | ①　租税法規の解釈基準<br>租税法規は合法性の原則から、私人間の利害関係を調整するための民法等に比べると文理解釈の要請が強いといえるが、罪刑法定主義の支配する刑法に比べるとより自由な解釈が可能であるというべきである。本件特例が定められた立法趣旨及び目的にしたがって、本件通達が目的論的拡張解釈をしていることからもそれは明らかである。 | ①　租税法規の解釈基準<br>小規模宅地等の相続税の課税特例の規定の文言に照らせば、本件特例が適用される居住用宅地等は、相続開始直前において、被相続人等が現に居住の用に供していた宅地を意味し、通常は、当該土地を敷地とする建物が現に存在し、これを居住用として使用している場合をいう。租税法規は、みだりな拡張解釈が許されるものではない。 |
| | ②　本件事案に対する本件通達の適用について<br>(ア)　本件事案は、本件通達が認める要件に比して本件特例を適用して原告らを救済すべき必要性が強い次のような事情がある。<br>㋐　通達の要件においては、居住用の建物が相続開始時に建築中であってもよく、その時点までに建物が既に存在していたことは必要ではないが、本件事案においては、甲乙土地上にはもともと居住用の建物である甲乙建物が存在し、これらにＢと原告らとが現実に居住していた。<br>㋑　Ｂと原告らが甲乙建物から退去、取り壊したのは、自己の都合ではなく、福岡市が施行する土地区画整理事業に協力するためであった。<br>㋒　仮換地の指定後、本件仮換地の使用収益が禁止されていなければ、Ｂと原告Ｘは、かねてからの希望どおり、本件仮換地上に居住用建物として本件ビルを直ちに建築し、本件相続開始時には、本件ビルに居住していたはずであり、また、仮に建築の開始が若干遅れたとしても本件ビルが建築中であったはずであって、当 | ②　本件事案に対する本件通達の適用について<br>(ア)　本件通達は、建物の建築には相当の期間が必要であり、居住用建物の建築途中で土地所有者につき相続が開始することもあり得ることから、小規模宅地等の相続税の課税特例の規定の文理の合理的な解釈として、相続開始当時、未だ建物が完成していないとしても、その土地上で既に居住用建物の建築工事が行われており、居住用建物の敷地としての土地の使用が具体化ないし現実化していると見ることができる場合について、相続開始時に建築途上にあった居住用建物の敷地を一定の条件の下で居住用宅地として扱うものとしている。そして、居住用建物の敷地としての土地の使用が具体化ないし現実化している場合とは、少なくとも相続開始時に当該土地において現実に居住用建物の建築工事が着工され、当該土地が居住用建物の敷地として使用されることが外形的・客観的に明らかになっている状態にあることが必要であり、単に当該土地上に建築する計画があるとか、居住用建物の建築請負契約を締結しているというだけでは足りな |

然に本件特例の適用がなされていたはずのところ、しばらくの間本件仮換地の使用収益が禁止されたために、建物の建築をすることができなかったとの事情がある。Ｂと原告Ｘが本件仮換地に建物を建築し、これに居住する意思を有していたことは、本件仮換地の使用収益が禁止されていた期間（及び本件ビルの建築中の期間）において、Ｂと原告らが福岡市から提供された仮設住宅に居住していたことからも明らかである。

(イ)　このように、居住が一時中断されている間に相続が発生した場合であっても、その居住の中止が自己都合ではなく公共事業の施行に協力し、仮換地処分及び従前の宅地並びに仮換地の使用収益が共に禁止されたことによるものであり、かつ、仮換地指定の時に従前の宅地を現実に居住の用に供し、さらに、仮換地の使用収益が認められるまでは仮設住宅に居住するなどして、仮換地の使用収益が認められるようになれば仮換地における居住の再開が確実に予定されているような場合には、仮設住宅における居住は、法律上の評価としては、従前の土地や仮換地における居住と同視して、当該土地が『居住の用に供されていた土地』と解して、本件特例を適用するべきである。

(ウ)　被告は、本件特例を適用するためには、少なくとも相続開始時において当該土地が居住用建物の敷地として使用されることが外形的・客観的に明らかになっている状態にあることが必要だと主張するが、このような要件は、その土地がかつて居住の用に供されていない場合に、土地と居住との結びつきを示す最低限の徴表として要求されるのであって、本件のように土地がかつて現実に居住の用に供されていた場合い。

そもそも、本件通達は措置法による例外の更に例外なのであって、個別的な事情を加味してその基準を拡大して解釈することは、具体的な課税においてさらなる例外を創設することとなり、課税に対する法的安定性や予測可能性、課税平等の原理を損なうこととなって妥当でない。

(イ)　原告らは、仮換地の指定がなされたこと及び一定期間、従前の宅地並びに仮換地の双方について使用収益ができなかったことをもって、救済の必要性を強調する。しかし、仮換地の指定の効果として、処分権と使用収益権が分離され、従前の宅地についての使用収益権は仮換地上に移行するが、処分権はなお従前の宅地上に存在し、土地所有者は従前の土地を処分することについて何ら制限されているものではないのである。そして、仮換地の使用収益を開始することができる日を仮換地の指定の効力発生の日と別に定めることができるとする規定によっても、仮換地指定の効力発生に影響はなく、従前の宅地の所有者は、従前の宅地を譲渡することによって結果的に仮換地を譲渡することができるのである。

とすると、本件の事情の下で、原告ら及びＢにおいて、従前の宅地を処分することについて何ら制約がなかったというべきであるから、本件特例の趣旨に照らしても、原告らを救済すべき必要性はなく、本件特例を適用するべきではない。

| | | |
|---|---|---|
| | には不要である。 | |
| (2)　原告らが『被相続人と生計を一にしていた親族』に該当するか否かの判断 | 以下の事情を総合すると、原告ＸがＢと『生計を一にしていた』親族にあたることは明らかである。<br>①　原告Ｘは、Ａ、Ｂ夫婦に子供がいなかったことからＡの家を継ぐため、原告Ｙとともに、同夫婦の養子となったものである。<br>②　昭和63年にＡが死亡した後、Ｂは甲建物で原告らは乙建物で居住していたが、甲建物と乙建物はいわゆる『スープの冷めない』位置関係にあった。<br>③　高齢であったＢの世話をするために、原告Ｘの実母Ｃが甲建物にＢと同居し、朝食と昼食をつくり、夕食は原告Ｙが毎日乙建物で作って運んでいた。食材等の購入については、朝食と昼食についても原告Ｙがほとんど行っていたものである。<br>④　Ｂ、Ｃ及び原告らは平成９年11月18日ころ、それぞれ甲建物及び乙建物から福岡市から提供された仮の住居の隣り合わせの301号室及び302号室に転居したが、生活状況は転居前と同様であった。 | 一般に『生計を一にしていた』とは、同一の生活共同体に属して日常生活の資を共通にしていることをいい、これを言い換えれば、日常生活の糧を共通にしていること、すなわち、消費段階において同一の財布のもとで生活していることと解され、これを社会通念に照らして判断すべきものである。<br>Ｂは、福岡市○区所在の借家５軒をＡから相続により取得し、１か月あたり約20万円の家賃収入があり、自ら所得税の確定申告をしていたため原告Ｘの所得税（給与所得）の関係では扶養家族とはなっておらず、社会保険関係でも同様であったのであるから、原告らがＢの食事の世話をしていることをもって、『生計を一にしていた』とは認められない。 |

## 〔４〕 裁判所の判断

上記〔３〕(1)及び(2)に掲げる原告（納税者）及び被告（課税庁）の各主張に対して、第一審及び控訴審判決では被告である課税庁の主張が支持されたが、上告審判決では、上記〔３〕(1)に掲げる争点（本件土地が『被相続人等の居住の用に供されていた宅地等』に該当するか否かの判断）に関して、上告人（納税者）の主張を認めて小規模宅地等の課税特例の適用を容認する旨を判示（納税者逆転勝訴判決）（注）し、高等裁判所への審理差戻しを命じた。

（注）　上記〔３〕(2)に掲げる争点（原告らが『被相続人と生計を一にしていた親族』に該当するか否かの判断）については、差戻審（高等裁判所）における審理の過程において明確にされるべきものとして、上告審では判示されなかった。

上記〔３〕(1)及び(2)に掲げる各争点について、原告（納税者）及び被告（課税庁）の各主張に対する『第一審及び控訴審の判断』及び『上告審の判断』をまとめると、次表のとおりとなる。

| 裁判所 ／ 争点 | 第１審<br>福岡地方裁判所<br>平成16年１月20日判決<br>平成14年（行ウ）第26号 | 控訴審<br>福岡高等裁判所<br>平成16年11月26日判決<br>平成16年（行コ）第７号 | 上告審<br>最高裁判所第三小法廷<br>平成19年１月23日判決<br>平成17年（行ヒ）第91号 |
|---|---|---|---|
| (1)　本件土地が『被相続人等の居住の用に供されていた宅地等』に該当するかの判断 | ①　本件特例の趣旨と本件土地に対する本件特例の適用の可否<br>本件特例の趣旨は、事業又は居住の用に供されていた小規模な宅地等については、一般にその相続人等の生活基盤の維持のために欠くことのできないものであって、相続人において事業又は居住の用を廃してこれを処分することに相当の制約があるのが通常であることから、相続税の課税上特別の配慮を加えることとしたものである。<br>ところで、小規模宅地等の相続税の課税特例において「居住の用に供されていた宅地等で……建物若しくは構築物の敷地の用に供されているもの」と規定していることからすれば、本件特例が適用される居住用宅地は、相続開始前において被相続人等が現に居住の用に供していた宅地を意味し、通常は、当該土地を敷地とする建物が現に存在しこれを居住用として使用している場合がこれにあたるといえるが、建物の建築にはある程度の期間が必要であり、居住用建物の建築途中で偶然に土地所有者につき相続が開始することもありうることを考えると、本件通達が、相続開始当時、未だ建物が完成していないとしても、その土地上で既に居住用建物の建築工事が行われており、居住用建物の敷地としての土地の使用が具体化ないし現実化していると見ることができる場合について相続開始時には建築途上にあった居住用建物の敷地を一定の条件の下で居住用宅地として扱 | | 原審の左記判断は是認することができない。その理由は、次のとおりである（なお、本件においては、甲土地の面積だけで200㎡を超えているので、本件特例の適用の有無は、甲土地について検討すれば足りる。）。<br>原審において確定した事実関係によれば、確かに、甲土地及び本件仮換地は、相続開始時において、いずれも更地であり、居住用建物の敷地として現実に使用されている状況にはなかったものといわざるを得ない。<br>しかしながら、原審において確定した事実関係によれば、Ｂは、従前、甲土地を現実に居住の用に供していたのであるが、福岡市の施行する本件事業のため、甲土地を含む本件土地につき仮換地の指定がされ、本件土地及び本件仮換地の使用収益が共に禁止されたことにより（土地区画整理法第99条参照）、仮設住宅への転居及び甲建物の取壊しを余儀なくされ、その後、本件仮換地についての使用収益開始日が定められないため本件仮換地に建物を建築することも不可能な状況のまま、同人が死亡し、相続が開始したというのである。<br>以上のとおり、相続開始の直前においては本件土地は更地となり、本件仮換地もいまだ居住の用に供されてはいなかったものであるが、それは公共事業である本件事業における仮換地指定により両土地の使用収益が共に禁止された結果やむを得ずそのような状況に立たされたためであるから、相続開始ないし相続税 |

うものとしていることは、居住用建物の敷地としての土地の使用が具体化ないし現実化している場合には、相続人等においてこれらの用を廃して宅地等を処分することに相当の制約があることに変わりがなく、かつ、相続開始時の現況に基づき一義的に居住の用に供されていたと判断できることに照らし、本件特例の合理的な文言解釈であるということができる。

しかしながら、本件特例の適用にあたっては、少なくとも相続開始時に当該土地において現実に居住用建物の建築工事が着工され、当該土地が居住用建物の敷地として使用されることが外形的・客観的に明らかになっている状態にあることが必要と解すべきであって、相続開始時において、単に当該土地上に居住用建物を建築する計画があるとか、居住用建物の建築請負契約を締結しているというだけで、現実には未だその建築工事に着手していない場合には、その土地は居住用建物の敷地としての土地の使用が未だ具体化ないし現実化しているということができないから、これを居住用宅地として扱うことはできないというべきである。

これを本件についてみると、相続開始の直前において本件土地及び本件仮換地が更地の状態であったことは明らかであって（前記〔1〕(3)を参照）、いずれの土地についても居住用建物の敷地としての使用が外形的に認められないから、これを居住用宅地等として扱うことはできないといわなければならない。

② 本件特例の適用要件を拡張解釈することの可否

原告らは、本件特例の立法趣旨に照らせば、従来現実になされていた被相続人等の居住が相続開始時に一時中断

申告の時点において、Ｂ又は上告人ら（筆者注 原告Ｘ及び原告Ｙのことを指す。以下同じ。）が本件仮換地を居住の用に供する予定がなかったと認めるに足りる特段の事情のない限り、甲土地は、小規模宅地等の相続税の課税特例にいう「相続の開始の直前において……居住の用に供されていた宅地」に当たると解するのが相当である。そして、本件においては、Ｂ及び上告人らは、仮換地指定通知に伴って仮設住宅に転居しており、また、上告人らは、相続開始後とはいえ、本件仮換地の使用収益が可能となると、本件仮換地上に本件ビルを建築してこれに入居したものであって、上記の特段の事情は認めることができない。したがって、甲土地について本件特例が適用されるものというべきである。

され、その間に相続が発生した場合であっても、居住の中止が公共事業を施行するための仮換地処分及び従前の宅地並びに仮換地の使用収益が共に禁止されたことによるものであり、かつ、仮換地指定の時に従前の宅地を現実に居住の用に供し、さらに、仮換地の使用収益が認められるまでは仮設住宅に居住するなどして、仮換地の使用収益が認められるようになれば仮換地における居住の再開が確実に予定されている本件のような場合には、仮設住宅における居住は、法律上の評価としては、従前の土地や仮換地における居住と同視して、当該土地が『居住の用に供されていた土地』と解して、本件特例を適用するべきであると主張する。

しかしながら、相続税の課税対象となる財産の価額は、当該財産の取得の時における時価によるのであり（相続税法第22条）、その時価とは課税時期（すなわち相続開始の時）における財産の現況に応じて評価された価額であると解せられ、相続税法及び租税特別措置法等租税法規の適用は、租税法律主義の原則及び課税の公平の原則並びに迅速な課税処理という徴税技術上の観点から、相続開始の前後の事情を問わず、相続開始時の現況に基づき一義的な統一的、画一的な基準によって判断されるべきであり、租税法規についてその規定の文言を離れてみだりに拡張解釈することは、租税法律主義の見地から相当でなく、本件特例のような例外的な措置については特に厳格に解釈するべきである。したがって、相続開始時において、居住用建物の建築計画があるだけで更地の状態にある土地に、法律上の評価として居住があると認めて、本件特例にいう「居住の用に供されていた宅地等で……建物若しくは構築物

| | | |
|---|---|---|
| | の敷地の用に供されているもの」に該当すると解することは、解釈の限界を超えるものであって相当ではない。<br>　実質的にも、本件特例の立法趣旨は上記①のとおり、その事業又は居住の用を廃して居住用宅地等を処分することに相当の制約があることに対する配慮であるところ、当該土地が更地である場合には、処分をすることについての制約は少ないというべきであるから、本件特例による特段の配慮を要するものではない。そして、当該土地について仮換地の指定及びその使用収益を開始することができる日の定めがある場合においても、従前の土地についての使用収益権は仮換地上に移行するが、処分権はなお従前の土地上に存在し、土地所有者は従前の土地を処分することについて何ら制限されているものではなく、従前の土地の所有者は、従前の土地を譲渡することによって結果的に仮換地を譲渡できるのであるから、本件特例が救済を予定しているものではない。<br>　本件では、相続開始の約10月前に甲乙建物が取り壊されて本件土地は更地となっていたものであるから、甲土地を被相続人であるＢが『現に居住の用に供していた宅地等』ということはできず、乙土地についても、被相続人の親族である原告らが被相続人と生計を一にしていたとしても『現に居住の用に供していた宅地等』といえないことは明らかであり、本件仮換地についても同様である。 | |
| ⑵　原告らが『被相続人と生計を一にしていた親族』に該当するか | 原告らが被相続人と生計を一にしていたとの点についても、証拠によれば、仮設住宅へ移転した前後を通じ、原告Ｙが、Ｂ分の食材等をまとめて購入し、夕食の世話をしていたことが認められるが、一 | 判断を示していない。（上記〔4〕の冒頭部分の（注）を参照） |

| | | |
|---|---|---|
| 否かの判断 | 方、Ｂの身の回りの世話及び朝食並びに昼食の支度はＢと同居していたＣが行ってきたものであり、Ｂは、Ａから相続した建物から賃料収入を得て自ら確定申告をし、社会保険に加入しており、原告Ｘの扶養家族として扱われていなかったことが認められ、このような事実からすると原告らとＢとが生計を一にしていたと認めるには足りない。<br>　したがって、この点に関する原告らの主張は採用できない。 | |
| (3)　最終的判断（本件特例の適用可否） | 　上記(1)及び(2)より、原告Ｘが相続により取得した本件土地及び本件仮換地は、小規模宅地等の相続税の課税特例に規定する『特定居住用宅地等』に該当せず、本件特例の適用はない。 | 　上記(1)と異なる原審の判断には、判決に影響を及ぼすことが明らかな法令の違反がある。論旨は理由があり、原判決のうち別紙処分目録１及び２記載（略）の各処分に係る請求に関する部分は破棄を免れない。<br>　そして、同請求に関し、甲土地が小規模宅地等の相続税の課税特例に規定する『特定居住用宅地等』に該当するか否か、上告人らの納付すべき税額等について審理判断させるため、上記部分につき、本件を原審に差し戻すこととする。 |

**（差戻審における判断）**

福岡高等裁判所（平成19年７月19日判決、平成19年（行コ）第６号）

(1)　控訴人Ｘが相続により取得した本件土地が『特定居住用宅地等』に該当するか否か。具体的には、控訴人Ｘが被相続人Ｂと生計を一にする親族に該当するか否かについて

①　当事者間に争いがない事実に加えて、証拠及び弁論の全趣旨によれば、昭和63年にＡが死亡した後、Ｂは甲建物で、控訴人らは乙建物でそれぞれ居住していたが、甲建物と乙建物は隣接しており、お互いに頻繁に行き来していたこと、平成９年３月ころからは、高齢となったＢの世話をするために、Ｃが甲建物においてＢと同居していたこと、Ｂの食事は、朝食と昼食はＣが作り、夕食は控訴人Ｙが乙建物で作ったものを毎日運んでおり、朝食と昼食についても、食材の購入等はほとんど控訴人Ｙが行っていたこと、Ｂ、Ｃ及び控訴人らは、平成９年11月18日ころ、仮設住宅に転居したが、同人らの関係及び生活状況は転居前とほぼ同様であったこと、Ｂは、Ａから相続した建物から賃料収入を得て、これにつき確定申告をし、社会保険にも自ら加入しており、控訴人Ｘの扶養家族として取り扱われていなかったこと、以上の事実が認められる。

② 小規模宅地等についての相続税の課税特例に規定する『生計を一にしていた』とは、日常生活の糧を共通にしていたことを意味するものと解するのが相当であるが、Ｂと控訴人Ｘが同居していないことは明らかである上、上記①の認定事実によっても、Ｂと控訴人Ｘとの間で、生活費の支出が共通になされていたとまでは認めがたく、むしろ、Ｂが自ら賃料収入を得て、社会保険にも加入していたことからすれば、両者の生計は各自独立していたものと推認される。

③ 上記①及び②より、控訴人ＸがＢと『生計を一にしていた者』であるとはいえない。

加えて、従来、Ｂは甲土地上の甲建物に居住していたのに対して、控訴人Ｘは乙土地上の乙建物に居住していたのである（この点は争いがない。）から、同控訴人が甲土地を自己の居住の用に供していたといえないことは明白である。同控訴人は、本件土地を一体のものとして見るべき旨主張するが、採用の限りでない。

④ 上記①から③によれば、いずれにしても控訴人Ｘは小規模宅地等についての相続税の課税特例（特定居住用宅地等）の要件に該当しない（筆者注）ものというほかない。

筆者注　平成10年当時の小規模宅地等の課税特例の制度では、被相続人等の居住用宅地等に該当するのであれば、特定居住用宅地等（課税価格算入割合20％、適用上限面積200㎡）に該当しない場合であっても、特定特例小規模宅地等（課税価格算入割合50％、適用上限面積200％）の適用が認められていました。

### (2) 控訴人らが納付すべき税額（とりわけ、相続財産中の土地について相続税の課税価格に算入すべき価額）

控訴審では新たな争点として、本件土地に小規模宅地等の課税特例を適用する（最高裁の判断）に際して（上記(1)④筆者注を参照）、その適用面積の算出基準が問題とされた。控訴人ら（納税者）及び被控訴人（課税庁）のそれぞれの主張並びに控訴審における裁判所の判断は下記のとおりである。

**控訴人ら（納税者）の主張**

① 土地区画整理事業施行中の土地について相続が開始した場合には、相続税の課税実務では、国税庁長官の通達（筆者注：評価通達24－２《土地区画整理事業施行中の宅地の評価》）により、仮換地の評価額を前提として相続税が課されることになっているのであるから、本件特例の適用に当たっては、本件仮換地の面積を基準とすべきである。

**参考資料**　評価通達24－２《土地区画整理事業施行中の宅地の評価》

> **評価通達24－２《土地区画整理事業施行中の宅地の評価》**
>
> 土地区画整理事業（土地区画整理法（昭和29年法律第119号）第２条《定義》第１項又は第２項に規定する土地区画整理事業をいう。）の施行地区内にある宅地について同法第98条《仮換地の指定》の規定に基づき仮換地が指定されている場合におけるその宅地の価額は、11《評価の方式》から21－２《倍率方式による評価》まで及び前項の定めにより計算したその仮換地の価額に相当する価額によって評価する。
>
> ただし、その仮換地の造成工事が施工中で、当該工事が完了するまでの期間が１年を超え

ると見込まれる場合の仮換地の価額に相当する価額は、その仮換地について造成工事が完了したものとして、本文の定めにより評価した価額の100分の95に相当する金額によって評価する。
（注）　仮換地が指定されている場合であっても、次の事項のいずれにも該当するときには、従前の宅地の価額により評価する。
　１　土地区画整理法第99条《仮換地の指定の効果》第２項の規定により、仮換地について使用又は収益を開始する日を別に定めるとされているため、当該仮換地について使用又は収益を開始することができないこと。
　２　仮換地の造成工事が行われていないこと。

②　被控訴人は、この点について、後記のとおり主張するが、仮に、本件特例の適用に当たり、本件土地の面積を基準にするのであれば、評価額も本件土地を基準とすべきである。評価額については仮換地のそれを基準とし、面積については本件土地のそれによるという被控訴人の主張は平仄が合っておらず、上記通達との整合性にも欠ける。

被控訴人（課税庁）の主張

上告審判決は、甲土地について本件特例の適用があることを前提とした判示をしているのであるから、本件特例の適用に当たっては、本件仮換地の面積ではなく、本件土地の面積を基準にすべきである。

裁判所の判断

①　小規模宅地等の課税特例を適用する場合の面積の算出基準
　(イ)　Ｂは、従前、甲土地上の甲建物に居住することによって、同土地を現実に居住の用に供していたところ、福岡市の施行する本件事業のために甲建物の取壊及び仮設住宅への転居を余儀なくされたものであって、本件事業による仮換地の指定がなされなければ、引き続き甲土地を現実に居住の用に供していた蓋然性が高かったものということができる。しかも、Ｂは、仮換地上に建物を建築することも不可能な状況に置かれたものであって、上告審判決は以上のような事情を重視して、本件特例の適用を肯定したものである。
　もっとも、上告審判決は「甲土地だけでも200㎡を超えているので、本件特例の適用の有無は甲土地について検討すれば足りる」とした上で、上記結論を導いているのであるから、このような上告審判決の趣旨に照らせば、甲土地のうち200㎡に相当する部分につき、本件特例が適用されるものと解するのが相当である。
　(ロ)　相続税の課税実務においては、土地区画整理事業中の宅地の評価については、原則として仮換地の価額を基準とするものとされている（なお、このような取扱いは、従前地の価値と仮換地の価値が等価であることを前提とするものであるから、これが等価でないために清算金が支払われる場合には、仮換地の価額を算定するに当たり、この点を考慮することになるのは当然である。）。これは、土地区画整理事業が進捗すると、従前の宅地そのものを評価することが技術的に困難となる場合があることを考慮したものと解されるのであって、合理的な取扱いであるといえる。

そうであれば、本件の場合においても、同様の取扱いをすべきである。したがって、本件土地の評価については本件仮換地の価額を基準とすべきであり、かつ、本件特例における200㎡部分の価額を算定するに当たっても、本件仮換地の価額を基準とすべきである。

(ハ)　上記(イ)及び(ロ)によれば、本件特例における200㎡部分の価額を算定するに当たっては、面積については本件土地（甲土地）を基準とするが、価額については、本件土地と本件仮換地が等価であるとの前提のもと、本件仮換地の価額を基準にすることになる。

なお、この点について、控訴人らは、上記 **控訴人ら（納税者）の主張** のとおりに主張するが、本件特例における200㎡部分の価額を算定するに当たり、本件仮換地の面積を基準にすると、控訴人Ｘは、仮換地の指定がなかった場合以上に利益を受けることとなるが、そのような利益を享受させる理由は全くないのであるから、控訴人らの主張は採用できない。

②　本件土地について相続税の課税価格に算入すべき価額

上記①によれば、本件土地について相続税の課税価格に算入すべき価額は、以下のとおり、63,764,115円となる。

(イ)　甲土地

㋑　本件特例適用前の甲土地の価額（下記計算の基準となる評価額及び面積については、争いがない。）

76,003,144円（本件土地（本件仮換地）の評価額）×552.46㎡（甲土地の面積）／620.99㎡（本件土地の面積）＝67,615,738円

㋺　甲土地のうち小規模宅地等に該当する部分の価額

76,003,144円（本件土地（本件仮換地）の評価額）×200㎡（小規模宅地等の面積）／620.99㎡（本件土地の面積）＝24,478,057円

㋩　小規模宅地等について相続税の課税価格に算入すべき価額

24,478,057円×50／100（課税価格算入割合）＝12,239,028円

㊁　甲土地のうち小規模宅地等に該当する部分以外の部分の価額

67,615,738円（上記㋑の価額）－24,478,057円（上記㋺の価額）＝43,137,681円

㋭　甲土地の相続税の課税価格に算入すべき価額

12,239,028円（上記㋩の価額）＋43,137,681円（上記㊁の価額）＝55,376,709円

(ロ)　乙土地

76,003,144円（本件土地（本件仮換地）の評価額）×68.53㎡（乙土地の面積）／620.99㎡（本件土地の面積）＝8,387,406円

(ハ)　本件土地の課税価格に算入すべき価額

55,376,709円（上記(イ)の価額）＋8,387,406円（上記(ロ)の価額）＝63,764,115円

## 〔５〕裁判例（判例）から確認する実務における留意点

### (1)　最高裁判決が実務に与える影響（措置法通達の新設）

上記〔４〕に掲げる最高裁判決は、被相続人等の居住用等に供されていた土地（従前地）が、土地区画整理事業等（注）の施行による仮換地指定を受けている場合であっても、次に掲げる要件を充足するときには、小規模宅地等の課税特例の適用上、従前地は、相続開始の直前において被相続人等の居住用等に供されていたものとして取り扱うとするものである。

(1)　従前地及び仮換地について相続開始の直前において使用収益が共に禁止されていること

(2)　相続開始時から相続税の申告期限までの間に被相続人等が仮換地を居住用等に供する予定がなかったと認めるに足りる特段の事情がなかったこと

（注）　土地区画整理事業以外の公共事業の施行により仮換地指定を受けた場合にも、同様の取扱いが適用されることになる。

この取扱いは、従来の課税実務とは正反対のものであることから、課税庁では、上記の最高裁判決を受けて一定の要件を充足した土地区画整理事業等の施行中の従前地についても、本件課税特例の適用を認めることを内容とする措置法第69条の４《小規模宅地等についての相続税の課税価格の計算の特例》の取扱いに関する解釈の変更を行うことになった。

また、この解釈の変更を受けて、平成19年６月22日付けで、国税庁より「『租税特別措置法（相続税法の特例関係）の取扱いについて』の一部改正について」(課資２－９）において、措置法通達69の４－１の３《公共事業の施行により従前地及び仮換地について使用収益が禁止されている場合》の取扱い（その後の通達の改正により、現行では、措置法通達69の４－３となっている。下記 参考資料 を参照）が新規に制定され、公開されている。

参考資料

措置法通達69の４－３《公共事業の施行により従前地及び仮換地について使用収益が禁止されている場合》

特例対象宅地等には、個人が被相続人から相続又は遺贈により取得した被相続人等の居住用等（事業（措置法令第40条の２第１項に規定する準事業を含む。以下69の４－５までにおいて同じ。）の用又は居住の用をいう。以下69の４－３において同じ。）に供されていた宅地等（以下69の４－３において「従前地」という。）で、公共事業の施行による土地区画整理法（昭和29年法律第119号）第３章第３節《仮換地の指定》に規定する仮換地の指定に伴い、当該相続の開始の直前において従前地及び仮換地の使用収益が共に禁止されている場合で、当該相続の開始の時から相続税の申告書の提出期限（以下69の４－36までにおいて「申告期限」という。）までの間に当該被相続人等が仮換地を居住用等に供する予定がなかったと認めるに足りる特段の事情がなかったものが含まれることに留意する。

（注）　被相続人等が仮換地を居住用等に供する予定がなかったと認めるに足りる特段の事情とは、例えば、次に掲げる事情がある場合をいうことに留意する。

(1)　従前地について売買契約を締結していた場合

(2)　被相続人等の居住用等に供されていた宅地等に代わる宅地等を取得（売買契約中のものを

含む。）していた場合
(3)　従前地又は仮換地について相続税法第６章《延納又は物納》に規定する物納の申請をし又は物納の許可を受けていた場合

### (2)　控訴審判決が実務に与える影響（土地区画整理事業施行中の宅地等に対する評価対象と本件課税特例を適用する場合の面積について）

本件控訴審判決では、土地区画整理事業が施行中である宅地等に対する小規模宅地等の課税特例について、その具体的な適用計算方法について下記のとおりに取り扱うことが相当であるとの司法判断が示されたものであり、今後の実務処理の先例となるものとして注目される。

①　小規模宅地等の課税特例の適用対象地の価額については、従前地と仮換地が等価である場合（換言すれば、換地清算金の授受がない場合）には、仮換地の価額を基準にすること

②　小規模宅地等の課税特例の適用対象地の面積については、従前地の地積を基準とすること

③　上記①及び②を通じて、価額については原則として仮換地を基準とし、面積については従前地を基準とすることに不統一性を指摘する可能性が考えられるが、当該指摘は適切なものとは解しないこと

### 参考事項　平成22年度の税法改正後の取扱い

本件事案は、相続開始時期が平成10年10月18日であり、判示（最高裁判決）の結果、被相続人の所有する居住の用に供されていた土地（従前地）が土地区画整理事業の施行による仮換地指定を受けている場合であっても、一定の要件を充足するときには、小規模宅地等の課税特例の適用上、従前地は、相続開始の直前において被相続人の居住用宅地等に該当するとされたものである。

そして、この最高裁判決の差戻審である福岡高裁の判断では、当該被相続人の居住用宅地等は、『特定居住用宅地等』には該当しないいわゆる一般の居住用宅地等であるとして、小規模宅地等の課税特例（課税価格算入割合50％、適用上限面積200㎡）の適用が認められることになった。

しかしながら、平成22年度の税法改正（平成22年４月１日以後に開始した相続又は遺贈により取得した財産について適用）によって、被相続人等の居住用宅地等について小規模宅地等の課税特例の適用が認められるのは、『特定居住用宅地等』（課税価格算入割合20％、適用上限面積240㎡（平成22年４月１日の改正時点（筆者注）））のみとなり従来と比較して適用範囲の厳格化が図られることになった。（下記『特定居住用宅地等』の意義（平成22年４月１日の改正時点における取扱い）を参照）

筆者注　平成27年１月１日の改正により、上限面積は330㎡に引き上げられている。

**『特定居住用宅地等』の意義（平成22年４月１日の改正時点における取扱い）**

被相続人等の居住の用に供されていた宅地等（注）で、次に掲げる①又は②の要件のいずれかを満たす当該被相続人の親族が相続又は遺贈により取得したものをいうものとされている。

（注）　被相続人等の居住の用に供されていた宅地等が二以上ある場合には、被相続人等が主として居住の用に供していた一の宅地等に限られるものとされている。

①　当該被相続人の配偶者が取得した場合

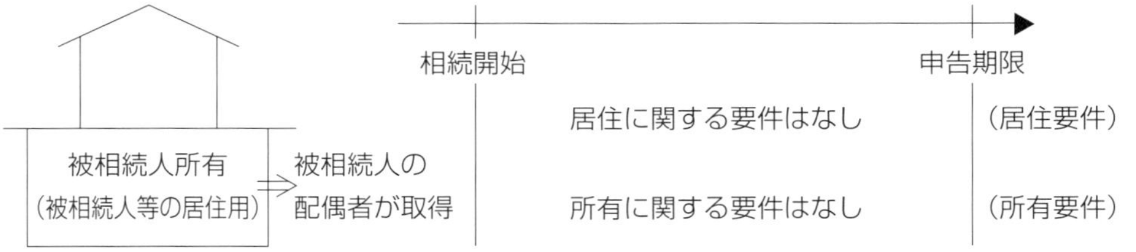


②　次に掲げる(イ)から(ハ)の要件のいずれかを満たす当該被相続人の親族（当該被相続人の配偶者を除く。②において同じ。）が取得した場合

(イ)　被相続人と同居の親族が取得する場合

| | 要　件 | 内　　　　容 |
|---|---|---|
| (A) | 同居親族の要件 | 当該親族が、相続開始の直前において当該宅地等の上に存する当該被相続人の居住の用に供されていた家屋に居住していた者であること |
| (B) | 所有継続の要件 | 相続開始時から相続税の申告期限（当該親族が申告期限前に死亡した場合には、その死亡の日。(C)において同じ。）まで引き続き当該宅地等を所有していること |
| (C) | 居住継続の要件 | 相続税の申告期限まで当該家屋に居住していること |

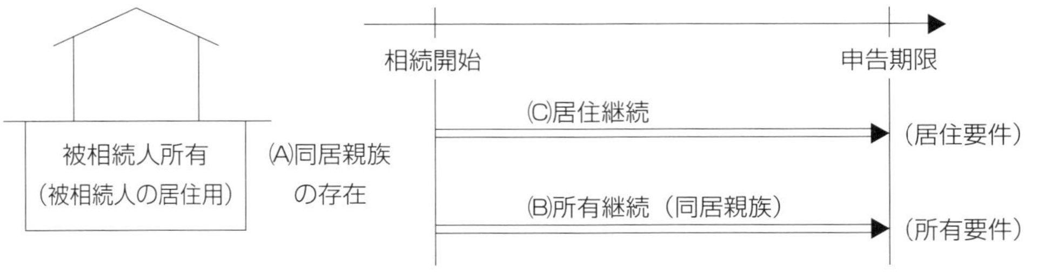


(ロ)　配偶者及び一定の同居親族が存せず非同居親族が取得した場合

| | 要　件 | 内　　　　容 |
|---|---|---|
| (A) | 配偶者及び一定の同居親族不存在の要件 | 当該被相続人の配偶者又は相続開始の直前において当該被相続人の居住の用に供されていた一定の家屋に居住していた親族（当該被相続人の法定相続人〔相続の放棄があった場合には、その放棄がなかったものとした場合における相続人〕をいう。）がいないこと |

| | | |
|---|---|---|
| (B) | 自己等の所有する家屋に居住したことがない要件 | 相続開始前３年以内に相続税法の施行地内にあるその者又はその者の配偶者の所有する家屋（当該相続開始の直前において当該被相続人の居住の用に供されていた家屋を除く。）に居住したことがない者であること<br>（注）　上記に該当する者であっても、制限納税義務者で日本国籍を有しない者は除かれる。 |
| (C) | 所有継続の要件 | 相続開始時から相続税の申告期限（当該親族が申告期限前に死亡した場合には、その死亡の日）まで引き続き当該宅地等を所有していること |

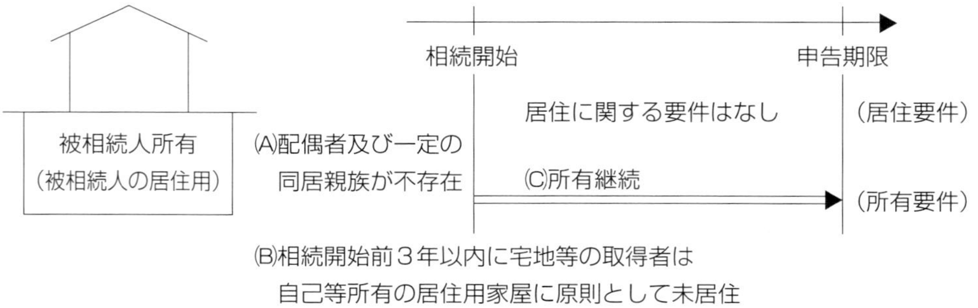

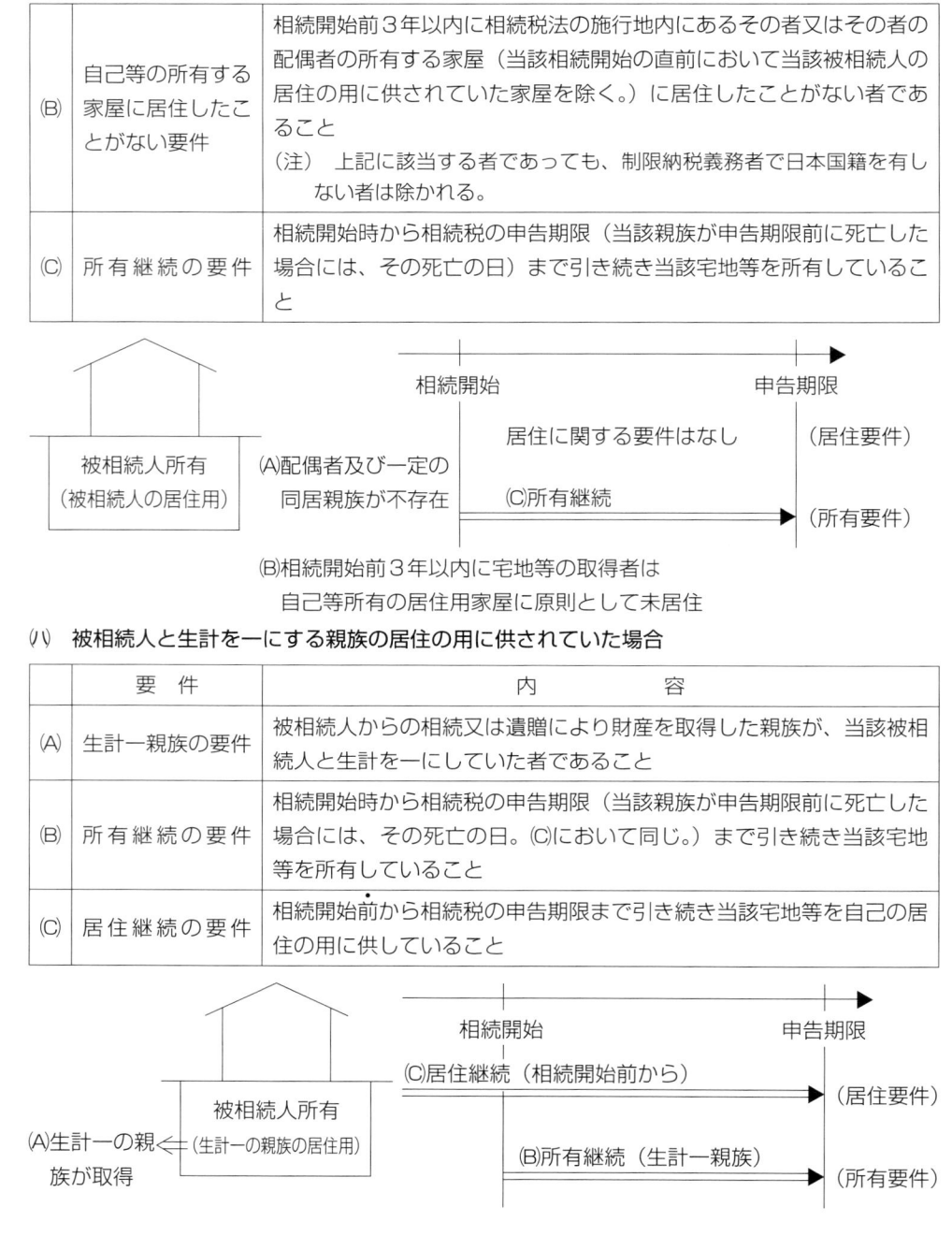

(ハ)　被相続人と生計を一にする親族の居住の用に供されていた場合

| | 要　件 | 内　　　容 |
|---|---|---|
| (A) | 生計一親族の要件 | 被相続人からの相続又は遺贈により財産を取得した親族が、当該被相続人と生計を一にしていた者であること |
| (B) | 所有継続の要件 | 相続開始時から相続税の申告期限（当該親族が申告期限前に死亡した場合には、その死亡の日。(C)において同じ。）まで引き続き当該宅地等を所有していること |
| (C) | 居住継続の要件 | 相続開始前から相続税の申告期限まで引き続き当該宅地等を自己の居住の用に供していること |

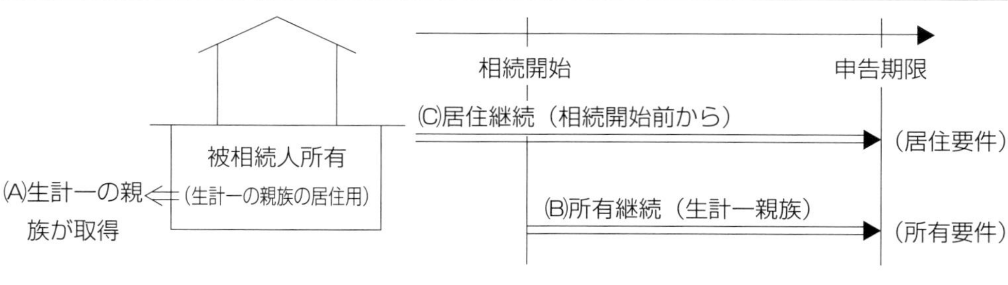


したがって、本件事案に係る相続開始日が、仮に、平成22年４月１日以後である場合には、甲土地（従前地）については、特定居住用宅地等には該当しない（注）ことから、小規模宅地等の相続税の課税特例の適用は受けられないことになる。

（注）　本件事案では、相続財産である甲宅地（従前地）を相続により取得した原告は、下記に掲げるいずれ

の要件も充足しないことになる。

①　当該被相続人の配偶者が取得した場合

②　次に掲げる(イ)から(ハ)の要件のいずれかを満たす当該被相続人の親族（当該被相続人の配偶者を除く。②において同じ。）が取得した場合

(イ)　被相続人と同居の親族が取得する場合

(ロ)　配偶者及び一定の同居親族が存せず非同居親族が取得した場合（いわゆる『家なき子』に該当する場合）

(ハ)　被相続人と生計を一にする親族の居住の用に供されていた場合

## 9　１棟の家屋（オーナールーム付貸家）を建替え中に課税時期が到来した場合の敷地（宅地）の評価方法と小規模宅地等の課税特例の適用

**検討裁決事例**　国税不服審判所裁決事例（平成２年７月６日裁決、昭和62年相続開始分）

### 〔1〕　事案の概要・基礎事実

(1)　被相続人は、昭和62年１月28日に相続の開始があり、同人の相続財産としてＰ市Ｒ町２番地７所在の宅地243.73㎡及び同所同番地８所在の宅地に係る借地権54.82㎡（以下、これらを「本件宅地等」という。）があった。

(2)　本件宅地等の上には、課税時期前においては被相続人所有の建物があり、当該建物は被相続人の居住の用及び同人が取締役に就任していた同族会社である有限会社Ａ（以下「Ａ社」という。）に賃貸借契約により貸し付けられていた。

(3)　上記(2)の建物は老朽化のため取り壊されて建て替えられることとなり（Ａ社には、適正な立退料を支払済）、新築建物の建築工事が開始されたが、課税時期においてはまだ建築中であり未完成であった。

(4)　課税時期後に完成した建物は、Ａ社及びその他の者に対して、賃貸借契約により貸し付けられている。

### 〔2〕　事案のポイント・争点

(1)　本件宅地等の評価方法はどのようになるのか。（具体的には、本件宅地等を貸家建付地等として評価することは認められるのか。又は自用地として評価することが必要とされるのか。）

(2)　本件宅地等に適用される小規模宅地等の課税特例の適用区分は何か。（具体的には、事業用の小規模宅地等の適用が認められるのか。又は居住用の小規模宅地等として取り扱うことが必要とされるのか。）

(3)　本件宅地等の相続税評価額はいくらになるのか。また、小規模宅地等の課税特例の適用後の相続税の課税価格に算入すべき金額はいくらか。

## 〔3〕 争点に対する双方の主張

| 争　点 | 請求人（納税者）の主張 | 原処分庁（課税庁）の主張 |
|---|---|---|
| (1)　本件宅地等の評価方法 | ①　原処分庁は、本件宅地等について土地の使用収益に関する権利の目的となっていない土地（以下「自用地等」という。）として評価しているが、評価通達によれば、財産の評価に当たっては、その財産の価額に影響を及ぼすべきすべての事情を考慮することとされている。<br>②　そうすると、本件の相続開始の日現在、本件宅地等に貸家（以下「新建物」という。）を建替え中であったこと及び新建物が完成すると同時に新建物を賃貸する旨の賃貸借契約が既に締結されており、現在その契約に基づき賃貸しているものであるから、本件宅地等は、同通達に定める貸家の目的に供されている宅地及び借地権（以下「貸家建付地等」という。）として評価すべきである。 | ①　評価通達が貸家建付地等の評価を定めている趣旨<br>評価通達においては、貸家建付地等の評価上それが自用地等であるとした場合の価額から、一定の割合に相当する価額を控除して計算することとしているが、このような評価をするのは、借家人は借地権を有しているわけではないが、経済的にみれば、建物の賃借権に基づく建物の利用の範囲内で、その建物の敷地である宅地または借地権に対してもある程度の支配権を有していると認められ、その支配権を消滅させるためには、いわゆる立退料の支払を要する場合もあり、また、その支配権が付着したままの状態でその土地を譲渡するとした場合には、その支配権が付着していないとした場合における価額より低い価額でしか譲渡できないことになるためである。<br>②　本件宅地等に対する取扱い<br>(イ)　本件宅地等については、本件の相続開始の時において被相続人が新建物を建築中であったことは認められるが、まだ貸し付けられておらず、また、賃貸借の契約も締結されていない。<br>(ロ)　新建物の賃貸借契約は、請求人が相続の開始後に借家人との間において締結したものである。<br>(ハ)　上記(イ)及び(ロ)より、本件宅地等は、本件の相続開始の時においては貸家建付地等ではないから自用地等として評価したものである。 |

| | | |
|---|---|---|
| (2)　本件宅地等に対する小規模宅地等の課税特例の適用 | ①　本件宅地等は、建築中の建物の用に供されているから一般の更地でないことは明白であり、まして、建築中の建物が事業用の建物であり、当該建物を建築する前に建っていた建物（以下「旧建物」という。）が事業用建物である場合、本件宅地等は、事業の用に供されている土地等であるとみるのが自然である。<br>②　上記①より、相続税法第11条の2《相続税の課税価格》に規定する相続税の課税価格に算入すべき本件宅地等の価額は、上記(1)により貸家建付地等として算出した評価額を基礎として租税特別措置法（昭和63年法律第109号による改正前のもの。以下「措置法」という。）第69条の3《小規模宅地等についての相続税の課税価格の計算の特例》1項1号（筆者注）の規定を適用して計算すべきである。<br>筆者注　事業用の小規模宅地等（限度面積200㎡、評価割合60％） | ①　措置法第69条の3第1項の規定の適用がある宅地等（以下「小規模宅地等」という。）とは、相続の開始の直前において、当該相続若しくは遺贈に係る被相続人又は当該被相続人と生計を一にしていた当該被相続人の親族に係る事業の用又は居住の用に供されていたものとされている。<br>②　本件宅地等は、上記(1)のとおり、本件の相続開始の時に事業の用に供されていなかったので措置法第69条の3第1項の事業用の小規模宅地等には該当しないことになるが、本件宅地等の一部については、居住用の小規模宅地等に該当するので同項第3号（筆者注）の規定を適用し課税価格に算入すべき本件宅地等の価額を計算したものである。<br>筆者注　居住用の小規模宅地等（限度面積200㎡、評価割合70％） |
| (3)　本件宅地等の相続税評価額及び相続税の課税価格算入額 | ①　本件宅地等の相続税評価額<br>(イ)　宅地部分の評価額<br>1,203,000円×234.73㎡×｛1－(借地権割合0.8×借家権割合0.3)｝<br>＝214,608,944円<br>(ロ)　借地権部分の評価額<br>1,203,000円×54.82㎡×借地権割合0.8×（1－借家権割合0.3）<br>＝36,931,137円<br>(注)　上記算式中の「1,203,000円」は、評価基準を基に算定した自用地1㎡当たりの金額である。<br>(ハ)　(イ)＋(ロ)＝251,540,081円<br>②　相続税の課税価格算入額（小規模宅地等の課税特例の適用後）<br>(イ)　宅地部分の価額<br>214,608,944円－（214,608,944円×200㎡÷234.73㎡×0.4）<br>＝141,466,545円 | ①　本件宅地等の相続税評価額<br>(イ)　宅地部分の評価額<br>1,203,000円×234.73㎡<br>＝282,380,190円<br>(ロ)　借地権部分の評価額<br>1,203,000円×54.82㎡×借地権割合0.8<br>＝52,758,768円<br>(ハ)　(イ)＋(ロ)＝335,138,958円<br>②　相続税の課税価格算入額（小規模宅地等の課税特例の適用後）<br>(イ)　宅地部分の価額<br>282,380,190円－（282,380,190円×14.28㎡÷234.73㎡×0.3）<br>＝277,226,538円<br>(ロ)　借地権部分の価額<br>52,758,768円－（52,758,768円×27.41㎡÷54.82㎡×0.3）<br>＝44,844,953円<br>(注)　上記算式中の「0.3」は、居住用の |

| | | |
|---|---|---|
| | (ロ)　借地権部分の価額<br>36,931,137円<br>（注）　上記算式中の「0.4」は、事業用の小規模宅地等に係る減額割合である。<br>(ハ)　(イ)＋(ロ)＝178,397,682円 | 小規模宅地等に係る減額割合である。<br>(ハ)　(イ)＋(ロ)＝322,071,491円 |

筆者注　措置法第69条の３の規定は、現行では措置法第69条の４と条文番号が繰り下がっている。

## 〔４〕　国税不服審判所の判断

### (1)　認定事実

①　原処分関係資料並びに旧建物の登記簿謄本及び賃貸借に関する契約書によれば、本件宅地等が所在するＰ市Ｒ町２番地７及び同番地８には、総床面積1,493.22㎡（登記面積313.68㎡）及び215.36㎡（登記面積も同面積）合計1,708.58㎡の旧建物があった。

②　請求人の答述によれば、旧建物は107.68㎡を被相続人が居住の用に供し、その余の部分はＡ社に昭和34年以前から賃貸していたこと。なお、その賃貸借契約書は存在しない。

③　Ａ社の決算書類及び請求人の答述によれば、前記②の賃貸に係る賃貸料は、昭和59年９月以前数年間は月額600,000円、昭和59年10月から同年12月までは月額130,000円及び昭和60年１月から昭和61年３月までは月額150,000円であった。

④　株式会社Ｂ（以下「Ｂ社」という。）に対する旧建物の賃貸に関する契約書及びＢ社の常務取締役○○の答述によれば、前記③のＡ社に賃貸した旧建物のうち一部895.28㎡は、期限が到来した場合には立退料の授受をせずに明け渡す約束のもとに昭和54年６月から昭和59年７月までの契約期間でＢ社に賃貸され、それが昭和61年３月まで延長されていたこと及びその賃貸料は、昭和54年６月から昭和57年５月までは月額2,000,000円、昭和57年６月から昭和59年９月までは月額2,600,000円及び昭和59年10月から昭和61年３月までは月額650,000円であった。

⑤　昭和58年11月１日付の不動産売買契約書によれば、被相続人は旧建物の敷地となっていたＰ市Ｒ町２番地７所在の宅地の一部450.93㎡を○○株式会社に譲渡（引渡しは昭和59年９月末日）したこと及びその譲渡に伴い旧建物の一部を取り壊した。

⑥　Ａ社の決算書類及び○○銀行Ｐ支店発行の振込金受取書によれば、被相続人は昭和60年12月10日にＡ社に対し旧建物の引渡しを受けるため立退料24,000,000円を支払った。

⑦　原処分関係資料及び請求人の答述によれば、被相続人は前記⑤の譲渡をしたころからその譲渡をした残余の宅地及び借地権である本件宅地等に賃貸用の建物の建替えを計画し、最終的に昭和61年４月20日に㈱○○と△△㈱の共同企業体との間で新建物の建築に関する工事請負契約を締結したこと及び同時期に旧建物の残りの部分を取り壊した。

⑧　新建物の登記簿謄本によれば、新建物は事務所・店舗・居宅用で、地上９階地下１階建て、総床面積2,225.21㎡の建物であること及び新建物は昭和62年６月30日に完成した。

⑨　新建物の賃貸借に関する契約書によれば、請求人は次のとおり新建物を賃貸した。

(イ)　地下１階から地上７階までの部分

賃借人　株式会社Ｃ（以下「Ｃ社」という。）

賃貸借期間　昭和62年７月から20年間

賃貸料　月額　4,000,000円

保証金　200,000,000円

なお、Ｃ社の確定申告書によれば、同社はＢ社が100％出資している会社である。

(ロ)　８階部分

賃借人　有限会社○○

賃貸借期間　昭和62年９月から３年間

賃貸料　月額　476,140円

保証金　12,530,000円

(ハ)　９階部分

賃借人　Ａ社

賃貸借期間　昭和62年７月から20年間

賃貸料　月額　200,000円

**(2)　貸家建付地等の評価について**

①　評価通達が貸家建付地等の評価方法を定めている趣旨

(イ)　評価通達に定める貸家建付地等とは貸家の目的に供されている宅地及び借地権をいうから、相続開始の時において現に貸付けの用に供されている建物の敷地を指すものと認められる。

また、評価通達では、貸家建付地等は自用地等に比べて低額に評価することとされているが、これは、借家人はその借りている建物の敷地に対して借地権などの権利を有しているわけではないが、借家した建物利用の範囲内でその敷地に対しても事実上の支配権を有していることから、敷地の所有者にとっては、その分その敷地の経済的な価値がこれらの権利の目的となっていない自用地等に比べ低くなっていることを考慮したものと認められる。

(ロ)　本件宅地等を貸家建付地等として判断することの可否

㋑　上記(1)の①から⑥に掲げる事実によれば、被相続人は本件宅地等の上にあった旧建物を長期間賃貸していたが、旧建物の賃借人との賃貸借関係は敷地の一部の譲渡及び新建物の建築のため昭和61年３月に終了したことが認められる。

㋺　上記(1)の⑦から⑨に掲げる事実によれば、被相続人は本件の相続が開始した昭和62年１月28日現在において本件宅地等の上に新建物を建築中であって、この時点では新建物の賃貸借契約は何ら締結されておらず、新建物の賃貸は、本件の相続の開始後に請求人が行ったものと認められる。

㋩　上記(1)の②、③、⑥及び⑨に掲げる事実によれば、Ａ社は旧建物と新建物の両方の賃借人であるが、被相続人と同社との旧建物の賃貸借関係は、被相続人から同社に対する旧建物の明渡しに係る立退料の支払により終了したと認めるのが相当であるから、旧建物と新建物の両建物に係るＡ社との賃貸借契約には継続性が認められない。

㈡　上記⑴の④及び⑨に掲げる事実によれば、旧建物の賃借人であったＢ社と新建物の賃借人であるＣ社は、いわゆる親会社と子会社の関係にあるが、旧建物及び新建物の上記各賃借人に係る賃貸借契約はそれぞれ別個の契約であり、それらの契約に継続性を認めるに足りる証拠はない。

㈭　上記㋑ないし㊁のとおり、本件の相続開始の時においては、本件宅地等の上に建築中の新建物が存在したが、当該建物は、まだ現実に貸付けの用に供されておらず、かつ、新建物の建築前に賃貸されていた旧建物に係る賃貸借契約と新建物に係るそれとの間には継続性も認められないから、本件宅地等には貸家建付地等としてその評価額算定上考慮すべき借家人の事実上の支配権は存在せず、他に本件宅地等の評価額算定上考慮すべき特段の事情も認められない。

②　判断

上記①に掲げるとおり、本件宅地等は貸家建付地等としてではなく、自用地等として評価すべきであるから、原処分庁が自用地等として本件宅地等の評価額を原処分庁の計算欄のとおり宅地部分282,380,190円、借地権部分52,758,768円、合計335,138,958円と評価したのは相当であり、この点に関する請求人の主張には理由がない。

**⑶　小規模宅地等の課税特例**

①　小規模宅地等の課税特例の規定が設けられている趣旨

㈠　措置法第69条の３の小規模宅地等についての相続税の課税価格の計算の特例は、個人が相続又は遺贈により取得した財産のうち、被相続人やその被相続人と生計を一にする同人の親族の事業の用若しくは居住の用に供されていた宅地等（土地又は土地の上に存する権利をいう。以下同じ。）は、通常その相続人等にとって生活の基盤の維持のために不可欠のものであるばかりでなく、特にそれが事業用のものである場合には、雇人、取引先等事業主以外の者の社会的基盤としてその処分について制約を受ける面があることなどに配慮して、その課税価格計算上の減額措置として設けられたものと認められる。

そして、この特例の対象となる小規模宅地等とは、下記に掲げる要件を充足したものであることとされている。

㋑　その相続の開始の直前において、その被相続人若しくはその被相続人と生計を一にしていた同人の親族の事業の用若しくは居住の用に供されていたたな卸資産以外の宅地等であること

㋺　事業には、事業と称するに至らない不動産の貸付けその他これに類する行為で、相当な対価を得て継続的に行う事業に準ずるものが含まれること

㈧　その相続又は遺贈により財産を取得した者に係るすべての当該宅地等の200㎡までの部分のうち、その個人が取得した部分であること

(ロ)　本件宅地等に小規模宅地等の課税特例の規定を適用することの可否

㈠　上記⑴の①から④に掲げる事実によれば、被相続人は本件宅地等を含む敷地の上にあった旧建物1,708.58㎡のうち、居住の用に供していた107.68㎡を除く部分を長期間継続して賃貸していたことが認められる。

㈡　上記賃貸に係る賃貸料は上記⑴の③及び④に掲げるとおりであるところ、被相続人が原処分庁に提出した所得税の確定申告書によれば、その賃貸料収入について、必要経費を控除してもなお相当な金額が不動産所得の金額として算定されていることに照らし、旧建物は相当な対価を得て貸し付けていたことが認められる。

㈧　上記⑴の⑤から⑨に掲げる事実及び被相続人の昭和59年分譲渡所得に関する申告関係資料によれば、被相続人は本件の相続開始の時において、旧建物の敷地の一部を譲渡したことに伴う買換資産として、その譲渡した残りの宅地等である本件宅地等の上に新建物を建築中であったこと及び新建物は完成後直ちに請求人が賃貸したことが認められる。

また、原処分関係資料によれば、被相続人は本件の相続開始の時において、上記以外にも建物（マンション）24戸を所有し、それを賃貸していたことが認められる。

㈢　以上㈠ないし㈧のことを総合して判断すると、被相続人が行っていた旧建物を含む不動産の貸付けは、社会通念上事業というべき規模、対価及び継続性を備えたものとするのが相当である。

また、新建物は、本件の相続開始の時には建築中であって借家人が存在しなかったことから、それによりその敷地である本件宅地等そのものの経済的な価値が減少しているとは認められず、上記⑵②で述べたとおりその評価に当たっては貸家建付地等として評価することはできないが、上記のとおり被相続人の不動産の貸付けは事業というべきものであり、かつ上記㈧で述べたとおり本件宅地等の上に建築中であった新建物は、被相続人が賃貸していた旧建物の敷地の一部の譲渡に伴い建替え中であったものであるから、これを被相続人の事業の面からみた場合、その事業には継続性が認められる。

したがって、措置法第69条の３の規定の適用に当たっては、本件土地等は本件の相続の開始直前においても被相続人の事業の用に供されていたとするのが実態に即しており、同条の規定の趣旨に照らしても相当と認められる。

②　判断

上記①に掲げるとおり、本件宅地等のうち旧建物の事業用部分の敷地に相当する部分について200㎡を限度として措置法第69条の３第１項第１号（筆者注）の規定を適用するのが相当である。

筆者注　事業用の小規模宅地等（限度面積200㎡、評価割合60％）

そうすると、課税価格に算入すべき本件宅地等の価額は次のとおりとなる。

(イ)　宅地部分の価額

本件宅地等のうち宅地部分の面積は234.73㎡であるが、旧建物の利用状況を基に当審判所が調査したところ、事業用は220.45㎡、居住用は14.28㎡であると認められる。

したがって、宅地部分の事業用面積が200㎡を超えるから、請求人が当初の相続税の申告に当たり選択したとおり、この事業用の部分を小規模宅地等として措置法第69条の３第１項第１号（筆者注）の規定を適用し、次のとおり課税価格に算入すべき宅地部分の価額を算定すべきである。

筆者注　事業用の小規模宅地等（限度面積200㎡、評価割合60％）

㋑　上記(2)②に掲げる宅地部分の評価額　282,380,190円

㋺　措置法第69条の３第１項第１号に規定する小規模宅地等に係る減額割合　40％

〔計算〕

$$282{,}380{,}190\text{円} - 282{,}380{,}190\text{円} \times \frac{200\text{㎡}}{234.73\text{㎡}} \times 40\% = 186{,}140{,}190\text{円}$$

(ロ)　借地権部分の価額

上記(イ)のとおり、宅地部分の200㎡について措置法第69条の３第１項第１号（筆者注）の規定を適用するため、借地権部分について同条の規定を適用する余地はないから、その課税価格に算入すべき価額は、上記(2)の②の借地権部分の評価額52,758,768円と同額となる。

筆者注　事業用の小規模宅地等（限度面積200㎡、評価割合60％）

(ハ)　上記(イ)及び(ロ)より、課税価格に算入すべき本件宅地等の価額は、その合計額である238,898,958万円（筆者注下記〔算式〕を参照）となる。

筆者注　〔算式〕 186,140,190円（上記(イ)）＋52,758,768円（上記(ロ)）

## 〔５〕 裁決事例から確認する実務における留意点

小規模宅地等の課税特例の適用に関する疑義として、評価対象地である宅地の評価態様、特に、貸家建付地評価の可否と小規模宅地等の課税特例の適用の可否との関係が取り挙げられることが多い。本件裁決事例も、その典型的な一例である。

### (1)　貸家を建替え中に課税時期が到来した場合の当該敷地の評価方法（貸家建付地評価の可否）

財産評価基本通達26《貸家建付地の評価》の定めでは、『貸家建付地』とは、貸家の敷地の用に供されている宅地をいう。また、『貸家』とは、借地借家法に係る借家に対する保護規定の適用対象となる家屋の賃借人が有する賃借権（これを「借家権」という。）の目的となっている家屋をいう。

そうすると、本件裁決事例の評価対象地のように、課税時期において建築中の家屋がたとえその建築構造設備等の状況から貸家の用に供されることが確実であっても現に借家権

の目的となっていないもの、また、旧来の貸家建物の入居者に対して立退料が支払われていることで旧来の借家権がすべて解消されていると認められるものの敷地の用に供されている宅地については、これを貸家建付地として取り扱う余地はなく、自用地として評価することが相当であると判断される。

なお、本件裁決事例の評価対象地はこれには該当しないが、旧来貸家の用に供されていた家屋を建て替える場合においても、下記に掲げるような状況にあるときには、当該建築中の家屋の敷地は引き続いて貸家の用に供されている宅地として貸家建付地評価ができるものと考えられる。

①　旧家屋の借家人が引き続いて新家屋に入居する契約となっていること

②　旧家屋の借家人に対して立退料等の支払がないこと

③　家屋の建替期間中は、貸主の責任において一時的な仮住居を保証していること

### ⑵　貸家を建替え中に課税時期が到来した場合の当該敷地に対する小規模宅地等の課税特例の適用

本件裁決事例の評価対象地は、上記⑴より貸家建付地として評価することは認められないが、上記〔４〕⑶①(ロ)に掲げるとおり、建替えに係る旧建物及び新建物を通じて『事業』（㊟『事業』には『準事業』（事業と称するに至らない不動産の貸付けその他これら類する行為で相当の対価を得て継続的に行うものをいう。）が含まれる。）の継続性が認められるものと判断され、小規模宅地等の課税特例の適用が容認されていることが注目される。

（注）　現行では、上記の取扱いは措置法通達69の４－５《事業用建物等の建築中等に相続が開始した場合》に明記されているが、当該通達は平成元年５月８日に制定されたものであり、本件裁決事例に係る課税時期（昭和62年１月28日）現在では、当該通達は未制定であることを前提として判断されたものであることに留意する必要がある。

## ⑩　明渡猶予期間中の貸家建物の敷地に対する小規模宅地等の課税特例の適用の可否が争点とされた事例

**検討裁判例（判例）**　東京地方裁判所（平成13年１月31日判決、平成11年（行ウ）第204号）

（注１）相続開始年分は、平成７年です。
（注２）本件は、原告及び被告ともに控訴していないため、一審の東京地方裁判所の判決によって確定しています。

### 〔１〕　事案の概要・前提事実

(1)　本件は、建物明渡請求訴訟に係る訴訟上の和解に基づいて明渡猶予期間中の貸家建物及びその敷地である宅地を相続した場合において、①原告らが相続により取得した宅地は貸家建付地であり、当該宅地上の建物は貸家であるから、相続税におけるこれらの宅地建物の課税価格の算定上、減額を認める評価通達を適用すべきであること、②当該宅地は事業の用に供していた宅地であるから、相続税における当該宅地の課税価格の算定上、措置法に規定する小規模宅地等の課税特例の適用を行うべきであることの主張の可否が争点とされた事例である。

(2)　被相続人は、昭和59年３月６日、株式会社Ａ（以下「本件賃借人」という。）との間で、下記記載の土地（以下「本件土地」という。）上にある建物（以下「本件建物」といい、本件土地と合わせて「本件土地建物」という。）につき、以下のとおり賃貸借契約を締結した。

土地　所　　在：東京都港区東麻布
　　　地　　番：○○○○
　　　地　　目：宅地
　　　地　　積：199.40㎡

建物　所　　在：東京都港区東麻布
　　　家屋番号：○○○○
　　　種　　類：店舗・事務所
　　　構　　造：鉄骨一部鉄筋コンクリート造　陸屋根３階建
　　　床 面 積：１階　138.02㎡
　　　　　　　　２階　113.75㎡
　　　　　　　　３階　167.57㎡

賃貸借契約　①　期間　昭和59年３月18日から昭和61年３月17日まで
　　　　　　②　賃料　月額132万円

(3)　被相続人は、本件賃借人に対し、昭和60年３月４日付け及び同年８月20日付けの書面で、本件賃貸借契約の更新を拒絶し、本件賃貸借契約の終了と同時に本件建物を明け渡すよう求めたが、本件賃借人はこれを拒絶し、本件賃貸借契約の法定更新を主張して昭和61年４月分からの賃料相当額を供託した。そこで、被相続人は、昭和63年12月13日、本件賃借人を被告として、東京地方裁判所に本件建物の明渡請求訴訟を提起した。

⑷　平成５年11月30日、被相続人と本件賃借人との間で、以下のとおり、訴訟上の和解が成立した〔なお、以下当該和解を「本件和解」といい、後記①ないし⑧の和解条項については、それぞれ「本件和解条項①」というように略記する。〕

①　被相続人及び本件賃借人は、本件賃貸借契約が昭和61年３月17日に終了し、平成５年11月30日まで本件建物の明渡しを猶予したものであることを確認する。

②　被相続人は、本件賃借人に対し、本件建物の明渡しを同日から更に平成７年12月31日まで猶予し、本件賃借人は、被相続人に対し、同日限り後記③記載の金員の支払を受けるのと引換えに本件建物を明け渡す。

③　被相続人は、本件賃借人に対し、引越料として2,200万円の支払義務があることを認め、これを平成７年12月31日限り本件建物の明渡しを受けるのと引換えに支払う。

④　本件賃借人は、前記①及び②の明渡猶予期間中、本件建物を無償で使用することができる。

⑤　本件賃借人は、自己の責任と負担で、本件建物の維持・修繕をするものとする。

⑥　本件賃借人が本件建物の明渡猶予期間が終了したのち明渡しを遅延するときは、本件賃借人は、被相続人に対し、明渡猶予期間終了の日の翌日から本件建物の明渡済みまで１日当たり15万円の損害金を支払う。

⑦　被相続人は、本件賃借人に対し、1,188万円の保証金の預託を受けていることを認め、これを次のとおり支払って返還する。

㈠　前記②に従い本件建物の明渡しがされる場合は、その明渡し後直ちに支払う。

㈡　上記㈠以外の場合は、本件建物の明渡し後３日以内に、前記⑥の損害金の未払金を控除して、その残金を支払う。

⑧　被相続人と本件賃借人とは、当該和解条項に定める以外、両者間において何らの債権債務がないことを相互に確認する。

（注）　上記①から⑧には明記されていないが、本件賃貸借契約について本件賃借人が賃料の供託を開始したときから訴訟上の和解日までの間の供託金累計額（約１億２千万円）については、本件賃借人は還付請求権を行使しないとの旨の合意も成立している。

⑸　被相続人は、平成７年７月12日に死亡した。

⑹　本件賃借人は、平成７年11月14日、本件建物を明け渡した。

⑺　本件土地建物は、原告らの遺産分割協議により、原告Ｘ及び原告Ｙがそれぞれ共有持分２分の１ずつ取得することとなった。そして原告らは、本件相続に係る相続税の申告に際して、本件土地についてそれぞれ99.7㎡ずつを小規模宅地等の課税特例の適用を受けるべき土地として選択した。

上記に掲げる事案の概要を図示すると、下記のとおりとなる。

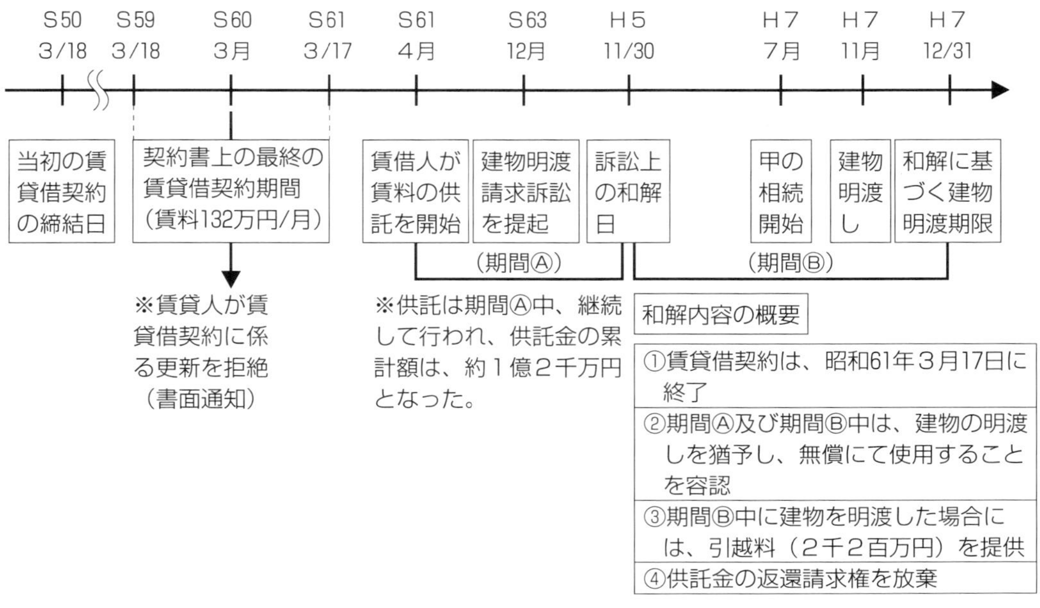


## 〔2〕　事案のポイント・争点

(1)　相続税の課税価格の算定に当たり、本件土地は貸家建付地として、本件建物は貸家として、それぞれ評価すべきか否か。

(2)　相続税の課税価格の算定に当たり、本件土地につき小規模宅地等の課税特例の適用があるか否か。

## 〔3〕　争点に対する双方の主張

| 争　　点 | 原告（納税者）の主張 | 被告（課税庁）の主張 |
|---|---|---|
| (1)　本件土地建物の評価区分（貸家建付地・貸家評価の可否） | ①　本件和解条項上、形式的には、賃料又は使用料相当額の支払義務及び立退料支払義務は約定されていない。しかしながら、賃料又は使用料相当額を免除したことの実質は立退料であり、本件賃借人は被相続人に対して賃料又は使用料相当額を支払い、被相続人は本件賃借人に対し、立退料を支払ったのと同じ効果を有するものである。このように、本件和解条項上は契約終了とその後の本件建物の無償使用の構成を取ったものではあるが、契約終了後の | ①　本件和解の内容からすれば、本件賃貸借契約は、昭和61年３月17日に終了しており、本件相続の課税時期においては、被相続人と本件賃借人との間には本件建物についての賃貸借契約は存在していなかったこと〔本件和解条項①〕、本件賃借人は、本件相続の課税時期においては、被相続人から平成７年12月31日までの本件建物の占有使用を認められていたが〔同②〕、当該期間中の本件建物の使用料は無償とされていたこと〔同④〕などの事実が認め |

| | | |
|---|---|---|
| | 本件賃借人の本件建物の使用は、経済的には、『有償』と評価されるべきものである。<br>　そして、被相続人と本件賃借人との間には、平成７年12月末日まで、本件賃借人において本件建物を使用することが認められ、その間、所有者の被相続人にとって、本件建物及び本件土地の使用が制限され、当該期限に本件賃借人は本件建物を明け渡す旨の約定がなされたものであるから、本件建物につき使用貸借契約が存在していたと評価されるところ、当該使用は、前述のとおり『有償』であり、有償の使用貸借契約の法的性質は、正しく賃貸借契約に外ならない。<br>　したがって、本件和解条項上は、契約終了の法律構成を取っていたとしても、明渡しまでの本件建物に対する本件賃借人の使用権原は、賃貸借契約に基づくものである。<br>②　上記①より、被相続人が死亡した平成７年７月12日には、本件賃貸借契約が継続中であり、本件建物は現実に借家の目的で本件賃借人が占有使用していたのであるから、本件建物は正しく貸家であり、本件土地は正しく貸家建付地である。したがって、本件建物の価額の評価は、評価通達93《貸家の評価》、94《借家権の評価》に従い、本件土地の価額の評価は評価通達26《貸家建付地の評価》に従って行うべきである。<br>　しかるに、被告は、当該評価通達の適用を行わないで、本件建物を自用建物、本件土地を自用地として評価して、本件相続税の更正及び賦課決定をした違法がある。 | られるところ、当該事実からすれば、本件相続の課税時期においては、本件建物について本件賃借人の借家権が存在するものとは認められない。そうだとすれば、本件土地は『貸家の目的に供されている宅地』に該当するものということはできないから、本件土地の価額の算定においては、評価通達26《貸家建付地の評価》の適用はないものと解すべきである。<br>　そして、評価通達上、当該事実から認められる本件建物についての本件賃借人の使用権を評価の対象とする根拠が他に存在しないことからすれば、本件相続の課税時期における本件土地の価額は、いずれも自用地としての価額と解すべきである。<br>②　本件相続の課税時期においては、本件建物について本件賃借人の借家権が存在するものとは認められないから、本件建物の価額の算定においては評価通達93《貸家の評価》、94《借家権の評価》の適用はないものと解すべきである。 |
| ⑵　本件土地に対する本件課 | ①　建物の賃貸事業とは、第三者に賃貸すること自体が事業の中心であること | ①　本件特例は、相続の開始の直前において、被相続人等の事業の用又は居住 |

| | | |
|---|---|---|
| 税特例の適用可否 | は勿論であるが、その終了に基づき明渡手続を行うのも賃貸事業の一環であり、また賃借人が建物を明渡した後、次の賃借人が決まるまでの間、賃借人を募集したり、建物を修繕したり、改築したりすることも賃貸事業の一環であり、その間、賃貸事業は継続して行われていると見られるものである。したがって、事業の当否を判断する基準に、現実に賃借人が占有使用していることさえ必要ではなく、ましてや使用料の無償、有償は関係ないということは明らかである。<br>　なお、措置法通達69の３－２（平成６年６月27日付け課資２－115改正後のもの。以下同じ。）〔欄外 参考資料 を参照〕は、事業用の建物を取り壊し、これに代わるべき建物の建設中などに相続が開始した場合にも、相続税の申告期限までに相続人が建物を事業の用に供しているときは、本件特例の適用が受けられることを定めている。これは、相続開始時に建物自体がなく、使用料など入っていないことは明らかな場合であっても、事業の存在とその継続性を認め、本件特例の適用を認めるものである。<br>②　しかるところ、被相続人は、本件建物が老朽化したことから、本件建物の大修繕ないし改築を計画し、本件賃借人に対し、明渡訴訟を提起し、紆余曲折の末、本件和解を成立させ、本件賃借人に本件建物を明渡させることとし、明渡しを得た後は、本件建物を改築して、新たな建物で賃貸事業を継続する予定であったものであるが、その途中で死亡したものである。仮に明渡条件として使用料を無償としたからといって、自己の計算と危険において営利を目的とし対価を得て継続的に行う経済的活動でないとは到底言えない。しか | の用に供されていた宅地は、相続人等の生活基盤の維持のために不可欠のものであること、特に事業用宅地については、雇人、取引先等事業者以外の多くの者の社会的基盤にもなり、事業を継続させる必要性が高いことなどから、その処分について相当の制約を受けるであろうことにかんがみ、必要最小限の部分について、相続税の課税価格の計算上減額を認めたものであると解される。そして、このような本件特例の趣旨及び文言に照らすと、本件特例にいう事業用宅地に該当するか否かは、相続の開始の直前において、当該宅地が現実に事業の用に供されていたか否かという観点から判断されるべきであり、事業の用に供されていたか否かについては、課税の公平、迅速の観点から、一義的、明確な基準をもって判断させるべきであり、賃貸事業に当たっては、賃貸借契約の締結をもって、事業の用に供されたものとするのが相当である。<br>　また、宅地につき事業の用に供されていたものと認められるためには、当該被相続人が行っていた行為が、相続開始の直前における客観的な状況からみて、営利性、有償性を有していたと認められることが必要である。<br>②　本件土地については、昭和61年３月17日以降、被相続人と本件賃借人との関係が賃貸借関係にあったものとは到底認めることができない。そして、本件相続の開始の直前における本件土地については、被相続人との合意に基づき本件賃借人が占有使用していたものの、その使用料は無償とされていたのであるから、被相続人の計算と危険において営利を目的とし対価を得て継続的に行う経済活動に利用していたものと解することはできない。さらに、本 |

| | | |
|---|---|---|
| | も本件は、未だ本件賃借人が、本件建物を占有使用しており、事業の一時的中断もしていないという事案である。<br>　したがって、本件のこのような状況が被相続人の事業に該当し、かつその事業が継続していることもまた明白であって、その事業の継続中に被相続人は死亡したのであるから、本件特例の適用要件の「相続開始直前において」、「本件土地が被相続人の事業の用に供されており」、かつ「本件土地が建物（すなわち本件建物）の敷地の用に供されていること」に正しく該当しているというべきである。<br>③　本件特例の適用となる事業には、「事業と称するに至らない不動産の貸付その他これに類する行為で相当の対価を得て継続的に行うものを含む」とされているところ（措置法施行令第40条１項）、本件賃借人が本件建物を使用している状況は、相当の対価を得て行われている不動産の貸付に該当し、その貸付中に被相続人は死亡したのであるから、この点からも本件特例の適用があるべき事業に該当する。<br>④　上記①から③から判断して、本件土地は、被相続人の事業の用に供していた土地であるから、本件土地の相続税上の課税価格の算定上、本件特例の適用を行わなかった本件相続税各更正処分等は違法である。 | 件土地の利用が、相当の対価を得て行われている不動産の貸付けに該当しないことも明らかである。<br>　したがって、本件相続に係る相続税の課税価格の算定上、本件土地に本件特例の適用はないものと解すべきである。<br>③　原告らが引用する措置法通達69の３－２は、相続開始の直前において事業場の移転又は建て替え等によって従前から営んでいた事業が一時的に中断されたにすぎず、依然として被相続人等によって営まれていた事業が継続しているとみることができる場合もあることから、相続開始の直前において相続人に承継されるべき生活基盤及び社会的基盤である『事業』がすでに形成されていた場合に限り、当該土地が本件特例にいう事業の用に供しているか否かの判断時期を相続時点から相続税の申告期限まで延長し、原則として当該時点までに当該土地が現実の事業の用に供されている場合に本件特例の適用を認める趣旨のものであって、相続開始時に建物が存在しない場合について一般的に本件特例の適用を認める趣旨ではないことは明らかである。<br>　そして、被相続人は本件建物の老朽化等を理由として本件賃貸借契約の更新拒絶による終了及び本件建物の明渡しを求めたこと、本件相続時においては本件和解に基づき本件賃借人が本件建物を無償で使用しており、本件建物につき賃貸借契約は存在しないことが認められるところ、かかる事実によっては、本件相続開始の直前において被相続人の相続人に承継されるべき本件土地を使用した生活基盤及び社会的基盤が既に形成されていたものと認めることはできないから、本件土地に本件特例を適用することはできない。 |

**参考資料**　措置法通達69の３－２《事業用建物等の建築中等に相続が開始した場合》〔平６課資２－115改正後〕

> 事業場の移転又は建て替えのため被相続人等の事業の用に供されていた建物等を取り壊し、又は譲渡し、これらの建物等に代わるべき建物等（被相続人又は被相続人の親族の所有に係るものに限る。）で、被相続人等の事業の用に供されると認められるものの建築中に、又は当該建物等の取得後被相続人等が事業の用に供する前に被相続人について相続が開始した場合において、当該被相続人と生計を一にしていたその被相続人の親族又は当該建物等若しくは当該建物等の敷地の用に供されていた宅地等を相続若しくは遺贈（被相続人の死亡により効力を生ずる贈与を含む。以下69の３－22までにおいて同じ。）により取得した当該被相続人の親族が、当該建物等を相続税の申告書の提出期限（以下69の３－２において「申告期限」という。）までに事業の用に供しているときは、当該建物等の敷地の用に供されていた宅地等は、措置法69条の３第１項に規定する被相続人等の事業の用に供されていた宅地等（以下69の３－15までにおいて「事業用宅地等」という。）に当たるものとして取り扱う。ただし、当該親族が、申告期限において当該建物等を事業の用に供していない場合であっても、それが当該建物等の規模等からみて建築に相当の期間を要するため建物等が完成していないことによるものであるときは、当該建物等の完成後速やかに事業の用に供することが確実であると認められるときに限り、当該建物等の敷地の用に供されていた宅地等は、事業用宅地等に当たるものとして取り扱う。（平６課資２－115改正）
>
> （注）　当該建築中又は取得に係る建物等のうちに被相続人等の事業の用に供されると認められる部分以外の部分があるときは、事業用宅地等の部分は、当該建物等の敷地のうち被相続人等の事業の用に供されると認められる当該建物等の部分に対応する部分に限られる。

**筆者注**　上記の通達は、語句の一部が改められたうえで現行では、措置法通達69の４－５《事業用建物等の建築中等に相続が開始した場合》になっている。

## 〔４〕　裁判所の判断

### (1)　認定事実

①　本件建物は、昭和37年に新築された建物であり、当初は３階建ての事務所兼店舗であったが、その後４階部分が増築された。

②　被相続人が本件賃借人に対して本件建物を最初に賃貸したのは、昭和50年３月18日であり、本件賃借人は本件建物を印刷業の事務所及び工場として使用していた。この契約はその後更新され、前記〔１〕(2)のとおり、昭和59年３月６日、本件賃貸借契約が締結された。

③　被相続人は、本件建物が老朽化していたこと、土地の値上がりとともに賃貸ビル相場も上がっていたことから、本件建物を建て替えて賃貸すればより高額の賃貸収入が得られると考え、前記〔１〕(3)のとおり、本件賃貸借契約の更新拒絶をして、その明渡請求訴訟を提起した。

被相続人は、本件建物の明渡請求訴訟の訴状において、本件建物の外壁が劣化し、建物自体が傾斜していること、本件賃貸人が設置した重量のある印刷機械が常時稼動しているため基礎自体が沈下していることから、修繕の必要があるとともに、当該機械の設置は用法違反であるとして、更新拒絶には正当な事由があると主張し、仮に正当事由がないとしても、その補完として立退料を支払う用意がある旨主張し、主位的には無条件での明渡しを、予備的には立退料１億円の支払と引換えでの明渡しを求めた。これに対して、本件賃借人は、正当事由の存在を争った。

④　当該訴訟において証人尋問が行われた後になされた借家権価格の鑑定の結果によれば、本件建物の借家権価格は１億5,600万円であった。被相続人と本件賃借人は、当該借家権価格についてそれぞれ主張を行うとともに、本件建物を明渡す方向での解決が話し合われ、立退料についても議論がなされた。

被相続人は、立退料を１億8,000万円程度に押さえたいとの意向を有していたところ、双方話合いの結果、下記に掲げる概要で合意され、前記〔１〕⑷のとおり、平成５年11月30日、本件和解が成立した。

(イ)　本件賃貸借契約は、昭和61年３月31日で終了したこととし、明渡期日は和解成立日から２年後とする。

(ロ)　本件賃貸借契約終了日から明渡しに至るまでの賃料相当額は免除し、本件賃借人が当時既に供託していた賃貸料合計約１億２千万円の還付請求をしないものとする。

⑤　被相続人は、賃料相場が下落している状況にあったので、本件和解成立後、明渡しを受けてからいかなる建物を建築するかについては具体的な計画を立てるには至らないでいたところ、平成７年７月12日に死亡した。なお、被相続人は、平成６年分及び平成７年分に係る所得税の確定申告書において、本件建物についての賃料又は賃料相当損害金を不動産収入として申告していなかった。

⑥　本件土地建物は、被相続人の死後、相続人Ｘ及び相続人Ｙが相続したが、当時、原告らは学生であったことから、明渡しを受けた建物を直ちに建て替えることはしないでいた。しかるところ、本件相続に係る相続税について納税資金が必要となったことから、原告らは、本件土地を株式会社Ｄに対して平成８年３月12日に売却した。なお、同会社は、被相続人が経営していた同族会社であり、その代表取締役は相続人Ｏ及び相続人Ｐであり、その取締役は相続人Ｘ及び相続人Ｙである。

⑦　この間、本件建物は取り壊され、本件土地は駐車場として利用されることとなった。

**⑵　本件和解の趣旨及び明渡猶予期間中における本件建物の貸借契約の類型**

①　本件和解の趣旨について

(イ)　前記〔１〕⑷に掲げるとおり、本件和解は、その文言のみに着目すると、本件賃貸借契約は、昭和61年３月17日に終了し、課税期日においては、被相続人と本件賃借人との間には本件建物についての賃貸借契約は存在せず、本件土地建物は、現に賃貸借契約の目的となっている家屋の敷地の用に供されている土地及び当該家屋に該当しないものと考えられないものでもない。

(ロ)　上記(イ)に掲げる外形にかかわらず、本件和解は、更新拒絶における正当事由の有無が争点となった明渡訴訟における訴訟上の和解としてなされたものであるところ、一般に、このような類型の訴訟上の和解においては、賃貸借契約の終了に伴い一定期間後の明渡しをすべきことを合意する場合、法律上は既に賃貸借契約が終了していることを明記した上で、明渡期日まで明渡しを猶予するという構成が用いられ、賃借人は、事案の内容によって、当該猶予期間中、目的不動産を使用収益し得る一方、これに対して賃料その他の対価の支払を要しないこととされたり、既にした賃料名下の供託金についても取戻しを認められることもあるが、賃貸人には、特段の事情がない限り、賃借人に対してこのような有利な取扱をすべき理由はないのであるから、当該取扱いは賃借人に対する立退料の支払に代わるものとみるほかない。

(ハ)　上記(ロ)より明渡猶予期間中の賃借人による当該不動産の使用関係は、実質的には有償のものであり、終期が確定した賃貸借、すなわち一時使用のために建物の賃貸借をしたことが明らかな場合の賃貸借（以下「一時使用の賃貸借」という。）と異なるものではないのであるが、平成11年法律第153号による改正後の借地借家法で認められた定期建物賃貸借の制度がないことを前提とすると、その期間がごく短い場合以外は「一時使用」とみることに疑義がないでもなく、実質どおりに終期が確定した賃貸借の合意をした場合には、後日、賃借人から借家法第６条や借地借家法第30条に基づき契約更新の主張がされるおそれがあることから、裁判上の和解においては、このような将来の紛争の発生を防止するため、あえて実質的な関係を正面に出さず、前記のような法的構成を用いてきたのである。

②　明渡猶予期間中における本件建物の賃貸借契約の整理

本件和解は、前記①(ハ)に掲げる認定のとおり、定期借家制度が設けられる以前にされたものであって、被相続人は、賃借人に対して、元々早期に無条件の明渡しを求めていたのであり、９年余りもの長期にわたって明渡しを猶予し、しかもその間に１億5,000万円を下らない賃料相当損害金の支払を免除すべき理由は全くないのであるから、当該明渡猶予期間中の本件建物の使用収益は、この種の類型の和解一般と同様に、実質的には終期の確定した賃貸借、言い換えると一時使用の賃貸借と異なるものではないと解するのが相当である。

**(3)　本件土地建物の評価区分（貸家建付地・貸家評価の可否）**

①　評価通達26《貸家建付地の評価》、93《貸家の評価》及び94《借家権の評価》（以下「本件評価通達」という。）が貸家建付地及び貸家の評価額について減額を認めた趣旨は、土地上の建物が借家権の目的となっている場合、建物の賃貸人は、自己使用の必要性などの正当事由がある場合を除き、賃貸借契約の更新を拒んだり解約の申入れをすることができない（借家法第１条の２、借地借家法第28条）から、借家権を消滅させるためには立退料の支払を要することになること、借家人は、建物の引渡しを受けた後には第三者に対する対抗要件を有する（借家法第１条第１項、借地借家法第31条）から、建物に借家権を付着させたままで建物及びその敷地を譲渡する場合には、その譲受人は、建物

及びその敷地の利用について制約を受けることになることから、当該建物及び敷地の交換価値が、借家権の目的となっていない建物や土地に比べて低くなることを考慮したことにあると解される。

このような評価通達の趣旨に照らすと、建物及び土地について、貸家建付地及び貸家として評価額を減額するには、前掲のように交換価値が低くなるような事情がある場合に限られるというべきである。すなわち、評価通達にいう貸家建付地及び貸家とは、現に賃貸借契約の目的となっている家屋の敷地の用に供されている土地及び当該家屋をいうものと解すべきである。

② 上記①のとおりに解するところ、本件和解による明渡猶予期間中の本件建物の使用関係は、実質的には一時使用の賃貸借と異なるものではなく、本件相続開始時においても、当該使用関係は継続していたのであるが、その終期は、平成７年12月31日と確定しており、その期間が比較的短期であること及び賃借人から期間の延長を請求する余地がなくなっていることからすると、当該使用関係の存在は、本件土地建物の交換価値の評価に当たってはそれを無視し得るものということができ、本件土地建物については、評価通達が前提としているような経済的な価値を減少せしめる事情があるとはいえない。

③ 上記①及び②より、被告が本件相続税各更正処分等において本件評価通達を適用せずに本件土地の時価を評価したことは適法であるというべきである。

**⑷　本件土地に対する本件課税特例の適用可否**

① 本件特例の創設趣旨及び事業用宅地に該当するか否かの判断基準

(ｲ) 本件特例は、相続の開始の直前において、被相続人等の事業の用又は居住の用に供されていた宅地は、相続人等の生活基盤の維持のために不可欠のものであること、特に事業用宅地については、雇人、取引先等事業者以外の多くの者の社会的基盤にもなり、事業を継続させる必要性が高いことなどから、その処分について相当の制約を受けるであろうことにかんがみ、必要最小限度の部分について、相続税の課税価格の計算上減額を認めたものであると解される。

このような本件特例の趣旨に照らすと、本件特例にいう事業用宅地に該当するか否かは、相続の開始の直前において、当該宅地が現実に事業の用に供されていたか否かという観点から判断されるべきである。

(ﾛ) 前記⑴に掲げる認定事実及び前記⑵に掲げる説示をもとに検討すると、下記に掲げる事項が認められるところ、それによれば、被相続人が本件建物を本件賃借人に賃貸したことは、自己の計算と危険において営利を目的とし対価を得て継続的に行う経済活動であることから、事業と解することが相当であり、また、本件賃貸借契約の終了が確認された本件和解の後においても、本件賃借人は実質的には一時使用の賃貸借に基づいて本件建物を有償で占有していたのであるから、被相続人の遂行していた当該事業は、本件賃貸借契約に関する紛争処理の段階にあったものの、本件相続開始の直前においても未だ終了していたものとはいえないというべきである。

㋑　本件建物は、昭和50年から本件賃借人に賃貸され、その後賃貸借契約が更新されていたものであること

㋺　被相続人は、本件賃貸借契約の更新拒絶をしたが、本件賃借人においてその効力が争われたため、被相続人は明渡訴訟を提起したこと

㋩　本件和解により、本件賃貸借契約は、昭和61年３月17日に終了したことが確認されたものの、平成７年12月31日までの明渡猶予期間中の使用関係は実質的に一時使用の賃貸借と異ならないこと

㋥　本件賃借人は、平成７年11月14日まで本件建物を占有していたこと

したがって、本件土地は、被相続人の事業の用に供されていた宅地等に該当し、本件特例が適用されるべきであると解される。

②　事業用宅地等に該当するか否かの判断（その１：被相続人の事業の継続性からの検討）

(イ)　前記(1)⑤で認定したとおり、本件賃借人は本件相続開始後間もなく本件建物を明渡したものであるが、本件特例は、「当該相続開始の直前において……当該相続……に係る被相続人の事業……の用……に供されていた宅地等」と定めるにすぎず、相続開始後も相当な期間被相続人の事業が継続していることをその適用の要件とするものではないから、当該事情は、本件特例の適用の妨げとなるものではない。

(ロ)　上記(イ)に対して、被告は、事業の用に供されていたか否かについては、課税の公平、迅速の観点から、一義的、明確な基準をもって判断されるべきであり、賃貸事業にあっては、賃貸借契約の締結をもって、事業の用に供されていたものとするのが相当というべきであると主張する。

そこで検討するに、確かに、現に賃貸借契約が締結されていることは、事業の用に供されているか否かの判断において重要な要素となることは否定し得ないところであるが、本件特例が、被相続人の事業の承継の可能性を高めることを目的とした優遇措置であることからすると、たまたま相続開始の直前において法律上は賃貸借契約が存在しなかったとしても、被相続人が相続開始前に行っていた行為が事業としての実態を有し、当該宅地等がその用に供されていたと認められるときには、本件特例の適用がある場合があると解すべきである。

このことは、本件特例を受けて定められた措置法施行令40条１項が「事業と称する至らない不動産の貸付けその他これに類する行為で相当の対価を得て継続的に行うもの」を事業に準ずるものと規定し、本件特例は、賃貸借契約が存在しない場合であっても、それに類する行為で一定の要件を満たすものであればその適用が認められるものであることに照らしても明らかであるし、措置法通達69の３－２《事業用建物等の建築中等に相続が開始した場合》が、被相続人が事業の用に供していた建物等に代わるべき建物を建築中に、又は当該建物等の取得後にそれを事業の用に供する前に、相続が開始し、相続開始の直前において当該事業用建物等に係る賃貸借契約が存在しない場合でも、一定の要件のもとに事業用宅地等として取り扱うことを定めていること

も、当該解釈に沿うものと解される。

また、本件和解条項及びこれに引用された訴状を精読すれば、当該使用関係が一時使用の賃貸借と異ならない実質を有するものであることは通常の常識を有するならば容易に理解できることというべきであるから、これを前提とする取扱いを求めても、課税庁に難きを強いるものではない。

よって、被告の上記主張は採用できない。

③　事業用宅地等に該当するか否かの判断（その２：貸付行為の営利性・有償性からの検討）

被告は、宅地につき事業の用に供されていたものと認められるためには、当該被相続人が行っていた行為が、相続開始の直前における客観的な状況からみて、営利性、有償性を有していたと認められることが必要であるところ、本件相続開始時に至るまで、本件建物の使用料は９年間に渡って無償とされていたのであるから、営利性、有償性を有するものとはいえない旨主張する。

そこで検討するに、営利性及び有償性は、被相続人が行っていた行為が本件特例の適用のある事業と認められるか否かの判断において考慮すべき不可欠の要素であるにせよ、事業は、不確実性のもとに事業主の経営判断により行われる経済活動である以上、収益が上がらない状態の時期もあり得るのであるから、ある時期において収入がないからといって、直ちに営利性及び有償性に欠けるものとして事業ではなくなるものではなく、事業性の有無は、その事業の性質や経過、事業に対する事業主の経営判断などの要素も総合して判断しなければならない。

この観点から本件をみるに、前記〔1〕で認定したとおりの下記に掲げる事項からすれば、当該明渡猶予期間について結果において形式的に賃料相当額の支払いがなかったことをもって、直ちに営利性及び有償性を欠くから事業には該当しないと解することは相当ではない。

よって、被告の上記主張は採用できない。

(イ)　本件賃借人は、本件相続開始時において、単なる不法占有又は使用貸借をしていたものではなく、昭和50年から継続していた賃貸借契約に関する明渡訴訟においてなされた訴訟上の和解における合意に基づいて本件建物を使用していたものであること

(ロ)　上記(イ)の使用関係は実質的には一時使用の賃貸借と異ならないこと、すなわち、本件和解において、被相続人が、昭和61年４月分以降の賃料相当額の支払いを求めないこととしたのは、当該賃料相当額の支払いを立退料の実質を有するとした上で、本件土地を使用した事業を行うにはそれもやむを得ないとする経済的な判断の上になされたものであること

④　結論

前記①から③によれば、相続税における本件土地の課税価格の算定において、本件特例の適用が認められるべきである。

## 〔5〕 裁判例から確認する実務における留意点

### (1) 本件土地建物の評価（自用地・自用家屋評価）の相当性と今後の評価実務

評価通達26《貸家建付地の評価》の規定では、『貸家建付地』とは、現に貸家の目的の用に供されている宅地をいい、また、『貸家』とは、借地借家法の規定により家屋の賃借人が有する借家権の目的となっている家屋をいうものとされている。

一般に、建物の賃借権が借家権として保護されている場合には税務の評価において、当該貸家家屋及び当該貸家家屋の敷地である宅地の評価を通じて、自用家屋及び当該自用家屋の敷地である宅地の評価との均衡を図る観点からその客観的交換価値の減少を調整（貸家及び貸家建付地として、自用評価よりもその評価額を減額）する方法が採用されているといわれている。

上記に掲げる評価方法が採用される理論的根拠及び当該理論的根拠が本件裁判例の事例に該当するか否かをまとめると下表のとおりになる。

**貸家・貸家建付地評価の理論的根拠と本件裁判例の事例に対する適用**

| 理論的根拠 | 理論的根拠の説明 | 本件裁判例の事例に対する適用 |
|---|---|---|
| ① 使用収益権の制限説 | 貸家家屋の賃借権に基づく利用の範囲内で、不動産所有者はその所有する当該貸家家屋及びその敷地である宅地について自由な使用収益権が一部制限されており、客観的交換価値の減少の起因となっている。 | 本件事例の使用関係は、実質的に『終期の確定した賃貸借』又は『一時使用の賃貸借』と同等のものであり、その終期は課税時期の約５か月後と確定しており、賃借人側から期限延長を請求する余地はなく、課税時期現在における使用関係の存在が、本件評価対象不動産に係る客観的な交換価値の減少を生じさせているとまでは断言できないものである。 |
| ② 潜在的な立退料債務に係る評価減額説 | 借家権の解消に際しては、通常、借家権の対価等としての要素を有する立退料等の支払いが不可避であり、これが一種の潜在的な債務としての性格を形成していると考えられ、客観的交換価値の減少の起因となっている。 | 本件事例の場合、和解内容から判断して、供託金の返還請求権の放棄と借家権の消滅の対価等としての要素を有する立退料等の支払いが一種の相殺関係にあり、評価対象不動産については、潜在的な立退料債務が消滅したものと考えられ、これを財産評価上の価値減額要因として認識する必要性は解消されたものである。 |

上記より、今後の評価実務においては下記に掲げる事項を充足する家屋及びその敷地である宅地については、当該家屋に入居者の存在が認められた場合であっても客観的な交換価値の減少が認められない限り、当該家屋及びその敷地である宅地については自用のものであるとして評価することが相当であると考えられる。（本件裁判例は、貸家・貸家建付地評価の考え方及び判断基準を明確にした貴重な先例と認識される。）

① 家屋の使用関係が、通常の賃貸借契約ではなく、実質的には『終期の確定した賃貸借』又は『一時使用の賃貸借』と同等なものと解される契約内容であること

② 課税時期から上記①に掲げる終期の確定した賃貸借契約等に係る終期までの期間が比較的短期間であること

③ 使用目的の家屋に係る借家権の消滅の対価等としての要素を有する立退料等の支払債務（潜在的な立退料債務）が存在しないと認められること

**⑵　本件土地に対する小規模宅地等の課税特例の適用の相当性と今後の実務対応**

小規模宅地等の課税特例の適用趣旨から判断すると、小規模宅地等の課税特例の対象とされる事業用宅地等に該当するか否かは、相続開始の直前において、当該宅地が現実に被相続人等の事業の用に供されていたか否かという観点から決定されるべきであると考えられる。

本件裁判例の事例では、たとえ、課税時期において法律上の建物賃貸借契約がなかったとしても、下記に掲げる事項を総合的に勘案して判断すると、当該貸家建物の敷地である宅地等は、被相続人等の事業の用に供されていた宅地等に該当し小規模宅地等の課税特例の適用が認められるべきであるとされた点が重要であり、法形式に基づいた外形的判断基準によるのではなく、実質的な判断基準によるべきことが重視されることを判示しており、この点で貴重な先例と認識される。

① 賃貸人が建物を賃借人に賃貸したことは、自己の計算と危険において営利を目的とし対価を得て継続的に行う経済活動であるから、事業と解することが相当であること

② 賃借人は、賃貸人である被相続人甲に係る相続開始時において、当該建物を単なる不法占有又は使用貸借をしていたものではなく、昭和50年３月18日から継続して建物賃貸借契約に関する明渡訴訟においてなされた訴訟上の和解における合意に基づいて建物を使用していたものであり、建物賃貸借契約の更新拒絶における正当事由の有無が争点となった明渡訴訟における民事訴訟上の和解として一般的に採用される法律構成及び当該和解内容（特に、賃借人に係る既供託金の還付請求権の放棄等）から判断すると、その使用関係は実質的に、『一時使用の賃貸借』と異ならず、換言すれば、事業の実態を有していること

③ たまたま、被相続人甲に係る相続開始の直前において、法律上の建物賃貸借契約が存在しなかったとしても、被相続人が相続開始直前において行っていた行為が上記②のとおり事業としての実態を有しているのであれば、当該特例が、被相続人の円滑な事業承継を目的とした優遇措置であることに注目すると、そのことのみをもって決定的な判断要素にはならないものと考えられること

なお、本件裁判例においては、前記〔３〕⑵に掲げる被告（課税庁）の主張欄のとおり、被告（課税庁）側は、①被相続人の事業の継続性及び②建物の貸付行為の営利性・有償性について疑義があるとして問題視しているが、判示では下記に掲げるとおり、租税法における基礎理念として合理性を有しない拡張解釈の禁止（文理解釈の要求）及び

立退き訴訟における一般的な法形式の採用（外形的基準）とその実質の意義（実質的基準）を解釈し判断されている点で評価されるべき判決であると認識される。

| 疑義の内容 | 疑義に対する解釈・判断等 |
| --- | --- |
| ①　被相続人の事業の継続性について<br>当該建物の賃借人は相続開始後間もなく建物を明け渡しており、被相続人の事業の継続性の点で問題はないか。 | 小規模宅地等の課税特例は、その適用条文（現行：措置法第69条の４）において、「個人が相続又は遺贈により取得した財産のうちに、当該相続の開始の直前において、当該相続若しくは遺贈に係る被相続人等の事業の用若しくは居住の用に供されていた宅地等で……」と規定されているのみで、相続開始後もその後相当な期間にわたって被相続人の事業が継続していることをその適用要件とするものではないと解されることから、左の疑義は、特例適用に対する妨げにはならないと考えられる。 |
| ②　営利性・有償性について<br>当該建物の貸付けに係る使用料は、相続開始時に至るまでの約９年間（昭和61年４月～平成７年７月）にわたって無償とされており、営利性・有償性の点で問題はないか。 | 事業は、不確実性のもとに事業主の経営判断により行われる経済活動である以上、収益が上がらない状態の時期もあり得るのであるから、ある時期において収入がないからといって、直ちに営利性及び有償性に欠けるものとして事業ではなくなるものではなく、事業性の有無は、その事業の性質や経過、事業に対する事業主の経営判断などの要素も総合して判断することが重要であると考えられる。<br>そうすると、事例の場合、賃借人が和解において昭和61年４月分以降の賃料相当額の支払いを求めないこととしたのは、これを立退料の実質を有するとしたうえで、当該宅地を使用した事業を行うにはそれもやむを得ないとする経済的な判断のうえになされたものであることからすれば、この期間について、結果として形式的に賃料相当額の支払いがなかったことをもって、直ちに営利性及び有償性を欠くから事業に該当しないと解することは相当ではなく、左の疑義は、特例適用に対する妨げにはならないと考えられる。 |

### 参考事項　平成22年度の税法改正後の取扱い

本件事案は、相続開始時期が平成７年７月12日であり、判示の結果、被相続人の所有する不動産（宅地及びその宅地上に存する家屋）の貸付が有償契約であると認定されたため、当該宅地（本件土地）が被相続人等の事業用宅地等（特定事業用宅地等、国営事業用宅地等又は特定同族会社事業用宅地等のいずれにも該当しないいわゆる一般の事業用宅地等）に該当するものとして、小規模宅地等の課税特例（課税価格算入割合50％、適用上限面積200㎡）の適用が認められることになった。

しかしながら、平成22年度の税法改正（平成22年４月１日以後に開始した相続又は遺贈により取得した財産について適用）によって、不動産の貸付けについても『貸付事業用宅地等』の区分が新設されて従来よりも適用要件の厳格化が図られることになった。改正後においては、被相続人等の不動産貸付事業（貸家、貸地、貸駐車場等）の用に供される宅地等についても、相続税の申告期限までに貸付事業の承継、同期限までの所有継続及び貸付事業供用が

その適用要件となった。（下記『貸付事業用宅地等』の意義を参照）

**『貸付事業用宅地等』の意義（平成22年４月１日の改正時点における取扱い）**

被相続人等の事業（不動産貸付業その他一定のものに限られる。以下「貸付事業」という。）の用に供されていた宅地等で、次に掲げる①又は②の要件のいずれかを満たす当該被相続人の親族が相続又は遺贈により取得したもの（注）をいうものとされている。

（注）　特定同族会社事業用宅地等を除く。

**①　被相続人の貸付事業を相続開始後に事業承継する場合**

| | 要　件 | 内　　　容 |
|---|---|---|
| (イ) | 貸付事業承継の要件 | 被相続人の親族（当該親族から相続又は遺贈により当該宅地等を取得した当該親族の相続人を含む。）が、相続開始時から相続税の申告期限までの間に当該宅地等に係る被相続人の貸付事業を承継すること |
| (ロ) | 所有継続の要件 | 上記の貸付事業を承継した親族が、相続開始時から相続税の申告期限まで引き続き当該宅地等を所有していること |
| (ハ) | 貸付事業継続の要件 | 上記の貸付事業を承継した親族が、貸付事業承継後、相続税の申告期限まで引き続き当該貸付事業の用に供していること |

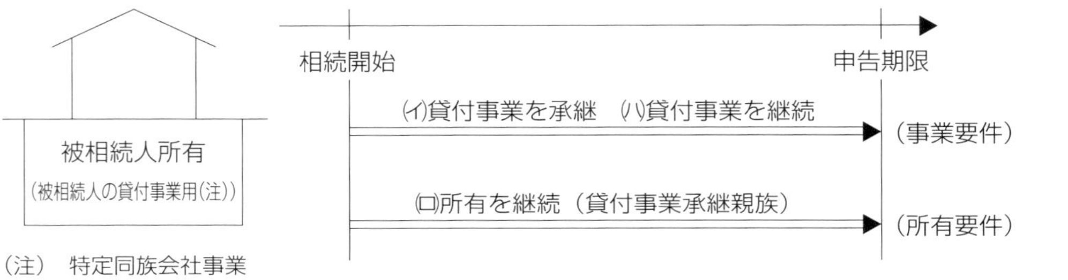


（注）　特定同族会社事業用宅地等を除く。

**②　被相続人と生計を一にする親族の貸付事業の用に供されていた場合**

| | 要　件 | 内　　　容 |
|---|---|---|
| (イ) | 生計一親族の要件 | 被相続人からの相続又は遺贈により財産を取得した親族が、当該被相続人と生計を一にしていた者であること |
| (ロ) | 所有継続の要件 | 相続開始時から相続税の申告期限（当該親族が申告期限前に死亡した場合には、その死亡の日）まで引き続き当該宅地等を所有していること |
| (ハ) | 貸付事業継続の要件 | 相続開始前から相続税の申告期限まで引き続き当該宅地等を自己の貸付事業の用に供していること |

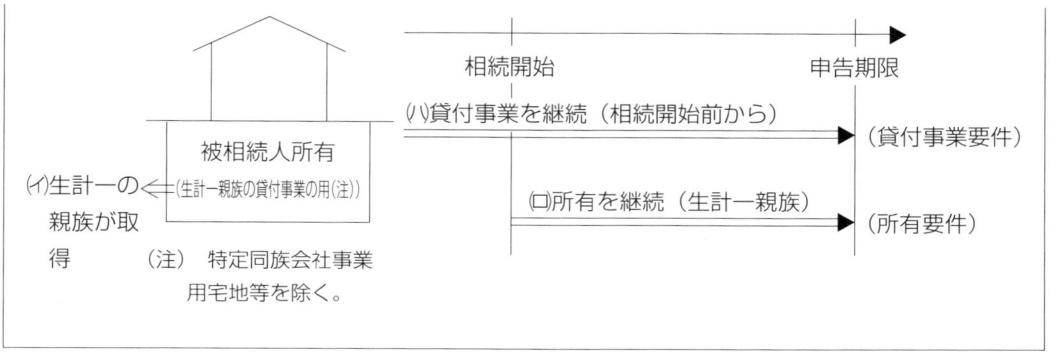


したがって、本件事案に係る相続開始日が、仮に、平成22年４月１日以後である場合には、本件土地については、貸付事業用宅地等には該当しない（相続税の申告期限までの貸付事業継続の要件を充足しない）ことから、小規模宅地等の課税特例の適用は受けられないことになる。

## 11　定期借地権設定地（底地）を定期借地人が相続により取得した場合に、混同で定期借地権が消滅し事業承継要件を充足せず貸付事業用宅地等に該当しないと解することの相当性が争点とされた事例

**検討裁決事例**　国税不服審判所裁決事例（平成27年10月１日裁決、東裁（諸）平27第43号、平成22年相続開始分）

### 〔1〕　事案の概要・基礎事実

(1)　本件は、請求人らが、被相続人に係る相続財産は未分割であるとして相続税の期限内申告をした後、遺産分割の調停が成立し、これにより請求人Ａが取得した宅地（被相続人が請求人Ａに対し、定期借地権設定契約により貸し付けていた賃貸用建物の敷地（土地持分））について、租税特別措置法（以下「措置法」という。）第69条の４《小規模宅地等についての相続税の課税価格の計算の特例》第１項に規定する特例（以下「本件特例」という。）の適用要件を満たすことになったことを理由に相続税の各更正の請求をしたのに対し、原処分庁が、当該宅地には、本件特例の適用要件を満たす部分と満たさない部分があるとして、更正の請求の一部を認める旨の各更正処分をしたことから、請求人らが当該各更正処分の全部の取消しを求めた事案である。

(2)　相続の開始直前における宅地の所有及び利用状況等について

①　図表１の宅地（以下「本件宅地」という。）については、請求人らの母である○○○○（被相続人）が100,000分の27,235の持分（以下「本件相続持分」という。）を、請求人Ａが100,000分の38,115の持分を、請求人Ａが代表取締役を務める○○○○（以下「本件会社」という。）が100,000分の34,650の持分をそれぞれ所有していた。

②　本件宅地上には、図表１の建物（以下「本件建物」という。）が存しており、本件建物については、請求人Ａが100分の65（100,000分の65,000）の持分を、本件会社が100分の35（100,000分の35,000）の持分をそれぞれ所有していた。

**図表１　本件宅地及び本件建物**

(イ)　本件宅地

所　　在：○○○○
地　　番：○○○○
地　　積：301.55㎡

(ロ)　本件建物

所　　在：○○○○
家屋番号：○○○○
種　　類：店舗　事務所　居宅
構　　造：鉄骨鉄筋コンクリート造陸屋根地下１階付９階建
床 面 積：９階　10.66㎡　　４階　204.20㎡

| | | | |
|---|---|---|---|
| ８階 | 148.07㎡ | ３階 | 204.20㎡ |
| ７階 | 204.20㎡ | ２階 | 220.05㎡ |
| ６階 | 204.20㎡ | １階 | 206.90㎡ |
| ５階 | 204.20㎡ | 地下１階 | 225.25㎡ |

③　被相続人は、請求人Ａに対し、平成18年12月28日付の定期借地権設定契約（以下「本件定期借地権設定契約」といい、これにより設定された定期借地権を「本件定期借地権」という。）に基づき、請求人Ａの本件建物の持分100分の65（100,000分の65,000）に係る敷地として、本件相続持分（100,000分の27,235）のうち100,000分の26,885の持分（計算式は、100分の65（100,000分の65,000）－100,000分の38,115〔本件宅地に係る請求人Ａの持分〕。以下「本件持分」という。）について、存続期間を同日から平成68年12月31日までとした上で、賃料年額3,365,400円で貸し付けていた。

なお、本件宅地に係る平成22年度の固定資産税及び都市計画税の税額（以下「固定資産税等」という。）は、○○○○円であり、本件持分（100,000分の26,885）に係る固定資産税等相当額は、○○○○円であった。

④　本件相続持分（100,000分の27,235）のうち、本件持分（100,000分の26,885）を除いた持分（100,000分の350）については、本件会社の本件建物の持分100分の35（100,000分の35,000）に係る敷地として、被相続人が本件会社に有償で貸し付けていた。

⑤　本件宅地は、上記②のとおり、本件建物の敷地の用に供されており、また、請求人Ａは、本件建物に係る自己の持分（100分の65（100,000分の65,000））を、本件会社に対して賃料月額4,405,000円で貸し付け、さらに、本件会社は、上記持分と自己の持分（100分の35（100,000分の35,000））を併せた本件建物全体を、第三者に対し有償で貸し付けていた。

⑶　相続及び相続人等について

①　被相続人は、平成22年○○月○○日に死亡し、相続（以下「本件相続」という。）が開始した。相続人は、被相続人の子である請求人Ａ、請求人Ｂ、請求人Ｃ及び請求人Ｄ（以下、この４名を「請求人ら」という。）並びに請求人ではないＥ（以下「相続人Ｅ」という。）の５名であり、法定相続分はいずれも５分の１である。

なお、本件相続の開始直前において、被相続人と請求人Ａは同居しており、生計を一にしていた。

②　請求人Ｂ、請求人Ｃ及び請求人Ｄは、平成23年４月９日、請求人Ａに対し、各自の相続分全部をそれぞれ50,300,000円で譲渡した。これにより、遺産分割の当事者は、請求人Ａと相続人Ｅの２名となった。

⑷　相続税の申告等及び遺産分割調停

①　請求人らは、本件相続に係る相続税について、平成23年４月22日、相続税の申告書を共同で原処分庁に提出して、相続税の期限内申告をした。

②　請求人Ａは相続人Ｅを相手方として、○○○○家庭裁判所に遺産分割の調停を申し立

てていたところ、平成25年８月６日に調停が成立した。これにより、請求人Ａは、本件相続持分を取得した。

③　請求人らは、上記②の遺産分割の調停の成立により、本件相続持分について請求人Ａが本件特例の適用を受けることを理由として、平成25年９月18日、相続税の更正の請求書を原処分庁にそれぞれ提出して、更正の請求（以下「本件各更正の請求」という。）をした。

請求人らは、請求人Ａが本件特例の適用を受ける根拠として、要旨、本件相続持分（100,000分の27,235）につき、次に掲げる点を挙げた。

(イ)　本件持分（100,000分の26,885）は、被相続人と生計を一にしていた請求人Ａの貸付事業（措置法第69条の４第３項第４号に規定する貸付事業をいう。以下、(イ)において同じ。下記 参考 を参照）の用に供されていたものであり、同号ロに規定する要件を満たすこと

(ロ)　本件持分以外の持分（100,000分の350）は、被相続人の貸付事業の用に供されていたものであり、同号イに規定する要件を満たすこと

**参考　関係法令の要旨（措置法第69条の４第３項第４号）**

措置法第69条の４第３項第４号は、貸付事業用宅地等とは、被相続人等の事業（不動産貸付業その他政令で定めるものに限る。以下「貸付事業」という。）の用に供されていた宅地等で、次に掲げる要件のいずれかを満たす当該被相続人の親族が相続により取得したもの（特定同族会社事業用宅地等を除き、政令で定める部分に限る。）をいう旨規定している。

(1)　当該親族が、相続開始時から申告期限までの間に当該宅地等に係る被相続人の貸付事業を引き継ぎ、申告期限まで引き続き当該宅地等を有し、かつ、当該貸付事業の用に供していること（同号イ）

(2)　当該被相続人の親族が当該被相続人と生計を一にしていた者であって、相続開始時から申告期限まで引き続き当該宅地等を有し、かつ、相続開始前から申告期限まで引き続き当該宅地等を自己の貸付事業の用に供していること（同号ロ）

④　原処分庁は、上記③の本件各更正の請求に対し、平成26年５月30日付で、本件相続持分のうち、本件特例を適用できる部分（上記③の(ロ)の本件持分以外の持分）と適用できない部分（上記③の(イ)の本件持分）があるとして、更正の請求の一部を認める旨の相続税の各更正処分（以下「本件各更正処分」という。）をした。

本件各更正処分に係る請求人Ａに対する更正通知書の『処分の理由』欄には、請求人Ａの本件持分に係る本件特例の適用について、下記のとおり記載されている。

**記載文章**

本件持分（100,000分の26,885）については、被相続人を賃貸人、あなたを賃借人として、平成18年12月28日付で締結された定期借地権設定契約に基づく定期借地権（以下「本件定期借地権」といいます。）が設定されており、相続開始の直前においては被相続人の貸付事業の用に供されていたものと認められますが、本件遺産分割の結果、あなたが本件持分を取得したことによって、本件定期借地権は民法第179条《混同》に規定する混同により消滅しますから、あなたは相続開始時から申告期限までの間に本件持分に係る被相続人の貸付事業を引き継いだことにはならず、また、相続開始前から申告期限まで引き続き本件持分をあなたの貸付事業の用に供していることにもなりません。

そうすると、本件持分は貸付事業用宅地等には該当しないこととなりますので、本件持分について、本件特例を適用することはできません。

本件裁決事例を理解するための参考資料として、図表２（本件宅地及び本件建物の所有状況図）及び 図表３（本件裁決事例における時系列図）を掲げておいたので、参照していただきたい。

**図表２**　**本件宅地及び本件建物の所有状況図**

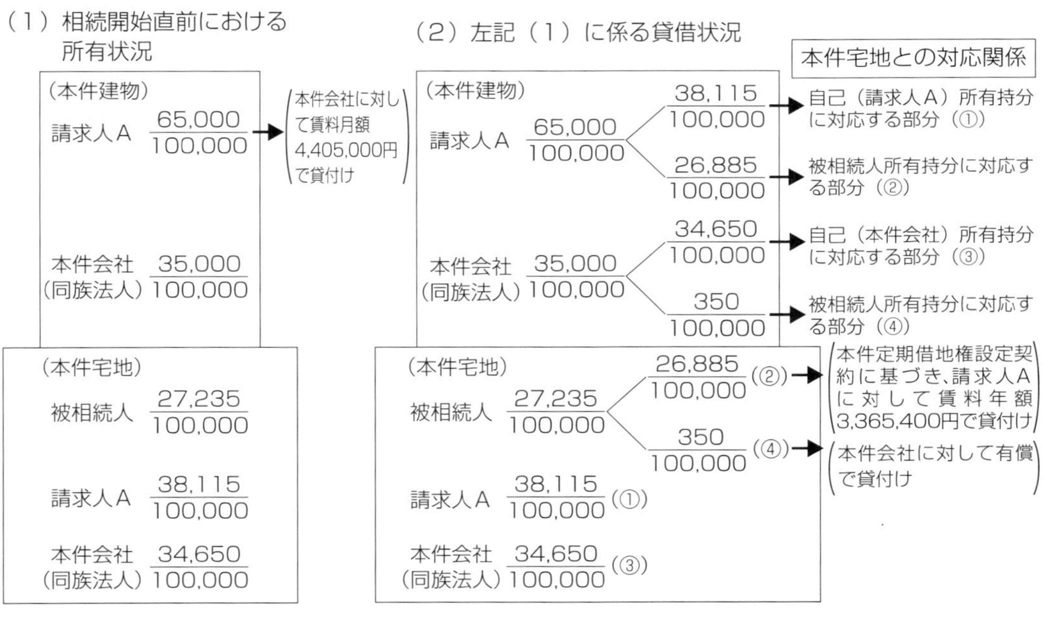

（３）本件相続持分取得後における所有状況

（４）左記（３）に係る貸借状況

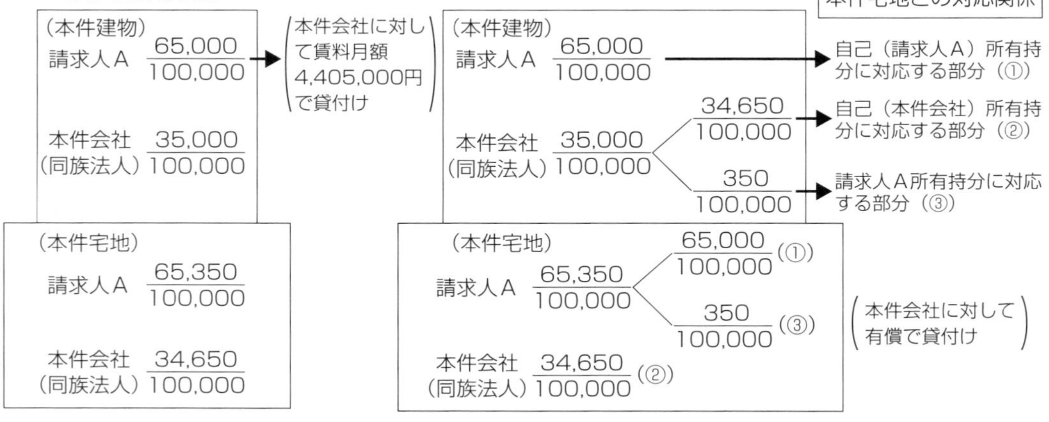


（注）　請求人Ａが被相続人により取得した本件宅地に係る本件持分（$\frac{26,885}{100,000}$）（上記（２）の②部分）については、民法第520条《混同》に規定する混同により消滅

## 図表３　本件裁決事例における時系列図

| 年　月　日 | 出　来　事 |
|---|---|
| ⑴平成18年12月28日 | ・本件宅地に係る本件持分（$\frac{26,885}{100,000}$）について、本件定期借地権設定契約に基づき本件定期借地権を下記の内容により設定<br>（貸　　主）被相続人<br>（借　　主）請求人Ａ<br>（存続期間）平成18年12月28日から平成68年12月31日まで<br>（賃料年額）3,365,400円 |
| ↓ | |
| ⑵平成22年○○月○○日 | ・被相続人に相続開始 |
| ↓ | |
| ⑶平成23年４月９日 | ・請求人Ｂ、同Ｃ及び同Ｄは、各自の相続分全部（各５分の１）を請求人Ａに譲渡（遺産分割の当事者は、請求人Ａ（相続分５分の４）及び相続人Ｅ（相続分５分の１）の２名となる） |
| ↓ | |
| ⑷平成23年４月22日 | ・請求人ら（請求人Ａ、同Ｂ、同Ｃ及び同Ｄ）は、相続税の期限内申告書を提出 |
| ↓ | |

(5)平成25年８月６日

・請求人Ａ及び相続人Ｅとの間の遺産分割の調停が成立し、本件宅地に係る本件相続持分（$\frac{27,235}{100,000}$）については、請求人Ａが相続により取得

⬇

(6)平成25年９月18日

・上記(5)を受けて、請求人らは請求人Ａが本件相続持分を取得したことにより下記内容による本件特例の適用が可能であるとして、相続税の更正の請求書を原処分庁に提出

内容

①　本件持分（$\frac{26,885}{100,000}$）について

貸付事業用宅地等で、被相続人と生計を一にしていた親族（請求人Ａ）の貸付事業の用に供されていたものに該当

②　本件持分以外の持分（$\frac{350}{100,000}$（$\frac{27,235}{100,000}-\frac{26,885}{100,000}$））について

貸付事業用宅地等で、被相続人の貸付事業の用に供されていたものに該当

⬇

(7)平成26年５月30日

・上記(6)を受けて、原処分庁は下記内容による更正の請求の一部を認める旨の相続税の各更正処分を実施

内容　上記(6)①に係る本件特例の適用は認められないが、上記(6)②に係る本件特例の適用は認められる。

## 〔2〕　事案のポイント・争点

本件持分は、措置法第69条の４《小規模宅地等についての相続税の課税価格の計算の特例》第３項第４号に規定する貸付事業用宅地等に該当するか否か。具体的には、本件持分が次に掲げるいずれかに該当するか否かが争点とされたものである。

(1)　本件持分が被相続人の貸付事業に該当するか否か。（措置法第69条の４第３項第４号イの規定の該当性）

(2)　本件持分が被相続人と生計を一にする親族の貸付事業に該当するか否か。（措置法第69条の４第３項第４号ロの規定の該当性）

## 〔3〕 争点に対する双方の主張

| 争　点 | 請求人（納税者）の主張 | 原処分庁（課税庁）の主張 |
|---|---|---|
| 本件持分は本件特例に規定する貸付事業用宅地等に該当するのか | 次のとおり、請求人Ａは、措置法第69条の４《小規模宅地等についての相続税の課税価格の計算の特例》第３項第４号ロに規定する要件を満たす者であるから、本件持分は、同号に規定する貸付事業用宅地等に該当する。<br>⑴　措置法第69条の４第３項第４号ロは、明文をもって、被相続人の所有する宅地等を当該被相続人と生計を一にしていた当該被相続人の親族（以下「生計一親族」という。）の貸付事業の用に供した場合に、同号ロの貸付事業用宅地等に該当する旨規定しているのであるから、同号ロの規定は、生計一親族が被相続人の所有する宅地等を当該被相続人から借り受け、つまり当該宅地等に何らかの用益権を設定し、当該用益権を生計一親族の貸付事業の用に供した場合を前提としている。<br>そして、同号ロには、当該用益権について使用貸借契約に基づくものに限るなどとする規定は設けられていないのであるから、当該用益権が定期借地権であったとしても、同号ロの「当該宅地等を自己の貸付事業の用に供していること」という要件を満たすことは明らかである。<br>なお、租税特別措置法（相続税法の特例関係）の取扱いについて（昭和50年11月４日付直資２－224ほか国税庁長官通達。）69の４－４《被相続人等の事業の用に供されていた宅地等の範囲》（以下「本件通達」という。）は、措置法第69条の４第１項に規定する『被相続人又は生計一親族の事業』の用に供されていた宅地等についての解釈通達であって、同条第３項第４号ロに規 | 次のとおり、請求人Ａは、措置法第69条の４《小規模宅地等についての相続税の課税価格の計算の特例》第３項第４号イ又はロに規定する要件のいずれも満たさない者であるから、本件持分は、同号に規定する貸付事業用宅地等に該当しない。<br>⑴　本件持分には、本件相続の開始直前において、本件定期借地権が設定されており、被相続人が請求人Ａに対して、本件持分を相当の対価を得て継続的に貸し付けていたものと認められる。したがって、本件持分は、本件相続の開始直前において、被相続人の貸付事業の用に供されていた宅地等に該当する。<br>そして、措置法第69条の４第３項第４号イの規定は、相続等により宅地等を取得した親族が被相続人の貸付事業を引き継ぐことを要件としているところ、請求人Ａが本件持分を取得したことで、本件定期借地権は、民法第179条《混同》第１項（欄外の 筆者注 を参照）に規定する混同により消滅し、請求人Ａにおいて本件持分に係る賃料等の収入は生じないこととなったのであるから、請求人Ａは、被相続人の貸付事業を引き継いでいないこととなり、措置法第69条の４第３項第４号イに規定する要件を満たす者に該当しない。<br>⑵　措置法第69条の４第３項第４号ロの規定は、被相続人の所有していた宅地等を生計一親族が相続開始前から自己の貸付事業の用に供していたことを要件としているところ、次の理由から、請求人Ａは、本件相続の開始前から本件持分を自己の貸付事業の用に供していたと認めることはできないから、同 |

定する『自己の貸付事業』の用に供されているか否かの判断に適用されるものではない。

(2)　措置法第69条の４第３項第３号の規定は、被相続人が有していた宅地等が同号に規定する法人に対して相当の対価により継続的に貸し付けられていた場合を前提として（被相続人の事業の用に供されていたことを前提として）、当該法人の建物の利用状況により、当該宅地等が『法人の事業の用に供されていた宅地等』に該当するか否かを判断することとしている。

被相続人が有していた宅地等が、同号に規定する法人の事業の用に供されていた宅地等に該当するか否かと、同項第４号ロの生計一親族の貸付事業の用に供されていた宅地等に該当するか否かとで、その判断基準を異にする合理的な理由はないから、生計一親族が被相続人の有していた宅地等を相当の対価で借り受けていた場合であっても、当該宅地等上に存する当該生計一親族の建物の利用状況により、当該宅地等が生計一親族の事業の用に供されていたものか否かを判断するべきである。

(3)　上記(1)及び(2)のことから、請求人Ａは、本件相続の開始前後を通じ、本件持分を、賃貸中の本件建物の敷地として、引き続き自己の貸付事業の用に供していたというべきであるから、措置法第69条の４第３項第４号ロに規定する要件を満たす者に該当し、本件持分は、同号に規定する貸付事業用宅地等に該当する。

(4)　上記(1)ないし(3)のとおり、本件持分が生計一親族である請求人Ａの貸付事業の用に供されていたか否かの判定は、本件持分が被相続人の貸付事業の用に供されていたか否かに左右されないのである。

号ロに規定する要件を満たす者に該当しない。

(イ)　本件持分は、上記(1)のとおり、本件相続の開始直前において、被相続人の貸付事業の用に供されていた宅地に該当するから、請求人Ａの貸付事業の用に供されていた宅地には該当しない。

(ロ)　相続財産である宅地等の上に被相続人以外の者に帰属する権利が重複して存在し、各々の権利に基づき複数の利用が併存する状況においては、相続財産である部分が、誰のどのような利用に供されているのかを適切に判定する必要がある。

この点、本件通達は、被相続人の有する宅地等の上に被相続人以外の者の所有する建物等が存する場合において、下記のとおりとする旨定めている。

㋑　当該宅地等が被相続人以外の者に相当の対価により継続的に貸し付けられていた場合には、当該宅地等は被相続人の事業（貸付事業）の用に供されていたものとなること（同通達の(1)）

㋺　上記㋑に該当しない場合には、宅地等の上に存する建物所有者の建物の利用状況により判定すること（同通達の(2)）

本件持分は、上記㋑の場合に該当するから、請求人Ａの本件建物の利用状況により判断することにはならない。

なお、本件通達は、措置法第69条の４第１項に規定する『被相続人又は生計一親族の事業の用に供されていた宅地等』の範囲についての解釈通達ではあるものの、同条第３項第４号における『被相続人等の事業（貸付事業）の用に供されていた宅地等』の範囲についても、当然に、本件通達の解釈が及

仮に、原処分庁の主張のとおり、そのことが問題になるとしても、次の理由から、本件持分は、被相続人の貸付事業の用に供されていた宅地に該当しないことは明らかである。

① 被相続人の請求人Aに対する本件持分の貸付行為は、生計一親族間におけるものであり、当該貸付けによって授受された対価に係る収入は、所得税法第56条《事業から対価を受ける親族がある場合の必要経費の特例》の規定により「ないものとみなされる」から、被相続人による当該貸付けは事業（貸付事業）に該当しない。

② 本件定期借地権は、本件持分を請求人Aが相続したことにより、本件相続の開始と同時に、民法520条《混同》（欄外の **筆者注** を参照）の規定により混同で消滅しているのであるから、被相続人の当該貸付行為は、本件相続の開始直前（事実上、本件相続の開始時と同時点）において、相当の対価を得て『継続的』に行う貸付行為には該当しない。

③ 措置法第69条の4第1項の規定は、生計を一にする親族間における不動産の貸付行為は事業に該当しないとする所得税法第56条の規定に由来して、『被相続人又は当該被相続人と生計を一にしていた当該被相続人の親族』を『被相続人等』と定義し、被相続人の事業と生計一親族の事業とを一体のものとして捉えていることからすれば、本件通達の(1)に定める『他に貸し付けられていた宅地等』についても、その貸付けが生計一親族以外の他の者に対して貸し付けられていた場合の当該宅地等をいうことは明らかである。

したがって、本件通達を措置法第69条の4第3項第4号ロに規定する「自ぶものである。

(3) 措置法第69条の4第3項第3号に規定する特定同族会社事業用宅地等は、被相続人等が主宰する法人の事業（貸付事業を除く。）の用に供されている宅地等は、被相続人等が個人として行っている事業の用に供されている宅地等と同一で扱うのが相当であるとの考えの下、被相続人等が当該法人に相当の対価により継続的に貸し付けていることを前提に、その減額割合を同項第1号に規定する『特定事業用宅地等』と同様に扱うこととしたものである。つまり、減額割合の判定のために、宅地等の上に存する建物の利用状況を判断しているのであって、建物所有者の建物の利用状況によりその敷地が誰の事業の用に供されているかを判断することとしているものではない。

| | | |
|---|---|---|
| | 己の貸付事業の用に供している」か否かの判定に援用するとしても、本件持分は、本件通達の(1)の定めに該当する余地はなく、被相続人の貸付事業の用に供されていた宅地に該当しない。 | |

筆者注　『混同』の規定は、次に掲げるとおり、物権に関する規定（民法第179条《混同》第１項）と債権に関する規定（民法第520条《混同》）の２つがある。なお、本件裁決事例で用いられるべきは、請求人（納税者）側で使用されている後者の規定である。

- **民法第179条《混同》第１項**

> 同一物について所有権及び他の物権が同一人に帰属したときは、当該他の物権は、消滅する。ただし、その物又は当該他の物権が第三者の権利の目的であるときは、この限りでない。

- **民法第520条《混同》第１項**

> 債権及び債務が同一人に帰属したときは、その債権は、消滅する。ただし、その債権が第三者の権利の目的であるときは、この限りでない。

## 〔４〕　国税不服審判所の判断

### (1)　貸付事業用宅地等の意義

貸付事業用宅地等は、措置法第69条の４《小規模宅地等についての相続税の課税価格の計算の特例》第３項第４号に規定されており、同号の規定は、相続財産である宅地等が被相続人又は生計一親族の貸付事業の用に供されていた宅地等であることを前提に、同号イの要件として「親族が、相続開始時から…当該宅地等に係る被相続人の貸付事業を引き継いだこと」を求め、同号ロの要件として「親族が…相続開始前から…当該宅地等を自己の貸付事業の用に供していること」を求めている。

かかる文言からすれば、相続財産である宅地等が、措置法第69条の４第１項に規定する被相続人の事業（貸付事業）の用に供されていた宅地等である場合には、同条第３項第４号イに規定する要件を、また、当該宅地等が、同条第１項に規定する生計一親族の事業（貸付事業）の用に供されていた宅地等である場合には、同号ロに規定する要件を、それぞれ当該宅地等を取得した者が満たすか否かによって、当該宅地等が貸付事業用宅地等に該当するか否かを判断することとなるのは明らかである。

### (2)　当てはめ

①　検討事項

本件持分について、本件特例を適用し得るか否かを判断するためには、次に掲げる２点を判定する必要がある。

(イ)　相続財産である宅地等が、相続の開始直前において、誰の何の用に供されていたか、すなわち、被相続人の事業の用に供されていたか、あるいは生計一親族の事業の用に供されていたか。

(ロ)　当該宅地等が貸付事業用宅地等に該当するか否か。

②　上記①(イ)に関する検討

(イ)　法令解釈等

措置法第69条の４第１項は、相続財産たる宅地等を客体として、これが事業の用に供されていたか否かを問題とするものであるから、一次的には、所有者であった被相続人における当該宅地等自体の利用状況をして、被相続人の事業の用に供されていたと認められるか否かを検討するのが相当である。

このことは、本件特例が生計一親族の事業の用に供されていた宅地等をその対象とした経緯や趣旨からもうかがえる。すなわち、本件特例は、昭和58年法律第11号『租税特別措置法の一部を改正する法律』により創設されたものであるところ、その当時の立法担当者の解説（『昭和58年度版改正税法のすべて・財団法人大蔵財務協会発行』）によれば、「被相続人の事業の用又は居住の用に供されていた宅地のうち面積200㎡までの部分のいわゆる小規模宅地については、（中略）その処分について相当の制約を受けるのが通常であるところから、従来、通達による税務執行上、通常の方法によって評価した価額の80％相当額によって評価することに取り扱われて」いたものを「相続税の課税価格の特算の特例として法定することと」したものであり、法定化に当たっては、「仮に被相続人の事業の用又は居住の用に供されていた宅地等だけに限ってこの特例の対象とすることができることとする場合には、例えば被相続人が所有していた宅地等で被相続人の配偶者が事業を営んでいる場合や被相続人の所有に係る宅地等が既に死亡した長男の嫁の事業の用に供されているといったケースについてこの特例が及ばないことになりますが、こうしたことはこの特例措置の趣旨に照らせば必ずしも適当ではないと考えられたこと」から、生計一親族の事業の用又は居住の用に供されていた宅地等も本件特例の適用対象としたものとされている。

その内容からは、従前、被相続人の事業の用又は居住の用に供されていた宅地等についてのみ税務執行上の特例を認めていたところ、補充的には、被相続人の事業の用に供されていたとはいえない場合、具体的には生計一親族に宅地等を無償で貸し付けている場合を念頭に、その上に成立する生計一親族の事業は被相続人の事業と同視し得るとして、本件特例の適用対象としたものと解される。

(ロ)　結論

上記(イ)をもとにして、被相続人における当該宅地等自体の利用状況をして、被相続人の事業の用に供されていたと認められるか否かを検討する。

措置法第69条の４第１項に規定する事業には、準事業、すなわち、事業と称するに至らない不動産の貸付けその他これに類する行為で相当の対価を得て継続的に行うものが含まれていることからすれば、相続財産である宅地等自体が、相続の開始直前において、被相続人により被相続人以外の者に相当の対価を得て継続的に貸し付けられていた場合には、被相続人の事業の用に供されていたものと解するのが相当である。

本件においては、次に掲げる事項が認められることから、本件持分は、本件相続の開始直前において、被相続人の事業の用に供されていた宅地と認められる。

㋑　被相続人が、請求人Ａに対し、存続期間を平成18年12月28日から平成68年12月31日までとして、本件持分を貸し付けていること

㋺　上記㋑の貸付けの対価は、本件持分に係る平成22年度の固定資産税等相当額を上回る額であるから、相当の対価を得て継続的に貸し付けられていたと認められること

なお、賃借人は生計一親族に当たる請求人Ａであるが、措置法第69条の４の規定上、当該宅地等の貸付けに係る賃借人について、生計一親族を除く旨の規定はないことから、上記認定を左右しない。

③　上記①㋺に関する検討

本件においては、本件持分は、被相続人の事業（貸付事業）の用に供されていたものであるから、本件持分を相続した請求人Ａが措置法第69条の４第３項第４号イに規定する要件を満たすか否かを判定することになる。

本件定期借地権設定契約に基づく貸付けにより、本件持分に関し、本件相続の開始直前の時点において、被相続人が貸主たる地位を有し、請求人Ａが借主たる地位を有していたところ、請求人Ａが本件持分を本件相続により取得し、貸主たる地位を承継したことにより、本件定期借地権は民法第520条《混同》の規定に基づき消滅している。その結果、請求人Ａは、被相続人の貸付事業を引き継いでいないこととなるから、措置法第69条の４第３項第４号イに規定する要件を満たす者には該当しない。

したがって、本件持分は、同号に規定する貸付事業用宅地等に該当しない。

**⑶　請求人らの主張について**

①　措置法第69条の４第３項第４号ロの規定について

請求人らは、措置法第69条の４第３項第４号ロの規定は、生計一親族が被相続人の所有する宅地等に何らかの用益権を設定し、当該用益権を生計一親族の貸付事業の用に供した場合を前提としており、また、当該用益権について使用貸借契約に基づくものに限るなどとしていないため、本件のように当該用益権が定期借地権であったとしても、同号ロの「当該宅地等を自己の貸付事業の用に供していること」という要件を満たすことは明らかである旨主張する。

しかしながら、上記⑵②のとおり、当該宅地等がその利用状況からして被相続人の事業の用に供されていたと認められる場合、もはや、生計一親族の事業の用に供されていたか否かを検討する余地はない。

なお、当該宅地等を、被相続人と生計一親族のいずれの事業の用にも供されていたと認めることは、適用要件や当該宅地等の課税価格に算入すべき価額等を一義的に確定し得ない事態を招くことをも踏まえると、法の予定するところではないというべきである。

したがって、請求人らの上記主張には理由がない。

②　措置法第69条の４第３項第３号の規定について

請求人らは、措置法第69条の４第３項第３号の規定では、被相続人の有していた宅地等が

同号に規定する法人に対して相当の対価により継続的に貸し付けられていた場合を前提として（被相続人の事業の用に供されていたことを前提として）、当該法人の建物の利用状況により、当該宅地等が『法人の事業の用に供されていた宅地等』に該当するか否かを判断することとしていることからしても、生計一親族が被相続人の有していた宅地等を相当の対価で借り受けていた場合（被相続人の貸付事業の用に供されていた場合）であっても、当該宅地上に存する当該生計一親族の建物の利用状況により、当該宅地等が生計一親族の事業の用に供されていたものか否かを判断すべきである旨主張する。

しかしながら、措置法第69条の４第３項第３号と同項第４号は、対象や要件を異にするのであって、同項第３号が、同号に規定する法人において、建物を事業の用に供しているかどうかを判断方法の一つとしているとしても、同項第４号に関する上記⑵②及び③の判断に影響を及ぼすものではない。

したがって、請求人らの上記主張には理由がない。

③　予備的な主張について

請求人らは、仮に、措置法第69条の４第３項第４号ロに規定する要件の判定において、本件持分が被相続人の貸付事業の用に供されていたことが影響するとしても、本件においては、上記〔３〕の『請求人（納税者）の主張』欄の⑷の①ないし③の理由から、本件持分は、被相続人の貸付事業の用に供されていた宅地等に該当しない旨主張する。

しかしながら、同①の主張については、所得税法第56条は、所得税における所得の金額の計算において、生計を一にする親族間の支払の対価の額は、各種所得の金額の計算上ないものとみなす旨規定しているのであって、現実の対価の支払やその親族の事業自体を否定するものとまでは解されない。所得税固有の規定が、相続税の課税価格の計算の特例である本件特例の該当性の判断に援用されるものと解するのは相当ではない。

また、同②の主張については、措置法第69条の４第１項の『相続の開始の直前』と同条第３項第４号イの『相続開始時』とは明確に区別すべきもので、後者を前者と同時点とみることはできない。

さらに、同③の主張については、そもそも、本件通達に依拠した判断をしていないが、その点をおくとしても、上記のとおり、所得税法を論拠とするのは相当でなく、措置法第69条の４第１項の規定は、被相続人と生計一親族とを明確に区別している。また、上記⑵の②のとおり、相続財産である宅地等が被相続人により同人以外の者に相当の対価で貸し付けられていた場合に、その賃借人である者について、生計一親族を除く旨の規定はない。そうすると、本件通達の⑴に定める『他に貸し付けられていた宅地等』を被相続人が生計一親族以外の者に対して貸し付けていた場合の当該宅地等をいうと解することはできない。

したがって、請求人らの上記各主張にはいずれも理由がない。

### ⑷　まとめ

上記⑴ないし⑶のとおりであるから、請求人Ａは、本件持分について本件特例を適用することはできない。

## 〔5〕 本件裁決事例から確認する実務における留意点

### (1) 貸付事業用宅地等の該当性

本件裁決事例に係る相続開始年分は平成22年とされていることから、当時の規定では、請求人Aが本件持分を相続により取得して、これを貸付事業用宅地等として、小規模宅地等の課税特例の適用を受けるためには、本件持分が被相続人等の事業（不動産貸付業、駐車場業、自転車駐車場業及び準事業（事業と称するに至らない不動産の貸付けその他これらに類する行為で相当の対価を得て継続的に行うものをいう。）（以下「貸付事業」という。）に限る。）の用に供されていた宅地等で、次に掲げる 図表４ の①又は②の要件のいずれかを満たす当該被相続人の親族が相続又は遺贈により取得したものであることが必要とされる。

図表４　貸付事業用宅地等の該当要件（本件裁決事例に係る課税時期当時）

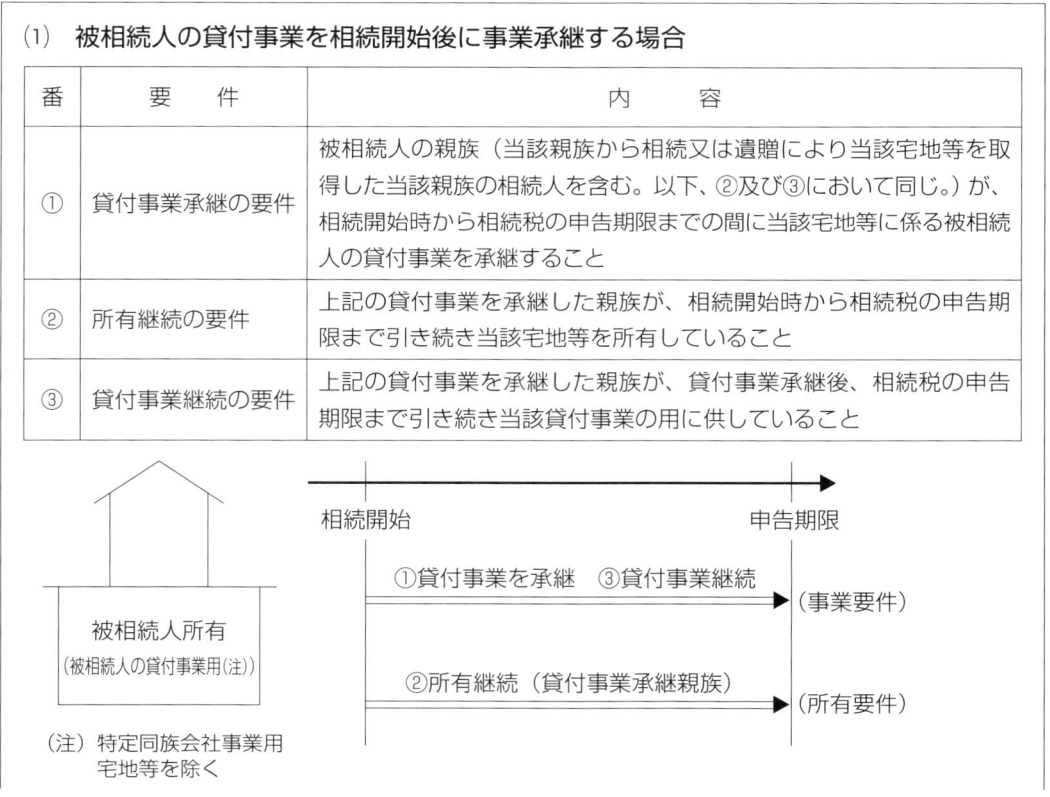

(1) 被相続人の貸付事業を相続開始後に事業承継する場合

| 番 | 要　件 | 内　容 |
|---|---|---|
| ① | 貸付事業承継の要件 | 被相続人の親族（当該親族から相続又は遺贈により当該宅地等を取得した当該親族の相続人を含む。以下、②及び③において同じ。）が、相続開始時から相続税の申告期限までの間に当該宅地等に係る被相続人の貸付事業を承継すること |
| ② | 所有継続の要件 | 上記の貸付事業を承継した親族が、相続開始時から相続税の申告期限まで引き続き当該宅地等を所有していること |
| ③ | 貸付事業継続の要件 | 上記の貸付事業を承継した親族が、貸付事業承継後、相続税の申告期限まで引き続き当該貸付事業の用に供していること |

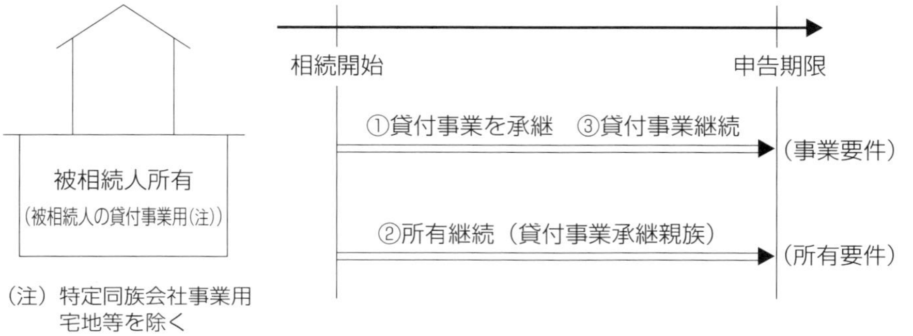


（注）特定同族会社事業用宅地等を除く

⑵　被相続人と生計を一にする親族の貸付事業の用に供されていた場合

| 番 | 要　　件 | 内　　容 |
|---|---|---|
| ① | 生計一親族の要件 | 被相続人からの相続又は遺贈により財産を取得した親族が、当該被相続人と生計を一にしていた者であること |
| ② | 所有継続の要件 | 相続開始時から相続税の申告期限（当該親族が申告期限前に死亡した場合には、その死亡の日。以下、③において同じ。）まで引き続き当該宅地等を所有していること |
| ③ | 貸付事業継続の要件 | 相続開始前から相続税の申告期限まで引き続き当該宅地等を自己の貸付事業の用に供していること |

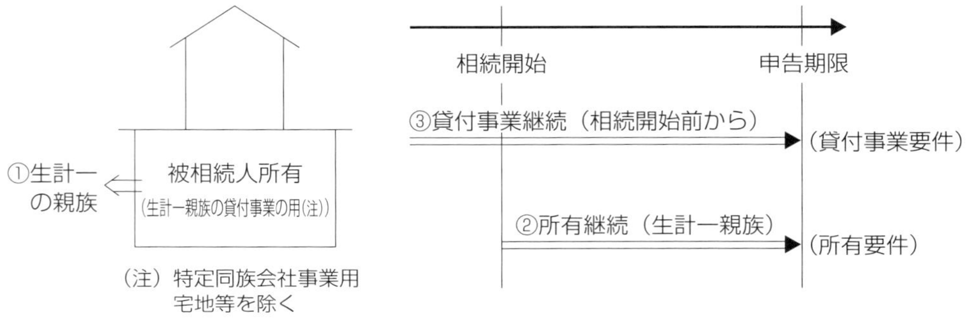


### ⑵　本件裁決事例への当てはめ（その１：『被相続人の貸付事業を相続開始後に承継する場合』の該当性）

貸付事業用宅地等に該当する形態の１つとして、上記⑴の 図表４ の⑴に掲げるとおり『被相続人の貸付事業を相続開始後に承継する場合』が挙げられる。これに該当するためには課税要件事実として、「被相続人の親族（当該親族から相続又は遺贈により当該宅地等を取得した当該親族の相続人を含む。）が、相続開始時から相続税の申告期限までの間に当該宅地等に係る被相続人の貸付事業を承継すること」（貸付事業承継要件）が必要とされている。

一方、民法第520条《混同》の本文の規定では、「債権及び債務が同一人に帰属したときは、その債権は、消滅する。」とされており、本件裁決事例では、本件宅地に係る本件持分が本件相続により請求人Ａに承継されたことにより、従来、被相続人が請求人Ａに対して有していた賃料（地代受取）債権が請求人Ａに帰属し、従来より、請求人Ａが被相続人に対して有していた賃料（地代支払）債務と一体化（混同）することから、当該賃料（地代受取）債権は本件相続に係る相続開始時に遡及して混同により消滅することになる。

そうすると、本件相続によって、請求人Ａには本件持分に係る賃料等の収入金額は生じないこととされたので、被相続人に係る相続税の申告期限までの間に本件持分に係る被相続人の貸付事業を承継することはできず、上掲の貸付事業承継要件を充足しないものとされる。

したがって、本件裁決事例における本件宅地に係る本件持分は、上記⑴の 図表４ の①に掲げる『被相続人の貸付事業を相続開始後に承継する場合』には該当しないものとされる。

なお、本件裁決事例の場合には該当しないが、本件宅地に係る本件持分を取得した者が請求人Ａ以外の者であって、かつ、他の一定の要件（所有継続の要件、貸付事業継続の要件等）を充足している場合には、上記⑴の 図表４ の①に掲げる『被相続人の貸付事業を相続開始後に承継する場合』に該当することになる。（この論点に関しては、第４章〔５〕㊱（783ページ）に掲げる質疑応答を併せて参照していただきたい。）

### ⑶　本件裁決事例への当てはめ（その２：『被相続人と生計を一にする親族の貸付事業の用に供されていた場合』の該当性）

貸付事業用宅地等に該当する形態の１つとして、上記⑴の 図表４ の②に掲げるとおり『被相続人と生計を一にする親族の貸付事業の用に供されていた場合』が挙げられている。本件裁決事例では、本件宅地に係る本件持分がこれに該当するか否かが主な争点とされている。この争点を解明するに当たっては、被相続人等の事業用宅地等の意義を明確化することが必要とされる。

この点、措置法通達69の４－４《被相続人等の事業の用に供されていた宅地等の範囲》において、次のとおりに定められている。

**参考通達**　**措置法通達69の４－４《被相続人等の事業の用に供されていた宅地等の範囲》**

措置法第69条の４第１項に規定する被相続人等の事業の用に供されていた宅地等（以下69の４－18までにおいて「事業用宅地等」という。）とは、次に掲げる宅地等をいうものとする。
⑴　他に貸し付けられていた宅地等（当該貸付けが事業に該当する場合に限る。）
⑵　⑴に掲げる宅地等を除き、被相続人等の事業の用に供されていた建物等で、被相続人等が所有していたもの又は被相続人の親族（被相続人と生計を一にしていたその被相続人の親族を除く。）が所有していたもの（被相続人等が当該建物等を当該親族から無償（相当の対価に至らない程度の対価の授受がある場合を含む。以下69の４－33までにおいて同じ。）で借り受けていた場合における当該建物等に限る。）の敷地の用に供されていたもの

上記の措置法通達に基づいて、被相続人等の事業用宅地等を分類すると、次の 図表５ のとおりとなる。

**図表５**　**被相続人等の事業用宅地等の分類**

| 区分 | 宅地所有者 | 建物所有者 | 建物利用者 | 留意点・その他参考事項 |
|---|---|---|---|---|
| 貸地型 | 被相続人 | 他者 | － | ・当該貸付が事業に該当する場合に限られる。<br>・ 図表６ の①を参照 |
| 貸地型以外 | 被相続人 | 被相続人等 | 被相続人等 | ・被相続人等とは、被相続人及び被相続人と生計を一にする親族をいう。<br>・この形態は、図表６ の②(イ)に掲げるとおり、４区分に細分類される。 |
| | 被相続人 | 被相続人と生計別の親族 | 被相続人等 | ・本件裁決事例の場合は、この分類には明確に該当していないので、細分類は割愛する。<br>・ 図表６ の②(ロ)を参照 |

## 図表６　被相続人の事業用宅地等（図解による細区分）

①　他に貸し付けられていた宅地等（当該貸付けが事業に該当する場合に限る。）

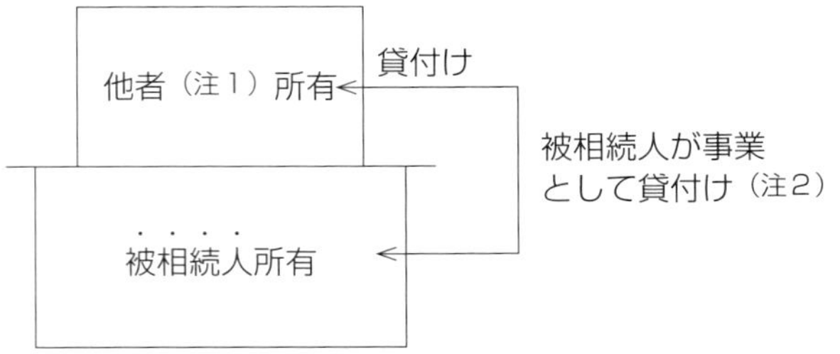


（注１）他者とは、被相続人以外の者をいう。すなわち、借主の如何（第三者、生計一の親族、生計別の親族、同族会社等）を問わないことに留意する必要がある。

（注２）㋑　事業には『事業に準ずるもの』が含まれる。

㋺　『被相続人が事業として貸付け』とは、相当の対価を得て継続的に貸し付けていることをいう。したがって当該貸借の条件が無償である場合や、固定資産税その他の必要経費を回収する程度の相当の対価を得ていないものについては、借主の如何（第三者、生計一の親族、生計別の親族、同族会社等）を問わず、本通達に規定する『貸付け』の要件には該当しない。

②　①以外の宅地等

(イ)　被相続人等（注）の事業の用に供されていた建物等で被相続人等が所有していたものの敷地の用に供されていたもの

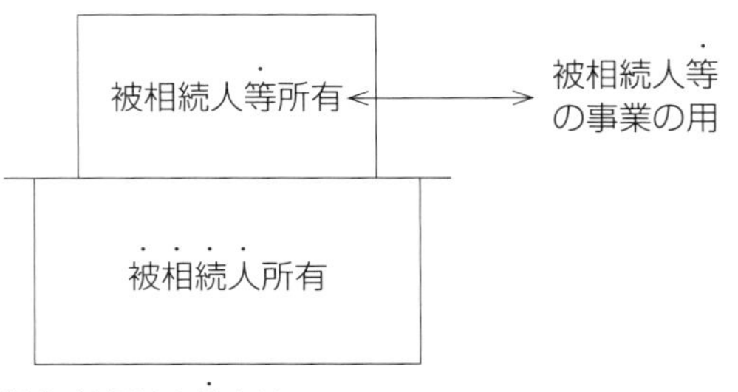


（注）**被相続人等**とは、
被相続人
被相続人と生計を一にする親族（以下「**生計一親族**」という。）
をいう。

上記(イ)の図は、下記に掲げる４つに細分化される。

<table>
<tr><td colspan="2" rowspan="2">区分</td><td colspan="2">建物の所有者</td></tr>
<tr><td>被相続人所有</td><td>生計一親族所有</td></tr>
<tr><td rowspan="2">建物の利用者</td><td>被相続人の利用</td><td>㋑　所有者……被相続人<br>利用者……被相続人<br>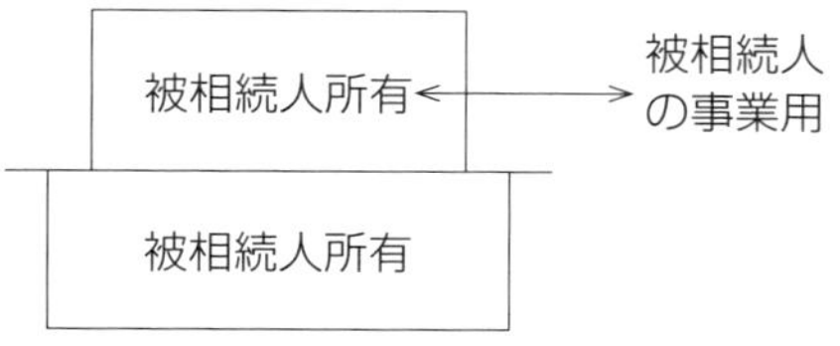<br></td><td>㋩　所有者……生計一親族<br>利用者……被相続人<br>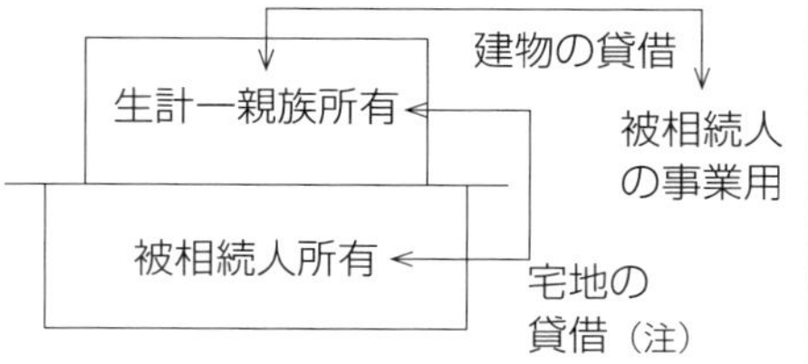<br></td></tr>
<tr><td>生計一親族の利用</td><td>㋺　所有者……被相続人<br>利用者……生計一親族<br>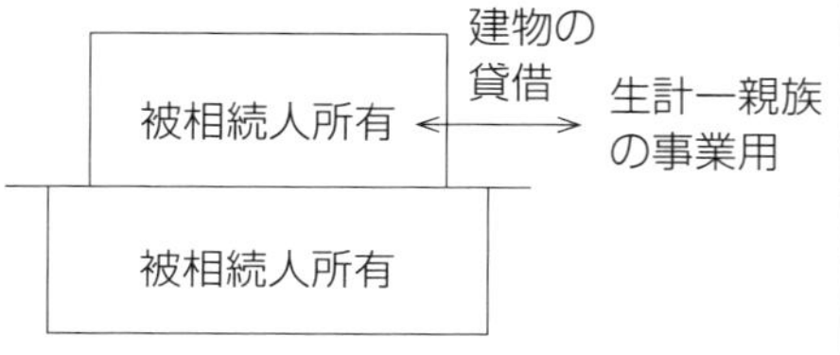<br></td><td>㋥　所有者……生計一親族<br>利用者……生計一親族<br>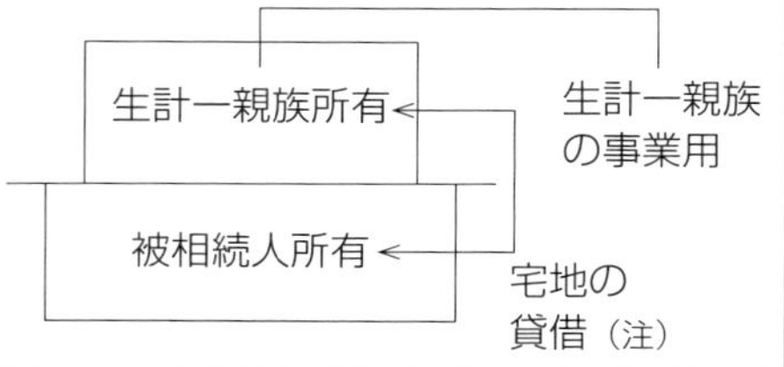<br></td></tr>
</table>

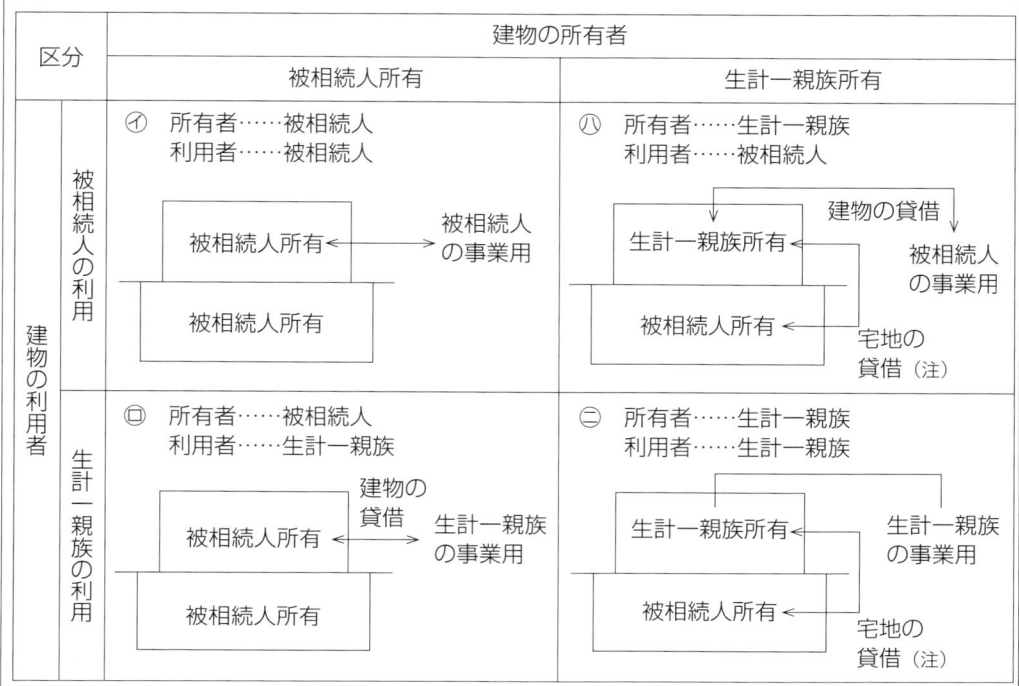

（注）　上記㋩及び㋥において、宅地の所有者（被相続人）と建物の所有者（生計一親族）との間における当該宅地の貸借関係は、無償契約（固定資産税その他の必要経費を回収する程度の相当の対価を得ていない場合を含む。）であることが必要とされている。その理由は、次に掲げるとおりである。

Ⓐ　上記**参考通達**に掲げるとおり、措置法通達69の４－４《被相続人等の事業の用に供されていた宅地等の範囲》の⑴では「他に貸し付けられていた宅地等（当該貸付けが事業に該当する場合に限る。）」と、また、⑵では「⑴に掲げる宅地等を除き、（以下略）」と定められている。

Ⓑ　上記①において、『他に貸し付けられていた宅地等（当該貸付けが事業に該当する場合に限る。）』の意義として、被相続人が事業として貸し付けていること、すなわち、相当の対価を得て継続的に貸し付けていることが必要であると解釈されている。

Ⓒ　上記Ⓐ及びⒷより、措置法通達69の４－４の⑵の定めの適用に当たっては、宅地の所有者（被相続人）と建物の所有者（生計一親族）との間における当該宅地の貸借関係が有償契約である場合以外であることが必要となる。（有償契約の場合には、上記①に該当することになる。）

㋺　被相続人等の事業の用に供されていた建物等で被相続人の親族（被相続人と生計を一にする親族を除く。以下「生計別の親族」という。）が所有していたものの敷地に供されていたもの（被相続人等が当該建物を当該親族から無償（無償には、相当の対価の授受に至らない程度の対価の授受を含む。）で借り受けている場合に限る。）

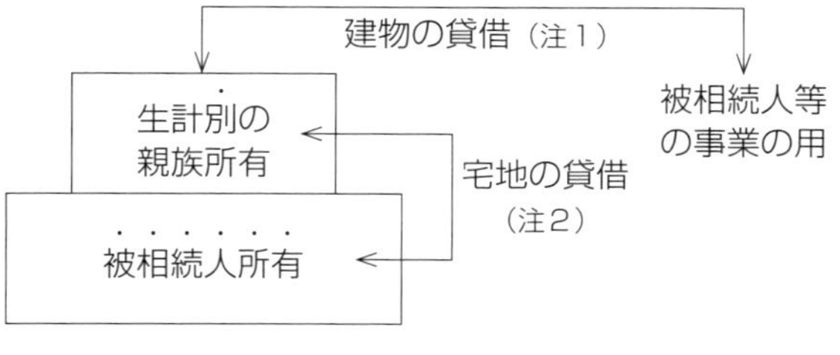

（注１）　上記の貸様においては、被相続人等が生計別の親族から当該建物を無償（相当の対価の授受に至らない程度の対価の授受を含む。）で借り受けていることが必要とされる。
（注２）　宅地の所有者（被相続人）と建物の所有者（生計別の親族）との間における当該宅地の貸借関係が有償契約である場合には、上記①に該当することになる。したがって、(ロ)においては、これらの両者間における当該宅地の貸借関係は、無償契約（固定資産税その他の必要経費を回収する程度の相当の対価を得ていない場合を含む。）であることが必要とされている。

本件裁決事例に上記の措置法通達を当てはめると、一見、図表５ に掲げる『（区分）貸地型以外、（宅地所有者）被相続人、（建物所有者）被相続人等、（建物利用者）被相続人等』に分類され、さらなる細分類として、図表６ の②(イ)を細分化した４区分のうちの(ニ)に掲げる区分（『（建物の所有者）被相続人と生計一親族、（建物の利用者）被相続人と生計一親族』）の類型（建物は賃貸借契約により他者に貸付）に該当し、本件宅地に係る本件持分につき、これを貸付事業用宅地等に該当すると主張する向きがあるかもしれない。

しかしながら、上記の指摘が相当とされる前提条件として、上記 図表６ の②(イ)を細分化した４区分の表に係る(注)書に示すとおり、宅地の所有者（被相続人）と建物所有者（被相続人と生計一親族、本件裁決事例の場合には請求人Ａ）との間における貸借関係が無償契約（固定資産税その他の必要経費を回収する程度の相当の対価を得ていない場合を含む。以下、本問において同じ。）であることが必要とされている。

本件裁決事例の場合では、被相続人は、本件宅地に係る本件持分を賃料年額3,365,400円で請求人Ａに貸し付けていたというのであるから、本件裁決事例における全般の記載内容から推量（筆者注 固定資産税等の額は残念ながら非公開とされた）すると、当該賃料年額をもって無償契約の範疇に留まると解することは困難であり、当該賃料年額は相当の対価に該当すると解される。

そうすると、本件裁決事例における本件宅地に係る本件持分は、上記(1)の 図表４ の②に掲げる『被相続人と生計を一にする親族の貸付事業の用に供されていた場合』には該当しないものとされる。

なお、本件裁決事例における本件宅地に係る本件持分を『被相続人と生計を一にする親族の貸付事業の用に供されていた場合』に当てはめるためには、本件宅地に係る本件持分の貸借関係が無償契約であることが必要とされる理由について、上記 図表６ の②(イ)を細分化した４区分の表に係る(注)書では措置法通達69の４－４《被相続人等の事業の用に供されていた宅地等の範囲》の構成面からの解説を示したが、本件裁決事例における国税不服審判所の判断では、次に掲げるとおり、趣旨面からの法令解釈等が示されており注目すべきものである。

①　措置法第69条の４《小規模宅地等についての相続税の課税価格についての計算の特例》第１項は、相続財産たる宅地等を客体として、これが事業の用に供されていたか否かを問題とするものであるから、一次的には所有者であった被相続人における当該宅地等自体の利用状況をして、被相続人の事業の用に供されていたと認められるか否かを検討するのが相当であるから、当該宅地等がその利用状況からして被相続人の事業の用に供されていた

と認められる場合、もはや、生計一親族の事業の用に供されていたか否かを検討する余地はないこと

参考　『被相続人と生計を一にする親族の事業の用に供されていた場合』にも小規模宅地等の課税特例の適用を認めることとしたのは昭和58年度の税法改正によるものである。

従前（昭和50年に制定された個別通達をもって運用していた期間）においては、被相続人の事業の用に供されていた宅地等についてのみ小規模宅地等の課税特例の適用を認めていたところ、補充的には、被相続人の事業の用に供されていたとはいえない場合、具体的には生計一親族に宅地等を無償で貸し付けている場合を念頭に、その上に成立する生計一親族の事業は被相続人の事業と同視し得るとして、小規模宅地等の課税特例の適用対象としたものと解される。

②　本件裁決事例における本件宅地に係る本件持分を、『被相続人』と『被相続人と生計を一にする親族』のいずれの事業の用にも供されていたと認められることは、適用要件や当該宅地等の課税価格に算入すべき価額等を一義的に確定し得ない事態を招くことをも踏まえると、法の予定するところではないこと

## ⑫　未分割財産が分割されたことにより小規模宅地等の課税特例の適用を受ける場合における更正の請求期限の起算日が争点とされた事例

**検討裁決事例**　国税不服審判所裁決事例（平成15年３月20日裁決、東裁（諸）平14第207号、平成６年相続開始分）

### 〔１〕　事案の概要・基礎事実

(1)　本件は、請求人が提出した更正の請求が租税特別措置法（以下「措置法」という。）第69条の３《小規模宅地等についての相続税の課税価格の計算の特例》（筆者注１）第４項（筆者注２）に規定する更正の請求の期限内に提出されたものであるか否かを主な争点とする事案である。

筆者注１　現行の規定では、措置法第69条の４と条文番号が繰り下がっている。

筆者注２　措置法第69条の３第４項は、同条第３項（筆者注３）のただし書の場合について、相続税法第32条《更正の請求の特則》の規定を準用する旨規定しているところ、同条は、相続税の申告書を提出した者は、次のいずれかに該当する事由により当該申告に係る課税価格及び相続税額が過大となったときは、次の事由が生じたことを知った日の翌日から４月以内に限り、納税地の所轄税務署長に対し、その課税価格及び相続税額につき国税通則法（以下「通則法」という。）第23条《更正の請求》第１項の規定による更正の請求をすることができる旨規定している。

①　相続税法第55条《未分割遺産に対する課税》の規定により分割されていない財産について民法の規定による相続分の割合に従って課税価格が計算されていた場合において、その後当該財産の分割が行われ、共同相続人が当該分割により取得した財産に係る課税価格が当該相続分の割合に従って計算された課税価格と異なることとなったこと

②　措置法第69条の３第３項（筆者注３）のただし書の規定に該当したことにより、同項の分割が行われた時以後において本件特例の規定を適用して計算した相続税額がその時前において同項の規定を適用して計算した相続税額と異なることとなったこと

筆者注３　措置法第69条の３第３項は、同条第１項の規定は、相続に係る相続税法第27条《相続税の申告書》の規定による申告書の申告期限（以下「申告期限」という。）までに共同相続人によって分割されていない宅地等には適用しない。ただし、その分割されていない宅地等が申告期限から３年以内（当該期間が経過するまでの間に当該宅地等が分割されなかったことにつき、当該相続に関し訴えの提起がされたことその他政令で定めるやむを得ない事情がある場合において、政令で定めるところにより納税者の所轄税務署長の承認を受けたときは、当該宅地等の分割ができることとなった日として政令で定める日の翌日から４月以内）に分割された場合には、その分割された当該宅地等については、この限りでない旨規定している。

(2)　審査請求に至る経緯

①　請求人は、平成６年９月７日に死亡した被相続人の相続人であるが、この相続に係る相続税（以下「本件相続税」という。）について、被相続人の相続財産（以下「本件相続財産」という。）が未分割であるとして申告書に下記 図表１ の表の「申告」欄のとおり記載して法定申告期限（筆者注）までに申告した（以下、この申告した申告書を「本件申告書」という。）。

筆者注　平成６年中に開始した相続に係る相続税の申告期限は、次に掲げる(イ)と(ロ)のうちいずれか遅い方とされていた。

(イ)　相続開始があったことを知った日の翌日から８か月を経過した日

(ロ)　平成６年10月31日

そうすると、本件裁決事例に係る相続開始日は平成６年９月７日であることから、その法定申告期限は、上記の取扱いに照らし合わせると、平成７年５月７日とされる。

図表１　本件相続税の状況

| 区分／項目 | 申　告 | 更正の請求 | 更正処分 | 異議決定 |
|---|---|---|---|---|
| 課　税　価　格 | ○○○○円 | 27,447,000円 | 71,710,000円 | 71,640,000円 |
| 納付すべき税額 | 6,650,500円 | 201,100円 | 6,586,700円 | 6,580,300円 |

②　上記①の後、請求人は、本件相続財産の分割が成立したので、措置法第69条の３第１項に規定する特例（以下「本件特例」という。）の適用を求めるとして、平成12年11月２日に、上記 図表１ の表の「更正の請求」欄のとおりとする本件相続税の更正の請求（以下「本件更正の請求」という。）をした。

③　原処分庁は、上記②に対して、本件更正の請求のうち本件相続財産の分割が成立したことによる減額が認められる部分について、平成13年７月31日付で上記 図表１ の表の「更正処分」欄のとおりとする減額の更正処分（以下「本件更正処分」という。）をした。

④　請求人は、この処分を不服として、平成13年９月28日に異議申立て（ 筆者注 現行制度の再調査の請求に該当する。）をしたところ、異議審理庁（ 筆者注 現行制度では再調査審理庁）は、同年12月20日付で、上記 図表１ の「異議決定」（ 筆者注 現行制度では再調査決定）欄のとおり、その一部を取り消す異議決定をした。

(3)　上記(2)以外の争いのない事実

①　被相続人の共同相続人は、請求人及びＡの２名であり、両者は、本件申告書を共同して提出した。

②　請求人は、本件申告書とともに要旨次のとおり記載した「申告期限後３年以内の分割見込書」と題する書面（以下「本件分割見込書」という。）を提出した。

(イ)　未分割財産については、分割協議が難航し期限内に分割ができないため、申告書の提出期限後３年以内に分割する見込みであること

(ロ)　分割見込み財産の内訳は、○○○○に所在する土地499.11㎡のうち持分1,713,400分の13,490（以下「甲土地」という。）、○○○○に所在する土地146.26㎡（以下「乙土地」という。）、○○○○に所在するマンション64.56㎡（以下「甲建物」という。）のうち持分５分の１及び○○○○に所在する家屋１階68.58㎡、２階67.48㎡（以下「乙建物」という。）であること

筆者注　甲建物は甲土地上に存し、また、乙建物は乙土地上に存するものと推測される。

③　請求人は、「小規模宅地等に係る課税価格の計算明細書」と題する書面に甲土地及び乙土地を記載し、これらの土地について本件特例の適用を求めるとして本件更正の請求をした。

④　Ａは、平成10年４月６日付で要旨次のとおり記載した「相続分割協議決定猶予期間延長申請書」と題する書面（以下「本件延長申請書」という。）を原処分庁に提出した。

㈠　本件相続財産の分割協議は、平成○○年（○○）第○○号にて調停進行中であること

㈡　分割協議決定の猶予期間内である平成10年５月７日までには、調停成立に至らないため、いましばらく猶予を頂きたく分割協議決定期間の延長許可を申請すること

⑤　請求人は、原処分庁に対し、○○○○家庭裁判所が、要旨次のとおりであると証明した「事件係属証明書」と題する書面（以下「本件事件係属証明書」という。）を平成10年６月８日（郵便局消印平成10年６月５日）に提出した。

㈠　事件は、平成○○年（第○○）第○○号遺産分割調停事件であること

㈡　当事者は、申立日が請求人、相手方がＡであること

㈢　係属年月日は、平成８年４月11日であること

⑥　○○○○家庭裁判所における平成10年７月14日に遺産分割調停申立事件に係る調停（以下「本件調停」という。）が成立したとする調書（以下「本件調停調書」という。）には、要旨次のとおりの記載がある。

㈠　甲土地は、Ａが取得すること

㈡　乙土地は、２筆に分筆し、請求人が87.75㎡を、Ａが58.85㎡を取得すること

なお、上記㈠及び㈡以外の甲建物、乙建物並びに本件申告書に記載のあるほとんどの有価証券及び預貯金などは、本件調停の成立により分割されている。

⑦　甲土地の不動産登記簿には、甲土地が平成10年11月24日受付、平成６年９月７日相続を原因として、その所有者をＡとする被相続人持分全部移転登記がされた旨記載がある。

⑧　乙土地の不動産登記簿には、乙土地が平成10年10月15日受付で○○○○に所在する土地87.76㎡及び同所同番○○に所在する土地58.51㎡に分筆され、分筆された各土地は、それぞれ平成10年10月20日受付、平成６年９月７日相続を原因として、同所同番○○に所在する土地（筆者注 地積が87.75㎡の土地を指す。）の所有者を請求人、同所同番○○に所在する土地（筆者注 地積58.85㎡の土地を指す。）の所有者をＡとする各所有権移転登記がされた旨記載がある。

⑨　甲建物の不動産登記簿には、甲建物が平成10年11月24日受付、平成10年７月14日売買を原因として、請求人の所有権持分５分の２をＡに全部移転する登記がされた旨及び平成10年11月24日受付、平成６年９月７日相続を原因として、被相続人の所有権持分５分の１をＡに全部移転する登記がされた旨記載がある。

⑩　Ａは、原処分庁に対して、要旨次の理由により、本件相続税に係る更正の請求の期限の猶予を申請する旨記載した「嘆願書」と題する書類（以下「本件嘆願書」という。）を平成10年12月21日に提出した。

(イ)　Ａは、平成10年12月14日に、請求人からの連絡により調停による不動産の分割の結果、本件相続税に係る更正の請求ができる事由が生じたことを知ったこと

(ロ)　Ａは、平成10年12月17日に、本件相続税に係る更正の請求の手続をするつもりで○○○○税務署に出向いたが、持参した書類では不充分でその更正の請求を提出することができなかったこと

(ハ)　Ａは、上記(ロ)の○○○○税務署でもらった相続税の更正の請求書及びその明細書を関与税理士に作成させ、近日中に提出すること

⑪　請求人は、原処分庁から送付を受けた甲建物に関して譲渡所得の申告が見当たらないとする「譲渡所得の申告について」と題する書面（以下「本件照会書」という。）に対して、平成11年５月24日付で、要旨次のとおり記載した「譲渡所得の照会に対する回答」と題する書面（以下「本件回答書」という。）を原処分庁に提出した。

(イ)　譲渡所得の申告の件、○○○○会計事務所の○○○○から連絡させたこと

(ロ)　本件相続税の件は、平成10年５月に問い合わせがあり、同年６月に本件事件係属証明書を提出して現在調停中であると回答し、同年７月末に本件調停が決定したが、Ａが代表して原処分庁に対して、決定より３か月以内の更正の請求は難しい旨連絡をし、原処分庁の了解を得たこと

⑫　平成12年７月14日付の遺産分割協議書（以下「本件遺産分割協議書」という。）には、本件調停の成立により分割された相続財産以外の有価証券及び預金などの遺産分割が決定したとして、請求人及びＡが署名押印をしている。

⑬　請求人は、原処分庁に対して、平成12年10月30日付で要旨次のとおり記載した「申述書」と題する書面（以下「本件申述書」という。）を同年11月２日に提出した。

(イ)　相続財産の分割が決まらず、平成８年４月11日に○○○○家庭裁判所に遺産分割の調停を申立てたが、本件相続税の申告期限から３年経過してしまったこと

(ロ)　本件特例の適用により相続税の減額をするためには、原処分庁に対し、３年を経過する日から１か月（筆者注 現行の規定では、２か月）以内に遅延の申請手続をしなければならないことは、知っていること

(ハ)　請求人は、平成10年６月ころ、○○○○税務署の個人課税部門からの連絡によりその回答として本件事件係属証明書を当該税務署の個人課税部門に郵送し、その手続が本件特例の期限延長の手続だと考えていたこと

(ニ)　上記(イ)の調停は平成10年７月14日に成立し、その調書を作成したが、すべての財産債務の分割協議が成立したものでなく、開封していない貸金庫の中味次第で、分割の調停が覆る可能性があったこと

(ホ)　平成12年７月４日にＡと分割協議が成立し、この時点で全遺産の分割が決定したこと

## 〔2〕 事案のポイント・争点

(1)　本件相続税につき、本件特例に係る更正の請求の期限はいつになるのか。
(2)　本件特例の適用につき、原処分庁が注意喚起及び指導を怠ったものであるとして、本件特例の適用を認めるべきとされるのか。
(3)　本件相続税につき、本件更正の請求に係る原処分庁の処理は著しく遅延したものとして、不当とされるのか。
(4)　本件更正処分の適法性

## 〔3〕 争点に対する双方の主張

| 争　点 | 請求人（納税者）の主張 | 原処分庁（課税庁）の主張 |
|---|---|---|
| (1)　本件特例に係る更正の請求の期限はいつになるのか | 本件特例に係る更正の請求の期限は、次のとおり平成12年11月４日である。<br>①　本件相続財産の一部は、本件調停の成立により遺産分割したが、まだ未分割財産が存在し、その未分割財産の分割協議の結果によっては、本件特例の適用対象である乙土地の地積を変更するなど、本件調停で分割成立した財産の内容が変更される可能性がある。<br>②　請求人及びＡとは、相続税の申告及び更正の請求の共同行為者であるので、Ａが原処分庁に対して行った行為及び原処分庁がＡに対して行った行為は、それぞれ請求人が行い又は受けた行為とみなされる。<br>③　本件特例に係る更正の請求の期限は、次の理由により、本件相続財産の分割が完全に行われるまで延長したものとみなされる。<br>(イ)　Ａは、原処分庁の職員に対して、相続土地の遺産分割が遅れている旨申し立て、 | 請求人は、本件特例に係る更正の請求の期限は、平成12年７月４日に遺産分割が成立したとする本件遺産分割協議書により本件相続財産のすべてを分割したのであるから、この日の翌日から４か月後である同年11月４日である旨主張する。<br>しかしながら、措置法第69条の３《小規模宅地等についての相続税の課税価格の計算の特例》の適用要件及び手続については、同条第３項及び同条第４項（筆者注 上記〔1〕(1)の筆者注3及び筆者注2を参照）のとおりであるところ、甲土地及び乙土地の遺産分割は、上記〔1〕(3)⑥のとおり、本件調停の成立により分割がなされたと認められる。<br>そうすると、請求人が措置法第69条の３第４項に述べた更正の請求が生じたことを知った日は、未分割財産であった甲土地及び乙土地の分割に係る調停の成立した本件調停の成立日、すなわち、平成10年７月14日であると認められるのが相当である。 |

| | | |
|---|---|---|
| | 当該職員からの指導を受けて「相続税に係る更正の請求の期限を延長して欲しい」旨記載した本件嘆願書を平成10年12月21日に提出したが、請求人及びＡに対して、原処分庁から本件嘆願書について何も連絡してこなかったのであるから、常識的にみて、その内容を容認したものとみるべきである。<br>(ロ)　請求人は、原処分庁に対して、本件回答書に「Ａは、フランス在住であるため更正の請求の期限内に提出が難しいと原処分庁に連絡し了解を得ていた」旨記載して提出したにもかかわらず、原処分庁からこれに対する応答がなかったのであるから、本件回答書に記載した内容を容認したものとみるべきである。<br>④　本件相続財産は、本件遺産分割協議書によりすべて分割されたのであるから、本件特例に係る更正の請求の期限は、当該協議書により遺産分割が成立した平成12年７月４日の翌日から４か月後である同年11月４日である。 | そして、その翌日から４か月以内の平成10年11月14日が本件特例に係る更正の請求の期限であるところ、請求人の場合、本件更正の請求が平成12年11月２日にされているから、本件更正の請求のうち本件特例の適用については、その内容の適否を判断するまでもなく、上記の請求の期限を徒過してなされた不適法なものであると認められる。<br>したがって、この点に関する請求人の主張には理由がない。 |
| (2)　原処分庁が注意喚起及び指導を怠ったものであるとして本件特例の適用を認めるべきとされるのか | 仮に、原処分庁が主張するとおり、本件特例に係る更正の請求の期限が本件調停の成立した日の翌日から４か月後である平成10年11月14日であるとしても、請求人は、本件申告書の「相続税がかかる財産の明細書」と題する書面に「乙土地」と記載していること及び本件申告書に添付した「土地及び土地の上に存 | ①　請求人は、原処分庁はあらゆる機会に注意喚起及び指導をすべきところ、これらを怠ったのであるから、本件特例の適用を認めるべきであり、本件更正処分は不当である旨主張する。<br>しかしながら、いったんなされた申告は、原則として租税法規に定められた手続に |

する権利の評価明細書（単記用）」と題する書面に「＊＊＊＊信用金庫に一括賃貸」と記載したのであるから、原処分庁は、請求人が本件特例の適用を求めていることを十分認識できたはずであるにもかかわらず、次のとおりの注意喚起及び指導を怠ったのであるから、本件特例の適用を認めるべきであり、本件更正処分は不当である。

① Ａは、本件申告書を提出後、数回にわたって○○○○税務署を訪問しているのであるから、原処分庁は、その機会を捉えてＡに対して、本件特例に係る更正の請求の期限に関する注意喚起をすべきであった。

② Ａは、本件特例に係る更正の請求の期限前に本件延長申請書を原処分庁に提出したのであるから、原処分庁は、その機会を捉えてＡに対して、本件特例に係る更正の請求の期限に関する注意喚起をすべきであった。

③ 請求人は、原処分庁からの依頼により本件事件係属証明書を提出したのであるから、原処分庁は、その機会を捉えて請求人に対して、本件特例に係る更正の請求の期限に関する注意喚起をすべきであった。

④ 原処分庁がＡに本件延長申請書の提出を、また、請求人に本件事件係属証明書の提出を求めたのは、本件相続財産の遺産分割の期限の延長を認めるためであるところ、原処分よってのみこれを是正することができると解されており、当該租税法規にあたる各法律は措置法第69条の３《小規模宅地等についての相続税の課税価格の計算の特例》第３項及び同条第４項（筆者注上記〔1〕(1)の筆者注3及び筆者注2を参照）並びに通則法第23条《更正の請求》第１項及び同条第２項のとおりであるところ、請求人が主張する注意喚起及び指導の有無は、これらの規定の適用についての判断を左右するものではなく、そもそも請求人が、更正の請求の手続について、事前に○○○○税務署において相談に行った事実も認められない。

したがって、この点に関する請求人の主張には理由がない。

② 請求人は、原処分庁から税務署所定の承認申請書により提出するよう指導がなかったこと及び原処分庁から「承認申請書に対する承認書」の交付を受けなかったことから、本件特例に係る更正の請求の期限を認識する機会を逸したのであるので、本件特例の適用を認めるべきであり、本件更正処分は不当である旨主張する。

しかしながら、請求人が、本件更正の請求とともに提出した本件申述書には、請求人は、本件特例の適用により相続税の減額をするためには、税務署に対し、３年を経過する日から１か月（筆者注現行の規定では、２か月）以内に

| | | |
|---|---|---|
| | 分庁は、本来であれば、請求人が本件特例に係る更正の請求の期限を認識するよう「やむを得ない事由がなくなった日の翌日から４か月以内にその遺産が分割された結果、納め過ぎの税金が生じた場合には分割の日の翌日から４か月以内に更正の請求をして、納め過ぎの税金の還付を受けることができます」と記載された「遺産が未分割であることについてやむをえない事由がある旨の承認申請書」と題する書面（以下「承認申請書」という。）の提出を求めるべきである。<br>⑤　原処分庁は、請求人が提出した本件事件係属証明書に対して、本件特例に係る更正の請求の期限に関する注意書きがある「承認申請書に対する承認書」と題する書面を請求人に交付していないため、請求人は、その請求の期限を認識する機会を再び失ったのである。 | 申請手続をしなければならないことは知っていたが、平成10年６月ころ、○○○○税務署の個人課税部門からの連絡に対して本件事件係属証明書を提出したことが、その手続だと考えていた旨記載されているところ、請求人は、原処分庁に対して承認申請書を提出していない。<br>したがって、請求人が承認申請書を提出していない以上、原処分庁は、請求人に対して承認申請書に対する承認書を送付する理由がなく、また、上記①のとおり、請求人が本件特例に係る更正の請求に係る手続について事前に○○○○税務署において相談に行った事実が認められない。<br>したがって、この点に関する請求人の主張には理由がない。 |
| (3)　本件更正の請求に係る原処分庁の処理は著しく遅延したものとして不当か | 措置法第69条の３《小規模宅地等についての相続税の課税価格の計算の特例》第４項（筆者注上記〔1〕(1)の筆者注３を参照）は、国税債権の早期確定を趣旨として、遺産分割から４か月以内に更正の請求をすべきである旨規定しているところ、平成12年11月２日に提出した本件更正の請求に係る原処分庁の処理は、平成13年７月31日付の本件更正処分であり、上述の趣旨に著しく遅延しているので、本件更正処分は不当である。 | 筆者注　この点に関する原処分庁（課税庁）の主張は、示されていない。 |

| | | |
|---|---|---|
| (4)　本件更正処分の適法性 | 上記のとおり、本件更正の請求は、その請求の期限内に提出したものであるから、その請求の期限を徒過したとなされた本件更正処分は違法である。 | 上記のとおり、請求人の主張にはいずれも理由がなく、請求人の相続税の納付すべき税額は6,580,300円であるから、この金額と同額で行った本件更正処分（筆者注 異議決定後のもの）は適法である。 |

## 〔4〕 国税不服審判所の判断

### (1) 認定事実

① 請求人は、○○○○税務署に出向いて相談した事実、電話による問い合わせの事実及びその内容の確認ができる記録は存在しない。

② 本件延長申請書は、Ａがパリからエアメールで提出したものである。

③ Ａは、平成12年９月25日に○○○○税務署へ電話の上、同月26日に出向いているが、それ以外は○○○○税務署に出向いて相談した事実及び電話による問い合わせの事実の記録は存在しない。

④ 原処分庁は、Ａから提出された本件延長申請書に調停中であることを証する書類の添付がないことから、その書類の提出を求めたところ、請求人から本件事件係属証明書が提出されたので、相続税法施行令第４条の２《配偶者に対する相続税額の軽減の場合の財産分割の特例》第１項に規定する「やむを得ない事情がある場合」に該当するとの承認をしている。

なお、原処分庁は、請求人及びＡに対して、相続税法施行令第４条の２第３項に規定するとおりの承認をする旨の通知をしていない。

筆者注　相続税法施行令第４条の２《配偶者に対する相続税額の軽減の場合の財産分割の特例》について（現行の規定）

租税特別措置法施行令第40条の２《小規模宅地等についての相続税の課税価格の計算の特例》第23項は、措置法第69条の４第４項のただし書の規定の適用がある場合について、次のとおり、相続税法施行令第４条の２《配偶者に対する相続税額の軽減の場合の財産分割の特例》の規定を準用する旨規定している。

(イ) 相続税法施行令第４条の２第１項は、措置法第69条の４第４項に規定する政令で定めるやむを得ない事情がある場合は下記㋑の場合であるとし、同項に規定する政令で定める宅地等の分割ができることとなった日は、これらの場合の区分に応じた下記㋺に掲げる日とする旨規定している。

㋑ やむを得ない事情がある場合とは、相続に係る措置法第69条の４第４項に規定する申告期限の翌日から３年を経過する日において、次の(A)から(D)に掲げる状況にある場合をいう。

(A) 訴えの提起がされている場合

(B) 和解、調停又は審判の申立てがされている場合

(C) 民法の規定により遺産の分割が禁止又は相続の承認若しくは放棄の期間が伸長され

ている場合

(D)　税務署長においてやむを得ない事情があると認める場合

㋺　宅地等の分割ができることとなった日とは、次に掲げる場合の区分に応じて、それぞれに示すとおりとされる。

(A)　上記㋑の(A)の場合は、判決の確定又は訴えの取下げの日その他当該訴訟の完結の日

(B)　上記㋑の(B)の場合は、和解若しくは調停の成立、審判の確定又はこれらの申立ての取下げの日その他これらの申立てに係る事件の終了の日

(C)　上記㋑の(C)の場合は、当該分割の禁止がされている期間又は当該伸長がされている期間が経過した日

(D)　上記㋑の(D)の場合は、その事情が消滅の日

(ロ)　相続税法施行令第４条の２第２項は、措置法第69条の４第４項に規定する相続に関し同項に規定する政令で定めるやむを得ない事情があることに同項の税務署長の承認を受けようとする者は、当該相続に係る申告期限後３年を経過する日の翌日から２月（㊟現行。本件裁決事例の当時では、１月）を経過する日までに、次に掲げる事項を記載した申請書を当該税務署長に提出しなければならない旨規定している。

㋑　その事情の詳細

㋺　提出する者の氏名及び住所又は居所

㋩　被相続人の氏名並びにその住所又は居所及びその死亡の日

㋥　被相続人に係る申告書の提出した日

㋭　その他参考となるべき事項

(ハ)　相続税法施行令第４条の２第３項は、税務署長は、前項の申請書の提出があった場合において、承認又は却下の処分をするときは、その申請をした者に対し、書面によりその旨を通知する旨規定している。

(ニ)　相続税法施行令第４条の２第４項は、同条第２項の申請書の提出があった場合において、当該申請書の提出があった日の翌日から２月を経過する日までにその申請につき承認又は却下の処分がなかったときは、その日においてその承認があったものとみなす旨規定している。

⑤　原処分庁は、請求人が所有する持分５分の２の甲建物が、平成10年７月14日売買を原因として同年11月24日受付で請求人からＡに請求人持分全部移転登記されていることから、平成11年５月24日付で本件照会書を請求人に送付した。

### (2)　当てはめ

①　本件特例に係る更正の請求の期限について

請求人は、本件特例に係る更正の請求の期限は、平成12年７月４日に遺産分割が成立したとする本件遺産分割協議書により本件相続財産のすべてを分割したのであるから、この日の翌日から４か月後である同年11月４日である旨主張する。

しかしながら、以下のことから本件特例に係る更正の請求の期限は、下記(イ)のとおり、平成10年11月14日であるところ、請求人は本件更正の請求を平成12年11月２日に提出しているから、本件更正の請求のうち本件特例の適用に関する内容の適否を判断するまでもなく、本件特例に係る更正の請求の期限を徒過したものである。

したがって、この点に関する請求人の主張には理由がない。

(イ)　請求人及びＡは、本件申告書とともに本件分割見込書、本件延長申請書及び本件事件係属証明書を原処分庁に提出し、原処分庁は、これに対して、上記(1)④のとおり、

相続税法施行令第４条の２《配偶者に対する相続税額の軽減の場合の財産分割の特例》第１項に規定する「やむを得ない事情である場合」に該当するとの承認をし、その後、請求人及びＡは、上記〔１〕(3)⑥のとおり、本件調停調書において甲土地及び乙土地を含む本件相続財産の一部を分割したことが認められる。

そして、本件特例は、措置法第69条の３《小規模宅地等についての相続税の課税価格の計算の特例》第３項に規定されているとおり「分割されていない宅地等」について適用されず、本件特例の適用対象宅地である甲土地及び乙土地の遺産分割がされれば、同条第４項の規定により、本件特例の適用手続をすることができるものであり、また、本件調停調書の記載は、民事調停法第16条《調停の成立・効力》に規定されているとおり、調停において当事者間に合意が成立したものであり、裁判上の和解と同一の効力を有するのであるから、甲土地及び乙土地の遺産分割は、本件調停の成立により分割が確定されたものであり、このことをもって本件特例の適用手続をすることが可能となることが認められる。

そうすると、請求人が措置法第69条の３第４項に規定する「更正の請求の事由が生じたことを知った日」は、本件調停書において甲土地及び乙土地の遺産分割が成立した日である平成10年７月14日であるので、本件特例に係る本件更正の請求の期限は、この日の翌日から４月以内である同年11月14日である。

筆者注　民事調停法第16条《調停の成立・効力》は、調停において当事者間に合意が成立し、これを調書に記載したときは、調停が成立したものとし、その記載は、裁判上の和解と同一の効力を有すると規定している。

(ロ)　請求人は、本件嘆願書及び本件回答書をもって本件更正の請求がその請求の期限内であるとの理由としているが、次に掲げる事項から、これらをもって本件更正の請求がその請求期限内であるとは認められない。

㋑　本件特例に係る更正の請求の期限は、上記(イ)のとおり平成10年11月14日であるところ、本件嘆願書は同年12月21日に提出されたものであるので、本件嘆願書の内容が認められるものではないこと

㋺　本件回答書には、本件調停が成立したが、３か月以内に本件特例に係る更正の請求を提出することが困難であり、その旨を原処分庁の了解を得た旨の記載が認められるが、請求人は、上記(1)①のとおり、○○○○税務署に出向いて相談した事実及び電話による問い合わせの事実がなく、また、当審判所において調査したところ、原処分庁が本件回答書の記載内容のとおり、本件特例に係る更正の請求の期限を延長することを認めた事実がないことから、これらをもって本件更正の請求がその請求期限内であるとは認められない。

②　原処分庁による注意喚起及び指導について

(イ)　請求人は、原処分庁は、あらゆる機会に注意喚起及び指導をすべきところ、これらを怠ったのであるから、本件特例の適用を認めるべきであり、本件更正処分は不当で

ある旨主張する。

しかしながら、原処分庁が、請求人及びＡに対して、本件特例の適用を受けられるように注意喚起及び指導すべき旨を定めた法令上の規定はなく、本件申告書の内容を更正するためには、措置法第69条の３《小規模宅地等についての相続税の課税価格の計算の特例》第３項及び第４項並びに通則法第23条《更正の請求》によるべきところ、請求人が主張するような注意喚起及び指導の有無は、これらの規定の適用の判断を左右するものではない。

したがって、この点に関する請求人の主張には理由がない。

(ロ)　請求人は、原処分庁から税務署所定の承認申請書により提出するよう指導がなかったこと及び原処分庁から「承認申請書に対する承認書」を受けなかったので、本件特例に係る更正の請求の期限を認識する機会を逸したのであるから、本件特例の適用を認めるべきであり、本件更正処分は不当である旨主張する。

しかしながら、原処分庁が、請求人に対して、税務署所定の承認申請書を提出するよう指導すべき旨を定めた法令上の規定はなく、また、当審判所が調査したところ、請求人は、原処分庁に対して承認申請書を提出していないのであるから、原処分庁が請求人に対して「承認申請書に対する承認書」を通知する理由はない。

そして、本件申告書の内容を是正するためには、上記(イ)のとおり、措置法第69条の３第３項及び同条第４項並びに通則法第23条によるべきであるので、この点に関する請求人の主張には理由がない。

③　原処分庁の処理が著しく遅延したものであるとの主張について

請求人は、本件特例に係る更正の請求の期限を遺産分割から４月以内としているところ、本件更正の請求に係る原処分庁の処理は著しく遅延しているので、本件更正処分は不当である旨主張する。

しかしながら、当審判所が調査したところ、本件更正処分は、国税通則法第24条《更正》の規定に従い適正に行われていることが認められ、請求人が主張するような遅延の有無は、この規定の適用の判断を左右するものではないので、この点に関する請求人の主張には理由がない。

**(3)　結論**

上記(1)及び(2)のとおり、本件更正の請求は、本件特例に係る更正の請求の期限を徒過したものであること、また、請求人の主張する諸事情をもって本件特例の適用が認められるものではないから、本件更正処分は適法である。

## 〔5〕 裁決事例から確認する実務における留意点

### (1) 小規模宅地等の課税特例の適用を受けるための要件（分割要件）

① 原則的な取扱い

小規模宅地等の課税特例の規定は、当該相続又は遺贈に係る相続税の申告書の提出期限（以下「相続税の申告期限」という。）までに共同相続人又は包括受遺者によって分割されていない特例対象宅地等については、その適用がないものとされている。

② 特例的な取扱い（相続税の申告期限において未分割であった特例対象宅地等についてその後一定期間内に分割された場合）

上記①に掲げる特例対象宅地等が、次のいずれかに該当することとなった場合には、その分割された特例対象宅地等については、小規模宅地等の課税特例を適用することができるものとされている。

(イ) 相続税の申告期限から３年以内に分割された場合（注１）

(ロ) 相続税の申告期限から３年以内に分割されなかったことにつき、相続又は遺贈に関し訴えの提起がされたこと等の(A)やむを得ない事情がある場合において、納税地の所轄税務署長の承認（注２）を受けたときは、(B)当該宅地等の分割ができることとなった日として定められた日の翌日から４か月以内に分割された場合

（注１） 相続税の申告書の提出期限までに小規模宅地等の課税特例の対象となる宅地等の全部又は一部が共同相続人又は包遺者によってまだ分割されていない場合において、当該申告書の提出後に分割される当該宅地等についてこの特例の規定の適用を受けようとするときは、その旨並びに分割されていない事情及び分割の見込みの詳細を記載した書類（『申告期限後３年以内の分割見込書』）を相続税の申告書に添付して提出することが必要とされている。

（注２） 当該承認を受けるためには、上記（注１）に掲げる『申告期限後３年以内の分割見込書』とは別個に、『遺産が未分割であることについてやむを得ない事由がある旨の承認申請書』を相続税の申告期限後３年を経過する日の翌日から２か月以内に相続税の申告書を提出した納税地（原則として、相続開始時における被相続人の住所地）の所轄税務署長に対して提出することが必要とされている。

そして、『やむを得ない事情』（上記(A)＿＿部分）の一例として、「当該相続又は遺贈に係る申告期限の翌日から３年を経過する日において、当該相続又は遺贈に関する和解、調停又は審判の申立てがされている場合」（本件裁決事例の場合は、これに該当する。）とあり、この場合における『当該宅地等の分割ができることとなった日として定められた日』（上記(B)＿＿部分）は、「当該和解若しくは調停の成立、審判の確定又はこれらの申立ての取下げの日(C)その他これらの申立てに係る事件の終了の日（注）」とされている。

（注）『その他これらの申立てに係る事件の終了の日』（上記(C)＿＿部分）とは、民事調停法を適用する場合には、次に掲げる日をいうものとされている。

㋑ 民事調停法第17条《調停に代わる決定》に規定する調停に代わる決定があった場合には、その決定の確定の日とされる。

㋺ 民事調停法第31条《商事調停事件について調停委員会が定める調停条項》に規定する調停条項を定めた場合には、その調停条項を定めた日とされる。

なお、上記に掲げる「分割」とは、相続開始後において相続又は包括遺贈により取得した財産を現実に共同相続人又は包括受遺者の分属させることをいい、その分割の方法が現物分割、代償分割若しくは換価分割であるか、またその分割の手続が協議、調停若しくは審判による分割であるかを問わないものとされている。

### (2) 本件裁決事例の場合

本件裁決事例における事案の進行状況を時系列的に示すと、図表２のとおりとなる。

図表2　本件裁決事例における時系列図

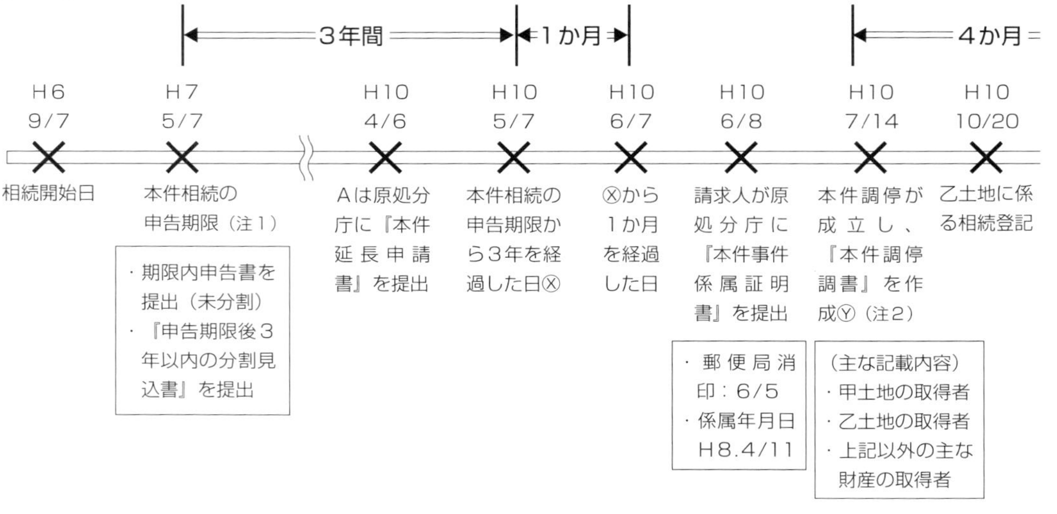


（注１）平成６年中に開始した相続に係る相続税の申告期限は、次の①と②のうちいずれか遅い方とされる。
　①　相続開始があったことを知った日の翌日から８か月を経過した日
　②　平成６年10月31日

（注２）本件相続の場合、平成10年７月14日に本件調停が成立し、本件課税特例の適用対象地（甲土地・乙土地）の取得者が確定したものとされる。
　そうすると、当該調停成立日から４か月を経過した日（平成10年11月14日）が更正の請求の期限とされる。

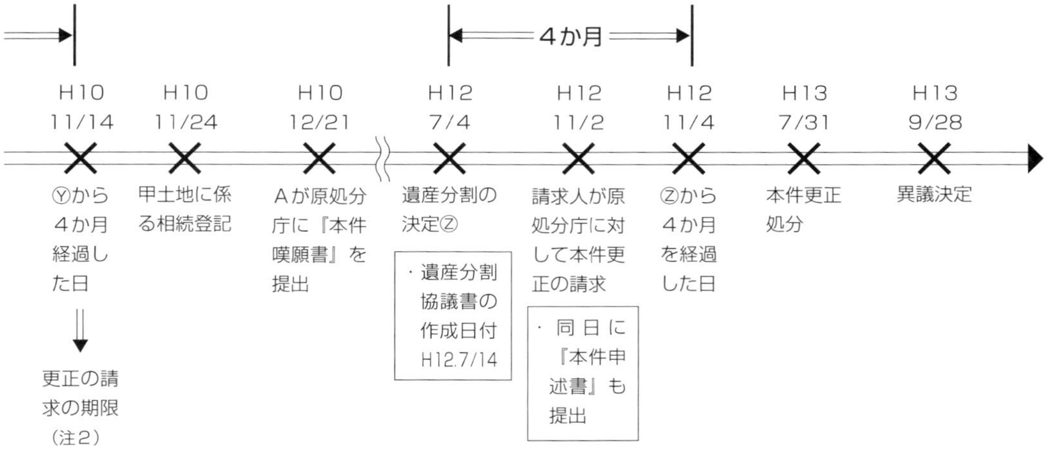
4か月
H10
11/14
Ⓨから4か月経過した日
更正の請求の期限（注2）
H10
11/24
甲土地に係る相続登記
H10
12/21
Aが原処分庁に『本件嘆願書』を提出
H12
7/4
遺産分割の決定Ⓩ
・遺産分割協議書の作成日付 H12.7/14
H12
11/2
請求人が原処分庁に対して本件更正の請求
・同日に『本件申述書』も提出
H12
11/4
Ⓩから4か月を経過した日
H13
7/31
本件更正処分
H13
9/28
異議決定

図表２ の（注２）に掲げるとおり、本件相続につき、小規模宅地等の課税特例の適用を受けるための相続税の更正の請求の期限は、平成10年11月14日となるところ、請求人が原処分庁に対して本件更正の請求を行ったのが平成12年11月２日であることから、本件更正の請求は適法性を逸していることになる。

なお、請求人は、本件調停の成立により本件相続財産の一部（このなかに甲土地及び乙土地が含まれる。）の分割が確定したものの、まだ未分割財産が存在することから当該未分割財産の分割協議次第では、小規模宅地等の課税特例の適用対象財産が変更される等、本件調停で分割成立した財産の内容が変更される可能性がある旨の主張をしていることから、上記⑴②(ロ)の(B)部分（当該宅地等の分割ができることとなった日として定められた日）の解釈につき、これを調停に求めた場合に『当該調停により被相続人に係る相続財産の全部の分割が完了したこと』としているように思えるが、これは完全に請求人の誤解である。

すなわち、当該調停により部分的であっても本件課税特例の適用対象とされる特例対象宅地等の取得者が確定した場合には、当該財産（特例対象宅地等）については、分割が確定したものとされることに留意する必要がある。

また併せて、当初の分割により共同相続人又は包括受遺者に分属した財産を分割のやり直しとして再配分した場合には、その再配分により取得した財産は、上記に掲げる分割により取得したものとはならず、別途の課税関係（例えば、贈与税の課税対象とされる贈与）が生じることがあることにも留意する必要がある。

## 13　相続財産が相続税の申告期限から３年以内に分割されなかったことにつき、『やむを得ない事情』があるか否かが争点とされた事例

**検討裁判例（判例）**
① 京都地方裁判所（平成26年３月13日判決、平成25年（行ウ）第１号）
② 大阪高等裁判所（平成27年４月９日判決、平成26年（行コ）第69号）〔上記①の控訴審判決〕
③ 最高裁判所第二小法廷（平成27年10月２日決定、平成27年（行ツ）第331号、平成27年（行ヒ）第358号）〔上記②の上告審ですが、いずれも不受理決定〕
（注）相続開始年分は、平成19年分です。

### 〔1〕 事案の概要・前提事実

(1) 本件は、被相続人甲の相続人である原告らが、処分行政庁に対し、被相続人甲の遺産が未分割であることについてやむを得ない事由がある旨の承認申請をしたところ、処分行政庁が上記各承認申請をいずれも却下する処分をしたため、各却下処分の取消しを求めている事案である。

(2) 被相続人甲は、平成19年５月19日に死亡し、妻である原告乙（以下「原告乙」という。）、長女である原告Ａ（以下「原告Ａ」という。）、次女である原告Ｂ（以下「原告Ｂ」という。）、三女である原告Ｃ（以下「原告Ｃ」といい、原告乙、原告Ａ、原告Ｂ及び原告Ｃの４名を「原告ら」という。）、長男であるＤ（以下「Ｄ」という。）が、被相続人甲を相続（以下「本件相続」という。）した。

(3) Ｄは、平成19年11月26日、京都家庭裁判所に対し、原告らを相手方として、本件相続に係る遺産分割調停の申立て（以下「本件調停申立て１」という。）をしたが、協議が整わず、平成20年８月22日、本件調停申立て１を取り下げた。

原告らは、平成20年11月28日、京都家庭裁判所に対し、Ｄを相手方として、本件相続に係る遺産分割調停の申立て（以下「本件調停申立て２」という。）をしたが、協議が整わず、平成22年６月23日、本件調停申立て２を取り下げた。

(4) 原告ら及びＤは、平成20年３月18日、処分行政庁に対し、共同で、本件相続に係る相続税の申告をした。その申告書には、遺産の大半が不動産であり、現在分割協議の調停中であること及び３年以内に解決の見込みがあることが記載された『申告期限後３年以内の分割見込書』、すべての資産が未分割であり、分割確定後に更正の請求をする予定であること等が記載された税理士作成の文書が添付されていた。

(5) 原告乙は、平成23年５月17日、処分行政庁に対し、本件相続につき、遺産が未分割であることについてやむを得ない事由がある旨の承認申請をした。その申請書には、遺産の分

割後、配偶者に対する相続税額の軽減（相続税法第19条の２第１項）を受けたいので承認申請をする旨が記載され、遺産が未分割であることについてのやむを得ない事由として、Ｄとの遺産分割協議が未了で、現在裁判の準備中である旨が記載されていた。

(6)　原告Ａ、原告Ｂ及び原告Ｃは、平成23年５月17日、原告Ａを代表者として、処分行政庁に対し、本件相続につき、遺産が未分割であることについてやむを得ない事由がある旨の承認申請（以下、上記(5)の申請と併せて「本件各承認申請」という。）をした。その申請書には、遺産の分割後、租税特別措置法第69条の４第１項に規定する小規模宅地等の課税特例の適用を受けたいので承認申請をする旨が記載され、遺産が未分割であることについてのやむを得ない事由として、Ｄとの遺産分割協議が未了で、現在裁判の準備中である旨が記載されていた。

(7)　処分行政庁は、平成23年６月21日、各原告に対し、申告期限から３年を経過する日において、相続税法施行令第４条の２第１項に規定する事情があるとは認められないためとの理由により、本件各承認申請をいずれも却下する処分（以下「本件各却下処分」という。）をした。

筆者注　関係法令等

①　配偶者に対する相続税額の軽減の適用関係

ア　相続税法第19条の２第２項本文は、相続税の申告書の提出期限（申告期限）までに分割されていない財産は、同条第１項第２号ロの課税価格の計算の基礎とされる財産に含まれない旨を定めて、申告期限内に遺産分割がされることを、同項による配偶者に対する相続税額の軽減の原則的な適用要件としているが、同条第２項ただし書は、以下の（ア）又は（イ）の場合には、例外的に同条第１項による相続税額の軽減が適用されるものとしている。

（ア）　分割されていない財産が申告期限から３年以内に分割された場合

（イ）　当該期間が経過するまでの間に当該財産が分割されなかったことにつき、当該相続又は遺贈に関し訴えの提起がされたことその他の政令で定めるやむを得ない事情がある場合において、政令で定めるところにより納税地の所轄税務署長に承認を受けたときで、当該財産の分割ができることとなった日として政令で定める日の翌日から４か月以内に分割された場合

イ　相続税法施行令第４条の２第１項は、相続税法第19条の２第２項ただし書の政令で定めるやむを得ない事情がある場合及び政令で定める日につき、要旨（ア）ないし（エ）のとおり、規定している。

（ア）　当該相続又は遺贈に係る申告期限の翌日から３年を経過する日において、当該相続又は遺贈に関する訴えの提起がされている場合（当該相続又は遺贈に関する和解又は調停の申立てがされている場合において、これらの申立ての時に訴えの提起がされたものとみなされるときを含む。）

判決の確定又は訴えの取下げの日その他当該訴訟の完結の日

（相続税法施行令第４条の２第１項第１号）

（イ）　当該相続又は遺贈に係る申告期限の翌日から３年を経過する日において、当該相続又は遺贈に関する和解、調停又は審判の申立てがされている場合（相続税法施行令第４条の２第１項第１号又は第４号に掲げる場合に該当することとなった場合を除く。）

和解若しくは調停の成立、審判の確定又はこれらの申立ての取下げの日その他これらの申立てに係る事件の終了の日

（相続税法施行令第４条の２第１項第２号）

（ウ）　当該相続又は遺贈に係る申告期限の翌日から３年を経過する日において、当該相続又は遺贈

に関し、民法第907条第３項若しくは第908条の規定により遺産の分割が禁止され、又は同法第915条第１項ただし書の規定により相続の承認若しくは放棄の期間が伸長されている場合（当該相続又は遺贈に関する調停又は審判の申立てがされている場合において、当該分割の禁止をする旨の調停が成立し、又は当該分割の禁止若しくは当該期間の伸長をする旨の審判若しくはこれに代わる裁判が確定したときを含む。）

当該分割の禁止がされている期間又は当該伸長がされている期間が経過した日

（相続税法施行令第４条の２第１項第３号）

（エ）　相続税法施行令第４条の２第１項第１号ないし第３号に掲げる場合のほか、相続又は遺贈に係る財産が当該相続又は遺贈に係る申告期限の翌日から３年を経過する日までに分割されなかったこと及び当該財産の分割が遅延したことにつき税務署長においてやむを得ない事情があると認める場合

その事情の消滅の日

（相続税法施行令第４条の２第１項第４号）

**②　小規模宅地等についての相続税の課税価格の計算の特例の適用関係**

ア　租税特別措置法第69条の４第１項は、個人が相続又は遺贈により取得した財産のうちに、当該相続の開始の直前において、当該相続若しくは遺贈に係る被相続人又は当該被相続人と生計を一にしていた当該被相続人の親族の事業の用又は居住の用に供されていた宅地等（土地又は土地の上に存する権利をいう。）で財務省令で定める建物又は構築物の敷地の用に供されているもの等（以下「特例対象宅地等」という。）がある場合には、当該相続又は遺贈により財産を取得した者に係るすべての特例対象宅地等のうち、当該個人が取得した特例対象宅地等又はその一部で政令で定めるところにより選択したもの（以下「選択特例対象宅地等」という。）については、限度面積要件を満たす場合の当該選択特例対象宅地等（以下「小規模宅地等」という。）に限り、相続税法第11条の２に規定する相続税の課税価格に算入すべき価額は、当該小規模宅地等の価額に租税特別措置法第69条の４第１項各号に掲げる小規模宅地等の区分に応じ当該各号に定める割合を乗じて計算した金額とする旨を規定して、小規模宅地等につき、相続税の課税価格算入に当たり、一定の減額を認めている。

同条第４項本文は、申告書の提出期限（申告期限）までに分割されていない特例対象宅地等については、小規模宅地等についての相続税の課税価格の計算の特例を適用しない旨を定めて、申告期限内における分割を、原則的な適用要件としているが、同項ただし書は、以下の（ア）又は（イ）の場合には、例外的に上記特例が適用されるものとしている。

（ア）　分割されていない特例対象宅地等が申告期限から３年以内に分割された場合

（イ）　当該期間が経過するまでの間に当該特例対象宅地等が分割されなかったことにつき、当該相続又は遺贈に関し訴えの提起がされたことその他の政令で定めるやむを得ない事情がある場合において、政令で定めるところにより納税地の所轄税務署長に承認を受けたときで、当該特例対象宅地等の分割ができることとなった日として政令で定める日の翌日から４か月以内に分割された場合

イ　租税特別措置法施行令（平成19年政令第235号による改正前のもの。以下同じ。）第40条の２第12項は、租税特別措置法第69条の４第４項ただし書の政令で定めるやむを得ない事情がある場合につき、相続税施行令第４条の２第１項及び第２項を準用している。

上記〔１〕をまとめると、次の 参考資料 のとおりとなる。

**参考資料**

⑴　**本件相続に係る親族図**

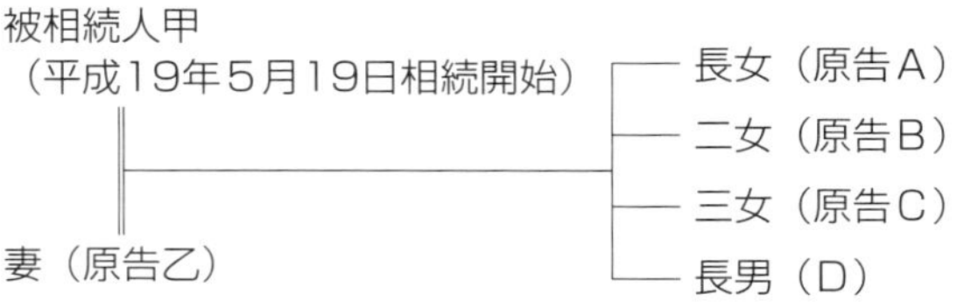


⑵　**本件相続に係る時系列図**

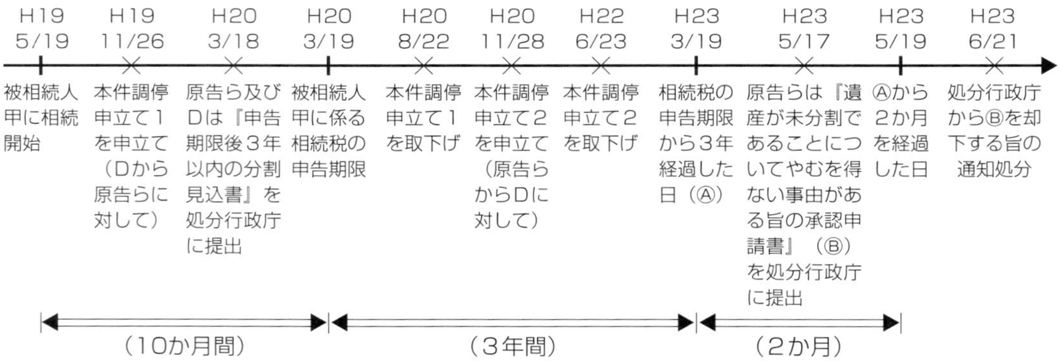


## 〔2〕　事案のポイント・争点

本件の争点は、本件相続に係る相続税の申告期限から３年を経過する日（平成23年３月19日）までの間に、本件相続に係る遺産が分割されなかったことにつき、相続税法第19条の２第２項ただし書及び相続税法施行令第４条の２第１項（原告乙以外の原告らの請求については、租税特別措置法第69条の４第４項ただし書及び租税特別措置法施行令第40条の２第12項が準用する相続税法施行令第４条の２第１項）が規定する『やむを得ない事情』があったかどうかである。

具体的には、下記の２点が争点となる。

⑴　相続税法施行令第４条の２第１項第１号又は第２号の規定の類推適用の可否

⑵　相続税法施行令第４条の２第４項第４号の規定の適用の可否

## 〔3〕 争点に関する双方の主張

| 争　　点 | 原告（納税者）の主張 | 被告（国）の主張 |
|---|---|---|
| 遺産が分割されなかったことにつき、『やむを得ない事情』があったかどうか | (1) 本件調停申立て2以降の事実経過<br>原告らは、被相続人甲の遺言に従った遺産分割を求めて本件調停申立て2をし、調停期日が10回以上開かれたが、Dが上記遺言の無効を主張したため、調停は難航した。<br>原告らは、平成22年4月27日、Dに対し、調停条項案を提案し、同月28日の調停期日において、調停当事者全員が上記調停条項案の検討を行ったが、Dが上記調停条項案の一部につき異論を唱えたため、合意には至らなかった。その際、調停委員は、原告ら及びDに対し、下記に掲げる事項等の法的問題につき地方裁判所に訴訟を提起して判決を得、その後遺産分割につき家庭裁判所で審判を仰ぐべきである旨指示した。<br>① 被相続人甲の遺言による有効性<br>② 遺産のうち、被相続人甲の自宅として使用されていた建物（京都市中京区○○X町所在の建物。現況は、原告乙の居所及びDの店舗として使用されている。以下「X町の建物」という。）は一棟の建物か又は数棟から成る建物か。<br>③ X町の建物の所有権の帰属<br>このため、原告らは、いったん本件調停申立て2を取り下げた。<br>原告らは、その後も、Dとの間で、遺産分割につき話し合いを続けているが、DがX町の建物につき単独取得を主張し、原告らがこれに反対する状態が続いており、遺産は未分割の状態にある。<br>(2) 遺産が分割されなかったことについてのやむを得ない事情<br>上記(1)のとおり、本件は、2回にわたる遺産分割調停の申立てがいずれも不調 | (1) 相続税法施行令第4条の2第1項第1号及び第2号の類推適用がないこと<br>本件調停申立て1は平成20年8月22日に、本件調停申立て2は平成22年6月23日に、それぞれ取り下げられており、その後、原告らは、平成23年3月19日までに、本件相続に関する訴えの提起又は遺産分割に係る和解、調停若しくは審判の申立てをしていない。したがって、本件に相続税法施行令第4条の2第1項第1号及び第2号の規定の適用がないことは、明らかである。<br>また、相続税法施行令第4条の2の規定は、申告期限までに遺産が分割されていれば適用を受けることができる相続税の軽減措置の例外規定であるから、みだりに適用要件を拡張して解釈すべきではなく、やむを得ない事情がある場合の包括規定として同条第1項第4号が定められていることからすると、同項第1号及び第2号を類推適用する必要性は認められない。<br>(2) 相続税法施行令第4条の2第1項第4号の適用がないこと<br>相続税法施行令第4条の2第1項第4号の『税務署長においてやむを得ない事情があると認める場合』とは、同項第1号ないし第3号に掲げる場合と同視し得る事情があると認める場合、すなわち申告期限から3年を経過する日において、同項第1号ないし第3号に規定されている遺産の分割に向けた具体的な法的手段が執られている場合や、遺産の分割が実際上不可能な状態にあると客観的に認められる場合であると解される。<br>原告らは、本件相続に係る申告期限から3年を経過するまでの間に、Dに対し、 |

| | | |
|---|---|---|
| | に終わり、訴訟を必要としている案件である上、原告らは、本件調停申立て２の取下げ後、訴訟の準備と並行して、Ｄとの間で遺産の分割に関する協議を続けており、遺産の分割につき、遺産分割調停の係属中と同様の紛争状態にある。<br>したがって、処分行政庁は、本件各承認申請につき、相続税法施行令第４条の２第１項第１号若しくは第２号の規定を類推適用するか、又は同項第４号の規定を適用して、相続税の申告期限から３年を経過する日（平成23年３月19日）までの間に、本件相続に係る遺産が分割されなかったことにつき、やむを得ない事情があることを認めるべきであった。よって、本件各承認申請を却下した本件各却下処分は、違法である。 | 遺言の有効性やＸ町の建物の所有権の帰属等についての訴えを提起することができなかった理由として、Ｄとの話し合いを継続していたためである旨を主張するが、訴訟手続の中でＤと話し合いをすることも十分に可能であるから、話し合いを継続していたことは、提訴に至らなかった合理的理由にはならない。また、原告らは、平成22年６月23日の本件調停申立て２の取下げ後、３年以上経過した平成25年11月７日の本件第４回口頭弁論期日の時点においても、なおＤに対する訴えの提起に至っておらず、その具体的な理由も明らかでない。これらのことにかんがみれば、原告らがＤに対する訴え提起に向けた具体的な活動を行っていたとは到底考えられない。<br>したがって、本件において、遺産の分割に向けた具体的な法的手段が執られている場合や、遺産の分割が実際上不可能な状態にあると客観的に認められる場合と同視し得る事情があるとはいえない。 |

## 〔４〕 裁判所の判断

### (1) 認定事実

①　本件相続発生の約４か月後である平成19年９月21日、京都家庭裁判所において、被相続人甲作成名義の平成18年10月21日付けの遺言書（以下、同遺言書による遺言を「本件遺言」という。）につき、原告らの申立てによる検認が行われた。本件遺言中には、Ｘ町の建物を数棟の建物として分離分割した上、各建物を本件遺言が定める相続人がそれぞれ単独で取得するものとする旨の条項が含まれていた。

②　Ｄは、その約２か月後の平成19年11月26日、原告らを相手方として、京都家庭裁判所に本件調停申立て１をした。

上記調停において、Ｄは、本件遺言とは異なり、原告乙の自宅及びＤの経営する店舗として使用されているＸ町の建物を、Ｄが単独で取得することを求めた。これに対し、原告らは、本件遺言に従って、Ｘ町の建物を複数の建物に分離分割した上、分割後の建物を原告乙やＤがそれぞれ取得することを主張し、協議が整わなかった。

Ｄは、平成20年８月22日、本件調停申立て１を取り下げた。

③　原告らは、平成20年11月28日、本件遺言に従った遺産分割を求めて、京都家庭裁判所にＤを相手方とする本件調停申立て２をしたが、Ｄは、本件遺言の無効を主張し、調停は難航し、調停期日は10回以上に及んだ。

原告らは、平成22年４月27日、Ｄに対し、Ｘ町の建物を数棟の建物に分離分割し、原告乙とＤがそれぞれを取得すること等を内容とする調停条項案を提案した。

同月28日の調停期日において、調停当事者全員が上記調停条項案を検討したが、Ｄが、上記調停条項案の一部（原告乙がＤから賃借することとなるＸ町の建物の一部について支払う賃料の額）につき異論を唱えたため、合意には至らなかった。

その際、調停委員は、原告ら及びＤに対し、下記に掲げる事項等の法的問題につき地方裁判所に訴訟を提起して判決を得、その後遺産分割につき家庭裁判所で審判を仰ぐべきである旨指摘した。

⑴　本件遺言の効力

⑵　Ｘ町の建物は一棟の建物か又は数棟から成る建物か。

⑶　Ｘ町の建物の所有権の帰属

原告らは、平成22年６月23日、本件調停申立て２を取り下げた。

④　原告らは、本件調停申立て２の取下げ後、本件口頭弁論終結日（平成26年１月16日）まで、調停委員から指摘された上記③⑴ないし⑶の法的問題に関し、Ｄに対する訴えを提起しておらず、本件相続又は遺産分割に関する新たな調停や審判の申立て等もしていない。

**⑵　当てはめ**

①　相続税法施行令第４条の２第１項第１号又は第２号の規定の類推適用の可否について

⑴　上記⑴②及び③のとおり、本件調停申立て１は平成20年８月22日に、本件調停申立て２は平成22年６月23日に、それぞれ取り下げられており、また、上記⑴④のとおり、原告らは、その後本件口頭弁論終結日（平成26年１月16日）まで、調停委員から指摘された本件遺言の効力、Ｘ町の建物の棟数や所有権の帰属といった法的問題に関し、訴えを提起しておらず、本件相続又は遺産分割に関する新たな調停や審判の申立て等をしていない。したがって、本件が、相続税法施行令第４条の２第１項第１号又は第２号が『やむを得ない事情がある場合』として定めている場合のいずれにも該当しないことは明らかである。

⑵　原告らは、本件調停申立て２の取下げ後、Ｄとの間で、遺産の分割に関する協議を続けており、遺産分割調停の係属中と同様の紛争状態にあるから、相続税法施行令第４条の２第１項第１号又は第２号の規定を類推適用すべきである旨を主張する。

しかしながら、租税法律主義の観点からは、租税法規の安易な拡張解釈や類推適用は、避けるべきである上、相続税法施行令第４条の２第１項が、第１号ないし第３号に掲げる場合のほかにやむを得ない事情がある場合を包括的に定める規定として、第４号の規定を置いていることからしても、第４号の規定を適用することなく、第１号ないし第３号の規定を類推適用することは、同項の趣旨ひいては相続税法第19条の２第２項ただし書（あるいは租税特別措置法第69条の４第４項ただし書及び租税特別措置法施行令第40条の２第12項）に沿った解釈適用とはいえず、相当とはいえない。したがって、原告らの上記主張も、採用することができない。

② 相続税法施行令第４条の２第１項第４号に定める『やむを得ない事情』の有無について

(イ) 相続税法施行令第４条の２第１項第４号の文言、上記①(ロ)の判示に係る同号の規定の趣旨等に照らせば、同号の『税務署長においてやむを得ない事情があると認める場合』とは、同項第１号ないし第３号に掲げる場合と同視し得る事情があると認められる場合、すなわち申告期限から３年を経過する日において、同項第１号ないし第３号に規定されている遺産の分割に向けた具体的な法的手段が執られている場合や、遺産の分割が実際上不可能な状態にあると認められる場合等であると解するのが相当である。

(ロ) 原告らは、本件調停申立て２の取下げ後、訴訟の準備を行い、かつ、これと並行して、Ｄとの間で、遺産の分割に関し、話し合いを続けてきたから、遺産分割調停の係属中と同様の紛争状態にあるというべきであり、相続税法施行令第４条の２第１項第４号に定める『やむを得ない事情』がある旨を主張する。

しかしながら、上記(1)③及び④のとおり、原告らは、平成22年４月28日の調停期日には、調停委員から、本件遺言の効力、Ｘ町の建物の棟数や所有権の帰属といった法的問題を、地方裁判所に訴えを提起して解決した上で、本件相続に係る遺産分割につき家庭裁判所に審判の申立てをするよう促されていたにもかかわらず、同年６月23日に本件調停申立て２を取り下げた後、本件相続に係る申告期限から３年を経過する日（平成23年３月19日）までの約９か月間、上記の法的問題に関し訴えを提起しなかったばかりか、上記調停申立てを取り下げた後３年半以上が経過した本件口頭弁論終結日（平成26年１月16日）においても、上記の法的問題に関し、訴えの提起、新たな調停の申立て等の法的措置を講じておらず、本件相続に係る遺産の分割についての審判の申立て等もしていない。

以上の経緯に照らすと、原告らが、本件調停申立て２の取下げ後、訴訟の提起に向けて具体的な準備を行っていたが、準備が間に合わなかったため、平成23年３月19日までに提訴が困難であったとは認め難い。

また、上記(1)②及び③のとおり、原告らとＤは、本件調停申立て１及び本件調停申立て２に係る調停手続において、平成19年11月から平成20年８月までの約９か月間と平成20年11月から平成22年６月までの約１年７か月間、合計約２年４か月という長期にわたって、本件相続に係る遺産の分割について協議したが、本件遺言の効力、Ｘ町の建物の棟数及び所有権の帰属等の法的問題に関し、原告らとＤとの間で意見が対立し、協議がまとまらず、調停委員から、これらの問題につき、地方裁判所に訴えを提起して解決した上で遺産分割審判の申立てをするよう促された。

以上の経緯からすれば、上記の法的問題を訴えの提起等によって解決することなく、原告らとＤとの間で漫然と話し合いを続けても、遺産分割協議が成立する可能性は、低いといわざるを得ず、このような状況の下における話し合いを、訴訟における和解協議や調停等、遺産の分割に向けた実効性のある具体的な法的手段が講じられている場合と同視することはできない。

なお、本件につき、遺産の分割が実際上不可能な状態にあると客観的に認められる場合と同視し得るような事情の主張立証はない。

したがって、本件において、本件相続に係る相続税の申告期限から３年を経過する日（平成23年３月19日）までの間に、本件相続に係る遺産が分割されなかったことにつき、相続税法施行令第４条の２第１項第４号が定める『やむを得ない事情』があるとの原告らの主張は、採用することができない。

**(3)　結論**

上記(1)及び(2)によれば、本件相続に係る相続税の申告期限から３年を経過する日（平成23年３月19日）までの間に、本件相続に係る遺産が分割されなかったことにつき、相続税法施行令第４条の２第１項の定める『やむを得ない事情』があるとは認められず、本件各承認申請を却下した本件各却下処分に原告ら主張の違法はない。

筆者注　上記〔1〕ないし〔3〕に掲げる判決文は、京都地方裁判所（平成26年３月13日判決、平成25年（行ウ）第１号）によるものである。原審の判断を不服とした原告らは控訴したが、当該控訴は棄却（大阪高等裁判所（平成27年４月９日判決、平成26年（行コ）第69号））された。

なお、当該控訴審の判断を不服とした控訴人らは上告したが、当該上告は不受理決定（最高裁判所第二小法廷（平成27年10月２日決定、平成27年（行ツ）第331号、平成27年（行ヒ）第358号））となった。

## 〔5〕　裁判例（判例）から確認する実務における留意点

### (1)　相続税法施行令に規定する『やむを得ない事情』の意義

相続税法第19条の２第２項ただし書に規定する『やむを得ない事情』の１つとして、相続税法施行令第４条の２第１項第４号では、『相続又は遺贈に係る財産が当該相続又は遺贈に係る申告期限の翌日から３年を経過する日までに分割されなかったこと及び当該財産の分割が遅延したことにつき税務署長においてやむを得ない事情があると認める場合』が挙げられている。

上記＿＿部分の『やむを得ない事情』の解釈に当たっては、課税実務上、次に掲げる相続税法基本通達19の２－15《やむを得ない事情》の定めによることが相当とされている。

**参考通達　相続税法基本通達19の２－15《やむを得ない事情》**

法施行令第４条の２第１項第４号に規定する「相続又は遺贈に係る財産が当該相続又は遺贈に係る申告期限の翌日から３年を経過する日までに分割されなかったこと及び当該財産の分割が遅延したことにつき(A)税務署長においてやむを得ない事情があると認める場合」とは、次に掲げるような事情により(B)客観的に遺産分割ができないと認められる場合をいうものとする。（昭47直資２－130追加、昭50直資２－257、昭57直資２－177、平６課資２－114改正）

(1)　(C)当該申告期限の翌日から３年を経過する日において、共同相続人又は包括受贈者の一人又は数人が行方不明又は生死不明であり、かつ、その者に係る財産管理人が選任されていない場合

(2)　(C)当該申告期限の翌日から３年を経過する日において、共同相続人又は包括受贈者の一人又は数人が精神又は身体の重度の障害疾病のため加療中である場合

(3)　(C)当該申告期限の翌日から３年を経過する日前において、共同相続人又は包括受贈者の一人又は数人が法施行地外にある事務所若しくは事業所等に勤務している場合又は長期間の航海、遠洋漁業等に従事している場合において、その職務の内容などに照らして、当該申告期限の翌日から３年を経過する日までに帰国できないとき

(4)　(C)当該申告期限の翌日から３年を経過する日において、法施行令第４条の２第１項第１号から第３号までに掲げる事情又は(1)から(3)までに掲げる事情があった場合において、当該申告期限の翌日から３年を経過する日後にその事情が消滅し、かつ、その事情の消滅前又は消滅後新たに同項第１号から第３号までに掲げる事情又は(1)から(3)までに掲げる事情が生じたとき

筆者注　＿＿部分は、筆者が付線

上掲の相続税法基本通達の定めでは、税務署長においてやむを得ない事情があると認められる場合（上記 参考通達 の(A)＿＿部分）の意義につき、一定の事情により客観的に遺産分割ができないと認められる場合（上記 参考通達 の(B)＿＿部分）であるとしている。

同通達の定めにおいて『客観的』という用語が用いられたのは、やむを得ない事情に該当するか否かの判断につき、これを税務署長に委ねるものと定めている（上記 参考通達 の(A)＿＿部分）ため、課税の公平性を担保する観点から恣意性を排除して判断の一律性を保持することを義務付けるためであろうと考えられる。

**(2)　『やむを得ない事情』の存在の有無に係る判断基準**

相続税法施行令第４条の２第１項第１号ないし第３号において、相続税法第19条の２第２項ただし書に規定する政令で定めるやむを得ない事情を判定するにつき、いずれも、「当該相続又は遺贈に係る申告期限の翌日から３年を経過する日において、（以下略）」とされている。（上記〔１〕の 筆者注 イの(ア)ないし(ウ)の該当を参照）

また、相続税法施行令第４条の２第１項第４号において、その執行解釈通達として定められている相続税法基本通達19の２－15《やむを得ない事情》では、「当該申告期限の翌日から３年を経過する日において」又は「当該申告期限の翌日から３年を経過する日前において」とされている。（上記(1)の 参考通達 の(1)ないし(4)の各(C)＿＿部分を参照）

そうすると、これらをまとめると、いずれにおいても『やむを得ない事情』の存在の有無に係る判断基準は、時点基準（原則として、当該申告期限から３年を経過する日における諸

事情により行う）により判断されるのであり、原告らが主張するような期間基準（当該申告期限から３年を経過する日までの期間における諸事情を総合勘案して行う）を採用しているものではないことに留意する必要がある。

### (3)　小規模宅地等の課税特例とその厳格解釈

本件では、原告らは、相続税法施行令第４条の２第１項第１号若しくは第２号（上記〔1〕の 筆者注 イの(ア)又は(イ)を参照）の規定を類推適用するか、又は同項第４号に規定する『やむを得ない事情』の存在を拡張解釈により認めることにより、本件各承認申請につきこれを承認すべきものであると主張している。

しかしながら、一般的に、租税法規についてはその規定の文言を離れてみだりに類推解釈や拡張解釈を行うことは租税法律主義の見地に照らし相当でなく、特に、小規模宅地等の課税特例のような例外的な措置として設けられた納税者優遇規定については、租税負担の公平の観点からも厳格な運用が求められるところであり、当該大原則を崩してまで個別特定の納税者を救済しなければならない合理的かつ必然性を有すると認められる特別の事情が認められない限りにおいては、原告らの主張が容認されることはないことになる。

## ⑭　小規模宅地等の課税特例の適用要件である『土地の選択同意書』の添付がない場合における当該課税特例の適用の可否が争点とされた事例（その１）

**検討裁決事例**　国税不服審判所裁決事例（平成21年11月４日裁決、関裁（諸）平21第29号、平成18年相続開始分）

### 〔１〕　事案の概要・基礎事実

(1)　本件は、審査請求人（以下「請求人」という。）が、措置法に規定する小規模宅地等の課税特例を適用して相続税の申告を行ったところ、原処分庁が、請求人の選択した土地は小規模宅地等の課税特例の適用対象とならないなどとして更正処分及び過少申告加算税の賦課決定処分を行ったことから、請求人が、相続により取得した他の土地につき小規模宅地等の課税特例の適用を認めるべきであるとして、その一部の取消しを求めた事案である。

(2)　被相続人の共同相続人のうち、請求人、○○○○、○○○○及び○○○○（以下「請求人ら」という。）が提出した本件相続に係る相続税の申告書（以下「本件申告書」という。）には、被相続人の共同相続人が本件相続により取得した図表記載の土地のうち、順号１記載の土地（以下「本件１土地」という。）を選択特例対象宅地等として選択する旨の記載があり、措置法第69条の４に規定する小規模宅地等の課税特例（以下「本件特例」という。）を適用して課税価格を計算している。

図表　相続財産のうち土地の内訳

| 順号 | 所在地等 | 取得者等 |
|---|---|---|
| 1 | ○○○○○、宅地、406.00㎡ | ○○○　持分$\frac{1}{2}$<br>○○○　持分$\frac{1}{2}$ |
| 2 | ○○○○○、宅地、694.21㎡ | ○○○　持分$\frac{1}{2}$<br>○○○　持分$\frac{1}{2}$ |
| 3 | ○○○○○、雑種地、364.00㎡ | ○○○　持分$\frac{1}{2}$<br>○○○　持分$\frac{1}{2}$ |
| 4 | ○○○○○、宅地、291.20㎡ | ○○○ |
| 5 | ○○○○○、宅地、221.00㎡ | ○○○ |
| 6 | ○○○○○、宅地、176.46㎡ | ○○○ |

(3)　請求人ら以外の共同相続人である○○○○及び○○○○が提出した本件相続に係る相続税の申告書には、相続により取得したいずれかの土地を選択特例対象宅地等として選択する旨の記載はなく、課税価格の計算に当たり、本件特例の適用はしていない。

⑷　原処分庁は、平成20年７月９日付で、本件１土地は被相続人の居住の用に供された土地ではないから、特例対象宅地等に該当せず本件特例は適用されないこと、及び、請求人が相続により取得した土地の価額の計算に誤りがあったことなどを理由として、更正処分（以下「本件更正処分」という。）及び過少申告加算税の賦課決定処分（以下「本件賦課決定処分」といい、本件更正処分及び本件賦課決定処分を併せて「本件更正処分等」という。）を行った。

⑸　請求人は、平成20年７月23日、本件更正処分等に対し、請求人が本件相続により２分の１を取得した図表の順号２記載の土地（以下「本件２土地」という。）につき本件特例を認めるべきであるとして、異議申立て（以下「本件異議申立て」という。）を行った。本件異議申立てに係る異議申立書には、本件２土地を選択特例対象宅地等として選択する旨の『選択特例対象宅地等の明細書』が添付されている。

⑹　原処分庁は、平成20年10月23日付で、本件特例を受けようとする者は、特例対象宅地等のうち200㎡に達するまでの部分について選択特例対象宅地等として選択し、措置法施行令第40条の２第３項に規定する書類を提出しなければならないところ、現在までその手続が一切なされていないことから、本件２土地につき本件特例を適用することはできないとする異議決定をした。

⑺　請求人は、平成20年11月19日、異議決定を経た後の本件更正処分等に不服があるとして、本件審査請求をした。本件審査請求に係る審査請求書には、本件２土地につき請求人が本件特例を適用することを○○○○が同意する旨の『特例適用の同意書』が添付されている。

## 〔2〕　事案のポイント・争点

⑴　本件特例の適用を受けるためには、措置法第69条の４第６項により、相続税の申告書に本件特例の適用を受けようとする旨を記載し、措置法施行規則第23条の２第13項及び措置法施行令第40条の２第３項各号に規定する書類を添付しなければならないとされている。

この手続規定は絶対視されるべきものであるのか。やむを得ない事情があるものとして、一定の場合には、上記の手続規定が履践されなかったときにおいても本件特例の適用が認められるものとして取り扱われるという弾力的な運用はないのか。

⑵　当初の相続税の申告書（本件申告書）において本件特例の適用を受けた請求人が選択特例対象宅地等として選択した本件１土地について、本件特例の適用が認められないとは思っていなかったから本件２土地を選択特例対象宅地等とする手続を行っていなかった旨の主張は、上記⑴に掲げる『やむを得ない事情』に該当するものとして、本件２土地に本件特例の適用は認められるのか。

⑶　本件更正処分等は適法な処分として認められるのか。

## 〔３〕 争点に対する双方の主張

| 争　点 | 請求人（納税者）の主張 | 原処分庁（課税庁）の主張 |
|---|---|---|
| (1) 本件２土地に対する本件特例の適用の可否 | 次の理由から、本件２土地には本件特例の適用がある。<br>① 請求人は、本件１土地を選択特例対象宅地等とし、本件特例を受ける者を○○○○として選択する旨記載した本件申告書を提出しており、原処分庁から本件特例が認められないとの更正処分を受けるとは思っていなかったため、本件２土地について本件特例を受ける者を請求人として選択する旨記載した本件申告書及び資料の提出をしなかったものである。<br>そして、本件２土地は、○○○○が所有する共同住宅の底地であり、措置法第69条の４に規定する特定事業用宅地等以外の特例対象宅地等に該当するのであるから、限度面積200㎡の評価額の２分の１相当額を軽減すべきである。<br>② 異議審理（筆者注）庁所属の職員は、異議調査の際、請求人に本件特例を適用できる旨話しており、当初申告で提出すべき書類が提出されていない点について説明しなかった。 | 次の理由から、本件２土地には本件特例の適用はない。<br>① 措置法第69条の４第６項は、本件特例の適用を受けようとする場合には、本件特例を受けようとする者の相続税の申告書に当該特例を受けようとする旨を記載すること及びその他必要書類の添付を要件としているところ、請求人は、本件申告書に本件２土地を選択特例対象宅地等として選択をする旨の記載をしなかった。<br>また、本件申告書の提出の際、本件２土地を選択特例対象宅地等として選択をする旨の記載が無かったことについて、やむを得ない事情があったとは認められない。<br>② 本件における異議審理（筆者注）手続は、通則法の規定に従って適法になされており、仮に、請求人が主張するように異議審理庁所属の職員の説明に不足があったとしても、異議審理手続の不当又は違法は、原処分の取消事由に当たらない。 |
| (2) 本件更正処分等は適法であるのか | 上記(1)より、本件特例の適用を否定した本件更正処分等は、違法なものであるとして取り消されるべきである。 | 上記(1)より、本件更正処分等は適法である。 |

筆者注　異議審理は、現行の制度では再調査審理となっている。

## 〔４〕 国税不服審判所の判断

### (1) 争点について

本件特例が適用されるためには、措置法第69条の４第６項により、相続税の申告書に本件特例の適用を受けようとする旨を記載し、措置法施行規則第23条の２第13項及び措置法施行令第40条の２第３項各号に規定する書類を添付しなければならないところ、請求人は、本件申告書の提出に際し、本件２土地に係る『選択特例対象宅地等の明細書』及び『特例適用の同意書』を添付しておらず、また、その後においても本件更正処分等が行われるまでの間、これらの書類を原処分庁に提出した事実は認められないから、本件２土地につき本件特例を適用せずに行われた本件更正処分に違法はない。

### ⑵　請求人の主張について

①　請求人は、本件申告書において選択特例対象宅地等として選択した本件１土地につき本件特例が認められないとは思っていなかったから、本件２土地を選択特例対象宅地等とする手続をしなかった旨主張する。

しかしながら、措置法第69条の４第７項によれば、相続税の申告書に『選択特例対象宅地等の明細書』及び『特例適用の同意書』の添付がなかったことにつきやむを得ない事情があったと認められる場合でも、税務署長にこれらの書類の提出があった場合に限り、本件特例を適用することができるとされているところ、上記⑴に掲げるとおり、本件更正処分等が行われるまでの間、請求人がこれらの書類を原処分庁に提出した事実は認められないから、請求人の主張は採用できない。

②　請求人は、異議調査の際、異議審理庁所属の職員が本件特例を適用できる旨話しており、当初申告で提出すべき書類が提出されていない点について説明しなかった旨主張し、本件審査請求において、『特例適用の同意書』を当審判所に提出している。

しかしながら、仮に異議審理庁所属の職員の説明に不足があり、その後、本件特例の適用要件を具備するに足る書類の提出が行われたとしても、本件更正処分後におけるこれらの事実が、本件特例の適用要件を満たしていないとして適法に行われた本件更正処分の効力を左右するものではないことから、請求人の主張には理由がない。

### ⑶　結論

上記⑴及び⑵より、原処分庁がなした本件更正処分等は適法である。

## 〔５〕　裁決事例から確認する実務における留意点

### ⑴　申告要件

本件特例の規定は、当該規定の適用を受けようとする者の当該相続又は遺贈に係る相続税法第27条又は第29条の規定による申告書（相続税の期限内申告書）（これらの申告書に係る期限後申告書及びこれらの申告書に係る修正申告書を含む。以下「相続税の申告書」という。）に当該規定の適用を受けようとする旨を記載し、本件特例の規定による計算に関する明細書その他の一定の書類の添付がある場合に限り、適用するものとされている。

ただし、税務署長は、相続税の申告書の提出がなかった場合又は上記に掲げる記載若しくは添付がない相続税の申告書の提出があった場合においても、その提出又は記載若しくは添付がなかったことについてやむを得ない事情があると認めるときは、当該記載した書類及び一定の書類の提出があった場合に限り、本件特例の規定を適用することができるものとされている。

### ⑵　本件裁決の場合

本件裁決は、被相続人に係る当初の相続税の申告書において本件特例の適用を受ける旨の手続を行った選択特例対象宅地等（本件１土地）がその適用要件を充足していないとして相続税の更正処分を受けたところ、これを不服として原処分庁に対して異議申立て（当該異議申立て棄却後においては国税不服審判所に対して審査請求）を行い、当該時点において初めて本件２土地について選択特例対象宅地等に該当するものであり本件特例の適用対象になるものであるとして、『選択特例対象宅地等の明細書』及び『特例の適用に当たっての同意書』を添付して本件特例の適用を申請したことの可否が争点とされた事例である。

本件裁決における国税不服審判所の判断ポイントは、次に掲げるとおりである。

①　本件特例の適用を異議申立て又は審査請求において申請することの可否

上記⑴の前段に掲げるとおり、本件特例の適用は相続税の申告書において受けるもの（申告要件）であり、かつ、当該相続税の申告書に本件特例の適用を受けようとする土地（本件２土地）に係る『選択特例対象宅地等の明細書』及び『特例の適用に当たっての同意書』を添付する必要があるものとされている。

そうすると、原処分庁に対する異議申立て又は国税不服審判所に対する審査請求はいずれも相続税の申告書には該当しないことから、本件事例について本件２土地を本件特例の対象とすることは認められない。

すなわち、本件特例の適用の可否判断に当たっては、措置法に規定する納税者優遇規定であることから、こと更に納税者間における課税公平原則が重視され、相続税の申告書の提出要件も厳格に解釈されることが要求されると考えられる。

②　本件特例の適用につき『やむを得ない事情があると認めるとき』に該当するか否か

本件２土地を選択特例対象宅地等として手続しなかった理由として、請求人は、相続税の申告書において選択特例対象宅地等として選択した本件１土地につき本件特例が認められないとは思っていなかった旨主張する（注）が、仮に当該主張が『やむを得ない事情』に該当するとしても、本件特例の適用を受けようとする土地（本件２土地）に係る『選択特例対象宅地等の明細書』及び『特例の適用に当たっての同意書』を上記⑴の後段のただし書きの規定に従って、本件更正処分が行われるまでの間に原処分庁に提出した事実が認められないことから本件２土地を本件特例の適用対象としないものと判断している。

（注）　そもそも、請求人の主張（本件１土地につき本件特例が認められないとは思っていなかったので本件２土地を選択特例対象宅地等として手続しなかった）は、税法の不知（不認識）という主観的な理由によるものであり、これは『やむを得ない事情』には該当しないものと考えられる。

### ⑶　本件事例の場合における本件特例の適用に関する対応策

上記⑴にも掲げるとおり、本件特例の適用を受けるためには、相続税の申告書に当該特例の適用を受ける旨の記載があり、その計算に関する明細書その他一定の書類を添付することが必要とされている。

また、本件特例の適用を受けるか否か又は本件特例の適用要件を充足する宅地等が複数ある場合にどの宅地等を課税特例の対象とするのかの選択は、本件事例の場合では、相続税の期限内申告時における納税者の選択の結果であるとされている。

しかしながら、本件事例では、当初は本件特例の対象になると判断していた本件１土地が当該適用要件を充足していないことから、当該本件１土地について本件特例の適用を受けること自体が失当となり、結果的には、本件特例の対象地を選択していないことと同様の状況にあるものと考えられる。

一方、本件特例の適用を受けるためには、上記⑴に掲げるとおり、相続税の申告書（相続税の期限内申告書、期限後申告書及びこれらの申告書に係る修正申告書をいう。）にその適用を受ける旨の記載及びその計算に関する明細書等一定の書類の添付が必要とされている。

したがって、本件事例において、本件１土地に代替して本件２土地（特定事業用宅地等以外の特定特例対象宅地等に該当し、200㎡を限度面積として課税価格算入割合は50％となる。）を本件特例の適用対象地とすることが、次に掲げる要件を充足した場合に限って認められたものと考えられる。

①　本件１土地に係る本件特例の適用が認められないものとして、請求人は、課税庁に対して相続税の修正申告書を提出すること

②　本件２土地について、相続税の修正申告書において本件特例の適用を受ける旨の記載があり、その計算に関する明細書（選択する特例対象宅地等の区分に応じた計算の明細）その他一定の書類（限度面積要件を充足するものである旨を記載した書類、特例の適用に当たっての同意書等）を課税庁に対して提出すること

# 15　小規模宅地等の課税特例の適用要件である『土地の選択同意書』の添付がない場合における当該課税特例の適用の可否が争点とされた事例（その２）

**検討裁判例（判例）**　徳島地方裁判所（平成15年10月31日判決、平成14年（行ウ）第25号）（確定）

（注）　相続開始年分は、平成10年です。

## 〔１〕　事案の概要・基礎事実

(1)　本件は、宅地等の財産を取得した原告らが、原告らに対する租税特別措置法第69条の３《小規模宅地等についての相続税の課税価格の計算の特例》（平成11年法律第９号による改正前のものをいう。以下同じ。）（以下、「租税特別措置法」を「措置法」という。）（筆者注）は、同条の第５項において、当該相続又は遺贈に係る相続税の申告書にその適用を受けようとする旨を記載し、計算に関する明細書その他の省令で定める書類（土地の選択同意書など）の添付がある場合に限り適用する旨規定されているところ、本件においては、必要とされる訴外Ｄの同意書を添付していないことから当該特例の適用要件を欠くものであるとして当該特例の適用を原処分庁（被告）が認めなかった判断の是非が問われた事例である。

筆者注　現行の規定では、措置法第69条の４と条文番号が繰り下がっている。

(2)　被相続人甲は、平成10年２月４日に死亡した。その相続人は、妻である乙、子である原告Ａ、原告Ｂ、Ｃ及びＤの５名である（以下「本件相続」という。）。

(3)　乙は、平成12年８月28日に死亡した。その相続人は、上記子ら４名である。

(4)　原告Ａは、被相続人甲から徳島市明神町の宅地（346.71㎡）及び同所の宅地（198.37㎡、以下、両土地を併せて「明神町の土地」という。）を相続した。

(5)　原告Ｂ及びＤ（訴外）は、被相続人甲から徳島市八万町の宅地（133.92㎡、以下「八万町の土地」という。）の所有権を持分各２分の１の割合で相続した。

(6)　明神町の土地及び八万町の土地は、いずれも措置法第69条の３第１項に規定する小規模宅地等の課税特例（以下「本件特例」という。）の適用が可能な小規模宅地等に該当する。

(7)　原告らは、被告に対し、平成10年12月４日、本件相続につき相続税の申告をし、平成13年６月１日、本件相続につき相続税の修正申告書及び乙の相続人としての期限後申告書（以下、前記の修正申告書及び期限後申告書を併せて「修正申告書等」という。）を提出した。

(8)　上記(7)に掲げる修正申告書等には、本件特例の適用を受けるとして、明神町の宅地のうち、133.04㎡を特定居住用宅地等である小規模宅地等として申告した。その際、原告ら及びＤ（訴外）が本件特例の適用を受ける宅地等として明神町の宅地を選択することに同意する旨記載した『小規模宅地等に係る課税価格の計算明細書』が添付されていた。

しかし、原告らと別途に提出されたＤ（訴外）の修正申告書等には、本件特例の適用を受ける旨の記載はなく、後に、原告らの代理人であるＸ税理士からも、Ｄ（訴外）の同意は得られない旨の文書が提出された。

⑼　被告は、原告らに対して、本件特例は、同一の被相続人から相続により宅地を取得した者の小規模宅地等についての同意が必要であるところ（措置法施行規則23条の２第４項１号）、本件ではＤ（訴外）の同意がないため、本件特例を適用できない旨説明し、修正申告を促したが、原告らはこれに応じなかった。

⑽　被告は、原告らに対し、平成13年７月６日付けで相続税の更正処分並びに過少申告加算税及び無申告加算税の賦課決定処分（以下、併せて「本件更正処分等」という。）を行った。

## 〔2〕　事案のポイント・争点

⑴　本件特例の適用要件を充足する宅地等を取得した者が複数存在し、かつ、その宅地等の面積の合計が当該課税特例に係る限度面積要件（平成10年に相続開始があった場合には、小規模宅地等の適用区分にかかわらず、適用上限地積は一律に200㎡）を超える場合には、選択特例対象宅地等の選択に当たっては取得者全員の同意書が必要とされる旨の手続規定が設けられているが、当該手続規定は絶対視されるべきものであるのか。

それとも、やむを得ない事情があるものとして、一定の場合には、当該土地の選択同意書の提出がなかったときにおいても本件特例の適用が認められるものとして取り扱われるという弾力的な運用はないのか。

⑵　上記⑴に関して、選択同意書の提出がなかった場合においても、本件特例の適用要件を充足する宅地等を取得したのは原告らとＤ（訴外）のみであるから、原告らの申告において、次に掲げる考え方から、原告らが適用を受ける本件特例に係る適用面積を133.04㎡であるとして相続税の申告書を提出することは認められるのか。

考え方　• Ｄ（訴外）が取得した八万町の土地の共有持分に対応する面積

133.92㎡（八万町の土地の面積）×$\frac{1}{2}$（共有持分）＝66.96㎡

• 明神町の土地の面積のうち原告らが適用を受ける本件特例の対象面積

200㎡（限度面積）－66.96㎡（Ｄ（訴外）の取得した土地の面積）＝133.04㎡

⑶　本件更正処分等は適法な処分として認められるのか。

## 〔3〕 争点に対する双方の主張

| 争　　点 | 原告（納税者）の主張 | 被告（課税庁）の主張 |
|---|---|---|
| (1) 本件事案に土地の選択同意書の提出は絶対的な要件とされるのか | ① 措置法施行規則23条の２第４項１号は取得者全員の同意書が必要と規定しているが、同意しない者がいたとしても、200㎡からその者の宅地面積を控除した残余面積についてのみ本件特例を申請するのであれば、その者の宅地等は本件特例の適用を受けうるのであるから、その利益を害しない。<br>　このような場合まで、措置法は、取得者全員の同意書を要求する趣旨ではないと考えられる。<br>② Ｄ（訴外）が相続によって取得する小規模宅地等は、八万町の土地133.92㎡の共有持分２分の１、すなわち66.96㎡であるから、原告らは、200㎡から同面積を除外し前記〔1〕(8)のとおり133.04㎡についてのみ本件特例の適用を申請している。<br>　この場合、Ｄ（訴外）は、133.04㎡の宅地選択について、原告らと利害対立が生じないのであるから、同意書を提出していなくても、本件特例の適用が認められるべきである。<br>　なお、本件特例の適用を申請する者と申請しない者がいた場合は、個別に課税価格の合計額や相続税の総額の異なる申告書が提出されることになるが、それは適宜誤っている方の申告について補正、修正申告又は更正処分等によって処理すればよいので、不都合も生じない。 | ① 原告らが本件特例の適用を受けるためには、本件相続に係る相続税の申告書（期限後申告書及び修正申告書を含む。）に本件特例の適用を受けようとする旨を記載し、本件特例の計算に関する明細書、本件特例の適用を受ける200㎡までの選択された宅地等の明細を記載した書類のほかに、次の書類が必要である。すなわち、本件相続においては、措置法施行規則23条の２第４項によって、相続等によって小規模宅地等を取得した者が他にも存在し、その宅地等の面積の合計が200㎡を超えるときに当たる。<br>　したがって、本件特例の適用を受けるには、200㎡までの宅地選択について取得者全員の同意書が必要である。<br>② 上記①にかかわらず、原告らは、共同相続人であるＤ（訴外）の同意書を添付していないのであるから、本件特例を適用することはできない。 |
| (2) 本件更正処分等は適法であるのか | 上記(1)より、本件特例の適用を否定した本件更正処分等は、措置法の趣旨に反する違法なものとして取り消されるべきである。 | 上記(1)より、本件更正処分等は適法である。 |

## 〔４〕 裁判所の判断

### ⑴ 法令解釈等

本件特例は、措置法69条の３第５項において、当該相続又は遺贈に係る相続税の申告書にその適用を受けようとする旨を記載し、計算に関する明細書その他の大蔵省令で定める書類の添付がある場合に限り適用する旨規定されている。そして、上記大蔵省令で定める書類は、措置法施行規則23条の２第８項によって、原告らが特例の適用を受けようとしている特定居住用宅地等である小規模宅地等については、同項１号ロ、同条４項に基づき、同一の被相続人から相続又は遺贈により小規模宅地等を取得した他の者がある場合においては、当該取得をした者に係るすべての当該宅地等が200㎡を超えるときは、当該200㎡までの部分として選択をしようとする当該宅地等の明細を記載した書類及びその同意書が必要とされている。

そして、租税法については、租税法律主義の見地から、みだりに拡張解釈すべきではないところ、特に非課税要件規定については、租税負担公平の原則から、解釈の狭義性、厳格性が要求されるので、本件特例の適用要件についても、拡張解釈することはできないと解すべきである。

### ⑵ 当てはめ

本件においては、原告らがＤ（訴外）の同意書を添付していないことに争いはないのであるから、本件特例の適用要件を欠くというべきである。

### ⑶ 原告らの主張について

原告らは、小規模宅地等の選択について、200㎡からＤ（訴外）が取得する宅地の面積を除外した部分についてのみ本件特例を申請しているので、Ｄ（訴外）はその宅地全部に本件特例を適用しうる余地があり、同意書がなくても、なんらＤ（訴外）の利益を害さない以上、本件特例の適用に支障が生じることはないと主張する。

しかし、小規模宅地等の選択に同意しない者が、必ずしも自己が取得する宅地について本件特例の適用を希望しているわけではなく、本件特例の適用を希望しない場合があることを考えれば、不同意者が取得する宅地全部が本件特例の対象になるからといって、同人が小規模宅地等の選択に同意したものと扱うことはできない。

さらに、原告ら主張のような取扱いを許すと、相続税法の体系からも不都合が生じうる。すなわち、相続税については、法定相続分課税方式を導入した遺産取得課税体系がとられており、同一の被相続人における相続税の課税価格の合計から、基礎控除等を控除して課税遺産総額を求め、当該価額を相続人が法定相続分に応じて取得したと仮定した場合の各取得金額について、それぞれ超過累進税率を適用して算出した金額の合計額を相続税の総額とし、これを相続人らが取得した財産の課税価格に応じて按分した金額を相続人らの各相続税額としている。

そうすると、本件特例の適用を受けようとする相続税の申告書と、適用を受けるとしない相続税の申告書の提出があった場合、本件特例の適用を受けようとする者の相続税の申告書に基づいて相続税の総額を相続人らに配分することとなれば、本件特例の適用を受けようとする者の課税価格は特例を適用することにより減少する一方、適用を受けるとしない者の課税価格に変更はないから、その者に対する相続税の総額の按分割合が増加し、相続人間に不公平が生じることになる。

原告らの主張は、いずれも理由がなく、採用できない。

⑷　**結論**

上記⑴ないし⑶より、被告のなした本件更正処分等に違法はないというべきである。

## 〔５〕　裁判例（判例）から確認する実務における留意点

⑴　**申告要件**

本件特例の規定は、当該規定の適用を受けようとする者の当該相続又は遺贈に係る相続税法第27条又は第29条の規定による申告書（相続税の期限内申告書）（これらの申告書に係る期限後申告書及びこれらの申告書に係る修正申告書を含む。以下「相続税の申告書」という。）に当該規定の適用を受けようとする旨を記載し、本件特例の規定による計算に関する明細書その他の一定の書類（下記⑵を参照）の添付がある場合に限り、適用するものとされている。

ただし、税務署長は、相続税の申告書の提出がなかった場合又は上記に掲げる記載若しくは添付がない相続税の申告書の提出があった場合においても、その提出又は記載若しくは添付がなかったことについてやむを得ない事情があると認めるときは、当該記載した書類及び一定の書類の提出があった場合に限り、本件特例の規定を適用することができるものとされている。

以上の規定から、本件特例の適用に関して、手続面から次に掲げる事項に留意する必要がある。

①　本件特例の適用を受けるか否かは、任意であること

②　本件特例の適用を受けるためには、原則として、相続税の申告書に一定の書類を添付する必要があること

（注）　いわゆる『ゆう恕規定』が本件特例には設けられているが、その適用要件として『やむを得ない事情があると認めるとき』とあり、単なる不知や失念はこれに該当しないものと考えられる。

⑵　**添付書類**

本件特例に規定する個人が相続又は遺贈（死因贈与を含む。以下同じ。）により取得した特例対象宅地等のうち、本件特例の規定の適用を受けるものの選択は、次に掲げる書類の全てを相続税の申告書に添付してするものとされている。

①　当該特例対象宅地等を取得した個人がそれぞれ本件特例の規定の適用を受けるものとして選択をしようとする当該特例対象宅地等又はその一部について、本件特例に掲げる小規模宅地等の区分（㈠特定事業用宅地等、㈹特定居住用宅地等、㈧特定同族会社事業用宅地等、㈡貸付事業用宅地等）その他の明細を記載した書類

② 当該特例対象宅地等を取得した全ての個人に係る上記①の選択をしようとする当該特例対象宅地等又はその一部の全てが本件特例に規定する限度面積要件のうちのいずれか一の要件を満たすものである旨を記載した書類

そうすると、本件特例の適用対象とすることができる特例対象宅地等を取得した者が２人以上（複数）存在する場合には、一定の書類を相続税の申告書に添付することが本件特例の適用要件として義務付けられていることが理解される。

**参考資料**　相続税の申告書（付表）

・第11・11の２表の付表の１（**資料**を参照）に掲げる下記の事項を確認することが重要となります。

⑴『１　特例の適用にあたっての同意』

⑵『２　小規模宅地等の明細』

⑶『限度面積要件の判定』

## 資料　第11・11の２表の付表１

FD3549

# 小規模宅地等についての課税価格の計算明細書

被相続人

（この申告書は機械で読み取りますので、黒ボールペンで記入してください。）

　この表は、小規模宅地等の特例（租税特別措置法第69条の４第１項）の適用を受ける場合に記入します。
　なお、被相続人から、相続、遺贈又は相続時精算課税に係る贈与により取得した財産のうちに、「特定計画山林の特例」の対象となり得る財産又は「個人の事業用資産についての相続税の納税猶予及び免除」の対象となり得る宅地等その他一定の財産がある場合には、第11・11の２表の付表２を、「特定事業用資産の特例」の対象となり得る財産がある場合には、第11・11の２表の付表２の２を作成します（第11・11の２表の付表２又は付表２の２を作成する場合には、この表の「１ **特例の適用にあたっての同意**」欄の記入を要しません。）。
（注）この表の１又は２の各欄に記入しきれない場合には、第11・11の２表の付表１(続）を使用します。

### １　特例の適用にあたっての同意

この欄は、小規模宅地等の特例の対象となり得る宅地等を取得した全ての人が次の内容に同意する場合に、その宅地等を取得した全ての人の氏名を記入します。

私(私たち)は、「２ 小規模宅地等の明細」の①欄の取得者が、小規模宅地等の特例の適用を受けるものとして選択した宅地等又はその一部(「２ 小規模宅地等の明細」の⑤欄で選択した宅地等)の全てが限度面積要件を満たすものであることを確認の上、その取得者が小規模宅地等の特例の適用を受けることに同意します。

| 氏名 | | | |
|---|---|---|---|
| | | | |

（注）　小規模宅地等の特例の対象となり得る宅地等を取得した全ての人の同意がなければ、この特例の適用を受けることはできません。

### ２　小規模宅地等の明細

この欄は、小規模宅地等の特例の対象となり得る宅地等を取得した人のうち、その特例の適用を受ける人が選択した小規模宅地等の明細等を記載し、相続税の課税価格に算入する価額を計算します。

**「小規模宅地等の種類」欄は、選択した小規模宅地等の種類に応じて次の１～４の番号を記入します。**
小規模宅地等の種類：1 **特定居住用宅地等**、2 **特定事業用宅地等**、3 **特定同族会社事業用宅地等**、4 **貸付事業用宅地等**

| 選択した小規模宅地等 | 小規模宅地等の種類（１～４の番号を記入します。） | ① 特例の適用を受ける取得者の氏名〔事業内容〕<br>② 所在地番<br>③ 取得者の持分に応ずる宅地等の面積<br>④ 取得者の持分に応ずる宅地等の価額 | ⑤ ③のうち小規模宅地等(「**限度面積要件**」を満たす宅地等)の面積<br>⑥ ④のうち小規模宅地等(④×⑤/③)の価額<br>⑦ 課税価格の計算に当たって減額される金額(⑥×⑨)<br>⑧ 課税価格に算入する価額(④－⑦) |
|---|---|---|---|
| | □ | ①　〔　〕 | ⑤　．　㎡ |
| | | ② | ⑥　円 |
| | | ③　．　㎡ | ⑦　円 |
| | | ④　円 | ⑧　円 |
| | □ | ①　〔　〕 | ⑤　．　㎡ |
| | | ② | ⑥　円 |
| | | ③　．　㎡ | ⑦　円 |
| | | ④　円 | ⑧　円 |
| | □ | ①　〔　〕 | ⑤　．　㎡ |
| | | ② | ⑥　円 |
| | | ③　．　㎡ | ⑦　円 |
| | | ④　円 | ⑧　円 |

(注) 1　①欄の「〔　〕」は、選択した小規模宅地等が被相続人等の事業用宅地等(2、3又は4)である場合に、相続開始の直前にその宅地等の上で行われていた被相続人等の事業について、例えば、飲食サービス業、法律事務所、貸家などのように具体的に記入します。
2　小規模宅地等を選択する一の宅地等が共有である場合又は一の宅地等が貸家建付地である場合において、その評価額の計算上「賃貸割合」が１でないときには、第11・11の２表の付表１(別表１)を作成します。
3　小規模宅地等を選択する宅地等が、配偶者居住権に基づく敷地利用権又は配偶者居住権の目的となっている建物の敷地の用に供される宅地等である場合には、第11・11の２表の付表１(別表１の２)を作成します。
4　⑧欄の金額を第11表の「財産の明細」の「価額」欄に転記します。

### 「限度面積要件」の判定

上記「２ 小規模宅地等の明細」の⑤欄で選択した宅地等の全てが限度面積要件を満たすものであることを、この表の各欄を記入することにより判定します。

（※の項目は記入する必要がありません。）

| 小規模宅地等の区分 | 被相続人等の居住用宅地等 | 被相続人等の事業用宅地等 | | |
|---|---|---|---|---|
| 小規模宅地等の種類 | 1 特定居住用宅地等 | 2 特定事業用宅地等 | 3 特定同族会社事業用宅地等 | 4 貸付事業用宅地等 |
| ⑨ 減額割合 | 80/100 | 80/100 | 80/100 | 50/100 |
| ⑩ ⑤の小規模宅地等の面積の合計 | ㎡ | ㎡ | ㎡ | ㎡ |
| ⑪ 限度面積　イ　小規模宅地等のうちに4貸付事業用宅地等がない場合 | 〔1の⑩の面積〕　≦330㎡ | 〔2の⑩及び3の⑩の面積の合計〕　㎡ ≦ 400㎡ | | |
| ⑪ 限度面積　ロ　小規模宅地等のうちに4貸付事業用宅地等がある場合 | 〔1の⑩の面積〕　㎡×200/330　＋ | 〔2の⑩及び3の⑩の面積の合計〕　㎡×200/400　＋ | | 〔4の⑩の面積〕　㎡ ≦ 200㎡ |

(注)　限度面積は、小規模宅地等の種類(「4 貸付事業用宅地等」の選択の有無)に応じて、⑪欄(イ又はロ)により判定を行います。「限度面積要件」を満たす場合に限り、この特例の適用を受けることができます。

| ※税務署整理欄 | 年分 | | 名簿番号 | | 申告年月日 | | 一連番号 | | グループ番号 | | 補完 | |
|---|---|---|---|---|---|---|---|---|---|---|---|---|

第11・11の２表の付表１（令2.7）　　（資４－20－12－３－１－Ａ４統一）

第11・11の２表の付表１（令和２年４月分以降用）

### (3) 本件裁判例の場合

本件裁判例は、上記(2)の資料１に掲げる『特例の適用に当たっての同意』（いわゆる『選択同意書』）の提出がなかった場合においても、特例対象宅地等を取得した者が原告ら（２人の相続人）とＤ（訴外の相続人）のみであるときに原告らの相続税の申告において、原告らが本件特例の適用を受ける選択面積を133.04㎡であるとして下記に掲げる計算により算定することの可否が問われたものである。

計算　①　Ｄ（訴外）が取得した特例対象宅地等の面積
66.96㎡
②　原告らが本件特例の適用を受ける選択特例対象宅地等の面積
200㎡（限度面積(注)）－66.96㎡（上記①のＤ（訴外）が取得した土地の面積）＝133.04㎡
（注）　本件事例の場合、本件特例の適用を受けることができる限度面積は200㎡とされていた。

原告ら（納税者）は、200㎡（限度面積）から他に本件特例の適用可能性を有するＤ（訴外）が取得した土地の面積（66.96㎡）を除外した面積（133.04㎡）についてのみ本件特例の適用申請をしており、原告らとＤ（訴外）の利害対立関係が生じることはないのであるから、このような場合にまで措置法は取得者全員の選択同意書を要求する趣旨ではない旨を主張した。

これらの主張に対して、裁判所の判断では、下記に掲げる事項を摘示して相続税の申告書に選択同意書が添付されていないことは本件特例の適用要件を欠くものであるとして、本件特例の適用を否認した被告（課税庁）の原処分（本件更正処分等）を支持した。

①　本件特例について適用要件を規定した法令等の取扱いでは、同一の被相続人から相続又は遺贈により小規模宅地等を取得した他の者がある場合においては、当該取得をした者に係る全ての当該宅地等が200㎡を超えるときは、当該200㎡までの部分として選択をしようとする当該宅地等の明細を記載した書類及びその同意書が必要とされていること
②　租税法は侵害法規であり、租税法律主義の見地からみだりに拡張解釈がされるべきものではないこと
③　特に、本件特例のような納税者優遇規定については、租税負担の公平の原則から、解釈の狭義性、厳格性が要求されること

そうすると、本件事例を通じて、本件特例の適用について実質上の不公平が認められないと考えることに一理あると思われる場合（特例対象宅地等について、本件特例の適用上限面積である200㎡以下の範囲内で特定の取得者（個人）が本件特例の適用を受けようとする場合）であっても、その適用可否の判断は、法令等に従って厳格に解釈されるべきものであることを再確認する必要があるものと考えられる。

### (4) 本件事例の場合における本件特例の適用に関する対応策

本件事例のように、相続人が複数存在し、かつ、相続人間において被相続人に係る相続財産の取得協議（遺産分割協議）がまとまらない（又はまとまりにくい）場合には、事前の紛争防止対策として遺言書を作成しておくことも実務上は数多く行われている。

そのような場合に、本件事例のように本件特例の適用対象とされる特例対象宅地等を複数

の者（個人）が取得することも想定されるが、本件裁判例で確認したとおり、選択同意書の提出がない限り本件特例の適用を受けることは認められない。

そこで、遺言書の作成時に、単に被相続人に係る相続財産の承継者を当該遺言書において確定させるのみならず、例えば、次に掲げるような形態で本件特例の対象とする宅地（選択特例対象宅地等）も事前に当該遺言書において指定する（一種の停止条件付遺贈とする）ことも検討に値すると考えられる。

遺言例１　措置法に規定する小規模宅地等の課税特例の適用に当たっては、今回の相続税申告に当たって、相続税の課税価格の合計額が最小となる方法を選択するものとし、当該選択が成立することを条件として各相続人に対する前条までに規定する各土地の相続を認めるものとする。

遺言例２　措置法に規定する小規模宅地等の課税特例の適用に当たっては、本件特例の適用要件を充足している宅地（特例対象宅地等）を取得した者が各人同一の面積について適用が可能となる方法を選択するものとし、当該選択が成立することを条件として各相続人に対する前条までに規定する各土地の相続を認めるものとする。

遺言例３　措置法に規定する小規模宅地等の課税特例の適用に当たっては、本件特例の適用要件を充足している宅地（特例対象宅地等）を取得した者が各人同一の本件特例の適用による相続税の課税価格に算入しない価額（減額効果額）を得ることが可能となる方法を選択するものとし、当該選択が成立することを条件として各相続人に対する前条までに規定する各土地の相続を認めるものとする。

## 16　当初申告時に選択適用した小規模宅地等の地積につき相違（増加）があったことを認識した場合に『やむを得ない事情』として小規模宅地等の地積の変更を認めることの可否が争点とされた事例

**検討裁決事例**　国税不服審判所裁決事例（平成14年11月19日裁決、東裁（諸）平14第85号、平成11年相続開始分）

### 〔1〕　事案の概要・基礎事実

#### (1)　事案の概要

本件は、相続税の課税価格に算入する土地の価額の多寡及び小規模宅地等の課税特例の適用対象となる土地の選択替えの可否を主な争点とする事案である。

#### (2)　審査請求に至る経緯

① 審査請求人（以下「請求人」という。）は、平成11年３月29日（以下「本件相続開始日」という。）に死亡した○○○○の相続人であるが、この相続に係る相続税（以下「本件相続税という。）の申告書に、図表１の「申告」欄のとおり記載して、法定申告期限までに申告した（以下、この申告書を「本件申告書」という。）。

図表１　審査請求に至る経緯

| 区　分 | | 金　額 |
|---|---|---|
| 申　告 | 課税価格 | ○○○,○○○,○○○円 |
| | 納付すべき税額 | 25,430,000 |
| 更正の請求 | 課税価格 | 149,397,000 |
| | 納付すべき税額 | 21,619,100 |
| 更正処分等 | 課税価格 | 166,088,000 |
| | 納付すべき税額 | 27,235,200 |
| | 過少申告加算税の額 | 180,000 |

② その後、請求人は、本件相続税について、預かり保証金の債務計上漏れ及び東京都○○区○○○丁目○○番○に所在する土地（以下「本件Ａ土地」という。）及び同所同番○に所在する土地（以下「本件Ｂ土地」という。）の価額に誤りがあるとして、平成13年１月29日に図表１の「更正の請求」欄のとおりとすべき旨の更正の請求（以下「本件更正の請求」という。）をした。

③ 原処分庁は、これに対し、平成13年５月25日付で更正をすべき理由がない旨の通知処分（以下「本件通知処分」という。）をし、平成13年５月29日付で図表１の「更正処分等」欄のとおりの更正処分（以下「本件更正処分」という。）及び過少申告加算税の賦課決定処分（以下「本件賦課決定処分」という。）をした。

④　請求人は、これらの処分を不服として、平成13年７月23日に異議申立てをしたところ、異議審理庁は、同年10月23日付でいずれも棄却の異議決定をした。

⑤　請求人は、異議決定を経た後の原処分に不服があるとして、平成13年11月22日に審査請求をした。

**⑶　基礎事実**

①　東京都○○区○○○丁目○○番地○及び同所同番地○に所在する建物（家屋番号○○番○、鉄骨鉄筋コンクリート・鉄骨造陸屋根地下１階付10階建、以下「本件ビル」という。）の不動産登記簿に係る全部事項証明書によれば、本件ビルの床面積は、１階は55.24㎡、２階から10階までは各71.43㎡、地下は70.98㎡である。

②　本件Ａ土地の不動産登記簿に係る全部事項証明書によれば、本件Ａ土地の地積は61.52㎡である。

③　本件Ｂ土地の不動産登記簿に係る全部事項証明書によれば、本件Ｂ土地の地積は18.97㎡である。

④　昭和53年１月５日付○○区収受・収受番号○○号の押印のある本件ビルの建築計画概要書（以下「○○号概要書」という。）には、敷地面積85.465㎡の記載が抹消され84.52675㎡に変更した旨及び所在地は、○○区○○○○○丁目○○番地と記載がある。

なお、当該所在地は、昭和53年７月１日付の表示変更により、○○区○○○丁目○○番に変更となった。

⑤　請求人は、本件更正の請求において、本件相続開始日における本件Ａ土地及び本件Ｂ土地の価額を、不動産鑑定士○○○○が作成した平成13年１月23日付の不動産鑑定評価書（以下「本件鑑定評価書」という。）による鑑定評価額（以下「本件鑑定評価額」という。）を基に算出した価額とした。

⑥　原処分庁は、本件通知処分及び本件更正処分において、本件相続開始日における本件Ａ土地及び本件Ｂ土地の価額を、評価通達14《路線価》に定める路線ごとに設定された路線価（以下「路線価」という。）を基に算出した価額とした。

⑦　請求人は、本件申告書の第11表の付表『小規模宅地等に係る課税価格の計算明細書』に、租税特別措置法（平成12年法律13号による改正前のもの。以下「措置法」という。）第69条の３《小規模宅地等についての相続税の課税価格の計算の特例》（筆者注）第１項に規定する特例（以下「本件特例」という。）の適用を受ける土地として、㈠特定居住用宅地等は、東京都○○区○町○丁目○○番○に所在する土地290.88㎡のうち地積136.1536㎡を、㈡事業用宅地等は、本件Ａ土地61.52㎡の全部及び○○区○○○丁目○番○に所在する土地2.3264㎡の全部をそれぞれ選択する旨記載し、本件特例を受けるために必要な書類とともに本件申告書に添付した。

筆者注　現行の規定では、措置法第69条の４と条文番号が繰り下がっている。

## 〔2〕 事案のポイント・争点

(1) 本件Ａ土地及び本件Ｂ土地のうち、本件相続税の課税価格に算入する土地（以下「本件土地」という。）の地積は○○号概要書に記載された敷地面積である84.52㎡とすべきであるのか。それとも、登記簿上の地積の合計である80.49㎡によるべきであるのか。
(2) 本件土地の価額は、時価として算定された本件鑑定評価額によるべきであるのか。それとも、路線価に基づいて算定した価額（相続税評価額）によるべきことになるのか。
(3) 本件特例の適用を受ける宅地を選択して本件申告書を提出した後に、本件ビルの敷地である本件土地の地積に相違があったような場合には、自己の責めによらないやむを得ない事情があるものとして、小規模宅地等の選択替えが認められると解することになるのか。
(4) 本件土地の価額及び本件土地に係る相続税の課税価格算入額（本件特例の適用後）はいくらになるのか。

## 〔3〕 争点に対する双方の主張

| 争　点 | 請求人（納税者）の主張 | 原処分庁（課税庁）の主張 |
|---|---|---|
| (1) 本件土地の地積は登記薄上の地積と実測図の地積のいずれによるべきか | 原処分庁は、本件土地の地積を84.52㎡としているが、これは次の理由から違法である。<br>① 原処分庁は、○○号概要書に記載の敷地面積と○○○○株式会社（被相続人が本件Ａ土地及び本件Ｂ土地を取得する前の所有者であり、以下「Ｘ㈱」という。）が所有する実測図（以下「本件実測図」という。）との地積の一致をもって、○○号概要書に記載の敷地面積を本件土地の地積としているが、この敷地面積は仮実測によるものであり、○○区役所が○○号概要書を収受したからといって、その地積の正確性が証明されるものではない。<br>② 上記①のとおり、○○号概要書に記載の敷地面積に正確性が認められないことから、本件土地の地積は、信頼性のある地積確定資料である登記簿上の地積の合計80.49㎡によるべきである。<br>③ 原処分庁は、正式な境界確認のなされた図面が存在しないのであるから、 | ① 異議申立て（筆者注）に係る調査の結果によれば、上記〔1〕(3)基礎事実のほか、次の事実が認められる。<br>(イ) 本件ビルの敷地である本件土地の西側は、現況幅員約３ｍの道路（以下「本件道路」という。）に面していること。<br>(ロ) 本件道路に対応する地番は、公図上、東京都○○区○○○丁目○○番地○、同所同番○、同所同番○、同所同番○及び同所同番○（本件Ｂ土地）である。<br>(ハ) 被相続人と○○○○との間で、昭和63年１月27日に作成した土地交換契約証書には、本件Ａ土地及び本件Ｂ土地を被相続人がＸ㈱から交換により取得する旨の記載がある。<br>(ニ) 本件実測図はＸ㈱が所有し、当該実測図には、敷地面積は88.94㎡、セットバック後の計画敷地面積は、85.465㎡と記載がある。<br>(ホ) Ｘ㈱作成の○○○○ビルテナント |

法務局備付けの測量図の信ぴょう性について判断すべきである。

募集のご案内パンフレット（以下「本件ご案内」という。）には、建築概要の所在地は、○○区○○○－○－○、敷地面積は、88.94㎡（実測）と記載があり、本件実測図及び所在地が○○区○○○丁目○番○号と記載された図面（以下「本件図面」という。）が添付されている。

(ヘ)　異議審理庁の調査担当職員が平成12年12月１日に簡易測量器具を用いて本件土地を計測した結果、簡易測量による距離と本件実測図に記載されている隣地境界線の距離は、図表２のとおりである。

図表２　本件土地の隣地境界線の距離

| | 簡易測量による距離 | 本件実測図の隣地境界線の距離 |
|---|---|---|
| 北側 | 計測不能 | 13.495m |
| 南側 | 11.3m | 12.000m |
| 東側 | 7.3m | 7.170m |
| 西側 | 7.2m | 6.950m |

(ト)　○○区役所都市計画部建築課企画調整係長○○は、平成12年12月13日に原処分庁の調査担当者に対して、○○号概要書の敷地面積の変更は、建築基準法第12条《報告・検査等》第３項の規定により変更されたものであり、また、同条は、建築主が当初建築申請を提出したが、例えば、旧家を取り壊し正式に実測したら面積が違っていた場合や、当初の建築面積が変更となった場合に建築主が区へ相談し、区が必要と判断した場合に変更等の届出の報告を求める規定である旨申述している。

筆者注　現行の規定では、再調査の請求に該当する。

②　上記①から、請求人の主張について判断すると、次のとおりである。

(イ)　上記①(ホ)によれば、本件ご案内の建築概要の敷地面積に記載されている地積と本件実測図の敷地面積に記載されている地積とは同地積であり、また、本件実測図の土地の形状と本件図面の土地の形状も同じであり、さらに、本件ご案内の建築概要の所在地と本件図面に記載されている住所地とが同一所在地であることからすれば、本件実測図は本件ビルの敷地の測量図であることが認められる。

(ロ)　上記①(ヘ)によれば、簡易測量の値は、本件土地の前所有者であるX㈱が所有している本件実測図の隣地境界線の各々の値と均衡する値が得られているものと認められる。

(ハ)　上記①(ニ)、(ホ)及び前記〔１〕(3)④によれば、○○号概要書に記載の変更前の敷地面積と本件実測図のセットバック後の敷地面積は同地積であることが認められるから、○○号概要書は本件実測図に基づいてその敷地面積を記載し、申請されたものと認められる。

また、建築概要書は、一般的に建築基準法第６条《建築物の建築等に関する申請及び確認》に基づいて申請されるものであり、建築計画が建築基準関係規定に適合するものであることを当該申請により確認を受けるものであることからも○○号概要書に記載されている敷地面積には合理性があると認められる。

(ニ)　請求人は、本件土地の地積を信頼性のある地積数量の確定資料である登記簿上の地積によるべきである旨主張するが、上述のとおり、本件土地の実際の地積は、登記簿に記載された地積を超えており、登記簿に記

| | | |
|---|---|---|
| | | 載された地積をもって本件土地の価額を算定することは合理的ではないから、本件土地の地積は、実測に基づく地積であると認められる○○号概要書に記載されている敷地面積84.52㎡と認められる。<br>したがって、請求人の主張には理由がない。 |
| (2) 本件土地の価額は鑑定評価額と路線価方式による価額のいずれによるべきか | 本件土地の価額は、次のとおり、周辺地の売買事例や収益性を考慮し、時価として適正と認められる本件鑑定評価額によるべきであり、原処分庁が路線価により算出した本件土地の価額は、本件鑑定評価額により算出した時価を上回っているから違法である。<br>① 本件鑑定評価額は、『不動産鑑定評価基準』に基づいて算出しているところ、同基準によれば、貸家及びその敷地の鑑定評価額は「実際実質賃料に基づく純収益を還元して得た収益価格を標準とし、積算価格及び比準価格を比較考慮して決定するものとする。」とされているから、収益価格のウエイトに重きを置く本件鑑定評価額には合理性がある。<br>また、原処分庁が本件土地の時価を試算する際に使用した 図表３ の『取引事例１』は、本件鑑定評価書では採用していないのであるから、図表３ の注書３の地域格差に「本件鑑定書の地域要因格差修正率を採用した。」との記載があるが、これは相当ではない。<br>② 原処分庁が本件土地の時価を試算する際に採用した 図表３ の取引事例１から３までの比準した価格の平均値である１㎡当たりの価格2,192,993円は、東京都○○区○○○－○－○に所在する基準地『○○５－25』（以下「本件基準地」という。）の価格から比準した１㎡当たりの価格2,684,504円を | ① 請求人が主張する本件鑑定評価額については、次のとおりである。<br>(イ) 本件鑑定評価額は、収益価格を算定するに当たり、実質賃料を求める保証金の運用利回りを２％とし、本件土地及び本件ビルの還元利回りをそれぞれ、６％、11％としているが、これらの率が必ずしも明確でなく、また、それぞれの利回り率にこれほど大きく格差が生じるこれらの率には合理性は認められない。<br>(ロ) 収益還元法は、次に掲げる問題があり、これによる評価額は、本件相続税の課税時期の時価、すなわち、客観的な交換価値を表しているとは必ずしもいえず、この方法による収益価格のウエイトに重きを置く本件鑑定評価額には合理性がない。<br>㋑ 土地の価格の変動に見合う収益の算定が困難であること<br>㋺ 還元利回りの算定が困難であること<br>(ハ) 積算価格の算定に当たり、本件ビルの再調達原価を151,000,000円と査定しているが、この価格の根拠が明確ではない。<br>(ニ) 上記(イ)ないし(ハ)より、本件鑑定評価額は、本件相続開始日における本件土地の時価を正しく表したものとは認められないから、これを採用することはできない。<br>② 本件相続開始日における本件土地の自用地としての時価を試算した価格（以 |

| | | |
|---|---|---|
| | 18.3％下回る結果となるから本件基準地の価格は実際の取引価格よりも相当に高くなっていることは明らかであり、当該価格を基に評定された路線価が時価を反映しているかは大いに疑問であり、したがって、この路線価を基に算定された本件土地の価額は、本件相続開始日現在の時価を表しているとはいえない。 | 下「試算価格」という。）は、図表３のとおり１㎡当たり2,150,000円となり、当該価格に本件土地の地積84.52㎡を乗じて算出した本件土地の価額は181,718,000円となる。<br>一方、評価通達の定めに基づき本件土地の自用地としての価額を算出すると図表４のとおり、179,030,179円となる。<br>③　上記①及び②より、評価通達の定めに基づき算出した本件土地の価額は試算価格により算出した価額を上回っておらず、評価通達の定めに基づかないことが相当と認められる特別な事情はないのであるから、本件土地の価額は、評価通達の定めに基づき算出した179,030,179円である。 |
| (3)　本件土地の地積の相違を理由として小規模宅地等の選択替えが認められるのか。 | 本件特例の適用を受ける宅地を選択し本件申告書を提出した後に、本件ビルの敷地である本件土地の地積に相違があったような自己の責めによらない場合には、次の理由から、やむを得ない事情として小規模宅地等の選択替えを認めるべきである。<br>①　原処分庁は、請求人は、自らの選択により本件特例を適用する宅地を選択し、本件申告書を提出していることから、その後の事情の変化による当該特例の適用についての変更は認められないとするが、このような判断は、法律の明文規定がないばかりか、文理上からも「当該特例を選択した以上、変更を認めない。」と解釈することは不可能であり、租税法律主義に反するものである。<br>②　措置法第69条の３第６項が相続税の申告書に国税通則法第19条《修正申告》に規定する修正申告書を含めていることからすれば、これは、修正申告をすべき事情の発生により相続人の納税額に異動が生じる場合には、税負担能力 | ①　請求人は、前記〔１〕(3)⑦のとおり、本件申告書に、措置法第69条の３第１項の規定の適用を受けるために必要な明細書及び書類を添付していることから、本件申告書において当該規定の選択は適法に行われていると認められる。<br>②　措置法第69条の３第１項の規定の適用を受ける宅地等は、その選択した宅地等のうち相続税の申告書に所要の事項を記載した明細書を添付したものに限られるから、納税者にその申告及び選択を委ねているものと解される。<br>③　措置法第69条の３第６項が規定する相続税の申告書に、期限後申告書及び修正申告書が含まれるのは明らかであるが、更正の請求が当該申告書に含まれるとの規定はないから、修正申告には更正の請求が含まれるという請求人の主張には理由がない。<br>④　更正の請求は、納付すべき税額が納税申告書に記載した課税標準等の計算が国税に関する法律の規定に従っていなかったことにより過大となった場合にできるもので、上記②のとおり、措 |

| | | |
|---|---|---|
| | や相続人間の公平などの観点から小規模宅地等の選択替えを許容する趣旨であると考えられる。<br>したがって、修正申告か更正の請求かは、課税標準の変動の結果として、単に結果的に納付すべき税額が増えるか減るかの違いにすぎないから、本件特例に規定する修正申告には、修正申告のほか、更正の請求も含まれると解すべきである。<br>③　実務上、本件特例の適用を受けた宅地等の地積が、当該特例の限度面積に達していないような場合には、修正申告において、その選択替えについて容認する取扱いが行われているにもかかわらず、本件において本件特例の適用が認められないとすれば、税務行政に一慣性がなく、課税の公平の見地からして不公平である。 | 置法第69条の３第１項の規定は、納税者にその申告及び選択を委ねているから、それに従って適正に選択・申告されたものについて更正をすべき理由はないから、請求人の主張には理由がない。<br>⑤　請求人は、本件特例の適用を受ける宅地を選択し本件申告書を提出した後に、本件ビルの敷地である本件土地の地積に相違があったような自己の責めによらない場合には、やむを得ない事情として小規模宅地等の選択替えを認めるべきである旨主張する。<br>しかしながら、下記に掲げる事項からすると、請求において、本件ビルの敷地の地積が61.52㎡と信ずることに相当の理由はない。<br>(イ)　本件ビルの建築面積71.43㎡は、本件Ａ土地の登記簿上の地積61.52㎡を超えていること<br>(ロ)　本件ビルは本件土地の上に存することは明らかであること<br>さらに、請求人は、本件ビルの敷地の地積として61.52㎡は、実際の地積よりも少ないことを認識していたものと認められる。<br>したがって、当初の選択に誤りがあったとは認められないから、請求人の主張には理由がない。 |
| (4)　本件土地の価額及び本件土地に係る相続税の課税価格算入額（本件特例の適用後）はいくらになるのか | 筆者注　本件裁決事例においては、請求人が主張する本件土地の価額（本件鑑定評価額）及び相続税の課税価格算入額（本件特例の適用後）は示されていない。 | 上記(1)ないし(3)から、本件土地の自用地としての相続税評価額は、179,030,179円（筆者注 図表４を参照）となるが、本件土地は、貸家建付地として評価し、措置法第69条の３第１項を適用しその価額を計算すると、次のとおりとなる。<br>①　本件土地の価額<br>（自用地の価額）<br>179,030,179円×<br>（借地権割合）（借家権割合）<br>（　1－0.8　×　0.3　）<br>（貸家建付地の価額）<br>＝　136,062,936円 |

| | | |
|---|---|---|
| | | ②　本件土地に係る相続税の課税価格算入額（本件特例の適用後）<br>（貸家建付地の価額）136,062,936円 − （貸家建付地の価額）136,062,936円 $\times \frac{61.52㎡}{84.52㎡} \times \frac{50}{100} =$ （本件土地に係る相続税の課税価格算入額（本件特例の適用後））86,544,528円<br>（注）61.52㎡は、本件特例の対象として選択した地積で、84.52㎡は本件土地の地積である。 |

**図表３**　本件土地の試算価格（原処分庁）　　（単位：円）

| 区分 | 取引事例１ | 取引事例２ | 取引事例３ | 本件基準地 |
|---|---|---|---|---|
| 所在地 | 東京都○○区<br>○○○丁目 | 東京都○○区<br>○○○丁目 | 東京都○○区<br>○○○丁目 | 東京都○○区<br>○○○丁目○番 |
| 取引時点 | 10年９月 | 10年８月 | 11年２月 | 10年７月 |
| ①取引価格 | 2,501,998 | 2,556,007 | 3,044,000 | 3,170,000 |
| ②時点修正 | 95／100 | 94／100 | 99／100 | 94／100 |
| ③標準化補正 | 100／105 | 100／103 | 100／100 | 100／100 |
| ④地域格差 | 100／105 | 100／109 | 100／132 | 100／111 |
| 価格<br>①×②×③×④ | 2,155,917 | 2,140,061 | 2,283,000 | 2,684,504 |
| 標準価格 | 2,315,870 | | | |
| 個別格差 | 93／100 | | | |
| 試算価格 | 2,150,000 | | | |

（注）１　事情補正については、補正する事情はない。
　　２　時点修正は、本件鑑定書の時点修正率を採用した。
　　３　地域格差は、本件鑑定書の地域要因格差修正率を採用した。
　　４　個別格差は、本件ビル敷地は、二方路地であること（×1.07）、不整形地であること（×0.87）により補正した。
　　５　価格は、いずれも１㎡当たりの価格である。

図表４　評価通達の定めに基づき算出した本件土地の自用地としての価額

①　(正面路線価) 2,420,000円×(奥行価格補正率) 0.98　＝2,371,600円……………………………………………………… A

②　(A) 2,371,600円＋(裏面路線価) 920,000円×(奥行価格補正率) 0.98　×(二方路線影響加算率) 0.07
＝2,434,712円 ……………………………………………………………………………………………………… B

③　(B) 2,434,712円×（(間口狭小補正率) 0.97　×(奥行長大補正率) 1.00　）
＝2,361,670円 ……………………………………………………………………………………………………… C

④　(B) 2,434,712円×(不整形地補正率)注 0.87　＝2,118,199円 ………………………………………………… D

C、Dのいずれか低い方の額Dを採用する。

⑤　(D) 2,118,199円×(本件土地の地積) 84.52㎡　＝(本件土地の自用地の価額) 179,030,179円

（注）本件土地の想定整形地は、140.93㎡と認められ、下記の計算式により、かげ地割合を40.02%と算出し、同割合から、不整形地補正率表に定める割合0.90を求め、これに間口狭小補正率0.97を乗じて得た0.87が不整形補正率となる。

$$\frac{140.93㎡（想定整形地の地積）－84.52㎡（評価対象地の地積）}{140.93㎡（想定整形地の地積）}＝0.4002$$

## 〔4〕 国税不服審判所の判断

### (1) 認定事実

①　本件鑑定評価書には、要旨次のとおり記載がある。

(イ)　本件鑑定評価額は、本件Ａ土地及び本件Ｂ土地並びに本件ビル（以下、これらを併せて「評価対象不動産」という。）の合計額168,000,000円である。

(ロ)　鑑定評価を行うに当たり採用した地積は、本件Ａ土地及び本件Ｂ土地の登記簿上の地積の合計80.49㎡である。

(ハ)　本件鑑定評価額は、実際実質賃料に基づく純利益を還元して得た収益価格を標準に、原価法の採用により求めた積算価格を比較考量して決定した。

(ニ)　収益価格は、本件ビルの一棟貸しとしての現行賃料である月額1,500,000円を基に、評価対象不動産から得られる総収益から総費用を控除して求めた純収益を総合還元利回りで還元して評価対象不動産の収益価格を158,000,000円とした。

また、年間総収益の計算に当たり、保証金の運用益の運用利回りを最近の長期国債の利回り等を参考に２％とし、総合還元利回りの査定に当たり基本利率を５％とし、それぞれリスク率を加算して土地の還元利回りを６％、建物の還元利回りを11％とした。

(ホ)　積算価格は、次のとおり決定した。

㋑　土地については、東京都○○区○○○丁目（取引時点平成10年８月、取引価格１

㎡当たり2,556,007円）、東京都○○区○○○丁目（取引時点平成10年９月、取引価格１㎡当たり2,574,435円）、東京都○○区○○○丁目（取引時点平成11年２月、取引価格１㎡当たり3,044,000円）の取引事例を比較考量のうえ、東京都○○区○○○丁目の取引事例を重視し、他の事例から導出された価格をも参酌し、標準価格を１㎡当たり2,230,000円と査定し、この価格から個別的要因の修正率３％（二方路地＋２、セットバック－３、不整形地－２）を控除し比準価格を１㎡当たり2,160,000円とし、当該価格に登記簿上の地積の合計80.49㎡を乗じて174,000,000円と決定した。

㋺　建物については、再調達原価を151,000,000円と査定し、建物の現況及び地域的特性の推移・動向から判断して、経済的残存耐用年数を査定、当該耐用年数に基づいて現価率を求め、積算価格を58,500,000円と決定した。

㋩　上記㋑及び㋺の合計額232,500,000円から、本件ビルは①基準容積率を超過した建物と推定され、②地下１階部分が使用不可能であることを考慮して、市場性減価率を10％と査定し、上記価額から10％を控除し積算価格を209,000,000円と決定した。

(ヘ)　収益価格158,000,000円と積算価格209,000,000円から、収益価格に８、積算価格に２のウエイト付けを行い、本件鑑定評価額を168,000,000円と決定した。

②　本件Ｂ土地に係る土地課税台帳には、図表５のとおり記載がある。

図表５　本件Ｂ土地に係る土地課税台帳

| | 地　目 | 地　積 | 価　格 |
|---|---|---|---|
| 登記 | 宅地 | 18.97㎡ | 0円 |
| 現況 | 公衆用道路<br>非課税該当 | 18.97㎡ | 0円 |

③　原処分庁が採用した図表３の取引事例１については、請求人が本件鑑定評価書において採用した○○区○○○丁目の取引事例と同一であり、その所在する場所は、本件土地と道路を挟んで反対側に位置している。

④　本件ビルを請求人から借り受け、賃貸している有限会社○○○○（代表取締役○○○○）備付けの帳簿（平成11年１月現在）によれば、同社は、賃料2,505,300円から管理費等702,807円を差し引いた金額1,809,572円を受領しており、この受領額は、毎月ほぼ同額である。

### (2)　本件土地の地積について

相続税を課税する場合の土地の地積について、評価通達８《地積》は、課税時期における実際の面積による旨定められており、当審判所も相当と認めるところである。

そこで、本件土地の実際の地積について、以下検討する。

①　請求人は、原処分庁が本件土地の地積に、○○号概要書に記載の敷地面積を採用しているが、この地積は仮実測によるものであるから、○○区役所が○○号概要書を収受したからといって、その正確性が証明されたものではなく、本件土地の地積は、信頼性の

ある地積確定資料である登記簿上の地積80.49㎡によるべきである旨主張する。

しかしながら、下記に掲げる事項からすると、○○号概要書に記載された敷地面積は十分に信頼できるものと判断される。

(イ)　前記〔３〕(1)の『課税庁（原処分庁）の主張』欄の①(ホ)に掲げるとおり、本件ご案内の建築概要に記載の敷地面積と本件実測図の敷地面積とは同地積であり、また、本件実測図の土地の形状と本件図面の土地の形状も同一で、本件ご案内の建築概要の所在地と本件図面の住所地が同一であることから、本件実測図は本件ビルの敷地の測量図であると認められること

(ロ)　本件ビルを建築する際に、○○区役所に提出した○○号概要書に記載された変更前の敷地面積85.465㎡は、本件実測図の地積（セットバック後）と一致していることから、○○号概要書は本件実測図に基づいてその敷地面積を記載し、申請されたものと認められること

(ハ)　当審判所の簡易調査の結果によれば、本件実測図の隣地境界線の距離は図表６のとおり、本件実測図の隣地境界線の各々の値と均衡する値であることから、本件実測図は、簡易な仮実測とは異なり、土地測量の専門家によって作成されたものと認められること

**図表６　本件実測図の隣地境界線の距離**

| | 本件実測図の隣地境界線の距離 | 異議担当者による簡易測量の距離 | 審判所による簡易測量の距離 |
|---|---|---|---|
| 北側 | 13.495m | 計測不能 | 13.47m<br>（セットバック0.5m） |
| 南側 | 12.000m | 11.3m | 11.99m |
| 東側 | 7.170m | 7.3m | 7.14m |
| 西側 | 6.950m | 7.2m | 6.93m |

(ニ)　前記〔３〕(1)の『課税庁（原処分庁）の主張』欄の①(ト)に掲げるとおり、○○号概要書の敷地面積の変更は、建築基準法第12条《報告・検査等》第３項の規定によるものであることから、○○号概要書に記載された敷地面積は十分に信頼できるものと判断される。

したがって、本件土地の地積は、○○号概要書に記載された変更後の地積84.53㎡が相当と認められるから、この点に関する請求人の主張は採用することができない。

**(3)　本件土地の価額**

①　請求人は、本件土地の価額について、本件鑑定評価額によるべきである旨主張するので、本件鑑定評価額が相続税法第22条《評価の原則》に規定する時価として相当であるか否か及び原処分庁の主張する試算価額が相当であるか否かについて、以下検討する。

⑴　本件鑑定評価額について

㋑　原価方式による積算価格

積算価格の算定において、本件ビルの再調達原価を151,000,000円、１㎡当たり196,000円としているが、その算定方法が明確でない。

㋺　収益方式による収益価格

収益価格については、年間総収益算出内訳の賃料収入を1,500,000円としているが、その収入の全部が請求人の主宰する法人への貸付けであり、前記⑴④のとおり、同社は、賃料から管理費等を差し引いた金額として毎月約1,800,000円を受領しているから、鑑定評価書に記載の賃料収入の1,500,000円は適正な価額とはいえない。

㋩　本件鑑定評価額の合理性

本件鑑定評価額は、収益価格に８（積算価格に２）のウエイト付けを行い算出しているが、このウエイト付けの根拠が明確でなく、収益方式（収益還元法）により評価する場合には、対象不動産が将来生み出すと期待される純利益を算定するために予測される諸要素を的確に把握すること及び収益還元率を正しく定めることが不可欠の要件であるが、これらには、下記に掲げる事項等の問題があると認められるのであるから、この方式に重きを置く本件鑑定評価額には合理性がない。

(A)　土地の価額に見合う収益の算定が困難であること

(B)　経営者の能力、財産の状態により収益の額が左右されること

(C)　還元利回りの算定が困難であること

㊁　結論

上記㋑ないし㋩のことから、請求人が採用した本件鑑定評価額は、本件相続開始日における本件土地の時価を表したものとは認められない。

したがって、この点に関する請求人の主張は採用できない。

⑵　原処分庁の試算価格

原処分庁は、図表３のとおり試算価格を算定しているところ、その算定根拠をみると個別格差を100分の93としているが、当審判所の調査の結果によれば、本件土地の個別格差は、二方路地プラス２ポイント、不整形地マイナス２ポイントで、その格差は認められないのであるから、原処分庁の主張する試算価格は相当とは認められない。

⑶　本件土地の時価

上記⑴及び⑵のとおり、本件土地に係る請求人の主張する本件鑑定評価額及び原処分庁の主張する試算価格は、いずれも、相続税第22条《評価の原則》に規定する時価として採用することはできないので、当審判所において、本件土地の時価を検討したところ、次のとおりである。

㋑　当審判所の調査の結果、原処分庁が採用した取引事例を基に取引事例比較法により、本件土地の比準価格を算定すると、図表７のとおり１㎡当たり2,190,000円とな

り、本件基準地を規準とした価格は１㎡当たり2,680,000円となる。

**図表７**　**本件土地の価格（審判所）**　（単位：円）

| 区分 | 取引事例１ | 取引事例２ | 取引事例３ | 本件基準地 |
|---|---|---|---|---|
| 所在地 | 東京都○○区<br>○○○丁目 | 東京都○○区<br>○○○丁目 | 東京都○○区<br>○○○丁目 | 東京都○○区<br>○○○丁目○番 |
| 取引時点 | 10年９月 | 10年８月 | 11年２月 | 10年７月 |
| ①取引価格 | 2,501,998 | 2,556,007 | 3,044,000 | 3,170,000 |
| ②時点修正 | 95／100 | 94／100 | 99／100 | 94／100 |
| ③標準化補正 | 100／105 | 100／103 | 100／100 | 100／100 |
| ④地域格差 | 100／105 | 100／109 | 100／132 | 100／111 |
| 価格<br>①×②×③×④ | 2,155,917 | 2,140,061 | 2,283,000 | 2,684,504 |
| 標準価格 | 2,192,992 | | | − |
| 個別格差 | 100／100 | | | |
| 比準価格 | 2,190,000 | | | 2,680,000 |

（注）１　事情補正については、補正する事情はない。
２　時点修正、標準化補正及び地域格差は、本件鑑定評価書の修正率を採用した。
３　個別格差は、本件鑑定評価書の修正率である二方路地（＋２）、不整形地（−２）を採用し100／100とした（セットバック後の土地の価格であるため、本件鑑定評価書において考慮しているセットバックによる要因は考慮しない。）。
４　標準価格は、取引事例１から３までの価格の中庸値である。
５　価格は、いずれも１㎡当たりの価格である。

㋺　上記㋑より、本件土地の時価は、取引事例比較法により算定した１㎡当たり2,190,000円を採用するのが相当であり、当該価格に本件土地の地積84.52㎡を乗じた185,098,800円が本件相続開始日における本件土地の時価と認められる。

②　結論

当審判所が本件土地の自用地としての価額を評価通達の定めに基づき算出したところ、原処分庁が算定した図表４の179,030,179円と同額となり、当該価額は本件相続開始日における本件土地の時価である185,098,800円を上回らないことから、原処分庁が評価通達の定めに基づき算出した本件各土地の価額を本件相続税の課税価格としたことは違法ではない。

### (4)　小規模宅地等の選択替えについて

①　原処分庁の主張について

原処分庁は、本件ビルの建築面積71.43㎡は、本件Ａ土地の登記簿上の地積61.52㎡を超えていることから、本件ビルの敷地の地積が61.52㎡と信じることに相当の理由はなく、さらに請求人は、本件ビルの敷地の地積として61.52㎡は、実際の地積よりも少ないことを認識していたものと認められるから、小規模宅地等の選択替えはない旨主張する。

しかしながら、当審判所の調査の結果によれば、次に掲げる事実からして、請求人は本件申告書の提出に当たり、本件相続税の課税対象となり、また、本件特例の適用の対象となる宅地を固定資産税の課税明細書によってしか把握することができなかったものと認められる。

(イ)　請求人は、本件申告書を提出するまでは本件実測図の存在を知らなかったこと

(ロ)　請求人は、現在に至るまで本件実測図を所有していないこと

そうすると、請求人が本件特例の対象となる宅地の選択に当たり、本件ビルの敷地として、前記(1)②のとおり土地課税台帳に公衆用道路（非課税該当）となっている本件Ｂ土地を選択しなかったとしても、これについては、やむを得なかったといわざるを得ない。

したがって、この点に関する原処分庁の主張は採用できない。

②　請求人の主張について

請求人は、本件特例の適用を受ける宅地を選択し本件申告書を提出した後に、本件ビルの敷地である本社土地の地積に相違があったような自己の責めによらない場合には、やむを得ない事情として小規模宅地等の選択替えを認めるべきである旨主張する。

本件特例は、当初の申告における本件特例の適用について何らかの瑕疵がない場合には、その後において、小規模宅地等の選択替えをすることはできないと解されているところ、遺留分減殺請求等の相続固有の後発的事由に基づいてなされる更正の請求については、添付書類等の要件を満たす限りにおいて、小規模宅地等の変更ができるものとされている。

上記に掲げるとおりの後発的事由により小規模宅地等の変更ができることからすれば、本件については、本件申告書の提出の後に、そもそも本件Ｂ土地が含まれていた本件ビルの敷地である本件土地の地積の変更を行うものであることが認められ、小規模宅地等の選択替えという場所の変更を行うものではないのであるから、措置法第69条の３第７項に規定する『やむを得ない事情』として、小規模宅地等の地積の変更を認めるのが相当である。

したがって、この点に関する請求人の主張には理由がある。

**(5)　本件土地の価額及び本件土地に係る相続税の課税価格算入額（本件特例の適用後）**

上記(1)ないし(4)より、本件土地の価額及び本件土地に係る相続税の課税価格算入額（本件特例の適用後）を計算すると、図表８のとおりとなる。

**図表８　本件土地の価額及び本件土地に係る相続税の課税価格算入額（本件特例の適用後）**

| 所在地番 | 東京都○区○町○丁目 | 本件土地 | 東京都○区○丁目 |
|---|---|---|---|
| ①宅地の価額 | 138,226,176円 | 136,062,936円 | 6,599,112円 |
| ②選択した宅地の地積 | 113.1536㎡ / 290.88㎡ | 84.52㎡ / 84.52㎡ | 2.3264㎡ / 2.3264㎡ |
| ③小規模宅地等の価額 | 53,770,590円 | 136,062,936円 | 6,599,112円 |

| | | | |
|---|---|---|---|
| ④割合 | 80／100 | 50／100 | 50／100 |
| ⑤減額される金額（③×④） | 43,016,472円 | 68,031,468円 | 3,299,556円 |
| 課税価格に算入する価額①－⑤〔合計〕 | 95,209,704円 | 68,031,468円 | 3,299,556円〔166,540,728円〕 |

（注）１　本件土地の「①」欄の価額は、貸家建付地であるため、次のとおり算定した。

（自用地の価額）　（借地権割合）（借家権割合）　（貸家建付地の価格）
179,030,179円×（１－0.8×0.3）＝136,062,936円

２　本件土地以外の宅地の価額は、請求人が本件申告書に記載した価額である。

筆者注　国税不服審判所において、小規模宅地等の地積の変更が認められたため、本件更正処分はその全部が取り消されることとなった。

## 〔5〕 裁決事例から確認する実務における留意点

### (1) 相続税の申告期限後における小規模宅地等の選択替えの可否（原則的な取扱い）

本件特例の規定は、当該規定の適用を受けようとする者の当該相続又は遺贈に係る相続税法第27条《相続税の申告書》又は第29条《相続財産法人に係る財産を与えられた者等に係る相続税の申告書》の規定による申告書（相続税の期限内申告書）（これらの申告書に係る期限後申告書及びこれらの申告書に係る修正申告書を含む。以下「相続税の申告書」という。）に当該規定の適用を受けようとする旨を記載し、本件特例の規定による計算に関する明細書その他の一定の書類の添付がある場合に限り、適用するものとされている。

ただし、税務署長は、相続税の申告書の提出がなかった場合又は上記に掲げる記載若しくは添付がない相続税の申告書の提出があった場合においても、その提出又は記載若しくは添付がなかったことについてやむを得ない事情があると認めるときは、当該記載した書類及び一定の書類の提出があった場合に限り、本件特例の規定を適用することができるものとされている。

そうすると、本件特例の適用を受けるか否か、又は本件特例の適用要件を充足する宅地等が複数ある場合にどの宅地等を本件特例の対象とするのかの選択は、原則として、相続税の期限内申告の時点での納税者の選択の結果とされている。

したがって、その選択により適法に本件特例の適用を受け、有効な相続税の申告書の提出が行われた場合には、たとえ、他に本件特例の適用要件を充足する宅地等があったとしても当該他の宅地等を本件特例の適用対象としてその選択替えをすることは認められないものとされている。

### (2) 本件裁決の場合

本件裁決は、請求人において本件特例の適用を受ける宅地を選択し相続税の申告書を提出した後に、本件ビルの敷地である本件土地の地積に相違があったような自己（請求人）の責めによらない場合には、上記(1)のただし書きに規定する『やむを得ない事情』があるものとして小規模宅地等の選択換えを認めるべきことの可否が争点とされた事例である。

本件裁決において、国税不服審判所の判断は要旨として次の点を指摘し、上記⑴のただし書きに規定する『やむを得ない事情』があったものと認められるとして、小規模宅地等の地積の変更（注）を認めるものとされた。

（注）　国税不服審判所が本件裁決において容認したのは、地積の変更であって、選択替えという場所の変更ではないことに留意する必要がある。

①　本件特例は、当初の申告における本件特例の適用について何らかの瑕疵がない場合には、その後において、小規模宅地等の選択替えをすることはできないと解されていること

②　遺留分減殺請求等の相続固有の後発的事由に基づいてなされる更正の請求については、添付書類等の要件を満たす限りにおいて、小規模宅地等の変更ができるものとされていること（この取扱いに関しては、第４章の〔８〕⑿に掲げる質疑応答（1150ページ）を併せて、参照してください。）

③　請求人は、本件申告書を提出するまでは本件実測図の存在を知らなかったこと等から本件特例の適用対象となる宅地を固定資産税の課税明細書によってしか把握することができなかったものと認められること

④　本件事例は、本件申告書の提出の後に、そもそも本件Ｂ土地（固定資産税が非課税とされるため固定資産税の課税明細書には記載されないが、相続税の課税対象には該当する。）が含まれていた本件ビルの敷地である本件土地の地積の変更を行うものであることが認められること

本件裁決事例は、小規模宅地等の選択替えに該当するか否かの判断例を示したものとして、実務上において今後の重要先例になるものと考えられる。

# 附録資料

# 参考法令通達集

《小規模宅地等についての相続税の課税価格の計算の特例》関係法令通達

〔1〕租税特別措置法第69条の４《小規模宅地等についての相続税の課税価格の計算の特例》
〔2〕租税特別措置法施行令第40条の２《小規模宅地等についての相続税の課税価格の計算の特例》
〔3〕租税特別措置法施行規則第23条の２《小規模宅地等についての相続税の課税価格の計算の特例》
〔4〕租税特別措置法（相続税の特例関係）の取扱いについて（法令解釈通達）

－措置法第69条の４《小規模宅地等についての相続税の課税価格の計算の特例》関係－

69の４－１　相続開始前３年以内の贈与財産及び相続時精算課税の適用を受ける財産
69の４－１の２　配偶者居住権等
69の４－２　信託に関する権利
69の４－３　公共事業の施行により従前地及び仮換地について使用収益が禁止されている場合
69の４－４　被相続人等の事業の用に供されていた宅地等の範囲
69の４－４の２　宅地等が配偶者居住権の目的となっている建物等の敷地である場合の被相続人等の事業の用に供されていた宅地等の範囲
69の４－５　事業用建物等の建築中等に相続が開始した場合
69の４－６　使用人の寄宿舎等の敷地
69の４－７　被相続人等の居住の用に供されていた宅地等の範囲
69の４－７の２　宅地等が配偶者居住権の目的となっている家屋の敷地である場合の被相続人等の居住の用に供されていた宅地等の範囲
69の４－７の３　要介護認定等の判定時期
69の４－７の４　建物の区分所有等に関する法律第１条の規定に該当する建物
69の４－８　居住用建物の建築中等に相続が開始した場合
69の４－９　店舗兼住宅等の敷地の持分の贈与について贈与税の配偶者控除等の適用を受けたものの居住の用に供されていた部分の範囲
69の４－10　選択特例対象宅地等のうちに貸付事業用宅地等がある場合の限度面積要件
69の４－11　限度面積要件を満たさない場合
69の４－12　小規模宅地等の特例、特定計画山林の特例又は個人の事業用資産についての納税猶予及び免除を重複適用する場合に限度額要件等を満たさないとき
69の４－13　不動産貸付業等の範囲
69の４－14　下宿等
69の４－15　宅地等を取得した親族が申告期限までに死亡した場合
69の４－16　申告期限までに転業又は廃業があった場合
69の４－17　災害のため事業が休止された場合
69の４－18　申告期限までに宅地等の一部の譲渡又は貸付けがあった場合
69の４－19　申告期限までに事業用建物等を建て替えた場合
69の４－20　宅地等を取得した親族が事業主となっていない場合
69の４－20の２　新たに事業の用に供されたか否かの判定
69の４－20の３　政令で定める規模以上の事業の意義等
69の４－20の４　相続開始前３年を超えて引き続き事業の用に供されていた宅地等の取扱い
69の４－20の５　平成31年改正法附則による特定事業用宅地等に係る経過措置について

## 〔1〕租税特別措置法第69条の４《小規模宅地等についての相続税の課税価格の計算の特例》

【課税時期が令和２年４月１日以後に到来した場合】
（小規模宅地等についての相続税の課税価格の計算の特例）
第69条の４　個人が相続又は遺贈により取得した財産のうちに、当該相続の開始の直前において、当該相続若しくは遺贈に係る被相続人又は当該被相続人と生計を一にしていた当該被相続人の親族（第３項において「被相続人等」という。）の事業（事業に準ずるものとして政令で定めるものを含む。同項において同じ。）の用又は居住の用（居住の用に供することができない事由として政令で定める事由により相続の開始の直前において当該被相続人の居住の用に供されていなかった場合（政令で定める用途に供されている場合を除く。）における当該事由により居住の用に供されなくなる直前の当該被相続人の居住の用を含む。同項第２号において同じ。）に供されていた宅地等（土地又は土地の上に存する権利をいう。同項及び次条第５項において同じ。）で財務省令で定める建物又は構築物の敷地の用に供されているもののうち政令で定めるもの（特定事業用宅地等、特定居住用宅地等、特定同族会社事業用宅地等及び貸付事業用宅地等に限る。以下この条において「特例対象宅地等」という。）がある場合には、当該相続又は遺贈により財産を取得した者に係る全ての特例対象宅地等のうち、当該個人が取得をした特例対象宅地等又はその一部でこの項の規定の適用を受けるものとして政令で定めるところにより選択をしたもの（以下この項及び次項において「選択特例対象宅地等」という。）については、限度面積要件を満たす場合の当該選択特例対象宅地等（以下この項において「小規模宅地等」という。）に限り、相続税法第11条の２《相続税の課税価格》に規定する相続税の課税価格に算入すべき価額は、当該小規模宅地等の価額に次の各号に掲げる小規模宅地等の区分に応じ当該各号に定める割合を乗じて計算した金額とする。
一　特定事業用宅地等である小規模宅地等、特定居住用宅地等である小規模宅地等及び特定同族会社事業用宅地等である小規模宅地等　100分の20
二　貸付事業用宅地等である小規模宅地等　100分の50
２　前項に規定する限度面積要件は、当該相続又は遺贈により特例対象宅地等を取得した者に係る次の各号に掲げる選択特例対象宅地等の区分に応じ、当該各号に定める要件とする。
一　特定事業用宅地等又は特定同族会社事業用宅地等（第３号イにおいて「特定事業用等宅地等」という。）である選択特例対象宅地等　当該選択特例対象宅地等の面積の合計が400㎡以下であること。
二　特定居住用宅地等である選択特例対象宅地等　当該選択特例対象宅地等の面積の合計が330㎡以下であること。
三　貸付事業用宅地等である選択特例対象宅地等　次のイ、ロ及びハの規定により計算した面積の合計が200㎡以下であること。
イ　特定事業用等宅地等である選択特例対象宅地等がある場合の当該選択特例対象宅地等の面積を合計した面積に400分の200を乗じて得た面積
ロ　特定居住用宅地等である選択特例対象宅地等がある場合の当該選択特例対象宅地等の面積を合計した面積に330分の200を乗じて得た面積
ハ　貸付事業用宅地等である選択特例対象宅地等の面積を合計した面積
３　この条において、次の各号に掲げる用語の意義は、当該各号に定めるところによる。
一　特定事業用宅地等　被相続人等の事業（不動産貸付業その他政令で定めるものを除く。以下この号及び第３号において同じ。）の用に供されていた宅地等で、次に掲げる要件のいずれかを満たす当該被相続人の親族（当該親族から相続又は遺贈により当該宅地等を取得した当該親族の相続人を含む。イ及び第４号（ロを除く。）において同じ。）が相続又は遺贈により取得したもの（相続開始前３年以内に新たに事業の用に供された宅地等（政令で定める規模以上の事業を行っていた被相続人等の当該事業の用に供されたものを除く。）を除き、政令で定める部分に限る。）をいう。

イ　当該親族が、相続開始時から相続税法第27条《相続税の申告書》、第29条《相続財産法人に係る財産を与えられた者等に係る相続税の申告書》又は第31条第２項《修正申告の特則》の規定による申告書の提出期限（以下この項において「申告期限」という。）までの間に当該宅地等の上で営まれていた被相続人の事業を引き継ぎ、申告期限まで引き続き当該宅地等を有し、かつ、当該事業を営んでいること。

ロ　当該被相続人の親族が当該被相続人と生計を一にしていた者であって、相続開始時から申告期限（当該親族が申告期限前に死亡した場合には、その死亡の日。第４号イを除き、以下この項において同じ。）まで引き続き当該宅地等を有し、かつ、相続開始前から申告期限まで引き続き当該宅地等を自己の事業の用に供していること。

二　特定居住用宅地等　被相続人等の居住の用に供されていた宅地等（当該宅地等が二以上ある場合には、政令で定める宅地等に限る。）で、当該被相続人の配偶者又は次に掲げる要件のいずれかを満たす当該被相続人の親族（当該被相続人の配偶者を除く。以下この号において同じ。）が相続又は遺贈により取得したもの（政令で定める部分に限る。）をいう。

イ　当該親族が相続開始の直前において当該宅地等の上に存する当該被相続人の居住の用に供されていた一棟の建物（当該被相続人、当該被相続人の配偶者又は当該親族の居住の用に供されていた部分として政令で定める部分に限る。）に居住していた者であって、相続開始時から申告期限まで引き続き当該宅地等を有し、かつ、当該建物に居住していること。

ロ　当該親族（当該被相続人の居住の用に供されていた宅地等を取得した者であって財務省令で定めるものに限る。）が次に掲げる要件の全てを満たすこと（当該被相続人の配偶者又は相続開始の直前において当該被相続人の居住の用に供されていた家屋に居住していた親族で政令で定める者がいない場合に限る。）。

(1)　相続開始前３年以内に相続税法の施行地内にある当該親族、当該親族の配偶者、当該親族の三親等内の親族又は当該親族と特別の関係がある法人として政令で定める法人が所有する家屋（相続開始の直前において当該被相続人の居住の用に供されていた家屋を除く。）に居住したことがないこと。

(2)　当該被相続人の相続開始時に当該親族が居住している家屋を相続開始前のいずれの時においても所有していたことがないこと。

(3)　相続開始時から申告期限まで引き続き当該宅地等を有していること。

ハ　当該親族が当該被相続人と生計を一にしていた者であって、相続開始時から申告期限まで引き続き当該宅地等を有し、かつ、相続開始前から申告期限まで引き続き当該宅地等を自己の居住の用に供していること。

三　特定同族会社事業用宅地等　相続開始の直前に被相続人及び当該被相続人の親族その他当該被相続人と政令で定める特別の関係がある者が有する株式の総数又は出資の総額が当該株式又は出資に係る法人の発行済株式の総数又は出資の総額の10分の５を超える法人の事業の用に供されていた宅地等で、当該宅地等を相続又は遺贈により取得した当該被相続人の親族（財務省令で定める者に限る。）が相続開始時から申告期限まで引き続き有し、かつ、申告期限まで引き続き当該法人の事業の用に供されているもの（政令で定める部分に限る。）をいう。

四　貸付事業用宅地等　被相続人等の事業（不動産貸付業その他政令で定めるものに限る。以下この号において「貸付事業」という。）の用に供されていた宅地等で、次に掲げる要件のいずれかを満たす当該被相続人の親族が相続又は遺贈により取得したもの（特定同族会社事業用宅地等及び相続開始前３年以内に新たに貸付事業の用に供された宅地等（相続開始の日まで３年を超えて引き続き政令で定める貸付事業を行っていた被相続人等の当該貸付事業の用に供されたものを除く。）を除き、政令で定める部分に限る。）をいう。

イ　当該親族が、相続開始時から申告期限までの間に当該宅地等に係る被相続人の貸付事業を引き継ぎ、申告期限まで引き続き当該宅地等を有し、かつ、当該貸付事業の用に供していること。

ロ　当該被相続人の親族が当該被相続人と生計を一にしていた者であって、相続開始時から申告期限まで引き続き当該宅地等を有し、かつ、相続開始前から申告期限まで引き続き当該宅地等を自己の貸付事業の用に供していること。

4　第１項の規定は、同項の相続又は遺贈に係る相続税法第27条の規定による申告書の提出期限（以下この項において「申告期限」という。）までに共同相続人又は包括受遺者によって分割されていない特例対象宅地等については、適用しない。ただし、その分割されていない特例対象宅地等が申告期限から３年以内（当該期間が経過するまでの間に当該特例対象宅地等が分割されなかったことにつき、当該相続又は遺贈に関し訴えの提起がされたことその他の政令で定めるやむを得ない事情がある場合において、政令で定めるところにより納税地の所轄税務署長の承認を受けたときは、当該特例対象宅地等の分割ができることとなった日として政令で定める日の翌日から４月以内）に分割された場合（当該相続又は遺贈により財産を取得した者が次条第１項の規定の適用を受けている場合を除く。）には、その分割された当該特例対象宅地等については、この限りでない。

5　相続税法第32条第１項《更正の請求の特則》の規定は、前項ただし書の場合その他既に分割された当該特例対象宅地等について第１項の規定の適用を受けていなかった場合として政令で定める場合について準用する。この場合において、必要な技術的読替えは、政令で定める。

6　第１項の規定は、第70条の６の８第１項《個人の事業用資産についての贈与税の納税猶予及び免除》の規定の適用を受けた同条第２項第２号に規定する特例事業受贈者に係る同条第１項に規定する贈与者から相続又は遺贈により取得（第70条の６の９第１項《個人の事業用資産の贈与者が死亡した場合の相続税の課税の特例》（同条第２項の規定により読み替えて適用する場合を含む。）の規定により相続又は遺贈により取得をしたものとみなされる場合における当該取得を含む。）をした特定事業用宅地等及び第70条の６の10第１項《個人の事業用資産についての相続税の納税猶予及び免除》の規定の適用を受ける同条第２項第２号に規定する特例事業相続人等に係る同条第１項に規定する被相続人から相続又は遺贈により取得をした特定事業用宅地等については、適用しない。

7　第１項の規定は、同項の規定の適用を受けようとする者の当該相続又は遺贈に係る相続税法第27条又は第29条の規定による申告書（これらの申告書に係る期限後申告書及びこれらの申告書に係る修正申告書を含む。次項において「相続税の申告書」という。）に第１項の規定の適用を受けようとする旨を記載し、同項の規定による計算に関する明細書その他の財務省令で定める書類の添付がある場合に限り、適用する。

8　税務署長は、相続税の申告書の提出がなかった場合又は前項の記載若しくは添付がない相続税の申告書の提出があった場合においても、その提出又は記載若しくは添付がなかったことについてやむを得ない事情があると認めるときは、当該記載をした書類及び同項の財務省令で定める書類の提出があった場合に限り、第１項の規定を適用することができる。

9　第１項に規定する小規模宅地等について、同項の規定の適用を受ける場合における相続税法第48条の２第６項《特定の延納税額に係る物納》において準用する同法第41条第２項《物納の要件》の規定の適用については、同項中「財産を除く」とあるのは、「財産及び租税特別措置法（昭和32年法律第26号）第69条の４第１項《小規模宅地等についての相続税の課税価格の計算の特例》の規定の適用を受けた同項に規定する小規模宅地等を除く」とする。

10　第４項から前項までに定めるもののほか、第１項の規定の適用に関し必要な事項は、政令で定める。

**租税特別措置法（附則平成30年）（関係部分のみを抜粋）**

**（相続税及び贈与税の特例に関する経過措置）**

**第118条**　新租税特別措置法第69条の４第３項の規定は、施行日（平成30年４月１日）以後に相続又は遺贈により取得をする同条第１項に規定する宅地等（次項及び第４項において「宅地等」という。）に係る相続税について適用し、施行日前に相続又は遺贈により取得をした旧租税特別措置法第69条の４第１項に規定する宅地等に係る相続税については、なお従前の例による。

２　個人が施行日から令和２年３月31日までの間に相続又は遺贈により取得をする財産のうちに、施行日の前日において当該相続又は遺贈があったものとした場合に旧租税特別措置法第69条の４第１項に規定する特例対象宅地等（同条第３項第２号に規定する特定居住用宅地等のうち同号ロに掲げる要件を満たすものに限る。）に該当することとなる宅地等（以下この項及び次項において「経過措置対象宅地等」という。）がある場合には、当該経過措置対象宅地等に係る新租税特別措置法第69条の４第３項第２号の規定の適用については、同号中「要件のいずれか」とあるのは、「要件（所得税法等の一部を改正する法律（平成30年法律第７号）附則第118条第２項に規定する経過措置対象宅地等にあっては、同法第15条の規定による改正前の租税特別措置法第69条の４第３項第２号ロに掲げる要件を含む。）のいずれか」とする。

３　個人が令和２年４月１日以後に相続又は遺贈により取得をする財産のうちに経過措置対象宅地等がある場合において、同年３月31日において当該経過措置対象宅地等の上に存する建物の新築又は増築その他の工事が行われており、かつ、当該工事の完了前に当該相続又は遺贈があったときは、当該相続又は遺贈に係る新租税特別措置法第69条の４第３項第１号イに規定する申告期限までに当該個人が当該建物を自己の居住の用に供したときに限り、当該経過措置対象宅地等は相続開始の直前において当該相続又は遺贈に係る被相続人の居住の用に供されていたものと、当該個人は同項第２号イに掲げる要件を満たす親族とそれぞれみなして、同条第１項の規定を適用する。

４　施行日から令和３年３月31日までの間に相続又は遺贈により取得をする宅地等に係る新租税特別措置法第69条の４第３項第４号の規定の適用については、同号中「相続開始前３年以内」とあるのは、「平成30年４月１日以後」とする。

**租税特別措置法（附則平成31年）（関係部分のみを抜粋）**

**（相続税及び贈与税の特例に関する経過措置）**

**第79条**　新租税特別措置法第69条の４第３項及び第６項の規定は、施行日以後に相続又は遺贈により取得する同条第１項に規定する宅地等（次項において「宅地等」という。）に係る相続税について適用し、施行日前に相続又は遺贈により取得した旧租税特別措置法第69条の４第１項に規定する宅地等に係る相続税については、なお従前の例による。

２　施行日から令和４年３月31日までの間に相続又は遺贈により取得する宅地等に係る新租税特別措置法第69条の４第３項第１号の規定の適用については、同号中「相続開始前３年以内」とあるのは、「平成31年４月１日以後」とする。

## 〔2〕租税特別措置法施行令第40条の２《小規模宅地等についての相続税の課税価格の計算の特例》

【課税時期が令和２年４月１日以後に到来した場合】

（小規模宅地等についての相続税の課税価格の計算の特例）

第40条の２　法第69条の４第１項《小規模宅地等についての相続税の課税価格の計算の特例》に規定する事業に準ずるものとして政令で定めるものは、事業と称するに至らない不動産の貸付けその他これに類する行為で相当の対価を得て継続的に行うもの（第７項及び第19項において「準事業」という。）とする。

２　法第69条の４第１項に規定する居住の用に供することができない事由として政令で定める事由は、次に掲げる事由とする。

一　介護保険法第19条第１項に規定する要介護認定又は同条第２項に規定する要支援認定を受けていた被相続人その他これに類する被相続人として財務省令で定めるものが次に掲げる住居又は施設に入居又は入所をしていたこと。

イ　老人福祉法第５条の２第６項に規定する認知症対応型老人共同生活援助事業が行われる住居、同法第20条の４に規定する養護老人ホーム、同法第20条の５に規定する特別養護老人ホーム、同法第20条の６に規定する軽費老人ホーム又は同法第29条第１項に規定する有料老人ホーム

ロ　介護保険法第８条第28項に規定する介護老人保健施設又は同条第29項に規定する介護医療院

ハ　高齢者の居住の安定確保に関する法律第５条第１項に規定するサービス付き高齢者向け住宅（イに規定する有料老人ホームを除く。）

二　障害者の日常生活及び社会生活を総合的に支援するための法律第21条第１項に規定する障害支援区分の認定を受けていた被相続人が同法第５条第11項に規定する障害者支援施設（同条第10項に規定する施設入所支援が行われるものに限る。）又は同条第17項に規定する共同生活援助を行う住居に入所又は入居をしていたこと。

３　法第69条の４第１項に規定する政令で定める用途は、同項に規定する事業の用又は同項に規定する被相続人等（被相続人と前項各号の入居又は入所の直前において生計を一にし、かつ、同条第１項の建物に引き続き居住している当該被相続人の親族を含む。）以外の者の居住の用とする。

４　法第69条の４第１項に規定する被相続人等の事業の用又は居住の用に供されていた宅地等のうち政令で定めるものは、相続の開始の直前において、当該被相続人等の同項に規定する事業の用又は居住の用（同項に規定する居住の用をいう。以下この条において同じ。）に供されていた宅地等（土地又は土地の上に存する権利をいう。以下この条において同じ。）のうち所得税法第２条第１項第16号《定義》に規定する棚卸資産（これに準ずるものとして財務省令で定めるものを含む。）に該当しない宅地等とし、これらの宅地等のうちに当該被相続人等の法第69条の４第１項に規定する事業の用及び居住の用以外の用に供されていた部分があるときは、当該被相続人等の同項に規定する事業の用又は居住の用に供されていた部分（当該居住の用に供されていた部分が被相続人の居住の用に供されていた一棟の建物（建物の区分所有等に関する法律第１条の規定に該当する建物を除く。）に係るものである場合には、当該一棟の建物の敷地の用に供されていた宅地等のうち当該被相続人の親族の居住の用に供されていた部分を含む。）に限るものとする。

５　法第69条の４第１項に規定する個人が相続又は遺贈（贈与をした者の死亡により効力を生ずる贈与を含む。以下この条及び次条において同じ。）により取得した同項に規定する特例対象宅地等（以下

この項、次項及び第24項において「特例対象宅地等」という。）のうち、法第69条の４第１項の規定の適用を受けるものの選択は、次に掲げる書類の全てを同条第７項に規定する相続税の申告書に添付してするものとする。ただし、当該相続若しくは遺贈又は贈与（当該相続に係る被相続人からの贈与（贈与をした者の死亡により効力を生ずる贈与を除く。）であって当該贈与により取得した財産につき相続税法第21条の９第３項《相続時精算課税の選択》の規定の適用を受けるものに係る贈与に限る。第24項及び次条（第９項を除く。）において同じ。）により特例対象宅地等、法第69条の５第２項第４号《特定計画山林についての相続税の課税価格の計算の特例》に規定する特定計画山林のうち同号イに掲げるもの（以下この項及び第24項において「特例対象山林」という。）及び当該特定計画山林のうち同号ロに掲げるもの（以下この項において「特例対象受贈山林」という。）並びに法第70条の６の10第２項第１号《個人の事業用資産についての相続税の納税猶予及び免除》に規定する特定事業用資産のうち同号イに掲げるもの（以下この項において「猶予対象宅地等」という。）及び法第70条の６の９第１項《個人の事業用資産の贈与者が死亡した場合の相続税の課税の特例》（同条第２項の規定により読み替えて適用する場合を含む。）の規定により相続又は遺贈により取得したものとみなされた法第70条の６の８第１項《個人の事業用資産についての贈与税の納税猶予及び免除》に規定する特例受贈事業用資産（以下この項において「特例受贈事業用資産」という。）のうち同条第２項第１号イに掲げるもの（同条第１項の規定の適用に係る贈与により取得をした同号イに規定する宅地等（以下この項において「受贈宅地等」という。）の譲渡につき同条第５項の承認があつた場合における同項第３号の規定により同条第１項の規定の適用を受ける特例受贈事業用資産とみなされた資産及び受贈宅地等又は当該特例受贈事業用資産とみなされた資産の現物出資による移転につき同条第６項の承認があった場合における同項の規定により特例受贈事業用資産とみなされた株式又は持分を含む。以下この項において「猶予対象受贈宅地等」という。）の全てを取得した個人が１人である場合には、第１号及び第２号に掲げる書類とする。

一　当該特例対象宅地等を取得した個人がそれぞれ法第69条の４第１項の規定の適用を受けるものとして選択をしようとする当該特例対象宅地等又はその一部について同項各号に掲げる小規模宅地等の区分その他の明細を記載した書類

二　当該特例対象宅地等を取得した全ての個人に係る前号の選択をしようとする当該特例対象宅地等又はその一部の全てが法第69条の４第２項に規定する限度面積要件を満たすものである旨を記載した書類

三　当該特例対象宅地等、当該特例対象山林若しくは当該特例対象受贈山林又は当該猶予対象宅地等若しくは当該猶予対象受贈宅地等を取得した全ての個人の第１号の選択についての同意を証する書類

6　法第69条の４第１項の規定の適用を受けるものとしてその全部又は一部の選択をしようとする特例対象宅地等が配偶者居住権の目的となっている建物の敷地の用に供される宅地等又は当該宅地等を配偶者居住権に基づき使用する権利の全部又は一部である場合には、当該特例対象宅地等の面積は、当該面積に、それぞれ当該敷地の用に供される宅地等の価額又は当該権利の価額がこれらの価額の合計額のうちに占める割合を乗じて得た面積であるものとみなして、同項の規定を適用する。

7　法第69条の４第３項第１号及び第４号に規定する政令で定める事業は、駐車場業、自転車駐車場業及び準事業とする。

8　法第69条の４第３項第１号に規定する政令で定める規模以上の事業は、同号に規定する新たに事業の用に供された宅地等の相続の開始の時における価額に対する当該事業の用に供されていた次に掲げる資産（当該資産のうちに当該事業の用以外の用に供されていた部分がある場合には、当該事業の用に供されていた部分に限る。）のうち同条第１項に規定する被相続人等が有していたものの当該相続

の開始の時における価額の合計額の割合が100分の15以上である場合における当該事業とする。

一　当該宅地等の上に存する建物（その附属設備を含む。）又は構築物

二　所得税法第２条第１項第19号に規定する減価償却資産で当該宅地等の上で行われる当該事業に係る業務の用に供されていたもの（前号に掲げるものを除く。）

9　被相続人が相続開始前３年以内に開始した相続又はその相続に係る遺贈により法第69条の４第３項第１号に規定する事業の用に供されていた宅地等を取得し、かつ、その取得の日以後当該宅地等を引き続き同号に規定する事業の用に供していた場合における当該宅地等は、同号の新たに事業の用に供された宅地等に該当しないものとする。

10　法第69条の４第３項第１号に規定する政令で定める部分は、同号に規定する被相続人等の事業の用に供されていた宅地等のうち同号に定める要件に該当する部分（同号イ又はロに掲げる要件に該当する同号に規定する被相続人の親族が相続又は遺贈により取得した持分の割合に応ずる部分に限る。）とする。

11　法第69条の４第３項第２号に規定する政令で定める宅地等は、次の各号に掲げる場合の区分に応じ当該各号に定める宅地等とする。

一　被相続人の居住の用に供されていた宅地等が二以上ある場合（第３号に掲げる場合を除く。）　当該被相続人が主としてその居住の用に供していた一の宅地等

二　被相続人と生計を一にしていた当該被相続人の親族の居住の用に供されていた宅地等が二以上ある場合（次号に掲げる場合を除く。）　当該親族が主としてその居住の用に供していた一の宅地等（当該親族が２人以上ある場合には、当該親族ごとにそれぞれ主としてその居住の用に供していた一の宅地等。同号において同じ。）

三　被相続人及び当該被相続人と生計を一にしていた当該被相続人の親族の居住の用に供されていた宅地等が二以上ある場合　次に掲げる場合の区分に応じそれぞれ次に定める宅地等

イ　当該被相続人が主としてその居住の用に供していた一の宅地等と当該親族が主としてその居住の用に供していた一の宅地等とが同一である場合　当該一の宅地等

ロ　イに掲げる場合以外の場合　当該被相続人が主としてその居住の用に供していた一の宅地等及び当該親族が主としてその居住の用に供していた一の宅地等

12　法第69条の４第３項第２号に規定する政令で定める部分は、同号に規定する被相続人等の居住の用に供されていた宅地等のうち、同号の被相続人の配偶者が相続若しくは遺贈により取得した持分の割合に応ずる部分又は同号に定める要件に該当する部分（同号イからハまでに掲げる要件に該当する同号に規定する被相続人の親族が相続又は遺贈により取得した持分の割合に応ずる部分に限る。）とする。

13　法第69条の４第３項第２号イに規定する政令で定める部分は、次の各号に掲げる場合の区分に応じ当該各号に定める部分とする。

一　被相続人の居住の用に供されていた一棟の建物が建物の区分所有等に関する法律第１条の規定に該当する建物である場合　当該被相続人の居住の用に供されていた部分

二　前号に掲げる場合以外の場合　被相続人又は当該被相続人の親族の居住の用に供されていた部分

14　法第69条の４第３項第２号ロに規定する政令で定める者は、当該被相続人の民法第五編第二章の規定による相続人（相続の放棄があった場合には、その放棄がなかったものとした場合における相続人）とする。

15　法第69条の４第３項第２号ロ(1)に規定する政令で定める法人は、次に掲げる法人とする。

一　法第69条の４第３項第２号ロに規定する親族及び次に掲げる者（以下この項において「親族等」という。）が法人の発行済株式又は出資（当該法人が有する自己の株式又は出資を除く。）の総数又

は総額（以下この項及び次項第５号において「発行済株式総数等」という。）の10分の５を超える数又は金額の株式又は出資を有する場合における当該法人

イ　当該親族の配偶者

ロ　当該親族の三親等内の親族

ハ　当該親族と婚姻の届出をしていないが事実上婚姻関係と同様の事情にある者

ニ　当該親族の使用人

ホ　イからニまでに掲げる者以外の者で当該親族から受けた金銭その他の資産によって生計を維持しているもの

ヘ　ハからホまでに掲げる者と生計を一にするこれらの者の配偶者又は三親等内の親族

二　親族等及びこれと前号の関係がある法人が他の法人の発行済株式総数等の10分の５を超える数又は金額の株式又は出資を有する場合における当該他の法人

三　親族等及びこれと前２号の関係がある法人が他の法人の発行済株式総数等の10分の５を超える数又は金額の株式又は出資を有する場合における当該他の法人

四　親族等が理事、監事、評議員その他これらの者に準ずるものとなっている持分の定めのない法人

16　法第69条の４第３項第３号に規定する政令で定める特別の関係がある者は、次に掲げる者とする。

一　被相続人と婚姻の届出をしていないが事実上婚姻関係と同様の事情にある者

二　被相続人の使用人

三　被相続人の親族及び前２号に掲げる者以外の者で被相続人から受けた金銭その他の資産によって生計を維持しているもの

四　前３号に掲げる者と生計を一にするこれらの者の親族

五　次に掲げる法人

イ　被相続人（当該被相続人の親族及び当該被相続人に係る前各号に掲げる者を含む。以下この号において同じ。）が法人の発行済株式総数等の10分の５を超える数又は金額の株式又は出資を有する場合における当該法人

ロ　被相続人及びこれとイの関係がある法人が他の法人の発行済株式総数等の10分の５を超える数又は金額の株式又は出資を有する場合における当該他の法人

ハ　被相続人及びこれとイ又はロの関係がある法人が他の法人の発行済株式総数等の10分の５を超える数又は金額の株式又は出資を有する場合における当該他の法人

17　法第69条の４第３項第３号の規定の適用に当たっては、同号の株式若しくは出資又は発行済株式には、議決権に制限のある株式又は出資として財務省令で定めるものは含まないものとする。

18　法第69条の４第３項第３号に規定する政令で定める部分は、同号に規定する法人（同項第１号イに規定する申告期限において清算中の法人を除く。）の事業の用に供されていた宅地等のうち同項第３号に定める要件に該当する部分（同号に定める要件に該当する同号に規定する被相続人の親族が相続又は遺贈により取得した持分の割合に応ずる部分に限る。）とする。

19　法第69条の４第３項第４号に規定する政令で定める貸付事業は、同号に規定する貸付事業（次項において「貸付事業」という。）のうち準事業以外のもの（第21項において「特定貸付事業」という。）とする。

20　第９項の規定は、被相続人の貸付事業の用に供されていた宅地等について準用する。この場合において、同項中「第69条の４第３項第１号」とあるのは、「第69条の４第３項第４号」と読み替えるものとする。

21　特定貸付事業を行っていた被相続人（以下この項において「第一次相続人」という。）が、当該第

一次相続人の死亡に係る相続開始前３年以内に相続又は遺贈（以下この項において「第一次相続」という。）により当該第一次相続に係る被相続人の特定貸付事業の用に供されていた宅地等を取得していた場合には、当該第一次相続人の特定貸付事業の用に供されていた宅地等に係る法第69条の４第３項第４号の規定の適用については、当該第一次相続に係る被相続人が当該第一次相続があった日まで引き続き特定貸付事業を行っていた期間は、当該第一次相続人が特定貸付事業を行っていた期間に該当するものとみなす。

22　第10項の規定は、法第69条の４第３項第４号に規定する政令で定める部分について準用する。

23　相続税法施行令（昭和25年政令第71号）第４条の２第１項《配偶者に対する相続税額の軽減の場合の財産分割の特例》の規定は、法第69条の４第４項ただし書に規定する政令で定めるやむを得ない事情がある場合及び同項ただし書に規定する分割ができることとなった日として政令で定める日について準用し、相続税法施行令第４条の２第２項から第４項までの規定は、法第69条の４第４項ただし書に規定する政令で定めるところによる納税地の所轄税務署長の承認について準用する。この場合において、相続税法施行令第４条の２第１項第１号中「法第19条の２第２項」とあるのは、「租税特別措置法（昭和32年法律第26号）第69条の４第４項《小規模宅地等についての相続税の課税価格の計算の特例》」と読み替えるものとする。

24　法第69条の４第５項に規定する政令で定める場合は、既に分割された特例対象宅地等について、同条第一項の相続又は遺贈に係る同条第４項に規定する申告期限までに特例対象山林の全部又は一部が分割されなかったことにより同条第１項の選択がされず同項の規定の適用を受けなかった場合において、当該申告期限から３年以内（当該期間が経過するまでに当該特例対象山林が分割されなかったことにつき、やむを得ない事情がある場合において、納税地の所轄税務署長の承認を受けたときは、当該特例対象山林の分割ができることとなった日の翌日から４月以内）に当該特例対象山林の全部又は一部が分割されたことにより当該選択ができることとなったとき（当該相続若しくは遺贈又は贈与により財産を取得した個人が同項又は法第69条の５第１項の規定の適用を受けている場合を除く。）とする。

25　相続税法施行令第４条の２第１項の規定は、前項のやむを得ない事情がある場合及び同項の分割ができることとなった日について準用し、同条第２項から第４項までの規定は、前項の納税地の所轄税務署長の承認について準用する。この場合において、同条第１項第１号中「法第19条の２第２項」とあるのは、「租税特別措置法施行令（昭和32年政令第43号）第40条の２第24項《小規模宅地等についての相続税の課税価格の計算の特例》」と読み替えるものとする。

26　法第69条の４第５項において相続税法第32条第１項《更正の請求の特則》の規定を準用する場合には、同項第８号中「第19条の２第２項ただし書」とあるのは「租税特別措置法（昭和32年法律第26号）第69条の４第４項ただし書《小規模宅地等についての相続税の課税価格の計算の特例》又は租税特別措置法施行令（昭和32年政令第43号）第40条の２第24項《小規模宅地等についての相続税の課税価格の計算の特例》」と、「同項の分割」とあるのは「これらの規定に規定する分割」と、「同条第１項」とあるのは「同法第69条の４第１項」と読み替えるものとする。

27　法第69条の４の規定の適用については、相続税法第９条の２第６項《贈与又は遺贈により取得したものとみなす信託に関する権利》の規定を準用する。この場合において、相続税法施行令第１条の10第４項《受益者等が存しない信託等の受託者の贈与税額又は相続税額の計算》の規定の適用については、同項中「第26条の規定の」とあるのは「第26条並びに租税特別措置法第69条の４《小規模宅地等についての相続税の課税価格の計算の特例》の規定の」と、同項第３号中「第26条」とあるのは「第26条並びに租税特別措置法第69条の４」と読み替えるものとする。

## 〔3〕租税特別措置法施行規則第23条の２《小規模宅地等についての相続税の課税価格の計算の特例》

**【課税時期が令和２年４月１日以後に到来した場合】**

**（小規模宅地等についての相続税の課税価格の計算の特例）**

**第23条の２**　法第69条の４第１項《小規模宅地等についての相続税の課税価格の計算の特例》に規定する財務省令で定める建物又は構築物は、次に掲げる建物又は構築物以外の建物又は構築物とする。

一　温室その他の建物で、その敷地が耕作（農地法第43条第１項の規定により耕作に該当するものとみなされる農作物の栽培を含む。次号において同じ。）の用に供されるもの

二　暗渠その他の構築物で、その敷地が耕作の用又は耕作若しくは養畜のための採草若しくは家畜の放牧の用に供されるもの

２　施行令第40条の２第２項《小規模宅地等についての相続税の課税価格の計算の特例》に規定する財務省令で定める被相続人は、相続の開始の直前において、介護保険法施行規則第140条の62の４第２号に該当していた者とする。

３　施行令第40条の２第４項に規定する財務省令で定める棚卸資産に準ずるものは、所得税法第35条第１項《雑所得》に規定する雑所得の基因となる土地又は土地の上に存する権利とする。

４　法第69条の４第３項第２号ロに規定する財務省令で定める者は、相続税法（昭和25年法律第73号）第１条の３第１項第１号若しくは第２号《相続税の納税義務者》の規定に該当する者又は同項第４号の規定に該当する者のうち日本国籍を有する者とする。

５　法第69条の４第３項第３号に規定する財務省令で定める者は、同号に規定する申告期限において同号に規定する法人の法人税法第２条第15号《定義》に規定する役員（清算人を除く。）である者とする。

６　施行令第40条の２第17項に規定する議決権に制限のある株式として財務省令で定めるものは、相続の開始の時において、会社法第108条第１項第３号に掲げる事項の全部について制限のある株式、同法第105条第１項第３号に掲げる議決権の全部について制限のある株主が有する株式、同法第308条第１項又は第２項の規定により議決権を有しないものとされる者が有する株式その他議決権のない株式とする。

７　前項の規定は、施行令第40条の２第17項に規定する議決権に制限のある出資として財務省令で定めるものについて準用する。

８　法第69条の４第７項に規定する財務省令で定める書類は、次の各号に掲げる場合の区分に応じ当該各号に定める書類とする。

一　法第69条の４第１項第１号に規定する特定事業用宅地等である小規模宅地等について同項の規定の適用を受けようとする場合　次に掲げる書類

イ　法第69条の４第１項に規定する小規模宅地等に係る同項の規定による相続税法第11条の２《相続税の課税価格》に規定する相続税の課税価格に算入すべき価額の計算に関する明細書

ロ　施行令第40条の２第５項各号に掲げる書類（同項ただし書の場合に該当するときは、同項第１号及び第２号に掲げる書類）

ハ　遺言書の写し、財産の分割の協議に関する書類（当該書類に当該相続に係る全ての共同相続人及び包括受遺者が自署し、自己の印を押しているものに限る。）の写し（当該自己の印に係る印鑑証明書が添付されているものに限る。）その他の財産の取得の状況を証する書類

ニ　当該小規模宅地等が相続開始前３年以内に新たに被相続人等（法第69条の４第１項に規定する

被相続人等をいう。第５号ロにおいて同じ。）の事業（同条第３項第１号に規定する事業をいう。）の用に供されたものである場合には、当該事業の用に供されていた施行令第40条の２第８項各号に掲げる資産の当該相続開始の時における種類、数量、価額及びその所在場所その他の明細を記載した書類で当該事業が同項に規定する規模以上のものであることを明らかにするもの

二　法第69条の４第１項第１号に規定する特定居住用宅地等である小規模宅地等（以下この号及び次号において「特定居住用宅地等である小規模宅地等」という。）について同項の規定の適用を受けようとする場合（次号に掲げる場合を除く。）　次に掲げる書類（当該被相続人の配偶者が同項の規定の適用を受けようとするときはイに掲げる書類とし、同条第３項第２号イ又はハに掲げる要件を満たす同号に規定する被相続人の親族（以下この号及び次号において「親族」という。）が同条第１項の規定の適用を受けようとするときはイ及びロに掲げる書類とし、同条第３項第２号ロに掲げる要件を満たす親族が同条第１項の規定の適用を受けようとするときはイ及びハからホまでに掲げる書類とする。）

イ　前号イからハまでに掲げる書類

ロ　当該親族が個人番号（行政手続における特定の個人を識別するための番号の利用等に関する法律第２条第５項に規定する個人番号をいう。以下この章において同じ。）を有しない場合にあっては、当該親族が当該特定居住用宅地等である小規模宅地等を自己の居住の用に供していることを明らかにする書類

ハ　法第69条の４第３項第２号ロに規定する親族が個人番号を有しない場合にあっては、相続の開始の日の３年前の日から当該相続の開始の日までの間における当該親族の住所又は居所を明らかにする書類

ニ　相続の開始の日の３年前の日から当該相続の開始の直前までの間にハの親族が居住の用に供していた家屋が法第69条の４第３項第２号ロ⑴に規定する家屋以外の家屋である旨を証する書類

ホ　相続の開始の時においてハの親族が居住している家屋を当該親族が相続開始前のいずれの時においても所有していたことがないことを証する書類

三　特定居住用宅地等である小規模宅地等（施行令第40条の２第２項各号に掲げる事由により相続の開始の直前において当該相続に係る被相続人の居住の用に供されていなかった場合における当該事由により居住の用に供されなくなる直前の当該被相続人の居住の用に供されていた宅地等（土地又は土地の上に存する権利をいう。）に限る。）について法第69条の４第１項の規定の適用を受けようとする場合　次に掲げる書類

イ　前号イからホまでに掲げる書類（当該被相続人の配偶者が法第69条の４第１項の規定の適用を受けようとするときは前号イに掲げる書類とし、同条第３項第２号イ又はハに掲げる要件を満たす親族が同条第１項の規定の適用を受けようとするときは前号イ及びロに掲げる書類とし、同条第３項第２号ロに掲げる要件を満たす親族が同条第１項の規定の適用を受けようとするときは前号イ及びハからホまでに掲げる書類とする。）

ロ　当該相続の開始の日以後に作成された当該被相続人の戸籍の附票の写し

ハ　介護保険の被保険者証の写し又は障害者の日常生活及び社会生活を総合的に支援するための法律第22条第８項に規定する障害福祉サービス受給者証の写しその他の書類で、当該被相続人が当該相続の開始の直前において介護保険法（平成９年法律第123号）第19条第１項に規定する要介護認定若しくは同条第２項に規定する要支援認定を受けていたこと若しくは介護保険法施行規則第140条の62の４第２号に該当していたこと又は障害者の日常生活及び社会生活を総合的に支援するための法律第21条第１項に規定する障害支援区分の認定を受けていたことを明らかにするも

の

ニ　当該被相続人が当該相続の開始の直前において入居又は入所していた施行令第40条の２第２項第１号イからハまでに掲げる住居若しくは施設又は同項第２号の施設若しくは住居の名称及び所在地並びにこれらの住居又は施設がこれらの規定のいずれの住居又は施設に該当するかを明らかにする書類

四　法第69条の４第１項第１号に規定する特定同族会社事業用宅地等である小規模宅地等について同項の規定の適用を受けようとする場合　次に掲げる書類

イ　第１号イからハまでに掲げる書類

ロ　法第69条の４第３項第３号に規定する法人の定款（相続の開始の時に効力を有するものに限る。）の写し

ハ　相続の開始の直前において、ロに規定する法人の発行済株式の総数又は出資の総額並びに法第69条の４第３項第３号の被相続人及び当該被相続人の親族その他当該被相続人と政令で定める特別の関係がある者が有する当該法人の株式の総数又は出資の総額を記した書類（当該法人が証明したものに限る。）

五　法第69条の４第１項第２号に規定する貸付事業用宅地等である小規模宅地等について同項の規定の適用を受けようとする場合　次に掲げる書類

イ　第１号イからハまでに掲げる書類

ロ　当該貸付事業用宅地等である小規模宅地等が相続開始前３年以内に新たに被相続人等の貸付事業（法第69条の４第３項第４号に規定する貸付事業をいう。）の用に供されたものである場合には、当該被相続人等（施行令第40条の２第21項に規定する第一次相続に係る被相続人を含む。）が当該相続開始の日まで３年を超えて同条第19項に規定する特定貸付事業を行っていたことを明らかにする書類

六　法第69条の４第４項に規定する申告期限（次号において「申告期限」という。）までに同条第１項に規定する特例対象宅地等（次号において「特例対象宅地等」という。）の全部又は一部が共同相続人又は包括受遺者によって分割されていない当該特例対象宅地等について当該申告期限後に当該特例対象宅地等の全部又は一部が分割されることにより同項の規定の適用を受けようとする場合その旨並びに分割されていない事情及び分割の見込みの詳細を明らかにした書類

七　申告期限までに施行令第40条の２第５項に規定する特例対象山林の全部又は一部が共同相続人又は包括受遺者によって分割されなかったことにより法第69条の４第１項の選択がされず同項の規定の適用を受けなかった場合で当該申告期限後に当該特例対象山林の全部又は一部が分割されることにより当該申告期限において既に分割された特例対象宅地等について同項の規定の適用を受けようとするとき　その旨並びに分割されていない事情及び分割の見込みの詳細を明らかにした書類

9　施行令第40条の２第23項又は第25項の規定により相続税法施行令（昭和25年政令第71号）第４条の２《配偶者に対する相続税額の軽減の場合の財産分割の特例》の規定を準用する場合における相続税法施行規則（昭和25年大蔵省令第17号）第１条の６第１項及び第２項《配偶者に対する相続税額の軽減の特例の適用を受ける場合の記載事項等》の規定の適用については、同条第１項第３号中「法第19条の２第３項」とあるのは「租税特別措置法（昭和32年法律第26号）第69条の４第７項《小規模宅地等についての相続税の課税価格の計算の特例》」と、同条第２項中「同項」とあるのは「租税特別措置法第69条の４第４項又は租税特別措置法施行令（昭和32年政令第43号）第40条の２第24項《小規模宅地等についての相続税の課税価格の計算の特例》」とする。

**租税特別措置法施行規則（附則平成30年）（関係部分のみを抜粋）**

**（相続税及び贈与税の特例に関する経過措置）**

**第33条**　施行日（平成30年４月１日）から令和２年３月31日までの間に相続又は遺贈（贈与をした者の死亡により効力を生ずる贈与を含む。次項において同じ。）により改正法附則第118条第２項に規定する経過措置対象宅地等（以下この項及び次項において「経過措置対象宅地等」という。）を取得した個人（旧法第69条の４第３項第２号ロに掲げる要件を満たす個人に限る。）が、当該経過措置対象宅地等について新法第69条の４第１項の規定の適用を受けようとする場合における新規則第23条の２第８項第２号の規定の適用については、同号中「同条第３項第２号ロ」とあるのは「所得税法等の一部を改正する法律（平成30年法律第７号）第15条の規定による改正前の租税特別措置法（ニにおいて「旧法」という。）第69条の４第３項第２号ロ」と、「親族が同条第１項」とあるのは「親族が法第69条の４第１項」と、「及びハからホまで」とあるのは「、ハ及びニ」と、同号ハ中「相続の開始の日の３年前の日から当該」とあるのは「平成27年４月１日から」と、同号ニ中「相続の開始の日の３年前の日から当該」とあるのは「平成27年４月１日から」と、「法第69条の４第３項第２号ロ(1)」とあるのは「旧法第69条の４第３項第２号ロ」とする。

２　令和２年４月１日以後に相続又は遺贈により経過措置対象宅地等を取得した個人が当該経過措置対象宅地等について改正法附則第118条第３項の規定の適用を受けようとする場合には、新法第69条の４第６項に規定する相続税の申告書に、新規則第23条の２第８項第２号に定める書類のほか、次に掲げる書類を添付しなければならない。

一　請負契約書の写しその他の書類で、令和２年３月31日において経過措置対象宅地等の上に存する建物の工事が行われていたことを証するもの及び当該建物の工事の完了年月日を明らかにするもの

二　平成27年４月１日から平成30年３月31日までの間における次の事項を明らかにする書類

イ　当該期間内における当該個人の住所又は居所

ロ　当該期間内に当該個人が居住の用に供していた家屋が旧法第69条の４第３項第２号ロに規定する家屋以外のものである旨

３　改正法附則第118条第４項の規定の適用がある場合における新規則第23条の２第８項第５号ロの規定の適用については、同号ロ中「相続開始前３年以内」とあるのは、「平成30年４月１日以後」とする。

## 〔4〕租税特別措置法（相続税法の特例関係）の取扱いについて（法令解釈通達）
## ―措置法第69条の４《小規模宅地等についての相続税の課税価格の計算の特例》関係―

**（相続開始前３年以内の贈与財産及び相続時精算課税の適用を受ける財産）**

**69の４－１**　措置法第69条の４第１項に規定する特例対象宅地等（以下69の５－11までにおいて「特例対象宅地等」という。）には、被相続人から贈与（贈与をした者の死亡により効力を生ずべき贈与（以下「死因贈与」という。）を除く。以下同じ。）により取得したものは含まれないため、相続税法（昭和25年法律第73号）第19条《相続開始前３年以内に贈与があった場合の相続税額》の規定の適用を受ける財産及び相続時精算課税（同法第21条の９第３項《相続時精算課税の選択》の規定（措置法第70条の２の６第１項、第70条の２の７第１項（第70条の２の８において準用する場合を含む。）又は第70条の３第１項において準用する場合を含む。）をいう。以下70の７の２－３までにおいて同じ。）の適用を受ける財産については、措置法第69条の４第１項の規定の適用はないことに留意する。（平16課資２－８、平18課資２－４、平19課資２－７、課審６－５、平20課資２－１、課審６－１、平21課資２－７、課審６－10、徴管５－13、平27課資２－９、平30課資２－９、令元課資２－10改正）

**（配偶者居住権等）**

**69の４－１の２**　特例対象宅地等には、配偶者居住権は含まれないが、個人が相続又は遺贈（死因贈与を含む。以下同じ。）により取得した、配偶者居住権に基づく敷地利用権（配偶者居住権の目的となっている建物等（措置法規則第23条の２第１項《小規模宅地等についての相続税の課税価格の計算の特例》に規定する建物又は構築物をいう。以下69の４－24の３までにおいて同じ。）の敷地の用に供される宅地等（土地又は土地の上に存する権利で、建物等の敷地の用に供されているものに限る。以下69の４－24の８までにおいて同じ。）を当該配偶者居住権に基づき使用する権利をいう。以下69の４－24の２までにおいて同じ。）及び配偶者居住権の目的となっている建物等の敷地の用に供される宅地等が含まれることに留意する。

なお、措置法第69条の４第１項の規定の適用を受けるものとしてその全部又は一部の選択をしようとする特例対象宅地等が配偶者居住権に基づく敷地利用権又は当該敷地の用に供される宅地等の全部又は一部である場合の当該特例対象宅地等の面積は、措置法令第40条の２第６項の規定により、それぞれ次の算式により計算された面積であるものとみなして措置法第69条の４第１項の規定が適用されることに留意する。したがって、同条第２項の限度面積要件については、当該算式に基づき計算された面積により判定を行うことに留意する。

この場合において、配偶者居住権の設定に係る相続又は遺贈により、当該相続に係る被相続人の配偶者が配偶者居住権及び当該敷地の用に供される宅地等（当該被相続人の所有していた宅地等が当該相続又は遺贈により数人の共有に属することとなった場合のその共有持分を除く。）のいずれも取得したときの当該敷地の用に供される宅地等については、措置法令第40条の２第６項の規定の適用はないことに留意する。（令２課資２－10追加）

（算式）

1　配偶者居住権に基づく敷地利用権の面積

$$\text{特例対象宅地等の面積} \times \frac{\text{当該敷地利用権の価額}}{\text{当該敷地利用権の価額及び当該敷地の用に供される宅地等の価額の合計額}}$$

2　当該敷地の用に供される宅地等の面積

$$\text{特例対象宅地等の面積} \times \frac{\text{当該敷地の用に供される宅地等の価額}}{\text{当該敷地利用権の価額及び当該敷地の用に供される宅地等の価額の合計額}}$$

（信託に関する権利）

69の4－2　特例対象宅地等には、個人が相続又は遺贈により取得した信託に関する権利（相続税法第9条の2第6項ただし書に規定する信託に関する権利及び同法第9条の4第1項又は第2項の信託の受託者が、これらの規定により遺贈により取得したものとみなされる信託に関する権利を除く。）で、当該信託の目的となっている信託財産に属する宅地等が、当該相続の開始の直前において当該相続又は遺贈に係る被相続人又は被相続人と生計を一にしていたその被相続人の親族（以下69の4－24の8までにおいて「被相続人等」という。）の措置法第69条の4第1項に規定する事業の用又は居住の用に供されていた宅地等であるものが含まれることに留意する。（平19課資2－7、課審6－5追加、平19課資2－9、課審6－11、平20課資2－1、課審6－1、平22課資2－14、課審6－17、徴管5－10、平30課資2－9、令2課資2－10改正）

（公共事業の施行により従前地及び仮換地について使用収益が禁止されている場合）

69の4－3　特例対象宅地等には、個人が被相続人から相続又は遺贈により取得した被相続人等の居住用等（事業（措置法令第40条の2第1項に規定する準事業を含む。以下69の4－5までにおいて同じ。）の用又は居住の用をいう。以下69の4－3において同じ。）に供されていた宅地等（以下69の4－3において「従前地」という。）で、公共事業の施行による土地区画整理法（昭和29年法律第119号）第3章第3節《仮換地の指定》に規定する仮換地の指定に伴い、当該相続の開始の直前において従前地及び仮換地の使用収益が共に禁止されている場合で、当該相続の開始の時から相続税の申告書の提出期限（以下69の4－36までにおいて「申告期限」という。）までの間に当該被相続人等が仮換地を居住用等に供する予定がなかったと認めるに足りる特段の事情がなかったものが含まれることに留意する。（平19課資2－9、課審6－11追加、平20課資2－1、課審6－1、平21課資2－7、課審6－10、徴管5－13、平22課資2－14、課審6－17、徴管5－10、平30課資2－9改正）

（注）　被相続人等が仮換地を居住用等に供する予定がなかったと認めるに足りる特段の事情とは、例えば、次に掲げる事情がある場合をいうことに留意する。

⑴　従前地について売買契約を締結していた場合

⑵　被相続人等の居住用等に供されていた宅地等に代わる宅地等を取得（売買契約中のものを含む。）していた場合

⑶　従前地又は仮換地について相続税法第6章《延納又は物納》に規定する物納の申請をし又は物納の許可を受けていた場合

（被相続人等の事業の用に供されていた宅地等の範囲）

69の4－4　措置法第69条の4第1項に規定する被相続人等の事業の用に供されていた宅地等（以下69の4－18までにおいて「事業用宅地等」という。）とは、次に掲げる宅地等（相続の開始の直前において配偶者居住権に基づき使用又は収益されていた建物等の敷地の用に供されていたものを除く（当該宅地等については69の4－4の2参照)。）をいうものとする。（平19課資2－7、課審6－5、平19課資2－9、課審6－11、平20課資2－1、課審6－1、平21課資2－7、課審6－10、徴管5－

13、平22課資２－14、課審６－17、徴管５－10、令２課資２－10改正）

⑴　他に貸し付けられていた宅地等（当該貸付けが事業に該当する場合に限る。）

⑵　⑴に掲げる宅地等を除き、被相続人等の事業の用に供されていた建物等で、被相続人等が所有していたもの又は被相続人の親族（被相続人と生計を一にしていたその被相続人の親族を除く。69の４－４の２において「その他親族」という。）が所有していたもの（被相続人等が当該建物等を当該その他親族から無償（相当の対価に至らない程度の対価の授受がある場合を含む。以下69の４－33までにおいて同じ。）で借り受けていた場合における当該建物等に限る。）の敷地の用に供されていたもの

**（宅地等が配偶者居住権の目的となっている建物等の敷地である場合の被相続人等の事業の用に供されていた宅地等の範囲）**

**69の４－４の２**　相続又は遺贈により取得した宅地等が、当該相続の開始の直前において配偶者居住権に基づき使用又は収益されていた建物等の敷地の用に供されていたものである場合には、当該宅地等のうち、次に掲げる宅地等が事業用宅地等に該当するものとする。（令２課資２－10追加）

⑴　他に貸し付けられていた宅地等（当該貸付けが事業に該当する場合に限る。）

⑵　⑴に掲げる宅地等を除き、被相続人等の事業の用に供されていた建物等（被相続人等又はその他親族が所有していた建物等をいう。以下⑵において同じ。）で、被相続人等が配偶者居住権者（当該配偶者居住権を有する者をいう。以下69の４－23までにおいて同じ。）であるもの又はその他親族が配偶者居住権者であるもの（被相続人等が当該建物等を配偶者居住権者である当該その他親族から無償で借り受けていた場合における当該建物等に限る。）の敷地の用に供されていたもの

**（事業用建物等の建築中等に相続が開始した場合）**

**69の４－５**　被相続人等の事業の用に供されている建物等の移転又は建替えのため当該建物等を取り壊し、又は譲渡し、これらの建物等に代わるべき建物等（被相続人又は被相続人の親族の所有に係るものに限る。）の建築中に、又は当該建物等の取得後被相続人等が事業の用に供する前に被相続人について相続が開始した場合で、当該相続開始直前において当該被相続人等の当該建物等に係る事業の準備行為の状況からみて当該建物等を速やかにその事業の用に供することが確実であったと認められるときは、当該建物等の敷地の用に供されていた宅地等は、事業用宅地等に該当するものとして取り扱う。

なお、当該被相続人と生計を一にしていたその被相続人の親族又は当該建物等若しくは当該建物等の敷地の用に供されていた宅地等を相続若しくは遺贈により取得した当該被相続人の親族が、当該建物等を相続税の申告期限までに事業の用に供しているとき（申告期限において当該建物等を事業の用に供していない場合であっても、それが当該建物等の規模等からみて建築に相当の期間を要することによるものであるときは、当該建物等の完成後速やかに事業の用に供することが確実であると認められるときを含む。）は、当該相続開始直前において当該被相続人等が当該建物等を速やかにその事業の用に供することが確実であったものとして差し支えない。（平19課資２－７、課審６－５、平19課資２－９、課審６－11、平20課資２－１、課審６－１、平22課資２－14、課審６－17、徴管５－10改正）

(注)　当該建築中又は取得に係る建物等のうちに被相続人等の事業の用に供されると認められる部分以外の部分があるときは、事業用宅地等の部分は、当該建物等の敷地のうち被相続人等の事業の用に供されると認められる当該建物等の部分に対応する部分に限られる。

**（使用人の寄宿舎等の敷地）**

**69の４－６**　被相続人等の営む事業に従事する使用人の寄宿舎等（被相続人等の親族のみが使用していたものを除く。）の敷地の用に供されていた宅地等は、被相続人等の当該事業に係る事業用宅地等に当たるものとする。（平22課資２－14、課審６－17、徴管５－10改正）

**（被相続人等の居住の用に供されていた宅地等の範囲）**

**69の４－７**　措置法第69条の４第１項に規定する被相続人等の居住の用に供されていた宅地等（以下69の４－８までにおいて「居住用宅地等」という。）とは、次に掲げる宅地等（相続の開始の直前において配偶者居住権に基づき使用又は収益されていた建物等の敷地の用に供されていたものを除く（当該宅地等については69の４－７の２参照）。）をいうものとする。（平22課資２－14、課審６－17、徴管５－10、平25課資２－13、課審７－18、平26課資２－12、評審７－17、徴管６－25、令２課資２－10改正）

⑴　相続の開始の直前において、被相続人等の居住の用に供されていた家屋で、被相続人が所有していたもの（被相続人と生計を一にしていたその被相続人の親族が居住の用に供していたものである場合には、当該親族が被相続人から無償で借り受けていたものに限る。）又は被相続人の親族が所有していたもの（当該家屋を所有していた被相続人の親族が当該家屋の敷地を被相続人から無償で借り受けており、かつ、被相続人等が当該家屋を当該親族から借り受けていた場合には、無償で借り受けていたときにおける当該家屋に限る。）の敷地の用に供されていた宅地等

⑵　措置法令第40条の２第２項に定める事由により被相続人の居住の用に供されなくなる直前まで、被相続人の居住の用に供されていた家屋で、被相続人が所有していたもの又は被相続人の親族が所有していたもの（当該家屋を所有していた被相続人の親族が当該家屋の敷地を被相続人から無償で借り受けており、かつ、被相続人が当該家屋を当該親族から借り受けていた場合には、無償で借り受けていたときにおける当該家屋に限る。）の敷地の用に供されていた宅地等（被相続人の居住の用に供されなくなった後、措置法第69条の４第１項に規定する事業の用又は新たに被相続人等以外の者の居住の用に供された宅地等を除く。）

（注）　上記⑴及び⑵の宅地等のうちに被相続人等の居住の用以外の用に供されていた部分があるときは、当該被相続人等の居住の用に供されていた部分に限られるのであるが、当該居住の用に供されていた部分が、被相続人の居住の用に供されていた１棟の建物（建物の区分所有等に関する法律（昭和37年法律第69号）第１条の規定に該当する建物を除く。）に係るものである場合には、当該１棟の建物の敷地の用に供されていた宅地等のうち当該被相続人の親族の居住の用に供されていた部分が含まれることに留意する（69の４－７の２⑴及び⑵に掲げる宅地等についても同じ。）。

**（宅地等が配偶者居住権の目的となっている家屋の敷地である場合の被相続人等の居住の用に供されていた宅地等の範囲）**

**69の４－７の２**　相続又は遺贈により取得した宅地等が、当該相続の開始の直前において配偶者居住権に基づき使用又は収益されていた家屋の敷地の用に供されていたものである場合には、当該宅地等のうち、次に掲げる宅地等が居住用宅地等に該当するものとする。（令２課資２－10追加）

⑴　相続の開始の直前において、被相続人等の居住の用に供されていた家屋（被相続人又は被相続人の親族が配偶者居住権者である場合のその配偶者居住権の目的となっている家屋をいう。以下⑴において同じ。）で、被相続人が所有していたもの（当該被相続人等が当該家屋を当該配偶者居住権者から借り受けていた場合には、無償で借り受けていたときにおける当該家屋に限る。）又は被相

続人の親族が所有していたもの（当該家屋を所有していた被相続人の親族が当該家屋の敷地を被相続人から無償で借り受けており、かつ、当該被相続人等が当該家屋を当該配偶者居住権者から借り受けていた場合には、無償で借り受けていたときにおける当該家屋に限る。）の敷地の用に供されていた宅地等

(2)　措置法令第40条の２第２項に定める事由により被相続人の居住の用に供されなくなる直前まで、被相続人の居住の用に供されていた家屋（被相続人又は被相続人の親族が配偶者居住権者である場合のその配偶者居住権の目的となっている家屋をいう。以下(2)において同じ。）で、被相続人が所有していたもの（当該被相続人が当該家屋を当該配偶者居住権者から借り受けていた場合には、無償で借り受けていたときにおける当該家屋に限る。）又は被相続人の親族が所有していたもの（当該家屋を所有していた被相続人の親族が当該家屋の敷地を被相続人から無償で借り受けており、かつ、当該被相続人が当該家屋を当該配偶者居住権者から借り受けていた場合には、無償で借り受けていたときにおける当該家屋に限る。）の敷地の用に供されていた宅地等（被相続人の居住の用に供されなくなった後、措置法第69条の４第１項に規定する事業の用又は新たに被相続人等以外の者の居住の用に供された宅地等を除く。）

**（要介護認定等の判定時期）**

**69の４－７の３**　被相続人が、措置法令第40条の２第２項１号に規定する要介護認定若しくは要支援認定又は同項第２号に規定する障害支援区分の認定を受けていたかどうかは、当該被相続人が、当該被相続人の相続の開始の直前において当該認定を受けていたかにより判定するのであるから留意する。（平25課資２－13、課審７－18追加、平27課資２－９改正）

**（建物の区分所有等に関する法律第１条の規定に該当する建物）**

**69の４－７の４**　措置法令第40条の２第４項及び第13項に規定する「建物の区分所有等に関する法律第１条の規定に該当する建物」とは、区分所有建物である旨の登記がされている建物をいうことに留意する。（平25課資２－13、課審７－18、平26課資２－12、課審７－17、徴管６－25、令元課資２－10改正）

（注）　上記の区分所有物とは、被災区分所有建物の再建等に関する特別措置法（平成７年法律第43号）第２条に規定する区分所有建物をいうことに留意する。

**（居住用建物の建築中等に相続が開始した場合）**

**69の４－８**　被相続人等の居住の用に供されると認められる建物（被相続人又は被相続人の親族の所有に係るものに限る。）の建築中に、又は当該建物の取得後被相続人等が居住の用に供する前に被相続人について相続が開始した場合には、当該建物の敷地の用に供されていた宅地等が居住用宅地等に当たるかどうか及び居住用宅地等の部分については、69の４－５《事業用建物等の建築中等に相続が開始した場合》に準じて取り扱う。（平20課資２－１、課審６－１、平22課資２－14、課審６－17、徴管５－10改正）

（注）　上記の取扱いは、相続の開始の直前において被相続人等が自己の居住の用に供している建物（被相続人等の居住の用に供されると認められる建物の建築中等に限り一時的に居住の用に供していたにすぎないと認められる建物を除く。）を所有していなかった場合に限り適用があるのであるから留意する。

（店舗兼住宅等の敷地の持分の贈与について贈与税の配偶者控除等の適用を受けたものの居住の用に供されていた部分の範囲）

69の4－9　措置法第69条の4第1項の規定の適用がある店舗兼住宅等の敷地の用に供されていた宅地等で相続の開始の年の前年以前に被相続人からのその持分の贈与につき相続税法第21条の6第1項《贈与税の配偶者控除》の規定による贈与税の配偶者控除の適用を受けたもの（昭和34年1月28日付直資10「相続税法基本通達の全部改正について」（以下「相続税法基本通達」という。）21の6－3《店舗兼住宅等の持分の贈与があった場合の居住用部分の判定》のただし書の取扱いを適用して贈与税の申告があったものに限る。）又は相続の開始の年に被相続人からのその持分の贈与につき相続税法第19条第2項第2号の規定により特定贈与財産に該当することとなったもの（相続税法基本通達19－10《店舗兼住宅等の持分の贈与を受けた場合の特定贈与財産の判定》の後段の取扱いを適用して相続税の申告があったものに限る。）であっても、措置法令第40条の2第4項《小規模宅地等についての相続税の課税価格の計算の特例》に規定する被相続人等の居住の用に供されていた部分の判定は、当該相続の開始の直前における現況によって行うのであるから留意する。（平22課資2－14、課審6－17、徴管5－10、平25課資2－13、課資7－18改正）

（選択特例対象宅地等のうちに貸付事業用宅地等がある場合の限度面積要件）

69の4－10　措置法第69条の4第2項第3号の要件に該当する場合を算式で示せば、次のとおりである。（平20課資2－1、課審6－1、平22課資2－14、課審6－17、徴管5－10、平25課資2－13、課資7－18改正）

$$A \times \frac{200}{400} + B \times \frac{200}{330} + C \leqq 200\text{㎡}$$

（注）　算式中の符号は、次のとおりである。

Aは、当該相続又は遺贈により財産を取得した者に係るすべての措置法第69条の4第1項に規定する選択特例対象宅地等（以下69の4－11までにおいて「選択特例対象宅地等」という。）である同条第2項第1号に規定する特定事業用等宅地等の面積の合計

Bは、当該相続又は遺贈により財産を取得した者に係るすべての選択特例対象宅地等である同条第3項第2号に規定する特定居住用宅地等の面積の合計

Cは、当該相続又は遺贈により財産を取得した者に係るすべての選択特例対象宅地等である同条第3項第4号に規定する貸付事業用宅地等の面積の合計

（限度面積要件を満たさない場合）

69の4－11　選択特例対象宅地等が措置法第69条の4第2項に規定する限度面積要件を満たしていない場合は、その選択特例対象宅地等のすべてについて同条第1項の適用がないことに留意する。

なお、この場合、その後の国税通則法（昭和37年法律第66号）第18条第2項《期限後申告》に規定する期限後申告書及び同法第19条第3項《修正申告》に規定する修正申告書において、その選択特例対象宅地等が限度面積要件を満たすこととなったときは、その選択特例対象宅地等について措置法第69条の4第1項の適用がある（69の4－12に規定する場合を除く。）ことに留意する。（平20課資2－1、課審6－1、平22課資2－14、課審6－17、徴管5－10改正）

(小規模宅地等の特例、特定計画山林の特例又は個人の事業用資産についての納税猶予及び免除を重複適用する場合に限度額要件等を満たさないとき)

69の4－12　措置法第69条の4第1項に規定する小規模宅地等（以下69の5－13までにおいて「小規模宅地等」という。)、措置法第69条の5第1項《特定計画山林についての相続税の課税価格の計算の特例》に規定する選択特定計画山林（以下69の5－13までにおいて「選択特定計画山林」という。）又は措置法第70条の6の10第1項《個人の事業用資産についての相続税の納税猶予及び免除》に規定する特例事業用資産のうち同条第2項第1号イに掲げるもの（以下69の5－13までにおいて「猶予対象宅地等」という。）について、措置法第69条の4第1項、第69条の5第1項又は第70条の6の10第1項の規定の適用を重複して受けようとする場合において、その選択特定計画山林の価額が措置法第69条の5第5項（措置法令第40条の2の2第9項の規定の適用がある場合を含む。）に規定する限度額（69の5－12参照）を超えるとき又はその猶予対象宅地等の面積が同号イに規定する限度面積（70の6の10－17参照）を超えるときは、その小規模宅地等の全てについて措置法第69条の4第1項の規定の適用はないことに留意する。

なお、この場合、その後の国税通則法第18条第2項に規定する期限後申告書及び同法第19条第3項に規定する修正申告書において、当該限度額又は当該限度面積を超えないこととなったときは、その小規模宅地等について措置法第69条の4第1項の規定の適用があることに留意する。(平16課資2－8、平18課資2－4、平21課資2－7、課審6－10、徴管5－13、平22課資2－14、課審6－17、徴管5－10、令元課資2－10、令2課資2－10改正)

(注)　1　上記の限度額を超える場合における当該選択特定計画山林及び上記の限度面積を超える場合における当該猶予対象宅地等は、その全てについて措置法第69条の5第1項及び第70条の6の10第1項の規定の適用もないことに留意する（69の5－13及び70の6の10－18参照)。

2　上記の「猶予対象宅地等」には、措置法令第40条の2第5項に規定する猶予対象受贈宅地等を含むことに留意する。

(不動産貸付業等の範囲)

69の4－13　被相続人等の不動産貸付業、駐車場業又は自転車駐車場業については、その規模、設備の状況及び営業形態等を問わず全て措置法第69条の4第3項第1号及び第4号に規定する不動産貸付業又は措置法令第40条の2第7項に規定する駐車場業若しくは自転車駐車場業に当たるのであるから留意する。(平22課資2－14、課審6－17、徴管5－10、平25課資2－13、課資7－18、平30課資2－9、令元課資2－10改正)

(注)　措置法令第40条の2第1項に規定する準事業は、上記の不動産貸付業、駐車場業又は自転車駐車場業に当たらないことに留意する。

(下宿等)

69の4－14　下宿等のように部屋を使用させるとともに食事を供する事業は、措置法第69条の4第3項第1号及び第4号に規定する「不動産貸付業その他政令で定めるもの」に当たらないものとする。(平22課資2－14、課審6－17、徴管5－10改正)

(宅地等を取得した親族が申告期限までに死亡した場合)

69の4－15　被相続人の事業用宅地等を相続又は遺贈により取得した被相続人の親族が当該相続に係る相続税の申告期限までに死亡した場合には、当該親族から相続又は遺贈により当該宅地等を取得した当該親族の相続人が、措置法第69条の４第３項第１号イ又は第４号イの要件を満たせば、当該宅地等は同項第１号に規定する特定事業用宅地等又は同項第４号に規定する貸付事業用宅地等に当たるのであるから留意する。（平20課資２－１、課審６－１、平22課資２－14、課審６－17、徴管５－10改正）

（注）　当該相続人について措置法第69条の４第３項第１号イ又は第４号イの要件に該当するかどうかを判定する場合において、同項第１号又は第４号の申告期限は、相続税法第27条第２項《相続税の申告書》の規定による申告期限をいい、また、被相続人の事業（措置令第40条の２第１項に規定する事業を含む。以下69の４－15において同じ。）を引き継ぐとは、当該相続人が被相続人の事業を直接引き継ぐ場合も含まれるのであるから留意する。

（申告期限までに転業又は廃業があった場合）

69の４－16　措置法第69条の４第３項第１号イの要件の判定については、同号イの申告期限までに、同号イに規定する親族が当該宅地等の上で営まれていた被相続人の事業の一部を他の事業（同号に規定する事業に限る。）に転業しているときであっても、当該親族は当該被相続人の事業を営んでいるものとして取り扱う。

なお、当該宅地等が被相続人の営む２以上の事業の用に供されていた場合において、当該宅地等を取得した同号イに規定する親族が同号イの申告期限までにそれらの事業の一部を廃止したときにおけるその廃止に係る事業以外の事業の用に供されていた当該宅地等の部分については、当該宅地等の部分を取得した当該親族について同号イの要件を満たす限り、同号に規定する特定事業用宅地等に当たるものとする。（平20課資２－１、課審６－１、平22課資２－14、課審６－17、徴管５－10改正）

（注）１　措置法第69条の４第３項第４号イの要件の判定については、上記に準じて取り扱う。

２　措置法第69条の４第３項第１号ロ、同項第３号及び同項第４号ロの要件の判定については、上記のなお書に準じて取り扱う。

（災害のため事業が休止された場合）

69の４－17　措置法第69条の４第３項第１号イ又はロの要件の判定において、被相続人等の事業の用に供されていた施設が災害により損害を受けたため、同号イ又はロの申告期限において当該事業が休業中である場合には、同号に規定する親族（同号イの場合にあっては、その親族の相続人を含む。）により当該事業の再開のための準備が進められていると認められるときに限り、当該施設の敷地は、当該申告期限においても当該親族の当該事業の用に供されているものとして取り扱う。（平20課資２－１、課審６－１、平22課資２－14、課審６－17、徴管５－10改正）

（注）　措置法第69条の４第３項第２号イ及びハ、同項第３号並びに同項第４号イ及びロの要件の判定については、上記に準じて取り扱う。

（申告期限までに宅地等の一部の譲渡又は貸付けがあった場合）

69の４－18　措置法第69条の４第３項第１号イ又はロの要件の判定については、被相続人等の事業用宅地等の一部が同号イ又はロの申告期限までに譲渡され、又は他に貸し付けられ、同号の親族（同号イの場合にあっては、その親族の相続人を含む。）の同号イ又はロに規定する事業の用に供されなくなったときであっても、当該譲渡され、又は貸し付けられた宅地等の部分以外の宅地等の部分については、当該親族について同号イ又はロの要件を満たす限り、同号に規定する特定事業用宅地等に当たるものとして取り扱う。（平20課資２－１、課審６－１、平22課資２－14、課審６－17、徴管５－10改正）

（注）　措置法第69条の４第３項第３号の要件の判定については、上記に準じて取り扱う。

**(申告期限までに事業用建物等を建て替えた場合)**

69の4−19　措置法第69条の4第3項第1号イ又はロの要件の判定において、同号に規定する親族（同号イの場合にあっては、その親族の相続人を含む。）の事業の用に供されている建物等が同号イ又はロの申告期限までに建替え工事に着手された場合に、当該宅地等のうち当該親族により当該事業の用に供されると認められる部分については、当該申告期限においても当該親族の当該事業の用に供されているものとして取り扱う。（平20課資2−1、課審6−1、平22課資2−14、課審6−17、徴管5−10改正）

（注）　措置法第69条の4第3項第2号イ及びハ、同項第3号並びに同項第4号イ及びロの要件の判定については、上記に準じて取り扱う。

**(宅地等を取得した親族が事業主となっていない場合)**

69の4−20　措置法第69条の4第3項第1号イに規定する事業を営んでいるかどうかは、事業主として当該事業を行っているかどうかにより判定するのであるが、同号イに規定する親族が就学中であることその他当面事業主となれないことについてやむを得ない事情があるため、当該親族の親族が事業主となっている場合には、同号イに規定する親族が当該事業を営んでいるものとして取り扱う。（平22課資2−14、課審6−17、徴管5−10改正）

（注）　事業を営んでいるかどうかは、会社等に勤務するなど他に職を有し、又は当該事業の他に主たる事業を有している場合であっても、その事業の事業主となっている限りこれに当たるのであるから留意する。

**(新たに事業の用に供されたか否かの判定)**

69の4−20の2　措置法第69条の4第3項第1号の「新たに事業の用に供された宅地等」とは、事業（貸付事業（同項第4号に規定する貸付事業をいう。以下69の4−20の2において同じ。）を除く。以下69の4−20の5までにおいて同じ。）の用以外の用に供されていた宅地等が事業の用に供された場合の当該宅地等又は宅地等若しくはその上にある建物等につき「何らの利用がされていない場合」の宅地等が事業の用に供された場合の当該宅地等をいうことに留意する。

したがって、例えば、居住の用又は貸付事業の用に供されていた宅地等が事業の用に供された場合の当該事業の用に供された部分については、「新たに事業の用に供された宅地等」に該当するが、事業の用に供されていた宅地等が他の事業の用に供された場合の当該他の事業の用に供された部分については、これに該当しないことに留意する。

また、次に掲げる場合のように、事業に係る建物等が一時的に事業の用に供されていなかったと認められるときには、当該建物等に係る宅地等は、上記の「何らの利用がされていない場合」の宅地等に該当しないことに留意する。（令元課資2−10追加）

(1)　継続的に事業の用に供されていた建物等につき建替えが行われた場合において、建物等の建替え後速やかに事業の用に供されていたとき（当該建替え後の建物等を事業の用以外の用に供していないときに限る。）

(2)　継続的に事業の用に供されていた建物等が災害により損害を受けたため、当該建物等に係る事業を休業した場合において、事業の再開のための当該建物等の修繕その他の準備が行われ、事業が再開されていたとき（休業中に当該建物等を事業の用以外の用に供していないときに限る。）

（注）1　建替えのための建物等の建築中に相続が開始した場合には69の4−5の取扱いが、また、災害による損害のための休業中に相続が開始した場合には69の4−17の取扱いが、それぞれ

あることに留意する。

2 (1)又は(2)に該当する場合には、当該宅地等に係る「新たに事業の用に供された」時は、(1)の建替え前又は(2)の休業前の事業に係る事業の用に供された時となることに留意する。

3 (1)に該当する場合において、建替え後の建物等の敷地の用に供された宅地等のうちに、建替え前の建物等の敷地の用に供されていなかった宅地等が含まれるときは、当該供されていなかった宅地等については、新たに事業の用に供された宅地等に該当することに留意する。

**(政令で定める規模以上の事業の意義等)**

**69の４－20の３** 措置法令第40条の２第８項で定める規模以上の事業は、次に掲げる算式を満たす場合における当該事業（以下69の４－20の３において「特定事業」という。）であることに留意する。

なお、特定事業に該当するか否かの判定は、下記の特定宅地等ごとに行うことに留意する。（令元課資２－10追加）

（算式）

$$\frac{\text{事業の用に供されていた減価償却資産（注１）のうち被相続人等が有していたもの（注２）の相続の開始の時における価額の合計額}}{\text{新たに事業の用に供された宅地等（以下69の４－20の３において「特定宅地等」という。）（注３）の相続の開始の時における価額}} \geqq \frac{15}{100}$$

（注）１ 「減価償却資産」とは、特定宅地等に係る被相続人等の事業の用に供されていた次に掲げる資産をいい、当該資産のうちに当該事業の用以外の用に供されていた部分がある場合には、当該事業の用に供されていた部分に限ることに留意する。

① 特定宅地等の上に存する建物（その附属設備を含む。）又は構築物

② 所得税法第２条第１項第19号《定義》に規定する減価償却資産で特定宅地等の上で行われる当該事業に係る業務の用に供されていたもの（①に掲げるものを除く。）

なお、当該事業が特定宅地等を含む一の宅地等の上で行われていた場合には、特定宅地等を含む一の宅地等の上に存する建物（その附属設備を含む。）又は構築物のうち当該事業の用に供されていた部分並びに上記②の減価償却資産のうち特定宅地等を含む一の宅地等の上で行われる当該事業に係る業務の用に供されていた部分（当該建物及び当該構築物を除く。）は、上記①又は②に掲げる資産にそれぞれ含まれることに留意する。

また、上記②に掲げる資産が、共通して当該業務及び当該業務以外の業務の用に供されていた場合であっても、当該資産の全部が上記②に掲げる資産に該当することに留意する。

おって、「事業の用に供されていた減価償却資産」に該当するか否かの判定は、特定宅地等を新たに事業の用に供した時ではなく、相続開始の直前における現況によって行うことに留意する。したがって、例えば、特定宅地等を新たに事業の用に供した後に被相続人等が取得した上記②に掲げる資産も上記算式の分子に含まれることに留意する。

２ 「被相続人等が有していたもの」は、事業を行っていた被相続人又は事業を行っていた生計一親族（被相続人と生計を一にしていたその被相続人の親族をいう。）が、自己の事業の用に供し、所有していた減価償却資産であることに留意する。

３ 「特定宅地等」は、相続開始の直前において被相続人が所有していた宅地等であり、当該宅地等が数人の共有に属していた場合には当該被相続人の有していた持分の割合に応ずる部分であることに留意する。

**（相続開始前３年を超えて引き続き事業の用に供されていた宅地等の取扱い）**

**69の４－20の４**　相続開始前３年を超えて引き続き被相続人等の事業の用に供されていた宅地等については、「措置法令第40条の２第８項に定める規模以上の事業を行っていた被相続人等の事業」以外の事業に係るものであっても、措置法第69条の４第３項第１号イ又はロに掲げる要件を満たす当該被相続人の親族が取得した場合には、同号に規定する特定事業用宅地等に該当することに留意する。（令元課資２－10追加）

（注）　被相続人等の事業の用に供されていた宅地等が69の４－20の２に掲げる場合に該当する場合には、当該宅地等は引き続き事業の用に供されていた宅地等に該当することに留意する。

**（平成31年改正法附則による特定事業用宅地等に係る経過措置について）**

**69の４－20の５**　所得税法等の一部を改正する法律（平成31年法律第６号）附則第79条第２項の規定により、平成31年４月１日から令和４年３月31日までの間に相続又は遺贈により取得をした宅地等については、平成31年４月１日以後に新たに事業の用に供されたもの（措置法令第40条の２第８項に定める規模以上の事業を行っていた被相続人等の事業の用に供されたものを除く。）が、措置法第69条の４第３項第１号に規定する特定事業用宅地等の対象となる宅地等から除かれることに留意する。（令元課資２－10追加）

**（被相続人の居住用家屋に居住していた親族の範囲）**

**69の４－21**　措置法第69条の４第３項第２号ロに規定する当該被相続人の居住の用に供されていた家屋に居住していた親族とは、当該被相続人に係る相続の開始の直前において当該家屋で被相続人と共に起居していたものをいうのであるから留意する。この場合において、当該被相続人の居住の用に供されていた家屋については、当該被相続人が１棟の建物でその構造上区分された数個の部分の各部分（以下69の４－21において「独立部分」という。）を独立して住居その他の用途に供することができるものの独立部分の一に居住していたときは、当該独立部分をいうものとする。（平20課資２－１、課審６－１、平25課資２－13、課資７－18改正）

**（「当該親族の配偶者」等の意義）**

**69の４－22**　措置法第69条の４第３項第２号ロ(1)に規定する「当該親族の配偶者、当該親族の三親等内の親族又は当該親族と特別の関係がある法人」とは、相続の開始の直前において同号に規定する親族の配偶者、当該親族の三親等内の親族又は当該親族と特別の関係がある法人である者をいうものとする。

**（平成30年改正法附則による特定居住用宅地等に係る経過措置について）**

**69の４－22の２**　所得税法等の一部を改正する法律（平成30年法律第７号。以下69の４－22の２及び69の４－24の８において「平成30年改正法」という。）附則第118条第２項《相続税及び贈与税の特例に関する経過措置》に規定する経過措置対象宅地等（以下69の４－22の２において「経過措置対象宅地等」という。）については、次の経過措置が設けられていることに留意する。（平30課資２－９追加、令元課資２－10改正）

(1)　個人が平成30年４月１日から令和２年３月31日までの間に相続又は遺贈により取得をした経過措置対象宅地等については、措置法第69条の４第３項第２号に規定する親族に係る要件は、同号イからハまでに掲げる要件のいずれか又は平成30年改正法による改正前の措置法第69条の４第３項第２

号ロに掲げる要件とする。

(2) 個人が令和２年４月１日以後に相続又は遺贈により取得をした財産のうちに経過措置対象宅地等がある場合において、同年３月31日において当該経過措置対象宅地等の上に存する建物の新築又は増築その他の工事が行われており、かつ、当該工事の完了前に相続又は遺贈があったときは、その相続又は遺贈に係る相続税の申告期限までに当該個人が当該建物を自己の居住の用に供したときは、当該経過措置対象宅地等は相続開始の直前において当該相続又は遺贈に係る被相続人の居住の用に供されていたものと、当該個人は措置法第69条の４第３項第２号イに掲げる要件を満たす親族とそれぞれみなす。

(注) 1　経過措置対象宅地等とは、平成30年３月31日に相続又は遺贈があったものとした場合に、平成30年改正法による改正前の措置法第69条の４第１項に規定する特例対象宅地等（同条第３項第２号に規定する特定居住用宅地等のうち同号ロに掲げる要件を満たすものに限る。）に該当することとなる宅地等をいうことに留意する。

2 「工事の完了」とは、新築又は増築その他の工事に係る請負人から新築された建物の引渡しを受けたこと又は増築その他の工事に係る部分につき引渡しを受けたことをいうことに留意する。

（法人の事業の用に供されていた宅地等の範囲）

69の４－23　措置法第69条の４第３項第３号に規定する法人の事業の用に供されていた宅地等とは、次に掲げる宅地等のうち同号に規定する法人（同号に規定する申告期限において清算中の法人を除く。以下69の４－24までにおいて同じ。）の事業の用に供されていたものをいうものとする。（平18課資２－４、平20課資２－１、課審６－１、平22課資２－14、課審６－17、徴管５－10、平25課資２－13、課審７－18、令元課資２－10、令２課資２－10改正）

(1) 当該法人に貸し付けられていた宅地等（当該貸付けが同条第１項に規定する事業に該当する場合に限る。）

(2) 当該法人の事業の用に供されていた建物等で、被相続人が所有していたもの又は被相続人と生計を一にしていたその被相続人の親族が所有していたもの（当該親族が当該建物等の敷地を被相続人から無償で借り受けていた場合における当該建物等に限る。）で、当該法人に貸し付けられていたもの（当該貸付けが同項に規定する事業に該当する場合に限る。）の敷地の用に供されていたもの

(注) 1　措置法第69条の４第３項第３号に規定する法人の事業には、不動産貸付業その他措置法令第40条の２第７項に規定する駐車場、自転車駐車場及び準事業が含まれないことに留意する。

2　相続又は遺贈により取得した宅地等が、当該相続の開始の直前において配偶者居住権に基づき使用又は収益されていた建物等の敷地の用に供されていたものである場合には、上記(2)の「被相続人と生計を一にしていたその被相続人の親族」とあるのは「被相続人の親族」と、「で、当該法人に」とあるのは「のうち、配偶者居住権者である被相続人等により当該法人へ」と読み替えるものとする。

（法人の社宅等の敷地）

69の４－24　措置法第69条の４第３項第３号の要件の判定において、同号に規定する法人の社宅等（被相続人等の親族のみが使用していたものを除く。）の敷地の用に供されていた宅地等は、当該法人の事業の用に供されていた宅地等に当たるものとする。（平20課資２－１、課審６－１改正）

（被相続人等の貸付事業の用に供されていた宅地等）

69の４－24の２　宅地等が措置法第69条の４第３項第４号に規定する被相続人等の貸付事業（以下69の４－24の８までにおいて「貸付事業」という。）の用に供されていた宅地等に該当するかどうかは、当該宅地等が相続開始の時において現実に貸付事業の用に供されていたかどうかで判定するのであるが、貸付事業の用に供されていた宅地等には、当該貸付事業に係る建物等のうちに相続開始の時において一時的に賃貸されていなかったと認められる部分がある場合における当該部分に係る宅地等の部分が含まれることに留意する。（平22課資２－14、課審６－17、徴管５－10追加、平30課資２－９、令２課資２－10改正）

（注）１　69の４－５の取扱いがある場合を除き、新たに貸付事業の用に供する建物等を建築中である場合や、新たに建築した建物等に係る賃借人の募集その他の貸付事業の準備行為が行われているに過ぎない場合には、当該建物等に係る宅地等は貸付事業の用に供されていた宅地等に該当しないことに留意する。

２　配偶者居住権の設定に係る相続又は遺贈により当該貸付事業に係る建物等（当該配偶者居住権の目的とされたものに限る。）の敷地の用に供されていた宅地等を取得した場合には、当該宅地等のうち当該配偶者居住権に基づく敷地利用権に相当する部分については、当該貸付事業の用に供されていた宅地等に該当しないことに留意する。

（新たに貸付事業の用に供されたか否かの判定）

69の４－24の３　措置法第69条の４第３項第４号の「新たに貸付事業の用に供された」とは、貸付事業の用以外の用に供されていた宅地等が貸付事業の用に供された場合又は宅地等若しくはその上にある建物等につき「何らの利用がされていない場合」の当該宅地等が貸付事業の用に供された場合をいうことに留意する。

したがって、賃貸借契約等につき更新がされた場合は、新たに貸付事業の用に供された場合に該当しないことに留意する。

また、次に掲げる場合のように、貸付事業に係る建物等が一時的に賃貸されていなかったと認められるときには、当該建物等に係る宅地等は、上記の「何らの利用がされていない場合」に該当しないことに留意する。（平30課資２－９追加）

⑴　継続的に賃貸されていた建物等につき賃借人が退去をした場合において、その退去後速やかに新たな賃借人の募集が行われ、賃貸されていたとき（新たな賃借人が入居するまでの間、当該建物等を貸付事業の用以外の用に供していないときに限る。）

⑵　継続的に賃貸されていた建物等につき建替えが行われた場合において、建物等の建替え後速やかに新たな賃借人の募集が行われ、賃貸されていたとき（当該建替え後の建物等を貸付事業の用以外の用に供していないときに限る。）

⑶　継続的に賃貸されていた建物等が災害により損害を受けたため、当該建物等に係る貸付事業を休業した場合において、当該貸付事業の再開のための当該建物等の修繕その他の準備が行われ、当該貸付事業が再開されていたとき（休業中に当該建物等を貸付事業の用以外の用に供していないときに限る。）

（注）１　建替えのための建物等の建築中に相続が開始した場合には69の４－５の取扱いが、また、災害による損害のための休業中に相続が開始した場合には69の４－17の取扱いが、それぞれあることに留意する。

２　⑴、⑵又は⑶に該当する場合には、当該宅地等に係る「新たに貸付事業の用に供された」

時は、(1)の退去前、(2)の建替え前又は(3)の休業前の賃貸に係る貸付事業の用に供された時となることに留意する。

3　(2)に該当する場合において、建替え後の建物等の敷地の用に供された宅地等のうちに、建替え前の建物等の敷地の用に供されていなかった宅地等が含まれるときは、当該供されていなかった宅地等については、新たに貸付事業の用に供された宅地等に該当することに留意する。

(特定貸付事業の意義)

69の４－24の４　措置法令第40条の２第19項に規定する特定貸付事業（以下69の４－24の８までにおいて「特定貸付事業」という。）は、貸付事業のうち準事業以外のものをいうのであるが、被相続人等の貸付事業が準事業以外の貸付事業に当たるかどうかについては、社会通念上事業と称するに至る程度の規模で当該貸付事業が行われていたかどうかにより判定することに留意する。

なお、この判定に当たっては、次によることに留意する。（平30課資２－９追加、令元課資２－10改正）

(1)　被相続人等が行う貸付事業が不動産の貸付けである場合において、当該不動産の貸付けが不動産所得（所得税法（昭和40年法律第33号）第26条第１項《不動産所得》に規定する不動産所得をいう。以下(1)において同じ。）を生ずべき事業として行われているときは、当該貸付事業は特定貸付事業に該当し、当該不動産の貸付けが不動産所得を生ずべき事業以外のものとして行われているときは、当該貸付事業は準事業に該当すること。

(2)　被相続人等が行う貸付事業の対象が駐車場又は自転車駐車場であって自己の責任において他人の物を保管するものである場合において、当該貸付事業が同法第27条第１項《事業所得》に規定する事業所得を生ずべきものとして行われているときは、当該貸付事業は特定貸付事業に該当し、当該貸付事業が同法第35条第１項《雑所得》に規定する雑所得を生ずべきものとして行われているときは、当該貸付事業は準事業に該当すること。

（注）　(1)又は(2)の判定を行う場合においては、昭和45年７月１日付直審（所）30「所得税基本通達の制定について」(法令解釈通達) 26－９《建物の貸付けが事業として行われているかどうかの判定》及び27－２《有料駐車場等の所得》の取扱いがあることに留意する。

(特定貸付事業が引き続き行われていない場合)

69の４－24の５　相続開始前３年以内に宅地等が新たに被相続人等が行う特定貸付事業の用に供された場合において、その供された時から相続開始の日までの間に当該被相続人等が行う貸付事業が特定貸付事業に該当しないこととなったときは、当該宅地等は、相続開始の日まで３年を超えて引き続き特定貸付事業を行っていた被相続人等の貸付事業の用に供されたものに該当せず、措置法第69条の４第３項第４号に規定する貸付事業用宅地等の対象となる宅地等から除かれることに留意する。（平30課資２－９追加）

（注）　被相続人等が行っていた特定貸付事業が69の４－24の３に掲げる場合に該当する場合には、当該特定貸付事業は、引き続き行われているものに該当することに留意する。

(特定貸付事業を行っていた「被相続人等の当該貸付事業の用に供された」の意義)

69の４－24の６　措置法第69条の４第３項第４号の特定貸付事業を行っていた「被相続人等の当該貸付事業の用に供された」とは、特定貸付事業を行っていた被相続人等が、宅地等をその自己が行っていた特定貸付事業の用に供した場合をいうのであって、次に掲げる場合はこれに該当しないことに留意

する。（平30課資２－９追加、令元課資２－10改正）

⑴　被相続人が特定貸付事業を行っていた場合に、被相続人と生計を一にする親族が宅地等を自己の貸付事業の用に供したとき

⑵　被相続人と生計を一にする親族が特定貸付事業を行っていた場合に、被相続人又は当該親族以外の被相続人と生計を一にする親族が宅地等を自己の貸付事業の用に供したとき

**（相続開始前３年を超えて引き続き貸付事業の用に供されていた宅地等の取扱い）**

**69の４－24の７**　相続開始前３年を超えて引き続き被相続人等の貸付事業の用に供されていた宅地等については、措置法令第40条の２第19項に規定する特定貸付事業以外の貸付事業に係るものであっても、措置法第69条の４第３項第４号イ又はロに掲げる要件を満たす当該被相続人の親族が取得した場合には、同号に規定する貸付事業用宅地等に該当することに留意する。（平30課資２－９追加、令元課資２－10改正）

（注）　被相続人等の貸付事業の用に供されていた宅地等が69の４－24の３に掲げる場合に該当する場合には、当該宅地等は引き続き貸付事業の用に供されていた宅地等に該当することに留意する。

**（平成30年改正法附則による貸付事業用宅地等に係る経過措置について）**

**69の４－24の８**　平成30年改正法附則第118条第４項の規定により、平成30年４月１日から令和３年３月31日までの間に相続又は遺贈により取得をした宅地等については、平成30年４月１日以後に新たに貸付事業の用に供されたもの（相続開始の日まで３年を超えて引き続き特定貸付事業を行っていた被相続人等の当該特定貸付事業の用に供されたものを除く。）が、措置法第69条の４第３項第４号に規定する貸付事業用宅地等の対象となる宅地等から除かれることに留意する。（平30課資２－９追加、令元課資２－10改正）

**（共同相続人等が特例対象宅地等の分割前に死亡している場合）**

**69の４－25**　相続又は遺贈により取得した特例対象宅地等の全部又は一部が共同相続人又は包括受遺者（以下69の５－11までにおいて「共同相続人等」という。）によって分割される前に、当該相続（以下69の４－25において「第一次相続」という。）に係る共同相続人等のうちいずれかが死亡した場合において、第一次相続により取得した特例対象宅地等の全部又は一部が、当該死亡した者の共同相続人等及び第一次相続に係る当該死亡した者以外の共同相続人等によって分割され、その分割により当該死亡した者の取得した特例対象宅地等として確定させたものがあるときは、措置法第69条の４第１項の規定の適用に当たっては、その特例対象宅地等は分割により当該死亡した者が取得したものとして取り扱うことができる。（平16課資２－８、平17課資２－７、平18課資２－４、平20課資２－１、課審６－１、平21課資２－７、課審６－10、徴管５－13、令元課資２－10改正）

（注）　第一次相続に係る共同相続人等のうちいずれかが死亡した後、第一次相続により取得した財産の全部又は一部が家庭裁判所における調停又は審判（以下69の５－９までにおいて「審判等」という。）に基づいて分割されている場合において、当該審判等の中で、当該死亡した者の具体的相続分（民法第900条《法定相続分》から第904条の２《寄与分》まで（第902条の２《相続分の指定がある場合の債権者の権利の行使》を除く。）に規定する相続分をいう。以下69の５－９までにおいて同じ。）のみが金額又は割合によって示されているにすぎないときであっても、当該死亡した者の共同相続人等の全員の合意により、当該死亡した者の具体的相続分に対応する財産として特定させたもののうちに特例対象宅地等があるときは上記の取扱いができることに留意する。

（申告書の提出期限後に分割された特例対象宅地等について特例の適用を受ける場合）

69の４－26　相続税法第27条の規定による申告書の提出期限後に特例対象宅地等の全部又は一部が分割された場合には、当該分割された日において他に分割されていない特例対象宅地等又は措置法令第40条の２第３項に規定する特例対象株式等若しくは特例対象山林があるときであっても、当該分割された特例対象宅地等の全部又は一部について、措置法第69条の４第１項の規定の適用を受けるために同条第５項において準用する相続税法第32条の規定による更正の請求を行うことができるのは、当該分割された日の翌日から４月以内に限られており、当該期間経過後において当該分割された特例対象宅地等について同条の規定による更正の請求をすることはできないことに留意する。（平19課資２－７、課審６－５、平21課資２－７、課審６－10、徴管５－13改正）

（個人の事業用資産についての納税猶予及び免除の適用がある場合）

69の４－26の２　被相続人が次に掲げる者のいずれかに該当する場合には、措置法第69条の４第６項の規定により、当該被相続人から相続又は遺贈により取得をした全ての同条第３項第１号に規定する特定事業用宅地等について、同条第１項の規定の適用がないことに留意する。（令元課資２－10追加）

１　措置法第70条の６の８第１項の規定の適用を受けた同条第２項第２号に規定する特例事業受贈者に係る同条第１項に規定する贈与者

２　措置法第70条の６の10第１項の規定の適用を受ける同条第２項第２号に規定する特例事業相続人等に係る同条第１項に規定する被相続人

（注）１　上記の「取得」には、措置法第70条の６の９第１項（同条第２項の規定により読み替えて適用する場合を含む。）の規定により相続又は遺贈により取得をしたものとみなされる場合における当該取得が含まれることに留意する。

２　当該被相続人から相続又は遺贈により取得をした措置法第69条の４第３項第２号に規定する特定居住用宅地等、同項第３号に規定する特定同族会社事業用宅地等及び同項第４号に規定する貸付事業用宅地等については、同条第６項の規定の適用はないことに留意する。

（郵便局舎の敷地の用に供されている宅地等に係る相続税の課税の特例）

69の４－27　個人が相続又は遺贈により取得した財産のうちに、郵政民営化法（平成17年法律第97号）第180条第１項《相続税に係る課税の特例》に規定する特定宅地等（以下69の４－33までにおいて「特定宅地等」という。）がある場合において、当該特定宅地等は、同項の規定により措置法第69条の４第３項第１号に規定する特定事業用宅地等に該当する同条第１項に規定する特例対象宅地等とみなして、同条及び同法第69条の５の規定を適用することに留意する。（平20課資２－１、課審６－１、平21課資２－７、課審６－10、徴管５－13改正）

（郵便局舎の敷地の用に供されている宅地等について相続税に係る課税の特例の適用を受けている場合）

69の４－28　郵政民営化法第180条第１項の規定は、同法の施行日（平成19年10月１日）から平成24年改正法（郵政民営化法等の一部を改正する等の法律（平成24年法律第30号）をいう。以下69の４－32までにおいて同じ。）の施行日（平成24年10月１日）の前日（平成24年９月30日）までの間にあっては平成24年改正法第３条《郵便局株式会社法の一部改正》の規定による改正前の郵便局株式会社法（平成17年法律第100号）第２条第２項《定義》に規定する郵便局の用に供するため郵便局株式会社に、平成24年10月１日から相続の開始の直前までの間にあっては日本郵便株式会社法（平成17年法律第100号）第２条第４項《定義》に規定する郵便局の用に供するため日本郵便株式会社に対し貸し付けられていた建物（以下69の４－37までにおいて「郵便局舎」という。）の敷地の用に供されていた土地又は土地の上に存する権利（以下69の４－37までにおいて「土地等」という。）について、既に郵政民営化法第180条第１項の規定の適用を受けていない場合に限り適用があることに留意する。（平20課資２－１、課審６－１、平21課資２－７、課審６－10、徴管５－13、平25課資２－10改正）

**（「相続人」の意義）**

**69の４－29**　郵政民営化法第180条第１項に規定する「相続人」には、相続を放棄した者及び相続権を失った者を含まないことに留意する。

なお、「相続を放棄した者」及び「相続権を失った者」の意義については、相続税法基本通達３－１《「相続を放棄した者」の意義》及び３－２《「相続権を失った者」の意義》をそれぞれ準用する。（平20課資２－１、課審６－１、平21課資２－７、課審６－10、徴管５－13改正）

**（特定宅地等の範囲）**

**69の４－30**　郵政民営化法第180条第１項の規定は、郵便局舎の敷地の用に供されていた土地等を被相続人が平成19年10月１日前から相続の開始の直前まで引き続き有している場合に限り適用されることに留意する。（平20課資２－１、課審６－１、平21課資２－７、課審６－10、徴管５－13、平22課資２－14、課審６－17、徴管５－10、平25課資２－10改正）

**（建物の所有者の範囲）**

**69の４－31**　郵政民営化法第180条第１項の規定は、同項第１号に規定する賃貸借契約の当事者である被相続人又は被相続人の相続人が、郵便局舎を平成19年10月１日前から有していた場合に限り適用されることに留意する。（平20課資２－１、課審６－１、平21課資２－７、課審６－10、徴管５－13、平22課資２－14、課審６－17、徴管５－10、平25課資２－10改正）

**（特定宅地等とならない部分の範囲）**

**69の４－32**　特定宅地等となる土地等とは、当該土地等のうちに平成24年改正法第３条の規定による改正前の郵便局株式会社法第４条第１項《業務の範囲》に規定する業務（同条第２項に規定する業務を併せて行っている場合の当該業務を含む。以下同じ。）の用に供されていた部分以外の部分があるときは、当該業務の用に供されていた部分に限られることに留意する。（平20課資２－１、課審６－１、平21課資２－７、課審６－10、徴管５－13、平22課資２－14、課審６－17、徴管５－10、平25課資２－10改正）

（注）　郵便局株式会社に対し貸し付けられていた郵便局舎で、例えば、当該郵便局株式会社から郵政民営化法第176条の３《日本郵便株式会社及び郵便事業株式会社の合併》の規定により吸収合併消滅会社となった平成24年改正法第１条《郵政民営化法の一部改正》の規定による改正前の郵政民営化法第70条《設立》の規定により設立された郵便事業株式会社に転貸されていた部分は、平成24年改正法第３条の規定による改正前の郵便局株式会社法第４条第３項に規定する業務の用に供されていた部分であるため郵政民営化法第180条第１項の規定の適用はないことに留意する。

ただし、当該部分が措置法第69条の４第１項第２号に規定する貸付事業用宅地等である小規模宅地等に該当するときは、同号の規定の適用があることに留意する。

（郵便局舎の敷地を被相続人から無償により借り受けている場合）

69の４－33　被相続人の相続の開始の直前において、当該被相続人と生計を一にしていた当該被相続人の相続人が、当該被相続人から無償により借り受けていた土地等を郵便局舎の敷地の用に供していた場合において、当該土地等が特定宅地等に該当しない場合であっても、当該被相続人と生計を一にしていた当該被相続人の相続人が、相続開始時から申告期限まで引き続き当該土地等を有し、かつ、相続開始前から申告期限まで引き続き当該土地等の上に存する郵便局舎を日本郵便株式会社（平成24年９月30日までの間にあっては郵便局株式会社）に対し相当の対価を得て継続的に貸し付けていた場合には、措置法第69条の４第１項第２号の規定の適用があることに留意する。（平20課資２－１、課審６－１、平21課資２－７、課審６－10、徴管５－13、平22課資２－14、課審６－17、徴管５－10、平25課資２－10改正）

（賃貸借契約の変更に該当しない事項）

69の４－34　郵政民営化法第180条第１項第１号に規定する旧公社との間の賃貸借契約においてあらかじめ契約条項として盛り込まれた賃貸借料算出基準に基づく賃貸借料の改定又は賃貸借契約の目的物に変更がないと認められる面積に増減が生じない郵便局舎の修繕、耐震工事若しくは模様替えは、同号に規定する賃貸借契約の契約事項の変更に該当しないことに留意する。（平20課資２－１、課審６－１、平21課資２－７、課審６－10、徴管５－13改正）

（相続の開始以後の日本郵便株式会社への郵便局舎の貸付）

69の４－35　郵政民営化法第180条第１項の規定は、相続又は遺贈により郵便局舎の敷地の用に供されている土地等を取得した相続人が当該土地等の上に存する郵便局舎である建物の全部又は一部を有し、かつ、日本郵便株式会社（当該相続が平成24年９月30日までに開始した場合には、当該相続の開始の日から平成24年９月30日までの間にあっては郵便局株式会社、平成24年10月１日以後にあっては日本郵便株式会社）との賃貸借契約の当事者として当該郵便局舎を貸し付けている場合に限り適用があることに留意する。（平20課資２－１、課審６－１、平21課資２－７、課審６－10、徴管５－13、平25課資２－10改正）

（災害のため業務が休業された場合）

69の４－36　郵政民営化法第180条第１項第２号の要件の判定において、郵便局舎が災害により損害を受けたため、相続税の申告期限において郵便局の業務が休業中である場合には、同号に規定する相続人から日本郵便株式会社（当該相続税の申告期限が平成24年10月１日前の場合には、郵便局株式会社）が郵便局舎を借り受けており、かつ、郵便局の業務の再開のための準備が進められていると認められるとき（同号の証明がされたものに限る。）に限り、当該土地等を相続の開始の日以後５年以上当該郵便局舎の敷地の用に供する見込みであるものとして取り扱う。（平20課資２－１、課審６－１、平21課資２－７、課審６－10、徴管５－13、平25課資２－10改正）

（宅地等の一部の譲渡又は日本郵便株式会社との賃貸借契約の解除等があった場合）

69の４－37　郵政民営化法第180条第１項第２号に規定する「当該相続又は遺贈により当該宅地等の取得をした相続人から当該相続の開始の日以後５年以上当該郵便局舎を日本郵便株式会社（当該相続が平成24年改正法施行日前に開始した場合には、当該相続の開始の日から平成24年改正法施行日の前日までの間にあっては郵便局株式会社、平成24年改正法施行日以後にあっては日本郵便株式会社）が引き続き借り受けることにより、当該宅地等を当該相続の開始の日以後５年以上当該郵便局舎の敷地の用に供する見込みであること」とは、当該相続又は遺贈により取得した郵便局舎の敷地の用に供されていた土地等の全部について当該郵便局舎の敷地の用に供する見込みである場合をいうのであって、例えば、被相続人に係る相続の開始の日以後から同号に規定する証明がされるまでの間に、当該土地等の一部が譲渡され、又は日本郵便株式会社（当該相続が平成24年９月30日までに開始した場合には、当該相続の開始の日から平成24年９月30日までの間にあっては郵便局株式会社、平成24年10月１日以後にあっては日本郵便株式会社）との賃貸借契約を解除された場合、若しくは、当該土地等の一部を譲渡し、又は当該日本郵便株式会社との賃貸借契約を解除する見込みである場合は同項の規定の適用はないことに留意する。（平20課資２－１、課審６－１、平21課資２－７、課審６－10、徴管５－13、平25課資２－10改正）

（平成21年改正前措置法第69条の４の取扱い）

69の４－38　平成21年改正法（所得税法等の一部を改正する法律（平成21年法律第13号）をいう。以下旧70の３の３・70の３の４－４までにおいて同じ。）附則第64条第11項《非上場株式等についての相続税の課税価格の計算の特例等に関する経過措置》の規定によりなお従前の例によるものとされる改正前の措置法（以下旧70の３の３・70の３の４－３までにおいて「平成21年改正前措置法」という。）第69条の４《小規模宅地等についての相続税の課税価格の計算の特例》、平成21年改正措令（租税特別措置法施行令等の一部を改正する政令（平成21年政令第108号）をいう。以下旧70の３の３・70の３の４－１までにおいて同じ。）による改正前の措置法令第40条の２《小規模宅地等についての相続税の課税価格の計算の特例》及び平成21年改正措規（租税特別措置法施行規則の一部を改正する省令（平成21年省令第19号）をいう。以下旧70の３の３・70の３の４－１までにおいて同じ。）による改正前の措置法規則第23条の２《小規模宅地等についての相続税の課税価格の計算の特例》の規定の適用を受ける場合の取扱いについては、平成21年６月17日付課資２－７ほか２課共同「租税特別措置法（相続税法の特例関係）の取扱いについて」の一部改正について（法令解釈通達）による改正前の「租税特別措置法（相続税法の特例関係）の取扱いについて」の取扱いの例による。（平21課資２－７、課審６－10、徴管５－13追加）

（平成21年改正前措置法第70条の３の３又は第70条の３の４の規定の適用を受けた特定同族株式等について措置法第70条の７の２第１項の規定の適用を受けた場合の小規模宅地等の特例の不適用）

69の４－39　被相続人から相続若しくは遺贈又は相続時精算課税に係る贈与により財産を取得したいずれかの者が、当該被相続人である平成21年改正法附則第64条第７項に規定する特定同族株式等贈与者（以下旧70の３の３・70の３の４－７までにおいて「特定同族株式等贈与者」という。）から平成20年12月31日以前に相続時精算課税に係る贈与により取得した同条第６項に規定する特定同族株式等（以下旧70の３の３・70の３の４－７までにおいて「特定同族株式等」という。）について平成21年改正前措置法第70条の３の３第１項《特定の贈与者から特定同族株式等の贈与を受けた場合の相続時精算課税の特例》又は平成21年改正前措置法第70条の３の４第１項《特定同族株式等の贈与を受けた場合の相続時精算課税に係る贈与税の特別控除の特例》の規定の適用を受けている場合には、平成21年改正法附則第64条第７項の規定の適用の有無にかかわらず、当該被相続人から相続若しくは遺贈又は相続時精算課税に係る贈与により財産を取得したすべての者について平成21年改正前措置法第69条の４第１項及び措置法第69条の４第１項の規定の適用がないことに留意する。（平21課資２－７、課審６－10、徴管５－13、平22課資２－14、課審６－17、徴管５－10追加）

(注)　上記の平成21年改正前措置法第70条の３の３第１項又は平成21年改正前措置法第70条の３の４第１項の規定の適用を受けた特定同族株式等に係る会社と異なる会社に係る平成21年改正前措置法第69条の４第１項及び措置法第69条の４第１項に規定する特例対象宅地等を当該被相続人から相続又は遺贈により取得した場合であっても上記と同様の取扱いとなることに留意する。

（著者経歴）
昭和37年12月　兵庫県神戸市生まれ
昭和56年４月　関西大学経済学部入学
昭和58年９月　大原簿記専門学校非常勤講師就任
昭和59年12月　税理士試験合格
昭和60年３月　関西大学経済学部卒業
その後会計事務所に勤務（主に相続・譲渡等の資産税部門の業務を担当）
平成３年２月　笹岡会計事務所設立　その後現在に至る。
（著　　書）
『これだけはおさえておきたい相続税の実務Ｑ＆Ａ』（清文社）
『ケーススタディ 相続税財産評価の税務判断』（清文社）
『具体事例による財産評価の実務』（清文社）
『難解事例から探る　財産評価のキーポイント』（ぎょうせい）

（お願い）
小規模宅地等に関する事案は、各事例とも極めて個別特殊性を有するものであることが一般的です。そのような理由により本書に関するご質問及び照会につきましては対応が大変困難な状況です。この点斟酌をいただき、ご配慮をお願い申し上げます。

令和３年７月改訂
詳解 小規模宅地等の課税特例の実務－重要項目の整理と理解－〈下〉

2021年８月25日　発行

著　者　笹岡 宏保 Ⓒ
発行者　小泉 定裕
発行所　株式会社 清文社
東京都千代田区内神田１－６－６（MIFビル）
〒101-0047　電話 03(6273)7946　FAX 03(3518)0299
大阪市北区天神橋２丁目北２－６（大和南森町ビル）
〒530-0041　電話 06(6135)4050　FAX 06(6135)4059
URL https://www.skattsei.co.jp/

印刷：㈱廣済堂



ISBN978-4-433-72191-6